自由人（十八）

自由人總目錄

動盪時代的印記——《自由人》三日刊始末

陳正茂（北台灣科學技術學院通識教育中心教授）

一、前言：《自由人》三日刊創刊之背景

民國三十八年是中國歷史上驚天動地的一年，隨著戡亂戰局的逆轉，中共席捲大陸，國府敗退遷台，真是國命如絲風雨飄搖的危急存亡之秋。處此動盪時代中，除大批軍民同胞隨政府播遷來台外；尚有一部分人士選擇避難香江，南下港九一隅，這些人當中，有不少是失意政客和知識份子。基本上，當年選擇避秦來港的知識份子，其心態上有兩種，一則對國、共兩黨均感不滿；再則係看上香港為自由民主之地，較能有揮灑發展的空間。此情勢考量，誠如雷嘯岑所言：「在一九四九－五〇年之間，因大陸淪陷，香港乃成了反共非共的中國人士望門投止的逋逃之藪」。

這些投奔港九的政治難民，以高級知識份子居多；兼以香港時為英屬自由之地，所以只要不違背港府法令，一般而言從事任何活動是百無禁忌，相當自由的。不僅可以高談政治問題，甚至於從事政治活動亦不加以限制。於是，「從大陸流亡到港九的高級知識份子群，乃相率呼朋引類，常舉行座談會，交換對國事意見，而美國國務院的巡迴大使吉塞普（Philip Jessup），斯時亦在香港鼓勵中國人組織『第三勢力』運動，目的以反共為主。」在此背景下，港九地區的自由民主人士，在美國幕後撐腰下，「各種座談會風起雲湧，熱鬧非凡；而諸多以反共為職志的大小刊物，更是應運而興，琳瑯滿目了。」所以，《自由人》三日刊，就是在此大時代氛圍下孕育而生的。

二、《自由人》三日刊誕生之經過

《自由人》三日刊醞釀誕生之經過，最早鼓吹者，一般而言，說法有二，一為由王雲五號召發起。據其《岫廬八十自述》書中提及：「自民國三十九年開始以來，由於中共匪幫建立偽政權，並先後獲得蘇俄、緬甸、印度、巴基斯坦及英國的承認，於是匪幫的勢力在香港突然大振，不少反共分子漸呈動搖態度。旅港有識之士深感囂風日長，漸使全港華人隨而動搖，乃相與集議挽救之道。我因在港主辦一個小規模出版事業（按：即華國出版社），尤以一貫堅持反共方針，遂由多數參加集議人士推任領導。由臨時的集會，變為固定的座談；其地點經常利用國民黨在銅鑼灣某街所租賃之四樓房屋一層。每次參

1 馬五，〈「自由人」之產生與夭折〉，見馬五（雷嘯岑）著，《政海人物面面觀》（香港：風屋書店出版，一九八六年十二月初版），頁二一二。又此種座談會多在週末舉行，也有人稱之為「週末座談會」或「星期六座談會」。見馬五先生著，《我的生活史》（台北：自由太平洋文化事業公司出版，民國五十四年三月一日初版），頁一六一。

加座談者，多至三十餘人，少亦一二十人，皆為文化界人士，或為舊日與政治有關係者，各政黨及無黨派人士皆有之。後來我以香港政府最忌政治性的集會，凡參加人數較多，尤易引起猜疑，動輒干涉。加以如此散漫的座談，亦未必能持久，因於某次座談中提議創辦一小型之定期刊物，每週或半週出版一次，既可藉此刊物益鞏固反共人士之維繫，且刊物一經向港政府註冊，則在刊物辦公處所舉行的座談，皆可諉稱編輯會議，可免港政府之干涉。此議一出，諸人咸表贊同，遂計劃如何組織與籌款。結果決辦三日刊，定名為自由人，其資金由參加坐談人士各自量力提供。我首先代表華國出版社提供港幣一千五百元，此外各發起人分別擔任，或一千，或五百不等；並經決定撰文者一律用真姓名，以明責任。其後，又決定委託香港時報代為印刷發行。因是，籌備進行益力，發起人等每星期至少集會一次，間或二次，一切進行甚為順利。」[2]

二為眾人集議，早有志於此，雷嘯岑即主此說。雷言：「這時候，即有原在大陸上服務新聞界的報人成舍我、陶百川、程滄波，協同青年黨人左舜生、民社黨人金侯成，以及國民黨人阮毅成、無黨無派的王雲五，外加香港時報社長許孝炎、新聞天地雜誌社社長卜少夫一干人等，於每週末午後在香港高士威道某號住宅中，舉行文化座談會。大家談來談去，得到一項結論，要辦一份刊物，以闡揚民主自由思想，在文化上進行反共鬥爭。……適韓戰爆發，預料東亞局勢將有變化，刊物必須及時問世，刊物取名「自由人」，由程滄波書寫報頭兼撰〈發刊詞〉，標題是〈我們要做自由人〉。」[3]

2 王雲五，《岫廬八十自述》（台北：商務版，民國五十六年七月一日初版），頁一〇四～一〇五。

3 馬五，〈「自由人」之產生與夭折〉，同註一，頁二一二～二一三。又見馬之驌，《雷震與蔣介石》（台北：自立晚報社文化出版部出版，一九九三年十一月一版），頁八一。

然由當事人之一的阮毅成事後追記，似乎《自由人》三日刊能草創成功，仍是由王雲五一手主導的。阮說：「民國三十九年十二月二十日，雲五先生在香港高士威道約大家茶敘，其中特別提及『今日我約諸位來，是想創辦一份反共的刊物，以正海外的視聽。間接幫助臺灣，說幾句公道話。我們讀書人，今日所能為國家效力的，也只有此途。』」[4]由阮之記載，合理推論，《自由人》三日刊能順利催生問世，王氏為登高呼籲之首倡者，可能性是很高的！

但就在王氏積極創辦《自由人》三日刊之際，突發一件暗殺事件，則頗值得一述；且對後來《自由人》三日刊的發展不無影響。事緣於三十九年十二月下旬，王氏在《自由人》三日刊諸人集會散會後，在香港寓所遭遇暗殺，幸子彈未命中，逃過一劫，這突如其來之舉，使王氏決定立即離港赴台定居。此事來台後，王氏曾將真相告訴繼我而來的成舍我。王氏謂：「到臺以後，除將此次提前來臺的秘密暗中告知兒女外，他人皆不使知。後來事過境遷，才漸漸透露給若干至好的朋友，首先是對於不久繼我而來的成舍我君；因為他覺得我向

4 阮毅成，〈王雲五先生與自由人三日刊〉，見蔣復璁等著，《王雲五先生與近代中國》（台北：商務版，民國七十六年六月初版），頁三〇～三一。有關《自由人》之發起，另有一說為萬麗鵑博士論文所言：「《自由人》為『自由中國協會』成員所辦之三日刊。」見萬麗鵑，〈一九五〇年代的中國第三勢力運動〉（台北：國立政治大學歷史研究所博士論文，民國九十年七月），頁一六四。但根據「自由人」社發起人之一的雷嘯岑回憶說：「『自由中國協會』為當時在美國的胡適、蔣廷黻、曾琦等人所發起，胡、蔣、曾諸氏希望以『自由人』全體發起人為主幹，先在香港成立總會，台灣暨歐美各省都設立分會。嗣經提出座談會詳細研討，大家認為總會以設在台灣為妥，香港亦只設分會，庶合體制。結果不知如何，這個會沒有成立，終於流產了。」馬五，〈「自由人」之產生與夭折〉，同註一，頁二一四～二一六。故萬氏此說，恐不確。

來很少患病，在約定聯合宴客之日，我竟稱病缺席，舍我不免將信將疑。其後到我家探病，見我毫無病容，更不免懷疑。及我不別而赴臺，他懷疑益甚，所以在他來臺後，偶爾和我詳談及此，我也就不好意思對朋友有所隱瞞了。」[5]

上述言及之十二月下旬，實際上是民國三十九年十二月三十一日，除夕。阮氏說：是日「王雲五先生約在高士威道午餐，我應約前往，王臨時以腹瀉未到，由成舍我兄代作主人，謂『自由人』籌備事，大致已妥。」而四十年的元月三日，阮氏也說到是日，「應卜少夫、程滄波二兄之約，到高士威道二十二號四樓午膳。據滄波兄言，是日原應由王雲五先生作東，而王於當天上午，離港飛台，臨行前以電話托其代為主人。」[6]

王氏的不告而別倉促離港赴台，也使得後續有不少參與「自由人」社同仁跟進，紛紛來台，這對於原本人力吃緊資金短絀的《自由人》三日刊之發展，當然有不小的影響。至於《自由人》三日刊籌組的經過梗概，雖在王氏離港來台後，仍按部就班的進行。四十年元月十日下午，阮毅成與程滄波及左舜生又約至高士威道聚談。關於創辦刊物事，左舜生主張宜立即出版，卜少夫則以須現款收有相當數目，方能創刊。是月三十一日，雷震自台灣來，亦參加「自由人」社活動。會中大家一致決定《自由人》三日刊，於農曆年後出版。並在職務安排上初步有了規劃，即推程滄波撰〈發刊詞〉，以辦報經驗豐富的成舍我任總編輯，陶百川為副總編輯。又另推編輯委員十四人，分

5 王壽南編，《王雲五先生年譜初稿》第二冊（台北：商務版，民國七十六年六月初版），頁七四三。

6 阮毅成，〈「自由人」參加記〉，《傳記文學》第四十三卷第六期（民國七十二年十二月），頁一四～一五。

別是劉百閔、雷嘯岑、陶百川、彭昭賢、程滄波、陳石孚、許孝炎、張丕介、吳俊升、金侯城、成舍我、左舜生、王雲五、卜少夫。[7]

四十年二月九日，內定為總編輯的成舍我自香港致函王雲五，說到：「自由人半週刊已將登記手續辦妥，『館主』係由少夫出名，因渠後來未再提出不能兼任之困難，……編輯人經由弟以本名登記。股款雖交者仍不太多，但讀者則頗踴躍。……據弟觀察，維持六個月，在經濟上當可辦到。惟編輯方面，則危機太大，因主力軍如我兄及秋原兄均不在此，其他如滄波兄等不久亦將赴臺，（即弟本身亦恐將於三月間來臺）稿件來源，異常枯涸，然既已決定辦，弟亦只有勉力一試。」[8]尚未正式創刊，但資金人才捉襟見肘的窘境，已被成氏料中，這對好事多磨的《自由人》三日刊日後之發展，已埋下艱困之伏筆。

二月十四日，成舍我向雷震、洪蘭友等人報告，《自由人》三日刊已得港府核准登記，一俟台灣方面准予內銷，即行出版。二十八日，成舍我向「自由人」社同仁報告：台灣內銷事已辦好，《自由人》三日刊即將出版，並出示創刊號大樣。因與會者多係辦報老手，提供不少意見，而成舍我也很有風度，博採眾議，為慎重起見，同意改遲數日出版，以便從容改正，並呼籲社員踴躍撰稿以光篇幅。[9]可見在王氏離港後，《自由人》三日刊真正之台柱角色，已責無旁貸的落到成舍我肩上。

7 見《自由人》創刊號（民國四十年三月七日）第一版的編輯委員會名單。《自由報二十年合集》（一）（香港：自由報社出版，民國六十年十月十日）。阮毅成說為十六人，疑有誤。見阮毅成，〈「自由人」參加記〉，同上註。

8 〈成舍我致王雲五函〉，同註五，頁七四六。

9 阮毅成，〈「自由人」參加記〉，同註六，頁一五。

三月七日，《自由人》三日刊正式創刊，社址位於香港德輔道中一四九號四樓。目前所知參與的發起人有王雲五、王新衡、王聿修、端木愷、程滄波、胡秋原、吳俊升、黃雪村、閻奉璋、樓桐孫、陳石孚、陳訓悆、陶百川、雷震、阮毅成、劉百閔、左舜生、雷嘯岑、徐道鄰、徐佛觀、陳克文、成舍我、金侯城、張丕界、彭昭賢、許孝炎、卜少夫、卜青茂、范爭波、陳方、張純鷗、張萬里、丁文淵等三十餘人。[10]

發刊後，一紙風行，各方咸予重視，發行之初，每期印八千份。為打開台灣銷路市場，內容安排方面，特別增加一些軟性文字，勿使論文過多，淪為說教。雷嘯岑即言：「『自由人』的作者確實很自由，各人所寫的文字題材雖相同，而見解不必一致，祇要不違背民主憲政與反共抗俄的大前提，儘可各抒己見，言人人殊，真有百家爭鳴，百花齊放的景象，……首任的『自由人』主編是成舍我兄，他包辦大陸通訊版，把大陸上的共報消息，參以陸續從國內逃到香港的難民所述情形，寫成有系統的通訊稿，可謂費苦心。」[11]

誠然如是，由於文章精彩，見解深入，內容多元，析論入理，所以出版後不久，南洋各地僑報即紛紛轉載《自由人》文章。故在香港一隅辦一刊物，無形中等於在數地辦了幾個刊物，影響所及，至為廣大。不僅如此，有關《自由人》所發揮的影響力，可以曾任該刊主編雷嘯岑之回憶為證，雷說：「自由人半週刊，頗受台灣以及海外；尤其是美國一般華僑的注意，原有的每週座談會照常舉行，參加的人亦陸續增多了，風聲所播，國際人士來到香港的，亦來參加我們的座談會，交換政治意見，如美聯社遠東特派員竇定，南韓內閣總理李範，日本工商與新聞界人士前來訪談者尤多，……唯有駐在香港鼓勵華人組織『第三勢力』的美國巡迴大使吉塞普，始終沒有接觸過，大概是他認為『自由人』半週刊這些人，多數係國民黨員，氣味不相投，我們亦以對『第三勢力』之說，不感興趣，因而絕交息游，毫無來往。」[12]

雷氏這段記載很重要，不只說明了《自由人》發刊後之影響力；也道出了《自由人》與「第三勢力」毫無瓜葛，這對坊間有不少人一直以為《自由人》是「第三勢力」刊物有澄清作用。《自由人》三日刊甫發行，負責盡職之成舍我隨即寫信給王雲五提到：「連日為自由人半週刊事，頭昏腦暈，尊函稽答，至為罪歉。現半週刊已於今日出版，附奉一份，即希鑒察。大著分兩期刊佈，並盼源源見賜。今後應如何改進之處，統希指示為荷。」[13]另針對其後外界對《自由人》諸多揣測，如與「自由中國協會」之關係等等，「自由人」社也在三月二十一日的高士威道聚會中也做出決議，大家皆一致表示，「自由人」應獨立組織，以別於其他團體，乃推定董事九人，以左舜生為董事長。監事三人，為金侯城、王雲五、雷儆寰。成舍我為社長兼總編輯，卜少夫為總經理。[14]

10 「自由人」社成員，據筆者統計為此三十餘人，且各會員加入時間先後不一，有關會員名單散見於雷嘯岑、阮毅成等人之回憶文章及《雷震日記》中。

11 馬五先生著，《我的生活史》，同註一，頁一六一。

12 馬五，〈「自由人」之產生與夭折〉，見其著，《政海人物面面觀》，同註一，頁二一三～二一四。另萬麗鵑博士論文也提到，為打擊「第三勢力」運動，「國民黨亦透過黨報如《香港時報》、新加坡《中興日報》、美國《美洲日報》，及其所資助的報刊如《自由人》報、《民主評論》等，展開對第三勢力的文宣戰，此即是《香港時報》社長許孝炎所說的以『輿論對輿論』的鬥爭。」萬麗鵑，〈一九五〇年代的中國第三勢力運動〉，同註四，頁一六四～一六五。又見〈許孝炎意見〉，《總裁批簽》，台（四一）央秘字第〇〇八五號（一九五二年二月二十二日），黨史會藏。

13 〈成舍我致王雲五函〉，同註五，頁七四四七。

14 阮毅成，〈「自由人」參加記〉，同註六，頁一五。至於《自由人》與「自由中國協會」之關係，馬五在〈「自由人」之產生與夭折〉已言之甚為了稿源，三月二十二日總編輯成舍我又致函王雲五拉稿，其中說到：「自由人在香港銷路尚好，一般觀感亦不錯。惟共匪刊物正以全力抨擊，弟等亦一反過去自由派刊物置之不理的辦法，強烈反攻。臺灣發行未辦好，少夫兄不日來臺，或能有所改進。同人撰稿，此間仍不太踴躍，盼公能以日撰五千字之精神，多寫數篇，並乞即賜惠寄，無任感幸。又此間稿酬，公議千字港幣十元，前稿之款，已送託香港書局轉交。此數雖微細不足道，然吾輩合力創業，知識勞動之所獲，在道德標準上說，固遠勝於以吃人為業之共匪萬萬矣。盼尊稿如望歲，望即賜寄，以慰饑渴。」[15]除簡略報告社務外，重點仍是稿源問題，而此問題也是《自由人》三日刊以後長期揮之不去的夢魘。

三、《自由人》之命名與經費及發刊宗旨

蓽路藍縷，創業維艱，有關《自由人》之命名，似乎是由阮毅成所起。原本成舍我欲名為《自由中國》，因與台灣雷震負責的《自由中國》半月刊同名而不獲採納。故阮毅成認為可參考台灣趙君豪所辦之《自由談》，而稍改其為《自由人》，卒獲大家一致同意，名稱問題因此而敲定。[16]其實若從五〇年代的背景去觀察，刊物取名為《自由人》並不足為奇。蓋彼時海外正刮起一陣「自由中國反共運動」浪潮，其中尤以香港地區為最。為壯大「自由中國反共運動」，於是乎，海內外的一些知識份子刻意以「自由」二字為雜誌刊物名稱，以凸顯有別於大陸的獨裁極權。職係之故，各種以「自由」為名之刊物如《自由中國》、《自由陣線》、《自由談》、《自由世界》等雜誌，如雨後春筍般紛紛出籠，《自由人》三日刊之命名，應該是在此時代背景下而正名的，且的確有其時空的特殊意義存在。[17]

至於現實的經費來源問題，早在三十九年十二月二十日的聚會中，王雲五即定調說：「我要先與諸位約定，這是一份自由的刊物，所以，一不能接受外國的幫助，二不能接受政府的支援。同仁不但要寫稿，還要負擔經費。」[18]王氏之所以要如此約法三章，是要避免外界將《自由人》視為拿美國人錢所辦的「第三勢力」之刊物的疑慮或揣測；另外，不接受政府支援，也是想以獨立身分之姿，能在言論上暢所欲言，而不受政府掣肘，更不想貼上政府刊物之標籤。揆之《自由人》草創之初，因經費來源由各會員出資，確實能夠如此。例如在籌備階段，王雲五首捐港幣三千元，各會員至少認捐港幣一千元，所以誠如雷嘯岑言：「大家分途進行，未到一個月，即籌募到港幣一萬七千元了。」[19]

創刊經費有著落，但接下來長期的經費支出，恐怕就不是由會員認捐可解決。到最後仍不得不仰賴台灣國府的金錢支助，在《雷震日記》中即披露不少箇中內幕，茲舉日記一則為證。民國四十年五月二十五日：「雪公（按：指王世杰（字雪艇），時任總統府秘書長）

詳，同註一。

15 〈成舍我致王雲五函〉，同註五，頁七四七～七四八。為稿源及素質起見，成舍我亦曾寫信向阮毅成拉稿，信上提到：「在臺同人寫稿，原約每期供給八千字。希望以兄之熱忱毅力，催請同人，公誼私交，達此標準。」又說：「自由人聲譽，雖日有增進。惟經濟及稿件，均危機太大。現此間已只賸左（舜生）、許（孝炎）、雷（嘯岑），及弟共四人，稿荒萬分。如濫用一般投稿，則水準即無法維持。」阮毅成，〈「自由人」參加記〉，同註六，頁一六。可見身為主編的成舍我，為稿源及《自由人》之內容水準，真是心力交瘁，煞費苦心。

16 同註六，頁一四。

17 馬之驌，《雷震與蔣介石》，同註三。

18 同註六，頁一四。

19 同註一二，頁二一三。

來電話，可助《自由人》三千港幣，但不可明言，因《新聞天地》一再要求援助而未允許也。……《自由人》因經費困難，而負責又無專人，致有停頓之可能，由予（雷震）約集雲五、滄波、孝炎、毅成、端木愷、少夫諸君會商，由予等籌款接濟，每月假定虧二千五百元，至年底約為一萬七千五百港元，改組組織，推定成舍我為社長，左舜生代理董事長，予負臺北催稿及催款之責，總統府之三千元，由予負責，予另外再籌五百元。」[20]由《雷震日記》可知，創刊才二月餘之《自由人》，經費已拮据如此，而不得不靠政府補貼，在此情況下，其日後之文章言論，就頗受台灣國府當局之制約影響了。

另有關《自由人》之創刊宗旨，其實早在刊物出版以前，對於未來言論與編輯方針，「自由人」社同仁即做了幾點規約：（一）、發揚民主自由主義；（二）、發起人按期撰寫頭條論文，且須署出真姓名；（三）、文責各人自負，但須不違背民主自由思想暨反共救國的大原則；同時將全體發起人的姓名亦在報頭下面，表示集體責任。[21]創刊後，首由程滄波撰發刊詞，題為〈我們要做自由人〉，擲地有聲的強調：「我們今天大膽向全世界人類提出一個問題：便是世界人類，現在與將來，要不要做人？如果想做人，從什麼地方去著手奮鬥？……今天世界人類只有兩個壁壘，一個是『人的社會』之壁壘，一個是「非人社會」之壁壘。這兩個社會的磨擦，今天已到了白熱化的程度。『人的社會』中每一個人，是有人性，有人格，根據人性與

20《雷震日記》（民國四十年五月二十五日），見傅正主編，《雷震全集》（三三）（台北：桂冠版，一九八九年八月初版），頁一〇〇～一〇一。

21同註一二，頁二一三。吳相湘，〈成舍我為新聞自由奮鬥〉，見其著，《民國百人傳》第四冊（台北：傳記文學出版社印行，民國六十年元月初版），頁二七五。

人格，發揮其個性，以增加社會之幸福與個人之生活水準，從而增進世界的和平與人類的文明。反觀『一個非人社會』中，人除了具備人的形態外，沒有思想與靈魂。『非人社會』中，人只是一群動物，既不許其有人性，亦不讓其有人格，他們是奴隸、是機器。」

程滄波言：很不幸的，今天的中國大陸，全大陸數萬萬同胞一年來，即陷入共匪的非人社會中。因此我們和全世界愛好和平民主的人們，要發動正義的呼聲，救自己，救同胞，救人類。我們要揹著自由的大纛，叫著「做人」的口號，開始「自由人」的運動。爭自由，爭人性，發動全人類自由人性的力量，去打倒與剷除共產帝國主義反人性的非人社會。不殘殺，不掠奪，在不流血革命的原則下，使人人有飯吃。本此目的，以建立新中國新世界。所以，「從今天起，根據以上主張，我們謹以此小小刊物『自由人』，貢獻於全世界凡是不願做奴隸的人們，也就是我們這一群人，決心獻身於這一運動的開始。全世界和平民主的人士：我們要做人，我們要做自由人。每個人爭取了自由，世界才有民主和平，人類才有幸福與光明。」[22]我們要做人，我們要做自由人，起來，不願做奴隸的人們！程滄波這篇發刊詞，簡直是一篇慷慨激昂的宣示詞，代表全世界不願在「非人社會」生活下的自由人，向共產專制極權政權，發出堅決的怒吼。[23]

《自由人》三日刊，每星期出兩次，每次十六開一張。主編人規定由原先的「座談會」同仁輪流擔任，一年一換，為義務職，故內部人事組織極為簡單，只有一主編，一助理員和事務員，共三人而已。

22程滄波，〈「自由人」發刊詞〉，見其著，《滄波文存》（台北：傳記文學出版社印行，民國七十二年三月十五日初版），頁一五七～一六〇。

23阮毅成也說到，這是一篇代表知識份子愛國反共心聲的大文章，義正辭嚴，擲地有聲。同註六，頁一五。

該刊內容，第一版分「專論」、「時局漫談」、「自由談」各欄；第二版刊大陸共區消息；三版則記述港、台的社會新聞；四版是「副刊」。「專論」亦由座談會同仁分別撰寫，或徵用外界志同道合人士之作品；唯「時局漫談」和「自由談」二專欄，係由左舜生與雷嘯岑二氏負責包辦。《自由人》三日刊，因撰寫團隊堅強，且作者大多具有清望，故在海隅香港頗有號召力，銷路亦不壞；又可以銷台灣，雖無廣告收入，仍可勉強維持下去，在五〇年代的香港，可謂雜誌期刊界之奇葩。[24]

四、《自由人》的艱苦經營

平情言，《自由人》三日刊從四十年三月七日發行，到四十八年九月十三日停刊，維持約八年餘。這八年多的歲月，可謂艱辛撐持，多災多難。

首先為組織渙散不健全，於是才有民國四十年下半年的重組之舉。此中最大原因為「自由人」社大多數同仁均已離港在台，分別有：王雲五、王新衡、端木愷、程滄波、胡秋原、吳俊升、黃雪村、閻奉璋、樓桐孫、陳石孚、陶百川、陳訓悆、雷震，及阮毅成，幾乎佔了一半以上；而在港的僅有左舜生、金侯城、許孝炎、成舍我、劉百閔、卜少夫、雷嘯岑等人。其後在台參加的，又增加徐道鄰，共二十二人。為連絡方便起見，在台同仁乃公推王雲五為董事長，但又因刊物在港出版，故推左舜生為在港之代理董事長，就近處理刊物，成舍我則為社長。[25]

24 雷嘯岑：《憂患餘生之自述》（台北：傳記文學出版社印行，民國七十一年十月十五日初版），頁一七六。

25 同註二三，頁一六。

然因「自由人」社未有組織章程，也未在台辦理社團登記，所以才有民國四十一年一月十日，在台同仁在王新衡家為此商議之事。時適值端木愷甫自香港返台，報告港方同仁最近決定取消社長制，亦推左舜生代董事長，成舍我為總經理，劉百閔為總編輯。此事，在台「自由人」社同仁有不同意見，在三月七日及十五日的兩次餐敘商討論中，均決定仍採社長制，並仍推成舍我兄任社長。只是一個三十餘人的「自由人」社，就為了區區的刊物人事組織問題，港、台同仁即不同調，其他之事就可想而知了。所幸意見儘管有異，但同仁感情尚佳，阮毅成即言：「自由人在香港創辦之初，同仁常有餐會，交換意見。在臺同仁，於民國四十年七月十二日起，舉行聚餐或茶會，由同仁輪流作東，平均每兩週一次。除談自由人社各事外，亦泛論時局，交換見聞。」[26]

民國四十一年二月九日，「自由人」社在台同仁餐敘時，有鑒於《自由人》三日刊創刊已近一年，但組織與人事及編輯立論之困擾問題仍在，因此大家有必要提出意見交換，以尋求解決之道。席間程滄波首次提出編輯態度問題，但遭雷震反對。程又謂：「劉百閔不宜任總編輯，上次，此間同仁推成舍我任社長，何以改變？此間皆未知悉。」雷震與陶百川又認為，台方不宜干涉港方人事，雙方爭論甚久。最後由阮毅成提出折衷解決方案為：（一）、自由人本係超黨派立場。只知民主、自由、反共，不知其他。此後仍須守定此項立場。（二）、港方報刊如對台灣中華民國政府，有惡意攻訐，或無理批評，自由人不可自守中立，須起而加以駁斥。（三）、人事問題，另函在港之許孝炎查詢，不作決議。

26 同上註，頁一七。

眾皆贊成阮毅成之方法，並請其起草一函，致在香港之左舜生、許孝炎、成舍我、劉百閔、雷嘯岑諸人。阮函送各人簽名後發出，信中報告：「弟等今午聚餐，談及自由人編輯態度。回溯創辦之初，原屬超於黨派之外。……兄等在港主持，辛勞至佩，自亦必贊同弟等態度也。邇後港方報刊如對於臺灣中華民國政府惡意攻訐，或無理批評，自由人似不便自居中立，宜即加以駁斥。如有中國之聲作者來稿，希勿予以刊登，以嚴立場。再則，此間對第三方面各事，多持私人消息。語多片斷，難窺全貌。斯後尚懇時將各方動態，擇要見示。既可為撰稿時之參考，亦為知彼知己之一道。自由人素以民主反共為宗旨。署名：王雲五、程滄波、黃雪村、王新衡、樓桐孫、吳俊升、陳石孚、陶百川、雷震、阮毅成。」[27]

民國四十一年三月十五日，《自由人》創刊已屆滿一年，留台「自由人」社舉行全體會議。會議主席推王雲五擔任，其中：

（一）報告事項：（甲）、經費小組許孝炎報告——擬募集港幣三萬元（其中成舍我、許孝炎約洪蘭友，被分配擬向各紗廠募台幣一萬元）。（乙）、編輯小組成舍我報告：1、組織擬仍採現制，並請加推一人為必要時接替編務工作之用。2、發行擬請先行籌集基金以期達到日後之自給自足。3、編輯方針方面：積極在倡導民主自由，消極在反共抗俄，至對於台灣態度應仍許有批評，但不可損及自由中國之根本。4、在台同人集體意見推定專人執筆寄港，決登載第一版，並不易一字，如係個人稿件，在編輯方面擬請仍保有斟酌之權。5、每期需要稿件二萬四千字，在港同人無多未能盡任，在台同人時惠稿件。

（二）討論事項：（甲）、《自由人》三日刊社是否仍採社長制案。決議：仍採社長制，成舍我擔任社長。（乙）、《自由人》三日刊社費應如何加募案。決議：1、經費小組在進行籌募之港幣三萬元，於兩個月內籌足，作為基金，備日後擴充發行之用。2、另由經費小組加募港幣一萬元，作為最近數月經常費不足之需，在未募起前由許孝炎、成舍我負責維持現狀。3、加推樓桐孫、程滄波參加經費小組，並以王董事長雲五兼經費小組召集人。（丙）、《自由人》立論態度應如何確定案。決議：1、除積極的主張民主自由，消極的反共抗俄外，並須維護現行憲法倡導議會政治。2、凡外界對台灣有惡意攻擊影響國本時，應予駁斥，立場務須堅定，態度務須明確。3、除專門問題研究外，宜多載通訊及趣味性文字，理論文字及新聞性宜各佔三分之一。[28]此次會議至關重要，它為已紛擾年餘的《自由人》定調，但此為台方同仁之共識，港方同仁只是被動告知，並不見得完全同意，所以日後港、台雙方仍存有歧見。

其次更嚴重的是經費短絀，入不敷出，以至於時有停刊之議。這棘手問題其實打從創刊起即已浮現，只是苦撐待變，能維持多久算多久，但情況並沒改善且持續惡化中。四十一年六月十四日，王雲五、阮毅成與程滄波等聚會，商議如何應付《自由人》三日刊之困難。王雲五謂得左舜生與成舍我二君信，信上，成舍我堅辭社長，又每月不足港幣二千元。如無法解決，則自本月十八日起停刊。劉百閔則說香

[27] 〈阮毅成致左舜生諸氏函〉，見王壽南編，《王雲五先生年譜初稿》第二冊，同註五，頁七六八。

[28] 同註五，頁七七〇～七七一。

港紙價日跌，印刷係由《香港時報》代辦，印費可以欠付。以往亦每月虧空，並不自今日始。

對此，王雲五建議是否能改為月刊，移台出版，但眾意覺得移台出版，則《自由人》功用全失，仍宜繼續在港發行。最後決定由王雲五函復，請成舍我維持至七月底止。[29]是年十二月二日，「自由人」社同仁又再行會商，由王雲五主持，會中卜少夫表示願接辦，至少可免招致停刊命運。然未幾（十二月六日），卜少夫以有人表示異議，乃謂其《新聞天地社》同仁不贊成其再兼辦另一刊物，打消原意。王雲五即席宣布仍在港出版，推成舍我兄回港主持，並改為有給職。[30]

29 同註五，頁七七四。《自由人》經費之窘困，自創刊伊始至結束均如此，阮毅成即言：「我只記得在創刊第一年中，就賠去了港幣參萬參仟元。時歷八年半，為數甚為可觀。這尚是距今三十多年前的幣值，如以現在幣值計算，則更為巨大。」阮毅成，〈王雲五先生與自由人三日刊〉，同註四，頁三四。到《自由人》停刊止，其經費仍入不敷出，茲舉結束前致王雲五等人之二信函為證。四十八年九月十一日許孝炎自港來信王雲五，報告「自由人」結束時經費情況。「雲五先生並轉鑄秋舍我儆寰滄波新衡秋原佩蘭少夫諸兄惠鑒：關於自由人停刊事，前經兄等決定函達克文。兄弟回港後，復經再三磋商，始於前日由在港各有關友人舉行特別會議議決定停刊，並於本月十三日起實行。茲將會議紀錄抄奉敬祈鑒察。」「預計自由人可能收入之款（連登記費在內）約為乙萬四千餘元，支出除舊欠稿費約乙萬三千元；及克文兄之欠薪近九千三百元暫不計入外，此外薪工紙張印刷房租，今年稿費應退報費及空運費等，共計約為二萬乙千餘元，不敷之數約為七千餘元。倘預計可能收入之款有一部分不能收入時則虧欠之數將必更多，如何籌還以資結束頗費周章。而有把握之登記費乙萬元則尚待少夫兄回港簽字後始能提出備用。」又十二日社長陳克文亦致函王雲五。「岫公賜鑒：茲奉上『自由人』在港同人特別會議紀錄一份，請 察閱。『自由人』經濟情形截至本年九月十二日止，共欠債務三萬餘元，除登記費一萬元外，尚可能收回之款二千餘元，結束用費約五百餘元，並此奉告，統請轉知在台各位同人為禱。」見王壽南編，《王雲五先生年譜初稿》第三冊（台北：商務版，民國七十六年六月初版），頁一〇五二～一〇五三。

30 同註五，頁七七九。《自由人》主編是不支薪的，可見其艱困於一般。同為主編的雷嘯岑曾說：「首任主編人成舍我兄苦幹了一年之後，因為

成謙辭未果，旋即表示接受。後當場推定王雲五、程滄波、樓桐孫、胡秋原、陶百川、黃雪村為在臺撰述委員，程為召集人。另推成舍我、程滄波、胡秋原三人起草言論方針。王雲五、端木愷、王新衡為財務委員。香港方面撰稿委員，由成到港後約定人員擔任。事後，當事者之一的阮毅成，對是晚之會的結果表示很滿意，還稱為是《自由人》中興之會，同仁莫不興奮。但其後，主要的重點之一，《自由人》未來的言論方針並未草成。[31]四十二年三月十四日下午，「自由人」社同仁聚集在成舍我處，參加茶會。會中，成舍我出示香港許孝炎來信，謂自由人又不能維持。因已積欠《香港時報》印刷費港幣六千元，稿費十一期。且人力亦明顯不足，雷嘯岑將來台灣，左舜生又將赴日本旅行，主持無人，不如停刊。經同仁交換意見，仍認為不能停辦，並催成舍我兄速赴港負責。

因茲事體大，三月二十一日，「自由人」社另一要角阮毅成，也在家中約集在台同仁茶敘。會上，成舍我表示其有困難不願赴港，而港方近日來函，支持為難。眾意乾脆移台編印，仍推成舍我主持。[32]二十五日下午阮氏親訪成舍我，成表示三點立場：（一）、決不去香港。（二）、《自由人》如移台出版，願意主持。（三）、未移台前，可先在台編輯，寄港印行。同月二十八日下午，以《自由人》問

準備移家台灣，不能繼續盡義務了——主編人不支薪——大家公推下走承其乏，因係義務職，唯有接受而已。」馬五，〈「自由人」之產生與夭折〉，同註一，頁二一六。

31 同註五，頁七七九。

32 雷震日記當天即記載：「下午三時半至《自由人》座談會，阮毅成提議《自由人》表面在港，實際遷台，無一人反對。我內心不贊成，但不願表示，因《自由人》遷台完全失去效用。今日雲五未到，他們囑我報告。」《雷震日記》（民國四十二年三月二十一日），見傅正主編，《雷震全集》（三五）（台北：桂冠版，一九九〇年七月二十日初版），頁四八。

題緊迫，急待解決。「自由人」社同仁乃在端木愷家中餐敘。對《自由人》前途，共有四種主張：（一）、停刊。（二）、移台出版。（三）、在台編輯，寄港印行。（四）、推成舍我赴港主持。討論結果，決定用第四法，成亦首肯。然成謂：《自由人》除發行收入外，每月須虧四千元，此問題亟需解決。[33]

四月十八日，因港方同仁頻頻催促速做決定，眾議又思移台編印，王雲五亦同意移台出版，但謂須改為半月刊或月刊。三十日下午，成舍我與端木愷、阮毅成、王新衡、程滄波等人，又應王雲五約茶敘。時端木愷甫自港返，謂港方「自由人」社已無現款，勢不能繼續。因以由今日到會者商定：（一）、香港方面自五月十日起停刊。（二）、在台登記改為月刊，推王雲老為發行人，成舍我兄為總編輯。[34]然不久，港方同仁又變掛，五月十一日，阮毅成訪成舍我，成即謂卜少夫前日到台，攜有左舜生致王雲五函，主張《自由人》仍在港出版。

此事經緯，雷震在其日記亦提到：「見到雷嘯岑來函，對我們囑香港停刊，決議移臺辦月刊則大不以為然，來信措詞甚劣，決定去電並去函說明，以免誤會。」[35]雷嘯岑甚至為此來函欲辭去社長職務。

33 雷震日記載：「下午四時，在端木愷處討論《自由人》移台問題，王雲五、徐佛觀、端木愷及我均不贊成，程滄波、阮毅成、成舍我願移台，最後決定請成舍我至港辦至六月再說，因行政院之款發至六月底止，如停刊或移台亦須至六月底再說。」《雷震日記》（民國四十二年三月二十八日），見傅正主編，《雷震全集》（三五），同上註，頁五二。

34 這問題一直延伸至四十三年依舊如此。雷震日記：「《自由人》在港不易維持，決遷台辦週刊，由成舍我任社長，王雲五任發行人。」《雷震日記》（民國四十三年八月七日），見傅正主編，《雷震全集》（三五），同上註，頁三一四。

35 《雷震日記》（民國四十二年五月九日），見傅正主編，《雷震全集》（三五），同上註，頁七四。

《雷震日記》記載：「今日午間約來臺之《自由人》報有關各位來鄉午膳，除端木鑄秋、阮毅成、吳俊升、胡秋原外，到有十五人，即王新衡、樓桐孫、陶百川、張純鷗、陳訓悆、卜少夫、卜青茂、程滄波、范爭波、王雲五、成舍我、黃雪村、閻奉璋等及另約陳方。飯後討論雷嘯岑來函辭去社長職務一事，經決議慰留。」為此事，雷震感慨的說：「《自由人》發起人在臺者，不過十餘人，港方不過數人，兩方意見不合，終會扯垮。民主自由人士之不易合作，於此可見一班。」[36]

由於雷嘯岑堅決辭社長職務，八月一日，《自由人》在台同仁藉由茶敘機會，聽取甫自香港來台之劉百閔報告，劉謂：在港同仁意見為（一）、必須在港繼續出版。（二）、改推陳克文任社長。（三）、每月不足港幣八百元，在港有辦法可以籌得。王雲五說：「左舜生有信來，克文係其物色，本人絕對贊同。」眾亦皆表示贊成。但成舍我認為每月八百元之說，計算必有錯誤，至少每月亦需賠二千五百元，所以決定請王雲五再去函新社長，請重為估計。其實《自由人》經費之短絀，可由總其事的總編輯都不支薪一事更可看出，四十三年七月十日，左舜生自香港致函王雲五即說到：「弟意，自由人編輯者，原規定每月可支三百元，以舍我、百閔兩兄任編輯時，未支此款，後任編輯一年，亦即未支。」[37]如此窘境，要不是有台灣國府當局在幕後經費贊助，《自由人》三日刊能支撐八年餘，根本是不可能的。[38]

36 《雷震日記》（民國四十二年六月二日），見傅正主編，《雷震全集》（三五），同上註，頁八五。

37 〈左舜生致王雲五函〉，同註五，頁八二四。

38 雷震日記：「王雲五約『自由人』社在台同仁晚餐，以「自由人」在港經濟困難，重申移台出版，由成舍我任編輯之議。」《雷震日記》（民國最後為文章之尺度問題，除上述言及《自由人》三日刊甫創刊即面臨稿源不濟的困難外，更麻煩的為自從接受政府補助後，基本上，《自由人》的言論立場在相當程度上已受政府箝制。以至於在很多議題上，不僅不能秉公立論、暢所欲言；且須為政府妝抹門面，極力辯解。稍一不慎，隨即惹禍，遭致抗議。如民國四十一年六月一日，「自由人」社王新衡即訪阮毅成，談話重點就說到，《自由人》最近兩期，刊載左舜生〈論中國未來的政黨〉一文，有人表示不滿。[39]為避免誤會，乃一起同訪王雲五，請其以董事長身份，致函香港總編輯成舍我，請其勿再刊出此類文字。[40]

雖係如此，但言論自由乃是知識份子的普世價值觀，用強制力約束是沒用的。果然到民國四十四年又發生更嚴重的文字賈禍事件，差一點讓《自由人》無法在台銷售。事緣於是年三月二十三日，王雲五即接到司法行政部部長谷鳳翔來函，表示《自由人》三日刊，登載雷嘯岑文章，影響政府信譽，要求王雲五代向該社方面解釋。全函內容為：「頃閱本月二十三日自由人刊載『自由談』及『半週展望』雷嘯岑先生文內謂，揚子公司貪污案牽涉本部，曷勝駭異，此種無稽之詞，殊足影響政府信譽，茲特寄上函稿二份，送請　察閱，並祈賜檢一份轉致雷君查明更正，仍乞代向該報社方面照拂解釋為幸。」[41]

四十三年七月十一日），見傅正主編，《雷震全集》（三五），同註三二，頁三〇二。有關國民黨高層提供《自由人》之經費支援，尚可參閱〈對港澳政治活動之指示〉，見中國國民黨中央改造委員會第一六五次會議紀錄（一九五一年七月四日——附件），黨史會藏。

39 左舜生〈中國未來的政黨〉（上）、〈中國未來的政黨〉（下）二文分別發表在《自由人》第一二九期（民國四十一年五月二十八日）、《自由人》第一三〇期（民國四十一年五月三十一日）。

40 同註五，頁七七三。

41 雷嘯岑，〈半週展望〉，《自由人》第四二三期（民國四十四年三月

由於《自由人》所刊文章得罪當道，引起了國民黨中央黨部對《自由人》言論的不滿。三月二十六日，時任《中央日報》社長，亦是「自由人」社同仁的阮毅成至中央黨部參加宣傳政策指導小組會議時，即受到中央黨部秘書長張厲生的警告：「香港《自由人》三日刊，近日言論記載，愈益離奇，須採取停止進口處分。」幸阮毅成趕快緩頰，除報告《自由人》艱難創辦經過外，並謂：「現在台北各同仁，久未與聞港事。王雲老曾去函港方，請以後勿再刊載不妥文字。又以所載台省情形，與事實相距甚遠，曾通知港方，以後遇有記載台省情形稿件，先行寄台複閱。認為可用者，方予刊布，亦未承照辦。惟自由人參加者，多為各方知名之人。如忽予停止進口，恐反而使海外人士，對政府有所批評。不如一面先採取警告程序，依照出版法，由內政部為之。一面通知在台之董事長王雲五氏，促其改組。如再有違反政府法令之事發生，則採取停止進口處分。」[42]

為此，是晚十時，阮氏尚先訪成舍我，說明會議經過；再與成同訪王雲五，報告此事。王雲五似乎對此頗為不悅，乃決定於三月三十日下午五時，在端木愷家中，約集「自由人」社在台全體同仁會商。在三月三十日的決議中，提到《自由人》的現實問題，「本刊如不能銷台，勢必停刊。為避免使政府蒙受摧殘言論之嫌，希望政府妥慎處理，使其能繼續出版。在台同仁，願意退出。惟在港同仁意見如何，亦盼政府遲與洽商。」並推阮毅成與許孝炎二人將此項決議，轉達黃少谷，另函告在港同仁。[43]

二十三日）。雷文所寫之論揚子公司案，因涉及上海時期之揚子公司，對孔祥熙有所批評，遂奉命查辦。又〈谷鳳翔致王雲五函〉，同註五，頁八四七。

42 同註五，頁八四七～八四八。

43 同上註，頁八四九。

換言之，針對當局對《自由人》的不滿，「自由人」社在台同仁採取了委曲求全的態度，一方面願意退出，此舉可能有兩層深意，一為逼香港「自由人」社同仁，小心謹慎，莫再刊登批評政府之文章，否則與渠無關，二為多少有向政府交心之意，明哲保身，不想惹禍上身；再方面亦有請政府介入之意，希望儘量保留能讓《自由人》繼續在台銷售。[44]果然如此，四月七日，王雲五即致函總統府秘書長張群，說明「自由人」之情形，並建議將「自由人」社改組，由政府指定負責主持言論之人實行接辦。信的內容為：「惟是該刊經費本奇絀，全恃內銷而維持，一旦停止內銷，勢必停止刊行，外間不察，或不免對政府妄加揣測，弟愛護政府，耿耿此心，竊認為消極制裁，不如積極輔導，將該刊改組，由政府指定負責主持言論之人實行接辦，可變無用為有用，弟當力勸原發起各人，本擁護政府之初衷，竭誠合作。」[45]

一週後，以國民黨並無接手之意，在恐不能銷台的情況下，成舍我與王雲五、陶百川、徐道鄰、陳訓悆、程滄波、胡秋原、吳俊升、端木愷、黃雪村、阮毅成等決議：「茲因環境困難，經濟無法支持，決議停刊，由主席（王雲五）根據本決議徵求在港同人意見。」其後，在台同仁復在成舍我宅聚餐，決定在台同仁既已必須退出，而中央黨部又規定不得再與《香港時報》，發生關聯，則無地可以印刷，亦無處可再欠印刷費。外界聞知中央處分，亦必不願再行認指，環境困難如此，只可宣布停刊。並請王雲五函詢港方同仁意見，如港方同仁堅持續辦，在台同仁自不能再行參加。[46]

由於文章得罪當局，以致有禁止銷台之聲，在港負責《自由人》編輯工作之陳克文旋致函阮毅成、王雲五等人，表示「咎衍實無可辭」，「自由人停止出版，唯覺可惜，形勢如此，亦復無可如何，文與左劉兩公對此均無成見，惟此間尚有其他股東，又年來出錢出力者，頗不乏人，此事似不宜由文等三人遽作決定，即為港方同人之全體意見，擬於最近邀集會議，提出報告，徵求多數意見，再作正式答覆。」[47]但不久，事情又有變化，四月二十九日，一向敢言的左舜生，終於自香港來函，明確表示反對《自由人》停刊，並謂在港「自由人」社同人決暫予維持。信中言：

「雲老賜鑒：四月七日阮毅成兄來信，並附有留台同人退出決議一紙，十八日奉 公手書，知同人復有集議，以經濟環境關係，主張停刊；均已誦悉。此間於當地環境，已洞悉無遺；對 公等所採態度，並無不能諒解之處。惟念同本刊宗旨，一面在『堅決反共』，一面在『爭取民主』，四年以來，奉此週旋，雖不無一、二開罪他人之處，但大體上並未

44 《自由人》三日刊，國民黨中央當指示「扶助」之，以批判中共，擁護政府並同情國民黨為原則。故該刊早期立場為中間偏右，後來對國民黨的批評言論日益激烈，台灣當局乃禁止其輸入，並停止所有經費資助。故《自由人》能否銷台，對該刊影響至鉅。萬麗鵑，〈一九五〇年代的中國第三勢力運動〉，同註四，頁一六四。

45 〈王雲五致總統府秘書長張群函〉，同註四三。

46 同註五，頁八五〇。有關王雲五在此問題之角色，阮毅成有相當持平之看法，阮說：「雲五先生名為董事長，出錢出力，卻不使範圍各黨及無黨人士，一定均作統一的宣傳，致反而完全成為俗套，失去向海外為政府說話的影響力。於是在發刊期中，常常發生選稿欠當的問題。每次有問題發生，雲五先生首當其衝，常為他人所不諒解，致生煩惱。臺港兩地同仁，為此書信往返，謀求各種補救辦法，效果均不甚彰。」阮毅成，〈王雲五先生與自由人三日刊〉，同註四，頁三六。

47 〈陳克文致王雲五、阮毅成信〉，同註五，頁八五一～八五二。

逾越範圍。今赤燄正復高張，而民主亦勢非實現不可；大約在二、三月內或有變化，前途殊未可知！故此間同人，經過再三考慮，仍決定暫予維持，並囑舜代為奉復，即乞轉達諸友為荷。公等即不得已而必須退出，仍望不遺在遠，隨時予以指導，除宗旨不能犧牲以外，同人無不樂於接受。海天遙望，曷勝悲憤憂念之至！」[48]

從此以後，《自由人》三日刊似乎終於渡過了這段風風雨雨的歲月，儘管港、台大多數「自由人」社同仁情誼依舊，但經費、稿源、立論尺度等問題仍在。《自由人》三日刊即帶此痼疾，跌跌撞撞的支撐八年餘，在民國四十八年九月十三日宣佈停刊。[49]

五、結論——從《自由人》到《自由報》

無論如何，在五〇年代那段風雨飄搖的歲月，《自由人》能以香江一隅之地，在內外環境相當險惡的情況下，擎起「我們要做自由人」的大旗，反抗共產極權，與中共做誓不兩立的言論鬥爭，其勇氣和決心仍另人刮目相看的。另一方面，《自由人》雖義無反顧的支持台灣國府當局，但在恨鐵不成鋼的期待心理下，對台灣當局若干錯誤的舉措，仍一本忠言逆耳之立場，毫不留情的提出批判或建言，即使在經費斷炊的威脅下，亦不為所動，這份苦心孤詣之意，也令吾人感佩。

而此即所以《自由人》在發行的八年餘中，雖屢有遷台之議，但大多數同仁始終仍以在香港立足為佳之看法，因其言論立場較客觀中立，雖稍偏向國府，但非無原則的一面倒，兼以香港為基地，較少政府、政黨色彩之觀感，且因對國、共雙方均有批評，是以其在香港作用較大之故也。當然《自由人》之悲劇，除上文已詳述之經費、稿源、言論立場受到制約等外緣因素外，尚有深一層內緣因素存在，此即中國傳統知識份子屬性使然。知識份子主性強的「書生本色」，誰也不服誰之個性，長落人「秀才造反，三年不成」之譏，因渠主觀意識強，所以容易堅持己見，是其所是，不大能夠為大局著想，且因自視太高，未能屈己就人，所以較乏團隊精神。

這情況在「自由人」社這批高級知識份子間亦是如此，雷嘯岑曾舉一事證明之，在《自由人》是否遷台之際，「王雲五以董事長資格，致函於我，囑將自由人報遷赴臺北發行，且將繳存港府的押金萬元一併匯去。旋由代董事長左舜生召集在港同仁會商，決議仍在香港出版，但在臺北的同仁，亦可刊行臺灣版，然王雲五很不高興，說我不以他為對象，悻悻然嘖有煩言，殊堪詫異。未幾，許孝炎由臺北回港，主張自由人停刊，他怕我不贊成，先囑我莫持異議，我表示無所謂，而自由人三日刊，即於一九五八年九月十二日宣告停刊了。現代中國高級知識份子之沒有團隊精神，於此又得一實驗的證明，曷勝慨嘆！」[50]所以當年左舜生在《自由人》創辦之初，樂觀的夸談「自由人」社同仁可以組織聯合政府，永遠合作無間之見解，雷嘯岑說，實係幼稚幻想。文人相輕，自古而然，《自由人》三日刊的緣起緣滅，依然落得一個「殺雞聚會，打狗散場」的結局，這也是中國現代高級知識份子的悲劇，想來仍不禁令人浩歎！[51]

48 〈左舜生致王雲五函〉，同上註。

49 雷嘯岑說為四十八年九月十二日停刊，恐有誤。雷嘯岑，《憂患餘生之自述》，同註二四，頁一八二。

50 同上註。

51 馬五，〈「自由人」之產生與夭折〉，同註一，頁二二〇。其實雷嘯岑自己亦如是，當《自由人》剛成立時，「大家的情感很融洽，精神上團結

《自由人》雖然走入歷史停刊了，但未及五個月，一份延續《自由人》餘波的《自由報》在民國四十九年二月十七日，另起爐灶又在香港創刊了。《自由報》社址位於香港銅鑼灣高士威道二十號四樓，也是採取半週刊（三日刊）的形式，於每個星期三、六發行。社長為雷嘯岑，督印人黃行奮，出版第一期有由以本社同人署名撰寫的〈我們的志願和立場〉為發刊詞。該文強調「我們是一群崇尚自由主義的文化工作者。對社會生活篤信『人是生而平等的』這項義理，珍重個人的人格尊嚴；對政治生活認定『政府是為人民而存在的』，要求基本人權之確立與保障。……我們膺受著共產極權主義的荼毒，深感國破家亡之痛苦，流落海隅，於茲十載，內心上大家不期然而然地具有強烈的愛國情操和政治理想，要從文化思想方面，努力培育民主自由精神，發揚其潛能，成為救國救民的偉大力量。職是之故，本報的言論方針是國家至上，民生第一，我們的立場是超黨派的。」[52]

簡言之，民主、自由、愛國、反共乃為《自由報》創刊之四大宗旨，嚴格而言，此宗旨仍是延續《自由人》三日刊的精神而來。阮毅成曾說：「後來，雷嘯岑兄在香港出版自由報，乃係另一新刊物，與原來的自由人，完全無關。」[53]此話恐有商榷之餘地。《自由報》在《自由人》的基礎上，發行至民國六十幾年才結束，期間刊布了《香港自由報二十年合集》、《自由報》合訂本、《自由報二十週年年鑑》，影響力不在《自由人》之下。

無間，對任何事體決無爾詐我虞，或以多數箝制少數的作風。我（雷嘯岑）當時曾聲言：假使憑這種精神組織『聯合政府』，擔當國家政務，國事沒有不振興的。」馬五先生著，《我的生活史》，同註一，頁一六一。

52 本社同人，〈我們的志願和立場〉，《自由報二十年合集》（一九）（香港：自由報社出版，民國六十年十月十日）。

53 阮毅成，〈「自由人」參加記〉，同註六，頁一八。

自由報

（第九二〇期）

（半週刊每星期三、六出版）

售價港幣毫角・台灣零售價新台幣式元

督印黃行寶・社長李運鵬

社址：香港九龍彌敦道593—601號

廖創興銀行大廈八樓五座

LIU CHONG HING BUILDING
7th FLOOR FLAT 5
593—601 NATHAN ROAD,
KOWLOON, H.K.
TEL: K303831

電報掛號：7191

承印：景星印刷公司

地址：嘉咸街廿九號地下

台灣總管理處，台北市大同街119號

台灣區直接訂戶　台郵劃撥戶

第五〇五六號張萬有（自由報會計室）

電話：五一四〇三三・五五五三九五

台灣分社：台北市西寧南路110號二樓

電話：三〇三四六・台郵劃撥戶九二五二號

中國文化中的武功與武德（上）

錢穆

本人今天講題是「中國文化中的武功與武德」。從前年起，總統提倡文化復興運動，到現在已整整兩年，這是中華民國創國以來最大的一件事。本人今天所講，以書生來談軍事，知識淺薄，只是借此機會，來就教於諸位。

先講文化是什麼？「文化」只是「人生」，是人生的一個綜合體，所言說人的人生不同。人類生活同中有異，因此，人類文化可有種種各別之體相。近代人言文化，每多注重其體相之外面，但更要在能深入到裏面去，求其意義與價值。從空間說，文化貴能擴大，從時間說，文化貴能悠久。中華文化所擁社會最廣大；所佔歷史最悠久，因此，中華文化，其所涵之意義與價值亦必最高貴，最值得研求。

中國人講「文化」，主要在講一個「道」字，「道」即人生應走的道路。「文化」不同，即「道」不同。社會擴大，因其道之可大。歷史悠久，因其道之可久。中國人講到「道」字，不僅講了文化之外表，並已講到文化裏面深處，即其意義與價值之所在。若只從外表講文化，最多是講了文化形態、生活式樣。譬如穿衣、飲食、住屋、走路等等，可有各種不同的式樣，此各種不同的式樣，即見「文化」之不同。但文化固是同中有異，尤貴能懂得其異中有同，各民族文化之所以相異處，在其背後各有一道。

中國人講「道」，不僅是講人生所走的路，更要講人生應走的路。所以中國人講「道」，有大道、小道之分。「人道」，人人可行，時時可行，處處可通，而後謂之大道。若只是少數人短時期可行，走到遠處大處便不通，這是「小道」。也並不是不能有小道，只該從大道分出若干小道，由各條小道仍可匯合互通，這就成了大道。所以道有通塞，有大小。因其大，故能通，因其通，所以大。中國文化之偉大，因其能注意尋求人生大道而來。

今試問人生每一條道，該從何處出發，該通到那裏，到何處歸宿？中國人在此問題上有一主要答案：中國人認為人生一切道，都應由其內在之德性發出，也應都通到人生之內在德性為歸宿。中庸上說：「天命之謂性，率性之謂道」。中國文化之最重要中心觀念即是「性道合一」。「性」由「天」來，「道」由「性」起。中國人講「天」，也說是一自然，也可說是自然中一種最高真理。中國人主張「天人合一」，即是「性」「道」合一。「性」稟自天而蘊於內，「道」行於人而形之外。「天人合一」、「性道合一」，也即是「內外合一」、「心物合一」。天人相通，內外相通，此始是大道，亦可稱為達道。「道」行而成，又是形之於外，回到人心，則謂之「德」。「德」是行道而有得於己之謂。天賦稱性，由性發為行，由行而有得於「己」謂之德。故可合稱之為「德性」。此是行為與德性合一，亦即自然與人文合一。總之，中國人講「道」，要其無往不合，處處可通，此乃中國文化一套大理想，一番大結構。因此，在中國文化中所陶治而出之人才，則人曰「通人」，才曰「通才」。亦非不要專家與專才，主要仍在此各別的專門仍能相通而合一。

姑舉文武一端為例。中國人常把文武連在一起講。中國的文化觀念是相反而成，兩個東西混合起來達成於一。中國人說「智仁勇」是「三達德」，講文化需此三達德，講武德也需此三達德。一個文化之能期其悠久博大，也該歸功於「武功」。「武功」則必本於「武德」，「武德」是「武功」的基礎。

「天道」有生殺，「人道」有文武。中國人理想，要能文能武，文武兼盡。偏向一邊，這只是「小道」。文武兼盡，才算是「大道」。中國歷史上如周文王、周武王、漢文帝、漢武帝，都是美諡，文武並無軒輊。所謂允文允武，文治武功必兼修並重，這就是中國一套傳統的哲理。

「天地之大德曰生」，但春夏生長，秋冬殺伐，同是天。殺伐即所以完成其生長。人有死生，推其有死，乃可有繼起之生命。個人生命很短暫，最多不過八十、一百年便完了。舊生命死亡，新生命茁長。一個人死了，有千千萬萬後起的生命還是繼續存在。大家說，中國文化是講「和平」的，但沒有武力，那有和平。中華民族之悠久存在，雖道理講和平，不使武功就行了嗎？

論到中國的國防線，全世界沒有一個國家有這麼長。單言北方，從東北到西北，由遼東半島起，直通到甘肅、寧夏，北邊是一個大高原，氣候寒冷，生產稀薄，南邊是一片大平原，氣候溫和，物產豐富。兩邊接界如此遼闊，兩邊對比又如此懸殊，所以在中國歷史上，防禦北邊強敵是一件十分困難的事。西南的邊防，更複雜不簡單。即如漢代之匈奴，唐代之突厥，以下之遼、金、蒙古等異族侵擾，不惜優越之武功，何以能保全內部社會之繁榮與建設。蒙古人的武力震爍一世，他們打不進中國來，便掉頭指向西方求發展，從西方得到了勝利，再回頭來轉向中國。直從成吉思汗到忽必烈，三反四覆不斷南侵，最後纔把中國併佔了。當時的中國，本已孱弱，又兼內政不修，文治影響了武力，但尚然如此堅韌難折。即此一段歷史，使可說明中華文化是強有力的，雖一時失敗，也已充分發揮了中國的武功。

中國歷史上的大人物也多是文武兼通的。如周公，不僅是軍事家，同時亦是大政治家、大文學家。後來人注意了他這一面，卻忽略他那一面。再看孔子，他亦看重武備，嫻熟軍事理論，他的學生如子路、冉有、有若，都能打仗。墨子擅武事，這是大家都知道的，荀子有議兵篇，孫子兵法尤為近代西方軍事學家所推重。

左傳上記載當時許多貴族，都是文武兼通。大小戰爭，除應有的兵謀戰略之外，既尚禮，又崇道，雍容文雅，極嚴肅，也極輕鬆。極規律，也極幽默。多能於武功中顯文德。左傳不失為世界上第一部講戰爭最有人生趣味，又是最有文化意義的書。孔門後起如吳起，也是一位大軍事家，又通政治。樂毅亦能外交，能兵事，而且有極濃厚的文人氣息。漢唐以來，文人能武、武人重文的不勝枚舉。有此人，很難說定他是武通文，抑是文通武。要之中國軍人理想上必求其智仁勇三達德兼備，本之武德，而見之武功的。

中國古人，對於許多軍事學上的見解亦極高明，尤注重的在論將才，主要看其能統率幾多人。將兵愈多，則其將才愈高。惟大將之才始可統領大兵團。春秋時，有人說楚子玉將兵過三百乘，便不能全軍而歸。韓信對漢高祖自稱將兵多多益善，又能驅市人而戰，那真是大將之才。因軍隊要節制，講節制要明分數，使將非其才，帶了大兵團，反易敗績。中國軍事史上，不少以寡擊眾的戰例，其實只是將才高下，不關兵數多寡。

東晉時，苻堅率領大軍南下，前線已過淮水，後隊尚未出長安，東晉軍隊，則人數極少，照理苻堅該能穩操勝算，苻堅也是知兵的，他登上一山頭瞭望，就告訴他的幕僚們，你們如何說東晉軍隊不行，看來不是可欺呀！後來苻堅果敗了。因苻堅的是雜牌兵，烏合之眾，人雖多，也易敗。東晉北府兵是經過嚴格訓練的。項羽最能打仗，漢高祖卻似乎不諳軍事，但漢高祖手下用了三人，一個是韓信，一個是蕭何，一個是張良，韓信是大將，可以統率大軍獨當一面，當時黃河以北全交他指揮，張良是一個文弱書生，但他運籌帷幄，決勝千里，是一參謀人才，蕭何在後方，負責後勤補給，壯丁糧秣有損缺時，全由他負責安排運送，別人都不懂得漢高祖何以能打敗了項羽，卻由漢高祖自己說出這番道理來，這是深合軍事原理的。可見漢高祖能在軍事上作通盤籌劃，韓信也說他有將將之才。

參謀制度在西方，是近代始有的。但在中國，很早就知道軍隊中參謀之重要。參謀在中國，或稱軍師，或稱謀士。如戰國時孫臏，楚漢之際的張良，三國時的諸葛孔明。同時如曹操，他是一位文學家、政治家，同時是一位最高級的兵事指揮官。他之最不可及處，在能用良好的參謀。曹操幕下足智多謀之士極眾，又如唐代的李泌，也是第一流的參謀人才。

中國歷史上參謀人才[illegible]定計之最高表現，便如近代西方軍事學上所新興的地緣政治的理論一樣。因中國是個大國，軍事勝敗，往往不由某一戰場來決定。如春秋時代爭霸，戰國策士言縱橫，這些都是講究地緣政治之先聲。楚漢對陣，漢軍韓信一支出左翼，彭越一支在右翼，一支直搗楚背，而項羽只知道在滎陽成皋一線上與漢爭進退，宜其失敗。此後如東漢初，如三國，如唐、宋、明三朝開國，皆是群雄並起，孰應先擊，孰應後定，深謀遠慮，都要先爭勝於廟堂之上，都須參謀人才來策劃。

以上略舉一些例來說明中華民族在軍事天才方面之卓越。以下要講一些中國文化中所揭舉的關於兵事學上之最高原理。（未完）

昨日與明日

香蕉出口觸礁

叔子

第十三次中日香蕉貿易會議，本月十日開幕，十八日休會，九天期間，只見日方氣燄萬丈，問題不僅未解決，反而越談越不攏。

任何國際間的貿易，其要求皆建立於互利；這一問作不到就無法談下去。

日本之杯葛我香蕉進口，不是自今日始，觀其自中南美進口，即在於打擊航程既短，市情又好的台蕉，即企圖以此作為「武器」，達成其予取予求的目的。所謂會談，就是要同我們簽訂不公平的貿易合約！

這歧視，非我方可忍，非我方該忍！據說我方尚有人替日方講話，謂之為害，猶過於蠹！

蕉農應該先清除內蠹！政府應速謀新的香蕉輸出政策，打開非「日」市場！

我們也有矛，何必在這委曲都求不了全的狀態下，戀棧着「被動」地位，自討沒趣。

自由媚不來的

「媚日」心理，不能不說是「病」態！

過去，日本統治台灣五十一年，其唯一的令台灣同胞值得回憶的不過是社會秩序較上軌道！

這在「警察」國家與民主國家間比較，力的統治日易奏膚功，可是這「德」政竟能使一般人念念不忘，我們對於今日教育的方針應予澈底檢討！因為說這些的人，傾是天生的賤骨頭，只是憤言，不足以治病的！

事實上，今日的台灣同胞在生活中，物的享受，精神的享受，各方面的自由，豈是媚得來的？

當然，日本由於韓戰而獲得「景氣」，進而發揮其工業潛力插足於國際貿易中，一帆風順，經得起小風小浪！這些業績昭昭在目！實有我應予學習之處！

但，絕不能數典忘祖！

國人自愛！唯自愛始可以去賤！唯去賤始可以產生自信！信始可「立」！

談談家庭教育

教育部訂三十四年公佈實施的「家庭教育推行辦法」，通令所屬文教機構遵照切實執行。

「家庭教育」——家是一個堅強的堡壘，家裡的人進可以攻，退可以守！

教育在於使家中每一份子如何去建築這個堡壘，怎樣去攻，怎樣去守，它有方法，有秩序。

用之於社會，則社會健康，用之於國家，則國家富強。

這不是教育部就能竟全功的，它須要各方面的力量予以配合，尤其是民間團體與社會輿論！

在民間團體無力，輿論界又多為「錢」途計的今天，談家庭教育就談談罷！

旅美散見
所謂公證人

張起鈞

在中國，我們常常看到許多主管人員，蓋上塊豆腐乾，便算給屬吏，學生担保，雖則大家也知道他對被保證的人一點也不清楚，但只要有那機關的方印，公事也就交代過去了。不想「印」居然能有這種符咒式的權威，眞是天曉得。在美國一切公文靠簽字，想來不會有此流弊了。不錯，美國倒是沒有這種符咒妙用，可是另外也有一種符咒權威，並且還眞是賭咒，那便是此間要談的「公證人」（Public Notary）了。

美國許多證件表格上，自填的內容都要由「公證人」簽字證明才算有效，這些公證人也是由公家考試及格發給執照開業的，一如律師、會計師，但其身份學養並不如律師會計師高，例如我在聖路易華盛頓大學時，校中的公證人便是出納組的一位婦人，凡是須要證明的，就按件繳費，由他簽字爲證，因爲在個人主義的美國，主管固然不必替你證明，朋友們也不會給你連環具結，所以只有由公證人來保了。但這位素昧生平的公證人，又如何知道你填的眞假呢？其辦法就是由填表人，在他面前賭咒（發誓）所填屬實，他就簽字如儀了。

這，眞使我感到惶惑不明，假如是君子，根本用不着賭咒，假如是小人，賭咒又有甚麼用，他甚麼假話、謊言不可說。

最使我感到啼笑皆非的，還是運行李那次。託運公司接到我的電話後，就派車來取東西，爲了心明眼亮，當面就把箱子加了封鎖，蓋上個印。我說：「不是還要驗關報稅呢嗎？封上了還怎麼打開？」搬運伕根本不理我，而說：「請明天到公司來辦手續好了」。第二天我去時，由一位兼作「公證人」的職員拿出一大份表格叫我填。表填很複雜，外國人當然難看懂，他便逐項叫我怎麼填，等填到「內容」一項時，我正在想箱子內卻是甚麼東西時，他說了：「填用過的衣服」。箱子裡是甚麼，原來他比我都清楚，並且還都用着上稅，於是便遵命填好，交了錢，賭了咒，他們簽字如儀，證明無誤，完成手續，讀者諸君，當會想到我那時會有甚麼感想，別的不說，假如我是間諜，而箱子內裝的是原子彈的秘密，那不安全出境了麼？

修正所得稅草案
醫師賣笑一般高
有人投書抗議抑貶身價太甚

本報記者顧碧天台北消息：繼各種理療院因涉及色情泛濫，曾將其列入「特種營業」管制範圍之內，而具備醫師護理身份者，在名譽上固不免自遭貶損，但在「笑貧不笑娼」之墮落觀念下，若藝食「軟飯」之徒，固能甘之若飴。惟最近行政院爲強化課稅績效，已向立法院提出修正所得稅法草案，其第十一條將醫師列爲和舞女．酒女、吧女等吃飯的一行同類。惹起一般醫師之不滿，有人向報紙投書，指出：『身爲現代醫師固未被傳統觀念之「不爲良相，便爲良醫」而自我陶醉，可是政府所訂稅法要把我們醫師貶抑得與酒女、舞女、吧女同類，我們實在不甘心，此不但顯示稅官爲了要稅，不惜僭斯文掃地，而且抬高舞女、酒女、吧女爲社會之棟樑，至少在稅官們的潛意識中是如此，否則，怎麼會在修改稅法中把醫師列與酒女同類，在復興中國文化聲中，政府修改稅法如此安排實在是極大的一種諷刺……。』另爲稅法草案中規定醫師每天記賬，計算盈餘，開出統一發票，保存憑證十年等等，對此亦有人投書以其「一向恪遵法令，善盡納稅義務，依法盡國民應盡之義務，爲何還要這種困擾？況原所得稅法第二十一條末節規定：規模狹小之合夥或獨資之營利事業，得僅設日記賬一種，並得不適用本條例有關憑證保存之規定。優待小營利業免除保存憑證。何況醫療職務並不是以營利爲目的，我國診所多爲院長一個人從事一切醫護工作，太太在藥房配藥，其醫院管理方式與小規模商店之經營方式並無二樣，按理不應定以較「營利事業」更爲嚴厲苛酷，實不應漠視醫師之神聖職務……。」記者觀此，不禁感慨：太古有岐伯者精醫術任黃帝重臣，帝嘗與論醫更相問難。中世有扁鵲、秦和，蓋論病以及國，原診以知政」。後世之醫以仁懷濟世，儒術天心，聖賢道合，故有「功侔良相」之概也。降至今日，醫術雖爲科學之精湛，造福人羣，是賴，無奈醫德日墜，官醫則以索「紅包」視爲當然，私醫則以「美金」計酬，利倍以應，所謂「仁心濟世」者，幾已成絕響，惟祇獨善其身，間亦有之，楊燕飛教授即其例也，彼既不私人開業，執行官醫亦不需索「紅包」，病家幸遇其臨診，亦從不敢以「賄」相忤。頗此僅不揚燕飛一人而已！現在政府將醫師列入「賤業」之類征稅，固有失考慮，甚至辱沒斯文，政應有改正之必要。但醫師本身方面，卻須在復興文化運動大纛下，發揚仁心仁術精神，分辨「義」「利」，活人濟世，即不難恢復其崇高尊貴之職業地位。語云：「人必自侮，而後人侮之」，醫師們尤當知所警惕！

台灣保險有無詐騙
監察院進行調查

（本報記者張健生台北航訊）台灣保險業有無詐騙保險費，監察院財政委員會第二八〇次會議決定推派監委王文光、熊在渭、吳大宇等進行調查。此一決定，係根據該委員周存節之「調查報告」的建議而採取調查行動。

據調查報告以錢惟若投保十年滿期的福樂壽險爲生死合險，另加傷殘保險之個案，加以研究分析，按保單中訂定被保險人在保險期間亡故或完全殘廢者，照保險金額加倍給付；如被保險期間半殘或十年期滿而仍健在者，照保險金額給與，所有保險條款與保險費、準備金、退保退費之列計，均經主管機關核定。

錢惟若於投保福樂壽險時，年三十七歲，其保險金額爲新台幣十萬元，按規定，每年繳納保險費九千六百五十元。在保險費九千六百五十元中，屬於純保險費即本金者計八千零五十元，列爲營業費用者一千六百元，由於費用高昂，不勝負荷，並以爲投保二年之後可收取本息，因之退保；錢惟若投保兩年繳納一萬九千三百元保險費後，退保時僅領回七千七百一十元，餘一萬一千五百九十元未退回，乃向監察院控訴保險公司詐騙保險費。

人壽保險，不論公營或民營，悉爲互助合作之公有事業與合作社，暨合會儲蓄之性質相似，所異者爲人壽保險之純保費係根據精確之生命統計，列計所需之給付金額分攤於保戶，保險機構之營業費用，則按純保費加成收取。但因長期保險一次繳足是保險費用爲數頗鉅，且純保費因年事增長而加多，爲減輕保戶負荷計，乃將純保費與加成之營業費用，仿照分期付款方式，採用平衡保費按年繳納，或按季、按月繳納。

被保險人按年繳費，初時之純保費除攤付外尚有餘裕；往後則應攤之數與時俱增，故必需將早年超收之純保費存儲孳息，以資彌補。如錢惟若投保十年期滿的福樂壽險每年之純保費（包括：死亡傷殘保險一、一五二元；生存儲蓄保險六、八七五元）爲新台幣八千零三十元，另加純保費百分之二十的營業費用一千六百二十元。

保險機構之營業費用，以新保戶開戶所需支付之佣金、檢查費、事務費等最鉅。如以美國爲例，保險公司爲新保戶支付的費用，約佔終身保險第一年保費平均數的百分之七十，第二年以後，則需用甚少，但營業費用亦係與純保費平均列計於總保費之內，致開戶之初費用不足，其後則年年有餘，倘業者資金充裕，或公積金累積甚鉅，對於開戶之初的費用，自可應付裕如，若資金有限，或公積金微薄，則甚難支應。在先進國家中，政府爲體念業者之艱困，輔導其業務擴展，准將保戶第一年之準備金酌借若干，以資週轉，惟所借之金額，須自第二年起陸續補足，不得差誤。查保險業者借用保戶之準備金，原爲業者財務調度，其內部會計如何處理，應不涉及保戶之權利與義務。

人壽保險種類繁多，準備金各不相同，即同一類型之保險，亦因年歲與保險利益之差異而多寡不一者，各國政府爲防止業者將大量資金任意揮霍或作非法投機，對於準備金之借支悉加限制，日前廣泛採用之限制辦法即所謂「伊州制」，規定任何種類人壽保險之保費，其純保費少於終身保費二十年付費之純保費者，第一年之準備金得悉數借支，超過此一標準者，應將多餘之純保費予以存儲。今年二月間，行政院公布之保險法施行細則，亦規定我國人壽保險業者採行「伊州制」。

我國人壽保險公營或民營業者，不論採用所謂「修正伊州制」（保險法施行細則第十二條），將保戶投保初時之佣金、檢查費、事務費等不分類別與純保費多寡一律按保戶第一年繳納之平衡保費百分之八十列計，並將第一年準備金捕數動支，第二年起，將營業費用加成減縮，此純保險數額加大，「修正」最終一備金之數額雖與年終結算準備制相同，但所引起之不良後果，約有下列數端：

第一、將保戶之純保費儲先作爲業者之營業費用，使大量資金任其自行運用，例如錢惟若投保十年期滿福樂壽險之金額新台幣十萬元，每年繳納保險費九千六百五十元，第一年之準備金應爲七千五百七十五元，事實上人壽保險公司借用準備金達六千五百二十五元，約佔準備金八六．一五%，實際業者之準備金爲一千零五十元，約佔一三．八五%。第二年之準備金應爲一萬五千六百十元，人壽保險公司借用五千九百七十元，約佔準備金總額三八．二四%，實際業者之準備金爲九千六百四十元，約爲六一．七六%。

人壽保險鐵算盤　保戶敲得受不了

第二、人壽保險公司借用保戶之準備金漫無限制，已屬不當，乃更大謬不然者爲人壽保險公司將借用後調配填補之數作爲退保返還純保費之標準，而使保戶損失很大。就錢惟若事例言，他已繳保費兩年計一萬九千三百元，按規定除去人壽保險公司營業費用及分担死亡傷殘給付外，結存準備金一萬五千六百十元，以百分之八十退費計，錢某應領回一萬二千四百八十八元。殊料人壽保險公司按第二年之準備金九千六百四十元八折退費，致錢某所得者僅七千七百十元。這就是今日台灣人壽保險公司是否涉嫌詐騙値得研究之處。因而怨言四起，糾紛叢生。

第三、福樂壽險之死亡傷殘係按生命表死亡人數加倍列計保險費（術語謂之「一對二」），按理保戶之準備金自應比例增加，事實上未依「一對二」列數，致造成保戶蒙受損失原因之一。

第四、保戶投保時，人壽保險公司支付甚之佣金、檢查費等甚鉅，故保險一年前後退保者，其準備金例不返還，即在二年以後退保，並須將業者支付之佣金、檢查費等在返還金額內扣除，但各種壽險之準備金多寡不一，即同一保險因保戶年齡不同，準備金亦有差異。我國保險法與保險法施行細則均明定返還金額不得少於返保時準備金四分之三，例如錢惟若投保兩年後退保時之應有準備金爲一萬五千六百十元，依四分之三計算，應退返一萬一千七百零七元。惟該法既無年度限制，也未規定數額，立法原意係仿照先進國家以人壽保險公司支付佣金、檢查費等實際支付數爲標準，按保戶準備金多寡予以扣除。而我國絕大多數人壽保險公司均以準備金爲標準，按百分之八十退費，如十年滿期之福樂壽險，保戶在第九年以後退保者，在返還之純保費八萬六千一百六十元中，扣除百分之二十的營業費用計一萬七千二百三十二元。十年滿期之福樂壽險在第一年所繳保費九千六百五十元中，人壽保險公司依所謂「修正純保費制」，列營業費用者多達七千七百二十元，支付佣金、檢查費等綽綽有餘，自毋庸對退保者再按準備金扣除百分之二十，更沒有將扣除金額與時俱增之理。乃人壽保險公司降低準備金標準之後，繼又對保戶橫肆剋扣，損人利己，殊非扶危濟傾者所應有之態度。故有人以詐騙錢財視之。

我國人壽保險　奪取爲目的

第五、人壽保險事業爲無形工業，其製品爲各形各色之安全保障，在先進國家中，人壽保險業者皆以「價廉物美」適應社會需要爲公衆服務相號召，不像我國人壽保險公司反其道而行，以奪取爲目的者。查現行「修正純保費制」之唯一優點，即在便利人壽保險公司從事斂聚，保費愈高，斂聚愈多，如是將生命表中死亡人數按二倍或三倍列計保費，而以死亡傷殘二倍或三倍給付相標榜，殊不知一般人民對於保險之功能茫無所知，高昂之保費更非力所能承担，何況短命死亡、瞎眼、斷肢，素爲國人之所忌，貧者厭之，富者鄙之，故其生財之道，惟有如保險經紀人所陳，不斷招考外務員，藉人情關係，廣爲網羅。如錢惟若投保十年滿期福樂壽險亦係格於人情。

該調查報告建議監察院財政委員會推派委員，對人壽保險業務全面調查。該委員會接受專門委員周存節的建議，乃推由王文光委員等進行調查。

喬治桑外傳　三十

張大萬

「巧克力糖，大大的好。」野村拿拿了一塊巧克力，向三位小姐推銷。

三位小姐不約而同搖了搖頭。「小雲雀」「貴妃」「小鳳」在風月場中混久了，都知道日本有一種巧克力糖是興奮劑，不能隨便亂吃。

野田笑笑，各人都笑。野田並沒有強迫她們吃，將糖收了起來。

這時正挨到喬治桑出奇招的時候。

只見桑博士從懷中取出一個透明的塑橡盒子，裏面有三四隻像小蜜蜂的東西。這是他不遠萬里從歐洲帶回來的，叫作「西班牙蒼蠅」，據說是出產在西班牙的昆虫，吃下去有奇效。

桑博士像醫生處方般，取出一枚，用一張透明香烟紙包住，再用手指碾碎了，分成四等份。然後說道：

「這種東西大家大概還沒有吃過。我現在拿出來請客，請大塚、野田、「貴妃」「小鳳」四位客人。讓我替你們和在咖啡裡如何？」

這一着很重要。因爲從晚上九點半鐘起，兩位日本客人，除了喝酒，便是與牛董事長說話，對喬治桑似乎沒有甚麼印象。現在已是午夜二時以後，兩位日本客人的眼睛裏面充滿驚奇、感激。這不能不說是桑博士交際的一大收穫。

人的心裏是很微妙的。野田請大家吃糖，大家不敢吃，喬治桑直言談相，請大家吃「蒼蠅」，大家卻又樂意。吃過加「蒼蠅」粉的咖啡，自有女侍前來招待各人上樓。

樓上又另有天地，總共有六間設備豪華的臥房，每間房都附有浴室。在六間房的當中有一間古羅馬式的大浴室，大浴室是圓型，用大理石砌的，四面都有鏡子，在裏面洗澡，可以看到鏡中姿態。

宦人列傳（八）

周燕謀

呂不韋善賈居奇

三、兩條「內綫」成功

呂不韋第一條「內線」先走華陽夫人之路。由華陽夫人之姊，將其利害對華陽夫人剖陳，她對華陽夫人說：

我常聽人言：以美色事人者，色衰則愛亦衰。今夫人事太子，寵幸雖深，但無子嗣。若不以此時早自結於諸子中的賢者孝者，舉立爲嫡子；此時夫在則尊重。但如百年之後，嫡子爲王，始終不失其勢，這就是一言而萬世之利也。若不以繁華的時候立其根本，等到色衰愛弛的時候，要想有人爲你說一句話，就不可能了！今聞異人賢孝，而異人自知爲中男，以次不得爲嫡，其母又不得幸，今自附於妳，妳如於此時拔立爲嫡嗣，到終夫人之世，皆有寵於秦矣。」

華陽夫人聽了，果然正中下懷，正是利之所在，一拍即合。於是乘機對太子安國君說，在趙國當質子的子楚非常賢孝，諸侯賓客都稱贊他，接着淚珠兒便滾了出來，對太子哭泣言道：「妾幸得充後宮正室，可惜不幸無有生育，蒙太子幸愛，妾願得異人立以爲嫡子，以妾託之終身，不知太子意下怎樣啊？」

安國君素愛華陽夫人，那有不依之理。爲鄭重起見，太子和華陽夫人，刻「玉符」以取信，表示已決定立異人爲嫡嗣。接着太子與夫人請呂不韋回趙國，作異人的師傅，並且還帶了許多財物與異人。異人滿心高興已極。於是，有了金錢，便有了賓客，也就有朋黨，有勢力，以至交游日廣，聲譽日隆。

呂不韋乃是一個大富商，有用不完的金錢，對於女色方面，自然盡情享受了。他曾在邯鄲名都，色物了一名舞姬，艷麗非凡，能歌善舞。他既然以異人爲「奇貨可居」，早已預作走「內線」的打算。一日邀了異人來飲宴，使舞姬歌舞助興。異人此時已經搭上了華陽夫人這條政治內線，正式立爲嫡子，心花怒放。他帶了點酒興，一見舞姬如此艷照動人，不由得色動神搖，不能自已。當面要求不韋將舞姬送給他。不韋故意表示發怒不願的神色；接着改色言道：「既然公子寵愛此姝，當是她的幸福，我把她送給你吧！」

這舞姬已有了身孕，不韋要她密而不宣。秦昭王四十八年正月，（西元前二六一）舞姬生子名政。母隨子貴，在封建時代相當重要，因此異人便立舞姬爲夫人。

秦昭王五十年（西元前二九五年），秦國使大將王齮圍攻邯鄲甚急。趙國當局因此大怒，欲殺異人出氣。呂不韋與太子計議，不韋用金錢行賄於監守吏，放了異人和不韋，還奔於秦軍。二人一路西入於秦，華陽夫人聽說異人回來了，甚是高興，於是便召見異人。不韋知道華陽夫人是楚國人，於是便要異人穿了楚國衣服去朝見她。華陽夫人果然大爲高興，對異人說道：「吾楚人也，而子字之」。因此異人便更名子楚。不韋和子楚雖逃回秦國，但是趙國當局就遷怒於子楚的妻子和兒子，要殺她母子。幸虧她平日交游甚廣，藏於趙國的豪家，得免於難。

吳稚暉答陳公博函——聽與不聽還有問題（下）

·鴻雁·

大學尺牘

這就是從他的在社會的地位，又不怕苦而諫他的，他不拿歷史來護黨，不拿地位來堂堂做一回，他拿歷史來做別人的工具，拿地位來做惡化的領袖，怎樣聽，如何叫我不反對呢？他反對我，難道陳先生又暗暗叫該當嗎？我知之矣，我反對他，反對他醞釀惡化，他反對我，他現面益背，罵我醞釀腐化，但我曾聽人說，浙江黨部畫一個爛西瓜，題目「這是南京政府」，我拍案叫絕，我前天親對宋子文先生說，陳公博先生在革命評論上，稱你是廉潔同志，那很對的，可是不幸而人才難得，那個南京爛西瓜，說到財政部，把北平的郷裡人勿識爛桃子，叫做大點頭，一齊搬進了，說到腐化，也算首屈一指了罷！只還是吳稚暉的朋友，還是汪精衛陳公博的朋友呢！又聽說某最高機關八千美金的西賑，開在華賑上，是九千，造了一萬出頭的工程，估量止位八千，還是有結實，所以引起小報，也有吃三百五十觔茶集的會議，還些政和黨的爛西瓜，也還不是接近吳稚暉的，正是接近汪精衛陳公博的罷，所以陳公博先生的二十四萬元爛賬，便是汪精衛先生的子弟汪宗洙先生能夠替他證明，上海人話頭，表明心迹，是便當來些的好了。汪精衛先生的把戲，我將要答他基本觀念的錯誤，再直接向他討論罷，我在黨的立場上，順便致意陳公博先生一聲，目前經你的三千枝毛瑟槍，領導了好像蘇俄革命前夜如毛的刊物，弄起無形的兵來，差不多山雨欲來風滿樓，去冬廣州的景像，又只待時間爆發罷了，倘不幸而我之言中，又叫人認識你們更清楚的呀。我料犯幼稚病的共產黨，不會替你們忍耐得太久的呀，倘依革命評論第九號的尊見，革命的力量「淺薄」一點把那爛西瓜收拾好了不去浪用工農及小資產的階級「熱情」，叫吳稚暉的猜想，成了放屁，中心滅之，予日望之，陳公博自此遠矣，然而能如是乎止好笑而不答，因爲世界上還沒有發明醫治幼稚病的特效藥哩！

曲終奏雅的說句最誠懇的話，某西報主筆，講了交情，幾天前稱目前的糾紛，我要担些責任，就是黨內的要人也如此說法，我要担責任，就是因爲我曾開口，但請問兩月以來，人家評論不已，作起呼聲，衛上前去，前進又前進，貫澈他們火攻環攻的政策，鐵幹得來如火如荼，我才自衛的反抗幾句，遠一個基本觀念，都還不曾有工夫討論，糾紛到底是誰揚起的呢？帝國主義的朋友，本來自辛亥以來，抱一貫的政策，惟恐我們不亂，多發怪議論，激起亂源，又賣了交情，眞所謂雙倍利益，但何以我們會上他的當，就是我們好像汪陳諸位左派先生們，他們的基本觀念，先是錯誤，我對汪先生曾別加評論，現在先向陳先生貢獻幾句，他們的基本觀念，就是承認蘇俄之所以爲蘇俄，已經是個社會革命破天荒的成功者，若說蘇俄，本是對的。若必要先，固定不大不小才能施治，恐怕據些不大不小的局面，度德量力，小知道自己，吞不了全國的，當局飛色舞的贊成。那種王先生鼓舞的政客，他在北京助練統執政爲惡的他依然不大不小之處，助督辦司令爲惡，這是現在的不大不小處之狀態早已如此。王先生又將何以道之？鄙意未達十分之八，即先生亦未曾將方法詳告，吾知我們接近之點，必定至多，吾今惟辯明在北京試驗則此意。

一四，三，八。

石頭希遷門下的五大禪師（三）

吳經熊著　吳怡譯

禪學黃金時代

後來，龍潭是居於湖南的龍潭，有個和尚問他：

「髮譬裡的眞珠是爲誰所得」？（這話正像耶教聖經中的「無價之珠」，是象徵深藏於現象界中的最高智慧）。

龍潭回答說：

「只有不賞玩的人？

才能得到它」。

對方再問：

「我們該把它藏在那裏呢」？

龍潭便說：

「假如有地方可藏的話，希望你告訴我吧」？

又有一次，某尼姑問龍潭她要怎樣做下一輩子才能變爲和尚。龍潭說：

「你做了多久尼姑」？

尼姑說：

「我的問題是，我是否有變和尚的一日」？

龍潭又問：

「你現在是什麼」？

尼姑回答：

「現在我是尼姑，又有誰不知道呢」

龍潭便說：

「誰知道你」。

又有一次，儒生李翱問龍潭說：

「什麼是眞如般若」？

龍潭回答：

「我沒有眞如般若」。

李翱又說：

「我眞是幸運遇到你這樣一位高僧」！

龍潭便說：

「這這話也是多餘的啊！」

第三位，德山宣鑒（西元七八〇——八六五年）

德山是四川劍南人，俗姓周。早歲出家，便博閱律藏，精通金剛經，尤其對青龍疏鈔特別有研究，他常講金剛經，當時的人都稱他爲周金剛。後來他聽到南方禪學之風很盛，便大爲氣憤不平的說：

「不知多少出家人，化了多少年的功夫，去學佛的威儀和戒行，但都未必能夠成佛。南方這些小鬼頭，居然敢說直指人心，便可見性成佛。我要去搗毀他們的窟穴，殺盡他們的子孫，以報答佛的慈恩」。

於是他挑着青龍疏鈔，從四川去向湖南。在路上，他遇到一個老太婆在賣餅，這時他又倦又餓，便放下了担子，去向那個老太婆買點心。那個老太婆指着他的担子問：

「這些是什麼書」？

吳敬恒先生年譜（卅八）

陳凌海編撰　陳洪校訂

去年杪爲編遣軍隊，先生與馮玉祥（煥章）、閻錫山（百川）、白崇禧（健生）商談汰弱留强問題。一月，出席國軍編遣會議。二月，公子詳患睾丸結核症，醫囑需適當之調養。先生孜慮送往廬山或莫干山療養疾病。旋於四月十八日在上海日人經營之福民醫院施行手術，割除睾丸。三月，中國國民黨第三次全國代表大會，警告汪兆銘（精衛）開除陳公博等黨籍。裁撤武漢政治分會。並通過根據　國父教義，編製過去一切黨之法令規章，以成一貫系統，確定　國父遺教五種，爲訓政時期中華民國最高根據法案。四月。李濟琛（任潮）被拘湯山，先生因有諾言之關係，故同赴湯山伴之。先生在陪伴李濟琛期間，從事研究湯山縣志，欲將該縣志重新編纂。資料蒐集甚多，惜未能完成。同時先生於餘暇，開始漫步遨遊，首於四月三十日自南京大行宮經中山門步行至湯山俱樂部。旋由湯山步至句容，中間雖曾僱驢代步，驢但不馴服，不得已仍步行。往還數十里。竟不覺疲倦。從此提起其漫遊湖嶽之興趣。自後，每有餘暇，經常遊歷全國之名山大川焉。五月，中央監察委員會改選，先生當選爲常務委員。先生在江蘇省教育廳講：「注音符號之推行」。二十九日，　國父靈櫬奉安典禮，先生參加執紼。公子詳亦與焉。六月，先生參加中國國民黨第三屆二中全會，撰爲國民黨第三次全國代表大會前對黨之分析。爲鄒魯（海濱）編纂之中國國民黨史稿撰爲序文。七月，致蔣主席中正函，報告馮玉祥改期出國。爲閻錫山出洋問題，致孔祥熙（庸之）電。十月，爲表弟浦瀛龍（子敬），從妹吳濱西夫婦，雙逝撰爲行略，並至無錫主持喪禮。十二月，先生在科學社圖書館之奠基典禮演說，指南京爲全國中心地點。是年女公子芙（孟蓉）任江蘇省教育廳編審。國立北平研究院成立，先生任該院史地研究會常務委員，主持調查及研究工作。該會後改爲史學研究所。

民國十九年，庚午（西曆一九三〇年）

先生六十六歲

一月，先生自京赴北平，召開國語籌備委員會第一次年會。二月十五日，五院院長通電全國，勿以私利害國。二月，爲楊蔭鴻譯古今中外哲學之生活與思想作序。三月，爲中國國民黨第三屆三中全會事，致電閻錫山（百川）。先生參加三中全會。漫遊常州、莫干山、蕭山，並至紹興等地。四月，在北平出席第二次全國教育會議。先生發表演說，要求全國人民加强注音符號之推行。會畢返京，四月二十一日，先生向中國國民黨中央常務委員會提議：改定注音字母名稱，爲：「注音符號」。五月，由教育部通令，改稱注音字母爲注音符號。七月，頒布推行辦法二十五條。四月十七日，先生發表：「對閻錫山、馮玉祥（煥章）叛變之解剖」一文。

（未完）

矮人與奇才（二）

錢一釗

「卜二」皇帝愛麥辛三世

意王愛麥辛三世廿五歲的時候，去聖彼得堡參加俄皇尼古拉斯二世的加冕禮，這位個性獨僻的當時觀禮的歐洲王室中的王子，親王，公爵中身材最矮的王子，却邂逅了愛倫娜，她是蒙特內哥羅尼古拉斯親王的女兒，具有典型的俄國人形相，身材高大，健壯，三圍無明顯的線條，而且是精於騎射，性情粗獷的女主！

他，在第一眼看到她的時候，嚇了一跳，但這位狂放的公主的一舉一動，一顰一笑却都吸引了這位矜持的王子，在他逗留在聖彼得堡的短暫時日內，他終於接近了她，並且互相崇慕而產生愛情，待尼古拉斯二世加冕禮畢後，他倆也結成秦晉，成爲一對恩愛的佳耦。

這事在當時不僅未獲得他家長的同意，並爲之氣惱，因爲那時，他的父母親爲了增進和德國間的友誼，一直計劃給他物色一位德國公主！但一切都已成爲不容易變更的事實，這不是說愛麥辛三世和愛倫娜公主之間，而是說他倆彼此都堅信其必成爲美好的婚姻，最後意王亨柏特終於同意他們的婚姻，事實們，他倆婚後的表現也是令人羨慕的恩愛與諧和！

一九〇〇年，意王亨柏特，被無政府黨徒弒死，愛麥辛即位，這一件不幸的事，幾乎改變了整個世界的歷史，由於亨柏特的被害，使薩伏亞王室對極端主義深表仇厭，尤其是愛麥辛三世，父王遇害給他的打擊，使他潛存着的復仇意識，在一九二二年決定下令由墨索里尼當國的事中表現出來！

亨柏特王雖不是無道昏君，但其猶豫寡斷，態度頹顢，當時意國政治已是一塌糊塗，加以殖民地戰事失利，經濟瀕臨破產邊緣。愛麥辛第一個詔令就是要求意民：「愛國家，埋頭苦幹！」他並不斷的出國到歐洲去，一方面聯絡鄰國，一方面設法打開對外貿易的大門，以求早日恢復意大利的元氣！

由於他在登上王位以前，曾在前線與士兵同甘共苦，長達三年之久，他的勇敢與仁厚，在士兵中已建立了彌久益隆的聲譽，並且在社會中間也獲得了意民的愛戴，一九一八年他回抵羅馬時，民衆夾道歡迎，盛況感人。

一九一七年他巡視陸軍病院時遇見了一個伍長，數星期後他又在另一個醫院又遇見了他，這一個勇於作戰兩度受傷的伍長就是日後幾乎改變廿世紀歷史的墨索里尼。

（中）

衡山趙公九十華誕壽頌詩序

總統府資政衡山趙公今年九十矣，農曆十一月廿三日實初度之辰。公預戒子侄，勿得稱觴娛賓客，又告於朋友及門生故吏曰，賀壽非古也，諸君子愛人以德，舉止循禮，請勿為慶。公含融儒佛，戢德衛道，近世無兩，邦人感動。惟　公砥柱國事，逾數十年。辛亥鼎革與　公并肩起者若華陽張公岳軍、江陵張公懷九、都陽姜公伯彰；布政施澤，有惇厚風俗之實者，若吳縣嚴公靜波、長沙黃公逵雲、南縣黃公少谷；名流碩德，平日與　公交往密切，相與砥礪事功及德業者，若昆明張公純漚、湘鄉曾公約農、曾副主委潛如、長沙向公精父；其他輔翼　公之事功，託以立身揚名暨文人藝士懷高山仰止之敬者，不及備數，咸曰：　公擢事功之美，持名教之大，宜鋪攬揆之會，歛辭集句，以勵來茲，踵為詩文者若干篇。大抵惜繼起之不可常，頌長者多祉。嗣君佛軍，令任孟完屬德偉序其端。　公獎掖後進詣逾龍公，德偉愧無抗懷以報大人之業，受斯命也，何敢辭。竊嘗聞經世持國之大道曰至誠，曰無私。中庸曰，至誠之道可以前知。葦誠能見微知著，窮隱知顯，窮極無量因素之形相變化，而無私即由是而生。故堯舜推無私之心，不私有其天下；諸侯疆臣，不私其土宇人民；忠臣烈士，不私其身；聞道君子不私其財；以是為教，邦治之道也。　公取精用弘，行合於古，超視無等之欲，用以貞固於永久，其發為事功者泰山之一毫芒耳。當辛亥武昌之首義也，　公帥廣西新軍，並總辦軍官幹部學校，既促沈逆、王芝祥獨立矣，實力莫之與京耳。命一方，人心悅豫。　公乃還政桂人，率師徒步馳援武昌，嬰武昌城守，任其最難。袁世凱擁兵自謀，醞釀和戰，都督黎公返武昌。　公又率師戍孝感，當最前線，不要功，無德色。黎公終生感之。黃公克強檄公東下，改編桂軍為第八師。　公退若無懲，讓師長於陳之驥，語黃公曰：政略從公，戰守惟謹。俠儂率所部一團返湘，不私其衆，近史所未有也。民國七、八、九年間，南北混戰，　公已逐張敬堯，澳汗大號，標榜自治。海內賢豪降心相從，若蔣百里、王正廷、李劍農、彭允彝、鍾才宏受聘草定省憲；若熊秉三、章炳麟、梁啓超、章行嚴、湯斐予、張君勱等為之遊揚於全國。牧伯一隅，得士之多，史所罕見。民國十一年　公應鄂紳之請，率湘軍援助鄂省自治，軍敗，入心皇皇，　公單騎訪敵方統帥吳佩孚於軍艦，語之曰，君已戰勝湘軍，則南軍尚欲繼進耶，則南軍拒之於前，段祺瑞張作霖扼之於後，予不知君何以善其後也。佩孚為之心折。臨別，　公後語之曰，近時武力之盛莫如項城，而卒制於松坡；段祺瑞用兵不戢，亦鍛羽去位，前事之失，後事之師，君其察之。佩孚不悟，敗不旋踵，識量之相去豈不遠哉。方段祺瑞張作霖馮玉祥聯盟以剪吳也，吳兵敗無容身之地，率艦二艘，甲士五千，過營蘇皖鄂各省，其平日耳提面命之大吏拒不為禮，且欲奉段命以劫持之。　公立電佩孚，驅屯岳陽。段遣使來湘遊說，勸之以情，餽之以勢，　不為動。並函譚公組安曰，北方沼吳後，將進圖西南，孫公一時斷難得志，易忽以護法起，決不能以祖北終，殊途應可同歸，幸為疏導，羅兼舉力，事出有濟。爲滬猶存，尚可援按。政署超時，誰能攀躋。　公主湘政五年，一意從事建設，與民休息，政通人和，革命軍一起，湘軍實力最強，均　公之餘澤也。史紀所載，徒識其表。　公曾詔德偉曰，往事如烟，君誌之，所不敢辭，多事宣揚常，反召紛擾。安命守。民國十四年，唐生智治軍衡陽，有武心，　公遣使語之曰，鄉邦不可殘也，人民不可劫也，興以法律途徑，昇君當選省長，完湖南以待時會。生智情不能待。時湘軍四師，生智僅領其一，剪之有餘力。　公乃召部曲曰，內戰一啓，撫湘之政跡全隳，生民不免塗炭，予以不忍之心，行不忍人之政，與其戰也，曷若與之。即命生智代理省長，飄然去位，封存庫藏無纖介之取，果決明斷，求之昔賢，亦罕其選。當其過武漢也，適吳佩孚竊號十四省聯軍總司令，遣使通於江干，力申武力助　公返湘驅唐之意。　公從容語之曰，交深如子玉，尚不知　之所守乎，　以自治起，假外力以固位，人縱不我敗，我亦將自敗也，幸為我謝。即揚帆東下，覷江水之悠悠，悟物我之一體，從此歸於瞿曇。厥後，　公親電葉開鑫，賀耀祖率所部自平江修水入贛受國民革命軍司令　總統蔣公節度。生智內懈，更擺失衆望，乃揚言於衆曰，我奉趙公之命以參加革命也，趙公令軍泣，曰義無返顧。軍士感，曰：趙公何在。故生智予智自雄終不得士心。以忠誠無私為天下倡者，方可大可久，豈不信然。當　公主湘政之時，創建湖南大學，語主者曰，嶽麓講學之風不可斷也，自孔子干諸侯不用，退而講學於洙泗之間，於是政教分離，師道極尊，教化徒衆，非長民者所得與聞。易備位一方，幸能負物質建樹之責，陶鑄人才儲為國用，則諸先生之事也，其貌凝凝，其言休休，風氣為之丕變。民國廿九年德偉以　公延薦當選為國民參政會參政員，因得盡識當世之所謂賢豪及幹國之士，深悟時勢艱危，志士困心衡慮之時正長，建救國家未若是其易也。故於治事之餘，從事名山事業，實假　公緣而有得於心者也。遷台後　公授德偉楞嚴經曰，不明出世之學，無以成入世之業，君本澹泊，詣此可堅君志，并益君學。海書欽掌，又勞驚西方文哲，未能深入，負　公明教所不敢譯。　公幹國之重，歷數十年，凡與接者，均知　公言辭平實，生活嚴肅，而一當艱危之會，明斷若鉅，衆紛立解，豈所謂大智若愚，大勇若怯者非耶。諸君子崇重耆老，著為詩文，其旨約，其辭斂，頌無溢美，本末并茂，德偉既盡讀之，乃纘述大德，補詩文之不逮。達於文章道德之君子，庶幾終覽焉。若豪傑之士聞風興起，則　公之素志，亦斯文之大旨也。

世晚周德偉

命相與夢話

義的塑像——關羽

公陶

台灣影壇善炒冷飯，創造無力翻版有餘，黃梅調倒了觀衆的胃口，就「聊齋，聊齋」混，前兩天拍「關羽」傳，先鬧三角纏而對台！

提起關羽來，在中國可以說是婦孺皆知，在咱們老百姓口中關夫子的地位是極其崇高的，這不能不歸功於羅貫中，他著的那部三國演義，幾乎把所有的人物都寫的栩栩如生，但其中的「白臉」曹操，「紅」臉關羽最突出！前者是奸的象徵，後者是義的塑相！

從正史的記載上看，關羽生於後漢桓帝延熹三年六月廿四日，卒於後漢獻帝建安廿四年十二月。（時日不詳）

關羽字長生，又字雲長是山西省解縣人，（即河東解梁）造命為：庚子、甲申、戊午、庚申，所謂三奇順佈，四柱純陽，命中注定是至剛至勇，乃文乃武，有雄心，有魄力。三奇即是月佔甲，日佔戊，時佔庚。這是很難得的，年命幹枝變列庚金，月時二枝又暗藏庚金，命裏金多的人，天生就是威武剛烈，用來求證，關羽不就是一生威武剛烈麼？威武剛烈的人大多任性，寧折不曲，不僅擇善固執，也多剛愎自用，而剛愎自用，這也是金過多的現象，命理豈可以不信乎？

關羽廿五歲時才和劉備張飛義結金蘭，開始討黃巾伐董卓的軍旅生活，一直到三十八歲時，這階段是他事業頗為順利的一個階段。他三十九歲時劉備守不住下邳，不得不投降曹操，隨曹還都許昌，由曹表奏漢獻帝封關羽張飛為左中郎將。

這一段日子，關羽過的並不理想，不過他有一個信念，「生不負劉備，死不負漢室。」因此陳壽的三國誌中對他並無褒貶，而羅貫中的三國演義便大作其文章了，什麼三日一大宴，五日一小宴。」今天給他美女，明天給他鈔票，……你看曹操對他下的功夫是多麼的釣心鬥角？可是關羽也給曹操解了白馬之圍，殺了袁紹麾下大將顏良與文醜，真是威振華夏，尤其是「溫酒」斬華雄更膾炙人口，讀三國演義的人那人不知？

這時他已經是漢之壽亭侯了，直到他四十一歲辭曹操歸劉，過五關斬六將終於回到劉備的身邊，三年來關羽的生活可說是要什麼就有什麼，別說是五子（房子、金子、女子、車子、子），就是再多上個十子八子，也無問題，可是偏偏他是個威武剛烈的人，什麼都不要，就要去古城找那個思想不定的「劉備」！

在今日社會上看，真是要多錢有多錢，這又不是紅包，又不是黑錢，都是光天化日之下抬來的！可是今日想找一個真出諸內心衷腸在這威武剛烈的人，都還得登報高「價」徵求，錢少了還沒人應徵呢！

那幾年關羽走的是子運，與日枝之午衝犯，對大局言是風雲變色，對他本身言是挫折頻仍，但一個人的人格却是經過折磨越多越亦見其價值，他若不是重「義」，實在犯不着跟劉備那個窩囊廢——劉備平生唯一不窩囊的就是相信諸葛亮，可是臨終的時候，他還對諸葛亮說：「阿斗是個沒出息的孩子，你如果對當皇帝有興趣的話，那麼你就是皇帝罷！」就是這一招，使諸葛亮鞠躬盡瘁，死而後已！

催眠術研究（七）

鮑紹洲

六、讀書催眠法

讀書催眠法，就是使被術人讀書而催眠的一種方法。我們平常看到很多人睡在床上閱讀小說書報，或伏案課讀，便不知不覺的昏沉入了夢鄉；此種方法便是運用此種為催眠之術。施術時，先使被術人仰臥在安靜的地方安置，然後將印好或寫好的文字，交被術人讀三四回。其文如左：

先閉雙目，作動呼吸與靜呼吸；動呼吸者，則以強力盡吸空氣而運於下腹部，這是第一步。然後再用盡力吐其氣，使下腹部回入。這是第二步。照這樣一呼一吸。吸氣數一，出氣數二。如此作五十次。開始先作「動呼吸」約四五次，然後作「靜呼吸」。「靜呼吸」就是極靜而行呼吸。極靜之呼吸，則在旁的人亦不覺得其呼吸，就是放一片羽毛在他鼻孔邊，也不覺得呼吸氣出入。到這時候，便用手輕撫下胸前，心想道：「欲眠，欲眠」。則頭上的血液，便趨下沉而至足尖。每呼吸時，則心口暗思「我的精神已經逐漸沉靜」。如此再三念三四回就催眠了。

施術人將右上的文字交給被術人時，就對他暗示道：「請將這篇文章讀三次，明白其中動作後，便照這意思作「動呼吸」與「靜呼吸」。待被術人讀三四次後，便收回此文，舉手從被術人的頭上起至足下作撫下的狀態。施術人立於被術人之側，要被術人照此文意行之。施術人觀察被術人的精神狀態，但不要按觸到被術人的身體。然後給被術人繼續再念二三次，然後再要被術人照文中所說的動作再作。施術人然後暗示道：「現在已經催眠了」，「既然催眠了，你的手足聽我的命令而運動了。」

這種催眠之原理，使被術人三讀其文，知曉所說的動作，然後其精神自然集中於此。作動、靜兩種呼吸者，乃使被術人勿生雜念，而達到催眠。

事過境遷

三幕喜劇　熊式一

史：（十分確定的樣子）他是姓宇文，不過他姓聞人！我一回到旅館，忽然之間，靈機一觸，馬上就記得清清楚楚，他姓聞人！我本來不好意思再來打擾你們的，不過我想我還是親身來一次好些。「聞人」！（很得意的樣子）包太太，妳總記得我老早就說他的姓很特別，再沒有誰一生會碰到兩個姓聞的人！

包太：那就不是他了！這個姓聞的人是一個甚麼人呢？

史：（不免覺得這個女人糊塗）怎麼你就忘了呢？我不是告訴了你們，他在澳門大酒店裡喝醉了，跑出去給一輛貨車壓死了嗎？他姓聞人，名叫得標！是不是聞人，得標呢？好像是聞人得勝似的？不對，是得標！我記得標字是用木字邊的標字，不是用金字邊的鏢字！

包太：你先前又說他姓宇文！你倒底記得清楚不清楚？

史：現在記清楚了，決沒有錯！

包太：你怎麼把兩個名字弄錯了呢？

史：抱歉得很！其中有一個很巧的緣故！

包太：今天自從史先生來了之後，沒有一件不巧的事，件件都巧得很！

史：包太太，我一來就碰到了令姪女露茜………對不住露西小姐。

包太：隨便說；露茜，露西都可以。

史：露茜小姐今天很喜歡說………不是，她今天很高興和我一見如故………

包太：她天天無論見了誰都一見如故。　（四八）

海嶠慶談舊

談大人物的氣度

諸葛文侯

太平天國之役，曾國藩的湘軍於盛暑中，久攻金陵未下，當時李鴻章統率淮軍駐在上海，得英國軍人戈登協助，攜有新式武器的「洋槍隊」——即單響毛瑟步槍——實力殊強。清廷嚴旨令飭鴻章星夜馳援苦戰金陵的湘軍，鴻章託詞洋槍在炎暑時節容易走火失事，遲遲其行。左右幕僚認為坐失淮軍建立奇功的機會，甚感惶惑。鴻章解釋道：「長毛勢力已經衰竭了，金陵一定攻克，要讓曾老師獨建首功，淮軍不必介入以分儕懋賞也。」

金陵既克，各方面對曾國藩稱頌功績的文書有如雪片紛飛，琳瑯滿目，美不勝收。曾氏幕僚將其逐一蒐集編次成帙，擬付刊行，俾資流傳，請曾氏酌定稿名，曾謂：「可名之為『米湯經』」，左右知其無意[illegible]於此，乃能其役。

左宗棠領兵進入新疆，平定叛亂後，沿甘新驛路兩旁，遍種楊柳樹，點綴風景。左氏的姻親楊昌濬寫了一首歌頌功德的七律絕句以獻，詩云：「大將西征未肯還，湖湘子弟滿天山，新栽楊柳三千里，引得春風度玉關」。左氏閱之甚為得意，遍以誇示人前，有親[illegible]宗棠於危難之中，又從而推薦獎拔其為湘軍統兵大員的人，並左於得勢後，對曾氏多所攻訐，不留餘地，然曾氏始終犯而不校，坦然置之度外。曾逝世，左氏撰輓云：「謀國之忠，知人之明，自愧不如元輔」；「同心若金，攻錯若石，相期毋負平生」。頗示懺悔之意。曾氏靈柩由南京運回長沙時，左在西北軍次，函告其住居長沙的兒子，務須到江干迎祭曾靈盡禮，謂過去自己對曾氏斷反目，都是為公而不為私，教兒子切勿置意已往之事。

曾國荃攻下金陵，俘獲太平軍名將李秀成時，竟以鐵錐遍刺秀成股臂鱗傷，秀成語之曰：「九帥何必如此，吾人各為其主而已。」後來湘中宿儒王壬秋撰成「湘軍志」，其中敘述湘軍攻克金陵情形，有江南財貨，盡入大營」之語，又謂水師統帥彭玉麟、楊載福因而表示辭職云云。國荃指其為「謗書」，曾派人在長沙「天心閣」的官紳公宴[illegible]王氏，旋經巡撫出面調解，保證將「湘軍志」板毀棄，乃罷。往後王氏到四川講學時，再把「湘軍志」重新刻版印行，這項刻版仍藏「四川大學」，我於抗日戰爭時在成都親見之。

上述近代名人的軼事，足以窺其氣度風格的高下，而其人的事業成就亦未可同語。我們今日一般政治家的小家氣派，我不禁感慨長歎曰：何今人之不相及，噫嘻！

自由報

中華民國內政部內版台報字第〇三一號
中華民國僑務委員會登記證台教新字第三二三號
中國郵政台字第一二八三號執照登記爲第一類新聞紙

（第一二九期）

（半週刊每星期三、六出版）
每份港幣壹角・台灣零售價新台幣弍元
社長李運鵬・督印黃行寬
社址：香港九龍彌敦道593—601號
廖創興銀行大廈八樓五座
LIU CHONG HING BUILDING
7th FLOOR FLAT 5
593—601 NATHAN ROAD,
KOWLOON, H.K.
TEL：K303831
電報掛號：7191
承印：長星印刷公司
地址：嘉咸街廿九號地下
台灣總管理處，台北市大同街119號
台灣區直接訂戶　台郵劃撥戶
第五〇五六號張萬有（自由報會計室）
電話：五一四〇三三・五五五三九五
台灣分社：台北市西寧南路110號二樓
電話：三〇三四六・台郵劃撥戶九二五二號

中國文化中的武功與武德（下）

錢穆

中國軍人的精神修養，基本着重在「智仁勇」三達德，上面已說過。這三達德中，又以「仁」爲中心。中國文化主要精神都發源在一個「仁」字上。孟子謂：「君子以仁存心，以禮存心，仁者愛人，有禮者敬人」。禮是仁的表現，仁是禮的本原。但戰爭本是要殺人的，好像是一種殘忍的行爲，我中華民族雖尚武，而不流於殘忍，所以能綿延歷久，屢挫不衰。中國軍事要講「順天應人」、「替天行道」，所謂「止戈爲武」、「仁者無敵」，把戰爭視爲「弔民伐罪」、「以殺止殺」的手段，軍隊則稱爲仁義之師。孟子也說，「不嗜殺人者，能一天下」。不嗜殺人，不是不殺人，但殺人總不是好事，因此非存心至仁，則不宜來担任此殺人的大任。既要殺人，自己也該不怕死，所以說：「有斷頭將軍，無降將軍」。視死如歸，也是武德。那有所謂光榮的投降。當知兩軍交鋒，固是要爭勝敗，更要是爭是非。是的向非的投降，實無光榮可言。一個人有生必有死，活要有意義的活，死也得有價值的死。成功要有價值，失敗也應有價值。中國人強調精神不死，軀體雖不保，但其人格氣節仍然存在。戰爭並不是鼓勵殺人，更不是鼓勵自殺，心中只有一個「道」，一個「仁義之道」，一個「忠勇之道」，死生一觀，並不在這些上計較。

中國軍人既尚仁，又講禮，吉凶軍賓嘉五禮，軍禮占其一。可見中國文化中之中國軍人，正也代表着文化傳統主要精神之所在。

孔子在論語裡，提出了一段軍人修養最高精神的話，說「子之所愼齋戰疾」，齋是祭前齋戒，所祭是鬼神，鬼神有無，直到今天還無定論。孔子在祭前齋時，既不確認有鬼神，也不確認無鬼神，只是此心戒愼，不懈怠，不走作。祭只是祭，齋只是齋。疾病之來，也不知將成大病，抑係小疾。但不要害怕，也不要疏忽，只一心戒愼在疾上。遇戰事，也如對鬼神，對疾病般，固不知當前敵人是強是弱，只莫放鬆、莫緊張，不當它是強敵，亦不當它是弱敵。不可說沒事，也不說是有事，臨陣只一心在臨陣上。「愼」是不怕也不怨，不把事來看大，也不把事來看小。當知臨祭、臨戰、臨疾，皆是人鬼關頭，死生之際，在可知不可知之間。孔子舉一「愼」字教人，這是精神上最高修養恰到好處之明訓。我們若懂得孔子這番教訓，自然不會有好戰的心，也不會有畏戰的心。大敵在前，亦當如對鬼神般，不認其眞有，亦不認其沒有。兵凶戰危，如疾病般，不認爲不重要，也不太認爲重要。諸葛孔明說，先帝知臣一生謹愼，故臨終付臣以大事。曹操臨陣，在馬上意思安閒，如不欲戰。當然曹操是一雄傑，但從精神修養上講，似乎遠要遜諸葛亮一籌，這是中國文化傳統中所講軍人修養一最高境界。

中國社會上又很著意表揚失敗的軍人，尤著的如關羽、岳飛，今人稱之爲武聖。關羽在歷史上表達了一個「義」字，當時曹操很賞識他，禮遇有加，封侯賜金，無所不至，劉備正是走頭無路，到處流亡，但關羽不爲曹操所動，還是走歸劉備，這就是他的義。岳飛精忠報國，十道金牌班師回來，寃死在風波亭，在歷史上表達了一個忠字。我們看水滸傳上一百零八位好漢聚集在梁山泊忠義堂，打起替天行道的杏黃旗，這見文化傳統中之忠義武德，流傳在民間社會，眞是根深蒂固的。抗戰期間，本人到過安南河內，咖啡館裡都掛有關公及　孫中山先生之像。這裡日月潭，也有文武廟，香港警察所都掛關羽像，可見關羽、岳飛，他們雖都是失敗了，但他們的失敗，卻比成功的價值更高。正因戰爭雖重勝敗，更重是非。不義之師，勝了也無價值可言。打仗要打仁義的仗，軍人該充分表露他們忠義之氣，忠義則永存千古。軍人遇失敗，更顯出他一番忠義之氣來，所以我們從大陸出來，已經很多年了，那時共匪誇言不打無把握的仗，這眞是胡說亂道。打仗是要拼命的，不打到最後一分鐘，勝負難定。我們只該說不打沒正義的仗，不該說不打無把握的仗，總只是盡其在我，不能要討十分的把握。若待有了把握才打仗，那就無仗可打。共匪不打無把握的仗，只見其無胆內怯。沒了正義，自然會內怯。臨陣對敵，必仗勇氣，匪之殘暴成性，狡詐爲懷，正使他無勇氣可言。

孟子書裏有一段講養勇的話，那時有一勇士叫北宮黝，他是抱持一種必報主義的。你來一拳，他必報一拳，你來一脚，他必報一脚，他定要不吃虧，對方強弱他不管。另有一人叫孟施舍，他是抱持一種無懼主義的。他說勝敗不可必，他視不勝猶勝，他只是能不怕。兩人都以勇名。孟子批評他們說，孟施舍所守比較單純，只求不怕，其權在我；要求不吃虧，其權不盡在我。這正是說對敵臨陣是不能確有把握的。一觸一動也不算是有勇。孟子又說，孔子曾教人以大勇之道，只要我自己理直，對方縱是千萬人，我亦向前，若我理屈，對方縱只是一匹夫，我也讓他，不向他逞強。這是孔子的養勇，不打不仁不義的仗。仁義在我這邊，我便大勇向前，殺身成仁，捨生取義。死生尚不顧，勝敗更何論，這是最高的勇德。近人所說心理戰神經戰等，也只是道義戰的手段。我只爭一道義，其權在我。這樣的戰爭，將是無往而不勝。這可說中國文化傳統運用到軍事上的最高原則。

我們的八年對日抗戰，也就充分表現了此一番精神，軍人們的強堅英勇，全社會之踴躍助陣，那時所表現的只是一種堅毅不拔，繼往開來的精神。一切力量實都是文化傳統的力量。那時那論所謂有把握與無把握，而畢竟爭取了最後的勝利。中國文化肩重道德修養，文德武德合一相通，都要從每一個人的性情深處生根發脈。外面世界亂了，每一人的德性仍然抱持不亂，終于求得眞理。激發天心，轉移世運，只在我此方寸之間。中國文化發明此道理，堅定此信仰，因此國家民族的生命也就深固不拔，綿延不絕。今天我們國家，所謂危急存亡之秋，又是大難當前，正是軍人們担當大任的時候。我們每一軍人的生命，正與國家民族的大生命緊緊連繫在一起，彼此呼吸相關。國家民族悠久的大生命，有賴我們軍人拼着各人短暫的小生命來維護、來保持。今天，我們總統提出文化復興的口號，希望諸位在此一號召之下，奮然決然，發揮我們文化傳統下之武德，來創建我們文化傳統下之武功。（完）

對牛彈琴！

昨日與明日

其奈「不法」何

叔予

北市警察取締地下工廠，遭該地下工廠廠主率同工人一一打傷，還有一位警察被工人用銼刀由背部刺入胸部，險釀命案。

這是記實：

治安機關的力量如何的遭不法之徒藐視。

形成這種現象的雖然有許多光怪離奇的理由，但最主要的則爲「治法」不足以適應社會。

這應該分兩方面講，在「治」的方面，治人爲是重要的因素，這個「人」，如果他的鼻子任由「鈔票」牽着走，則「地下法」亦隨之而生。

在「法」的方面講，治法亦爲主因之一，這條「法」如果不能適應社會，或是彈性差距甚大，則有「討價還價」的餘地！

地下，暗無天日。地下，蔓草滋生。

其奈「不法」何？

「黯然神傷」

因此：私梟、流氓、盜賊，如春風野草；妨害治安，破壞金融等不法情事，時常發生。

這些「事件」，來證實這個社會！

這些「事件」，來教育這個社會！

而——這個社會堆積了上一代，這一代，下一代。

這個社會存放着「復國」的任務，「建國」的責任。

赤流荼毒，漢家陵闕。

有心人應不止於「黯然神傷」！

麥帥公路

台北基隆間的麥帥超級公路，據統計四年來大大小小發生過一五六次車禍，平均每月發生三・三次車禍，每旬平均一次。

這個數字就超級公路來講，足够「超級」。

麥帥公路禁行人及乙種車輛通行，而且全程也足容來往車單線通行，而車禍頻仍，當以人爲因素佔絕大比數殆無疑義。

超級公路是否够「超級」水準？大家肚裏有數，假若不是認爲「外國」有，我國也應有，這個「鍍金」觀念作祟，不標以「超級」，不按「超級」限制車速，或能減少車禍。

眞說起來，我們距離「超級」，還有一段路程要辛辛苦苦的走，如果以百里時速駕車急駛，直若製造「超級」車禍！大家不作「類似」之舉，而趨以求實求眞。

駕駛朋友也不要做「超級」狀，而趨以求安求穩。

台北基隆的往返途中，可剪去「血肉」模糊的鏡頭，一再重現！

自卑感作祟

我們的社會，在台上人的嘴吧中，幾乎是百業都展翅「起飛」！可是在台下人的眼裏，似未盡然。

彷彿，一個剛中了「愛國獎券」的暴發戶，從牆上撕下月曆「仕女」，換上一幀「雲山觀瀑圖」。

這是自卑感，心裏終覺得不如人，於是不得不假飾，不得不作「花子拾金」狀！

多少年以前，這個模樣叫「海派」，現在這「派」已由涓涓細水成爲滔滔洪流。

這一點，從報上廣告欄上可以看出來，除了「中×技術」合作的廣告外，以美容院的廣告爲最多，最持久，「表」、「裏」差距越來越遠。

這即是社會心裡的矛盾，人心不「古」是好現象，但人心也不「今」，就太可怕了！

「今」——是重事實、條理、的科學。重民意，權利的民主。重法治，秩序的倫理！

眞的「起飛」只能產生於「今」的環境！

現在我們祇是支付了「明」天的話！

自由談

立此存照

我對美國加州大學教授史卡拉皮諾來台灣訪問一事，曾經表示反對，因爲他在今年（一九六八）七月間，還給在美國出版的所謂「台灣獨立季刊」寫文章，敵視中華民國，爲共作倀，我以反共的中國人民一份子，對史氏之訪華，不能不予以擋駕的表示，藉保人格與國格。我和史氏素昧生平，當然說不上有甚末私人恩怨之見。

據我行政當局聲明，說史氏近來對我國已改趨友好態度，如果屬實，自然很好，我不但不再反對史氏之來訪，并且讚美他這種改過遷善的思想轉變，認爲他是個尊重眞理與正義的學人。不過，話又說回來，他在七月間尙寫出那種親共反華的文章，事隔百天，而其思想體系忽然蛻變了——變成了反共親華的路線，假使他是個政客官僚，殊不足異，若係大學教授而有此突變的思想，未免幼稚到令人難以想像的程度吧？

策動史氏訪華的是我國駐美大使周書楷，我希望他不辱使命，克奏「化敵爲友」之功，因而官運亨通，前途無量。否則輕舉妄動，引狼入室，將來史氏回到新大陸，又依然與費正清，拉鐵摩爾之流一鼻孔出氣，爲共黨張目助勢，怙惡不悛。那末，不特周大使難辭媚外辱國之咎，即行政當局亦將無詞以解，吾儕新聞記者自然有權利追究其事，要問過清楚明白的。立此存照，靜觀後效焉。

反共鬥爭原是世界性的集體運動，對外爭取與國，義所應爾，且須具有獨立的國格和民族人格，一味地只是向強權主義者低首馴服，俯仰由人，猶期期以爲不可。咱們固希望美國的支援，美國又何嘗沒有需要咱們的地方呢？印度、巴基斯坦、印尼，以及蕞爾小邦柬埔寨，對美國就不屑百依百順，而美援照樣收受，難道說我們的地位與力量，竟不及區區柬埔寨嗎？自侮者人侮，得道者多助，咱們天天喊革命，敢情「革命」的目標專是對內不成！

馮五先生

改進司法風紀　實為當前急務

（本報駐台北市記者張健生通訊）司法行政問題，司法裁判問題，司法風紀問題，改進了沒有？是一個令人迷惘的問題。

例如，監察院自五十六年十一月一日至五十七年十月三十一日止的一年中，在十六件彈劾案中有八件是彈劾司法官的，另有一件是糾舉案，這八件彈劾案是：

一、高雄地方法院院長趙執中等裁判高雄港口沉船「壽光丸」訴訟事件；與岳欽禮等裁判之偏向，如出一轍，埋沒正義，有損政府及司法威信。該院長趙執中未盡監督職責，依法亦難辭失職之咎，妥一併彈劾，以正風氣一案。經公務員懲戒委員會議決：推事岳欽禮、黃崇玄、黃深溝各記過一次。趙執中不受懲戒。

八大彈劾案

二、新竹地方法院推事廖亨等，先後承辦黃振權呈訴鍾文光侵佔土地一案，有歪曲事實，枉法裁判之嫌，案經公務員懲戒會議決：推事廖亨降一級改叙，尹鎮衡記過一次。楊仰呈、王甲乙均不受懲戒。

三、台灣屏東地院推事倪家禎等處理羅巡詐欺一案，涉嫌違法濫權；屏東九如警察分駐所警員李進福亦有違法失職嫌疑，案經公務員懲戒委員會議決：推事倪家禎降一級改叙，朱殷剛與警員李進福各記過一次。

四、台中地方法院推事王季猛濫用職權，以羈押為手段，脅迫被告周朝章賠償原告一千元及撤回另案之告訴，涉嫌違法失職，案經公務員懲戒會議決：推事王季猛記過一次。

五、高檢處檢察員曾祖熙等，於嘉義地檢處首席任內扣押不屬於管制之物品案，因而轟動國內外。曾祖熙等瀆職案，正在高院審理中。

六、台中地方法院民事執行處推事李同孝於辦理拍賣邱魏義等土地執行案件，違法失職。

七、身為司法警官之彰化警分局長楊光炬等，辦理林炳耀流氓管訓案，濫用職權，陷害良民；張廣恩處理本案違反行政院命令，侵害人權，自係違法失職而被彈劾。案經公務員懲戒會議決：趙俊賢減月俸百分之十，期間六月。楊光炬記過一次。張廣恩申誡。

八、台中縣清水警察分局刑事組前組長盧文煥等於偵辦審理廖來一家被殺傷案件時，違法失職。

此外，糾舉台北縣汐止警察分局刑事局員宋培義，對台北縣萬里鄉萬里五坑煤礦勞資糾紛事件，擅作刑事處理，濫用職權，違法循私。

其次，監察院司法委員會在過去的一年中，處理有關司法案件計二百八十七件，計：調查案件三八件。行查案件四二件。審查案件三六件。研究案件六一件。批答案件七件。

至於監察院審閱室處理有關司法案件及監委收理之人民訴狀，經值日監察委員批派委員調查者約百件，派職員調查者約十餘件。

從前述數字分析，益證司法問題之嚴重性。就監察院中央、地方巡察組所提報告觀察，則改善司法行政、司法風紀、司法制度等問題，實為當前之急務。

高雄街頭

高雄記者黃冬生

一、高雄市政府開闢中山一路北段，為時不出一年，竟將新建之四公尺闊，六十公尺長之鋼筋水泥工程，俗命蘆溝橋，乃由原設計人與工程主持人之土木課課長，僱工用美國最新式之機器鑽空器將之摧毀，另行建造，外間揣測紛紜。

二、高雄市警察局交通隊，為着行車安全起見，將各柏油馬路劃上白油漆線，收快慢車分道而馳之効，此舉實為人所稱道，惟有此路上更放上黑白二色相間的分道磚，可說是畫蛇添足。

三、高雄市第三期土地重劃區在過田子，以市民之土地，換來全市最闊的一條四線大車道，命名為四維三路，路雖闊，無如其東頭被中華機械工程公司所阻擋而未能直通鳳山鎮，其西頭則為五分局前之違章攤販所阻擋，以致全路無法通行，尤成為洋洋大觀者，竟有人胆敢將該路路面出租予商人堆置大批從舊船上拆下來之木材鐵板，形成舊貨市場。

偵查竟公開

監察院本年度總檢討會議對一般政治檢討意見中，檢討有關司法問題者：

一、查犯罪嫌疑案件，在偵查中，依刑訴法二四五條「偵查不公開」之規定，應嚴守秘密。但查近年來，各有關司法及司法警察機關，對於偵查中之刑事案件，往往於案件未移送司法機關或已移送而未提起公訴前，即已見諸報端，鼓動社會，不僅妨害犯罪嫌疑人聲譽地位，且影響案情之偵查進行，於法亦屬不合，亟應由司法當局依法制止。

（記者按：不久前，司法行政部通令各地方法院檢察官應遵守偵查不公開之規定。這是個老問題，但監院往年未檢討。）

二、高等法院以下法院之隸屬問題，自經大法官會議四十九年八月十五日解釋後，已歷時八年，迄未採取改隸措施，前准行政院對於監察院五十六年總檢討會議一般政治設施之意見，謂行政司法兩院協議將法院推事檢察官人事審議之權，請由總統府設置委員會掌理，在法理與實施上有無窒礙難行之處，仍在慎重研慮中。現又蹉跎一年，應請行政院速即採取改隸措施。

三、少年犯罪案件年來迭見增加，問題日益嚴重，少年事件處理法雖於五十一年一月公布，所有補助法規及機構人員亦未經先後準備完成，但實施日期迄未決定，政府亟應迅付實施，如認為已公布之前法尚須改善，亦應早日提案修正，以免拖延。

四、司法業務益趨繁重，民刑事案件迭見增加，第一審推事檢察官負担過重，致審理案件，不免草率拖延，影響司法威信。且推檢人員增設，而書記官及繕寫人員未能配合增加，故判決雖已宣告，但判決書則多未能及時印送，致訴訟程序未能及時進行，加重人民訟累，亟應依照實際需要酌予充實。

等着挨打

旅美見聞

張起鈞

兵法說：「善戰者致人而不致於人」，那就是說要爭取主動，不為人後。但美國的作法卻是處處被動，等着挨打。

有一個偶然的機會，我參加了一次美國的「國防安全講習會」。這個會參加的份子，主要的全是各兵種的校級軍官，甚至還有少數將級軍官，開幕典禮由副國務卿蔣森親自主持，三軍進旗，儀式非常隆重，主講的全是高級軍事專家，由於這個會的聽衆全是三軍將校，因此講的全是「自己話」，而與「官腔」和宣傳不同。參加會議的可藉此稍明白美國政府的眞正意向。

以我與會的觀感來說：我親切的體驗到美國軍人是反共的，他們眞實的知道局勢的嚴重和共黨的威脅，他們一切設計都以蘇俄和中共為假像敵，就這一點來論，遠比那些莫名其妙的專家和媚俗取寵的政客高明得多。

他們最大的恐懼要算是原子戰爭了，他們自始至終強調原子戰爭破壞之鉅。他們估計一旦大戰爆發，敵人的原子彈投下來，美國至少要死五千萬人，工廠大部破壞，因此他們就認眞具體的，針對此點作預防和補救的工作。例如原子彈落下來後，大家避難的問題、食物飲水防原子塵的問題，傷亡救助問題，以及工廠炸後如何復工的問題……等不一而足。會後我就笑着和他們說：「原子彈是你們發明的，你們又擁有大量的原子彈，為甚麼不想想怎麼運用、解決問題，卻一心等着挨炸，專研究炸後的問題呢，在我們中國人眞是想不通」。他們也只好向我一笑。其實在綿羊領導下的獅子，還有甚麼辦法，他們除了苦笑以外，還有何話好說呢？

喬治桑外傳　四十

張大萬

這一浴池大得可供六七人同時入浴，是否古羅馬和日本人一樣喜歡洗「羣體」澡不得而知。別墅裡面為甚麼要有像游泳池般的浴池就更難揣測了。

大塚、野田一見大浴池，好像哈叭狗見了毛坑般高興。大塚提議大家一起下水。喬治桑到底是中國人，有點不習慣，携了「小雲雀」與他們道聲晚安，進了大浴室旁的房間。

喬治桑進了房間，立刻脫下皮鞋換上一雙拖鞋。「小雲雀」站在「賣主」地位，對於「顧客」自須慇懃照顧。她打開衣櫥，取出一套男式睡衣及男式睡袍，星眼微饞，向喬治桑說：

「你將衣服脫了，我替你穿上睡袍，可以舒服一點。」

喬治桑奉命維謹，一脫兩脫早已脫下只剩下汗背心，短內褲。自有「小雲雀」服侍他換上睡裝不表。

目前房間將上演的戲，是「周瑜打黃蓋」，一個願打，一個願挨。不致像某一色情推事，鬧出「脫褲」風波，出乖露醜。大凡男女苟且之事，必須兩廂情願，偷偷摸摸進行，便是風流韻事，否則即為醜聞矣。

「我先去洗個澡，你等我。」「小雲雀」卸去旗袍，裏面只剩下乳罩、三角袴。她遁忙穿上女式睡袍。一般女人都有這種心理，最忌男人一雙眼，賊忑些些看她，其他倒可商量，雖風月場中亦是如此。

喬治桑點上一支香烟，架起雙足，悠然坐在沙發中。似在沉思，又似在等待着甚麼。

浴室裏面傳來嘩喇嘩嘩的水聲。「小雲雀」一邊洗澡一邊在低哼着流行歌曲。一會是「不了情」，一會是「相思河畔」，一會是「負心的人」。唱得倒很不壞，至少喬治桑很欣賞。

以往古老時代，中國對於音樂是很重視的。孔子聞「韶」三月不知肉味。而「韶」失傳已久。中國人常說「靡靡亡國之音」，自從美國流行敲打音樂以後，「貓王」，「披頭」可以揑尖喉嚨用雌音唱歌。有些調子，老實說很像和尚做水陸道場唸經。現在中國青年「彈琵琶」，搖擺，學「貓王」，「披頭」者大有人在。喬治桑雖留居美國甚久，他並不喜歡這些「鷄貓子喊叫的」歌唱，反之，他却樂意聽國語流行歌曲，縱有「靡靡」之嫌，到底是國產。

「小雲雀」洗澡時間花得很久，喬治桑踱出房間，想看一看兩位日本朋友的動靜。

在羅馬式浴室的門外，他聽到大塚和野田的聲音，不是說話而是唱歌，可惜唱的是日本歌，他聽不懂。

偶而傳出「小鳳」的笑聲。他想：「貴妃」一定也在裡面，「貴妃」比較文靜，聽不到她的聲音。

（未完）

案件多如毛

五十七年度，台灣各地方法院受理民事案件二十九萬零二百七十五件，較上年度增加七萬六千七百二十九件，增加率為三五．九三%，平均每推事每月結案折計件數增十三點六四件，平均一案所需日數為六點八六日。至於受理刑事案件九萬二千四百九十二件，較五十六年度減少一萬二千零七十五件，儘管案件減少，可是上訴案件維持百分率反而比五十六年度減零點九九，抗告案件維持百分比減七點三七。換句話說，刑事案件今年比去年減少百分之十五，而第一審法院判決案件經上訴而維持原判者，今年比去年減少百分之〇點九九，抗告案件維持原裁判者今年比去年減少百分之七點三七，此足證明第一審法院裁判未達到公平妥當的境界，致影響司法威信。

各地方法院監獄有客滿之患。例如曾列為「觀光風景區」之台北監獄，原定容納受刑人一千二百人至一千六百人，但在今年九月二十六日監察院司法巡察組巡察該監獄時，受刑人即達一千九百六十人，每一監房原定容納十人者，已增至十八人以上。尚有二百餘人，由台北地院看守所代為執行，可見平日之擁擠情形，致戒護、教誨、衛生等工作，均發生影響。據說，其他監獄，亦多擁擠，盼司法當局速予致慮處理辦法。

關於各地方法院所發生的問題，可以從監察院地方巡察組所提出之巡察報告，可獲得結論。本報記者特將各地法院之「難題」，摘要叙述於後，並希望司法當局能迅予改進。

關於第一審法院裁判正確性的問題：新竹地方法院五十五年度之裁判經上訴而維持原判者為八〇．〇三%，五十六年為七九．三三%。台中地方法院五十七年度民事上訴案件維持原判者為八〇．七八%，刑事上訴案件維持率為六三．一三%，抗告案件為四九．六三%。

嘉義地方法院五十七會計年度民事上訴案件維持原判為八一%，維持原裁定者為七二%，刑事上訴案件維持原判為六七．四三%、抗告案件維持四五．九八%。

花蓮地方法院檢察官提起公訴案件經第一審法院判罪者為八八．四%，台東地檢處辦案正確性為九三%。

難為了推檢

地方巡察第五組之巡察報告，其中述及台中地方法院者，五十七年度受理民事案件三萬二千零二十件，終結案件約為九八%左右，平均每一推事每月結案計七五點一件，平均每結一案需三五點零四天；受理刑事案件一萬六千八百六十六件，終結案件為九四．五%，平均每一推事每月結案計七七點一一件，平均每結一案需要四六點三一天；受理民事執行案件一萬零八百零一件，終結案件為八九．七六%，平均每一推事每月結案計三八點二五件，平均每結一案需五〇點三一天；受理財務罰鍰一萬四千八百九十件，終結者為九九．九九%，裁定金額達一千零一十六萬九千二百七十六元；受理財務執行案件二十五萬零八百四十件，終結者僅五九．五九%，征起金額達四千七百五十六萬九千六百二十四元。

據地方巡察第六組之巡察報告稱：雲林地檢處，今年一至八月的八個月中共偵辦刑案二千四百八十二件，平均每一檢察官每月辦案折計數為七十三件。偵查終結者為二、四〇七件，佔百分之九十七；在偵查終結案件中提起公訴者一千六百一十六件，佔偵結案件百分之六七。其次，雲林地方法院五十七年會計年度受理民事案件三萬四千八百六十一件，平均每推事每月審理一百七十六件；受理刑事案件三千三百零四件，平均每推事每月審理五十九件，超過部訂標準。

嘉義地檢處五十七會計年度偵辦刑案九千三百九十三件，提起公訴者二千四百三十八件，案經刑庭科刑者一千八百七十七件，平均每一檢察官每月辦案折計數為五十五件。嘉義地方法院受理民事案件一萬五千七百二十五件，平均每一推事每月審理七十八件；受理民事案件六千零九十七件，平均每一書記官每月結案折計為五十八件；受理刑事案件五千零三十七件，平均每一推事每月審理三十六件。

須疏解訟源

今日各地法院民刑案件有逐年遞增之趨勢，於是有人認為台省人民好訟，其實不然，監察委員陳大榕對此問題有深刻之認識與瞭解，他認為：疏解訟源之道，必須加強並健全台灣省各鄉鎮調解委員會的組織，使之發揮功能。而民刑訴訟案件逐年遞增的原因，實係鄉鎮調解委員會未發生作用所致。目前該會秘書由鄉鎮公所職員兼代，非專門人才，缺乏法律智識與見解，同時，調解委員因交通費不敷支應而出席會議者少，故常常流會。是故須提高調解委員的交通費，以及聘請法律系畢業生担任秘書，則疏解訟源，當可獲致實際效果。

最後，關於通緝犯的問題，自台灣省光復迄至本年六月底，尚有通緝犯一萬七千零九十九人，未積極清理而累積。（完）

文滙樓劄記

鄭重介紹「矮人與奇才」

這部書是前人所未寫，可能也未想到寫，自由報把握了這條新路線，請由錢一釗先生執筆，已開始連載，據一般的看法，會掀起讀者們閱讀高潮，那是我在意料中的事。

自由報對中外古今成功和傑出的矮人，準備介紹一百位。根據心理學、生理學加以研究分析，同時對他們的功業亦鄭重介紹，敢信對人類學研究上是一條創見，錢氏籲請人類學家、醫學界人士賜予合作。

在一切以資產為本位的社會裡，勵志和創業資料的提供，還較帮閒文藝重要，比如寫到晏子時，介紹出那種辯才，那種急智，做外交官的人怎可不讀呢？寫到拿破倫，墨索里尼，東條，列寧，邱吉爾，史達林，他們不僅傑出，且各有其怪癖，我們是反共國家，我們對如洪水猛獸的——列寧，一定要瞭解，他究竟用甚麼法寶或魔道支配人的思想，和蘇俄之花克盧浦斯卡雅為甚會熱中這位矮人。我們馬上要反攻大陸，拿破倫講的：「不要做你敵人所願望的任何事，理由極簡單，就因為敵人如此願望」，換句話就是不要在敵人有準備的地方作戰，這種說法對不對？「矮人與奇才」書裏，都有明確交代。

孟嘗君為中國歷史上一位好朋友，好招待的典型，食客三千，可謂爛矣，這和諸葛武侯出師表說：「親君子遠小人」相違背，可是孟嘗君處險被囚，恃鷄鳴狗盜之輩，而脫離於虎豹之邦，證明任何事都是相對的。初期革命運用洪門作為革命武力，國民黨北伐時曾以雜色部隊，消滅雜色軍政障碍，迅速造成統一局面，論者能指為謬嗎？汚水尚可肥田，何況是一個人，而人皆又有良知良能，因之我們感覺到搞政治，創事業，最好別劃小圈圈。孟子的眼力最銳，對任何事與人，一目瞭然，他說：「萬乘之國，弒其君者，必千乘之家；千乘之國，弒其君者，必百乘之家。」，朝庭有兵車萬輛，臣能擁有一千輛，不算不厚，可謂小圈圈裏的小圈圈，但結果並靠不住，樓主數十年力主張天下人才要共用，古今治事在乎心，就是這個道理。

實用文學在日本已步向熱門課首，我們不能再帮閒，乃至於帮兇，仙仙之死和台灣犯罪率的直上昇，就是最好的例證。前大公報總主筆張季鸞先生，為文的口頭語：「訂這份報讀者能夠受用，我們就感謝不盡了」，不像今天的報，不僅不能受用，反對讀者構成迫害，分屍固然是在報上學的，凡是一件壞事，很多報簡直以講義方式教給讀者，這個社會怎麼能不亂呢？奇怪的是這樣搞，既可得到政府保障，鈔票且可滾滾而來，又何樂而不為？一張對讀者有益的報紙，反不斷遭受到干涉，莫非真的「除良安暴」歟？因「矮人與奇才」稱得上是一本富有幽默感的受用書，特為介紹。

・文滙樓主・

憶國立湖南大學（上）

周德偉

世人稱大學歷史攸久者，動曰牛津，曰劍橋。牛津可徵之史實，當自西歷一一三三年巴黎神學家卜倫來牛津講學始，再歷一百年方由宗教及神學擴及於文哲各科，劍橋則自十三世紀方具大學雛形。迄一八〇〇年，西方各大學入學資格仍低，凡略識本國文史者即可入學，經濟學鼻祖亞丹斯密以一七三七年入格拉斯哥大學，習道德哲學，時年僅十四。蓋當時大學不過由若干書院組成，尚無現代之分科也。西方人士既競以中古之書院比附於大學，其大學構成之要素，不過超越宗教及神學之範圍進入一般學問之研究而已。

以彼例此，則國立湖南大學既由嶽麓書院遞嬗而來，其校史當起自嶽麓書院成立之時無疑，而為世界歷史最攸久之大學。

嶽麓書院，建於北宋開寶中（約當西歷九六八—九七五年）而理學家張栻（南軒）、熹（晦菴）復於乾道中（約當西歷一一六五—一一七三）來院講學，當時所講授者為經義及性理之學，遠脫離宗教及神學之領域，較之後此二百年之牛津劍橋，更為精深博大。明清兩代將書院屢加修建，規模壯闊，合白鹿、石鼓，應天諸書院，世稱為全國四大書院者，以嶽麓歷史最久，陶鑄人才最多。且能執干戈以衛社稷，持教化以衛道統，如宋末湘西五百精舍學生抗拒元兵，犧牲英勇，明夷夏之防，守取義成仁之訓，絜六七百年民族精神於不墜，薰陶有自，豈不信然。主書院者率皆當代大儒，而以李文炤、羅典、歐陽厚均、唐鏡海、王先謙諸先生為最著。李先生當康熙初年不事科名，著書數十種，出入經史百家及梵典，學問最稱淹博宏通，湖南省誌長沙府誌均稱自李先生出，方得與王船山先生頡頏，李元度國朝先正事畧，湘賢之列入名儒篇，獨立立傳者，惟王李二先生。唐鏡海先生亦附入李傳，蓋學統淵源之所自也，唐先生以後，方有曾滌生先生及並世諸賢，諸先生詔諸生義理與治事兼修，器識與文章並重，用能鼓鑄人才，三百年湘省達人學士，足以領導羣倫，左右世風，史有定論。有清中葉之曾左羅胡二郭（嵩燾及意誠）及革命元勛黃興蔡鍔諸先生，幼年均治學於嶽麓，卒以大顯於世。滿清入關後，文網繁密，北方及中原學者率趨於考據訓詁，雖發漢學之微，然亦避言義理用以自全。獨嶽麓書院崇義理，重實踐，持學於不墜，至曾公滌生乃融合羣言，揭櫫義理考據詞章闕一不可之論，學者翕然宗之，用開後此之風氣，迄清末民初，乃有皮鹿門之經學，王闓運之詞章，葉德輝楊樹達之小學訓詁，章孤桐李劍農周德偉等人之政論哲理，其他學術名家皎然日彰，將畧述於後，尋其源流，則嶽麓諸賢及曾公導其先路之功也。

嶽麓書院，於清光緒廿九年改為湖南高等學堂，宣統三年停辦。民國元年遷設高等師範於嶽麓，易名高等師範學校。六年高師停辦，後經省長趙恒惕先生提請省議會議決以嶽麓書院齋舍，撥歸省立大學，將高等師範及工商法三專門學校，改組為湖南大學，開創功深，衆流仰望。民國廿六年改為國立湖南大學，茲將各院設備及研究情形分述如次。

（一）文學院

湖大文學院原有中國文學、哲學教育、政治、經濟、商學等系。迄卅四年八月始增設法學院，以統攝法律政治經濟等系，於是文學院專設中國文學、外國語文，哲學教育三系，而以中國文學系為骨幹。蓋有清中葉，曾滌生為術學文宗，其古文辭脫胎桐城姚氏，而識解胸襟更遠過之。姚氏輯古文辭類纂，不敢使六經與後世之文史同列，曾滌生則歛然輯經史百家雜鈔，得文史淵源之正，繼之以當日之風氣，不啻為一革命建樹，論者徒矜於後此之百家爭鳴，而不辨實曾公開其風氣也。又如羅羅山、郭嵩燾之理學，徵言精義遠益前修，發為事功亦符儒者治國平天下之旨。王先謙之考據，王闓運之詞章史事，皮鹿門之經學，皆為海內宗師，溯其本初則出於嶽麓，嶽麓書院之影響施用益彰大。故湖南大學文學院承湘學之源流，學術頗多獨創。如孫季虞教授，傳湘陰郭氏之學，先後執教嶽麓數十年，著述等身，三湘之治小學訓詁者，無不奉為山斗，劉宗向教授之古文辭，義法嚴謹，張裕釗吳汝綸而後，蓋稱宗匠。李肖聃，博雅宏通，擅長劉文，則王闓運之流派也，石廣權教授之治墨學，尹桐陽教授之治老子，均造詣精深。迄民國廿六年皮宗石先生任湖大校長，更延攬樸學大師楊樹達、曾運乾及駱鴻凱等來校講學，楊曾二先生致力於文字源流及音韻考銓之學訂正許氏說文並張甲骨文之緒，其創見及發明為學術界公認，楊先生且當選中央研究院院士，駱先生衍餘杭章氏之緒，故文學研究之範圍日益擴大。其以詩詞著稱則有宗威、王嘯蘇、劉異、劉腴深諸教授，外國語文系則曾約農先生任教最久，海內聞名，曾一度為本大學校長。哲學教育系則有唐鉞、蔡樂生諸先生執教，亦皆一時名家。

（未完）

禪學黃金時代

石頭希遷門下的五大禪師（四）

吳經熊著　吳怡譯

德山說：

「青龍疏鈔」。

老太婆又問：

「是講解那一部經的」？

德山回答：

「金剛經」。

老太婆便說：

「我有一個問題，如果你答得出，免費供給點心；否則，請別的地方去買。金剛經中曾說：『過去心，不可得，現在心，不可得』。不知你要點的是那個心。」

德山被問得無話可說，只得餓着肚子直往龍潭。到了法堂上就大叫：

「我早就嚮往龍潭，可是到了這裡，潭也不見，龍也不現」。

龍潭走出來對他說：

「你已親到龍潭了」。

德山默然無語，但已決心在那裏住了下來。

有一天晚上，他隨侍在龍潭左右，龍潭對他說：

「夜已深了，還不回去嗎」？

德山道過晚安後，正要出去，又走回來說：

「外面太黑了」。

龍潭便點了一支紙燭遞給他，當他正要去接時，龍潭把燭光吹熄，就在這時，德山大悟，便向龍潭禮拜，龍潭問他說：

「你見到了個什麼」？

德山回答說：

「從今以後，我對天下這些老和尚的話，不再有所懷疑了」。

第二天早晨，龍潭向大衆宣佈說：

「你們當中有一個人，他的牙齒像劍樹，嘴吧像血盆，打他一棒，連頭也不回一下。將來他會跑到孤峯頂上去建立我的宗門」。

吳敬恒先生年譜（卅九）

陳凌海編撰　陳洪校訂

五月五日，先生在　國父就任非常大總統紀念會講演。五月十三日，國際聯合會通過聘請先生為國際文化事業協進委員會委員。同月十六日經外交部長王正廷（儒堂）轉行通知。此為先生在文化學術上享國際間最高榮譽之首次。八月，北平發生擴大會議之叛變。張學良（漢卿）派軍入關。十月，先生在歡迎蔣總司令中正及前方將士凱旋大會上演講。十一月十二日，先生參加國民黨第三屆四中全會。　國父誕辰紀念，先生演講。二十四日，蔣主席中正兼任行政院長就職，先生致詞。二十五日，中央黨部與國民政府聯合紀念週，先生就國民黨四中全會決定：「今後總理紀念週之政治報告。應改為演講總理遺教或工作報告」之決議，提出報告。先生應蔣主席中正邀，赴牯嶺小住。是年公子詳就建設委員會專門委員職。建設委員會張委員長人傑（靜江），因昔年旅英時，曾親至騰格別公子詳之任職工廠參觀，見詳所担任之電機工程，能製造巨大發電機，深為驚嘆。於時擬計劃在河北省大沽附近建立巨大之發電廠一所，俾能供應河北、山東、山西等省工業用電，深信吳詳必能勝任，乃邀請吳詳設計籌劃。吳詳應命入京，不幸宿疾復發，未能從命。十二月十七日，先生為女公子芙向南京昇平橋第一育兒教養院領養羅生、南京人，八歲，為義子，先生出具領養收據，言明今後教養，婚娶皆歸其担負主持。並捐奉該院經費大洋一百元。羅生領養後，易名小蓉。嗣後小蓉不慣先生與女公子芙之教養生活，乃於翌年十一月三日潛逃而去。先生認為小蓉既自願離去，不必報警找尋。自此以後，先生對於嗣子觀念，愈益淡薄。十二月十一日偕李煜瀛（石曾）由滬乘飛機經南京赴九江。翌日隨蔣主席中正乘艦遊廬山名勝。二十五日乘永綏軍艦返。

民國二十年，（西歷一九三一年）

先生六十七歲

一月，先生為無錫公園建堂題聯並跋，聯曰：「術握彫龍才能縛虎，力全搏兎智擒鏖蛇」。二月，先生在中央黨部紀念週報告　國父遺教，推行陽曆法。二月二十六日，吳則中與劉棨西結婚。先生與葉楚傖證婚。一十八日，胡漢民（展堂）因約法問題辭職。三月二日，中國國民黨中央常務委員會通過蔣主席中正所提於國民會議制定「訓政時期約法」案，推先生等十一委員負責起草。

（未完）

官人列傳（九）

呂不韋善賈居奇

四、立主定國

周燕謀

公元前二五三年，秦昭王五十六年去世，太子安國君立為秦王，華陽夫人立為王后，子楚立為太子。因此種關係之故，趙國想在外交上拉攏秦國的關係。於是就將子楚夫人及子政護送回秦國。安國君在位僅一年去世，諡為孝文王。太子子楚繼為秦王，是為莊襄王。

莊襄王元年（西元前二五三年），以呂不韋為丞相，封文信侯，食河南洛陽十萬戶。這一下呂不韋的「政治投資」成功了，眞是利不可數。

東周君與諸侯謀制秦國，秦國命不韋領兵討之，「滅其國」而還。莊襄王三年五月，莊襄王死，太子政立為秦王。政此時年僅十三歲，尊不韋為相國，號為「仲父」。秦王年幼，國政均由相國呂不韋獨斷獨行，權重一時，趨炎附勢的人，多投依於呂相國門下，食客三千人，家僮僕從萬人之多。「政治投資」，「數不可計」。這位「立主定國」的野心家，總算壯志已酬了。不韋不但「定國」，而且有定天下的希望；不但「立主」，而且這位主子就是自己的兒子；不但號「仲父」，而且還與舊情人重拾舊歡，秦國的太后，竟變成了自己的情人，眞可算榮華富貴與艷福均不淺。

呂不韋在政治、經濟方面都成功了，他還想在文化方面做一點成績，遺留以傳後世。他以為當時魏有信陵君，楚有春申君，趙有平原君，齊有孟嘗君，皆下士禮賢，賓客數千相傾。不韋以為秦國雖強，在此不如。而諸公多擁有許多學問的智識份子，如荀卿之徒，著書布天下。不韋亦想有此一番表現，不韋手下食客有三千人，百家九流，無所不在。因命他門下食客，「人人著所見聞，集論以為八覽、六論、十二紀，都二十餘萬言，以為備天地萬物古今之事，號曰『呂氏春秋』。」

秦王八年（公元前二三九）全書告成，於是「懸書於咸陽市門」，徵求能修正此書一字者，償以千金。那時不韋為秦國唯一炙手可熱的人物，誰敢去改他的「大作」！縱有不服者，也只好『望千金興歎』垂涎而已！

秦王漸漸的長大了，聰明性豪，自尊心強烈。不韋知子乃不好惹之人物，雖是自己骨血，格於禮制，怎敢認他！只好謹守臣分。不韋為了自己豐碩的果實得以確保，又必須顧及太后的問題。因為太后的性問題特別強烈，因此，他便尋到了一個兩全其美的辦法，找了一個風流人物嫪毒，命他假裝太監進宮，服侍太后，太后也得其所哉！不爭氣的太后竟為之生了兩個兒子，為避免人之耳目，她假託咸陽甘泉宮風水不好，「避居於雍」。就在「呂氏春秋」成書的一年，秦王封嫪毒為長信侯，賜以山羊之地，又以河西太原郡改為毒國，宮室車馬苑囿馳獵，任其所好。而這位太后的面首居然有舍人千餘人之多，家僮數千人。在朝廷中，這般人竟與呂不韋抗爭，此一局面也許為秦王故設，一則討好太后，一則打擊權重一時的呂不韋，位高必險，樹大招風。呂不韋在政治、經濟上之投機天才，勝過陶朱公，可是在人生哲學方面卻遠不及范少伯了。

巨變歷險記！

一面抵抗一面談判　十七

胡慶蓉

陳司令、林軍長、杜市長、丁議員一面抵抗一面談判的決策是沉痛的。

我說沉痛，是因爲有知其不可爲而爲之的心情。大勢已逼着陳司令、林軍長、杜市長、丁議員不能抵抗，不能抵抗下去，但他們四位帶領全天津的全體軍民仍要抵抗，仍要抵抗下去，而且要永遠抵抗下去，最好能反守爲攻，把林彪的野戰軍打垮，保存一個完完整整的天津，繼續在國民政府治下。但心有餘，總是感力不足。在等待局勢的好轉，不能不採談判的途徑，求局勢的緩和，等援助的到來。

一面抵抗一面談判，顯示出陳司令、林軍長、杜市長、丁議員在堅持他們的原意，在堅決的抵抗，在繼續的抵抗，而且要抵抗到底，他們的處境，他們的心情也是宋文天祥的處境，他們的心情。他們被圍困在裏邊，但決不變更他們抵抗的意志，不管如何也不變更他們抵抗的決心。無論在任何環境之下，只要有一分可能，他們就決定抵抗一分，有兩分的可能，他們抵抗兩分。他們決不中途屈節，決不中途投降，大義凜然，其衷心是非常悲憤的非常沉痛的。

談判並不是目的，談判只是一種手段，一種拖延時間的手段。當時，民國三十八年初，正醞釀蔣總統下野的時候，醞釀總統的職位交給副總統李宗仁的時候，醞釀同共產黨談和的時候，以張治中爲首的談和團，以邵力子、黃紹竑爲團員的談和團，就要出發。天津若能等待中央的和談有辦法，同時解天津之圍，豈不是天作之合。

這也是天津愚蠢的想法，也可能是天眞的想法，但天津上下天津市民的忠於中華民國國民政府是無容懷疑的，不能懷疑的。談判的目的，只是在停一停戰爭，喘一喘氣，誰也沒有想林彪能接受天津的談判，不打天津，留待南京中央政府的和談解決。勿寧說，天津四頭的想法，是不會有什麼結果的。林彪包圍天津，司馬昭之心，路人皆知，同時也可以告慰天津全體市民。天津市民總可以看得出，防禦當局以及議會，都在爲他們的生存而奮鬥。至少，在談判期間，總不會有劇烈的戰爭發生。

對於天津一面抵抗一面談判的決策，也不能說沒人不諒解的。但不管諒解不諒解，天津的談判，並不是什麼和談，他談的只是停戰，在如何條件之下，維持天津的現狀，維持天津的抵抗。天津的談判，是以抵抗爲目的的，在抵抗林彪的進攻，在保存天津的生命財產。

水滸傳中的政治作戰（上）

雲家

「三分軍事，七分政治，」「三分敵前，七分敵後，」這是說明革命抗暴的鬥爭，其政治作戰不但與軍事作戰同樣重要，而且有時比軍事作戰更爲重要。以今日政治作戰的分類言，有謀畧、思想、組織、心理、情報、與羣衆戰等六大內容。施耐庵寫作水滸的主要目的，既是在指導宋朝遺民，如何領悟反金（元）革命，而將兵學（含政治作戰）上的政策、政畧、戰畧、戰術都溶化在小說裏，一一生龍活虎地寫出來。所以，它在這一方面，也就值得我們特別加以研究。

胡適博士爲本書作考證時，曾說：「水滸不是青天白日裏從半空中掉下來的，乃是經南宋初年到明朝中葉這四百年的『梁山泊故事』的結晶」。水滸傳既是利用這些現成的傳統人物，影射元末時代中國人反抗異族統治的地下游擊活動，所以其中寫到有關政治作戰活動，也就有他特殊的性質。第一、他們的組織、羣衆、與情報工作，是爲掩護地下游擊活動的，是反對異族統治者做奴才的政府的；很明顯的這個性質已與敵後的組織、羣衆與情報工作大致相似。第二、他們的謀畧、思想與心戰工作，往往是與情報、羣衆工作連結在一起，尤其注重事實的宣傳。因爲情報工作與心戰，宣傳等工作都連結在一起，所以他們的情報員同時也是心戰人員，宣傳人員與謀畧人員；宣以事實做宣傳，即是他們常常作出某種行動而收獲其必然的謀畧或心戰效果。

這就是水滸傳所寫政治作戰內容的概畧狀況。我們如就這個觀點來複按全書，將會感到處處都有他們的政治作戰的活動。他們先立足於老百姓憤恨不平的心理上，因爲憤恨不平，所以乃有「打抱不平」的要求。基於這一要求，因而產生了對於打抱不平者的濃厚同情心，與高度的崇拜觀念，而稱這種好打抱不平的人爲「好漢」。水滸傳中的所謂好漢似乎具備了下述條件：第一是自己的能力，須包括一般武藝和特殊專長；第二就是有沒有「打抱不平」的事實表現。這似乎是水滸傳中所說的好漢不可或缺的條件。凡是具有這些條件的人，必然同氣相求，團結合作，反之，就是「壞了江湖義氣」。

這裡所指的「江湖義氣」，其存在，似乎預先又靠著江湖上的心戰、宣傳、羣衆與情報聯絡工作在維繫著，所以張青告訴武松，說是曾經麻倒了花和尚魯智深，險些送了他的性命，幸好後來把他救活過來，不然，被江湖上知道了，便是笑話。我們可以設想得到：假如張青眞的鬧出這樣的笑話，大概就不能在江湖上混下去了。在這些話裏，暗示出兩個道理來：一個是江湖上爲何會知道黑店的情形呢？必然是交換過情報而來；另一個是爲什麼還怕鬧笑話？大概是受了江湖義氣那種至高無上的思想所影響。這正是情報、組織、羣衆與心戰工作，在江湖上維持他們義氣的證明；有了這種江湖義氣做他們中心思想的大夥兒團結合作的向心力，所以當時便有幾個團結行動力量的基本據點。

本書一開頭寫高球挾嫌陷害王進，但這只是開始寫「不平」的事件，王進不過是這件事件的犧牲者。到了他經過史家莊，引出水滸中人物史進，他是個小地主，是個具備好漢條件的人。他的父親史太公，正像後面的毛太公、孔太公、穆太公等等一樣，是個好漢的老頭兒，雖則作者沒有明白的說出，但從他的收容王進一事看來，他是喜歡招納流浪漢的人士，而他的家可能是個團結江湖義氣的地點。到了史進逃亡之後，作者便一進，二進，三進的引出橫海郡柴進的田莊。他寫這柴進的田莊，便常常揭發這是個江湖上人的聚散處，與下面寫出晁蓋的莊宅，是個江湖好漢初次集體行動的策源地一樣。作者再三交代柴進是個亡國的貴族，先雖不說他包庇逃亡，着意推翻曾和他敵對的政權，但柴進終於造了反。所以他最初利用「誓書鐵券」，掩護亡命之徒，是有他預定的一套企圖的。這個企圖雖然不是直接給與好漢們的行動，但至少可以說是十分同情這些行動，並且極力從旁協助這些行動。因之他的家裏不僅是個窩藏亡命之徒的處所，而且也是江湖好漢們交換情報，組織羣衆與心戰宣傳的地方。如若不信，請看下列事實：

例如：宋江與武松，是在柴進莊上結識的。

又例如：毛太公和花榮都知道向柴進莊上迎接宋江。

再例如：石勇追宋江到了梁山泊邊上，也是從柴進莊上打聽來的消息。

這說明了什麼？就是說，許多好漢們的情形，都可以從柴進莊上聽得一些；然而敵對的一方，那些「做公的」卻無從知曉他們的情形。也就是說，在這裏有一方面的人可以獲得消息，而另一方面的人，卻絕對得不到任何情報資料；其主要作用，則在對我方的人傳播消息，而對敵人則嚴格講求保防措施。這樣的處所，誰說他不是重要的地下游擊活動機關？

依照這個角度來觀察分析，我們覺得水滸傳所描寫的那些類似柴進莊上的處所，或大或小，都不止一兩家，而且許多處所，都是彼此知曉的，甚或還有信息往同的。例如毛太公莊上，孔太公莊子，宋太公莊上，花榮的寨內，晁蓋的家中，張青的酒店，顧大嫂的賭塲，李應的莊上，穆太公的莊子……眞是不一而足。（未完）

事過境遷

三幕喜劇

熊式一

史：　她的確是一位天眞活潑的小姑娘！她同我談談家常，順便提到說包太太從前是………

包太：宇文太太！

史：　對了！宇文這個雙姓………很少有人姓宇文的，聽了不容易忘，也不容易再想起來………

包太：這怎麼講？

史：　比方說！閘人這個姓，也是一樣，你只覺得這是一個奇奇怪怪的雙姓，但是沒有人提；你一時决想不起來，那個在澳門撞死的排長姓甚麼，我一時也想不起來，所以你一提起宇文得標，我就想起了他，認爲他一定姓宇文，同時又忘了令姪女提過你從前的丈夫姓甚麼………包太太，千萬請你原諒………

包太：史先生，不必掛心！不要緊………

史：　我一回到旅館，靈機一動，想起了露西小姐最先告訴我你從前是宇文太太，這才知道說錯了，馬上又想到閘人………

包太：這一次沒有錯吧？

史：　决沒有錯！

包太：史先生，我們說說淸楚，你並不認識宇文得標這個人………

史：　不認得，從來未聽過，今天是頭一次聽見他的名………他的性，他的怪性！

包太：你在南京首都飯店同他喝酒的那個軍人，也不是宇文得標………

史：　不是，不是！他是駐扎在雨花台的一個小排長！姓閘人得標………木字邊的標！

包太：那個同你在澳門大酒店喝酒的漢奸，告訴你他在守玄武門裝死！

史：　他告訴我是說他守雨花台的時候和勤務兵換了衣服逃走，他並沒有裝死！後來他聽人說他自己死了，高興得了不得！他是駐扎在雨花台，不是守玄武門！

包太：從前你說他守玄武門啊………

史：　那是你們說的！玄武門，雨花台都是南京的地名，我和你們初次見面，你們說錯了，我不便和你們爭，所以隨着你們說他是守玄武門！比方說，他明明是一個小排長，你們硬說他是營長，我怎好和你們爭呢？

包太：史先生眞是君子！好的，史先生，我們就說你那個守南京陣亡的好朋友………

史：　既然包太太要說得正正確確，那就請包太太見諒，包太太說錯了，一、他既不是我的好朋友；二、他也沒有陣亡，是他的勤務兵……

包太：對不住，我說錯了！應當說史先生認識兵，在守南京時換了勤務兵的制服，臨陣脫逃投降日本做漢奸的………對不對？

史：　這就對了………他………

包太：……他並不是宇文得標！

史：　决不是宇文得標！

包太：你在澳門，就沒有碰見過宇文得標，對不對？

史：　對了，我在澳門只碰見閘人得標………

包太：史先生你生平就沒有碰見過宇文得標，可能他眞在守玄武門時戰死了………

史：　很可能，絕對可能！

包太：那各報上所登的宇文得標，爲國犧牲的消息，想必可靠了！

史：　甚麼報？是大報還是小報？

包太：民國日報、時事新報、申報………　（四九）

催眠術研究（八）

鮑紹洲

七、檢脈催眠法

「檢脈」催眠法，即檢查被術人的脈搏多少，大小的狀態，而使之催眠的一種方法。檢查脈搏，與病人受醫生的診脈相同。搏脈的次數，在健康的人，以六十至七十五爲普通；如在七十五以上者名之爲「之疾」，更快至一百以上者，名之爲「之數」；又在七十以下者，名之爲「之緩」。又脈搏跳動或暫停間歇者，這叫做「之結」。而脈搏跳動更有強有弱，有硬有軟之別。

故施術之前，必先檢查被術人的脈搏次數，然後令其安靜不動。施術人一面檢其搏脈，一面暗示道：「將要催眠」，但必須精神凝注行之；被術人因之脈搏減少。然後繼續暗示說：「精神漸漸沉着了」，「脈搏漸漸輕微了」，「快催眠了」，「已眠了」，「更深深催眠了」。如此暗示催眠。

如果專用這種方法以催眠，則施術人非具有強度的感受性不爲功。因此，施行此種催眠法，可兼用其他方法並行之。一般常人於催眠時的搏脈跳動不減不輕，與醒覺時一樣，則此人便不容易催眠。

我們中國人有病，則請醫生診脈，成爲習慣，如有醫生不診搏而開藥方，其藥性雖無變異，但病人之心理則以爲醫生不盡心竭力，藐視病患，雖服其藥方，而其效果則大減。故催眠之用此法，一則使該被術人信心堅定，而後誘其精神於無思無念之境地，因而入於催眠。

矮人與奇才（三）

「卜二」皇帝愛麥辛三世

錢一釗

當他以太子身份巡視全國及地中海以前，奧西奧叫他把所有要巡行的地方歷史與地勢都搞清楚，並須通過奧西奧的口試。很多覲見過這位太子的地方首長，對於愛麥辛三世都表示衷心景仰，即由於他對於當地地方情形的瞭解，甚至於超過那些地方官員！

他曾被維多利亞稱爲「歐洲最智慧的太子。」

他長成後又專心於軍事的攻讀，並成爲歐洲最好的戰畧家。

可惜的是由於他一直受到的是最嚴格的教育，因此摧毀了他的自信心與創造力，尤其是過份的生活限制，使他養成了落落寡合的個性，他的父王亨柏特，爲了糾正他這種孤僻的個性，強迫他參加任何典禮與集會；可是對糾正他已養成的個性！——落落寡合，沒有發生什麼效果，因爲他雖然在人羣中也有說有笑，但其言笑都有其絕對的尊嚴存在，祇使人產生敬畏，而中間那層隔膜，却由於他的孤僻地個性而凝固無恙！

對意大利國家來說，愛麥辛三世的個性並不蘊藏着幸福，甚至接近他的臣僚，對他也都存有七分敬畏，而不敢暢所欲言！

墨索里尼——另一個矮子——就是在這種環境中才得以發展他的長才，並且改造意大利的命運！（下）

御廚談藪

燕窩雪耳湯

林泉隱

燕窩產在泰國，俗稱「暹羅官燕」，是一種海燕築在陡巖上的窩，燕用海中最細微的小魚，配以自己吐出的唾涎，黏在石上凝固而成，暹人到天朝來進過貢，故又稱「暹羅貢燕」，我國的漳州、泉州，廣東崖州沿海均產。

近幾百年歷代帝王可謂都嗜食此項珍饈，尤以咸豐帝爲最，他喜以貴州雪耳同煮，據說非常清補，慈禧太后則加銀杏，叫作銀杏燕窩湯。但暹羅人對燕窩認爲並非太高貴的食品，有一次我國駐泰國前武官陳振熙上將，某次宴請乃炮是耶暖，廚師是鄭毓祥，隨顧祝同很久，以燕窩作甜菜，事隔很久，乃炮問文隱樓主：「你們貴國認燕窩很珍貴吧，我的好朋友陳振熙，宴客一都用燕窩。」因街頭上賣燕窩小販之多，一如台北街頭賣魚丸的。

燕窩的烹調，先以水浸，細工檢摘去毛，滴水燉爛，加入雪耳、百果，乃至於紅棗、苡仁，蓮子聽便，愛吃甜的人用冰糖，補而能清，如果吃鹹的則用雞湯或鴨湯煮，滋養強壯。

自由報

（第二二九期）

（半週刊每星期三、六出版）
售價港幣壹角・台灣售價新台幣弍元
社長李運鵬・督印黃行寬
社址：香港九龍彌敦道593—601號
創興銀行大廈八樓五座
LIU CHONG HING BUILDING
7th FLOOR FLAT 5
593—601 NATHAN ROAD,
KOWLOON, H.K.
TEL：K303831
電報掛號：7191
承印：永昌印刷公司
地址：嘉咸街廿九號地下
台灣總管理處：台北市大同街119號
台灣區直接訂戶　台郵劃撥戶
第五〇五六號張萬有（自由報會計室）
電話：五一四〇三三・五五五三九五
台灣分社：台北市西寧南路110號二樓
電話：三〇三四六・台郵劃撥戶九二五二號

地價稅歟抑財產稅歟（上）

・王文甲・

一　我現行地稅之亟應改革

賦稅之制，各國不同，各代互異。尤自近世以來，因賦稅理論之所趨，各國多以經濟之進步，或社會之需要，或以政治理想之追求，輒改革稅制，配合進行。我國現以適在改革賦稅之際，因鑑於我國現行地稅之亟待改革，因之而亦在醞釀，擬將現行地價稅，改爲財產稅制。惟此與我基本國策有關，不無研討之必要。願略抒拙見，就教於賢達。

我現行地稅所亟應改革者，首爲農地田賦，其課稅根據，仍爲日據時代所定。因年事已久，地目等則多有變動，已皆與事實不符。況日據時代所定等則，本有不平。如北部稅率，皆高於南部；高等則之負担，亦重於低等則者甚多。省府於民國三十九年，雖作局部調整，而其範圍過小，無補於事實。五十五年原擬作全面調整，惟其仍依舊制，僅有者略作調整而已，績效無多。

現行之都市地稅，係根據都市平均地權條例之所定，課徵地價稅及土地增值稅。此項條例，雖不過數年，已修正三次。而以問題仍在，各都市地價，繼漲不已。並未達成地價稅及土地增值稅之政策目的。

以現行地稅之實情論之，農地田賦多負担不平，市地之地價稅見效甚微。以國家施政之政策而言，皆極待改革，確係事實。況平均地權之施，本無市地農地之別，而今竟僅於市地行之，亦爲不當。然其改革之道，乃農地應立即改征地價稅，市地之地價稅，應改正稅率，使其發生政策效能，方爲正途。如以改爲財產稅制，實不無捨本還末之感。

二　財產稅非優良稅制

自各國賦稅演變之過程論之，蓋在農業時期，皆以收益稅或財產稅爲主要稅制。至由農業到達工業之過渡階段，多以消費稅爲主要稅制。而至工商業發達以後，尤以高度資本主義之國家，概以所得稅爲其中心稅制。

我國在土地公有時期，係根據土地收益課征租稅。在濟度土地私有時期之兩千餘年中，除爲短期之收益稅及財產稅外，歷代之所謂按等則課稅，皆以土地之多寡爲主，以收益爲副，係爲財產收益稅制。財產稅係對物稅，爲帶有原始形態之一種賦稅。唐代之陸贄，對於財產稅曾有深入之批評：「資產少者，則其稅少；資產多者，則其稅多。曾不悟資產之中，事情不一。有藏於襟懷囊篋，物雖貴而人莫能窺；有積於場圃囷倉，値雖輕而衆以爲富；有流通蕃息之貨，數雖寡而計日收贏；有廬舍器用之資，價雖高而終歲無利。一概計估算，宜其失平長僞。由是務輕資而樂轉徙者，恒脫於徭稅。敦本業而樹居產者，每困於徵求。」此諸問題，千餘年來迄今仍無解決之道。故財產稅實爲一先天不足之稅制。

今以地稅作爲財產稅者，爲英、美、德等國。其所以作爲財產稅課征，蓋以各國之國情及稅制不一，並其皆以財產稅作爲所得稅之補充稅耳。再以賦稅之性質而言，財產稅純依納稅人之能力課稅。對於經濟活動，干涉最少，爲自由主義者最理想之稅制。故資本主義特別發達之國家，在行高度所得稅下，再以財產稅之方式，慰其國民，作爲自由發展之稅制。

方今我國，適在初期工業發展之階段，且志行三民主義，顯與英美有別。固繼征田賦，已不合於時代之要求。然如以工商業特別發達之國家、尤爲英、美、德等資本主義國家之賦稅行之，亦不無南轅北轍之嫌。

三　地價稅與財產稅之分野

地價稅爲近代新興之一種地稅制度。其學說僅有百餘年之歷史，其實施亦僅有數十年歷史而已。以賦稅之進化言之，地價稅爲最進步之一種賦稅，或爲最現代化之一種地稅。

現代各國之土地課征財產稅者，固亦以地價爲其課稅之根據，而其課稅之多寡，係以地價所代表土地之多寡優劣，爲其課稅之準則。其所需用之地價，是否眞實，尚屬次要；其最重要者，乃以公平爲其主要手段。故在課征財產稅之國家，其課稅之地價，有者尚未及眞實地價之半數，而亦能達其賦稅之目的。並其課稅目的，較爲單純，僅以供應政府之支出而已。

地價稅之課稅根據，雖亦爲地價，但其課稅之性質與目的，皆與財產稅有別。其乃爲推行某項政策而課稅，其政策任務，顯已大於其財政目的。其課稅收入，固亦作爲財政用途；然人民負稅之多寡，係以政策之需要而定，並不純以地價所代表土地之多寡優劣而定。其稅率之大小，已變爲國家推行政策之工具，不能再以一般賦稅之觀點視之。故我國現行之地價稅，乃明定於土地法中，其課稅之輕重緩急，皆由於推行土地政策之地政機關定之。業已脫離財政機關之賦稅系統。

地價稅所需用之地價，與財產稅所用之地價相比，大有不同。因地價稅之施行，既重在其政策任務，其課稅準則所需用之地價，非僅代表土地之多寡優劣或不僅爲求公平而已。其必能影響土地之佔有或買賣，亦即必須爲土地之現値，或爲當時之市價。以非如此不能發生政策作風，亦即不能達成其政策任務。

地價稅之政策任務，各國多有不同。概言之，可用地價稅之方式，達成土地政策，社會政策，經濟政策等之各種目的。以土地政策言，其可用以促進土地利用，及調整土地分配。以社會政策言，其可用以申張社會正義，及均富之目的。以經濟政策言，其可用以發展工商業，及導致經濟之正常繁榮。此諸政策任務，地價稅如運用得當，極易發生最大效能。但除地價稅外，非僅他種地稅無此能力；即任何賦稅，亦皆無此效能。

他種地稅，固有者亦可用以推行國家之政策，但其效能有限，皆不能與地價稅相比擬。如漢代曾利用土地收益稅，以輕稅方式，實行重農政策，然見效甚微。即現代風行各國之所得稅，固其效能有大於地價稅者；然如以政策效能之闊度計之，亦不及地價稅之更爲廣泛。

四　地價稅之時代任務

任何國家在農業時期，以人力物力之各種條件不足，根本不能行施地價稅。因在農業時期，工商業不發達，資金之流動甚慢。土地之有買賣者少，無從普遍獲知土地之買賣價格。如此而課征地價稅，當無可能，實亦無此需要。

在工商業已高度發達之國家，如今之英美德等國，其土地利用之工具已大爲進步，國民智識之水準已高，極易達到高度之土地利用。自可不必用稅率來使其促進利用。並在工商業發達之國家，其財富之範圍已廣，投資之對象已多。且以土地之生產力有限亦甚慢，與工商業之利潤相比，相差過多；國民對於在地之佔有慾，已大爲減低，亦無需以稅率去調整分配。至於其他政策之推行，亦可用其他方式行之。地價稅之政策效能，自亦隨之而減。即將其改爲財產稅征之，當亦無不可。

惟在由農業時代，適在步入工商業時代之國家。其國情與民情；皆與前二者之情形，大有不同。以均在此過渡時期，都市在積極發展，農業亦在急遽轉變中。而此一時期之變動最大者，可謂人與地之關係。如有妥善管理，可免卻諸多問題；不然，必富者愈富，貧者愈貧，造成若干不平現象。代表土地之最適當者，乃爲地價。爲求土地有妥善之管理，地價稅即應運而生。所以　國父曾：「就地徵稅，幾所應有，即此已足國用，一切各稅，皆可蠲免。又只抽地之原價，凡需人力，如築路上蓋等，概不抽收。此中有三利：一可免地之荒廢，二可獎勵人工之進步，三可杜資本家壟斷土地之弊。」

（未完）

任意鞭撻！

昨日與明日

巴黎和談的桌子問題

圓桌象徵一團和氣，坐在圓桌旁邊並無尊卑上下之分，故國際談判常採圓桌會議，也往往能化干戈爲玉帛，逢兇化吉，遇難呈祥。現在巴黎和談，爲了桌子問題，使美越兩國政府大傷腦筋，橢圓形等桌子形狀是涉及談判正式開幕的主要障礙。而一名權威的越南人士在元月二日說，美越兩國政府，已就有關巴黎和談桌子形狀和遵循程序的方案，獲致協議。究竟是怎樣協議的？桌子最後決定用何種形狀？還有待下回分解。美國官員們仍舊不能確知下一次華府及河內會談能在何時舉行。但是據聞，美國急於要作另一次嘗試，在詹森政府任內解決程序僵局。

華盛頓着急，河內不急，美國心理弱點已被對方抓住。

不祥的「聯合政府」陰影

北越總理范文同警告美國說，如果美國不依照「民族解放陣線」的計劃，讓越南人民解決他們本身的內政，它祗會遭遇更大的失敗。他接見塔斯社記者時說：「和平內閣」應取代現在的西貢政府，然後繼之以撤退美軍，和成立聯合政府。

范文同的話說得很明白。他將美國當戰敗國看待。他要用「聯合政府」爲工具以達赤化越南目的。如果范文同的意旨是不能更改的，美國只有投降及繼續作戰兩條路，和平之門恐怕不通。

美國中了越共圈套

六韜云：「無使敵人知我意」。若就和戰言之，我欲戰，不可使敵人知我求戰之急，我欲和，不可使敵人知我謀和之切。現在美國在越南求和之切，不要說敵人，世界各國，誰人不知，那能不曉？

共產黨最擅用「術」。美國的輿論幾乎一致都在反對越戰，這一情勢，已充份被共產黨利用。詹森政府固然非和不可，即將上台的尼克遜，在競選時也要打出「光榮結束越戰」這張王牌。美國求和愈迫切，共產黨愈要裝腔作勢，這是非常明顯的。

哈里曼說，美國在一九六八年已開始邁向和平之路，希望巴黎談判將導致越戰在一九六九年結束。照目前的跡象看來，美國在一九六八年走進共產黨的圈套，一九六九年將帶來越南大災害。因爲我們已看到「聯合政府」的陰影。我們對「光榮結束越戰」的光榮兩字就不能不懷疑了。

（則鳴）

自由談

台北的交通秩序

歐亞兩洲的大小都市，我曾經游覽的不在少數，若論市街交通秩序之凌亂無章，似以咱們的台北市爲首選吧？

三年前，台北市街上除却大小汽車、摩托車、脚踏車橫衝直撞外，尚有三輪車和牛車參差於其間，如今三輪車與牛車雖然淘汰了，但交通秩序更糟糕。人行道上擺滿了摩托車、脚踏車，這些車輛且可以隨便在行人道上或店舖走廊間往來馳驟，行人爲之驚惶辟易，這是舉世罕有的怪事。汽車——特別是出租汽車，爭先恐後，搶攘扒頭，固屬常事。十字路口的紅燈亮起之際，電單車和機器脚踏車照樣疾駛不已，視若無睹，也無人過問。日本東京市警察廳每天將市內產生的車禍結果，用統計數字揭示有衆，俾資警惕，台北市如果照此辦法，車禍情況必見凌駕東京而上之，毫無疑問。

西德各都市中，夜間十時後，行人與車輛皆少見了，而十字路口的紅綠燈依然交互出現，我目擊一個德國人於深夜出街購買藥品，蹣跚馬路上亮起紅燈時，明知並無車輛或行人在路上行走了，還是站着不動，等候綠燈亮出，然後橫過大街，其尊重法制，謹守秩序的精神，實在令人欽佩。難怪德意志民族經過幾次浩劫後，很快的又能夠復興，憑這項小事情上即可印證了。反觀咱們台北的市民，能有這種維公共安全秩序的精神嗎？思之曷勝慚愧！

近看香港，地面偏仄，馬路稀少，而大小車輛的數量並不亞於台北，但交通秩序井然，出動的交通警察，指揮若定，措置裕如。偶有違背交通規則的車輛發現，登時抄錄車號，報由主管機關依法處理，決不阻碍交通，不像台北市的情形，警察和車輛的司機喧嚷爭執，路人又從而圍觀堵塞，秩序爲之大亂，交通頓時陷於癱瘓狀態。

何以有此凌亂無章的落後情形存在呢？最大原因是國民教育之失敗，「愚」與「私」的劣性根尚未經由教育的功用而滌除掉。次爲行政效率之低能，對於一個都市上的交通管制亦沒法予弄好，法令規章盡成了白紙黑字的具文。若干年來，許多的行政官吏和技術人員，常常到外國考察見習或進修，却未見有襲取他國之長，以補本國之短的事實表現，而一般從西洋留學回來的所謂碩士博士也者，身居政要，亦復碌碌平庸，無所建樹。興言及此，曷不暇爲台北市的交通秩序悲矣！

馮已先生

警局設置檢察官辦事處 便利偵查刑事案件 加強檢警職務聯繫

查良鑑部長答本報記者問

（本報記者張健生台北訊）司法行政部查良鑑部長說：警察機關設檢察官辦公處所是為了便於偵查刑事案件，並不是把檢察官配置於警察局，而是檢察官常去警察局辦公使效率提高而已。這是查部長就任一年以來，於五十七年十二月十七日，首次出席行政院新聞局記者招待答覆本報記者詢問時所宣佈的。

本報記者就司法問題，用書面方式提出請教查部長，原文於下：

部長先生：茲有下列問題，提出於新聞局本週（十二月十七）記者招待會，請惠予指教！

（一）依檢察官與司法警察機關執行職務聯繫辦法第三條規定，警察機關將申請法院派檢察官於各縣市警察局設立辦公處，直接指揮刑事警察，辦理偵查程序。該聯繫辦法係依調度司法警察條例第十條規定於本年七月間修正公布之行政命令，顯與法院組織法第五章之「檢察署及檢察官之配置」的規定不合，是該聯繫辦法究根據何法而制定？警察機關究於何時設立檢察官辦公處？

查部長答覆說：這是立法院的問題，（因為「檢察官與司法警察機關執行職務聯繫辦法」正由立法院司法，內政兩委員會舉行聯席會議審查中）按照法院組織法規定，「各級法院及分院，配置檢察官之員額，以法律定之。」而檢察官應配置於法院，不是警察機關。至於在警察局設檢察官辦公處所，係為偵查案件之便利，而警察局設檢察官辦公處所也不自今年開始（係自行憲前之民國三十四年就開始）。

（二）選舉訴訟一審終結是否適法？本年五月二十五日。

先生在立法院司法委員會表示：「是深深值得我們加以研究的問題」。且進一步主張：「我們大家對此問題，都可加以研究，如有滿意結論，不妨建議政府就此有所考慮。」政府對此問題有無研究？有無結論？

台北市改隸後之首任市議員，將於明年改選，屆時倘發生選舉訴訟，究採一審終結抑依民事訴訟法規定進行？

依法院組織法第三十九條規定，法院推事檢察官不得兼任其他公職，法律有明文規定。今法院推事檢察官兼任選舉監察小組委員之職係根據何法？尤其是推事兼任此項職務後，等於左手持告發權，右手握審判權，與「法官為終身職」之規定不合。

查部長在答覆選舉訴訟一審終結是否適法的時候曾呼籲國人多加研究！他對本報記者注意這個問題認為「這是很好的」。

查部長說：「現在，立法院和主管選務的內政部正在研究這個問題，希望國人多加研究，提供意見，使這個問題獲得美滿的結論。」至於「法院推事，首席檢察官是以地方公正人士的身份而担任各縣市選舉監察小組委員或召集人的，是依台灣省縣市公職人員選舉罷免監察委員會組織規程而担任的。」

提高裁判正確性 達到確保人權 樹立司法威信

（三）司法行政之獄政問題，據說各獄所有人滿之患，如台北監獄無法容納之二百餘受刑人由台北看守所代為執行，而新竹監獄也有同樣的情形，衛生、管教、戒護、生產工作等，致發生影響。其次是受刑人脫逃事件，時有所聞。如澎湖監獄受刑人蕭讚煌，於今年八月間脫逃，直到本月十日緝獲歸案，因而有人認為澎湖監獄設於馬公市區內，確有遷移之必要。這些問題有無改善之道？澎湖監獄有無遷建之計劃？以及該監獄人員有無失職行為？

「監獄和看守所受刑人多，這是沒有辦法的。」查部長認為：「台北地區人口多，社會繁榮，因而刑案亦相對增加。至於輕刑犯由看守所容納，這並無什麼不對。如蕭讚煌逃犯，應查究藏匿人犯者之刑責。」

至於（三）、（四）兩個問題，因時間關係，查部長沒有答覆。不過，本報記者希望查部長能以書面回答。

（四）司法裁判，貴在公平適當。五十七會計年度內之上訴案件維持原判率不高，即各地方法院之裁判正確性不太高。如台中地院民事上訴案件維持原判決者為八〇·七八%，抗告案件維持原判決者為八二·九五%：刑事上訴案件維持原判決者為六二·一三%，抗告案件維持原裁定者為四九·六三%。如嘉義地院民事上訴案件維持原判決者為八一%，抗告案件維持原裁判者為七二%；刑事上訴案件維持原判決者為六七·四三%，抗告案件維持原裁定者為四五·九八%。是地方法院之刑事判決，抗告裁定之正確性不高。（按：取自監察院地方巡察意見）如何提高地方法院刑事判決之正確性？俾達到確保人權而樹立司法威信。

（五）公地放領之行為係以行政命令為依據者，如現耕農，認政府放領有錯誤時，應依行政訴訟程序救濟之，普通法院不得據為實體上之判決，應以無權審判為理由，從程序上以裁定駁回原告之訴，民事訴訟法第二四九條第一項第一款、第四六三條及第四八一條均有明文規定。例如：農民洪丁山洪曉所承領之彰化縣溪湖鎮四塊厝字巫厝第五七〇之一，第五七〇之二號公地係因彰化縣各級經辦人員未盡職權調查之非法行政處分而取得所有權，乃向台中地院起訴，該地院竟作實體判決原告洪丁山敗訴。之後，洪丁山於出售系爭土地所種植之竹、樹等作物時，台中高分院依盜竊罪判處洪丁山等之徒刑，此項判決，立委徐中齊認其違法而提出質詢。類似案例，監察院最多。部長先生對該判決之法律依據是否適法？請一併惠予指教！

談「青山白雲」

新聞顯微鏡

在耶誕節也即是行憲紀念日，台灣電視公司播出「詩歌朗誦」節目。有一首新詩叫「青山白雲」，原文甚長，使聽衆有「丈二和尚」之感。該詩大意是將「青山」比大陸，「白雲」比台灣，「白雲」有一天還是要回到「青山」上面云云。該詩作者想像力之豐富是驚人的，但他的肚子裡面裝的東西不多，大概除了看看電影，根本就沒有讀過什麼書。最近，有一張所謂中國文藝片叫「雲泥」，裏面主題曲一開頭是：「問白雲，你有幾多愁？」誠屬新鴛鴦蝴蝶派的標準句子。新鴛鴦蝴蝶派雲是哥哥，月是妹妹，是無病而呻的墮落文藝！台北有一位男歌星「青山」就曾灌過這張唱片。「青山白雲」新詩作者的靈感或係由此而來亦未可知。

過去中國有些人讀書鑽牛角尖，變成冬烘學究，假使由他來教書，誤人子弟匪淺！現在電視公司却以寶貴的節目時間，讓冬烘文藝鷄鴉屁，眞令人啼笑皆非。「青山白雲」比擬不倫不類，如其所本為「雲泥」主題曲，問白雲大概問不出什麼名堂，我可以替「白雲」回答，「我沒有什麼愁，只是最近美國太空船穿過我的身體，到月妹妹身旁去，才使我不舒服。」

嗚呼，新鴛鴦蝴蝶派的文藝作家喲，你雖然想慷概悲歌，可惜你天生是一條鷄貓喊叫的嗓子，可以休矣！

電視公司有無盡了宣傳的責任？在今日台灣，總統昭示我們「毋忘在莒」！我們了解這是一個民族淬勵奮發的時代，切忌沉酣於歌舞，因此，電視公司就應充份利用此一傳播工具，發揮暮鼓晨鐘的作用，以收起聾振聵之效。請看看電視公司播出的節目吧！那一樣是符合我反共復國或復興文化要求的？在行憲紀念如此重大日子，播出如此昏而又昏的新詩朗誦，絲毫不會達到預期的振奮人心的效果，卻令識者為之齒冷。

電視公司是目前最賺錢的民營事業之一。這一事業不是將為賺錢，更非純娛樂性，不知該公司負責人是否有此體認？（宇文采）

台灣國民中學統一收費 潘振球廳長明快措施

每名祇收課業費等二九〇元 男女學生制服家長自由選製

本報記者公孫能台北消息，台灣省自延長國民教育後，國民中學征收學生費用，據一般調查所得去年初中入學繳費以公立中學為準，每人不過四、五百元，今年國中繳費，最低亦達八、九百元，都市有多至千餘元，既稱義務教育延長，何得加倍收費，社會各方尤對教育部的公然向書商收取回扣之實質的所謂「教科書編輯費」百分之十五，據悉年達數千萬元之鉅，令人駭然。無怪去春即有人主張國中教科書應由教育部統籌編印。其構想原欲消除十餘年以來各級學校校長及經辦人員妄收書商之大量回扣，飽入私囊，使得若干饕貪饞知味，莫不吐滿腸肥。雖有部分情操廉潔之士，不屑染指，究屬鷄林之鶴。影響不大，在書商、校長聯合內應外接，奔走請願之下，終對統籌印銷之議打銷，竟由教育部居然藉名抽取編輯費，先抓上一把「回扣」，然後再由各級學校不肖校長例收回扣，形成本學期初中教科書之格式內容均與上學期大同小異，而價目則高出二三倍，（上學期國文課本每冊祇售四元一角，本學期則為每冊售價十一元九角，史地英數莫不如是）

台灣省教育廳在與台北市教育局協商之下決定征收國民中學費用標準，原則征收課業費和雜費每學期二百九十元，和代收費卅二元，總計三百二十七元。並自春季開學時實施，並規定統一辦本印製格式，男女學生制服樣式、顏色、質料等由省內廠商自由製作，由學生自由選購，或由家長依式樣自行製作，並不再由學校代辦。並規定嚴禁學校代辦或推介參考書、工具書等。私立初中，除增加學費一項外，其餘各項應比照國中收費標準辦理。省教育廳長潘振球氏，以清苦教師廉能校長出身，截至目前止尚居清握明，採納輿論，針對弊端，實行改革教育風氣，固可稱道。但在教科書之高價盤剝，加重家長負担，以係教育部之決策，則無可如何也。故其新規定對征收費用標準，却撇開了書籍一項。明眼人即可窺其擻。

政治目標的根本問題

陶百川

五十七年十一月十九日本院第一〇八次會議檢討一般政治意見時，百川以「六個政治目標的根本問題」發表談話：

（一）反共以民心為本。我們反共的資本不僅是堅甲利兵，而尤其是民心所歸。但民心是現實的，所謂「撫我則后，虐我則仇。」試看美國民主黨的總統候選人，四年前以超過一千五百萬票的優勢而當選，但這次乃以相差一千萬票而為人民所拋棄。所以民心是脆弱的，不穩定的，不是一成不變的。而在我們，則不獨要保持本省的民心，並須爭取僑胞和大陸的民心，任務特別艱鉅。所以總統要強調「七分政治」，而我們在政治上做得顯然還不夠。

（二）中興以人為本。我們偏處海島，人才本來不多，而「為政在人」，人才是進步的原動力。所以我們必須以寬宏的氣度，虛誠的態度，嚴格的尺度，去發掘、延攬和任使人才。自人事行政局工作展開以來，人事漸有起色，但我們尚須根絕小圈子小碼頭主義和「善善而不能用，惡惡而不能去」的姑息主義。

（三）知恥以是非為本。如果是非不明，甚至是非顛倒，即積非成是，必致善惡不分，忠奸不辨，刑賞不當。恥既不明，自必不知恥為何物。故知恥必先明恥。但是非亦殊難言，不能僅靠各人的良知良能去決定，而尚須從民主和法治去着眼，就是以多數人的是非為是非，以法律所規定的是非為是非。這就是民主和法治。政府當依民主法治的標準去決定是非，明恥教恥。

（四）知病以公論為本。人有疾病自必遍求名醫和驗方。政治上的疾病較之個人的疾病，性質更複雜，後果更嚴重。所以必須如孟子所說，左右皆曰無病，不信；諸大夫皆曰無病，不信；國人皆曰無病，方可放心。因為政治如果有病，人民的感受最深切，看得也最真切。所以政府要知病，必須求言，有如個人有病，必須多方求醫和求藥。

總統很懂得這個道理，所以曾經號召國人貢獻意見，甚至要大家對他個人「平日言行與生活以及個性等作具體指點與規正」。可是近有極少數中下級人員不獨不能善體此意，而且「以攀構為忠貞，好毀人以立功」，利用他們的特種身份和特種經費，濫造謠言，亂扣帽子，以圖妨賢害能，除良安暴。我希望大家要想一想正論縱不難將其扼殺，正氣縱亦可使其消沉，然最後吃大虧的乃是民族和國家；大陸紅衛兵以下流做法，應引以為戒。

陸放翁詩：「人才衰靡方當慮，士氣崢嶸未可非。萬事不如公論久，諸賢莫與衆心違」。這些話尚可適用於今日。所以我們如想了解政治之病，必須博採輿情，禮遇國手，自更不得煮鶴焚琴，嚇阻公論。

（五）求行以制度為本。「為政在人」，人才原很重要，但「人存政舉，人亡政息」所以欲求長久治安，尚須建立制度。例如行政機關如不實行分層負責，或雖分層負責而不以權力授予下層，或雖授以權責，而無檢查賞罰等制度以保證權責之貫澈，則公務之處理必難迅速和有效。所以賢者在位，能者任職，誠能福國利民，然賢能如何能在位任職，如何能不為小人所殘害，以及中駟下駟之才如何亦能奮發有為，甚至貪夫能廉，懦夫立志，凡此似乎不能僅恃個人或其良心，也不能僅恃人治，而有賴於法治，也就有賴於制度的建立和執行，庶幾個人在制度之中或法律之下，可以自動和自由的發揮能力，善盡職責。

（六）求新以學術為本。我國正與他國作世界規模的大競爭，不獨經濟上需要新產品和新技術，而在行政、教育和社會各方面也需要新觀念、新方法和新制度。但這些事物不是空言可致，而須在研究、教育和訓練上痛下功夫，深打基礎。年來政府雖已有此認知，但事實上則重量而不重質，務形式而不切實際。所以國民中學雖已大量設立，然初中和小學教育據報反而退步，研究所雖紛紛增設，然師資缺乏，方法陳舊，水準猶待提高，而各級教師待遇菲薄，研究經費短絀，學術環境欠佳，尚不足以廣攬人才，促進學術，使其日新又新。

上面這些原則，如果用另一種寫法，則可改為「民心為反共之本」，「人才為中興之本」，「是非為知恥之本」，「公論為知病之本」，「制度為求行之本」，「學術為求新之本」。所以我們必須特別重視民心、人才、是非、公論制度和學術。

以上所陳原則，俱非個人創見，總統曾一再昭示。現在根據這些原則，畧加檢討，藉作弦韋之佩。敬候明教。

浦東地方誌畧緒言

洪水橫流，匪禍禹域，政府於民國三十八年播遷來台。我浦東同鄉，相叙海嶠，話災劫之餘生，憤悲交集，望蒼茫之隔水，憂惕同殷。蓴鱸切故里之思，桑梓縈歸田之念。克敦鄉誼，藉慰羈愁，因由龐松舟先生等倡導，有旅台浦東同鄉會之組設。

洎閱湘帆先生繼武長會，會員日益衆，會務日益繁，諸同鄉僉感少小釣遊之地，夢寐時縈；纏纏旋復之時，契機有待。毋忘在莒，彌切懷鄉。當吾未老，話浦右之風光，固歷歷在目；降及兒孫，溯雲間之印象，將渺渺於心。不事描形，何以詔述，因從衆議，有浦東地圖之繪印。

地圖既梓行，遐邇相傳閱，或張掛以示鄉里，或指點以詔兒孫。舉頭西笑，明根源之有自；縱目遐觀，誓規復之同期。惟以有圖無誌，仍感晦而未彰。念我浦東，縱橫約二千餘平方公里，右瀕東海之濱，左倚黃歇之浦，邑涉六縣一市，史經千有餘年，古則榮爲孔門傳聖學之方，文風奕盛，近且慘被倭寇蹂躪之險，形勢要衝，昔隸松江府之轄治，今隸上海市爲畋郊，漁鹽棉米，物產豐饒，玉食雲衣，藝工巧擅，地乏崇山峻嶺，而川原之景色嫣妍，代多俊傑名儒，遺著述之縹湘耀采。均期敷叙，方播實情。因又有從事記述浦東地方誌畧之議，備資按索。還推何尚時先生綱董其事，分篇由湯伯昕（上海）黃恭石（松江）唐思禮（南匯）沈德仁（金山）陸容庵（川沙）陶家麟（奉賢）諸鄉長各任撰述。衆擎易舉；裒然成帙，而以纂修之役，委之於僕。

竊維斯稿事屬創舉，分章蒼自羣賢，既窮體例之何循，又匱典章之足採。憑諸記憶，繁簡隨以互殊；迫於時間，諮諏勢難廣洽。分而誦焉，均覺津津乎有味；合而編之，頗感戛戛其難周。勉事剪裁，終病鑿枘。所幸會中原旨，在乎話桑麻之曩跡，慰雲樹之羇情，先賢式其懿行，俗尚播其良風，則信手拈來，都成妙諦，隨口齒及，莫不生花。固不必削足以適屨，刻舟而求劍也。

因詮次原章，葆眞以見璞，逐加排比，集粹以爲英，其有獨特性者，另列爲附錄。全編既竣，歉悚交幷，總覺拙庖爲筵，有辱珍錯，劣匠構屋，慚對豫章耳。

所望斯編梓行，堪充嚆矢，跫然來空谷之音，奐乎俟增華之踵。佇企邦人君子，珠玉紛投，故里耆英，圭鍼時錫。則再版有期，定必益增完善，葺修可待，庶幾稍減咎愆。他日喬木成蔭，銅駝披露，故鄉文物，粲備可觀，跂予望之，馨香以禱。謹爲序。

（莊心在）

譚天雕空集

華北匪窟的原始面目　隱身戰術與狐狸尾巴（下）

（本文上接九一七期第四版）

・鄒眼・

古云：「樹德務滋，除惡務盡」，民國廿三年「西安事變」，當時，未將流竄陝北之殘匪一鼓而澈底消滅，實爲一不可彌補之大失策。匪衆慣以「山寨」劫持地方。華北恰是一多山的區域。在晉、冀交界處，恒山支脈太行山，縱貫南北，晉北廣靈有平型關，雁門關，冀北有易州紫荊關，冀西唐縣有倒馬關，阜平有龍泉關。西線有娘子關，南有壺關。此一地帶高山峻嶺，綿亙五六百里。足以西制同浦路，東制平漢路，北制平綏路。匪黨乘國軍撤離，日軍不敢深入之際，便作爲「根據地」了。在歷史上，如唐堯之初都唐縣不論矣，漢魏六朝，胡漢相爭之地，唐竇建德都於曲陽，李淵起兵於晉。久歷兵戎。明末李自成，張獻忠均曾光顧立邑。以進窺北京。周遇吉之戰死寧武關亦距此不遠。共匪初據邊區，曾遭日軍三次進攻，燒到阜平縣關西鎮。匪酋王震與日軍戰於平型關，林彪與日軍戰於易州紫荊關，均未得手。即因山地險要不測，不利陣地戰，重武器之使用故也。匪軍於勝利後，對國軍亦同樣施用「伏擊」，「奇襲」流動戰術，運動戰，以截斷平漢各幹線交通。以鄉村孤立都市，以面制點線。而掌握主動。這是「八年」卵育的結果。

匪黨控制邊區後，用盡花言巧語，吸收地方幹部，動員地方人力。初設「幹部學校」於阜平。繼設「抗大一分校」於遂縣，設「抗大二分校」於靈壽縣的陳庄鎮。當地青年受騙者不計其數。當抗戰前夕，河北原已有匪黨之潛伏活動，如北平以平西「齋堂鎮」爲基地，冀中以保定爲嘯聚所。冀南以順德爲中心。大抵以學校青年爲組織對象。那時的工潮，學潮均由匪黨地下組織指揮。有名的「北平砸電車案」，清河「製呢廠」罷工案，保定第一師範的「攻守案」，均轟動一時。而我軍均未澈底予以撲滅。留下禍根，都充作匪黨的先鋒幹部了。初期地方、政、軍的書記、政委、動員委員，一律全是這批人物担任。國軍一走，他們居然搖身一變成了主人了，顯貴權勢人物了。到處是「半知識份子」的天下，愚民、紳士、大學生都受其擺弄。這「馬列主義ABC」全不懂的這批人，竟滿口政治、階級上嘴了。奉匪黨爲神聖，視毛匪如護身符的這批人，終日「黨八股」，「游擊八股」，「統戰八股」，「民運八股」，而無所顧忌的出入民宅。「游擊戰八字訣」喊得通天響，逼着民衆開會、學習。他們幾可自命爲「聖人」了。目空一切，目中無人了。老百姓動輒得咎，動輒即有「逃跑」、「動搖」、「投降」、「妥協」的嫌疑，逼令「坦白」。廿八年就開始「清算鬥爭」知識份子。廿九年以後而清算地主，至於「三查」、「三反」，那是以後的事。狐狸尾巴這才露了出來。

吳敬恒先生年譜（四〇）

陳凌海編撰　陳洪校訂

五月，參加中國國民黨第三屆五中全會第一次臨時大會。大會推請先生與李煜瀛（石曾），張繼（溥泉），陳布雷（畏壘）等審查關於國民會議提案及有關草案。出席國民會議，代表四百四十七人，任主席團之一。通過中華民國訓政時期約法。六月一日公佈。預定二十六年十一月召開國民大會制憲會議。爲胡漢民辭職引起之誤會，先生與蔡元培（孑民），李煜瀛，張人傑（靜江），張繼等聯名致電古應芬（襄琴），鄧澤如，蕭佛成等予以解釋。又盼彼等來京，爲黨國前途共同努力。先生當時有感想謂：革命決非爲富貴，止爲主義。吾人今日之集團，爲「絕對反赤集團」，應當絕對忠貞。

國父逝世八週年，先生在紀念會報告。三月，先生向中國國民黨中央執行委員會常務委員會提：「中央電影文化宣傳委員會計劃大綱」案。又請制訂中國童子軍誓詞及軍歌。四月十七日，先生由南京赴無錫遊惠山。並至蘇州，登范故山頂。六月八日，蔣主席中正訪先生商談國民政府組織法及國民黨三屆五中全會日期。由先生草擬國民政府組織法。六月，參加國民黨第三屆五中全會。大會推先生與戴傳賢（季陶），丁惟汾（鼎臣）等十一人審查處理廣東事變經過，並決定方針。先生致大會閉幕詞。九月十八日，日本藉口「中村事件」突襲瀋陽，進攻北大營。張學良（漢卿）令不抵抗。瀋陽爲日強佔。先生與于右任致電蔣主席中正，有所建議。又電張學良。十月，在中央紀念週報告，對於救國會議之希望。十一月，中國國民黨第四次全國代表大會，選先生爲監察委員會委員。先生發表：「摩托救國論」。十二月十七日，南京學生發動學潮，毀中央日報。先生鑒於情況嚴重，自告奮勇願往各大學勸告。中央決定派先生與程天放，陳布雷，錢昌照（乙藜）等爲代表，前往各大中學校勸導。學潮始告平息。十七日，陳和銑（孟釗）辭江蘇省教育廳廳長，向先生報告。十二月，參加國民黨四屆一中全會，推選林森（子超）爲國民政府主席。先生爲充實中央黨務，建議中央執監兩委員會工作，加以分配（整理）。是年李濟琛（任潮）致函先生，願以其女彼梅與公子許結秦晉之好，先生復函，予以允諾，惟謙稱：「虎女焉可配犬子」云云。

民國二十一年，壬申（西曆一九三三年）

先生六十八歲

一月，林森（子超）就任國民政府主席。日本侵入松滬，政府積極抗戰。政府遷都洛陽。先生離京前爲「一二八」抗戰問題，留書蔣總司令中正。又電何應欽（敬之）堅持抗戰。

（未完）

竹幕深垂，以大吃小

楊成武、陳漫遠、黃永勝、陳再道，都出身在這裏，他們都當過軍分區司令員。就是爲匪黨策反山西新軍有功的宋劭文，當時尚以晉閻的五台縣長，晉東北區專員身份，兼任邊區主席。把邊區政府設在台懷鎮。那由臨汾「民族革命大學」出來的一批人，跟他作助手。「民族革命通訊社」還設分社於邊區。但閻氏的言論集和中央的書刊一律禁止。反之，延安出刊的「解放週刊」、「新華日報」卻廣泛流通。這裏最大的一份日報名「抗敵報」（後改名晉察冀日報）由鄧拓主持。彭眞爲社長。還有「邊政導報」一份，由邊委員主編。作爲政權領導的宣傳核心。匪黨特工「政治保衛局」的黑衣皂帽人物，經常出沒其間。舒同主平，孫毅在聶的身邊是政治部的紅人。大抵均有朱彭的人事背景。當「彭鹿」贊皇會議決裂後，匪軍和國軍的河北民軍張蔭梧部的衝突，張的一支王長江部被吃掉了。弄得在南宮一帶的「抗戰建國學院」，迫令張蔭梧「入院受訓」。民軍不得不再向太行山南部後撤。而主持其事的就是「冀中分署」主任王平。在這一處女地帶，匪軍活動範圍相當遼闊，幾乎掩有晉、冀兩省的全部，察南雁北一部份。由「統一戰線」爲僞裝的「黨的建設」和「武裝鬥爭」乘機擴大發展。當廿八年春，國民黨邊區黨部召開了一次邊區各縣書記長會議後，不久即被壓制活動。他們的書記長蔣自力被逼跑了。救國報停刊了，黨工幹部一次有十二名被鬥爭免職，陷於停頓。在匪黨控制下的全境交通線，都設有「盤查哨」，「檢查站」。

——以下轉刊第四版

「張文襄公治鄂記」後記

張起鈞

右「張文襄公治鄂記」一書，乃先叔祖春霆公（諱繼煦）之遺著。公光緒三年歲次丁丑（公元一八七七年）生於湖北枝江縣，幼而聰穎異常兒。年十五（光緒十七年辛卯）應秀才試，縣令擢爲第一，羣情譁然，以爲徇私。及府考院考莫不居首，縣令之冤始白，而公之頭角亦大著焉。

公少負大志，承父兄庭訓，以天下爲己任，而賦性豪邁，尤越儕輩。甲午後見國事日非，乃發憤圖強，志存匡濟。時張文襄公在鄂創辦新政，開風氣之先，公乃摒棄舉業，入兩湖書院攻讀，以求實學。其後雖中癸卯科（光緒二十九年）舉人，特承父命而爲者，實已絕意科名久矣。公在書院，成績優異冠儕輩，以是受知於文襄公；而其識見精敏，議論風生，尤爲同學所雅敬。旋公東渡赴日，研習教育，遂躬與清末留學東洋之怒潮。彼時國內志士，咸集東瀛。公才學過人，熱心國事，故深爲多士所推重。例如鼓吹新潮著名之「湖北學生界」雜誌，其創刊號首篇主文及發刊詞即俱出公之手筆，蓋隱然爲儕輩心聲之代言人也。

鼎革後，公參與教育部工作，担任「普通教育司司長」之職。會安徽省教育廢弛，亟待整頓，京中皖籍名流胡適等一致要求派公出任教育廳長，公因有安徽之行。下車之始，皖中教育界人士咸往謁，請公澈底整頓，願竭誠爲其後盾。公曰：「勿勞君等相助，余自有後盾。」衆曰：「願聞廳長之後盾。」曰：「去就耳。」於是銳意經營，力求興革，致爲其不善者所惡。嗣因編擬預算問題，與當道相持不下，宵小乘間挑撥，因有姜高琦慘案之生。公不避生命危險，不爲威武所屈，堅持所求，卒將安徽教育經費自十餘萬元提高爲九十萬元，乃使困頓疲憊之狀得以復蘇，而奠立爾後安徽教育之基礎。至於選賢任能，獎掖後進，猶其餘事也。明年事平，公入京向國務總理靳雲鵬縷陳經過而後辭職返部，所謂功成身退者是也。

未幾，武昌高等師範學校校務廢弛，經費無着；校長譚君難乎爲繼。於是教育部又任公爲校長，前往整頓，公到校後，一方清理校務，敦聘名師（如名儒黃季剛等皆於其時在校任教），一方與地方軍政首長商洽添闢財源，補助學校。公接事前，員工薪餉，未能發下，已五閱月，及公就任，未兩月，前欠盡償，校務蒸蒸日上。於是明年遂改制爲「武昌師範大學」。改大事蕆，公乃荐賢（石瑛）自代，潔身引退。公雖自感無官身輕，而校務則紛歧雜亂，波折屢起，雖以石瑛君之賢，亦未能理亂而治，致一時竟無人敢長其校者。於是由教職員及學生推代表組織校務維持會，投票推荐校長人選。及開票，十七人竟一致荐公。此民國十五年事也。時公遠在北京，聞訊後深受感動，乃不辭艱鉅，決定接受。並就近在京部署，敦請名師。方擬南下接事，適北伐軍抵達武漢，局勢改變，致未果行。識者深爲武大惜焉。

自是公遂息影林泉，銳意爲桑梓服務。暇則以收藏典籍自娛。抗戰軍興，公返故里枝江，所辦之荊南中學亦隨同遷往。民國三十二年日軍西犯，進佔枝江；公倉皇逃避，抵於恩施。適余亦於是年秋自渝赴施，任教國立湖北師範學院，院長葉君雅慕其名，因余求見，一再敦請，公感其誠，乃允所請，出任國文系主任，直至抗戰勝利時爲止。本書即是時所撰者也。

公昆仲三人，姊妹凡七，而公居最幼，故先君介侯公（諱叙藩）份雖爲姪，實長公一歲。年既相若，故起居爲學無不相俱；不僅同受業於先曾祖松齡公（諱元佩、爲公之父），先祖筱松公（諱繼丙、爲公之長兄），且同年結婚，同年進學（中秀才），同年中舉，鄉里傳爲佳話焉。余小學三年級時，居於先叔孝仲公（諱叙忠、故軍需學校校長）家，某日囑作日記一則，呈公。公閱而批曰：「又是我家千里駒。」（蓋公嘗批孝仲公之文曰：「眞乃我家千里駒」也），並多嘉勉。及民國三十二年再謁於恩施，余已成長執教，上距批勉之時，已逾近廿載矣，公見余尚知讀書爲學，甚爲快慰。及後校中安排，與公同住一處；日夕隨侍，受誨之深，難以言喻。且余性頗有近公處，而言談見解又多與公意符合，是以雖有祖孫之別，情則直若忘年之友，往往圍爐談天，挑燈夜課，其樂融融者，至今思之猶爲神往。

三十七年冬，余自北平圍城中避秦南上，謁公於武昌。時公於大病之後，體質孱弱，精神萎靡，回思往日之矍鑠有神，談笑風生，令人爲之淒然。而本書亦即於是時印出者。余珍携一册，黯然拜別，遂來台灣，蓋深知此別即爲永訣，而尤傷此書問世竟值神洲陸沉之際，書中旨趣殆絕難見容於暴秦，焚書之厄，殆非過慮。然亦幸能携此孤本來台，使公之心血得以保存；今又幸能重印，以廣流傳；斯固不能當公學問懷抱之萬一，然亦聊勝於并此而不能傳也。況爲其愛孫印之於海外乎？使公有知，當亦粲然於地下也。

又，公在恩施時，詩文多由余謄錄，是以行篋中尚存有公詩數首，今并錄於後，以資紀念。

丙午端陽於台北，時自美國南伊大執教歸國方七日。

生活漫談

台灣最近咳嗽流行，有關這方面的常識，今天想提出來談談。

咳嗽是怎麼一回事

·馬騰雲·

咳嗽是怎麼樣一回事，人體的喉頭氣管和支氣管粘膜上都有神經感受器，因爲刺激了它們就會起咳嗽，咳嗽是一種反射作用，是保護肺部最有效的辦法，藉咳嗽的力量，可將喉頭以下呼吸道，及肺部中的異物，和過多的分泌物，噴射排出體外。咳嗽這個作用，對我們人體來說是有益的，它可以幫助清除肺內和支氣管中對人體有害的物質，咳嗽固然不舒適，要咳嗽而咳不出來的時候，加倍不舒適，這樣的經驗相信每個人都有過。

甚麼是痰，在正常的情況下，氣管和支氣管粘膜，經常都分泌一些粘液，當粘膜受到刺激時，粘液的分泌就會增多，這些過多的粘液，被咳嗽排出來的就是痰，人身體上呼吸道的任務，保保證肺部順利和安全，還有就是將空氣中的氧氣吸入，同時將血液中的二氧化碳氣排出體外，這種氣體的交換是在肺部進行，氣體的收支都必須通過呼吸道，呼吸道向肺部保證，進去的空氣溫度濕度皆是適當的，且有責任儘量使其中所含有害物質減少或者除掉，呼吸道果有了問題，將會喪失了這種保護肺部的功能，換句話就是肺部的門衛撤消了，痰病可以蔓延直入，造成一些嚴重的情況、像肺炎、支氣管炎傷風和感冒，都是呼吸道的傳染病，上列的這些傳染病，它是由於一種病毒侵入我們的呼吸道粘膜所引起，病毒是一種很小的微生物，備有普通細菌十分之一或五十分之一的大小，用普通顯微鏡是看不見的，連普通顯微鏡都看不見的東西，得了病隨便吃藥，是多麼可笑的行爲，有時咳是壓住了痰排不出的那股難受味，和因痰排不出而導致了別的病症。

導致咳嗽另外的因素，一、過度疲勞和精神受刺激，使大腦皮層的抑制受抑制引起紊亂，致使呼吸道不能很好的發揮其功能，悲痛哭泣和傷風是連接的，鼻腔被阻塞就是一個例子，二、受涼，人在淋雨和氣候突起變涼，容易得傷風，這樣的情況下，鼻和咽喉部的粘膜，都有充血現象，纖毛的運動遲緩，因此減低了局部粘膜對病的抵抗。三、空氣中含有過多的烟塵和有刺激的物質，使粘膜上的粘液和纖毛主力浪費在清除空氣中那些物質，因此對細菌和其他病源無暇應付了。台北的生煤烟，是最壞的最惡劣的二種烟塵。四、營養不良，呼吸導粘膜，需要兩種維生素維持，即維生素甲和維生素丙，日常蔬菜中最多維生素甲和丙，如果缺乏了它，亦算是營養不良，總之咳嗽未經過診斷，最好別隨便吃藥，咳嗽的自療方法，不吃油膩刺激性的食物，少說話，多睡眠，勿吹風、勿招涼、勿飲太冷或太熱的水，用鹽水或硼砂水漱口洗滌咽喉一兩日自愈。

易培基賣罪以歿

·諸葛文侯·

易培基（寅村）湖南長沙人，生長鄉隅，粗讀舊書，乃一純粹之三家村學究也。有弟易白沙，青年矢志革命而殉難，湘人甚稱之，培基藉弟蔭，入省垣周旋於官紳間，社會人士以其爲革命烈士之親兄，每予禮遇，彼則布衣布履，故作不苟言笑之學人狀態，覓緣得任省立第一師範學校校長，共匪毛酋澤東即其及門弟子，此民國初年事也。未幾，易氏轉任湖南省立圖書館館長。越民國九年，趙恒惕主持湘政，改派筆者叔祖父筱秋公接替圖書館長之職，清查館中所藏宋板書二部被換爲坊間普通書刊，即函易氏追索，易復謂該書係第一師範所借用，彼早已卸去校長職務，希向該校查詢，然學校又并未存有此書，彼此互相推諉，終成懸案，實則盡人皆知係易氏盜去也。湖南嶽麓書院改爲湖南大學伊始，易曾濫竽校長職位，竟將前湖南巡撫吳大澂捐贈嶽麓書院之珍品書畫，悉數盜取，另以膺品替代。蓋吳氏在湘撫任內，曾掘得漢代「渡遼將軍」印章，私忖自身事業必於東北古遼金地區大有發展，適光緒甲午（一八九四年）中日戰爭發生，吳即自告奮勇，願帶駐防湘中之綠營兵北上參戰，臨行概將私藏古人所作名貴書畫若干幀，盡以捐贈嶽麓書院，以留紀念，易氏乃潛竊之。該院尚擁有鉅額田產，易又擇其肥沃者若干畝，變更田契，據爲已有，旋被繼任湖大校長賓步程查覺，呈報省長趙恒惕追究，培基潛逃入粵，投奔譚延闓之國民革命軍第二軍部，趙省長曾明令通緝之，易氏從此不敢回湘，乃與在粵活動之門徒毛澤東狼狽爲奸，策劃倒趙運動，時在民國十二三年間。

易在譚延闓軍部作客卿，窮極無聊，於其臥室門楣上私揭「秘書長室」字條，譚氏幕僚見之大譁，羣起斥爲無恥，且有揮拳相饗者，易抱頭竄去，乞庇廣州中山大學校長鄒魯，初在廣大任職員。洎由鄒派其赴滬接洽國民黨務，易至上海，對外自稱爲孫總理代表，適汪精衛因事須與京津黨人李石曾磋商，就便囑易氏北上一行，附以介紹函件，李晤易後，誤以易爲民黨要人，偕入北京活動，而馮玉祥回師京畿之變作，總統曹錕被囚禁，暫擁黃郛組閣攝政，徵辟李石曾出任教育總長，李不就，舉易氏以代。於是，易氏一躍而爲風雲人物，儼然代表南中革命派之重要大員焉。

易以李石曾負北方重望，聲譽崇隆，亟求獻媚結交，乃以女嫁作李侄婦，聯秦晉之好。馮玉祥驅逐遜帝溥儀出宮後，由黃內閣設置「清室善後管理委員會」，旨在保管故宮大內寶藏，派李石曾爲主任委員，易以教育總長兼與李氏姻婭關係，參預其事，且代李主持一切，更乘機逞其盜竊珍寶之本能，得心應手，躊躇滿志矣。民十四年冬，某夕，筆者由張家口密攜李烈鈞上將致易氏函，商首都革命問題，[illegible]易適在[illegible]中，命閽人延余入其書齋稍候，余覷壁間所懸梅畫四幀，極佳，審視欣賞之餘，順手檢閱底面，印有文淵閣第若干號之紅色編文楷字，乃知其爲從故宮盜來之贓物也。」

民十六年國民政府奠都南京，易由李石曾推轂，一度任農鑛部長，未幾，改爲實業部，易氏去職，由孔祥熙任部長，易於交卸前，將部內新置上等傢俱大小「梭法」全套盜運私宅，另購市上荒貨充數焉。旋國府明令改組北平之舊有「清室善後管理委員會」爲「故宮博物院」，易氏丐李石曾說項，得任該院院長，多用私人執事，對於故宮所藏各種古物，從心所欲，大量竊取盜用，肆無忌憚，以致醜聲四播。民黨中央監察委員張溥泉（繼），特向中央政治會議提出糾舉案，交由政府依法查究，政府飭令易氏申復，易指張監委挾嫌誣陷，有若最近台灣高雄地方法院推事李石祿，因納賄脫褲行爲被揭發後，誣稱爲他人設計陷害之情形。國府即將原案移送法院審理，而易抗傳不到案，辭去故宮博物院長職務，遁迹津滬租界內，置訟案於度外。法院乃下令通緝。洎是易初匿身天津租界，繼南下隱居上海虹口日本租界有年，最後担任上海私立「勞動大學」校長名義，家於江灣「勞大」地方，訟案亦不了了之。越民國廿二年日寇侵襲上海之「八、一三」戰役勃發，江灣一帶被日機轟炸最烈，易氏「勞大」校舍與易氏寓第盡遭摧毀，成爲一片焦土，易氏一生所藏稀罕古硯數百方，連同其他竊自公家之書畫珍品，全部化爲灰燼，允符「貨悖而入，亦悖而出」之義，易氏傷心慘目，深受刺激，未幾一病不起，撒手人間矣。

易氏爲人好矯飾作態，且妄自矜誇，當黃郛內閣解體，段祺瑞尚未就任執政之際，曾由易氏以教育總長維持內閣例行公務旬日，俾不中斷，事後，易竟刻一「白宮居攝」之私章，於對外函札上以資炫耀，鄙陋可哂也。凡類此態度與作風者，湘諺論之爲「朽人」，易氏殆可謂「朽人」之尤者矣，晚年賣罪，宜侘傺以死，[illegible]哉！

海嘯樓談薈

華北匪窟的原始面目
隱身戰術與狐狸尾巴

（上文接第三版）

監視各形人員的出入活動。實行嚴密的「封鎖」手段。尤其是在一根據地與游擊區交界地，晝夜都有匪軍偵查和巡邏。到處都有「兒童團」、「小鬼隊」放哨站崗，檢查行人。沒有通行證休想過去。儘管火車站鐵路線是日本人的勢力圈，他們的「便衣」仍舊可以常在那裏停留。「扒路軍」把鐵路弄得肝腸寸斷，日軍掃蕩清鄉也感到無能爲力。如此，共匪眞的把華北邊區造成「自已的天下」了。那時，爲毛匪打天下的一批匪軍和楊成武、陳漫遠在今已失了使用價值，幾乎全部被鬥被整死了。祇剩下聶匪。因爲聶匪是林彪的老搭當。聶榮臻現任南開大學副校長，張蘇任最高檢察長。薄一波、冀朝鼎、宋劭文原爲財經大員，今已全被冷藏起來。「飛鳥盡，良弓藏，狡兎死，走狗烹」。毛匪以「鬥爭」起家，連「井崗山」人物都難免「勞動改造」，何況三批人物呢？

擴大叛亂，毛匪一面倒

話說當三十四年九月八日，日本接受「波斯坦宣言」宣布無條件投降之時，正莫斯科、華盛頓、延安三角戀愛正熱之際。美國駐華軍政外交人員均深染拉鐵摩爾、華萊士一派親共人物的左傾怪病，連赫爾利也不例外。熱中「和平」，視中共爲「土地改革」主義者。而莫斯科史魔則偽裝中蘇友善，實力支持毛匪。延安的統戰人物駐在重慶的周恩來、王若飛率領的代表團，包括匪黨理論家秦邦憲、張聞天、陳紹禹爲「參加」政治協商會議」的主幹。那時共匪和談掩護軍事擴充，在「聯合政府」的統戰攻勢下，提出「解放區」獨立的要求，還要「接受投降」收編僞軍」。在「政協」閉幕後，又在到南京廬山「談」一年半的「談談打打」聲中，共匪採用「打水鴨」式的[illegible]

[illegible]

科學新知

日光鍋

聯合國新源能會議時，美國科羅拉多州丹佛地方，製成的傘形日光鍋，吸引了極大的注意。這日光能鍋在陽光下能產生相當四百瓦特的電力，並能在二十二分鐘內煮沸一夸爾的水，或煮菜，煮飯及炸食物。此鍋由十六個塑膠片做成，作拋物線形式，上塗以鋁，由此十六個部份，組成一個圓形反射器，放在一個三角架上，焦點是在傘下四十六公分之處，那裡也就是煮食物的地方，整個鍋子可以摺成一個小提包，並且不超過六磅重，此鍋一具現值美金三十元。

和談統戰與政治滲透

[illegible]

毛匪的矛盾論和極權統治下場

[illegible]

中華民國內政部登記證內版台報字第〇三一號
中華民國僑務委員會登記證僑台報新字第三二三號

自由報

（第九二三期）

中華郵政台字第一二八二號執照登記為第一類新聞紙

（半週刊每星期三、六出版）
每份港幣壹角・台灣零售價新台幣弍元
社長李鵬運・督印黃行齋
社址：香港九龍彌敦道593—601號
廖創興銀行大廈八樓五座
LIU CHONG HING BUILDING
7th FLOOR FLAT 5
593—601 NATHAN ROAD,
KOWLOON, H.K.
TEL：K303831
電報掛號：7191
承印：晨星印刷公司
地址：嘉成街廿九號地下
台灣總管理處，台北市大同街119號
台灣區直接訂戶　台郵劃撥戶
第五〇五六號張萬有（自由報會計室）
電話：五一四〇三三・五五五三九五
台灣分社：台北市西寧南路110號二樓
電話：三〇三四六・台郵劃撥戶九二五二號

對於當前經濟問題的管見

〇曹松〇

一當前經濟問題的核心

當前自由中國經濟問題的核心，簡單扼要地講，就是如何穩定新台幣的價值，防止物價的過分波動，避免踏上惡性通貨膨脹的舊路。

無疑問地，自由中國的經濟在開發中。開發中的經濟，在本質上就是一個膨脹的經濟。投資不斷在增加；國民所得，不斷在提高；社會總就業量繼續在增高；而國民消費也自然隨所得之增加而增加；總括一句話說，社會有效需求提高了，遂使物價走勢向上，而使社會經濟呈現膨脹現象。如果物價不急劇波動，不致影響經濟的正常發展，膨脹經濟，自然優於緊縮經濟，換句話說，經濟繁榮自然比較經濟衰落好。但是，值得焦慮的就是物價的陡然上漲，而且漲勢驚人，特別是民生必需品和若干工業原料的價格上漲，影響甚爲嚴重。因爲這些物價上漲，表示固定收入者所得的降低，公教人員的薪津打了折扣，影響一般人的生計，更打破了經濟小康的局面，有步入惡性通貨膨脹的危險。

土地投機對策值考慮

在物價上漲聲中，有些人特別注意地價暴漲，土地投機問題。年來，台灣各地，特別是各大城市，地價暴漲，人民爭做土地投機，確屬事實，對於台灣經濟開發，也確有不利影響。

我們檢討土地價格大幅上漲的原因，可謂非常複雜，這其中，有自然的原因，也有人爲的因素。譬如人們爭做土地投機，當然會將地價愈抬愈高，政府爲了充裕稅收，不斷調整底價等等，都可以說是人爲的因素。台灣經濟的發展，人口的不斷增加，無論建廠或營建國民住宅，都增加了對土地的需要，而土地面積幾乎是固定的，增加可能性的邊際非常之小。因爲需求提高，而供給不變，供求不能平衡，價格焉能不漲。這種漲價的自然原因，不僅我國如此，世界在開發中和已開發的國家沒不如此也。

政府對土地投機所採取的對策，如限制建屋以土地爲抵押的借款以及行將徵收空地稅等等，立意雖不無可取，但却忽畧了一件事，那就是：建築房屋和廠房是的的確確的一種投資事業，而這種投資事業，也的確構成台灣年來經濟繁榮的骨幹。限制土地貸款，堵塞投資途徑，是否爲完善的財經政策？有待高明專家的思考。

荒謬主張與馬後炮

在人們重視土地投機的時機中，中國土地改革協會曾邀集專家學者舉行座談會，會後發表消息，曾有市地市有的主張。中國國民黨喉舌報的中央日報特在第三版以大字標題，披露這一消息。筆者以數十年來三民主義的信徒身份，不禁要大聲呼喊：斯何言歟？斯何言歟？中央日報如此大字批露，其立場何在？何謂市地市有？說穿了就是：土地公有，不讓土地歸人民私有，要人民將私有土地讓與政府公有。這是三民主義的經濟政策嗎？果眞如此，首先便要修改憲法第一條，第十五條，第一百四十二條，第一百四十三條等條文。其主張之荒謬，何一至如此。

在物價上漲以後，政府在經濟部下設置了一個物價小組，尋覓穩定物價的對策，中央銀行也採取了兩項主要金融措施：調整利率（自本年八月十二日起，將央行折放銀行業及重質押利率由月息一分一厘一毫提高至一分一厘七毫；重貼現利率由月息九厘提高至九厘九毫，公債質押放款利率由月息九厘一毫提高至九厘九毫。又核定台北市銀行公會的建議，將一月期定期存款利率，由月息三厘提高爲四厘五毫，三月期定存利率由四厘五提高爲五厘四，並自九月三十日起，由各銀行開辦活期儲蓄存款，利率四厘二毫。）和通知各銀行特別注意審核放款用途，有效控制銀行信用流向，對於房地產放款，應爲適當的限制。政府的應變措施，當然很有必要，不過未能防患於未然，徒作亡羊補牢之計，顯然是馬後炮。

學者專家的見解

經濟專家王作榮先生在本年十一月十七日中央日報星期專論欄發表了一篇「今年物價上漲原因與解決途徑」論文，指出：物價上漲原因，是台灣經濟結構發生變化以及變化不平衡的結果；而且這種現象，是冰凍三尺，固非一日之寒。他所提出的解決途徑，實施農業現代化與機械化，提高農民的生產力。我們認爲王先生的分析，祗有部份正確；所提出的解決途徑，也祗能解決一部分的經濟問題。因爲既然說是冰凍三尺，固非一日寒，何以物價暴漲現象，早日沒有爆發呢？台灣經濟結構的確發生了變化，農業發展趕不上工業發展也的確事實，它們可能是物價長期緩慢上漲的基因（這種長期緩慢上漲現象，對於經濟開發中的國家而言，並非是不利的因素），但絕非這次物價突然急遽上漲的主因。不過，從這裏我們也可以發現一個事實，這種現象，既然如王先生所說：由來已久，何以政府的財經主管漠視無覩，不能洞燭機先，早謀對策呢。

幾項建議

我們對當前台灣經濟問題的認識和見解是：

第一、必須儘量維持相當程度的經濟穩定和新台幣價值的穩定，藉免影響經濟的發展和威脅一般國民的生活。

第二、祗是實施農業現代化和機械化，提高農業生產力還是不够。我們對於農業生產品，特別是食物的浪費，實在驚人。試統計一下：每天台灣全島各餐館消耗多少雞鴨魚肉與菜蔬？平常一桌酒席是否太豐盛？每天糟塌多少有用的物資？我們建議政府應制定筵席節約辦法：各餐館祗限出售最低價的合菜，政府機關宴客更應嚴格節約，以資倡導。

第三、社會日趨奢靡，引起罪行增加，殊值憂慮。對國民娛樂性的消費行爲，應實施特別消費稅，藉資節約國民消費，端正社會風氣。

第四、擴展輸出，爭取外匯，雖爲當務之急，但如果物資外銷，引起國內供給不足，甚至威脅平民生活，如蔬菜等外銷即應停止出口，

第五、政府應設法開闢多種有利投資途徑，誘導人民投資，同時更應倡組銀團，從事交通建設（如修築橋樑、道路）與住宅興建，使經濟發展，更向有利之途邁進。

自由談

飛機失事問題

馬五先生

現代人類旅行的交通工具，以飛機最流行，因其效能極迅捷也。

可是；任何一種交通工具，皆難免有失事的時候，而以飛機失事的後果最嚴重，乘客很少能够幸免於難者。所以，每個國家的交通主管機關，對於經常載運旅客的航空飛機，管制甚嚴密，考察極仔細，爲的是要保障旅客的生命安全，未可掉以輕心。

近兩年來，台灣境內發生三次飛機失事的慘劇，根據事後的調查報告，人謀不臧的因素居多。如前此C・A・T港台線客機在到達台北上空的剎那間而墮毀，乃由於非正式駕駛員的外國乘客胡亂駕駛所致的。這案子至今未見法院把審理的結果公佈社會，令人納悶。最近在台省大武山上撞毀的中華航機，據說：該機原係二次大戰時美國製用的運輸機，早已報廢，屬於無用之長物了，我們依然廢物利用着，政府的交通主管機關爲甚末不予禁制呢？該機失事之所以然，是駕駛員把飛行方向偏差了五公里，以致撞山肇禍。當時地面負有指揮職責的人員，爲甚末漠然置之，不予指導糾正？這些都不是意外的不可抗力，責有攸歸，應該追究的。

航空公司於慘劇發生之後，聲言從優賠償，對死難旅客的家屬殷勤接待，於事何濟乎？廿餘人的生命已告喪失，賠償縱優厚，亦不能起死回生，更沒法挽救航空商業的信譽了。我們國家的法令多如牛毛，而大家對於守法的精神缺如也。否則報廢了的陳舊運輸機，豈能妄事利用而不受到政府主管機關的查禁呢？

商業性的航空生意，賺錢固然容易，同時，對於旅客的安全關係亦很重大，使用破破爛爛的飛機冒險營業，不啻是拿着旅客的生命當作兒戲，此風決不可長！懲前毖後，交通部自應深凜職責，將所有民營航空公司的飛機認眞管理審查，不得隨便亂來，即其公司的資金和內部組織，亦須嚴格規定考核，不許有特權或例外的怪象存在，事關大衆生命安危，非如此即難逃溺職之咎。

飛機失事的人命損失，是無可補償的，除却依法徹究其責任外，至少至少亦應該停止公司的航運業務若干時期，以爲但知牟利而玩忽職責者戒！

地價稅歟抑財產稅歟（下）

・王文甲・

地價稅之所以有此效能，因地價稅及土地增值稅之課征，皆在課取人民不勞而獲之部份，使人人無僥倖可得，有助於社會正義之申張。課征累進稅及不在地主稅等，使地主或資本家無法操縱土地，地價亦不易上漲，自有助於工商業之發展。課征荒地稅或空地稅，使土地所有人不得不善爲利用其土地。如此運用稅率之大、小、減、免，自愈爲促進社會進步及經濟之繁榮。及至工商業發達以後，以業已建立爲一優良之地稅制度，其效能必更爲宏大，此無礙於所得稅之施行，以所得稅之政策任務，亦在均富。地價稅亦有此效能，更有助於所得稅之推行。

（以下轉刊第三版）

昨日與明日

一九六八年的痕跡

叔予

一九六八年已經逝去，一年來就國際上的局勢來看，它來去忽也匆匆，實際沒有留下什麼，雖說是中東危機。依然存在，以阿衝突更見尖銳，美蘇艦進出地中海，在中東爭海霸，越戰從越南撤到巴黎，和平已擺在桌子上；然而這些都是已存在很久的事實，或是憑蠡測可以知道的事情。

但唯一的是捷克的「自由化運動」，它是一九六八年唯一的一件大事！

這件事，是說明共產制度的不自由化，及其必化爲自由化的肥料！並且證實共產主義不僅不能「埋葬」資本主義，並且促進資本主義的適應性，甲以埋葬共產主義！

，捷克的「自由化運動」，在蘇俄動員數十萬大軍下，由如火如荼的地上表現，轉入銷聲匿跡的地下活動，已爲捷克埋下了一棵種子。

蘇俄的行動是公然的，武裝的！作爲自由陣線統帥的美國，祗動員了一個政府發言人，聲明：「捷克自由化運動」，決非如蘇俄所言「如與美帝幕後勾結」……

在沙鏟塵揚的東歐，一九六八年留下這個足痕！

中東以阿的糾紛

中東以阿糾紛不已，並由邊界駐軍「不絕如縷」的槍來彈去，而轉入內陸的「暗箭」階段！

聯合國調停無力是事實，聯合國無力調停也是事實。因此，以阿問題唯一解決辦法即是美國與蘇俄分別對以阿施以壓力。但美國與蘇俄間是否能獲得協議？

總之，美國與蘇俄如不能獲致協議，以阿間糾紛勢必日形惡化，甚至成爲燎原之勢，屆時美、蘇間的協議也更增多困擾！

但，美蘇間獲致協議是否即必然可使以阿無戰事？仍是問題，這中間含有微妙的關係。尤以以色列的政治認識非常高，不會任人牽着他的鼻子！

尼克森入主白宮

尼克森入主白宮，一九六九年的負担並不輕鬆，祗美國本身的問題也不許尼克森「樂觀」。

但困惑白宮的重要問題，仍是在於越戰，蓋此戰使美國藴發了太多的社會問題，尼克森的能獲愛進入白宮，就是爲這些問題的存在！

因此，我們不必因其內閣中有一主「歐洲第一」政見者，則信其政策將會是「歐洲第一」，也不必因其曾數度到過亞洲來，並與亞洲部分國家建立了友誼，而意識到他的政策將會是「亞洲第一」。

他，首先必須解決國內存在的問題，並防止這些問題的重生，於是，一九六九年尼克森的政策必然是「美國社會問題第一」。

一筐「芒果」能壓倒「紅衛兵」嗎？

·程驥·

（本港消息）以魔法起家的毛匪澤東，最近又異想天開的妄想以一筐芒果的戲法創造一舉壓倒「紅衛兵」的奇蹟。

自匪黨竊據大陸以後，毛匪玩弄各色各樣的魔術已經夠多了：初期著重於較軟性的戲法，因其目的在於騙人，即所謂「新民主主義」及「百花齊放，百家爭鳴」的「陽謀」是也。實則任何神奇戲法，日子一久沒有不被揭穿的，像這個笨手笨脚的魔法師自亦難逃於例外，在尷尬的情形之下，就不得不改弦易轍另搬出了一套硬性戲法，目的在於整人，即所謂「港英」，「鬥爭」，「三反」，「五反」，「批判」，「改造」等等的手法，迫害箝制，無所不用其極，人民在飽受折磨之餘，已普遍激起了憤怒的火燄，這一股反抗力量的掀起，不僅外在的來自民間，同時，也內在的來自黨，甚至平日倚爲靠山的「人民解放軍」，也變得極不可靠，就大陸現勢來看，一個顯著的現象，廣大的人民無不反共，絕大多數的共黨無不反毛，毛在四面楚歌聲中，爲了進行自保救命，「反修」，「奪權」，於是又發起所謂「破四舊」，「立四新」，「文化大革命」的法寶，並驅使成千成萬的「紅衛兵」四出造反，想不到當這批小猢猻一放出去，就有如億萬蝗虫遮天蓋地而來，等到完全失去了駕馭，到處引起了無盡無休的內鬨，敵我混淆的血鬥。

其實，所謂「文革」工作，只在一味抬舉「紅衛兵」，讓他們放手去幹去鬧，遭殃的人固不少，當時打擊最沉重的卻是工人階級，現在「紅衛兵」連續闖下大禍，「解放軍」各地形成割據，毛到了無可奈何的苦境，最後只有從工人身上來尋找希望了。毛匪最近又有一套新的魔法出籠，即一連發出了兩道命令：一道是「工人階級領導一切」，一道是「解放紅衛兵」，從這兩道命令上，即可明白毛匪要假手於工人階級去徹底乾淨消滅「紅衛兵」了！

實際上，「紅衛兵」組成份子雖則是一批天眞渾純的青少年，他們並非永遠停滯在幼稚無知，一味供人牽線的階段，過去被人驅策赤膊上陣，吃盡苦頭，受盡折磨，這一連串血淚教訓，充分證明了毛澤東的甜言蜜語，無非誘騙他們送死賣命，等到利用完了，馬上毫不顧惜的一脚踢開，然後再利用工人來嚴厲管制他們，虐待他們，至於消滅他們！

大陸上的「軍隊」，工人及「紅衛兵」，就是毛匪魔法中的三顆棋子，起先可以促使「紅衛兵」去鬥工人，現在又利用工人壓「紅衛兵」，這一局棋的佈置，是要軍、工聯力一舉打倒「紅衛兵」，據共黨報紙供認：文革初期，需要「紅衛兵」扮演活躍的脚色，在恐嚇一切帝國主義者，修正主義者和反革命份子，現在「革命基本力量是工人階級」，所以「革命造反派」（指紅衛兵）的羣衆組織，應該接受警告，自動解散。由於這一比「陽謀」更爲陰險的騙術，即知工人已被毛林賦予對紅衛兵的生殺大權，於是把工人組成「毛澤東思想宣傳隊」，浩浩蕩蕩開進了所有的大專院校，藉以作爲變相奴工營的管理人。曾經炫赫一時的紅衛兵，在毛林指使作盡了孽，也受盡了苦，到頭來落得如此下場，這豈是這一批氣血方剛的青年人所能忍受得了的，英國「經濟學人」週刊撰文指出，即使工人「懷着最佳動機去運用領導權，紅衛兵也最近在大陸上到處澎湃着反毛的怒潮，青年反共反毛，即可見其端倪了！」

大陸的學校早已在匪幫控制之中，現在匪軍在學校內閃出一條路，讓工人階級插上一脚，以常理推測，三隻公雞關在一個籠裡，一場鬩鬧的互鬥勢所難免，從現形勢看，不管毛匪的魔法是怎樣自我陶醉，工人的形勢最尷尬，不然的話，「工人宣傳隊」又何至於需要軍隊護送才敢進入學校，工人入學校，只是毛匪在加深工、軍、學三者之間矛盾，爲要平衡三者的鼎力，就不得不從旁扶持工人一把，於是，一筐芒菓就負起了如此巨大的責任，毛匪雖明知這樣做不免於飲鴆止渴，倘不如此，面對加速結合與膨脹的反毛勢力，又如何可以緩和得下來。

自大陸發生了「一筐芒菓」的故事，不禁使我們想起年前毛匪在北平天安門外，替一個孩子套上「紅衛兵」的臂章，這個印象對誰都記憶猶新的，只要有人一想到這裏，就不免有一股冷氣直透背脊之感！

由國代年會窺出 違憲案猶未了

本報記者崔尙書台北消息：國民大會年會暨憲政研討會第三次會議自二十五日至二十七日止閉幕。於 總統主持行憲紀念典禮時出席代表達一千二百餘人，在當日下午年會討論議案時，出席者約在半數以下；至次日之憲研會由副主任委員谷正綱主持，第一日上下午均屬報告事項，次日討論議案時則係以各委員會召集人及秉秘書、秉編纂委員多數在場，十餘件提會討論事項，迅速解決，多無辯論，堪稱順利，故提前半日即行散會。年會討論議案時由張其昀主席，首有代表黃一鳴因其所提爲亡故代表遺屬之房屋問題案，未被印出，對審查議案之主席團頗有指責，言詞憤激，事雖難行，情義甚佳。

議案凡四十二件，以完成復國建國使命，重要者爲政府迅即反攻大陸，拯救同胞。

次爲國民大會代表應體念 總統實行三民主義之企望暨全體民衆實現五權憲法付託之責任，應研擬創制案複決案適時提出，裨益憲政革新，而利反攻建國。

案中理由七：「來年三月二十九日爲中國國民黨召開第十次全國代表大會之期，際茲大陸匪僞政權分崩離析，敗象畢呈局勢中，必將有盱衡全局，規復故土之偉計，則爲實行兩權，繼開國民大會臨時會，必有振奮人心，團結國內外人民，以展開國內外參加撥亂反正之行動，是則創制案，複決案應早日加緊研究預爲之計也。」辦法有：通告全體國民大會代表，早日研擬創制案、複決案，徵求同人簽署，待依法簽署合格後，送請 總統酌裁。

至外傳國大聯誼會前爲立法院審議本年度政府預算案有增加支出之決議，涉嫌違憲，曾經代表多人簽署，將予提案研議。事屬確實，已如本報前所記載。在關係方面盡力疏解下，暫告息止，惟參預疏解之執政黨中央政策委員會副秘書長具有國代身份之董彥平，在其洽談言詞表現，爲代表同人五十餘人所不滿，預於會前會中有所周旋，風暴之際，傳播會內，迅經有關者協調化除，惟黃在代表羣之平日睦誼却因以減損。所謂違憲案雖暫告平息，但另有提案：關於違憲事件之處理，究竟如何檢舉認定及追課責任，憲法無明文規定，亟應力謀補救，以維國本。其辦法：（一）請國民大會憲政研討會創制法案，對一般違憲事件之檢舉認定，及追課責任等項，予以明白規定。（二）於國民大會臨時條款中增列處理違憲事件之規定，以補憲法規定之不足。此項決議，將爲未來之大會會議中之預留一重要步驟。

國代年會嚴責警政 腐敗風氣亟待改善

本報記者顧碧天台北消息：此次國民大會代表年會中，有請政府徹底改善司法、警政，并切實實施職期調任與任用，注重品德，以免日久生弊案。其理由：對警政謂：警察人員年來各級民意機關，雖有反映與指責，而警政當局，總以護短與家醜不可外揚手法一手遮天，形成不良警察魚肉一方，而民無所告。警政當局應消除軍閥式顢預態度，對於部屬之管區派出所及警勤區警員，最低限度不能超過兩年，必須調任，以免形成因人情較熟，而有包賭、包娼、包違建、包竊盜、包盜賣燃燒生煤、包私宰、包違章豢猪、包燃燒生煤，形成違法事，無一事不包庇，致民間怨憤。有「國家多一份禁令，警察多一份額外收入」之譏。所謂包庇均歸於紅包，而紅包之照納一切無事。該案經決議，送請政府研究辦理。

又訊：對于警察大舉取締色情泛濫之舉，認爲在防範風化，正確取締，社會各方靡不贊許，惟其檢查旅社房間，不特妨害自由，且有不肖員警藉機苛索，秩序騷然，民怨已深。近有台北市第六警察分局四名警員，在轄區內連續向旅社老板藉端勒索，十二月二十八日同被台北地檢處依瀆職罪提起公訴。被起訴四名警員是：謝墻、林來、黃志揚、張髙林。訴書謂：謝墻等四人今年九月二十五日晚九時許，共同前往該分局轄區南港鎮安樂旅社藉勢以查房間爲由，在三、五號房間內查獲男女各二人，對老板詹再來稱，將帶分局處理，並將吊銷其執照，索取二千元，四人朋分。謝黃二人又於同月二十七日下午三時，在南港遠東旅社八號房查獲男女二人，向老板黃翁軟索款四百三十元朋分。謝、林、黃三人又於八月三日晚八時，在南港皇宮旅社二〇七號見該旅社女工游素蓮之女兒與親戚在房間談話，以同一方法向女老板黃陳翠雲之夫黃木樹索取二千元，因無錢作罷。當晚九時再到華夏旅社見服務生向旅客索取身份證登記，藉機向老板索取三百元朋分，八月七日晚十一時再至皇宮旅社見旅客林素蘭未登記，又向老板稱要帶局處理，途中適遇分駐所巡警，惟恐敗露，乃將該黃木樹交分駐所帶回處理，案由被害人訴請台北警察局移送偵辦。上列消息，爲警察黃色進軍中所被告發事例之一端，若治安機關深入調查，則同類案件將不一而足。

東南亞行腳

世界最貴的水果

高舉

一般人祇知道蘋果，桔子（美國）價錢貴，其實世界上最貴的水果是「榴連」，筆者在曼谷時曾以十二元美金買一個榴連，重約六、七斤，撥出的果實重兩磅多。

不習慣的人，認榴連氣味奇臭，很像乳貓的屎，嗅之則嘔，歐美人最怕榴連的臭味，各航空公司絕對禁運，嗜食榴連的人，認爲奇香可口，世界上再沒有比榴連好吃的水果了，馬來亞，緬甸，泰國等地，到了榴連季節（舊曆五月），婦女們沒有錢當褲子買榴連，所謂當褲子就是當紗籠，紗籠很像中國婦女着的裙子，以證明榴連對人的誘惑力。據一位泰國老醫生畢向楓博士說：「榴連含賀爾蒙成份甚多，食後增加活力」。

榴連的外貌如中國的良鄉栗子不過大幾倍而已，有堅硬的長刺，撥出的果實約一寸長像去掉皮的香蕉，內有核若荔枝核，一棵大樹祇能長幾個，又是一年結實一次，由於求過於供，產量受到自然限制，南洋羣島國家的人，一致認爲「榴連是果中之王」非無由也。另一種水菓叫作牛肚瓜，狀若牛肚，味甜香可口，祇是野生，原始森林到處可見，大的有廿幾斤重，一棵大樹有結幾十個者，因供過於求，就無人問津了。

地球上最大的共和國

冰島

冰島Iceland在地球北部的遠方，北極圈南部，介於格陵蘭與美國，面積一〇三、六〇〇公里，爲大西洋上的第四大島（其餘是大不列顛、格陵蘭紐芬蘭）。但整個面積中的一二、九五〇方公里，終年被冰河和雪田所掩蓋，只有五分之二的地區有人住，而且大部份是高山，火山溶巖冲積地帶，冰河或浮沙等無用之地；故其中實際爲居民所耕種的，僅不過十四份之一而已。

冰火交加

確是奇蹟，冰島雖然冰山林立，冰河縱橫，但在結滿冰塊的小山頂顛，卻冒出火烟，噴出溶巖，冰河旁邊，流着溫泉中的熱水。島上有廿九處火山，自有歷史記載以來曾經爆發過廿八次，島上的農場常會被地震毀壞。

詭譎氣候

因爲接近地球頂部，這兒氣候、節季、自然景色，皆與世界其他國家迴不相同。冰島，夏季平均溫度華氏八十度，冬季爲卅二度，而北部夏天比南部暖和一點，冬季則較南部爲嚴寒，所以冬天固有一脈暖流光顧，並不覺得非常冷，但夏天太短、穀、麥、水果的種植都屬不可能，同時又是永遠下雨的。

至於晝夜的時間也很特別；夏季，一天廿四小時都白晝，一到冬天，黑夜的時間卻和夏天的白晝一樣長，換句話說，夏天可工作廿四小時，冬天要挨受廿四小時的黑暗生活。

人種習俗

挪威人和愛爾蘭人係冰島的開拓者，當他們在一千多年前到此時，這兒沒有土著，現在冰島人操的挪威語言，政治制度沒有國王而有議會，主要也是挪威式的，文學則受愛爾蘭很深影響。

英歷史家白萊士曾說：「冰島人很喜歡說話，從不缺乏愉快心情和幽默感，禮俗簡單，主要的原因還眞正沒有上下等級的軒輊，既無那一個人很富，也沒有那一個太窮，每個人必須自己謀生，更必須靠雙手工作。財富並不能提高一個人的社會地位，甚至除了購買物品外，金錢似乎再沒有其他較好的用途，人民之間沒有甚麼尊卑和頭銜，除了對主教尊稱爲Herra，對牧師稱爲Sira，其餘連「先生」、「夫人」、「閣下」的稱謂都沒有」。

這眞是個世界桃源之地！

陳立夫將返國定居 主持文化復興運動

本報通信員柳一樞台北消息：五十七年十二月七日，本報台北新聞信息說：「陳立夫現任總統府資政地位，閒人做是閒職，忙人做就是忙差了，在 總統號召的『中國文化復興運動』，幾年來僅具形式上口號，非陳立夫來執行推動不可，陳氏有執行推動 總統當年倡導的新生活運動成績在前，中國文化復興運動的時代使命，更重於新生活運動，看情形，陳氏定向這方面發展。」

茲據確息：陳立夫夫婦將於本月份內返國定居，陳公館擇定在天母山背後，其出處業已內定爲中國文化復興運動委員會副會長，中國國民黨副總裁一席，前曾傳說陳氏以過高調，堅不肯出任，政局如無特殊變動，嚴副總統兼任副總裁已臻順理成章態勢。

文滙樓別記

杭立武一言誤大事

從大陸撤退到目前爲止，杭立武算是官運亨通的一位，他做過閻錫山內閣時的教育部長，政府還台灣後，曇花亦就開完。

但杭立武則例外，教育部長交出後，外交部長的呼聲又很高，也可能杭立武想過大使癮，終於被派爲中華民國駐泰國全權大使，層峯給他的任務是促進邦交，團結僑胞，杭立武的謹愼是出了名的，簡直不像反共戰鬥國度裏的使節，有時對左道仁兄們的過份遷就，遷就到幾乎使人惋惜。如果是傳教的話，可做一個很標準的牧師。

以謹愼著稱的杭立武，到任履新的第二天，官式拜會泰國强人警察總監乃砲是耶暖上將，外交官的酬應話，雖不能完全今日天氣哈哈哈，但在「國書」裏翹好了的榮，次序略加移動，即「欽差大臣」的基本態度，杭氏未沿用外交公式，祗和乃砲談了幾句，就觸及到實際問題，杭氏盛讚曼谷世界日報在東南亞領導輿論的卓越成就，（因該報以乃砲爲背景，杭的小同鄉李運鵬所主持）乃砲告訴他馬上的查封，杭不知李已被共諜許××等鬥垮，共匪統戰已還入該報辦公，杭則要求免封該報，乃砲是做高官的人，聽到中華民國駐泰全權大使這樣的要求，亦就順水推舟，答應把查封世界日報的成命收回，一面通知民主集團的領導國機構，將所查出的人證物證一筆勾銷，美國駐泰有關人員陷於五里霧中，懷疑一個新上任的外交官不到七十二小時，敢作這樣的決策，當李運鵬將這些意見轉達給杭立武時，杭立武將變成爲杭立「悔」，額角上的汗直向外冒，一日之間，三顧李廬，且聲言這樣拜訪，破外交官未有之先例，紘外之音就是說，別鬧笑話給外人看。杭向乃砲讚美世界日報的心頭，多多少少含有：「天下文章數三江，三江文章數敝鄉，敝鄉文章數舍弟，舍弟請我改文章」所謂人同此心，心同此理，因杭腦子裏的印象，李是曼谷四家報的社長兼發行人，（包括世界日報）杭旣鑄成大錯，李毅然答應竭盡全力疏導這件事，且允代守秘密，直到時效消失，由於杭立武弄巧成拙的結果，使一羣反共報人失去捲土重來整頓世界日報和對共諜報復的機會，所蒙受的犧牲，非筆墨所能形容了。李是一個充滿英雄氣氛的報人，答應過朋友的事，即赴湯蹈火在所不辭，常謂：「頭砍掉祗有碗大的疤」，事後雖有很多人挑撥或打聽這些，李則一肩挑起，截至目前爲止，乃砲當時何以會朝令夕改，仍是一個謎。李認定杭立武救世界日報，乃事前陷於不知，一言雖然誤了大事，但這是一件可以原諒的錯誤。參予對共諜統戰作生死門的美國朋友於今談起這件事時，還老是搖頭。杭立武繼駐泰大使後，又任中華民國駐菲律賓全權大使，現任中華民國駐希臘全權大使，恐對這件外交行的事忘之久矣。

·文匯樓主·

歷史人物漫談

眞關羽與假貂蟬

·東漢·

歷代相傳，產生了中國四大美人」的傳產，那是西施，王昭君，楊貴妃與貂蟬，而歷來形像女性美的「沉魚，落雁，羞花，閉月，這四種形容極美之辭也就是出典在她們身上。（按：沉魚，落雁原出莊子齊物論：「……魚見之深入，鳥見之高飛……。」而後世之小說家反變其辭易其義，借用爲形容女人之至美辭。）

西施是春秋戰國時代的越女，她在未被勾踐獻給吳王夫差之前，是個安份的農家女。傳說她在諸暨苧蘿村溪河邊浣紗時，遊魚驚於她的美麗，趕快掉頭沉入水底。昏庸而好大喜功的夫差後來失了江山，後人都說是西施拖累了他，中了勾踐的美人計，這是很有可能的事。西施在國破後下落不明，究竟是隨了范蠡私奔呢？還是回到諸暨鄉下去唱紹興戲，不得而知，但人們都很羨慕范蠡。

王昭君是被漢元帝用來和番的外交工具。男人們打不過敵人，不爭氣到利用女性的肉體去建立和平，說來羞人！她到了蒙古先嫁給呼韓邪單于，和他生了幾個小匈奴；老頭子一死，又嫁給他的別一個妻子所生的兒子復株榮石，也和他生了幾個小匈奴。傳說她在塞外曾以她的美麗引誘得天空飛着的雁也落下地來欣賞。這大概出於文人的妙想，無以冒其美，而以飛雁見了亦要「癱軟」來形容。

楊貴妃是唐明皇奪自兒子懷中，她活着的時候，倒也快活逍遙，但當她的情夫安祿山一造反，逼得她年青青地在馬嵬坡前用一條綢巾環頸，匆匆忙忙地魂歸離恨天去了。

所以四大美人中的三個，似乎境況全不很好，此所以大家要慨嘆「自古美人多薄命」了！

但不當西施，王昭君，楊貴妃三人的下場如何，她們都是眞人實事，有史爲證。近來雖然也有人在懷疑西施的身份，可是否定的證據並不充份。只有這位貂蟬女士，雖然是有史以來有數的名女人之一，却彷彿是從石頭中裂縫爆出的人物，連一手包辦了她的三國演義的作者，也未曾說個清楚她的來龍去脈。可是她却十分走運，多少年來，走上舞台，出現銀幕，出盡風頭，且被宣傳是「歷史人物」，還可能拈了與關羽打上關連的光。但是眞是假，只有尋包龍圖青天大老爺去伸寃的了。

在正史上，從未有過一個女性名喚貂蟬者存在過。有之，只有一部小說曰三國演義者記載了她，還爲她佈置了一套連環計，讓董卓和他的義子呂布爲了她而爭風吃醋，而終於送了一條老命。

董卓與呂布的火拼，主因雖爲了私人的權利之爭，但導火線確實是爲了一個女人。問題是這個女人是誰？她是不是就是貂蟬？至今沒有人找到答案，那除了當面向董卓或呂布問個水落石出之外，似乎別無良策。

史書上說：呂布原是董卓的心腹大將，經常出入董卓的府邸，因此與他的老上司的一個心愛侍婢背地偷情，在後花園私訂終身。在他們如膠如漆的日子中，不免於胆顫心驚，因爲他們就心有一天被董卓發覺，一怒之下，推出轅門斬首。爲了他們的安全，呂布才會和董卓的政敵王允暗中勾結，像古往今來之所謂英雄也者，「寧可我負天下人」，「無毒不丈夫」的思想下，便在董卓身上刺個透明的窟窿，讓他一命嗚呼。董卓旣死，彼姝當然屬於呂布，再不用偷偷摸摸。至於他們的下場也是不好。

呂布爲了一個侍婢，敢於興兵犯上，把生命孤注一擲，這當然不英雄，但可以想像到這一個侍婢必然非常美麗，也必然是董卓所培植的禁果。否則以董卓府邸中的侍婢如雲，少說也有幾百，偶然其中之一在暗中走私，決不會導致呂布非殺董卓不足以保障安全的動機的。呂布甘於爲她捨身賣命，她的美是必然的。可是這個侍婢究竟是不是貂蟬呢？只有天曉得！

董卓被呂布殺害之後，這個麗姝爲呂布獨得，但是即使她集寵愛於一身，也並不幸福，因爲呂布長期過着率領飢餓的軍隊，到處流竄的生活。等到他在徐州逐去劉備，準備建立根據地的時候，曹操已經逐漸收縮對他的包圍圈，呂布的部下，也像他反叛董卓那樣地綑縛了他，獻給曹操，在白門樓被縊殺。呂布的一切爲曹操所接收，她以後轉而爲曹操所享受，自也不在話下。

就在這一階段，傳說曹操與關羽之間爲了一個呂布的女人，弄得起了隔膜，這一個女人是誰，至今有二種說法，一種說就是呂布的妻妾之一，另一種是說那是呂布的舊將秦宜祿的妻妾之一。不管這一女人是姓呂的或是姓秦的妻妾，總之是說這位關將軍爲了她而發生興趣，他在徐州未破之前，先向他的頂頭上司曹操預訂了下來，曹也慷慨地點頭答應了他。然而徐州旣破，呂布成擒之後，曹操在最美麗的動物之前，突然變得吝嗇，對已往的諾言，翻臉不認賬，估爲自用。關羽爲了失去這一女人，從此對曹恨之切骨，縱然曹對他三日一小宴，五日一大宴，全綰不住他的心。他寧可千里迢迢，追蹤窮途潦倒的劉備而去，且和曹操對敵到死。說他是情場失敗了，要在戰場上比高下。可是這個女人是不是貂蟬呢？還是只有天曉得！

貂蟬很可能是歷史上美麗的謊言，因之後世所傳述的關羽與貂蟬的說法，也無非爲了曹操與關羽間一點女人糾葛，捕風捉影而起。但在華北與華南，兩種說法又自不同。華北所傳是「關公月下斬貂蟬」，華南是「關公月下讚貂蟬」，依據華北的說法，讚揚關羽是個美色當前而不爲所動的鐵打心腸的英雄好漢。關羽是山西人，可能是華北地區的人特別推崇他們的同鄉。依據華南的說法，揄揚關羽雖是個殺人如屠雞犬的英雄，但十分有人情味，他懂得欣賞上帝的傑作，絕對不會辣手摧花，暴殄天物。還是因爲南北地區民性有差別，至有同一故事而變成兩種相反的傳說。

貂蟬這世傳之美麗動物旣無史實可稽，只發源于三國演義一書，此書雖係多據史實演義而寫，但乏旁證，實不可靠。自古「英雄美人」是離不開的，可能作者即以此爲着眼，以爲關羽旣爲歷史上的一位大英雄，自不能缺少美人作陪襯，因而捏造出一貂蟬來點綴點綴。就實情論，關羽是一位勇武忠烈，義重如山歷史上的一大英雄，是可成定論的。忠烈的英雄事業心一定很重，在當時天下滔滔，義兄（劉備）失蹤，自己又寄人籬下，憂心忡忡的當兒，那還有什麼心情去談情說愛呢！至說曹操反口奪愛，則更不合情理，以曹的奸雄，一心想留着關羽爲己出力，不惜封侯拜將，三日一小宴，五日一大宴，美酒紅袍，諸多巴結，惟恐留不住，那會還吝嗇一個美人呢？

然而，無貂蟬其人，即有貂蟬其人而眞的想勾搭關羽，我想比「坐懷不亂」更正派的關公，連懷都會不讓她坐的，那還會有什麼沾染！故當他一知劉備投落紹軍，即對曹不辭而別，過五關斬六將，飛奔歸隊去了。儘管捏造歪傳，對關公的忠義貫千秋，始終不損分毫，永爲萬世崇拜！

趙夷老九秩大慶敬献祝壽詩排律二十韻

·顧翊羣·

臘鼓迎新歲，桃符送舊年。耆英崇大老，綺季樂華顚。
碩德星倶仰，餘師貢彩箋。選詞慚留拙，祝嘏意殷拳。
寶齡分星宿，璣衡運斗躔。朱陵館赤帶，紫籙接蒼天。
峻嶽鍾奇傑，澄川毓上賢。丹心南仲節，鐵胆子龍肩。
却縠敦詩禮，虞翻治簡編。軍符頻執掌，庶政久銓權。
爲止齋鞴繫，豈辭鵷鷺捐。湖山堪落脚，風月不勝饒。
實擅行眞隸，無邇儒道禪。神州遭寇盜，蒲海痛熬煎。
鑾室來瑤島，安居隔市廛。承先宏義理，啓後釋空玄。
國是恒籌策，民生獨究研。芝岡慶九秩，珠履會三千。
釣隱嚴光瀨，歸田彭澤篇。惟公最豐鑠，百二玉堂仙。

吳敬恒先生年譜（四一）

陳凌海編撰　陳洪校訂

二月二十四日，先生由京至無錫。寓公園飯店。翌日早遊梅園，看梅花，經楊灣依山而行，穿越九曲灣，繞城裡至故鄉雪堰橋。訪晤鄉親舊友，並題雪堰橋道南小學校訓。嗣由無錫乘內河小輪經崑山、松江、閔行返滬。三月，中國國民黨第四屆二中全會在洛陽舉行。中央政治會議任命總統蔣中正爲軍事委員會委員長。先生擬救國意見，附抗日救國綱領草案。四月七日，國難會議在洛陽舉行，討論安內攘外方策。嗣政潮益劇，汪兆銘（精衞）與張學良（漢卿）不睦。汪兆銘辭行政院院長。張學良亦辭職。五月，教育部公佈「國音常用字彙」，此書係由先生負責審定者。聘先生與李煜瀛（石曾）及財經代表人張嘉璈（公權）爲建設委員會常駐委員。六月，先生在 國父廣州蒙難紀念大會上報告。八月，先生赴漢口訪晤蔣委員長中正後，向新聞記者發表談話。十六日，偕李書華（潤章）同乘江南汽車公司車至宜興，遊善權洞及張公洞名勝。旋乘輪至無錫，並遊常熟謁吳泰伯墓。十一月先生向國民黨中央執行委員會常務委員會提：「關於切實推行長安陪都及洛陽行都之建設事宜」案。十四日，先生抵鄭州轉洛陽，鈕永建（惕生）迎接。翌日鈕永建就考試院副院長職，中央派先生監誓並致訓詞。十六日，偕鈕永建、宋香舟、戴傳賢（季陶）夫婦等同遊龍門。遇白雲梯（巨川）等。在關陵及龍門攝影留念。十八日與張繼（溥泉）、鈕永建同遊孟津，至光武陵，歸登明帝陵，望白馬寺。與張繼接受縣長王文甫宴。二十日偕鈕永建、張繼同乘車經徐州返京。二十三日，中央政治會議討論西北防線之重要。指定先生爲召集人，審查西安特別市辦法。十二月，中央黨部、國民政府及各院部會由洛陽遷回南京。先生參加國民黨第四屆三中全會，通過二十四年三月召開國民會議。是年先生遊中嶽嵩山。並遊西嶽華山。致張人傑（靜江）函，述國內政情。

民國二十二年，癸酉（西曆一九三三）

先生六十九歲

一月，日本陸海空軍聯合進攻熱河及山海關。國民政府發表關於「山海關事件」之宣言。望國際聯盟會迅速制裁日本侵略。先生上書蔣委員長中正對當時之國是有所直諫。四月中旬返故鄉雪堰橋爲段姓題主。十九日遊蘇州虎丘。步行回山塘。考查始祖□當地里願吳姓族人之關係。五月，先生發表：「三民主義實現，漢奸和貪污便會掃盡。」先生倡導國際文化合作，六月四日在上海世界社舉行文化合作中國協會籌備委員會議。地點在福開森路。蔡元培（孑民）、張人傑（靜江）、李煜瀛（石曾）、鈕永建（惕生）、李書華（潤章）等均參加。九日，偕李書華、褚民誼等由京乘輪遊蕪湖、安慶。在安慶與李書華、褚民誼遊市區。過許世英（靜仁）。十二日抵漢口轉湘。訪晤夏斗寅及何健（雲樵）。參觀實華被廠。並遊南嶽衡山。楊銓（杏佛）被刺殞命。先生痛惜之。

（未完）

地價稅賦抑財產稅賦

（上文接第二版）

五，我國地稅不應改爲財產稅制

現在各國，莫不有其一定之建國理想，莫不有完備之政策，作爲建國之途徑。三民主義旣爲我國之建國理想，而三民主義中之最重要者，或爲我今後所應行努力之中心建設，當爲民生主義。民生主義之實現有多途，但其最要者，乃一爲節制資本，一爲平均地權，尤以後者所負之任務更爲重要。故 國父言：「若能將平均地權做到，那麼社會革命已完成七八分了。」並亦言：「對於土地，宜先平均地權，此與中國古時之井田，同其意而異其法。法之大要有二：一爲照價納稅，一爲照價收買。」此即以照價納稅爲其推行之主要門徑。

照價納稅即爲現行之地價稅，地價稅如改爲財產稅，當即失却其推行土地政策之性能，不再爲推行政策之工具，已變爲賦稅之目的。其對於平均地權旣喪失其效能，平均地權必不易再繼續推行。故將地價稅改爲財產稅，自賦稅之觀點視之，雖爲一小事；然自建國之政策言之，確爲一天大之大事。易言之，如無地價稅，平均地權之政策，必即破壞；民生主義之實現，即必改弦易轍。此非動搖我建國之基本國策而何？

若將地價稅改爲財產稅，行政院及立法院俱無此職權。因在我國現行憲法中，有明文規定：「人民依法取得之土地所有權，應受法律之保障與限制；私有土地應照價納稅，政府並得照價收買。」如此，必須召開國民大會，修改憲法，方有改地價稅爲財產稅之可能。且果予修改，現行土地法及都市平均地權條例等有關法律，必須均予修改，其談何容易。

吾人認爲 國父之所定，仍極爲正確，在現階段之我國，地價稅確有其最大之需要。而現行地價稅之所以見效無多，非地價稅之過也，乃以謀之未臧，及人事之不力故也，地價稅何罪，爲何已至非改不可之境也。

再則英美等資本主義國家之所以富强，絕非以地稅之爲財產稅征之。其富强之道，另有他途，可謂與地稅之關係甚小。但我國建國之基本國策，乃與地價稅之關係至鉅。如廢此要者，而放其他國家不要之途；在外人視之，豈無東施效顰之譏耶。（完）

巨變歷險記！

推選談判代表團

十七A　胡慶蓉

談判的決策，既經確定，眼前的問題，就是推選代表團了。誰是合適？那些人去合適？

一個下原則，早經四頭會議決定了。那就是由天津市議會出面。誰去合適……那些人去合適？

由丁議員召開緊急臨時大會，商討去不去同林彪談判，以及那些人去。

關於第一個問題，大家發言非常熱烈。反對的也有，他們的意見，同林彪談判，是談不出甚麼的。他既然率軍包圍天津，他是要得天津的，他現在所想的，是如何拿下天津來。同他談是如此，不同他談也是如此。假使要抵抗的話，何必去談？談有何益？不談，還可以抵抗的久一點，談就是瓦解自己的精神，長敵人的氣燄。

這固然振振有詞，但當前天津的處境，實有不能不談的隱衷。正是爲了抵抗，才要去同林彪談。外無援兵，是已經定了的，將來也不會有援軍到來，假若還個觀點不錯，同林彪談，緩和他的攻勢，滯遲他的進攻，未始非計之得者。還有個更大的理由，那就是中央的和談，中央和毛匪方面的和談，即將開鑼，爲甚麼自已不同林彪談談，以拖延時間，等待他們的解決。天津自然在和談範圍之內，究應如何解決，天津一切願聽命中央，南京要同毛匪和談的消息，天天見諸報端。張治中、邵力子、黃紹竑等的大名，爲天津市民所特別注意，天津決苦撐，等待中央來解決。天津決定抵抗，決定抵抗到底，到底抵抗。但抵抗也要有抵抗的方法。同林彪談判，等待中央來解決，是比較妥善的辦法。不然，硬抵抗，天津可能很快的陷落，而且，中央都可以同毛匪談，天津爲甚麼不能同林彪談？

總之，用談判爭取抵抗的時間，緩和林彪的奪取，此心耿耿，應爲國人所共諒。還有，天津的人民，也都在希望他們的財產能保存，不至燬於炮火。用談判緩和林彪的戰鬥，亦爲天津市民所歡迎。還有，天津市議會一定要配合天津的防守司令，配合天津市的市長，互相聯繫，共同努力，以達到長期抵抗之目的。

最後還是把派代表同去林彪談判通過了，並通過五個人。第一個，丁作韶，全體通過。其他的四位，他們的名字，一時記不來，但還記得他們這四位，都是市議會的長老，而且都是有濃厚的信仰的。一位基督教，一位是天主教，一位是佛教，一位是回教。代表回教的，是一位楊老先生；代表佛教的是一位康先生，就是來到台灣的那位，基督教的代表，天主教的代表，也都是謙謙君子。這四位先生，一致推舉丁作韶爲代表團的團長。

海嘯樓談薈

徐露別來無恙

·諸葛文侯·

曾是台北「大鵬劇團」的當家旦角演員，於數年前出嫁，且生下了兩個小孩的徐露女士，最近宣告加入「大宛劇團」，貼出海報訂於十二月廿七八兩夕，在台北市國光戲院重披歌衫，登台表演「虞姬恨」——即梅派名劇「霸王別姬」。消息傳佈後，戲票搶售一空，我承老友趙孟完兄邀約，於廿八日的一場，前往欣賞，坐在首排位置上，視聽都很清楚。多年不見的徐女士，風采依然如昔，別來無恙，飾虞姬出場時，扮相雍容華貴，台步較從前更穩練有度了。記得十幾年前跟齊如山先生在「新生社」看徐露小姐演「四郎探母」的鐵鏡公主，齊如老曾說：「這孩子資質可造，若能不犯驕傲的毛病，將來一定有成就。」可惜如老今已逝世，否則他瞧着徐女士這次演出的盛況，必然引爲高興的事呢！

普通角色演出此劇時，開始就是楚霸王與兵與劉邦作戰，是夕因爲只演一齣戲，乃從「蕭何月下追韓信」演起。去蕭何的印九齡，表演很覺氣力，惜工夫尚不到家，唱工和做工都差勁，當然不及麒麟童——即周信芳——遠甚。周於省視韓信題壁詩時，雙手叉于背間向着觀衆，能把惶遽心情在背上顯示出來，允屬絕招。這曲戲的唱工精華，是在追及韓信時所唱「三生有幸」這大段快三眼，印伶唱來生硬急促，索然無味。追韓中的跑圓場姿式，應與「徐策跑城」的步法有別，印伶却是一樣的作風，只可欺騙外行而已。又在追趕韓信途中的唱詞裏，有「催馬奔馳數十遙」，「我要問一問樵」這種不通的語句，尤爲可哂之至。去劉邦的某伶，臉上沒有絲毫表情，亦屬大忌。

李桐春的楚霸王架子差可，但缺乏威猛之氣，曾經看過楊小樓，金少山飾演霸王項羽，未免深感失望啊！在垓下被圍甚急之際，虞姬請進酒消愁解悶，霸王答「如此酒來」的「來」字，應表現悲壯，蒼涼之聲，發抒英雄氣短而兒女情長的感慨心情，可惜李伶不足以語此。

徐露的扮相很不錯，唱工走的梅派路子，嗓音亦充實，但常帶有喉中夾出的「嗲」音，實爲美中不足。二次出場時所唸「憶自從征入戰場」四句定場詩，前三句與梅蘭芳原詞無異，末句改作「兵氣化爲日月光」，文則文矣，然不如「一辦心香答上蒼」之梅詞脗合虞姬身份吧？是夕徐女士的唱腔，以「大王爺他本是剛強成性」這幾句西皮散板最夠味，然將第二句「平日裡忠言語不肯納聽」的「平日裡」改成「時常裡」，殊欠妥當。凡更改前人詞句必須後來居上，方爲上乘，否則不免「點石成金」之病矣。

梅蘭芳演此劇，於最後截歌截舞唱「勸君王」這段二六完畢時，鑼鼓交待了，即接唱「待聽軍情報如何」煞尾。然後探馬前來報道漢軍已得楚地，大事不好，於是，項王自知情勢危急，擬拔虞姬突圍而去，虞姬決意自殺以殉。是夕徐女士截歌截舞不歇，胡琴拉着「夜深沉」曲牌再三反復不已，竟抹去煞尾一句戲詞不唱，變成三條腿，這是一大缺失。

虞姬在自刎之前，對着項王悽然說「君王意氣盡，賤妾何聊生」這兩句斷腸訣別話的聲容，徐露表演恰到好處，難能可貴，趙孟完兄認爲達到了戲劇化的工夫，信然。

最後我有一點小小意見貢獻徐女士，頂好多演青衣或靠服盛裝的花衫戲，像「戲鳳」，「拾玉鐲」，「鴻鸞禧」，「鬧學」這類輕裝少女劇，似乎不露爲佳。因爲你具有那付豐腴而隆起的胸部，在台上穿着緊湊的服裝，不甚雅觀也。（完）

「靜」的煩惱

廣杰

飽受都市喧囂的人，總想找一個清靜的地方，暫時擺脫一切紛擾，休息一段時間。但是，極端的靜寂，對於人的情緒，究竟有怎樣的影響呢？英格蘭Lancaster Moor醫院的S. Smith博士曾就此問題進行試驗，而得出一有趣的答覆。

Smith博士設計了一種靜室，讓受試者住進去接受試驗，結果他發現，人們並不見得喜歡這種環境。

Smith博士的靜室是一個寬各九呎，高七呎半的小房間，用尼龍繩索懸在大建築物的頂上。他的目的是要藉此找出：一個人被剝奪了一切來自外界的感覺刺激後，究竟會有怎樣的事情發生？

每一個志願受試者進入靜室後，都要戴上半透明的眼鏡，使他們只能看到物體的糊模輪廓，降低其視覺；手臂上套着塡滿羊毛的長手套，以減少其觸覺；穿上厚羊毛襪子，使其腳的感覺遲鈍；整個靜室有隔音設備；在一面牆上裝有單向屛幕，使受試者看不到室外，但可被外面的人看到。

受試者在靜室內的停留時間不受限制，以其所能忍受者爲度。

二十七個受試者各在靜室內停留了不同的時間。其中以女人忍受孤獨的能力，較男人爲强，但性憂鬱的人最先走出靜室，但沒有一個受試者能逃得了思想錯亂的影響。吸烟的人在靜室內不准吸烟，所以他的日子，比別人更難過。

在靜室裏的主要影響是思想不能集中，極端寂靜的環境會使人產生難以忍受的急燥或恐怖感，因而使受試者急欲離開靜室。

在二十七個受試者中，多數支持不了五個小時，只有一個女人渡過了九十個小時。

這個試驗結果告訴我們一些甚麼呢？它告訴我們：任何人如欲獲得正常的思想、睡眠和行動，則在他的腦子裏，必須接受連續不斷的感覺刺激始可。

鞠躬盡瘁諸葛亮

命相與夢話　公陶

漢業如灰已不然，忠臣孤孽擬寒烟，三分天下四川地，六出祁山五丈原。司馬但能拚急走，臥龍到此竟長眠；至今原上秋風色，二月長如八月天。

這一首至痛至哀的詩，是魏際瑞詠五丈原之作。讀此而不爲諸葛亮之齎志以歿感慨不已者，可說是「鐵石心腸」了！

在羅貫中筆下的諸葛先生是位能呼風喚雨，妙算未來，多才多藝的神奇人物。後經京戲編者又把他勾劃出「玄之又玄」的茅山道士狀，硬說他是臥龍岡散淡的人；實在不經！

三國演義中成功的塑造了三個典型——曹操的奸狠，關羽的忠義，諸葛亮的神秘。更由於這一部宇內「暢銷」最久讀者最多的書的散佈，及歷代當權者的推崇，在很多人的心中從少就紮了根，猶憶兒時在學塾中嬉戲，亦多願身扮關公，岳飛，孔明，而無一人願扮曹操，甚至不得扮武穆聖帝，扮個拿刀的周倉，或是馬前王橫，也不願扮曾叱咤風雲，文采風流的曹操，甚至扮「空城計」戲中的守城老軍，也不扮知己知彼的司馬懿！

我所以重述兒時稚戲，唯望獻身智識傳播人士能細判其利弊，而不率筆而寫，因其給社會的影響往往是深長久遠的。

諸葛亮有一付「籃球中鋒」型的修長體裁，是「俺老鄉」山東省臨沂縣人士，到也是個「官宦」子弟，少年父死，即隨從父諸葛玄。那時諸葛玄是袁術的部下，官居豫章太守，後玄從荊州牧劉表，諸葛亮也就跟到了荊州，待諸葛玄死後，諸葛亮便成了自耕農，閒來無事即「梁父吟」上一番！自比管仲，樂毅，他最要好的朋友是河北籍的崔州平，河南籍的徐庶，這兩個人都對他欽敬的無以復加！

徐庶並去見駐紮在新野的劉備，向這位「多情善感」能隨時流出眼淚的皇叔去推薦：「諸葛亮者，臥龍也。」

劉備三顧茅廬，諸葛亮的政治生涯從此開始，這時是建安丁亥年；諸葛先生才廿七歲。至建興甲寅八月，他死於軍中，這時他五十四歲。廿七年的時間，諸葛亮奠定他千秋俎豆的功績——但這不在於他的奇才，而在於他「鞠躬盡瘁，死而後已」的這份精神。

他是一位非常難得的襄贊人才，他具有廉潔的，公允的品德與忍讓的涵養，而且也長於巧思，也可以說是一位發明家，如果他能專心從事於技藝的發展，他的成就決不是作劉備的參謀長可以相比的！這一點從他發明木牛流馬及損益連弩中可以鑒知。當然，在「東有孫吳，北有曹魏」的夾縫中，他進軍四川及六出祁山都有其才智卓絕的表現，但，那些對他的「巧思」而言，仍是略遜一籌的。

按諸葛亮的造命是：辛酉，丙申，癸丑，丁巳——後漢靈帝光和四年七月廿三日巳時生。

生時丁巳，日元癸水，誕生於立秋節後，白帝司權，金正當令。水得金生，正氣充足！再年幹中有辛金，年枝中有酉金，月枝中申藏庚金，而日枝中丑藏辛金，又藏癸水，丑藏壬水。重重疊疊，相生相助，其金白水清已是昭然若揭。唯持月幹中單獨的丙火，況火勢微弱，不獨不能冶金，也不能[illegible]水，若不是生時丁巳二火相助，既不能使金[illegible]，復濟[illegible]之功，諸葛武侯也就「生不逢辰」了！唯其造合之妙，兩陽時若天地順成，所以他——才媲管仲，樂毅，節比伊周，而流芳萬世。

南派與北派

·桂良·

角色的派別，自已不能肯定，不能否定，而取決於觀評。於是久在故都的生旦角色，南人恒稱之爲北派。反之，雖在北方學藝，如李春來、周信芳等因長期公演於上海，觀衆稱之爲南派，更有名外江，與「外江派」者。

其實「外江」並非惡名，賢如梅派之化粧改進，多習之於上海；馬派習於麒派者亦多，蓋皆能取人之長而發揚者。

北派習南派作風最顯著者莫如名武生兪菊笙之五子振庭組織戲班，辦起事來，最有噱頭，而且能敢做敢爲大刀闊斧放手去做。他在民國初年，故都前門外開戲館子的老板裏面，是比較有腦筋，有計劃，有魄力；不過有好些地方，他也跟上海開戲院的許少卿一樣。他在故都喜歡用噱頭同誇張來號召觀衆。民初，梅派沒有創演古裝戲之前，常演時裝戲「一縷麻」及「孽海波瀾」等劇。兪五把「孽海波瀾」硬把它分成四天演畢，宣傳成爲連台本戲，可是這四天全有開鑼戲、中軸戲、壓軸戲；每天一本「孽海波瀾」演上八刻鐘，十刻鐘，這就是兪五的外江派作風。事實上，這種氣魄不大，角色不多的時裝新戲不能分成四本唱的。

兪五於當年貼海報的宣傳，常和演出不符的。有一次，梅派演：「三堂會審」，他在戲單上註寫：「準帶團圓」；但是演畢「會審」便吹「尾聲」送客了。

今人所寫的戲碼：「大長坂坡」，「四白水灘」都是當年兪五的手筆。有人問過他：「長坂坡」大到什麼程度？他爽快答應，這是「外江派」的作風，可以吸引好奇的觀衆。

西安「易俗社」梆子戲演「雅觀樓」，武小生李子孝，每要「變令旗」，乃今日小生劉玉麟連打帶唱的重頭戲，先要一件十八般武器外的一柄頭重腳輕，彷彿頂着小型燈塔式的長柄「渾唐槊」，不但有反和正的解數，還須盤滾左右兩臂，翻山過頸，稍一差池，最易當場失手。以前好多有工夫的武生，都視「雅觀樓」的耍槊爲畏途，不敢輕易動它。劉玉麟却加上大耍令旗，舉輕若重，上下翻飛耍出花活。有人說：「耍令旗」是「外江」；但不知比較梆子戲的耍「變令旗」如何？

人當貨品作抵押

西班牙收流當品

·沐子·

利比利亞是於一百二十七年前——一八四七年——由美國慈善團體所開發的，美國解放黑奴後，許多黑奴都回到自己的故鄉——利比利亞，仿照美國先例組成一個獨立共和國，喊出口號「非洲是黑人的非洲」。

今天所談的「禁止奴隸行爲」是二次大戰前夕的事，利比利亞憲法上，人民權利章第四條規定「禁止奴隸行爲」，但事實與憲法規定完全相反，利比利亞國家的財政困難，社會經濟自無法富裕，高級官員們，憑藉政治地位權勢，想出發財妙訣，就是販賣自己的百姓——黑奴。連國王也經營這樣的生意。他們公開的牌價是黑奴每名售美金四十五元。另外還有當押的辦法，彷彿中國市場中的當舖，父母把自己的孩子押當在公司裡工作，可是後來十有八九沒有贖回的力量，這些流當品——黑人，率多賣給西班牙人販子，這些奴役人權的行爲，皆受到政府嚴格保障，憲法上明文規定「禁止奴隸行爲」反而形同廢紙，難怪乎意國統治者宣傳，將利比利亞形容得像人間地獄，主張優秀民族負起「人類文明之使命」這句話是慕索里尼征阿時的豪語」。

自由報

中華民國內政部登記證內警台報字第〇三一號
中華民國僑務委員會登記證台僑新字第二二二號

（第四二九期）

（每星期三、六出版）

零售每份港幣壹角·台灣新台幣弍元

社長李運鵬·督印黃行寶

社址：香港九龍彌敦道593—601號 廖創興銀行大廈八樓五座

LIU CHONG HING BUILDING
7th FLOOR FLAT 5
593—601 NATHAN ROAD,
KOWLOON, H.K.
TEL: K303831

電報掛號：7191

承印：景星印刷公司
地址：嘉咸街廿九號地下

台灣總管理處：台北市大同街119號
台灣區直接訂戶　台郵劃撥戶
第五〇五六號張萬有（自由報會計室）
電話：五一四〇三三·五五五三九五
台灣分社：台北市西寧南路110號二樓
電話：三〇三四六·台郵劃撥戶九二五二號

小學國文科改造芻議

遵行蔣總統國文第一訓示須從幼稚園開始　提高小學國文程度才能復興卽挽救中華文化

·沙學浚·

一、中國文字的九種性質

拙文「論林語堂先生的論言文一致」（摘要載於五十六年十一月二十二日中央日報及其國際航空版，轉載全文有「中國語文月刊」等至少八種雜誌和報紙）中有下列一段：「中國文字性質和西洋文字不同，故適宜的教法不同；中國以儒家思想立國，西洋以基督教立國，教育理想亦不相同。」請不要過份盲從西洋，迷信西洋，因而看輕自己、忽視自己。」

中國文字和西洋文字不同之處，在其下列九種特質，特簡述如下：

①基於六書的繁衍性　中國的方塊字由六種造字方法，稱爲六書——象形、指事、會意、形聲、轉注、假借——產生出來，發展和繁衍的可能性很大。②科學性　字典的部首差不多就是一種科學分類。③音樂性　指平、上、去、入四聲及平仄。韻文便於兒童背誦、學習。④美術性　指對句及排偶都是對稱，對稱是一種美——形式的美和音韻的美，此爲任何文字所無。⑤書法是一種藝術　名勝古蹟因有優美，含義深和常具教育性的對聯和匾額，而美上加美。⑥悠久性　中國文化悠久，文字也悠久。德國漢學家魏禮賢說：中國是「古老而不衰老」。這句話不但指中國民族和文化，而且指中國文字，中國文字是活的文字，證明古老的中國依然有豐富的生命力。⑦文法簡易　中文遠比西洋文字，尤其俄文易學。⑧人名地名用普通字組成　三者合一，學習十分經濟。⑨書同文　指文字統一，此爲我國民族統一和國家統一之基礎。（參看拙著「中國之永恒價值」，中央月刊革新第一卷第一期）中國文字的九個特徵，應爲實施及改進小學國文教學的學理根據。

二、改進小學國文教學的基本原則

國語科是否正名爲國文科？不僅是名的問題，也將涉及實質——教材及教法——的問題，「國語」教學和「國文」教學並不相同，特分下列四點加以說明。（一）教學如何入手，即如何啓蒙？必須依照傳統國文教學的方法，教兒童讀書以明理，故須從識字入手，尤重視識字的方法和程序。兒童由於所識之字較多，國文基礎堅實，讀書能力自會增高，博覽羣書，其他各科容易學習，是自然的結果。（二）初小各年級是否改教韻文？傳統國文教育以讀國文爲主，當兒童識字到某階段，便讀三言、四言和長短句對偶的韻文，且須背誦（韻文便於背誦！）這是很有價值的、實能收效的教材和教法，應予恢復，但須有改進。一、二年級，除識字外，可讀三言、四言短句組成的有韻或無韻而順口的白話文或淺易文言文。三、四年級須讀三言韻文和四言韻文，但不讀長短句對偶的韻文。同時兒童也瀏覽各種語體文課外讀物。（三）高年級是否教淺易文言及文選？

傳統國文教學的韻文讀本，內容都關於倫理、道德、歷代名人事蹟、故事以及生活所需的各種知識；更重要的是「讀聖賢書」，其目標與理想正如　蔣總統本年四月十二日手令說「教育學生成爲……足以表現中華民族道德文化、堂堂正正的中國人」。這是傳統國文教育的最大優點，應予恢復。（四）家庭作業是否廢棄，而以背誦、默寫韻文和「聖賢書」摘要代替？　蔣總統本年二月十日手令：「家庭作業……小學生所最痛苦……定爲禁律。」此項訓示極爲正確。傳統教育注重背誦和默寫，使學生知道大意，切記所學的教材，終身難忘，十分簡便而經濟，爲最有效而適合教國文的教法，如果加以改進與恢復，一定能根本消除惡性補習，提高教育水準，而家庭作業自然廢除。

三、小學各年級國文的教材與教法

茲依據中國文字的特質、傳統教學原則的優點，及上述四原則，參合西方新法，擬定小學各年級國文教材與教法，略如下述：

一年級

教學重點：認識國語注音符號和識字。

（一）國語注音符號，上學期開學後十週內授畢。（二）識字　鼓勵家庭和幼稚園預教，愈早愈好，因爲識字多，進小學後，學習各科容易，獲得優良成績，小學校內自十一週開始，每天四至五生字，每週平均二十八字，全學期至少二百字，第二學期每天五至六字，全學期至少六百字。教法　聯想教學法：先教筆劃少而爲具體事物或日常生活有關者，尤注重筆劃少的部首和偏旁。如人口手足耳目（都是部首），數目一至十以及百、千、萬等，形容詞如上下大小左右高低等；均須加注音，凡宜有圖畫者則增列圖畫。（三）輔導識字和應用結合　認識本校校長、本班師長和同學的姓名，有注音，以供練習和應用，不必死記，能讀音、認識即可。

（四）課本　三言、四言短句組成的有韻白話文，或無韻而順口的白話文與淺易文言文，須加注音，學生必須背誦、默寫，但筆劃較多的字祇背誦不默寫。　蔣總統手令指示小學教育應著重「公民與道德」，中學教育應注重「生活與倫理」，故吳延環先生的「國民生活須知四字經」是好課本。（五）寫字　先寫筆劃少的字，用毛筆描紅，一寸大小，注重筆順。

二年級

教學重點：儘量多識字。（一）識字　每天五至六字，全學年至少一千二百字，增加合體字，連上學年共二千字。上學期注重同部首，下學期注重同偏旁，並講平、上、去、入四聲。（二）課本　續一年級，增加淺近易解的成語和格言。（三）造句　看圖填字、填辭、造句，但不得用注音符號代替字。（四）讀物　課外閱讀經審定的優良、美觀的連環圖畫，所用之字，應大部份爲熟字，少數生字加注音。（五）寫字　注重合體字及筆順，用毛筆間隔描紅。（六）輔助識字和應用結合　認識本級師長和同學的姓名，有注音，不必死記，能讀音，認識即可。

三年級

教學重點：背誦三言韻文課本，以豐富兒童的字彙及常識。（一）課本　閱讀三言韻文課本：羅剛先生著三民主義三字經（大部份講中國近代史），及近代大學者章炳麟的「重訂『三字經』」；另加淺易格言與成語，必須背誦、默寫。三字經一書爲宋代大學者王應麟所著，是中華文化精華所寄。讀此書的意義和讀　國父遺教相同，並不因其部份內容已失效時（例如廢除不平等條約）而影響其偉大的教育價值。（二）讀物　課外閱讀，不背誦，更不默寫，以下同。童話、故事（包括「老萊子」，此類教材不宜列入課本）歷史故事及諺語、民歌、民謠等用語體文寫，須簡短而內容精美，三年級至六年級讀國語日報。（三）輔助識字　認識本省及全國重要山脈、河流、湖泊、省、市、縣等地名、世界重要國家的國名及首都，其目的是爲地理科奠立基礎。上述三方面同時並進，全年可增加字彙至少一千二百字；連前二年共有三千二百字。（四）造句及看圖作文　作文以五十至一百字爲宜，寫日記。（五）寫字　影寫（筆順應已教好）。（六）查字典　先使學童認識部首和偏旁，次教學童正確與迅速並重；養成「遇生字即查」的好習慣，最爲重要。

四年級

教學重點：認識祖國歷史，文史合一。（一）課本　國史四字經，例如「史鑑節要」；政治史和文化史並重，必須背誦、默寫。（二）讀物　①與課本配合的歷史大事如張騫通西域，赤壁之戰的讀物，及不朽人物，包括有功於祖國文化的帝王、將相的簡短傳記，均用語體文寫。此對認識中華文化，復興中華文化，助益十分重大。

——以下轉刊第四版

昨日與明日

學生竟殺教官

成公

最近台灣報紙上，刊載了一則離奇的兇殺案，台灣省立台中一中的學生殺了軍事教官，這事離奇的是省立台中一中一向是一個好學校，遠在大陸未淪陷前，即爲教育部列爲全國最優三十六個中學之一。歷經金樹榮、黃金鰲兩位卓越的校長，先後掌校，勵精圖治，成績優良，學風良好，絕不是那太保縱橫的學校，何以竟有學生持刀砍殺師長的事情，而被砍的又竟是手握槍桿代表權威的軍事教官，這中間便有值得人思考的問題了。我們無意在此爲行兇學生開脫辯護，更不願助長弒師犯上的獸行。但是這中間所包含的問題，却應該有勇氣面臨檢討，不可往學生身上一推而了。

軍訓與教官

學校之設有軍訓，遠肇於北京大學，而大盛於九一八之後。但當時的軍訓不過爲學校中之一科，而軍訓教官也不過和體育童軍的教員一樣而已。政府遷台以後，爲了加强學生的管訓工作，乃大大地提高了軍訓教官的職權，我們幾乎可以說，除了上課以外，學生就全交給教官了。這辦法一方面能有人正式負起學生一切生活起居，訓練行動的責任，一方面也不致使學校完全流爲一個散漫的知識販賣所。立意非常良善，但天下事，是徒法不能以自行的，推行的好不好，還要看人的因素。

「孩子頭」不是容易作的，誠如俗語說：「好漢子不作，壞漢子作不了」，那裡一下子能在軍人中找到這麼些勝任愉快的軍訓教官，何況管學生軟也軟不得，硬也硬不得；遠比帶兵難的多呢？因此學校中，卓越優秀的教官固然是極多，但良莠不齊，難以勝任的教官，也大有人在，能力高强，品學兼優的固是倍受學生敬仰，而那學識稍差，不諳教育原理的便不免受到學生的冷淡，軍人到文學校執教（特別是到大學）本來就怕人看不起，說他是「老粗」，而今再受冷遇，就難免自卑感作祟，而有種種不正常的措施與反應，特別是喜歡濫用權威，使人不敢輕視。這還都是好的，更有許多品德差的，利用權勢向學生借錢勒索，不一而足，使學生敢怒而不敢言，還何能使之敬服而收管訓之效？

一個教育上的問題

人是有意志有情感的，而與機器不同，機器可憑一套方法技術，便可操縱裕如。人則不是一套法令規章便可駕馭的，社會上如此，學校中亦如此。學生要對你敬佩心服，不論怎麼處置，都肯俯首聽從、訓斥、打罵、開除、記過全都恭順接受，尤其若能以教育愛護的心情來處罰，學生不僅不怨恨，甚至還一樣的感戴，據聞從前台中師範學校的一位訓導主任，親身堅持開除的學生，還一樣執禮恭謹，奉候不絕。反之，若是學生平日不服，那若再加訓斥，自然就會猜疑怨恨，甚至反抗不軌了。

我們無意對此大逆不道，胆敢砍殺教官的學生開脫，而是此一不幸事件，促使辦學的人們注意一個問題。尤其是負責管訓的人員一定要心平氣和，從愛護學生的觀點出發來管訓，至於本身的言行，更是學生產生敬賢心情的一個極爲重要的因素。只要能取得學生的敬服，自然令出即行，心悅誠服，我們不能想像一個學生，即令是最壞的學生，會對大家共同愛戴敬服的師長行兇無禮。

自由談

說司法獨立

凡是閱讀過史記的，都知道西漢文帝時代，延尉——即今之司法行政部長——張釋之，抗拒文帝的意旨，既不顧非法嚴辦一個竊取太廟禮器的小偷，又不肯重懲一個在橋邊驚動文帝御騎聖駕的無知小民，他認爲「延尉乃天下之平也」，決不宜枉法以從事。文帝聽到他這番義正詞嚴的諍言，也祇得斂容答道：「延尉之言，是也。」君臣皆明法尊理亞範後世傳爲美談，甚盛事也。

古時沒有所謂「司法獨立」的說法，也無「法律之前，人人平等」的宣傳口號，但其尊崇法治的精神，何等堅強！法律原係寫在紙上的文字，它本身並無直接禍福人類的權能，必須執掌政權的人，奉之爲神聖不可侵犯的大經大法，特加重視，纔能夠發揮治國平天下的效力。這有如泥塑木雕的偶像，置之神龕上，人們祈夕向它頂禮膜拜，它便顯示着神靈的威信，如其將它推翻在地，踐踏之後再待以菩薩之禮，根本就不發生絲毫作用了。

降及現代，法治主義之說大昌，所謂「司法獨立」云云，成爲婦孺皆知的格言，誰都不敢否認的。民國肇建以後，內亂頻乘，軍閥當政，政治儘管不良，但對於「司法獨立」的精神，却不敢隨便破壞。譬如民國二年的宋教仁被刺案，上海法院即直接傳訊內閣總理趙秉鈞，趙不敢到案，只好去職。民國十五年前的北洋軍閥政府時期，北京高等檢察廳爲着金佛郎案，曾把在任的外交部長羅文幹拘捕訊究，執政當局亦就無可如何，表現其尊重法律的意志。那時候的各級法官和律師決不作私人往來接觸，避嫌自愛。這些情形，還存在着「司法獨立」的威信，令人欣慰。

目前的司法界如何呢？法官居然有「奉命不上訴」與夫「司法配合國策」的名言，初審與二審的裁判居然表示兩樣化。法官隨便私訪當事人商洽訟案，律師與法官二位一體，過從密切，所謂「司法獨立」云云，適爲自我諷刺的油腔滑調。我若不幸而吃司法飯，如果不能蹈東海以死，即唯有知難告退，少造罪孽，以免禍延蒼生，而殃及後代子孫不昌盛也。

馮五先生

台北新聞信

台灣社會真正安全　得力於蔣經國部長

就現今局勢論，以亞洲十餘國家來說，幾乎沒有一個社會安定的國家，而台灣得天獨厚，不僅安定，且能採取攻勢國防，經甚多學人們的看法，得歸功於蔣經國將軍的防共手法和卓越領導才能。

常爲本報寫「東南亞行脚」通訊的高畢兄從海外來信說，東南亞國家未被中共滲透的已經沒有了，如水銀瀉地，無孔不入，尤其馬來亞和泰國，與越南連接。中國古代國防「黃河爲界」和「萬里長城」都防止不了對方的滲入，越、寮、泰邊境連接小蔣都沒有，即是有的話，也不能形成爲國防，何況今日國防已由平面演進爲立體，戰爭可利用萬物的世紀。

馬共在中共的支援下，業已滲入馬來亞心臟地帶星加坡，吉隆坡和馬六甲等地，匪諜的活動隨時可聞，馬政府的要人，很多都開了邊門，報紙將這批開邊門的要人捧得活龍活現，其實都是共匪統戰部的玩意，和民國三十五年到三十八年，我國大陸情形一模一樣，若干有錢的人還醉生夢死憧憬着登「解放」後的民族資本寶座，這不是和下流娼妓幻想死後可豎貞節牌坊一樣的可笑嗎？印度、印尼、菲律賓、紐西蘭和馬來亞大同小異，還有一個共同點，就是像張治中、吳國楨、劉斐一型的人最吃香。

高畢兄分析泰國政情時說，泰共頭子乃比里是一個狠角，三「乃」都跌在他的手裡，所謂三「乃」者，就是乃屏、乃砲、乃沙立，乃屏是當年的海陸空大元帥，乃砲是乃屏的佳婿，乃沙立是乃屏的親信，前者位警察總監，後者陸軍總司令，乃比里這兩路人馬，一路殺入乃砲與乃沙立之間，從事挑撥離間，又兼泰國人將我們「三國誌」當作兵法來讀，某次曾用蔣幹盜書一幕，作乃砲與乃沙立之間勢成水火，誤會到大元帥亦難協調，另一路殺入美國駐泰機構，力陳警察制度與人民脫節，換句話就是挖乃砲的祖墳，鑾披汶雖是國務總理，實則兩姑之間難以爲媳，民國四十六年的泰國政變發生後，反共的領袖人物鑾披汶，乃砲被推倒了，對美國既沒有好處，給泰國人民留有去思，與推倒李承晚、吳廷炎式的狗屎棋，實在不敢恭維」，泰共呢？則「欲窮千里目，更上一層樓」，當年滲入乃砲幕府的老八路許××等，都轉入××銀行，從事地下活動了，近年來正通過××銀行，向該行各國分支機構發展中，但相信台灣不容易隨便滲入的，因爲我們的社會安定，防諜有力，共匪的那套雖是有如水銀瀉地的到處滲透，而對於我們的寶島是無可奈何的。

——本報記者柳一欉——

台灣新產合成纖維伸縮綫　品質最好銷路暢

由於政府長期推進經濟建設計劃，促使國內工業起飛，經濟繁榮，國民生活水準逐漸提高的現階段，在衣著種類方面亦日趨複雜，從棉織品，而絲織品，而毛織品，合成纖維伸縮加工業就成爲紡織工業重要的一環。

十年前國內紡織工業所需合成纖維伸縮線仰賴進口，每年耗費外匯至鉅，近年來此項工業，迭承政府多方扶持，迅速發展，從供應國內市場所需，進而擴展國外市場每年可賺取外匯達二千萬元美金之成效。

該項工業於五十六年正式成立同業公會，計有會員工廠二十家，爲近代新興紡織工業之一，其產品以尼龍原絲、時多龍絲及其他合成纖維經「假撚機」機品加工，使其具有伸縮蓬鬆，並經染色倒筒後，供應織布、織襪、針織各工廠，用以製衣料及內外衣褲之用。

各會員工廠生產設備共有「假撚機」三八〇台，每日能生產伸縮尼龍線六三七〇〇磅，除內銷供應針織用料外，大部份外銷至香港、泰國、馬來西亞、中東之伊朗、約旦、以及非洲、中南美洲等各地。以伸縮線供應台省成衣加工廠所製之成衣及其他針織製品，則外銷美國、加拿大等地區，估計今年外銷產品在美金二千萬元以上。今後如在改進技術，提高品質，計劃外銷上多下功夫，發展大有前途，對國計生民不無裨益。

（曼城）

毛麗龍品質優良　林山鐘經營得法　台菱公司外銷獲好評

中華民國紡織展覽會舉辦即將兩個月，前往台北會場參觀的中外觀衆以及廠商不下數百萬人之多，產品陳列館的陳列櫥窗，各種產品真是琳瑯滿目，爭奇鬥艷，其中以價廉物美新式產品「毛麗龍」深獲前往參觀的觀衆所愛好，參觀的觀衆佇立欣賞良久，離去時均面露依依不捨之表情，足見毛麗龍品質優良兼及價廉物美，吸引了觀衆的心理。

生產毛麗龍的台菱紡織公司，工廠建於新竹市郊，交通極爲方便，由於毛麗龍暢銷國內外市場，促使記者好奇驅車前往實地參觀，該廠佔地約一五〇〇〇坪以上，僅紡錠就有梳毛紡錠五二〇〇錠，短纖維紡錠五六〇〇錠，混紡紡錠四四〇〇錠，其他重要設備均係最新型名牌產品，故生產能提高速，產品規格劃一，行銷國際市場獲得用戶愛好。

台菱公司的產品種類計有人造棉紡，混紡紗，染色針織紗，人造棉布，亞克力蓬鬆紗，染色紗以及各種編織針織用紗等，該等產品除供應國內市場所需外，悉數外銷國際市場，該等產品均以新鐘牌爲其表幟，由於合成纖維針織毛衣的價廉物美，且保暖並不亞於羊毛，因此國內外市場需要激劇上增，新鐘牌合成纖維紗，因其品質優良，突成時代寵兒，其月產量四十萬磅的染色紗設備不得不激速擴充。

該公司董事長林山鐘鑒于國內外市場之需求殷切，並求降低成本，節省外匯支出，增建台菱第二廠已於十一月底竣工試車，但爲擴充至最經濟之生產單位，已開始籌劃第二期擴建計劃，以期達到三〇〇〇〇錠之生產設備。

目前台菱公司所使用之合成纖維原料「奧龍」悉數仰賴日本進口，不僅損失鉅額外匯，對成本亦無法減低，該公司林董事長基於此，一方面爲配合國內石油化學工業之發展，並爲提供價廉物美之衣著行銷國內外市場起見，乃斥資新台幣六億元籌建「中華合纖公司」，專門產製「奧龍」原棉，供應台菱公司及其他國內外各紗廠之使用，預期將爲國家賺取鉅額外匯，該項計劃已獲政府當局之核准設立。

台菱公司有衛星針織加工廠新菱實業公司，三鐘針織公司，北新針織公司……等成衣工廠，其產品除原棉奧龍仰賴日本進口外，本已成爲一貫作業之工業，成本較之其他毛衣成衣工業爲低，利潤較爲優厚，根據商業賺財的原理，本可不必再冒風險投鉅資，然其更顧及國家社會大衆福利，不惜斥鉅額資金，再作投資建廠的行動，林山鐘愛國的熱忱，實在值得欽佩，茲將其生平事略，概述於后。

林山鐘是台灣省新竹市人，在日據時代的台北高中卒業，當時的台灣籍青年想接受高等教育有種種限，林山鐘不得不輟學從商，在高中畢業後，其在第二次世界大戰前經營棉布業，行銷台灣全省，後兼營被服加工業。

抗戰勝利，台灣光復林氏即創設新竹油脂工廠（後改名爲新竹食品工業公司）及新竹織布廠，一九五五年組設新鐘紡織公司並合併新竹織布廠，專門紡織人造纖維紗，混紡紗，合成纖維紗及織造人造棉等，當時即因品質優良，頗獲國內外同業以及顧客之讚譽，經營成績斐然。

一九六四年獲得日本三菱株式會社及三菱商事株式會社投資合作，將新鐘紡織公司改稱爲台菱紡織公司，並擴充廠房及設備，產品仍冠以新鐘牌，四年來在林山鐘董事長精心擘劃經營下已居紡織界領導地位。

林山鐘氏投資的事業有台菱公司，新竹食品工業公司，三鐘針織公司，新協同貿易公司，並爲各該公司的董事長，其在德昌實業公司，東洋實業公司，新新食品公司，台灣赤糖公司等公司爲常務董事，新菱實業公司爲董事，且台灣水泥公司，台灣紙業公司等均有鉅額投資，爲台灣籍擁有實力的工業界領袖之一，除現任台灣區人造纖維紡織工業同業公會理事長外（該職已連任十餘年）並加入中日文化經濟協進會，中華民國工商協進會，中華民國國際貿易協會及其他各種團體爲會員，除對其公司本身之業務力求發展外，尤對國民外交，社會公益極具熱心及貢獻。

根據外國記者參觀紡織展覽會的報導稱，中華民國紡織展覽會陳列的產品，具有時代的革命性，他們以驚奇的口吻說：中國人的衣著在式樣、色調、裁製等各方面，均顯得年青，活潑，有朝氣，尤其在編織衣著的式樣上參插了高雅、大方的藝術氣氛，更顯得年輕的一代生氣蓬勃，而且所有產品，價廉物美，人人見愛，這是一次成功的展覽會。

（丁徵）

圖爲林山鐘先生與李部長合影

喬治桑外傳　十五

張大萬

喬治桑只逗留了幾分鐘，時間便躡手躡脚回房。牛董事長已經回台北，他臨走時吩咐喬治桑好好招待大塚、野田，明天早晨他再來，因此，喬治桑不能只顧自己玩樂，忘記牛董事長的囑托。

喬治桑回到自己房間，「小雲雀」還沒有洗完，他只好耐着性子「痴痴的等」。

他現在陷入玄妙的沉思：他忽然想到小時在私塾讀書，讀白居易「長恨歌」的「……春寒賜浴華清池，泉溫水滑洗凝脂，待兒扶起嬌無力，始是新承恩澤時。」在幼稚心靈中，認爲能做唐明皇多美，不想二十世紀工業社會，只要有錢，甚麼也能辦到，現在「貴妃」不是正在隔壁洗澡嗎？所不同的，侍兒換了日本商人而已。

「小雲雀」終於離開浴室，走進房來。

「你要不要洗澡？」

喬治桑點了點頭，其實，喬治桑每天上午或中午至少要洗一次澡，但「小雲雀」叫他洗澡，他不便拒絕，似乎不如此，就有「自慚形穢」的感覺。

喬治桑只不過在水裏打了個滾，拭乾身體，怱怱便走進房間。

「小雲雀」已經躺在床上，她將壁燈關掉，只留下床邊茶几上一盞枱燈。綠熒熒的燈光，倒像是鬼火。但此時並不恐怖，反有無限溫馨。

（未完）

補正

十二月廿五日本報第二版「喬治桑外傳」第三欄第二行「以免累贅」下，漏去一張稿紙，內容茲補正如後：

……以免累贅。

這是一個排着四個雙方沙發的小房間。大塚、貴妃一方，野田、小鳳一方，喬治桑、小雲雀一方，牛興鐘沒有另外叫小姐，由當番小姐在旁侍候。

酒家吃酒與在其他地方不同，確實可以達到開懷暢飲，賓主盡歡的地步。

「貴妃」「小鳳」因「小雲雀」事先有話，所以格外巴結，像扭股糖似的貼在「大塚」「野田」身上。

一「砲」過後，也即是喝過一瓶白蘭地，兩個日本人面色紅潤，談笑風生。兩「砲」過後，「大塚」已經收起武士面孔，大唱日本歌謠，野田更在旁以小丑姿態痛科打諢，一會見用筷子替「大塚」打拍子，一會見又向「小鳳」屈膝作求愛狀，然後表示失戀，用筷子作切腹自殺狀，來逗大家笑樂。有人說扇子在西班牙女人手裏，千變萬化能表達七情六慾，喜怒哀樂。「野田」以筷子當西班牙女人的扇子，也是一種天才的表現。

開第三「砲」的時候，「大塚」「野田」差不多已被「轟」得人仰馬翻。

喬治桑低聲問牛興鐘，「甚麼時候走？是不是向北？」

牛董事長帶着神秘的微笑，搖搖頭，說：

「稍等，我出去打電話。」

喬治桑見牛興鐘出去打電話，示意「小雲雀」喚僕歐生算帳。

合庫副理涉嫌炒地皮　康寧互助會善舉擱淺

（本報記者台北消息）由社會名流于斌、關吉玉、皮以書、連震東、張寶樹、詹純鑑……等三十一人爲配合政府推行社會福利政策，造福人羣，發起創立「中國大衆康寧互助會」，業於民國五十五年一月十日在台北市正式成立，期以三年時間在內湖廣達十二萬坪之土地上，建設包括康寧綜合醫院、康寧高級護校、輔大醫學院、病理研究中心、中藥研究中心、行政大廈、慈母堂、服務中心，康樂中心、實驗農場等及附屬建物十餘種的新穎社區，雖於今年三月破土興工，詎以該項土地突於六月份發生意外糾紛而告工程擱淺，傳聞涉及台灣省合作金庫某部副理有操縱炒地皮之嫌，該案業由中國大衆康寧互助會向司法機關提出自訴，經偵訊後，被告×副理等三人交保候傳。

中國大衆康寧互助會，在內湖購買之十三萬坪土地，起初由該地選出之××議員出面介紹沒有成功，後由內湖鄉長××介紹始克完成，並由林茂生出面投資墊款向零星地主收買再由康寧會發包建築，決標當時給付墊款人連利息共新台幣二千三百餘萬元，另外給付投資墊款人報酬新台幣一千二百萬元（五百萬元當時給付，尚餘七百萬元由包商開具一年期支票乙紙康寧會在支票後蓋章背書），投資人利潤相當優厚，如果對協助興辦社會福利事業，藉投資墊款而意圖獲取如此優厚利潤，可說已有不當。

中國康寧互助會在內湖的建設已在今年三月破土興建，如果土地有糾紛，實際在三月破土當時發生，爲何要在破土興工後三個月（六月份）發生，傳說其中另有蹊蹺，經康寧會的調查結果，該項土地業已過戶與涂××（合庫×副理胞弟），而出面與康寧會交涉談判的又是×副理，某項文件雖無×副理簽章，然而出自×副理之手筆，以上種種跡象，×副理似不無幕後操縱之嫌。

近年來台北地區土地漲幅甚大，該等投資墊款人，是否由是而見利眼紅，實在難說，抑是如此，社會福利事業的善舉，將因此而興嘆却步，意想獲取不法暴利的敗類，應被大衆視爲公敵，人人得爲誅之快！

（丁徵）

憶國立湖南大學（中）

周德偉

理學院

理學院設數學、物理、化學、地質、生物等五系，自開辦迄大陸淪陷前，始終由楊卓新博士任院長，楊氏著有近世解析幾何學、高等數學、科學通義等書，並注意微量分析，添置設備，網羅人才不遺餘力，在國內各大學中可稱首屈一指。主持此科者爲李冰教授。其他教授，如吳樹基、熊正理、楊開勁等均畢生治學，貢獻甚大，地質系教授[illegible]首李毓堯、胡伯素等。李先生與湖北李四光同學於英倫，返國後，同任北京大學教授及中央研究院地質研究所研究員，學術造詣亦相伯仲。國民革命軍北伐時，獻身黨政，卒返湖大任教，曾一度爲本大學校長。胡伯素則柏林大學理學博士，治學嚴謹，勇於任事，其父庶華先生任校長，旁騖政治，伯素意不謂然，曾傾心吐膽語其好友周德偉，以不能匡正爲憾。李毓堯繼胡庶華爲校長，伯素絲毫無芥蒂，勸李專心辦學，亦可謂盛德君子已，惜天年不永，未能睹其大成，然地質系學生咸服其循循善誘云。

法學院

法學院遠承公立法政之緒，初併入文學院內，自卅四年八月始創立法學院，分設政治學、經濟學、法律學三系。先是，氏廿六年爲校長時，銳意刷新教務。納院長李壽雍先生之建議，政治系延聘吳世英、鄒文海、翟楚、周蔭棠、曾學濂等爲教授，諸先生均新歸自歐洲，出其學理，陶冶人才，無復往時之守舊風氣矣。經濟系則聘任凱南、李壽雍、周德偉、曹廷藩、王傳曾、樊止平、陳世鼐、祁明奇等爲教授，諸先生均留學歐陸，任凱南爲南方之著名經濟學者，著有西洋經濟史，先後主持湖大校務及任教甚久，影響頗深。周氏傳播英奧及北歐諸國學說，闡發自由精神，力闢共產主義，並對抗當時統制經濟之潮流，由是經濟系從游者日衆，成爲最大之一系。後來文法學院學生出而應世，類皆忠貞不屈，潔身自守，絕不受共產謬說之渲染動搖，實諸先生講學之風有以召之。周氏之學不限於經濟，其研究興趣擴及政治、法理、倫理、哲學等科，而衷以東西聖哲心性之學。卅六年文學院長李壽雍先生創辦中國之路半月刊，周氏實爲編纂，發表政論甚多，自稱爲主觀學派，極尊自由主義及個人主義，近世以系統之學理打擊共產主義，集體主義者，周氏實開其先河。然狂風暴雨之中，周氏所蒙受之非難亦最多，終能屹立不移。抗戰時期中，周氏曾力言墨索里尼、希特拉、東條英機之問題，容易解決。亂天下者惟共產主義及蘇聯，以及中共匪幫。不加遏止，則滔天之禍必將來臨。卅九年膺選參政員後，世界大戰正烈，即倡言大戰後，世界和平條款，須保持完整之德國，以使東西勢力，維持平衡，并爲文警告西方各大國必須放棄殖民主義及人種偏見，且倡言基本人權應高於憲法及法律之上，果能實現此等措施，則戰犯之懲治，戰爭責任之追咎，實爲次要問題。周氏實已預知德日之必敗，此論一出，聞者大駭，均嗤其妄，不久，遂失其議席，今日方服其先見，蓋其見解之深遠，一出於學理，有非世界政治領導人物所能及者。周氏常稱述德詩人席勒之言曰，予乃未來世紀之公民，我之時代尙未來臨。周氏又工爲文章，常謂六經而外，古人中惟司馬子長、王安石爲足師法。於近人則好湘鄉曾氏，侯官嚴氏，長沙章氏之文而厭棄新會梁氏之排比堆砌，績溪胡氏之淺俗誇大。并謂近人之考證，乃不問蒼生問鬼神，有朽骨得價，蒼生無問之名句。又謂時俗所趨之幽默文，則陽尖酸刻薄之風，無補於學理人心。曾自言其文章淵源，謂曾氏如源，嚴章如洪河大川，已則爲海。并非謂其文優於諸氏，特以範圍較闊，合理較多而已。所著，文理密察，言詞典雅，衷以邏輯確如嚴章，而合融哲理，嚴論閎肆則遠過之。文氣剛勁，抉發精微，確如曾氏，而放言高論，無所忌諱則時代精神爲之也。績溪胡氏曾語之曰，吾子之文深矣，至矣，其如與社會不生交涉何，余不爲高中學生寫不懂之文，君文、則非哲人專家不能喻，君每一文出，余必二讀三讀，纔加深思方能洞明其理。余敢斷言，君志雖大，君術則疏，余不解君何以必作此艱深之文也。周氏應之曰，文有二途，一通俗，一達理。達理之文，豈能以悅爲旨，果爾，則眞理無由闡明，學術囿於庸俗，則將不堪設想。康德，萊卜尼茲，乃至韓師杜威之文，豈高中學生所能喻乎。中國四千年文化，除去聖哲及學人之著作，予不知所存幾何，帝王英雄徒遺廢墟耳。前人著作，豈高中學生所能盡喻乎。然而胡氏仍弗是也。氏又應之曰，君享其名，我持其實可也。最初惟衡山趙夷午，長沙皮宗石、楊樹達、浙江顧孟餘、朱騮先，天津陶孟和，河南徐炳昶，黔城李壽雍，寶山張嘉森諸先生極稱之。楊氏且譽爲世之顯學，載於所著周[illegible]椿先生軼事，張氏謂君說得行，君學得牀，則共禍不[illegible]。卅三年，有不慊周氏者，設謀傾陷，楊先生首發其謀，且攘袂而起曰：周君國之瓌寶，若遭陷害，余必與之共死生。楊氏以名學人而[illegible]爲時人[illegible]，非湖大禮[illegible]，能產斯非[illegible]。一九六一年英國劍橋經濟學報，經濟學人，以周氏冠其篇，著作已刊行不錄於此著錄。（未完）

石頭希遷門下的五大禪師（五）

吳經熊著　吳怡譯

禪學黃金時代

也就在當天，德山把靑龍疏鈔在法堂上燒掉，而說：

「窮諸玄辯，若一毫置於太虛；竭世樞機，似一滴投於巨壑」。

這段故事不僅動人，而且極爲深刻。使我們想起了老子所謂的：「玄之又玄，衆妙之門」，

那時，夜是一片漆黑。但在燭火點亮後，又被吹熄時，則顯得特別的黑。當外在的光亮熄滅後，內在的光才射出了它的光耀。當然也需要因緣湊合的，唯有在德山的心靈早已成熟得可以開悟時才會如此。這就同所孵的小雞脫殼一樣，要等外面的母雞在蛋殼上啄了之後，他才開始向外啐。

德山的燒掉疏鈔，以及認爲所有最高深的哲學思辨只不過是太虛中的一根毫毛而已，他這種說法使我想起了聖托媽斯阿奎寧快臨終時，曾對那位催他繼續寫作的秘書說：

「我不再寫了，我所有的著作，都只是一束沒有價值的稻草而已」。

德山賦性激烈，在他未悟以前，拚命鑽研經書；後來聽到南方禪風甚盛，便發言要搗其窟穴。可是當他轉入禪宗以後，又要激烈的打倒偶像。可是只有絕對的眞我才能滿足他。終於在那個漆黑之夜，他發現了眞我。這時，一切在他眼中都形同敝屣。我們讀到他的許多語錄，其見解都是驚人的激烈，譬如他說：

「這裏佛也無，法也無，達摩是老臊胡，十地菩薩是擔糞漢，等妙二覺是破戒凡夫，菩提涅槃是繫驢橛，十二分教是鬼神簿，拭瘡膿紙，四果三賢，初心十地是守古墓鬼，自救得也無」。

在接引學生的方法上，德山的用棒和臨濟的用喝是齊名的，所以有「德山棒，臨濟喝」之稱。有一次，德山向學生們宣佈說：

「你們說對了，要吃三十棒；說錯了，也要吃三十棒」。

這話傳到了臨濟耳中，臨濟便對他的朋友洛浦說：

官人列傳（十）

周燕謀

呂不韋善賈居奇

五、畏罪自殺

秦王九年（西元前二三八年）四月，秦王成年了，按禮舉行「冠禮」帶劍。冠禮過後，等於現在青年已屆法定年齡，可行自主權利。「仲父」便得還政於秦王。秦王似乎有點「黑市父親」的遺性——獨裁。一朝權在手，便把令來行。

一天，有人將嫪毐和太后私通構亂告發於秦王。秦王正和親信商議處理這件事，不料已被嫪毐知道了，於是「先下手爲强」，乘秦王赴雍的時候，率兵攻「蘄年宮」。秦王命令呂不韋平亂，戰於咸陽，嫪毐等敗逃被擒，連同親信數十人，均遭斬首車裂之刑。其餘黨羽充軍巴蜀（四川）者四千人。秦王乃遷太后於雍，殺其私生子二人。呂不韋雖然奉命平亂，但他和太后的關係，不必讓人告密，秦王早已知道了。本想早開他的刀，因爲他的功勞太大，賓客辯士爲他游說，暫時擱置勿論。

秦王十年十月，秦王先行免去了他的相國職務，使其退居河南封地，因爲怕人議論他不要母親，待不韋走後，又將她迎回了咸陽甘泉宮舊居。呂不韋在國際上的聲譽甚高，閒居年餘中，各方使節相望於道。秦王恐留後患，乃賜不韋書曰：「君何功於秦？秦封君河南，食十萬戶！君何親於秦？號稱仲父，其與家屬徙處蜀。」

呂不韋至此，已知禍在眉睫，遷蜀之後，必有下文不妙。左思右想，不如乾脆自己解決了之。於是乃飲酖而死。他的賓客偷偷的把其屍葬於洛陽北芒山。這樣的一位能幹的「定國立君」的風雲人物，竟被他的兒子逼死。

我們今天才爲之歎惜的是：呂不韋的確是一位了不起的歷史風雲人物，他的智慧與目光都是高超的，可是他竟不懂得范蠡隱退的哲理，不爲「功成身退」。至少他應該在封地息養晚年之時，再與諸侯來往。史書上記述簡畧，一個罷權的相國，還公開的與國際間來往，「使節相於道」，豈不是企圖推翻秦王而何？秦王焉容得如此？「再投機」嗎？我們今天想像出來，呂不韋尙在晚年罷相之後，還想再來一次「政治投機」。如此就未免流於「不識時務」。政治與權力，有絕對的獨佔性與排他性。他以商業投資的手段，用之於政治投資方面，竟然大告成功，可惜他就不懂得「老聃貴柔」的哲學思想，竟自「飲酖而死」！

呂不韋所遺留在後世的，並不是他的「巨金」，巨金帶不進棺材，也不是他的「相國」印信，君王可貴人亦可賤人，可榮人亦可殺人，相國早已被人遺亡了。他能夠遺留下來的，卻是在「文化」方面的努力。在百家爭鳴之中，「呂氏春秋」這部書尙能獨樹一幟，這便是呂氏意所未料之「澤」，後來竟能逃脫於「秦火」，流傳迄今。就憑這一部書的存在於世，呂不韋也可以含笑於地下了。

「呂氏春秋」這部書，雖然是由門下士人的「集體創作」，文字上不免有點雜蕪，但大體上是有中心主張，有系統脈絡的一部巨著。當時文化、經濟、政治、軍事方面均有統一混合的趨向，也就是大統一的前奏時期，社會上普遍醞釀着統一混合的暗流和運動，這部書就在此時誕生的。

事過境遷

三幕喜劇　熊式一

史：　全是大報，一定可靠，決沒有假！
包太：史先生，這一次我眞感謝你！
史：　（茫然）甚麼事呀？
包太：感謝你特別從旅館裡趕了來，告訴我這個好消息！
史：　我不敢見包先生！包太太，還要你轉告他，請他原諒，我把姓名弄錯了，他一定會生我的氣，又要把我拉出窗戶口的！
包太：（忍笑，急以巾撫面）嘻！嘻！
史：　（以爲她哭）包太太，事過境遷，不要傷心；這是很多年前的事！我不應該把姓名弄錯，雖然把姓名弄錯了，名字好像是對的………
包太：沒有關係！祇要他不姓宇文，隨便你把名字記錯成甚麼都沒有關係！
史：　我這就告辭了，怕就久了碰見包先生，再見，再見！包太太，還要你催催包先生替我寫那封介紹信！
包太：再見，我會要他寫！
（他剛由窗口偷走，偏偏露茜和趙太極回來了！史健旺嚇了一跳。）
露：　呀！史先生又來了！老朋友，好久不見！你好嗎？你一向都好嗎？就在我們這兒吃晚飯吧！吃便飯，沒有甚麼菜！
史：　露茜小姐，你好！我不能奉陪了………
包太：露茜，史先生有事要趕回去，你不要耽誤人家，你送史先生上纜車吧！
露：　好呀！我們談談史先生的戀愛史！
包太：露西，不准胡鬧！
露：　我和史先生是老朋友，他有許多事還沒有告訴我！他願意告訴我的事我就問，他不願意告訴我的事，我就不會問他的，你放心。（他們兩個人慢慢的走了，後邊的話只聽見半句。趙太極望着夜景發呆。）
包太：太極！方才史先生來，告訴我他記錯了姓名，我第一個丈夫眞死了！
趙：　孀孀，那眞好！你完全好了嗎？　　（五〇）

水滸傳中的政治作戰（中）

雲家

這許多地方，幾乎是時時刻刻均準備接待好漢，而好漢們也隨時可以從這些據點，獲得江湖上的消息，這些消息，有的是謀略的性質的，有的是宣傳性質的，有的是情報的性質的……整個的政治作戰，遂因此而逐漸展開。

除此之外，他們又有許多山寨，如桃花山，二龍山，清風山，少華山，以及初期的梁山泊等等，這許多山寨都與他們互通聲氣，再聯合着各處的莊子，乃無形之中構成了組織，情報，心戰與宣傳工作等的基本網眼。這些基本網眼，或運用其能幹的嘍囉；或運用其在敵對衙門中任職的人員——孔目，押司，都頭，節級等暗中傳遞情報，互作有利宣傳，用以掩護他們的地下游擊，與反元抗暴的種種活動。

施耐庵只提出梁山泊大寨上的組織，沒有細說普及於各地的地下組織。其實，那些作爲好漢們宣傳，心戰，情報工作交換等的莊子，酒店，賭場等，都是很有組織的，只是平日爲了掩護自己，講求保密，未能顯露組織的面目而已。何以見得？我們從柴進介紹林冲上梁山，以及張青介紹魯智深上二龍山等事實來看，就可知道柴進的莊子，張青的酒店，其與梁山泊特設的朱貴酒店並無甚大區別。因爲他們的任務一樣都是蒐集情報，招納逃亡，（組織羣衆工作）與乎從事宣傳等工作。

在政治作戰的活動上，一般說來，他們並沒有特設的政治作戰人員，他們的謀略，組織，思想，羣衆，情報與心戰工作，往往是由一個人担任。他們有時探取情報，有時則從事宣傳……。這個方法，說來也許是較爲原始了一些。不過，這樣也有其優點，就是由於個人的臨機應變，與乎運用之妙，存乎一心的結果，不僅有時顯得十分靈活，而且在保密上亦容易收到效果。

矮人與奇才（四）

錢一釗

「卜二」皇帝愛麥辛三世

世界第一次大戰後，意國經濟狀況非常惡劣，更壞的是政治風氣也非常腐敗，一些左派份子不是結黨遊行，就是圖謀罷政，和世界各地的共產黨徒一般的毒辣無恥！愛麥辛王雖然全力圖打開對外貿易，但社會事業並未能普遍振興。

一九二二年十月三十日，墨索尼里的黑衫軍向羅馬進軍，這時意王拒絕派軍剿伐，並毅然授命墨索里尼爲首相，命其組閣執政。

這在當時是唯一的一條路——墨氏只求大權不放逐王室，而社會凋敝，左派人士又多次製造社會糾紛，除一個擁有武力並獲得青年擁戴的人，是無法消弭意國的危機！

法西斯主義首次投入這個世界，這個既積極又極端的國家主義獨裁政治，在開始時，曾普遍的獲得喝采——他們將左派人士一消除殆淨。

一九二九年，由於黨與王室稍有暗潮，黨中一部份激烈的急進派欲擁墨氏爲帝，爲墨所拒，並且將這一些人都送到伯里獄中。

墨氏眞是一代梟雄，他有雄心，也有方略，並且是一位雄辯家，他的晉域宏量，極富煽動性。

可是他深知意大利有悠久的傳統的，權威的宗教力量——天主教，所以他不能任所欲爲！而且不僅在宗教這一方面對他有所牽制，一就是對於王室他也不能不有所顧忌。

意軍進攻阿比西尼亞之前，愛麥辛王不表同意，墨氏費了九牛二虎之力，並由陸軍將領進言才把國王說服，墨氏認爲能說服這位執着的國王，比與兵侵佔阿比西尼亞更爲困難！可見愛麥辛王是夠得上英明的了！

侵阿之戰，英國提出禁油案，這對意國來說的確是一大威脅，愛麥辛王請他的親戚——比利時國王與波爾德意太子的內兄——到倫敦去疏通，才打消了這個建議！

愛麥辛王的思想並不喜愛獨裁政制，表現最明顯是德國納粹希特拉去意大利去的那一次，那時希特拉如中天麗日，德國隱然爲世界的第一强國，可是這二個半矮子卻各有其個性，愛麥辛王對混世魔王希特拉毫無好感，而墨氏與希卻惺惺相惜，彼此之間私交頗篤，墨氏要求意王愛麥辛善予招待，意王不肯，這簡直是使老墨丟醜，老希丟臉麼？可是希特拉丟不起這個臉，墨索尼里也丟不下這個台，又費了斤把唾沫終於說服了愛麥辛王勉强在一次盛宴中出現了一下，才未使這個局面過份難堪！

愛麥辛王格於局勢，雖然表現出牽就墨索尼里的決定，可是老墨對意王還是非常謹慎，非常尊敬，在意阿戰事時，有一個副官報告墨氏一項緊急消息，他說：「請首相打電話報告皇帝。」墨氏笑着說：「我從來不敢請皇帝接電話，就是打電話也是打給宮廷秘書，請皇帝召見我晉宮而奏一切。」可見墨氏對意王尊敬的一斑。

意王愛麥辛對困難事務的處理也確較有一套，他的獨生子恩伯特太子，幼懷大志，與軍人及北方企業家的保持極爲友好的關係，但與法西斯黨搞不好，黨要廢黜太子，並推意王從弟奧斯泰大公爲意王繼承人，尤其是法西斯黨有一項決議：「嗣君即位後，其資格須經法西斯黨大會審查通過。」依此，恩伯特太子的未來地位須要由黨來決定。可是意王愛麥辛從中調停，不僅是恩伯特太子與墨氏的關係日益親切，並且發表爲集團軍總司令。（完）

小學國文科改造芻議

（以下接第一版頭條）

②不與課本配合的讀物：簡化的優良傳統小說和現代中外小說。③分類的格言、成語和諺語等，以上三種均不注音，一年內可增字彙至少一千二百字；適前三年共約四千四百字。（根據「國民學校常用字彙研究」，常用字計三八六一字，次常用字計五七四字，備用字計四二九字，三者合共四八六四字）。（三）寫字　因材施教，間隔影寫或臨帖，宜列爲家庭作業。優秀者每日在家必臨帖大楷小楷各一張，每週交一次或二次，爲我偉大特有的書法文化，培養接棒人，並奠立廣大社會基礎，否則書法將由日本、韓國領先。（四）作文字寫簡短語體文及「讀報週記」，後者分爲國內大事和國際大事，以開始培養讀報的能力和習慣，並練習寫作能力。注重發現對國文、書法等的「天才」，加以特殊指導鼓勵和培養。（五）查字典和辭典字典應參考德文（已譯爲英文、法文）Dunen圖書字典，編成中文圖書字典；另按六書體例，字體變遷，編成新字典，使學童能明瞭中國字源。

五年級

教學重點：「讀聖賢書」廣義包括文選，認識祖國文學之大要。（一）課本　以文學爲重，大部份是文選，小部份是詩選、詞選，均須淺明易解：選文必須簡短（五百字以內）；必須背誦、默寫。（二）讀物　與課文配合的重要文學家、詩人、詞人等的生平簡介。精美的中外小說，外國小說應包括西洋有而中國十分缺乏的科學小說。後者的目的是爲自然科學教育奠立基礎，均不注音。（三）寫字　臨帖，須養成寫毛筆的習慣，有天才者應加以培養成爲嗜好。（四）作文　語體文和淺易文言文並重，注重一般應用文習作。

六年級

教學重點：「讀聖賢書」，認識祖國文化之基本精神。（一）課本　從十三經部份「史」、「子」、「集」中選擇淺顯而易解的文章或其一部份，必須背誦、默寫。（二）讀物　除廣續五年級讀物外，並鼓勵學生讀淺易的中外古今名人傳記、中國文學史、文化史等書籍。選讀重要報紙社評及精美專欄。（三）寫字、練習行書。（四）作文　同五年級。（本文全文將在下月出版的學粹雜誌第十卷第四期發表。國父四言韻文十四篇（國歌便是其中的一篇）近代大學者章炳麟的重訂三字經，羅剛先生的三民主義三字經和吳延環先生的國民生活須知四字經，還四書將在學粹雜誌第十卷第五期同時發表，特此豫告）（完）

搜異錄

司馬喬

磚頭掉換黃金

孀婦王祥緞在台北市中山北路開設一心堂食品店，營業頗盛，儲有黃金數十兩。事爲女婿李新旺所悉，心欲得之，苦於無法下手。遂向知友陳金林問策，金林素與王婦相識，知其迷信甚深，即獻一計，利用迷信方法騙取黃金，推隱精通江湖口舌之友人薛茂山，蔡金龍二人依計而行。薛蔡二人旋即假裝遊方道士，前往一心堂食品店，佯欲購物，乘機即與王婦攀談，並且假裝觀察王婦氣色，驚訝說道：「看你氣色，福中帶憂，除憂才得全福。」又將王婦家庭情形略略一說：「你的長子不在膝下，幼兒多病對嗎？」王婦視此二客不同凡響，於是向其討教，薛蔡兩人乘機吹虛：「我倆來自山地，精通道術，能戳爲人消災驅妖。你福中帶憂，係有妖魔作祟，如有需要，我倆願意爲你消災驅妖。」王婦原極迷信，今又聽其言之頭頭是道，便求驅妖。薛蔡兩人即命王婦在家設壇，並以黃金作爲祭品，愈多愈好。王婦深信無疑，果取黃金二十七兩，用一紅紙包封，放在祭壇之上作爲祭品。於是薛蔡二人開始作法，一個點香燒紙，一個畫符念咒，並命王婦坐在壇前，背向黃金，不可回頭。祭畢又對王婦說：「黃金祭過，過了兩個星期才可啓封，否則失靈。」王婦惟命是聽，不敢啓封，返送薛蔡二人一個「紅包，」以示謝意。兩星期後，王婦始將黃金啓封一看，不料黃金變爲磚頭。

女人魚和鬼魚

台灣東南海上，有一小島，名叫紅頭嶼，住有許多蕃人，非常愚蠢，又很迷信。他們稱有花色的魚爲「女人魚，」而無花色的魚爲「男人魚。」男人不敢喫女人魚，女人不敢喫男人魚，以爲喫錯了必定會死，他們又稱鱣，鰻，青蛙，龜爲「鬼魚，」男女老幼都不敢喫，認爲喫了，也會死去。

催眠術研究（九）

鮑紹洲

八、語言催眠法

語言催眠法，以專用語言而催眠者。催眠法中，語言催眠法最爲重要，無論何種催眠方法，都含有語言催眠。催眠的主眼，就是在於被術的人，先起一種催眠的觀念，由其觀念而變化其身體。導致其觀念，在於暗示而誘導其催眠。故語言催眠法，在催眠法中，是最上乘的一法。

催眠的時候，先要被術人居於安適的地位，然後要被術人閉眼，施術人對他暗示道：「現在要開始催眠了，請先預備『催眠』」。接着再說：「除了聽所說話之外，其他一切聲音都不要注意」。其次慢慢再說：「我要使你催眠」。唔，「你的精神漸漸沉迷了」，「已覺沉迷了」，「更深沉迷了」，「外面一切聲音都已沉靜了」，「我的話已經靈驗了」。「手足身體漸漸覺得輕飄如浮了」。如此用語言暗示被術人，被術人自漸入眠了。

這種催眠法，第一期爲「恍惚狀態」。這種方法，利用作爲治病矯癖，也有效力。

如果還未使被術人催眠，施術人可再爲暗示說：「你的精神更深沉着」，「雖然聽到外間的聲音，而你的精神已離身體，恍惚飄遊在空中」，「你聽到我的話，你的手足就如我的意思舉動了」，「你把右手握緊，儘量握緊」，「握緊之後，要想放鬆亦不如己意了」。至此爲第二期，名叫「止動狀態」。

至第三期，則暗示道：「你的精神更慢慢地沉迷」，「各方的聲音都不能進入你的耳鼓」，「催眠中的事，你醒覺之後，全然不知曉」。被術人至此，其精神昏沉，最後被術人完全被施術人所左右了。這是第三期的催眠法。

這種催眠法，如不能適合於被術人的精神狀態，是爲被術人的觀念不定之故。施術人如察其觀念不定者，可伸丹田之氣，說莊嚴之辭，使被術人因而受之，亂而應之，如是再三暗示，終有見效。

高雄縣政府公告（57）高府稽甲字第五〇九七五號

事由：爲奉令自五七年七月一日起部份稅捐附征教育捐乙案公告週知由：

一、奉台灣省政府57．4．30府財三字第三六一五二號令自五七年七月一日起，左列各項稅捐附征教育捐：

①田賦按現行賦額每賦元加征稻谷實物。六五公斤。

②營業稅按分類計征標的表，除倉庫業及代辦業外，餘各業均按現行稅率加征百分之廿五。

③房屋稅、契稅、屠宰稅、筵席稅、娛樂一律按法定稅率加征教育捐百分之卅。

二、特此公告週知。

縣長林淵源

自由報

（第二九五期）

（半週刊每星期三、六出版）

每份港幣壹角・台灣零售價新台幣弍元

社長李運鵬・督印黃行霽

社址：香港九龍彌敦道593—601號

廖創興銀行大廈八樓五座

LIU CHONG HING BUILDING
7th FLOOR FLAT 5
593—601 NATHAN ROAD,
KOWLOON, H.K.
TEL: K303831

電報掛號：7191

承印：景星印刷公司

地址：嘉咸街廿九號地下

台灣總管理處，台北市大同街119號

台灣區直接訂戶　台郵劃撥戶

第五〇五六號張萬有（自由報會計室）

電話：五一四〇三三・五五五三九五

台灣分社：台北市西寧南路110號二樓

電話：三〇三四六・台郵劃撥戶九二五二號

文事與國運

——個人的思想自由，行爲守法，就是國家的自由與制度。

・于還素・

洛九兄前以大作見賜，匆匆一年有奇，鴻辭華藻，時無或忘，此次去國歸來，馮婦重作，不乏知音，山河健暢，故友依然。囑寫小文，故人之思耳。謹誌。

這是我歸來後寫的第一篇小文，落筆時正是千言萬語不知從何說起，第一件事情是我出去的時間並不長，而我踏上故土時那一剎那間的印象，感受，覺察也非這一篇小文所可以包括得了的，我們的國家改觀了，我們的建設進步了，我們的人心開朗了，簡單說我們的十年生聚，十年教訓成功了，開花了，結果了，我們的一切已經走上軌道了，當然，我的感想是我希望更好一點，我希望更進步一點。進取的精神更偉大一點，進取的方法更正確一點。

第二件事情是我去過的國家並不多，然而當我每到一個國家，我總有一番不同的感受。這些國家是怎樣建設起來的？他們怎樣思想？他們怎樣工作包括他們怎樣休息？怎樣玩樂？在這時，我不知不覺之間就想到了一個城市，一個國家，他們外表就是他的內容，他們的如此如彼，必有他們的目的，他們的方法，他們的思想，他們的生活，他們往那裏去，怎樣去，必有一羣人在那裏用手用腦日夜不停的在工作。

地球在宇宙間是一種現象，人類生存在地球上也是一種現象，地球上的甲一部分，爲甚麼和地球上的乙一部分的人，他們的生活——語言、習慣、信仰——有明顯的、顯著的、近似的、類似的不同？或實同而少異，是一個值得玩味的問題。

我希望讀這小文的朋友，當你思索這一個問題時，解答這一謎語時，像品味口香糖一樣，吃杯香茶一樣，不要想的太多，先考驗一下自己的舌頭，自己的感受。

一切的偉大思想者，就在這一分一秒之間，一切國家的領導者，就在這一點點品味之間，一點點小小的享受之間，完成他的工作，達成他的任務，並且，永遠在思想，永遠在工作。

寓工作於享受，寓享受於工作，工作還自己努力，看見自己努力的結果，人們感到快樂。世界，是一個甚麼東西？人類的感受，人類的印象，人類的思想而已。

例如目前我們的建設比較不如理想，而我們的生活情趣卻異於其他國家，這些不同都是怎樣形成的？我想你已經想過了，我們有五千年歷史，我們有優於其他國家的傳統文化，爲甚麼我們二十年時間所得的卻是如此之少？

簡言之，我們是受著西方文化的侵略，我們缺少自覺，我們麻痺，我們爲抵抗外敵，損傷了我們的活力，我們爲反抗專制，歷代王朝的壓迫，損害了我們生活的趣味，生存的樂趣，我們缺少生機，我們迷信西方有形的東西，看不見西方無形的東西；我們看見了自己無形的東西，而生活上卻是處於貧困，這一切到底爲甚麼？我們總有一件事可以解釋的，我們文學太豐富了，我們的感情是過分文學化。而我們的思想中，卻沒有文學和文學家的地位。

思想和感情本身就是一種文字，就是一種文化，沒有偉大的感情，建設不了一個國家，沒有偉大的文學思想不能稱爲一個民族一個國家，我們傳統價值，觀念之崩潰，是西方人代爲搗毀的，我們的文學，就以這二十年的時間來看，又給我們在迷惘中帶來活力，我們蘇轉了，我們看見我們的淺薄了！還是爲甚麼？

感情的現象，就是心理內在的需要，文學、藝術、宗教是一種心理，是一種感性的東西，我們的感性失靈，我們的反應遲頓，我們剛剛醒過了。人活著是爲享受其生命的，我們怎樣保護我們自己，第一件事是保護我們的感情，而此感情其本身之歷史性、社會性，也需要同樣的尊重，所以我國聖人多講禮樂之治，看重風俗，推崇前人的作品，崇敬前人的事蹟，乃有文明傳統之形成。

感情可以改變觀念，而文學藝術爲此一觀念之形成與結晶而已。國家的觀念就是民族的感情，就是文學中藝術中的感情；我們的感情活動可以形成一個國家，我們的情操表達可以使一個國家或好或壞，保守不是落後，是要最好的東西。文學的發達，即是生機的暢茂，我們如何創造機運，我們每一個人有責任。

自由談

嗤之以鼻

曾以「站着死，不如跪着活」的哲學邏輯，主張自由人類不妨接受共產主義者統治的英國哲學大師羅素這個老悖耄翁，近來竟提議召開世界共產黨和社會黨大會，反對俄共派兵進佔捷克的暴行，認爲俄帝摧殘了捷克人民的自由生存權。似此昨是今非的矛盾論，大概就是羅素式的哲學思想體系吧！

早年的羅素，原係開明而進步的自由主義者，他於蘇俄政權建立伊始，曾經到俄國訪問考察，回國後，寫過一本批判俄共措施的小冊子，從學理上指出共產主義的若干過錯，義正詞嚴，錚錚有聲。他的鉅著「自由與組織」一書，更受到舉世知識界人士的推崇，認爲不刊之論。否料他晚年懾於原子戰爭的危險，對俄共集團表示姑息，反對自由世界的反共運動，而大倡其「站着死不如跪着活」的謬說。同時又不贊成英美發展原子武器，更反對美國不承認中共僞政權的外交政策。總而言之：自由主義者的哲學大師，一變而成爲共產主義者的幫兇人物，可謂咄咄怪事！

但仔細想想，殊不足怪。因爲英美人士素來受着功利主義的薰陶，滿懷自私自利的念頭。他們認爲本國內的共產黨成不了大的氣候，無所顧慮，至於蘇俄和中國共產政權之出現，受害的乃是距離英美很遠之地區的人民，事不關己不勞心，祇要俄共集團的暴力不直接威脅英美，而又讓英美在共區通商賺錢，他們就慷他人之慨，不惜爲共張目，并且製造許多似是而非的理論和幻想，作爲詭辯解嘲，藉以淆惑世人視聽。

如今俄帝揮軍進佔捷克了，這不啻對西歐的安全投下了一枚定時炸彈，西德岌岌可危，英法即深感禍至之無日，這還了得嗎？所以，不特羅素大聲疾呼表示反對，美國當局和國會議員亦同樣指摘，但當年匈牙利人民的反共運動被俄帝大軍鎮壓屠殺之際，英美朝野人士置若罔聞，連同情的話亦不說一句，羅素和美國那些鷄蛋頭專家們，更噤若寒蟬。明乎此，即知羅素對共產主義者前恭後倨，完全是爲着西方的安危利害設想，談不上絲毫的正義公道，亦與學說思想不相干，咱們唯有嗤之以鼻而已！

馮五先生

昨日與明日

此「腎」難得！

香港居民王蕙芬因腎臟機能喪失，來台先就醫於宏恩醫院後轉入台大醫院，經醫生診斷，她需要一個「腎」！

台大醫院找不到「腎」，於是透過報章，希望社會給他一個「腎」！於是報上便一直「腎」了半個多月，本來貧血的版面又平添了一個病人！

這個「腎」，活人的不要，死人的也不要，血型不對的不要，不健康的不要，唯一的是同血型的病患垂死前的腎！

在這種條件下，醫院原是最佳選「腎」處，一是除了醫院病危垂死的情形究屬少見，而且垂死對於家人親友看來仍想有救活的希望，二是縱然的使他們「失望」的不在於病人之死，而在於醫生診斷的結論！再論，說服這病人的家屬並以醫生爲最適當人選，透過報章，冀求輿論力量，製造捐「腎」的行爲，其動機無可厚非，其方式即是本末到置，有些膠柱鼓瑟的意味！

守望「不」助？

台灣人情味自是比前些年，比農業時代，退步多多！但比其他國家地區並不稍遜，雖然有一位法官在論修訂法律時作依法守望不須相助論，認係農業時代的遺產不必繼承。可是眞到了這位法官如有失火等不幸災難時，左鄰右舍也未必能忍作「鐵石觀衆」，而這位法官也未必能拒人千里之外，眼看着家人與火奮鬥，財產任火燒光！治法不論情可，法治則不能離情甚，絕情甚！

不過情也有其適度的水準，不善泅者救溺，其結果是「其情可憫」而已！

台大醫院透過報章爲王蕙芬呼籲「腎之捐來」，則可超溢情外，報章連刊了半個多月，也忘多情。仔細想來，醫生記者天天接觸病患，卻不能「守」「望」相助，可見「腎」也，限於條件不易捐之者也！

華夏「有」人才！

楊傳廣發起一元運動，其目的在建立大型現代化的體育館，用以培植運動選手，藉此提高運動，臨別贈言盼政府舒出愛國獎券賺的錢來與建這座體育館！

中國對提倡體育作的最澈底的都市，應以青島最好，雖然沒有鐵人，也沒有什麼特殊表現的運動明星，可是各種球賽幾乎是每週都有幾次，觀衆也極爲踴躍！而且運動蔚爲風氣，長街短巷只見球戲，不見「體」戲！

所以關於如何發揚全民體育，當局不妨就近問一問前青島市長沈鴻烈、教育局長雷法章！

他們不僅是在作官，而且是眞的在作事！

以台灣來說吧，最近興建的體育場及與關的海水浴場等，與落後數十年的青島市體育場，海水浴場比一比，則是「應景文章」只有爲壽者寫序，死者寫輓聯的份了！

至於「錢」也者，只是工具之一，如果用幾億元造了一座現代化的體育館，居然也培植中一兩個「金、銀、銅」牌的運動員，還是不如省省的好！

人人皆知，「密司佛陀」、「資生堂」永遠培植不出麗質天生來！這還是就個人言；就全民言，我們也不忍看一兩位「傑出的運動員」撐撐場面表示我們華夏有人才！更何忍證明，這一二人才出之於這座現代化的體育館！

（叔予）

人道進化的理想

・吳康・

今日中國哲學會舉行第九屆年會，本人謹提出「人道進化的理想」一總題，略作簡略報告，向諸位先生請教。

距今四年前，本會第六屆年會（五十三年十二月二十日），本人曾根據第十屆、十二屆、十三屆國際哲學會議的總題標目，提出「人道思想」問題，闡述大意，以說明當代哲學思潮演進的趨勢，今年一九六八年（中華民國五十七年）九月初旬，第十四屆國際哲學會議，在奧京維也納舉行（本會推舉會員梅貽寶成中英兩位前往參加，見上報告開），其總題標目，爲

精神：
世界：
歷史：
而以「自由、責任等」繼其後。此可以說本質上是人道思想的解釋，闡發其內在的蘊涵，與外在的擴展。

我們知道，有人類即有歷史，有歷史即有各種羣已活動之記載寫眞，於以構成人羣社會生活的全貌，是即所謂世界，而主持這些活動程敘的原動力，便是精神，即精神的活動表現，即是思想，質言之，即是哲學思想。

語及哲學思想，在歷史上，執有兩相對待之說，爭雄競長，以釀成紛華盛麗之奇觀。如多元與一元，物質與精神，超越與內在，暫時與永久，思維與意欲，機械論與目的論，全體與部分，實體與現象，善與惡，錯誤與眞理，獨立自主與自利己，等等，其間彼是相貿，勝負交替，質之辯證歷程，未易爲得失評斷。於此我們提出一總概念「人道」，以總匯其參伍錯綜之數。「人道」爲人類生存本性之最高理想，此理想爲最高系統，綜括一切思想對反，同異之相，融會貫通，擴而入精純，交互湊合，以產生互助和平而無鬥爭之世界大同，而到達人道進化的終極理想。

中國文化，以孔子爲中心，孔子的哲學思想，其基本概念爲「仁」，仁是人與人相處之合理關係不易之常道，是即所謂「人道」。人道必循自然之活動，而適往前征，始能爲極度可能之發展，此種活動，即是「自由」。自由內涵三要素：（一）純粹活動，謂其活動本質，精純無疵，不雜他物。（二）獨立，亦曰自律，自主一切行動，出之自我主體，不依外力而生，所謂「自由意志」即是斯義。（三）曰義務，謂人應履行之天職，應盡之責任，如爲父慈，爲子應孝，契約而踐務宜清之類。此三者爲自由之本質，人類社會，必本其思想動力，循自由活動，發展向上，擴域，以精神本體，發揮潛力，創造和平互助的大同世界，實現人類進步的歷史。此乃今後哲學思想走的任重道遠的大道。總統蔣先生兩年前領導國人，發起復興中華文化運動，人道思想，即是中華文化中心思想，我們恪遵訓示，一德一心，邁步前征，共爲人道盡力。

五十七年十二月廿二日

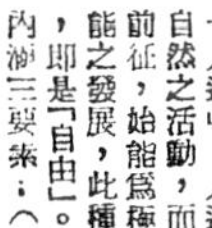

台北新聞信

律師的末路
沒有不能打的官司

（本報通訊員柳一權特稿）美國自開國到現在，三十幾位總統，過半數是律師出身，以證明律師在民主國度裏的崇高地位，雖然是如此，格言，成語，和文人筆下的律師，壞的批評，超過好的讚美。

中國老一輩思想比較落伍的人，常將律師和訟棍刀筆混爲一談，這是一種錯誤觀點，京戲中的「四進士」就是宋士杰大律師，路遇不平，挺身相助的史實，怎麼能說律師之中沒有好人呢？社會上所指好律師，替大衆謀福利的律師，以甚麼爲標準呢？照歐美的習俗，生前辛勞工作，死時一貧如洗，這是對好律師的公論。

台灣執行律務的律師，已達到飽和點；而報館則正相反，辦報受管制，就等於讀報的自由失去了，換句話說就是逼着人非看這幾份報不可，如果這幾份報確有「啓迪民智」的功用，到亦無所謂，問題在把下一代敎壞了。律師應當管制而又不予管制，由於太多，就會步向太爛，太爛就產生甚多惡果，每個法院的門庭若市，和各地「監獄客滿」，大有「明日請早」的態勢，社會怎麼能安呢？

台灣的好律師當然很多，他們確曾主持正義，爲大衆謀過福利。但壞的，壞到不成體統的則觸目皆是，有少數人簡直不如地痞流氓。律師界本身應當趕快自清，聽憑這種壞風氣蔓延，司法機關亦負有責任，壞律師究竟壞到甚麼程度，就耳聞目睹所及，試敘述一二：

一、被告問：「偷竊的官司可以打嗎？」律師答：「當然可以，照你的情形，祇是取人東西未打招呼，不能構成爲罪。」

二、騙徒問：「我前後開出一百餘張支票，託一位有身份的人調錢，到時未能兌現而退票，持票人到公司來吵，官司能打嗎？」律師答：「當然可以，先控告經手調錢人僞造有價證券，再告對方爲恐嚇、詐欺，如果能夠成立，可判他徒刑。」又問：「如果對方罪不能成立呢？」答：「不成立可一審，二審，三審，拖兩三年，據本律師看，借錢給你和經手調錢的人都是有錢有身份的人，看情形不對，還不是不了了之。」

三、騙徒問：「我在鬧區設行號搞到一筆生意，但沒有方法交貨，現在又退不出錢，對方要告我虛設行號，惡性詐欺，這個官司能打嗎？」律師答：「當然可以，行號經政府許可發有經濟部第××號執照，怎麼能算虛設呢？交不了貨乃遇到人力不可抗拒事件所導致，據本律師看惡性詐欺，不能成立。」

四、被告的媽媽問：「我這個兒子，是從小驕養壞的，前天竟將他爸爸殺死了，官司能打嗎？」律師答：「當然可以，照常情兒子沒有殺父親的道理，必然是患有神經才會這樣，找兩張證明書就可以了，不過要化點錢。」

五、殺人犯問：「我殺了人，線索已被警方控制，不久就會破案，這官司能打嗎？」律師答：「當然可以，就說因醉酒打架誤殺致死，沒有甚麼大關係。」

六、竊盜集團代表問：「我們有一夥朋友專做無本生意，包括「走扛子」、「跑空門」、「踩輪子」（扒竊界暗語）應當怎樣做才能受到法律保障？」律師答：「先籌備打官司的經費，和送紅包的錢，自可大事化小，小事化了。」這些駭人聽聞的問答，就是今日社會亂源。其實這還是普通少數壞律師，而那些高級紳下律師就更高明了，高級可以飛簷走壁，兼有「國會議員」作護符，專挖政府牆角進行買賣更賺錢了，難怪莎士比亞說：「第一件我們需要做的，是殺死所有律師。」不過這話也太攏統了，與京戲「玉堂春」的台詞「洪桐縣裏沒有好人」同樣偏差，記者認爲應將沙翁的意見，修正爲殺死所有「壞的」律師，阿彌陀佛。

國民黨十全大會
代表競選白熱化
人民關心黨策首在戢貪
國宅弊端企望迅予改善

本報記者董尙書台北消息：中國國民黨第十屆全國代表大會決定於明年三月二十九日舉行，據其籌備工作跡象，至爲積極，全會代表名額較九全大會增多，現定爲六百名，國內佔二分之一，餘爲海外敵後各半，儘量由選舉產生，將於二月十八日起至三月五日前，選舉竣事。各地競選代表之進行，普呈熱烈，少壯同志莫不踴躍參加，活動極形自由，且能擺脫一切派系關係，足證黨內團結，已呈好轉。在中央委員會秘書長張寶樹就任四閱月以來，在其無聲改造下，一本求新、求行的現代化決策，對於人事調整，幾將省縣市黨部遷調一新，主腦幹部，俱以「上下相孚，才德稱位，而能超出地方派系」者居之。一般社會均信其頗具「革新觀念」。張寶樹秘書長以學人風度治黨，襟懷磊落，就報載張氏對黨之三希望，即可窺一斑：①力矯「自以爲是」的心理。②消除過分自我中心意識作祟，捨棄等待觀望的心理。並針對上述三項阻力，特提三項建議：1任何單位主管同志，爲了求新、求行，勇於負責而發生錯誤的，他願意承當責任。2對開創而有成就的同志，特別予以獎勵。3能對目前的缺點和情弊，提出具體可行的改進辦法，也特別予以獎勵。關心黨務人士睹黨風之開朗，有企望之重要者：例如一、根絕貪污政風，如係從政黨員瀆職，應先繩以黨紀，尤以平時之督檢約束，並調查中上級幹部之財產，隨時予以登記爲切要。再對以往藉黨營私而劣蹟騰爲人口或有事實可據者，縱是「人才」，亦不姑息放過，甚至對仍保留黨內重要名位者亦然，因若類營苟小人，善於唯唯，貌忠心險，滋蔓難圖，影響巨大。二、國父對國家建設，首重民生，執政黨現行之社會政策，實爲善政，「耕者有其田」已奠定農業經濟及工業之開展，推播爲國際楷模。惟政府頻年推行之國民住宅，以利民居之大計，因人爲之不臧，幾致弊病叢生，環島數千幾萬之興建，幾無一處不爲「官商勾結」，訟讞纍纍，經月延年，縣推於省，省推於縣，若遇有司涉嫌被控，往往下挾上弊，重重掩襲，化有爲無，至多遷調了事。言官巡察，祇在衙內聽聽員吏簡報，所謂專案調查也者，亦僅止於此。昔賢之微服私訪，今竟視爲迂闊，間有良知之視吏，觸其事實確鑿，深畏投鼠忘器，亦祇徒嘆「天下老鴉一般黑」而已！三、當茲文明國家盡行廢除「公娼制度」，獨以我國政府尙戀戀不捨所謂「特定營業管理」辦法，「娼妓管理」辦法，一任婦女人身爲商業標的物，實民主制度下一大諷刺。僅管警察總動員向黃色大進軍，結果只是滿條了一般旅館業而觀光旅館例外，混淆了男女住旅社之界限，妨害了人民的自由，「眞實之「妨害風化」罪屬於刑法，某地化警察裁定涉嫌風化，竟有處拘留達兩週以上者，且自鳴得意爲有效制裁！何謂違警罰法之限度？何謂猥褻？彼蚩蚩者氓，固無所知，在人權上，在法的準繩上，是否適當？實在値得研究！再十全大會後之政府人事變動，台北某報有載（一）年壯而學養豐富者，再獲拔擢，畀以重任。②在職較久幾個部會首長，外交部、教育部、經濟部等，可能性較大。③如對調到院、國防部、省等將變動幅度加大，雖然該報又說：政府人事變動目前推測時尙過早，但其第三項說法，實有如本報前此之記載，已指明院、部、省之未來安排趨勢，蓋社會閱讀本報之人士，對本報前此記載，頗具興趣，且有認信而有徵也。

國民大會年會前奏
議案提出教育弊端

本報記者公孫熊台北消息：據悉一年一度的十二月二十五日，國民大會代表年會在前奏聲中之關係會議中，有代表二十五人爲九年義敎，敎育法令，弊端叢生，視同弁髦，請決議提出關係機關檢討改正。其說明有甲、義務弊端：（一）國中敎科書，由敎育部統一辦理，格式與初中大同小異，價目則高出三倍，書商誘稱敎育部抽編輯費百分之十五，年達數千萬元，因此不得不提高價格。查敎育部編敎科書列入預算，用有專人，似不必向書商抽此巨欵，於推行義敎之初，大事加價，增加家長負担、影響總統德意。（二）繳費之增加。（三）爲代辦費，高於市價，並有政府官員藉勢推銷視聽敎材，祇緣上有好者，下必有甚焉。（四）國中建築工程，迄今未竣工者，竟達半數以上，主管機關不敢依法追究，包商故意拖延，人言嘖嘖，咸謂其中有故。（五）國中惡補已普遍發生，有敎員合夥設立補習班，亦有在家設班補習者，均强迫學生補習，利之所在，競先效用。（六）九年義敎，遵奉總統明令，敎部即籌備盡善，亦不過盡其職責，報紙公布九年義敎受勳人員名單，竟與指責國中舞弊之文章並列，受勳人員中且有在國外考察年餘未回者，敎育界紛紛不平。乙、弁髦敎育法令：（一）大學法第九條明文規定「獨立學院院長應爲專任，私立者除在本院授課外，不得兼任他職」，監察院迭函敎育部指責立委張希哲兼任院長爲違法，積四五年。相應不理。（二）逢甲學院過半數董事爲公務員違法兼任，雖經監察院彈劾，立委提案質詢，敎育部相應不理。（三）敎育部僞造河南大學生籍案，遜勵遐邇，雖閻部長未列名起訴，但起訴書所稱「閻部長經部屬三次簽請查辦擱置二年四月不辦」之事實，顯已構成行政處分，而行政院未聞議處，閻部長亦未聞自請處分。（四）國際商專之籌設，敎育廳初查諸多不合規定。文到敎育部後，竟改爲全部符合規定，連同敎廳官印，亦被變造，閻部長於該案仍在爭訟之中，竟輕率批准立案，各方指責，謂有隱情，敎育部不思自清，反將僞造案卷，予以隱匿。（五）歷史學者蕭一山指責閻部長因人異法違諾背信，包庇冒名行騙之徒，竟不聞辯白。（六）今年二月十九日，自立晚報載有治安當局已發現更多之僞造學籍案，外間傳言敎育部歷年來出賣大陸公立大專學籍及台灣私立大專學籍甚多，有人開列安大淡江等出賣例證送交敎育部負責人者，事關敎育部淸譽，迄未聞追查公布眞象。據上消息，已迭爲港台報紙揭載，及人民之檢舉，亦始終未聞敎育部之澄清聲明，亦未見行政院予以處理。閻部長個人更未聞有所澄清辯白。究其事實，如屬眞確行政院應予嚴查究辦，何亦聞亦等於未聞，如非事實，按諸法律亦應究查誣告反坐，始可維護民主法治。否則一任敎育部被社會長期交相指責，墮毁敎育尊嚴，使青年學生有失敎育信心，貽害民族國家，實非淺鮮，文化復興何在？國家法律何在，誠令人疾首長嘆不置也。

旅美散見
別有其「味」

·張起鈞·

許多人都說美國的鷄肉不香，燉起來一點香味都聞不到。實際不僅不香，並且還有一種怪味。這種怪味不僅在鷄肉裏有，並且普遍的存在於各種肉類，甚至蔬菜中，不過味有輕重，不易覺察而已。這種味道不僅食物中有，即是空氣中也同樣存在。特別是在人少樹多，空氣幽險的地方。這種氣味我初去美國時感覺得最靈敏，久而久之也就與久而不覺其臭了。尤其第二次再去美國時，就好像沒有覺得似的。那麼究竟是筆者主觀的幻覺呢？還是眞有其怪味呢？我想應該是有的。因爲有一件屢試不爽的事情可以佐證。友人侯璠敎授的大小姐侯微月的嗅覺特別靈敏。我每次到侯家，她必立即指出我的衣服是否從美國穿回來的，屢指屢驗，從無一次不對。我驚奇的問她何以知道。她說凡是從美國穿回來的衣服，却另有一種氣味，遠遠的就可聞到，因此立可辨別。不僅衣服如此，一切書籍，使用物品莫不皆然。

經侯微月說破以後，孩子們也跟着辨認，果然發覺有一種說不出的特別氣味，孩子們無以名之，而管定它叫「洋味」。最顯著的是：我從美國帶回來的書，或是朋友們從美國寄來的書，當第一次翻開時，便立刻感到有一種濃厚而明顯的「洋味」。（讀者諸君不妨試試看）空氣中旣有這種「洋味」，則生存成長在這氣氛中的肉品菜蔬自然也就難免有此「洋味」了。

這可能有人會說本人在出「洋相」，其實確是有此莫名其妙的一種「洋味」！

台中點滴

記者王永亭

台中縣衛生局長李昆山，被調爲省婦幼衛生所技正，引起輿論對王縣長無情攻擊，因新任縣衛生局張局長年逾花甲，又不能講國語，王正替張力辯及維持中。

王縣長爲調動縣衛生局長事，特發表書面聲明，以正視聽，有人謂這叫作「此地無銀三十兩。」

台中的歌舞昇平，有此處樂不思蜀之感，警方正大刀闊斧向黃色進軍。

台中各舞廳老板，聖誕節搞出新花樣淘金，各舞廳一律收門票，門票註明爲非賣品，實際上每張一百二十元新台幣。

喬治桑外傳

十六 張大萬

「桑先生，你是不是第一次？」「小雲雀」等喬治桑上了床，並頭睡在一起。開口問第一句話。

「甚麼第一次？」

「我問你是不是在台北第一次玩？」

「老實說，我這個人是一絲不苟的。同時，我一來因事情忙，二來因身份關係。眞是從來沒有玩過。」

「桑先生我相信你的話。今晚因爲是你，我才出來，我也是不隨便的。」

喬治桑與「小雲雀」，一個是故作矜持，一個是黃熟梅子賣靑。似乎很有男貞女烈的味兒。

「桑先生，我和你是交朋友，請你不要將我看成和「小鳳」「貴妃」一樣。」

「我知道，我不會的。」喬治桑答。

「我的媽媽病得很厲害，現在住聖福醫院。爲她的病，我已經化了十幾萬塊錢。現在醫生說要動手術，手術費要兩萬元。我想向你借一借，大概一兩個月便能還你，好不好？」

喬治桑想：「峰斧」來哉。「小鳳」「貴妃」不過每人五十美金，她一開口竟要兩萬，等於加了十倍！大爺是老白相，又不是瘟生，你看錯人了，哼！

「可以可以，不過我的錢要從香港撥過來，最近開支太大，手邊現欵沒有那麼多。我在台北絕不向朋友開口借錢。等到下星期，我的錢一到，我借給妳好了，明天早上，我先給你一百美金，拿去用。」

喬治桑不愧是老玩家，他的答話非常得體。同時，他能付一百美金給「小雲雀」，表示他並不想佔她的便宜。這種出手，也總過得去了。

其實，「小雲雀」也有「小雲雀」的打算，她怕一夜辛苦的代價落空，現在有了一百美金，也就心安理得了。

「小雲雀」很巴結桑博士，使喬治桑很樂意付出一百美金。

一宿無話，第二天喬治桑起身特別的早。晨曦甫現，朝露未開，因爲是郊區，格外顯得寧靜。

宦人列傳（十一）

呂不韋善賈居奇

六、呂氏春秋

周燕謀

寫呂不韋雖不開秦始皇，也不能把「呂氏春秋」置之不論。因為呂不韋的為人以及事功，可取足法者，究竟為士君子所不為，倒是他的一部「集體創作」——呂氏春秋，值得重視。在此僅畧言其大體為足。

「呂氏春秋」這部著作，是採取當時各家的精華，有主張也有反對。由於他是學者出身，久居秦國，所以對於「重農」思想特別有所闡揚。呂氏春秋的「上農」、「任地」、「辨土」、「審時」四篇，來闡述「重農」的理論。這四篇東西，可以說是我國論農最古的一部書。由於「重農」，所以也「重曆」。「十二紀」是採取儒家的月令，每一紀的第一篇是當時的月曆。

整部書大體而言，是採擷儒家的「修齊治平」的理論、而參以道家的「清靜無為」的學說。因其着重理智，因此不附合墨家的「節大」「明鬼」。因為主張「大樂」（音樂），「振亂」（救亂），所以駁斥墨家的「非攻」「非樂」。又主張「適欲」「貴己」，所以反對墨家的「自苦」「兼愛」。對於墨家的主張，除了「急公」「好義」「節儉」主義之外，都是反對的。

對於法家的主張，採取了「守法」精神，主張「信賞必罰」，以輔禮樂之不足。以為惟有守法，始可以使道家的「清靜無為」理想之實現。一般所謂法家出自道家之說，大致是因為此說。但對於法家的「專任刑罰」、「傷恩薄厚」，却很反對。

名家的基本觀念，淵源於儒家的「必也正名乎」的思想。這「正名」「定分」，又與法家一脈相通，呂氏春秋贊同。但對於名家的「倍譎詭辯」，「混亂是非」則十分反對。

陰陽家原本是研究宇宙間自然的現象的。有許多自然現象，在當時是不求甚解的，只以神奇目之，因此陰陽家竟變成一個迷信的宗派，發展而成了漢代的「讖」「緯」，以及後來張道陵的「道教」，流毒至今。

呂氏春秋這部書，大體仍是重理智的，所採取的學說，是當時正適用的學說，合理的主張。時人學者，看到宇宙周而復始的轉動，因此推想一切萬物萬事，也是同樣的周而復始，有盛有衰。我們只看他「圜道」中說的，就明白他們的「宇宙論」了。

對於兵家，他們在「論威」「簡選」「決勝」「利士」四篇中論列甚多的練兵用兵的原則。

對於縱橫家則無甚好感。游說之士的說話技巧，雖然也有提到過，但並不重視。如蘇秦之流，並無何政治主張，全憑人主的利害關係，虛榮心和自私欲而游說之，以博取富貴。成功之後，不過以「位尊多金」來驕妻嫂而已。這大致是呂不韋瞧不起縱橫家的理由。

呂氏春秋是綜合各家的學說，自成一家之言，一貫的看法，是採取儒家的修齊治平的一種「反己」及人的學說。因為他們的「集體創作」，是各家的人都有，百家九流之品齊全。但這些大作都是經過呂不韋過目過的，大致他本人是同意了的。本篇到此為止，再多了便成了說教。（本篇完）

憶國立湖南大學（下）

周德偉

工學院

清光緒廿九年湘巡撫趙爾巽以長沙貢院為校址，創辦湖南高等實業學堂，設礦業土木兩科，立意開發湖南礦產，造就建築湘鄂鐵路人才。民國元年，奉教部令改為湖南高等工業學校，二年後改為湖南公立工業專門學校，增設機械紡業兩班，並將礦業班改為礦冶班，另增應用化學一班。民國六年工專遷嶽麓山，前高等師範舊址，民十年後增設電機班，並增建實習工廠，均省長趙公之業績也。主持校務者以同盟會會員　國父舊友留德工學博士賓步程氏為最久，其造就之革命及建設人才亦最多。民十五年二月，省長趙公，令就原有工法商三專門學校改組為省立湖南大學，設理工法商四科。

旋國軍北伐，新省政府於十六年四月取消湖南大學，推留理工兩科，改名為湖南工科大學。七月復令停辦，蓋其時湘省府正遭共匪刦持，故對此地方最高學府，摧毀不遺餘力。十六年多國軍底定兩湖，省府遂於十七年四月恢復湖南大學，設文理工三科。十八年七月改科為院，工學院分設土木工程、機械工程、電機工程三系。湖大之正式有工學院自此始。民廿一年，增設礦冶系，卅三年再增建築、化工兩系，計共有六系及礦冶專修科，實為國內一比較完備之工學院。礦冶系並設有礦冶研究所。該院先後由唐藝菁、曾昭權、鐘伯謙、何之泰諸教授主持，而以唐任院長最久，著述頗多。

工學院之歷史，幾近五十年，其特點有足稱者：（一）該院秉「嶽麓」一貫之淳樸作風，湖大同學皆埋頭苦幹。（二）在抗戰時期，工學院設備全部遷往辰谿，幾無損失，故工學院實習設備之完善，較國內任何大學俱無遜色。（三）先後畢業千餘同學，人才輩出。於湘省建設事業，貢獻甚大。例如湖省公路工程之堅實完善，為全國之模範，而湘川公路對抗戰時期之軍事運輸，裨益匪淺，此則由周鳳九校友之主持湖南公路局及其他同學辦理土木工程之效也。他如各地之發電廠、機械廠以及著名礦場，如常寧水口山之鋅鉛，新化之銻鑛，湘潭之錳鑛，挑源之金礦，以及其他各地之煤礦工程，幾無不為工專及湖南大學工學院同學所慘淡經營，服務國內各公私建設生產機關之同學，均本淳樸篤實之校風，卓然有所建樹而為各方所推重。

商學院

湖大原有商學系，早經停辦，民國卅五年八月，奉令接辦國立商學院，設會計、土地經濟、工商管理、銀行合作等五系。該院前身為江蘇省立銀行專科學校，於廿六年創辦於鎮江，初由趙棣華任校長，抗戰後，幾經播遷，由鎮江而桃源，而乾城，而長沙。內容擴展，由銀行專校而商業專科學校，而商學院，政府既竭力經營，趙氏又苦心擘劃，設備亦甚完備，於卅五年八月併入湖南大學，其全部教授講師等亦轉入湖南大學任教，絃誦未曾中輟。

農學院

本院計劃於卅七年成立，政府命農林部以金水農場農具撥作教學設備，並撥清華大學建於嶽麓後山之校舍（原備清華遷校之用）作為院址，規模粗具矣，嗣大陸淪陷詳情未悉。

圖書儀器

圖書館於廿七年四月十七日被敵機轟炸，館舍全燬，幸重要圖書早經移出，損失甚微，其後一再遷往辰谿，銅仁，戰後運返長沙，嗣經陸續補充添購，截至卅七年四月底止，共藏書三十餘萬冊。其中西文約十萬冊。又線裝善本書四一、八九一冊，則嶽麓書院之故物，多海內孤本。清末湘撫吳大澂，捐贈金石書畫及譚組安先生家屬捐贈古籍二六、〇六〇冊均極珍貴。

儀器設備較重要者，有四五千瓦交流發電機二部，變壓器七具，一五千瓦直流發電機一部，一五馬力煤油機一部，水管鍋爐一部，七五馬力柴油機二部，一四馬力柴油機一部，車床十一部，刨床二部，鋸木萬能鐵床一部，鑽床機若干部，離心鼓風機一座，抽氣打水機若干部，飛機三架，引擎三部，汽車十部，經緯儀十六架，水準儀十六架，天文測量儀三架，平板十三架，羅盤儀八架，鋼尺十五盤，求積儀三具，繪圖器六具，碾礦機二部，威氏選礦台一部，鏇金床一部，沈桶二組，浮游選機一部，顯微鏡數十具，偏光鏡二部，金相照相磨片設備全套，至化學、物理兩系，儀器設備，名目繁多，尤以微量分析之設備為佳。

學術研究

湖大教員講授課業或公務之餘，對於研究工作，多有創獲。根據卅七年之資料，如楊樹達之甲骨文研究，唐藝菁之植物形態方程式，[illegible]論、周德偉之中立貨幣論，戴桂蕊之活塞環研究，何之泰之洞庭水利與沅資流域規劃區研究，王子祐之灰口鐵研究、潘源來、唐炳亮之長沙物價指數調查，羅大凡之數理物價論，陳昭炳之歷史教材教法研究，何竹淇之宋遼金元史，明伐通史，康辛元之湖南造紙調查，蕭傑五之土地問題。目前從政之餘而仍研究不懈，則李濟雍之研究匪區財政，周德偉研究「人文現象通理」（現已出人文現象的領悟及人的行動與文化的發展）皆卓然有成者，其他著述方面，如楊樹達之春秋大義述，論語大義，漢代婚喪禮俗考，積微居小學金石論叢，古書古義，中國修辭學等，譚戒甫之墨經易解，莊子天下篇校釋，羅大凡之數理統計學，統計分析導論，任凱南之西洋經濟史，黃士衡之英文世界史，唐藝菁之實用最小二乘式，中英對照恒星圖，微分方程式，李肖聃之湘學畧，譚雲鶴之工業分析，陶元珍之三國食貨志，中國人物新論，魏晉史叢考，周德偉之金融平衡論，信用政策，王傳曾之貨幣理論，潘源來之經濟學說評論，國際經濟政策，經濟學原理，羅仲言之中國經濟史，翟楚之國際私法，謝義偉之近代政治學說綱要，經濟帝國主義論，曹廷藩之世界經濟地理，中國經濟地理，方嗣權之理論物理學，馬宗霍之說文解字引經考，劉永湘之文字學，王嘯蘇之疏庵詩稿，余楠秋之歐洲近代史，其餘著作甚多，不及備述。

近年周德偉教授董理其舊著，得百五十萬言正在陸續刊行，已出版者為社會政治哲學論著，經濟論著，散文存稿。大學教授著述之淹博精深，湖南大學蓋稱最焉！承千餘年講學之遺風，有非他校所可媲美者。

校舍名勝

湖南大學位於長沙嶽麓山腰，仰攀衡嶽，俯瞰湘江，園林幽邃，紅葉之盛尤為特色，負笈名山，有令人瀟洒出塵之想，其校舍向以第一院為中心，即昔日之嶽麓書院故址。門聯惟楚有材，於斯為盛，天然名句，足以開拓遊人及學子之胸襟，相傳係李文炤山長之手跡，正廳有忠孝廉節立碑，碑高六尺，為朱子手書，歐陽厚均山長復配以整齊嚴肅四字，二碑矗立，令人起莊嚴肅穆之感。後進為靜一堂，東西分半學、學兩齋，更後進為御書樓，乾隆手書道南正脈橫匾，蓋張吾道南來之義也。室內藏有李北海碑，字跡秀勁，由一院後側登山，流泉曲繞不數百步，至愛晚亭，丹楓挺秀，秋色宜人，佳氣鬱蔥，朱暉光烱，朝霞初放，宿露凝珠，日本文人曾為紀錄，稱為絕勝。國人頗嚮往日本富士山之美，而不知日人嚮我江山之美又有勝於富士者，可謂鶩遠而不知近矣。亭中樹石碑，錢澧題曰放鶴。再循小徑登山則有黃克強、蔡松坡、劉崑濤諸先烈墓碑，建構雅潔而不壯麗，益增名山景色。更上為雲麓宮，宮前有西來雲氣來衡嶽，日夜江聲下洞庭一聯，山頂有禹王碑，夏商遺文，字跡已模糊識之者鮮矣。二院側有屈子祠；其第五舍則為道鄉祠舊址。渡湘江而入山門則自卑亭在焉，為李文炤山長所建，並題碑曰：行遠必自邇，登高必自卑，凌空思徑渡，失足墜荒蹊，蓋寓敎品，勵學之意，可見先儒講學，隨處指點，絲毫不苟，對斯名碑，髣髴有一老儒孜孜治學誨人不倦，德偉每至其地，低徊不忍遽離。新式建築物，則以圖書館及科學館，最稱傑構。圖書館係任凱南先生任校長時所建，門聯為藏之大麓，納於名山，任先生所題也，科學館係採平台式二層建築，戰後復加建一層更形巍峩。

獎學金及講座教授

湖南大學成績優良，獲受各方，捐名獎學金甚多。計有林故主席獎學金十六名，中正獎學金十六名，鐘子寧獎學金五名，上海銀行獎學金四名，安良獎學金三十名，水利委員會獎學金五名，經濟部獎學金二名，湯國珍獎學金三名，校友李國欽留美獎學金一名，資源委員會設置全國各大學獎學金十六名，而以四名配於湖南大學。又文化建設機關，自動於湖南大學設置講座者，有教育部中英庚款講座聘教授一名，財政部財政講座三名，經濟部、交通部、水利部、資源委員會、各委員會設講座一、二名不等，蓋競欲資湖南大學，造就建設人才，可謂一時之盛事矣！

湖南大學歷史悠久，貢獻於文化教育者甚大，薪傳勿替，人才之眾，掌故之多，蓋難詳紀，作者僻處台灣，資料搜集維艱，即此淺陋之文，亦賴校友伏君嘉謨之協助，方得成篇，博雅君子幸有以補其闕焉。（完）

石頭希遷門下的五大禪師（六）

吳經熊著　吳怡譯

禪學黃金時代

「你去問他為什麼說對了也要吃三十棒。等他要打你的時候，你就抓住他的棒，向他一送，看他怎麼辦」，洛浦依計而行，當他問完，德山要打時，便把棒抓住，往前一送。這時，德山沒有任何表情，只是靜靜的走回房間。洛浦回去後，把經過情形告訴臨濟，臨濟便說：

「我早就懷疑德山這人了。雖然如此，你是否對他有所認識呢」！

洛浦正想開口回答，臨濟舉手便打。

在德山臨終生病時，仍然是遊心於絕對之境。有人問他：「是否有永遠不病的人」？

他回答說：

「有」。

對方又問：

「如何才是永遠不病的人」。

他叫着：

「啊唷！啊唷」！

這就是說病的人即是永遠不病的人。

第四位巖頭全巖（西元八二八——八八七年）

第五位雪峯義存（西元八二二——九〇八年）

德山的弟子不多，最特出的要推巖頭和雪峯兩人了。就精神的稟賦來說，巖頭高於雪峯。巖頭的思想鋒利有如刀片。他從來不佩服別人，甚至連他的祖師德山和龍潭也一樣。有一天，他去見德山，一進門便問：

「是聖，還是凡」？

德山便喝，於是他就向德山行禮而退。有人把這件事情告訴洞山，洞山說：

「除了巖頭，沒有人能夠承當得了啊」！

吳敬恒先生年譜（四二）

陳凌海編撰　陳洪校訂

十一月，偕姨甥馬[illegible]赴南京，並遊湯山。二十日，蔣委員長[illegible]訪晤先生。是日防空演習。十二月，參加國民黨第四屆五中全會。是年外貨對華傾銷，影響本國之商業發展，先生與大會提：「（一）請政府切實設法救濟各國紗廠及推廣土布銷路以裕民生而維工業。（二）請政府厲行保護政策，扶植國內產業之發展，並對外貿易施行管理，期減少入超」案。當經大會通過。十二月三十日，先生又赴蘇州訪晤孫揆均，致送壽禮。是年，劉復（半農）逝世後，在北平舉行追悼會，先生除致送賻儀三十元外，並輓之曰：「還賴人偏要早死，倒霉國實在傷心。」該輓聯並在「人間世」雜誌公開發表。先生又為書寫墓碑。

民國二十四年，乙亥（西曆一九三五年）先生七十一歲

一月，赴無錫，在車中遇陳果夫，談教育問題。二十一日參加陳少白追悼會。三月十五日，江　地方法院審理故宮盜寶案，被告易培基（寅村）、李宗侗（玄伯）未出庭。先生前往旁聽，並以吳朏盦名義簽領旁聽證。嗣法警謂：臨時改開調查庭，調查庭不公開，而將所發旁聽證收回。先生忖度，此舉出自故意。三月，軍事委員會武昌行營成立，以張學良（漢卿）為主任。錢大鈞（慕尹）為參謀長，楊永泰為秘書長。十八日，先生乘民生公司輪由滬赴渝，此為先生第一次入川遊歷。輪抵漢口，張學良、張群（岳軍）訪晤先生。翌日繼續西行，過三峽名勝，於三十一日抵渝。當局特派軍隊列隊於朝天門盛大歡迎，遂至陶園休憩。翌日在重慶特別市黨部擴大紀念週演說，講：「人與人之交涉，要絕對避免；人和物之交涉，大家應迎頭趕上。」先生訪晤劉湘（甫澄）。四月三日晚別張人傑（靜江），李煜瀛（石曾），遊內江。

事過境遷

三幕喜劇　熊式一

包太：我早好了！我問問你，你們畫家，心目中最想的是甚麼事？

趙：在大會堂開盛大的展覽會，知音的人，欽佩之至，庸俗的人，罵得我狗血噴頭！

包太：這個不難！

趙：不難！一百五十塊錢一天，難不難？

包太：還有甚麼大志願嗎？當然和露西結婚不算在內，那是當然的！

趙：到法國去研究，更好一點，到歐洲各國去遊歷，特別在意大利希臘多耽耽！

包太：你怎麼不送一兩張畫給我看看呢？也許我能懂你的奧妙！

趙：我怕包先生罵！我偸偸的送了一張給露西，還化了很多錢配框子！露西也不敢掛，把它藏在床底下。

包太：你快去拿來我看看！我要是喜歡它，就把它掛在那兒（指墻）………

趙：（喜出望外）眞的嗎？包先生看見怎麼辦呢？

包太：你不要管，你快去拿來！

趙：（遲疑）不過………不過………

包太：快去呀！還等甚麼呢？

趙：我………我………可以叫阿詩幫幫我拿畫嗎？

包太：可以的！你們畫家都是藝術天才專門用腦子，不多用手的！

趙：不是的！（他急跑下）

仁：（由窗口探頭探腦的慢慢走了進來）我方才聽見你和趙太極講話，他呢？

包太：他上樓去拿畫去了！

仁：誰的畫？我那張趙子昂的馬？

包太：不是的！他自已的畫！

仁：我有好幾年沒有看過他的畫了！我也想再看看！慧………慧珠，說也奇怪，我方才帶阿花出去散散步，回頭望一望我們這一座山，呵，眞奇怪呢，眞是有一點兒斜斜的呢！

包太：一切法乎自然，國畫西畫，新派老派，都以自然爲法，可惜你早沒有注意！

仁：兩三年前，就有美國人肯出五十塊美金買他的畫，價錢也不算低，行情好的時候，差不多合三百塊港幣！

包太：可惜後來兩年多就沒有人再買過他半張！

仁：這叫做「陽春白雪，曲高和寡！」

包太：我恐怕他沒有多大的出息！

仁：還早呢！多研究研究，嘗試嘗試！

包太：仁翰，要不是你對他有偏見，我想由我出錢，替他在大會堂開一個展覽會………

仁：慧珍……噯，不對，慧珠，好極了，可惜我沒有想到，不過不可以要你出錢，我替他出不要緊的，讓他好聽聽各方面的意見……

包太：據說租金很貴，要一百五十塊錢一天……

仁：不要那麼多！我隨便用一個慈善團體的名義去租，只要七十五……　（五一）

水滸傳中的政治作戰（下）

雲家

而且所以採用此法的另一原因，當然也是受了人手少的緣故。像現在的一百單八人，有人尚且嫌它太多了，如果再依政治作戰的需要，加寫若干特設政治作戰人員，不特事實上有困難，而且也定會破壞本書的嚴謹結構，獲得相反的效果的。

當梁山泊的組織工作沒有擴大之前，許多流落江湖上的好漢們，他們頂多只是個人與據點之間的情報交換與心戰宣傳。如第三十四回，石勇告訴宋江：「小人姓石名勇。原是大名府人氏，日常只靠賭爲生。本鄉起小人一個異名，喚做「石將軍」。因爲在賭博上一拳打死了個人，逃走在柴大官人莊上，多聽得江湖上往來人說哥哥大名」……這句話便說明了在柴進莊上往來的好漢之多，以及交換情報與心戰宣傳的實況。因爲有這樣大大小小的據點，讓好漢們有得到消息的機會，因此凡是被宣傳爲好漢的，大家見面，只要對方說出自己的姓名，而對方便能詳知其底細了。例如……「你莫不是史家村九紋龍史太郎嗎？」「你不是景陽岡上打虎的武都頭嗎？」……諸如此類。使他們一見面便「拜」或「納拂」的話語，眞是到處可見。反之，這句話的背後，也正說明各個好漢過去的行爲，姓名，渾號……等，在江湖上是被普遍宣傳着的，而各人往日許多挫折的經過，亦因情報的交換，與互爲宣傳，故而彼此都十分的瞭解。

他們這種政治作戰的工作，是做得十分有效的。如五十七回，魯智深說：「我只見今日有人說宋三郎好，明日也有人說宋三郎好，衆人說他的名字聒得酒家耳朶也聾了。想見其人必然是個眞男子，以致天下聞名。」這種打從多方面針對着一個重點的宣傳和心戰的方法，結果使得魯智深那樣的硬漢，也不能不佩服，其心戰效果之佳，可見一般。

水滸傳中的神行太保戴宗，是政治作戰中最出色的人物。許多好漢在路上發生了問題，由他給大寨送信去；柴進遇難，是他往來送情報；他還一訪再訪公孫勝的下落，踏遍薊州境土。宋江與延灼打硬仗，寨裡派人分頭出發：或請專門人才，或購買軍火，或接引新頭領眷屬上山……但各路負責人以及對於大寨之間的情報連絡，也是他負責。後來魯智深，武松同投大寨後之欲去招引史進，也是由他跟蹤而出。總之，他是梁山泊的謀略情報專家，而且也很有口才，懂得宣傳組織的要領。如他初遇石秀，見他一表人才，有意連絡，於是就請客，並說：「這般時節，認不得眞！一者朝廷閉塞，二者奸臣不明。小可一個薄識，因一口氣去投梁山泊宋公明入夥，如今論秤分金銀，換套穿衣服；等朝廷招安了，早晚做個官兒。」這是他對賣柴人石秀說的話，其中的合意作用，又是何其多呢？作者在此，不特寫出了戴宗之善於言詞，在五十二回裏，他又寫戴宗對羅眞人的一番說辭；他只說出晁天王宋公明仗義疏財，專只替天行道，並不損害忠臣烈士，孝子賢孫，義夫節婦等好處。我們看他前後說話的內容，可以觀察到他是因人之情形不同而作的說法，這是很好的心戰，也是很好的宣傳。但是他的重要任務，卻是情報連絡。由此可知他在政治作戰上，實在是什麼工作都做的。

這就是水滸傳中政治作戰內容的概述。誠然他們的宣傳與情報工作，實在是非常成功的。所以我們擬在這兩方面多費一些筆墨；另外爲文交本報續登，藉以提供國人參考焉。（完）

醜變·美　矮變·長

·沐子·

幾年前，美國電機聯合公司在芝加哥舉行百年進步展覽會的前夕，有十幾位專家代表說了這些話：一、將來的飛機由陸地用電扭指揮。二、人類可以控制電子及宇宙光線。三、傳染病絕跡，人的壽年以七十歲爲標準（百年以前人的平均壽命以卅五歲爲標準）。四、未來不僅可以征服病魔，而且有控制「腺」的功能。五、對宇宙的範圍性質、神秘，可以完全揭破。六、將來的發電完全改用太陽的力量。七、化學上有不可思議的發明。他們一共發表了三百餘條預言，這不過列舉其中之幾條而已。

今經我們檢討有很多條確都兌了現，因而對控制「腺」的功能，相信也會實現「腺」的功能可控制時，矮子變高，長子改短，瘦子變胖，醜女變美，同時對於人體和腦的關係，也會有極大貢獻，人類普遍的壽年爲一百歲，更不會成爲問題。當時集會的，還有七位醫學專家，他們並且提出：「疾病」這個字，必爲將來字典中所無。由此益使我們相信，矮、長、胖、瘦、醜的人，先天的缺陷必定有救了。

催眠術研究（十）

鮑紹洲

九、心力催眠法

心力催眠法，即施術人用心力而爲催眠方法之一。此法施行之先，先使被術人處在最適宜的位置，施術人離被術人約二三公尺處而坐，彼此相對面。施術人的姿勢宜莊嚴，閉目而行深呼吸，待其精神統一之後，即暗示被術人說：「請閉目。」施術人然後運氣於丹田，使精神強烈。繼續暗示道：「開始催眠，開始催眠了」。如此連續暗示四五次，以加強其觀念，致令被術人不知不覺而催眠了。

這種催眠法，根據哲學上來說，即施術人的精神力，發射於肉體之外，而起一種波動，而似觸於被術人的肉體內。故精神被心力之誘導，施術人與被術人的精神作用相結合是也。所以施術人的一言一動，皆出於精神力之所致，而後達成催眠目的。故施術人於施行的時候，施術人以統一其精神爲催眠術之根源。

凡是催眠法，沒有一種方法不是具有精神力之關係；所以施術人施行的時候，必須注意力集中，精神力量集中爲要件。無論什麼巧妙的催眠術，如無精神的感觸，即不得叫做眞正的催眠法。故施術人必使精神傾注於一事的習慣，方能奏效。換言之；施術人宜勉被術人立意必專向催眠之意念，使被術人發生一種思眠的渴望。有此習慣養成，其施術的效必大。

十、回首催眠法

回首催眠法，就是以手迴轉被術人的頭，而使催眠之法。催眠時，先要被術人憑椅端坐，或席地而坐均可施行；但仰臥則不可行。被術人端坐靜定之後，施術人先以一掌按其後腦部，另以一掌按其前額，輕輕按住。然後施術人對被術人暗示道：「頭的筋漸漸舒適，我如何動作，你也不會介意，頭部不要用力，讓我迴轉」。然後便將被術人的頭向右旋轉，繼續再由右盡量向後轉；然後再由後迴轉於左，由左再轉向後；又由後轉迴於左，由左轉向正前復原。照這樣迴轉數次。開始迴轉的四五回，宜輕宜緩，中間四五次稍快，最後三四次迴轉又稍緩，將被術人的轉回正前方而止。然後始將扶在被術人頭上的雙手輕輕放開。

同時施術人在迴轉的時候，口中暗示道：「開始催眠了」，「快催眠了」，「已經深眠了」。如此暗示四五次，被術人便入於催眠了。

這種催眠方法的主要原理所在，在使其頭腦舒緩，至生快感。又因能使被術人頭部之血液下墜，則腦血減少。即合於生理催眠的原理。當迴轉被術人頭部的時候，漸將注意力集中，禁思雜念。這就是心理催眠的原理。至於施術人應用這種原理而催眠，即有「心力出而凝注遂生感應」。這也是哲學的催眠之原理。因此，這種催眠法，兼生理，心理，哲學三原理之一法。

義的塑像——關羽（續）

命相與夢話　公陶

關羽四十四歲至四十八歲這五年中間，都坐鎮荊州，這五年行年已運，晤合月幹甲，土木助生，到也平安無事。待四十八歲是劉備「三顧茅廬」請出諸葛亮來担任軍師，中樞贊襄有人，劉備才算挺起腰板來，實在說起來，劉備和阿斗都非人君之質，什麼雙耳垂肩，兩臂過膝等等關於劉備形相的描敘，也祗是羅貫中的「意識流」其相。而劉備終於獨佔一面形成鼎足三分之勢，則是諸葛亮的智謀和關羽的威風所造成的。這麼說並不是說劉備無用；他善於用人，禮賢下士的品德，都不是一般高位人士所能具備的！

華容道這齣戲，在中國過去眞是三歲童子皆知，幷爲「義釋曹操」的關羽大大的喝采，這時，關羽已四十九歲了。

以後至五十歲壬辰，關羽或官蕩寇將軍，或任襄陽太守，是戰無不勝，攻無不克，可說是威風八面。

按命理來說：這幾年適行丑運，爲天幹庚申戊庚之天乙貴人。而又與年枝之子遙合化土，與日幹之戊土，巧爲暗臘，羣息相關，所以能夠無往而不利。

關羽五十四歲時，劉備打垮了劉璋，天下鼎足之勢始成，而荊州爲兵家必爭之重地，仍爲關羽所鎭守。

「單刀赴讌」片言解紛，這份勇，這份智，不僅是「空前」而且是「絕後」！這時五十六歲的關羽，剛剛攻佔了關中三郡，迫退曹兵！鋒芒所至吳魏均爲之震慄！

普通一個人到了六十歲的年齡，見了面都會講兩句：「老了！老了！」可是關羽六十歲那年，官拜前將軍，假節鉞，並且與操軍作戰，擄魏水軍頭子于禁，並且把曹魏的勇將龐德殺死，殺得操兵聞風喪胆，疲於奔命，花中老將威震華夏！

但就在這一年的十一月，因東吳兵侵荊州，攻破以後，關羽西保麥城，不幸失陷吳將，十二月偕子平被害。

就命言命，這二年時走寅運，一歲在戊戌，所謂三合會火，是以能破敵制先威震華夏，一歲在己亥，少限庚寅，月時二申，均非衝擊尅制，以致大業未竟，豈是漢祚將移，天絕英雄？

據傳關羽，有烏龍出現，經關羽誕生處繞了一週還飛去後，關羽始生！

現在關羽的後裔已無從考據，至於江陵關姓子弟，多半是關平的後代，關平妻趙氏聞麥城破，攜子關樾走避於安鄉民間，並改姓門，一直到晉平吳後才又恢復了關姓。

總之，關羽也成爲中國文化的突出象徵——義的塑像，出歷代均有追封，自清世祖入關後更倍加推崇，降旨全國建廟祭祀，民國三年始與武聖諤王岳飛合祀武廟同稱武聖。

昔曾睹一聯云：「先武穆而神，大漢千古；大宋千古，後文宣而聖，山東一人，山西一人。」可稱貼切！

再：「先室花草埋步徑，魏晉山河半夕陽。」亦是佳構。

至於用赤兎馬，青龍刀，左傳、春秋等等，皆落俗套，雖對他具見功夫，已是凡品了。

至於英雄美人式的創造「關羽月下思貂蟬」，更是荒誕不經，這種戲對關羽來說是一種褻瀆的行爲！據說編劇人會遭果報，叫周倉顯靈，砍了一刀，半輩子歪着正不起頭來！這都是閒話了！（完）

搜異錄

司馬喬

矮人福音

生長荷爾蒙能使矮人長高。三個矮小孩服用了人體粘液腺生長荷爾蒙以後，身高都有驚人的增加。

這三位矮小孩中的一位是十一歲的女孩，她長高到快到四呎時就不再長高，因而成爲矮子。自從服用荷爾蒙後，在不到一年的期間，她就長高了四又四分之三吋，約等於同年齡的正常小孩長高程度的兩倍。

美國加利福尼亞州大學醫學院的艾斯康米拉博士又報告說，有二個十歲的男孩，服用荷爾蒙後，身高有同樣的增加。

另一位十四歲的女孩，由於性腺發育不正常，致身體短小；服用荷爾蒙後，身高也有增加，但是增加得沒有像上述三位小孩那麼快。

艾斯康米拉博士目前負責主持設立於舊金山的粘液腺庫，供應生長荷爾蒙，以治療矮人。

殺孩求孕

印度一個尚未生育的年青太太因爲聽信一位巫師的話，暗殺了一個六歲的男孩，以求懷孕得一男孩。案發，被判無期徒刑。這位年青的婁貼拉姆太太，誤信巫師的勸告，便在夜間殺害了一個六歲大的男孩，喝了他的一點血，再由他的喉中取出一片小骨，帶在她的右臂上。

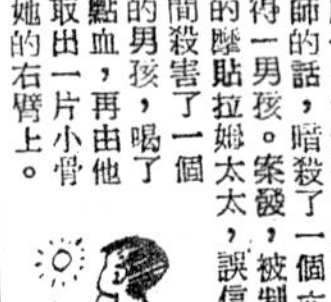

中華民國內政部登記內版台報字第〇三一一號
中華民國僑務委員會登記證台僑新字第三二三號
中華郵政台字第一二八二號執照登記爲第一類新聞紙

自由報

（第九二六期）

（半週刊每星期三、六出版）
每份港幣壹角・台灣零售價新台幣式元
社長李運鵬・督印黃行齋
社址：香港九龍彌敦道593—601號
廖創興銀行大厦八樓五座
LIU CHONG HING BUILDING
7th FLOOR FLAT 5
593—601 NATHAN ROAD,
KOWLOON, H.K.
TEL: K303831
電報掛號：7191
承印：景星印刷公司
地址：嘉咸街廿九號地下
台灣總管理處，台北市大同街119號
台灣區直接訂戶　台郵劃撥戶
第五〇五六號張萬有（自由報會計室）
電話：五一四〇三三・五五五三九五
台灣分社：台北市西寧南路110號二樓
電話：三〇三四六・台郵劃撥戶九二五二號

中國文化與世界和平（上）

張起鈞

自從政府明令倡導以來，復興中國文化的呼聲，眞是響澈雲霄，成爲人人奉行的口頭禪。但我們如要冷靜的觀察一下，便不斷發現，大家雖都口頭上呼籲復興中國中化，而內心眞對中國文化有信心有認識的，並不太多。反之很有些人只是隨聲附和，人云亦云，由於身爲中國人不能不說而已；甚至還有些人是因爲總統提倡不敢不奉承云爾，究竟復興中國文化的眞正意義何在，他們實在並無所知。

例如：我在南伊利諾大學執教時，看到一位中國留學生，對於宣揚祖國文化的活動，眞是推行不遺餘力。使我肅然起敬，贊歎不已，那知有一次與她細談，才知道是色厲內荏，信念全無，在她內心的深處，認爲這不過是一種炫耀祖先的既往榮譽，壯壯自己的面子而已，就好比兩個小孩子吵嘴說：「你爸爸不識字，我爸爸是文學家」一樣的無聊。文學家固然可羨，但那是爸爸的事，與我何關？假如復興中國文化的意義，竟至在此，那就大膚淺了，還有何提倡的必要？

一般人，所以如此者，乃因只看到文化的粗淺外形，而未能意識到文化的內在生命。——文化的表現在外面的，也就是我們所能看到的，便是各種的生活方式，以吃來說，茹毛飲血是野蠻，知熟食講口味，便是文化，用筷子，講烹調便是中國文化。人人既是都要吃東西，自然便接觸到吃東西的方法，而自然以爲是認識文化了。殊不知：這只是文化的一部份，並且是粗淺的部份，而文化的精美，也就是文化對一個民族最有價值的部份，乃是其所蘊含的一種力量，這種力量，一方面由之而形成那一社會（民族）的禮法制度，風俗習慣，以及各種科學製造；另一方面，則是具有一種薰陶的氣氛，而培養成特定的人物，例如孔子爲什麼生在魯國，釋迦爲什麼生在印度，耶穌又爲什麼生在猶太，以及等而下之，爲什麼譚鑫培、梅蘭芳單生在北平，那都不是偶然的事情，所謂某種文化，培養某種人物者是，而這些人物又再以其思想和行動來影響社會的一切互爲因果，重要可知，——因此這種內在的潛力才是一個文化最重要，最有價值的部份，而爲其精神之所在，這一精神的特點，便決定其文化的形態；而更重要的，這一精神的良否便將決定一民族的命運，我們試看歷史上一切輝煌强大的民族無不有其卓越進步的文化。等到時移世易這一文化的精神不足適應新的環境，或其精神萎縮，活力減退時，則其民族又勢必趨於滅亡，或衰弱。古代的埃及、巴比倫、希臘、羅馬……無不在這種情形下，一一倒下去。

再看我們中國的文化，那就不勝引以爲慰了，在這一文化精神的表現下，我們不僅形成强大輝煌的帝國，並且在所有古代民族强國一一亡去之後，我們却五千年一貫相承，傳衍至今，雖然印度、猶太也都存在，但其國勢、人口，遠非我們中國之所比，假如我們是處於一個安全太平的環境，或如英日之四面臨海，或如美洲之兩洋屏障，而在世外桃源中，無憂無慮的發展，那不足爲奇。但中國所遭遇的却是一個驚濤駭浪，爭競無已的局面。在戰國時代以前，中國本部使交相綜錯的並存着許多夷狄外族；秦朝以後環繞着中國四週有無數的野蠻民族，這些民族只要一旦强大起來，則「南下牧馬」、「逐鹿中原」便是他們當然必作的課程，以漢代的匈奴一直到今天的日俄，從不曾有過例外，但我們都一一的渡過難關，開創出康莊大道，尤其近代東西相遇，碰到了空前未有的文化大難，亡國滅種的危機；然而經過一百多年的奮鬥，終又克服艱險，顯露曙光，這是見我們民族的優秀，我們的文化健全有力，經得住考驗。因此英人李若瑟氏，竟謂：中國文化之善能自我調節，甚似一種具有生命之有機體，隨環境之變化而維持均衡，卒能以引導新的重大發明引起之動盪，而還於安定。——正唯如此，我們才能歷經艱險，五千年一貫强大至今。而也正唯如此，才證明我們的文化精神確有其濟世立羣的價值，而不是一個只供憑弔自炫的陳迹。

我們今要復興中國文化，就是要復興這股精神活力，使它繼續發揚光大，這不僅爲我們國家富强進步，前途光明之所利賴，並且要根據這一精神的傳統，及其所形成的業績，進而領導世界的和平。

談到領導世界和平，很多人將會啞然失笑，認爲這實在是太不顧現實的夢話了。在近代，國家的實力可說是經濟和科學的結合體。我們經濟如此貧乏，科學如此落後，絕非三幾十年所能追上列强的，別的不要說連原子彈都沒有一棵，還談的到什麼領導世界？——這些話似是而實不盡然。領導世界並不全靠實力，而尤其不靠原子彈。所謂實力，所謂原子彈乃是訴諸戰爭的本錢，但今天武器發展到如此地步，國際的大戰已不能再打。因爲只要眞正的戰爭一爆發（當然小規模的戰事不在此內），不論勝敗誰屬，結果雙方都要毀滅，試問誰敢發動戰爭？試問誰還能用戰爭作領導世界的手段。因此今後領導世界絕不是靠武力，而勢必要仰賴於「道義」和「智慧」。只有這「道義」和「智慧」，才是眞正可信賴的本錢；反之若缺少了二者，縱有原子彈也不能發揮威力維繫羣倫。即如美國，難道原子彈還不多，實力還不强麼？但在過去的歲月中不僅不能維持世界的安定，反之處處吃虧受制。例如：民國四十九年，艾森豪總統訪問日本的事，這本是他一連串友好訪問中的一環，而由於日本左傾人士發動的拒訪運動，乃使這件事成了舉世注目的熱門新聞；愈當艾森豪氏走近東方訪日期近，消息就愈發展到高潮，情緒就愈緊張熱烈；其情形就好似聚精會神的觀衆，都在屏息等待台上演員的一手精彩表演。那知正在白熱的關頭，艾氏宣佈放棄訪日了。這使所有的觀衆感到失望、洩氣，對於美國聲望的損失，簡直不能估計；而美國人沮喪情緒更是難以形容。那時本人正在美國聖路易城華盛頓大學任客座教授，第二天到學校去，在研究室前碰到一位英國的原子物理學家俾德瑞道過早安後，便不言而喻的同聲一嘆。木了一下，我說：「我相信假如是你們的邱吉爾先生或是我們的蔣總統，絕對不會在這種情形下中止訪問的。」他說：「那一定。」稍後在九月中我在倫敦碰到錢賓四先生談起此事，仍是不盡嘆惋。我說：「事在人爲，凡事並無命定的結局。成敗利鈍，全看領導的智慧。假如當時艾森豪氏於離菲赴台途中在船上召集尼克森、赫特……等一干政要開一個託孤會議，準備一切後事，然後如期訪日，在行前發表聲明指斥左傾搗亂份子說：『你們反對我去，我不接受，因爲你們只是少數，並不代表大多數的日本人的意思。我們美國有足夠力量來鎮壓或消滅這種動亂，但我不願這樣作。我來時只帶一把手槍，必要時爲了維持美國總統的尊嚴，爲了維持我個人的尊嚴用來自殺。』假如艾氏能這樣作。活着回去，是世界的英雄；死了回去，千秋萬世成爲美國的『神』。這不是爲了私人成名出風頭，而是有此一舉便將爭回了冷戰的上風，振奮起美國的民心，樹立起美國的聲威。」（當時，錢太太幽默的說：「美國人度假時撞車死，是可以的，這樣死，可不幹。」）——由此看來徒有最强的實力，最多的原子彈並不足以領導世界，艾氏訪日的事例如此，今天的越戰更是明證。如要領導世界和平唯有仰賴「道義」與「智慧」，而這「道義」與「智慧」却正是中國人之傳統所優爲。

先說智慧，此處所謂智慧，當然是指政治智慧，政治智慧原非中國所獨有，一切在政治上有過成就，歷史上扮演過重要角色的民族，無不多多少少有其政治的智慧。但中國人在這方面却遠比其他民族有着深厚而普遍的基礎。

（未完）

昨日與明日

遲來了八年

成公

幾天後，尼克森便就任總統了。這對尼克森說，實在是遲來了八年。

遠在十七年前，共和黨的總統候選人，艾森豪獨具隻眼的選了年青的尼克森氏作他競選的伙伴，接着艾氏以其戰時英雄的餘威，壓倒了對方，贏得選擧，進入白宮，而尼克森是就蠅附驥尾，榮任了副總統。

按照美國的規例，副總統是個備位的閒差，可以說是什麼事都沒有。但艾森豪却一改往例，刻意培植這一青年的副總統，庶幾一旦有事，馬上可以接替總統的工作，或是將來自己退休後，有一個比較理想的繼任人選。艾氏謀國之忠，自是人所難及，而尼氏確也不負所望，八年中內助襄國政，外訪友邦，造成很高的聲望，因此在一九六〇年，共和黨推擧尼氏競擧時，一般人都認爲尼氏是最有希望當選的，同時也是最適宜的繼任的總統，當時有人說尼氏如當選，只要白宮裡換個位子而已，一切駕輕就熟，不用摸索。

那知，半路殺出個程咬金來，竟把尼氏八年準備，等候到手的東西，憑空搶去，尼氏自此便如打牌的人，合了刼合一樣，運氣突然壞轉，連戰皆北，已成一蹶不振之勢。但天道循環，無往不復，就正在大家已認爲尼氏今生休矣的情形下，突又東山再起，捲土重來，打進了白宮，但進是進了，已是遲了八年。

面目全非

這八年的磨練，使尼氏的修養能力大大增進，固是可喜之事，但道高一尺魔高一丈，尼氏所面臨的局勢，却已較之八年前大大的複雜。八年前的國際局勢，雖是陰雲密佈，但却只聞雷聲，並無雨點，換句話說，就是只有冷戰而已。至於美國國內的局面，則更是大體安定，除了有些零星的罷工以外，可說是毫無問題。

但八年後的今天，局勢便全不同了，國際上，美國深深的陷入了越戰的泥淖，打也不是，不打也不是，勞師靡餉，換來的却是立國以來，曾未前有的尷尬，而正在越戰糾纏未清，巴黎和談猶爭座位的時候，中東的戰火又在死灰欲燃，不時的閃出火光。——再就國內看，更是亂糟糟的一團，罷工問題本已此起彼仆，傷透腦筋，而黑人問題又異軍突起，由反抗壓迫，變而爲爭奪取鬧、報復洩憤，並且走向暴力的鬥爭的途徑，社會上，青年們頹廢放蕩，形成「嬉痞」、「意痞」，學校中罷課鬧事，刼持校部……凡此種種都是八年前所未有的，再加上越戰引起的國內厭戰、反戰，中東問題牽涉到的猶太人問題，以及貨幣存金問題……等，簡直是與八年前的局勢不可同日而語了。

補苴彌縫

然則尼氏上台後怎樣呢，當然只有硬挺着頭皮幹了，當然要想法解決了。但能否旋轉乾坤，改變局勢呢？我們可以斷然的說，不會有奇蹟出現的。美國今日所以形成如此複雜局勢，歸根結底一句話，是由其立國精神及社會制度之所致。而不是任何個人所能澈底解決，何況尼氏也是一個平凡的人物（否則，政黨也不會支持他出來了）怎能仰之以奇蹟，試問他能排出衆議，直搗亂源，進攻中共嗎？此事如此，他事亦然，今後他只有與其智囊閣僚們，竭盡智能，作一些在民情輿論允許下的補苴彌縫工作罷了，過奢的期待是不必的。

自由談

人類智慧的退化

專就物質文明而言，現代人類的智慧能夠創進戡天縮地，揭開宇宙秘奧情況的噴射機、人造衛星與太空飛船等工具，允厲進步極了。若從人文思想的精神文明而言，却表示十分退化的現象，殊堪驚詫也。

科學高度發展的結果，唯斤斤於殺人利器的製造競賽，口稱原子能應使用於人類和平生活方面，以增進文明幸福，實際是藉原子武器以爭霸逞强，企圖使世界人類屈服於一個强權主義之下，沒有正義公道的觀念存在。如美俄兩國現時傾全力從事征服太空，登陸月球，將來那一國搶先佔領了月球，而用火箭、飛彈、飛船向地球人類攻擊，便是世界末日降臨了，這決非「杞人憂天」的幻想，乃係十分可能的事。

從一次世界大戰後的「國際聯盟」，到二次大戰後的「聯合國」，表面上都說是要消弭戰爭，維護人類和平，實際只是一二强權國家作爲宰制世界人類的僞裝武器，一切經過「國聯」和「聯合國」辯論通過的國際法規與條約，幾個擁有優勢武力的强權國家皆不屑遵守，到不如兩千年前咱們中國的春秋戰國時代，各個諸侯雖然爭霸逞强，然對於國際間的盟約、諾言，大家都能夠信守不渝，表現道義精神。就是中古時代的歐洲，大小邦國林立，爭地爭城以戰，連綿不休，但對於國際間的同盟協約義務，彼此皆能履行，決不隨便毀棄。

至於人類的日常生活現象，由於工業社會普遍發展之故，工商事業競爭激烈，大家不擇手段的唯利是圖，人與人之間只有利害關係，毫無道義可言，爲着爭取私利，任何壞主意與惡劣行爲皆悍然施展，肆無忌憚，所謂道德信義，視爲不值一顧的落伍思想。等而下之，從政作官的亦以貪污爲尋常之事，滿不在乎，大不必法，小不必廉，司空見慣，誰也不以爲奇怪了。若夫共產主義之產生而流行，更是人類智慧趨於野蠻殘忍境界的明證。人與人之間，專門以仇恨爲對待之道，以鬥爭爲生存之術，這能說是進步的思想嗎？

基於上述事實，現代人類在科學和技術上的智慧是畸形發展，專求滿足物慾，而精神生活乃墮落到不可思議的地步，進化云乎哉？

馬五先生

開發山地老生常談

主管過多障碍叢生

本省山坡地面積二百五十萬公頃

分由國有財產局等數十單位支配

（本報記者張健生台北航訊）農復會主委沈宗瀚在立法院經濟委員會作「業務」報告時，對一般物價與農產品物價；工業產品對工業原料之價格；農產品對農業生產用品之價格比率，以及「上山」等等，曾加以檢討，并提出改進的意見。

關於「上山」開發山坡地的問題，是一個老生常談的問題，而過去實施四期四年經建計劃中，都有所規劃，但績效不彰。績效不彰的原因，由於土地主管單位太多，各主管單位所依據的法令亦相異，因而觀念不一致，權責與界限不清，以致濫墾與荒蕪的現象至爲普遍。

本省山坡地面積估二百五十餘萬公頃，分別由國有財產局、省、縣、市政府、鄉鎮縣轄市公所、民政廳、林務局、農牧局、輔導會、林業試驗所、台灣大學與中興大學、土地銀行、大雪山林業公司、國防部、地政機關、公私企業團體與個人等所主管，權屬當然分歧，詳細圖籍自然缺乏，經營管理自無法盡善盡美。

據官方勘查報告：在二百五十萬餘萬公頃的山坡地中，經濟林不足百萬公頃，無立木地幾近五十餘萬公頃，崩坡、斷崖及草生地與耕作地約各佔一半，惟此類耕地大部份係遭濫墾，既少水土保持處理，培管理也甚粗放，導致嚴重的水土流失。

政府將耕者有其田政策推行至山坡地，分別於五十三年公布「台灣省公有山坡地推行水土保持辦法」即針對原野及公有坡地之濫墾，以放租放領爲條件鼓勵濫墾者實施水土保持或造林；五五年修正「台灣省山地保留地管理辦法」，係藉土地權利之賦與以促使山胞實施保育耕作方法、輔導定耕、廢除游墾，期能改進已開發山坡地之利用，以沿山防洪，並提高單位產量，以改善山地農民生活。然而此項計劃，由於主管單位各自爲政，加上經費缺乏，致改進極不理想。如十一萬公頃公有山坡地整理，至今仍未全部完成水土保持工作及放租手續；計劃解除農牧用地之林班地六萬八千公頃，至今也未擬訂解除辦法；其他如山地保留地，國有財產局接管之大崗土地，以及丘陵地私有山地等，均缺乏整個計劃，也未能作適當的處理。

計劃是計劃執行是執行

除供宣傳外皆分道揚鑣

水土保持爲山坡地農業發展的基礎。據沈主委報告，農復會自民國四十四年開始，即協助政府推行水土保持工作，迄今（五十七年）已完成七萬七千餘公頃之處理。而本省尚待水土保持處理之山坡地面積約四十餘萬公頃。如依十四年間完成水土保持之山坡地僅七萬七千餘公頃推算，則四十餘萬公頃之山坡地需七十年的時間才能完成。這說明計劃是計劃，執行是執行，兩者之間除了宣傳而外可說「分道揚鑣」，各自爲政，這就是績效不彰的部份原因。

因此，沈宗瀚主委認爲：第一、台省過去之農業工作多偏重於平地，對熱帶山地農業科學，所知極少，極應加強山坡地區之農業試驗研究。第二、山坡地分屬十多個機構主管，法規既未配合，各機關又基於本位立場，合作不易，對計劃開發之實施，阻碍甚大。故目前台省急需一套完整之山坡地利用法，代替不切實際需要之法令，土地開發方能順利推行。第三、須建立適當的制度，諸如管理權屬分散而引起的濫墾現象，運銷體系不健全而影響農民投資興趣，人事制度及待遇等之限制使技術人員不願上山工作，水權登記未按實際需要及流域分段，致使水源區及不能引水灌溉等成規，而係由於制度之缺陷而妨碍山坡地之開發利用。

至於一般物價與農產品物價的問題：糧食爲民生必需品，價格應低，則一方面可使大衆消費者受惠，一方面又可抑低工資，以利輸出貿易，促工業發展。故應提高農業生產力，俾能繼續廉價供應大量之農產品。

近三年來物價上漲率：消費者物價上漲率大於農產品物價上漲率，直接影響一般大衆福利，消費者物價水準並不代表生產者之所得水準，而含有大部份之間運銷成本在內。農產品物價則較爲接近生產者之所得水準，大多取決於生產成本之高低，故其變動通常顯示長期間生產結構之變化。

糧食物品漲價可能影響貨幣

妨碍工業發展影響輸出

消費者物價上漲，尤其是一般糧食品價格，可能影響貨幣工資之上漲，提高工業產品之成本，影響輸出競爭能力，以致妨碍工業發展，而使經濟發展停滯。就決定工業工資的重要原因而言，可歸納爲三點：

一是工業工資係由農業勞動生產力或工資報酬之高低決定。爲誘使農業勞動移出，政府將工業工資水準規定最低額，而高於農業勞動報酬之水準。過去，由於農業勞動過剩，鄉村隱藏失業人口，農業雇農所得較低，是以雇農移出端賴農業外就業機會而定。但因工業迅速發展，需用勞動數量日增，若欲誘使自耕農移出農業，則工業工資必須提高出自耕農平均勞動報酬，否則，工業勞動之需求即將無法滿足。由於工業工資高於農民平均所得，致使農民對農業生產利益不感興趣而勞動走進工業後，農業勞動之需求則無法滿足。

二是農業技術之改進，單位土地生產力不斷提高，農業部門之就業機會增多，形成農業勞動有較充分之就業機會，因而勞動報酬提高，故工業工資必須提高，以誘使農業勞動移出，而增加經濟成長。然而一旦工業工資提高後，是否會影響到工業品價格水準之上漲而導致出口不利？則必須就工業工資，即勞動所得佔工業產品淨值的比率大小觀之。據農復會資料推估核算，目前工資佔工業產品淨值之比例在百分之六十左右而已！此一比例，較之經濟開發國家爲低。換言之，台灣當前工業資本報酬比例相當高，故工資提高，並不致立即影響工業產品之價格水準，而僅促成所得之分配稍加調整而已！也就是說資本家所得稍爲降低，勞工所得則相對提高。

三是農業平均勞動所得，倘因生產力之降低，以及農產品相對價格之提高而增加時，則工業之貨幣工資亦可能隨之上漲。這就是一般人認爲農業生產力降低，生產以配合需要，以致農產品價格因而上漲，工資隨之提高。事實上，自四十二年後，台灣農業生產增加率，年平均爲五點三一%，同一時期內之國內需要增加率年平均爲五點〇五%，是以生產增加率大於需要增加率達零點二六%；若再考慮農產品之輸出與進口，則台灣長期間之農產品總供給與總需要的成長率，接近均衡水準。我國農產品價格水準大多低於一般物價水準；除民國三十四年至三十九年之間，因戰後農業生產不足，農產品相對價格高出一般物價水準很多，但自民國四十後，一般農產品及稻米之相對價格則被抑低在一般物價水準百分之七十以下，至四十九年以後，提高達百分之八四左右。

台肥公司尿素肥料

與國際價格太懸殊

每噸一二〇元售越僅七十元

若就工業產品對工業用品之價格比率，與農產品對農業生產用品之價格比率比較，證明工業生產較農業生產爲有利。民國四十五年比民國四十一年之農產品價格對農用品價格的比率僅上漲五%，而同一期間之工業產品與工業原料品之價格比率則上漲二〇%，相差達四倍之多，此種農工間產品價格之不同變化，充分表示工業化之過程中，農工間生產結構之不同。農業生產收益率之相對下降，勢必抑制農業投資收益率，而終必影響農業生產之提高。

農產品價格偏低與農業生產用品價格之偏高，此對農業生產頗爲不利。例如台肥公司尿素肥料，無論內銷外銷，均由台灣肥料公司以每公噸美金一百一十元價格承購。在內銷方面，台肥公司售於省糧食局之尿素肥料，每公噸售價美金一百二十元（折新台幣四千八百元），轉手之間每公噸賺美金十元。省糧食局售於農民的價格是每公噸美金一百四十五元（折新台幣五千八百元），一轉每公噸可賺美金二十五元。目前，國際市價每公噸尿素肥料僅售美金七十八元（折新台幣三千一百二十元），較我國之售價每公噸相差美金六十七元，換句話說，本省尿素肥料售價較國際市價要貴百分之八六左右。相反的，台肥公司以每公噸尿素肥料價格美金一百一十元向慕華公司承購，而轉售於越南時，每售美金七十四元五角四分，每公噸淨虧本美金三十五元四角六分，最近標售五千五百公噸，計虧本將近二十萬美元，這筆虧損，究由誰負担？無他，農民是也，因此農業生產用的肥料價格偏高，對農業當然不利，這就是「以農業發展工業」的工業保護政策，爲發展工業而犧牲農業，這與農工並行的政策符合嗎？

過去，由於土地改革之所得重分配與生產技術之改善，可誘使農民增投資本、勞力於農業生產；同時過去之農業生產多爲自給自足之型態，一般價格之變動，對農業生產之影響較小。目前，已將過去之農業所得分配利益，逐漸爲農業相對價格之不利條件逐漸抵銷，且由於經濟發展，農業生產愈來愈和市場發生密切之關係，近年來，農民對市價之反應頗爲敏感，農產品的出售收入，已由民國四十七年的百分之四十，增至五十六年的百分之五十，十年間，百分增加率爲七分之四二點五，同一期間內之農業生產費用的現金支出，也由百分之五九增達百分之七七，十年間，增百分之三〇點五而已。此足以說明價格變動而影響農業生產投資之繼續增加，是故本農業勞動力漸感不足之現況下，必須依賴資本代替勞動力之技術改進，以期單位土地面積之產量仍繼續提高。

農業勞力漸感不足

投資環境必需改進

沈宗瀚抨擊台肥售價過高

爲創造農業投資的有利環境，須維持農產品與農用品間之合理價格水準。故沈主委抨擊肥料售價高於國際市價之不當。

由農用品價格偏高，而政府本可以公共投資來擴大農業生產潛力。事實上農業資金缺乏，以及農業公共投資之不足，乃衆所週知之事實。根據農復會估計，並經沈宗瀚主報告：在三九年至四十九年之十年期間，農業資本流向非農業部門，每年約達十億元，其中百分之六十係農產品交易條件之不利，主要爲米谷收購制度之硬性規定所致——約六億元。

就農業與非農業部門之資本類觀之，五十四年全國總資本額（土地除外）爲一千九百六十二億六千三百萬元，其中農業部門僅佔百分之二十，約三百九十三億元，非農業部門則佔百分之八十，約一千五百六十五億六千三百萬元。若依資本勞動比率言，農業勞動人口佔總勞動人口百分之四三，農業部門之資本勞動比率僅爲非農業部門之百分之三十五而已。由此可知，本省農業勞動生產力之提高，在資本投資方面，較之非農業部門受到極大的限制。政府如不作政策的投資，而欲倡言改善農業結構，這是不可能的事。（完）

官場恩怨多又發生兩起

黃錫和宋霖康僞造証件

台灣省稅務處是做官逐鹿目標

議員太風頭賣淫事竟然惹上身

本報記者顧碧天台北消息：台灣省稅務處長黃錫和，近被人檢舉其簡任官階資格，係以朦混方式取得，本案現由台北地方法院檢察處偵查中。檢舉指出：「黃錫和提出審查之著作，有極多值得推敲研究的問題，因其著作並非黃某自己所有。」據悉，本案偵查將告一段落，其結果將不利於黃錫和。報載黃錫和如果被偵結屬實，黃某不但要丟官，且將吃上刑事官司。又台北市臨時議會議員宋霖康被台北地檢處檢察官以僞造文書罪嫌提起公訴。檢察官指控宋霖康在參加公職人員資格審核時，以不實之日本郁文館高等學校文憑朦混，企圖取得公職候選人資格，經銓敘部查覺移送偵辦。宋霖康在台北市未升格以前即屬民選議員，在市議會中算得上熱辣人物，鋒頭稱健一時，自被密入僞婦職館所收留之妓女經其設計保出後，復交老鴇執其營業，因此涉嫌爲娼館謀利而被起訴。前後兩次犯案，一爲僞造文書，一爲偷鴇保鑣，其巧合者兩案均遇上同一檢察官王振興。據悉，宋某所涉嫌之包庇娼寮案，尚可獲緩刑除刑責。但其僞造文書案，係由銓敘部查實，將得褫職卸刑罪，「代議士」之頭銜，勢將難保矣。

喬治桑外傳

十七　張大萬

「小雲雀」年輕，又是過慣夜生活，所以酣睡未醒。

喬治桑輕輕起身，並沒有去驚動「小雲雀」。他到底年紀大了，一夜荒唐，神疲力竭，倒有點悵然若有所失的感覺。

他驀然想起一樁事，暗暗罵自己「該死」。

原來昨天下午，他還約好美商利茲洋行經理豐坦，到他家玩橋牌。不想在綠星咖啡館與何千嬌夫婦扯談，扯得高興，竟把豐坦約會忘得一乾二淨。與洋人約會爽約是最不好的，何況，喬治桑一向自命爲半個洋人。他現在眞如芒刺在背般難過。

他看了看放在茶几上的「勞力士」手錶，才六點半鐘，如果打電話到豐坦家，時間尚太早。

「小雲雀」的睡態並不美，咀吧張開，發出鼾聲，臉上沒有脂粉，雖然皮膚白皙，但顯得有點蒼白，她的頸子下面有一個疤痕，喬治桑看了簡直有些厭惡了。他自己也覺得奇怪，像這樣一個「粉頭」，他怎麼會連想到安秀麗的？

喬治桑以前在上海白相舞場的時候，是有名的「牙籤」，舞女一搭上手，來往幾次，就要甩掉。年紀大了，脾氣還是改不掉，看來，他和「小雲雀」的交情，進入高潮，也就到了「完結篇」了。

他率性披了睡袍，離開了房間：下樓到花園去散步。

文滙樓別記

白崇禧自私失華中

在軍人中的醜份之長，除何應欽外西算白崇禧了，世人或稱白崇禧爲小諸葛，就樓主記憶裡所瞭解的白崇禧，簡直可構成對諸葛亮公然侮辱，諸葛尚在的話，很可能向地方法院提出刑事自訴。

諸葛亮的忠君思想，從「先帝知道謹慎」直到自己表示出「鞠躬盡瘁死而後已」，爲忠君愛國典型，小諸葛所作所爲，恰反其道而行，其暮年有三大難以原諒的事實，試敘述之：

助李宗仁競選的決策，係在桂林決定，因安徽的財力，物力，人力支持。時李品仙（桂系）主持安徽省政，歷史上的石崇打家刼舍，幹起强盜生涯，受千秋萬世罵名，李宗仁競選從安徽用十輪卡車多輛運鈔票到南京，日夜的運，不斷運，運到安徽人眼睛都滴出血來，庫空如洗，天高三尺不足以容形以白崇禧爲首的橫暴無理，全安徽人的骨髓都被他吸盡了，石崇是搶有錢人的錢，白崇禧連沒有飯吃的窮人，一齊刮，支持出這麼一個活寶貝副總統，出醜到外國還無所謂，因達官貴人們一窩風的崇洋媚外，已形成爲習慣，如果我們單獨指責李宗仁，似失恕道，可是這位寶貝又投到敵人的懷抱，再在秋歇王朝出醜一翻，就斯可忍孰不忍了。

民國三十七年以劉峙統率爲首的徐州大會戰，政府調集八十四萬人馬，可說國家的生死存亡在此一舉，正當勝負難決之際，桂系守軍夏威兵團某部在淮河上游露出七華里廣闊眞空地帶，讓共匪大軍陳毅部隊從馬頭城三日夜長驅直入，截斷政府軍從淮南鐵路的補給線，這是一位逃出的朋友親眼所見，親口所述，白崇禧不讓毛澤東「數風流人物還看今朝」專美於前，他要在武漢大會戰中消滅共匪主力，因之要促成幫助劉峙早一點垮，諸葛亮一生未用過挖自己牆角的計，這可能是小諸葛的「革命」行爲，姑且不講。

小諸葛要在武漢大會戰中一顯身手，埋葬共匪，使還未打，劉邦的「大丈夫當如是也」，項羽「予可取而代之」壞的一面，都做到了，蔣總統的心情凡對國家民族有利，一切願讓，一切可談，只是兵家從不在對方佈好的戰場上作戰，古有明訓，可惜小諸葛未算出來，當共匪越過武漢，由汨羅沿湘水直薄長沙的時候，再加上老而苟活的程潛做內應，華中長官公署被迫非退到衡陽不可，就戰畧價値來說，衡陽與徐州不相伯仲，能穩定衡陽，即有希望扭轉危局，閻錫山的看法也然，而白崇禧不此之舉，竟意想天開，要到十萬大山——廣西，去打游擊，這種老天眞，天眞到跡近非常可恨的程度，禍國家命運爲兒戲，亦祗富有彈性的中國人才可以忍受。

中華民族五千年歷史，經過各種各型的大小戰爭數以萬計，見諸史册，而將喪事搬回家裏去辦的戰爭，從未看過或聽過，即如美國「戰不求勝」，可謂蠢到不能再蠢，但美國從未敢慮將戰爭引發到家門口去打，有者乃千古一人白崇禧。

・文滙樓主・

蘇俄新史達林主義及所遇之對抗

何勇仁

最近數月來，兩個不同的世界的動盪不安，潛伏着很大的危機，因爲在「共黨集團」與「自由集團」的鬥爭中，已發現了蘇俄已實行了「新史達林主義」：而在反擊上，亦不得不有「反新史達林主義」了；這種動盪的表現，不僅在國際如此，而在蘇俄內部亦有牽動，如十一月廿四日倫敦美聯社電訊指出：「蘇俄的指導階層，於近三週內可能發生變動，查其資料乃獲自「星期日電訊報」，其內容謂：「執政的蘇俄共黨中央委員會將於近週或下月初集會，主要乃入侵捷克問題有關，若干觀察家預料，會中將討論領導階層改組問題，」又說：「蘇俄的兩要角，而共黨總書記布里茲涅夫及黨內理論權威索斯洛夫委員（中央委員及政治局委員）不斷發生衝突。」此即爲蘇聯近數月新史達林主義之復活的爭執的報導；而「新史達林主義」的名詞乃首由南斯拉夫報導出來，最近美國報刊發表了一篇專欄特寫，題爲「俄國的新史達林主義」指出：「南斯拉夫共黨擔心，蘇俄可能已進入一個漫長的新史達林主義時代，這種主義既不准捷克的改革份子，也不准其他有獨立精神的勢力，在東歐有活動餘地，儘管莫斯科終於答應從捷克撤退它大部份的佔領軍，但是柏爾格萊德的有資格人士相信，蘇俄的目的，是要把捷克貶抑到一如東德波蘭，和保加利亞等附庸的地位，甚至使其淪在文化自由，跟經濟改革方面，還不如匈牙利的地步。」這僅是初步的指責，其實「新史達林主義」爲惡不僅如此，而是處處以自由主義國家爲敵；處處以陰謀傾覆各國政府；處處設下陷阱以謀害與其旨趣相反之民族及個人；以目前而論，因爲領導自由集團之美國，時時刻刻欲與蘇俄謀和解，以致其得寸入尺，刻下「世界均勢」業已改變，如非美國核子武器仍在領先，即「新史達林主義」之侵畧將已不可收拾。危局在前，現在不能不檢討了：

一：美國應負起歷史錯誤責任

現在我們翻開歷史資料看，可以證明美國實應負起對付蘇俄的責任，因爲現在蘇俄的「新史達林主義」乃美國所畀其良機形成，此正如留美學人梁和鈞所指出：「如果一九四四年對德的第二戰場在東南歐開闢，而不在諾曼第登陸，則歐俄勢力將只限於阿德藤以北，如果雅爾達會議，能將波蘭流亡政府切實支持，不接受波共聯台政府的提議，則蘇俄西漸的止境，將只限在CARPATHIA山脈以東，如果對日戰事，不拿我們外蒙，東北大連旅順，南滿中東鐵路的權利，來做蘇聯參戰的交換，則亞俄勢力也不會越過濱海省以南。如此，則今日美俄對峙的世局，便無從發生。」又指出：「短短二十年，而美國自創此局，自尋苦惱，並且還自付過極大的代價，這代價除金元之外（按：數千億美元）還包括着十五萬七千五百三十人的韓戰死傷，九萬三千〇六十六人的越戰死傷，而我們中國所受的損失，更是不可數計。」我很欣賞梁先生的看法，而且不僅此，中國大陸之淪陷，毛匪之長成，美國亦應負間接的責任。（上）

吳敬恒先生年譜（四三）

陳凌海編撰　陳洪校訂

四日至成都。先生不願受官式接待，有礙私人行動，乃於距成都五里許小站先行下車品茗。因此軍隊歡迎，未能接到。比照，先生入城，寓東來賓館。然竟爲新聞記者探悉，先生乃至少城公園品茗，並與記者暢談。八日至嘉定，寓協來旅館。九日由嘉定乘滑竿冒雨至峩嵋，遊洪樁坪，洗象池，金頂等地名勝。在金頂見佛光。從閻王坡下。雪中行甚艱難。自洗象池徒步七十里至縣城。十五日由峩嵋乘滑竿至嘉定，再由嘉定至犍爲。寓犍爲縣屬之竹園舖復興旅社。先生乘滑竿，一時詩興大作，即以沿途景物，作入川第一首詩。詩曰：「江外嘉州道，筠籃發曉春，疊出盤上下，迷谷繞迴巡，小鳥知呼客，坡花怯媚人，竹園村中宿，鷄黍荐椒幸。」自竹園舖至榮縣，一路高山甚多，風景至佳。該縣比昆明爲熱鬧。先生又作第二首詩。詩曰：「竹園村店發，山市倚長橋，障面靈修峭，危身度峻嶠，杉林森大谷，秧壟茁新苗，燈火投榮縣，酣眠足一宵。」十九日寓富順縣屬之自流井南洋旅社。再作第三首詩。詩曰：「巖鹽貽美利，井以自流名，去去高原道，行行急足程，數村榫木接，八里擺舸輕，遙入鎖南路，民燈伴市廛。」二十二日經內江返重慶，寓嘉利賓館。

二十六日陳布雷（畏壘）來晤，轉達蔣委員長中正邀請先生赴筑一遊電。先生當時對名山大川遊歷之興趣至高，聞蔣委員長中正電邀，欣然允諾。

趙熇黃札記（談科學國藥）

・鴻雁・

大學尺牘

所謂中藥，就是中國的藥材，并且是中國本來有的一種著名國產物，並非外國來的，且知道藥的發明，還要比醫來得早，神農氏未嘗百草的以前，就知道醫尚未興起來，既嘗百草的以後，方纔有醫。所以嘗百草的一件事，實在就是藥學的起源。然則神氏豈不是發明藥的一位始祖麼？他把百草一種一種嘗試，豈不又是一位實驗大家麼？放他在西洋上古發明史上，與希伯克拉帝相提並論，我想決不會減色的。且神農出世，還要比希伯克拉帝早了幾百年，到了今日，我國醫藥的研究，仍舊在東西洋後，這也不要怪人家、只要怪後世的人不肖，不能繼續神農的大事業，把他嘗試的老法子，改良一下，再進一步，歸納他到科學的一條路上去，用科學的方法來嘗試嘗試，豈不好麼？無奈後世的人，非但不去改良神農氏的法則，并且還失了神農氏把藥來自己嘗試的本義。（中畧）能用科學的方法，一一研究出道理來，就是中藥也可以製西藥，中西藥只有國產原料的區別，講到學理上，就沒有中西的界限了。中藥的進步，到這一日，非科學的用藥醫生，自然會淘汰，因爲非科學的用藥醫生，就不是世界公認的用藥法則，在科學上的用藥法則，自東自西，自南自北，都是一樣，更那裏有中西的界限。用藥的法則，既然是一樣，就中西醫的名目，也當然可以取消。照此說來，現在我中國對於國產的藥，科學研究的問題，可說是很重要。我中國地大物博，國產藥材，遍地都是，其中可以製藥的原料是很多，外國人往往採取中國原料製成藥品，仍舊銷到中國來，所以近來外國藥品的輸入中國，我中國人消耗的金錢，每年不知幾千萬萬，此種漏巵，到海關上去調查，幾乎超出各種商品之上，若要去抵制他，除非自己來製造不可，然而自己製造，不是先用科學的方法，研究淸楚，是永遠造不出來的。（中畧）現在政府當局，也曉得中藥研究的重要，所以第二屆中央衞生委員會會議，特提出國產藥品科學研究的議案，一致通過，由衞生部把通過的議案，呈請國民政府，設立中國藥物研究所，專門來研究這問題，不久就可望實現。（下畧）

石頭希遷門下的五大禪師（七）

吳經熊著　吳怡譯

禪學黃金時代

當巖頭聽到洞山的評語，便罵道：

「洞山這個老和尚，不識好歹，把我估價低了。他不知道那時，我正在一手抬着他（德山），一手按着他呢？」

巖頭問德山「是聖是凡」的意思，是說沒有聖凡之分，而德山的一喝也表明他和巖頭的看法相同。至於巖頭向德山禮拜，一方面是表示他滿意德山的反應，一方面又要考驗德山如何反應。可是不幸德山却像偶像似的坐着，接受禮拜，這表示他已自認爲聖者。

在另外一段故事中，我們可以看出巖頭是極端的崇尚超越性。有一次，他和雪峯，欽山在一起閒談。雪峯突然向他指示入禪的法門，他却說：

「我寧願自己粉身碎骨，也不願蒙蔽任何一人的眼目」

雪峯善於認識別人的高明之處。他自認不如黃滔槃，而說

「我住在三界，而你已超出了三界」

富人列傳（二十）

周燕謀

孟嘗君食客三千

一、姨太太所生

戰國時代的「四君」，是歷史上著名的人物，即齊之孟嘗，趙之平原，魏之信陵，楚之春申是也。這著名四君，爲當時齊，趙，魏，楚四國的四大豪族，亦爲四大財主，富甲一國，其名之噪，高於國君。故「富人列傳」應該赫然著名；而且此四君不僅爲歷史有名的富人，也是名人，更富於傳奇性的人物，此四君的任俠好客，散財重義，濟危扶傾的行爲，影响中國基層社會甚大。故後代江湖上美其仗義輸財者名「賽孟嘗」，或「×孟嘗」等之美號。所以孟嘗君之爲人又成了千古之美談，也成了輕財使義的代名詞。因此，這四位富人却與其他富翁大大不同。最大的不同之點，就是「四君」能聚財更能「散財」，其他的富翁則一生皆以「聚財」爲「快樂之本」，窮人則不屑一顧。此其「四君」之不同於其他富人可比之處。其得後人之美稱亦在此。

孟嘗君姓田氏名文，其父爲靖郭君田嬰，（田嬰亦名盼）爲齊王之宗族。（據考證：孟嘗君非齊宣王「庶弟」）田嬰爲齊宣王相十一年，至齊湣王三年，封於薛邑（即今江蘇銅山縣南四十里地）

孟嘗君田文乃姨太太所生，田嬰有四十多個兒子，田文乃賤妾於五月五日所產。在當時有一種風俗，即五月五產子不祥，以爲五月五日生子害父，生女害母，故田嬰勸妾「勿舉」，要她生下來不要撫養，如果養了就是不祥之子，應將其遺棄荒郊。而田文之母則偷偷撫育長大。

一日，田嬰忽然將他四十多個兒子淸點一下，發覺賤妾所生的不祥之子田文時，便大怒責其妾道：「吾令你遺棄勿養是兒，汝何敢陰養之耶？」其母不敢作聲。田文便站了出來反問其父田嬰道：「父親不養五月之子，是何故也？」田嬰道：「五月子者，長與戶齊，將不利其父母。」田文道：「人生受命於天乎，將受命於戶耶？」其父默然無言答對。田文又說：「若受命於天，父親則何必以爲憂；若受命於戶，則高其戶耳，誰能至者」？「高其戶」者，光大其門戶也。田文之父不能對。

一次，田文抓住一個機會問他的父親田嬰道：「兒子的兒叫什麼？」「田嬰道：「曰孫」。又問：「孫的孫爲何？」答曰：「爲玄孫」。又問「玄孫之孫爲何？」其父道：「不得而知也。」

孟嘗君乘機對他父親說了一段別人不敢說的話。「父親用事相齊，至今已經相了三王，而齊國並未強大。而父親私家富累萬金，可是門下未嘗見一賢者。兒子嘗聞人說：「將門必有將，相門必有相。今父親後宮蹈綺縠，而士不得一件短褐，僕妾餘粱肉，而士則食糟糠不厭。今父親又積蓄寶藏，打算把這些金錢遺留給不知的人，而忘却公家之事，因此國家的事則豈不日漸受損麼？因父親這樣的作風，兒子竊以爲怪！」

田嬰聽了兒子這一篇頭頭是道的話深以爲奇，心中暗忖，是兒果不凡。於是便命孟嘗君「主家」，「待賓客」。田嬰是齊國的首家富豪。自孟嘗君「主家」之後，廣招賓客，無論是學者，辯士，豪俠，亡命，甚至雞鳴狗盜之徒，無不給納之。揮金如土，禮賢下士，無分貴賤。於是孟嘗之名，噪於天下，聞名諸侯。而孟嘗君與各國諸侯相友善，諸侯亦甚重之，紛紛向薛公田嬰建議，請立田文爲太子。結果田文被立爲太子。田嬰卒後，封爲靖郭君。田文代立於薛，是爲孟嘗君。

天津市議會最後一次大會（十八）

胡慶蓉

巨變歷險記！

天津市議會接受陳司令、林軍長、杜市長的建議，召開緊急臨時大會，通過五位代表的人選。也是在這個大會上，各議員慷慨陳詞，有不少聲淚俱下的。人人都意識到當前天津所處地位的艱苦，特別是所處地位的危險。在林彪野戰軍包圍之下，在外無援兵之下，在食糧儲存有限度之下，想效諸葛亮，唱空城計，大開四門，是不行的。林彪不是司馬懿，他不會到了城門口又撤退的。他得不到天津，他決不退，這是全體議員一致的看法。天津內部的力量非常薄弱，不足以死拼，不能長期的死拼，除用談判遲滯敵人的進攻，還有什麼好辦法？

但也有反對談判的，他們的意思是，會不會使敵人意識到這是不能再繼續抵抗的表示，會不會使敵人意識到這是緩兵之計？這不是向敵人示弱嗎？這不是長敵人的氣燄，滅自己的威風嗎？還有，談判打算得什麼？談判能得什麼，於再得不到什麼？何如不談之為佳？過去不談，過去沒談，不過拖了廿幾天啦？安知道不能再拖廿幾天，再拖一個月兩個月……？中央的和平代表不是就要動身啦嗎？等等他們給天津想個辦法，豈不很好，又何必自己去跑？……

還未始不振振有詞，但眼前的事實已經明顯，想長拖是不可能的，想中央來解圍，也是不可能的。若不去談判，天津要堅守，林彪要拿到，結果一定是一場大戰，那麼，全體市民的生命財產，不是要燬於炮火啦嗎？保護市民的生命財產，陳司令、林軍長、杜市長負有責任，天津市議會又何嘗沒責任！陳司令、林軍長、杜市長所以懇求市議會派代表去與林彪談判，其用意之一也在保護天津市民的財產。在他們催促之下，天津市議會又怎能不派代表出去？

市議會在舉行臨時大會的時候，地方上的軍政長官，陳司令、林軍長、杜市長均在座，而且他們都講了話。陳司令並且把去談判的人比作耶穌，是自己背十字架去救人的。林軍長也說即將派出的代表，與釋迦牟尼又有何異？舉出來的人都是信教的人，也是陳司令、林軍長、杜市長講話的結果。

被選的五位代表都是宗教出身，上邊說過了。丁作韶、丁議員是什麼教？自幼讀孔孟之書，服膺文天祥之正氣歌，孔曰成仁，孟曰取義，可以說是孔孟之教。及長，讀上海震旦大學，與于斌總主教同學，後，于主教任天津益世報董事長，丁議員任益世報的主筆。以前董事長是雷鳴遠神父的時候，丁議員也任益世報的主筆。及益世報從天津搬到重慶，牛若望神父主持的時候，丁議員仍然是他的主筆。由此亦可以看見丁議員同天主教的關係極深。其他四代表康老先生、楊老先生……也都是虔誠的教徒。他們所信奉的宗教雖有不同，但其居心要救天津，救華北，救中國則一也。在大會熱烈鼓掌之下，五位代表就職，開始他們的準備。這一次大會是天津市議會最後的一次大會，時為中華民國三十八年一月十日上午九點至十二點。

事過境遷

三幕喜劇　熊式一

包太：（紛笑）呵，原來只要七十五呀！開完了展覽會之後，我想送他到歐洲遊歷遊歷，先到意大利、希臘，然後到巴黎長期研究……

仁：好極了！慧珠，你的眼光總比我遠一點！可惜我沒有早想到，你就先說了！那我們就告訴他，照你的意思辦吧！

包太：這筆錢呢？我要賣點股票………

仁：那能要你去？露茜是我的姪女，不由我出由誰出！

包太：這麼講起來，那你對于他們的婚事就不必再反對了！

仁：我這個人，生平不能改變我的原則！我的原則是反對盲目的婚姻，還反對早婚，只要他們不早婚，現在暫時訂一訂婚，等趙太極到歐洲去研究了幾年，再回來結婚！

包太：不如等露西今年考完了中學會考，也送她到歐洲去補習一兩年，好進大學，大學畢了業兩個人再結婚，豈不更好？

仁：好主意！好主意！慧珠，你總比我先見到一步！那我們早一點替他們辦出國的手續吧！明天我先到中環走一趟，你有空也和我一同去，好替他們買買出國的東西，你的眼光比誰都高！

包太：也好，順便我想多到幾家傢具店看看，我從前看過一些，都不算滿意！

仁：傢具你就暫時不要換！

包太：衛生潔具呢？

仁：也不必多此一舉！

包太：仁翰：你還是反對嗎？我當然尊重你的意見！只要他們孩子們的前途好，我自己委屈不舒服一點也不要緊，傢俬，衛生傢具，都是不值得爭執的事，仁翰，你怎麼說怎麼好，我們不換算了！

仁：那是不必換！因為我仔細算了一下………

包太：仁翰，你仔細算了甚麼呢？

仁：我們把這座房子翻造八層大樓，自己住最上一層，把七層租人，是再好不過的辦法！可惜我沒早想到！那裏面的傢具，洗澡間裏的潔具，自然要用最新最好的，紅木傢俬西洋瓷盆，用在新洋樓裏，不大調和！

包太：（喜出望外）仁翰，拆房子的時候，我們住到那兒呢？

仁：你喜歡住那家旅館，就搬到那家旅館住一些時；一切弄定之後，我們出門出走走，順便看看孩子們在外國讀書研究圖畫有進步沒有？（五二）

矮人與奇才　將兵之才韓信（五）

錢一釗

從他人胯下匍匐而過，並昂着頭若無其事的踏步而去，這時的韓信，不僅是衣、食、住都成問題的無業游民，而揭開他過去的日子，也都是不大光采的。當然他一直在窮困中過日子，也一直在窮困中磨練他自己的心志，但他只能做到一個將「兵」之才，他雖然能還就貧困，而不能使自己適應環境，並且自力更生創造環境，也由於他只有一個人英雄的夢！而不是對國家，民族，……甚至當時的皇室有所認識！

他開始是投入壯大的楚軍，並屢次向楚霸王項羽獻「滅劉」之計，項羽都不採納，這並不是說他計不可行，而是他不瞭解項羽的性格，項羽是相信「刀」奪，而不相信「智」取的粗漢，他腦子裡只相信「武力」與「義氣」，韓信疏忽了這一點，自不為項羽所信任。韓信不得志於楚便又投到劉邦那邊兒，從「投楚破劉」到「反楚去劉」這個期間，他祇是一個小「野心」家，沒有政治意識！

劉邦這時兵力雖不是與楚霸王作「力」的拼鬥，可是劉邦畢竟是個「亭長」出身，多少對行政方面有個認識，因此，他不但借重蕭何的長處——給予施政方面的大權，便對自己也有適度的保留！

韓信在劉邦這裏也未建立起「信任」來，於是他又要逃——這是障眼術抑是眞實的本意，實在很難說，因為這時的天下已明確的顯示出不是劉邦，就是楚霸，空間時間都無從再允許建立第三勢力，而韓信本身並未具備政治活動能力。

可是他在逃走前曾和蕭何談過幾次話，在蕭何的眼裏發現了「信」心！於是才有「蕭何月下追韓信」這個故事流傳下來！

劉邦因為重視蕭何，並且蕭何對「人事」運用的表現，處處都使劉邦不得不視為左右手，這就改變了韓信的命運，從藉藉無名的小卒，一躍而為大將，平地風雲，終於激起了大的漩渦，把楚霸陷入這個漩渦中。

將兵是一件大學問，韓信在這方面表現出他對組織的長才，他利用劉邦築台拜將的一節，建立他的威信，用違則斬的手段建立起他的嚴律，於是一支有紀律的軍隊，短期內訓練完成！

歷史上有名的背水一戰，即是韓信的傑作，這雖是王歇的執著間接的幫助了他，可是也看出韓信對於行兵作戰也確有其一套！

趙王歇和成安君陳餘，聽到信率兵東進時，他集結重兵在井陘口，這一個地方和他的名字一樣，險臨非常，是太行山中唯一通往趙國的孔道。

趙名將廣武君李左車對成安君說：「韓乘伐魏之威轉道攻趙，其勢必銳，硬擋必也困難，不過千里送糧，後勤必然困難，不能按時接濟，兵卒也必然要沒有飯吃。井陘路狹，輸送糧草困難多多！只要不和他正面作戰，派兵截斷他們的糧食，韓信進不能打，退又有截兵，不出十天，韓信的頭就要分家了！」

成安君是個讀死書的人，以為用兵作戰要講義氣，不可用詐謀奇計，同時他認為韓信的兵不過數千人，又要走千餘里的路，這種情形，對方人疲力盡，我方以逸待勢，再不敢正面交戰，豈不是太胆小了麼？

韓信在獲知這麼情報後，心情愉快至極，不禁大謝成安君幫忙，於是連夜進軍趙國，停止於井　三十里地方。一方面按排偷襲趙營，一方面背水設陣，迎戰趙軍，趙兵見他背設陣都笑他無知，待雙方交鋒，漢軍詐敗，趙兵盡出追襲，漢軍退至河邊已是無路可退，祇好返身再戰，而山上埋伏的兵就直拔趙營，搖上韓信的旗幟！趙久戰不勝，見自己陣地失手，陣容大亂，漢兵兩面夾攻，成安君被斬，趙王歇被俘！一場必敗之仗，打了個得心應手！這一戰韓信名振燕齊，嗣後一帆風順終滅楚霸！

不過韓信畢竟是個人主義太濃厚，劉邦又是個懷疑心特重的人，對他早已設防，俟統一天下，逐步削減他的軍權，後又將他軟禁在宮中，待他與趙相國陳豨聯絡想反劉時，被呂后所悉在未央宮將他斬首！

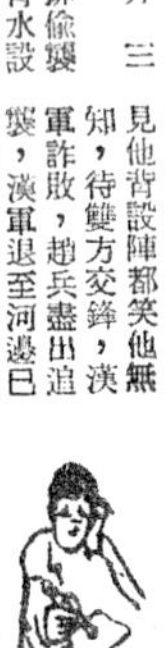

怎樣保護皮膚

生活漫話

馬騰雲

皮膚是人的身體外的一層組織，具有保護身體的作用，所以我們一定要好好的保護它，不能讓它生病，它才能負荷起皮膚應當負的任務，如果一個人脚上生了香港脚，手上生着疥瘡，下部生着陰癬，全身再加上乾癬牛皮癬，不管身體內部怎樣堅强，這些外患如不撲滅，對人的困擾是可以想像的。而這些癬疥祇要在人體上一個地方生了根，很快的就會借指甲抓癢塗藥衣履被服的種種關係，拓展第二第三……殖民地。

皮膚應當怎樣保護，最好的方法是清潔，和經常不停的鍛鍊，用水和肥皂不斷的洗滌，不使皮膚分泌出來的汗，變成灰泥貼靠在皮膚上，不使皮膚脂肪和脫落的皮膚等，存留在皮膚上，皮膚乾燥的時候，可以用溫水洗，最好少用肥皂刺激，若在皮脂多的時候，（就是油垢）就得用熱一點的水洗，日常洗臉的肥皂，最好選擇含鹼性少的，醫生用的洗手肥皂，很少鹼性，到大藥房或者化學原料行一詢便知，洗衣的肥皂鹼性太强，洗完之後，皮膚因受刺激而發緊，有時會感到微痛，所以不適於洗臉，美國皮膚病專家們，一致認為市售的藥皂，消毒作用不大，（含石灰酸）有時反會刺激皮膚。

要想鍛鍊皮膚，增强它對外界的抵抗力，可以常用冷水冲洗，並用粗毛巾摩擦，晒太陽對皮膚也有益處，但晒太陽的時間不可過長，以免發生脫皮和紅斑，在炎熱的夏季，或者在熱帶的夏季，或在熱帶一年四季，為了防止强烈的太陽，或是在冬季為之避免寒冷的風吹，也可以在皮膚上塗擦保護皮膚的油類。

保護皮膚，頭皮的衛生非常重要，頭皮的衛生和頭髮的衛生是一體的，頭髮不僅保護頭部，也裝飾了人的外表，正常的人每天脫落的頭髮，約四十根左右，脫落過多，就是不正常的現象，保護頭髮的方法，除常洗之外，不要使用太硬梳子，市上賣的牛角梳，鋁梳就是硬梳，大陸江蘇常州以篦梳著名，可是他們的梳子是用杏樹木製作的，本港和台灣對這些都不太考究，沒有杏樹梳，還是塑膠製的梳，不硬亦不軟，雖然容易斷，究竟所費不多，同時要注意避免用力抓，在毛髮乾燥的時候，可用一些稀薄的油塗髮。

最後要注意胃腸的消化，大便通暢，少吃刺激性的食物，如辣椒，胡椒，蒜，酒等，多吃青菜，少吃油膩，少犯意淫，意淫比寫作用腦筋之人，更易脫髮和頭髮白。常換衣服，勤洗澡，少在夜間工作，（包括打牌和嫖妓院），皮膚上初發現有癬類斑疹，祇要連續塗自己口水，很快就會消滅的，如果能夠照這樣做的話，皮膚不會生皮膚病，身體一定健康，精神上亦就飽滿愉快，工作效率自然，皮膚偶而發癢臨時救急辦法，可用生薑擦，並無中毒證，生薑含有生薑酮試給動物內服，若注射於血液中即可引起麻痺。

催眠術研究 十一

十一、不告催眠法

鮑紹洲

「不告」催眠法，即不豫告其催眠的一種催眠法。不便告以催眠之術而催眠。這種催眠法名稱之別稱很多，如稱靈力感通術、速急術、感神術、感應術、精神術、自由術、氣合術、思念術、呼吸術、靜坐術、或禁咒術、或祈禱術等等名稱，因其避免「催眠」術之名稱故也。

施行此術之目的，在於治病，而不明白說是「催眠術」者，故不能深為催眠，又為被術人信用的口實，如公開說是催眠術，而被術人以為我既受催眠，但不覺有催眠的狀態。如此則可告訴他說不是催眠，他則以為自己不是受催眠術者。惟施術人可自命名，如對被術人說：「請你嚴守我的話去作，便可治療你的病」。如被術人不懂催眠的原理者，即相信其言，而感應其暗示，於是病可治癒，而被術人亦不自知，最普通者有左例四種：

（一）使被術人閉目靜坐，對其暗示道：「作深呼吸，心中默數呼吸之數」，繼而再暗示道：「我一聲大吼，你的病就會好了」。此為一法。

（二）使被術者閉目靜坐，暗示道：「我摩你的患處，你必須凝其精神於患處，你的病便會痊癒」。此為一法。

（三）向被術人暗示道：「你必須閉目斂神而坐，我數一二三十五次，則你的精神恍惚，聽我的所為」，又一法。

（四）以自己特製的一張符，對被術人示之道：「這是我最靈驗的符，摩你的患處，痛苦立止」。然後將符撫於其患痛之處，使被術人感受之，造成催眠，此四法也。

台灣省高雄市政府工程招標公告

中華民國五十八年一月十三日
(58)1,13高市府建土字第〇四〇五〇號

一、工程名稱：中市新興、五福、前鎮國中校舍增建工程
二、投標資格：甲等營造廠
三、開標時間：五十八年元月廿四日下午三時半在本府建設局土木課
四、押標金：新台幣十五萬元／二十五萬元／八萬元
五、其他注意事項詳投標須知

市長楊金虎

自由報

中華民國內政部內警台報字第〇三一號
中華民國僑務委員會登記證台報新字第三二三號
中國郵政當字第一一二六二號執照登記爲第一類新聞紙

（第二九七期）

（半週刊每星期三、六出版）
每份港幣壹角・台灣零售價新台幣弍元
督印黃行驚・社長李運鵬
社址：香港九龍彌敦道593—601號
劉創興銀行大廈八樓五座
LIU CHONG HING BUILDING
7th FLOOR FLAT 5
593—601 NATHAN ROAD,
KOWLOON, H.K.
TEL: K303831
電報掛號：7191
承印：泉星印刷公司
地址：嘉咸街廿九號地下
台灣總經理處，台北市大同街119號
台灣區直接訂戶　台郵劃撥戶
第五〇五六號張萬有（自由報會計室）
電話：五一四〇三三・五五五三九五
台灣分社：台北市西寧南路110號二樓
電話：三〇三四六・台郵劃撥戶九二五二號

中國文化與世界和平（中）

張起鈞

我們只要試一體會中國人的生活起居，便可發現無處不存在着濃厚的「政治意識」——這產生政治智慧的溫床。——譬如一般對於建築佈置多採對稱；一般對於色調多喜富麗「堂皇」；（按：「一般」乃指別於少數高人雅士而言，）人與人的關係特重尊卑長幼……無不意味着一種政治意識的存在。至於習用「君臣佐使」之類的話去解釋許多「合相關」的事物更是明顯的表示中國人對於政治有親切的意識。尤其值得注意的，中國人有一種爲西洋人所沒有的「體統」觀念，例如說：「這是個很得體」，「這件事不成體統」……等是，而這種「體統」觀念就正是一種成熟而圓到的政治意識。在體統的觀念下，中國人許多事與西洋人有其不同的安排。例如中國人的宮殿多半注重其莊嚴肅穆性，並且是和園囿分得非常清楚的；而西洋的宮殿則側重在豪華適用。並與園囿往往不分。試以北平故宮與西方的凡爾賽宮爲例。凡爾賽宮自然華麗雄偉並世無二，但試問它與一巨型的豪華旅館又有什麼不同？北平的故宮便不同了，乾清門以前根本不能住人，後面住人也說不上什麼舒適，可是其一種莊嚴肅穆的氣氛，使人置身其境無不立有敬畏賓服的感覺。從前有位教授形容得好，他說番邦進貢的使臣從天安門進來走到太和殿自然就跪下了。這話未免誇張，却將其含蘊的神情宣洩無遺。——反之，在西方由於缺少這種「體統」的感覺，所以有很多事在我們中國人看來非常可笑。例如歐西各國許多宮殿的壁畫頂畫都是裸體人畫，同時又往往陳列許多裸體人像而且私處（特別是男性）還是纖毫畢露。這在中國人是不能理解的。固然這是藝術，但宇宙間美的事太多了，何必一定要把這種美表現在尊嚴的宮殿中哩？（所以梵蒂岡宮中的男性人體都於私處遮掩。）設想一位女王坐朝或接見使節，而環顧四壁左右全是些裸體人像，那是多麼的不適宜？假如說這種想法太不高尚，太不懂藝術；我們要問：假如大臣或使節中有身材魁偉體格極其健美的，是否可以裸體覲見，以使國王百官欣賞人體藝術？假如認爲這是野蠻或不敬的話，那麼就沒有理由一定要在宮庭御聚之所點綴些人體像，而也當然就難怪中國人感覺其不成體統了。

由於具有這種濃厚的政治意識，遂影響了中國人對文學藝術以及學術等各種事物的態度。例如戲劇，可說百分之七十以上全是直接的或間接的政治故事，純粹男女愛情或詼諧取笑的只佔極少的部份。小說中雖有許多言情談怪的，但大部份還都是些隋唐、說唐、征東、征西、楊家將、水滸、包公案、施公案……等與政治故事有關的；而一部三國演義更是家傳戶誦成爲無人不知的故事。至於中國人所素重的「歷史」，則不僅一直都是以政治爲中心，並且研究的主要旨趣也在能鑑往知來，洞明治亂興衰之道。而一部最重要的史書竟然稱爲「資治通鑑」，就正揭穿了個中消息。

尤其在教育學術方面，更有突出的表現。中國傳統的教育，既不是一如今日的生活技能教育，也不是一如希臘的純學術（Academical）教育，而實是一種特殊的政治教育（與今日所謂的「政治教育」不同），這只要一看過去的主要教材——四書五經便知道了。春秋不僅是政治史實的紀錄，並且是一部講名分的政治哲學。周禮若用今天的眼光來看，就是講憲法講政治制度的。書經更根本是一部政治文獻。詩經雖是文學之作，但不僅當日多用來作國際交涉表達意見的工具，已與政治結緣；而後代從后妃之德來理解國風，又把他與政治拉到一起；何況雅頌本來就多是諷詠政治的哩？至於儒家靈魂所寄的論語孟子則可說是教人修己治人，爲政經邦的基本原理。而大學一書不僅明確的樹立起修齊治平的條目，並且肯定的指出最高的學問就是「在明明德，在親民（親民就是明明德的工夫形諸於外，那也就是齊家、治國、平天下），在止於至善」。——試看在這一套教育中是多麼的充滿了政治意味。尤其這一套與西洋的政治（Political Science）不同，西洋的政治學自亞里士多德起都只是對政治現象的說明與解釋而已，它實際只是一種「政治現象學」。而上面這一套的政治教育則是具體的教你如何勤政愛民、治國安邦。因此有人說；中國人自束髮受書所受的，實是一種「宰相之學」。由上面看來，中國人可說是陷入在濃厚的政治氣氛中，起居接觸的事物含有政治意識；賞玩談論的東西（小說戲劇故事等）含有政治意味；而所受的正規教育又是一套治國平天下的學問。在這種氣氛長期而普遍的薰陶下，中國人只要不是全是蠢才，當然會培育出遠比其他民族爲高的政治智慧。尤其中國歷來有一種心傳的「黃老術」，其於治國處事不僅「旨約易操，事少功多，」並且深明體要。目無全牛。用諸實際頗有「善戰者無赫赫之功」之妙。這種政術更是大大的加強了中國人的政治智慧，使得政治家們往往能有成熟圓到、高妙過人的表現。抗戰期中有位朋友笑着說：「耍猴子，那一個都耍不過中國。同盟國勝了，我們是中英美蘇；軸心國勝了，我們是德義日中。不論那邊敗了，我們總不敗，我們總是四強之一。」這雖是笑話，却反映出了中國人的辦法。假如要知道當時內幕情形時，更可深體會國人肆應巨變渡過危機的智慧。這一智慧能用之於應變圖存，同樣的也能用之於領導世界促進和平，尤其中國過去號稱天朝，只要政治上軌道，無不是領導着當時的世界，主持當時天下的政事。這種經驗，——特別是由此經驗產生的氣度和遠見——無疑的對於領導世界和平是一種不可或缺的幫助。返觀並世各國，除了英國還曾一度爲世界霸主外，沒有一個國家在這方面可以提得到話下。例如「經驗」、「背景」還有其作用時，則中國人對於領導世界和平的工作應該是最有資歷，最具智慧的了。

領導世界固然有賴於智慧，但智慧只是「能力」的問題，而不能保證其動機。它所得到的世界和平，也許是正義的和平，也許可能就是一種不義的和平，而其含意會等於劫持詐騙。要想作到眞誠的爲世界服務、光明磊落的維持正義和平，則唯有仰賴「智慧」以外的另一要素——道義。

談到「道義」，誰不講道義？但道義既不是口講的，也不是宣傳的；而是要在人我際與、利害關頭，眞能明辨是非，篤行實踐的。要能眞正作到此點，則這道義勢必要有其深厚的源泉。西方的道義，大體上是本乎基督教的。基督教雖是倡導博愛的宗教，但由於對上帝的過份篤信不二，便不免帶有霸道的意味。摩西十誡中第一誡便是只有上帝耶和華是唯一眞神，不許另有其他的信奉。耶穌出來後更明白的告訴徒衆，只有經由耶穌才能得救。若循他途縱信上帝也不能進入天堂。這一告誡是否即爲實際的眞理，我們不信教的不得而知；但其帶來不容忍的精神則是衆所共認的事實。人們的心靈是完整，習性是一貫的，在宗教方面不容忍的，不會在政治方面突然變得心平氣和的對人容忍。因此在西方產生的勢力，往往都是有你無我互不相容的，共產主義固然要打倒資產階級，赤化世界，不許異已存在。（未完）

飢餓政策！

昨日與明日

嚴家淦語重心長

管新

行政院院長嚴家淦，六日以從政黨員身份，在中國國民黨中央委員會舉行的元月份聯合總理紀念週上，以「一年來的行政」爲題，提出報告。他曾就一年來客觀形勢與主觀的發展，予以分析。嚴院長指出：世局演變對我有利，復國大業有新進展。敵消我長的大勢日漸明朗。

嚴家淦的報告，自有其事實的根據。毛共對世界和平的威脅日益嚴重，關係我復國大業契機展現的首要因素。毛林集團妄想稱霸世界，羅雀掘鼠，接連進行核子試爆，破壞了美蘇的核子均勢，不但使美國大感威脅，蘇俄也無法安枕。國際局勢將更爲複雜化。

切開大陸爲反攻第一步驟

復國大業是我們本身的事，不能純依國際局勢之變化，顧候有利時機，蘇俄幫助毛共的可能性已大爲減少。現在劉少奇被整以後，大陸局面尚未完全穩定，反毛勢力正潛滋暗長，我進軍以後，配合內應，將大陸切爲兩半，並非不可想像之事。由台灣及大陸內部所形成的兩把利刃，合力切開大陸，似無需美國盟邦勞動一兵一卒。

台灣今年開始應積極準備反攻

說今年起，台灣的經濟建設應一切爲培養戰力爲主，當爲不爭之論。以往台灣經濟建設的目的，究爲製造「大富翁」抑爲發展觀光？很令人迷惑，今後自應力矯前非，積極爲復國打算，不再囿於海島建國的小藍圖。國際局勢瞬息萬變，今日對我有利，誰能保證明日？我們相信嚴院長的話，却更願早日看到政府的行動。海內外「以及竹幕後的中國人，等待這一偉大日子已經太久了！

中心意志與中心人物

未進軍前，有件重要工作，即建立中心意志與中心人物，此爲復國的根本，歷史昭然可鑑，清末積弱，天下紊亂，當時的中心意志是堅甲利器與提倡洋務，中心人物有曾國藩、左宗棠、彭玉麟、胡林翼、李鴻章、郭嵩燾等。

國父孫中山先生，建立民國爲中心意志，其中心人物有 蔣總統、黃興、蔡鍔、陳英士、宋教仁、譚延闓、胡漢民，皆有血氣而無官氣，少大言而多條理。當前的中心意志應當是討毛救國，中心人物要趕快建立，必須選賢與能，而可繫天下之衆望者，貪官汚吏低能之輩萬勿介入，至理難移乃鐵的邏輯。

否則乾脆標榜用革命果實建立革命關係，不背包袱，不代受過，在戰鬥內閣督導下，論功行償，解放大陸。

自由談

好不令人洩氣也！

馬五先生

「生於憂患，死於安樂」，個人生存競爭的定律是如此，國家亦然。

國家在運厄陽九，戰亂頻乘而偏安一隅的非常時期中，朝野上下人士必須以生於憂患的刻苦精神，同心協力，念念不忘復興大業，踔厲奮發，共赴一的，苟能如是，終見克奏膚功。假使就於苟安局面，意志消沉，相率以講求個人的晏安逸豫爲目的，國家事，管它娘，一切聽天由命，淡然置之，結果唯有招致敗亡而已。史事昭彰，斑斑可考。

南北朝時代，南朝人士以偏安江南繁庶麗映地區爲滿足，不作規復中原，統一寰宇之想，大家追求個人享樂生活，醺醺然醉生夢死。上焉者致力於雕虫小技的文藝工作，賦詩塡詞，附庸風雅，沒有絲毫的戰鬥氣息，而形成「金粉」景象；下焉者荒淫無度，好貨殖財，競尚豪華，而以及時行樂，得過且過的職志；這樣的腐蝕人心，促進暮氣，那有不敗亡之理呢？

南宋播遷杭州，奄有大半江山，兵力相當雄厚，名將亦復不少，復興原不困難。祗因宋高宗不想徽欽二帝歸來，妨礙自己的帝位，逸豫苟安，無心北伐，因而和議之說大興，上行下效，大家錯把杭州作汴州，習於紙醉金迷的奢靡生活情調，把復興大業視爲無關宏旨了。至於南明的情形更糟，福王少小風流甚，不愛江山愛美人，而輔政大臣馬士英、阮大鋮之流，於國破家亡之餘，猶汲汲於黨派恩怨之報復，私人權利之攘奪，置君國的恥辱仇恨於度外，此而不亡，寧有天理？

目前我們的國運，亦在艱苦之中，中原淪於賊匪，政府播遷台灣，生聚教訓已歷廿年，國家領袖早以「毋忘在莒」之義，申儆全民，且經常苦口婆心指示反共復國的方法。然朝野上下人士是否眞正服膺領袖的教訓，大家實行「毋忘在莒」的戰鬥生活呢？看看籠罩之下的台北社會生活，一片歌舞昇平，紙醉金迷的景色，實在不敢樂觀，而一般官吏，不求有功，但期無過的混世主義，尤足怵目驚心，行政效率之低劣，理有固然，談到文藝工作，無論小說也罷，詩歌也罷，繪事也罷，幾曾見有戰鬥精神的內容呢？所謂「文藝獎金」的對象，依然沿襲着太平盛世的衣缽，不脫風花雪月的窠臼。整個社會皆充溢着苟安逸豫的氣質，這是「生於憂患」的戰時生活嗎？思之思之，好不令人洩氣也！

台北輿論看陞官圖

中華民國五十八年一月五日，台北大華晚報「星期雜感」對王紹育（士旁）先生昇官的看法

性急了一點

原任台灣省菸酒公賣局局長的王紹育先生，最近調升爲財政部常次。人事調遷，原是常事，但王先生的調升，却有其不同尋常之處，因亦引起一般人的矚目。

我們願見年富力強、而又有「開放腦筋」的人担負國家的重任；從這觀點看，王先生的新命，是一可喜之事。

然而，行政院在決定此一任命之時，却忽略了另外一個因素：王先生在菸酒公賣局任內，有「濾咀」及「麥芽」兩案，正在監察院、省議會調查之中，尚未結案。

這並不是說王先生定有失職之嫌，那太武斷。我們寧從另一方面設想：也許他一點責任也沒有，經過這番調查，他的操守與幹才，更可以大白於世；但我們是一進步的國家，是一力爭上游、追踵一切良法美制的國家，爲何不等塵埃落定之後，再來升他的官？起用新人、任使有能的人是重要的，但維持一個國家用人行政的良好傳統，比起前者，是重要得太多了。決定這一任命，未免顯得性急了一點。

不可不了了之

省議會對濾咀、麥芽兩案是否繼續調查，亦爲一般人懸揣的疑問。按中國官場的舊習慣，調升的官員，移交總是好辦，縱有疑竇，亦是不解自解。還有兩個處理的方式：一是跳加官，有戲的形式，也有一點戲的內容，然實際上不是戲，只是一個程序；二是陰乾，時間久了，濕的也能變成乾，穿在身上的衣服，不是每一件都見過太陽的。

我們不相信監察院和省議會竟會這樣腐化顢頇，更不以爲青年有爲如王紹育先生者，竟會通不過這次的考驗；因此，我們希望有關機關繼續調查，並在短期內向國人提出負責的報告！

用人行政的新機

就人事制度的觀點來看，王紹育先生的升遷是國家用人行政的新機。

雖說我們是民主國家，高級官員之產生，可以不拘一格，但因經濟型態的限制，益之以舊傳統的拘囿，担任國家公務的，總是那些人，例外是有，然並不多覯。我們講人事制度已有多年，政府求才之殷，亦屬彰明昭著，但仕途壅塞，殊無改善之跡，一方面任命推轂之徒、尸位素餐，一方面委棄可造之才、沉淪下吏，還是無是非、不公平，也是國家的損失。

從省屬三級主管轉任中央政府的次長，無疑是「不次拔擢」，這種作法，對於日益煩劇的國家政務，和披德淵襲的青年公職人員，都是一強心針。

不次拔擢與制度

制度是一般性的，但不能把一切人、一切事都範圍住；遇到非常之人、非常之事，制度便須退避三舍。

非常之人與非常之事不常有，所以制度化總是可取；如能把不次拔擢、因才任使也包括在制度之中，則不但可以保持制度的完整性，亦可以保證制度的可行性，其整個畫面是：不紊亂，也不僵化。

王紹育先生的升遷，表示政府樂於任使比較年輕的人担當較大的責任，我們願見更多的事實，以確定此一傾向。消極方面，亦可說不次拔擢的人，是政府開正門援進去的，而不是側身進入邊門。

黃主席負責苦幹　六年來政績斐然

·李亞春·

台灣省政自現任主席黃杰於六年前接掌至今，在這六年中，他確本任勞任怨和負責、認眞、苦幹的精神，不僅促使省政建設勇往直前，而且形成了台省全面建設的高潮，不但顯示出他六年來苦幹的成果，他贏取了全省民衆的忠誠合作與支持。

概括地說：黃氏對省政的各項措施，如政治、財經、社教、農工、交通、建設等，無一不是日新月異地在突飛猛進，尤其是秉承總統的昭示，對九年國民教育的實施，倡下了我國教育史上的新頁。

黃氏從政之始，即強調「崇法務實」和「整體觀念」，以推進全面建設，他對所屬表示，惟有抱持「整體觀念」，才能破除「門戶之見」，單位與單位之間，也惟有衷誠協調工作，才能上下一貫的發揮其施政效率，可以說「整體觀念」是黃主席處事的一種科學方法。

革新財稅業務　發展農村建設

台省的財稅措施，經過黃氏不斷的革新，已建立了良好的穩固基礎。全省總預算收支，雖每年均有增加，但增加的趨勢，尚屬緩和合理，縣市的財政已逐漸改善，尤以五十七年度預算的執行情形更爲良好，除全部達到平衡外，結餘數達三億七千九百餘萬元。稅捐征積每年亦均有增加。自五十三年度至五十七年度，五年之間，平均每年增加率百分之十八點八，顯見稅政革新，已著成效。

台省去年農業成長率爲百分之五點六，超出了百分之四的成長率目標。農業生產總值新台幣四百三十九億三千萬元，比前年增加了三十八億八千萬元，將增加百分之九點七。農產品及農產品加工外銷價值，爲美金二億六千九百萬元，佔輸出總值百分之四十，顯示農業的榮枯，對台省經濟的成長，頗具舉足輕重的影響，此外糧食生產每年亦均有增加，去年第一期稻谷又打破往年豐收紀錄。

爲了解除人口澎脹的壓力，和過多人口湧向都市，省府亦在致力於「社區發展」，這也是建設三民主義新社區的基本工作。依自然形勢及居民生活環境規劃，全省共有四千八百九十三個新社區，其中二百六十個社區的整建工作，已如期先後完成，尚餘四千六百三十三個社區，已列入「八年計劃」分期建設。

擴建港口碼頭　開擴遠洋魚業

高雄港擴建計劃，期程爲十二年，分三期實施。第一、二期工程已先後完成，第三期工程現正進行中，全部計劃總進度，已達百分之八十以上，預定五十九年全部完成。

基隆港擴建計劃，外港擴建工程分兩期實施，第一期已於五十五年竣工。第二期工程亦於五十七年完成。內港第二期工程，現正進行中，也預定本年六月完成。十九號碼頭及新碼頭等工程，預定分別於五十九年六月前先後全部完工。

另有重要工程在進行中者，計有曾文水庫，南部橫貫公路，及高雄第三港口，自來水長期計劃等，都是攸關國計民生和增進人民福利的重大措施。

自六年前黃氏履新之初，對開發遠洋魚業，視爲台灣魚業與經濟的一種遠大構想。就目前而言，此一構想業已付諸事實，台灣的遠洋魚業，現正邁向燦爛光明的道途。

近年來，省府除了代狀建造大批小型漁船外，並先後向世銀貸款，建造遠洋大型漁船，同時，修建了不少漁港。現在台灣的漁船已遠至西南太平洋、大西洋、印度洋，以及地中海作業，又在重要港口設立基地及補給站。五十六年遠洋漁業的產量，已達到八十萬九千多公噸，爲國家爭取了不少外匯。

疏導山洪水道　提高國民生活

對於台省「防洪與治山」的重要性，黃氏尤爲注重，並曾一再呼籲民衆重視此一問題，共同致力于防洪與治山工作，以保育土壤，減少災害損失。此一工作，黃氏就任後便即展開。六年以來，省府曾全面推行水土保持，整治野溪，設置集水區，建築攔砂壩，興建水庫，構築堤防，妥善處置濫墾地，作有計劃的造林與砍伐等等，都是治山防洪的具體工作表現。近年雖有多次颱風侵襲，由於防洪與治山的工作有備，故均未造成重大災害。

黃氏對國民生活和社會風氣，一向非常關切，他對酒家茶室之腐蝕純樸的農村，至表關注，曾一再令諭予以限制設立，以期維護社會之善良風氣。近更令各縣市嚴格肅清黃色、黑色毒害。

台灣人口較光復前增加了一倍，但是人民的生活，都普遍獲得改善，近年來日益安樂，人民豐衣足食，物阜民殷，人人都過着幸福而快樂的生活，社會也日見繁榮安定，這些成就，固然是政策和人民充分運用智慧，共同努力辛勤耕耘的成果，而黃氏以儒將領政，推進省政建設功莫大焉。

推行全民體育　加強社會福利

台灣地區現已完全沒有瘧疾，也沒有霍亂，小兒痲痺症也日漸減少，省屬醫療機構日益增加和日漸健全，這是省府重視人民健康的結果。

黃氏對全民體育的推行，亦甚重視，他認爲：運動能強身，強身才能強種，強種才能強國。要注重衛生和運動，才能成爲一個健康的國民。因此要藉推行全民體育才能達成此一目的。現在對全民體育已積極在推行中，預期將來每一縣市都有一個體育場或體育館，以利全縣民衆都有運動的場所。

社會福利事業，正分別訂定計劃推行中，大批的興建國民住宅，加強社會救助，使貧苦無依者獲得溫飽，擴大勞工保險，增進勞工羣衆福利。

開發土地資源，黃氏亦列入省政重要工作之一，目前正在着手實施四大策劃：一、海埔地的開發，二、東部土地開發，三、山地保留地開發，四、擴大農地重劃等，使人民生活獲得改進，實現三民主義的基層建設。這些，都是省府造福於民的中心工作。

黃氏自到任之初，便經常前往各鄉村巡視，曾經爲偏僻鄉村民衆解決了許多問題，如興建小琉球自來水，名間自來水，實施澎湖四年農業發展計劃等等，在當地的民衆腦海中留下了一個良好的印象。

台灣光復至今，以黃主席的任期最長，他六年來的政績與治事精神，不但獲得全省民衆的推崇和讚譽，即省議會的黃、謝兩屆議長，亦讚揚黃氏「崇法務實」的作風，及整體觀念，推進全般建設，政績甚著。他們同聲指出，今日省政的建設，在黃主席領導下，以政策與進度爲主，使本省社會從安定中走向繁榮，這是一種向省政負責的態度表現，也是「崇法務實」的註脚，尤其是在省政工作上，面對現實，發掘問題，解決問題，更是難能可貴之處。

同時去年底召開全省行政會議，揭櫫六大中心議題，但已圓滿作成結論，其中以提高行政效率一項，尤爲全省民衆所殷切期待，苟能人人於職責所寄，在黃主席領導下，配合五十八年施政綱要戮力以赴，貫澈實行，台省之經建將更躍進一大步。

本期稿擠，「舊治桑外傳」暫停一期。

台北新聞信

（本報通信員柳一權）電力公司曾有將司法大廈電線剪斷，使司法大廈陷於黑暗，最近又常將用戶電線剪斷，而被剪的對象包括有黨政要人及中央日報同人，有人謂電力公司亦在打老虎了。

台灣電力公司有一個基本錯誤，就是凡電力用戶都是電力公司的顧主，顧主在商業習慣上叫作「衣食父母」，對「衣食父母」這樣的不客氣，動輒以剪線停電作威脅，犯了無可饒恕的基本錯誤。

監察院職司風憲重任，並沒有台灣電力公司這樣大的權力，比如對糾彈案件的提出，事前要經過調查，讓被告有陳述機會，再研究案情和監委連名才提得出，不像電力公司今天通知，明天要錢，遲誤一點馬上剪線，這比上海公共租界時代帝國主義經營電力公司還要兇狠若干倍，難怪台北中央日報講話了。

該報一月十四日的短評指出：「電力公司收費通知，往往是星期六或星期日送達。星期六送達者，星期日便要剪線。星期日送達者，星期一便來剪線，尤以星期日剪線爲常見之事。」

電力公司亦打老虎

電力公司與電燈用戶之關係本是民法上的契約關係，用戶乃是公司的主顧，自然是公司服務的對象，休息日通知與休息日剪線，使用戶措手不及，借錢難尋借主，取款又逢銀行關門，就只好聽其剪線，否則只得使用腕力相拒絕了。

或者電力公司職工不能了解他們自己的地位，他們也應該知道，即使電力公司設置刑事或民事法庭，也要遵守刑事訴訟法的規定。刑事訴訟法第六十五條「期間之計算，依民法之規定」。而民法第一百二十二條以明文規定「期日或其期間之末日爲星期日，紀念日，或其他休息日者，以其休息日之次日代之」。如此可知即令法庭之通知或執行，也不應在星期日辦理，何況電力公司未曾設置法庭呢？」

聽說很多用戶，對台灣電力公司這種沒有人情和欠缺法理根據的措施，發出難以抑制的憤怒，到了「使用腕力拒絕」剪線釀成命案時，不封鎖新聞醜聞勢必暴露到海內外，硬性封鎖新聞呢？電力公司也要政府來背包袱，這就太不成話了。

電力公司主管是誰，希望能防患未然，或者用這種擬似好人的辦法去對付用「霸王電」的人，人心就會平了。社會果有老虎也輪不到電力公司來打，希望對「衣食父母」的用戶客氣一點。

哲士學位與研究員　尚未合乎國際規格

行政院應質詢時有所說明

建築法律學生多一年寒窗

本報記者黃尚書台北消息：教育部高教司將於本年暑期大專聯考招生時宣佈：甲組建築系和丁組之法律系修業期限，由目前之四年延長爲五年。所持之理由：建築系學生習建房舍，關係設計安全，法律系學生在於所學保護人民權益，公允審判須具高深素養，因要延長學習時間。目前設有建築系之學校有成功大學、東海大學、中原理工學院、淡江文理學院、逢甲學院、文化學院。設有法律系之學校有台灣大學、政治大學、中興大學、輔仁大學、東吳大學、文化學院。

又悉：與私立中國文化學院併立之中華學術研究院，曾因立法院向行政院提出質詢該學術研究院之性質與地位以及有關問題，近由行政院書面答復：中華學術研究院，並未經教育部核准立案，所謂「哲士學位」之授予，亦未經教育部之核准。至該院之性質係屬民間之團體。觀此，而儼然有似中央研究院之中華學術研究院，經行政院此一答復後，其地位雖免不減色，而其所謂「研究員」者，（原比類院士），所謂「哲士」者，（原比類院士之上）等等榮譽頭銜，已蒙上一層陰影，一般向隅求之不得者，恐亦將有所卻步矣。

文滙樓剳記

陳果夫二三事

文匯樓主

陳果夫賦性沉默，無論在辦公室或者私邸總是避開人們的視線，尤其不歡喜和記者們打交道，這是盡人皆知的事實。

他的服裝與其他要人也不同，常年的穿着一套中山服，夏天是假派立司，冬天則爲棉織品一種便宜衣料，頸項喜帶毛織護頸圈，這大概與怕[illegible]咳嗽有關，如果沒有侍從跟着，誰知道他就是當年叱咤一風雲的大人物。

他的飲食，甚注意營養，多由夫人親手烹調，其樸實的家庭生活，幾乎使人難以置信，毛澤東的文化打手陳伯達著「四大家族」，陳果夫恰與陳伯達所想像的[illegible]到十萬八千里，照道理那本所謂「四大家族」形同廢紙了，但事實與理想往往相反，國民黨主持宣傳的人，非懂得宣傳而主持宣傳，實乃爲安置官位，並未注意到甚麼叫作宣傳，吃了這麼大的虧，可能到現在還不知道。比如國民黨用一筆龐大經費在海外辦了一個大報，從不考慮發揮宣傳作用以革命果實建立革命關係中找人才，所致慮的是情感中的情感，小圈圈裏再劃小圈圈，陳果夫在未撤出大陸前已知道這樣的搞法不對勁，慨然嘆道：「很多有智慧，有魄力，有辦法，有氣節的同志，甚少到上邊來鑽營」。絃外之音就是說，靠鑽營而獲一官半職的都是一些平庸之輩，政府既非大救濟院，不趕快革新趕快挽救怎麼得了呢？

陳果夫之忠於黨國，忠於領袖，詳見報章雜誌，及其死後之「陳果夫先生全集」無再贅必要，他判斷是非的邏輯，仍值得爲官者參攷，其對一個同志被人毁譽時，分析的方法是毁人者的品行，學識，地位，背景，經歷，如果都是些阿貓阿狗，被毁者可能是一個正派人；反過來說，一個人遭受到甚多正派人的攻擊，這個被攻擊的人就有問題了。

陳果夫不到二十歲就參加革命行列，受到最高領袖的器重，固得力於先烈陳英士革命淵源，渠本身澹泊與寧靜是一生從政最大的資本，幾十年日裏萬機，手不釋卷，公而忘私，國而忘家，實不愧爲政治上一個好幕僚長。他一生言行，充滿着有血有肉的忠義之氣。學生某君從甘肅裝一簍名貴水菓，航空運渝，當送到學田灣衛舍時，陳果夫不獨拒收，次日在中央政治學校紀念週上嚴詞指責，嚕囌了兩個小時，不像現在的官場，陽澄湖大閘蟹，貴州[illegible]耳，吉林野山人參，蘇州蜜餞，變成爲升官的媒介物，換句話說就是爲了「功名富貴」，資敵大事亦置腦後，忘記了我們正傾全力在反共。

蘇俄新史達林主義及所遇之對抗

何勇仁

二、美對俄和解政策是否自殺？

美國對俄的和解政策是非常矛盾的，它是兩面同時進行的。我們翻開第二次大戰之後的資料來看便知道，當時美國不僅發明了原子武器，而且對海陸空三種武器都有長足之進展，眞使蘇俄坐臥不安，當時美國爲討好俄國，曾實行停止新武器之製造，而寂然坐等蘇俄武器之改進，以便並駕齊驅，避免發生競爭之危險，但以現在的眼光看，美國的確是「愚不可及也！」的；但美國人至今並不後悔，因爲美國是走兩面政策的，一面是用政治方式反共，一面是與俄和解的，一直若干年來，都是如此的，現在詹森總統的態度固如此。國務卿魯斯克的態度更爲如此；據傳魯斯克自從一九六一年九月第一次在聯合國大會遇到蘇俄外長葛羅米柯起，他就決意負起和解美俄關係的責任，而且傳說他與葛羅米柯曾舉杯誓言雙方努力達到美俄和解的目的；但若干年來，美俄的暗鬥不斷在增長，而蘇俄的虛僞態度，也的確使美國人動心，認爲美俄和解政策是不會失敗的，直至蘇俄軍事侵略捷克爆發後，一夕之間使美國有了覺醒，才認爲和平共存是不可能的虛夢，詹森知道了自己的錯誤，而因任期無幾，只有敷衍了事，但美國國會卻大爲震動，曾召集緊急會議檢討與俄和解政策問題，曾有所決議，據說，已經訂立的禁止核子武器散佈協定在送往參院批准時必將遭受阻礙，雖不致被否決，但拖延若干年，等到均勢局面有合理轉機時才批准呢！

三、打破均勢的嚴重內幕

照表面上看，美與俄乃自謀均勢，以謀共存，而實即矛盾叢生，一方面是加緊核子武器的攻防軍備，一方面是尋求交換的政治默契，同時試行禁止核試公約之聯鎖，但「欲蓋彌彰」，曾幾何時，現在歐洲之均勢業已改變，蘇俄已佔盡上風，蘇俄爲了爭取「世界戰略地位」，特別對地中海和阿拉伯各要區的爭取，早經借故秘密派遣技術隊進駐離直布羅陀海峽兩百六十英里的麥塞爾凱比從事活動，該地位於阿爾及利亞西部，昔爲法國軍事基地，美國事先毫無所知，事後很久由摩洛哥政府官員透露，才知道蘇俄勢力已擴張到直布羅陀了，英美等國才驚動起來，因爲該基地落入蘇俄之手後，只要加派航空母艦增強俄國在地中海艦隊實力，便能夠封鎖直布羅陀海峽，阻塞西方海軍開進地中海的通路了，蘇俄的「陰謀技術」是從不提正式要求在國外建立海空基地，而僅派技術隊前往指定之地區活動，故很容易獲得該項國家的允許，又使得西方國家無從獲悉，事後西方國家調查俄國在埃及的亞歷山大港，塞德港，敘利亞的拉塔亞港，都派駐有技術隊，建有倉庫和軍事設施，並在阿爾及利亞有所組織，不僅此，一般認爲此在伊拉克及蘇丹已獲得控制的力量，而在摩洛哥，突尼西亞與科威特等國的蘇俄的商業代表團及經援代表團，均挾有政治軍事之陰謀。據本年七月間美國的權威雜誌，指出現階段世界的均勢業已改變了，俄國已佔盡了上風，而西方觀察家大部認爲蘇俄改變歐、非、亞三洲交叉地帶戰略形勢的結果，顯然已大不利於美國，他們指出三個重點：第一、蘇俄對盛產石油的國家已善用政治軍事的壓力，予以撈[illegible]，其量亦極驚人，據一九六六年已達兩億三千二百餘萬桶之鉅。第二、蘇俄在拉塔基西邊建立海軍基地之後，已經扭轉了北大西洋公約組織的南翼。第三、莫斯科在敘利亞，伊拉克，埃及，蘇丹，和阿爾及利亞供應武器之後，接着又派教練及技術人員，到這些國家活動，而那些經常乃以武裝部隊爲政治中心者，蘇俄也在那武裝部隊中建立很大的勢力了。至阿爾及利亞對俄，原是模棱兩可，而自中東戰爭後（一九六七）俄才深入阿境，且供應了價值兩億五千萬美元的飛機，大炮，坦克，雷達等設備，才獲得阿的信任，自也得到其控制權了，現俄技術員在阿境活動者達四千人之衆呢！

以上所舉世界均勢業已改變，乃千眞萬確的事實，此爲一九六七年的中東戰爭中，蘇俄在軍事上遭受了重大的挫折，俄式的武裝在阿拉伯吃了敗仗後的奮鬥的成果，充分實現它百年來企圖插足地中海的夢想呢！

四、新史達林主義加速開展

蘇俄既有冒險實行「新史達林主義」的野心，故它必需先治療其心臟的重病，那心臟重病就是東歐的附庸國家的離心了，現在離開那悲慘的「八月二十日」的凶日雖已很久，但世界的新問題「共產集團的存亡與自由國家的抉擇」卻不斷發展着的厄運仍然在回憶及，衛星國的兎死狐悲發展着，匈牙利十二年前的反俄革命，被蘇俄大炮坦克扼殺了，最近捷克的反抗和屈服又出現了，至最近（十二月上旬），蘇俄又提出要開兵在羅馬尼亞演習，羅國低頭。正如賴景瑚先生在最近通訊中指出：「所以，俄捷衝突一入表面化的過程，這些衛星國的當權派，爲着保持自己的政權，顧不了人民的反對，不得不唯蘇俄之命是聽，波、匈、保、和東德自然只有跟着蘇俄出兵侵佔捷克，羅馬尼亞變成了噤若寒蟬的附庸，阿爾巴尼亞除了妄想中共援助外，自己一點辦法也沒有……那位玩弄了二十多年中立路線的狄托，現在也覺得他的一套把戲，差不多走進了絕境，蘇俄的海軍侵入地中海，聲勢洶洶，擺出要和久駐地中海的美國第六艦隊比一比短長，他們可以直接襲擊南國的海岸，……蘇俄在進攻南國以前，當然還要有許多顧慮，我們只要看狄托和西方國家接觸頻繁，便知道南國局勢的嚴重。」這眞是深入的觀察了！（中）

石頭希遷門下的五大禪師（八）

吳經熊著　吳怡譯

禪學黃金時代

他稱[illegible]山爲「[illegible]山古佛」，稱趙州爲「趙州古佛」。當三聖禪師問他：

「用網也網不住的金鱗，應該用什麼爲餌」？

雪峯回答：

「等你出了網以後，我再告訴你」。

三聖便說：

「想不到擁有一千五百弟子的老師，連話頭也不知道」。

雪峯自歎的說：

「這是因爲我做方丈的事太繁忙了啊」。

又有一次，雪峯和三聖同去田間勞作，在路上看見一隻猴子，雪峯便說：

「每個人心中都有一面古鏡，這個猴子心中也有一面古鏡」。

三聖回答說：

「曠劫以來一切都是無名的，又那裏有古鏡呢」？

雪峯回答：

「因爲產生了瑕疵的緣故啊」！

三聖便說：

指着一盆清水，欽山便說：

「水清月自現」。

雪峯卻說：

「水清月不現」。

評王介甫論孟嘗君

王介甫論孟嘗君爲鷄鳴狗盜之雄，旨哉斯言。

夫士之賢者，在事能經世濟民，而孟嘗君雖稱食客三千，皆未有經世濟民之才，徒擅鷄鳴狗盜之技，不可謂之士也。彼能使其脫身於秦，亦徼倖之舉。使爲秦所追及，則計窮矣。不然，以齊之强，苟能合六國之衆，戮力同心，未有不能制秦者也。惜所養非士，皆鷄鳴狗盜之徒也，鷄鳴狗盜之徒於國何用之有，故介甫謂孟嘗君不能得士，宜哉。（陳志本）

世皆稱孟嘗君能得士，士以故歸之。而卒賴其力以脫離虎豹之秦。獨王介甫論孟嘗君不能得士。且曰孟嘗君爲鷄鳴狗盜之雄耳。豈足以言得士，此言過矣！

孟嘗君被秦所囚者，若客中無能爲狗盜，入秦藏中盜狐白裘以獻姬，姬不言於秦王釋之，孟嘗君焉能脫於秦。夜半至函谷關，秦只追且至，若客中無能鷄鳴者，羣鷄不鳴，孟嘗君焉能出關以保全性命。人各有所能，能各適其用，雖鷄鳴狗盜之技能應急需，亦不可輕視之也。（郭臨珠）

吳敬恒先生年譜（四四）

陳凌海編撰　陳洪校訂

先生遂於二十七日乘專機飛筑。寓貴陽新生旅館。當晚訪蔣委員長中正於行館。遊大塘苗村。五月一日，先生在貴州省黨部演講。張學良（漢卿）自武漢抵筑訪晤先生。擬往昆明，恐被人疑猜，中止。三日，在貴州省立中學及女子師範學校演講。與陳誠（辭修）、陳布雷、美顧問端納遊修文縣之龍場驛，並至王陽明洞。六日，吳忠信（禮卿）等就任貴州省政府委員，先生監誓，並致訓詞。十日，與蔣委員長中正、蔣夫人、美顧問端納由貴陽同機飛昆明。陳誠、吳忠信等送行。先生抵昆，地方官紳皆來迎。龍雲（志舟）親導先生至寓休憩（金漢頂宅），並以盛宴接待先生。赴安寧縣溫泉沐浴。（楊鵬升評該縣溫泉爲天下第一湯。先生評曰：溫泉水，果不弱於黃山溫泉。）在雲南省黨部及師範學校演講。希望雲南成爲工業區。十八日，應蔣夫人邀遊西山滇池。並至阿米。二十二日，蔣委員長中正由昆明經筑飛成都，指揮督剿赤匪。二十四日，先生乘容克機（德國製）飛渝。同行有陳布雷等八人。先生謂：「今知在飛機上看三峽不奇，須要乘輪行駛峽中坐井觀天，乃奇。」旋由渝乘永豐輪第二次經三峽返滬，途經鎮江與一煤輪相撞，該煤船沉沒，永豐輪微損。[illegible]月，爲國際文化合作中國協會經費事，先生呈文教育部，陳述協會之起源及其性質與目標，請求公家補助之理由，闡明詳盡，藉見先生贊助文化事業之熱心。八月，江南鐵路由蕪湖通車至南京。

富人列傳（三十）

孟嘗君食客三千

二、鷄鳴狗盜之客

周燕謀

孟嘗君接收父親的財富，悉改其父之作風。在戰國時代，由於井田制度廢弛。私有制度形成；封建制度逐漸破壞，士人逐漸抬頭。因此學術思想聽任自由，遂成「百家爭鳴」之風氣。凡學有專長之士，皆廣被諸侯招納，以爭雄稱霸。貴族豪門，爭相招納士人以自重，游說諸侯，一旦得志，可至卿相。正如呂不韋所說：「利不可言」。士人也藉此風氣所尚，尋求出頭之機。戰國四君子不過其著者。其他貴族豪門，無不是好俠養士，開一代之風氣。

孟嘗君繼承了父親的財富地位，一反過去「聚斂」的作爲，以「聚斂」爲「散財」。「廣招諸侯賓客及亡人有罪者」，皆歸孟嘗君。孟嘗君之家，簡直成了「政治避難所」，「難民收容所」。這些食客有精舍可居，上饌可食，甚至行有車，衣有帛。衣、食、住、行之需，完全供給。生活與孟嘗君相同，無分貴賤軒輊。是以孟嘗君之名，傾於天下。孟嘗君待客如何盡義，我們可以下面舉例之事以觀其究竟。

孟嘗君待客，與客言談，屏風之後有專司「侍史」的「史官」爲之簿記。有困難者，客去後，使命人解決之。甚至客之親[illegible]，皆爲援濟之。

有一晚上，孟嘗君與客飲食，有一位食客無意滅了燈光，一食客則以爲飲食有差等，不食而別。孟嘗君起而問之曰：「君何以不食而別？」食客道：「君賜食有等，故不屑食也」。孟嘗君自持其飲食示之，與客食無殊。食客大愧，乃自殺而死。由是遠來近悅，客多歸其門下。孟嘗君待客素無差等，人人稱孟嘗君與我善」。

秦國昭王在位，久聞孟嘗君賢，欲一見孟嘗君，恐齊人不信，先遣涇陽君爲質於齊，求一見孟嘗君，請孟嘗君入秦。門下食客皆諫其不可去，但是，孟嘗君不聽。有一食客名蘇代者，對孟嘗君數語之諫，阻止了孟嘗君秦國之行。蘇代說：「今日我從外來見君，看見一個木頭人和一個土偶人對話，非常有趣。木頭人說：「天下雨你就完了！」土偶人也不甘示弱的答道：「我生於土，我完了仍歸於土。今天雨流子而行，則不知所終止矣」。今日秦國，虎狼之國也。而君欲入秦，君如不得還，豈不爲土偶人所笑乎？」。孟嘗君終於終止了秦國之行。

巨變歷險記！

五代表的準備（十九）

胡慶蓉

丁作韶等五議員被天津市議會推選出來充與林彪談判的代表，論道理可以說是受命於危難之際，爲救天津、救華北、救中國而奮鬥，各方面對他們的觀感，恐怕極不一致。在天津的黨政軍學以及全體市民，無不嘖嘖稱羨，讚揚他們有勇氣，有作爲，當仁不讓，爲天下先。天津以外的，就未必這樣。可能也有懷疑他們另有企圖的。但這是沒有的。

無疑義，五代表派出來，五代表與林彪與劉亞樓與……談判，五代表……，成爲民國三十八年一月最重要的政治要聞之一。當時，總統蔣公醞釀下野，這也是最重要的政治要聞之一。總統蔣公要下野的消息傳到天津，天津上下無不爲之震驚，爲之戰慄，以至於惶惑，而不知所措。一木大廈，這一木如何去得，如何能去……特別在此呼吸存亡之秋，千鈞一髮之際。總統蔣公下野的醞釀，跟着就是李副總統宗仁起而代之，決定與共方全面談和的醞釀「是不是事有湊巧，普天之下，對於天津五代表的選出，五代表的出發……等消息，儘量的予以鼓吹，儘量的予以渲染。不但在報紙上，各地的廣播，中央的廣播，匪共的廣播，美國的廣播，英國的廣播……也在不斷的播。一時，天津五代表成爲中國以及國際的風雲人物。

五代表，在天津圍城之中，天天聽到各地的廣播，天天自己聚會在研究，自知責任重大，不勝惶恐，但自問決不是去送天津，也決不是去投降。此心耿耿，可質天日，假若去送天津，去向林彪投降，那根本是多餘的，那根本是多此一舉。要是送的話，了，何用五代表去送，要去投降的話亦然，要投降，陳司令、林軍長、杜市長早已投降了，何在圍城之下苦撐！單單從他們央求市議會派代表與林彪談判，已足以證明五代表此去不是送，也不是投降。

正相反的，五代表去同林彪談判，其目的，也就是陳司令、林軍長、杜市長的目的，也就是全體市民的目的，甚至是中央的目的，是在保存天津，遲滯敵軍的進攻，延長政府方面的抵抗，爲保衛天津的力量求得喘息，爲政府的援助力量舖路。雖然眼看着中央將天津的軍隊撤去，將北平的軍隊撤去，將華北的軍隊撤退，但並不相信這是中央的政策，並不相信中央會放棄天津。天津有居高臨下之勢，天津一放棄，全國就不保，這是誰都會看到的，中央能看不到嗎？

共方走的，是人所共知的羣衆路線。天津派出五代表前往談判，也就不啻是天津四百五十萬人民去同他談判。他不應該看在人民的面上將包圍天津的部隊撤離嗎？他不會罷兵停止前進嗎？四百五十萬人民的指責，輿論的指責，他能完全置之不理嗎？五代表有四百五十萬天津市民作後盾，五代表的氣壯的。前往談判的準備，第一個步驟是通知共方，通知林彪和他的部隊。其實，他們是早已知道的了。但天津五代表仍用天津的廣播電台發出通知給圍城的部隊及林彪。由丁議員每十五分鐘廣播一次，告訴林彪及圍城的部隊，天津市五代表即將出城同他們談判。這也就是民國三十八年一月十一日。

矮人與奇才（六）

錢一釗

納粹海軍總司令侏儒雷得

「要與海上霸國爭雄，其勝負必于海上決定。」

這是薄嘴唇，鐵青面孔的矮子，被稱爲「空房司令」的雷得，他向另一個矮子，幾乎是可以控制着整個世界的政治神經——希特拉說，重覆不止一遍一遍的說這句話，希特拉終于點了點頭！

在世界第一次大戰後，德國由于戰敗成爲無海軍的國家，雷得又創造了德國海軍，按照他的計劃開始建造袖珍艦，驅逐艦和潛水艇。

在當時這種舉止是不適合德國的民意和軍方意見的，那時民間幾乎集中全力與建空軍與陸軍機械化，而唯一控制軍事大權的空軍特級上將戈林，對海軍的興趣與認識都極微小，他祇是爲了顧全希特拉與雷得的私人友誼，才允許撥出一點點鋼鐵，用來與建海軍艦艇！

德國的海軍，就是在這種環境中奮鬥，掙扎，一迄于嶄露頭角。

在希特拉發動閃電攻勢，橫掃歐洲大陸時，他要進攻北歐斯堪的那維亞半島，那需要設法牽制在斯卡加拉克海峽的英國艦隊，並且要在那裏打開一條運輸路線，在柏林初威街的總理府內，希特拉對雷得說：「這件事你一定要去做，並且要做到！」

雷得皺着眉頭，那時德國僅有主力艦兩艘，袖珍戰艦兩艘，巡洋艦八艘，驅逐艦四十艘，而英國則有主力艦及巨型巡洋艦十四艘，航空母艦六十四艘，驅逐艦一百九十四艘，那簡直不是對手！

可是希特拉于焦灼的拍着桌子說：「海軍——丟了船算什麼？德國比不上英國，英國是個大海軍國，可是德國視軍艦就是炮彈，就是戰爭的工具，我要斯堪的那維亞，不怕任何犧牲！」

「自殺！」

雷得走進海軍總司令部，立即下達了這個命令。

德國的海軍駛入了斯卡加拉克海峽，在北海與龐大的英國海軍作戰。同時，德國在歐洲已獲得震撼世界的勝利。

斯卡加拉克海峽的一戰，德國的海軍雖然損失不輕，但英國的犧牲更爲嚴重，而且自這一戰後，英國人不再唱：「英國統治着波浪！」倫敦市面陰沉沉地，連孩童也不哼唱：「我們有人，有船，有錢！」

雷得創造了「襲擊」這兩個字的新意義，那就是「海底戰術」，這個戰術幾乎使英國海軍癱瘓！

這個身高五英尺多一點兒的矮子，他有一條件他寂寞的獵狗，雖然他的興趣是多方面的，對音樂及足球都有極高的造詣！在斐爾哈崙利克廳中，他靜靜地坐着欣賞貝多芬和白勒罕的名曲，那是當代音樂大師威廉福特文格勒所演奏的。也常着便服雜坐羣衆中間欣賞一場足球賽。

但他最喜歡的是駕着小帆船遨遊大海！

他和希特拉一樣最痛恨英國人，他寫了一本書：「在外國海上的巡洋艦戰爭」，書中斥英國人的行徑野蠻類似海盜。

他對海軍的訓練的嚴格而聞名世界。德國的海軍以服裝整潔，精神奕奕，生活嚴謹，質素優秀，而爲國際所讚譽！

他的一生——經過太多的挫折，甚至幾乎被英國的戰艦把他打死！可是對他的言談中，他平靜的沒有任何回憶似的，祇想着德國的海軍！

生活漫談

人體需要的熱量

・馬騰雲・

我們每天一切的活動都需要熱能，這種動作所需的熱能，全靠食物在身體的組織內，氧化後放出的熱而來的。一個人每天所需的熱量，隨其工作性質及年齡而異。但各有一定的熱量，在成人方面，每人每日由食物所得來的熱量，至少要能補償每天因工作所消耗的熱量，方可維持健康；在發育時期的兒童，每日由食物供給的熱量，應比平日所消耗的多些，身體方能發育，這多餘的熱量，所代表的食物，是用來建築新的組織；假如我們每天從食物中得來的熱量，不夠供給我們所消耗的熱能，那麼我們身體中所儲的營養，就得被借支，作爲供給能力之用，身體因之投弱，精神當然不好，常常發生疾病。熱能的供應，對于幼童更加需要，因爲熱量不足，會妨礙發育，不過熱量的供給超過需要時，（就是說飲食吃得太多太好）會使人過份肥胖，所以維持熱量的消耗和平衡，是我們不可以不知道的。

聯合國衛生機構所訂的中國人的營養標準，每一個人體重七十公斤的成年人，在溫帶地方過平常生活，則每天所需的熱量是兩千四百卡，即每公斤體重需熱三四點三卡。政府未退到台灣前中華醫學亦根據這個數目，作爲我國成年人熱量需要，不過該會將中國人分南北，南方人的體重平均每人是五十公斤，北方人的體重平均每人是六十公斤，南北人平均爲每人體重五十七公斤，照體重一公斤需三四點三卡計算，中國一個成年男子，不做工時，祇要一千九百五十五卡熱能就夠了，爲安全計，再加百分之十二，和聯合國所定的標準，仍畧有出入，聯合國定的爲兩千兩百卡。

一、教員、記者、講書、唱歌、商店的店員及經理、銀行職員、辦公廳坐着辦公的科秘等，每工作一小時需熱量七十五卡。二、打字、熨衣、小販、洗衣、廚師、掃地、彫花、釘書、油漆工、排字、理髮師、製鞋、土木工、電器工、提工等可斟酌緊張程度，每小時加熱量七十五卡到一百五十卡。三、重工作如賽跑、游泳、打鐵、挑担、拉車、足球、籃球、開山、挖地、掏煤等工作，每小時應加熱量三百卡左右。

兩千兩百卡到兩千四百卡的熱量，需靠通過人體組織將食物氧化後所產生，營養學上所用的卡，一卡熱是指能將一千克的水增高攝氏溫度一度所需要的熱量。而營養正常的膳食，所含的各種營養的比例是有一個限定的，其總熱量百分之六十到七十左右係來自糖類，百分之十來自蛋白質，百分之二十左右來自脂肪，照這個比例，即可計算出每天應吃的各種營養份量，例如一個做苦力的工人，每天需要三千三百八十卡的熱量，一般的認爲窮人能吃，因爲他的需要量有那麼高，非吃那麼多的東西不夠供應，換句話說就是耗費三千三百八十卡熱量的人，每天需五〇七克的糖類，八十四點五克的蛋白質，七十五克的脂肪，守財奴看窮人吃東西驚的咋舌，認爲吃都會吃窮，殊不知有錢不做事的人，他每天需要的熱量祇兩千卡就夠了，苦力需要三千三百八十卡的熱量，怎麼能夠相提併論呢？明瞭這些道理以後，知道了每天應吃多少不同的營養素，即可參考食物的成份去分配每日需要的食物了。

御廚談藪

餚肉與湯包（上）

林泉隱

鎮江餚肉與揚州湯包，雖是民間的點心，因爲很著名的關係，皇室老早就有了，這在御膳房有記錄可憑，廚師是否爲揚州或鎮江人未有明文記載，據一位親王說，清德宗載湉（一八七五年）即位，光緒時年僅五歲，係西太后妹妹所生，兩宮太后均垂簾聽政，帝臨朝時還喊我要吃有湯的包子，亦宮庭逸事。

餚肉的製法，是用豬的腿肉或者蹄膀，用炒過的花椒鹽揉擦豬肉，擦透後將肉置小缸裏，以五斤肉作標準，一兩高粱，一兩牙硝水（牙硝約蠶豆大小一塊）勿太濃，否則肉有苦味，一粒大茴，十粒小茴同醃，十二度以上的氣溫，今醃明吃，蒸或煮皆可，但必須要透爛，用布包扎，以大石壓成板硬，冷後切塊，即成爲鎮江餚肉。

餚肉不油膩，是牙硝的關係，硝不僅有殺菌的功能，且富指陳出新的作用，蒸肉火要烈，煮肉火要文，否則均難臻理想，製作時最好留一記錄，經數次改進後，自能生巧，下次談小籠湯包的製法。

事過境遷

三幕喜劇　熊式一

包太：那我們明天一同到中環去，就有許多事情要辦了………………

仁：　是的！你還要重辦護照………是不是還要重領身份證呢？因爲在你考慮我們結婚不結婚的期間，你要是旅行，還得用………用………用從前的姓名……

包太：我考慮了一下，仁翰，明天假如婚姻註册處開門的話……

仁：　慧……珠，你眞的答應我嗎？

包太：當然！

仁：　我今天才求婚，明天就去辦手續，你不嫌太早嗎？

包太：當然不！仁翰：我方才對趙太極說是史先生把名字弄錯了，省得他們知道我們再去註册的事，姑媽不是說千萬不要讓人知道嗎？我也叫了史先生對露茜這樣說！

仁：　你眞有遠見，總是比我先想到！

（趙太極和阿詩兩個人抬着一張六呎寬三呎長的大油畫進來，看見仁翰，嚇得想回頭跑。趙太極早已逃到了門口）

這是甚麼，是那兒不用的門板？正好給我補狗窩！狗窩有了這一塊大門，決不會漏風了！

（趙太極又急又氣，說不出話來）

包太：這不是大門板，這是趙太極的畫！仁翰：你平心靜氣看一看；你不是剛剛發現我們的山是斜斜的嗎？

（阿詩把畫放正，仁翰仔細看看，不停的搖頭。太極看見仁翰搖頭，更是着急，包太太也走近過去站仁翰旁邊看。）

仁：　山是有斜斜的，駁不見得有三隻角的！至於這張畫這是甚麼東西？我不懂得你們的「法乎自然」是怎麼一個法法？我不懂，我不懂！

（露茜跳跳蹦蹦的從窗口進來。）

露：　嬸嬸，史先生告訴我，他把姓弄錯了！這就好了！他叫做「天下本無事，庸人自擾之！」

趙：　（走到窗口去迎他）嬸嬸早告訴了我，我正預備等你來了告訴你。

包太：（小小的聲音）孩子們，不要吵，不要鬧，千萬不要大驚小怪！叔叔答應了我，先讓你們定婚……（露茜跳了一跳，太極幾乎要跳）再在大會堂替太極開一個展覽會！（太極跳，）隨後送你們到外國去深造——（兩個人同跳，）還要把這層古屋翻造成八層樓！（他們并沒有聽見這句話，早已一同跑到窗口去了）

催眠術研究（二十）

鮑紹洲

態。此種原理，使其肉體因其所欲之念而成爲變化者，是爲身心相關之理也。

十二、觀念催眠法

這種催眠法，是令被術人「自爲催眠之觀念」，其觀念專一，自成催眠。行這種催眠法時，先令被術人處在安靜的地位，令其閉目，然後暗示道：「將欲眠」，「快催眠」，「已入眠」多念數次，此時被術人頭部的血液，使徐徐下降於足。當暗的「將眠將眠」之言，可改口暗示爲：「心靜心靜」，將沉靜，更將沉沉欲靜，沉靜至深而不止。」如能依此反復念之，精神自然沉靜，一切聲音皆不能入耳，自己身體似已入於洞穴之中，全失去外界之雜念，而深爲之催眠。此法的著眼點，即在使被術人視催眠法爲觀念，則覺自已身體如飄飄若羽化，而成催眠狀

十三、溫涼催眠法

溫涼催眠法，須視氣候而定，如寒冷天氣，則用溫氣，炎夏則用涼氣。在寒冷天氣行此法時，使被術人坐於暖爐的旁邊，使不覺入睡了。

如遇天熱，使被術者處於通風的地方，即感覺涼爽，使心神活潑者。這種方法，是由經驗而得來，故必於冬夏二季行之。在冬天行此法，必先使被術人到溫暖的房間，輕輕按在前額與手足之尖，加以微微動，然後暗示道：「將眠就眠」，則可使之催眠了。在寒冬時節行此法，施術人須先把自手掌溫暖後方可行之，如在夏季，則開放南窗，置被術人於安靜的地方，如太熱亦可揮扇，用電扇亦可。

自由報

中華民國內政部登記證內版台報字第〇三一號
中華民國僑務委員會登記證台僑新字第三二三號
中國郵政香字第一二八二號執照登記爲第一類新聞紙

（第二九八期）

（半週刊每逢星期三、六出版）
每份港幣壹角・台灣售價新台幣弍元
社長李鵬運・督印黃行密
社址・香港九龍彌敦道593—601號
廖創興銀行大廈八樓五座
LIU CHONG HING BUILDING
7th FLOOR FLAT 5
593—601 NATHAN ROAD,
KOWLOON, H.K.
TEL: K303831
電報掛號：7191
承印：聚星印刷公司
地址：嘉成橋廿九號地下
台灣總管理處，台北市大同街119號
台灣區直接訂戶　合郵劃撥戶
第五〇五六號張萬有（自由報會計室）
電話：五一四〇三三・五五五三九五
台灣分社：台北市西寧南路110號二樓
電話：三〇三四六・台郵劃撥戶九二五二號

中國文化與世界和平（下）

張起鈞

而民主國家一旦得勢又何嘗不是百步與五十步之比。美國可算是最善良的國家了，但他也往往會爲了「不奉行自己所認爲最好的民主制度」，而不惜落井下石，置其盟邦於死地。他不僅不加憐惜同情，反而理直氣壯、義憤塡胸。因爲西方人千餘年來只慣於爲耶穌喝采，讚美他把牛羊販子趕出聖廟；而從不會想到這些安分經商突被趕掉者的委曲。這種精神若潛伏在强國盟主的心中，試問天下怎能眞正獲致太平？

反之，在中國的情形就不同了。中國人的道義，是基於儒家哲學的。儒家對人的基本態度就是忠恕，所謂：「夫子之道忠恕而已矣。」恕道的意義，從反面講，便是「己所不欲，勿施於人」的「絜矩之道」。從正面講，就是承認別人的存在。在這種精神下，從不會拿自己的私行私見去要求別人。孔子教人忠君，是忠他自己的君，而非忠孔子魯國的君。孔子教人孝親，是孝他自己的親，而非孝孔子的父母。（耶穌則教人跟着他，變他在天上之父。）推而至於國與國之間，也同樣「眞正的承認別人存在」，尊重別人存在；從不會叫別國爲自己的利益，爲自己的主義而存在。相反的，卻要本乎推己及人的精神，爲別國服務，爲國際維持正義的秩序。孔子告訴我們的教訓是要「柔遠人」「懷諸侯」，他說：「送往迎來，嘉善而矜不能，所以柔遠人也。繼絕世，舉廢國，治亂持危，朝聘以時。厚往而薄來（按：這與帝國主義者剝削殖民地的精神恰恰相反），所以懷諸侯也」。這種教訓並不是空話。過去兩千多年，我們對於四鄰的弱小國家，大體便是這種態度；甚至近代與西方接觸後，對於西方的國家仍持這種制度。在鴉片戰爭前二十四年（即嘉慶二十一年公元一八一六年）清廷頒給英國使管亞墨爾斯轉至英王的詔書，便是一個良好的實例。

「……爾國王數千里奉表納貢，爾使臣不能恭敬將事，代達悃忱，乃爾使臣之咎，爾國王恭順之心，朕實鑒之。特將貢物內地理圖、畫像、山水人物收納；嘉爾誠心，即同全收。並賜爾國王白玉如意一柄，翡翠玉朝珠一盤，大荷包兩個，小荷包兩個，以示懷柔。至爾國距中華遙遠，遣使遠涉，良非易事。且於中華儀節不能諳習。重勞唇舌，非所樂聞。天朝不寶遠物，凡爾國奇巧之器亦不視爲珍器。爾國王其輯和爾人民，愼固爾疆土，無間遐邇，朕實嘉之。嗣後無庸遣使遠來，徒煩跋涉；但能傾心效順，不必歲時來朝始稱向化也。……」

這段文字在今天看來，當然是昏憒糊塗，令人笑破肚皮。但我們之能笑他們糊塗乃是：「事後有先見之明」。假如我們同情他們君臣時，請想中國兩千多年來，除了自身衰弱不保外，那一個時候對外國不是這種態度？何以現在忽然又不可以這樣作了呢？這實在不是他們君臣所能理解的。反之，「觀過知德」，在這昏憒可笑的詔書中，卻充分反映出我們傳統的泱泱大國風度。我們不是提出什麼條件去叫人家去履行，也不是希望人家對我們有什麼好處。而是只要你能輯和「爾」人民，愼固「爾」疆土，我便滿意了。——試看這正像老祖父囑咐兒女：只要把孫子們教養好他就滿意了嗎？中國人有這種口吻和懷抱並不是偶然的。這正是儒家恕道精神的必然結論。因爲我們從來都是勸人家孝他自己的父母，而不會要他來孝我的父母。國與國間只有本着這種精神才能彼此和平共處。強國盟主只有本着這種精神才眞能領導世界和平。而要能自然由衷的發揮這種精神，當然捨中國而莫屬了。

×　×　×

由上面的分析可以知道領導世界和平不是靠原子彈，而是要仰賴「智慧」與「道義」。而在道義、智慧方面則中國又獨具與衆不同的深厚背景。因此中國不强則已，只要強大起來便一定要負起促進以至領導世界和平的工作。這是我們發揚祖先優良傳統的義務（這意思是說：在我們傳統文化中當然有許多不優良的成份，但是優良的部份我們應該發揚光大，貢獻給世人）、還是我們對於世界人類的責任。（完）

自彈自讚——醜！

自由談

元月十三日合衆社國際電訊報導：所謂「著名的美國和日本的政治人物」，訂於元月廿六日在加州舉行非官式的會談，商討中共僞政權進入聯合國與對中共地區的貿易問題，以及中華民國未來地位問題等事項。參加這項會談的美方政治人物，是參議員麥德華、甘迺迪、傅爾布萊、麥卡錫、大法官道格拉斯，前駐日本大使賴世和等；日方代表團由前任外相藤山愛一郎率領，包括若干具有親共思想的議員和左傾官僚份子。

看看這羣所謂著名的政治人物，無一不是一貫的對中共姑息主義者。這些傢伙並沒有學說思想的智慧，只是志在利用別國人民的血汗以培育自身安全繁榮享樂的花果而已。像美國的傅爾布萊、道格拉斯、賴世和之流，左傾與名早已洋溢世界，醜聲四播了。至於日本的藤山愛一郎，原是以工商業起家的資產階級公子哥兒，且從政之後，妄想作首相，乃與前任日本首相池田勇人，外相三木武夫等，隨時表示左傾親共態度，以討好日共及其同路人社會黨和勞動總評等團體，實則他並不明瞭共產主義是何內容。十年前，筆者在日本參加國際筆會大會時，藤山以外交部長地位，出席演講，高談其莫名其妙的文學問題，貽笑大方，即可見其幼稚作風之一斑了。

鬼影幢幢

這羣熱中政治權位的僞裝開明進步的政客官僚，居然越位潛份，妄談毛共進入聯合國和中華民國的未來地位問題，可謂荒唐胡鬧之至。尤其是對中華民國的地位，不但他們這些妄人不配置喙，就是美日政府當局，也無權力過問此事的。「曹社鬼衆，嗚嗚謀亡國」，光天化日之下，鬼影幢幢，這不是活見鬼嗎？

不過，月暈知風，礎潤知雨，美國民主黨人士素來對咱們中華民國抱有仇視蔑視的心情，不惜加以犧牲出賣的。時衡當前國際現勢，要想出賣中華民國，祗有勾通日本人庶幾可望得售奸計，而日本大多數的人，始終不忘情於侵略中國，亦爲無可置疑的事實。我們朝野人士，緬念來日大難，憬然禍至之無日，對於美日兩國姑息份子的陰謀詭計，似不宜漠然置之。至少至少，也應該發佈聲明，闢斥其邪說詖行，表示中華民族的人格與國格，否則我們未免太沒種了！

馮[illegible]先生

血腥統治破產已久 反毛運動澎湃展開

指核子試爆係爆人民的血和肉

標語口氣似出自二號文化打手

（本港消息）匪區核子試爆的宣傳喇徹雲霄，沒有骨頭的文人們筆下，除了科學家的頭銜未被毛澤東佔領外，甚麼政治家，軍事家，外交家，文學家幾被毛澤東兼完了。

毛澤東經過神化後，事實上已不再像是個人了：毛澤東與人民脫節已久，從各地普遍反毛角度去看毛澤東，欲提回十年前一股向心力，已無可能，粵漢鐵路本月二日北上客車發現印刷很精美的傳單上說：「我們堅決反對下放所構成的迫害，我們更反對勒緊肚皮餓飢試爆，這樣做的後果，輸掉自己的生命又有甚麼用呢？」

廣西和貴州各地的反毛運動，更是澎湃展開，桂林柳州等廿幾縣市牆上文學行情看漲，柳州車站牆上發現寬約一丈油漆繪成的漫畫，報導未說明漫畫甚麼顏色，內容是毛澤東手握屠刀照着鏡子說：「可惜消滅美帝還須要你，否則我連你也宰了」。另外一位着列寧裝的同志，似代表周恩來說：「爲了能夠『國葬』，此時此地宰毛同志，可謂死得其時」。

黔桂鐵路反毛的標說，幾乎到處可見，標語的內容有力而且乾脆，例：「毛澤東！快滾開！」「毛澤東要負起衣不蔽體，食不果腹的責任」，「核子試爆是爆全國人民的血肉」，「賺到了地球！輸掉了生命」，「我們不再做毛澤東的牛馬」，「全路工人誓死反抗延長工作時間制度」，「擁護劉少奇同志」。從標語口氣分析，似出自共產黨二號文化打手×××手筆。

廣九鐵路沿線都發現零零落落顏色紙印刷的傳單，標明約法八章，一、不做毛澤東要我們做的事，二、對公事要陽奉陰違，對私事重過公事，三、不傳播毛澤東語錄，四、不相信毛澤東思想，五、日頭落西方紅我們要消滅毛雜種，六、消極代表智慧，怠工就是愛國，七、迎接大反攻，支持再解放，八、蔣總統萬歲。

各地公安局規定凡檢得此項標語，不報者處死，但照樣有人敢將甚多標語帶到內地傳閱，以證明血腥統治破產久矣！

昨日與明日

尼紀綜合意見

叔子

尼克森走馬上任入主白宮，內閣人事早定，其人選對國人來講多有陌生之感，因此對尼克森執政後之美國對外政策的定向殊難忖測。

就所得的「人事資料」中看一九六九年尼克森政府，內閣當屬穩健推行尼克森政策者，也即所謂爲多人「事務人材」。

不過，就尼氏的推崇紀辛格來看尼氏的外交政策，紀辛格的輻射力相當強。

紀辛格原爲大學教授，對歐洲問題及美國的外交政策均有深刻的認識，唯因其自負於此一認識的「正確」時以尖銳的文字及語言批判當政。而紀氏的文字及言語皆以美國的利益爲大前提，在觀念上也較傾向於歐洲，致迎合部份高階人士的胃口，所以一經洛克菲勒的推荐，立即脫穎而出。

這是過去的紀辛格，不過，一九六九年以後，白宮的外交政策應是「尼紀綜合意見」。

「禍」「福」希望？

越戰巴黎和談，尼克森經已決定任命洛奇爲首席代表。洛奇曾兩任美駐越南大使，其對美國對越南政策及越南政府皆具有既深且切的影響力。

洛奇爲一職業外交家，其對外交力量的運用可說是駕輕就熟，得心應手，但此力量之運用。在越南表現的活龍活顯，在駐西德大使任內，便無甚效果。

因此，洛奇出任美首席代表與越共打交道謀求和平，是可予增加一分希望，不過，這一分希望是福？是禍？則端越南同胞自己去品嘗，去打圈圈或是翻桶子！

「疲極似靜」

共匪建議與美於今年二月間重開「華沙會談」。

這一招用在蘇進軍捷克招致共黨集團及國際間均表不滿之際，可得畫龍點睛之妙。

蓋共匪與美國的「華沙會談」，能談出什麼效果來，大家肚子裡都有數。但不怕一萬，祇怕萬一，蘇俄自不能不「擦一於中。

另一方面共匪兩面作戰，壓力太大，再加上境內饑民來自八方，輸出入貿易差額至鉅，百業蕭瑟，危機重重，面對現實怎能吃得消？

雖然，「華沙會談」之與美國、共匪間關係，是否能有進一步的發展，如今言之過早。

可是，就整個局勢言，兩大之間內部皆有變動，均衡論歇遲藉日微，中東風雲黯黯欲雨，越南、寮國、韓國，又都烽火不息，在在都迫人眉捷，「疲極似靜」心情，乃理之當然。因此，我們不能不作心理之分析，因此我們不能不重視此一「會談」的後果！

台北新聞信

胡秋原舌戰洋教授

史卡拉比諾訪華一段秘辛

（本報通信員柳一權）

（本報台北消息）一度傳聞將出任尼克森政府主管遠東事務之副國務卿之加州大學政治學教授史卡拉比諾，曾於去年歲尾來華訪問，而於本月十五日離華返國，在華期間曾由當局安排各種參觀、會談、節目。據聞對外公開情形准均不除與匪意見，與氏對共匪問題專家交換由當局安排，外並與國內著名學者晤談一次，晤談係於一月九日舉行，由政府當局設宴款待，邀請參加除史氏外，計有錢穆、胡秋原，顧翊羣、張起鈞，鄭學稼、羅時實，任卓宣、曾敏徐高阮等九人，飯後即開始，陳述雙方觀點意見，史氏一如一般西方懷有成見之漢學家，而認爲採取共產主義乃中國文化之自然產物，彼等之邏輯爲中國一向服膺「孔子主義」，「孔子主義」是尊重權威的，因此中國人乃習於採用此獨裁專制之布爾什維克的辦法，任卓宣氏當即指出俄國並無孔子主義，而卻實行共產，馬克斯生於德國，德國亦無孔子主義……胡秋原氏則從正面源源本本指出中國大陸所以淪於共黨暴政，有其深遠之原因，約而言之，殆由西方列強迫害及兩重文化危機之所致，蓋鴉片戰爭以後，中國傳統文化趨於解體，歷遭列強迫害，國人深知如欲發奮圖強，救亡自存，必須變法西化，採效西洋文化，結納西方與國，然歷年遭受迫害之餘，舉凡英、法、德……等國，無不一一令我失望。

惟有美國尚屬友好公正，一時乃將希望寄託於美國，此種寄望於華盛頓九國公約會議時，達於高潮。但華府會議後，中國人發現美國口惠而不實，於是一腔熱望，歸於幻滅，正於此時，恰好斯賓格勒之「西方文化之沒落」一書問世，遂使中國人對西方文化、西方世界徹底失望，此時中國人既對自己傳統文化失望，又對西方文化失望，簡直陷於無路可走之境，此時布爾什維克的一套突然出現，本質如何雖不可知，但總代表一種新的途徑，新的辦法，值得嘗試，嘗試？同時西方學者中又不斷加以頌揚稱讚，益增鼓勵之力，再就實際政治上情形來說，當時國內唯一代表民主勢力的是孫中山先生，西方列強不僅不支持此一民主勢力，反而卻是幫助袁世凱、軍閥等，打擊孫中山與民爲敵。

此刻列寧即向中國伸出援助之手，以平等地位待中國，而予以實際之援助，何去何從，相形之下，至爲顯然。在此種種綜錯複雜的情況下，乃形成三十年代中的國人普遍左傾，因而導致中國大陸的淪於共產黨徒。

史氏對於胡氏指實西方之處，甚不贊同，認爲中國赤化乃由於自己的原因，而不能將罪過加諸西方，胡氏當又謂：一個自尊的人，一個自尊的民族，絕不將自己的錯誤，諉之於他人，但我此處要指明兩點，一即我們自己的罪過，何在？一即閣下何以要爲西方辯護。先說後者，我發現許多美國朋友，都以美國代表整個西方，此點不對，美國只是美國，此外尚有中南美，以及古老的歐洲等……美國有何資格代表整個西方。再就適才所談者論，我們絕不將罪過加在別人身上，但，英國法國之多方侵略中國，乃是鐵的事實，美國有何必要替他們辯護。

其次再談前者，我們不把罪過加在別人身上，罪過在我們自己，罪過是甚麼，就是：我們中國人要走我們中國自己的路，而這條路卻未能在短期內找到而已。何況短期內找不到呢，須知你們西方要解決的只是一重文化危機，即是只解決西方文化所發生的弊端而已。而我們中國的問題則是要解決兩重文化危機，既要解決自己傳統文化的危機，又要同時解決西方文化的危機。這自然不是一蹴可就，假如我們的環境好，像你們美國一樣，一邊是大西洋，一邊是太平洋，自然可以安安靜靜，從容不迫的去謀解決。但是我們的環境卻是，北方是俄國，東方是日本，英、法又從南方海上來，請問我們是遭遇如何的困難與阻撓，你們美國處境優裕，從來不知道同情別人的逆境，但請設想一下，假如你們的北方不是加拿大，而是俄國，東方有日本，南方又有英法，你們能有今天的建設嗎——這就是我們的罪過，這就是我們所以未能很快的找到我們自己道路的原因，我們雖是處境困難，但我們儘久會找到這條康莊的大道。

李秋遠宋霖康

職員職務均將解除

李爲醫業過失二次犯刑罪

本報記者董尚響

台北消息：台北縣省議會議員李秋遠，前曾一度因行醫業過失致人於死，經台北地方法院判刑兩月，於上屆省議員當選未就職前服刑，期滿後再行到職就任，樂得不幸中之幸。此次又因醫業過失，後蹈前轍，元月十一日經高等法院審判決定處三個月徒刑。據台北縣政府民政局官員表示，李秋遠省議員資格，因此可自被解除。

依據台灣省議員選舉罷免規程第三十八條規定，省議員候選人於當選就職後，經法院判處有期徒刑以上之刑，於判決確定者由省政府報請行政院解除其職務。因依此規定，李議員之「代議士」職員，當不免爲之摘冠。

再台北市臨時議會議員宋霖康，剛因銓敘部檢覈所申請銓審之公職資格學歷證件查明係僞造，移送台北地院檢察處偵訊涉嫌僞造文書，已被提起公訴，元月十二日又被判刑三年六個月，幷告三審定讞！同案被判刑確定的，尚有娼館老鴇林蜂蜜，保鏢吳明章等人，林、吳倆人亦均被判刑三年六個月。另一名被告羅邦文獲判無罪，此人亦被指控爲娼館老鴇。

本案發生於五十五年元月，宋霖康涉嫌利用議員職權，受老鴇林蜂蜜之託，將一名祇有十四歲少女許阿森自婦織館保出，再將許女送至桃園續操淫業，案由警方破獲移送法辦。

本案在審判中，宋、林、吳三人均被判刑四年，羅邦文處刑兩年，上訴後，高院改判，宋、林、吳三人判刑三年六月，羅邦文維持原判決，再上訴後，今日經最高法院將宋康霖等三人之上訴駁回，羅邦文改判無罪，本案到此遂告確定。

內湖購地貪瀆案

案情繼續發展中

丁耀中被收押某二人正待取證

本報記者顏碧天

台北消息：行政院中央軍公教人員住宅興建委員會原與中央級民意代表在新店先後購得土地四萬坪，中途因台北縣長蘇清波爲了新店鎮長直接同意鄧翻出看法令，乃而阻止，使該購地未能過預定計劃。該會旋向內湖區繼續購建地，由台北市社區與建會承辦代購，年前監察委員巡察小組，於市府巡察時發現該批土地有地上作物補償費欺三百餘萬元，「莫須有」浮報之嫌，當提指摘，由市府發交刑警大隊偵查後獲涉嫌者爲該社區興建會執行秘書儲進等，移送台北地檢處偵訊涉嫌貪瀆屬實，予以羈押，起公訴。嗣再由行政院將監察院糾舉案發交調查局複查，使案情有所發展，不僅祇浮報地面作物補償價款，且在地價上亦有浮報情事。外傳尚有非行政之高級人士二人，亦涉嫌分贓。該二人之姓名在社會傳播中可呼之即出，閱調查局正嚴密取證中，預料[illegible]。據悉，台北[illegible]油商賄案局面[illegible]清批辦該項購地之申請手續，係[illegible]以朦混方法向[illegible]首席參事兼國宅[illegible]任委員丁耀中於[illegible]在寓所中批准[illegible]發後市長高玉樹[illegible]監察院內政委員[illegible]與串貪瀆之嫌。[illegible]之望。但尚未涉[illegible]丁耀中大失素所[illegible]元月十三日會議[illegible]議：將留名國宅[illegible]一羣小職員所稱[illegible]宅會副主任委員[illegible]中與儲進、巫良[illegible]串通舞弊，在爲民意代表購住宅時，以浮報地價積費方法貪汚三[illegible]萬元的信件，移[illegible]檢處併案偵辦。[illegible]消息傳出後，使[illegible]更將擴大矣。

民社黨團結擱淺

青年黨統一在望

左舜生努力下頻頻商談

向執政黨建議政黨合作

本報記者公孫熊

台北消息：年前夏季開始籌開第三次全國代表大會進行團結之中國民主社會黨，終因派系裂痕，暗礁重重，數閱月來，迄未達成協議，以致代表大會，無限延期。近據確訊：遠寄美國加州之該黨主席張君勱，以講學過多，致素稱健康之軀，忽染胃出血，住入醫院療養。

在台灣之該黨各派重要人士，除極少數外，餘均盼張氏能回國親自主持大會之召開，團結或有可望，現張氏既已患病，即有請求，亦爲事實不許，但聞張氏所持意見，彼對該黨僅可遙領，尚無返台之願，派系中人，對張氏之遙領作風亦頗有不諒，徒滋浩歎而已。

至於中國青年黨之團結問題，據該黨機關雜誌醒獅元月份報導：

自年前左舜生來台檢查健康，於晉謁 蔣總統時， 總統曾諄諄囑告左氏，促進青年黨之團結，經左氏之努力，乃有「團結商談會」之成立。數月以來，已開會十餘次，其間雖因籌開「全代會」之程序、手續、名額、人選、組織……等問題，尚未獲各方衷心協議，但五十七年十一月二十八日第十一次會中，決定開始逐條討論黨章。

又該刊本期社論題爲「謹祝執政黨十全大會圓滿成功」之中，以譽陳管見三端，用盡言責：一、舊邦維新，開創新運。以近六十年中國歷史，可區分辛亥革命、北伐戰爭、抗日戰爭、反共作戰四大時期，其中每一時期，均有客觀環境要求，所需主觀理論主張，絕難適後一時期，故應求新求進。二、精兵簡政，擴大經濟建設，爲復國積蓄力量。三、政黨合作，共同建立國家共同體。對於國、青、民三黨加強合作，以充實反共力量。最近 總統倡導反共討毛聯合陣線的建立，應以政黨合作爲先導，建議十全大會，加以研究決策。外傳左舜生氏曾主張執政黨停發青年黨津貼，期待實實團結成功後，再行請予補助，是證左氏態度之超然，期求該黨團結之堅志云。

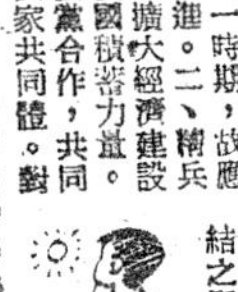

喬治桑外傳　十八

張大萬

這是一個佈置異常幽雅的庭園，地方不大，花木扶蘇，有魚池、有茅亭、有假山，更有相當廣闊的草坪。

喬治桑在魚池旁看魚兒上下喋戲水。他覺得這種靜趣，唯有讀過線裝書的中國人才懂得，他很得意，忽然酸溜溜地想做詩，便沉吟起來……

他看得「山色」，「花影」，「魚池」都是做詩的材料，可是沒有「烟士披里純」，怎樣也謅不成功。他自己覺得好笑。人家認爲他學貫中西，其實他是樣樣精通，樣樣稀鬆。不過，這是他個人的秘密，這年頭其有學問的人又怎樣？只有能要噱頭，還怕沒辦法？何況雕虫小技，壯夫不爲，做詩有甚麼用處？

他的亂想，證明他仍然是一個如假包換的「華人」，仍存有殘餘的士大夫意識。

「早安。」

喬治桑聽到洋文，向來不敢大意，這也是他多年來養成的習慣，他連忙回身一看，原來是昨晚的女侍向他打招呼。

「早安。」

「先生要吃甚麼早餐？中式還是西式。」

「橘子汁、土司、咖啡。」

喬治桑的早餐從不變化。據說一般洋人早上也是吃這些，所以喬治桑不敢隨便更改。

「妳很漂亮。」喬治桑按照西俗，看見女人總要稱讚一句，表示其懂得社交禮貌。

「謝謝你，讓我替你去準備早餐。」女侍聽喬治桑稱讚她，報之一笑，隨即像蝴蝶般飛去。

喬治桑在庭園裡徘徊許久，一句詩也未做成，懶洋洋地回到別墅的大廳。

他坐在餐桌旁，先喝橘子汁，以醒宿醒，喝完橘子汁，他立起身來，撥了個電話到美國朋友家裡，他當然不敢說是將約會忘了，也不便說和何千嬌夫婦聊開就誤了，編了一個謊言，說是因參加某一重要會議，所以不能來。豐妲很客氣，表示沒有關係，下次有空再約。

女侍在喬治桑身邊侍候他進早餐。

「兩位日本客人起身了沒有？」

「他們早已起身了，現在正在房裏洗澡，兩位小姐昨晚三點多鐘已先走了。」

日本人到底愛乾淨，一天不知要洗幾次澡，喬治桑暗想。

「爲甚麼兩位小姐先走了？」喬治桑問：

「她們告訴我說，天亮回去怕媽媽責怪。」

那裏是怕媽媽責怪？錢已先拿到，還不是草草了事樂得早點撤退。喬治桑心裏有數，不再多問。

「哦咳唷」大塚已不再有「武士」面孔，進了大廳用日語向喬治桑道早安。

「哦咳唷，昨晚睡得好不好？」喬治桑以一半日語一半英語向大塚寒暄。

「西班牙蒼蠅很好，很有效。」大塚滿面春風，同時與喬治桑握手，大有感激涕零之意。

大塚坐下與喬治桑共進早餐，大約過了五分鐘，野田也下來了。他們用生硬的英語和喬治桑閒談。

在九點鐘不到的時候，女侍告訴他們，牛董事長派車來接他們進城。

喬治桑、大塚、野田三人都沒有行李，不要一會工夫，都已準備好，一同離開別墅。喬治桑因爲一天一夜沒有回家，所以，上車後即告訴司機他在林森北路先下車。

喬治桑下車以後，僱了計程車回到寓所。

「早安、叟」管家的李小姐向喬治桑致意。

「早安，雅麗絲。」喬治桑也和李小姐打招呼。

「昨天朋友拖去打麻將，因爲有了輸贏，所以打了通宵，有沒有甚麼事？」喬治桑借口胡謅的目的，倒不是要避諱李小姐，而是他覺得在一位小姐前率直道出他的狎邪遊經過，總有些不便。

「一共有三個電話，我都記下來了。」李小姐一邊說，一邊遞了一張紙條給喬治桑。

這三個電話，一個是昨天下午打來，兩個是晚上。

下午四點鐘，美國朋友豐打來電話，晚上的電話，一個是牛董事長，一個是「神奇化」粧品公司總經理郝隆昂。郝隆昂是十足的海派商人，長袖善舞，門檻非常精，前幾年股票市場起伏無常，郝隆昂着實撈進不少，他用套、養、殺的手法，在股市中無往不利，因此，他有「海龍王」的別號，足見其神通廣大。

郝隆昂出身微賤，在上海屬於「癟」字號起碼人，現在時來運轉，儼然變成工業鉅子，郝隆昂有寡人之疾，在女人地界最肯花錢。女明星、交際花等，除非不被他看上，看上了，無論化費多少都不在乎，許多報紙、雜誌都有他的投資，因此，他也不愁輿論會揭他的底牌

蘇俄新史達林主義及所遇之對抗

何勇仁

五、西方盟國急謀對抗的前瞻

北大西洋公約組織原已因法國的故弄玄虛，和西歐及其他國家的自私，早已變成歷史的陳跡一般，不久前北約十五國匆匆集會後，已予蘇俄以警告，假使蘇俄出乎意外，此當然爲了對抗世界均勢所發生的問題而發，而前因後果的內幕正多，急於交代歷史的也正多，爲着反共救亡的也就更多了，左列各項爲迫使不得不然之勢的了：

A，蘇俄新近在地中海的更擴張，使西方盟國發生重大的恐懼及警覺，不得不急謀對抗了。據法國儍且報透露，蘇俄自設法控制阿爾及利亞，並已超過西方盟國了，使俄在地中海的力。蘇俄在阿的軍事技術人員已有一萬八千人之多，他們名義上是爲阿訓練空軍飛行員，實際上乃開發軍事基地，其中心據點乃福熙城，爲法國以前所建立的行政中心，曾花了六千萬美金者，以外還援收馬斯開比軍港，刻從事大規模現代軍事建設，如此即已與敘利亞的拉脫克連成一起了，而使地中海變成了海軍大活動區域了。據最新的統計，蘇俄目前在地中海的實力有三艘飛彈巡洋艦，三艘飛彈驅逐艦，一艘直昇機航艦，三艘普通驅逐艦，六艘快速驅逐艦，數艘核子動力潛艇，帶領一羣普通潛艇，另加上其他輕型艦艇廿二艘，實力確極爲雄厚了。

B，妄想和平共存的西歐國家，現在已警覺到自己的危機了，蘇俄既已粉碎了歐洲軍事的均勢，即必有囊括整個歐洲的野心了，不是嗎？他們面對着華沙公約組織擁有超過一百八十多師的陸軍（二百餘萬人），北約組織的人數和火力，只等於對方的一半，他們警覺之餘，不得不集會商討了，不得不重整旗鼓部署了；不得不從西德到西班牙，從愛琴海到北海，作防禦之準備了；又不得不正式聯名警告蘇俄了，更不得不要求美國國務卿發表强硬的警告，及要求美國增援地中海，及作聯合演習了！

C，對蘇俄予以有力的警告，這似乎與詹森對俄的和解政策相違背，故詹森在使國務院發出警告以前，即派前國防部長赴莫斯科解釋了；但美國自己知道對俄終須一戰，此爲美國朝野所公認，尤其是核子潛艇蠍子號失蹤有被蘇俄謀殺之嫌疑後，美國人就不會對俄有仇恨嗎？故美對俄雖仍有和解之心，但如俄一旦再不停止其「新史達林主義」實行冒險侵略，則美國決不會失信於盟國的。據美國國防部長柯立福在布魯塞爾表示：「美國對其西方盟邦的保證並非徒托空言，而是包含有實際的行動在內者」，而這行動可能即爲英國國防大臣奚禮所說：「他曾代表北大西洋公約組織核子計劃小組，提出幾項關於運用核子武器以阻止並對抗侵略者。」奚氏所提出者，即爲美國所試驗成功之「越洋發射核子警告彈」，爲警告敵方最大的武器哩！

以上所舉各項問題及資料，正如在檔案室一般，北約集團雖有表現，但似仍裝腔造勢，目前北大西洋公約方面雖決議增援但第一線的西德及其鄰近僅維持着二十四師的數目，其他各地的部隊也未能眞實增援，儘管俄國的壓力增强，提高樂似有覺悟，但法軍仍欲置身於糾紛之外，而美國海軍雖衝進地中海增援，但美國的兩面政治路線依然加强，詹森最近且有訪俄之計劃，而唯物史觀的戰爭論乃以「不戰而亡其國」爲原則者，蘇俄自不會即時與美決戰的，（十二日俄大批艦艇撤出地中海）今後兩大集團的死拼，應尙有一段期間的距離，現階段的第一線仍是思想戰、組織戰，滲透戰吧。（下、完）

李鴻章信札一束

鴻雁

大學尺牘

致王之春信

「使俄之役，忽有改命。緣西□加冕爲大典，此次各國往賀，多有君主自行，其次亦遣親王外部；日本初意以伊藤（博文）爲副使，俄人乃以較量官秩難於位置爲言。擯延聚議多時，遂推及鄙人之舉。」

致吳汝綸信

「兄以二百日，歷九萬里，驅馳酬應，暑無暫停，頑軀覺能支持，實非初願所及。各西醫來觀者咸驚爲稟賦之奇，前在柏林曾以電光照驗面部所受槍子，醫者則云：去固不能，留亦無害，只可聽之。各國接待情形及沿途行止，西報逐日記載至爲詳盡，譯佈中夏者不過十之二三。西人好名，所至之處輒有報館人執筆相隨，朝夕不離，有如監史，即一言一笑之細，亦纖細撫造。投老遠行，供人描畫，一何可笑？至其立國政要：：已覺所見過於所聞，其扼要處實在上下一心，故能齊心合作，無事不舉，積富爲强。中國則政雜言龐，而生財之法又不逮遠甚。每於縱觀之際，時增內顧之憂。胡文忠（林翼）云：使我多財，天下事尙可爲。昔嘗嘆味其言，然猶最第二義也。」

致劉樹棠信

「望日抵都覆命，仰蒙兩宮召見，垂問甚殷，當以老痰自陳，重荷溫諭，越日遂有譯署之命，未敢固辭。」

「承詢彼邦政事風土人情及强弱利弊所在。」

「別箋所示，具徵忠讜之懷。此事訛言繁興已非一日，見於中外各報者皆揣揑之談。中俄之交爲東西諸國所深忌。於是杜撰條欵，肆其詆諆，輾轉流佈，愈失其實。即各口（通商口岸）新聞紙有前日所載而後日更正者，有此處所書而彼處辨析者。自生自滅，莫可端倪。至於保護之名，非敵體之國所有，其爲謬妄，更不待言也。」

致伍廷芳信

「德約甫成，俄事又起，羣雄環伺，正無了期，當局者眞有朽索六馬之懼。美邦政教人情，誠如尊指。論者皆云宜結爲援。中國所需，自應取材於此。至於根本之計尤在變法自强，彼既不肯爲我禍，亦豈肯爲我福。子輿氏有言：禍福無不自己求之者，恃人終難久也。」

致張韶臣信

「自克江南以後，曾文正即以朝氣推重淮軍，紀律精明之稱，屢見文牘。沅帥（曾國荃）御軍有家法，天懷尤極公誠，不似其他湘人之督江者畫分湘淮，判如涇渭也。貴部久駐江防，號稱勁旅。……沅帥歸鎮兩江，訛言當可少弭。」

致曾國荃信

「伏讀詔書，回思戡伐從治定功成之日，溯同憂同患之人，日月幾何，雲霄大半。先文正師提挈文武，翊戴宣光，赫於江漢之詩，不見明章之治。重蒙遠道爾雀之祀，彌響先皇中甫之懷。惟鴻章與我公猶以百戰之餘，再覩重華之盛，提衡南北，並荷褒榮，俯仰古今，能無感喟。惟有共勵初心，勉持晚節而已。」

致沈秉成信

「忠襄晚年，政尙寬大，營務不無懈弛，緣論誠爲洞徹。文襄忠襄兩政十載，而湘楚舊部視若家鄉，舊忠求者尤多且久，昔之相從盡力，今則失職無歸，責望孔恩，原有不能盡繩以法者；然近年屢有造謀鉅案，不免用鉞，而徒黨實不可爬梳，每論歲暮，訛言屢興，轉調江陰防軍以爲金陵翊衛，彷彷此患日久易剷除。選帥必於湘人，朝意亦深顧慮。」

致劉銘傳信

「現前敵各軍，相繼赴進，苦於有將無帥。兄年逾七十，惟不能爲藥師渡海之行，朝廷以台灣不出，特召毅齋中丞（劉錦棠），聞所患與執事相同，未知能强起否？點數海內人物，勛望相將者亦更無第三人！迴憶甲申法越之爭，宿將起自田間，南北相望，俯仰十年，頗有文武銷盡之感，可爲太息。倭人傾國以圖韓，久蓄楚黷陳蔡之志，敢忘齊桓江黃之責？舊日暮之行，扣襄底之智，力與相搏，詎易言和？徵調紫輿，正不知如何結束耳。」

吳敬恒先生年譜（四一）

陳凌海編撰　陳洪校訂

先生偕張人傑（靜江）等搭乘江南車至蕪湖轉往黃山小遊數日。九月七日，偕甥女馮元賽等乘津浦鐵路火車赴北平，李煜瀛相迎。十一日轉赴張家口，夜至大同，遊雲岡。十五日遊恒山，旋返北平，寓西山，三遊天壇，訪李煜瀛夫婦。十月，爲簡字問題，訪晤王世杰（雪艇）。十一月，參加中國國民黨第四屆六中全會。先生向大會提：「請迅免棉花進口關稅，以救濟棉紗業基本工業」一案。十一月十二日，中國國民黨第五次全國代表大會，先生被選爲中央監察委員會委員。關於召集國民大會及宣佈憲法草案，大會推先生與張繼（溥泉）召集李文範（君佩）、陶百川、陳布雷、陳立夫、谷正綱（叔常）等二十五人組織審查會負責審查。十二月，國民黨第五屆一中全會開幕，先生致開幕詞。並爲大會教育組召集人，審查有關教育方針提案。是年教育部令改國語統一籌備委員會爲國語推行委員會，聘請先生爲主任委員。先生以歷年節儉所省之法幣一千五百元，以武進新塘學藝社名義，向南京市政府購置西華門西華巷公地六畝，計劃建設平房數間，供給雪堰橋本鄉子弟前往南京求學寄宿之用。

民國二十五年，丙子（西曆一九三六年）

先生七十二歲

一月，東方雜誌出版新年特大號，蔣維喬（竹莊）著「中國教育會之回憶」一文，送請刊載。王雲五（岫廬）接該稿，因內容對先生頗有微辭，乃往晤先生詢問眞相。先生對於中國教育會有關資料平素蒐集齊全，即針對蔣維喬所著「中國教育會之回憶」作「回憶蔣竹莊之回憶」一文，同時發表於東方雜誌，以辯正其虛妄。三月，先生書岳飛滿江紅詞贈蔣委員長中正。嗣後馮玉祥（煥章）嘗向先生請求照樣書一幅見贈，先生迄未有作。四月，赴無錫一行。五月，先生偕蔡元培（孑民）夫婦、李書華（潤章）、徐季蓀（名錫驥、乃烈士徐錫麟之介弟。）、陳政（仲瑜）、許師愼等同遊天台，雁蕩、遊畢，先生對國內名山作綜合比較之批評，將形容名山形勢，親書於李書華之「日記本」中。其評語如下：「『散而爲雁蕩；聚而爲黃華；列而爲三峽；蹲而爲桂林』。先生又評諸山之勝云：『奇峯怪石，不可勝數，散佈於平疇雜嶺之間，占廣大區域者，雁蕩是也』。『奇峯怪石，不可勝數，高下錯峙，劍聚而爲崇高之大小者，黃山與華嶽是也』。『奇峯怪石，不可勝數，夾江而列陣，亙數百里，如岳家軍之不可撼者，三峽是也』。『奇峯怪石，不可勝數，如泰西之象戲，棋高齊之子棋，布局於郊原者，桂林陽朔是也』。關外與滇邊不與焉，域中山邱之至奇者，盡在於此矣。」

生活雜感

昭旭

曾朝時謝安有一次曾對王羲之說：「中年傷於哀樂，與親友別，輒作數日惡。」所謂哀樂中年，誠然是不錯的。人在青年，大都有一番豪情壯志，爲人處事，總是一往無前，總是重視理想而鄙薄人情。其實這只是人生的一面，等到年華漸逝，銳氣消磨（但不見得是志氣銷磨），便自然會發現人生中另有一面，親朋共話，和樂融融的溫馨情狀。同時也才能深體味出世間的人事關心，特別是死別生離的可哀。因此，人過中年，便特別會感着人情的可貴；要與友朋時相過從，彼此通情，而品嘗到日常瑣瑣的有味，這原是人情之本，也是人類生活的應有情狀。

我們中國人，或者說，我們東方人，天幸的領受東方文化之賜，人到了相當年紀，都能夠樂天知命！安貧守富，愈老愈有人情味，愈老愈爲人敬愛，愈多人探候，故能享樂餘年。不像西方如一些寂寞的老太婆，聽說有願意把房間免費出「租」，汽車免費借用給一些外國的留學生，還常常替房客弄早餐，只希望能有個人和她說說話的可憐情形。

只是呢，現在是西方文化當道的時候，人們都競趨西化聲中，我們固有的一切都漸漸變質了，一切人情味都慢慢地淡薄了，對老年人漸不大關心敬重了。今天大家在喊復興固有文化，我想這一點生活態度和情味也應是重點之一。

石頭希遷門下的五大禪師（九）

禪學黃金時代

吳經熊著　吳怡譯

巖頭默然不語，把盒踢翻而去。

從這段故事中，很淸楚的看出欽山是肯定的，雪峯是否定的。至於巖頭把盒踢翻究竟是代表甚麼呢？也許他想用這一踢表明自己要超越肯定和否定，巖頭常常喜歡說「末後句」。在他的眼中，很多的禪師知道這個「末後句」。也許他這一踢，就是他的「末後句」，然而無論如何，他很少讓別人去說了「末後句」。

雪峯的思想不如巖頭俊捷，但由於他具有誠眞，仁慈，忍耐，無私等美德，使他在禪宗史上成爲一位了不起的禪師。他最大的特性，就是能夠讓別人去說「末後句」，而且對別人所說的，加以衷心的讚許。假如說巖頭有一顆光輝奪目的心靈的話；那麼雪峯便有一個偉大的靈魂，他正像一隻母雞孵出了不少傑出的學生，如雲門，和法眼的祖師玄沙等。雲門和法眼這兩個禪學上重要的宗派都是由他一手開展出來的，至於巖頭卻始終沒有結出果來。

然而不可否認的，雪峯和巖頭都是德山的同門弟子，而且雪峯稱巖頭爲師兄，他的悟道也是得到這位師兄的幫忙。有一次他們兩人一起旅行，當他們走到湖南鰲山時，正碰到大雪阻途，不能前進，巖頭整天不是閒散着，便是睡大覺，而雪峯總是在坐禪。有一天，雪峯想把巖頭喚醒叫道：

「師兄，快起來」。

巖頭問：

「起來幹甚麼」？

雪峯喃喃自語說：

「眞倒霉，與這個傢伙一起行脚，被他拖累，我們到了這裡，他就一直的祇管睡」。

官人列傳（十四）

周燕謀

孟嘗君食客三千

三、鷄鳴狗盜之客

齊宣王二十五年，孟嘗君終於入秦，秦昭王欲拜孟嘗君爲相。秦昭王的羣下陳道：「孟嘗君賢而爲秦相，則必先齊而後秦，秦國豈不危乎！」於是秦昭王乃罷孟嘗君爲相之議，並將孟嘗君囚於秦，又欲[illegible]極佳，有人告之，孟嘗君乃使食客見秦昭[illegible]欲得孟嘗君狐白裘爲條件。（以狐狸之白毛[illegible]秦帶有狐白裘，價值連城，天下無雙，入[illegible]無他裘可獻。孟嘗君深以爲憂，遂召集門[illegible]人可解。至最末座一客挺身而起道：「臣[illegible]善爲「狗盜」，孟嘗君大喜，命客往秦宮[illegible]秦昭王幸姬，幸姬有寵於昭王，每言必從[illegible]將孟嘗君釋出，孟嘗君得出，帶門下客急[illegible]出關，半夜抵函谷關。（今陝西桃林縣西[illegible]鷄鳴始開關放行，孟嘗君恐後追兵至，深[illegible]坐者挺身而起曰：「我能口技效鷄鳴」。[illegible]鷄鳴，一啼百應，關吏聞鷄已鳴，便開關[illegible]「鷄鳴」、「狗盜」二客者，平日皆爲他[illegible]入秦之難，二客則各顯其能，而脫其難。[illegible]，孟嘗君出關未久，秦兵追之已不及。

事過境遷

熊式一

三幕喜劇

仁：我看了半天，實在不知道他在這兒塗些甚麼名堂！（轉身問太極）你自己講，這倒底是甚麼名堂？（忽然看見天空中有一片三角形的雲彩，大驚！）嚇你們看，那是甚麼？是不是我的眼睛花了？（拭目搖頭再看）眞是三角角的呵！

（大家都站在窗口望天，太極隨便望一望便轉過頭來看自己的大畫。）

趙：這算甚麼？我還看過四隻角，五隻角的……（發現他不認識他自己的作品，仔細看一下子。）阿爺，你這個蠢材！這張畫怎麼可以這樣看呢？

（他跑過去把畫放直着，又回到畫前和大家一同欣賞，仁翰看了兩眼，走過去把它打橫，仍成了橫幅，上下都和最初倒置，然後再回原位來看。）

仁：這就對了！好！好！好！

衆：好！好！好！

（幕後一片犬吠聲）

花：（在幕後）汪！汪！汪！

仁：我的阿花都說：「好！好！好！」太極，你眞了不起！比畢加索都偉大多了！

（大家繼續欣賞大傑作，表情各自不同，幕徐徐落。假如觀衆沒有走完，幕急啓，衆立如前；若可能，找一隻大花狗站在仁翰身旁一同看畫。）

仁：馬上把它掛在飯廳的正牆上去，好讓大家增加胃口！

（大家在他指揮之下把畫撤走，大廳之中，只剩下包太太一個人，窗戶口又偸偸的閃出一個人來，他是史健旺，探頭探腦的小聲音問道。）

史：包太太，就是你一個人嗎？我走了一站，靈機一動，忽然記清楚了，他的名字是聞人得標，也叫做聞人金標，金銀的金，標字沒有錯，還是木字邊的，聞人金標。）

（幕急落）

——全劇終——

（五四）

鞠躬盡瘁諸葛亮（二）

命相與夢話

公陶

再說諸葛亮廿七年的政治生涯，並不趁心如意，在外有強敵——曹魏與孫吳，內有隱患——有將無帥的情況下，能維持一個小康局面，亦是一件不簡單的事。

就私人言，他也應是一位好謀僚，學識，品德，作人，處世都是合乎儒家所要求的君子！

諸葛一生處世謹愼，事無鉅細，都要自己親自去處理，這種人天生是好謀僚，好事務人才。但爲將之道，不僅要氣量恢宏，更要緊的要持有「無爲」的態度，這一點是諸葛先生所作不到的，他在後出師表中曾盛讚曹操之能力，並且說：舉兵北征，「成，敗，利，鈍」非他所能「逆睹」也，這就是諸葛先生爲其在我的高貴表現！

京劇中把他打扮成茅山道士，並且說他「算就了甲子白東風必降，」「他執法劍把七星台上……」簡直是一派胡言，對諸葛亮的侮謾實無逾此者。

就命談命，諸葛先生的生卒雖見於蜀志，但只有生年及卒年月，其他均未詳載，但手頭資料中有他的記載，載明他是漢靈帝光和八年，辛酉七月廿三日生，卒於建興十二年甲寅秋八月二十八日，我國名命理家崔林珊先生就其經歷推之，生時當爲丁巳。

孔明廿七歲時歲次丁亥，小限丙寅，得徐庶之薦，出道。

廿八歲歲次戊子，小限乙丑，劉備叫曹練打了個落花流水，幸虧諸葛以利害說服孫權，遂有流傳千古的「赤壁鏖兵」。此戰之勝力在東吳，智出周瑜，功在諸葛。（「華容道」關羽義釋曹操的事未見於正史）給劉備奠定了半世功名。

廿九歲歲次，巳丑，小限甲子，這一年劉備到東吳去要都督荊州的權，沒意到孫權把妹妹也嫁給了他！這位姑娘才思敏捷，好尚武，閨房中侍婢百多人都是刀出鞘弓上弦的，若臨陣待戰狀，劉備的蜜月就是一直「提心吊胆」，頗不爭氣！

此時周瑜上疏給孫權，說劉備不是可以爲人用的，不但不可資以土地，並應留爲人質，孫權對劉備畢竟是「郎舅」關係，再說孫權也有豪俠氣質，終於把劉備送回荊州，這件事也在諸葛的考慮之內，所以劉備知道這件事後，感慨的說：「天下智謀之士所見畧同。」

從這一件事實，可知諸葛與周瑜都是智謀之士，但周瑜尚有魯肅等智畧之士輔助，較孔明幸運，惜不永年，否則三國歷史當更曲折。

三十一歲庚寅，小限癸亥，劉璋迎劉備入川，孫權迎妹歸並欲携備子「阿斗」回娘家，爲張飛趙雲勒兵江邊截歸。

二十七歲到三十二歲這五年，諸葛亮都在荊州，這五年他給劉備奠定了很好的基礎，否則劉璋也不會找這個「宗親」親近親近，孫權也不會讓劉備在荊州日益坐大！

在命中，這時他運行巳運，中藏丙火，與生時之巳，因同屬相聽，同氣相求，而又與月幹丙火，時幹丁火，共同合作，是以水火相濟，得道多助，化難爲祥。

三十四歲甲午，小限巳未，劉備進回雒城，龐統死，諸葛命關羽重鎭荊州，卒張飛，趙雲沿江而上，克巴東，破巴郡；雒城潰，直入成都，馬超又降，劉璋大勢巳去，這位「宗親」竟一舉而破川。此後，備封諸葛爲軍師將軍。是年秋，恨東吳計取關羽，自己率兵出征東吳，命諸葛亮坐守成都輔弼太子！

四二歲壬寅，小限壬寅，劉備在湖北材歸進軍虎亭（即現在的虎牆背市），被白衣書生陸遜一把火燒了個焦頭爛額，敗走白帝城。六月張飛被刺。

四三歲癸卯，小限庚戌，劉備病死，即所謂白帝城托孤，並命李嚴爲副。阿斗即位改元建興，封諸葛亮爲丞相武鄉侯，不久又領益州牧。

這五年關羽，張飛，劉備相繼去世，可見辰運乃所謂諸之水墓！一切遭遇都屬命中註定，非智者所能如之何者也！

天幹，地枝與生時之巳，聯成南方一氣，所以是諸事皆由天早定，豈迷信也哉！

三十四至三十八歲，爲諸葛整軍備武，制賦納稅的階段，川之大治實藉於由此時！可見壬運除了甲午年外，並無其他發展也。三十九歲巳亥，小限甲寅，關羽逝。四十歲庚子，小限癸丑，劉備連戰連勝出兵漢中，未幾即功成自進爲漢中王，諸葛發揮長才，坐鎭成都處理聯勤工作，著見績效。四十一歲歲次辛丑，小限　子，獨中傳漢帝遇害，劉備又從漢中王自封爲帝！改元章武，任諸葛爲丞相假節錄尙書事，集軍政之大權於一身。

巨變歷險記！

丁作韶等五議員代表天津市四百五十萬人民前往與林彪談判，可說是巨變歷險記的開端，這也是巨變歷險的寫照。

五代表準備出發　二十

胡慶蓉

上邊說過，是民國三十八年一月十一日，這一天，天氣特別的冷，風像刀子似的，打在臉上，臉上像刀割一般。五代表，先在丁議員公館集合，這是陝西路德鄰里十三號，這是一座三層樓的樓房。原來是三樓睡覺，二樓會客，一樓做飯吃飯。自從天津被圍，一切都變了！做飯，吃飯固在一樓，會客也在一樓，睡覺也在一樓，這不但是丁公館是如此，所有天津的住家，凡是有樓房的，也無不是如此，這是警備司令的命令，這是爲市民的安全，樓上的窗戶，儘量的封上，樓下的門也封上了，僅留一個小小的洞供人出入。自從天津被圍，外邊是炮聲是不斷的，有很多房子都被擊中了，彈落在房子上面，房子失火，在天寒地凍之下，連窩窩都沒有的住，情形是再沒那可憐的。因爲有風，一遇到着火，往往延燒到一大片，延燒到很多家，可忙壞了消防隊，總常聽見救火車的緊急鈴聲，看見救火員，消防人員在勇敢的救火，消防人員也有不少被炮彈打死的。

天津市住家的門都封住，大街的門都關住，街上的工事，隨處可見，街上到處是工事，到處是沙堆，士兵們荷槍實彈，不，托着槍，上着刺刀，準備與敵人拼命。但在北風凜冽之下，很少有像樣子的，灰布老棉襖都變成鐵了，不但摸着涼——看着都涼，一站幾個鐘點，實在够受了，實在受不了！很多支持不住，就倒下去了。街上除了工事沙包，甚麼也看不見，警備司令部常在勸告市民一切在樓下，少出門，最好不出門。

丁議員同他的家，擠在樓下三間小屋子裡，同他的親戚，東西亂七八糟，人橫一條豎一條，實在不成樣子，好在這個時候，全天津一樣，也並沒有誰怪誰。

在五代表集齊之後，他們大家一塊到市議會，他們都穿着皮大衣，丁議員並且是穿絨的，是他在北平天橋估衣攤上買的，這確切是禦寒的極品，脚下登的是絨做的帶筒筒的靴子，頭上的帽子都換了，原來是皮帽或風帽，現在都改戴猴頭帽。猴頭帽，北方人懂得，別處的人恐怕不懂，他可以把頭整個的套上，只留眼，鼻子與咀，這也是很實際的禦寒方法。

在圍城之下，交通等於整個的停頓，對外的交通固然久已斷了，對內的交通也等於完全沒有了，夜裏固不用說，白天也是一樣，在戒嚴期間，夜裡出入都要口令，要口令的人，都是有公事的人，一般老百姓是沒有了，他們整天關在房子裏，是够苦的了。白天，雖不要口令，但也沒人出入，故所以街上，終日也是冷清清的，甚麼時候可以解圍？就成了天津市民人人心目中的問題。

五代表，派有專車代步，這車是一輛吉普，一早就停在丁議員——現在是首席代表的門口了。他同其他四位老兄，一齊坐往市議會。市議會在德租界，是市政府撥出的一座大樓，裏邊的玻璃，特別是對着樓梯的大窗子，都是花玻璃，進去，如同到了巴黎的聖母教堂，莊嚴肅穆，令人神往。五代表一方面上樓，一方面在默默的祇禱似的，祝此行成功！

御廚談數

餚肉與湯包（下）

林泉隱

湯包的製作，材料豬肉半斤，肉皮半斤，如是夏令，圖食時爽口，可用二錢洋菜代豬皮，開洋蝦米少許。

先將豬肉切碎，和以蝦米屑及蔥薑汁，最上醬油三到五錢，肉皮以文火煨成膠質製作皮凍，每塊切成方糖一半大小備用，洋菜凍肉，但洋菜祇數滾取出置冰箱，即成爲凍，普通是二錢洋菜半磅水，包小籠包時，除肉餡外，再加一塊皮凍或洋菜凍，蒸出即成爲美味可口的小籠湯包。

製小籠包的麵，以四分之一的發麵，和以四分之三的筋麵，臨時和製，包皮似發麵而非發麵，因發麵容易吸湯，死麵不太柔和，這一點手上的藝術就是所謂功夫了。「[illegible]臨時製作，尤其小籠包，欲使包湯滿貫可口，更得如此，近一世紀懂得吃的人譚延闓先生是一位，其佳婿陳辭修將軍對吃的研究就談不上了。

巍巍衡嶽，汪汪洞庭；浩浩江流，赫赫英名。
少握兵符，壯主湘政；嶔崎磊落，保境安民。
老長議壇，元首顧問；儒佛合融，忠信篤敬。
熱愛鄉邦，誠正與仁；老驥伏櫪，國恩家慶。

趙資政夷公九秩華誕

鄉晚 楊力行敬賀

催眠術研究（十三）

鮑紹洲

十四、挾指催眠法

挾指催眠法，是以兩手指挾摩其無名指之指頭，而使之催眠者。

催眠開始時，施術人先用手執被術人的一隻手，施術人用右手的食指和拇指挾住被術人的無名指而轉摩之。施術人對被術人暗示道：「將催眠」，「巳催眠」，「更深眠」。其後施術人換執被術的另一手，和前一樣挾摩，施術人口中暗示同前一樣。如是者再三暗示之。被術人即催眠了。

這種催眠法而使催眠者，使被術人的精神集中注意於所挾揉之處，勿令其發生雜念，易以成爲無念無想之狀態，而使之催眠者。

十五、旋指催眠法

旋指催眠法和挾指催眠的方法相差不遠，意義效果相同。施術人用食指和中指伸直，其餘三指則握緊，用其伸直二指之指頭，輕撫被術人之額上而作螺旋狀之按摩。且凝其精神力而暗示之道：「將眠」、「將眠了」！「巳經眠」、「更作深眠」。

但作螺旋狀而輕撫之處，並不限於額頭，撫按後腦，或背部等處亦無不可。注意者：被術人是婦女，則不便撫額，臥則不能撫背。用這種方法催眠的理由是：因輕撫而作快感其注意則集於撫摩之處。而止其雜念，遂至於不識不知無念無想之故。如一般人理髮及按摩時，每每令人沉沉於睡者，即合於此法也。

台北新生蘭苑一盛事

——賀朱厚銘伉儷父子四喜臨門

·楊天倫·

台灣糖業公司前任會計長，現任該公司顧問，長沙朱厚銘兄，理財名家也。上海復旦大學經濟系畢業，迭任湘省財經要職，對於成本會計造詣尤深。致仕後，近有「往事一抹」之作，文情並茂之傳記文學也；予忝爲好友，獲先睹爲快，梓行時，定將紙貴洛陽也。與其復旦同學專攻教育之陳夢蘭姊結褵四十年來，伉儷情深，夫唱婦隨，克勤克儉，忠孝傳家，兒孫滿堂，均曾受國內外高深教育，各有所長。尤其夢蘭姊相夫教子，勤寫日記，四十年如一日，其恒心毅力，委實難能可貴，亦是賢妻良母典型。

茲又逢其花甲雙壽，兼紅寶石婚紀念，又將執業會計師於台北市重慶南路一百十號，暨小令郎家楨與王裕安小姐新婚，新郎爲成功大學建築系畢業，留美建築工程師，現執教於淡江文理學院，並主持巨型「建築與藝術」月刊，五彩印刷，圖文並茂，風行海內外。新娘亦執教中壢商職，四喜臨門於台北市新生「蘭苑」。時爲民國五十七年歲次戊申耶誕節，亦即行憲紀念日，賀客盈門，朝野政要如副總統兼行政院長嚴靜波，台糖總經理袁夢鴻，行政院國軍退役官兵輔導會主委趙聚鈺，鹽務總局長朱玖瑩，財經專家楊家麟，立法委員楊寶琳，名教授何浩若、譚淑、楊力行等親友故舊數百人，均親臨致賀，筵開四十餘席，各方致送賀詞，琳瑯滿目，美不勝收，最突出的是青年作家楊海天教授即席綴其老少兩代當事人之名而成六十四字朗誦詩，情致並茂，堪稱傑作，茲錄附如次，以饗自由報海內外萬千讀者，亦別開生面之盛事也。句云：

「厚」道以仁，經世「銘」勳，「夢」筆生花，桂馥「蘭」馨。
花甲雙慶，紅寶石婚，玉潤珠圓，計理存誠。
國家楨幹，共裕安平，夫唱婦隨，相敬如賓。
朱氏宗法，克儉克勤，兩代四喜，同享天倫。

五十七年十二月廿六日楊天倫寄於陽明山海天樓西齋。

自由報

（第九二九期）

（半週刊每星期三、六出版）
每份港幣壹角·台灣零售價新台幣弍元
社長李運鵬·督印黃行實
社址：香港九龍彌敦道593---601號
廖創興銀行大廈八樓五座
LIU CHONG HING BUILDING
7th FLOOR FLAT 5
593--601 NATHAN ROAD,
KOWLOON, H.K.
TEL：K303831
電報掛號：7191
承印：集雅印刷公司
地址：嘉咸街廿九號地下
台灣總管理處·台北市大同街119號
台灣區直接訂戶　台郵劃撥戶
第五○五六號張萬有（自由報會計室）
電話：五一四○三三·五五五三九五
台灣分社：台北市西寧南路110號二樓
電話：三○三四六·台郵劃撥戶九二五二號

票據法應立即廢止！

·關德辛·

在台灣，無論是公司行號或個人，在銀行開立甲種往來戶領用支票，是一種危險的行為！如果有了三次退票紀錄，由各報刊載拒絕往來戶戶名後，就得千方百計設法向法院繳納退票總額的三成罰金。否則王法條條不容情，法院即下令通緝。票據通緝犯一旦被捕，要坐六個月甚至更久的牢。直至本文屬筆時為止，全省票據通緝犯已有數萬。通緝的法律時效，要三年六個月纔自動消失。繳不起罰金而不願坐牢的人，遑遑如喪家之犬，急急如漏網之魚，與警伯捉迷藏。於是，縣市各社區出現了無數的空戶。戶籍整理既受影響，社會秩序隨之破壞，事實證明票據法弊多利少，是最足引起詬病的秕政。然而照目前跡象，票據法不但不會廢止，且有變本加厲嚴緊之勢。用意安在？殊難索解。

票據法立法原意，不外：（一）維護票據信用。（二）防止擾亂金融。（三）保障持票人權利。（四）懲罰詐財罪嫌。

維護票據信用係財經部門之事，絕非法律範圍。維護票據信用，與國民各種經濟活動息息相關。銀行酌劑盈虛，通貨之膨脹與緊縮，均為重要因素。台灣退票滿天飛原因雖多，民間資金短絀是其主要者，今不從根本設法解決，而希圖以法律力量來維持，沒有效果自在意中，維護票據信用本屬財經當局，銀行面對的現實問題，現在無形中變成法院及警察機關的作業，在財經當局、銀行固然顯得格外輕鬆，試問數以萬計的通緝犯，法院及警察機關怎樣處理？票據通緝犯不像匪諜、殺人犯、毒犯行蹤詭秘難以捕獲，如事先計劃週密，以目前台灣的警力，當不難一網打盡，播數逮捕歸案。可是，台灣的監獄，絕對容納不了，這是無可諱飾的事實。結論是，法院及警察機關無法達成任務！所謂維護票據信用也就變成徒託空言！

台灣民間，以遠期支票貼現實在是異常困難的事。即使是頗具規模的工廠，開出支票額到了五十萬元新台幣，在市面恐怕就不容易拆到頭寸。所以防止擾亂金融是一句漂亮的「官話」而非事實。以台灣目前發行的貨幣，與民間資金週轉的總額對比，根本不能相提並論。質切言之，退票絕不會影響整個金融。

一般用遠期支票在市面貼現的人，其找尋對象非親即友，或為同業素有來往者。在情在理都不容出票人隨便退票。何況持票人最後還有訴諸於法的手段。持票人了解如何保護他的權利，普通法律已經足的，不必再加上票據法。票據法除了能替法院增加罰款收入，何嘗能保護持票人權利？

至於說票據法的目的為懲罰詐財罪嫌尤不値識者一笑。工業社會人與人之間關係複雜，有各種詐財的方法，不必一定需要票據。若說退票便有詐財嫌疑，這是不合邏輯的。詐財是刑事，如果眞有利用票據詐財，也應該由原告出面控訴，法院纔能受理。現在，可能在退票以後，出票人已經將應支出之欵付清，還要再受票據法制裁，於情於理都說不過去。

數萬逍遙「法」外的票據法通緝犯，雜在社會各階層，是人為的一大不安因素。這些通緝犯並非「莠民」，相反的絕大多數都是作為社會砥柱的中產階級、知識分子。他們躲躲、藏藏、避警察尋尋、覓覓，自然是出於萬般無奈，他們內心的悽惶、痛苦，是不難想像的。美國故總統羅斯福揭櫫人類四大自由之一——精神免於恐懼之自由。票據實為最尖銳的諷刺。

有若干知名之士，雖玩「票」失風，照樣可以安然無事。省籍商民親戚朋友多，狡兎三窟便於隱藏，也不易逮獲。至於與戶籍警拉上交情的，畫伏夜出更是一項公開的秘密。上述種種也是票據法執行的窒礙。我所以坦率指出以上情形，並不是說應該讓名流瑯璫入獄；加緊搜捕漏網之魚；更非責成戶籍警鐵面無私執法如山。而是主張乾脆廢止票據法。

使用票據是工業社會不可避免的一種經濟活動。我們既無法使時光倒流到農業社會，甚至以貨易貨的初民社會，我們就必須面對退票無法避免的現實。時代的進步，我們要付出代價。譬如：民航空運公司、中華航空公司飛機，一再失事，我們仍然要乘坐飛機。票據法等於否定了票據使用的意義，豈非因噎廢食？

台灣各銀行因循「緊縮」觀念，使庫存達到天文數字，民間能供週轉的資金，微少可憐，這是退票的總因。銀行信用緊縮，足以造成民間信用的崩潰。所以，現代的工業國家的銀行，是處於動態的。銀行要設法找可靠的投資目標、放欵對象，而不是將上門的顧客都當成可能騙錢嫌疑犯。銀行的陳腐觀念一日不變，台灣就一日無工業資金可言。銀行與民間脫節，民間信用是難以維持的，退票是必然結果。

最令人啼笑皆非的；台灣某一法律專家竟因研究票據法而榮獲嘉新水泥公司學術獎章！該一法律專家多年來一貫主張增訂票據法，對違反票據法的「犯人」從嚴懲辦。當然，台灣現正處於戰時，如果深文週納一口咬定違反票據法即以擾亂金融論罪，則處以十年以上徒刑或無限期徒刑，甚至死刑，都能言之成理。但即使從純法律觀點，能不能這樣辦呢？這樣辦的後果是什麼呢？因此，現行的票據法是法律保護票據的最大限度，既然此路不通，就應回到財經政策的本位來考慮。如再這樣下去，便是政治惰性的表現。

打起紅旗反紅旗——一團糟！

昨日與明日

萬象如昔

叔子

雖是新春，萬象猶昔。

白宮易主，尼克森新官上任，所顯示的跡痕，仍以美國的標竿去衡量宇內多項問題！

對此標竿，我人不需對自己苛求過甚，過去；增肥焉，減瘦焉，亞洲部份國家無不傷痕纍纍，瘡疤處處！今日就是喊吃不消，也嫌太遲了！

美國國殭民富，其對自己這根標竿珍惜重視是理所應該，但完美的生活，雖是人類的生存的極致，但何種生活算是完美，其答案基於一個民族的文化淵源與經濟環境差異甚大，自也不儘相同。對於這一方面，美國此一標竿顯然彈性不足以為用，不能放諸四海皆為準的。

在亞洲強立這根標竿，已使施受雙方都是焦頭爛額，如果再以此處理亞洲問題，而亞洲部份國家已是肥者臃腫，瘦者羸弱，怎經得起那裏增增，這裡減減？

表皮診斷

青年黨黨魁之一，李璜先生去年十二月廿三日寄自美國紐約的一篇通訊，發表於今年元月三日中國時報二版。

通訊中云：「……至於這多自台灣來美的大學生，他們早已習慣不談國事了，與我們四十幾年前在國外讀書好講求救國相比，眞有恍若隔世之感。」

此感來自台去美留學的大學生，他們習慣於冷漠國事，疏遠國事！身為曾受國內高級教育的留學生，他們身受國、家、社會大力培植之恩，但「默默」的接受冶鍊而化為「美」製塊塊精鋼。

這就國家言，是「元氣」輸出！但何以會使他們自閉靈魂中最明智的窗子？我們的教育政策如不加以仔細的梳理，所謂國內無適當工作環境，無超現階級的待遇水準等，憑以此「鑑」此「感」，大作其「不歸」賦，當屬表皮診斷！

以此診斷書求治血「癌」，眞是病應入膏肓。

十全即將召開

國民黨訂於三月廿九日召開十全大會，這是一件大。其大不在於集全黨之睿智，匯全黨的意見，來決定今後施政方針；而在於檢討現實所存在的問題之如何解決以配合復國建國的課題。

蓋國民黨肩負建國復國重責，此一責任由於來台近二十年的時間而負荷日重！

近二十年的時間，國民黨已克服了甚多障碍，然而面臨人口壓力日增，失業者日多，社會競向奢侈貪汚的風氣日熾，社會秩序迄未建立，不僅把經建成果一一吃掉，猶白蟻般蛀蝕社會的實力！

甚望國民黨能有新人耳目處，勿盡屬光明的一面，當知光明處愈光明，則黑影也愈顯著！尤持「光復」後許多社會問題自會迎刃而解的觀念，即需「剷除」！

自由談

若論法令規章的洋洋大觀，咱們中華民國可算是全球大小邦國的冠軍了。法令滋彰的結果，若干稀罕的法規亦就應運而生，如現行的「票據法」，即其一例。

銀行支票原係金融市場上一種交易行為的信用狀，商人如果開出空頭支票，即係自喪信用，再沒人跟他作銀錢上的往來，聲譽蕩然，無法重施故技，然其兌現的義務仍在，非履行不可，否則事實詐欺，應負刑事責任，律有明文，儘可依法追究，固無須特訂「票據法」也。美國銀行的櫃台上經常放置著支票成帙，任人攫取，白宮並未製訂有票據法頒佈施行，然其金融界亦未見被空頭支票所擾亂，蓋有一套的法律足以維護金融信用，不虞疏漏，自不必別出心裁，轉滋紛擾。

治絲益棼

馮五先生

政府為鞏固金融信用，消弭市面上的空頭支票計，一經受害人檢舉此項喪失信用的票據時，即將犯者捉入官廨，勒令取具妥保，限期兌現，否則吊銷其營業執照，扣押其財產作抵，決不另處罰金，即可獲致預期的效果。按照現行票據法，政府特設票據交換所，替商民管理票據交換事宜，出票人如果不在規定的票據交換時間兌現，即令是一小時的超越，即移送法院，處以較票面價值倍蓰的罰金。但出票人祇要坐六個月監牢，那怕開出幾千萬元的空頭支票，亦就悠然無事了。不特此也，凡在政治上稍有地位的人，縱然對外濫開空頭支票，又可逍遙法外，既無坐牢之虞，亦無受罰之苦。

如此實行票據法的結果，乃產生兩種不合理的現象：壞人存心詐騙財物，走法律漏洞，大量開出空頭支票，不予兌現，準備坐半年監獄了事，一也。特權階級份子可以隨便行使空頭支票，不受法律追究，二也。唯有升斗市民偶因不及如限交換兌現的票據，無論數額多寡，一律加倍處罰不貸，否則明令通緝。據說台灣全省因票據法而被法院通緝的人士，為數在十萬以上。政府以收取違犯票據法的罰金之故，叢招民怨，影響治績，而市面上的空頭支票並未消除，可謂得不償失，治絲益棼。

我認為票據法之訂製，是多餘的，廢之便！

丁耀中東窗事發

——能吏變貪官——

台北市政府首席參事兼國民住宅及社區建設發展委員會副主任委員丁耀中，因涉及市政府代行政院購買中央公務人員與建住宅所需土地舞弊案，十四日晚經台北地檢處檢察官王江深偵訊，至十五日淩晨三時止仍未完畢。丁耀中的照片在十五日各報登出，並附有詳細新聞報導。丁耀中利用職權，與本案另一在押台北市政府專門委員兼民生東路新社區興建委員會執行秘書儲進勾結，在初步偵訊，即涉有重嫌。照此情形，本案雖尚未定讞，丁耀中的官司大概是吃定了。丁耀中是台北市政府第一紅人，一夜之間黑下來，高玉樹市長等於挨了一悶棍。

原為能吏變成貪官

丁耀中少年得志，大學畢業二十五歲就做了安徽某縣縣長，到台以後，曾任交通處專門委員及科長及內政部秘書，由行政院某高級官員函介，進入台北市政府工作。高玉樹市長見他熟悉行政工作，立刻加以重用，市府原無首席參事的名稱，高市長硬說他是首席參事。高市長的動機，或者是表示愛才若渴之意，不料爬得高，跌得重，反而害了丁耀中。中國的科員政治向為官場一大詬病，在衙門混久了的人，無形中變成了刀筆能吏，正因為公務嫺熟，知道法令的漏洞在那裏，懂得弄權，胆子弄大了，於是，蒙蔽上級，混水摸魚也就隨之而來，丁耀中便是榜樣。丁耀中可以將地政單位承辦的案件追回來，再批交儲進辦理，可見其弄權的手法。與儲進談判分潤贓款，更見其眼中只見到銀子，法律早已拋在腦後了。

市府職權紊亂的又一實例

行政院交辦的案件，開始由地政單位主辦，參事可以追回，不經過市長批准，卻能逕行發交，進去做，市府職權的紊亂可見一斑。高玉樹市長近日突下令「世界酒店」應予停業，台北市政府建設局認為在執行上不無困難。據該局吳副局長說，他會辦遍所有現行法令，都找不到一條可以吊銷或吊扣世界酒店營業事業登記證的法令規定。這是高市長與建設局公開唱出來的笑話。丁耀中、儲進上演悲劇，高市長、建設局主管上演鬧劇。台北市政府內部的職權應該劃分清楚，似屬不爭之論了。

（則鳴）

十全大會召開在即
基層展開競選潮

本報記者董尙書台北消息：中國國民黨第十次全國代表大會將於三月廿九日召開。中央委員會業通令各級黨部，頒布「自由地區十全大會代表選舉應行注意事項」：

（一）投票時間，定於二月十四日（星期五），上午八時起，至下午六時截止。

（二）競選活動，應維持競選之良好風氣，競選人不得利用職權或其他不正當之方法，從事競選活動，其他黨員亦不得以不正當之方法協助競選。

（三）通令指出：茲據基層反映各級黨部爲推選與會代表，必有一番活動，競選同志爲爭取選票，發叙聯誼在所難免，惟河山未復，來日大難正殷，本黨爲貫澈主義政策：拯救大陸人民，在此復興基地，一切黨內活動，總以節約踏實，貯存實力，以待反攻爲宜，此擬請中央，迅即飭令各級黨部轉知競選同志，所有競選活動，應一本節約之旨，切忌浪費舖張，以免影響社會風氣，有損黨譽。經籌備會會議決議：若干黨部競選代表，甚爲熱烈，惟應特別注意維護競選風氣，以爲地方自治選舉之表率。

據悉，由中央常務委員所組成之十全大會議題研究組，有兩項重要研擬：

（一）黨章之修訂，曾涉及「小組會議」之存廢問題。

（二）副總裁懸缺之補選問題。惟開此一問題，至爲重大，須待最高當局決定，外傳有擬議增設一至二人者，或暫不補選。

記者觀察此一問題，確屬「至爲重大」，繫於最高當局之決定，外傳之臆測，均難的當，容待十全大會揭曉可也。

台北市府連串事故
高玉樹地位起動搖

本報記者公孫熊台北消息：有關中央院部會暨台灣省、台北市人事變動情事，近以執政黨十全大會行將召開，政治季節的屆臨前夕，一般敏感人士於發觸某些部份政治問題，則不免推想一些重大人事變更，指東望西，牽藤攀葛，聯想升遷易調，幾能畫出一幅輪廓，供人私下紛紛揣議，關於院、部、省的變動，固傳聞已多，莫衷一是，雖說若般重大人事問題，悉在最高當局盡籌中，外間此時揣測，仍屬言之過早。但在升格已將兩年之台北市府人事問題，近又有突出之傳聞，由於跡象上台北政府有連串之演變，市府主持之公車開放民營，曾經申請，依據核辦，詎料擔延近年，尙未明確核定，究其癥結，固以地方權威民意代表，近水樓台，挾勢操縱，官商勾結，影響政府有利公衆之決策。至於所謂市府「首席」參事兼國宅興建會、社區發展會副主任委員丁耀中之貪瀆代購中央民意代表內湖區土地案，經調查局繼刑警大隊初步偵案後，加以深入調查，案情發展，且將另有高潮出現，而近八千萬元之巨量公款，就能讓丁耀中一手遮天，有恃無恐，包辦「批准」「領款」「支付」「分贓」，市長高玉樹都一概以「不曉得」「推卸了責任，此中經過直如「兒戲」一般，爲國際觸目之台北市長，未知將何以自處？最近世界酒店因使用不實之房屋使用執照，申請營利事業開業登記證後開業，在建設局方面既被矇混於前，在警察局核發酒店營業方面，卻屬合法，高市長竟手令市警察局將世界酒店予以勒令停業，而警局認爲於法令有所未合，碍難執行，引起輿論一陣批評。高市長乃將建設局主辦本案之失職人員，移請調查局調查，顯得方寸已亂。政治圈中敏感人士，依上三事，預料市長高玉樹之去留面臨抉擇階段，據聞已有熱衷「市長寶座」人士多人，正相機予以活動云。

電信局向世銀貸款
採購長途話機
招標發生問題
立委向交部提嚴厲質詢

（本報記者劍聲台北航訊）立法委員抨擊交通部電信局招標事，以及收電視機執照費缺乏法律依據。

彭善承委員在質詢交通問題時說：政府現在把電視機執照費的問題，送立法院備查：規定每年收新台幣六十元；所以該案提到立法院會之後即被駁回，由立法院交通委員會審查。

彭委員認爲：今天如果征電視機執照費，應以一次爲限，不能按收音機執照費之例年年征收，征收的數字也不能太高，蓋一張執照的成本，根本不需要新台幣六十元，而現在也沒有類似廣播電台補助費的問題存在。政府官員時時刻刻都應當體念到人民的一塊錢都是從血汗中得來的，今天政府征收這種費用，可說是苛擾達於極點，所謂苛者，就是收得太重，所謂擾者，則是年年征收。

另外，電信局每年征收的收音機執照費，已由過去的二百多萬元，增收到四千多萬元，但交通部在五十七年度預算上僅列證照費的項目計二千四百萬元，經彭委員查詢的結果，交通部五七年度預算數是援照五六年度預算數編列的。因此，彭委員指責「交通部也不重視這件事」，這四千多萬元的證照費，據彭委員質詢：「今天中廣各電台分到四千多萬元」。此外，「公營之警察、民防等電台及民營電台一年各補助一百三十五萬元」。「警察、民防電台有的是經費，爲甚麼還要補助？民營電台可說是沒有一個電台不賺錢的，爲甚麼每年也要奉送一百多萬元？政府將納稅人的錢如此隨便分配，實在太不合理」。

彭委員要交通部長孫運璿注意其質詢意見之四點：一、政府今後如需征收這種費用，必須注意怎樣取？怎樣用？二、反攻在即，切不可將這種惡例帶回大陸。三、下年度（五十九年度）編列預算時，特別請孫部長注意收入與分配的問題。四、孫部長以你的觀點：可否征收音機執照費補助公民營電台？電視機執照費應否援收音機執照費之例年年征收？而且征收數字是如此之高。

汪漁洋委員質詢「電話簿的問題」。他說：「電信局編印的電話簿，很難查到一個通話的對象，因爲電話簿編排的分類部不夠明確詳細，則是事實，尤其是分類部與分劃部是一種重複的編排，分劃部應限於住宅：分類部除機關學校與公營事業單位外，編排上應分區。」

其次是電話簿刊登廣告，汪委員認爲無此必要，它，雖非官方的文書，但却是公營機關編印的刊物，電信局既然收了電話費，就不應再收取商人刊登的廣告費，而且在電信局預算上也看不出有廣告費一項的收入，如電話簿不刊登廣告，可減少很多篇幅；同時，國營事業出版的刊物——電話簿，沒有誰出錢就替誰作宣傳的必要，這種現象，交通部應該改正。

關於電信局向世銀行貸款採購長途電話交換機招標的問題，由於未注意世銀貸款採購物資的規定，即開標後不得修正規格來還就參加投票的國家，因而使國家顏面丟光，立法委員張明經、王汝泮痛責交通當局及前任部長沈怡之未盡責任。

張明經委員說：電信局向世銀貸款採購物資委由中信局開標，這次開標分爲價格標與規格標，當然這是合理也很進步的現象，但中信局開規格標後，因日商標單不合規定的規格，要他們加以補充合乎規定，便利日商得標。但不合投標程序，因此，比利時商人向世銀控告，世銀有兩點決定：一是重新投標，二是停止貸款。電信局同意世銀重新投標的決定，但重新投標後，對電信局所提經濟建設計劃中有關電信部分，將延長兩年，因爲世銀董事會每年祇開會一次，五七年董事會已開過，要等到今年（五八年）董事會再決定我們投標的結果，決定後再辦手續，請時兩年，這件事行政責任上要特別注意。

王汝泮委員認爲這件事嚴重破壞我政府的信譽，乃提出三點意見質詢孫部長，他說：一、電信局爲防止弊端，先開規格標，甲的規格標開出來，甲的規格標上少二個蝶絲和三個開關，而乙並不少，甲標當然是廢標，爲甚麼電信局還要他補充資料呢？這不是弊也是弊嗎？二、甲在規格標開後，又准他補充資料，應在價格上添二個蝶絲和三個開關，添東西不另加錢，在電信局來說是佔了便宜，但世銀廢標而捨棄選一價錢低的標，是便宜嗎？你能說世銀廢標無理，你能說其中沒有毛病嗎？三、電信局審定規格，花錢請顧問擬定規格，而交給中信局的規格，是否與顧問審訂的規格相符？如相符，世銀認爲規格不符，則我們可不付顧問費。如顧問審訂的規格不錯，而送中信局的規格不符，請問孫部長，我們爲甚麼要花錢請顧問？

史卡拉比諾訪華經緯
（本報通訊員柳一權）

台北新聞信

一度傳聞出任美國國務院主管遠東事務之副國務卿，而對我態度又極不友好之史卡拉比諾教授，訪華一事，曾引起輿論界之關切的注意。頃經本報採悉，其內容甚爲複雜曲折，史氏訪華乃經由黨方邀請，外傳王昇將軍邀請，不確，唯此事與王氏有甚多之關連。去歲王昇將軍偕同鄭學稼教授訪美，第一站係在加州大學講演交談，當時史氏亦參加，交談後，認爲王鄭兩氏學識淵博有理，所見頗有值得參攷處，當即致電國務院建議安排各重要研究遠東問題之機構及專家與王鄭二氏會談，於是乃有爾後一連串之成功的訪問與會談。王氏對史氏此種客觀，求是態度，甚爲欣賞，然此間若干對華不友好之人士，則對史氏甚不以爲然。史氏來華後曾與王昇將軍及此間匪情專家，交換意見。最後史氏並於元月九日與此間文化鉅子錢穆、顏斅蘭、胡秋原、張起鈞、任卓宣、曹敏、鄭學稼、羅時實、徐高阮等人交談，自中午十二時，直談至下午五時許，其間尤以胡秋原發言最爲精彩動人，可使史氏深刻明瞭中國對人之意見與看法云。

賺錢與好吃
旅美散見
張起鈞

上次談到美國的「雞」、「肉」，不好吃，（按：一月十八日刊出旅美散見中，「雞」與「肉」兩字中，漏置標點，致成「雞之肉」意，實則筆者本意乃指，雞，鴨，豬，牛……等各種肉類均有怪味也。又：「却」另有一種氣味，爲「都」另有一種氣味之誤。幷此更正。）但這一點美國人並不知道，他們生下來就吃這種東西，認爲當然是那種滋味，只有我們中國人，特別是考究吃的中國人才會敏感的感覺得到，須知好壞是相對的，正因爲我們中國的雞，肉……菜蔬都好吃，才感到他們的東西不好吃。

何以中國的東西會比美國的東西好吃呢？除了前述的水土氣候外，還另有兩個互爲因果的因素。

首先要說的，中國東西之好吃，由於歷代改良品種而來的，並不是天生就都好吃。試問說，難道美國人就不知道改良品種嗎？尤其近代美國科學這樣發達，農業技術如此高明，難道還不會改良品種嗎？當然會，但是美國改良品種的目標，在金錢，那就是要選擇易培植，產量多的品種，因此愈選擇作物就愈便宜，愈賺錢，但却不見得好吃，事實上恐怕是愈來愈難吃。反之中國人選種的目的，則多半是在好吃，因此選來選去，東西就好吃了。

中、美，選擇的目的何以如此不同呢？那就涉及到第二個因素了。——中國人，特別是中國的文人，都好（去聲）吃了，正因爲文人好吃，而中國過去，文人又極有地位，是社會的指導者，因此便照顧他的需要來選擇了，試問那還怎麼不好吃，那裏像美國的商人（美國是商人領導社會）只知道賺錢？

喬治桑外傳
十九
張大萬

喬治桑立刻撥電話到「神奇」公司。

「喂，請郝總經理說話，我姓桑。」

「喂，龍王，昨天晚打電話給我，甚麼事？」

「喂，喬治，儂造個「赤佬」昨天夜裏勿告地方白相？」郝隆昂和喬治桑是老友記，講話不拘禮俗，用上海話罵來罵去也無所謂。

「有正經事，嘸沒白相。」

「好啦，好啦，我不過隨便問問，並不要你的口供，喂，今朝阿有空？」

「有啥吩咐，總經理。」喬治桑作下屬口吻。

「我的過房娘唐珊珊今天過生日，我想請幾位老朋友在家吃便飯，替她鬧猛，鬧猛。有大閘蟹，時魚進口小菜，假使你有興緻，打一場小麻將。」

「府上有喜事，我一定要來的，你們牌聽說打得很大，我能不能先聽行情？」

「啊唷，又不是賭博，小麻將嘛，我們每人拿一萬塊頭錢，給珊珊買點東西，意思，意思。我想你老兄帶五千美金足夠了，萬一輸脫，我替你付好了。」

喬治桑一聽，乖乖龍的冬，五六千美金的輸贏，還說是小麻將，如果推卸又怕郝隆昂笑他小兒科，海派作風最忌被別人看成「小兒科」，如果硬了頭皮去「項」一下，萬一吃敗仗，實有點吃不消，眉頭一皺，主意打定。

「好的，好的，我準三點鐘到府上。」

「那麼一言爲定，不要「黃牛」。」

喬治桑與郝隆昂約好牌局，放下話筒，便在身上掏出一個小本子翻電話號碼，顯然已有錦囊妙計。

喬治桑在記事簿找到電話號碼，撥了一個電話給古有方。古有方出身很好，也算是一個世家子，在年青時，嫖賭逍遙耗掉萬貫家財，倒像平劇「狀元譜」的陳大官，只是大官棄邪歸正，後來發奮用功，中了狀元，而古有方則乾脆投拜名師，學成一身賭博絕藝。賭博中無論牌九，撲克，麻將，番攤，紙牌樣樣精通。他也就靠了這個手藝，走遍大江南北，也着實交結了少達官巨賈、社會名流，在上層階級，古有方別成一格，舉止豪闊，却是一個「不耕而食，不織而衣」的典型紳士。古有方來台灣以後，運用人事關係，在某一國銀行掛了個「顧問」名義，事實上每月幾千元的車馬費還不夠他牌桌上看一張牌的代價。有些人靠薪水養家活口的，談到銀行金飯碗談何容易？不靠薪水生活的，「顧問」「委員」等名義却可唾手而得，這大概與各人命相八字及祖墳風水都有關係。

「喂，找古先生說話。」喬治桑已撥通了電話。

「喂，有方兄嗎，你好。」接電話的正是古有方本人。喬治桑一聽出是他，搶着就先向他問好。

「你好，桑博士，好久不見了，有甚麼事要我效勞？」

古有方是一個玲瓏剔透的人，知道喬治桑打電話給他，必有原故，他與喬治桑是自家人，亦即滬語所謂「一行交行」之意，用不着兜圈子說話。

文滙樓別記

話說馬五先生

文滙樓主

十五年前樓主還在國外，就是香港「自由人」的讀者，對馬五先生所寫的短文，儼若大把戲中的「吞寶劍」，一派硬功，衷心羨佩，後來與一位在自由人投過稿的某君談及，他在語焉之間似表示自己就是馬五，從樓主手裡騙去了一官半職。紙裡究難包火，當發現正牌馬五先生者乃民國十六年安徽教育廳長雷嘯岑時，樓主始瞭解王麻子剪刀店，有「老」有「新」，和眞王麻子與假王麻子，幾乎弄到以假亂眞。

馬五的言論，已成爲眞理和正義的標幟，除貪官汚吏飛揚跋扈之輩，討厭馬五一型的言論外，大體上說都非常歡迎，尤其台灣老百姓，咸異口同聲，認馬五者乃眞正的民衆喉舌。不過馬五之忠於國家，忠於民族，忠於領袖，亦一件無可否認的事實。據官方經常可靠消息，蔣總統也知道馬五就是雷嘯岑。雷嘯岑批評過的政治人物數以百計，他住在國外，言論並無何顧忌，罵過艾森豪低能，指責甘迺迪幼稚，他如艾登，邱吉爾，戴高樂，戴披汝，麥克塞等更不在話下，獨對　蔣總統衷心推崇，一如何浩若先生。本對陳辭修非常尊敬，當陳有意替　總統分勞時，則立即反對，謂中華民國元首非　蔣總統不可，別人做國家則會出亂子。亦許吃辣椒的民族性比較率直，心裏有甚麼？咀裡就要講出來，可愛在這裏，得罪人也在這裏。雷嘯岑，何浩若包括樓主在內常被施暗箭，非無由也。

香港自由報在台灣，日昨又中了一根暗箭。某工作人員謂自由報係在台灣印刷，果爲事實，當然違背出版法令，問題在「莫須有」和「不可能」，因爲每期的報紙從香港運台的進口重量約兩百磅左右，兩百磅的報紙四開計算將近萬份，有海關稅單，航空公司運費收據，外貿會結匯證，檢查站證明等，當檢查站認爲報紙言論有問題時，報紙要由飛機場立即直運警備總司令部扣留，聽候發落，有時被銷毀，主管還得驗明報身，倘眞如暗箭所指，自由報係在台灣印刷，機場檢查人員，航空公司，海關，警備總部，外貿會，和自由報等，變成六位一體作弊，才能行得通。除香港自由報允其量放棄台灣這個市場，不能構成爲罪外，其餘五個單位皆觸犯刑章，天下有這樣傻人自己冒險而願幫報館忙的嗎？

香港人看自由報的陣容，社長，發行人，總編輯，都是「一總統門生」，直接受教於元首門下，總主筆副社長等都是三十年到五十年黨齡的國民黨員，尤其馬五先生的報人生活，歷任上海中央日報，和平日報，香港時報總主筆，換句話作國民黨高級舌人亟卅餘年，如果言論仍被人認爲有問題的話，那就是從雞蛋裡挑骨頭了，有人問樓主：「閣下常中暗箭，有甚麼感想？」樓主祇好答以不「敢」想。實在也不能想，想了提筆就會傷人，樓主既抱定「廣結善緣」，還是「以德報怨」吧！

康有爲札記

談對俄外交

·鴻雁·

大學尺牘

光緒二十三年：膠案起，日本參謀部曾使人見兩湖總督張文襄（之洞）云：願助中國聯英拒德，惟朝士多猜疑日本，而恭王更主倚俄，故卻日本之請，有爲深察各國形勢，以爲日此舉係出至誠，可依其言聯英，乃爲御史楊深秀陳其擬各草一疏，請聯英日，中詳英國歷來援助異國事，又致書常熟（翁同龢）請主持之，並作聯英日策，遍告朝士，終以文忠（李鴻章）之異議及朝士之遲疑不敢發，而膠州割，既而英使提議開旅順大連爲商埠，俄聞而怒之，以絕交威嚇中國。有爲上書常熟謂：「此爲中國之生機也，吾意且盡開沿邊口岸以衆國敵俄耳。」卒以恭王及慈禧畏俄甚，不銜英請，未幾，英願以三厘息不扣借款中國，而俄強以四里息扣，於是朝議紛紛，終畏俄使大言恐嚇，用兩不借之說，自是朝士始漸知英國之可信，而俄國之叵測，[illegible]又可開士民知識。

光緒二十四年：俄租旅順大連之事起，三月一日，有爲上摺陳三事：（一）拒之，戰而敗與之不遲；（二）用西人滿盧參士例聯俄人估擬；（三）盡開沿海口岸，以利各國而拒俄，又弟命子麥孺博等聯百數十人上書都察院請代奏，請以旅大與諸國，聯英拒俄，然俄約已於初四日畫押矣。」

「二十八日早，入朝房，俟榮祿下，即入對。德宗問年歲出身畢，有爲即言：[illegible]分割洊至，[illegible]」[illegible]有爲稱上之聖明，因云：「洞悉病源，既知守舊之致禍，則非盡變舊法，與之維新，不能自強。」上言：「今日誠非變法不可！」有爲答謂：「近歲非不言變法，然少變而不全變，舉其一而不改其二，連類並收，必至無功。」帝然之，有爲又曰：「今數十年諸臣所言變法者，率皆略變其一端，而未嘗籌及全體，又所謂變法者，須自制度法律先爲改定，乃謂之變法，今所言變者是變事，非變法也，臣請皇上變法，須先統籌全局而全變之，又請先開制度局而變法律，乃爲有益。」既而有爲問：「何爲久而不舉，坐致割弱？」上以目睨外，歎曰：「奈掣肘何！」有爲曰：「就皇上現在之權，行可變之事，雖不能盡變，而扼要以圖，亦足以救中國矣！」又論八股之害曰：「今日之患在吾民智不開，故雖多而不可用，而民智不開之故，皆由以八股試士爲之，學八股者不讀秦漢以後之書，更不考地球各國之事，然以任今日事變者，皆出八股致之，故遼台之割，不割於朝廷，而割於八股，二萬萬之款，不賠於朝廷，而賠於八股，以至膠州旅大威海衛廣州灣亦莫不割於八股，皇上既以爲可廢，請下明詔，勿交部議，若交部議，部臣必駁斥矣！」乃一上曰：「可。」問「籌款」之方。有爲對曰：「日本紙幣銀行，印度田稅皆可取法，中國地大物博，所藏富於地，貧非所患也，但患變法不得其本耳，若能統籌全局，大舉而籌款數萬萬，練民兵，開鐵路，廣遍鐵艦，遍開郡縣各種學堂，水師學堂，及建立船塢，則一舉大業立矣。」

官人列傳（五十）

孟嘗君食客三千

四、鷄鳴狗盜之客二

周燕謀

有馮驩者，聞孟嘗君賢而好客，「躡屩」（着草鞋）而往見之。孟嘗君延見問道：「先生遠辱，必有教我也」？馮驩對曰：「聞君下士好客，願以貧身歸於君」。孟嘗君大悅，爲之築「傳舍」以居。馮驩住有其屋之後，又問舍吏道：「馮驩此人如何，所爲何事？」舍吏具實以告曰：「馮先生甚貧，只有一劍而已；終日無事，彈劍而歌唱道：『長鋏歸來乎！食無魚』」孟嘗君遷客於「幸舍」，幸舍食有魚。過了五天，孟嘗君復問舍吏曰：「馮驩所爲何事也？」舍吏答道：「客仍彈劍而歌唱道：『長鋏歸來乎！出無輿』」。鋏，即劍把也。馮驩之長劍無把。孟嘗君於是將馮驩遷之於「代舍」，出入乘與。過了五天，孟嘗君復問舍吏曰：「馮先生近來何爲也？」舍吏答道：「馮先生復彈劍而歌唱道：『長鋏歸來乎，無以爲家』！」孟嘗君聞知不悅。馮居其門下一年，馮驩卒無所言。孟嘗君相齊，封萬戶於薛，人稱薛公，食客逾三千人。因食客日衆，邑收不足以養客，乃使人貸錢於人以生息。一年之後，貸者不奉利息，復不足以奉客。孟嘗君憂之，問客誰可使收債者。舍吏長曰：「代舍客馮公可使收債也。此人形容狀貌似長者，亦善口辯。宜可使收債。」孟嘗君乃請馮驩至，謂馮曰：「賓客不知田文不肖，幸臨文者三千餘人，邑中所入不足以奉賓客，故出錢貸於薛人，貸者歲不入息。今客恐食奉不給，願先生代田文責之於薛，不知先生樂於爲此否？」[illegible]收得息金十萬。馮驩不將錢奉孟嘗君，而將錢作如下之處置：多釀美酒，買牛羊，設宴邀客。將納息者與不能納息者具邀請之。殺牛羊置酒飲宴。馮驩於酒席筵前對衆道：「諸君能納息者，于約定日期納之；不能納息者繳貸券。」馮驩將不能納息者之券，當衆用火焚之，以示不收本息。又繼語客道：「孟嘗君所以貸錢者，爲民之無錢爲本業也；所以求息者，無資以奉客也。今請富給者以邀期納息，貧窮者焚券書以捐之。飽諸君飲食。孟嘗君如此，豈可負哉！」馮驩語畢，衆客皆起再拜謝不已。孟嘗君不知馮驩用意，聞馮驩焚券大怒，急使人召之

孟嘗君問馮驩道：「田文食客三千人，我之奉邑少，故貸錢於民，取息以養客也。而民不按時付息，請先生責收之。聞先生得錢多，置酒食，無錢者，焚其券書，不知先生何爲如此也？」馮驩對道：「君之言誠是也。然不多具牛酒，則貸錢者不能全至，不全至，則不能知其有無與不足。有餘者雖可約期，不足者雖『守而責』之亦無用。逾十年，則息愈多，愈多愈不能償也。人至於急，惟相率逃亡以自捐之。若急逼之終無以償。上則爲君好利，不愛士民，下則有離上抵負之名，非所以利士民而彰君之名譽也。焚其無用虛債之券，捐不可得之虛計，令薛地之民對君親之，君何疑焉？」孟嘗君聞他這一席良識，深受感動。馮驩的想法，確高人一等，孟嘗君之能從善如流，深明大義，也不簡單。我們觀古今多少有地位有財有勢的人物，有幾個不是氣勢凌人，凜然難犯的面目，孟嘗君之所以爲孟嘗君，卻不是其他富人所能望其項背的。

石頭希遷門下的五大禪師（十）

吳經熊著　吳怡譯

禪學黃金時代

巖頭喝着說：「閉你的咀，去睡你的覺吧！你每天盤腿坐在床上，就想村裏的土地公，以後你將會誑惑那些善男信女」。

雪峯指着自己的胸口說：

「我這裏還不夠穩定，怎麼敢自欺欺人呢」？

巖頭奇怪的說：

「我本以爲你將來要到孤峯頂上去建廟，宣揚大教，卻想不到你說出這種話來」。

雪峯回答說：

「實在是因爲我心有未安啊」！

巖頭又說：

「假是如此的話，那麼你把所見的，一一告訴我。對的，我爲你印證；不對的，我替你破除」。

於是雪峯便一五一十，告訴巖頭說：他如何在鹽官禪師那裏得到入門；如何在讀了洞山的悟道後有所感觸，以及問德山最上宗乘之事，而被德山打了一棒說：「你說些什麼」？使他當時有如脫底之桶了，茫然無着。巖頭聽了雪峯的話後，便喝道：

「你沒有聽過嗎？從門入者，不是家珍」。

雪峯便問：

「那我以後怎麼辦呢？」

巖頭回答說：

「假如你要宣揚大教的話，必須一切言行都從自己胸襟中流出，去頂天立地而行」。

聽了這話，雪峯才眞正的徹悟，於是便向巖頭行禮，大叫着說：

「師兄啊！今天在鼇山我才算眞正的成道」！

後來雪峯做方丈時，門下有一千五百餘學生。某次，有個和尚問他在德山學到了些什麼，他回答說：

「我空手去，空手歸」。

他在這裏指出一個眞理，就是沒有人眞正能從老師那裡得到什麼。這顯示了雪峯和其他的偉大禪師一樣的卓越。另一方面，由於身爲那麼多學生的導師，他有責任他強自己去適應學生們的需要。他必把劍放在鞘裡面，不讓鋒芒外露。有人問他：

「假如箭露了鋒芒時如何」？

他回答說：

「才氣凌人的射手不能中靶」。

在這裏可見他也是傾心於道家的和光同塵之說。不過他深知專用一種方法常會障蔽初學者的眼目。所以有個和尚要問：

「你這老和尚急個什麼，連話頭都不知道呢」？

雪峯又回答：

「這是我做方丈的事太繁忙了啊」！

顯然的，雪峯也和三聖一樣的知道話頭的重點，但他之所以說「古鏡」，說「瑕疵生」，乃是爲了初學者。他知道這樣做比較清楚。有一次，他問一位拜訪的和尚從那裏來，對方說：

「覆船」。

他便說：

「生死之海還沒有渡過去，爲什麼先要覆船呢？」

那位和尚不知雪峯說些什麼，便回去把經過告訴給覆船禪師，覆船對那位和尚說：

「你爲什麼不告訴雪峯說：我已超越了生死呢」？

於是那和尚又去把覆船指示的話告訴雪峯，雪峯便說：

「我有二十棒，請你轉帶給覆船，另外有二十棒我留給自己吃，這一切與你無關。」

覆船的錯誤是偏於超越性，雪峯的錯誤是偏於內在性。老子曾說過：

「知其白，守其黑」。

雪峯知道彼岸，但他卻寧願留在此岸。唉！一個偉大導師的苦心，孤詣眞是不可思議的啊！（本題完，全篇未完）

評王介甫論孟嘗君

（一）

王介甫論孟嘗君之能脫身強秦，乃得力於雞鳴狗盜之徒，而此不足以言得士，而爲雞鳴狗盜之雄。余深以爲不然，孟嘗君食客三千，無貴賤之分，只求適於用耳，當其遭困於秦，追兵已至，明搶不可，潛出亦不能，介雞鳴狗盜之妙用，安能脫險。

凡人各有其材，材各有其用，養士者，必明乎此，構成大事，安可有所拘哉。孟嘗君固一時之豪傑也。馮驩爲市義于薛，出見營三窟之計，若彼非才智之士乎？豈可謂爲雞鳴狗盜之徒耶？介甫之論，亦書生之見耳。

（黃婉農）

（二）

王介甫之論孟嘗君，爲雞鳴狗盜之雄，嗟乎，孟嘗君之食客三千，豈雞鳴狗盜之徒乎？然此二人以下客之才，資出孟嘗君於難，則其餘諸客，當非庸碌之輩可知矣。夫孟嘗君以公子至尊，禮賢下士，人有一技之長，一能之名，則奉之爲客，而雞鳴狗盜之出其門無足怪也。介甫以此爲士之所以不至也惑矣！使其門無雞鳴狗盜之徒，當有殺身之禍，尚何能歸以相齊哉？有雞鳴狗盜之徒正可見士之集其門者多，受其恩者深，于是竭其智，竭其才以助之。故終於孟嘗君之世，齊無內外之患而強秦亦不敢東視矣。孟嘗君實爲戰國四君之冠而可譏爲雞鳴狗盜之雄乎。

（陳秀琴）

高雄縣政府　公告

(57)高府稽甲字第五四九七五號

事由：爲奉令自五十七年七月一日起部份稅捐徵教育捐乙案，公告週知由。

一、奉台灣省政府57、4、30、府財三字第三六一五二號令自五十七年七月一日起左列各項稅捐附征教育捐：

1、田賦，按現行賦額元加征稻谷實物〇、六五公斤。

2、營業稅按分類計征標的表，除倉庫業及代辦業外，餘各業均按現行稅率加征百分之廿五。

3、房屋稅、契稅、屠宰稅、筵席稅、娛樂一律按法定稅率加征教育捐百分之卅。

二、特此公告週知。

縣長　林淵源

巨變歷險記！

代表團出城以前 廿一

胡慶蓉

五人代表團在出發到林彪那裏去談判以前，是用電台收音機聯絡，即用天津市的電台，用天津市的廣播電台向外播出代表團要出發的消息，但並沒有播出出發的確定時間，也沒有播出出發的確定路線，更沒有播出如何的去法。但時間，路線與去法，代表團內部與各有關方面是協調好了的。

是在中華民國五十八年一月十日，天津市廣播電台開始播代表團即將出發的消息。這項播出是接繼不斷的，即每一刻鐘播出一次。這樣，相信對方一定會收到的，會有所準備的。代表團的五位老兄快要出發了，卻又都有「如臨深淵，如履薄冰」之感。大家不免害怕起來，假如對方將大家留在那裏，將奈之何？這不是不可能的。古之蘇武；即是一例。但大家卻預料對方未必採此下策？

「兩國交兵，不斬來使」。對方無論怎樣不講道理，或不會出此下策。縱令是可能的，即令是事實，代表團既被大家選舉出來，也是義無反顧的。於是代表都抱着「我不入地獄誰入地獄」的心情，還是毅然就道。

三十八年一月十一日的早上，代表團集會在天津市議會的大門口。陽曆一月的天氣，也就是舊曆臘月的天氣，可以說得上是最冷的天氣。諺云：「冰凍三尺，非一日之寒」。這話是非常科學的。「冰凍三尺」，也是實在的情形。冰凍三尺，也就是冰厚三尺。冰結到三尺厚，其寒可知。天津市民，在圍城之下，有火取暖的，並不太多，而且有日漸減少之可能。有火取暖的，都在家裏不動了。沒有火取暖的，也都躲在自己家裡，用被窩蓋上自己的脚。這也不失爲禦寒之道。

出發的這一天早上，看起來一點風兒也沒有，但冷不一定要有風，有風當更冷。五代表就是在這種天氣之下出發的。這一個消息，是天津市第一個消息，也是天津各報第一個大新聞。記者們的嗅覺是驚人的。五代表沒到市議會，他們就早已趕到了。一見五代表到，他們那裏會放鬆！即寸步不離的跟着。關於五代表的言談舉止，無不有詳細的報導。

代表團出發前，先在一家小館子裡吃早點。天津市的店門都是關着的。我上邊說過，便門還可以出入。代表團即是從便門進去的。老板知道是要出發的五代表，自動的請他們吃。這是一頓很豐富的早點。有燒餅油條豆漿，還有很多的點心。

市民們，對於代表的出發，莫不寄以莫大的希望。對他們的不畏艱險，單刀直入，並表示衷心的欽佩。他們都在爲代表團祈禱，祝他們旗開得勝，馬到成功」。這也給五代表莫大的鼓勵，與說不出的欣慰。

矮人與奇才（七）

千古一人——晏嬰

錢一釗

提起晏嬰來，可能有許多讀者不知道他，但如說晏嬰就是晏子，差不多的中國人都多少聽過他的事跡！

晏嬰是春秋時代齊國的萊人，也就是現在的山東掖縣人——是山東省人材鼎盛的地方，尤善商賈，許多國內知名的大商店都是掖縣人開的！

晏嬰字平仲，他在齊國任大夫職，以「節儉」的作風，爲當時所敬重，後來他官升到宰相，他的生活還是非法節儉，他有一件袴了「三十年」的皮袍子，這對於宇內一般「一人之下」的官兒來說，早就給了司機或司閽了，可是「敝老鄉」晏子硬是「舊的不去」，也「新的不來。」他家裡的女人不准穿綢緞，吃飯的菜不准吃兩種肉，如果想來個拼盤，那就是一色拼，斷不能鷄鴨魚肉，無不具備，這個「相府」眞可以說是「陰丹士林」之家！

在朝中，他處世應對很謹愼，既不妄言也不浮語，謹愼誠懇，做事也非常有分寸。對於皇帝——齊君——的命令，有道理的，他完全照着執行，如果是沒些道理的，他就酌量着辦，決不「拍馬屁」，只要是「聖旨」就照收照交，不加以理智去攷慮！

晏子是齊國的三代元老，歷事齊靈公、齊莊公、齊景公三朝，但都沒有什麼過失，並且建樹殊多，爲當時的諸侯所稱讚。

晏子的口才很好，反應也快，有時候「折衝樽俎」，不是一件容易辦的事，尤其是「其身不高」的矮子，在先天上就容易遭致人家取笑！一般位居高位的人，越是矮子，也越想出人頭地，越不肯容忍對他「矮」予以譏誚！這和女人的「醜」，具有相同道理，一個醜女人，你和她開玩笑千萬不要說她「醜的一生嫁不出去！」你說：「像你這種醜的人，和我到是一對兒！」她絕不會把你恨到牙縫裏去！

晏子有一次去楚國，楚王就因他的「矮」，對他開了一個譴近乎虐的玩笑！

楚王在城門邊特開了一個小門，這個門和晏子一般高，請晏子走「小門」進城，晏子說：

「這是狗門，不是人所進出的，如果我是到狗國去辦外交業務，可以走狗門，可是現在我到楚國來，還得走正門！」

接待他的人，只得打開正門，看他「擺進來！」

會見楚王的時候，這位承襲祖蔭的王，毫無風度，浮淺的劈頭就問：

「齊國沒有人了嗎？」

晏子回答很妙！

「齊國的人張開衣袖，可以遮住太陽，呼出的氣來，可以化爲雲霧，在街上總肩而行，一隻脚跟着一隻脚，怎麼說是沒有人了呢？」

楚王便說：

「有人，怎麼會派你這樣的人來做使臣呢？」

晏子說：

「齊國派大使，有一個原則，賢能的的人派到賢能的國，沒有出息的人派到沒有出息的國，我最沒出息，就派到楚國來！」

侮人自侮，楚王自討沒趣，眞是「好羞愧煞人也」！

過了一會兒，又有三四個勇士，押着一個犯人從殿前經過，楚王故意大聲的問：「那個犯人是那一國的？」

「齊國！」

「何罪？」

「偷竊！」

楚王回過頭來問晏子：「齊國人都是慣做竊盜的嗎？」

晏子說：「橘逾淮爲枳！」

這句話非常得體，也極盡挖苦的能事！比曹雪芹著紅樓夢中那句名言：「榮國府連門前那對石獅子也未必乾淨了！」含蓄得多。

詩選

戊申新歲有感

侯瑤

（一）

瑞草摧新歲，春陽照滿槐；
乘陰來往客，豈問樹誰栽。

（二）

盛夏紅蓮放，深秋艷菊黃；
時移風物轉，踏雪覷梅香。

答家莉詢其學友仍聚會否

心嚮桃源尋意境，英才奮志各天涯，
昔年陋室羣賢會，今日空飛小苑花！

雨夜秋思

（一）

涼風颯颯雨淒淒，夢斷關山牧馬稀，
借問南來傳信客，幾家塞上有耕犂！

（二）

邊地風雲幻影飛，深秋夜雨雁難歸，
寒流掠地摧霜降，處處離人補舊衣！

催眠術研究（十四）

鮑紹洲

十六、忘身催眠法

忘身催眠法者，即被術人如忘其自己的身體，而徒有其精神而已。

施術的時候，先令被術人直立於施術人面前，施術人對被術人口中暗示道：「舒緩你全身的筋骨而脫其氣力」，不要想你自己尚有身體之存在」，「自己的思想一切皆沒有」，「沉靜其心」。於是施術人伸其兩手引被術人的身體稍向前傾，口中暗示道：「再向前傾」，然後施術人以手作扶起的動作，口中暗示道：「恢復直立」，連呼三次，被術人直立後，施術人再暗示道：「身體向後傾」，被術人身體便向後稍傾。這時候施術人走立於被術人身後，用手扶其身體中後倒下，又將被術人安置於椅上或床上安靜之處，暗示道：「更作深眠吧！」其催眠遂深，這種催眠方法的合於效果者，當被術人直立時，使其筋舒力脫，身體外部的血管即爲之舒開，而血液下墜於足部，腦血因此減少，雜念爲之消失，而成無想之狀。

十七、動息催眠法

這種方法是施術人的呼吸運動其手，而使之催眠的一種方法，施術時，先令被術人閉目而處於安樂之位置，然後施術人用右手置於被術人的頭上，由頭上撫按至鼻上，隨被術人的呼吸，復往數十次，口中暗示之道：「將入眠」，「更入眠」，此法撫按不限於面部，亦可行於胸腹部亦可，由於施術人隨被人之呼吸而運動，故其精神亦皆集中於其被運動之處，而一切雜念因之防止而入催眠。

十八、觸動催眠法

觸動催眠法者，即以指尖觸動被術人的身體一部，使其催眠之法，這種是屬於按摩法之一種。

行這種方法時，無論被術人在那樣態度之下，施術人隨時伸雙手而用指尖觸被術人額前，向額之左右按摩，到耳根爲止，復由額中再向額之左右輕摩，如是往復數回，再暗示道：「將眠欲眠」，「已入眠」，「已深眠」。然後再以雙手指尖輕撫被術人的上眼皮，使之閉目，或將被術人的頭部和足部至足端而輕撫之，便使之催眠了。

此法雖以雙手爲原則，或爲方便起見，用一隻手撫按也可，如用其他東西代替亦可，如用羽毛代其指，此物多施之於婦女。此法的效果，因觸動而使人起一種快感，此法的神秘觀念，而使被術人的觸動，至使被術人的注意集中注意在所觸之處，使雜念勿生而眠。

十九、吹息催眠法

這種方法，爲施術人用氣息吹被術人身之一部份，使其催眠者。

施術的時候，先使被術人處於安靜的地位，而暗示道：「寬舒肌肉，忘記自己的肉體，只知一顆心之存在而已」。被術人必須聽命默然存心，心要十分沉靜」，然後施術人用氣吹襲於被術人的足部（背）及前額，然而施氣之法，施術人離被術人約一寸遠近，呼以暖氣使感應之，此法效力甚弱，可以合併其他方法並行之，更爲有效。

讀禮餘論

談鬼神

曾昭旭

俗云「鬼節」爲七月，且在此談談對鬼神的正當態度。

大凡原始人，茫昧無知的愚夫愚婦，總對鬼神這一觀念抱持着篤信敬畏的態度，而迷信科學的人，則直斥鬼神之說爲無稽，其實肯定地說有或肯定地說無都是武斷的。因爲確切的證明或反證都無人可以提得出來。正確的態度當在兩可之間。什麼叫做兩可之間呢？我們可以拿對死者的態度來作一說明：比如父母死了，我們要知道他已不存在了，因爲我們無法知道他仍然存在。但這種冷靜的論斷不是太無情了嗎？父母生養你，教育你，何其辛勞，你竟以爲他的精神就此斷滅，再與你無關？這是不能的。那麼我們就直認爲父母的靈魂尚存好了，然而這又明明是妄斷。於是孔子教我們要明知他已死而當他猶生。

在禮記上說，我們送葬時要用明器，明器就是專爲送死之用，只是大略似眞的器物。譬如竹編的器物，要故意不修邊，陶器要故意不上釉，木器要故意不刨光。無非是表示這只是個意思，其實人是已死了的，不能用這些器物的了。這便是明知他已死的意思。

但是在送葬的時候，又要情眞如慕，像父母仍生時一般，離開墓地時依依還顧，總望父母能再出現，致祭時更見一片誠敬，此心通靈，便覺神靈降臨，洋洋乎如在其上，如在其左右，恍如親聞其呵欬之聲。這時父母雖事實已死，也和未死差不多，這便是事之猶生的意思。

以這種態度，我們便可以情理兼顧，兩路皆通。孔子說：祭神如神在，這個如字，眞有大學問在。對於一切的鬼神，孔子的態度也無不如是，他是不繪聲繪影地談神說鬼的，這樣便會使人錯認爲世上有神鬼，但他並不說無有，他是敬之可是遠之，存之可不是不論。這種態度，不是說有，不是說沒有，也不是逃避問題而成一種無態度，也不是無可無不可的隨便糊塗；他是有一種明明白白的態度的，我們無以明之，只好說是兩可之間。

×××

活的殺蟲劑

科學新知

美國的市場上，最近有一種「活的殺虫」」出售。每一湯匙的殺虫劑藏有幾十億的活 Bacillus Thuringiensis 細菌胞子。它是美國食品及藥品管理局批准出售的第一種細菌殺虫劑。

在過去的十年中，美國加州巴克萊的加州大學昆虫病理學研究所的科學家們不斷的研究遠至非洲、中國和烏克蘭各地的有病昆虫。這種利用「生物控制」作用的活的殺虫劑便是他們辛勤工作的成果。

Bacillus Thuringiensis 細菌比較以前用來殺滅松樹和檜樹鋸蠅的濾過性病毒有幾種優點：它能在毛虫吞食它四十八小時以內殺死毛虫；它能在人工調製的糖和蛋白質培養液裏繁殖，而不必由已死的昆虫體內提取，因此可以大規模生產；另一優點它能永遠保持其殺害力，不像別的細菌，毒性會慢慢的減弱；這是由於它的生活作用能產生有殺害力的結晶體的緣故。

這種活的殺虫劑將成爲昆虫病理學研究得來的惟一新控制昆虫利器。它除了具有使昆虫似乎較慢產生抵抗力和對人無害外，還有另一種優點：對某些昆虫有害，對其他昆虫卻無害；因此可用它來對付害虫而不致傷害捕食害虫的別種昆虫。

這種殺虫劑對侵害萵苣、捲心菜、馬鈴薯和紫花苜蓿等農作物的食葉昆虫很有效。其他微生物，例如菌類和濾過性病毒，也可能成爲控制昆虫的活殺虫劑。

御廚談藪

桂花山藥泥

林泉隱

負暄雜錄謂：山藥本名薯蕷，唐太宗諱豫，改名爲薯藥，唐代宗諱曙又改名爲山藥，中國以濟寧與嘉定產者最佳，藥典載懷山藥可能指河南懷慶，實江蘇，浙江，安徽均盛產，近年來台灣種者漸多，惟台灣人甚少知道山藥的藥用和營養價值，山藥對糖尿病者有著效，見馬騰雲「生活漫談」。

唐太宗嗜食桂花山藥泥，桂花山藥泥的製法，先將山藥煮爛研成泥泥狀，以豬油與桂花蜂蜜調煮，一杯熱茶時間即成，香甜可口，當時御醫亦認定爲一種滋養強壯藥食，藥典謂：補虛損，治遺精，除寒熱，益氣力，長肌肉，強筋骨，且治慢性腸炎等症。

桂花蜂蜜必須在桂林中所養的蜜蜂，始爲上乘，市井桂花蜂蜜，乃至於荔枝蜂蜜，龍眼蜂蜜，多爲人工所配，甚至出化學原料，那就太等而下之了。種山藥的肥料係用牛糞或麻餅，忌用人糞俗稱水肥，見古典，恕著者未作進一步研究。

中華民國內政部內警台報字第〇三一號
中華民國僑務委員會登記證台新字第三二三號

自由報

中國郵政台字第一二八二號執照登記為第一類新聞紙

（第九三〇期）

（半週刊每星期三、六出版）
每份港幣壹角．台灣零售價新台幣貳元
社長李鵬運・督印黃行寶
社址：香港九龍彌敦道593—601號
廖創興銀行大廈八樓五座
LIU CHONG HING BUILDING
7th FLOOR FLAT 5
593—601 NATHAN ROAD,
KOWLOON, H.K.
TEL：K303831
電報掛號：7191
承印：景星印刷公司
地址：嘉成街廿九號地下
台灣總管理處，台北市大同街119號
台灣區直接訂戶　台郵劃撥戶
第五〇五六號張萬有（自由報會計室）
電話：五一四〇三三・五五五三九五
台灣分社：台北市西寧南路110號二樓
電話：三〇三四六・台郵劃撥戶九二五二號

中國文化中的中庸之道（上）

・錢穆・

大家都知中國人喜講中庸之道，一般人以爲中庸之道是指平易近人，不標新立異，不驚世駭俗，調和折衷，不走極端而言。然此等乃通俗義，非正確義。中庸上說：執其兩端，用其中於民。無論何事都有兩端，此兩端，可以推到極處各成爲一極端。在此兩極端之中間都叫做「中」，此一中可以有甚長之距離。所謂中，非折中之謂，乃指此兩極端之全過程而謂之中。如言「眞、善、美」，是此一極端，不眞不善不美是那一極端。但此眞善美三分，只是西方人說法。照中國人講，此世界便是一眞，不是僞，眞僞不能對立。若論美醜，此世界是渾然中立，既非極美，也非極醜。中國文化是人本位的，以人文主義爲中心，看重了人的一面，則善惡對立不能不辨。但縱是一大聖人，亦不能說他已達到了百分之百的善。縱是一大惡人，亦不能說他是百分之百的惡。人只在善惡兩極端之中道上，既不在此極端，亦不在彼極端。但必指用此兩極端，始能顯出中道。始能在此中道上，理論有根據，行爲有目標。故說執其兩端，用其中於民。若非執其兩端，則中道無可用。眞實可用者乃此中道，非其兩端。此乃中國人所講中庸之道之正確意義。

中國文化既是人本位的，以人文主義爲中心，而現實人生中則沒有至善，也沒有極惡。如從耶穌教言，上帝是百分之百的至善，但上帝不在我們這一世界上。世界上只生有一耶穌，但耶穌也只有一，不得有二。上帝之對面是魔鬼，它是百分之百的極惡，但此魔鬼似亦不在我們這世界上。我們人類雖說具有原始罪惡，但究竟沒有到極惡的地位，人究竟與魔鬼相異。從佛教言，無餘涅槃不是這世界所有，人則只在此俗界，在無休止的輪迴中。但此俗界究也不便是地獄。中國人講聖賢，但孔子大聖，也說十五志學，三十而立，四十而不惑，五十而知天命，六十而耳順，七十而從心所欲不踰矩。聖人之一生，也非百分之百盡在一至善地位上。但我們既說這個世界上有善，即不能說沒有一至善。有善便有惡，我們不能說這世界上沒有惡，便也不能說沒有一至惡。像耶教佛教，似乎都看重在兩極端上，我們則亦要把握着此兩極端，而主要運用則在此兩極端之間過程上。此一中間過程，既非至善，又非至惡。甚至有些處善惡難辨。你認它是善，我認它是惡。此等處亦會常常遇到。所以佛教耶教所講，似乎偏在高明處，而中國人所講，則偏在中庸處。但抹去了其高明處，則中庸亦難見，故曰極高明而道中庸。

說到此處，可見中國人觀念有些與西方人觀念不同。此等不同，亦可說是一種哲學上的不同，亦可說是一種常識上的不同。西方人常認爲善惡是相反對立的，中國人則認爲這一端是善，那一端是惡，此兩端可以相通而成一線，此兩端乃同在一線上。若沒有了此一線，亦何說有兩端。是則此兩端在實際上亦並非相反對立。在我們這現實世界裏面，在我們這一實在人生裏面，善惡只是一觀念，不能說這世界、這人生，一半是善、一半是惡，或說到中間便不善也不惡。這世界、這人生，既非至善，亦非至惡，我們不在此兩極端上，而在此兩端之中間。既如此，則這一中間，豈不成爲黑漆漆地，既非至善，亦非極惡，既無上帝，亦無魔鬼，既不是天堂，也不是地獄，人們在此黑漆漆地一段長過程中又怎麽？當知此世界此人生，雖非至善，却不能說其無善。雖非極惡，亦不能說其無惡。此善惡之辨雖不很明顯，但也不能說其混同無辨。所辨在甚微小處，甚暗昧處。人則正貴在此微小暗昧處來分辨善惡，自定趨嚮。

孟子說：「舜之居深山之中，與木石居，與鹿豕遊，其所以異於深山之野人者幾希。及其聞一善言，見一善行，若決江河，沛然莫之能禦。」舜之聞善言，見善行，其實亦只在深山野人中。不能說在深山野人之間便絕無善言善行，此等善言善行，當然非極人之善言善行之比，但總不失其爲是善。舜則一有感觸，反應明快，一切所見所聞的善，便會集中到他身上來，舜則在野人中成了一善人。孟子又說：「大舜有大焉，善與人同，捨己從人，樂取於人以爲善」。可見舜之善都是從此人世界人羣中取來。人有善，我能舍己從之，與彼同有此善。此等善，皆在細微處，暗昧處，積而成大光明，舜便成了大聖。中庸上亦說：「君子之道，行遠必自邇，登高必自卑，夫婦之愚不肖，可以與知能行。及其至，雖聖人亦有所不知不能。」當知此處說的君子之道，便是中庸之道。

中庸之道可以由夫婦之愚不肖直達到大聖大賢。並非在中庸之道之中只包括愚不肖，不包括大聖賢。又當知愚不肖與大聖賢，亦即在此中庸之道之兩端，此兩端一貫相通，並非相反對立。

根據上述，再進一步申說，從愚不肖到大聖賢，此一中間過程，當然有很長的距離。今不論你站處近在那一端，若近在惡的一端，只要你心向善，只動一步或一念向善，則此一步一念便是善。如你原來站近善的一邊，但你一步一念向下惡的那一邊，此一步一念也即是惡。孟子說：「物之不齊，物之情也。」每一人的聰明、智慧、家庭、環境，生來就不同。或生長在聖賢家庭，他的環境教育當然是善的了。若他只動一念向相反方面，他那此一念也就是惡。或生在土匪家庭，他的環境教育當然是惡了，但他果動一善念，他那動念時也就是善。如周公是一大聖人，他的道德及其才能在政治上、軍事上、外交上、文學上種種表現，可算是一位多才多藝的完人。但孔子說，周公之才之美，使驕且吝，其餘不足觀矣」。這是說：只要他心裏一念或驕或吝，在當時，便可使周公成爲一不足觀之人。反過來說：如是一土匪，一十惡不赦之人，使他身罹刑網，或處死臨刑，只要他一念悔悟，心向善的一邊，那他當時，也就不失爲是一善人。人在一剎那間都會有一念，在那一念上便可有善惡之分。因此人只有兩條路，一條是向上，一條是墮落。所謂「如逆水行舟，不進則退」。我們講善惡，應在此人生過程中，每剎那，每一秒鐘之每一動念上分。這才是我們中國人所講的中庸之道。

中庸之道要使愚不肖與知能行，亦將使大聖賢有所不知不能。縱是愚不肖，也該在自己一念之微上戒愼恐懼。縱使是大聖賢，也不能不在他一念之微上戒愼恐懼。劉備誡其子說：「勿以善小而不爲，勿以惡小而爲之」，中庸上說：「莫見乎隱，莫顯乎微，故君子愼其獨」，那隱微處，在別人無可代他用力處，在每一人之獨處，纔是那中庸之道之存在流行處。中國人又說「不爲聖賢，便爲禽獸」，諸位說這話是不是太嚴了。但依中庸之道講，這話一點也不嚴。人在自然界中本也是一禽獸，可是從人道言，人在每一剎那一秒鐘，每一念間，却都可以變聖賢。這話要我們慢慢體會。如此所說，也可謂禽獸在一極端，聖賢在那一極端，人則在此兩端之中道上。你說我是禽獸，我可不承認。你叫我作聖賢，我也不敢當。但當知聖賢難做也易做，雖易又是兩端。天下沒有極易的事，也沒有極難的事。你說它難，便有一個易。你說它易，又便有一個難。孔子說：「聖則吾不敢」，這固是大聖人之謙辭，但也見聖人難做。顏淵說：「既竭吾才，如有所立卓爾，雖欲從之，末由也已」這也講的聖人難做。但孟子說：「人皆可以爲堯舜」，「是不爲，非不能」，此又是說聖人易做。陸象山。宋代理學家中，朱子講聖人難做。明代的王陽明走象山的路，也說聖人易做。王學講到後來，說到「滿街都是聖人」。有一位羅近溪，正在講堂講學，正講每人可以作聖，有一端茶童子進來，聽講人問，那童子是否也能做聖人？他說：他早就是聖人。爲何呢？那童子的職務是端茶，他把茶小心謹愼地端來，沒有潑、沒有翻，端上講台，目不邪視地走了，那已百分之百盡了他的職。縱使要孔子來端這茶，孔子也這麽端，不會比這童子端得更好，這已是「止於至善」，不能不說他已是一聖人。這也是講聖人易做。

人在社會上，職業有高下，却非人的品格之高下。抬轎是低職，坐轎的人是高了，但不能大家都坐轎，沒人抬。我們只能說盡職底是高，不能盡職底是低。（未完）

摳民於溝壑！

自由談
談武俠小說

一月九日的中央日報第九版副刊上小方塊，是載本炎先生寫的「談武俠」，其中有云：

「今日之武俠小說及武俠電影，武不是武，而只可稱爲神怪。俠不是俠，而只可稱爲仇殺，用神怪之法作出仇殺之事，其對於世道人心，確有不良的影響。

「並且千篇一律，拉了又拉，往往經過數個月，雙方的人還在一處辯論，還在一處比較神怪，他們不要休息，也不要吃飯，甚似他們都已學會張良辟穀之法……

「今日之武俠小說毫無創見，無非是千里傳音，十步趕蟬，霹靂掌，風火拳而已。我很懷疑，對方有不少的人，千里傳音，何以只惟一人能夠聽到，難道聽者耳中裝有受音器麽？……」

港台讀者凡是對於當前武俠小說，稍稍留意一下的，誰不對本炎先生這些話有深切的同感。台北中央日報能刊出這種切指時病的有意義的評論，到底不失其爲中央日報，而副刊編輯也足見有匡時易俗的抱負，令我們肅然起敬。

但遺憾的是：台灣各報大多刊載荒唐不羈毫無一點教育意義的武俠小說，不僅內容完全胡扯，一如本炎先生所說，並且巧妙的埋藏着色情淫意，一登就是幾年。希望執政黨富有教育性的黨報，事實上也就等於我們政府的教育機關，特別能注意到這些問題。我們眞不明白，有些政治性報紙，登這種悖情、悖理、論淫、論殺的小說作什麽。現在中央日報副刊中既然以小方塊的地位刊出本炎先生的大文，足見人同此心，心同此理，語云：「爲政不在多言，顧力行何如耳」，希望中央日報只此一念，說不定會發生莫大領導作用，能轉此頹風哩。

（成公）

昨日與明日

法國回到北大西洋公約體系

戴高樂擔任法國總統以來，對英美採取報怨政策，一面排斥英國於歐洲共同市場之外，一面對以美國爲中心的北大西洋集體防衛事宜，實行「杯葛」主義，迫使北大西洋盟軍總部撤出巴黎，同時即向蘇俄獻媚聯歡，儼然以世界第三勢力自居，像煞有介事。詎料俄帝忽以大軍侵襲捷克，西歐形勢突趨緊張，法國首當其衝，戴高樂的第三勢力幻夢爲之破滅了！法國既不能強，又不能弱，權衡利害，唯有回到北大西洋公約體系，比較安全些，乃通過公約國部長會議的決議，宣告破鏡重圓。這叫作形勢比人強，戴高樂的別扭勁兒祇好收歛了。

今後美國若要切實發揮北大西洋公約體系的團結力量，盟軍總部是否遷回巴黎，固屬無關宏旨，主要原因是美國能否改變其強權主義者的作風，遇事稍爲尊重同盟國家的國格和主權？戴高樂或者其他的法國政治人物，都不會跟俄帝同流合污的。

美總統尼克森就職後

美國新任總統尼克森於本月廿日就職了。國際間的觀感當然另眼相看，逆料尼氏將有一套新的政治抱負施展出來，但我不作如是觀。

一個國家的國策，有其固定的軌範，除非遭遇到非常的變局，決不容易更改，殆與執政者的人事遞嬗不相干。美國內部問題如種族敵視，社會秩序不安定……等等，都需要努力改進，先求本身健全，然後談得到對外政策的因革損益，以期止於至善。尼克森在就職後的一二年間，如果國際上沒有非常事變發生，他對越南問題，中東問題，中共問題，乃至於西歐問題，大致皆將循着原有詹遜政府的路線，而以苟和爲原則，不會別出心裁，作甚大的轉變。但有一點可以斷定，即尼克森決不致幹出出賣自由國家的醜事，有如民主黨政府隨時準備犧牲中華民國以換取毛共的青睞然。

尼克森先生經過十多年來的政治鍛鍊，閱歷匪淺，作風相當老練了。尤其在反對黨控制國會兩院多數議席之下，他更不能不兢兢業業，審愼將事的。所以，我們若寄望尼克森接任總統後，能有嶄新的對外政策產生，結果是要失望的！

巴黎和談開始了？

據說，越共與美國和越南的和談程序爭執已告妥協，快要進入實質談判的階段了。美國首席代表洛奇發表談話，相信在兩個月內，即可達成停戰撤兵協議云云。我們但願如此，可不敢樂觀。

跟共產黨開談判，可說是枉費唇舌——除非對方事事遷就共黨的主張。不然，就像當年韓戰板門店和談時，美國代表某少將所說的，手上拿着大棒對共黨談話，或許有益。關於這類事，咱們中國人經驗宏富，瞭解最深，希望美國朋友多多取鑑爲上。

（何如）

郵誤引起的閒話

台北新聞信

本報通訊員　柳一權

台灣郵政局，一向都保有光榮歷史，尤其從國外回來的朋友，對台灣郵政人員辦事精神都還有良好印象，且都願意和該局合作，提供若干寶貴意見。

不知怎麼一回事，最近變質了，從台灣寄往香港的信件常常失落，台北永和鎮與台北市，新竹與台北市的信，經常竟石沉大海杳無音訊，經查詢的結果，責任都推在「未掛號」就算了事，假定每封信都要寄信人掛號的話，郵局再增十倍人也難應付，一般人對郵政局這種答覆都很不滿意。

張信李收更屬司空見慣，由於郵友的腦筋錯覺，二五六號會遞到五六號，六和九阿拉伯字有正着或倒着看的不同尚可原諒，二號的信硬投到六號，經收信人撥電話告訴郵政劃撥組，答案這是投遞組的事，再撥電話到投遞組，答案這是劃撥組的事，連一封信都採取踢皮球的態度，政治上的太極拳，應當是斯可忍孰不可忍了。

台灣郵局壞的記錄當然還不止此，職工偷匯票偷錢及一些不法行爲，均有報紙記載與法院判刑可資查考，但那究竟是「一個老鼠壞一鍋湯」的行爲，最近的情形好像沒有老鼠湯亦壞了，郵政局如果不趕快挽救，不僅郵局幾十年的榮譽會受到毀滅，外僑看住在國的進步與否，郵局往往是第一印象。

記者十五年前僑居泰國，有位荒唐朋友從台北寄信給柳一權，信封上祇書明泰國××先生收，記者照樣收到，於今原信還保存，泰國作爲永久紀念，而泰國郵局所給予人的印象太深刻，太愉快了，這祇是引證，並非希望台灣郵局也能做到這一點。

最後我們對台灣郵局發行的一些形形色色郵票，有的很有意義，有些簡直胡鬧，也許郵票集郵者是外行的關係，總感覺得一個堂堂的中華民國，不該搞這些小玩意，不三不四乃至於蘿蔔白菜都搬上郵票，似有失文化深遠民族風度，如果是爲了對世界宣傳作用，那就更成笑話了，除非集郵可以救國，我們堅決反對將有用的精神，消耗在花花綠綠的郵票上。

哲學豈可戲辯乎

答權益先生詰難

易經眞是黑色哲學嗎？

「予豈好辯哉，予不得已也」（孟子）。因爲我看了魏陵雲先生在「零與一的哲學」一文中，把中庸曲解成「馬馬虎虎」，把易經寫成「玄乎又玄，莫明其妙的學問」，「其中漆黑一片，很少人窺其門徑」。有妄誣古人之嫌。所以，我才引錢賓四先生意見，指出「如果說『四書』是『白色哲學』，則易經豈可歸入『黑色哲學』」？幷指出「零與一不是哲學」。「電腦不能代替人腦」。想不到卻引出一位自稱「不曉得數學是否哲學，那種問題我一向不感興趣，「專爲好辯而來的權益先生的詰難。讀了這種論調，我倒眞是「心裏感到奇怪」，「感到不解的是：爲甚麼這些人喜歡發表牽強附會的言論」（均借權益先生之言），來節外生枝的談自己既「不曉得」，又「不感興趣」的問題？

碼字數字不是數學嗎？

魏陵雲先生所談的「零與一」，應當歸於哲學，抑或歸於數學，請看魏氏原文說：

根據神經生理學的觀察，神經器官及神經支線對刺激產生反應，總遵循一項原則，就是「全有或全無原則」。當刺激強度超過某一限値時，神經器官產生一串脈衝電壓，其大小固定，與刺激強度無關。但如刺激不到某一限値，神經沒有反應，即是不生脈衝電壓。這正好是「零與一的哲學」。……因此，一個腦筋內的活動情形，好像紐約證券市場股票行情的漲落，只看見行市牌上，密密叢叢的數字，不斷地在跳動，所不同的是，在證券市場用的碼字，由零到九，而在腦筋中僅用零與一。

請教權益先生，這段文字中的「數字」「碼字」，是數學呢？抑是哲學？你既不曉得，又無興趣，能否破例「不恥下問」，向哲學會的會員先生們去請教請教。看看「沒有看懂那篇『零與一的哲學』」的，到底是你還是我？看看你所言「人類的神經元，電磁波的光子，不是整子具有v的能量被吸收，就是獨個兒好好的，決沒有那種剩下幾分之幾的情形」。是否可以硬加稱爲哲學？

一談易經就該受諷刺？

艾因斯坦發明了相對論，卻沒有提倡「打倒耶穌」；有人以「動者恆動，靜者恆靜」的定律問艾氏：「宇宙最初的動因何在」？艾氏說：「是上帝撥動的」。西方科學界沒有因這種說法而斥艾氏爲迷信，也沒有人說艾因斯坦「要將下一代的思想引入歧途」。我們國中一有人談易經，便被斥爲落伍，便被像權益先生還樣的人，懸意諷刺說：「原子彈的發明，電腦的問世，居然未能喚醒那些老學者的迷夢，他們仍以爲古時候的中國是多麼的偉大，以爲近代西方一切的發明，中國皆古已有之」。請權益先生舉出，誰說了「西方的一切發明，中國皆古已有之」。談易經就是迷夢麽？

不必臉紅讀了書再辯

薛學潛先生所著「易經數理科學新解」一書，我想，權益先生一定沒讀過，依我看來，還是不必臉紅的去讀讀。薛氏留學歐美，專攻數理，此書積三十年之研究而成，曾與歐美數理學家馳函請益討論過，今天的外國人看了，未必就敢「爲之冷笑」。

唐治寧先生等在「中華雜誌」闡釋易經與二進位數學的原理，指出萊布尼茲的數學與電腦發明有重大關係，權益先生偏說萊布尼茲「幷沒有甚麼供獻」，且主張「乾脆將這份榮譽送給那個發現「一加一等於二的人」，未免近於戲謔。權益先生既如此好辯，不妨爲文向唐治寧先生直接挑戰。如果唐先生甘服宏論，我也甘願承認權益先生的戲言爲眞理。

減卻紛爭方免誤後人

我很贊成「看看現在」，但是，「觀今一片古，無古不成今」。「溫故而知新，可以爲師矣」。作學問的態度，應當「不薄今人厚古人」，方爲正當。不能說「只要目前的中國在思想、科學方面，能與人一爭長短，管他以前是個甚麼樣子」（權益先生語）。國父孫中山先生即曾指出「自從滿清入關以後，不但我們的道德睡了覺，連知識也睡了覺」。所以主張「恢復國粹」與「迎頭趕上歐美科學」齊頭並進。「只要役古人而不爲古人所役，則載籍皆似爲我調查」（孫文學說）。喊「科學」「民主」而必須「打倒孔家店」，或強斥易經爲「黑色哲學」，恐怕不是爲學的正道吧？而且，我可以告慰權益先生，從國外回來的老一代留學生程天放、顧翊羣、胡秋原、吳經熊先生等，都指出：中國科學固然落後，中國思想不但能與人一爭長短，且正可用來矯正西方思想的缺失，造成未來的大同世界呢？但願今後中國學界，眞能作到「舊學商量加邃密，新知涵養轉深沉」，拋卻那條五十年來盲目的「古今相難」「新舊火拼」的錯誤道路，減卻許多無謂紛爭，那才眞是「不要將下一代的思想引入歧途」之正辯。我歡迎條分縷析一題一題的加以討論，恕不再答辯類此武斷戲謔之論。

・李霜青・

沖涼與裸浴

地處熱帶的曼谷，烈日如火，整天揮汗如雨，照道理草帽，洋傘，扇子，一定很需要和流行，但事實與理想往往相反，戴草帽的除三輪車夫苦力外，很少見到士大夫戴草帽，拎洋傘，執扇子的，都是光着頭皮，在雨季時候則光着頭淋。無論天晴或天陰，每天總得冲五六次凉，乃至於十多次者，所謂冲凉就是用大桶盛水從頭澆下，冲到感覺到不熱而止，無分男女老幼統統如此。

十年前某國有一位駐泰武官，禁閉一個工友，不准其冲凉一天，弄得鼻空出血，兩眼通紅，口出臭氣，險些送掉老命，被外交團中指責爲不人道，證明熱帶的冲涼比吃飯還重要。

泰人中的小姐太太們，除冲凉外，早晨喜歡在馬路邊河濱裸浴，上身一絲不掛，下身圍一紗籠，個個幾乎都生得很健美的天胸，可是行人很少有人停脚注視，所謂習慣成自然，初到曼谷的「新唐」，就是新華僑，遇到這種場合，常引爲奇，像西遊記豬八戒過盤絲洞似的，數着看，比較着看，小姐太太們對看的人並不十分討厭，祇當作土包子而已，不像蘇州小姐笑罵男人「殺千刀」哪樣長壽。

據說這種清晨體浴，所謂接天露水，可清熱降火，卻病延年，男人們則很少如此，是否男人不須要清熱降火，那就不得而知了。（高舉）

喬治桑外傳

『二十』

張大萬

「明天不知你有沒有空？」

「到那一家？」

「海龍王家裏。」

「……………」

古有方在電話中沉吟了片刻。

「海龍王是熟人，我們需要先碰面談一談。」

「那就請你老兄到我家來一趟，說話方便些。」喬治桑很「老練」。

「好吧，我吃過午飯來。」

喬治桑因昨宵未能好睡，很需要休息一下，便吩咐雅麗絲李替他做一份三明治，當午餐，這是美國式吃法，早午餐一起解決。

喬治桑喝了一瓶牛奶，吃了三明治，關照雅麗絲，任何人來電話都說不在家，他要睡一下，等古先生來再叫他。

古有方是兩點半到桑家的，應門的是李小姐。

雅麗絲李因爲不認識古有方，便很有禮貌地問：

「先生貴姓？」

「我姓古，桑先生在家嗎？」

「在家，請裏面坐，我去請他起來。」

她因爲知來客是主人約請的，必非等閒之輩，所以不免打量古有方一番。只見：古有方生得好一張白淨面皮，似乎連鬍鬚都沒有，中等身材，衣着非常整潔，在西裝上衣口袋插着與領帶同花樣的飾巾，年紀約摸有六十左右，但毫無老態，這當然與養尊處優的生活有關，一頭黑髮梳得光油油地，沒有一根是白的。這不是秘密，非染即燒。現在在台灣的中年或老年男子，都喜歡染髮或燒髮，古有方是時髦，也不例外。

古有方的一雙眼睛特別有神，炯炯有如閃電，這大概與他所幹的行業有關。

古有方坐定以後，李小姐奉上茶烟，便進後面臥室去請喬治桑。

古有方在等主人出來的時候，順便瀏覽了客廳的佈置。傢俱、電視機、餐桌這些都屬上品自不在話下。牆上掛了一幅郎世寧的「貓戲圖」很精緻，一望而知是清宮收藏的東西，另外有喬治桑自己寫的一個條幅，文天祥正氣歌，蠅頭小楷，倒是費了一番工夫的。

喬治桑一進客廳，便與古有方熱烈握手打招呼。

「歡迎，歡迎。」

古有方也很客氣地對喬治桑說：

「桑博士，久違了，你好。」

在進入談話正題之前，古有方指着壁上的畫問喬治桑：

「這幅畫不壞，博士是從那裡得來的。」

「啊，這幅畫還是我第一次回國在上海買的，已經有三十幾年了，那時大概化了兩根多條子，你是行家，你看貴不貴？」

原來古有方除了會那一手以外，還精於書畫古董鑑賞，收藏的東西也不少。

「畫雖很難講價錢，不過我認爲這幅畫倒是郎世寧的珍品，博士還能寫這樣好的字，這難得。」

丁耀中代兄爲官
宋霖康並未護航
梁少章死得太巧
青年黨團結有望
張祥傳想選立委
因下屆議長難再

本報通訊員　歐陽瑞

台北市政府首席參事丁耀中，於廿五歲時假持國民黨某政要介紹乃兄丁柱中信，謁安徽省政府主席李品仙，丁耀中講話甚有煽動力，竟得李知遇，弟代兄職發表了懷寧（安慶）縣長。

中華航空公司在大武山撞山，機師梁少章，十一歲死父，時梁父正三十九歲，今梁少章恰爲三十九歲而死，遺子梁志又爲十一歲。

台北市議員宋霖康爲老鴇護航，被判刑去職市議員資格，據說宋霖康非正式保鏢，乃受雛妓親生父母所請託，眞怪事年年有，惟獨台北多。

台北市議員資格限制，有半數以上無法再參加競選，仍現任議長張祥傳傳將參加台灣立法委員或國大代表補選，現正作活動佈置中。

中國青年黨團結工作，急轉直下，該黨未團結前計分中央黨務委員會主席陳啓天，秘書長王師曾，中央整理委員會主席余家菊，秘書長劉泗英，中央黨部主席張夢九，執行長關德辛。中央革新團結委員會主席黃鳳池，秘書長道徵。海外總支部主席林棡敏，秘書長史鑫民。中央改造委員會主席崔冲漢，實則左舜生，李璜均包括在內。臨全會主席陳翰珍，胡國偉，執行長丁俊生，團結座談會領導人胡自翔，鄒人孟。可稱得上全世界派系最多之政黨。

（信不信由你）

八卦山點滴

彰化縣政府教育科督學施天炎，在縣議會公開答復議員質詢，承認上酒家是實，「因省府三令五申規定公務人員不准上酒家」，事後感覺不妙，而自請處分，報告稱：上酒家是實，但未叫酒女倍酒，也未喝酒信不信由你。

×　×　×

台灣銀行彰化分行經理陳炳和，未依放款程序貸款給彰化市中山路十號之二精功機械公司新台幣九十二萬，精功機械公司所提供之當品不夠，該分行營業部主任拒絕蓋章，而該分行陳經理令人代蓋，現精功機械公司業已倒閉，該項放欵無法收回，幷傳出官商勾結，現有關單位注視中。

×　×　×

彰化縣政府爲響應總統號召提倡生活教育，彰化縣教育科特召集全縣國校教員，分區舉行生活講習會，鹿港區生活講習派督學施大猷主持，在講習中有××國校教員與不同地區×校教員等數人，×國大家爲本身工作地區不同，大家彼此有見面機會，彼此見面難免會互相問候，在集合時行動遲緩，施天炎督學便當衆漫罵與會教員，「你們走路這麽慢，你們是豬」，身爲督學出口傷人，眞是有恥斯文。

×　×　×

彰化縣溪洲××國校有教員張××，自調校服任數年來，一不上課，一不簽到，學校，教育科連該教員住址，也不知道，張教員僅每月發薪日到校領取薪水，教育科安全室據該校校長將實情撥文報教育科處理，而該校校長稱：「我如果這樣做，將會更不利」，而教育科不作處理外，還給該校多派一名教員任教，此種作法眞是妙不言。（李維鈞）

蕭伯納的初戀（一）

周遊子

名人情話

英國文壇巨人，也是世界戲劇界奇才——喬治、蕭伯納氏死後，英國文壇揭開了他的許多秘密情史，立刻掀起了歐美文壇一股談蕭翁熱潮。可是仍然是多采多姿的紛紜傳說。本文給讀者介紹的，是比較可信的戀史，揚棄了一些神秘的面紗，不可信的秘辛。

蕭伯納在五十歲以前，是過着一種藉藉無名的艱苦生活。他的戀愛光輝史頁，也是在他成名之後。他晚年曾對他的太太說：「從前我以為我到七十歲的時候，女人大概不會來打擾我了，誰知我到了七十歲反而更麻煩了。」由此可證蕭翁的戀愛是「老而彌堅」呢！

當蕭伯納二十歲的時候，有一天在一家劇院排隊買票，等到他買票的時候，才發現他口袋的錢不够，無奈只好把到手的票子乖乖退回，狼狽的退出人羣。

蕭伯納到五十歲的時候，他的父親去世了，至此，他才以父親留給他極微小的保險金做了一套新衣服。在此之前，因為家庭貧困的原故，他並沒有眞正的戀愛過。由於他對於女人有異於一般人的吸引力，也是促成他獨身的原因之一。但當他寫作漸漸成功，而且獲致頗豐的報酬時，才發現他對女人有一種特別的引吸力。這種吸引力一直保持到晚年。

蕭伯納在青年的時候，有不少女人對他垂青，而且那般女子多是受過教養的女性，但是他第一個情人却與他以後的許多情人大不相同。蕭翁的第一個情人，是愛麗絲洛克特，她是他母親的學生，是一個護士小姐，也是一個極普通而且沒受過良好教育的女子。但是她天生麗質，美艷動人，所以她成為蕭翁一生中第一個情人。

蕭翁與第一個情人戀愛時，以及一生的戀愛中，永遠是一個急燥的情人，所以當愛麗絲洛克特到他家中之後，他便被她所征服了。蕭翁時常作了她的保護者，無論她走到那裏，蕭翁都是護花使者。他們在倫敦利物浦街的車站去趕火車，送他回家等等。她倆在火車中，究竟發生過多少火熱的親愛，誰也沒有記錄。不過事後蕭翁在愛情信中，寫了不少抱歉的信件。可是他倆之間，唯一的缺點，是缺乏了教養上的和諧。她的生活觀念，根本就與這位未成功的戲劇家大相背道而異趣。雖然蕭翁的熱情，也多少引起了她的傾心，但是同時又像蛛住了她。蕭伯納那種尋找到人生良好伴侶的心情，並不能與愛麗絲契合，於是這第一個初戀在「速成」之後，接着便「速絕」的凋零了。

傅斯年札記（史稿）

·鴻雁·

大學尺牘

孟眞先生對中國民族的特性，有詳細的說明。並特別強調中國雖有時亡國，但其民族意識永遠不能消滅；中國雖有時也呈現虛弱，但一旦政治領導得人，則可由極弱變為極強。史稿說：

一、中國民族者，不以侵略人為是，而亦不甘侵略之民族也。夫在中國之盛世，固曾南征北伐，拓地千里，然歷代儒者，無不以為非是。雖世上希有之英雄如秦皇、漢武者，在歐洲必為萬世崇拜之人，在中國轉為千年指摘之的。故秦漢之後，拓地者有亦，僅有盛唐初明之兩見耳。以如此衆多之民族，如此廣漠疆土，竟甘安居於大海之內，朔漠之南，不為酷好和平不可也。即漢武唐太之北向撻伐，亦是抵禦的、反攻的戰爭，非過自我先之侵略戰爭也。然而好和平與甘侵略非一事，和平尚我先民之所好，侵陵則非我先民之所甘。漢室初建，匈奴百般欺陵之，歷高后、文、景三代，備嘗忍受。及乎孝武，遂張撻伐。迄於孝宣，單于稽顙，於是大怨雪矣。光武中興，匈奴又利用沿邊敗類以寇中國，光武收其降人，饗憲滅其侵我者，可謂恩威並施者矣。李唐初建，稱臣突厥，及太宗即位，數年之間即使之臣服。北宋亡於女眞，南宋乃迪兵蒙古以滅之蔡州。南宋亡於蒙古，及元順帝，四方民兵蜂起，以復宋為口號。凡此皆不甘侵凌之例也。

二、中國民族者，雖亦偶為人滅其國，卻永不能為人滅其民族意識，縱經數百年，一旦得環境之還易，必起而解脫羈絆也。元至順帝初，滅金百餘年矣，其滅宋八十年矣，中原之地漢人失其政權者二百餘年矣，然而漢人永不忘此。及元政一衰，淮上之兵蜂起，湖廣之變頻作，元卒以亡，中國卒以再興。滿清至光宣時，明亡二百五十年矣；中國士大夫階級，久為滿人所用，且嘗助之以滅太天國矣。及歐風東漸，清廷屢辱，而革命思想立即深入於各階級中，尤以少年為甚。於是顧亭林、王船山、呂晚村諸先生所昭示後人者，渙然流行，速於置郵而傳命，此其所謂「野火燒不盡，春風吹又生」者耶？識乎此，則知中國民族，乃永不甘於滅亡之民族也。

三、中國民族者，永不忘其失地者也。晉室南遷，亦曾苟安於建康矣，然而北伐之念，無世無之。豪雄借此以爭奪政權之術，而世上清議，亦以為能光復故物者，即有獲取大寶之資格，桓氏，劉氏皆深解此竅者也。唐之亡也，經五代之亂而失燕雲十六州於契丹，北宋於此念念不忘，卒以謀之不周而取大禍，然亦可徵其不忘失地矣。南宋右文偃武，世稱不競，然京邑之復，永不忘於心；只以高宗、秦檜蓄心術不正，坐失機會，而其後更再三為權姦誤國耳。又如隋唐之圖高麗，儒生每謂其得不償失，不知高麗本是遼東、玄菟、樂浪、高句麗數郡所治，在漢久列版圖之內，其民亦為編戶之民，隋唐之圖，乃收復失地也。明之於安南亦然。是足徵中國人永不忘其失地也。（今日朝鮮、越南，各有其語，與昔不同。中國人應助其獨立，無人欲再郡縣之也。）

四、中國民族，雖有時以政治紊亂故，頓呈虛弱之象，然一旦政治有力，領導得人，可由極弱變為極強。舉例言之，唐之初建，中國不可謂強，然太宗之世，遂統一戎夏。明之初建，起於民間，非經制之兵，久練之旅，其騎兵尤非蒙古之比。然一旦據有北平，即能制勝於漠南，東開遼瀋，至於海濱。迄於成祖，安南置布政使，努兒干置都司（努兒干在今混同江入海處），雖漢唐之盛，何以加焉，此猶興國之事也，請再言其衰世。晉南渡之後，內亂頻仍，衰弱極矣，然一有桓溫領導，亦可躍馬河洛。苻堅南侵，嘗之不能嘗至顯也，然有謝安為之布置，乃大敗之。及劉裕挺出，集殘兵以成勁旅，北向無敵矣。宋之初渡江也，無兵可用，而湖廣之地盜賊不可制。然久戰武力漸盛，逆亮遂不能渡江矣。其後在孟珙時為尤強，北宋自太宗以後所無也。其亡也，亡於姦臣誤國耳，非無可用之兵也。然則中國非眞弱者也，有時不幸以政治之紊亂而弱耳，然其強而有力之潛伏性自在也。一旦得其領導之人，納民於軌物，教兵以義戰，可由極弱突變為極強，漢、唐、明之興，皆如此也。

識此四義，以瞭望將來，則我民族之人，但能同心協成，竭力自奮，將來之光明，必有不減於漢唐之盛者也。

官人列傳（十六）

孟嘗君食客三千

五、名高其主

周燕謀

孟嘗君食客三千，輸財仗義，廣結善緣，在戰國「四君」之中首屈一指，「名高其主」。這在政治上而言，是非常危險的，所謂樹大濟風。「名高其主」的人，歷代許多人物，鮮不生事端者；不是「奪主」，便是被主所奪。孟嘗君雖賢，在政治上也難免不為人主所忌。齊宣王有見孟嘗君如此高名，心有不安，左右羣下難免間言。齊宣王便罷了孟嘗君的相職。

孟嘗君的門下食客見孟嘗君被廢，便紛紛離去。而馮驩不去，對孟嘗君獻計道：「請借我車一乘，西入秦庭，以三寸不爛之舌，保為君復相，名重於國際，奉邑增廣。」孟嘗君許之。馮驩攜金乘車，西入秦國。乃說秦王曰：「天下游士，引馬駕車西入秦者，無不欲強秦而弱齊也；引馬駕車東入齊者，無不欲強齊而弱秦者。秦與齊者，雌雄之國也。而其勢不能兩雄並立；雄者得天下。君願得為雄乎？」秦王聞言，竟向馮驩長跪而請問曰：「何以使秦不為雌耶？」馮驩曰：「使齊國之重於天下者，孟嘗君也。今齊王毀而廢之，孟嘗君心甚怨齊王，思有以背齊。若孟嘗君背齊入秦，則齊國之情，人事之誠，則委之於秦矣。如此，則齊國之地，秦可得也。豈止為雄而已哉！君急速遣使者東入齊，以禮幣迎孟嘗君入秦，不可失此良機也。如一旦齊覺悟，復用孟嘗君，則雌雄之所在，就未可知也！」秦王心中大悅。乃遣車十乘，黃金百鎰，以迎孟嘗君。馮驩則辭秦王先行回齊國。

馮驩返齊，即見齊宣王說：「天下之游士，引馬駕車入齊國者，無不強齊而弱秦也。引馬駕車西入秦國者，莫不以強秦而弱齊也。雌雄之國，秦強則齊弱矣。此勢不兩雄之國也。今聞秦已遣使車十乘，黃金百鎰，以迎孟嘗君。孟嘗君不西入秦則已，若入秦國，則天下歸之，秦強而齊弱矣。秦為雄，而齊為雌；為雌則臨淄、即墨危矣！王何乘秦使之未到，復孟嘗君之職，而增其邑以謝之，孟嘗君必喜而受之。秦雖強國，豈可以請人相而迎之哉！以折秦之謀，而絕其霸強之略。」齊王喜諾，乃使人至邊境候秦使，秦使車適入齊境，使者回告之。齊王果復孟嘗君之相位，除復歸故邑之地外，另增益千戶。

毛松年「中醫師」

文匯樓別記

經濟是人的第二生命，醫學是司人生命之學，就表面看醫學與經濟像兩件事，細推敲經濟與醫學實有密切的關係。

中國地大物博，道地藥材，為全球所重視，藥材本身的價值，及國家的稅收，簡直難以數計，政府如果不振興國醫，即形同不維持國藥，祗好輸入外國藥品，每年之漏卮可以推想，外國人以賤價購買，製出成品，再銷我國，年年受此損失，國家怎麼能不窮呢？

如果國人有病，以國藥治療，例如對日抗戰期間，治瘧疾不用金雞納霜，而用檳榔、草菓、常山、柴胡，以水濃煎，治瘧照樣有效，又如化痰不用辛衣格，而用遠志煎劑，能使氣管支分泌液增多，痰易吐出，俗語：「藥無分貴賤，有效是靈丹」，我們如果能發達國醫，必能發達國藥，發達國藥就是發達經濟。

羊城毛松年先生，現為台灣銀行總經理，對國醫國藥特別有研究，聽其整套理論，有閱歷多而醫學熟之感。他認為國藥之延年輕身，係後人所攙雜，並謂方外有方，不限白虎青龍之製，藥外有藥，不棄牛溲馬勃之材，斯為良醫，本報馬五先生，認毛松年的醫學已入老成之境，台灣有很多中醫師，終身閱歷，實則醫學仍滯留幼稚階段，乃讀書與不讀書之別。

毛松年研究醫學，更強調醫德，他認醫者仁術，應有救困扶危之念，發動合羣，皆具佛性，救人一命，勝造七級浮屠，古人之不為良相為良醫，道理在此。希望醫者皆能推博愛之誠，具濟人之願。若醫而無德，醫學雖精，不過做一個女奸；醫若有德，醫學即淺，也可顯出人格之高。無醫德其醫學精者甚少，醫有德，其醫學必不致淺，大家對這一邏輯均交口稱讚，其學人謂毛松年可做「中醫師」了。

因之連想到台灣的中醫師，賢能碩彥，人才薈萃，但亦分出三六九等，有賣草藥的郎中，等於拉路跎或玩蛇之輩，於今皆變為醫學博士。樓主為中醫界祝福，「英雄不怕出身低」，任何人出人頭地，對中醫有涓滴貢獻，我們都得讚揚。因台灣的中醫地位太脆弱了，再經不起風吹雨打，歸國學人馬騰雲十年來自動擔任中醫藥界的過河小卒，有進無退的在海內外各大報，辟斷力竭的替中醫界中藥界講話，有時不惜口誅筆伐，開罪權要，不過話又說回，台灣的中醫藥界對馬騰雲也都有好感，從馬著「生活漫談」第一集，能預約到六七〇〇本和賣出一萬幾千本就是最好的心理反應。

·文匯樓主·

吳稚暉先生年譜（四二）

陳凌海編撰　陳洪校訂

若夫說稱名山者，固莫不有其一得之奇，如天臺之崩濤，匡廬五老之屹峙，峩嵋之蛇倒退，房山之雲水洞，諸如此類，在他山亦不能有兩，然皆不能稱為「奇峯怪石，不可勝數也」。」返時與李書華同至溪口，往謁千古威靈布」，訪晤太虛法師，謁蔣母王太夫人墓，偕學故乘輪返滬。夏在牯嶺避暑。七月，參加中國國民黨第五屆二中全會，並為教育組召集人。十月八日，國民黨中央執行委員會常務委員會會議，討論國民大會選舉會期及大赦問題、先生特持慎態度。先生由南京赴西安，遊華山，經潼關並至洛陽，稱「華山為天下秀」焉。十月三十一日為蔣委員長中正五秩誕辰，全國獻機祝壽為蔣委員長祝壽。十一月七日，先生由南京返上海，訪晤李煜瀛（石曾）。又親送一百元與[illegible]培。面謁共同遊雁蕩謀款之誼。十二月十二日，西安事變猝發，先生赴京出席中央臨時常務委員會及中央政治會議臨時緊急會議，一致決議：張學良（漢卿）應撤職嚴辦。是年，任吳越史地研究會副會長。並受聘為國民經濟建設運動委員會委員。先生以法幣三千元委託陸根記營造廠，在南京西華門西華巷西華里一號建造平房四間，樓房兩間，除樓房作為在京之寓所外，餘供本鄉求學子弟寄宿之用。

民國二十六年，丁丑（西曆一九三七年）

先生七十三歲

一月，故宮博物院南京分院成立，先生被聘為理事。二月，參加中國國民黨第五屆三中全會。三月，國父逝世紀念，先生闡述國父遺教，勗勉諸同志。二十六日，返故鄉雪堰橋一行，並至望亭、蘇州。四月，建設委員會欲試驗從煤炭中提煉汽油，惟無適當之試驗場地。先生比鄰張人傑（靜江）有此計劃，不待張人傑來商，慨將其承購之南京西華巷公地四畝相贈（該地與建設委員會相鄰），以表示對工業建設之積極支持。嗣以抗戰關係，試驗計劃遂告擱置。五月，章桐（警秋）經營之南京商業儲蓄銀行因週轉困難，發生擠兌，先生為其協助解決。六月一日，葉楚傖訪晤先生，轉達蔣委員長中正之意，邀先生參加廬山全國學術界談話會。先生於十七日偕吳治譜（慈蓀）、甥女馮先寶同乘龍安輪赴牯嶺，途經安慶，龍安輪遭暗沙擱淺。破曉發求救信號，先寄浦輪來救，竟亦陷沙中，旋測量船來拖，又未成。適英國太古公司怡和輪前來，但索酬五百兩，又未成。最後由新福輪拖出。當晚抵九江，應蔣委員長中正宴，偕葉楚傖參觀牯嶺圖書館及訓練所，又與馮元鑾等遊廬山漢陽峯等名勝。七月，先生計劃將雪堰橋老宅改建，成立訓練班，由其女公子芙主持，訓練故鄉婦女編織、烹飪等工作。惜因局勢關係，未能實現。七月七日，蘆溝橋日軍非法演習，藉口日兵失蹤，要求入宛平城搜索，經我方拒絕，乃炮轟宛平城。我軍奮起抵抗。日軍又發動「八一三」滬戰。先生赴京出席中央政治會議，瀏贊蔣委員長全面抗戰大計。旋由京返上海，將環龍路（後改南昌路）志豐里十號藏書兩萬卷連同有關函牘等，遷居呂班路（後改重慶南路）四十號三樓，稱之曰：寄舫。寄舫者，係其外祖母陳為先生所取之乳名也。

巨變歷險記！

代表團到達林森門（廿一）

胡慶蓉

代表團有車可坐。這是一輛吉普，是陳司令調派的。看樣子已經是一輛很舊的車子。據司機談：油非常缺乏，全市幾乎沒有汽車走了，有之，那就是陳司令的一輛，林署長的一輛和杜市長的一輛而已。在街上，幾乎看不見車子，也很少見人。萬一有一輛來回，大家是非常注意。

代表團吃了早點，下一步驟，就是辦理出城手續了。這冒說出城，是名實不符的。天津，在清朝末年，是不是有城？可能有問題，但到了民國三十八年一月，還是沒有問題的了。天津與租界不可分，故有天津租界之稱。天津到處是租界——天津只有租界。但到了被圍，還有中國地——中國老城牆，在天津已經不易見到了。也可以該是根本沒有了。

城而有個牆——防守比較容易。若外邊能再有壕溝，那就更好了。但天津並沒有城牆，廣袤十里的天津市，無城可防，無險可守。在沒有出發以前，五代表坐陳司令調派的吉普，由司令部派的專人陪同，沿着防守的線轉了一個大圈子。只見不高的土堆上，罩着稀稀疏疏的鐵絲網，而且很矮的鐵絲網。這也不過是表示個界線而已，能防禦什麼？敵人一衝恐就可以進來。

沿着鐵絲網這邊，看我方的防禦力量，也不見得强。十步一崗，五步一人，倒是不錯，但這未免太單薄了。人躲在土堆後邊，蹲在土坑裏，坑往往太淺，還蓋不上身子，整個暴露在寒風裏，人實在受不了。人、凍，恐都會凍死；手，槍，都拿不穩，還打什麼仗？肉什麼搏？五代表到處代表市民向官兵慰問，向官兵慰勞。官兵前線——城防線已就是前線子——的飲食也不好，到了前線往往是涼的。衣服是棉的。實際上，在這種天氣之下，是非皮不暖了。有時候，呼呼的北風，眞會把耳朵凍掉！在簡單的工事裡，蹲得久了，或躺得久了，腳手都會麻木。

辦理出城的手續，要到好幾處。有司令部的人陪着，自然沒有問題，但也很佔時間。每到一處，負責的軍事長官都忙着招待一番，並且問長問短。從他們的談話中，已經看得出，不增加兵力，天津是沒法長守的。這麼大的城圈子，任何地方都可進來，任何地方都好進來。防城，如同把守球門，太不容易！大家都很担心不能久支。敵人不眞的進攻則已，如眞的進攻，將如水銀瀉地，一發不可收！

最後轉到林森門，就決定從這裡出城。林森門，也是徒有門之名，而沒有門之實。並沒有像古老城門樓，只是西式的普通大門而已！裏邊倒有一個警亭式的小房子，可以作瞭望之用。兩旁也沒有牆。天氣陰沉到萬分。五代表就從這裏出去。

今古齋誌異

一、黑衣女俠

常應芳

湖北某山之陰，有一「玄虛觀」，背山面水，風景奇峭，山中多產桑樹，綠蔭遠穩，爲清靜寺觀。寺觀四周，丁香海棠，叢時作花，密香可人。人行萬谷之中，有奇峯當前，鐘聲徐徐，誘人入勝。而黑衣女俠，即居其中。

初觀中有一女尼，年約三十許，積蓄多金，時與鄰村惡少往來，挾其多金，强收惡少與之苟台。一日，有美少年二人游於寺觀，女尼留宿觀中，度其春宵，一度贈金甚多，二人日得金，則樂不思歸。二少年留宿久之，日日贈金，然從不見其金盡。每日做梵事旣畢，則入內寢，沐浴畫眉，靚裝華衣，作富家妖姬之姿。襟帶之間，異香撲鼻，聞之心蕩。二青年夜夜春宵，歡樂忘形，留居年餘。某日黑衣女俠來到寺中，女俠生得豐頰紅唇，濃眉深碧，雙眸如秋水，頭隆高髮，衣黑披風，人稱黑衣女俠，入寺之後，日坐蓮台之下，執梵經至暮，任人盤詰，終不答話，惟瞑目而坐。二惡少慾心胆大，欲調戲女俠。女尼對二少年道：「此女異人也，不可侵犯」。

一夕，觀中忽聞驚呼之聲，二青年逃遁而去。明日，村人遊觀者衆，見觀門之外，有死狐屍體一具，棄置觀門地上，狐頭綠額金睛，兩犬牙露出口外約尺許，乃一雌狐也。黑衣女俠指狐屍對衆人道：「這就是昔日觀中之女尼也。」衆問何故女尼爲狐？女俠道：「狐幻爲女尼，主觀十年。吾初來已覺其異，後來察知其淫蕩之行爲，則爲採精成戾，所與之金，皆冥帛也。我以梵土清寂，豈容異物盤據。某夜正合我施術殺之。幸遇我手，否則百里之內，無寧日矣」。自此之後，黑衣女俠之名，傳播遐邇。

有一青年浪子，聞俠女艷名，挾其豢養之武師三十人，入夜潛進寺觀劫奪之。見女俠坐於書案，攔管書寫經卷。衆武師聞其威名，不敢近身。孰知女已早覺，對衆人道：「孺子來此何爲？不要命乎！」說罷，手取一囊，內盛玄珠數十枚，開窗擲珠，衆武師應聲而倒，珠皆中其左眼。武師皆抱頭鼠竄而逃。自是，俠名更噪。

有府尹某公聞之，攜了官錢至觀締結，此府尹乃一貪官也。與女俠相談甚歡。府尹以四寶相贈：一名「漢銅之餅，海翠之坑，龍梢之帶，鳳腦之漿」。女俠拜而受之。府尹亦辭歸。

黑衣女俠自主於該觀。一個夏夜，黑衣女持俠端坐蓮且。村女有問其故，女俠道：「不久將有大事，後日便知」。過了月餘，省中傳來消息，聞某府尹已死，死時，府尹夜坐，忽然有飛珠貫穿其腦袋，腦漿並流而死。家人不敢聲張，以病故奏表朝廷。府尹死之當日，觀中鐘聲悠悠，而黑衣女俠已不見跡影矣。（完）

御廚談藪

揚州獅子頭

林泉隱

獅子頭即是紅燒大肉圓，是揚州鎮江名菜之一，菜雖不十分高貴，但上乘製作並不太多，筆者離開大陸已廿年，也跑了不少國家，遇到揚州的朋友也不少，算起來祗在台灣北投楊管北府上吃過一餐道地維揚口味的紅燒獅子頭。其次就是在孟買饒過一位家門老弟一餐，且承告在印度憑藉一把廚刀起家經過，和顧祝同將軍的廚師鄒毓祥在曼谷發財的小史如出一轍，他們的廚刀簡直在切鈔票，遂想到政府爲甚麼不設法將這些有手藝人去賺外國有用的外匯，日本移民到巴西快到百萬人就是最好的先例，僑民發財必支持祖國，以色列旅外僑民支持其政府情形即前車之鑑，我們經常找一些不三不四的人回國來湊熱鬧，蒙蔽上峯的時代早已過去，今後應該腳踏實地了。

言歸正傳，獅子頭的製作，用豬腿肉一斤，五花肉半斤，香菌一兩，開洋一兩，馬蹄（荸薺）四兩等一同斬細放在碗裏，再加醬油，酒，葱花，薑汁，鷄蛋白拌勻，用雙手合捏成大肉圓，過油炸到八成熟，然後轉放砂鍋裡，鍋底上最好舖以菜葉，肉面上加放冬筍，冬菇，金針，木耳，及白糖，生抽，紹酒，大粒開洋同燒，不能調味，快上桌時加兩三棵小菠菜，所謂紅咀綠鸚鵡，且富藝術構思。曼谷觀鸞架御廚館老闆曾以炸小尤魚，及蕃茄粉絲製作技術向筆者交換獅子頭亨調術，亦一段趣味回憶。

新廿五經

郎中經

．馬雲騰．

郎中本爲官名，秦時有此制度，與侍郎郎中同屬郎中令，因其爲郎居中，故叫作郎中，漢時編尙書郎，隋唐以後，大部皆置郎中，列爲諸司之長，直到民國成立才廢，南人稱醫生爲郎中，實含有蒙古大夫諷刺之意，因郎中醫生確有很多高手，而這些驗方又非出自正式醫典，我們名之郎中經。

府上有吵夜郎嗎？

「天皇皇，地皇皇，我家有個吵夜郎，行路君子唸一遍，一睡睡到大天光。」這是因家有夜間啼哭不休的孩子，上列的一段咒文，用紅或黃紙寫好，貼在馬路牆壁，由行人路的人唸一遍，就可治好小孩的夜啼，這種荒謬愚不可及的流傳，眞是會笑煞人。

假定你們家裏有吵夜郎的話，你不妨將吵夜的孩子加以檢查肛門，用水和肥皂洗滌，除急病外可立刻就不再吵，因爲小孩最易感染蟯（虫旁）蟲，蟯蟲多半在夜間爬出來，而且成羣結隊的，擁在肛門週圍繁殖上產卵，有時男孩子生殖器女孩子陰部，特別發癢，癢得非常痛苦，以致妨害睡眠，孩子會很不安在床上翻來覆去，亂哭亂鬧，尤其女孩子陰部被蟯蟲爬進後，會引起發炎，發生疼痛，不得不特別注意。

蟯蟲是一種約一糎長，白色圓形小蟲，寄生在小腸的下部和大腸裡，它在腸內壽命不長，僅二十五到卅天，在最後幾天時，蟯蟲的移動最劇烈，爬在肛門週圍死亡，也有一部份是死在腸內的，服藥和防治蟯蟲的辦法，請參閱本期刊出的「胡蘿蔔汁可治肛門癢」。

小孩子們，有的手指甲，或者有把手指放在口裏的習慣，那麼大人應該制止他們這些不良習慣，因爲手指及手指甲縫最易被蟯蟲卵。

禪學黃金時代

風趣的古佛趙州（一）

吳經熊著　吳怡譯

從稔禪師就是衆所周知的「趙州古佛」，又簡稱爲趙州，這是因爲他曾在河北趙州的觀音院裏做了很久的方丈，在本文中，我們也按照一般習慣，稱他爲趙州。

趙州俗姓郝，是山東曹州人，生於西元七七八年，依據傳燈錄的記載，他曾活到一百二十歲，但也有人說他死於西元八六三年，照這種情形來說，他只不過活了九十一歲。雖然前面的說法是一般傳統的看法，但我們很難斷定那種說法是絕對正確的。

趙州從小便出家，後來他南到安徽池州拜南泉爲師。當他第一次見南泉時，南泉正仰臥在床上休息。南泉看到了這個年青小伙子便問：

「你從那裏來」

趙州回答：

「我從瑞像院來」

南泉又問：

「你可曾看到瑞像麼」？

趙州回答：

「我沒有看到任何瑞像，只看到躺着的如來」。

聽了這話，南泉大爲驚奇，便坐起來問：

「你是否有師傅教導呢？」

趙州回答說有，南泉便問是誰。趙州不答，只是向南泉行禮說：

「深冬，天氣寒冷，乞望師父保重尊體」。

這就是說趙州已選了南泉爲師。當然南泉也很高興的意外收了這位不凡的學生。南泉對他非常稱許，並立刻帶他到內室。

當趙州問南泉「什麼是道」時，南泉却回答：

「平常心是道」。

趙州再問：

「是否有任何方法可以達到它呢」

南泉便說：

「當你一有「要達到」這個念頭，便有所偏差了」。

趙州又問：

「如果封閉一切意念的話，我們又如何能見道呢」？

南泉回答說：

「這個道是不在於知和不知的，知是妄覺，不知是麻木。如果你眞能毫無疑惑的證得大道，就同太空那樣的虛豁開闊，毫無間隔，又豈可受外在的是非觀念來約束呢」！

聽了這話，趙州大悟，於是便正式受戒爲和尙。

有一天，他問南泉說：

「知「有」的人，究竟歸向何處」。

南泉回答：

「他將下山到村莊中去做一頭水牛好了」。

南泉這話已够奇特，而趙州的反應更爲奇特，他非但不感覺詫異，反而向南泉道謝啓迪之恩，於是南泉又說：

「昨夜三更月到窗」。

上面的兩段對話非常重要，因爲這是趙州精神和證悟的基礎，也是了解趙州一生言行的鑰匙，現在讓我們先來看看它吧！（未完）

催眠術研究（十五）

鮑紹洲

二十、强壓催眠法

强壓催眠是施於「最低度之催眠感性」者，用强壓而行之一種催眠法。故被術的對象，必須體格强健者方可。

施術時，先令被術人立於寢台或椅子之前，再命其伸雙手，緊握拳頭，使雙腕緊張之，施術人暗示道：「兩手緊握拳頭」，然後使被術人的頭稍向後傾，施術人用雙手將被術人的雙拳舉起、向後屈如弓形。如此形狀的時間，須視其感性之多少而定，如感性强者，有五分鐘便可；如感性低者，須三十分鐘方可。然後將被術人向後仰臥於床上或椅上，被術人靜沉勿生雜念。

施行這種方法時，必須由施術人指定其一定之姿勢，不得任被術人自由選擇。防止被術人傾跌起見，施術人必須注意監視之。此法的被術人感覺辛苦時，施術人即解釋道：「凡療法」非勞不可，所謂「良藥苦口」。如不能耐其勞苦，便不得效果。」然後徐徐暗示道：「你的身體已輕暢了」，「漸漸入眠了」，「更深眠了」。

此種催眠法，施術人首先必須告知被術人能忍耐其勞苦，而且必須遵守之。此法之有效者，在驅疑其心與研究心者、尤忌其萌生雜念，否則徒勞無功而已。

治肛門癢　胡蘿蔔汁

一般人常發生肛門癢的毛病，這是由於雌性蟯蟲，不顯在腸內產卵，而爬到肛門週圍的皮膚皺壁上去產卵，經過六七小時就會孵出，並且有感染能力，有時蟯蟲爬進了盲腸的闌尾，可引起急性盲腸炎發作，此時只好動手術了。

不愛清潔的人，經常感染這種寄生蟲，當肛門奇癢，用手去搔抓的時候，就會把蟯蟲卵弄在手指和指甲縫內，將蟯蟲卵很易帶到被服、衣物、家常用品和玩具上，然後再由這些物品，經過人手帶入口腔內，如果檢查患蟯蟲病者所住的房間，在地板和窗台上的灰塵裏，以及玩具，床單等物品上能發現蟯蟲。

上面已經說過，蟯蟲不顯在腸內產卵，所以化驗室裏檢查大便很少能找到蟯蟲卵，即使明知這個人感染蟯蟲症，也很難找到，如果檢查患者肛門週圍皮膚，表面上所刮下來的東西，會發現很多的蟯蟲卵。（上）

科學新知

袖珍濾水器

美國包潔淨公司銷售一種奇特的輕便濾水器。據說能使很不清潔的水，甚至是泥水，變爲安全、清潔和氣味好聞的飲水。

據製造商說，這種重十五盎斯的濾水器能除去水中的所有有害的細菌，桿菌或甚至是某幾種濾過性病毒，污物和各種氣味。

這種裝置叫潔淨濾水器（Purifilter），是設計給旅行家和野外工作人員使用的。它的主要結構是一塊濾水纖維裝於兩塊纖維網板之間；網板上有螺絲，便於裝拆。使用時將它放入污水中，壓縮連接於膠管上的橡皮球，污水就被吸入濾水器內，經過過濾後從膠管流出於淨水容器中。

包潔淨公司的人員宣傳，潔淨濾水器內的過濾裝置，已在世界各地使用過三十多年，效用良好。目前美國及各國的六十五家大航空公司的班機上也採用這種濾水器。

自由報

（第一三九一期）

（每逢星期三、六出版）

社址：香港九龍彌敦道593—601號
廖創興銀行大廈八樓五座

LIU CHONG HING BUILDING
7th FLOOR FLAT 5
593—601 NATHAN ROAD,
KOWLOON, H.K.
TEL: K303831

電報掛號：7191

台灣總經理處：台北市大同街119號

台灣分社：台北市西寧南路110號二樓

中國文化中的中庸之道（中）

·錢穆·

端茶抬轎，能盡職，便是高。能盡到十分，那便是聖人。飲茶坐轎，不能盡職却是低，反不能和端茶抬轎底相比。中國人講的中庸之道，要你端茶抬轎能盡職，不易嗎？但要你治國平天下能盡到十分職，那豈不難嗎？責任有難有易，難的責任不能盡，不如退而盡其易。孔子不能救春秋，孟子不能救戰國，退而講道，却救了後世。後世尊推孔子孟子為大聖賢，那端茶童子要他登台講學，他不能，但他能盡了他端茶之職與道。就此一端上，羅近溪說他已是聖人。也非無理。諸葛孔明說：「淡泊可以明志，寧靜可以致遠」。那端茶童子却能淡泊、能寧靜，定心做一端茶童子，不想奔競他不能盡之職。若使人人如此，那社會也就不同。

王陽明先生自幼即立志要做聖人，後來自認做不到，退而思其次，也就不再想做聖賢了。他得罪被貶龍場驛，還怕朝廷會派刺客來刺死他，那時他什麼都不怕，只怕一個死。他就做一口棺材，終日坐在裏面，想死有什麼可怕呢？他連死也不怕了。跟他去龍場驛的兩個老家人，不耐此蠻荒生活，病了，陽明先生只有反幫他們燒茶、煮飯，還要唱些浙江山歌家鄉調給他們聽，好讓他們心中得慰。閒着，他自己背誦那些熟的書作消遣。一晚上，他在睡夢中忽然跳躍而起，他想，我今天在這裏這樣做法，倘使孔子復生，令處我境，他更有什麼好辦法呢？一下子心下有悟，那不是聖人我也能做嗎？不是我現在此刻也就如聖人一樣嗎？從此悟後，總揭出他的良知學說，發揮出一番聖人易做的理論。當知各人環境不同，責位不同，各人有各人自己應盡之道，能盡我道，那我也和聖人一般。縱使如端茶小道，那也是道。

如諸位駕駛飛機，飛機起落要有跑道，若說起飛機翱翔天空是大道，降落在跑道上，那便是小道。你又不能把跑道設在你臥室門口，你從跑道走向你門口，從門口走向你臥室，那些更都是小道。大道小道又是兩端。你不能說只要有大道，不要有小道。大道也有行不通處，便該從小道上行。只此小道須附屬於大道，須能通上大道去便是。盡小道，人人可能。盡大道，聖人也有所不能。那又是中國人講的中庸之道，要把人人能行之這一端，直通到雖聖人有所不能之那一端，却不該儘求在一端上通不去。所以中庸之道有極易處，同時有極難處。有極淺處，同時亦有極深處。有極微小處，同時亦有極廣大處。有極隱晦處，同時亦有極光明處。

現在再舉一例。如有一高僧，在深山禪院打坐，能坐到心不起念，一心常定，那不是很高的道行嗎？宋儒言主靜居敬，其實也只是此工夫。不過高僧只能把此工夫用在深山禪寺裏，宋儒理學家却要用此工夫到社會人群治國平天下繁雜的大場面裏去。即如上面所講，那端茶童子，他也能繫心一處，心不起念，能敬能靜，不然為何茶不濺出，人不滑倒。如今諸位爬上飛機，坐上駕駛台，不也是心無旁騖嗎？其實諸位駕駛飛機時的心境，也就和高僧們在深山寺院裏打坐時的心境差不多。一樣是繫心一處，心不起念，一樣是敬是靜，又若拿了一枝槍上火線，那時則有進無退，一心在敵，只一己管着一己，連死生也不在顧慮中，更何其他雜念。這一段的生命可說最嚴肅、最純一，完滿無缺。剎那間便到達了人生所要追求的最高境界。即是一心無他，止於至善的境界。佛教講成佛，是不易的，要成佛，先要做菩薩，做菩薩有十地，從一地菩薩做起，有十個不同階段，一生來不及，再待下世轉生，不曉得要再經歷幾代、幾生，還未到達成佛階段。這道理是高了，但不是人人所能。中國人來講佛道，却講成即身是佛，立地成佛，又從極難處通到極易處。這雖像是驚世駭俗之談，却也是中國人所講的中庸之道。中國的高僧們，把佛教中庸化了。甚至不須出家，不須關在和尚寺裏儘打坐，禪宗們便是講了這些話。如此措說，今天諸位上飛機空中去，即是一番大修養。下了飛機，若能懂得你在駕駛飛機時那一番心態，善保勿失，諸位實也可以成佛做聖人，若諸位不肯信，那則是道在邇而求諸遠，只有入深山禪院中去始可成佛，只有枕經胙史、博古通今，始可作聖。既不是人人可能，亦即非中庸之道。

中國人講的中庸之道，要從人人所能，做到人人所不能處去，那纔是用其中於民之中道。中國人講的中庸之道，要人人能做，當下能做。人人當下可得一滿足，然而仍要有一個不滿足，永遠不能滿足。不要說各人的一輩子，縱使再隔了三千年一萬年，依然不得有滿足。那道則總還在前面是一道，還要人不斷去做，不像進了天堂接近了上帝，成了佛，進入了涅槃。便可一了百了，無所事事。但這不是中國人講道講得過高了，即如天地，也一般。好好的光天化日，忽然來了一陣颶風，我想上帝心裏也會感到抱歉，佛菩薩也會感到無奈何。中庸上又說，「雖天地之大，人猶有所憾」。惟其如此，所以此道無止境，永不能滿足，但又要人當下即得一滿足。此一滿足，乃是人們行道之第一步。此一步，須即已是人生的最高境界。人要能從此一步不息不已永遠向前。雖是人人能做，却誰也不能一刻不做。雖是誰也懂得當下該如何做，但又誰也不曉得永遠無窮之將來又將如何做。在永遠無窮之將來以後，還有一永遠無窮之將來。即此永遠無窮之將來，也將如今日般，人人可以起步，但誰也不得停步。所以中庸之道是悠遠的、博厚的、高明的，人人能知能行，而又有聖人所不知不能者存在其間。此道之所以可久可大。則正在此。

我以上講的是善惡問題。若此下再轉到真偽美醜問題上去，則又有不同。善惡辨在己，真偽美醜則辨在外。一是情感方面的事，一是理智方面的事。中庸上說「盡己之性，則能盡人之性，能盡人之性，則能盡物之性」盡己性，盡人性，主要在情感、在善惡問題上。盡物性始是科學物理，但問題主要在理智上。自然科學縱極發展，但與善惡問題無關。科學增強了人使用物質方面的能力，可以為善，也可以為惡；可以為大善，亦可以為大惡。在現代科學未發展以前，人類中已出了孔子、釋迦、耶穌，但現代科學發展以後，未必更能多出幾個孔子、釋迦、耶穌來。若照中庸上「君子無入而不自得」的道理講，在沒有電燈以前和既有電燈以後，在人生之真實境界上，不該有大分別。我們能說在沒有現代科學以前，人過的都不是人生嗎？若如此講，再過三百年以後的人來看今天的我們，也將說我們不是過人的日子，也算不得人生。在我們能服嗎？今天人類快能上月球，但少數人上月球，對整個人類變動不大。以前哥倫布發現新大陸，這也是人類一大發現，但接着此一大發現而來的，不見得是好。葡萄牙人、西班牙人、英國人、法國人，一批批到美洲去，印地安人滅種了，帝國主義殖民主義資本主義相繼發展，人事一切大變。但西方人做人的道理在此發現上並沒有大變。現代科學，究竟是研究物的問題，不是研究人的問題。所以對人的問題上，可以有大利，亦可以有大害，誰也說不定。而且科學縱使不斷發明，對此世界仍還保留着一個不可知。可知與不可知仍是兩極端，科學也還是在此可知與不可知之中間過程內。因此一切科學發明，仍該運用中國人講的中庸之道來好好處理纔是。（未完）

咬着骨頭當雞肋！

自由論

看尼克森執政前途

當年美國軍人艾森豪首次競選總統時，即以結束韓戰為宣傳資料而獲勝的，他就任之後，對外政策和行動，不特沒有一點軍人作風，且比較文人更為軟弱。

這次尼克森繼踵前修，亦以結束越戰為宣傳題材而當選了，看過他的就職演說詞之後，對他今後的對外措施思過半矣——依然是走艾森豪路線無疑也。如其有人認為尼克森是著名的反共人物，將對共產國家採取強硬策略，那就是犯着樸素的幼稚病！

擔當政治大任的國家領袖，因其得天下的門徑不同，作風亦隨之而異。凡屬從力征經營以取得江山的，他即有我行我素，求其心之所安的精神與作為，敢於不顧一切的發展抱負，成敗利鈍，非所計也。若夫從民主法治社會中，憑民眾選舉以登上大位的，即非隨着人民的好惡為轉移不可，否則他的政權便不容易安穩，更不能說繼續主政的話了。尼克森的政權就是這樣性質，而且國會兩院皆由在野黨控制着，他縱然對共產主義深惡痛絕，只要美共尚未能起來以暴力奪取美國的統治權，他就祇有倡言和平，先求保持美國的安全繁榮，迎合選民心理，藉以延續個人的政治生命。所以，今後四年之內，除非俄共集團重演「珍珠港事變」，期待美國為維護世界自由人類的生存利益，而有對俄共集團採取非常舉動的可能，即就未免太天真了！

毫無疑問，尼克森乃是個徹頭徹尾的反共產主義者，但他在國內人民畏戰求和的環境中，又不像富蘭克林、羅斯福那樣雄才大略的人物，能夠製造輿論以實施抱負，他除了穩紮穩打，以爭取冷戰苟和的利益外，我看別無他途可尋吧？

民主政治實係庸人政治，也是浪費政治，在天下太平盛世中，搞搞民主政治，未始不可。若在非常時期而侈談民主，實為利未見而害已先嘗的玩藝。因為由選舉而來的政治人物，十九都屬平庸之輩，正適合太平盛世的需求，英雄豪傑決不是憑選舉起家的。華盛頓如果生在今日，他未必能從選舉中取得總統寶座。明乎此，我們對於尼克森在領導自由世界的前途上，自不必作過高的評價了。

馮己先生

昨日與明日

千城

愛國自焚

最近世界三大都市有三幕悲喜劇上演，都是由青年作主角，很值得我們一談。

其一是捷克青年的「愛國自焚」，在捷克京城布拉格已先後有兩位大學青年用汽油燒身自殺，用以表示對蘇俄軍事侵捷的抗議。據悉：類此事件，可能還會繼續不斷發生。火焚至慘也，生命至貴也，而捷克青年竟捨棄最可寶貴的生命，走上人間最慘的一個途徑，確是「為何」？這是因為他們要國家，要自由，他們覺得國家和自由，比較生命還更寶貴。捷克青年這種愛國精神，值得世人欽佩。同時，蘇俄對其他國家的侵略暴行，猙獰面目，也暴露於世人面前，和平偽裝的共產主義，現了原形，共產帝國主義變成了鐵的事實，各國的青年們，特別是患了左傾幼稚病的青年們，應當有所認識和辨別。

過激搗亂

本月十八日，日本東京大學發生混戰，過激派的學生於長期盤踞學校一年之久後，終被六千多名的防暴警察用現代的作戰武器：直昇飛機、催淚彈等，將他們驅逐，警察在兩天內逮捕激烈份子六百多人。這所著名的日本大學，已被破壞，成一片廢墟，日本首相佐藤事後巡視不勝唏噓。東大學潮已鬧了一年多，現已決定停招新生，這對於日本青年而言不能不說是一個最大的損失，犧牲了最值得珍惜的讀書上進時光。據報載：在東大鬧事的二千多學生中，絕大多數極可能是職業學生，也是共產主義的第五縱隊。在中國共產黨竊取中國大陸政權之前，也曾採取這一技倆，現在，左傾幼稚的日本青年被人利用而不自知，誠可哀也。日本去年，國民生產總額已超過西德，經濟繁榮，物資發達，而精神空虛，日本青年的狂妄盲動，也正代表他們的迷惘和煩躁，如何領導青年走入正途，這要看日本的政治家和思想家的了。

嬉皮示威

本月廿一日正當美國新總統尼克森在美京華盛頓舉行就職典禮時，有數千美國青年，多着嬉皮裝束，在賓西伐尼亞大道遊行示威，並向經過的尼克森座車投擲石塊和啤酒罐，遭警察逮捕的有數十人之多，為美國最大盛典增添了可悲也可嘆的一個插曲。同時，我們由報端，也常看到美國各大學常有鬧風潮和黑白青年發生衝突的新聞，不管嬉皮的產生背景如何，主張如何，他們如此行為，已足以表示：對國家和對總統的不敬，對法紀和秩序的藐視，直接危害社會的安全，間接為共產黨徒和他們同路人張目，也正如日本幼稚的左傾青年，受人利用而不自覺。所以，尼克森總統在就職演說中呼籲國民團結，合作和秩序。

中國最好

看看人家，再看看自由中國，自由中國的青年真是太幸福了，在安定的環境中求學上進，享受自由，也享受了經濟進步的成果，應珍惜這大好時機，再求個人和國家的發展。

新聞顯微鏡

熱鬧的保險官司

台塑一廠失火爆炸，損失約達新台幣兩千萬元。

因保險單條款第七條辛款訂有不保之危險品包括：「由爆炸所致，或爲其結果之損失。」承保之數家保險公司，傳已取得默契，寧化用新台幣四千萬以求在法庭上「勝」訴，也不擬賠償台塑！

其堅持「此例不可開」之態勢迫迫凌人！故不論此一條款之文意是否清清楚楚，不：「對不起，我的險僻了閣下的手」！

而今保險公司仍奉爲「圭」，其原因不外是「利」之所趨而已矣，何曰「恥」哉！何曰「義」哉！

故，要打官司！

故，寧化四千萬要打贏這場官司！

其勢壯，其氣盛，其心則可「卑」！

假若說係爲「凡爆炸因起之損失，不賠」，保險公司應該更精確的規定。

台塑事如何處理事小，不關緊要，緊要的是今日保險公司保單的條款，乃是六十年前英人在上海創保險公司所擬訂的，當其時華人所處之地位，是被英人打耳光，倘需道歉，前英人專爲華人所擬之保單，放歛隨心，建功厥偉。

此，要打官司！

此，寧化四千萬也要打贏這場官司！

無非是維護此一保單條款！

但，縱是打贏了這場官司，不賠償台塑，一切皆獲得了理想的結果，默想六十年前黃浦灘頭，兆豐公園法人所張貼那張「華人與犬不准入內」的招牌，焉能「心安理得」？焉能「臉不紅」？試數贏來多少不知恥？

即有工商界部份人士對保險公司這一份咀臉，表示厭惡，因也取得默契，如果「保險公司不賠償，則向政府申請准許向國外保險公司投保」，看起來這副以牙還牙的咀臉，也不叫人舒暢！

保險公司因有一張「辭意模糊」的保單，可以多面運用，才產生了要求維護此一保單不惜多化兩千萬的意念。識將此「保單」送將六十年後的今日社會中，讓民意給「修理」一番，改爲華人對華人所擬訂的保單，保款精細明訂，其本是憑此辦理而無怨言！

保險公司將六十年前的英人留下的一塊臭銅爛鐵視爲「傳家之寶」；工商業者又要申請政府准許向國外保險公司投保！我們平白愛它到了「一掌一臉血，一棒一條痕」的地步？夫復何言！（敬丁）

台北新聞信

台北市到永和交通
不應有的戰時現象
老百姓三字經不絕於口
市長縣長議員爲「國罵」對象

本報通訊員柳一耀消息：每日下午五點鐘後從台北市到永和鎮交通，形同交通斷絕狀態，這是平常不應有的戰時現象，包括政府官員對這些亦憤怒的指責，老百姓的「國罵」三字經更是不絕於口，有罵高玉樹，也有罵蘇清波的，罵高玉樹部門認爲將永和鎮劃到大台北市外是反常情的不合理的，認這其中與某議員有交換條件的可能，謂某議員在內湖等地買了很多地，由於內湖劃入市區，某議員撈了相當大的一筆數，因之也得支持高玉樹若干要求。罵蘇清波者，則謂蘇在競選縣長時，有多開路多築橋的諾言，如今沒有一件兌現的事，將近二十萬人的住宅和商業區——永和，幹道祇有一條，這是近代都市中罕有的奇聞，萬一遇到大火警，其悲慘是可以料得到的，如果遭受空襲警報的話，簡直使人更不敢想。但表面工作確做得相當好，例如銀幕裡的標語，疏散圖解，馬路上還有指標，揭穿了又不值一文錢，平常路都走不通，遇到空襲時，還想走路嗎？有人說水到溝成，自然會開，台北市到永和下午五點到八點固然很擠，十點後車子亦就不擠了，遇到空襲時，遲幾個鐘點拉警報就解決了，這些冷諷熱刺的民間反應，坐在流線型新汽車裏的父母官怎麼會知道，（不敢說公僕）

高玉樹比蘇清波會做官，特別注意到幾條幹線，不僅黨外人士一致稱贊（站在國民黨立場，不是民社黨立場），黨內官員也覺得高玉樹是一位了不起的人物。某地位很高的官員說：「書讀通了就會做事」，不過這些話似是而非，很多不讀書的議員，出身非常低微，但欺侮老百姓，刮錢，挖政府牆角，則學有專長，對選民的事則注意甚少，因之有人主張議員的資格毋庸限制，藉以減少偽造文書的刑事案件，被提起公訴的宋霖康就是一個最明顯的例子。張祥傳議長比較漂亮，學歷上很坦誠的填日本一家函授學校畢業，函授雖不能作學歷用，但比偽造或鬧出亂子好得多，不過這個問題很大，究竟如何處理，且聽下回分解。

祇因中醫學院事件
監院鬧出火爆場面
觸類旁通引出逢甲雙辯駁
報紙對來函一概予以揭載

（本報記者黨尚書台北消息）監察院一月二十日院會決定，由教育委員會調查處理教育部令解散中國醫藥學院董事會，以及表彰推行九年國教有功人員等案，是否有違法失職之嫌。本案實以中國醫藥學院董事會被解散問題爲重心，蓋因一由糾紛造起之前董事長王德溥所主持之董事會，再由原創辦人之一的陳固所改組之董事會，陳固曾有抬棺接受學院之行動，在雙方爭奪激烈之下，被教育部令飭解散另組整理委員會接管中國醫學院，並指派著名眼科醫學家楊燕飛教授爲院長，社會固以該院糾紛，已獲教育部持平解決，當可相安無事。而陳固之抬棺進入學院，並樹起大副標語，涉及秩序安寧及毀謗罪嫌，陷入刑事訟案，固已受制一時，無力再起。但其中尚埋藏有因案被解除立法委員公職之覃勤與創辦中國醫藥學院之私人權益問題，是否因曾已被判刑或已服刑期滿，使私法上之權益均因立法委員公職之註銷而連同失效。或因法人行爲違反法律，而被法律宣告解散等問題，曾經引起各方之同情注意，但因覃案之難邀獲「平反」之非常上訴，以致覃勤對恢復中醫學院之私法權益問題，遭遇困難。此亦爲若干監察委員所懸懸於心者。

再以逢甲學院之糾紛問題，教育部稽延未使持平解決，社會各方所認定：私人興學所最費人力財力者，端在創辦立案，建築、設備、開學招生等過程之艱難程甚。若以締造完成，任何人接辦，就可「不費吹燈」之力，落得財源滾滾不絕，校務蒸蒸日上。此在台灣地區已形成公律，世界各國是否如此，固不可知。立法院、監察院對逢甲學院糾紛案，亦嘗有指摘，因致監察院二十日之院會討論中醫學院董事會之被教育部勒令解散案，引起一幕空前火爆場面，經報載後引起監委蕭一山、鄭景福、逢甲工商學院常務董事高信等之連續致函中國時報有所說明，茲分誌於下：

一、中國時報載監察院二十日院會中，爲着教育部解散中國醫藥學院董事會的事，引起了程序性的激烈爭執；正反兩方互相攻訐，拍桌大罵；具有維持會場秩序功能的議事權，在大會主席張維翰的手中，猛敲不息，幾乎失去了權威的光彩。

先是，監察委員張建中等六人，在院會提案，主張派員調查教育部解散中國醫藥學院董事會另行成立整理委員會，有無違法失職的情事。

院會討論這件案子時，各委員均主張加以調查，但究竟是由院會逕行派員調查，還是交由教育委員會派員調查，意見不一；當情況陷于僵持之時，鄭景福委員上台發言說：這件事中央已在協調之中，如果要調查的話，以交由教育委員會爲宜。

這時，蕭一山委員發言說，中國醫藥學院的事情，過去他曾提出一個彈劾案，中央出面協調，鄭委員現在又出來「護航」，蕭一山說到這裡，緊握拳頭，「砰」然一聲，打在桌上，然後就走下發言台。

鄭景福委員，忍不住了，立即奔上發言台，指着蕭委員說，監察委員雖有糾彈百官之權，但不可利用職權，蕭委員原是中國醫藥學院的董事長，後來交出董事長後，就要提案彈劾，這找教育部的麻煩，這算是甚麼態度。鄭委員說到這裏，也拍了一下桌子，張一中委員立即站起，指摘鄭委員不該拍桌子，陳達元委員見狀，亦跳離坐位，以手指着張一中說，你有甚麼資格干涉人家講話，蕭委員拍桌子你制止，鄭委員拍桌子你就出來干涉，是甚麼意思？

此一「拍桌」之爭直到大會主席就該案應否交由教育委員會派員調查的問題，提付表決，多數委員均贊成交由教育委員會處理。

二、蕭一山函，貴報一月二十一日第三版所登「監察委員拍桌激辯」新聞一則，內容多與事實不符。本人並未提過有關中國醫藥學院的彈劾，更未担任過該院董事長，提彈劾案的這段話，是陳委員大榕說的。我所說，只是監察院討論委員的提案，應該就事論事，不能把政黨的協調工作搬到桌面上來，以前監院所提彈劾院長的案子很多，從無人攔阻協調，最近一二年，不管甚麼彈劾案提出，總有人假藉名義，出面干涉，這樣還像個監察院麼？我只是用手指點一下桌子並未緊握拳頭，砰然一聲，後來鄭委員景福，說我是爲逢甲學院而言，我才說今天討論的兩個提案，都是教育部違法瀆職的事情，我既非提案人，也不是連署人，更無逢甲學院的事情，鄭委員何以要把逢甲學院扯上？我不得不說明逢甲學院糾紛的經過。逢甲學院是我和丘念台、揚亮功三人創辦的，我担任過第一、二屆的董事長，五十二年丘念台的弟弟丘伯鄰有混報學資之事，涉訟判罪，董事會開會流會，教育部立即下令讓我們三人改組，但丘楊皆不願負責，在教育部部容字退出，教育部再下令讓我改組，限期完成，否則撤消立案，這時陳會瑞（該院之籌備處主任，後任總務主任）找高信來合作，請他担任院長，要他拿出兩百萬元來還債建屋，陳仍任董事兼總務主任，高信接收後，未出分文，對債務也不管，反把陳會瑞的董事兼總務主任取消了，所以陳會瑞才到處告狀。這五六年來，都是高和陳的糾紛，我因逢甲事太傷腦筋，所以把董事長讓給高信，原欲脫離關係減去麻煩，但自行政院兩次下令不准公務員担任學校董事，逢甲學院董事，大多數都是公務員，依照法令，應由創辦人改組，可是教育部始終不肯遵照行政院的命令，下令改組，所以劉行之委員才提出一個彈劾案，這個案子，被鄭委員給壓下去了，他也是以協調爲借口的。我總覺得鄭是監察委員，不應該失掉立場，只替政策委員會做事，但是張寶樹當該會秘書長時，把逢甲糾紛，提出常會討論，是非常高明的，君子思不出位何況行事？現在的高級官員和民意代表，把 總統昭示我們的知病知恥，有些人是置諸腦後，背道而馳了。

三、鄭景福函，貴報一月廿二日第三版所載「監委激辯事蕭一山來函」，內容與事實不符，①監察院本月廿日上午舉行院會，所有出席委員及職員新聞記者有七八十人在場，蕭一山說話神態及拍桌子數次情形，衆目共睹，貴報據實登載，不容飾辯。②函中所說「最近一二年，不管甚麼彈劾案提出，總有人假藉名義，出面干涉」。究係何人假藉名義出面「干涉」，除函請院長查明外，蕭一山應負法律上責任。③劉行之委員所提彈劾教育部處理逢甲學院案，係五十七年八月十七日由黃先軒，金維繫等十四位委員審查不予成立，乃竟指爲景福私人壓下，不知是何用意。④院會時蕭一山首先提出劉委員行之所提關於逢甲學院有院會速記錄可查，竟強拉係景福先說，顯與事實不符。

四、高信函，貴報一月廿二日第三版所載「監委激辯事蕭一山來函」新聞一則，內容有關蕭一山先生指稱逢甲學院改組經過，均與事實不符，茲分述如下：

①逢甲學院董事會過去被教育部勒令改組，係民國五十一年八月間，而非五十二年之事，蕭先生所稱與事實不符者一。②逢甲學院於五十一年三月間（蕭一山先生任董事長期間）發生混報旁聽生學籍案後董事星散，無法善後，教育部始限期改組，如逾期，則將學院解散，其時學院之總務主任，以牽涉罪嫌，乃出招攬他人承接辦理。高信。接辦逢甲學院是奉教育部核准，並派督學監交，未有任何附帶條件。逢甲原有之校舍校地，其時有旁聽生家長代表宣稱：係彼等捐款所購建，惟產權及債務複雜，一時難清，商定由前任董事長（蕭一山先生）負責成經辦人徹底清算後，再行交接，至今七年，尚未據移交，原有校舍既未移交，何能談到補償二百萬元，全屬虛構，與事實不符者二。③逢甲學院新董事之提名，係五十一年八月間事，此時蕭一山先生尚任董事長，所有董事名單均經蕭先生核可轉呈，陳會瑞之不能繼任董事非由高信之手取銷，此與事實不符者三，以上三點請求更正。④蕭一山先生又指稱逢甲學院董事大多數都是公務員，依照法令，應予改組等語。查逢甲學院現屆董事十五人中，內有十三人爲蕭先生五十一年主持改組時所提名之董事，并經教育部核定，當時并未聞蕭先生提出公務員兼任董事爲違法。蕭先生自己提出之董事，在蕭先生任董事長時是合法；蕭先生不任董事長時是違法，而且還想要彈劾，豈有是理，且現任私立大專院校董事，亦有許多爲公務員，不單逢甲學院爲然，并請刊載，以正視聽。

喬治桑外傳（廿一）

張大萬

古有方又扯到「正氣歌」上面

「我認爲中國人最重要的便是要珍惜自己的文化，所以我再忙，都要抽出時間看看中國書，練練毛筆字。」

假使只聽他們上面這段談話，似乎都是正人君子。

「事情是這樣的，明天下午「海龍王」約我去玩，說是爲乾女兒做生日，每人付一萬元頭錢，另外兩位聽說都是「好戶頭」，你知道我不過是空架子，萬一「黑」下來（輸的意思）倒有點吃不消。」

「你老兄的事，我應該效勞，這樣好了，你明天先去，在入局的時候，你先告訴「海龍王」說你晚間有重要約會，已請好朋友代你打，最重要的，請先交三百美金給「海龍王」。這有兩點好處：第一、表示你的氣派大，不要被人家看不起。第二、我去替你，他們不好拒絕，至於，「海龍王」我和他是熟人，到時我自會安排。」古有方思想細密，說的頭頭是道，喬治桑不住點頭。

「好的，好的，這樣好了，三百美金我出，牌局輸贏一切歸你。」

「這不要客氣，我想我有把握讓你「回龍」，萬一見紅，我和你「南北開」好了。」古有方一派江湖調調兒。

「謝謝，看結果再說吧。」喬治桑了解古有方的本領，他答應的事一定辦得到，爲了維持自己的身份，不能不含蓄一點。

官人列傳（十七）

孟嘗君食客三千

五、名高其主

周燕謀

秦之使者聞孟嘗君復相齊，徒勞而返。

自齊王毀廢孟嘗君，諸客紛紛皆去。今孟嘗君復相齊，馮驩請召而復之。孟嘗君對馮驩喟然歎道：「田文常好客，無所敢失，食客三千餘人，此爲先生所知者。客見文一日破廢，皆背我而去，唯先生一人能復田文之位，諸客尚有何面目再見我乎？如復見我者，必唾其面而辱之可也。」馮驩下車結轡下拜，孟嘗君下車接之曰：「馮先生爲客謝乎？」馮驩對曰：「非爲客謝也，乃爲君失言也。凡物必有至，事有固然，君知之乎？」孟嘗君道：「田文不知先生所言何謂也？」馮驩道：「生者必有死，物之必至也。富貴多士，貧賤寡友，此事之固然也。……今君失位，賓客皆去，此不足以怨士，而徒絕賓客之路。願君遇客如故。」孟嘗君聞馮驩之言後再拜曰：「敬從命矣。」齊　王滅宋之後復驕橫，欲去孟嘗君，孟嘗君恐懼，乃奔魏國。魏昭王以孟嘗君爲相，西合於秦，趙、與燕國共伐齊國，破七十餘城，齊王奔莒死。※襄王立，而孟嘗君以　王巳死，辭魏國相，乃中立之，於諸侯無所隸屬。襄王畏孟嘗君，與之聯合，復歸於齊。封歸於薛，即今山東滕縣五十里地。孟嘗君卒於齊襄王之時。他死後諸子爭立。後齊魏共同滅薛，遂絕嗣無後。

戰國養士之風甚盛，然未有如孟嘗等四君者。太史公特爲之立傳，如無特立獨行之舉，無可傳也。太史公曾訪孟嘗君故里，其地風俗多暴桀子弟。問其原故，里人皆曰：「孟嘗君招致天下任俠姦人入薛中，客六萬餘家」。世之傳孟嘗君好客，里人自喜。太史公謂「名不虛矣」！

禪學黃金時代

風趣的古佛趙州（二）

吳經熊著　吳怡譯

在第一段對話中，南泉曾揭出禪的一個中心思想，就是「平常心是道」。接着又指出道是超越了知和不知，是不能由向外追求，或知解的辯巧而得的。但南泉並沒有告訴我們究竟如何才能見道，他只是說見道之後，你的境界將像太空一樣的虛豁開闊，毫無間隔。我相信，在這裡他所指的是道超越的，假如平常心是道的話，那麼這個平常心也一定是超越的。

在第二段對話中，我們首先遇到了禪的一個偈語就是「知有」，這兩字的意思是說「了解本體，或純粹的存在」，也就是說了解道體，與道體合一。趙州是問一個人要去那裏，才能和道道體合一，因爲依據莊子的看法，道是無所不在的，而南泉爲了更眞實的去表現道的內在性，便告訴他這種人要到山下去做水牛，當然這裏的水牛乃是南泉爲了引發趙州的注意力隨便說的而已，這正同莊子的道在屎溺一樣。但南泉則更進一步，因爲莊子只是把對方的念頭打消，而南泉則使對方完全悟入。所謂與道合一乃是與整個宇宙及其中的一切東西合一。趙州是充滿了這種驚人的悟力，當南泉向他一指點時，就像皎潔的月光滲入了他的靈魂之窗一樣，使他完全的開悟了。

所謂開悟是說解脫一切的念和約束。因此一個新開悟者的某些行動也常使那些食古不化的縉紳先生大爲吃驚。當新開悟者突然獲得了自由時，他的老師經常是最先遭受到他那粗野的舉動。可是奇怪的是，這些老師非但不以爲忤，反而欣然接受學生那種表面上好像是侮辱的態度。譬如臨濟打他的老師黃檗一掌時，黃檗却哈哈大笑。同樣趙州對待南泉的態度也是如此。某次，南泉對趙州說：

「現在，我們最好是離羣與異類爲伍」。（如果不知道非家的一句格言。『救獸易於救人』的話，可能不太了解上面那句話的眞意）趙州却不以爲然，而說：

「先不談『異』字，請問什麼是『類』？」

南泉兩手按地，作四足獸的姿勢。趙州便走到他的後面，用脚把他踏倒，然後跑進涅槃堂，大叫：

「悔！悔！」。

南泉很欣賞趙州的這一踏，却不知他爲什麼要悔，因此便差人去問趙州悔個什麼，趙州回答。

「我恨悔沒有多踏他一脚」。聽了這話，南泉反而更爲器重趙州了。

照這樣看來，禪的世界是多麼的光怪陸離啊！但如果我們知道南泉提出的境界只是爲了考驗趙州是否悟解得眞切深入，而無其他目的；如果我們了解趙州的一踏盡是爲了掃除「類」的觀念，而無其他用意；那麼我們將很容易的看出他們這種瘋狂的舉動的中也自有其方法的了。（未完）

名人情話

蕭伯納戀愛史

二：寡婦的熱情

周遊子

蕭伯納正在初嘗苦酒滿杯的時候，有一位比他年長十五歲的寡婦踩了進來，她的名字叫做珍妮比德遜太太，也是蕭伯納母親的女學生。這位寡婦是一位鄉紳之女，曾受過良好的教育。在倫敦和鄉下，各擁有樓房一棟。可是這位愛人的性格却比初戀那位小姐狂暴。時常可能失去控制自己的能力。可是她有一點迷人之處，就是她的一副嗓門，和她良好的教養。伯納遇上了她，無疑地做了她的俘虜。蕭翁在他未發表的日記中，記下珍妮的日期爲一八八五年一月十日，但是從他的關係上看來，大約在此時期之前兩個月便結識了。

相識之後，由於不斷的往來，自然日久生情。伯納並不是以她爲眞正的戀愛對相，然而他却是眞正的需要她——珍妮。因此他們隨時廝混在一起，有時候蕭伯納在珍妮的家裡，二人相傾談，竟至談到深夜兩三點鐘才辭去。這些日子無疑的是過得非常快樂。不過蕭伯納這段戀史，有一點單相思的意味，因爲蕭伯納此時，並未想到結婚的問題，雖然蕭伯納二十九歲生日是在珍妮家裏慶祝的，可是那是因爲由於面子的關係。蕭伯納爲什麼需要珍妮？我們不難想到，珍妮的經濟環境甚優，珍妮也需要伯納，則完全是情慾問題，所以彼此都有了需求，但並不是眞正的愛情。因此，珍妮的熱情，完全出自情欲的飢渴。不過如此熱情的女人，形成這種關係的並不困難，而尤其容易結束這種關係。所以，在珍妮和蕭伯納爭吵幾次之後，她大概已發現和蕭伯納永遠結合是不可能的，於是乃嘗試着的約束自己。珍妮離開倫敦去旅行，當她再回來的時候，他們的戀愛關係已大大改觀了，這段情史也隨之而結束。

三：詩人掌珠一見鍾情

蕭伯納的第三個戀愛，也是他一生中比較合適的戀愛史；如果不是由於伯納過多的顧忌，便可以美滿的佳偶結合；可是不幸得很，蕭伯納的顧忌太多，仍是以悲劇結束了他們的戀史。我們知道：西洋文化精神之下的西洋文學，在小說戲劇中，十分之九都是悲劇。這些悲劇戀愛史，也是促成他在文學上成功的因素之一。

蕭伯納第三個愛人，是英國當代最富盛名的大詩人——威廉摩利斯的掌珠，她的名字叫媚摩利斯。此時的蕭伯納已漸露頭角，他被威廉摩利斯邀去晚餐，當要告辭的時候，他看到媚摩利斯由客廳走到飯廳裏來，蕭伯納在短暫的一瞥之下，他神魂爲之顚倒了。他記下這一段會見的情形說：「我看到豐美的身體，從她那可愛的衣服裏伸展出來，表現出她自己。她仔細的看住我，我也立刻感到一種神奇的熱流流過我的全身。我立刻好像由貧窮與失敗中突現出來，因我絕不懷疑我自己是天才；我認爲我們之間一切應落解開，而且我知道她也有相似的感覺。」這就是蕭伯納與媚摩利斯一見鍾情的記載。（二）

文滙樓別記

「地下律師」的地下工作

．文匯樓主．

一個機關或一個團體的名譽，要靠很多人維持的，一個首長的威信，更要靠很多幹部努力苦幹守正不作人的表率，始克有成，這大概是三加三等於六的一個公式。

有「地下律師」某君者，本爲黃豆案主角之一，據他自己向人表示，巳往一點苦勞，還能邀得住這點小過，靠努力智賣錢的人，不怕人不買的，絃外之音就是說，還有甚多的剩餘價值供人利用。其實據外間所知道的「悔罪改過，從新做人」始獲得赦免這七八年的牢獄之災，又傳「地下律師」膝蓋都迴旋痛了，此乃揣測之詞，未可盡信，即是有這些事，我們也應該代否認，因爲人都有人的規「格」，何況是捉風捕影之談呢？

吃屎的狗離不開廁所，聽起來像是駡人，實則確有其事，樓主曾養名貴狼犬一頭，日以碎牛肉，魚類，牛奶爲食料，指定工人專門照應，但使人失望的，一遇機會牠就到抽水馬桶用脚爪去掏自己所要吃的東西，後請教一位馴犬專家，才瞭解犬的生命裏需要臭的點綴，某「地下律師」者，可能也有這點小毛病，黃豆案既漏網了，如何「悔罪改過從新做人」才能報自己長官知遇之恩於萬一。事實與理想往往相反，未料又在轟動全國的翁明昌案裏再度担任正宗主角，且於案發時拿到一筆相當數目的巨欵，謂可將法院及各方面的事擺手，認爲祇要有錢，自能找到鬼推磨，案發的次日天一光，就到立委×××叩求，拜託向朱法官的父親，影响其子判翁無罪，未料這位立委答覆「地下律師」說：「朱法官一介書生，公正無私，迫他父親干涉司法，本人難以啓齒……」「地下律師」這時才瞭解錢能使鬼推磨，但不能使人也推磨，後來又走兩個地方，仍舊是碰釘子和閉門羹，自忖這些人難道不怕我是議會裡的紅人嗎？哼！走着瞧吧！君子報仇，三年未晚。

紙裏既然包不住火，報章雜誌也就將這些醜聞宣揚開了，最後祇好替翁作卅六着的嚴密佈署，不做全民尊敬的神聖「議員」，一肩挑起推磨的小鬼担担，有損國家社會利益非常不名譽的勾當。聞「地下律師」曾公開指責，所有屬翁的報刊，認爲都是敲詐未遂，反過來說，就是敲詐到錢的報刊，則不會鬧的了。這種政治垃圾專用邏輯，自不足計較，抑有進者，這位膽大包天的「地下律師」竟用出一招非正式的套數，代表黨警告主持正義的某報，謂不久可能將命令治安機關抓人，但未說明是警備部，或調查局，且將停止這家報紙的發行，根據法律第幾條也未說明，「地下律師」呀！你的神通太廣大了，「地下律師」呀！你爲甚麼不將這些呼風喚雨的奇招，貢獻給「討毛救國」陣營，不過話又說回來，你也太獨了，怎麼可以將一羣搖筆桿子的學人和報人當作鄉民來魚肉呢？

生活漫話

市上一般賣的醋，都不是糧食醋，而是化學醋，化學醋不能作爲藥用，換句話就是化學醋，不是本文所指的醋，這一點要特別弄清楚。

糧食醋的功用

馬騰雲

做醋的原料，米、麥、大麥，及其他有澱粉的果實，都可以製醋，同時醋越陳越好，醋味酸而性溫，其主要成份爲醋酸，其他則爲糖份膠質，色素，灰份及醋酸，開門七件事，米、麵、油、鹽、醬、醋、茶，以證明醋的地位和米、麵、油、鹽有同等重要性，醋在家庭通常用以調味，能幫助消化，藥用則爲收斂劑，有去瘀消炎之功，外科能用塗抹瘡瘍，紅腫而未化膿時，常能收到良好治療效果。本草載稱：醋能消積塊，及解魚肉蔬菜與各種虫毒，散瘀血，消腫脹，生產後血暈，一般村民很喜歡用醋，安徽北部，和河南山東若干地區，用炸老的油條，沾還年陳醋早晨食用，可治咳嗽。中國古方有「半夏苦酒湯」醋在醫學上一個名詞叫「苦酒」就是以半夏，蛋白和陳醋配合而成，用以治喉頭結核，咽部發炎生瘡，不過有外感病的人，而排汗發生問題，不可用醋。夏令肉食用醋，如蒜泥肉、涼拌鷄、東安雞、炸排骨、糖醋魚、酸辣湯，既衛生又合乎科學，因爲醋對蛋白質及脂肪有很好的分解作用，故可用作幫助消化，醒胃健食，老幼咸宜。

製醋的方法很多，順便也提出談談，一、小麥醋（見本草綱目）用小麥一斗，洗滌清淨，用水浸三日，放籠內蒸熟，盛入黃甕密封，水淹七日成醋。二、大麥醋，（見本草綱目）以大麥一斗水浸蒸，而後乾再以水淋和勻入水封口七日成。三、糯米醋（見本草綱目）糯米一斗淘蒸用酒醋和勻，加水二斗入甕封釀，七日成醋。四、酒作醋（見留青采珍）一斗酒加一斗水，和甕置日中曝之，上生白衣勿動，白衣沉後，美香成醋。五、水果醋，用蘋果、梨、菠蘿、李子，先將水果洗淨涼乾，加入白糖稍稀，入甕鄧口七日成醋。六、臭屁醋（見北方民間秘方）此種醋藥用價值最高，驅風散瘀，功力最強，鄉村婦女在生產後，一定多飲臭屁醋，配薑末黑荳同煮，據說產婦祗用半個月，身體就可以復原，不會有積瘀或積塊之憂，著天加糖冷飲，解熱止渴，會收到清涼爽快之功。

醋是以米製爲上乘，市面上雜貨店和醬園裏賣的很多用醋酸製造，不僅沒有藥用的功效，強力的醋酸常常食用，反會損及健康，居家常過日子，不能沒有醋，如果買不到糧食醋，而自己製造又嫌太麻煩。本港鮮檸檬很便宜，檸檬汁代醋，酸香清鮮可口，也是一個好辦法，檸檬裡各種維生質詳見前「生活漫談」今從略。

搜異錄

江湖繩妓

江湖賣藝大陸頗多常見，而繩上功夫絕佳者實不多覯。曩於北平，來一大幫賣藝者，全國有十餘人。其團長爲一大麻子，虬髯繞頰，年約六十許。精於大砍刀，揮動如雪花一片，紛紛亂飛，令人眼花目眩。自稱於洪楊時稍功保副將銜，姓劉名提三，湖南人。有獨女，精於繩技，年十七八歲，生得丰姿綽約，體態苗條。拳脚槍棒，無不出神入化。其輕功尤其絕佳，飛躍如燕，身輕能屛上行走，飛簷走壁，矯健若猿。

一日正賣弄於廣場，縱縣坐於籐梆中，對觀衆說道：「有人能將我舉起者，我無條件下嫁」。在場圍觀者，有武舉顧某，欲在廣衆中揚威。於是上前應召，運動全力於雙臂，雙手上提，忽然皮拍一聲，竹梆在手，而籐底豎地，女郎端坐地上，穩若泰山。觀衆掌聲雷動。此女實有輕若鴻毛，重於泰山之功。

一日，女郎復表演繩技，架繩於市河兩端，觀者如堵。午後三時，女郎紫束定當，桃花籃一對，緩步於繩上，忽前忽後，忽起忽伏，如蜻蜓點水，蝴蝶穿花，或故意僞作失足之狀，令觀衆驚歎。忽然間，女郎以三寸金蓮倒掛繩上，令人驚心；或作大鵬展翅，或作金鷄獨立，鰲頭獨占，令人鼓掌叫絕。走繩已畢，復換木桶一對，桶盛滿水，女郎挑水行走繩上。另一頭由伊父推一小車，車上坐兩梳髻女童，與女郎對觸，兩不相讓。劉提三將小車推進繩上，女郎忽然飛身下墜，以一手勾繩，蕩漾不已，而肩上水桶竟無滴水潑出。劉乃推車前行而過，繩妓復翻身疾上，作種種天魔舞蹈，翻若驚鴻，矯如游龍。觀者紛紛擲錢，如萬點飛蝗，彩聲雷動。獻技三日後，積姿數千，乃收拾而去，從此不復再來獻技。吾觀江湖獻技者多矣，未見有如此「神乎其技」者，姑僞識者記之，用博茶餘抒情耳。

新廿五經

郎中經

·馬雲騰·

我們防止蟯蟲病的方法，應該好好的注重身體衛生，被服房間的清潔，如果發現自己已感染到蟯蟲，要趕快把蟯蟲卵從皮膚上弄掉，每天早上和晚上，用水和肥皂洗肛門，洗完後，要洗淨手和刷淨指甲，指甲應剪短，夜間應穿好睡衣睡覺，以免抓癢時，使蟯蟲卵落在床單和手上，每天換衣服一次，衣服煮沸洗淨，用熨斗熨平，治蟯蟲的藥雖然很多，但得根據醫生的指示服用，中國治除蟯蟲，民間有良方，於今歐美及俄國醫界亦承認是最王道的辦法，就是喝胡蘿蔔汁，可使腸內的蟯虫自動排出，不過在製胡蘿蔔汁前，先得把胡蘿蔔洗淨，然後仔細地削去外皮，用開水燙一下，擦出的汁連續服用兩到三星期，每日兩次，每次成年一茶杯，小兒四分之一或二分之一杯，還試驗，用爲介紹。

進門脫鞋　可防蛔蟲

台灣進門脫鞋的習慣，是非常衛生，係防禦回蟲進入人體最有效的辦法之一。馬、牛、羊、[illegible]、犬、猪、貓住的處所，和菜園的土壤，都是回虫的樂士，而回虫祖先，係導于回虫病人的糞便，回蟲卵菌混入土壤，隨着人們的鞋上泥土到入住的屋裏，然後又隨着屋裏的灰落在食物或茶水裡，還有就是回蟲卵在土壤裏，不僅能污染塊根植物（胡蘿蔔、紅薯、烏苣，也能染污在地面上成熟的蔬菜、黃瓜、香瓜、菜瓜和菇。）如果吃了未洗淨的上列蔬菜，就很容易感染蟲。設備不好的井水和露天水池，池塘，水窪裏的水，最易被含有回蟲卵的髒物所染，若是我們食用了這樣的水，立即就會被感染回虫，另外沙和土往往是回虫最好的孳科醫院，而兒童最喜歡在地上打滾和玩沙土，或者從地上拿起玩具與其他東西往口裡放的習慣，因爲這樣的關係，兒童們最易感染回虫，引起嚴重的疾病。家畜中貓和狗，在地上打滾時，身上染滿了含有回虫卵的塵土，小孩子和成年的人，喜歡戲耍撫愛這些小動物，便染滿了自己的手，過後若不再洗手的話，很容易把回虫卵帶入口裡，這就是所謂「病從口入」，其他如手指甲縫裏，亦是回虫卵寄生的地方。

回虫進入腸內後，被孵化成極小的幼虫，這種幼虫是肉眼看不到的，由於腸管裏的條件，經常有食物及水經過，不適於幼虫的發育，所以它們必須穿過腸壁進入血管，隨着血液的循環而進到肺臟，在肺裡的幼虫又穿過血管到達肺泡，隨着肺泡貨入呼吸道而入咽喉，重回到口腔，這個時候人又將帶有回虫的幼虫的唾液或痰嚥下，使幼虫經過食道，第二次進入腸內，很快發育成長。從感染到回虫卵開始一直到幼虫發育成年的時間約爲兩個月。回虫長約二十到四十糎，粉白色，很像蚯蚓，寄生在腸內，但有移動的能力，所以能爬入肝或胃裏，並由胃經過食道至口腔，回虫亦有鑽入呼吸道而引起窒息的病例，如果回虫太多的時候，能塞住腸子，引起腸阻塞，感染到回虫的人，常噁心、嘔吐、瀉肚、便祕、腹部常痛，容易生氣，間斷性的頭痛和頭暈。

除了進門脫鞋可防回虫卵帶進外，應少吃油膩的東西，辣的或鹹性食物，至於感染回虫後的檢查及醫療，那要請教醫生了。（下／完）

御廚談藪

醃臘調製法

林泉隱

香腸：香腸是用猪腸衣做成的。用半肥瘦的肉十斤，小腸衣半斤，切肉像柑子大小，加炒鹽三兩，醬油三兩，酒二兩，白糖一兩，硝水一杯，花椒小茴香各一錢五分，大茴香一錢，一共炒過，研成細末；葱汁、薑汁和入。每肉一斤，可裝五節；十斤肉可以裝五十節。

風肉：取新宰殺猪一隻，斬成八塊；每塊用炒鹽八錢，細細揉擦，使之沒有地位不擦到，然後高掛在有風而沒有太陽的地方。偶然有蟲蝕，用香油塗擦。（週圍抹油少許，不引蠅蚊）夏天取下來吃，先要放在水中一夜再煮；水量適以蓋過肉面爲度。削片時，用快刀橫切，不可照肉絲順斬。

風魚：用青魚等剖去肚腸，每[illegible]鹽四五錢，醃七天，取出，洗淨揩乾，在腮下切一刀，將川椒茴香加炒鹽擦在腮裏和腹部，外用紙包裹，用麻皮扎成一個，掛在當風地方。

醃肉：冬天醃肉，先用小麥煎滾湯淋過，控乾；每斤用鹽一兩，擦醃二三天，翻一度，半月之後；放進好醃糟，醃一二夜，取出來，用元醃汁水洗淨，掛在清淨房間裏沒有烟的地方。二十日後半乾濕時，用故紙封裹，用淋過汁與淨乾灰，放在大甕裡。一層灰，一層肉，裝滿蓋緊，放在涼爽的地方；經過一年，仍舊像新的一樣。（煮時用米水浸一小時）刷盡下鍋，慢火煮之。

曼谷茶會口占元唱承旅泰詩友見和至三十餘首爰再賦謝

·張維翰·

中邦文獻罹災阨，南徙詩壇盛泰京。
奉使敦槃盟驥士，聯吟茗椀會僑英。
一章急就詞原拙，發韻頻傳旨益弘。
氣誼相孚心萬里，連宵風雨聽雞鳴。

今古齋誌異

二、絲絹女俠

常應芳

清朝末年，粵東有某官胡行者，此人曾官拜中丞，斂財有術，告假鄉居。常仗其惡勢力，橫行鄉里。所生一子，名叫胡來，生性風流，行爲輕佻，愛蓄美姬，氣勢凌人，遠近鄉民，莫敢違忤。平日驅其惡僕，四出物色美女，掠奪佳麗，人畏其權勢，莫敢告官，視人畏如蛇蝎，婦女不敢外出。

有一天，有一女郎，年方二八，生具姿色，身着絲絹羅衣，穿碧裳，丰姿雋逸，如青霞高瓊，携一鴇髻環隨身，姍姍而行。胡來一見，神魂顚倒，色心爲之傾伏。於是，尾隨絲絹女郎之後。女郎走進一所尼庵想宿，胡來仗其地方惡勢力，強迫女尼爲作紅娘，女尼初不敢苟同。胡來對女尼怒道：「你若不聽，將你寺庵燒毀，殺汝狗頭！」女尼無奈，始將胡來之意相告。只見女郎冷笑道：「恐怕公子無福消受；逆子有眼無珠，儂非好弄者。蝦蟆竟想食天鵝肉！自尋死路！」女尼道：「姑娘不允，恐性命難保」。女郎道：「汝速去相告，儂在庵候駕」。於是女尼將女郎之語轉告胡來。胡來大怒，命精壯惡僕十人，擁入庵寢刼女，女郎嬌聲道：「公子厚愛小女子，深感榮幸！但何必如此？儂隨公子入府就是。」惡僕竟將女郎綁縛而去。

女郎被惡僕擁入胡府。女郎對胡來道：「儂非小家之女，豈可草草成婚？如不稟告父母，誓不相從！」胡來允諾，親自爲她解縛。一面設宴內室，女郎南向而坐，胡來北向而坐。女恣意飲食，旁若無人。宴罷，女郎請公子出道：「三日後與你成其佳禮，儂不欺君也」！胡來退出，暗心歡喜。

三日易至，胡來公子心喜眉梢。吩咐家人張燈結綵，設宴招請親友。紅燭兩行，璧人一對。大禮告成，夫婦合巹洞房。胡來坐在床邊不動，呆若木雞。女郎則瞑目夢鄉。家僕見狀，拉公子不動，奴婢急稟告胡行，胡行急忙入寢察看。見公子褲襠鮮血淋漓，仔細驗視，公子陽具已去，鮮血直流。已命歸九泉。魂亡離恨天了。胡行大怒，命惡僕將女郎縛之嚴訊。女郎直供不諱。復語胡行道：「汝子持此物以汚人，故儂爲千萬良女去之也。逆子惡貫滿盈，天所以假手於儂，公何必惜此惡子盈寸之萬惡具耶！」胡行大怒，縛之入官，論法定讞當斬。遂入於獄。

一日，胡行正愁坐府中，瞥見絲絹女郎飛入寢室，按劍指胡行責道：「儂本太華山絲絹女俠是也！遨遊海內。汝子刼儂至此，強迫成婚，儂殺惡子自保，汝倘以罪加儂，何以責己之輕，責人之重耶！今汝子已去其勢，汝貪婪成性，不久當伏法，儂家去矣！」言畢，蹤影不見。胡行瞠目結舌如木偶。次日獄卒來報，昨夜女犯脫梏而去，留有紙條貼於壁上，上寫十六字云：「縱子爲惡，理當殺却。姑留枯骨，國法難逃。」胡行見之，不敢聲張，暗中偵察女郎蹤跡，終無所獲。未久，胡行因受賄案發，削職爲民，家產充公，鬱鬱以終（完）

科學新知

雙筒望遠鏡

自從伽利略發明望遠鏡以來，各種望遠鏡的放大倍數都是固定不變的，最近美國合衆望遠鏡公司研製成功一種可變放大倍數望遠鏡，使用時先調整至七點五倍（望見的景物近七倍），以便掃視景物；當望到要仔細看的目標時，便可用手輕輕調整放大倍數至八、九以至十五倍，看得非常清楚。

這種望遠鏡的透鏡面塗有一層硬膜；鏡架用鋁合金製造，重量輕而堅固耐用；它高七吋，結構是屬於中心對焦點，單眼調整式；連皮套及皮帶計算，售價爲美金七十九元五角。

催眠術研究（十六）

鮑紹洲

二十一、叱咤催眠法

這種催眠法，對於被術人好爲兒戲的人，多輕視催眠，至難於催眠，當施術的時候，施術人必先態度嚴正，正色對被術人說道：「你能信我的話嗎？信便施術，否則便罷，怎麼樣？」被術人答道：「不敢不信，請施術吧！」施術人又道：「好，我便爲你催眠」。於是向被術人催眠。如見被術人懷疑時，或妄語批評時，施術人則[illegible]道：「你既不聽我的話，我就不施術，你的病我也不[illegible]」被術人被喝，自不敢自作妄想，便改變被術人的心理和[illegible]施術人乘此剎那間，即暗示道：「更深眠」。叱咤催眠法，[illegible]以威懾而矯正其精神，此種催眠法，最適於長輩施之於晚輩，如父親於其兒子，老師之施之於小學生，因此，施術之前，須先察被術人是否適宜，以其能達到叱咤其狐疑之精神，而歸於誠信之心，使勿生雜念，而致其身體之無念無想之境，以達成催眠。

二十二、呻吟催眠法

這是一種念唱而使催眠之法，先使被術人仰臥於床上，或坐椅上，沉着閉目。而施術人振起精神，而低聲暗示之道：「精神沉靜」，「精神沉靜」。如此反復長言之，勿使其間斷，又有呼氣之法，施術者故意做釜鳴聲，開始高聲而漸長、漸以柔聲，終而停止，而且兼作撫摩之狀，作蜂旋形之運動，但不要觸及身體，而以掌從頭至足，旋動而下，復暗示之道：「更深眠了」，反復念之，使應聲而催眠了。

自由報

中華民國內政部內版台報字第〇三一號
中華民國僑務委員會登記僑台報新字第三二三號
中國郵政台字第一二八二號執照登記爲第一類新聞紙

（第二三九期）

（每週星期三、六出版）
每份港幣壹角・台灣零售價新台幣貳元

督印黃行寶・社長李運鵬

社址：香港九龍彌敦道593—601號
廖創興銀行大厦八樓五座
LIU CHONG HING BUILDING
7th FLOOR FLAT 5
593—601 NATHAN ROAD,
KOWLOON, H.K.
TEL：K303831
電報掛號：7191

承印：晨星印刷公司
地址：嘉咸街廿九號地下
台灣總管理處：台北市大同街119號
台灣區直接訂戶　台郵劃撥戶
第五〇五六號張萬有（自由報會計室）
電話：七一四〇三三、五五五三九五
台灣分社：台北市西寧南路110號二樓
電話：三三〇三四六，台郵劃撥戶九二五二樓

中國文化中的中庸之道（下）

錢穆

再細分辨，眞善美三分本是西方人說法，科學不能說是由於向眞，藝術不能說是由於講美。換言之，科學眞理本不與偽對立，藝術美化也不與醜對立。那只是從自然中演出人文，這可以把我提出的性道合一論來講，卻不是我此刻所講執兩用中，所謂中庸之道上所有的問題。在中國文化中，藝術一問題，我已在另一講中述及，此處不再詳論。

西方哲學中有黑格爾講的辯證法，提出正反合的理論來。如說甲是正面，非甲便是反面，合起來是乙，又有非乙，合成丙，如此遞演而上。但此種辯證，似乎用人的語言文字來講是如此。若配合到實際世界人生上來，便有些不合適。如說白晝是正，黑夜是反，到明天，豈不還是此一正一反。黑格爾說的只是一種觀念，觀念之外有事實，觀念與事實，又可成兩端，其間仍該有一中道。所以說相反相成。一陰一陽是天道，陽包在陰之內，陰亦包在陽之內。若相反，實不相反。宋儒把此一陰一陽畫成了一個太極圖。就人生論，生是陽面，死是陰面，死生合成了人生之整體。生之內便有死，死之內也有生。有了死，並不曾就滅了生。有了生，也不曾就滅了死。由中國人講來，一陰一陽一生一死，只是循環不已，老跟着此個環在繞圈。重要卻在此環之內。亦即環之中。莊子說「超乎象外，得其環中」，陰陽死生都是表現在外面的象，人能超出此外面的象，深入觀其實際，纔能進入此實際的環之中，而確然有所得。若要辨是非，那麼死了的是你，活着的便不是你，活着的是你，死了的又不是你。同樣說昨天的是你，今天的便不是你。今天的是你，昨天的又不是你。依此理論，正反兩面可以互相取消，但亦可以互相完成。中國道家思想偏向取消一面，儒家最是切近人生，從完成一面來發揮。道家把一切相反對立取消了，合成一天。儒家則又把人與天對立起來，而執兩用，乃有所謂中庸之道。那裡便有天道人道之別。如善惡相反對立，是在人道上如此，若把黑格爾辯證法來講，顯見講不通。試問善惡正反相合，合成個什麼。在中國道家講來，那便是天，在天道中却無是非善惡可言了。所以中國人的中庸之道，從此方面來講正是一套哲學，亦是一套思維方法，是在人本位人文主義的文化大體系中一套重要的哲學和其思維術。現在很多分別東西文化，說東方文化是靜的，西方文化是動的；東方文化是向內的，西方文化是向外的；東方文化講心，西方文化講物；如此種種說法，亦正是一正一反。但中國人觀念，主張心與物相通，動與靜相通，內與外相通，相通可以合一，合一仍可兩分。既不能有了心沒有物，又不能有了物沒有心。心與物看來相反，實際是相成的。動與靜亦然，不能有動無靜，也不能有靜無動。內外亦一例，那有內無外有外無內之理。中國人講的中庸之道，正要從此相反之兩面講入到一中道上去。你要講任何一事一物，最好先找出它相反之兩面，然後再從此相反兩面中來求其中，那中處便有道。所以孔子說：「吾有知乎哉，無知也。有鄙夫問於我，空空如也，我叩其兩端而竭焉」。他若和你講心，你便和他講物。他若和你講物，你便和他講靜，不是要把這一邊來反對那一邊、取消那一邊，是要把握到兩端，便可獲得中道。所以孔子又說：「攻乎異端，斯害也已」，今若我們把中國文化認爲是唯心的，來反對西方文化是唯物的，把中國文化認爲是主靜的，來反對西方文化是主動，那便是孔子所說的攻乎異端，便要害事。當然根據西方來攻擊中國，說中國文化是唯心的主靜的，要不得，那亦同樣是攻乎異端，同樣要害事。就中國文化之本質與其特性講，究竟是中和的，決不是偏陷的。中庸便可代表中國文化。

現在再講新舊，這亦是一個觀念上的兩端對立。在實際世界事物中，既無一個十足完全的新，也無一個十足完全的舊。近百年來，中國人講到文化問題，總愛把新舊來作論點。「周雖舊邦，其命維新」，若是從舊的中間再開出新的，在新的中間來保持舊的，那也可以。若說我們究是要新還是要舊，那會永遠得不到結論。文化不是唯物的，像一所老屋，可以拆舊建新。文化則有其內在之生命，如一棵大樹，連根斬了，栽下新種子，那大樹的生命已毀滅了。而且文化種子是民族，我們不能不要此文化而連帶不要此民族。中西文化不同，最後還是在中西民族不同上生根。我們縱要新，也得從舊的上生根，來發展出新的。在這上，可中可西，可新可舊。在物質與精神、在動與靜、在內與外、在時人所認爲的中西文化不同之兩極，儘可執兩用中，不必偏走一端。若謂中國文化重在講人文，西方文化重在講自然，則人文只在自然中產生，人文亦不能脫離自然而獨立，人文仍是一自然。天地生下人，赤裸裸的，那叫自然。穿上了衣服，那是自然還是人文呢？又建築了房屋，這又是自然還是人文呢？中國人愛講天人合一，所謂自然與人文，也仍該是相通合一。在人的身上便有了天，在文化中便包有了自然。而此人與文化則從天和自然中演生。在此等觀念意識之下，我認爲中國文化最儘可以滲進西方文化來，使中國文化更充實、更光輝。並不如一般人想法，保守了中國固有之舊，即不能吸收西方現代之新。似乎大家總愛把一切事物作相反對立看，不肯把此等相反對立來作互通合一看。所以我們中國所講執兩用中的中庸之道，此刻實該大大地再闡明。這和我們當前所該採用的一切想法和做法實有很大的關係。

諸位又如說，今天我們該積極提倡民主精神，不要再如以往般只講私人道德。今且不講治國，先講齊家。如果說，父親出去喝酒，母親在家打牌，哥哥邀朋喚友去看電影，妹妹約男朋友去參加跳舞會，試問你那時怎麼辦？你若有理想有希望，豈不仍只有從自己一人先做起，也只有這一條路才能做得好。所謂民主，也只有從每一人自己做起。要講世界大同，也只有從每一人自己做起。羣與己又是對立的兩端，公和私又是對立的兩端。羣中不能無每一己，公之中不能無每一份的私。若必要對立起來，便成爲社會主義和個人主義之大對立，自由主義與統制集權主義之大對立，西方歷史和思想界爲此對立鬧苦了。但中國的中庸之道，則執兩用中，承認有此對立，而把此對立調和融通，使每一人當下有了一條路。

中國人惟其有此中庸之道，亦可使各不同的宗教信仰也一樣調和融通起來。佛教、回教、耶穌教來到中國，不僅和中國傳統文化無衝突，在此諸大宗教之相互間都能和平共存，沒有大衝突。你看中國社會上，這裏一個天主教，那裡一個和尚廟，母親信佛教，兒子信耶穌，這不是信仰不眞，卻是受了中國人相傳那一套中庸之道影響，大家可以說得通、不爭執。

（以下轉第四版）

應編中華民族常用字典

昨日與明日

自從我在自由報「昨日與明日」專欄中，爲文提倡「當速編兒童六書字典」的意見發表後，謬承文字學家趙尺子先生來函獎勉。趙先生且從另一更偉大立場倡議，要集合中國漢滿蒙回苗各族文字，編成「中華民族常用字典」，並推崇彭友生先生的「四海一家國史觀」，以爲生於今日，不可再嚴華夷之分，「如其通蒙語，必知蒙漢是一族；如通滿語，亦必知滿漢是一家也」。

世界人種樹乃一本所生

照今日人種學家研究，世界人種可能來自一元；此人種之植根，當在世界屋脊之中國西部塔里木盆地，在此伊甸園中；物產瓜菓豐隆，人類猿祖，無憂無慮，子孫繁息，與麋鹿遊，與猛獸鬥。迨地殼變易，火山爆發而形成偉拳之西馬拉雅山；伊甸園子孫乃作驚慌四散，沿自然走廊之森林河流帶，逐水草而居，於是人種遍佈世界各地。因「廣谷大川異制，民生其間異俗」，乃形成各異之膚色、語言、宗教、風俗、文字、文化。

攷之歷史，因伊甸內最初逃散之人民，獲最早定居者，乃亞洲炎黃子孫，故文化早啓。地球上第一時期人類之擴展乃由亞洲人當之。今日的美洲、歐洲、非洲之愛斯基摩、亞利安人，均乃早期亞洲民族擴展而至者。當亞洲民族擴展時，印度、埃及、巴比倫文化，也於焉形成。印度主靜文化，限制了自己的擴展，埃及以金字塔埋葬了自己的文明創造力。只有巴比倫文化創造了希臘的智慧，乃有歐洲文化之形成，造成了歐洲民族第二期之擴展。但此二者之擴展不同，亞洲民族之擴展，乃基於開荒精神。歐洲民族之擴展，乃基於殖民侵略與商業營利動機。今日美洲之發達，似乎逾於歐洲，然實繼歐洲民族擴展之餘緒，只是在殖民營商目的方面，稍斂鋒芒。近年代美國，已有變掠奪爲援助之傾向。但仍不如中國古代所倡「則修文德以來之」主張之高明廣大。

惜中國民族對祖先「則修文德以來之」之主張，不但未能充分發揮，反造成「華夷之分」，甚或斥責夷狄禽獸，而蒙古人入主中國亦列漢人於色目人之後，滿人入主中國亦視漢人爲家奴，造成「兄弟鬩牆」之悲劇。

民族統一此其時矣

民國成立，國父孫中山先生指出：「講到五族的人數，藏人不過四五百萬，蒙古人不到百萬，滿人祇數百萬，回教雖衆，大多數都是漢人。講到五族的地位，滿州是處於日本的勢力範圍之內，蒙古向來是俄國的範圍，西藏幾乎成了英國的囊中物」。這說明了中國民族正遭受列強的侵凌。所以，國父說：「由此可見他們都沒有自衛的能力，我們漢族應該要幫助他們才是」（均見三民主義與中國民族之前途）。國父的期望是中華民族的大統一。他說：「國家之本，在於人民；合漢滿蒙回藏諸地爲一國，如合漢滿蒙回藏諸族爲一人」。（臨時大總統宣言）

自國父發出這種召示後，吾人在此方面鮮少努力成績可言。一般淺見之人，每以爲漢滿蒙回藏苗各族，是言語異聲，文字異形，風俗異制；致形成中華民族統一上之障碍。設吾人今日眞能照文字學家趙尺子先生倡論，將中國各族文字，研究其音發字源與民族語系之源流，足可見出：彼此本同是黃炎兒女，自該親如一家人矣。有「中華民族常用字典」一書出，於國家統一，民族統一，文化復興，皆有甚大供獻。我漢滿蒙回藏苗之青年子弟，有此一書，按字索源，則皆知自己乃中華民族之血統，彼此本屬血緣相通矣。

文化不朽之業千載難逢

編「中華民族常用字典」，今日乃「千載難逢」之機。因大陸陷匪，各族學者羅集台灣，只要有力者登高一呼，即可衆志成城，迅奏其功。然亦爲「刻不容緩」之工作，因此批學者有的已年高八十，彼等一生積學，尚無傳燈之人，倘彼遽歸道山，其學將成絕響。乘這些大師們尚健在之日，來完成此一文化之業。我想，文化復興運動委員會，各大書店，或有志文化事業之富商，應速起贊襄此一不朽盛業，非惟利國利民，自己亦將隨這本「前無古人」之字典，而名垂千古。有此志者，盍興乎此。

（貞蒼）

自由談

理或然歟？

在民國肇建以前，咱們中國的讀書人——即所謂士大夫也者，高居四民之首，奄有特權階級的地位，騎在社會大衆頭上，顧盼自雄，不可一世，眞如戲詞所說的：「萬般皆下品，唯有讀書高」，而視農工商業爲鄙事末務。至於戲劇演員，烹調廚師，裁縫師傅等等，皆列爲賤業，這般人的子弟縱然讀了書，亦不許參預科場考試。士大夫的履歷上必須註明「身家清白」字樣，表示不與社會羣衆相等倫的高貴氣質。凡是有科名的士大夫，即使犯了任何罪行，在公堂上受訊時，皆享有不下跪的優遇，其他已可想見了。

何期時至今日不過半個多的世紀，所謂士大夫的身價，竟告一落千丈，不堪回首了。讀書明理的知識份子，在共產社會中固然狗彘不如，屬於奴役斬殺之列，即在資本社會的自由天地間，也被賤稱到乞丐類的流亞，稱之爲高等游民，還是很客氣的形容詞呢！君不見一個戲劇演員或電影明星，不特收入豐富生活優越，而其身價亦高出士大夫百倍，到處將受達官顯們的禮遇推崇，睥睨一切，比舊時的翰林進士還要神氣些，連私人結婚離婚或鬧多角戀愛的情事，亦爲報紙上的花邊新聞。據說，台北有個演歌仔戲的女藝員，每月收入平均在台幣十萬元左右，而留學外國回來的碩士博士們，除却能在政府上[illegible]行貪污斂財而外，誰不是啼飢號寒以苦度光陰呢？又不見一些烹調廚師，不但在國內賺大錢，發大財，且爲國際間重價羅致的對象。香港有個廚師，曾以三年工作共得美金十萬元的代價，被南非方面的華僑聘請以去，來回旅費且由東主支付，試問讀聖賢書的士大夫，能有這種幸福嗎？至於此外各項多能鄙事賤業者的社會地位和生活享受，亦無一不是凌駕士大夫之上，得未曾有也。

這種趨勢之所以形成，基本原因是時代使然，即由農業社會蛻化爲工業社會的結果。但士大夫多不能堅持其「有所不爲」的節操，亦不無關係吧？吾國原有「天道好還」之說，讀書人過去的一切享受或許太過分了，如今被謫降到四民之末的淒涼境界，理或然歟？

馮三先生

讀者熱忱感人

台北新聞信

本報八九三期台灣區無報，讀者來函及電話查詢是日報紙的，林林總總前前後後有好幾百戶之多，眞是使人感動和不勝其煩，其中有位花蓮縣孫偉傑讀者頗富代表性，特將原函披露如後：

主編先生：

本人是貴報忠實讀者，達十年之久，且將每年一份不少，訂成合訂本，以便留存研讀，滋味無窮，亦是本人大陸來台唯一的資產；可是本年度將終，而八九三期報紙，尚未收到，詢之送報先生，不是說沒有來，就是被當局查驗中未發還。貴報文筆蒼勁老練，且有連續性文章，如中途斷送不接連，對本人精神打擊很大，本人連本年度共裝訂有十大本，今缺了一期，本人之痛苦可想而知！故特牘函請　貴報將該缺少之報，補送給本人，功德無量也，謹此敬祝

快樂

讀者：孫偉傑謹書　五十七年十二月十二日

初三小妹來函

本報通訊員　柳一權

主編先生：

謝謝你的覆函及贈書，我是就讀於彰化女中初三，父親經商（紙張批發商），母親料理家務，我是老么，排行第五，有四個哥哥。

自小我就酷愛文學，開始對哲學發生興趣，是因看了尼采的蘇魯支語錄，「一切著名的智者啊，你們服事民衆與民衆的迷信！——但未曾服事眞理。正因此，人們加你們以敬仰。……但又有誰爲民衆所憎恨，如羣犬之憎恨一隻狼。他，便是自由思想者，鎖鍊的仇敵，不敬者，山林之隱者。」尼采的這幾句話對於我是如此的親切，眞的，在這個社會有正義感的人畢竟太少。但最重要的是身爲一個人，就必須有獨立自主的精神，並不能因別人的憎恨，而動搖了自己的信念，是不？

就在這黑暗中行進摸索之際，偶然的認識了張正祥老師（現執教於彰化中學，畢業於復旦大學女子部中國文學系），她正如一盞明燈，照亮了我興走的路線。

她告訴我，研究哲學，必先從中國哲學著手，瞭解本國舊傳統思想的概況後，才再進一步研究，所以建議我研讀中國哲學史話。

自接到你所贈中國哲學史話至今，業已十餘天，我已全部看完（畧讀而非精讀），相信如再慢慢咀嚼，以後還會有更深一層的認識。

以前讀詩詞，只感到唐後的比較深邃幽折，不露形跡，與唐前的詩賦韻味不同，但從沒有想到是因受禪味的薰染而變得空靈，至今才知中國文學，受佛教的影響很多。

在這些哲人當中，我想我最欣賞的，該算是莊子了，雖然我沒有看過南華經，無法像聽音樂似的，跟著莊子進入一種飄然忘我的境界。但由此書的介紹，以及所列舉的寓言，都不難使人想像到，莊子是一個怎樣的人，他的達觀，他的不羈，以及那悲天憫人的情懷，所對世俗的辛勤耕耘，將是我所追求的目標。致於孔子，他的思想是最爲成熟的，他說：「困而學之，勉強而行之。」又何嘗不是他本身的寫照，在困苦的環境中，努力學習，不恥下問；理想和抱負在政治的舞台上雖不得志，但那一股救世救人的熱情，並不因此而冷淡，反而轉移了方向，致力於教育工作。他的精神，將是我們所應效法的。

在第十四章（一八一頁）我有點兒疑問，倒數第三行裏說「這個鏡頭前後連接起來……寫下那首著名的短歌行……」曹操是漢末人，但如由這段看來，就變成晉朝的人。（因先經過這一連串大屠殺，引起了一連串的戰役；才使得以英雄自命的曹操，發出了斷腸的嘆息。）

又拜讀大作「旅美漫話」，使我對美國有了一番新認識，而且文章平易近人，頗具幽默；有的雖尖刻（如乙中篇），卻使人覺得無限親切。

以上是我的一點淺見，明天還要考試，就此擱筆吧。順祝

教安

劉貫華敬上　五十八年元月十五日

新聞顯微鏡

「榮星花園」與「大和行」

望光

十二月五日台北市中山北路附近，一座佔地達二萬多坪（十公頃左右）的私人大花園開始營業了，那些名花異卉，孔雀帝雉，雖爲喧囂的台北帶來不少的情趣，但是二十元的門票，卻給市民建了一道高不可攀的禁城，只有讓那騎白馬的王孫巨賈，盡興逐樂。這家花園的主人，便是大財閥辜×甫，他不忘予以父「榮」的德澤，名之曰「榮星花園」。

榮星也者，便是台灣第一大漢奸辜顯榮（字耀星）名字之合，（瞞不了人！）榮星一詞似不只此見，榮星合唱團、榮星……在報上已屢見不鮮，甚至據文「星」書局，也與此有關（見報載）。從數年前辜顯榮百歲冥辰圖入祀忠烈祠而被揭發後，這位大和民族的孝子賢孫的陰魂仍然未散，而且有借屍還魂之勢，怎不令人唏噓長歎？

辜某當年引狼入室，爲虎作倀，其滔天不可逭之大罪有二：一是勾結日本軍閥，倅充鷹犬，殺戮炎黃胄裔，消滅民族精神。二是日本軍政府在不影響其控制權之下，把部分的經濟實惠讓辜某分沾，如佔領耕地（凡一萬甲左右）壟斷鹽（鹽一年盈利三十萬日元，折今一百萬美元），糖、烟酒等民生必需品，以吸吮同胞的血汗，並專賣鴉片，摧殘生命。這兩項已成爲台灣方志上的定讞，不可稍減。

依現代法律，父親漢奸，兒子不必同罪，但問題是兒子吸日本乳水長大，繼承了漢奸的產業（當然已非昔日美景），以五十年台灣同胞的鮮血的結晶，鑄造今日顯赫的地位，還不打緊，竟還公然捧著父親的「神位」，招搖奔走……。

這位當年日本帝國貴族院的新貴，爲了消滅民族大義，麻醉反抗情緒，組織「台灣公益會」（一九二四年）高唱「崇奉孔教，並宣傳道德善導思想。」四十年後他的「哲」嗣，站在其父產業的台北孔廟廟上祭孔，在電視上大呼文化復興，父子儼然是孔門信徒。孔聖人非說：「微辜，吾其被髮左衽矣」不可了。當年辜某也爲發揚大和文化精神，將他的寶號曰「「大和行」，全台大埠都有「大和行」的別館，光復了，（辜某卒於一九三八，運氣不錯），「大和行」的牌子卸下了，如今，改將「榮星」的牌子掛上了？

貪污尅星司調局

初生之犢專打虎

壞事無鉅細均難逃其耳目　查良鑑曾公開予嘉許

（高雄記者黃多生）司法行政部調查局，原係中央黨部執行委員會的調查統計局，過去的任務是專事政治調查，自從改隸內政部，再隸司法行政部之後，兼事違法調查，近年來，致用幾批大專畢業學生，經訓練之後，各付與適當任務，因年青純潔，且均俱有相當學養，大有初生之犢之概；今日台灣各機構，雖均高唱用新人、行新政，但未見獲得起用新人的效果，唯調查局，顯已獲得起用新人的實效。

據記者所知，近年來，該局不停拍蠅追狐，並大事打虎，例如盜營案中之部份立監委累被入獄之後，繼如立委雷鳴龍之受賄案，現場人贓並獲，足使民衆拍案叫絕，且據該局上年新聞室所發佈的新聞資料內稱：每年被該局查獲的漏稅罰款三分之一，已足敷該局面年的全部費用，證此，更足使人嘆爲觀止了。查國營與省營事業，甚且有僅足維持其本身支出的，一個並非生產事業機構，僅憑其本身的業務與工作，得以充裕國庫，形同財稅機構，豈非出人意料之所及？

司法節、司法行政部部長查良鑑，公開對電視記者說：調查局對於違法事件的偵查，於檢察業務，有莫大幫助，對於匪情的調查，資料，尤其完備，至於各種科學儀器設備，畧加補充，可與歐美先進國家，並駕齊驅。

又據該局住高雄已退休之某君對記者面稱：縱使道高一尺，魔高一丈，但事在人爲，至於貪污，並非不可掃除，第一要各機構能揚棄家醜不外揚的觀念。第二要當局能付與調查局較大的實權。第三要審判機構，能確切實施罰則，敢保證不至於辱命。例如中小學校，尤其各國民中學，摧殘兒童身心的惡補問題，地方教育行政當局，一本家醜不外揚，對上報喜不報憂的宗旨，瞞天過海，聲稱已消滅於無形，就事實言之，國校惡補，自免試升學之後，約減少百分之三十，然收費已自每名八十元，漲至一百五十元，至各國民中學的惡補，則倍於已往，教育部如能將偵查惡補交付調查局執掌，在確切實施罰則，不再事雷聲大、雨點小，使所謂罰則不形同具文。在高雄地區，縱不能在三個月內澈底肅清，半年之內，敢保證一掃而盡。據記者所知，最近外間盛傳，調查局已開始調查惡補，以供上級教育行政當局之參攷，因之從事惡補的教師，已從半公開開始紛紛轉入地下，僅此一傳說，甚且發生如此嚇阻作用，足見該退休人員所稱各節，實屬堪信。

最近行政院，鑑於稅吏之貪污腐敗，不得已，將偵緝漏稅事宜，全部交付該局執掌。自去冬十月初開始，在短短三個月時間內，僅在台北縣一地，破獲貨物漏稅案，達四十件之多，爲國庫爭回一億四千餘萬元新台幣，因該局不但偵查商人的漏稅與逃稅，同時亦偵查稅吏的貪污與腐敗，如正在偵辦中的中日合作養生堂逃稅案，部份貪污稅吏，且先累總公庭，足證國家的財稅，非不充裕，因部份肥了奸商，部份飽了稅吏，行政院打出這張王牌，正是明智之舉，聞該局對其他各縣市，亦將分別成立漏稅逃稅查緝小組之外，日昨行政院，又將查緝各級公務員，從事土地投機圖利事項，交付該局偵查，足證該局的工作，不僅引起大衆的喝彩，亦且引起上級政府的注意，貪官吏的眞面目，自將絡繹不絕的出現於衆人之前也。

至在高雄地區，僅最近半年中，已爲局外人所知道的被破獲違法案件，就其犖犖大者而言：關於貪污違法部份：計有三民國中，經理該校員生合作社的二個教師，一爲經理，一爲理事，向合作社承包商人，索取回扣新台幣萬元事件。又如高雄地方法院檢察處，書記官林紀南，串通高雄縣小港警察局警察，向逃避兵役犯，索賄新台幣六千元，以達免予執行，正在大東園餐廳交款時，被調查人員，當場人贓俱獲事件。又如前金國中，職員集體貪污瀆職，僞造文書，以及偷工減料等等，迫使長袖善舞，八面玲瓏的該校校長林守船，立即自動請求退休，事件，其他尚在求證中者，可能倍而倍之。

關於漏稅與逃稅部份，僅光平輪船公司一案，金額達新台幣四百多萬元，尤足驚人者，不接受該公司賄款者，不僅有高雄港務局、貿會等等。商人逃稅、官吏受賄，雖是秘密，亦且難逃調查局人員的耳目，今日的調查局，已成爲貪污違法的唯一剋星。

喬治桑外傳　廿二

張大萬

喬治桑與古有方在分別前約定，喬治桑準時下午三時到郝隆昂家，六點多古有方去撈贅。正是兩人定計兩人知，已經有人注定要破財了。

喬治桑送走古有方，隨即撥了電話給郝隆昂約定明天下午的牌局。喬治桑知道這是一樁賺不蝕的小買賣，所以喬治桑送走了古有方，立刻便呼喚他的「管家姐」，李小姐花信年華，是上等的洋秘書材料，自然不宜稱之謂「婆」。

「雅麗絲。」

「是，叟。」

叟者英文老爺之尊稱，大凡醉心西化之華人紳士，聽人叫他「叟」則欣然色喜，卻厭惡「老爺」這一稱呼，此一心理是很微妙的。

「妳知道，呃，今天有甚麼還需要我折騰一下的？」喬治桑說的是英文，他用美國俗語與雅麗絲說話，表示他有老洋人之俏皮而無老華人的拘謹。

「海洋雜誌有信來，希望你替他們寫一篇有關文化問題的文章。」

「唔哼。」

「大塚、野田兩個日本人，後天請你吃晚飯，地點是新開張的「宮本武藏」料理店。」

「唔哼。」

「直到現在爲止，今天是空檔，你有甚麼吩咐嗎？」

喬治桑聽了雅麗絲的報告，一則以喜，一則以懼。喜的是他與大塚、野田的交際已經成功一半，將來在中日合作製藥廠軋一腳，大概不致有問題。懼的是海洋雜誌要他寫文章，好比趕鴨子上架頗有點吃不消，喬治桑不怕演講，因他口才不弱，可以信口胡謅；就怕寫文章，萬一寫得不佳豈非是盛名之累？

喬治桑由寫文章想到今天一大早在別墅花園做詩不成，遂又連想到臨去匆匆並不喚起「小雲雀」，內心覺得有些過意不去，他「小雲雀」，總算有過一次香火緣。杜牧的「揚州夢」要等到十年之久才會覺醒過來，喬治桑自命爲中國詩人，當然也應敷衍「小雲雀」一下。

於是，喬治桑匆匆向雅麗絲點頭，表示對她的報告已經「宰羊」（台語知道了之意），隨即撥了個電話到「小雲雀」家裏，「小雲雀」倒沒有責怪他，還深情款款地約他晚間再去。喬治桑推說沒有空，等過一兩天再約，掛斷了電話。

在交際場混慣的人，最怕空閒，覺得一個大人沒處放，尤其碰上不速之客，擔到家裡，誤會是在「孵豆芽」那就大砍招牌了。

喬治桑一想，雅麗絲是他招致進來的，面目俏麗，三圍相稱，打字速記樣樣都行，可謂文武全材，跟他工作差不多將近一年了，每天刻板工作，他還從來沒有帶她出去玩過，只要不及於亂，稍有瓜葛，樂而不淫有何不可？

喬治桑想到此處，精神爲之一振。

「雅麗絲。」

「是，叟。」

「今晚八點鐘在華麗大飯店訂兩個位子，吃飯，跳舞。」

「是，叟。」

過了一刻工夫，雅麗絲已經在華麗大飯店訂好了座位。

喬治桑刮了鬍子，又搽上些男用化粧品，換上一套參加晚上派對的深色西裝，然後問雅麗絲：

「妳同我一塊出去，先看一場電影，而去跳舞、吃飯。」

（未完）

「比這還高」

東漢

亞力山大帝，在西方歷史上是一位震震響的人物，即在東方人，只要讀過西洋史的人，亦是無不認得他是一位了不起的歷史英雄。以下是有關他一點小事跡。由小鑑大，亦可見其爲人心胸豁大能容了。

當亞力山大帝北征俄羅斯時，來到一處小鄉鎮，因爲要換馬，所以他就進入一家小旅店中休息。由於他對於鄉間的事物知道的太少，所以他決定出去散步，同時看看當地的風光。

他改穿便裝，輕裝簡從，一個人獨自步行出去。因爲該地風景很好，他因貪看風景，便行出郊外去了，後來行到一個叉路口，不知道應從那邊走回去才對，所以獨自在這路口上徘徊。後來發現路旁小屋有一位他的部下，站在小屋門前，他便走上前說道：「朋友，能否告訴我從那一條路可回鎮上的小旅店呢」？

當時這個好部下正驕傲地在吸烟斗，聽見說話便轉頭向這位樸素的來者打量了一遍，不願答話，表現出一種傲慢的態度，只用手向右邊指了一下。

「謝謝你」皇帝故意取樂地說：「同時你還願意告訴我從這裏走到旅店有多遠路嗎？」

「一里」！這位部下勉強地答這一句。而繼續吸烟，不屑再看他一眼。

「謝謝你」！皇帝說了而走開，但走了幾步又轉回來再說道：

「對不起」！他微笑地說。「我可以麻煩你多回答一個問題嗎」？

這位部下無絲笑容，也不願對這位大膽的發問人看一下。

「什麼」？他無禮地回問。

「倘若你准許我發問」，皇帝很禮貌地說，「在軍隊中你的階級是什麼」？

「猜」！這一位部下還不斷地在吸着烟斗。

「中尉」？取樂的皇帝猜說道。

「還要高」！這聲音從含烟的口中驕傲地噴出。

「上尉」？

「比這還高」！說時現出十分得意的神氣。

「少校」。

「猜對了」！這是一種更驕傲的回答。

現在輪到我來了，這位少校用對下屬的語氣說：「你的階級是什麼」？

「猜」！皇帝眼光閃閃地道。

「中尉」？

「還要高」！皇帝說。

「上尉」？「比他還要高」。

「少校」？這位部下開始接近細看他的皇帝。

「猜上去」！

「上校」？

「再猜」！

吸烟者開始把烟斗從口中取下來，先前自大驕傲的神氣瞬即消失了。「大人，那末是將軍」？他用很尊敬的語調說。

「你快猜對了」！皇帝見這部下嚇到倜促不安而更以爲樂。

「你的——你是大元帥」？少校喃喃地說，表情恐慌了。

「再猜一次，我的少校」！皇帝說。

少校的烟斗便從手指中掉了下來。

「陛下」！他叫了起來「啊，陛下。請寬恕我」！同時他雙膝跪在皇帝面前。

「有什麼要寬恕的呢」！亞力山大簡單地說。「我的朋友，你對於我並無傷損，我問你的事你已經告訴我了，不過以後對任何人都不要驕傲才是，謝謝你」！便走開了。

如果這段小故事實屬的話，由此可證歐西民族早已有一種「民主」的意識孕藏着，雖早在亞力山大，貴爲皇上，也能以一種「民主」風度對待部屬。若在一般專制獨裁的魔君，遇此有眼不識泰山的部下，這還了得，非即將斬首示衆，其必回到行轅，下度手令來一個撤職查辦，或最少立即關起來了！俗語說得好：「宰相肚裡可撐船」……「大人有大量」。此其亞力山大之所以爲亞力山大者歟？

林則徐札記

·鴻雁·

大學之讀

（一）「或謂重辦開館與販之徒，雅片自絕，不妨於吸食者稍從末減，似亦持平之論。而臣前議條款，請將開館與販一體加重仍嚴不寬吸食之條者，蓋以衙門中吸食最多——如幕友官親長隨書辦差役嗜雅片者十之八九，皆力能包庇販賣之人，若不從此嚴起，彼正欲賣烟者爲之源源接濟，安肯破以斷來路，是以開館應擬絞罪，律例早有明條，而歷年未聞絞過一人，辦過一案，幾使例同虛設，其爲包庇可知，即此時之衆議雖齊，亦恐未必不由乎此也，吸食果論死，則開館與興販即加至斬決梟示，亦不爲過，若徒重彼而輕於此，仍無益耳。故欲令行禁止，必以重治吸食爲先！」

（二）「臣每念一身之獲咎猶小，而國體之攸關甚大，雅片之爲害甚於洪水猛獸，即堯舜在今日亦不能不爲驅除，聖人執法懲奸，實爲天下萬世計，而天下萬世之人亦斷無以雅片爲不必禁之理，若謂夷兵之來係由禁烟而起，則彼之以雅片入內地者，早已包藏禍心！發之於此時與發之於異日，其罪當必有辦者矣。

「今非惟雖許通商，並當以威服叛，第恐議者以爲內地船炮非外夷之敵，與其曠日持久，何如設法羈縻？抑知夷性無厭，一步又進一步，若使威不能克，即恐患無已時，且他國效尤，更不可不慮……」

（三）「查上司所以考察屬員者，非於公牘中觀其事理，即於接見時詢以語言，然各屬稟謁之時，誰不能撫拾地方一二情形以備應對？即公牘事件，有實在自費心力者，有專任幕友胥吏者，但就皮而觀之，鮮不被其掩飾，臣愚謂察吏莫先於自察，必將各屬大小之政務逐一求盡於心，然後能舉以驗屬員之盡心與否。蓋衒人者浮，任己者實，凡事之未經籌劃者，縱能言其梗概，而以就中曲折反覆推究，則粉飾之技立窮。若上司之心先未貫澈於事之始終，又何從察其情偽？則表率當不易言也，臣敢昧無能，惟恃此不敢不盡之心，事事與屬員求其實際」

富人列傳（八十）

平原君三去三復

周燕謀

（一）富豪與俠士

中國在戰國時期，也是游俠游士抬頭之世，太史公非常重視游俠之類人物，特爲之作傳，能夠名垂青史。太史公以爲先秦以前那些「匹夫之俠」，被儒墨之士「排擯不載」，乃至「湮沒不見」，「余甚恨之」，太史公深以爲憾恨「排擯」游俠的儒墨之徒，所以他要爲游士們抱不平。在戰國「四君」，即爲戰國中四大富豪，史稱「四豪」。此一時期的游俠，大部份依仗富豪，游俠與富豪結合，而非與豪富結合不足以圖存，游俠也利用「卿相的富厚，招天下賢士，「顯名諸侯」。游俠的勢力越來越大，他們可以「權行州域，力折公侯」，乃至「衆庶榮其名跡，覬而慕之」，「殺身成仁，死而無憾」。到了漢代，游俠始有了分野，自成爲游俠集團，從五陵（長陵、陽陵、安陵、茂陵、平陵）游俠聚會之所，遍布於黃河流域各地，遂地尤爲游俠存留之所。三國之劉、關、張，就是一個顯著的游俠集團。

現在話得說回來，戰國時代的游俠，尚未能到達自立之時代，惟依附富豪，孟嘗、平原、信陵、春申四君，即戰時代富任俠養士之代表而已。他們的門下賓客，大部份皆爲游俠，而且尚有小集團，去就一同。如果以歷史來分，戰國正是游俠發展時期。游俠們個個都有一技之長，不然，戰國「四君」就不會有那樣大的勢力。信陵君被罷，也就是魏王見他的勢力太大，諸侯只知有信陵君，而不知有魏王，其勢力之大亦可想見。趙國的平原君「三去三復」相，也說明了任俠好客平原君。有可左右一國盛衰成敗的勢力。罷了他又不行，不罷他，又恐王位動搖。四君王位之勢力，都有威脅。

（二）殺妾謝客

平原君趙勝是趙王室的宗室公子。他的一生經歷趙惠文王及孝成王三去相三復相位。在趙王諸公子中，以趙勝最賢，任俠好賓，招致天下賓客，有數千人。在戰國「四豪」中，他們好客養士眞有一套，的確並非常人所能做得到的。難怪他們門下賓客，皆能爲之效死而無悔。從平原君殺妾以謝客一件事看來，都不是一般人所能做得到的。

平原君的後園樓房，乃姬妾所居之所，接臨民家。一日，有一個隆背跛足的賓客，一跛一 從樓下走過。平原君有一個美妾，見了不禁哈哈大笑。卻被跛客聽到了。次日，跛客見平原君，要求把笑他的人頭殺掉。跛客對平原君說：「臣聞君之喜士，士不遠千里而至者，以君能貴士而賤妾也。臣不幸有罷之病，（背疾）君之後宮臨而笑臣，臣願得笑臣者之頭」。平原君笑道：「好，我爲君殺笑者之頭」。跛客辭出。平原君笑道：「觀此豎子，乃欲以一笑之故，而殺吾美人，豈不太甚乎」？平原君終不忍殺其愛妾。由於一笑之故，而請殺人，未免太過。但由此我們可以知道當時一個事實，那就是當俠士之拔扈。這俠士是包括了游俠與游士兩種人物。平原君雖然稱爲「豪富」，但是他們又離不了俠士的結合，而且重於諸侯。最後由於平原君不殺而悔諾，他們的俠士便稍稍引去。就是跛者一小集團離開了平原君，以資報復。

平原君見賓客日漸減少，離去過半，甚怪意道：「我趙勝待諸君者，未嘗敢失禮，去者何其多也？」賓客中有一人出頭對平原君說：「因爲君不殺笑跛者，以君愛色而賤士也，故士即去耳！」於是平原君便斬笑跛者美妾之頭，親將頭送往跛者之門，以謝罪。自此之後，門客復漸稍聚。于此見游俠游士勢力之大。這原因很簡單，就是當時「豪右」，人人競相傾以待士，如齊有孟嘗，魏有信陵，楚有春申。皆聞名諸侯之四大豪富，皆以傾慕招徠天下賓客以自重。故平原君就不得不向俠士們低頭。此理也非常簡單，就是利害相結合，與「豪右」們相傾招。就是說，你不禮賢下士，我們就去投奔別家。爲了利害，只好把愛妾美人殺了。其實如戰國之所謂俠士，根本就失了俠義的精神，與太史公所標榜的旨趣有的背道而馳。這位跛客以一笑而求殺笑者之頭，已經失去「俠」的精神。我們從此一件事，知道這些游俠、游士是良莠不齊，有些橫行不法。

（三）毛遂自薦

趙惠文王九年，秦昭王十五年，秦兵圍攻趙國都城——邯鄲，趙王使平原君爲使，求救于楚國。平原君要挑選二十人去楚，這二十人就在門下賓客中挑選。其條件就是要有武功的俠客。他對門下食客說：「如果以文取勝則喜，如文不能勝，便須動武力解決。他挑來挑去，只挑得十九人，差一人始足二十人。在平原君眼下，其餘人皆無可取者，不能滿二十人之要求。

平原君門下有一人姓毛名遂，看到此種情形，乃自抱奮勇的站出來對平原君說：「吾聞君將合從於楚，挑食客門下二十人同去，不假外求。今少一人，願君以我毛遂一人作爲備員而行可乎？」平原君道：「先生處趙勝門下幾年了？」毛遂道：「三年於此矣」。平原君道：「夫賢士之處世也，如錐之處於囊中，其末立見。今先生居我之門下三年於茲也，左右未有所稱焉，我未有所聞，是則先生無所有也。（即無所長）先生不能，先生請留。」毛遂道：「臣今日請處於囊中耳，如使我早處於囊中，乃穎脫而出（今人皆「脫穎而出」誤也），不僅其末見而已也。」平原君終於接受了毛遂的自荐。

而另外的十九位俠士則相顧譏笑，毛遂的「自荐」。

吳敬恒先生年譜（四三）

陳凌海編撰　陳洪校訂

八月，中央政府會議停開，改爲最高國防會議，先生仍爲常務委員。九月二十七日，易培基（寅村）逝世。先生輓之曰：「最毒婦人心，沉冤未雪公爲死；誤交賣友客，閒官相攘謀竟深。」十一月三日，先生乘中樞特派專車由滬經嘉善、吳興、長興、宜興、句容赴京。袁夫人暨女公子芙、公子詳均留居上海，未隨先生赴京。旋局勢日緊，國民政府決定遷都重慶，繼續抗戰。先生臨行，至西華門西華巷西華里一號寓所取物兩小箱，於十七日匆促乘輪赴漢口轉渝。同輪者，有：許崇灝（公武）、謝冠生、覃振（理鳴）、鄒魯（海濱）夫婦等。抵渝後，寓嘉利賓館。外甥婿呂斯百夫婦、鈕永建（惕生）之女亦至。旋於二十七年元月二十七日遷居曾家巖（即中山路）十七號。先生於離別南京時，在西華里之小築中題詩於齋壁曰：「國破山河在，人存國必興，倭奴休猖獗，異日上東京。」三十四年抗戰勝利，徐永昌（次辰）將軍代表我國在「米蘇里」軍艦上接受日本投降。先生之預言，果驗。

民國二十七年，戊寅（西曆一九三八年）　先生七十四歲

元旦，參加在范莊舉行開國紀念會。適祭　國父。建設委員會裁撤，經濟部成立。公子詳任經濟部專門委員。二十四日總理紀念週時，葉楚傖以將在武漢召開中國國民黨臨時全國代表大會事見商。二月四日偕鈕永建（惕生）同迎劉湘（甫澄）靈，並參加祭奠。五日，國民黨中央執行委員會常務委員通過臨時全國代表大會召集法。

（未完）

名人情話

蕭伯納戀愛史

周遊子

四、意外的創傷

蕭伯納的作品爲威廉摩利斯所賞識，因此他們成了好友，蕭伯納也成了他家中的常客。可是威廉摩利斯卻是一個非常講究衣、食、住、行的人，在他那富麗堂皇的環境裏，蕭伯納有些感到不安。他的社會主義，和他的素食主義，都不能受到威廉利斯太太的欣賞。同時在蕭伯納熱戀媚利斯的時期中，他似乎永遠念念不忘他的貧困，始終未敢開口表示他的愛慕之意，結果拖了一個時期，媚利斯小姐正像一切女人一樣，在蕭伯納驚愕當中，宣佈了她下嫁予一個遠不如蕭伯納的人。

這個人就是哈里撒史巴爾。無論在學識上，教養上，以及經濟環境方面，都遠不如蕭伯納，然而他卻成了媚摩利斯小姐的丈夫。這個消息宣佈之後，給予蕭伯納是很意外的創傷，蕭伯納在他的日記中充分的表示了他的不快，同時列舉了他比較史巴爾優秀的條件。然而他已失去了機會，媚摩利斯終於變成史巴爾太太。蕭伯納爲了逃避這種創傷，時常作不定時的起居及過度的工作，他需要休息和療養，他準備離開。但是就在此時，媚摩利斯也表示了她那錯過了的愛，使他們原已煩惱的戀情，陷入了更深一層的痛苦深淵。媚摩利斯與她的丈夫挽留蕭伯納和他們住在一起。這是什麼理由，值得猜迷。蕭伯納卻接受了他們的好意；而且與這一對年青夫婦渡過一段極其短暫的快樂生活。蕭伯納在他未發表的日記中寫着：「在開始的時候，一切都很順利，媚很高興我能留下來和他們住在一起，史巴爾也歡喜我能留下，因爲我留下來之後，確實使媚快樂起來，這正是任何一個做丈夫的人需要的緩衝，這或者就是我們三個人在一起最快樂的時候。」不過在這種奇異而微妙的感情旋渦中，蕭伯納的地位是很難以自處，這是可以想像而知的事。（三）

中國文化的中庸之道

（以下接第一版）

此刻我們又說：我們該講科學呢，還是仍應提倡固有道德？這又是一對立，而實則非對立。諸位只要善為運用中庸之道的思維之法，則一切相異都可安放進來不見有衝突。若再把中庸之道的實行方法一切從我個人先做起，自可當下滿足，而又永無止境，如此十步向前，這就是大道。但就此大道而論，你一步也離不開，那便是一步也沒有進。此刻我們人類要上月球，但上了月球，還等於不上月球般，那條大道則依然在前。換一句話說，縱使我們上了天堂，也還如沒有上天堂，那條大道也還依然在前。如是則剎那與永恒，也是兩端對立，也還是相通合一。這一理論，像是何等的高明，其實也還是中庸之道。

只因我們誤解了此中庸之道，好像中國人講的中庸之道不痛不癢，不黑不白。一人說這對，一人說那對，不要緊，大家都對。這就成了滑頭主義，走上鄉愿的路，所以孔子孟子要講此中道，却最討厭鄉愿。

我想再重說一下。諸位今天最大的責任就是在復興中華文化這一件大事上。復興中華文化是每一人的責任，每一人站在自己的工作崗位上善盡責職，相互配合起來就成。即就空軍言，平時等如戰時，後方也如前方，無論空勤與地勤，既要人與人配合，又要人與機器配合，處處都是兩端對立合成一體，而運用此一體者則在每一人。如此則諸位今天早已在此中庸大道上行，只是「行矣而不著，習焉而不察」，中庸上所謂「人莫不飲食，鮮能知味」，中國人講的中庸之道，真是如喫飯喝水般易知易能，但又是其味無窮呀。

（完）

搜・異・錄

黑・夜・俠・影

魯東有一鏢師，姓周名雄，兩臂有千鈞之力。自製一扭名「仙人扭」，重有千斤，能旋轉若飛，尤精技擊，刀槍棍棒亦精嫻熟。遂恃技自雄一方。某年因事南下，因迷失道路，本欲投宿，又恐有誤行程，技高胆大，欲乘夜趕路，隻身斬叢木前進。時進月昏，五步以內不見衣物。忽聞風聲颯颯，疑是猛獸出穴，於是握劍以待。忽見有一黑影疾馳而過，有如飛鳥，距影約十餘步，不能辨其面目，心甚疑懼，方欲揚聲詢問，而身後又一黑影掠過，其行更速，似追蹤前影之狀。前面黑影立停以待，後又有數人踵繼而來，在圍後者擊之。但不見何兵器，只見黑影數閃，兎起鶻落。周雄靜觀久之，則見圍攻者皆敗逃，如風捲殘雲，瞬間不見。惟見二人相鬥，其中一人似不支，力殆遁去，後來者追之不捨，且大呼道：「汝罪當自知，賊不可道；某代天伸討，非私仇也。」前者不答話，回頭相顧，立見一條白光，丈許來矢嬌如龍，飛直撲後者。周雄恐甚，急匿草中，心為後者就憂。而後者忽舉手間，亦有白光奔出，與前光相繞，盤旋不下，風聲颼颼，經久不散。未久，忽然大聲響亮。時周雄已驟然暈絕，聞一聲巨響，拭目以觀，白光已泯然不見，惟聽有歎息之聲：「惜哉！惜哉！此子數十年之功，乃喪於一旦。天假我手以誅之，良以自取也。」言畢，長歎而去。此時，晨曦微露，曙射樹梢，已可識途。周雄疾行上道，初未見有他故。南下歸家，追憶往事，不禁戰慄久之，自是不敢恃技夜行矣。（完）

新廿五經

命運經（上）

馬騰雲

台灣曾發現一件同年同月同日同時生的兩個人，南轅北轍，互不相識，而遭遇的坎坷曲折，及其案情，竟大同小異，均各被判處極刑，祇是他們拒絕透露自己的姓名，無法作詳盡的介紹，他們也不願意人去多研究。憑據外電報導，美國一位孿生兄弟因為竊盜，同時被捕，被判同樣的刑期。因之連想到中國社會類似事件很多，我們舉一件比較引人注目的來說，大明開國皇帝朱元璋，他生於元代天歷元年九月十八日未時，另一位被後人供為財神的沈萬三，與朱元璋恰為同年同月同日同時生人，朱元璋籍貫鳳陽，沈萬三是蘇州，朱早年做過牧童、傭工、和尚。沈早年做過傭工、船伕、漁民，其遭遇職業又這樣吻合，待朱元璋登基造極九五之尊時，沈萬三亦點石成金富甲天下了，沈沒有朱貴，沒有沈富，朱建金陵城，有發軍餉常向沈貸款，以證明天子無財，不能澤萬民，不能辦一事，蓋大學十章重在理財是道理的。在中國野史上這件饒富風趣耐人尋味的問題，恐將傳之永遠。

根據美國警方記錄，不論強劫偷盜及其他一切罪行，孿生子常是一體搭檔，而孿生子犯罪後破案工作比較容易，因為警方偵查時多了一個目標，換句話說就是多了一條線索，今日非寫偵探小說，仍將話歸正題，研究同年同月同日同時生的事，確有很多無法理解，若干出乎常理的吻合，除歸於造物的主和命運外，很難說出所以然來，著者一位業師，係中國名心理學家，他曾說：「孿生兄弟或姐妹，最想理的職業，是演員，歌星和做新聞記者，比較容易成名，真所謂事半功倍，但不要做犯罪的勾當，犯了罪則很難逃脫，因為他的心理常有同樣傾向，故被捕時往往成雙。」台灣最近被判輕刑素不相識的兩個人，和美國一對孿生兄弟的案件，都是這樣的巧合，在命理上是値得研究的一個問題。

命定之說，究竟是怎麼一回事，據近代大儒錢穆先生說：「命運之說，時辰錯了，則不可能應驗。」反過來說：如果日干時辰未錯，吉兇禍福一定會應驗的。一代文豪胡適博士迴避談這些，即有人問，他也枉顧左右，民國三十六年著者由武漢乘民航機飛上海，坐位恰與胡博士同為首排椅，在旅程中有緣暢談國事，胡博士不斷感歎的說：「國家命運」和「數」，綜外之晉，一切都歸咎於命運，胡博士於不知不覺中變成為命定論的人物，這會出乎一般意料之外。宋代學人蘇東坡一生毀譽參半，謂「生辰月宿落在磨宮」（見東坡志林），蘇東坡雖有經世大才，但官階祗相當於高等法院院長，難怪其有一首發牢騷的詩：「人皆望子能聰明，我被聰明誤一生，但願吾兒愚且魯，無災無難到公卿。」

御廚談藪

精製桂花翅

林泉隱

桂花翅，洗淨，發泡，煨煮好的魚翅一碗（如用翅餅約一個即够），雞蛋五只，螃蟹肉一小碟（或螃蟹一只去殼，連膏帶肉即够），芽菜半碗（即綠豆芽菜去頭去尾，廣東所謂銀芽），葱頭碎一小匙，鹽一小匙，味精一小匙，胡椒末少許，香蔴油半小匙，猪油四大匙，紹興酒半大匙，雞湯二大匙，把魚翅煮好後，撈出，盛放竹編的箕筐內，使水份瀝乾留用。銀芽洗淨，用大火爆炒數下，至半熟時即行盛出，瀝去水份。炒時另用一點猪油或花生油均可。把雞蛋打開倒置大碗內，用筷子調打勻後，加入魚翅，螃蟹肉，炒好的銀芽，葱，味精，及鹽等作料，用筷子調拌，使混合，再加入猪油一大匙，攪拌後即可上鍋炒了。炒這個菜，須要用很大的火候，才能炒得好吃。先把炒菜鍋放在大火上，等鍋燒熱了，再加入猪油二大匙，隨即把調弄好了的魚翅，雞蛋等，全部傾倒入鍋內，立刻用炒菜剷子翻炒數下，即可加雞湯二大匙，紹興酒半大匙，繼續炒三四下，再加猪油一大匙，攪炒三四下，即刻起鍋，味美而香滑。」

催眠術研究　十七

鮑紹洲

二十三、按摩催眠法

按摩催眠法，就是施術人用按摩的方法，使被術人催眠的一種方法。按摩可使人催眠，這是一般所常見的事。所不同的，就是有一種催眠的暗示。按摩催眠法有二派：一為神經按摩，屬日本派；一為筋肉按摩，此屬西洋派。合起來有七八種。

一、輕按法：即以手掌輕撫之法。

二、揉捏法：以大拇指和其他四指把筋肉壓捏之法。

三、重擦法：拇指伸直，與其他四指按於皮膚面，待拇指力出，而後由左右縱橫或如輪狀重擦之法。

四、叩打法：手握拳作輪狀，用其彈力而輕輕叩打法。

五、振顫法：以掌壓其體面，或以手握其身體之一部，或以指尖按其皮膚，而施術人故作震顫之狀，以振顫被術人的身體之一部之法。

六、壓迫法：以一隻手或以多數的手指而壓迫被術人的身體之法。

七、運動法：即運動被術人的骨節之法。以上幾種法子，非有實地之研究不可。只姑舉其名而已。

按摩催眠有一定之部位，如頭、頸各部及足部等，為最普通者。催眠時所用之按摩，務必輕柔，切忌大力或單調之按摩，暗示道：「將催眠」，「將欲眠」，「更深眠」。這種原理，極為簡明，按摩時則感到快感，施術人按摩之部位，被術人注意於此，使止雜念，故成催眠狀態。

禪學黃金時代

風趣的古佛——趙州（三）

吳經熊著　吳怡譯

雖然南泉是大僧院的方丈，但真正為他心許的，都只有趙州一人。事實上，由於他們兩人的密切合作而啟發了其他的學生。如，趙州曾在廚房內充任火夫，有一天，他關起門來在房內燒火，燒得整個廚房都是烟，然後大叫「救火，救火」！等大家趕來時，他在房內說：

「你們說對了，我就開門」。

大家都默然無語，這時南泉拿了把鑰匙從窗口遞給趙州，這正是趙州心中所認為說對了的話，於是便打開門，走了出來。

沒有人敢說完全了解這段故事的真意，但我們如果把整個故事當作引導開悟的一種指標，也許可以把握住部份的真意。趙州所謂「說對了」就是打開心靈之門的悟，其實「說對了」並不需要言傳，可以表現在默然不語，或遞一把鑰匙的這一舉動中，其他的言教都是像這扇門，必須從內部去開，最後據這個故事所表示，趙州可以不用鑰匙把門打開，南泉把鑰匙從窗洞上送進去，對於開門並沒有絲毫實質上的幫助，南泉的這一舉動只是內在的一個回應吧了。這也就說明了為甚麼沒有一位禪師敢自誇他的功勞，儘管他曾經啟悟了不少學生，西哲默燈認為這種態度是來自於老莊的無為之道和自然之性，這也正是禪宗繼承了老莊思想的地方。

從另外一段公案中，我們可以看出趙州的見解完全和他的老師南泉一致。這個公案的起因是由於東西兩堂的和尚在爭奪一隻貓，南泉抓起了這隻貓，對大家說：

「你們說對了，這隻貓就得救，否則我就斬掉牠。」

大家都默默無語，於是南泉便把那隻貓斬成兩截。當趙州回來的時候，南泉把前面的話對趙州再說一遍，趙州並不回答，只是把鞋子脫下放在頭上，走了出去。南泉便說：

「假如當時你在塲的話，便會救了貓兒的命」。

在禪的文字中，這是一則常被討論到的公案。為什麼南泉對這隻無辜的貓是如此殘酷無情？他用刀把貓斬成兩截究竟有何作用？趙州把鞋放在頭上走出去是什麼意思？為什麼南泉說趙州這種莫明其妙的舉動就能解救貓兒？最簡單的答案就是，禪超乎意識觀念，不是語言所能解釋的。但禪雖然超乎意識，但卻也超乎無意識。雖然這些問題並沒有合乎邏輯的答案，但在這兩位禪師的行為中，仍然可以看出其心理及精神的動機。

自由報

中華民國內政部內版台誌字第○三一一號
中華民國僑務委員會登記證台僑新字第三二三號
中國郵政台字第一二八二號執照登記爲第一類新聞紙

（第三九三期）

（半週刊每星期三、六出版）
每份港幣壹角・台灣零售價新台幣式元
督印人黃行寬・社長李運鵬

社址：香港九龍彌敦道593—601號
廖創興銀行大廈八樓五座
LIU CHONG HING BUILDING
7th FLOOR FLAT 5
593—601 NATHAN ROAD,
KOWLOON, H.K.
TEL: K303831
電報掛號：7191

承印：景星印刷公司
地址：嘉咸街廿九號地下
台灣總管理處：台北市大同街119號
台灣區直接訂戶　台郵劃撥戶
第五〇五六號張萬有（自由報會計室）
電話：七一四〇三三、五五五三九五
台灣分社：台北市西寧南路110號二樓
電話：三三〇三四六，台郵劃撥戶九二五二號

本報春節休假一期啓事：

本報春節休假一期（卽二月十九日，星期三無報），二月二十二日，星期六照常出版。此啓

中國之永恒價值（上）

・沙學浚・

編者按：一九四九年九月十七日，沙先生發表本文於台北新生報。因內容頗多創見，本文曾被許多刊物轉載；沙先生在各地講演，照常以此講題，以本文贈送聽衆。一九六一年，沙學浚在香港學生公社講演後，本文先後被香港「大學生活」、「學風」及「聯合校刊」三刊物所轉載，去年十月，中央月刊革新第一卷第一期出版，本文列爲第一篇。

人類幾千年的歷史上，無數國家、民族、文化興起而又消滅了；只有中國，他是一個國家，一個民族，同時也是一個文化，巍然獨存。存在必有存在的理由，絕不是偶然。這理由就如法國學者格拉納在所著「中國文化」一書所說：

「在這個（中國）文化裡，記錄了人類經驗的大部份，似乎奇怪，但確是一事實。多年來沒有別的文化能像中國文化成爲人類這樣多方面間的聯繫。自命爲人文主義者的人不應無視中國文化的傳統，此文化是這樣的富於美和如此之永恒價值。」

一、中國地理之永恆價值

中國、印度和西方許多文化古國，地理上最大的不同之點，在於前者有連綿的廣大平原，發展成爲「面的國家」即大領土的國家，而後者文化發展的地面太小，只是廣義的「綠洲國家」（狹義的綠洲國家祇存在沙漠）。中國文化和國家的核心，最初只限於汾渭兩河下游狹小的河谷平原，後來向東擴展到黃河下游平原，再後更發展到氣候上、水文上更優越的淮河、長江流域全部河谷平原和淺丘地，（以四川盆地爲典型的代表）以後向華南、西南、東北、漠南一帶發展。隨着人口的增加，中國的「文化土」和「民族土」不斷向可能發展的地區發展。印度文化也由印度河平原發展到恒河大平原和印度半島。

反看西方文化古國，如埃及、巴比倫、希臘……等，原也有他們的河谷平原，相當於中國的汾渭下游，但其四周或圍以沙漠和濕地如埃及，或圍以沙漠和山岳如巴比倫，或圍以海洋和山岳如希臘，初期文化形成之後，便因缺乏相聯的廣大肥沃平原，供其利用移墾，而不能繼續發展，正如「盆景」植物發展至某一階段，便不能發展一樣。這樣就成爲「綠洲國家」，即點狀國家，其特徵是地理基礎狹小而人口少。尤其是希臘及意大利兩半島上，「城市國家」林立，呈分崩離析之象，那是「綠洲國家」，文化縱然高，國力却有限。

中國——特指「歷史的中國」，包括長城以南各省及遼東、遼西，有廣大可耕地，而氣候良好，四季分明，地理上呈現出多樣性，南方北方產物不同，互相補充。工商文化和都市文化在春秋戰國時代，已經十分發展。立國基礎的農業，是這樣的精密，西人常比之爲「園藝」。因農產豐富，中國自古以來是世界上第一個「庶」的國家，西漢時代已有四千九百多萬人口；直到十九世紀以前，也是世界上最能自給自足而生活水準相當高的國家，中國自昔能採閉關政策，即由於此，雖與外國交通，偏重在文化交流及奢侈品的交換，並不運輸糧食進口。反之，古代地中海國家却須自埃及運進小麥，以補民食之不足。

二、中國歷史之永恆價值

中國是一個國家，一個民族，同時也是一個文化。中國歷史悠久，指他有「一部」悠久的政治史，「一部」悠久的民族史，「一部」悠久的文化史，三者合一，尤爲難能可貴。尤其重要的是，國家的中樞區域，即歷史重心、重治重心，隨時代轉移，可是總在我們自己的「民族土」「文化土」上轉移。強盛時，「國土」即「政治土」的界線在「民族土」「文化土」界線之外，衰弱時則在其內部。反看西洋歷史上的政治重心，同時亦常爲文化重心，也常常轉移，但是由甲民族轉移到乙民族；就是說，一部歷史包括一部文化史，許多部的民族史與政治史。

中國政治有興衰，國土的一部或全部有時被異族統治，但我「民族土」和「文化土」依然能在異族統治下存在發展。中國人吸收了統治者的異族的血液，文化上則同化了他們，有時也就消滅了他們。這一予一取構成了中國文化、民族與國家的發展，因質量並進，故能悠久的原因。

尤其難能可貴的，是中國所抵抗、或同化民族，大多數是乾燥區域的游牧民族，就是匈奴、突厥、鮮卑、蒙古、滿洲等。他們都是半開化民族，文化低，人口少，但運動性與破壞力很大，在西方曾經毀滅了許多的文化和民族。奧國已故氣象泰斗柯本說過：

「引起文明的沒落，最根本的，由於乾燥氣候區的有組織的游牧民族的侵襲，如拜多因人（Bedouin按：在非洲北部和阿拉伯半島）匈奴人、蒙古人等等，及其所脅從的半定居民族，而其他的戰爭尙屬次要。」

這句話，西洋人常視爲世界史上的一個法則或結論，偏偏不能適用於中國。

中國與印度這兩大古國，地理上大致相同，就是都有廣大的肥沃平原，但歷史發展則很不同，中國重視過去，重視時間，重視歷史的紀錄教訓。中國有長久不間斷而內容相當詳實的歷史紀載：二十五史、只是中國有，上萬種的方志、只是中國有，十三經、四部叢書之類，只是中國有；而且「有」的時代是那樣的早。這些，忽視歷史和時間的印度固然沒有，歷史晚進的歐洲文化國家，當然更不會有。

三、中華民族之永恆價值

地理環境是劇場，歷史是戲劇，民族是演員；有好的演員才有好的戲劇，可知民族因素最爲重要，故以較多篇幅述之。

一、自由農民是中華民族的基礎

中華民族是很優秀的，能夠創造文化，（下節述之）由於他是以廣大的自由農民做基礎。俄羅斯自古有農奴，一八六一年才廢除農奴的有無是中俄兩民族根本不同之點。自由農民生長在大自然的懷抱裡，雖然「目不識丁」，而知實際，經驗豐富，思想單純，個性誠樸，身體結實，工作勤勉，生活簡單有規律，重視道德秩序與傳統習慣，富有保守性，因而能保守住我民族的文化，成爲我高尚優美文化的負荷者。在天下太平的年月，「日出而作，日入而息，鑿井而飲，耕田而食，帝力何有於我哉」，確是農民自由生活的寫照。除爲公家納稅服役外，每個農民是他耕地範圍內的君王。

潑婦罵街！

昨日與明日

國際間的外交逆流

一股外交逆流，正在自由世界蕩漾着。意大利政府聲稱就要跟中共僞政權建立外交關係；加拿大政府亦頻頻表示願與中共政權建交；這兩個西方自由國邦如果實行跟中共打交道，說不定還有接踵效尤的其他自由國家，也未可知。

這股逆流對咱們中華民國當然不利，但亦用不着驚惶。因爲所有西方的自由國家，對亞洲問題素來不脫重商主義的自私自利思想，加拿大與毛共已有小麥交易，然其他商品，在東方無法跟日本或西德競爭，意大利尤甚。它們只好藉政治手段來向毛共區域經營漁利，這和過去藉炮艦政策在亞洲落後地區賺取商業厚利的用心，並無兩樣。至於亞洲人民的生存利害關係，根本不在西方人考慮之中、所以西德雖然早已跟毛共通商在案，却堅決聲明決不承認毛共政權，即由於西德的重工業器材，毛共非需要不可，固不必再玩政治特術也。

西方還有一種詭計

西方的強權主義國家，對東方問題尙有一種不可告人的詭計，他們瞧着毛共跟俄共反目未已，希望俄毛雙方實行決裂火拼，藉收漁翁之利。又恐毛共胆怯，乃讓西方某些國邦向毛共打氣，予以外交聲援，增益毛共的氣燄。職是之故，西方強權國家對於意大利與加拿大的親共言行，并不感覺驚詫也。

假使俄毛雙方實行衝突起來，西方人士心中懷抱着「黃禍」鬼胎，也就高枕無憂了，所謂「一石二鳥」的技倆是也。這頂是人爲刀俎，我爲魚肉，言之曷勝憤慨！

東方的反共國家必須團結

一葉落而知天下秋，鑑於意大利與加拿大的外交詭謀，東方的反共國家，如中、韓、菲、泰、越，這些直接感受共禍的自由之邦，應該大徹大悟，切實團結自救，萬不宜再寄希望於西方國家之拔刀相助。自侮而後人侮，自助方獲人助，假使日本不採騎牆路線，誠心誠意的站在自由陣營中，且與東方諸自由友邦合作，那更係東方自由人類所樂聞的事體。

在最近的將來幾年間，整個世界不外兩種態勢：一面是美俄兩國傾全力以發展太空探險事業，誰要搶先佔領了月球，誰便是世界霸主；一面是美俄兩大集團國邦，儘量在地球進行冷戰冷和工作，必要時不惜以弱小國家爲祭品。最後終不免要經過一場核子大戰，所謂世界和平生活，或許可能實現也。（何如）

自由談

值得宣傳的事

時常在報紙上看到宣傳性的消息，指述中華民國政府在台灣生聚教訓將近廿年的結果，經濟日趨繁榮了，工業逐漸起飛了，土地改革成功了，人民活生水準提高了。當然這些都是事實，並非自吹自擂的談空，不妨加以宣傳，祇要有事實可證，宣傳是應該的。

不過，我認爲台灣尙有兩項值得大書特書的進步事情，我們似乎並未能盡到宣傳之能事，因而我要提出來談談。

一是農復會改良農產品的成績特別優異，不但在經濟上裨益良多，且在外交上亦發生很大的潛力，如吾國「農耕隊」在非洲各[illegible]國廣獲信譽，間接對外交方面產生了莫大的效用，即其明證，而農耕隊的工作人員，都是由農復會遴派的。台灣境內一切農產品的質與量，皆與廿年前判若雲壤了。就質的改良說，從稻谷以至於各種水果，莫不精美非常，得未曾有，可以在國際市場上居於首席地位。量的方面，許多原爲台灣所無而專靠外面輸入的農產品，現在每年已有大量輸出，如草菇即其一也。此外，農復會的專家李崇道氏，更發明了消除豬瘟特效藥劑，使農民沒有家畜瘟疫之慮，厥功至偉。綜此農業上各種改良進步的成果，台灣再增一千萬人口，亦不會有「生衆食寡」的現象，這不是值得咱們驕傲的成就嗎？

二是中華郵務工作之進步發展，亦與過去在大陸時期的情形，迥不相侔。郵件遞送之迅速的確，允稱世界之冠，雖窮鄉僻壤，山陬島嶼，決無阻滯稽延情況發生。全球各國的郵件，只要錯寫了收件人的門牌號數一個字，如非退回，即列爲「法投遞」之類，棄置不顧了。然在台灣的郵件，縱使忘記註明門牌號數，只要街巷不誤，準可送入收件人的手中。至於信札以外的物品，除却人身或傢具，以及重量逾噸的東西不能郵寄，舉凡日用必需品，綵衣使者皆可予以傳遞不誤。這種郵務效能，在別的國家絕對沒有吧？

西方文明國家的人士，動則譏吾國爲「落後地區」，若以農業和郵務這兩樁事情來比較，咱們不但居於先進之列，而且可作他們的太老師，一點也不感到慚愧哪！

馮玉先生

處理中醫學院問題 不為監委所諒 閻振興曾請辭

本報記者公孫熊台北消息：監察院月前院會有監委張一中等提案，調查教育部「非法」解散中國醫藥學院董事會，引起監委一場內閧風暴，隨有監委蕭一山、鄧景福，以及逢甲學院董事會常務董事高信等連續在中國時報發表辯駁函件，業載本報。嗣有另一逢甲創辦人陳會瑞亦針對高信函件，有所反駁，經陳會瑞一再洽請中國時報，終被婉拒未予登出，該報既刊前三函，何未刊陳函，此中微妙，殊非局外人所解。

當在元月二十三日行政院院會時，教育部長閻振興，曾就教育部處理中國醫藥學院案經過，提出一項書面報告，會後閻部長並親自向嚴院長提出辭呈，請另簡賢能接替部長職務。

據報載行政院人士表示，教育部處理該案，一切悉按規定程序辦理，而且是在該學院人事糾紛鬧得太不像話的情況下，應社會各方之要求而採取之措施，現竟不為監察委員所諒，閻部長深感作事太難，因而提出辭職。

再行政院又於元月二十七日在一項書面中指出：有關公務員不得兼任私立大專學校董事、董事長、及受託處理校務一節，業由教育部轉飭省教育廳及各公私立大專院校遵照，但以牽連問題甚廣，行政院已令飭教育部就法令規定，現存事實及各方意見，繼續慎重研究，以求通盤處理。

行政院在答復立法委員莊靜之質詢指出：關於于冠英偽造學籍一案，教育部在行政職責與處理程序上，並無任何擱置不辦之情事。

行政院表示：該案曾由教育部批交有關單位及保防人員秘密調查，後再函轉調查局偵察，並將本案全部案卷函送台北地檢處審理。

依據上項消息，行政院對教育部之「非法」已有澄清之趨向，至閻部長之辭職，新聞界即引證行政院之書面說明，推斷將會獲得慰留。

社會人士對所謂公務人員兼任私立學校董事、董事長及受託處理校務一事，現不僅普通公務人員多有兼任者，即立法委員、監察委員，亦照兼不誤。例如立法委員成舍我之兼私立世界新聞專科學校創辦人兼校長，監察委員王文光之兼私立崇右商業專科學校董事長，還有立法委員張希哲之兼私立逢甲學院院長。中央信託局專員包德明之兼私立銘傳女子商專校長等等不一而足，亦即行政院所謂之「現存事實」，高信之所以以逢甲常務董事名義登報，亦有由也。

史卡拉皮業已擺擺 國代提案姍姍來遲

來無影去無踪這就是本領

恭聆我學者教誨受益殊多

本報通訊員柳一權台北消息：國民大會代表雷嘯岑，向大藩，廖士漢，彭浩一，王照光，勞建奇等，提案請政府拒絕美國親共份子史卡拉皮諾來華訪問，鑒史曾支持台灣獨立運動，更應敬而遠之，該提案可能被國大主席團積壓致失時效。查美國加州大學教授史卡拉皮諾，原係著名的親共份子，若干年來對中華民國懷有深厚的敵意，專為毛共張目作倀，其事實如左：

一、一九五九年——即民國四十八年，他替美國參議院起草「康隆報告書」，主張美國軍隊撤出亞洲，並讓台灣獨立。

二、後來他在參議院作證，又主張讓毛共政權加入聯合國，美國應該改變對華外交政策，跟毛共談判台灣問題。

三、本年七月間，他為少數背叛中華民國的所謂「台獨」份子在美國刊行的「台灣獨立季刊」寫文章，更主張把金門馬祖歸還毛共統治，使中華民國政府沒有大陸的領土管轄，失去國家三要素之一，而台灣即名正言順的可以實行獨立了。他指稱舊金山和約只註明日本放棄台灣，並未規定台灣屬於中華民國，作為立論根據，居然無視「開羅會議」宣言，以及二次大戰結束時，由中華民國接收台灣這些事實，故還說以打擊我國，而搖惑國際視聽，用心極為惡毒。

以此一貫敵視我國的共黨同路人，凡屬反共非共的炎黃子孫，是絕對不能忍受的。詎我政府傳出消息，謂史卡拉皮諾將於最近應邀來台灣講學。立法委員李文齋聞訊曾在院會提出書面質詢，表示反對。旋據行政院答復承認確有此事，但聲明：「我國并無任何政府機構或民間團體聘其來台講學。」又謂史卡拉皮諾對我之態度，近來似已略有轉變。且以我方人員王昇、鄭學稼今夏訪美時，曾由我駐美大使周書楷指示，教史氏在華府及紐約邀請王、鄭二人午餐為例證，認為史氏已「轉趨友善之態度」，甚於「化敵為友及化阻力為助力之原則」，對史氏訪華表示贊成（見行政院五十七年十一月廿八日編字第九四二五號致立法院書面答復文件）。

我政府本諸「漢賊不兩立」的大義，對於本國人士凡有親共言行者，毋予嚴厲究處，決不姑寬。史卡拉皮諾與美共同路人拉鐵摩爾、費正清、哲樂甫等狼狽為奸，從事出賣中華民國的勾當，歷有年所，罪證昭彰，而政府竟視為應予爭取的朋友，是乃對本國人士殘酷，而對國際間的親共份子寬厚，其將何以自解乎？駐美大使周書楷妄作引狼入室之謀，教唆史氏與王昇、鄭學稼聚餐遊說，事前是否請示政府核許？殊堪疑問。同人等緬懷當年被美國姑息份子出賣中華民國的史事，痛定思痛，對於史卡拉皮諾之來訪，認為違背反共救國的國策，有百害而無一利，應請政府拒絕其入境，并對駐美大使周書楷嚴加處分，以為媚外辱國者戒。

（又訊）史卡拉皮諾抵華後，曾與此間名學人錢穆，顧翊羣，胡秋原，張起鈞，任卓宣，曹敏，鄭學稼，羅時實，徐高阮等就若干政治文化問題提出討論，恭聆我國學者高見後，曾自認受益殊多。

新竹縣長劉樹薰 困陷苦惱深淵

選案刑案纏身心神分散 就職半年縣政直如停頓

（本報記者爾碧天台北消息）鄰近台北區之新竹縣長劉樹薰之選舉官司，仍由台北高等法院推行訴訟期間，固使其困擾不安，但以七暴徒圍毆縣長選舉訴訟原告律師朱昭勳等人案件，中途像殺出一個程咬金一樣，被本案已被新竹地院刑庭判處有期徒刑八月之被告楊義雄拖下陷阱，楊曾當庭陳述，彼等圍毆朱律師，係受劉樹薰縣長幕後之唆使行兇。同時提出縣府事務股去年七月十日開出之一千五百元公庫支票作證，及後原告律師朱昭勳等人，於一月下旬向法院提出自訴，指控劉樹薰縣長為本案幕後主謀行兇，使本案高潮再起，在新竹縣民心目中，像晴天霹靂一樣，引起五十萬人民之議論紛紛。

因朱律師之被兇毆案，而劉縣長竟成涉嫌教唆罪嫌，視縣長選舉官司之「選舉無效」或「當選無效」悉被沖淡，已不在注意之列。因教唆罪嫌，若經審訊屬實，依刑法二十九條，教唆犯依其所教唆之罪處罰之。如選舉官司失敗，大不了丟下縣長紗帽，仍可為自由平民，傷害罪可能要比照楊義雄般的判刑的，到時丟官還得服刑。劉縣長是否能脫卸這次毆打律師的罪嫌，須待法律的澄清，也只有法律才有公平之定讞，當在法律進行時，局外人也不能妄自推斷，但在劉縣長本身，卻為此苦惱萬分，心身分散，使就職半年以來之縣政，幾如停頓一樣。

據悉，劉樹薰縣長與楊義雄兩人的交惡，非第三者能所瞭解的，但他們兩人在縣長選舉前是朋友，劉縣長當選後與楊義雄稱兄道弟也是事實，他們兩人的反目翻臉不認人，好的時候稱兄道弟，一下子翻臉成陌路人，眞出乎與「君子之交淡如水」的常規，連縣民們對他們兩人的微妙關係，如置五里霧中，摸不透也想不清。

劉縣長交友不慎，任何縣民也作此批評，事實擺在眼前，如①毆打律師案件，劉縣長的友好楊義雄，將他陰溝裏翻船；②劉縣長競選縣長時，在選務所登記有案的得力助選功臣陳邦男、劉樹薰任律師期間所用的李勝佳，劉縣長上台後擺在縣府事務股担任採購工作的呂政通，在這半年來，個個都被法院判刑，陳邦男是涉及毆打律師與寫黑信恐嚇縣議員，李勝佳則被通緝歸案，呂政通也因參與寫黑信恐嚇縣議員而被法院判刑。這些劉縣長過去認為係朋友的人，而今個個都幫了一個倒忙，劉縣長當選縣長時是這些人的功勞，換句話說：劉縣長的成功是這些人，失敗也是這些人。

由此可知劉縣長平時之交往太濫，到此就臨到惹火上身了。

十次全代大會召開在即 有關黨政興革意見 國民黨中央極重視

普遍探求業已彙編期望建議書

（本報記者蕭尚書台北消息）中國國民黨第十次全國代表大會之籌備工作，依據進度自二月中旬起，至三月五日前，海內外各地黨部與會代表，將相繼選舉完成，俾出席三月二十九日之大會。

此一歷史性之會議，曾廣徵黨內外人士對黨政有關之興革議，普遍徵求意見，除由中央秘書長張寶樹召開工商各界舉行座談會，聽取建議外，并自一月下旬起，分由中常委谷正綱等赴各縣市地方訪問座談，儘量徵詢社會意見，而且採求重點，不在歌頌而在批評。

據悉中央黨部已將各方提供意見，編印為「全國各界對十全大會的期望與建議」一書，所蒐集之資料，包括報紙雜誌評論之時稿專稿，以及各界人士之談話。其中每項意見，悉由張秘書長親予批註交由承辦人員編入。內有兩篇文字，係採自青年黨刊物「民主潮」。編輯人員鑒於該項文字內容，對執政黨頗多直覺批評，曾建議不予納入，但張秘書認為凡有逆耳刺激言論才是忠言，批評意見，正是黨所需要之意見，堅主予以編納。

上項意見書冊，僅限於五十七年底以前部份，五十八年元月以後，仍將繼續蒐輯付印，以便分送全體中央委員及高級黨政人員，作為參考。

並悉「廣徵各方意見」，將不僅限於十全大會，今後將為中央黨部經常性之工作，顯示執政黨之一項新政策，故為各方所重視，因其富有創造性與改革性。而廣修言路之決心，亦正適合革命民主政黨之要求，其功效不僅可擴大黨的羣眾基礎，而更能疏導離心力趨為向心力，集中意志，固結民心，正所以健全領導力量，理有固然也。

喬治桑外傳 廿三

張大萬

「…………」

雅麗絲帶着迷惑的眼光看着喬治桑，她一直拿他當老板看待，她替喬治桑工作，拿報酬，却從來沒有想到他會約她出去玩。

老實說，像雅麗絲這樣漂亮的妞兒，不會沒有男朋友，現在有兩個人在追求她，一個是某航空公司飛機司，一個是某洋行的高級職員，因為喬治桑不大在家，雅麗絲的工作很輕鬆，儘有時間週旋兩雄之間，至於將來嫁給誰，雅麗絲還沒有作最後決定。

「好的，我高興奉陪，但你還沒有買花送我，我怎能隨便接受你約會？」雅麗絲滿面春風，半開玩笑，半正經地說。

「買花後補，妳陪我出去玩，我當然要送點小禮物給妳。」

「那要請你等一等，我去換衣服。」

雅麗絲是喬治桑的管家，當然住在一個屋子裏，但喬治桑從來不進雅麗絲臥房，蓋亦「君子不欺暗室」之意，另外僱有一女傭阿翠，專司燒飯，洗衣，打雜工作。

雅麗絲到底是職業婦女，化粧，換衣服的時間不像歡場女子那種菇勁兒，大約不到十五分鐘，喬治桑眼前徒覺一亮，只見：

雅麗絲穿一件淺綠色薄呢旗袍，外披同色質料坎肩，戴一對白色耳環，腳上穿的是黑色綴鑽飾的高跟皮鞋，手裏拿一隻珠子編織的小皮包，淡掃娥眉，薄施脂粉，眞是雍容華貴，好一個貴婦人模樣。

喬治桑暗想：佛要金裝人要衣裝，眞不錯，雅麗絲穿工作服，不化粧的時候，看不出她的美，我早該和她約會的。

喬治桑到台灣原想買一部車子自己駕駛，一來不知會耽擱多少時候，二來覺得計程車也很方便，所以至今還是無車階級。

喬治桑，伸出右膀，示意雅麗絲，讓她攙着他。說：

「讓我們去。」（英文）

雅麗絲嫵媚地一笑，說：

「急甚麼，我還要關照阿翠一下。」

「阿翠，我和博士出去，你自己一個人弄飯吃好了，煤氣爐要關好，留心客人來電話，要記住是誰打來的。」

雅麗絲一派「管家婆」口吻，吩咐得頭頭是道。

（未完）

文匯樓剳記

「上海中國文化服務社，請即代徵集卅六年某月某日湖南中華時報，『論陳辭修的功過』一文，上中下三篇各二十份，全文約一萬字，以航空掛號寄下」上邊是陳辭修給劉百閔（文服社董事長）電報的大意。

那時中國文化服務社總經理是龍弘，（現中影總經理）告訴樓主說：「辭公再起，必延攬老兒入閣，」陳剛從東北垮下，正全國皆曰可殺之際，包括陳直系的三民主義青年團報刊在內，一家對陳素以忠心的報紙說：「身兼十餘要職，連失名城，罪無可赦……」餘如「殺陳誠以謝國人者」及「國家不能讓個人做兒戲」等，有人將這些不三不四言論，歸納爲「人心不古」，其實古人比今人壞的更多，今人比古人厚道者就大有人在。

論陳辭修的功過

「論陳辭修的功過」論文，爲樓主所執筆，原文刊在西南最大民營報——中華時報，開門見山就是：「最高　領袖蔣總統正率領全國軍隊與共產黨作殊死戰，幾百萬武裝健兒，不是消極剿共，而是積極燃燒着建國理想，陳辭修者爲執行此項建國理想最努力的一人，」又謂：「國事至此，中華民國軍人，人人無功可言，惟陳辭修者可告無罪也，因他有爲有守，以身許國，不愧爲國民革命一員健將，「末了結論說：「政治舞台也就是戲台，一般觀衆的褒貶毀譽，都是根據每場戲的主觀和直覺，作片面的論斷，難免以偏概全，或見小失大的毛病，必須蓋棺而後論定。」講實話樓主平常對陳辭修並無好感，認爲他有依時附勢，搞派系，弄權術，無異於新官僚作風，待他垮下後，目睹社會對其落井下石的冷酷無情，乃毅然抱打不平，拔刀相助，據吳忠信先生（禮卿）說：「這般俠義精神，祇三湘和淮上朋友有之。」不過樓主從未考慮冷灶熱灶與前果後果，當陳辭修在台灣官拜行政院長時，樓主首次回歸國門，千里迢迢，算饒了他一杯清茶，因對做官確沒有一點興趣，陳亦非常瞭解文人的心理，編織了一頂：「能力強，魄力大，智慧高，辦法多。」的冠冕贈給樓主，用商業術語去形容，算作「銀貨兩訖」。

那時湖南中華時報總主筆是張起鈞教授，主筆有程曉華，王平一，杜呈祥，高驪堃，沈天冰，沈曼若，饒迪華等，重要論文多出樓主自己手筆，民國三十六年全國輿論被民主風吹得像「山雨欲來風滿樓」時，該報曾提出人所不敢言的政治主張，例：反對國共和談，打到匪共，辨是非，建議政府集合一切反共力量，包括關東軍及汪政府軍隊在內，全面戡亂，待共黨消滅，而還政於民。又該報先谷正綱而罵張治中是狗入的，並主張砍張治中，章士釗，邵力子，劉斐，李維漢的腦袋，可以轉移社會風氣，加強軍民團結信心，及表示出政府漢賊不兩立的明朗態度。該報堅決反對選舉國大代表，立法委員，監察委員等，認爲這是瓦解國力的基本因素。陳辭修謂樓主「辦法多，智慧高，魄力大，能力強」出發點可能在此。

・文匯樓主・

讀三字經

越讀越易獲益很多

在一個天氣晴朗的早晨，我跟往常一樣，背着書包去上學，這一天，第一節是國語，大家都津津有味的在聽老師講解課文，老師忽然心血來潮，要教我們「三字經」。

頓時，大家的臉色變了，像一個明朗的天空，不知何時飄來了一朶大烏雲，因爲大家都知道，私塾裏的老師時時拿着戒尺要打那些不會背的、寫錯一個字就要挨打。而且也不講解，不容易背誦，就是會背，死背也沒有用！

老師看我們的臉色，知道我們想的是甚麼；於是，他說：『放心！我教你們「三字經」是有用的，並不是背一背就算了，我還要講解，使你們明白處世作人的道理，還要你們去做去實行！明天你們一定要帶「三字經」來！忽然，鈴聲一響，下課了。級長一喊：「下課！」大家卻反常了，不出去玩，反而在教室裡，你一言，我一語的嘰嘰喳喳的講不完，原來是討論甚麼是「三字經」？不過臉上的烏雲早就散了！

第二天，就有人帶「三字經」來，原來「三字經」就是三個字一句的書！不過有人帶來就可以開始教了，我們越讀越感覺好玩，越覺得容易，它告訴我們歷史和作人處世的道理，使我們獲益不少。

像裡面的一句：「玉不琢不成器，人不學不知理。」就是說，假如有一塊很好的玉石，如果不去琢磨，玉雖然好，也不能成爲器皿。照這樣說法，我們人也好像是一塊玉，如果不讀書用功，就是聰明也沒有用。「三字經」裡有許多好句子，大家費一點功夫去看看，會得到很多的好處！

・黃淑蓉・

一頁偽裝抗日舊帳（上）

羅雲家

提要：這是筆者日前參加劉先生家裡的一個宴會，在宴會前幾位先生們隨便談話的紀錄，內中對於共匪假抗日之名，行叛亂、擴軍、壯大之實，有着翔實的報告，足供國人了解奸黨過去之罪行。

問：「共匪逃到陝北時，人數很少，到抗戰勝利時卻有兩三百萬兵力，經過情形是怎樣的？」

「話得從抗戰開始說起。」我想了一下說：「抗戰軍興，我最高統帥　蔣公，以值此民族生死存亡之戰爭，凡是全國軍民男女，皆應有報國殺敵之機會，那時負隅陝北，抱殘守缺之中國共產黨，即在『國共合作宣言』中，提出了四項諾言來。」

「那諾言是這樣的：第一，孫中山先生的三民主義，爲中國今日之所必需，中國共產黨願爲其澈底實現而奮鬥。第二，取消一切推翻國民黨政權的暴動政策及赤化運動，停止以暴動沒收地主土地的政策。第三，取消現在的蘇維埃政府，實行民權政治，以期全國政權之統一。第四，取消紅軍番號名義，改編爲國民革命軍，受國民政府軍事委員會之統轄，並待命出動，擔任抗日前線之職責。」

問：「以後的甚麼十八集團軍、與新四軍，是不是就是因爲政府接受了他們的諾言，而把他們改編成的呢？」

「對了。」我說：「當時我們的政府，爲了一致對外，以便集中意志，集中力量起見，統帥部乃在二十六年秋天，將陝北的共軍殘餘部隊，依他們的人數，編爲第十八集團軍，下轄三個師，任命朱德、彭德懷爲該集團軍的正副總司令，林彪，賀龍，劉伯承爲師長，編入第二戰區戰鬥序列，歸閻錫山長官指揮，並規定開入西北部游擊日本軍隊。那年十二月十三日南京失陷以後，中央又准葉挺，項英收集舊部，編成新四軍，下轄四個支隊，相當於一個師，並以葉挺，項英爲正副軍長，列入第三戰區戰鬥序列，歸顧祝同長官指揮，規定在長江以南的京蕪之間地區從事游擊。」

問：「這兩支軍隊，成立以後的情形是怎樣？」

「他們成立以後，因爲缺乏訓練，官兵素質低劣，軍紀散漫，戰鬥力極端薄弱，而那時的敵軍戰力卻很精強。統帥部爲了愛惜他們的實力，所以在抗戰初期，一直沒有叫他們在重要戰場擔任正規戰鬥，這本來是一番好意，目的在使他們避免於初期遭受重大之損失犧牲，而希望他們先在小戰鬥之歷程中，逐漸養成強韌之戰力，誰知道他們竟藉這個機會，避免作戰，保存實力，不但不認眞執行規定之任務，而且自由行動，不打敵人，專事襲擊友軍，以擴充其實力。

這樣，到了二十八年以後，他們的實力逐漸擴大，一方由晉北轉進蘇北，一面由江南打到江北，並且竄擾湖北、安徽等地，一意併吞我們留置敵後的部隊及其根據地；不但抵消了抗戰力量，而且幫助敵人，加強其對淪陷區的統治。」

禪學　黃金　時代

風趣的古佛——趙州（四）

吳經熊著　吳怡譯

假如南泉的作法是令人震驚的，那就是要斬斷和尙們對於那隻貓的執着，南泉對於這些出家的和尙們仍然爲了佔有一隻貓而產生爭執感覺得震驚。這個問題的所有癥結就是要做一個價値的和尙便必須一刀斬斷塵世界。也唯有用這種無情的方法才能使人眞正走向自由和超然。

我不敢確定南泉的這種作法是否最完美，但顯然，最後學生們在精神的解放上都得到了一個難忘的教訓。同理，趙州把鞋放在頭頂上走出去好像是完全的不合情理，但它卻提醒那些和尙們，在眞實的境域中，塵世的一切是非價値等都必須顛倒過來。也許很湊巧的，趙州這種戲謔的作法安定了他老師激動的情緒——當時一個悟道者也不免有情緒的生活——好像趙州在說：「老師，晚安，輕鬆一點，好好的休息一下吧」。

趙州在悟道之後，曾旅遊各地，拜訪當代的許多大禪師，這並不是完全爲了和那些禪師們交換意見，其實主要的，還是因爲他喜歡山水，到處爲家。許多朋友們都勸他定居下來，建立自己的園地，但他始終沒有這種需要。

有一次他去拜訪茱萸和尙，茱萸對他說：

「像你這樣的年紀，也該定居下來宏法了」。

趙州卻問：

「我該定居在什麼地方啊」！

茱萸驚訝的說：

「什麼，像你這把年紀了，居然還不知道自己的住處嗎」？

茱萸的意思是說眞人即他自己的住處，這是很顯然的事實。由於這事實太顯然了，因此趙州沒有提到它，反被茱萸運用它來嘲弄他，所以趙州微着說：

「我三十年來騎在馬背上遊遊，想不到今天卻被驢子踢了一腳」。

後來有一次，趙州想到山西五台山的清涼寺去，有位佛學家便寫了首偈子給他說：

「何處靑山不道場，

何須策杖禮清涼，

雲中縱有金毛現，

正眼觀時非吉祥」。

（註：清涼寺位在五台山，是爲了崇敬華嚴宗的四祖清涼而建的，據說當時清涼說法時，雲中曾出現金毛獅子）。

趙州並不因此而改變他的初衷，他反問那位佛學家說：「什麼是正眼」？

那位佛學家無話可答。他已知道趙州是帶着正眼策杖而行的。

（未完）

名人情話

蕭伯納戀愛史

五、媚摩利斯的悲劇

周遊子

愛人易主之後，蕭伯納感到難處，不便在愛人的丈夫之間的挾縫中過日子。他以身體欠佳，需要休養爲藉口而退出挾縫。但是他又想到告辭而別，恐引起她舊愛人的不快，因此他乾脆來個不告而別。於是蕭伯納懷着一種悵然的心情一走了之。

在這一情場中，他又宣告失敗。

雖然媚摩利斯改嫁了，而伯納仍然是愛她在心之深處，在「理」的一面他作的很對。在情的一方面，雖然未說明他倆之間究竟到了如何程度，有沒有曖昧的超友誼行爲，局外之人是難以想像的；不過他倆在婚後仍在熱戀着，這卻是有目共睹的事實。蕭伯納在這一段時期中的日記坦白承認了，他是愛媚摩利斯的，強調自己是自由主義者，不受兩性習慣及宗教傳統的束縛；他同時又強調他們相愛的社會背景和反應，這將是無法彌補的損失，所以他最後才不告而別。然而這一段情的戀史，早就註定以悲劇收場，正和西洋的愛情文學中所常見不鮮的事實。這與東方文化精神所表現的「喜劇」「團圓」和美的結局大異其趣。這不僅說明了東、西文化的不同，也明說東、西方的愛情觀亦異其趣。

當蕭伯納不告而別之後未久，而他愛人的丈夫突宣告失蹤了，到那裡去做什麼？史巴鎭到歐洲去了，並且進行與媚摩利斯離婚，而且他又娶了一位比較匹配而適宜的女性。史巴鎭離婚的理由中是「非難媚摩利斯與蕭伯納之間有超友誼的特殊愛情存在。」這一件事宣佈後，曾引起了許多人們的注意。最後，當一般人發現史巴鎭的說法只是謊構的時候，這一對情人卻永遠無法結合了。

當這一幕悲劇落幕之後，英國費邊社早期一位女出版家安妮貝森特夫人，卻害了蕭伯納。安妮當時是費邊社的健將，因鼓吹無神論及節育政策之宏論，在英國早已成爲名女人，她結過一次婚，也離過一次婚。當她與蕭伯納相見時，她看出來蕭伯納需要金錢。

（四）

吳稚暉先生年譜（四四）

陳凌海編撰　陳洪校訂

三月二十一日，先生參加中央執行委員會常務委員會議，推請林森（子超）爲中國國民黨臨時全國代表大會主席。何健（芸樵）宣誓就職，先生監誓，並致訓詞。黃花崗先烈革命紀念會，由先生主持在國民政府舉行。並與鈕永建同至烈士墓致祭。十日偕丁惟汾（鼎臣）、張繼（溥泉）、戴傳賢（季陶）等由渝乘飛機赴漢口，出席中國國民黨臨時全國代表大會暨四中全會。推戴蔣委員長中正爲國民黨總裁，行使總理職權。先生代表主席團說明提案旨趣。會畢返渝。四月五日，先生參加中央常會談話會，研討參政會問題。十三日，重慶第一次遭日本飛機空襲，先生避難中國銀行。六月，世界文化中國協會在香港舉行常務委員年會，先生本擬親往主持，嗣因前方戰事緊急，人心浮動，若赴港主持會議，難免有脫逃之嫌，故致函陳和銑（孟釗），託由蔡元培（孑民）就近代表主持。先生原與鈕永建約遊昆明，因故未果。六月二十日，偕吳治普（憲勝）由渝乘民運輪經廣州至嘉定轉赴峩嵋，承民生公司董事長盧作孚盛意，熱忱招待。同輪者有左舜生，彼與先生同輪溯江而上，同桌而食者數日。據左舜生於先生逝世後發表紀念文稱，因彼此未嘗交談一語，爲打開此一僵局，彼始自動與先生攀談。先生此次遊山，自峩嵋報國寺至金頂，對沿途景物作詳盡之描寫記載，爲歷次遊歷之佳作。並題：「峩嵋天下秀」及「佛法終無邊，天心出自然，萬方同多難，道力起重淵」，屏幅贈果玲法師，先生遊峩嵋後，又繞程至灌縣青城，遊古常道觀（即天師洞）與朝陽洞，對鄭祖陵作詩，先生改定爲：「岷嶽巍峩江水雄，波濤萬頃撼滄東，中原滌得劫灰盡，再上降魔第一峯。」先生又書：「禹域沈東海，何入降額波，萬方多難日，來此乞降魔」條幅贈老道。先生又至廣元，梓潼等地。十月，先生飭工在寓內修築防空洞，以避空襲。十一月，內[illegible]馬袁冰如由上海經海防赴昆明。十二月，蔣委員長中正發表：「駁斥近衛文麿明宣言」。是年，蔣委員長中正贈先生法幣五千元，作爲輔助醫藥之需，由葉楚傖轉致，先生致書蔣委員長中正辭謝。嗣葉楚傖謂先生曰：「蔣委員長未許辭，業已代爲存入銀行」云云。

（未完）

巨變歷險記！

五代表出城（廿二）

胡慶蓉

天津市議會五代表，出林森門，到林彪匪戰軍那邊，是在民國卅八年一月十一日的下午二時半，吃了午飯以後。這時候的天氣，雖然溫暖了一點，但還是很冷。上空陰沉沉，太陽埋沒在濃雲中，有時候雲退點，他就露出來，像一個圓圓的大盤子，浮雲在他上面，如萬馬奔騰一般，飛馳而過，林森門外，一片平原，什麼也沒有，遠遠的莊村，還可以望見，裏裏外外，像都埋葬在沉寂裡邊，聚集在五代表附近的人羣，面面相覷，不知說些什麼，都說不出話來。五代表此時彷彿已死去的人一般，他們無言的出去，這邊無言的相送，在人們面上，充滿着悲淒的表情。五代表的家人，更緊緊的相隨，如同他們要綁赴刑場一般，不少流下眼淚，有痛哭失聲的，有抓住不放的。

在彼此含淚相別的時候，丁代表說話了：「諸位父老，我們幾位，對你們大家的相送，衷心萬分的感激，我們受天津市議會的負託，同時也就等於受全體市民四百五十萬的負託，我們一定盡其力之所及，以期不負諸位的希望。我們走了，再見」！

在丁代表低沉的聲音中，顯出他懇摯的感情與堅強的意志。在他說話之後，他就帶領着代表團慢慢的離開了林森路。我上邊已經說過，林森門，只是徒具其名，並沒有什麼門，只不過是一個出入的口子而已。林森門，也並沒有牆，兩旁僅只倭倭的土堤，上邊立着倭倭的木樁，木樁上邊盤繞着稀稀的鐵絲而已。但在門外，在出口的外邊，橫之豎之，高高低低，卻有很長的鐵絲網，很密的鐵絲網，很寬的鐵絲網。守衛的將士們，在聽到代表團要出去，已經為代表團打開一條出路了。但地下卻滑得很，滑得幾乎不能走，原來地上變了很多的水，都結成厚厚的冰了。這冰與北平北海的冰南海的冰彷彿，在一個會溜冰的人走在上面，自然是所向裕如，不會滑倒，但在不會滑冰的人看來，卻視為畏途，舉止維艱。丁代表，他不在乎，他有辦法，但在其他四位代表，情形就不相同了。他們的身體比較差一點，但在人扶持之下，還是過去了。

走過了鐵絲網，五代表又回轉頭來，向送行的人，遠遠的招手。送行的人，都止於鐵絲網的那一邊，都在那一邊招手，沒有叫，沒有喊，都在默默的招手，但願五代表能功成歸來。五代表回一次頭，又回一次頭，又回一次頭，一直到看不見，才一直的前進，前進，前進……，沿着大道前進。大道，也就是土路，既沒有鋪石子，也沒有潑柏油，完全是土路，以其為牛車馬車來往之道，比較寬一點，故有大道之稱。大車輪壓的溝溝，平行分列，宛如長蛇。五代表就在這路上慢慢的前進……。

新廿五經

命運經（下）

馬騰雲

（續上期）又讀聶雲台著「耕心齋隨筆」，其中有一段關於星命論的實例：「昨與譚廷闓先生談及業命之理，先生謂命理之說，殊為難解，謂為渺茫，而有奇中，予問曰：聞文勤公有一命批悉驗，有之乎，先生曰然，文勤公生甫三歲，先王父（祖父）授業館於外，歲奉所入才十餘串，適有友善星命，即請其為文勤公批一命，此紙尚存，距批時已百年矣，其言某年進學，中舉，中進士皆驗，惟點翰林則判為得知縣，此其差誤，為七品也，厥後某年當在江浙，某年在陝亦奇驗，又言六十八歲歸田則又驗，言七十二歲壽終，並批註若有陰德，壽延一紀，厥後七十二歲果大病，幾不起，愈後以八十四歲高年終又奇驗」。譚延闓先生兩位女公子皆在台灣，故陳副總統就是譚延老的佳婿，上列記述不難查詢，聶雲台為國內知名學人，自不會胡說八道。

著者於民國四十一年由國外第一次返抵國門，專誠造訪鎮江學人袁樹珊老先生，聆致命理兼詢國運，承解說：「星命與代數同理，就最高元首幹枝研究，國運一定可以扭轉，但須民國六十年以後，帶領我們回去的為蔣總統，斷然無疑，蔣公陰功疊積，仁者必壽」，另有一段關於命運的事也頗值一談，「秋燈叢話」云：乾隆年間有王綸鎮赴任河南，經洞庭湖遇大風所阻，船艤岸十餘日，煩悶無聊，而附近又無村落，某日有一位長者光臨，道貌岸然，銀鬚飄逸，王綸鎮請教後留其便飯，長者豪飲不醉，王綸鎮因有同嗜，朝夕相談，結為知音，後論及五行術，長者謂王，如蒙不棄，願陳鄙見，王欣然出其命造，長者細為推算休咎，以及趨居瑣事，推到五十八歲，王有墜馬之危，隨擱筆不再向下寫了，王問：「我祿位將終於此嗎？」長者答：此乃天數，修德可以禳之，並囑注意修德莫大於恕人，君其留意，語畢飄然而去，風亦轉順，王令隨從張帆兼程，後歷年遭遇皆符合長者所批，奉為錦囊，寢食必帶，某日在任內獲盜一批，經細心訊鞫，凡可恕者，盡皆釋放，後心曠神怡若有所得。一次行軍策馬走山路，忽感心血上衝，儼若中毒，被侍從扶下，移時漸蘇醒，而所乘之馬，則往來馳驟，長嘶數聲而死，王綸鎮恍然大悟，取出長者所批命造，正是五十八歲，不爽晷刻，王因積有陰德活到七十八歲去世。

近一世紀盛行達爾文「物競天擇，優勝劣敗」之說，自日本明治維新，此理益彰，對台灣風氣就有很大影響，德國第一次世界大戰的威廉，第二次大戰的希特勒，均恃其科學，兵種，財力無一不優，而挑起大戰，可是優也未必勝，劣也不見得敗，用威廉，希特勒的悲慘命運可以印證，還是老子的「佳兵不祥」「物極必反」哲理，比較靠得住。

有關於命定之說，究竟可靠與否，讀曾國藩「求闕齋日記」裏說：「古來聖哲名儒之所以彪炳宇宙者，無非由於文學事功，然文學資質居其七分，人力不過三分，事功則運氣居七分，人力不過三分」，今日社會其所以你詐我詐，擾擾困惑者，多由於不知命，「不知命無以為君子」，這句話是孔聖人說的。譚延闓先生是前清翰林，締造民國大功臣，曾國藩是清代了不起的政治家，他們同為歷史傳人，一言一語，有其不可抹滅的歷史價值，可惜靠命運混飯吃的朋友太多了，有些簡直「魚」「魯」不辨，「腎」「賢」難分，謂能替人算出吉兇，豈非天大笑話。（新廿五經已出版每本十元台北郵撥五〇五六張萬有帳戶）（完）

富人列傳（十八）

信陵君富而不驕

周燕謀

一、富而不驕

戰國之際，好俠養士游說之風甚盛。一些「四體不勤五穀不分」的讀書人和游手好閒之徒，或憑三寸之舌，游說諸侯，干求時主；或挾一技之長，投靠豪富之門為食客。此在戰國時期最盛。此風由於封建井田制度逐漸破壞之後所開啓。好客養士固不限於「四君」，其他富豪亦如此。其實真正好客，並不是「來者不拒」。而當所謂下士的富豪，挑「來者不拒」，「雞鳴狗盜」之徒無不包容。故其目的乃為多養賓客以自重，作為鞏固地位之張本。戰國四名子者，乃其著者而已。

信陵君者，魏國的昭王的少子無忌也。亦為魏安釐王異母弟。魏昭王薨，安釐王即位，封魏公子無忌為信陵君。所謂某某君者，即以所封之地名而名之者。魏人范睢去魏入秦國，被拜為相，對魏、齊等國加兵，圍魏之大梁，擊破魏國華陽下軍，魏國諸公子畏秦如虎，由於信陵君之賢，食客甚衆，秦國並未進一步加兵於魏。

信陵君為人「仁而下士，士無賢不肖，皆謙而禮交之，不以富貴驕士，士以此方千里，爭往歸之」。致信陵君食客三千人。當時因信陵君賢名遠播，諸侯未敢加兵謀魏，魏國在信陵為相十年中，相安無事。

一日，信陵君與魏安釐王正在博戲，（賭博也）忽然魏國之北方傳來軍情說趙國兵攻打魏國邊境，烽火台傳來了訊號。魏安釐王即刻釋博，欲召大臣謀商。信陵君對魏王說：「此乃趙王田獵耳，非寇魏也」。信陵君復博如故。而魏王大恐，對信陵君之言很表懷疑，心不在焉，每博必輸。過了一個時辰，北方復傳來情報，說是趙王果為田獵，非為寇趙也。魏安釐王大表驚奇，怪而問信陵君道：「卿何以知趙王田獵，非為寇邪？」信陵君道：「臣有客者，能探得趙王之所為也。凡趙王之所為，客即迅為之告，故能知也。」由於信陵君顯露此一招，魏安釐王深為恐忌，魏安釐王乃一忌賢妬能，軟耳之主，殊不足道也。

魏國有一隱士名侯嬴者，年七十而家貧，有賢名。信陵君聞之，備厚禮往迎之，侯嬴不肯受，拒其厚餽曰：「臣修身潔行數十年，終不以監門之困（侯嬴為小吏）而受公子之財。」於是信陵君大會賓客，親乘車迎侯生於夷門，虛左位以待。侯生毫不謙讓，直上坐。信陵君執轡甚恭，侯生對信陵君神色毫無愧色。信陵君道：「臣有客在市屠中，願往車騎在過之。」信陵君引車入屠市中。侯生下車見友朱亥，與談，故意讓信陵君久候，微察信陵君顏色，終無惱色，靜候愈恭。此時魏之將相宗室賓客甚盛，市民皆觀信陵君執轡，從騎皆竊罵侯生。侯生觀信陵君色終不改，乃謝其友朱亥，上車至信陵君家，引之上坐，特為賓客介紹侯生，合坐皆驚。酒至半酣，侯生對信陵君道：「今日我厚承公子足矣，嬴乃夷門抱關者也，（夷門為邯鄲之東門，抱關者，即門吏也）而公子親枉車駕相迎於衆廣之中。吾欲就公子之名，故久立公子車騎於市，過客，以察公子之色，而公子愈恭，市人皆以嬴為小人，而以公子為長者，能下士也。」信陵君宴畢，侯生遂為上賓。侯生告信陵君道：「前者所過屠者朱亥，此乃世人莫知之賢者，隱居屠肆宰牛之間耳。」信陵君屢顧之數次，而朱亥故意不謝，公子深以為怪。此二人皆世之隱者，故隱於市井也。

開場白

葉一舟

承本報李社長運鵬兄不棄，囑為撰稿，已年餘未能應命，時為耿耿於心。無他，窮忙故也，繼思「文章遊戲本尋常，寫寫又何妨。忙！搖筆兩三行。」——小令曲，故擬嘗試寫寫短小遊戲文章，所謂「遊戲文章」，是興之所至，信手拈來，隨感隨寫，上自天下國家大事，中而文藝，嘉言，雋語，下至草木鳥獸虫魚，幾無所不包，無所不容。然無完整體系可言，純是一鱗半爪的「雜鈔」或「隨筆」，而非分門別類，洋洋大觀的「類纂」或「彙編」，故曰「瑣話」。亦「零縑」、「片羽」之意云爾。「西齋」云者，而筆者三十餘年前，就讀國立北京大學時，所住宿舍的名稱，臥室窗前植有翠柏洋槐各一，枝葉茂密，搖曳生姿，點綴景色，添增情趣不少。筆者讀書起居斯室，為時約五年之久，黃金時代的學生生活，歷久記憶猶新。而現在的書室，亦面正向西，前後巧合，望風懷想，追憶大陸；而念及曩日餐食，更神馳左右也。撫今思昔，萬感交集！故總而言之曰「西齋瑣話」。雖云「瑣話」，仍信守下列稿約三章：（一）「文」「白」兼用，體裁不拘。（二）莊諧並陳，謔而不虐。（三）雅俗共賞，俗不傷雅。

署名「葉一舟」者，非敢附庸風雅，別有筆名。實乃「葉」其姓而「一舟」其字。「以自隱無名為務」，區區小卒，默默無聞，「而名不稱焉」，故略。其為人也，發憤不忘食，樂以不忘憂，不知老之將至云爾。「貧無一畝庇身，志佚於王公，賤無斗石之秩，意若食萬鍾。得官不欣，失位不恨，處逸樂而欲不放，居貧苦而志不倦」。——擇錄王充論衡句。曾集句自況云：「老當益壯，窮且益堅，識得讀書頭已白；遠取諸物，反求諸己，止於至善火純青。」飽經憂患，備歷艱險，為避秦劫，萬里關山，渡海來台，奔向自由。其「姓」其「字」，蓋隱喻「駕一葉扁舟，臨萬頃之茫然」——蘇東坡句的微言大義耳。而古詩吟咏，亦類多契合：「孤舟小於葉，放浪烟水間」——陸放翁。是其「命途多舛」，「放浪形骸之外」的寫照。但卻堅定地懷着熱烈底心情，殷切盼禱有朝一日能「青春作伴好還鄉，……便下襄陽向洛陽」——杜工部，凱歌旖「天際人歸一葉舟」——王平甫。楔子寫畢，下次言歸正傳。大雅君子，幸祈政之。

錢用和教授著「中國文學研究」一書榮獲嘉新優良著作獎承邀觀禮詩以美之

・陳邁子・

常熟風物美東南。文采彬彬天下傳。
縹緗世業有錢氏。數教珥筆比曹班。
幼嫻詩禮紹家學。詠絮清才非等閒。
一鳳獨翔遊燕都。上庠國故勤鑽研。
學成羅龍人爭羨。春風桃李化三十。
重洋遠涉博咨訪。中西學術並相參。
載譽歸來羣倫仰。儒冠同欽女中賢。
柏臺峻望稱楚翹。太學傳經一身先。
文喪道敝深歎喟。餘事還復重名山。
文學獨尊我華夏。洛陽紙貴兼口宜。
為文推許言由衷。（予曾撰文評介此書以張其美）。妙義清辭何娟娟。
實至名歸原有自。一朝勝選到鴻編。
精金美石世有價。華國高文兩可兼。
是日頒獎曾觀禮。尊榮勞績似掄元。
盛業千秋宜歌詠。興文弘道繫仔肩。
精誠耿耿塞天地。氣作風雷壯山川。

催眠術研究（十八）

二十四、撫下催眠法

鮑紹洲

這種催眠方法，歐美名叫「巴士」（即施術人用雙手撫被術人的身體）。自上部而下，撫按其身體的催眠方法。施術時，被術人或坐椅上，或席地而坐，或仰身而臥，或者直立身體均可。但施術人伸雙手，各伸食指及中指，其他三指則握於掌內。伸指之後，必須精神貫注，兩手指輕按被術人的前額，而微動之，如感最弱之電氣一般，隨即將兩手分左右而下，必須經過耳際，以至於兩肩，自兩肩而至兩腕，至達於兩手指尖，然後將兩手集在腰間中央，最後兩手從左右分開。如此再從頭部撫按如前，反復撫下數十回，施術人統一精神，一面撫下，一面暗示：「血漸下降」、「心漸鎮定」、「手足漸覺輕鬆如浮」、「更覺沉靜」、「四面寂然無聲」、「欲熟眠」。如是反復唱念，被術人自能酣睡催眠了。

如被術者仰臥時，則可自腰部撫到足下至足尖。這種撫下法，有觸體撫下及不觸體撫下兩種。初撫的時候，以強力觸撫為佳，到催眠程度漸深時，便輕輕觸撫，再久，便可不觸撫下。如被術人精神銳敏者，雖不觸及身體，也和強觸撫下者一樣。

撫下法效果最大者，在被術人的身高，自上而下，手之所觸，快感隨生，而被觸的地方注意漸集中，血液則循環於注之處，有導致血液於下部之效果。而且觸體撫下，是從生理的，可使血液流下，而有減腦的效果。

自由報

中華民國內政部內警台報字第〇三一號
中華民國僑務委員會登記證台報新字第三二三號
中國郵政台字第一二八二號執照登記爲第一類新聞紙

（第九三四期）

（半週刊每星期三、六出版）
每份港幣壹角・台灣零售價新台幣弍元
社長李運鵬・督印黃行寳
社址：香港九龍彌敦道593—601號
廖創興銀行大廈八樓五座
LIU CHONG HING BUILDING
7th FLOOR FLAT 5
593—601 NATHAN ROAD,
KOWLOON, H.K.
TEL：K303831
電報掛號：7191
承印：景星印刷公司
地址：嘉咸街廿九號地下
台灣總管理處：台北市大同街119號
台灣區直接訂戶　台郵劃撥戶
第五〇五六號帳戶（自由報會計室）
電話：七一四〇三三、五五五三九五
台灣分社：台北市西寧南路110號二樓
電話：三三〇三四六，台郵劃撥戶九二五三號

中國之永恆價值（中）

·沙學浚·

自由農民當然有時也受剝削和壓迫，但不失爲一個「人」；俄國農奴不是人。自由農民的沒落常引起文化的沒落；與國氣象學泰斗柯本說過：

「衰亡國家的人民由於錯誤的地權和奴隸制，（自由農民的沒落）對其生存與趣消滅。」可知俄國自來被視爲落伍，農奴制是原因之一。

中國的自由農民怎樣利用土地，精神上、生活上怎樣與土地結成一體，德國哲學家凱賽林在所著「一個哲學家的日記」裡說：

「還次在中國內地旅行，看到鄉村生活的閭閻，留有這樣深刻的印象爲前所未有。每一吋土都在耕種，細心的施肥，好好的、專業的耕作。村落由黏土建成，四週圍以土牆、具有本區（按指華北平原）的自然環境之影響，他們很難脫離棕色的背景。就我所看到的是農民有方法的、有思考的、心滿意足的在工作。這是他們處處給予廣大平原以生命。短褂的藍色正像耕地的綠色，與乾涸河牀的淡黃色，同爲圖畫中的一部分。……世界上沒有其他農民能這樣的表現印象，既絕對眞實，而又屬於土。在這裡，整個的生與整個的死都發生在這祖傳的土地上。人屬於土而非土屬於人。……祖傳的耕地同時是歷史、記憶、回憶；他不能否認他的耕地，正如他不能否認他自己一樣，因爲他不過是土的一部分。」

這些話雖然是關於華北，實際可以應用於全國。

以自由的、生根於土的農民爲基礎的中華民族，七億人是一體，而印度教或回教所包括的印度人，分屬於多種不同的民族和語文，這又是中、印兩大民族不同之所在。

二、貞與孝對民族發展的重要性

二千幾百年前，中國早已發現了同姓結婚其生不蕃的優生法則，人民也都加以重視。中國提倡女子的貞操，限制女子的淫亂，同時也就限制男子的淫亂，使性病不易蔓延，民族健康較易保存。

中國提倡孝，「不孝有三無後爲大」、「有子萬事足，無後一生悲」的觀念，深入人心，是中國人能延續的主因之一。中國意義下的「貞」與「孝」，爲西洋人所沒有，故其重要性，自亦不爲其所認識。

三、中國人能適應熱帶氣候

體質上，中國人還有高度的氣候適應力。在說明以前，對於「氣候適應」或「氣候適應力」的含義須加分析。一個人或一羣人能夠適應一種氣候，要看下列四條件：

（一）移入某種氣候區的人及其後代子孫，對於這裏的氣候能夠健康的適應；

（二）移入者本人及其後代子孫，不但能做精神的工作，也能做勞力的工作；

（三）在這裡能長久住下去，而有固定的聚落。

（四）不與當地的土著混血，其血胤還能健康的生活下去。

中國人有很强的氣候適應力，德國地理學泰斗萊次兒，早在其名著「政治地理學」和「人文地理學」兩書（十九世紀末葉出版）中一再提及。他在所著「中國移民」書中，特別讚美中國人在熱帶裡工作能力很高，爲任何民族所不及：

「根據前面所敘述的，我們可以毫無疑問的說：中國人是善於殖民的民族，也會有偉大的將來的。……中國人表現殖民的能力是很高的：許多國家對於中國移民的法律限制，並沒有發生很大的效力。……中國男子與他族婦女結婚所生的兒童還能表現出中國的特質，這非僅由於他們是在華僑區域裡長大，更是因爲所受父親的身體上和精神上的質素的影響，較受之母親的更强。」

以研究熱帶地理著名的德國薩勃爾教授在許多著作裏，屢次提到「中國人在熱帶裡工作成績最佳，不害氣候病而能健康的生活」一類的話。

德國地理學家冒爾說：「中國人在熱帶氣候裏生活過幾代之後，其後裔的民族特質並沒有退化的現象」。

德國地理學家莫塞爾夫一九三二年寫道：「因爲中國人體質很强健，及其對於熱帶氣候有强的抵抗力，遂爲開發熱帶富源最適宜的民族，是任何民族所不及的」。

一千數百萬的華僑中有十分之九在熱帶氣候區，大部分在南洋、小部分在中美、南美和非洲。華僑是熱帶氣候區土著以外、人數最多的民族單位。他們經營農工商交通等職業，在各地居住均有數百年甚至千年以上的歷史。

四、中國人適應冷帶氣候優於俄人日人

中國人對於冷帶氣候的適應力也是很高的。五十多年前的統計，東歐的華僑約有七萬一千人，西伯利亞的華僑約有二萬五千至三萬七千人，後者大部份是在東部西伯利亞，這裡是俄國人最冷的生活區域之一，每年平均氣溫在攝氏零下二至七度，冬季長，地面冰封年達四月至六月之久。

關於中國人在西伯利亞的生活與工作，莫塞爾夫寫道：

「中國農民都居住於城市附近，沿西伯利亞鐵路線，並分佈於濱海省，在這些地方租一小塊田耕種，供給城市居民以蔬菜，和小農作的產品，生產這些農產品，中國人是權威。夏季完結之後，他們帶着儲蓄的金錢回到滿洲甚至更遠在南方的故鄉去。」（按東部西伯利亞冬季嚴寒而長，田間工作無法做，故華僑南返）。

俄人亞森約夫，在所著「東西伯利亞的俄人與華人」（一九二六年出版，有德文譯本）書裡說：

「今天西伯利亞的華僑，不僅在沿滿洲邊界的各地，而且貝加爾湖以西、（作者按：抗戰期中，中國曾設有領事館在西伯利亞省的省會，名叫新西伯利亞）鄂霍茲克海一帶、吉西加、甚至堪察加半島均可見到」。（按堪察加爲西伯利亞極寒區之一）

他又說：

「中國人工作能力很高，爲俄人所不及」。

「中國人原來都是秋去春來（按：自東北各省來）的季節工作者，經過相當時期的氣候訓練之後，便能購地建屋，變成固定的居民」。

「中國人能做各種工作，耕種成績之高，遠在俄人之上」。

「中國人很會在異國建設起故鄉來」。俄人本來以耐寒著名，那知中國人還比他們堅强。

德國地理學家浩斯霍佛，對於日本人不能適應寒冷氣候，有下列論斷：

「日本民族在許多地方，遇到適應氣候的困難；在北方、在大陸中部、在高山區域，日本的移殖，失望過許多次」。

莫塞爾夫也說：

「中國人所能抵抗的嚴寒，日本人遇之，便不能做適當的工作了。

浩斯霍佛說：

「在東北和黑龍江流域（指俄屬阿穆爾省）的農業開發上，日本人要想和中國人作耐久而勝利的競爭，是不能想像的」。又說：

「對於氣候的抵抗力，及不擇地形的移殖力，使中國殖民之經濟活動能力，遠在日本人之上。這種事實既爲一般人所共認，絕不因少數人有相反的意見而被否定，我們簡直可以把他視爲證實過的人文地理的事實」。

四、中華文化之永恆價值

中國文化是中國人自己創造的，自成一個體系、一個世界，與印度、西洋兩大文化體系鼎足而立。但印度文化重神道，以宗教爲中心，西洋文化最初是比較重人的，這就是希臘文化，但中世紀後，却變爲重神道的，於是有了「黑暗世紀」；文藝復興以後又與希臘時代相像，即是重人道。中國文化是重人道的，重人倫的，是最「人文的」。這由於儒家思想在社會生活裡最有勢力，而儒家思想就是人文思想。中國人的人生觀是入世的，實際的；人生希望寄託在現在和子孫，而不寄託在理想或想像中的未來天國（這就是神道）。中國沒有「黑暗世紀」，不讓宗教的神秘主義阻滯理智的活動。

在中國，宗教在國家之內，在國家之下，即在政府之下。中國人容許數種宗教同時存在，並行不背。中國沒有宗教戰爭，歷史上的戰爭歲月遠比西洋和西南亞爲短。反之，印度、西洋均有宗教戰爭，而近世印度的宗教戰爭導致了今天的國家分立──印度和巴基斯坦。

教育與學術，在中國早已掌握在政府與民間兩方面，與西洋印度之爲貴族和宗教控制者完全不同，故能獨立的自由的發展，近世西洋始做到這一階段。

中印兩大古國，最大不同之點，在於印度至今還有階級而中國沒有。

（未完）

昨日與明日

捷克青年自焚

成功

接二連三的傳出捷克青年[illegible]自焚的事情，[illegible]何況是焚燒，尤[illegible]，但也就正因爲其慘不忍[illegible]才有如此犧牲性命，[illegible]暴的抗議，[illegible]

用自焚來[illegible]前幾年的越南[illegible]人聽聞，唯以其[illegible]僧侶，還有理可循，一則僧侶本是寄望於來世，而不重今生的，二則僧侶每視身軀爲臭皮囊，是成佛的障礙，因此一向就有採取苦行，折磨軀殼的先例，三則和尙死後，本要火化，這是註定的歸宿──但這自焚出自生龍活虎的捷克青年，那意義就大不同了，他們何以要出此下策，作出這種慘絕人寰的事哩，可是我們反過來，又要問，捷克青年，不採此道，又有什麼辦法呢？

人類恥辱

强凌弱衆暴寡，原是野蠻社會的現象，不想人類文明進步到了太空時代，而仍然一樣停留在這野蠻的狀態。蘇聯不顧一切道義，不顧自己所標榜的主義，硬以强大的軍力，佔領入侵，並且以暴力刺刀來鎮壓，捷人的怒火，試問捷克有血性的青年除了自焚外，還有什麼更富有刺激性的抗議，還有什麼更慘烈的哀鳴。

一個文明社會，並不是沒有壞人，並不是沒有人犯罪，而其所以文明之處，乃在對此犯罪的壞人有所制裁和糾正，而今天局面可哀的地方，乃是蘇聯這種暴行，國際間竟然熟視無睹，大家袖手旁觀看着他入侵，看着他的殘暴，弱國小國，自是無力過問，而身爲自由世界領袖的美國也是噤若寒蟬，不聞不問，試問這還是一個什麼社會。才逼得有血性的捷克青年，憤而出此。這實在是文明的諷刺，人類的恥辱。

捷克的命運

三十年來，捷克竟然兩演慘劇，尤其在三十年前，捷克以小協約國領袖的身份，作英法的忠實衛星，但是竟在國際的血腥的魔術下，爲英法一紙簽約就出賣了，足見今天小國的命運，更悲慘於往昔，我們還奢談什麼文明進步，但是「天助自助」、「人貴自立」，捷克青年既有此「與汝偕亡」之志，甚至不惜慘痛就義，證明這個國家是有希望的，我們不信人世竟會如此陰黯，暴力竟會猙獰長存。

自由談

多此一舉

美國與蘇俄大搞其「禁止核子擴散協約」，教全球各國一律簽署，這眞是脫了褲子放氣的多餘之事。所謂「擴」，係指擁有核武器製造能力的國家，如美、俄、英、法，不再擴充這項殺人無限度的兇器；「散」是要這幾個强國莫把製造核武器的技術和資料，散佈於其他的國家去。總之，不管是擴也罷，散也罷，責任完全在美、俄、英、法身上，跟別國不相干，何必教大家來湊熱鬧呢？

再就這項協約的實效而言：果尙有一個能夠製造核武器的國家不簽署，縱然全球的大小國邦共同畫諾了，依然是廢紙一疊，徒亂人意而已。毛共政權就絕對不肯對「美帝」與「蘇修」表示合作，同意簽訂這種協約的，但它已經具有製造核武器的能力，可以隨意擴散，這是很明顯的否定之否定律，美、俄、英、法豈非庸人自擾乎？

第一次世界大戰後，勝利各國一面以嚴酷非常的條約，禁止戰敗後的德國擴充軍備，而英、美、法、日等强國又自己召集會議，簽訂了很詳密的限制軍備協定，這樣，認爲世界和平秩序可望長期保持了。詎知德國暗中跟俄國勾結，在蘇俄境內秘密建造各種新式武器，而英國亦不惜違背國際協定，資助德國擴充海軍實力；同時，日本更不遵守條約義務，私自從事軍備競賽。曾幾何時，二次大戰即爆發了。後之視今，亦猶今之視昔，戰爭的原因並未消除，祇是利用國際間一時的協議或條約以求避免戰禍，可謂心勞日拙，多此一舉。

誠然，現代核子戰爭的危險性十分可怕，非復過去的戰爭武器所可同語了，大家怵於核武器的毀滅慘禍，可能嚇阻戰神之降臨。同時，過去各强國亦曾發明了毒瓦斯、死光這類殘酷的戰爭工具，大家雖然未敢使用，但大戰還是避免不了的。何況今日更有那視人類如草芥的共產政權，它們爲着達成世界革命的目的，縱使毀滅了整個地球上的生物，亦不在乎，因爲尙有月球可作它們的新天地啊！

職是之故，美國今日孜孜伋伋於簽訂「禁核子擴散協約」，以期避免戰爭，終屬無用之長物，不如其已也。

馬五先生

台改善軍公教待遇
最佳辦法平穩物價
稅務員加薪難獲各方同情
識者舉透闢建議企望採納

本報記者公孫熊台北消息：自去年七月政府全面增加各項稅率後，使民生日需物價隨之高漲，工商業社會固可水漲船高尚無異感。惟獨軍公教人員，待遇雖有若干調整，但與物價相較，實等於零，致較前降低，生活艱難，更形捉襟見肘，在最大多數的奉公守法之公教人員中，莫茲艱難歲節，靡不叫苦連天。行政院於元月二十七日書面答復立法委員艾時有關質詢曾作如下表示：「對於軍公教人員待遇，政府隨時均在衡酌財政狀況，積極改進，目前已對待遇項目及標準，切實進行檢討，並由人事行政局就俸給制之原則，籌擬改善軍公教人員之長程計劃，按年作適當之調整，以逐漸建立合理之待遇制度。」此項計劃，官方究於何時實施，卻無正式證實。但在一般軍公教人員之反映，悉認政府如能壓低物價，目前待遇即不增加，尚可勉強維持。如再增加待遇，物價又隨上漲，增加之些數，仍屬望梅止渴，所謂「長程計劃」，怎敵物價循環上漲，豈非空中樓閣？

據賦稅改革委員會日前發表，爲加強稅政人員工作效率，養廉防弊，以增稅收，特擬將稅務人員待遇提高，以每人最低月俸可達四千元，最高超出萬元以上。消息傳出後，引起省議會一場激烈反對，認爲此舉，有失公平，雖有論見，但欠深入。茲據有識人士作透闢之見解稱：司法官前有司法津貼，固可使多數廉潔法官，稍資補助。但其不肖者仍貪瀆如故，因在目前社會道德墜落下，絕非千數百元新台幣，所能饜其物慾而止其貪婪。但稅務人員中固非無清操自持者，但雖與法官並擬。平日習見高下不等稅吏，節令受酬，託求受報，絕不營營苟苟，藉勢要挾，一如自然，則貨俱到，情禮乘備，損法無污，斷職無玷，十年游稅，靡不儼然殷實。側闡就台北區而論，每一豪華飯店，每一高級色情娛樂場所，而在創開之始，能先試爲快者，悉爲上列人物所沾也。其不肖之徒，隨便收點「小紅包」也在五千元之數，日積月累，洋洋大觀，受者納者，心安理得，天衣無縫，檢舉又豈奈何？稅政會之所擬，起碼四千元至萬元以上待遇，就能達成養廉戢貪，豈非癡人說夢？欲求稅政之澈底改革，勢當由另一權力機關，訓練青年幹部，於稅政機關內分設監察組織，有如軍中之現行監察制度，或可有起死回生之望，藉此以獻執政黨十全大會參考。

新聞顯微鏡

毛酋病危與幻想和平

這些天不是謠傳毛酋病危（甚至傳說已故），就是報導陳毅失蹤。這又是一度的幼稚傳言。毛酋死亡的消息，不是已傳過多少次了嗎？毛酋的健康喪失，已成半廢之人，不是國際上早有鐵定的報導了嗎？但這與近幾年的局勢發展，又有甚麼關係。我們研判局勢，固然不能忽略個人的因素，但若專把注意力放到某些個人身上，則不能把握事實的演變主流，並且會把個人捧的太過。

但不幸許多人竟把國事的演變，寄望在「個人」身上，在普通老百姓，還無所謂，最遺憾的是，美國的許多遠東問題專家便是把問題的解決，寄託在毛澤東的死亡上的，他們認爲只要毛酋一死，下一代便不會這樣的兇狠，而會走上「和平」共存的途徑，屆時再爲了建設之資本而向美國大量貸款，是不僅可以化干戈爲玉帛，並且可以漸漸控制中共的行動，安居而致太平，豈不大妙。果眞如此，當然是妙算，可惜完全是「一面倒」的如意算盤，尤其天眞到忘了共產黨是一個有組織的團體，豈能因毛酋一人之存亡，而竟作根本轉向的轉變，這不是罵毛酋，而實在是把他捧的太過了。如此謀國，其能不誤大事者鮮矣。

其所以有此誤算，基本的癥結乃在畏戰怕事，幻想廉價的和平，尤其政客們爲了討好選民，商人爲了作買賣，更是不顧國家百年大計，不顧世界未來和平，而不惜犧牲一切，以求獲得一時的苟安，因此縱使迫得不能不出兵作戰，但卻不求勝利。戰而失利固是接着挨打。戰而得手，卻絕不乘勝殲敵，反之卻是期待敵人叫和，樂得自己苟安休息休息，好像故意要給敵人一個喘息準備的機會，好等着再挨打。巴黎和談是如願開始了，試問解決了甚麼問題，從去年五月十三日起談到今年元月八個月的時間才談了個座位問題，但在會場的另一面則可預料的北越中共，早已喘息恢復，佈置好了下一次的攻勢。假如這樣的辦法能得到和平時，當年馬歇爾的調停早已成功了。

最近尼克森總統上台了，尼氏對共產黨徒的了解，比起其他美國政要，向稱較爲清楚，何況新官上任三把火，總要表現表現，振作振作。但狡猾的中共是要避實擊虛，不打無準備仗的。因此故意向美放送秋波，軟化美國的鬥志，再配合上毛酋健康的謠諑，而欲使美國陷入米湯與幻想中，然後他再從容進行他的肢解工作。我們希望尼氏及其新貴們千萬不要中了詭計，假如決策的人員們，猶豫不決時，我們虔誠的，請他們好好重溫一下，我們喪失大陸的故事。（成公）

台灣師大校長
正在物色新人

（本報通訊員柳一權台北消息）國立師範大學校長孫亢曾，繼杜元載時即很勉強通過，接長校務後，確搞得一團糟氣，不僅教育部感到失望，師大同仁亦多表示遺憾，且波及到純潔青年學生心靈。

師大校長一缺，有資格做者不願意做，例如國際知名之地理學權威沙學浚，遠在三十年前就做國立中央大學地理系主任，現任師大文學院院長，某方徵詢他意見時，他搖着頭說：「國父與總裁都勉我們做大事，別做大官」，很顯然的對所謂「長」字號沒有甚麼味口，但師大同仁心理上的理想校長則非沙莫屬。

一說教育部內定爲高化臣繼長師大，另一說尙在物色適人選中，但孫亢曾之去已形成定局，最多延至暑期交接而已。

台北市公車局部民營
計批准五家公司
大權市府握責任推到五中會
支票儘量開安撫名落孫山輩

本報記者顧碧天台北消息：台北市公車局部開放民營，自十四家公司辦妥申請手續，市政府經過半年多的審查終於在一日中完成了全部審查工作。計共核准了欣欣、大有、忠孝、江南、光華等五家。市府說：公車局部開放民營，係遵照五中全會的決議案，由建設局開始研究接受申請的辦法，經過多次的修改及簽報核定後，並公布接受民間申請，先後有十四家辦妥申請手續，經先後核定了五家。從表面上看公車民營審查工作，至是已告了一個段落，實在骨子裡尚埋藏着不少問題，尚待市府「收拾」，其中最有問題的那便是已經「優先獲准的」市臨時議會議長張祥傳的中興巴士，省議員李建和的指南巴士，省議員李炳盛和張祥傳合營的三重巴士，以及另一台北巴士，這四家屬於「民意官」「權勢結合的托辣斯」式的四大公司，事實上他們已在所謂「借道」台北市區行駛下營運有相當時間了。據說因交通之「繁榮」，早就把本錢賺回了。台北市臨時議員潘雪梅、孫文章、陳適祿、周得福等九人曾於去夏爲了議長張祥傳與省議員李炳盛，勾結市府官員大股投資於三重客運巴士，獨佔民營交通，曾向監察院檢舉，輪由監委吳大宇調查完成，在去年十月八日監院院會中，康玉書委員會表示對台北市公車民營案，被壓制下去表示不滿。（詳見本報去年十一月三十日記載）後來潘雪梅也自殺死了，該項民意代表向監察機關之檢舉，雖然沉寂下去，但在人民心目中，仍是憤憤不平的。因此張祥傳所操縱的民營交通，當可暫無顧慮。

三重巴士也爲侵越公車站與公車司機打過架，那場刑事官司，聽說是「不了而了」。中興等四家巴士，既然獲了優先早就營業興盛了，但爲企圖擴大其行駛範圍，仍在十四家以內申請，惟被市府退回，認爲與原定宗旨稍有不符，據聞在市府與他們之間曾有相當協議：四家公司原借道行駛路線維持現狀，必要時可擴大借道範圍。當時四家公司認爲頗爲實惠，無異又獲優先獲准行駛台北。但新聞界預料將來已經核准的五家公司成立後，爲了路線權益關係，必然要求市府嚴格執行「借道」的限度，換言之，不但不得擴大借道範圍：且借道的原則——在台北市內「只准下車」，「不准上車」，也一定要求市府「執行。屆時大家將要一別出苗頭」爭個是非明白了。所以借道的四家公司，勢將爲他們的「借道」的問題，請市府給予明確的業務範圍，經核准的五家公司，雖然都指定了營運區域，但這種區域的限定，是無法作明確界線的，而依照辦法同一路線，可由兩家公司車輛行駛。此中營運的好壞，自有不同，將來也勢難免一番爭持，所以說公車的局部開放民營，實行起來也是最不簡單的事，市府官員仍得多費一番腦筋。此外市府對未核准的四家公司有大同、大衆、西北、北聯，會表示安撫，開出了一張「遠期支票」，許以將在另定的雙層巴士、中小型巴士及循環線等三線開放民營時，給予優先申請的機會，但是既已開放了欣欣等五家，合計「民意權勢」獨佔的優先中興、台北等四家，應是九家，再加上公車驟增六百九十五輛，競爭向上，便利交通，已屬必然。何時再增設雙層各巴士路線，恐非短時期以內可能實現。新核准的大有、忠孝、江南、光華四家公司，已請准警總之批准，代爲甄訓車掌一千一百名，工友一百一十名。警總表示，甄選的對象，必以政府因整頓台北市交通秩序，而受到損失的違建戶、攤販、三輪車工友之本人及子女。據悉此爲警總爲民服務之愛民、助民、便民工作之一部份。

喬治桑外傳

廿四

張大萬

喬治桑最愛看美國西部武打片，最不愛看中國武俠片，他因住德州多年，所以對美國西部特別有親切之感，他認爲中國武俠的掌風，飛鏢跡近胡鬧。雅麗絲則愛看外國文藝片，喬治桑約雅麗絲出來，自須尊重她的意見，看了一張美國文藝片。

在電影院中，雅麗絲挨近喬治桑坐，有一股幽香沖進喬治桑的鼻子，香澤微聞，幾使博士不克自持。他幾次想去握她的柔荑，但不敢這樣。可見中國人無論如何洋化，較洋人大膽作風還差一皮也。

電影看後，還不到七點，喬治桑約雅麗絲先到咖啡館小坐片刻，雅麗絲不喜歡咖啡，叫了一客冰淇淋，喬治桑則叫了一客西瓜。喬治桑很會安排節目，他可以利用咖啡時間，先與雅麗絲建立一點感情，他與雅麗絲的談話向來是公事化也即是公式化的，因此，他認爲建立感情殊有必要。

喬治桑用刀叉切着西瓜，還沒有吃，先開口問雅麗絲。

「美國的文藝片退步了，遠不及以前的片子，妳以爲怎樣？」

「美國老的文藝片我看得不多，「小婦女」到是蠻好的，今天的片子，是描寫男女的亂愛，似乎沒有甚麼意思。」

「殺時間而已。」喬治桑吃了一片西瓜，說了這一句結論。

「雅麗絲，幾時請我吃喜酒？」

「哎呀，博士眞會說笑話，像我這樣的「醜小鴨」那有人要。」雅麗絲佯嗔帶笑。

「醜小鴨？妳大概不知道妳自己有多美，麗絲蓮卡儂，號稱醜小鴨，其實她一點也不醜，而且艷聞最多。」

「她主演的「一家之主」很不錯，我怎能和她比？」

「我說比得就比得。」喬治桑這句話是學三堂會審的口吻，很風趣。可惜像雅麗絲這樣年紀的人，一身俗氣已不能領會了。

（未完）

市府也擁有紙彈
還擊徵信與聯合
高玉樹很少與記者們打交道
好話聽幾句批評絕不接受

本報記者董尚書台北訊：台北市長高玉樹曾於一月底向中央提出報告：台北市改制院轄市一年半以來，一切市政工作的推展，都是遵從　總統指示「建設現代化都市配合戰時需要」的方向，積極邁進，分作貫徹實施都市平均地權、積極推行九年國民教育、推行文化復興運動、加強社會福利設施、澈底改善交通秩序、切實整頓環境衛生、及四年工務建設計劃與違章建築拆遷等項目逐一說明詳細報告。騰於報章。而同一日報載：「卸任建設局長新任市銀行總經理羅啓源，會與新聞界同業雜談，吐出了一些心中憾事。細數建設局所屬六個科的業務：第一科工商登記爲一般行政，毫無表現；第二科農林漁牧，地非所宜，也無成績；第三科公用事業管理無何可談；第四科交通行政管理，只辦一件公車局部開放民營，已經焦頭爛額，別言其他；第五科觀光科，連科長迄未派定，談也無用；第六科市場，同時也是建設局工作中心所在，卻是新建的市場一個也沒有完工。羅並提到工商登記科竟開出批界酒店的事，雖然事非關係該局人員，他總覺得不光彩，而且他一再督促興建的五處市場趕工，可是迄他卸任竟沒有一個能夠開放使用，由深致遺憾。」

再有台北市五十八年度（本年）實施九年國民教育，原預算所編列的教育人事費新台幣三億二千三百多萬元中，可能節餘四千萬元以上。開此項大批節餘[illegible]，既不繳庫，[illegible]由中國時報社論予以抨擊，[illegible]市長向中央所提之施政報告，顯有大相矛盾之處。又聯合報曾於一月二十四日社論：「官商對抗，一大笑話」（世界酒店與台北市府糾紛平議）。認市府處理世界酒店事，爲自取其辱，爲官商對抗笑話。辣痛議，極盡諷刺。

闢由市政府機關報「台北市政」撰出社論：題名「不要遺忘了以往的慘痛教訓」，對聯合報社論予以駁辯，有云：「懲處違法失職，且爲公衆安全，而着世界酒店停業，以備改善安全設備，如可認爲「笑話」，那新台北大飯店、萬國舞廳、第一大飯店等幾次火警中的犧牲者，將痛哭於地下，此種驚心怵目的慘痛教訓，竟轉瞬間即置之腦後，活着的人們，也似乎太健忘了。聯合報社論竟漫指爲「笑話」，「自取其辱」，「官之痛心」，這種任意指責的「評擊」，是很難使人信服的……」

按高市長自接任市長多年以來，一向避免與新聞界打交道。市府升格後即自創四開報紙型「台北市政」週刊，普遍分送各機關、各團體、各級民意代表、各社會名流，作爲市政喉舌。

文滙樓劄記

我對黃杰的直覺

政論家何浩若口直心快的說：蔣伏生將軍的朋友——文滙樓主，必是一條硬漢和講氣節的人，何氏邏輯的根據，乃自己從北伐時與蔣伏生共同當團長起，直到暮年同到台灣，又遇到止，未看到蔣伏生做過壞事或交過壞的朋友，自胡宗南死後，蔣氏碩友僅存者，祇賀君山，袁守謙，黃達雲等三數人而已。

樓主根據何氏邏輯仍以蔣伏生爲準，直覺上認定黃達雲必是一個了不起的人，劉峙（經扶）將軍每次北來常臨舍間，有時還餓一餐小菜飯（湖南話），其天南地北，名實議論皆堪係近代史話。在劉峙的心目中，蔣伏生的剛直廉潔，袁守謙的有爲有守，賀君山的博學健談，黃達雲的足智多謀，都是黃埔一批了不起的靑年，還和抗戰前監察院長于右任，大把鬍子白髮蒼蒼的鐵面御史，乃師九十老人馬相伯說：「于右任這個小朋友：」觀點如出一轍，黃埔建校時，蔣總統當時是專任校長，何應欽，劉峙，顧祝同等都是教官。

黃達雲（杰）給我的印象分爲三個階段，抗戰期間樓主主持湖南某大報，戰地記者王淮冰（陷入匪區）從前方寄回的戰地特寫，題目是：「一代儒將——黃杰」，有一段黃的話：「齊家，治國，平天下，而以修身作起步走，由修身而心正，意誠，物格，知致這屬於內功，內功者內聖之功。由修身，而家齊，國治，天下平，這是外功，外功者外王之學。從天子以至庶人，皆以修身爲本，因本立道才能生：：」非儒將談不出這一套。第二個階段是幾年前我因事到台中霧峯中興新村，並未預定去看他，王履常彭河淸兩兄一定挽我和黃主席晤談，出我意外，果不平凡，他開門見山就說「台灣有兩條毒蛇，閣下要時別當心。」未料我這老叫化子玩了一生的蛇，竟被蛇咬傷了，黃有先見之明，怎不使人欽服呢？不過這兩條毒蛇在台灣，政府不僅未剷除牠，反而在政府的庇護下，無惡不作的正向昇官發財的大道邁進，人心的不平在此，說穿了又不値一文錢，所謂毒蛇焉者，祇是小部份又小部份的貪官汚吏特別飼養，留作必要時，嚇嚇政府，咬咬老百姓，鞏固鞏固自已官位而已。最高當局不會知道。第三階段是黃主席對樓主的反共原則和若干辦法仍記得很淸楚，從朋友口中傳來，他對樓主向陳副總統和吳忠信建議的一些國事意見頗感興趣。

「成事不足，壞事有餘」壞事有餘是革命必經的過程，所謂「以其治人之道還治其身」亦反攻不變的定則，中國國民黨給中國人民所留的印象，並不如共匪所宣傳的那麼壞，匪區的人民都完全瞭解了，但共匪給中國人民所造成的印象則太惡劣了，共匪所作所爲壞的事實，超過國民黨所宣傳的遠矣！國民黨在宣傳上，無可否認已往是失敗的。不過話又說回來，王世杰，李惟果，張道藩，邵力子等對宣傳都不是十分內行，因之成功屬於偶然，失敗是必然。我們可以設法補救的，應將「多年的失敗」就勢轉變成對人民「向來都忠實」，籲請大陸同胞支持我們「再解放」。每個人民祇要能在被迫做苦力當牛馬時，賜一口痰液，或洒一泡尿在食糧與公倉裡，就等於埋下「再解放」的種籽，（糧倉有點滴水份都會發酵）。據陳之邁大使語張起鈞兄，經國先生肯苦幹，也確有辦法。諸如此類「兵不厭詐」的作戰技術，和若干精神國防須要推動的一些意見，有機會的話，樓主可能與蔣經國將軍作一次懇切的詳盡的陳述。

今日政府做官的人太多，做事的人嫌少，做官的瞧不起做事的，尤其一些低能兒，除向「西遊記」猪八戒小報告看齊外，可謂百無一用，比如有很多在海外出生入死的僑胞（台灣稱作僑領）確替國家做了不少的工作，一旦回國定居，很少不被這批傢伙冷落或修理的，從不考慮後果如何？所幸的「紅帽子」近年來甚少給人亂戴了，但並非絕對的，政治上說是一個進步，否則就太不成體統了。

・文滙樓主・

一頁偽裝抗日舊賬（中）

羅雲家

「是甚麼原因，造成了他們這樣的任意橫行呢？」

「歸納起來，原因可以分爲五點。一是抗戰軍興，全國大團結，任何人都沒有料到他們有這樣的作風，未有防範；二是第十八集團軍及新四軍，均是國軍正式番號，部隊接近時，原無防範之必要，等到突然遭受襲擊，已屬不能應付；三是友軍與敵作戰時，他們即乘機襲擊友軍的側背，使友軍防不勝防；四是他們故意造作謠言，佈置疑陣，並施行一切縱橫捭闔的手段，或詭稱某人有通敵嫌疑，或硬指某人爲磨擦專家，等到我方中了他們的計，即分別展開襲擊，對我們各個擊破；五是統帥部爲顧全大局，始終未作嚴格的制裁。反之，並責令那些被攻擊的部隊，要忍痛退讓。」

「他們在抗戰中，襲擊國軍的罪行一定很多的呢？」

「說起來幾乎叫人不敢相信，最初，他們是從地方團隊及游擊隊入手，等到勢力膨脹之後，即公然襲擊我們的正規軍隊。我們可以想像得到，他們在整個抗戰的八年中，那些破壞抗戰，與襲擊我們的事實，簡直是難以統計，不計其數的了。」

「如果一一說出來，那眞是罄竹難書！現我只就事態嚴重而使抗戰形勢遭受極惡劣影響的，畧說一二：二十七年，十八集團軍已經自由開入河北，那年冬，他們集中賀龍、趙成金、呂正操等，以及東進縱隊、靑年縱隊等，用圍攻方法，在博野、小店、北邑、冀縣、北馬莊、武淸、安次、饒臯、元氏、趙縣、武安、上焦氏、趙金市等處地區，先後把河北抗日民軍張蔭梧部、及喬明禮、丁樹本、張錫九、尙中榮、楊玉崑、趙天淸等部都一一解決。這樣，中央在河北所編成之抗日民軍，悉被摧殘，使華北敵軍所受之牽制，從此減輕。」

「廿八年是他們大肆破壞抗戰的一年。第十八集團軍徐向前部，是在這年竄至山東的，於是就在山東省內到處圍攻地方團隊。例如長淸之第一區保安司令部，壽光之第十四保安司令部，魚台、鉅野、萊蕪、蒙陰等縣團隊，即均遭受襲擊。九月以後，山東境內保安部隊被他們解決的，計有博興保安第八旅、魯東第九梯隊、招遠保安第二十七旅、邱縣、萊蕪、東平、嶧縣等保安隊，及鄆城區常備隊。此外各地之民衆自衛組織，被其解決者更是不可勝數。弄得山東省政府，差不多根本無法行使職權。」

「到了這年冬天，我軍對敵人發動冬季攻勢之際，在北戰場方面，原希望一舉殲滅晉南三角地帶內之敵軍，可是十八集團軍竟在這時勾引晉省新軍薄一波、韓鈞、戌勝伍等叛變，兵力達十幾團之多。賀龍部且公開援助叛軍加以收編。促使北戰場之攻擊計劃，完全被他們破壞無遺。你們看：他們可惡不可惡？」

聽衆：「眞是太可恨了！」

「可以想像得到，以後的情形，只有更壞！廿九年一月間，十八集團軍在河北方面，又集中一二九師、一一五師，並分別調遣徐向前、賀龍、呂正操、楊勇、楊季峯等部隊，分路向河北中部南部之國軍猛烈攻擊，三月初旬，冀察戰區總司令兼河北省政府主席鹿鍾麟，及孫良誠、朱懷冰、高樹勛等部，都因爲被攻不已，更不忍同室相殘，乃忍痛退出河北、察哈爾；孫良誠、高樹勛等部向黃河以南、晉西地區轉進；鹿鍾麟、朱懷冰等部向山西東南轉進。而十八集團軍仍然節節進逼，經統帥部迭次去電制止，可是沒有等好久，孫元良、高樹勛兩支部隊再次被其數度圍攻。這就是他們消滅河北省政府，使其不能行使職權的毒辣暴行。」

「他們對統帥部的命令，竟敢陽奉陰違到這樣的地步嗎？」

「這年的六七月間，他們又從河北移兵南岸。當時，彭明治、楊勇、楊尙志、蕭華、陳再道、趙金城等部、及一一五師主力，對孫良誠、高樹勛攻擊，激戰數十日，孫高兩部不得已，只好退回黃河以北。十八集團軍在佔領魯西之後，乃逐漸伸展其勢力，侵擾豫東皖北，並與擅自江南渡江至江北的新四軍互相呼應，一意向魯蘇豫皖邊區節節進逼。致使河北之敵，得以舒其喘息，在華北方面積極佈置軍事，發展交通，建設經濟，開發資源；其新建橫斷河北之德石鐵路，於六月中旬動工，因未受絲毫阻碍，竟能迅速於同年十一月十五日完成，舉行通車典禮。這是他們藐視統帥部命令，不專心對敵作戰，一意襲擊友軍，破壞抗戰之一大明證。另一方面，因爲他們把朱懷冰、鹿鍾麟等部逼走了，乃使敵軍可以從容地建設華北的交通，並順利地發展其經濟。例如敵人敷設了四二五公里的鐵路，開闢了四四〇九公里的公路，疏濬了衛河、小淸河、子牙河、大淸河等河川，便利其通航……就都是在這時期內完成。因爲這樣，不特增強了敵軍的運輸能量，便利其作戰，而且可以吸收各沿線地區的物資，充實其軍需。對敵人的效果之大，眞是難以形容的了。」

「他們眞是這樣的可惡嗎？」

「說起他們的可惡處，還不止此呢？那年的八月間，佔據了魯西的十八集團軍，又分兵魯南，協同山東縱隊徐向前，分頭向山東省政府所在地之魯村進攻，魯省主席沈鴻烈爲避免衝突，率部後撤，魯村遂在八月十四日被其攻佔。但他們並不就此停止，仍然繼續進迫。統帥部雖嚴令退出魯村，他們却毫不理睬。等到敵人向魯村進犯時，他們倒很乾脆，竟不戰而退，拱手讓敵。不久敵人退去，他們不復進佔。這就是他們打擊山東省政府，使之無法行使職權的抗命情形。到了十月間，蘇北方面，又發生了黃橋事件。先是十八集團軍進佔魯西後，八月攻佔魯村，九月移兵南下，而江南新四軍陳毅、管文蔚等部，則在七月間擅自渡江到江北，襲擊江蘇省政府主席兼魯蘇戰區總司令韓德勤所屬陳泰運部，八月佔據泰興東西之黃橋，九月陷泰州東面之姜堰，十月初乃聯合北線之十八集團軍，對韓德勤部包圍攻擊。韓部突受襲擊，使其所屬八十九軍軍長李守維以下殉職者不下數千人。此後韓德勤即陷於共軍與敵軍的四面包圍中。十一月底淮安寶應之敵，向韓部進攻，共軍竟亦同時向韓部猛攻，戰鬥達十日之久，雖經韓將軍率部拼死拒止，但共軍及淮寶一帶之敵軍，仍環繞江蘇省政府所在地之興化外圍，截斷韓部的補給線，企圖消滅江蘇省政府，使之不能行使政權。」（未完）

吳敬恒先生年譜（四五）

陳凌海編撰　陳洪校訂

民國二十八年，乙卯（西曆一九三九年）。先生七十五歲

一月，因汪兆銘（精衛）撰發謬論，危害黨國，中國國民黨中央監察委員會舉行緊急會議，永遠開除汪兆銘黨籍，決議文爲先生所手擬。參加中國國民黨第五屆中全會，大會通過組織「國防最高會議」。推請蔣委員長中正爲委員長。統一黨政軍之指揮。嗣國防最高會議改組爲國防最高委員會，先生仍被推爲常務委員。三月，中法比瑞同學會，推舉先生爲會長。四月，先生發表：「就汪精衛舉一個例進一解」文，痛斥汪逆之無恥叛黨棄國。日本大隊飛機於五月三、四兩日大舉轟炸重慶市區，造成死傷數千人之嚴重慘案。是時先生適往珊瑚壩飛機場迎接張邦翰（西林），與常宗會在某餐館午餐，聞緊急警報後，即走避附近經濟部防空洞。炸後，先生巡視災區。五月五日，先生在國民政府紀念週報告：「知難行易，必須行知，則多知科學工藝」。六月八日，國民黨中央執行委員會舉行常會討論通緝汪兆銘問題，先生擬通緝稿曰：「汪逆兆銘，蔑棄民族革命，甘心賣國求榮，喪良無恥，豺虎所不食，古今中外，無此兇頑，着即通緝歸案嚴辦，無論何人，有能執送歸案者，立予上賞。此令。」先生以緝稿先陳蔣委員長中正核閱，蒙首肯。遂即通過。七月九日，國民政府舉行北伐誓師紀念，先生報告紀念意義。會後走避大渡口等地。夏，日機空襲頻甚，先生購布，親製防空袋，裝置重要文物，入防空洞時，可以隨身携帶。是時，中央黨部、國民政府、行政院、外交部、經濟部、交通部、資源委員會等機關，自建防空洞次第完成，紛贈防空洞證與先生，作爲隨時避難之用。而先生經常躲避，則爲行政院之防空洞，蓋比較穩固而距寓較近也。八月十五日，應邵力子宴，在席上與白崇禧（健生）、陳誠（辭修）、王世杰（雪艇）、朱家驊（騮先）、陳立夫等談論英國首相張伯倫之對歐局勢措施，大家咸認張伯倫之作爲甚當，（未完）

蕭伯納戀愛史

名人情話

六、一連串的單戀

周遊子

安妮夫人看中蕭伯納的著作和他的將來。她想給他所需要的金錢，而不損害他的自尊之下，就利用一本名叫「我們的角落」的雜誌的名義收購了蕭伯納的小說，並且預支了稿費給他。這筆錢就是安妮掏腰包的。後來此事被蕭伯納發覺了，他就是拒絕了預支稿費的優待。安妮愛蕭伯納，而對他猛烈追求，結果反而使蕭伯納恐懼起來，最後除非在公共場所集會中，蕭伯納再也不與安妮單獨見面。這一場追求性非常嚴重的威脅着蕭伯納，所以並不能稱之爲戀愛。因爲蕭伯納從她表示一點愛情。

蕭伯納一生中，還有兩次比這次更嚴重的是爲倆個名伶。一個名是享名英倫的舞台紅女伶，也是蕭伯納的劇本的演員。一個名叫佛羅倫斯費爾，一個名叫珍納阿丘吉。佛是伯納名劇「武器與人」劇本的第一個演出的演員，她立刻因劇本而愛上了蕭伯納，但是她的感情也只能發乎情而止乎理，因爲她已是有夫之婦，只可說是「恨不相逢未嫁時」，她的丈夫也是演員，名叫愛碼勒。而蕭伯納却對她也表欣賞，因爲他們之間一直保持着情好的友誼，一直到她的丈夫死後爲止。

珍納阿丘吉也對蕭伯納一往情深的，幸而他們訂交時，珍納早已結婚了，她是一個頗爲活躍的女性，有野心而有魄力，所以有時竟成爲伯納感情上最沉重的負担。那時候珍納尙沒有足夠的號召力做主角，但是她却堅絕請蕭伯納令她做女主角。這件事使蕭伯納甚爲狼狽。蕭伯納只好一推了之。最後珍納和她的丈夫到澳洲去了，蕭伯納才把這一面感情重負釋下來。

以上是蕭伯納五十歲以前，也是未正式結婚之前的一連串戀愛經。但是有許多戀史，又爲衆所週知的事。本篇所述，乃是載於蕭翁未發表的日記之中。

蕭伯納是英國文壇巨擘，文人多半有「多情」，「風流」之諷，蕭翁也難免。蕭翁的一生多釆多姿，而壽命也很長，活到八十多才長絕文壇。（本篇完）

巨變歷險記！

接觸到林彪部隊　廿三

胡慶蓉

五代表沿着大道前進……

兩旁都是田地。在天寒地凍之下，什麼都不長，什麼都長不起來，只有種的麥子，發出綠綠的芽兒，約末一寸多高。一行一行的排列着，為茫茫大地，點綴出一絲絲的春意。樹木，在天津附近，甚至在整個的華北，是非常少的，少得令人出奇。樹木那里去了呢？樹木為什麼去呢？在平常的時候，已經很少了。到了戰時，為了做工事，為了掃除視線的障碍，連僅餘的幾棵小樹，也都砍下來了。這更增加地面的荒涼。

不動，猴頭帽，皮大衣，暖鞋，都很舒適。但一走動起來，就會漸漸的感覺不適。身上熱度增加，到一個時候，簡直不堪負荷！已而流汗，更使人難過！但不能停，還是要前進。好！熱，讓他熱吧！汗，讓他流吧！還是要前進，前進！……終於到了一個莊村，不大的一個莊村。天津附近的莊村，也和同華北一般的莊村一樣，是幾個人家的集合，或幾十家的集合，幾百家的集合。五代表面前的莊村，是個小的莊村。從上邊看着，屋頂全是草的。平着望，牆全是土的。靜默默的，連個人的影兒也看不見。

剛轉過村子，走不遠，五代表正在前進，忽聽在喊：「停下！幹什麼的……？」五代表驚了一下，旋又鎮靜……，心想這一定是林彪的野戰軍了。叫停，我們就停下來。但聲是聽見了，却不見人？人在那里？人在那里？代表們都在尋找……。正在尋找，忽然從後而來了一大羣荷槍實彈的大兵……他們一蹦三跳的，蹦在代表面前，跳在代表身邊！不問三七廿一，就把我們緊緊的圍住，手托着槍，槍上着刺刀，而對着我們，好像面對什麼獵取物似的，他們看見我們，像是相識，又不相識，從上面打量到下面，又從下面打量到上面「這些人是幹什麼的」？他們似乎在問，但又不便問。從他們的表情上，又似乎已經知道了代表們的任務。

代表們說明來意後，他們都笑了。代表告訴他們：「是來找你們司令員的」。有的又問：「找他幹什麼」？「是不是請我們退」？「我們是不退的」！「要退你們退」！……這些大兵的臉面，簡直個個像周倉！臉黑得看不見肉，只看見兩個大眼睛。照樣子，久已沒洗臉了。頭上都戴着棉軍帽，帶耳朵的棉軍帽，放下來，蓋上耳朵，倒也暖和。但大都沒有戴，頭髮像雞窩似的，裡邊不知道生了多少虱子了！綿服，一套灰色的，一件棉襖，一件棉袴，但這都髒得看不見布了！

「跟我們走」！「跟我們走」！這時候，天已經快要黑了。血紅的太陽，有氣無力的，發出他最後的光芒，像是在為代表哭泣，在為天津哭泣。「夕陽無限好，只是近黃昏」。代表不禁難過起來。突又響起「跟我們走」！「跟我們走」……

生活漫談

台灣出產的「青春賀爾蒙」

○馬騰雲○

每個人將不再憂煩臉上的皺紋，和頭髮由灰白變成霜白，有一天無論男女，均將在永駐青春的情況中生活下去。

上列的看法，不是專家的幻想，也不是醫藥理論中的博士論文，乃是現任美國哈佛大學生物學系主任，加羅爾威廉博士，他自獻身科學研究工作以來，於一九五八年首先發現在人體內的「青春賀爾蒙」，消息傳出，驚動了全世界的科學家。最近加羅爾威廉博士又宣稱，現在已將此種「青春賀爾蒙」提製得高度純粹的樣品，並可在未來的一年中寫出它的化學結構式來，待他的化學結構式確定之後，用人工生產的「青春賀爾蒙」即可生產問世，到了那個時候，人們的衰老問題，勢將成為歷史上的陳跡了。

最初發現「青春賀爾蒙」的經過，科學家們都知道這種所謂「青春賀爾蒙」的存在，早在二十幾年的事，最初的發現人，是一位英國的生物學家，威格史瓦斯博士，威格史瓦斯博士正在對一種稱為RHODINIUS蛾子作試驗時，他偶然注意到，將這種蛾的幼虫頭部切除之後，那沒有頭部的幼虫便很快地開始作蟄伏狀，經過了蛹的階段，而變成了一隻小蛾。

這位英國的生物學家，連想到從來沒有人發現的賀爾蒙，這種賀爾蒙就是管制着那蛾的幼虫，根據這一構想，向下推論，若能將這種賀爾蒙提取一些出來，注射到另一隻幼虫體內定可以阻止它的繼續成長，也就控制昆虫的衰老過程，而這種賀爾蒙究竟存在於昆虫體內的那一部份呢？初步斷定是在頭腦裡的某一部位。

經過一個時間顯微研究之後，這位生物學家終於發現了他所要搜尋的目標，「青春賀爾蒙」確是從腦裡分泌出來的，那主管分泌此種賀爾蒙的小腺乃位於昆虫的腦後，和人體內的腦下垂體腺完全相同。

到了一九五六年威廉博士在這方面嶄露頭角，對於研究昆虫變態著有成就，而獲得全美科學研究獎金，並獲得前往英國威格史瓦斯實驗室從事研究的機會。在那裡消耗了很多日子，並無新的進展，後來在偶然機會發現一種稱為CECROPIA的，就是蠶，腹部含有相當豐富的沉積物，他在幻想這種未定之天然物體，說不定就是他現在所追求的「青春賀爾蒙」。腦子剛想到，手亦就操作起來，將蠶的腹部切下，收集了一大堆，全部浸在乙　中以除去其他的物質成份，最後他所提取的，乃是半透明的金黄色液體，再經過一連串的化學分析和試驗，終於證明那就是「青春賀爾蒙」，並且非常純粹，從今起給人類帶來無窮盡美好的希望。

本人幾年前根據這一個非常有價值的寶貴線索，和合乎組織療法的中國醫藥，從事「青春賀爾蒙」提取實驗研究工作，已經有五年之久，由於試驗費用和工具皆成問題，祇好從最簡單「發酵」製作着手，製出的成品將分贈給一百位有名學人及親友試用，果能如預計理想發展的話，因台灣對製作原料「蠶」產地甚多，供應本省男女防止衰老及恢復活力的醫藥用途，則不會成為問題，不過大量製造，距離尚遠。由美歸來的中醫師黄韞儒，得到此項消息後，曾向本人洽看全部數本，及在實驗中，添藉起人構思，甚多未被人注意的理想根據，黄氏說，菲律賓某鉅子對此項「青春賀爾蒙」圖搶先問世，最感興趣，並計劃短期內將應邀到菲律賓商談，並盼本人亦能同往一行。

催眠術研究　十九

二十五、接掌與快感催眠法

鮑紹洲

接掌催眠法：施術人以手掌按被術人的身之一部，加以微動，如電氣觸及的一種感受。按手掌的最適宜的地方是腹部，次為頭部額前，以及胸部、指尖、膝頭、足尖等處。如在寒冬天氣，施術人宜溫暖雙手行之。按壓的時候，宜加以微動，放手的時候，宜緩舒稍加微動。按壓的時間，越久越好，但過於久了，則容易疲倦，可視被術人的感受性如何而增減之。如施行此法時，遇有疾痛之處，則不可行按壓的方法。

快感催眠法：這是以手挾壓身體的一部份，使被術人有快感，而令其催眠的方法。右述的「接掌法」，須要輕壓，且加以微動。而此法是以手指挾壓被術者身體之一部，而稍加微動的方法。挾壓最適當的部位即左右兩太陽穴。如果被術人受施術人的挾壓太陽穴，加以不強不弱的微動，而接壓之處，如握其拇指之下而壓之，或以左右手壓其前額後頭，加以微動。如被術人是勞動家，必須加強其挾壓的力量。倘若是深閨女士，纖弱小姐，她們的筋骨自然軟弱，所以挾壓宜輕緩。挾壓快感催眠法，一面沉定血液的循環，而防其他雜念的發生，另一面惹起無限的快感，而達到催眠。

命相與夢話

管輅卜何晏當誅

公陶

三國時代管輅，為一代之奇人。是相之神。正始九年十二月二十八日，有吏部尚書何晏邀請，被邀者有鄧颺在座。何晏對管輅道：「聞君著爻如神，請試為卜一卦，不知官可至三公否？」何晏說：「我夜連續夢見蒼蠅數十頭，飛聚鼻上，驅之不去。不知主何吉兆？」管輅道：「飛鴞為天下之賤鳥，及其在林食椹，則懷我好音。何況輅心非草木，敢不盡忠。昔日元凱之弼重華宣，慈惠和周公之翼。成王坐而待旦，故能流光六合，萬國咸寧。此乃履道休應，非卜巫之所能明。今君位重山岳，勢如雷電，而懷德者鮮，畏威者衆，殆非小心翼翼。多福之人，又鼻者艮，此乃天中之山，高而不危，所以長守貴。今青蠅臭惡而集之，位高者顛，輕毫者亡，不可不思害盈之數，盛衰之期。是故山在地中日謙，雷在天上為壯；謙則裒多益寡；壯則非禮不履，未有損己不光大，行非而不傷敗。願君侯上追文王六爻之旨，下思尼父彖象之義，然後三公可決，青蠅可驅。」鄧颺正色言道：「此乃老生之常談。」管輅答道：「夫老生者見不生，常譚者見不談。」何晏道：「過一年再相見！」

管輅回邑舍，以適纔之言相告於其舅氏。舅氏責管輅太切率。管輅道：「與死人講話，吾有何懼！」舅氏大怒，謂管輅「狂妄，不懂人情事故」。次年春，忽西北大風，塵埃蔽天者十餘日。忽然京中傳來消息，何晏、鄧颺等皆被誅，然後管輅舅氏乃心服其預言。

古人列傳（九十）

信陵君富而不驕

周燕謀

二、竊符救趙

魏安釐王二十年，秦昭皇大破趙國長平之軍，復進兵圍攻趙首都邯鄲。信陵君的姐姐為趙國平原君之夫人，平原君為趙惠文王之弟。即信陵君與平原君為郎舅之關係。因此，曾數次遣使求救於魏王及信陵君。魏王便以晉鄙為將軍，將兵十萬救趙。在秦國方面，則在外交上加以威脅說：「吾攻趙國下邯鄲，只不過旦夕間之事也。而諸侯救趙已來之不及，吾已拔趙矣。吾破趙國後，必先移兵擊救兵。」魏王聞之大恐，即命使者急赴晉鄙軍，命其勿進，坐以觀變。晉鄙遂留軍於鄴。名為救趙，其實持兩端以觀變。

平原君的使者來往奔𢓭於趙魏途上，使者冠蓋相屬於魏，對信陵君說道：「平原君所以自附為婚姻者，以公子之高義，為能急人之困。今趙國首都邯鄲被困，且暮間即為秦國所有。而魏國救兵不至。此為公子急人之困乎？公子縱然不重趙勝（平原君），而公子之姊獨不憐之乎？」信陵君數次請魏王發兵救趙，魏王因畏懼秦之強大，不准信陵君之請。

信陵君自以無計可施，意欲以賓客車騎百餘乘，往赴秦軍，與趙國之軍共赴難。行經夷門，見到侯生，遂將自己欲行相告後辭別而行。侯生只說了一句「公子勉之可也，老臣不能相從。」信陵君行至數里，心想：我待侯生不薄，天下莫不皆知。今吾臨死之時，侯生竟無一語半辭相送我。我豈有所失哉！信陵君越想越不對，心中大憤，於是旋車而返，復見侯生而責問之。侯生笑道：「臣早知公子必返也。公子喜士名聞天下，今有大難，而欲赴秦軍就死。此舉無異投肉餒虎，何功之有哉！公子待臣厚，公子往而臣不送，以是知公子恨之必還也。」

侯生之不欲信陵君赴秦就死，故不一言半辭相送，激信陵君自還。信陵君乃為侯生再請教。侯生請屏左右而對信陵君道：「臣聞晉鄙之兵符，嘗在魏王寢室內。魏王甚幸寵如姬，如姬嘗進出於魏王內寢，力能竊之。聞如姬之父為人所殺，立志出金求報仇者已三年。自魏王以下，求報如姬之父仇，可是卒不能得。公子如能斬仇人之首獻於如姬，如姬雖為公子效死亦不怨也。事成求如姬竊虎符而奪晉鄙之軍，此可救趙而西可却秦。此乃五霸之伐也。」

信陵君果見如姬商談，一拍即合。如姬盜了兵符與信陵君。信陵君將行，侯生對信陵君說：「將在外，主令有所不受，以便國家。如晉鄙不授兵柄，可復請之。晉鄙如授兵柄則大喜，不授，可使人擊之。」信陵君道：「晉鄙乃魏之宿將，往恐不聽，吾便殺之矣。」於是信陵君乃請朱亥於家，朱亥大笑道：「臣乃市井鼓刀一屠夫耳！而公子親數次枉顧，至今所以不報謝者，皆以為小也，不足當公子之厚。今公子有急，此乃臣效命之秋也。」遂與信陵君俱赴晉鄙軍。矯魏王之令，命信陵君代晉鄙為將軍。晉鄙合兵符，甚疑之，對信陵君說：「今吾擁十萬之衆，屯於境上，國之重臣也。今君單車來代之，此何故也？吾不聽命」。話猶未畢，朱亥手持四十斤之鐵椎（錐），殺晉鄙於帳下。信陵君遂將魏軍十萬之衆，勒兵下令曰：「父子俱在軍中，父歸；兄弟俱在軍中，兄歸；獨子無兄弟者，歸養於鄉。」選得精兵八萬。進擊秦軍，秦軍敗退，遂解邯鄲之圍而存趙國。此信陵君有存趙之功，乃得力於食客侯生與朱亥也。

風趣的古佛——趙州（五）

禪學黃金時代

吳經熊著　吳怡譯

趙州直到八十歲左右才定居在趙州東郊的觀音院，據說他的生活是非常苦修的。在他充任四十一年的方丈期間，沒有添過一只傢俱，沒有請求過一次津貼。如果以現代一般的觀點來看，他也許是一個最沒有手腕的方丈了。

雖然如此，但趙州是不會被人遺忘的，某次有位王公去拜訪他，他坐着問：「大王！你會嗎」？

對方回答：「不會」。

他便接着說：「我自少吃素，現在年已老邁，看見你到來，也無力下牀相迎了」。

那位王公非但不責備他，反而對他更加尊重。第二天王公差了一位將軍送口信給他，他却下牀相迎。事後，隨侍的和尚便問他說：「前次大王來時，你不下牀；這次將軍來了，你為什麼却下牀相迎」。

趙州回答說：「你有所不知，第一等的人來，我在禪牀上迎接他；中等的人來，我下牀迎接他；末等的人來，我到前門去迎接他」。

可見趙州已完全超脫了俗世社交的禮儀，順着內在的精神而行了。

前面我們曾提到「趙州古佛」一語，這句話是南方最著名的雪峯禪師所說的。據說有一次某和尚從南方來拜訪趙州，提出雪峯和學生的一段對話：

「學生問：『如何是古潭寒泉』？

雪峯答：『即使你瞪目而視，也看不到底』！

學生再問：『飲水的人怎麼辦呢』？

雪峯答：『他不用嘴飲』」。

趙州聽了這段話後，便故意幽默的說：「既然他不用嘴飲，也許用鼻飲吧」？

自由報

中華民國內政部內政登記證台報字第〇三一號
中華民國僑務委員會登記證台報新字第三二三號
中國郵政台字第一二八二號執照登記爲第一類新聞紙

（第三九五期）

（半週刊每星期三、六出版）
每份港幣壹角，台灣新台幣式元
社長李運鵬·督印黃行寬
社址：香港九龍彌敦道593—601號興發大廈八樓五座
LIU CHONG HING BUILDING
7th FLOOR FLAT 5
593—601 NATHAN ROAD,
KOWLOON, H.K.
TEL: K303831
電報掛號：7191
承印：景星印刷公司
地址：嘉咸街廿九號地下
台灣總管理處：台北市大同街119號
台灣區直接訂戶 台郵劃撥戶
第五〇五六號張萬有（自由報會計室）
電話：七一四〇三三、五五五三九五
台灣分社：台北市西寧南路110號二樓
電話：三三〇三四六，台郵劃撥戶九二五二樓

建議政府向日本索回四庫全書

·徐文珊·

四庫全書，不僅是中國最大一部叢書，也是全世界最大一部叢書。清乾隆帝發動全國學人力量，歷十年之力，編纂完成。全部用工楷字寫成。計收編經史五集四庫書三千四百五十七部，合計七萬九千〇七十卷。訂成三萬六千〇七十八册，分裝六千一百四十四函。（即硬紙布面書套）最初只鈔同樣四部，分別貯存於北京文淵閣，熱河避暑山莊文津閣，北京西郊圓明園文源閣，瀋陽行宮文溯閣。合稱「內廷四閣」。後因江南爲人文薈萃之所，乃應江南人之請，增鈔三部，分別貯藏於揚州大觀堂文匯閣，鎮江金山寺文宗閣，杭州西湖文瀾閣。合稱江南三閣。前後共成七部。自乾隆四十七年書成，至今民國五十七年，歷一百八十六年，此七書部至今完整無缺運至台灣者，僅原存北京文淵閣一部。計鎮江與揚州兩部，燬於太平天國兵亂，圓明園一部燬於英、法聯軍。此三部已蕩然無存。杭州一部已被燬殘缺，後經補鈔完整。熱河一部移存北平國立圖書館。此兩部於共匪叛亂後，陷留大陸，未能運出。只有瀋陽文溯閣一部，若干年來無人提起，渺無消息。

事實上，這一部在日本。據本人所知，九一八事變，日軍侵佔瀋陽，事在民國二十年九月十八日夜晚。我東北軍不抵抗，聽任日軍垂手佔領瀋陽全城。秩序甫定，即於九月二十六日，由日軍將此項中國國寶四庫全書，從容不迫的全部刼奪，運回日本。當時國人注意力集中於軍事政治，慣於抗日圖存。對於此項國寶淪亡，竟未見有絲毫反響。此後即無消息。抗戰勝利，日本無條件投降，政府派軍與盟軍赴日本作軍事佔領。在此期間，只見有若干日本工業設備、軍事設備，予以拆還，一部份運至上海，交與中國。所有文化方面物資，未聞有所歸還。嗣後結束佔領，中日雙邊和平條約在台北簽訂，我政府以寬大爲懷，不要求日本絲毫賠償。我全國軍民直接間接生命、財產、文化……不可以數計的損失，完全犧牲了。對日本的寬大，史無前例。無非爲反共爭取與國，並期自此轉中、日兩國仇恨結束，永久和平相處，團結合作，以免往復尋仇，互相報復，非兩國之福。這一切我們都擁護。但在戰時刼奪我們的東西，必須將原物交還，還該是天經地義。原存瀋陽文溯閣的四庫全書，一定要歸還我們。其他有關文物、書籍、藝術品，恐亦不在少數，應請政府作進一步調查，全部向日本索回。這不是賠償，而是物歸原主。照理講，和約既訂之後日本應自動將所有刼掠中國的物件，要一一送還。可是二十多年來，既未見日本自動送還，亦未見政府催索。縱有人提到此書，也說下落不明。其實下落明確，再不可遲延，應該向日本提出，請他們交還了。

現在我們正在致力復興中國文化，這四庫全書可以說是中國文化的結晶，中華國寶，必定要交還中國。技術上在交接時，必須派妥員持四庫全書總目提要，按部按册按頁查點，不可短缺與污損。運至台灣後，可公開展覽一次，向國人作一交代，然後另覓適當地點，妥愼密藏。台北所藏文淵閣的一部已經公開，經常展覽，另一部即可密藏，以防意外。萬一有不完整，即應補鈔齊全。事關國寶，時刻縈心，佇盼好音，終無消息，雖隔多年，記憶猶新。倘政府必欲取信，請查民國二十年九月二十六、七兩日，北平天津出版的大報。當時天津的益世報、大公報、北平的華北日報、河北民國日報、北平晨報、北平世界日報；都在北平發行，都是大報，都可一查。當時在瀋陽的軍政文教大員，目前如有健在來台者，亦可作一徵詢。

（於私立東海大學）

編者按：乾隆三十七年，清廷發表四庫全書之諭旨，四庫者，謂經史子集之四部，帝的意思，可從其旨而得之，御極之初，即頒詔中外搜訪遺書，並令文臣校勘十三經，二十一史，後開館纂修綱目三編，通鑑輯覽，及三通諸書，惟蒐羅益廣，則研討愈精，如康熙年間，所修圖書集成全部，極方策之大觀，引用各編，率屬因類取裁，勢不能悉全文，使閱者沿流溯源，一一徵其來處云，可知帝之意，以學者不能滿足於類書，故別圖編纂一大叢書，於是乾隆三十八年，開設四庫全書館，任皇室郡王及大學士爲大總裁，六部尚書侍郎爲副總裁，然實際任編纂者乃爲總纂官孫士毅、陸錫熊、紀昀（曉嵐），而紀昀之力尤多，分任編纂職務者，多爲國內著名學者，如戴震、邵晉涵、姚鼐、朱筠、王念孫、任大椿等三百學者參加，該頁到乾隆四十七年告竣，總計存書三千四百五十七部，七萬九千七十卷，存目六千七百六十六部，九萬三千五百五十六卷，所謂存書，乃著錄於四庫者，存目乃僅錄其書目而已。

中國之永恆價值（下）

·沙學浚·

中國人不但創造了自己的文化，而且能吸收他族的文化，以豐富自己的文化；中國吸收了印度文化的精華，就是佛教和佛學之後，而能有所光大和創造：天臺宗、華嚴宗、禪宗，皆中國所創。

中國人並不偏重精神文化，對於現實和「利用厚生」之道，自來十分講求。在西歐工業革命以前，中國物質文明是世界最高者，故能保持水準相當高的自給自足的經濟生活。萬里長城、幾千個城垣、海塘、河堤、大運河，南中國大規模的梯田，各地的水利網等，證明中國自古以來，很注重物資建設，並能克服自然。二千多年前，中國已有「考工記」、「禹貢」、「食貨志」、「河渠書」一類講物質建設的寫作。要知中國如果沒有高度的物質文明絕難維持及發展如此高尚的精神文化，前者是後者的表現，同時也是後者的基礎。

五、中國文字之永恆價值

文字是文化的表現者。中國文化是優美的，中國文字也是優美的。中國的方塊字由六種造字方法，稱爲六書——象形、指事、會意、形聲、轉注、假借——產生出來；與印度、西洋及其他文化民族接觸後，又增加新的字與辭，因此中國的字彙與辭彙都是很豐富的。這一點也證明了中國文字發展和繁衍的可能很大。中國文字具有科學性，字典中的部首差不多就是一種科學分類，有關水的用水旁，有關木的用木旁，雖然例外也不少。又具有音樂性，指平、上、去、入四聲，及平仄；所謂抑揚頓挫的音調，與用字注意平仄有關係；汪、王、望三字，與東、董三字之音，一般西洋人是不能區別的，音譯出來完全相同。又具有美術性，指對句及排偶，詩詞駢賦及一般論文中均用之，且常必須用，近世用者已漸少，並未完全廢棄，標語口號甚至白話文亦常用之。對句和排偶都是「對稱」，對稱是一種美——形式的美和音韻的美，此爲任何文字所無。

書法是一種藝術，與畫並稱，眞、草、隸、篆等，變化那樣多，惟中國有之。

二千多年以前，中國已經實現了「書同文」的理想，東西南北各地方言，儘管不同，但因全國人民閱讀用一種文字寫成的書籍，了解相同，認識和理想也就相同了。方言不同。無害於文字統一和國家統一，何況方言比較複雜的地方僅限於東南部沿海一帶。歐洲許多國家民族的分立和對立，主要由於語文不同，雖然後者，分區的講是很相接近，容易互相學習。印度語文複雜略同歐洲，英文反而成爲全印度包括巴基斯坦的交通語（印度國會開會都用英語）。春秋時代，列國文字已趨分化，各國國史的名稱是「晉之乘，楚之壽（木旁）杌，魯之春秋」，其他不同之點亦多，當時須用一種「雅言」作爲國際語。若非秦始皇統一天下及後世經常維持此統一局面，中國可能走上歐洲由語文不同而產生的羣邦林立的可悲境地。

中國在二千年前已經是一個五千萬人「書同文」的大國，到今天七億幾千萬同胞「書同文」，而其分佈還達六大洲華僑足跡所到之處，那裡均有華僑學校及華文報紙。反之，現今全世界用英語講話和思想的人，只達三億多人，不及中國之一半。

中國文化悠久，文字悠久，我們不很費力的學習，就可閱讀二千多年前的書籍，一般人隨時用二千多年前的詞、術語和成語，最通用的「學習」一詞就由論語上「學而時習之」而來。常見的詞，如先生、弟子、博士、休息、智慧、行伍等，二千多年前，即已通用。古埃及文、古希臘文、古拉丁文、印度梵文，……等都早已死去，成爲死文字。目前印度和西洋人民不能讀數百年前文字所寫的書籍。德國漢學家魏禮賢說：中國是「古老而不衰老」，這句話不但指中國民族和文化，而且指中國文字。中國文字是活的文字，這一事實，證明古老的中國依然有豐富的生命力！

（以下轉入第四版）

昨日與明日

觀光其名色情其實

台北中山北路，現改爲林森北路，這一帶小型觀光旅館林立。只要在台北住久一點的人，都知道觀光旅館藏垢納污，是黃色大本營。其中有一家「亞士都」飯店，以法式菜餚號召，其實它的業務是以應召女郎爲主。最近被警方查獲賬册，裡面盡是嫖客和暗娼的別號和電話號碼、嫖客的代名詞如：鐵人、騎師……屬於主動。暗娼的代名詞：被騎者、小鹿……屬於被動，洋洋大觀。使人目不暇接。「亞士都」經營淫業的暴露，可以顯示兩點：（一）觀光是羊頭，色情是狗肉，掛羊頭賣狗肉當不止「亞士都」一家。（二）台灣社會笑貧不笑娼的澆漓風氣，十分可怕，正不知有多少良家婦女爲生活、爲物質誘惑，而出賣靈魂。

名騎師以莊、翁爲首

「亞士都」的嫖客花名册所列「騎師」「蠢屬祿祿之輩，他們也沒資格爲騎名駒。台灣「馬場」最有名的人物，當推華僑莊某，及因案避居海外的翁某。這兩人有的是齷齪錢，擇肥而噬，不惜代價是有名的。莊某在台連收兩位名歌星，充作偏房，差不多已將他所投資的一家最大觀光飯店的股本送光。至少耗資在兩百萬美元以上。至於翁某手段，雖無莊某之大，但爲了娟娟名豸，一擲數十萬至百萬台幣，亦毫無吝色。台灣的淫風由莊、翁二人起帶頭作用，是鐵般事實。而警方的掃蕩，却無法動莊、翁兩人的分毫。本來工業社會是有錢人的天下，愛怎樣便怎樣玩，誰能管得了？可是，我們正處理反共復國時期，對這些淫棍腐蝕善良風俗的罪惡，自應口誅筆伐，使其受到良心的責罰。打擊色狼也要揀大的打！

黃色濁流氾濫可慮

台灣現在已變成一個色情社會。由「亞士都」經營淫業獲利之豐，可見一般！我們認爲這不僅是一個社會問題，而且是文化、教育問題。單靠警察機關的掃蕩，「野火燒不盡，春風吹又生」，恐怕沒有多大效果。當我們在街頭看到非並娼妓的中國女娃娃，掛在美國黑兵的手臂上，昂然進入觀光飯店，究竟算是文化交流？還是敦睦邦交？實在令人不敢想像！

·易儔·

自由談

談紅包主義

台灣報載：最近台北市政府工務局職員陳隆基，因核發某大酒店的餐廳營業執照，有受賄舞弊嫌疑，經法院偵訊時，他認爲「收取陋規不是甚末了不起的事」，所謂「陋規」云云，乃是舊有名詞，新名詞叫作「紅包」。他這話很輕鬆而又坦白，可見台灣社會上的「紅包主義」普遍流行，有如約定俗成的不成文法，也就是貪污公開合理化的尋常事體了，善哉善哉！

談廉潔政府，原係不切實際的高調，人類自有政治生活以來，即有貪官污吏存在，永遠看不到眞正弊絕風清，大法小廉的清明之治，祇是程度上的差別而已。如果官吏貪污而有能，受了百姓的紅包，即替老百姓解決問題，辦好手續，不復刁難延宕，也沒有其他的所謂「有關機構」再來需索干擾，確實表現得我由衷的贊成紅包主義，決無異言。譬如東南亞地區某些國家對付旅客過境的簽證，只要給檢查人員遞送紅包，你本來希望停留當地三天的，也可以給你簽許一星期，明快利落，毫無麻煩，旅客們皆大歡喜，誰願吝惜這點小費呢？

最壞是既要了老百姓的大小紅包，又不能痛痛快快將問題依法解決，而且需索紅包的有關機關甚多，甲方通過了，乙方再留難，乙方亦把官語拿順了，丙方又說不行，拖延復拖延，官腔打得十足，問題原封未動。這樣即係貪污無能的表現，老百姓焉有不怨聲載道，而相率對政府渙離心力之傾向者？

貪官污吏之敢於接受賄賂而不負責把事情辦妥，主要原因是法律上訂有「與受同科」的明文；他們料定送紅包的人，由於害怕犯罪的關係，啞子吃黃連，有苦說不出，官吏高高在上，衙門法力無邊，特別是司法機關，整人的法律和判例有的是，冠冕堂皇，當事人奈之何哉！所以，與其表面上高唱廉潔政府的陳腔濫調，而紅包主義到處盛行，徒然構成貪污無能的政風，倒不如使紅包主義公開合法化，却不許官吏接受了紅包，而不負責解決問題，同時把那專爲貪污行爲作護符的「與受同科」這項法條取消。我相信行政效率一定可以提高，民怨亦將大見消弭，詎不然歟？

馮五先生

讀者投書

模範監獄分三六九等
典獄長訓話奇文共賞
小鄉鎮大新聞黑暗中再黑暗
兩千難友權利非法隨意取消

主筆先生：我們向你申訴距離台北市有四十分鐘汽車路的龜山鄉、台北模範監獄典獄長周震歐，儼然將自己封爲龜山王，構成爲小鄉鎮的大新聞，黑暗中的再黑暗。胡幹亂來不守政府法令，而引起兩千難友的憤憤不平，傳說如果周的作風不改，於最短期內可能會發生大鬧監，和其他事件。

第一、周在監獄裏劃了一道蘇北的小圈圈，還是吃衙門飯最忌諱的事。尤其妄自尊大，不把難友當作人看，這還無所謂，照中國字意解釋，犬與犬對講是「獄」，而把全監的官員職工，也不當作人看，必然會得到應有的報復。第二、據說周是美國留學生，中國的月亮不圓，在語言之間隨時流露，有一次向同仁訓話說：「有個三歲的孩子在桌上玩，他爸爸叫他跳下來，孩子不敢跳，最後被騙跳下，腿摔斷了，爸爸告訴了孩子，即是自己爸爸的話也不一定靠得住，今後要注意。」同仁聽完這段訓詞後說「典獄長的話更不能相信了。」第三、監獄裏的天地已經很小，周又開了一個管理員訓練，將圈圈縮得更小，訓練的內容率多表揚自己過五關斬六將一些「周氏春秋」，並沒有三民主義，國父遺敎，總統言論，因之有一位管理員拒絕受這種無聊的訓練，理由是爲甚麼不講三民主義，國父遺敎及總統言論，認爲一個獄官，即是到美國洗過盤子刷過碗，沒有甚麼值得可以撥同祖國懸殊的，一般疑爲周龜山自恃是部長的同鄉，眼睛一項生在頭頂，對這位拒絕受訓的小小管理員必然會加以嚴格修理，未料事實與理想往往相反，周自知痛腳被人捏住，竟立即軟化不了了之。第四、兩千名難友的特別面會申請權利全部被取消，台北監獄秘書夫人陪一個親戚去請求特別面會，都未獲批准，表面上看這種大公無私的精神，固值得歌頌，但從另一個角度去看，周龜山的做法，會被兩千餘難友所痛恨，因爲在監獄受刑的立監委員可以隨便特別面會，且各發鎖匙一柄任由自由出入，法律之前，人人不平等，今日地球甚少這樣國家，再分出三六九等大概是美國規矩。第五、可能因前任典獄長姚治清（皖籍），是一位廉能官員，全監同仁對姚均留有去思，周竟然吃乾醋還怒了甚多安徽籍員工，受修理最重的是一位曹××管理員，無緣無故被調去看痲瘋監，引起第四工廠難友當着典獄長集體起哄，如非管理員們處理有方，幾乎釀成鬥毆。

貴報是海內外人民喉舌，且有廿年歷史，一向就受祖國朝野一致重視，如果能將本文披露，使部長，高院院長趕快徹查眞相，刑期無刑，對難友們法律所給的權利，別隨便否定，不僅全體難友同感大恩大德，也爲社會主持正義，糾彈這種非法歪風，台灣祗貴報有此資格講話，事此奉懇並叩

文安

台北監獄難友家屬叩

保障人權立法
立院續有表現

（本報台北記者劍鳴通訊）立法院司法委員會在過去的一年中，對人權保障方面的立法，又向前邁進了一大步。

首先是有兩件人民請願案，因立法院司法委員會的查詢而獲得較公平的裁判。

一、市民畢千華去年三月八日在同安街被殺，由於兇嫌之父任職警務處，所以警七分局未依法將殺人嫌兇移送台北地方法院偵辦。故死者畢千華的太太畢胡柳於去年七月間向立法院司法委員會請願，嗣後由該委員會召集委員向台北地方法院首席檢察官焦沛樹查詢，然後由焦首席下令偵查，並命台北市警七分局將初步偵訊筆錄及嫌兇一併移送，因而這件兇殺案始獲得法院的審判。

二、楊立中陳情遭受冤屈被判徒刑十二年之後，經覆判改爲六年徒刑。這兩案雖依法未成立，但經立法院司法委員會查證後，並由有關人員列席作證，而後獲得前述之結果。

三、立法院司法委員會召集委員梁肅戎等三十二人根據台南縣新化鎮鎮長當選人林丁進被判當選無效之請願案，提案請行政院修正公職人員選舉罷免法規有關選舉訴訟部分，應規定一個申訴的機會，因爲現行舉訴訟法規之一審終結，而不得上訴或再審，顯與我國司法二級三審判不合。

此外，該司法委員會於審查「檢察官與司法警察機關執行職務聯繫辦法」時，認爲檢察官依法院組織法第二十六條之規定，應配置於各級法院之內，法意至爲明確。復查檢察官與司法警察機關執行職務聯繫辦法第三條第一項規定：「各院轄市及其他刑事案件較多之省市，由警察機關之申請，該管法院得酌派檢察官於警察局設立辦公處，以直接指揮該局刑事警察辦理偵查程序。」於法無據，易滋流弊。依立法院議事規則第八條之規定，應予更正。自此之後，檢察官不得應邀至警察機關辦案和辦公。

立法院法制，司法兩委員會於審查「司法行政部司法官訓練所組織條例」草案時，明定司法行政部長不得兼任所長，廢除過去的惡例，所長一職改爲專任，這樣，該所組織獨立，人事獨立，經費獨立，則司法行政部長桃李滿天下之諷評，因而成爲史話。而司法官訓練所自此亦有法律的依據。

至於法院推事、檢察官任用條例草案，也經法制司法兩委員會聯席會議審議完竣。則今後推檢之任用，將依此特別法規定。

熱愛中華文化的
烏拉圭愛蘭娜教授

烏拉圭籍愛蘭娜教授，以友邦女子，熱愛中華文化，篤信三民主義，努力學習，時加宣揚，並在彼邦，傾家興學，創辦孟都中山學院，以紀念我　國父孫中山先生，兼作反共據點，實爲我國在烏拉圭國宣傳我國之文化，反共抗暴，並肩作戰之有力同志。茲以應我政府之邀請，前來訪問，親身體驗，對我國文化復興運動，及反共抗暴，有更深之認識，更大之貢獻，亦我之幸也。愛將其簡歷，畧述如次：

一、愛教授原習醫學法律，自師事我國旅烏學人蕭瑜教授後，即放棄一切，專修中國文化。初學中國繪畫，至今已逾十五年，造詣頗深，有目共覩。因學畫而知其與書法之關係，繼習中國書法，已八、九年。並習四體書，爲西洋人學習中國四體書法者之空前第一人。因學書法而識字，故又加習中國語文，普通會話，亦優爲之。

二、愛教授在孟都中國文化之宮，聽講三民主義，對三民主義發生強烈信仰，認爲三民主義，確可促進世界大同，即立志以宣傳三民主義自任，實爲我國在烏拉圭國宣傳我之文化，反共抗暴並肩作戰有力之同志。前年因紀念我　國父百歲誕慶，得其家長與師友之助，創辦中山學院，自購房地，成一反共據點。自中山學院成立後，中國繪畫、雕刻、陶磁諸科，班次林立，每星期日上午，並有中文師範班、讀經班，並講中國時事，隨時糾正共匪歪曲宣傳。

三、孟都中山學院學生反共意識，皆甚堅強。在愛蘭娜院長領導之下，皆能唱我國國歌，崇拜我　總理，擁護我國策，如響應我　總統號召，發起宣誓，聯名簽字，不習匪貨。如歷次具表贈書慶賀我海軍殲匪大捷，如寫各體壽字一萬個，書松鶴八十圖，以祝我　總統八秩嵩壽，率烏拉圭，阿根廷兩國學生，恭臨　蔣夫人繪畫，在烏拉圭國國立電台，頌揚　蔣夫人德行藝術，皆其熱誠敬愛我國家、我元首之由衷表現。

四、愛教授兩年前開始赴阿根廷京都在救主大學創設中國繪畫班，學生進步，均甚迅速。愛教授在畫班上亦常乘間講述三民主義及中國時事，伊每週末由烏赴阿伴兩日，星期六晚返烏，趕於星期日上午在中山學院聽課，往返烏阿兩國，不辭長期跋涉之勞，授課受課，又均爲學習三民主義文化而努力。

五、愛教授近六年來已任大專教授，教法極爲優良。彼宣言立志終身學習三民主義文化，坐言起行，實事求是，近年來在行爲上已有極熱誠與極良好之表現。以一外國女子傾家興學，宏揚我主義，又能自身行教，傳授我文化，實極難得僅見。

六、愛教授爲我國文化耕種在南美洲所發奇葩，而未曾來過中國，其十五六年來惟一師事之教師蕭瑜教授，即爲在南美中國沙漠上所墾荒播種之我國學人。愛教授前途無量，其已有之成就，固爲蕭瑜教授之傑作，而我國新聞局五年來對蕭教授所主持之孟都中國文化宮之支援，其功不可滅，他如教育部、中央黨部、僑委會、及各界人士之贊助鼓勵，實亦大有助也。

十全大會前
人事蠡測

（本報記者顧碧天台北消息）中國國民黨第十次全國代表大會之緊鑼密鼓聲中，社會敏感人士對政府重要人事之更動，固有莫衷一是之揣測，雖說言之過早，但不可使其不說。近傳院，部、省人事較前有改變之說。部方假如改組，首爲教育部，則以鄧傳楷呼聲最高，教育界對之亦頗覺興趣。次爲經濟部，則以趙聚鈺有望。再次爲外交部，人選則揣摸不一，有謂沈錡，但最近沈昌煥呼聲很高。台省人事，則忽傳有鄭彥棻之說。

警方放寬旅館檢查
如無營利行爲
男女共宿不罰

（本報記者顧碧天台北消息）省警務處於輿論指摘之下，對於旅館檢查，業已通令各地警察局所，員警非經主管批准，不得任意前往檢查，凡身份明確，且無不法嫌疑之旅客，不應檢查，檢查時爲力求避免驚擾其他旅客之安寧。並嚴飭所屬員警，在未完全查明其房間內共舍男女之身份而確定係爲姦宿之違警行爲前，不得敲門進入盤查。至於男女在旅館內共宿，如確無營利行爲，亦無其他不法情事，依法不罰。

警務處強調：目前許多旅館，爲貪圖非份利益常勾結暗娼，從事媒合賣淫之不法勾當，必需嚴格查禁取締。

省議員涂麗於省政總質詢中，曾指出：目前警察風氣欠佳，實因不肖警察人員白吃、白嫖、白賭之三害形成，未知政府有辦法戢止否。再警察對色情場所，雖一面取締，但又一面則集體收納紅包。所謂撲滅色情，直如愈禁愈盛。涂議員並主張提高警察待遇，並增加班費，使其生活有所改善，否則警察風氣不良，何能端正社會風氣。據自立晚報專欄報導：警察爲遏止色情泛濫，端正社會風氣，可以說是「經驗豐富」之至；因爲在政府「遏止色情泛濫、端正社會風氣」等口號仍在大家的喉裏未喊出來以前，警方就已經一直默默的在抓私娼了——等到口號高喊入雲霄，警方已由私娼寮抓到旅館，由特種茶室、咖啡館而抓到純吃茶，由狎嫖抓到情侶，由姦宿抓到了狎褻。雖然迄今爲止，色情仍繼續泛濫，社會風氣也未見任何端正，但警方確實已在他們的職責以內出了力。」

喬治桑外傳　廿五

張大萬

「我眞的還沒有男朋友，現在只想多賺點錢，婚姻聽上帝安排。」雅麗絲是基督徒，所以三句話離不了上帝。

「妳將來理想的對象是怎樣的人？」

「這很難說，只要雙方眞心相愛便行了，年紀大一點倒無所謂，我很討厭油頭粉面的小伙子。」

雅麗絲言之無心，喬治桑聽之有意，他聽了有異樣的一種欣悅之情。

時間過得很快，兩人喞喞濃濃談得很愉快，不覺已到八點鐘。

喬治桑付了咖啡賬，與雅麗絲李僱了計程車到華麗大飯店。

喬治桑是熟客，自有僕歐領他們到預定的座位。

音樂台上的音樂奏得很起勁，華爾茲，探戈，命擺，勃魯斯，狐步，樣樣俱全。這到底是一家高級夜總會，氣氛十分高雅，中西雜處，男女畢集，但大家細聲細氣談話，一點嘈雜聲音都沒有。

喬治桑，雅麗絲李這一對半洋人，到此自然是滿口英語。喬治桑點了「甲魚湯」，煎牛排和「高球酒」。高球不是水滸傳上陷害林沖的高太尉，乃是加冰塊的威司忌。

雅麗絲點了法式冷盤，淸雞湯，炸魚，和「馬丁尼」雞尾酒。

僕歐在一旁恭謹地侍候着，唯唯稱是。又問喬治桑要的牛排是生的，半生的還是熟的，喬治桑吩咐要生的。

洋人吃東西與我們不同，尤其男洋人最愛吃牛排，故有半生不熟，全熟等種種名堂。一般中國人雖阿狗西俗，學吃西餐，大都不愛吃半生不熟的牛排，以免白刀子進紅刀子出，有不忍卒食之感。喬治桑的腸胃已經習慣，所以吃牛排要吃生的。過去喬治桑在台北很少吃牛排，認爲不够味，現在，台北有從加拿大、紐西蘭進口的牛排，價錢貴得多，喬治桑才又開始吃，是否是外國月亮的心理作祟？則非局外人所知矣。

喬治桑又建議叫一客火燒冰淇淋，雅麗絲點頭表示同意。

現在時間還不到九點鐘，舞池裏面只是兩三對在跳舞，內中有一對中西合璧的舞伴，男的是洋人，女的是華人。男的是高個子禿頭佬，頭頂禿得發亮，年紀至少有五六十歲，或許更多也說不定。洋人的心理比較年輕，不像我國人士的老氣橫秋。譬如：甘迺迪總統遺孀下嫁的希臘航業鉅子歐納西斯，就是一個年逾花甲的老頭子。

女的看上去最多也不過三十歲左右，豐容盛鬋，圓姿替月，着實是一個美人胚子，正陪着禿頭佬大跳最流行的「靈魂舞」。

喬治桑看在眼裏，很有無限感慨，他很佩服洋人交女朋友的「法道」，像這樣一個醜陋的禿頭洋人也居然交得上這樣一個美嬌娘！尤其令喬治桑奇怪的是，中國女人跟咱們同胞男士出來玩，大都故作矜持，表現出凜然不可侵犯的樣子，等到和洋男人出來，等於脫胎換骨，謔浪笑傲，放縱形骸，其作風之大胆，令人側目，其故安在？連半洋人喬治桑也搞不淸楚。

傳記春秋

爐邊閒話說「彌勒」

——我和李社長運鵬結識一段緣——

· 喬耀東 ·

民國三十四年春，筆者在湖南辰谿任輜汽營長，担任湘西軍運補給，隸屬第四方面軍，這時正是日軍最後一次在湘西發動攻勢，戰況慘烈，敵我犧牲均極慘重，中華時報在這個時期由衡陽遷來辰谿發行，抗戰時期的報紙所用的紙張，都是灰色的粗便紙，也就是我們童年時代在大陸上用的大便紙，這種紙是用土法製造，本質脆弱，再加是一種灰黑的顏色，兩面印報之後，讀時非常吃力，就是我們第一大報中央日報、大公報、益世報，也是用這種紙，可見抗戰時期物力維艱之苦境。

李運鵬教授時任中華時報發行人，我們常在辰谿街頭碰面，此公胖胖身材，見面就笑，很像一位彌勒佛，那時正當暮冬，他穿着一件破舊皮大衣，每天風塵僕僕，忙個不停，那種刻苦奮鬥爲國犧牲的精神，實令人感佩，記得有一次，湖南大學校長胡庶華在一個應酬場合和他較量，怎樣才算是時代青年，胡當着很多人，就地來了一個元寶翻身，第四方面軍司令王耀武嚇得怔了一怔，李運鵬這時才說：「時代青年要富冒險犯難精神，做到「爲人所不能爲」，「任人所不能任」，中華時報不用公家分文錢，在湘西與槍桿配合作戰，鼓舞士氣，安定民心，即今日青年時代任務。」胡被李譏得以手順着大把鬍子像很尷尬，王耀武喊酒別再吃了，才算替胡解圍。那時楊遇夫（湖大文學院長），周蔭棠（湖大政治系主任）皆在座，後來中華時報登載了一個驚人的消息，大概是我軍放棄邵陽轉進到了某地，原文記不清了，這個消息在當時是很意外的，辰谿的工作單位認爲報導有問題，找李教授去談話，李表示馬上到第四方面軍司令官王耀武那裡去說明消息來源，李的那股臨難不苟精神，又要監督編排及採訪，還有一些雜瑣事務，價是令到頭都大了。第四方面軍駐在距辰谿二十里之外的宋家坪，在一個山坳裏邊要去一趟非得有汽車，才可，正巧我率車隊由前線回到辰谿，李授要求我派一部車送他到宋家坪，我馬上照辦不誤，李與第四方面軍司令官晤談後，回來對我說，他見到王司令官和邱參謀長，當他把中華時報事報告之後，王司令官和邱參謀長對李教授這樣危難時期的辦報精神，以及勇敢負責的膽識，稱讚慰勉了一番。還不到十小時，重慶軍事委員會侍從室電報到了，原電略謂：「第四方面軍王司令官，李運鵬同志在湘西出版的中華時報就近多予照拂，陳果夫。」王耀武是最懂得做官的人，他對中華時報社長李運鵬所喊出的「王耀武防線」得到國內外一致的重視，何應欽、陳誠等都電賀過「王耀武防線」於對日作戰中卓越成就，王耀武對李本已存着良好印象，再有陳果夫一個電報，高興得祇是「果老太客氣了，果老太客氣了！」王耀武回陳果夫電謂：「查中華時報此次在湘西復刊，對時鼓舞士氣，安定民心，卓著勞績，李社長運鵬兄高瞻遠矚，學識兩豐其精誠幹練更足欽佩，王耀武叩。」在湘西一千多萬人的心目中，李運鵬不僅是一位好的政論家，且爲辦理外交的能手，否則怎麼可能從戾氣轉向祥和。

李運鵬教授和我因此小故也就結了緣，二十年後又在寶島相逢，二十多年前李還是二十幾歲的小伙子，如今已髮鬢皆白，撫今思昔，回憶當年，眞是不勝感慨之至了！

一頁偽裝抗日舊賬（下）

羅雲家

「爾後的情形是不是好一點呢？」

「可以說，他們是壞事做盡，到死也不會好起來的。」劉先生代我接了腔。

「一對軸！他們眞個是壞事做盡。三十二年九月，中國國民黨十一中全會宣佈：抗戰結束一年後召開國民大會，制定憲法，實施憲政。在三屆二次國民參政會中，亦決定了「對中共問題採取政治的方式解決」。而中共之反應，則以國民黨所決定的實施憲政時限，只是空言騙人，仍然積極準備內戰。如果國民黨眞有實現民主政治之意念，則在軍事上應該承認中共兩個條件：一是承認邊區及敵後根據地的政策，及一切敵後武裝部隊；二是恢復新四軍，並准許中共部隊擴編爲四個軍十二個師。另外，他們又散佈謠言，利用各種關係，向美國宣傳，誣指中國滇西遠征軍不將美援之武器彈藥抗日，反而秘密轉運後方儲存，準備使用于內戰，企圖離間中美合作。因此引起史迪威將軍之嚴重抗議，而美國輿論亦大加責難。後經統帥部會同美方美方派員飛到滇區，向部隊及兵站查點，結果並無其事。似此無中生有的事，眞是不一而足。」

「聽說他們在情況最危急的時候，與日軍訂有什麼秘密條約，是眞的嗎？」

「當然是眞的。三十三年春季以後，敵軍的軍事形勢已呈強弩之末，惟其垂死之前仍作極堅強之最後掙扎。乃對中原戰場及湘桂各地，發動瘋狂之攻勢，戰局嚴重，尚在此時，他們卻在軍事上與敵勾結，訂立秘約，採取所謂「平行運動」，夾擊國軍；在政治上則乘危要挾，先後向政府提出種種要求。其中重大的計有三項：第一，政府至少給予中共軍隊，五個軍十六個師的番號；第二，承認中共在陝甘寧邊區及華北、華中、華南各抗日根據地的民選「抗日政府」，及其各項設施；第三，成立聯合政府。同時，他更在戰事緊張關頭，要求改組統帥部，企圖紊亂指揮中樞，陷我抗戰軍事於不利的危局。」

「眞是豈有此理！」劉先生緊握拳頭，在椅子上重重一擊，然後問道：「勝利之前，他們又是如何擴大叛亂的呢？」

「民國三十四年，同盟國對日作戰，已臨勝利前夕，中共誇耀他們擁有正規軍六十五萬，民兵二百萬，遂轉變戰略，由游擊到正規戰，由鄉村到城市，企圖大舉蠢動，奪取城市；乃在冀、魯、豫集結重兵，乘我對敵全面反攻之際，伺機襲擊國軍，進駐敵人放棄之重要城市，操縱全國命脈；另在沿海地區亦作零星活動，企圖建立據點，先與登陸之美軍取得連絡，爭取國際地位，以作將來對政府敲詐之資本。到了六月間，他們更在陝北淳化煽動保安團隊叛變，進而吞併附近各部隊，佔據淳化縣城及重要鄉鎮，致與當地國軍發生激戰。戰事持續至七月底止，共軍始不支退去。同時浙東、浙西、魯南、魯西等地，均不斷發生衝突，使我對敵之全面反攻，大受牽制。八月十日，日本政府宣佈接受波茨坦會議公告，向中英美蘇四國無條件投降。這時中共更是野心勃勃妄想割據東北，問鼎中原。翌日朱德竟以延安總部之名義，發令如下：一，派呂正操、張學思、李運昌及萬毅義勇隊司令武人等赴東北，配合蘇俄軍隊作戰。二，派聶榮臻等向綏遠、察哈爾、熱河行動。三，所有山西共軍統歸賀龍指揮，循同蒲路進取太原。四，所有華北華中華南各交通線附近共軍，一律積極進攻擊破前進路上的一切阻礙。五，各地共軍均限時繳械，如有拒降，即予堅決肅清。六，佔領區實行軍事管制，如有破壞或反抗，即以漢奸論罪。過了幾天之後，朱德彭德懷致電蔣委員長，公開表示抗拒統帥部八月十日給予他們駐防待命之命令，十五日朱德又擅自以「中國解放區抗日軍總司令」名義，致電岡村寧次，飭其命令所屬日軍向共軍投降，受降地點及代表指定如下：華北在阜平地區，由聶榮臻負責；華東在天長地區，由陳毅負責；鄂豫兩省，在大別山區，由李先念負責。於是各地共軍大舉蠢動，到處劫收，並截擊國軍，破壞全國交通網，阻止國軍前進，使全國陷于勝利後之大混亂狀態。我們全國老百姓所希望的勝利和平，與休養生息的機會，都給他們破壞無遺。說起來，怎能不令人氣憤塡胸，恨之入骨呢？」

「唉！」劉老伯深深嘆了口氣：「這眞是國家的不幸，指望趕走日本鬼子之後，大家團結起來，齊心協力，把祖國從安定中建設一個康樂富強的國家。可是，因爲他們的搗亂，現在是一切都將落空啦！老天爺爲什麼會對我們這樣的不公平呢？」

各位客人聽到這裏，都表現出十分難過樣子，一個個噘起嘴，一言不發。直到樓下起了一陣騷動，劉太太嚷着來了遠客時，大家才紛紛起身，走到樓下去迎接。……

（完）

丘逢甲先生紀念碑文

雷嘯岑

台灣自鄭延平郡王興師抗禦滿清人入主中夏之役作，而義聲震寰宇，民族精神與日月爭光，休烈丕著矣。洎夫清祚衰微，外侮頻臻，致召甲午中倭戰敗之辱，忍割台澎以與敵國講解。乃有名進士丘逢甲別號滄海君者，繼踵前修，義不帝秦，奮起督勵軍民，拒亂命，倡自立；奉藏巡撫唐景崧爲大統領，自任義勇團練使，據守台中，期與原屯台南之黑旗軍將劉永福犄角協力，迎擊入侵之倭寇，此乙未五月間事也。旋寇兵大至，陷基隆要塞，豕突狼奔而南，我軍寡而援絕，唐統領潛去閩，黑旗軍亦潰，滄海君苦戰力竭，揮淚別離粵中，圖匡復，顏其寓廬曰念台館，復以念台名其子，蓋猶志士不忘溝瀆之意也。時清政日窳，民怨朋興，革命思潮瀰漫於青年學子間，滄海君盱衡大勢所趨，毅然唯與學育才是務，先後創設小學若干所，啟牖嶺東同文學堂兩廣方言學堂監督，廣結瑰奇之士，密予將護。厥後兩粵革命健者，多出滄海君之門，貞下起元，績業甚偉。辛亥武昌首義，各省紛起響應，籌組臨時共和政府於南京，滄海君代表廣東，北上躬預其役，繼膺選參議院議員，獻替良多，未幾以憂勞卒，卒後卅餘年，台灣亦以國家抗日戰爭勝利重歸華夏版圖，堪慰滄海君但悲不見九州同之遺念也矣。傳曰：有功德於民者祀之。越中華民國五十五年，全國國民代表大會於臨時首都台北市，陝西代表謝幼石軫念滄海君對國家民族之忠義憤發諸事功，允足矜式鄉邦，垂範後世，特建議於台中縣潭子鄉大浦居當年滄海君誓師抗倭處，勒石樹碑，用資紀念，以勵來茲；代表同寅中之革命耆宿馬超俊、蔣鼎文、劉峙、白崇禧等二百五十人爲之附議，詢謀僉同，欣然裁可，而由台灣省政府董理其事，聿觀厥成焉。嘯岑不文，承命敘次滄海君爲國爲民之犖犖勳烈，鑴示有象。至其文采淵懿，斐聲藝林，猶餘緒耳。乃系以銘：是儒也而力能披甲禦寇，是俠也而學足承先啟後；民無能名，功德永懋；殆非周所謂至人也歟？固無忝乎萬衆之馨香俎豆。

中華民國五十八年二月穀旦

富人列傳

信陵君富而不驕（十二）

周燕謀

（三）威震天下

信陵君「竊符救趙」一事，史劇有此一齣，則演此事。然信陵君雖有救趙存趙之功，而對魏來說，則爲「有背王命」之叛臣，其罪不小。

趙王及平原君親迎信陵君於趙魏邊境，請信陵君前行，引趙王再拜，語信陵君稱美道：「自古賢人，未有及公子者。」信陵君則因盜其兵符，矯詔殺大將晉鄙，不敢還魏國。信陵君遂留趙國。侯生回鄉自殺以謝信陵君。信陵君使將將其軍歸魏，魏王大怒。信陵君偕門下賓客同歸趙都——邯鄲。趙孝成王爲報信陵君矯奪晉鄙而存趙卻秦之功德，與平原君計議，請以五城封信陵君，信陵君聞知，意甚驕矜。門下食客有人諫信陵君道：「夫物（事也），有可忘與不可忘者。人有德於公子，公子不可忘也；公子有德於人者，不可不忘也。且矯魏王令奪晉鄙之兵以救趙，於趙則有功也，於魏則未爲忠臣也。公子以此自驕而功之，竊以爲公子不取也。」於是，信陵君納客之善言，引以自責。趙王掃徑自迎，信陵君執賓主之禮，引信陵君就西階，信陵君辭讓，從東階而上。自謙無功於趙，負於魏。趙王侍酒至暮，心不忍獻五城，以信陵君之謙。信陵君亦辭五城不受。趙王最後以鄗爲信陵君湯沐邑。魏王因信陵君留趙，不敢逼，仍以信陵封信陵君。

趙國有處士名毛公者，隱於「博徒」（賭徒也）之中，又有薛公藏於賣漿之家。信陵君欲訪晤此二人。毛公、薛公聞信陵君求訪，乃隱之不肯見。信陵君探知其所在，徒步往訪，不乘車馬，結果如願得償，與毛、薛二公相見甚歡，與之同游同樂。

趙國平原君與信陵君爲郎舅關係，聞信陵君與市井小人同游，對他的夫人說：「伊弟妄從博徒賣漿者游，公子妄人耳！」信陵君之姊爲平原君夫人，夫人以此相告於信陵君，信陵君乃謝其姊而去。臨行對其姊道：「吾昔聞平原君賢，故負魏王而救趙，以稱平原君。平原君交游皆爲富豪，非爲求賢士也。無忌從少游，尚恐其不我欲也，乃以此爲羞。」信陵君偽裝欲離趙他往。其姊乃告平原君，平原君自知失禮，乃免冠爲之謝罪，請留信陵君。平原君門下食客聞之，去平原君者半，而歸信陵君門下。自此，天下皆聞信陵君之名，而往歸之。信陵君留趙國十年不歸。

秦國探知信陵君留趙國，日夜東伐魏國，魏王大恐，乃遣使赴趙請信陵君歸國。信陵君告其門下賓客曰：「有敢爲魏使通者死。」於是賓客皆背信陵君而歸趙，無人敢勸。此時毛公、薛公二人乃往見信陵君說道：「公子所以重於趙，名聞諸侯者，徒以有魏也。今秦攻魏，魏國危急，而公子不恤，若秦破大梁（魏都），而夷先王之宗廟，公子當何面目立天地間乎？」語未說畢，信陵君即令從下備馬車救魏，與魏王相見，互擁相泣。魏王授以上將軍印與信陵君。

魏安釐王三十年，信陵君遣使傳檄天下，諸侯聞信陵君將兵，各國遣將兵救魏。信陵君率五國之軍破秦軍於河外，又擊走蒙驁，遂乘勝逐秦軍於函谷關外。秦兵不敢再出。當時，信陵君之名，威震天下。諸侯之客，各進兵法，信陵君編爲「魏子兵法」（信陵君兵法）。遂秦王患信陵君之威，乃以黃金萬斤，賄晉鄙故客，使間於魏王之前，造謠毀謗信陵君。諸侯只知有信陵君，不知有魏王，魏王不得不信。魏王使人代信陵君爲將。信陵君自知復以毀廢，乃稱病不朝，日與賓客作長夜飲，迷戀女色，朝暮爲樂。如此沉醉四年，卒因飲酒過度而死。同年魏安釐王亦死。秦使蒙驁將兵攻魏國，拔二十城，再十八年，虜魏王，屠魏都大梁，魏國在信陵君卒後二十年而滅。漢高祖統一天下，過大梁，爲信陵君立祠，設守冢之官焉。

吳敬恒先生年譜（四六）

陳凌海編撰　陳洪校訂

而先生當時認爲：「張伯倫之犧牲他人圖免自己困難屬實。惟爲失去英國利益而不甘。同時不願蘇俄太出頭，亦不欲德國、意大利消滅。蓋可依賴兩國以對付未來之共禍。此爲英國欲以在歐維持均勢之政策。」

八月，尼赫魯訪問重慶，先生在歡迎會代表中央致歡迎詞。由董顯光担任翻譯。九月，先生走遊重慶市郊化龍橋、沙坪壩、磁器口。由磁器口乘輪至柏溪。翌日又遊汪家花園、眞武山之眞武廟等地。自九月起，先生患血壓高症，時常頭昏而疲倦，且小便多速。血壓曾一度高至二百三十度，心臟亦與不正常，驗尿後幸皆無病。遵醫囑，並及時服藥診療，經數月，血壓漸降，而歸正常，九月，德國希特勒侵犯波蘭，英、法兩國爲履行條約之義務，起而抵抗德國。第二次世界大戰爆發。蘇俄又於九月十八日進兵波蘭，波蘭遂亡。先生於是月發表：「精神物質並重說」一文。十一月，中央訓練團聘先生爲講師，先生主講：「總理行誼」。稱國父有四大特點：

中國之永恆價值

（上接第一版）

學習歐洲文字最感頭痛的是文法上的各種規則和複雜的變化，他們在中文裡都成爲不必要。例如「我是人」的「是」字，過去、現在、未來、我、你、他、我們、你們、他們，在中文裡都用同一「是」，在西文裡就有許多不同了。西文裡，名詞變動詞，動詞變名詞常加字尾，中文裡則不需，如「帝」秦，「王」巴蜀漢中，「生」死人，「肉」白骨，送「往」迎「來」等。中文裏，多數、單數、男性、中性、女性，的變化一概不存在。其他例子甚多，這一切均可證明中文的簡明合理，因而容易學習。

中文裏的專名如人名地名，幾全部由普通字組成，學習起來經濟得多。西文裏，人名地名最大多數是專用的字，如羅斯福與雅爾達等；很少的是由普通字組成，如英文的費希（漁夫）、斯密斯（鐵匠）、好望角及俄文的（鎮東Vladivostok意爲鎮東，即海參威）等。

六、中國政治之永恆價值

政治是文化的一部分，在全部文化中，佔有特殊的地位。印度文化高，但政治不行，大部分歷史是異族統治史。拿破崙戰敗及第一次大戰後，法、德兩國，雖然政治力量很削弱，文化依然很高。

政治的興衰得失，表現在對外抵抗力與對內組織力的強弱有無。中國政治原有統一的堅固基礎，就是民族、歷史、文化、文字、政治理想都是統一的，雖然人口分佈，華僑及邊疆不算在內，就有半個歐洲那樣大。以文爲基礎的民族思想，表現在二千幾百年來「尊王攘夷」的理想，歷久不衰，直到對日本抗戰。「王」象徵中國文化所及的國土和人民，「夷」指中國四周的野蠻民族和半開化民族。

春秋戰國時代，中國的「民族土」和「文化土」分裂成若干個國家，像古代希臘、後世意大利一樣；自秦始皇滅六國，統一天下，一統江山便成爲歷代人民共有的政治理想，而分裂視爲變態。「分久必合，合久必分」，分與合都指這「歷史的中國」，即中國舊本部包括東北各省南部（指遼東遼西）在內，到近世，全部東北才包括在內，而不包括四夷。

這「歷史的中國」早已是一個廣土衆民的大國家，加上所征服、所控制、所懷柔的國家民族，便成爲一個大帝國，就是以中國爲中樞區域的「天下」了，中國文化便由這中樞區域向四周輻射。反之，西方歷史上許多帝國，如羅馬帝國等，是由「綠洲國家」的那中心點，即羅馬、威尼斯等，向四周擴張征服。

中國學者寫歷史非常注重政治，司馬光把歷史編成「資治通鑑」一類的政治書。歷代有各種制度爲維持這偉大帝國的方法，一部分會由他國仿效，例如考試制度，一部分到今天還實行於中國，如監察制度、省縣行政制度。

最能表現中國人的政治的是萬里長城。在科學昌明的今世，修造這長城，都不容易，而我竟於二千年前完成之。偉大長城的建築，原爲「防胡人南下牧馬」，證明我民族抗敵的決心、毅力與成就，同時也表現出我民族的組織。英國考古學家斯坦因，曾在新疆東部羅布泊以東考察漢城遺跡及防衛和交通體系，於一九二五年發表「亞洲腹地地理爲歷史的一因素」一文，文中一再欽佩的說：

「這一次中國人的聰明的組織力量，戰勝了自然界的一切困難……」「爲了安全使用這困難的道路，……中國人的綜合組織力量徹底準備起來，我在這裡（按：指敦煌以西一帶長城）找到最顯著的證明」。

「偉大的組織力量需要用在解決這一問題」。

不但斯坦因，其他學者亦多這樣說的，這裡不必再列舉。

總之，中國人是有偉大的組織力的，不過在這內憂外患交迫的時代，不易表現出來。最痛心的是由於百年來內憂外患的嚴重，中國人民尤其是知識份子，已經喪失了自尊心和自信力，根本懷疑甚至否認中國人有組織能力，有高尚文化，因而迷信西洋，盲從歐美。

無庸否認，中國歷代政治上也有不少的缺點：如組織技術的不佳，政黨組織的缺乏，人事制度的不健全等。這一切都是可以改善的，而且現在已經改善。

七、總結

上述六點說明了中國國家、中華民族、中國文化能有其悠久歷史、存在到今天的原因。但這一切都有關過去，能不能保證將來，保證中國將來一定能存在、能發展呢？過去是未來之母。過去中國所表現的永恆價值，至少可以保證中國國家、民族、文化，在未來有繼續存在與發展的絕大「可能」，只要我們這輩子孫能夠認識這些永恆價值的可貴，保存之，珍重之，發揚光大之，「可能」就可成爲「實在」。過去的永恆價值是「潛的力」，經過我們的運用、發揮與增益，就可以成爲「動的力」了。

中國的地理原是一片錦繡河山，我們決心不讓他變成廢墟，還要在「錦上添花」，花就是科學化和工業化的成就。我們要用全民族的力量和心血，寫二十六史——新中國史——寫得更偉麗、更堂皇、更動人。中國人原是很優秀的，今後要有計劃的使我民族的身體與心靈格外健全的發展。像過去吸收印度文化而有所創造一樣，今後要好好的吸收西洋文化，包括他的整個學術體系和政治經驗，以富豐中國文化的內容，使其更具有世界性——中國、印度、西洋三大文化的綜合，並應有所創造，以貢獻於人類。（完）

巨變歷險記

接觸到林彪的政工　廿四

胡慶蓉

五代表跟着紅軍走。

這並不是在地上，而是在地下，在壕溝裡。

這壕溝非常深又非常長。上邊棚的什麼不知道，也可能是板子，或者是棍子。但棚的很技巧，從外邊，簡直什麼也看不見。平平的，與其他土地無異。北方雨下的很少，地乾燥，挖差不多一人多深；還不見出水。

在壕溝裡邊，五代表像進了迷魂陣，左轉右轉，右轉左轉，總在裏邊轉，總轉不出去，心巳經有點苦惱了。壕溝裏邊，入說有「地氣」，實際就是熱氣，在裏邊越轉，越覺得熱，身上再度出汗，更覺難過，而且也覺得煩悶。

帶五代表前進的，可能是一位排長，也或許是一位連長，也或許更大？他是不是已經得到上峯的指示，留我們就在這壕溝裡？……代表到了一個辦公的地方，讓他們坐下，部隊長說他一定將代表的到達反應上去。代表心很急，恨不得一下子見到林彪，談罷了就走。這是代表的想法，這想法是難以實現的。照當前這樣子，倒是留難的樣子。「他們會報嗎」？「他們不會不報吧」？代表在想。

部隊長問長問短，大有疲勞轟炸的樣子，代表於急躁之中，還是虛與委蛇的在應付，代表在聽着，到必要說話的時候，那就是「等見到林司令員再談」。在他們看起來，林彪是他們的司令員，是他們的最高長官，代表們未必能看到，縱令能看到，也決不是馬上立刻的事情。但代表見林彪之志甚堅，並且可以說不會改變，到了必需要說的時候，總是這麼一句：「候見到你們的司令員再談」：

部隊長看扭不過代表們的意思，終於答應了代表，領着去見他們的政工人員。這巳經離開壕溝，來到一個鄉村了。沒有道路，沒有樹木，只是一些茅草房子。到處是糞堆。這在台灣，恐怕不爲人注意。台灣肥田，講究用肥料，用化學的肥料。而在內地則不然。內地都是用的糞：人糞，馬糞，牛糞，羊糞，雞糞，豬糞，堆成堆，就成爲糞堆。院子裡還有糞坑。普通在廚房旁邊，廚房的髒水，垃圾等等，都可以倒進去，久也就變成糞了。林彪的政工人員，就住在這個鄉村。接受代表，倒也客氣。我說接受，是真的。部隊長交給他，他從部隊長接受過來。從此，代表就置於林彪部隊之下了。他們是沒有自由的了。

這位政工人員，論年歲，恐不會超過卅五歲，但面目尚清秀，言語也很客氣。他同部隊一樣，也是明知故問。對於五位代表的任務，他不會不知道，但他故作不知。仍舊問上一番；但代表也還是老主意，仍舊說「一切等見到林司令員再談」。他說他一定反應上去，如何請等等！他招待代表吃茶，繼續的談。

海國秋深（一）

文自粹

本文爲六年前轟動巨案恩怨實錄，前後五十年，縱橫三千里，事唯求眞，名或假借。

筆者以菩薩心，作怨親等觀。不計較是非，不落人窠臼，山門棒喝，期以現世果報泯滅人天結翅耳。

鄭板橋道情云：「撥琵琶，續續彈，喚庸愚，警懦頑：四條絃上多哀怨。黃沙白草無人迹，古戍寒雲亂鳥還，虞羅慣打孤飛雁。收拾起漁樵事業，任從他風雪關山！」且聽吾道來。

繁華事散逐香塵
流水無情草自春

入秋的島國天氣，初陰不雨，炎威盡殺，眞正宜眠。那知這樣早就有電話鈴響，李太太近年爲了大孩子的精神科毛病，累得消瘦不少，也特別容易警覺。一睜星眼，趕忙拖着拖鞋，倒提晨褸，就先來接聽。一聽是警察分局打來的，又是凌晨五時不到，嚇得有了急事。趕緊叫：「鵑哥：警察分局長有緊要電話」李鵑秘書是個忙人，因爲公務交接都是黨國要人，幾年來已養成處戰時如平時的鎮定功夫，徐徐起坐，過來接聽。原來有位不知名的老先生，昨夜給人刺殺在十條通巷底。袋子裡藏有左公名片。分局長知道李秘書和左公的親切關係，所以電話來問。李秘書一時也猜不透是誰藏了左公名片，而又遭此不測之禍，只有等警局派車來，一道去看過再說。他又怕太太受驚，告訴她沒有什麼大事；許是一個不相干的人給人刺傷了，我候分局的車來一道去看看。正說着，警察分局的紅色吉普車已在門外響起喇叭。李秘書匆匆披上西裝火大衣，提着出去，原來是分局長自己開着車來。彼此道過早安，便風馳電掣朝泉州街，中山路，十條通而去。那時早晨五時稍過，中山市場的門外稀稀疏疏有挑菜來賣的人。一到現場，雖有圍觀的民衆；但因警察已將自東至西五丈距離加以隔絕，尚不致雜沓。李秘書走近一看被刺的人傷處多在胸脅下，頭面尚屬齊整；甚至達克龍西裝也沒有扯破的痕跡，白綢襯衫袖口迎風吹動，黑皮鞋，藍色尼龍襪，及鞋底還是乾乾淨淨的，猶想見事主生前的風流倜儻。這不是工礦銀行監事伍嘉玉先生麼？前天晚上還在第一酒店多人歡會的，一日不見，便隔人天，人生眞是太倏忽了！取出手帕揩一下眼淚。分局長看出李秘書和死者熟識，輕輕問是誰？李秘書也輕輕地告訴了他；並約略說明了他在台灣的公職、住址，和左公的交誼。分局長和在場刑事組人員略一商量，決將現場一切留下，儘速聯絡檢察官到場檢驗；一面接洽工礦銀行，俟檢驗事了，即送入殯儀館先行沐浴化裝。李秘書也就索性借分局車先過左公館。問明副官左公昨夜睡眠還好，早上已醒，便敲門進去，就榻邊報告經過。左公非常驚異，他說十條通衢非嘉玉住宅昆近，又無至親好友其間，何以夜深會跑到那裏？警察既檢查過袋裡一切，顯非臨時見財起念的盜竊幹的；嘉玉七十來歲了，平常很達觀的，還有什麼大仇家呢？李秘書告訴左公一切現場證據乃至指紋等等，警察部已錄下，想可迅速破案，人既云亡，也就用不着過於傷悼。香港伍家有沒有親人，要不要替他發個信去？左公說對的，你到辦公室我登錄的通訊地址簿一查伍夫人在港地址，先發個簡單電報，再補一封信去，伍公子靜勤似乎還在澳洲雷爾砵大學學醫；伍夫人想可來理喪的。李鵑趕快道別，先回家裏用飯，並告訴太太。飯後即到辦公室，發去函電。」

八寶糯米飯

▲林泉隱▼

材料：圓糯米一碗半，豆沙一碗，豬油四大匙，蓮子二十餘粒，杏仁十數粒，紅棗十數粒，良鄉栗子十數個，銀杏二十餘粒，蜜餞青梅瓜十數個，桂元肉或葡萄乾二大匙，松子仁一大匙，青紅菓絲各數條，豆粉一小匙，白沙糖一碗。把糯米浸泡洗淨，用一碗半水煮成飯後備用。豆沙可以外面買或自己做，做法亦甚簡單，用紅豆加水煮至成沙泥樣，過籮篩去豆皮，再用紗布把水份擠出來，即成豆沙。把豬油置炒菜鍋內，加入豆沙及半碗白糖，攪炒約十分鐘，西的多少亦可隨意加減。

把銀杏，杏仁，栗子或蓮子，分別煮到軟爛備用，如果是用糖蓮子，也要事先去皮煮軟了，紅棗也要先畧煮一下，其他蜜餞菜品均須用水洗淨。

預備一個大碗，先把八樣作料，隨意擺好，舖砌各式花樣，滿佈碗底及四週（一般飯館做八寶飯，均不一定有八樣乾菜，少幾樣也無所謂的。）然後加入十分之八的糯米飯，蓋住擺好的乾菜，中部仍使畧凹，把炒好的豆沙填滿凹處，再把剩下的飯蓋起豆沙來，成一滿碗，與碗邊相平。

將碗飯放在蒸籠內，大火蒸卅分鐘左右，蒸好後，用一個大碗蓋在碗上，倒轉過來，即扣出一碗很好的八寶飯了。

催眠術研究　十二

鮑紹洲

二十六、面鏡催眠法

即用鏡子而催眠之法。先將施術室的左右壁上，張掛大鏡一面，二鏡相對，令被術人坐在室中，而鏡中只見被術人與施術者二人；但鏡面相對，彼此相映，因此影像重重，使被術人自覺神秘觀念，竟至無想。如爲病患，則令仰臥床上，天花板上置大鏡，開始命被術人張大眼睛注視鏡中，漸漸微睏，終於閉眼而眠。如不閉目，即暗示「閉目催眠」，且可用手指細按其眼道：「將要催眠」，「更深催眠」。又可兼用下撫之法，加速其催眠。此一原理，是使被術之精神注意於一物，使其不生雜念。換言之，以一物示之，以集中其精神之注意，至終於連此一物亦不復有了，而致入眠。

二十七、強激催眠法

即加強度的刺激於被術人，而使之催眠的一法。凡是催眠術，可分爲二大類別：一爲徐徐而誘導催眠，二爲忽然而催眠。強激的催眠法是屬於後者。先使被術人處在安靜之處，令開眼默坐，施術室開明電燈，忽然息燈，全室盡黑，然後暗示道：「將要催眠」，「更深催眠」；又忽然打響鑼，然後暗示道：「將要催眠」，「更深催眠」，於是便催眠了。此一原理，即如聞雷擊之聲，驚愕而不省人事，或者忽然遇見凶人，亮白刃恐嚇相追，則身軟不起，即同一原理。當其不意，而忽然加以強烈之刺激，使其無雜念所生之餘地，即加以暗示，以促其催眠。

自由報

中華民國內政部內版台報字第○三一號
中華民國僑務委員會登記證台報字第三二三號
中國郵政台字第一二八二號執照登記爲第一類新聞紙

（第九三六期）

（每星期三、六出版）
每份港幣壹角，台灣零售價新台幣式元

督印黃行・社長李運鵬

社址：香港九龍彌敦道593—601號廖創興銀行大厦八樓五座
LIU CHONG HING BUILDING
7th FLOOR FLAT 5
593—601 NATHAN ROAD,
KOWLOON, H.K.
TEL: K303831
電報掛號：7191
承印：景星印刷公司
地址：嘉咸街廿九號地下
台灣總管理處：台北市大同街119號
台灣區直接訂戶　台郵劃撥戶
第五○五六號張萬有（自由報會計室）
電話：七一四○三三、五五五三九五
台灣分社：台北市西寧南路110號二樓
電話：三三○三四六，台郵劃撥戶九二五二號

「五四」噩夢五十年（上）

・湯如炎・

「五四」是民國八年，當時「新思潮熱」、「新文化熱」、「白話文字熱」、「反孔熱」、「愛國熱」的綜合性運動。中國知識份子或直接或間接或有形或無形上了它的糊塗當，已是半個世紀之久了。如按其性質分別命名，其名有：一、以當日北平之賢人七十，弟子三千，爲聲援巴黎和我國代表拒絕簽喪權條約，起而遊行示威，自外表看，堪稱「學生愛國運動」，玆簡稱「甲性五四」。二、就其擅犯私人住宅、毆辱公務人員之行爲而言，直可稱爲「暴民擾亂運動」，玆簡稱「乙性五四」。三，就其「擁護德先生、賽先生」和「死文言決不能產出活文學」等口號而言，係以「新文化運動」作幌子，實質則是「白話文字運動」，玆簡稱「丙性五四」。四、就其「打倒孔家店」「反對舊禮教」等口號而言，又直可稱之爲「鄉愿反孔運動」，玆簡稱「丁性五四」。蓋棺論定：「甲性五四」近乎愚，「乙性五四」近乎野，論甲乙二者的運動方式，應列入「武門」一類。「丙性五四」近乎詐，「丁性五四」近乎逆，論丙丁二者的運動方式，應別入「文門」一類。

（一）云何「甲性四五」近乎愚？

中國知識份子最愛被恭維爲讀書人。讀書人都相信「學問爲濟世之本」，所以才有「救國不忘讀書，讀書不忘救國」兩句蔡元培口號，從「五四」一直流傳到現在。不幸的是：學問如工之器，救國如工之事，工欲善其事，必先利其器，讀書與救國是先後相依的兩回事，不是可以同時並舉的一回事，既是無法兼顧，除外患迫近眉捷，在學青年就只能以讀書爲急先，亦即教學生廢學務外之舉，均所必戒。而且即使離開學校，從事實際救國工作，還是不能忘掉讀書，吳稚老曾說：『我起初不滿意孫文，就因爲他是科第中人，不是經生文人，並且疑心他不識字。到認識以後，知道他是手不釋卷。一九〇八年他到倫敦時，似乎旅費甚窮。所以有位朋友曹亞伯，在學生中湊了三四十鎊送他。不料三天以後，我們到他寓裡見他，他已把那個錢買了一大堆緊要書籍，指示我們什麼什麼。我是驚駭他的好學，曹君便以爲他不吃麵包，買那種不急之物，有些不滿意。後來我每見他，不是談國事，便是看書，終不談閑天，什麼麻雀，更生平不懂得的了。直到前一月（民國十四年二月），皮海鎭先生也對我說：「孫先生眞用功，他把最新歐美的社會學說，無不瀏覽。」他並說：「儘管學者如汪精衛先生等，事情大多，幾乎像束書不觀，不及孫先生用功。」我當時亦爲之赧然，始更驚異孫先生的好學，竟有學者亦心折之。』這一段話，正面頌揚　國父，反面貶抑汪某，所說明是：要讀書才有能救國；故救國要不忘讀書。蓋救國大業千頭萬緒，絕非不學無術，單憑血氣之勇所能僥倖成功的。何況內憂外患非一朝一夕而來，自亦非一朝一夕可去，端賴長期奮鬥，要在前仆後繼，繼起有人。而欲繼起有人，則首在保障青年在學期間專心致志於求學。　國父致力於國民革命，凡四十年，出生入死，從不向學生告急，爲的就在讓學生學成有能，繼起繼志耳。共產黨則正相反，巴不得青年成爲無知的白癡，才好供其欺騙利用，即使政權奪到自己手裡，仍舊是千方百計來破壞青年求學，變相製造失學。據民國四十年八月六日，「僞民日報」招供：『在華東：時常拉學生參加突擊工作，或動員學生參加歡迎會、歡送會，佈置會場，或叫學生打着腰鼓舞蹈送集體納稅的商人和集體納糧的農民，……行政、工會、學聯、黨團、婦聯及抗美援朝會、中蘇友好協會等。（他們）往往各自佈置一套，形成學校師生職務多、會議多、社會活動多。』同月十四日漢口僞「長江日報」招供：『武漢公私立九校上學期因爲參加各種活動，停課就誤正習學課時間一、一〇〇小時，學校裡「無邊命令紛紛下，不盡通知滾滾來。」學校的佈置工作機關，初步統計有十一個。……（工作）每月多至十三項（稅務局佈置納稅大宣傳，衛生局佈置清潔掃除大宣傳，人民保險公司佈置保險大宣傳等。）』民國四十二年二月十二日上海僞「解放日報」招供：『學生在學校活動中最多的是開會，主要的是「黨支部會議」，「小組會」，「報告會」，「檢討會」，「批評會」，「彙報會」，「評議會」，「經驗交流會」，「時事座談會」，「總結會」，「中蘇友好會」，「學習會」，「紀念會」，「動員大會」等。以華東師範大學來說，該校每天十五小時四十分鐘時間，全在這些會議中渡過，飯後該休息的時候，各宿舍叫喊：「開會呀！」「黨支開會呀！」「團支開會呀！」「小組長開會呀！」羣衆像穿梭忙來忙去，窗沿上、台階上、廁所裡、……到處是飯盆碗筷，有的飯沒有吃完或來不及吃，就要去開會。例如「中蘇友好會。有一個名叫趙午生的學生說：「會議累得我像害了一場大病，一天到晚，腦子就是昏沉沉的，眼睛也睜不開，上俄文課，一個生字也記不着；我的身體眞不行了。」……。』毛共這種缺德作風，年復一年，變本加厲，終於釀成「紅衛兵」的大暴亂。這叫「自作孽，不可活」，而啓其蒙者，則爲「甲性五四」，我故曰：「甲性五四近乎愚」。

（二）云何「乙性五四」近乎野？

民國八年五月　國父在「護法宣言」中說：『國內紛爭皆由大法不立。在法律，國會本不能解散，若不使國會復得完全自由行使其職權，則法律已失其力。根本先搖，枝葉何由糾正？內亂何由永絕？況國家以外患而致艱危，一切有損主權危及國脈之條約，其訂立未經國會之同意，故亦惟恢復國會完全自由行使職權，始能解除之。』　國父這幾句話，用心在促起「乙性五四」中的教師爺的覺悟，切盼他們能領導學生走法律的正路。說到沉痛處，甚至哀求他們，他說：『諸君處境不同，職籍於中華民國則一，棟折崩，豈能無懼。希以中華民國國民之資格，受此忠言，一致通電主張，共謀救國之業。』　國父語意雙關，辭情委婉，令人不忍卒讀。不幸那班教師爺，既不可理喻，復不爲情勢，每人自戴一頂前進牌高帽子，領着學生向破壞體決的路上衝去，而國益危矣！

當民國二十三年，日本在中國積極進行「華北特殊化」期中，劉匪少奇即在北平策動所謂「一二九學生運動」，匪幫稱之爲「全國抗日救亡運動的新高潮」。跟着組成了它的所謂民族解放先鋒隊，很快的伸展到全國各地學校，構成「乙性五四」型運動的指揮網。

抗戰末期，匪共的「學運」由半公開轉到全公開，抗戰勝利後，更成爲反政府的主流，始作俑者「乙性五四」，至此，直可稱之爲「乙性五四」潰瘍。到了三十四年，其在昆明發動「一二一」的罷課運動，潰瘍的穿孔還不大，還算不得是「乙性五四」的最高潮，可是已曾逼使政府手忙腳亂一陣子。

三十五年十二月，共黨以在北平製造的沈崇事件爲導火線，到翌年元月，一下子就擴大成大規模的全國性反美運動，亦即平津京滬成渝的所謂「抗暴運動」，穿孔可就大了。

三十六年一波未平，一波又起，另又有所謂：五月的反內戰、反飢餓、反迫害運動。大學生的大字報貼遍大學校的牆壁（專門名辭叫「民主牆壁」），穿孔穿到水門汀上面去了！

三十七年由於毛匪軍事上漸居優勢，由「乙性五四」發展出來的學潮，已經把「反內戰」的口號取消了，可是瘋狂得更厲害，有所謂「反飢餓反迫害的四月暴風」，有所謂「反美抗日的五月狂」，穿孔如此其大且多，唯一救亡圖存的一線希望是動手術，可是唯一不能也不敢採取的醫療手段也是動手術，嗚呼哀哉！

從民國八年五月三十七年五月，足足的二十九年整，由「乙性五四」發展出來的一次接一次的所謂「學生運動」，對教育對政治所表現的破壞性，逐年升高，對中國國民革命，自始至終，幫的是倒忙，想起好氣又好笑。（未完）

昨日與明日

民主與公僕

・成公・

按照民主的說法，尼克森只是一位公僕，他是替全國人民務服的，地位應該比任何人都低。但這只是詩人的幻想，那有手握大權，決定他人命運的人，其地位反比衆人爲低之理？就以當前尼克森就任總統的一幕來說吧，典禮的費用多達二百五十多萬美金，觀禮的人約有兩百萬，出動安全人員將近三萬人，試問那家更換僕人，有這種浩大而隆重的場面。問題的中心，乃在名稱叫「公僕」，實則是掌握國家命運「主人」。天下事都有其必循的常理，事實是主人，名稱叫什麼，他也仍然威風凜凜，爲人崇拜艷羨，老子不是早已說過「人之所惡，唯孤寡不穀，而王公以爲稱」麼。

在一個國家，或一個朝代初開創的時候「公僕」，或者還眞像公僕，其人也必是不以「享受」「威風」爲重，而一心爲大家謀福利，爲國家建功業。但久而久之則位尊勢隆，意義改變，於是繼其任者，勢必減輕了盡責服務的熱忱，而加重了威儀聲勢的注意，於是縱以講平等，尚民主的美國，在對其公僕更換，也極盡其奢侈舖張之能事，這固然是國勢富強之表現，但設想華盛頓後生，前來觀禮，必然會將不勝感慨系之吧。

逢迎諂諛

更妙的是社會上的逢迎諂諛。當年甘迺迪當選總統不久，裁縫服裝業，馬上推選他的夫人（也就是現在的歐納西斯太太）是最佳服裝，記得台灣的新生報曾有一段精彩的評論，認爲若是處於君主專制的淫威下，不得不奉承，或是另有大利可圖，情尙可原。而在美國，顯然總統既無此淫威，也不會給他們厚利，然而他們竟在恰恰當選總統後，就向他太太獻以「最佳服裝」獎，諂諛之工，逢迎之速，眞應該授予「最佳馬屁獎」了——若以此爲例，則這裁縫業現在豈不又再度獲得此獎？因爲尼克森就職還不到一星期，他們又獻上「最佳服裝政治家」的封號了，足見馬屁之道，是無分古今中外的了。

移風易俗？

尤其妙的，元月二十日，美國合衆國際電，有如下的報導：

「總統職位，每一次易人，美國首都就得經歷一段難以適應的時期。……總統的影響力，遠不止對政府和政治，他的奇行特性，影響所及也漫無止境。如果他經常打高爾夫球，華盛頓的人即丟下去前任政府期間買下的保齡球，而去打高爾夫球去了……例如作興的是乾酪蘸番茄汁，不作興的是干辣椒番茄醬；……作興的是海灘和潮流，不作興的是牧場……作興的是加利福尼亞州，紐約和佛羅里達州；不作興的是得克薩斯州……作興的是獅子狗和約克州狗，不作興的是蘇格蘭牧羊犬，和小獵犬。不再作興提狗耳朶了。」

想不到像美國這樣一個民主國家中，總統竟有如此鉅大的「移風易俗」（？）的力量，他願尼克森總統，能利用他這鉅大的影響力，來轉移一點點美國和世界的歪風，而不要僅限於此項事。

自由談

談調整官吏待遇

台灣最近擬增加稅收官吏的待遇，聯帶對於一般的軍公教人員待遇，亦準備加以調整，用意在使行政人員的俸祿足以養廉，消弭非法貪污的風氣，自屬義所應爾，未可厚非的明智之舉。不過，貪污風氣之所以構成，待遇問題只是原因之一，個人的品格和環境，實佔重要關係。

就品格問題而言：有的人先天的廉介成性，不見可欲，自動有所不爲，若向他行賄，認爲是對他莫大的侮辱，此所謂君子人也，有的人由於後天的學識修養，愛惜羽毛，不願以物慾而汨沒良知，毀壞一生的名譽，是不失爲自愛之士也。有的人意志薄弱，抵不住物慾的引誘，爲要滿足物質生活享受，祇要有機會抓錢，則見利忘義，悍然利用職權，隨便貪取非法的財物，此乃下愚之人也。行政官吏羣中，君子人也不能說沒有，但如鳳毛麟角；自愛之士雖較多，但下愚之輩受收賄賂而泰然無所顧忌，他們即容易感染惡習，變化氣質而同流合污。救弊補偏之道，惟有明辨是非功過，厲行賞罰獎懲，而且譏親譏貴，決無例外。

就環境關係而言：咱們中國人在五十年前，處於世界列強的次殖民地環境中，經常過着十八世紀的生產，二十世紀的消費生活，俗移人，貽害匪鮮，到今天亦不過五十步與百步之間而已。自己的生產力尙屬「落後地區」，然西方資本主義社會的奢靡消費情況，我們却亦步亦趨，惧不能迎頭趕上，試看目前台灣的都市生活現象，視紐約、巴黎等處似無遜色。公務人員在這種環境中，物質享受慾甚熾烈，而薪俸收入極微薄，自然「飢寒起盜心」，抓錢第一，有機會即不惜貪圖非份之財了。國家在憂患階段，應該生聚教訓，刻苦節約，而都市生活却表現着紙醉金迷的太平盛世景色。當年對日抗戰之際，政府厲行戰時生活，行政院參事羅君強因携帶異性出入娛樂場所，即受到撤職查辦的處分。今天台灣的行政大員上夜總會，逛酒家，進跳舞廳者，不特百無禁忌，而且顧盼自豪，試問他們的薪俸能供應這等消耗嗎？若不貪污，那纔是怪事！此紅包義之所以氾濫，集體貪污風氣乃應運而生了。

用人不講究品格，社會的奢靡生活不加禁制，公務人員的待遇縱使調整到與美國看齊，甚至超過它，而貪污風氣依然是有增無減，可斷言也。

馮五先生

（本報高雄記者黃多生特訊）高雄市第四五屆陳啟川市長任內，雖無特殊建樹，倒亦不失在安定中求進步。現任市長楊金虎，當其在競選時，對市民許下海市蜃樓的大願，等到當選之後，手忙足亂，弄得笑話百出。就人事問題而言，已足使人啼笑皆非，其在就職之前，對各報同業公開發表，已內定前第一二屆市長謝掙強出任主任秘書，其助選功臣莊文華，出任機要秘書。而謝掙強，在任省委期內因北投豪賭案，及其司法官高嵩貪污案，均屬有份，且在台北監獄曾大吃其太平飯，雖有經歷，終缺學歷，而且又因案失去黨籍。楊金虎經人提醒後，頓然大悟。至已內定之機要秘書莊文華，雖曾大學畢業，但無行政經驗，又籍隸台中，經事事興風作浪之政治大樓集團反對後，終告落空，謝掙強雖在其背後有彭湖同鄉作後盾，然畢竟屬於少數，至形同啞子吃黃連，苦在心頭。至於莊文華，因少年氣盛，出其助選手法，聲言定期在體育場，舉行慶祝楊金虎當選大會，實則擬藉此大會，盡數楊金虎之醜事，終因未獲市警局之核准，而告烟消雲散。

楊金虎在就任之日，發表曾任司法官之黃昭熙為主任秘書，及內政部專員李福評為機要秘書之後，為安撫助選功臣謝掙強、陳漢平、林仁和、蘇秋鎮及曼管地方閒事之立委黃玉明等等起見，各許以有給職市府顧問，數額之多竟達四十餘人，黃玉明聞訊，公開函責楊金虎，於是全體助選功臣大譁。其中之陳漢平，且被停止黨權。後經人告知楊金虎，依照規定，省轄市有給職顧問，至多不得超過三名，且其助選功臣中，幾乎甚少適格。因之楊金虎先前對助選功臣所開出之支票又恐告空頭。至引起張天送，謝掙強，陳漢平，陳水印，林仁和，蘇秋鎮等四十餘人，在厚德福餐廳集會，計擬罷免事宜，均有早知今日，悔不當初之嘆。

至於助選功臣中之第三流人物，在楊金虎就職之後，各付與課員及僱員，至目前為止，已多達二十餘人。其中第二流人物，擬任用為各單位主管，首先擬更換車船管理處處長。該處處長殷銘春，係日本商科大學出身，非但長於理財，又善於經營，而且原由市府安全室主任調掌新職，因之操守亦佳，楊金虎及其智囊團，因無計可使，造出殷銘春種種劣跡謠言。殷銘春聞訊大怒，公開登報，願受司法審訊。楊金虎因計無可施，拒絕其加購車輛之請求，足見楊金虎不惜間接與市民為難。

次一目標，則為建設局長黃坤榮。此人係日本工業大學出身，亦曾留學美國，因個性剛愎，曾有傲上情事。楊金虎利用其此一弱點，請予更換，而遂到目的，因其所呈報代理局長任務之建設局技正陳啟輝，既非工程人員出身，又因故失去國民黨黨籍，至難服眾，終於建設局局長一職，落入毫不相干的港務局技師林大隆之手。

高雄市政一團糟

再其次，楊金虎公開聲明，決調民政課長王貴人出掌左營區區長，其遺缺，則由其助選功臣許石吟繼任，而許石吟在陳啟川任內曾任前鎮區區長，因處事欠當，被調回民政局，另候任用，以至楊金虎之呈報省府出任民政課長，亦遭駁回，同時牽累到王貴人，無法擺脫民政課長，就任左營區區長。

近日又盛傳，機要秘書李福評，將調任接新聞室主任林金枝職務，因李福評年少氣盛，意圖大權獨攬，不斷與主任秘書黃昭熙發生磨擦，至其機要秘書遺缺，則將由現任監印楊金虎之侄孫楊茂松接替，主任秘書黃昭熙則將被調為法律顧問，由老誠持重之老秘書曾[illegible]繼其任，聞已成定局。總而言之，楊金虎接任市長以來，為時雖逾半載，幾乎無日不在人事安排中，不說要調張三，便謠傳要調李四，致使市政府內部人心惶惶，均有朝不保暮之概，實際被動成功者，老人之中，僅建設局長黃坤榮一人，而繼任之林大隆既非楊之助選功臣，更非楊之親戚故舊，不外徒自紛擾而已。

楊金虎自就任以來，最得意之傑作，當首推核准各民營市場之設立，而其惹起的麻煩，亦以此事為最大。如前金民營市場之核准設立，因與原有市場，相距過近，不合市場設立規定，引起原有市場商人全體的反對，訊問財務科市場管理股長，概不知情，此一風波未平，大智市場重建之發生，因該市場原係侵佔都市綠化地上的違章建築，按理應予撤除。楊金虎傾信其無孔不入的助選功臣，現任市議員洪某的建議，摒除土木課，財政科，建設局等的意見，不顧法令，竟予批准重建，市議會聞訊大譁，認為楊金虎藐視議會。正在該市場日夜趕工重建時，適逢議會開會，楊金虎才成為眾矢之的。

當楊金虎出席議會之日，議會大廈旁聽席，頓告座無虛席。在議員發言責訊楊金虎時，旁聽席上，噓聲大作，在楊金虎答復議員訊問時，旁聽席上好聲一片，開會至第三日，某議員責訊楊金虎，既於前日下午遵照本議會意見，令飭大智市場着即停工，為何昨日下午，又准大智市場復工？話猶未了，旁聽席上，竟有人大聲叫打者。當日晚間，賢繼禹議員，接獲恐嚇電話，除即請警局保護外，尤最頭痛[illegible]登上議壇。後經警察檢查旁聽席，發現大量石塊及空瓶，究係何人在幕後作佈？明眼人自可一目瞭然。至大智市場重建問題，聞地檢處已開始自動偵查，據記者預料，關於楊金虎部份，很可能受公務員懲戒委員會之懲誡。

再就高雄市之違章建築而言，在前任市長卸任前之統計，約為二萬二千戶左右，因楊金虎在競選時，公開對選民聲明，彼如獲當選，定必先建後撤，許下決不任意撤除違建之宏誓大願，故在楊金虎當選之後開始，在其就任月餘之內，違建數字，一直上昇。及省主席到高雄視察時，違建已逾三萬戶，黃杰就此一點，亦曾指責楊金虎。但是一言既出，駟馬難追，聞而今違建數字，已扣四萬戶大關，且警局一撤違建，被撤違建戶，必蜂湧至市府，高聲要求楊金虎履行競選時之諾言，且楊金虎在此種場合，每次必由市府邊門竄逃，可謂醜態畢露，却喪市長之尊嚴。

高雄市府，自楊金虎出任市長以來，正可謂福無雙至，禍不單行。近十年來未曾發生之貪污案，竟亦同時登場，市府附屬機構，如前金國中的職員貪污案，三民國中的教員貪污案，以及市立醫院院長職員的共同貪污案等等姑且不提。即市府內即有建設局土木課技公公寶樹向申請建築人林才賢勒索案，被治安人員當場人贓並獲，至人事室第一股股長蔡崇財之貪污案，實足使人捧腹，因蔡崇財係人事室人事股長，對於市府內各科室人員，自然瞭如指掌，市長楊金虎是一望、聞、問、切、的醫生，對行政一竅不通，固不必說，自發現主持事務人員，又係門外漢，於是貪污慾念頓起，偽稱為建立人事卡起見，簽呈人事室主任轉呈市長楊金虎，請求撥款新台幣一萬三千元，購置美製電子控制機一具，楊金虎見此簽呈即批示照准，此為六月間事，因蔡崇財，聲請購置前，不知從何處弄來一張購貨發票，及至九月間，憑此發票，聲請付款，而事務股又未與驗收，自然水到渠成，蔡崇財在此人不知鬼不覺之中，領得此一萬三千元後，正在私自竊喜，無如被無孔不入之調查人員發覺，但因此種電子控制機，在美國有成貨，但在台灣，尚無現貨，經調查機構傳訊時，蔡崇財辯稱：貨尚未到，調查人員問蔡：貨既未到，何以先行付款？蔡因語塞，至遭交保，且限定住所。蔡崇財自釋返市府後，即將一萬三千元贓款，以報紙包妥，偷偷放置出納桌上，當出納發見此無主鈔票，正擬招領時，蔡又至出納股向出納要求，收回電子控制機發票，頓時成為府內之大新聞，以至傳入同業，誠可謂貪污新聞中之新聞。

（完）

籌組反共建國聯盟
十全大會將予討論
各方企望擴大邀請範圍
壯大討毛救國陣綫聲勢

（本報記者董尚書台北消息）年前的國民大會年會時，曾有代表張希孟等多人提案促請執政黨迅即召開「中華民國反共建國聯盟」，嗣有全國各級民衆團體代表五百餘人於一月二十日集會台北，亦決議促請執政黨迅即召開「反共建國聯盟」，研議「反共建國共同行動綱領」實施細則，俾有助於及早光復大陸，拯救苦難同胞。

此一集會係由執政黨為召開第十次全國代表大會，事前擴大廣徵民意探求對黨政興與應革之建議意見，而上項決議，必為執政黨所重視，當無疑問。

十全大會將於三月二十九日揭幕，預料有具體方案提出討論，勢所必然。因「中華民國反共建國聯盟指導小組」，由中常委袁守謙負責主持籌備事宜，兩年前袁氏曾銜命赴海外各地，向留駐國外各社會名流，學者，耆宿徵詢意見，但袁氏返國後，僅有感懷賦詩之發表，全國詩人步韻袁詩，散見各雜誌約千首以上，各抒反共建國懷抱，使沉寂詩壇活躍一時，究竟聯盟籌組情形進展如何，却無具體情況表露。惟蔣總統於五十六年三月號召組織之「討毛救國聯合陣線」，刻正為海內外各方所熱烈響應，而「反共建國聯盟」亦必與總統之號召結成一體。

據悉十全大會籌備會由中常委所組成之重要提案小組，已就此一問題有所研議，聞將以「討毛救國聯合陣線」與「反共建國聯盟」併案提請大會討論，各方企望中央原擬定邀請之範圍，較「反共建國聯盟」更為擴大，增加以反共革命青年在實際上已形成「討毛救國陣線」之行動組織為基礎，俾使國內外反共人民以及海外華僑，在可能最廣大基礎上，也就是人不分男女老幼，地不分東南西北，更不分黨派階級，一律達成團結，共同製訂討毛救國共同行動綱領。

在召集時代表人數最多不超過二百人，對在野黨以及民衆團體方面指定代表人數，由其組織自選，如因分裂不能選出，政府可就其物望昭著者，連同無黨派之時賢，個別予以邀請，絕無條件，絕不遷就。

我們確應想到那二十多年前的「人物」，到現在是否還具有號召力量，或政治份量？是值得顧慮的問題，如因這些因素，阻滯了結合之進行，那便是「因噎廢食」了。

至於名稱上當以「討毛救國聯合陣線」為上，即當仍以「中華民國反共建國聯盟」亦何嘗不可。惟一般堅強社會反共人士，則僉認十全大會當在討論上項議案，有所決定時，必須確定原則，並附帶「限期完成」，絕不可再貽「空雷無雨」之譏。

某在野人士最近對「反共聯盟」問題，有頗具興趣文字之發表，其中有云：「反共建國聯盟會議，雖然強調以個人身份參加組織，但在民主國家陣容中，官傳也來，在野黨領導人物，似乎不能缺乏，去年青年黨領袖之一的左舜生先生從海外歸國，蔣總統懇切勉他促成青年黨的團結，有關方面也希望蔣勻田先生促成民社黨的團結。現在執政黨的中央，希望在野政黨由分而合，可能就是為了策劃全面性的團結，擴大政治反攻聲勢舖路，因而十全大會之可能有類似上組反共建國聯盟的議案，也是相信得過的。」又云：「團結的方式可以不同，組織的名稱可以不同，會議的型式也可以不同，但萬變不離其宗，必須在朝在野，海內與海外，本省人與外省人，由衷的誠切的，大家為自己的國家，自己的同胞，自己的命運，結合在一起，為反攻復國的大目標一致奮進。」

喬治桑外傳

廿六

張大萬

雅麗絲是受到澈底洋化教育的人，桌上禮貌極為嫻熟，怎樣喝湯，怎樣拿麵包，怎樣咀嚼食物，都做得很到家，要比以前我國某駐外大使，在外交餐會上擦盤子出洋相高明多矣。

吃完一道菜，樂台上奏出勃魯斯舞曲，喬治桑很禮貌地起身請雅麗絲共舞。

喬治桑在上海學過「標準」舞步，幾年的經驗，舞自然跳得極好，每步跳來絲絲入扣，毫不含糊，而且極有紳士功架。

雅麗絲很滿意，她覺得在她的男友中，喬治桑的舞可推第一，飛機師次之，某洋行高級職員又次之，這倒不是說雅麗絲與喬治桑一舞定情，而是說因一舞使她對他發生更多的好感。

喬治桑今晚胃口大開，將牛排吃得一乾二淨，威司忌喝完又再要一杯。

雅麗絲喝了一杯「馬丁尼」，酡容染上眉梢，更增加了她的美麗。

於是喬治桑不再拘謹，他不斷請雅麗絲跳「吉特巴」，「倫擺」，「探戈」等，玩得十分高興。

在跳完一曲「吉特巴」舞曲以後，雅麗絲已不勝嬌喘，她笑着問喬治桑：

「你為甚麼還有這等精力？這種舞差不多年青人都跳不動，你居然跳得還樣好！」

「真的？我今晚興緻好，所以不覺疲倦，平常我到舞場，很少跳，坐在一旁擺測字攤。」

這句話，喬治桑是用中文講的。

「甚麼叫測字攤？」雅麗絲問。

調整待遇獨厚稅吏
一般工教咸感不平

（本報記者公孫熊台北消息）得天獨厚之稅務人員加薪事，行政院會議業經通過自七月一日起實行，反對者之報章雜誌，以及民意代表，仍繼續大聲疾呼，至表不滿。新聞界多數主張，軍公教人員目前生活艱巨至極，政府調整待遇，應視同一體，何至單獨優遇稅務人員。

前因降低反對，政府曾宣露五十九年已預算對一般軍公教人員，加發獎金一月，但須至本年底始可有望。省議員謝貴曾於省政總質詢中說：公務人員在國家多難時，吃苦是應該的本份，待遇不怕少，而怕不均，但相信大家都甘心情願。惟據說：公營事業機構，正巧立名目為所屬人員準備加發變相年終金，厚此薄彼，殊欠公平。省主席黃達雲，當答稱：本省公教人員年終獎金，奉令取消多年，事業機關依照規定，應不得發給，更不得易名發給獎金，女省議余陳月英，亦對調整稅務人員待遇事，認為是一種「鋤良安暴」的作法，也就是說，政府承認為了待遇不平可以貪污枉法，其後果值得憂慮。

在省府方面，對稅務人員優先改善生活，產生了兩種反應——稅務單位，額手稱慶，一般行政官表示不滿。

絕大多數官員認為：政府為增加稅收及改善稅務風氣，於五十三年間，不顧輿論反對，加發「稅務津貼」，實施三年來，政府在同一稅率與稅額，以及同一課征方面與內容下，稅務風氣及漏稅情況未見改善。如今更以稅務人員貪污瀆職機會較多，而先行調整稅務人員的待遇，這顯然不是一種妥當的作法。台北縣各方面對稅務待遇之提高，反應均認為不平，有謂僱員，辦事員，臨時人員並不包括在內，以目前稅捐處工作論，稅務繁重業務，悉為上列人員所負荷，待遇懸殊，後亦勢必影響工作效率。

其他機關人員平時對稅務人員已覺眼紅，這樣一來，更感不平之至，社會各方認為目前中小學教師，待遇過低，均不足仰事俯畜，而一般私立學校教師，更為學店老板，任意剝削，幾成牛馬，無人過問。教育部日前曾召集市教育主管在該部舉行提高中小學教師待遇，福利事，提出許多討論，但因財源困難，及其他細節牽涉太多，終無結果而罷。惟教育部表示仍當破除萬難，極力促其早日實現。

名人情話

（一）才子與佳人

董小宛苦戀冒辟疆艷史，以前有無識文人，將之張冠李戴，胡扯「亂愛」，將董姬扯進掖庭，與順治「亂愛」，影劇拍成歷史宮闈鉅片，渲染號召。好在晚近已爲有心人將之驗明正身，考清本源，爲董姬伸冤自謗，實爲一大快意事。

董小宛爲一代奇女子，其畢生苦戀冒襄，百折而不撓，顛沛流離而不墜，迭經危難而不移其志，居家事人，賢孝莫及，事夫體貼細緻，無微不盡；且善詩文書畫，佐襄文藝，能成闕功。綜其一身苦戀，哀艷悽惻，動人心肺，讀之腸迴氣蕩。本篇所述，悉爲考證可信之事，絕非向壁虛構，筆者筆禿功闕，然有董姬之才情艷事，名士之風雅，亦可予讀者所樂聞。還有董姬豐富的感情呈現在讀者之前，一顆顆的心，很自然的都給她抓住了。下面首先把其中主角的生卒時代，作一簡單的對照，俾便給無識的文人胡扯「亂愛」作「鐵案」的答覆，也省卻了許多筆墨和寶貴的篇幅。

董小宛苦戀冒辟疆

一、冒襄（辟疆）生於明萬曆三十九年辛卯（公元一六一一年）與董小宛相識之初，襄年二十九歲，小宛年方二八。清世祖僅是兩歲嬰兒。

二、董白字小宛，亦字青蓮。生於明天啓四年甲子，逝於順治帝八年正月二日，年廿八歲，順治帝年十四歲，冒襄四十一歲。

如此一排，小宛與順治之「亂愛」便不攻自破了。

董小宛名白，又字青蓮。她的故鄉是在六朝早已馳名的秦淮，從吳門定居，江蘇和浙江的杭州，是產美女出名之地，尤其才女，蘇、杭亦爲盛產之鄉。前有中國第一美人西施，固不用說，國人莫不知有西子。才女如韓蘭英、李冶、管道昇、吳淑姬、梁夷素、張玉娘、汪端、葉小紈、吳藻等；名妓小宛、圓圓、香君等，可以說馳名遐邇，其他秦淮粉黛，眞是數之不盡。江南水鄉，才女名姬，可以用「車載斗量」，不可勝數來形容。董姬就生在那個山水秀麗的環境，也在那裡長大。

她的母親陳氏，七八歲時，陳母教以書翰，年十一二左右，生得神姿艷發，窈窕嬋娟，遠近佳麗，無出其右者。董姬天性愛閒靜，遇幽林溪澗，片石孤雲，則戀戀不忍去。至男女雜坐，鼓吹喧闐，心厭色沮。因慕吳門山水，乃徙半塘，築小樓於河濱，竹籬茅舍。經其門戶者，但聞歌詠之聲，及鼓琴之樂。對於鍼神曲聖，女紅針黹，食譜茶經，無不精曉。常顧鏡自憐道：「吾姿慧如此，即屈身首庸人婦，猶當歎采鳳隨鴉；況作飄花落葉乎！」她就是如此多愁善感的紅顏兒女。

冒襄字辟疆，自號巢民，如皋人，爲冒起忠之子。幼有俊才，儀姿英俊，時有才子之譽。父親、祖父皆爲官於明朝。年十四歲，與雲間董太傅、陳徵君相倡和。弱冠與張明弼（公亮）、陳則梁等友善。張公亮生得姿儀天出，神清徹膚。張公亮嘗以詩贈之，稱爲「東海秀影」。時女見之，爲之傾倒，鄉人有言道：「不樂爲貴人婦，願爲夫子妾」也。

當人列傳

平原君三去三復（廿一）

周燕謀

編者按：此篇漏登，現補刊出，上接二月十二日第九三二期當人列傳（十八）平原君三去三復篇之後。

四、毛遂插血會盟

到了楚國，平原君偕十九人與楚王羣議論，毛遂居於階上。從早至日中不決。十九人對毛遂道：「毛遂先生請上。」毛遂按劍歷階而上，謂平原君道：「從之利害，兩言而決耳！今日出而言從，（縱也）日中不決，何也？」楚王謂平原君道：「是客何人也？」平原君對曰：「此吾之舍人毛遂也。」楚王叱曰：「何不去！吾與汝君言，汝何爲者也？」毛遂拔劍追至楚王面前道：「王之所以叱遂者，以楚國人多也，今十步之內，王不得恃楚國之衆也。王之性命刻操之遂手，吾君在前，叱者何也？遂聞：湯以七十里之地而王天下，文王以百里之壤而臣服諸侯，豈恃其士衆之多寡哉！誠能據其勢而奮其威。今楚國地方五千里，持戟百萬，此乃霸王之資也。以楚之強，天下不能當。白起小豎子耳，率數萬之衆，興師以與楚戰，一戰而舉郢，再戰而燒夷陵，三戰而辱王之先人。此乃百世之怨，而趙之所羞，而王不知懇焉！今日合縱者乃爲楚而非趙也。吾君在前，叱者何也？」楚王被毛遂幾句話，說得唯唯稱是。楚王道：「誠若先生之言，謹奉社稷而以縱。」毛遂道：「縱定乎？」楚王曰：「定矣。」毛遂對楚王之左右道：「取雞狗馬之血來。」毛遂奉銅盤，跪進之于楚王前道：「王當歃血而定縱，次者吾君，次者遂。」遂定合縱于殿上。毛遂左手持盤血，右手招十九人道：「公等相與歃血於堂下。」於是十九人相與歃血。毛遂又道：「公等碌碌，所謂因人成事者也。」毛遂在此「穎脫而出」。

五、平原君與三千死士

毛遂按劍逼楚王而歃血合縱成功，共同拒秦。平原君歸趙，對衆道：「我趙勝閱人多矣，多者千人，少者數百人，自以爲不失天下之士。今乃於毛先生則失之矣。毛先生至楚，而使趙重於九鼎大呂（天子所重也）。毛先生以三寸之舌，強於百萬之師，我趙勝不敢復相士矣。」於是以毛遂爲上賓，衆賓客對毛遂刮目相看。

趙、楚合縱拒秦，於是楚使春申君帶兵救趙，兵尙未到，而秦軍猛攻趙都邯鄲，邯鄲守軍欲投降，平原君急甚，門下有食客名李同，對平原君說道：「君不憂趙國乎？」平原君喟然道：「趙國亡，我爲俘虜，何謂無憂？」李同道：「邯鄲之民炊骨易子而食，可以說危殆矣。而君之後宮，美女數百，婢妾被綺縠，餘粱肉，而民褐衣不完，糟糠不厭，民困兵盡，或削木爲矛矢；而君家器物鍾磬自若，若秦破趙，君安得有此？使趙得全，而君何患無有？君今能令夫人以下，編於士卒之間，分功而作，家之所有，散以饗士，士方其危苦之時，最易得耳！」

平原君納李同之議，得敢死之士三千人。李同遂率三千人赴秦軍，人人捨死奮戰，秦軍退三十里，以避其銳。未久，楚、魏救兵又到，秦軍見楚、魏軍齊至，遂退兵。邯鄲得以保存。而李同陣亡，平原君封李同父爲李侯。平原君於趙孝成王十五年而卒。其子孫代平原君爲相於趙，後與趙國共存亡。而當時的哲學家如公孫龍、游士虞卿等，皆在平原君之門下。鄒衍亦在平原君之門下，足見能人不少。平原君以門下食客，於臨死之際，得三千死士之效力，死士之功不可沒。戰國四君之聞名諸侯，繼傾人主者，應該歸功於游士游俠與之結合，其勢力與影响之大，可以概見。不過一般讀史者未及注意也。

文匯樓別記

老牌記者群

文匯樓主

台北的「記者之家」在開封街，以前中國各大都市都有記者俱樂部的組織，今天我們所談的是重慶老牌記者羣。

這個記者羣的牌子究有多老，老到甚麼程度，必爲我們幹長此羅漢這一行的所欲知。時間是民國二十八年起，地點在重慶小溫泉，機構乃中央政治學校一個研究班次，開辦計劃出自中央宣傳部，當時的葉楚傖部長爲抵制汪精衛的南京中央新聞學校，而準備訓練一批社長，分發到全國各地去辦地方報，故入學資格限制甚嚴，例如國內外著名大學畢業，並規定文科，法科，商科。還有一種就是除了大學畢業外，須爲現任中央直屬黨報主任以上人員，其餘一切可以推想。

第一期學生決定錄取五十名，報考的人四百餘，其中三分之一被北京大學，燕京大學和清華大學畢業的學生考佔分配，三分之一由中央大學，四川大學，朝陽大學，齊魯大學，中山大學，武漢大學，暨南大學等十幾個大學畢業生考佔，還有三分之一屬其他各大學，包括中央直屬黨報主任以上人員，那時校長由最高領袖蔣委員長兼，教育長是陳果夫，訓導長是張道藩，班主任是潘公展，副主任馬星野，一股朝氣，充滿了中興氣象，教授多屬中華民國「老牌」記者羣」，四川的土包子將這批學生看成爲翰林班，所謂「天子門生」，雖出自封建意識，也非絕對沒有理由。

社論寫作分由戴傳賢（季陶）係記者出身之考試院長。于右任係記者出身之監察院長。吳稚暉（敬恒）係記者出身之中央監察委員，陳布雷係記者出身之最高幕僚長。潘公展係記者出身之學人等担任社論寫作教授，戴季陶講課時喜歡敘述與國父辦報時一些瑣瑣碎碎，由於戴的口才特別好，詞情上，簡直就像國父在旁和他對話似的。于右任三句不離老行：民呼報，民主報，民吁報，堅苦奮鬥，如數家珍。他所講的幾乎都是革命文獻。吳稚暉，陳布雷授課時則比較客觀，對自己過關斬將的事甚少論及，應約到政校講演的新聞記者計有張季鸞、王芸生、駱美中、丁作韶、俞頌華、胡霖、劉光炎、曾虛白、趙敏恆及隨同茲及不少洋報人。那時候毛樹清、沈錡、李荊蓀、陳裕清、耿修業、陸鏗、黃濤霖、樂恕人、楨周培敬、劉成幹、王文徽、冷楓、費彝民、鄭鶴飛、程其恆、唐煌等都還是不折不扣的大學生，沈錡、毛樹清、唐盛鎬做學生時喜歡持手杖，陸鏗、周希伯愛在路上吃零食，還有兩位嗜食零食的同學，後皆做了名律師，元首蔣兼校長於對學生訓話時說：「你們如果不能做一個好的新聞記者，必定成爲小官僚，小官僚乃革命的對象」時間過得眞快，轉瞬之間又三十年了。

我們今天所談的「老牌記者羣」，老一代的記者固已先後作古，碩果僅存者恐祇潘公展先生一人了，即最年青的學生們，如陳裕清、耿修業、李荊蓀、劉成幹等廿幾人，也都滿頭霜白，夫復何言。

蔡松坡札記

大學尺牘

鴻雁

（一）「左列各節，語多沉痛，悲人心之陷溺，而志節之不振也。今日時局之殆，禍機之劇烈，殆十倍於前，吾儕身膺軍職，非大發志願，以救國爲目的，以死爲歸宿，不足以救同胞於苦海，措國家於坦途；須以耿耿精忠之寸衷，獻之骨獄血淵之間，藉不返顧，始能有濟！果能拿定主見，百折不撓，則千災百難不難刃而解，若吾輩軍人將校則以躋高位厚祿安福尊榮爲志，士兵則以希虛譽得餉糈爲志，曾胡兩公必痛哭於九泉矣。」

（二）「今日吾國軍隊能否說到精練二字，此稍知軍事者自然辨之，他日與強鄰相角逐，能否效一割以用，似又難作僥倖萬一之想。至於軍資交通兩端更瞠乎人後；如此而曰吾將取戰略戰術上最利之攻勢爲可能耶？鄙意我國數年之內，若與他邦以兵戎相見，與其孤注一擲之舉，不如採用波亞戰術，據險爲守，節節爲防，以全軍而老敵師爲主，俟其深入無繼，乃一舉而殲除之。昔俄人蹴拿破崙於境外，使之一蹶不振，可借鑑也。」

（三）「對外非列入國際團體，不能活動，欲列入國際團體，則中央政府之組織不宜稍遲。鄙意謂承認鄂軍政府爲外交代表，本極同；惟內部無完全之組織，爲此臨時代表機關，各國未必承認！即使承認：其實力既受拘束，各省對外交涉，無從劃一，設外人執以詰難，代表之責，何能担負？似不如照鄂湘電由各省迅派代表莅鄂會商，從速組織中央政府……代表到鄂先設一委員會，籌議國家之組織，中央地方之權責，大綱既定，即共同組織臨時政府，一面整理國內庶政，一面分遣駐使，謀外交之活動。至國家組織綱要，鄙意畧有數端：一、定國名爲中華民國。二、定國體爲民主立憲。三、建立有力之中央政府，總攬兵政外交財政各權，由君政時代過渡爲民主共和，四、劃定地方區域，設軍管專司兵事。五、縮小行政區域，以期行政敏活，消融省界。」（上）

風趣的古佛——趙州（六）

禪學黃金時代

吳經熊著　吳怡譯

那位和尚又問：「那麼，你說如何是古澗寒泉呢」？趙州回答：「很苦」。那位和尚再問：「飲的人怎麼辦呢」？

趙州回答說：「死去」。

後來雪峯聽到這段對話，大爲讚美說：「眞是古佛！古佛」。所謂「趙州古佛」的名稱就是這樣來的。

上面所指的「古澗寒泉」，其實就是道。「味道很苦」的意思是說你要成道，便必須經過嚴格的自律，達到忘物忘我的地步。唯有吃得苦中苦，才能做到人上人，正是所謂「大死一番，再活現成」。這段對話完全顯示了趙州的智慧和活潑，以及他那深刻的幽默和禪機，使他的智慧所感動而說：「你也不愧爲一位古佛」。

趙州立刻回答說：「你也是一位古佛」。

了的禪師們的共同目的都是要引導學生走向真正的自我，趙州也是，只不過他所用的方法有時顯得滑稽突梯罷了。

吳敬恒先生年譜（四七）

陳凌海編撰　陳洪校訂

（一）品格自然偉大；（二）度量自然寬宏；（三）精神自然專一；（四）研究自然精博。娓娓道來，亦莊亦諧，聽者動容，此蓋先生最重要而有意義佳作之一也。參州

國民黨第五屆六中全會。十二月，蔣委員長中正就任行政院院長兼職，孔祥熙（庸之）就任行政院副院長職，先生代表中央監督並致詞。是年，蔣委員長中正又命葉楚傖致贈先生醫藥補助費法幣五千元，先生仍婉辭未受。且謂葉楚傖曰：「姑由先生仍存銀行可也。」冬，先生患血壓高症，尚未痊癒，葉楚傖送先生治血壓高症德國製鈣片十管。先生對「汪精衛雙照樓新詞憶舊遊『落葉』」，步韻以譏之，並作白話注釋，以明其早已蓄有叛志。又發表：「作賣國賊是世界上最醜惡的寶物」一文，斥汪精怪夫婦，因效三等娼妓血撓之云。

民國二十九年，庚辰（西曆一九四〇年）先生七十六歲

二月，先生發表：「背亡國就調整，要救國就抗戰」一文。堅持必須抗戰到底。三月，汪兆銘（精衛）在南京粉墨登場，先生痛斥汪逆賣國勾當。又在重慶報刊登啓事，爲鑄汪兆銘夫婦鐵像，俾使國民唾棄此一代巨奸。三月，蔡元培（孑民）逝世香港。其公子無忌由昆明至渝訪晤，先生助其赴港，並致慰問。四月，招表姪陳清海、浦士英及季炯辰由滬至渝，途經江西贛縣，函介督察專員蔣經國，請給予方便。

命相与夢話

命相與聲相

公陶

中國古人論相，有所謂「外相」，「內相」，「心相」，「聲相」，「行相」；俗話又所謂「站有站相」，「坐有坐相」。因論相不只限於外表儀容。關於命相的「聲相」，劉峻有一種說法，他在「□曹集相經序」當中說：「命」與「相」，猶如「聲」之與「響」，「聲」動乎發，「響」窮乎應，雖然古天參差、賢、愚不一，其間大較，可得而知，人若生而神容，弱而能言，四瞳擲日，此乃天姿的特達，聖人之符表，這是聖人之相，至於日角月偃之奇，龍樓虎踞之美，地闕鎮於城壘，天關運於掌策，金槌玉枕，磊落相望，代犀超蓋，隱轔交映，非宅既兼，食匱已營，此乃帝王、卿相明劾之徵。

劉峻對與此相反的相法又說：所謂深目長頸，頹顏蹙額，跎行弊立，猴啄鳥味，筋不束體，血不華色，手無春荑之柔，髮有寒蓬之悴，或先吉而後凶，或少長乎窮乏，此乃可悲之照相，謂不得善終。

又云：至於姬公（周公）凝負圖之容，孔父眇棲遑之迹，豐本知其有後，黃中明其可貴，其間或躍馬善珍，或飛而食肉，或皂隸晚貴，初形未正，禍嚴無以保生，玉饌終於餓死，由此以觀之，何事不是命也！

陶隱居「相經」序亦說：相者，蓋性命之著也，形骨吉凶之表徵——氣貌猶如事先謀而後動；心先動而後應。表裏相感，不知其所以然，且富貴壽夭，各值其數。若從前弱冠，便位過三公，位坐於國，而我出三十，身排家徒，此非命相云何？又若鴻唐袴穿郎署、揚雄（子雲）雖立高閣，而並至白首，或顏老玉食，而其官不過尉史，或穎慧若神，常至召乞（上兩字商榜）或不辨菽麥，更保黃耇，此又明其偏有得也。

謂才華亦不足爲貴，且有不得善終，此亦定之論者，殊可足信。

三十六心相

「青箱雜記」上載：有心無相，相逐心生；有相無心，相隨心滅。此說是言以心相爲上，所以心相有三十六種，人們營說：意氣求官，自須如此，此其一。爲事有剛有柔，此其二。慕言敬君子，此其三。有美食，嘗分惠於人，此其四。不近小人，此其五。常行陰德人，每事與人方便，此其六。從小能治家，此其七。不厭人討乞，此其八。利人克己，此其九。不念惡貪殺，此其十。事聞不驚慌，此其十一。與人相約不失信，此十二。不易行改操，此十三。晚眠不便睡着，此十四。馬上不回頭顧盼，此十五。夜不令人生惱怒，此十六。不文過飾非，此十七。爲人作事周匝，此十八。得人之恩惠而不忘，此十九。從小便有大量，此二十。不毀善害惡，此二十一。濟孤濟寡而急物，此二十二，不助強欺弱，此二十三。不忘故舊之分，此廿四。爲事衆人利之，此廿五。不多言語，此廿六。得人之物，心生慚愧，此廿七。聲音悅耳，出言有序，此廿八。當人謊話不插，此廿九。常稱美別人爲善，此三十。不嫌惡衣惡食，此卅一。方圓曲直隨時，此三十二。聞人的善行而不傷，此三十三。卹人之困渴，賒借，常給予借濟，此三十四。不念舊惡，此三十五。故舊有難，引力救之，此三十六。

以上三十六種善行皆全者，當位極人臣；壽考令終，若或有此數而不全者，則禍福相折，相次遞減，如具二十善以上有者，官可至刺史之位，或合位之官，具十七者，亦可至大富翁，此爲吳處厚之相論，如此亦爲道德哲學，亦合於相法也。

御廚談藪

乾蒸肉燒賣

▲林泉隱▼

乾蒸燒賣，在製作過程中，大部份是和雲吞相似，不過雲吞是放湯，而乾蒸燒賣卻是蒸的，除此之外，乾蒸燒賣在揑製時又與雲吞不同。

最好的麵條是蛋麵，實在是用蛋來打麵很少很少的，但乾蒸燒賣的皮，卻可用蛋製，一個燒賣用皮甚少，用蛋製皮柔軟可口。

乾蒸燒賣有人加上一些蟹黃（膏），那是蟹黃乾蒸燒賣了，也有人做燒賣不用蟹黃而用蝦肉，並且連蝦肉也不用的也有。

材料：根麵一斤、鷄蛋六只，蝦肉二斤、瘦肉十二兩、白肉十二兩、濕菇八兩、葱白二兩。只備蠔油、蔴油、生抽、味粉等。

製法：（一）麵粉置案板台上，中撥一凹孔，鷄蛋全打在凹孔裡，將之搓勻，捏成一長條，切粒打薄，每粒打麵一塊，以備包餡。（二）蝦肉、赤肉、白肉、濕菇、葱白等一同切成小粒，以蠔油、蔴油、生抽、味粉鹽糖等調味，盛放碟裡備用。（三）以打薄了的麵皮包餡，橫放掌中輕輕揑之，使成海葵形，蒸熟便是乾蒸燒賣了。

今古齋誌異

前言

・常應芬・

今日所謂「武俠」者，即古之「游俠」也。太史公爲「之列傳，足見其言行有足可法者。史記「游俠列傳」謂：「要以功見言信，俠客之義，又何可少哉！」「游俠」之精神，即「任俠」是也。戰國之世，游俠之盛。季布即「任俠」而著名之士。古人解釋「任俠」說：「相與信爲任，同是非爲俠」。這是最簡明的定義。顏師古又爲「任俠」下了一個定義：「任，使其氣力；俠之言挾也，以權力俠輔人也。」我認爲還是以太史公說得好，「以功見言信」即俠客之精神。如果把「任俠」二字合起來解釋，就是「相與信爲任，同是非爲俠」。即如漢人季布之「爲任俠有名」者，還是如淳的解釋。就是「重信諾，同是非」之精神，但是其基本條件，必須有武功氣力方能爲人排危解困，行其所當行。古代的「王法」，對於山野之民是很疏遠的，如遇豪強橫行地方，人民受害最深，地方官吏根本沒法治他。因此正義之士成了豪俠，即可爲民除害，不用無能解決之官吏裝腔作勢。所以游俠在王法疏遠的時代，是很受人們歡迎歡迎的。可是，現在所謂「武俠」者，完全走樣，滿紙胡言，一派胡調，以固有的審美，改頭換面，標榜爲「武俠名著」，其腐蝕於青年之腦海，使之耽溺現實，戕害身心，莫此爲甚，本闢所述，則可談談文化復興之高調，發揚固有文化之「任俠」精神，同是非，守信義；稱奇述異，不取幻謬；談俠說怪，不同虛妄。故謂異人奇事則可，說是「奇俠搜奇」亦可。但吾之所述，絕與現在武俠者不同其道，亦可於謂者諸君，博茶餘酒後一粲耳！

海國秋深（二）

文自粹

傍午，分局長電話來報：法檢察官正宮法醫可仁都已到場詳細檢驗，計傷處面部顙部四處，左胸五，右胸三，左手背二，右腕一，左肘一，左後背一，後腰脊一，左後腰一，右下肘一，左大腿二，共傷二十二處，假牙脫落，有些是鈍器所傷。袋中除名片外，尚有現款二百三十元，銅四個二元。

刑警大隊馬上成立專案小組，就情殺，財殺，仇殺三方面分別懸擬求證。財殺方面馬上得出答案，嘉老因爲銀行監察業務甚簡，每年都在左公誕辰前一月由港來北，賀壽後半個月左右交代了銀行業務就回港，台北行裡準備了住處，有個小女佣，開支不大。今年因爲左公發過病，特地提前二個月來北，剛向行裡支了三千元，還人家一千元，留住所一千五百元，袋裡帶出五百元，和友人小吃，車費用了二百七十元，餘下二百三十元，分文未缺。

情殺方面，警方最先查問小女佣，恰巧小女佣王淑貞要辭工回南，又介紹了一位女朋友來，都睡在一起。據說嘉老在九月十三日晚上原有幾個朋友在住所聊天，頗爲興高彩烈，後來接到一個電話，嘉老就說要出去應酬一回，似乎是一位女主人的約會，嘉老出去不久，又有一位太太打電話來，聽說已出門，也就掛斷了。當時在座有位朋友曾開玩笑說，今天依西俗，星期五又是十三日，很不吉利，嘉老這大把年紀，不要再碰上仙人跳！

警方後來也查出：嘉老那天晚上出席的宴會，是香港名女製片人徐文若小姐作的東，在座的大都是香港往來的關係，未待客散，嘉老已先告辭退出。而後來打電話來又掛斷的，也是名女人保險業務專家盧太太，她在前不久，請嘉老保了五萬元壽險，打電話來是希望嘉老再替她介紹業務主顧，并沒有其他的瓜葛。

嘉老那晚由徐文若小姐的宴會退出，就坐南海計程車到南京東路第一大飯店，在該飯店不久，即與一位女人同乘開發計程車，經南京東路中山北路口轉到十條通一個朋友家，但來到前一點就停了車，步行。至於同車的女人爲誰？十條通那一位朋友是在路上相候？還是由朋友家吵鬧出來？疑兇待查證，這些曲折，瘦鵑每接到電話，也就立即告訴左公。

隔了一天，香港伍夫人有電報來，即備備親戚來北，并謝左公關照。

專案小組工作很緊張，社會有關人士也很能合作，紛紛提供線索。到十六日就有一位張姓先生告訴警方：十三日晚上十時曾有一位李姓朋友找他，說不愼傷手，請他介紹到附近醫院醫治，警方趕赴該醫院，證實確有此事，該傷者身上，皮鞋，都染有血跡，右手三個手指，都傷可見骨，經醫院洗敷包紮而去。警方又從住處登記卡查到南京東路四段某公寓四樓傷者房間，於抽屜中也見到血跡，但疑兇擦傷後第二天即告失蹤。」

（未完）

戀愛經（上）

・陳顧遠・

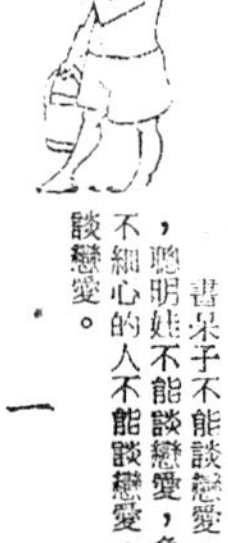

書呆子不能談戀愛，吝嗇佬不能談戀愛，聰明娃不能談戀愛，急色兒不能談戀愛，不細心的人不能談戀愛，有惡習的人更不能談戀愛。

一

戀愛本是費時間的事，而費了時間能否成功，並無把握。倘你要從戀愛中找到終身的伴侶，總得愈失敗愈不灰心的照這樣做，那就不能在時間上計較了。書呆子最愛惜光陰，絕不願把寶貴的時間消磨在戀愛網裡，往往採用「單刀直入」或「開門見山」的辦法去談戀愛，不吹還待什麼？某位好學之士，心愛學友密絲黃，一封情意纏綿的情書飛去，心愛的人兒倒也應約而來。三言兩語之後，某即問道：「密絲黃，妳將來能和我訂婚嗎？要是可能的話，我倆就從今天起交朋友，好不好？」她對這位書呆子的呆相頗覺好笑，答道：「很可能！很可能！祇是交朋友的話，改日談罷！再會！再會」說罷，笑了一笑，飄然而去，書呆子呆若木雞，失意而歸，從此不敢再談戀愛。

二

戀愛本是費金錢的事，這並不是說用金錢去買愛情，人窮不要緊，要的是大方，錢少不要緊，要的是肯化。爲了心愛的人兒什麼都可犧牲，何况少許的阿堵物？若要在錢上打算盤，對方倒不說你是吝嗇，却認爲你是利己，戀愛譜裏就沒有利己的記載，戀愛經上更不容許有利己的表現。某，十戀十不成，就因爲其人過於猶太之故。每約心愛的人兒見面總喜歡郊遊，表面上說遠避塵囂，欣賞自然，很風雅地做到「兩系言心」的戀。然而對方倒不覺得吝嗇佬怕在城市裡多化錢，却疑惑他到底存有什麼心，沒有一次不遭拒絕。結果祇有在城市裏逛馬路；到了百貨店，固然遠遠地離開了她，到了糖果店，還是狠心到底，一毛不拔，由她自掏腰包，買些零食。這樣吃豆腐式的戀愛終被看穿，誰還有閒工夫理會他嗎？

三

戀愛本是神秘的事，情感完全支配了理智，愛海情網裏，沒有什麼絕對的道理可講。犧牲了時間金錢不算，最忌的把和對方的戀愛，當做一種問題去分析去理解，還不是談戀愛，祇是以愛情爲遊戲罷了。

因爲你如在戀愛中不捐棄聰明，便像一面寶鏡照着魔障，一切風消雲散，也就沒有戀愛這一回事兒。某，在戀愛網裏猶處處向對方賣弄其聰明，雖然是自己追求她，卻一點兒委曲都不受。對方或有所望，輕則從，重則避：對方偶有所需，小則受，大則逃。且或在言談行動之間，表現自己的優越感，好像戀愛這回事，是以對方爲主動的，過於表現了自己，就不免輕視了人家，這在情感上便不免有了相當距離。而他爲戀愛雖費了不少時間，化了不少金錢，終以不放棄他的聰明，被對方稱爲「滑頭」，三番五次地把他推出了愛海的情網以外，始終沒有做到愛的成年。

催眠術研究　廿一

鮑紹洲

二十八、光綫催眠法

還是利用光線而爲的催眠法。施術之先，宜將術室的周圍鋪張藍色布幕，或電燈用以藍色罩，或油燈蒙以藍色布，使室中呈現暗暗的藍色燈光爲最適合。如使被術人注望油燈，此種方法亦有效。

施術之前，先令被術人居於暗室之中，令其仰臥，加以下撫法而暗示之，以導其催眠。或處暗室中，忽然開電燈，使發強度的光線而刺激被術人的眼，忽然成强直狀態。催眠術本來以暗室爲主，但因被術人的恐怖，及施術人的不便，而後改爲薄暗，如室內過於明亮時，可用手巾掩被術人的眼睛，然後暗示導之催眠。暗示的語詞與其他的方法相同。

此種催眠法，或可以獨立施用的，但效力極微小，須與其他方法兼用施行，以資補助，更爲方便。這種催眠法的原理，即與「望音催眠法」道理相同，並非單以光線以勞其視力，乃是利用光線而令被術人注意，令其注意力集中於一點，防其雜念於忽然，以慢慢令其催眠。

二十九、離撫催眠法

這種方法與撫下法相同者，即遠隔被術人而作下撫之狀，而使其催眠。

施術之先，先請被術人坐於椅上，閉目靜坐。施術人離被術人約三尺至六尺左右，直立注視，並高舉兩手，手掌則向被術作撫摩之狀，被術人也同樣注視施術人的容貌及舉動，施術人徐徐垂手，再作撫摩狀而漸漸走近被術人近前而作眞實的撫摩。一面暗示道：「精神漸漸沉靜」，「更沉靜」。反復念之，精神漸漸鎖定，催眠遂成。

三十、放香催眠法

此法即以清香的氣味而使之催眠也。施術人用麝香之類，取用適度，令其用鼻嗅數分鐘時間，而後加以誘導暗示之，便更易催眠了。如僧尼之坐禪必燃香，即合於此理。如被術人中有過於鼻覺之銳者，若以施術人的口臭，便感於被術人而妨其催眠。所以在施術之先，自先清潔之，或含解臭藥丸，如口香糖之類。此法催眠效力較弱，故可兼用其他方法最佳。

自由報

（第九三七期）

（每星期三、六出版）
每份港幣壹角，台灣每份售價新台幣壹元
社長李運鵬・督印黃行靈
社址：香港九龍彌敦道593—601號
廖創興銀行大廈八樓五座
LIU CHONG HING BUILDING
7th FLOOR FLAT 5
593—601 NATHAN ROAD,
KOWLOON, H.K.
TEL: K303831
電報掛號：7191
承印：景星印刷公司
地址：嘉咸街廿九號地下
台灣總管理處：台北市大同街119號
台灣區直接訂戶　台郵劃撥戶
第五〇五六號張萬有（自由報會計處）
電話：七一四〇三三、五五五三九五
台灣分社：台北市西寧南路110號二樓
電話：三三〇三四六，台郵劃撥戶九二五二號

「五四」噩夢五十年（下）

·湯如炎·

（三）云何「內性五四」近乎許？

「內性五四」以「擁護德先生賽先生」爲名，而行胡適式的「文學革命」之實，驗明正身，卻原來只是一個澈頭澈尾的「白話文字運動」。我現在只扼要引述胡適的「嘗試集自叙」中他和梅光迪（覲莊）論爭此一問題的一些片斷資料稍微點綴點綴，再附上楚卿一段話，我想：「內性五四」的前因（這以前的原因是什麼呢）？後果（這以後的結果是什麼呢）？爲功（這是有功呢）？爲罪（這是有罪呢）？便明若觀火矣（這個便明顯得好像我們觀看這個火一樣了）。

胡說：「文學革命，在吾國史上非創見也。即以韻文而論，三百篇變而爲騷，一大革命也。又變爲五言、七言，二大革命也。賦變而爲無韻之駢文，古詩變而爲曲，爲劇本，五大革命也。何獨於吾所持文學革命論而疑之？」

胡不思：「窮則變」，「變」在於求「通」，「通」在於求發展，非寧息之謂也。一、二、三言發展爲四言，五、六、七言，八、九、十幾言，有爲詩文，有爲駢賦，有爲詞曲、爲辭藻、爲俗語，各因其用，而變其體，能流傳久遠者，才有實用上、文藝上的評價。它是通過自由的競爭、民主的選擇發展出來的，是相輔相依並行不悖，只是「變」，不是「革」。文言之與白話猶之杯棬之與杞柳，杞柳加工始成杯棬，白話加工始成文言，說文言賤於白話，猶言杯棬賤於杞柳，於理通嗎？

所以梅說胡：「足下所與矜爲文學革命眞諦者，不外乎用「活字」以入文；於叔永（任鴻雋）詩中，稍古之字，皆所不取，以爲非「二十世紀之活字」。……足下以俗語白話向來文學上不用之字，驟以入文，似覺新奇而美，實則無永久價值，因其尚未經美術家鍛鍊徒托諸愚夫愚婦無美術觀念者之口，歷世相傳，愈演愈下，（如紅樓夢上『女兒樂』的答句）鄙俚乃不可言，足下得之，乃矜矜自喜，炫其創獲，異矣。」這是民國五年七月間事，胡隨即創作一首一千多字的白話詩答梅，詩句如「文字沒有雅俗，卻有死活可道。古人叫做溺，今人叫做尿。本來同是一字，聲音少許變了。並無雅俗可言，何必紛紛胡鬧？」等等云云。梅乃又寫信責備胡：「讀大作如兒時聽蓮花落，眞所謂革盡古今中外人之命者。足下誠豪健哉！蓋今之西洋詩界，若足下之張革命旗者，亦數見不鮮。最著者有所謂 Futurism, Imagism, Free verse，及各種 Decadent Movements in Literature and in Arts。大約皆足下「俗話」「詩」之流亞，皆喜以「前無古人後無來者」自豪，皆喜詭立名字，號召徒衆，以眩世人之耳目，而己則從中得名士頭銜以去焉。」胡說：「我非硬派我一個「[illegible]此種不值錢之新潮流以哄國人」的罪名，我如何能心服呢？」於是一怒之下，立言「不更作文言詩詞」，「決定主意，努力做白話詩的試驗，」他說：「吾輩生於今日，與其作不能行遠不能普及的五經兩漢六朝八家文字，不如作家喻戶曉的水滸西遊文字。與其作似陶似謝似李似杜的詩，不如作不似陶謝不似李杜的白話詩。與其作一個學這個學那個的鄭蘇盦陳伯嚴，不如作一個實地試驗「旁逸斜出」、「舍大道而弗由」的胡適之。」這寥寥數語，充分暴露了他的「臆說」「武斷」「頑固」「執己」的反科學作風，而執迷不悟，使「內性五四」唯一的成就只是他個人的「五偏」：揚棄文言是一偏，揚棄詩詞是再偏，吹無體統之白話詩是三偏，吹俗話小說是四偏，吹水滸紅樓是最後之偏。胡說：「這五百年之中，流行最廣，勢力最大，影響最深的書，並不是四書五經，也不是性理的語錄，乃是那幾部「言之無文行之最遠」的水滸紅樓三國西遊。」提及水滸，使我想起八月十五徵信新聞（中國時報）「人間」楚卿的一段話：

楚卿先生說：「第一、水滸傳裡使用的語言是模擬的山東口語，我問過山東人如[illegible]念慈先生的，他說根本不是那回事，山東老鄉根本不是那樣說話的，它粗俗、鄙陋，不足以爲範本。（像下文指的故事課文，六十九個「注釋」中，有五十七個「活」白話須用「死」文言注釋！）第二、這一段故事（高大尉計害林冲）是描寫陰險的害人行爲和殘酷的報復行爲，尤其是末段那種有聲有色的殺人動作，俱是不忍卒說，每次講到這裡，我看到學生的那種奇特反應，就半途而廢了。今天當局要求拍武俠片不要亂殺亂砍，今天是一切憑法律程序而解決問題的時代，而我們堂堂的國訂本教科書卻採用描寫亂殺的文章，編審先生們沒有頭腦，沒有良心，到了如此的地步！……即使殺人也是藝術；這段水滸裏的殺人故事是血淋淋的，是（腥臭得）令人作嘔的，一點藝術氣息都沒有。」

「內性五四」，從表面看，只是「抱殘守缺」的愚蠢行爲；實質上，則是「絕聖棄智」的野蠻行爲。秦始皇坑的固是活儒，焚的則是死書，禍在當時。陳胡之徒坑的雖是死儒，焚的卻是活書，禍延後代。幸好當時德先生賽先生的眞正信徒紛紛起來潑冷水，這把野火燒着的範圍還不算大，否則中國五百年前的文學，至少百分之五十，不復爲下一代所能領教的了；中國五千年來的文化，更是百分之七十，不復爲下一代所能領悟的了！

（四）云何「丁性五四」近乎逆？

「逆」之爲言，反也，叛也。「丁性五四」所要反叛的，計有九經，與陳獨秀胡適安排的順序，曰：孔教也，禮法也，貞節也，舊倫理也，舊政治也，舊藝術也，舊宗教也，國粹也，舊文學也。是一種多目標的「文化大造反」。像這樣不仁不智無禮無義的革法，還有什麼道理好談呢？比方說，「禮法」吧，小而言之如交際之禮，中國式的，從作揖、打拱、鞠躬、握手、臉笑笑，頭點點，而成一套。西洋式的，從擁抱，拉手、吻道、吻挪、哈樂、好都又都，也成一套。而計親疏、相時地，應對進退，各自化風成俗，化俗成禮。其他有關衣食住行育樂，莫不各有其必不可缺之禮節。所謂文明，所謂野蠻，都可從這些小地方一眼就能分辨出來。法不行不可能自行更代，要由人來另立新的；禮不行卻會自行更代，所以隨時都是新的。禮的促起人文進步的功能，比法的分量重得多。古今中外儘可各行其是；可是百分之百不能沒有；否則，大家靠右，你偏靠左，被車子撞倒，怪誰？

再說「孔教」（？）吧：論語上舉凡原則性的作人治學做事的格言，無一句不周延合理而中禮，足爲後世法。例如：

「子曰：學而時習之，不亦悅乎？有朋自遠方來，不亦樂乎？人不知而不慍，不亦君子乎？」難道說「修身」不應該如是嗎？

孔子要他的兒子學詩，曰「不學詩無以言」；又要兒子學禮：曰「不學禮無以立」。難道說「齊家」不應該如是嗎？

子適衛，冉有僕。子曰：庶矣哉！冉有曰：既庶矣，又何加焉？曰：富之。（冉有）曰：既富矣，又何加焉？曰：「教之」難道說「治國」不應該如是嗎？

「孔子曰：大道之行也天下爲公。……貨惡其棄於地也，不必藏於己。力惡其不出於身也，不必爲己。……是謂大同。」難道說「平天下」不應該如是嗎？

（以下轉刊第三版）

昨日與明日

郵政今昔

二月五日，本報記者柳一權，報導郵局的情形，極其引起讀者的同感；因此，我們願本「春秋責備賢者」的心情，提供幾點具體的事實，作爲參考。

我國自清末舉辦洋務以來，郵政一直保有極高的榮譽，服務成績之佳，眞是有口皆碑。台灣區的郵政，自政府遷台以來，更是蒸蒸日上，精進不。尤其是已許季珂氏主持務局，最足稱道，例如今天大家稱讚的「限時專送」、「郵購」……等業務，都是那時創闢與建的，但是近些年來，無庸諱言，彷彿是陷入睡眠狀態，我們看不到以前那種不斷創設良法，改進業務的朝氣，反之則是逐漸萌生許多不良的現象。

值得檢討

·成公·

也許是由於業務日趨繁多的原故吧，大家都感到有柳一權先生所說的那種推來推去的情形（以前很少有），至少是聯繫不夠，例如從前遷移地址，只要去一封信，一定會按着所書新址投遞無誤，現在便不然了，投平信的郵差，可以按新址寄投，而投「掛號」、「限時」的郵差，則可能仍投到舊址，因爲內部相互間的聯繫不夠。

聯繫不夠，還不過是技術上，未作好而已，還有些事，原則上，便值得商榷，以發行郵票一事來說，郵票是代表國家的，不可以爲了集郵方便，或是爲了賺點集郵者的錢，就隨便亂改。即令改也必須設計美觀有意義的圖案，而現在則有些圖案，簡直沒有意義，簡直談不上美，甚至是既沒有意義，又不美，實在不知改的用意何在。最妙的乃是隨出隨廢。往往我們買得郵票，備存未用，過了些時，再貼用時，卻把信「欠資」打回，說那種郵票停止使用了。郵票是代表國家信用，至少也是代表郵局信用的，郵局收了人家的錢，怎麼可以片面廢約。試問這種辦法，應不應該檢討。何況貼陳年郵票，對郵局又無損失。

官腔拒諫

不僅措施有欠妥之處，有時外界提供具體的建議，往往也被一套官腔，拒之於千里之外，例如幾年前，「新天地」月刊曾有一個建議，事實上是因現行辦法，郵局投寄書報印刷物內中不可附具信件，取的理由是：印刷品的郵資低，不能附信以取巧。但是，寄戶希望能附信的原因，在於以信和所寄之物，可以同時到達收件人手裡，以免信與寄物脫節，而絕不是爲取巧省一塊錢的郵票，因此具體建議，舉辦一種「附信印刷品」的投遞辦法，例如寄一本書貼五角，一封信貼一元，假如有人寧願降低郵遞等次（信的投遞，通常較印刷品優先），把信附在書內，而貼一元五角郵票，則不妨在封上註明「附信印刷品」，此在寄者既可少寫一封信，少一道手續；而在郵局則一次投遞，收到兩份郵資，可以節省一倍勞力，法美意良，莫此爲甚，凡是文化界人士，無不稱讚，但不料郵局不僅不認眞考慮採行，反而一封公函滿紙官腔，什麼「萬國郵政公約」啦，什麼「免使收件在國外多付欠資」啦（郵局覆函見新天地二卷七期）一派搪塞之言，使建議者寒心到了極點。人家是替你出主意，又不是和你要帳打官司，何以用這些低能而不誠的話，把人拒於千里之外。即如覆函所云，難道萬國公約之外，就不能另闢單行法嗎？試問台灣的郵務，就沒有在「萬國郵政公約」之外的因地制宜的辦法嗎？「免使國外收信人……」；難道就不可能在國「內」試辦嗎——一句話，擺架作官，不想作事而已。

我們也知道郵政一直到現在，還是國人敬佩的公營事業，我們絕不願吹毛求疵「一眚而掩大德」。但正因愛之深，而責之切，希望扭轉這種懈怠之風，而善繼前人精進之美德，克保以往之令譽。

自由談

人情冷暖觀

馮五先生

人在倒楣失意的時候，到處吃癟嘔氣，拂逆難堪，眞是墻倒衆人推，誰也不願跟你接近的。如果一旦時來運轉，富貴逼人，或是發了大財，或者作了高官，那又是另一種景況了，跟你攀交情，認親誼的，爲之應接不暇，所謂「貧居鬧市無人問，富在深山有遠親」，決非過甚其詞也。

捧紅踏黑，人之恆情，而以搞政治的仁兄們尤屬首屈一指。他們那副勢利相，是夠瞧的。彷彿記得史書上紀載一位具有高風亮節的名人，對着作官的兒子說：「余生平畏見官僚，不幸今乃見汝」。的確，官僚們的勢利面目，比任何醜惡污穢的事物都令人憎厭。古人所謂「我乘車，君戴笠，他日相逢下車揖」的風範，固然有如上海話「試阿弗要談」，即希望「君乘車，我戴笠，他日相逢應相識」的普通人情味，亦是很難得啊！

上述各項情形，社會上每個人皆綽有經驗，其人其事，不勝枚舉。像劉文叔作了光武皇帝，還惦記着一個貧賤之交的故人嚴子陵，要請他到皇宮來抵足同榻，暢叙別後的，在中國數千年的史乘中亦找不出第二個了。漫說是貴爲天子，富有四海的君王之流，不屑跟貧賤之交的老友接近，就是一般紆靑綰紫之徒，亦經常妓形妓狀，只對着有錢有勢的大爺乾爹，低聲下氣，獻媚逢迎而已。這也難怪，漢光武的帝位，是自己戮力奮而取得的，他一生甘苦備嘗，徹底瞭解世態炎涼的情況，他要以身作則，轉換頹氣，提倡正氣節操，因而東漢一代的人士，特別講求做人的氣節。若夫後來一般的官僚，他們盡是以蠅營狗苟，趨炎附勢而求取一官半職者，慣居下流，習與性成，盼望其對人表現一些高尚的風格，殆無異於教妓女守貞操，勸盜賊尊仁義，行嗎？

明白了其中的義理，便可以搞通勢利相的思想，眼見着捧紅踏黑，趨炎附勢的情狀，不特無所容心，而且認爲可憐可哂。自己在失意時，固不會喪其所守，直尺枉尋；即在得意時，亦不致忘乎其形，妄自尊大。於是乎，消除了許多煩惱與忮忌的心情，大而言之，不失其爲君子人也，小而言之，必卜身體健康，延年益壽無疑也，善莫大焉。

評議所得稅法及其稅率

稅率增加，低所得比高所得稅負反重；預扣綜合所得稅的規定，與經濟政策，充份顯示矛盾。

（本報記者張健生台北通訊）關於所得稅法之修正，計有第十四、第十七條、第八十八條、第八十九條、第九十二條、第一○五條、第一一一條等七條。

這次修正所得稅法的目的是為了增加稅收，不是為了賦稅改革而修正；同時，由於所得稅稅率之增加率不公平，使低所得之稅負增加率比高所得稅負之增加率為重。

目前，發展經濟之投資問題，是經濟政策的重要課題，然而從所得稅法規定公司行號未分配盈餘預扣綜合所得稅百分之十而言，是國家為緊縮或預防經濟過份的膨脹，而採取的方法，以抑制其擴張而減少投資，故從營利事業所得稅之增加與減低，即知我國當前的經濟政策；是預扣綜合所得稅的規定，與經濟政策並不一致，充份顯示矛盾。

據賦稅改革委員會主任委員劉大中表示，所得稅法修正可增加五億元的稅收。這是修正案的重點。

立法院院會在討論所得稅法修正案時有兩種不同的意見。支持原修正案者為聯席會議召集委員潘士浩等，主張修正所得稅稅率由百分之六減低為百分之五者，為立委胡鈍俞、郭登敖等。

據潘士浩委員說：修正所得稅法第十四條，加強執行業務者設帳記帳及申報之規定。在第十七條中規定綜合所得稅納稅義務人之標準扣除額提高至少可列三千元（銀圓），以示從寬。在第八十八條新增規定公司及合作社未分配盈餘之預扣綜合所得稅百分之十，這三條條文為修正案之重點所在。

修正案在立法院財政、經濟、司法三委員會聯席審查會議中，辯論最烈者，計有：

一、綜合所得稅納稅義務人及其配偶，依現行法每人可獲免稅額，扶養親屬又有寬減額。至免稅額及寬減額之金額，每年以所得稅稅率條例明定之。

行政院原修正案有增訂免稅寬減額遞減的規定。理由是：在綜合所得稅制中，對於納稅義務人，配偶及扶養親屬之免稅寬減，原係為保障最低生活費，使其不受課稅影響而設置，惟因最低生活費用缺乏客觀具體標準，故各國所得稅制中雖仍有免稅寬減辦法，但實質上已與保障最低生活費用之原意毫不相干。反而成為調節稅負輕重之主要工具，如本世紀初美國建立聯邦所得稅制時，其免稅額原為每人每年三千美元，其後由於兩次大戰期間財政負担加重關係，美國物價水準雖不斷上漲，而免稅額則由三千美元逐漸降低為六百美元，自二次大戰末期以來，迄今並未變改；又按照通行之減免辦法，每人減免數額雖屬相同，而事實上低所得者與大所得者因累進稅率關係，同額減免所享受之利益並不相等，故近年來租稅理論上已有甚多改革此種對人減免制度的擬議，免稅寬減額遞減辦法即屬其中之一種。

低者加重高者反輕 不合公平課稅原則

行政院賦稅改革委員會這次研究增強綜合所得稅稅收的辦法，原則上認為對於低所得者仍宜維持現行按人減除免稅寬減額制度，俾能給予適度之保障，惟對大所得者則擬採免稅寬減額遞減辦法，因大所得者在納稅以後，仍有維持最低合理生活的能力，對於免稅額與寬減額之需要，實隨所得之增大而漸少；根據此項原則，乃於所得稅法第十七條增訂第三項，規定個人全年綜合所得總額超過四萬元（銀圓），即新台幣十二萬元者，其免稅寬減額不得超過按同條第一項第一二兩款規定計算之數額減除其綜合所得總額超過四萬元部份之百分二十五後的差額，使稅負分配更臻公平合理。

立法院在討論原草案此種減免的規定，予以否決。其否決理由為：所得稅法第十七條第一項開宗明義，既稱「按前三條規定計算個人綜合所得總額，減除左列免稅額、寬減額及扣除額後之餘額，為個人之綜合所得淨額。」是其基本政策，應確認寬免額為納稅義務人所享基本權益。

二、行政院認現行所得稅法第十七條關於計算綜合所得淨額時，所得減除之扣除額，規定納稅義務人對於各項扣除額不逐項列舉及舉證者，得按標準扣額扣除，其數額以綜合所得總額百分之十為限，最多不得超過五千元（銀圓）。此項辦法係為簡化申報手續而設置，實施以來，對於一般中小所得者極稱便利。茲以現行綜合所得稅稅率由百分之三提高為百分之六，增加一倍，為使低所得者稅負不致增加，甚至應儘可能酌予減輕起見，經參照美國聯邦內地稅辦法，將現行所得稅法第十七條關於標準扣除額之之規定，最低扣除額為三千元（銀圓）。立法委員們對此新規定：綜合所得稅稅率第一級距由三%增加到六%，加以抨擊。

立法委員黃煥如說：這次所得稅法修正，究竟是減輕低所得者負担抑或是增加低所得者負担，在觀念上我們必須澄清。如果大家認為低所得者負担應該減輕，則三萬元以下低收入者，其負担均應免除。而行政院修正案對三萬元以下低收入者的稅率，還要由三%提高到六%，這是不是增加低所得者負担呢？

按照賦稅改革委員會編送立法院之「綜合所得稅分級統計分析表」分析：五十五年度綜合所得稅收入總額計新台幣四億八千八百九十三萬餘元，其中三萬元以下低所得者估稅入總額三○．七一%，計一億五千零一十二萬餘元；三萬元以下低所得之納稅人佔全部納稅人百分之七七強，計二十九萬三千零一十五戶。

現在稅率由三%提高為六%，增加一倍負担的人都是三萬元以下低收入者，相反的，超過三萬元至六萬元收入者的稅負增加率百分之六十；超過六萬元至十萬元收入者的稅負增加率為百分之四三；超過十萬元至十五萬元收入者稅負增加率為百分之三三；超過十五萬元至二十萬元收入者的稅負增加率為百分之二五：超過二十萬元至二十五萬元收入者的稅負增加率為百分之二十；超過二百萬元以上高收入者的稅負增加率僅百分之十五左右，由此可知，綜合所得稅稅率提高後，使低所得稅負加重，高所得者反而減輕，故不合公平課稅的原則。

稅收雖獲增加 經濟發展受阻

綜合所得稅稅率調整後，所得在十萬元以下者，可增收兩億三千六百八十七萬餘元，連同未調整前稅收三億二千二百七十四萬餘元，合計為五億六千萬元左右，佔稅收總額七三．九○%，較未調整前之六六%增加七．九%，益證低所得者稅負增加。

相反的是：十萬元以上高收入者，在稅率未調整前，其稅收為一億六千六百一十九萬餘元，佔稅收總額三四%；調整後，可增收三千七百七十四萬餘元，連同前收數合計兩億零三百九十餘萬元，佔稅收總額二六．一○%，較未調整前之比率降低七．九%，試問，如此調整，合不合理？

現在高所得者，一百萬元至一百五十萬元收入的大戶，只有五十戶；一百五十萬元至二百萬元收入的大戶，僅八戶；二百萬元以上收入者只有十戶，以上三級大所得全年的稅收原來只有三千二百八十餘萬元，調整後僅增收五百二十三萬餘元，與三萬元以下低所得者增加稅負相比較，無異有天壤之別。

觀此分析，所得稅收的結構有失健全。沒有眞正做到平均財富使高所得者不逃稅，使低所得者不增加負担。

三、行政院修正所得稅法第八十八條並增列第三項，規定對公司及合作社未分配盈餘預扣稅款百分之十，並非預防經濟過份的膨脹或抑制其擴張而採取的方法，而是以抑制不正當的盈餘累積而作此規定。

所謂「抑制不正常的盈餘」，係指以公司組織方式經營事業者，如公司獲利而保留不分配時，股東即無須就其應得之股利負担當年度之綜合所得稅；或由若干少數人控制的公司，可能並非確有累積盈餘以從事事業擴張之必要，因其可以規避累進課征之綜合所得稅而故意保留，即社會各方面近年來乃有應對家族公司累積盈餘加重課稅之議，所以增訂預扣稅款之規定。

所得稅法第八十八條增訂第三項第四項，規定未分配盈餘數之預扣所得稅款百分之十，一方面規定公司及合作社之盈餘經股東會或社員大會議全部或一部不為分配時，由公司及合作社於決議後一個月內申報扣繳（第三項），另一方面則又規定未分配盈餘以經主管稽征機關核定之餘額為準（第四項），同一條文兩種規定，則有失預扣之意義，顯然矛盾。

總之，所得稅法之修正，目的在增加稅收，為財政上的目的而限制經濟擴張，影響投資來源。這就是我們當前的財經政策！

中興大學法商學院一幕熱辣吵鬧事件

報載言之確鑿。更正輕描淡寫

（本報記者公孫熊台北消息）台灣日報二月七日登載，中興大學法商學院在昨（六）日中午十一時至十二時之間，先後發生兩次職員吵鬧、打架事件，該院院長龍名登出面勸解，也被摔倒椅上幾致受傷，高等學府發生如此粗暴事件，已引起教育部重視。據目擊該兩次吵鬧的人說：昨日上午十一時左右，該院日間部註册組課長程恩澍與課員李奎，為了細故兩人在院長室大吵大罵，幸經龍院長從中勸解吵了半小時才結束。至十二時左右，又有夜間部副主任陳國鈞和訓導組長楊錫福跑到院長室互相對罵，迭出粗言，使在校學生不忍卒聞，但這兩人後來竟相互扭打，並把勸架的龍院長推倒在室內的椅子上，差點使院長受了傷。

該院學生對學校職員行為如此粗暴，辱罵有欠斯文，咸引為莫大恥辱，紛紛表示不滿。在昨天下午曾有人打電話向教育部報告，希望該部注意。

據悉：法商學院內部人事，甚為複雜，職員與職員間，亦多勾心鬥角，其中註册課長程恩澍，從去年開始，曾有辭職表示，該院工友曾三度鳴放爆竹，但程恩澍後來並沒有眞的辭職，他與註册課員李奎意見分歧，勢同水火。小吵是常事，昨日大吵大鬧，係屬「冰凍三尺，非一日之寒」了。至於夜間部副主任陳國鈞，他在行政處理過份專擅，不少職員對其不滿，訓導組長楊錫福曾有批評指摘，遂構成打架的起因。

教育部一位官員表示，法商學院是高等學府，職員公然吵鬧、辱罵、打架，對學生教育及對外觀感而言，均非所宜，他希望該院善自處理。教育部因未接到正式報告，對於事件眞相，尚待詳細瞭解。二月八日該報又刊出來函照登：

敬啓者：頃閱貴報本（二）月七日第三版有關本院新聞一則，不勝驚異，謹特函請更正如下：

①所謂註册課長與職員在院長室大吵大鬧，及該院常有吵鬧課長曾有表示工友三度至其家鳴放爆竹並無其事。

②本校夜間部副主任與訓導組主任僅因公務，稍有一二句爭執，絕非互相扭打，更無院長也被摔倒椅上之情事。此致台灣日報社台灣省中興大學法商學院二月七日。

記者閱讀上項消息，一面言之確鑿，有憑有證，似非空穴來風。一面則輕描淡寫予以否認，就這樣結束了這一幕新聞。

喬治桑外傳

廿七　張大萬

「噢，這一句是上海土白，難怪妳不懂。」於是喬治桑便向她解釋了一下。

大約在十點鐘左右，跳舞暫停，有一位名叫鍾瑪利的歌手，出場唱中西流行歌曲，她看到喬治桑向她點頭打招呼。

「你認識她？」雅麗絲問。

「是在應酬場合認識的，聽說華麗大飯店的老板追她追得很厲害，不過鍾瑪利的媽媽開價很大要一兩百萬美金。」

「呀，你的消息倒靈通，要一兩百萬美金？沒有那末多吧，不過我聽說，這家飯店的大老板姓臧，倒是有名的有錢的華僑，他大概有好幾位太太吧。」

「嗯，至少恐怕也有三四個，鍾瑪利嫁給他，聽說是第三房。」

「做男人只要有錢，眞是享福！」雅麗絲帶着羨慕的口吻。

「這看怎樣說，我並不羨慕這種人，我認為一夫一妻才是幸福的。」

雅麗絲沒有再表示意見，只低頭吃火燒冰淇淋。

鍾瑪利唱完歌，姍姍走過來，喬治桑忙像迎接貴賓似的，起身迎接她坐在他的身旁，並為雅麗絲介紹：

「這位是密絲李，這位是密絲鍾。」

「久違了，你一向好，今晚請我喝點甚麼？香檳？」

「妳好，好的我請妳喝香檳。」

「開玩笑的，我甚麼也不要，給我支香菸。」

喬治桑連忙奉上一支三五牌，並用打火機替她點燃了火。

「妳的男朋友很規矩，眞的，我很少看到他到夜總會，舞場來。」鍾瑪利帶笑向雅麗絲李打趣。

喬治桑和雅麗絲李無法接口，只好報她以微笑。

「博士，請原諒，我要在鼻尖上撲粉。」雅麗絲用英文向喬治桑說。所謂「鼻尖上撲粉」是到洗手間去的暗語。比到「一號」更雅馴。一位社交界淑女，如向男伴直率說「要去小便」自然會令聽的人倒足胃口矣。

雅麗絲起身離座後，喬治桑低聲向鍾瑪利說：

「她是我的女秘書，請妳不要再開玩笑。」

「嗯，眞是強將手下無弱兵，我每天接的信至少也有好幾十封，想不到祖國的朋友與國外一樣熱情。我又不是電影明星，對這般人只好稱為「歌迷」罷。我正需要一位秘書幫忙處理信件，這樣好不好，李小姐我借用兩個月，但不知她需要怎樣的待遇？兩個月我送她五萬新台幣行不行？」

鍾瑪利說話速度更快，聲音却像一串銀鈴，不愧是一流歌星。

「承妳誇獎，假使辦得到，怎能讓妳付錢。不過，不過，說實在的，我也離不開她。」

鍾瑪利露出神秘的笑容，露出編貝似的潔白牙齒。

「我是試你一下的，我知道你捨不得……」

官人列傳（廿二）

卜中郎牧羊致富

（一）牧羊兒致富的故事

周燕謀

中國古代的大富翁，可以分爲三類：一是善賈居奇，由商而富；一爲官吏斂財自肥而富；一爲以功勞顯著，朝廷封賞而致富者。可是眞正從事商賈生產而致富者不多，以功受賞者居其次，偏偏斂財搜括民脂民膏而致富者，可居首席。尤其是一個朝代在日漸衰敗的時期，貪官污吏才盛，官富民貧，國用不足，民窮財盡，焉有不亡國之理？所以岳武穆曾經感喟的歎說：「武官不怕死，文官不要錢，則天下太平矣」！我們讀歷史有一種感覺：不論任何朝代，凡是官富民貧的時代，鮮有不亡國的。依我看來，這似乎成了歷史的定律。在中國袞袞富翁之羣中，封建時代的貴族領主，偏偏又瞧不起努力生產致富的商人；對於不勞而獲，坐享富貴的肥仔，反而名重位高。我看中國之窮，恐怕是由此而來。甚至連出身流氓（平民）的劉邦也瞧不起商賈，他造了「赤帝子當興，白帝子當滅」的謠言，取得了天下之後，他對商人更有了絕大的偏見，下了一道命令：「賈人不得衣絲乘車」。而且對商人「重租稅以困辱之」。以後至孝惠，高后時，以天下初定，對於此項禁令乃漸緩弛，然市井之子孫亦不得仕宦爲吏。所以中國古代的商人，都是受着政治壓迫在掙扎中苟延殘喘。漢武之季，因不斷對北方民族的征伐，國用不足，於是接受牧羊兒致富的卜式的捐輸，眞是一種諷刺！

卜式是一代奇人，他是河南人，出身牧羊兒。弟兄兩人，都是農牧貧苦人家。長大後，卜式與少弟分產，土地房產他不要，全給少弟，自己只取畜羊百餘頭，入山中從事牧畜，經十年辛勤畜牧，羊羣致千餘頭，又置田宅。而他的少弟則完全破產，卜式又分給少弟田宅。卜式少弟是一個「敗家子」，分得之後，不久又光了，經過數次給與，仍無家業。

漢武帝數伐匈奴，財政不貲。卜式一牧童出身之平民而已，上書朝廷，願將家產半數獻官助邊。漢武帝聞聽有此奇人，便使使召見卜式，問他要不要做官。卜式奏道：「臣少牧，不習仕宦，不願爲官」。使者又問：「有寃欲伸否」？卜式道：「臣一生與人無爭，鄉人之貧乏者貸之，不善者教順之。鄉人皆從我善，無所欲言者」。使者又問：「汝竟毫無所欲麼？」卜式道：「天子誅匈奴，愚以爲賢者宜死節於邊，有財者宜輸捐。如此而匈奴可滅也。」使者具實奏上，上告丞相公孫弘。公孫弘奏道：「此非人之常情，不軌之臣，不可以爲化而亂法。願陛下勿許」。於是强拜卜式爲中郎。

卜式被强拉入朝做官，甚不習慣，過了四年，卜式實在不像做官的人，於是乃罷其官。卜式歸故里，仍然做他的牧羊頭。年餘，漢軍數出擊匈奴，渾邪王等投降。但府庫早已空虛，已將文，景之治所畜資財，耗用殆盡。財盡民窮，貧民飢民遷徙，皆仰給縣府救濟，官無力盡贍。卜式携錢二十萬，獻予河南太守，以救濟難民。河南太守遂將富人獻資救濟飢民者之籍冊呈於朝廷。武帝展閱名籍，赫然又見卜式之名列於冊上，不禁歎道：「這不就是以前輸家財半縣助邊的卜式麼！」上乃賜卜式「外繇」四百人，「外繇」即戍邊也。郎將卜式所捐資戍邊之四百人賜予之。而卜式盡復予縣官。在當時，許多富豪，皆隱匿財產，而卜式不但不隱匿財產，反而自動捐獻。到此時，武帝始知卜式爲長者賢民。以前公孫弘却把他以凡人一般的處理，說他的行爲是不近人情。以理財著稱的公孫弘尚以一般人視之，想必爲當世風氣使然。

一個社會國家或民族的道德標準，絕不能以「知識」之高低作爲衡量的尺度。賢與不肖不在於知識之高低，貪與廉，亦不可以知識爲標準，忠與奸，亦不可以知識作標準。公孫弘即犯了以知識來衡量一切的通病。如以常情論之，以衡量常人則可，而世常有「非常之人」者，如以常情度之，便是「不近人情」者，公孫弘正昧於此理。（未完）

董小宛苦戀冒辟疆

名人情話

周遊子

二，董姬一見傾心

冒襄高標自負，交遊皆一時之士，崇禎十二年，赴京陵應試，遇吳次尾、方密之、侯朝宗等名士，相應同科赴京。此三人者，亦爲風流名士，常顧秦淮名姬。董姬艷名，冠絕一時。侯朝宗等對辟疆言及小宛，美不絕口。辟疆道：「未經親眼見，未可定也」。而小宛時亦聞辟疆之名，噪於譙集之間。有客提到冒公子，小宛便追詢冒公子爲何如人也。客人對姬言道：「冒辟疆者，今日高名才子，負氣節而又風流自喜之佳公子也」。小宛心嚮憶之。

辟疆久聞小宛艷名，借方密之往訪秦淮，姬因煩秦淮噪囂，已還往金閶，失之交臂。等到應試下第，復遊吳門，訪小宛於半塘之宅，數訪均未獲一面。時小宛已遊於洞庭未歸，此時此地，名妓與小宛芳艷齊名者，尚有沙九畹和楊璣貂二姝，辟疆左顧右抱於沙、楊二姬之間，咫尺不見小宛，辟疆欲整行裝歸棹，作最後一訪。

一日，小宛晝方醉臥，辟疆忽至其門，小宛之母聽說是冒辟疆，便扶小宛出來，二人相見於曲欄花下，陳母對小宛道：「冒公子已來訪數次了，可善事公子」。他們倆在曲欄相見，似乎二人心中早有情影，有不勝其情之狀。小宛面暈淺紅，香姿玉色，神韻天然，似有「千言萬語說不盡之感」，「懶慢不交一語」。辟疆驚愛之，訝爲天人，二人彼此一見傾心，相見恨晚，辟疆看見小宛微醉疲倦，心甚憐之，遂淺談告別，這是辟疆與小宛相晤的第一面。

三，又愛上陳圓圓

辟疆和小宛第一次相見於曲欄花下，二人彼此都有熱情沸騰之感，「相見恨晚尚未晚」，小宛有不勝其情者，辟疆，小宛都具有才、貌雙絕，前面已將冒辟疆的感覺說了一下。我們又看小宛小姐又是如何的感覺呢！

小宛與辟疆別後，對鏡自歎道：「吾靜觀之，得其神趣；此乃儂委心塌地之處也！」最妙的是得其「神趣」二字。這是冒襄的好友張明弼的「董小宛傳」的傳神之筆，小宛雖是妓女，但芳心已動，平靜的心扉，見了辟疆也難免掀起了波瀾。她本想表明態度，終身相許，又恐怕太快了一點，於是，只好含情默默而不語，自此一見傾心之後，兩情繾綣，如夢相値，如舊情人似的慵戚。兩意相融液，「莫不畢似」，喜不自勝的對其養母說道：「冒公子眞是異人！」可是她養母又是另一番滋味。這時的小宛年方二八，那時的順治帝只有兩歲，時爲崇禎十二年。因此扯不上「亂愛」關係，故不必多費筆墨，此說便不攻自破。

冒辟疆因要考試，沒有來得及繼續更進一步，等到他考試完畢之後，已經是庚辰，爲明崇禎十三年。明朝之大患正方與不已，李自成與張獻忠、羅汝才等流寇四處掠殺，而最大的壓力，是滿人亦屢次犯松杏、寧錦之間。明朝廷正是多災多難之時，小宛與辟疆眞可說是「亂世鴛鴦」了。

辟疆試畢，已是庚辰夏天，他留在「影園」，其目的是想再見伊人，可是從吳門那邊傳來的消息，說小宛已被人借去西子湖去了，後來伊人又順道遊黃山、白嶽，遂不獲相見，心中頗感空虛。在那時交通不便的時代，一遊就是將近一年，到辛巳，即明崇禎十四年的春天，許忠節赴廣東，辟疆要去湖南衡嶽省親，於是與許忠節同舟，經過半塘往訪，則小宛仍未回來。但是另一位名姬陳圓圓却在那裡高張艷幟，圓圓紅得發紫，此姬更擅梨園，也能歌善舞。這是在一次冶遊中聽到許忠節所說的。於是往訪了幾趟，又是一見神往，等陳圓圓參入，便織成了「三角」，弄得辟疆「欲仙欲死」。

「五四」噩夢五十年（下）

（上接第一版）

「廐焚。子退朝。子曰：傷人乎！不問馬」。可是「仲尼之畜狗死，使子貢埋之。曰：毋使其首陷焉。」人與馬較則重人，生與死較則卹死，「爲什麼」？蓋愛有差等，義全始終，禮也，忠恕也，中庸也，「仁」而已矣。孔子「發憤忘食」以追求的，全是這些道理，他消極的修爲是毋意（臆說），毋必（武斷），毋固（頑固），毋我（執己）。」積極的修爲是「博學之，審問之，愼思之，明辨之，篤行之。」他沒想到要後之人尊稱他爲聖人，因爲他深深的體認到「天下國家可均也，爵祿可辭也，白刃可蹈也，（惟恰合）中庸不可能也。（故雖乎其爲聖人也。）可也沒想到後人會把他當他紂王，「天下之惡皆歸焉」。他的在天之靈可也不在意，他曾說：「天之將喪斯文也，後死者不得與斯文也。天之未喪斯文也，匡人其如予何？」使夫子今時復活，也許還會勸我們不要和「丁性四五」之徒計較，因爲「人而不仁，疾之已甚，亂也。」這不是妥協，只是「害取其小」而矣。「害取其小，不得已也。」

「丁性五四」的出現，與其說是孔子遭厄，毋寧說是國父遭厄，更毋寧說是整個民族遭刼！察其來龍，有四種人我們得應喊他們立即自加檢點：

一是胡亂注釋論語的僞學究。一是故意曲解論語的臭政客。一是假尊孔以自抬的假道學。一是假反孔以自抬的新鄉愿。

即以尊孔子爲「至聖」一事來說，實在「足恭」得令人肉麻，容易引起中外有識之士的反感，於「大道之行也」，並無好處。試想：太陽引着地球，地球引着月亮，一直不停地在兜圈子；時間已够長的了。而太陽河系只是本銀河系的一個起碼的小「星集」，本銀河系對整個天體而言，也不算是頭號大「星集」，而科學昭示我們的事實，則是大星星引小星星，大「星集」引小「星集」，兜下的圈子會是無限大，創下的時間會是無限長，可是各世紀的聖人都及歸蓋棺論定，而繼起的聖人却一個接一個趕上來，孔子趕上周公，國父趕上孔子，時間越悠久，科學越發達，仁智越精進，焉知來者之不如今也？我們這些近似半路上鑽出來的程咬金，憑什麼敢於此刻指定誰是「至聖」呢？此之謂「偏」，思想不周延有以致之。

「五四」之過，種因也就在一「偏」字上面，由於偏，乃至於愚，至於野、至於詐、至於逆、至於處處替邪惡舖路，而一直不能自見其過而內自訟也。

年年先祝教師節，越旬才是雙十節，五七年誤了五十年，百年大計從何說？思之思之，感慨繫之！（完）

吳敬恒先生年譜（四八）

陳凌海編撰

陳洪校訂

抵渝後，表姪陳淸海侍筆硯。暇則督誦孔孟書。爲浦士英依法呈教育部轉學中央大學肄業。季炳辰則入中央工業專科學校肄業。五月一日，在國民黨全體中央委員歡迎宋慶齡會上，先生言民國十四年舊事。教育部學術審議會成立，先生被聘爲常務委員。行政院決議，聘請先生爲北平故宮博物院理事。六月十二日，日本飛機狂炸重慶，先生寓所左鄰中彈，寓所被震毀。嗣遷居上淸寺七十三號，名之曰：「斗室」。鈕永建（惕生）寓二樓。此室僅十二尺見方，先生飲食起居，接見賓客親友，讀書寫字，皆在其中。蔣委員長中正聞先生寓所被炸，邀先生遷居黃山（重慶對岸），先生謝焉。旋又爲先生等在郊區山洞建築宿舍，請先生前往居住，先生亦未肯去。先生嘗謂：「生平不修邊幅，一切自由自在，且住慣簡陋房屋，甚爲舒適，一旦搬進水門汀洋房去住，反而不自在，要生病。」此蓋爲先生遵行儉約之一種託詞也。後來林森（子超）、葉楚傖、陳布雷（畏壘）相繼遷入，惟先生之一所房屋始終空鎖而未用。先生以爲個人生活逍遙於宇宙之間，縱橫萬萬里，短短人生，寄居於「斗室」之中，或「高軒」之內無大分別。先生寓所被炸後，蔣委員長中正又命狄膺（君武）致贈法幣五千元，補助先生損失。先生囑狄膺設法匯一千五百元至上海給袁夫人家用外，餘款由狄膺保管。七月七日舉行抗戰三週紀念，先生作警惕扼要之報告。參加中國國民黨第五屆七中全會。並提議：「確定辦法，迅籌的欵，以挽救全國高等教育危機」案。（未完）

風趣的古佛——趙州（七）

禪學黃金時代

吳經熊著

吳怡譯

有一天早晨，他接見許多新到的和尚，問其中一個說：

「你以前曾來過嗎？」

對方點點頭說是，他便說：

「吃茶去」。

又問另一個和尚，那個和尚說：

「這是我第一次來到這裡」。

而趙州也說：

「吃茶去」。

這時廟中管後院的大和尚問他說：

「曾來過的和尚，你叫他吃茶去；未曾來過的和尚，你也叫他吃茶去，這是什麼意思」？

趙州便叫：

「院主」。

這位後院主回答說：

「是」。

於是趙州又說：

「吃茶去」。

雖然以上三種情形，都是去吃茶，但每種情形都喚起同樣的問題：是誰在吃茶？再說，假如道就是平常心的話，那麼每一個平常的行動都是道的表現。有一個和尚問趙州說：

「弟子初到叢林，請師父指點」？

趙州問：

「你吃了粥沒有」？

那和尚回答：

「吃過了」。

趙州便說：

「那麼，就去洗鉢盂吧」！

聽了這話後，那和尚便恍然大悟。

趙州正像莊子一樣，是主張宇宙一體的，在他的世界觀中，萬物平等，因爲道是無所不在的。

某個漫長的夏天，趙州和他的忠實弟子文遠閒坐在房內，突然有個念頭掠過這個童心未泯的老人腦中，他便說：

「文遠，讓我們來作個比，看誰用譬語把自己比得最低」。

文遠接受了這個挑戰。他們並商定誰贏了，誰就要輸掉一塊餅。

於是趙州先說：

「我是一隻驢」。

巨變歷險記！

最長的一天　廿五

胡慶蓉

政工看代表要見林彪的意思很堅決，他也只好反應上去，看上邊怎樣辦。這已經是下午快五點的時候了。約六點就有了消息。又由政工人員會同部隊，繼續送代表上去。上到那里？去到那里？代表不知，代表只有跟着上去。

一月的十一號，是差不多就是臘月的十一號，月亮沒有整個圓，但大半圓了。晴空萬里，分外光明。就在這月光下，一個村子一個村子的走。這些村子，白天已經很靜了，入晚更靜，尤其在這戒嚴時期。「鷄犬之聲相聞，老死不相往來」，彷彿似之。現在鷄犬之聲，也很少聽見了。不相往來，雖不至老死，但不相往來，則屬事實。

鷄犬之聲，對於五代表，作用極大。鷄一叫，犬一吠，代表的精神，即不覺爲之振奮。從下午兩點從林森門出發，到現在快八點半了。光喝茶，不能擋餓，還要吃飯，而且越來越迫切。行路最容易餓的。走路，消耗，要大量的補充，多多的補充。再走下去，連喝的一點水，也耗光了。在丁代表，年富力強，還沒有什麼，但在其他四位代表，就已感不支了。他們四公的年歲較大，體力有限，一連走了五六個鐘點，那能受得了！行行復行行，越行步兒越慢，到後來簡直行不動了。

帶着走的人，也不說話，五代表也不便問，只看見一羣人在月下轉。月好像越來越亮，月到日中天的時候，好像更特別的亮。人可以看見自己的影影，人拖着自己的影影在走，好像影影在不動的樣子，但事已至此，不能拖也得拖，不能走也得走。相間的鷄犬之聲，也漸漸的聽不見了，又是一片沉寂，一陣沉寂。在茫茫曠野之中，好像什麼也沒有，只有一個接一個的農村。最後，總算在一個農村，俗稱莊子上停住了脚。

在月光之下，還可以清清楚楚的看見是一個很破落的農村。沒有磚屋沒有瓦房，只是一些茅草房，牆全是土築成的。家家前面是草堆是糞堆。進到門裡邊，又是糞坑。糞坑，靠近廚房。廚房，黑漆漆，兩口大鍋，一口大鍋，支在灶上面，下邊是個大洞洞，前面是個小門。燒鍋的人是相當辛苦的。沒柴，沒有煤，當然更沒有電，沒有煤氣，只是一些麥桔，豆桔，打了麥子豆子剩下的麥桿子，豆桿子。麥桿子，光滑，是不出火的。一把送進去，一「忽隆」（火貌），一亮光，一股烟，不知道送進多少把，才能一鍋燒開，把一頓飯煮熟。代表們，飢腸轆轆，就擠在廚房裏，急不可待的樣子在等着。等到吃完這頓飯，差不多已經十二點了。各自安寢，等待明天，與林彪會談。明天就是中華民國卅八年一月十二日了。

海國秋深（三）

文自粹

續查得：疑兇爲外省人，五十多歲，過去在上海時與死者有親密的往返，且結有深厚之友誼。在香港時也與死者常有往來。不過現在疑兇並無職業，目前的景況也不好，疑兇本來與一個頗爲貌美的田姓女人同居，對於疑兇的事業及經濟方面幫助頗大，很飛黃騰達過一個時期。在不久以前，這女人和他拆了夥，他接着也入了逆運，籌備的塑膠公司曇花一現，支持人使失望而去。而這個田姓女人與死者也很有交情。

續查得：疑兇與死者過去淵源很深，死者此次從香港來台，他們二人間仍常有來往。死者臨城街宿舍，他也常去。女傭王淑貞談起這個人，還有很深刻的印象。

續查得：疑兇此次殺害伍嘉玉的遠因是，過去在大陸的舊怨；最近再加上兩人間在某種利害關上發生衝突，終於導致了慘案的發生。

搜鵲是認識這位李姓朋友的，不但認識，而且很熟，不但很熟，而且深知他和嘉老的新愁舊恨。但這究竟屬於若干公務的機密，非其人，非其地，非其必要，他是不便宣布的。如果疑兇果然是他，以台灣的治安和地理環境，遲早總可逮捕歸案的，到那時總可是非大白了。

他便瞪張眼在樹上，細想這二十年來爲政府國家，做了些什麼？朋友間的風雲際會，轉眼間又烟銷雲散，落得如此下塲！他雖不是教徒，到此也只有委之於數和命運了！

二、隔座送鈎春酒暖　公曹射覆蠟燈紅

李秘書出了殯儀館禮堂，恰和唐敖走在一起。李秘書說：「想不到能保持老年健康像嘉老這樣魁偉的人，未死於病，會死於不測之禍，眞是太意外了。如果那天我們不和嘉老開玩笑，說他是牌桌上郎中，恐怕眞沒有茅弗酒店那一番表現，嘉老雖死或有遺恨了。」

原來嘉老遇事前三天，李秘書和唐敖，岑參幾個老朋友恰好先後會在臨城街嘉老住所聊天。談到牌藝，大家覺得心裏總有一個悶葫蘆，不便直率的問。因爲李秘書和嘉老相與較久，便示意李來問，搜鵲因說道：「嘉老，我們了解嘉老天賦絕頂聰明，可以說琴棋書畫，無一不能，當然諸般賭技也難不倒嘉老。但是有些不相干的朋友亂聽閒言，說嘉老會在牌桌上弄些花樣，所以每戰能勝；我想嘉老不屑於此的！」嘉老說：「這兩天剛剛轉涼，我們明天傍晚到茅弗酒店最高層，不妨關一小室敘敘。我和你們三位一桌，公公正正的玩。如果我輸了，我請各位晚宴全席一千元；否則你們合起請我。也好給各位一個眞憑實證。」

大盜王六

·常應芬·

今古齋誌異

滿淸中葉，中州有巨盜名王六者，力大無窮，以隻手能舉千斤。曾於關外某古寺中雙手舉二丈長合圍之石柱，寺廟因石柱去掉，隨之倒頹，見者驚爲神人。是以中州人無不知其名。惜其人走邪道，行竊爲生，犯案纍纍。地方官畏其強項，不敢逮捕，王六大模大樣，出入酒肆茶坊間，且其出沒無常，行動詭秘。有人見王六黑衣郎入某山中，官吏捕役圍捕之，天明即不見。王六雖爲一介武夫，然其取金頗爲審愼，所竊者多爲富豪官宦之家，竊物必題名牆上，自署王六，不嫁禍他人。

信陽有陸衡庵者，官浙江十餘年，暴歛民財有術，積資數百萬。因年老辭官歸鄉，浙江人甚惡之。因其鉅富，姬妾無數，生子數人，皆不良少年也，橫行鄉里，路人側目，莫敢與忤。陸衡庵與鄰縣秦邑令甚善。王六聞而惡之，率其徒衆數十人，欲打刼惡富。陸衡庵聞訊，恐難以自保，則思得一計，僞爲王六獻金，作書一封道：「願奉萬金爲君祝壽」。而私告秦邑縣令，請其在交金之際捕殺之。誰知書信送達，久不得回音。于是大怒道：「昔日吾親事浙中，浙中豪悍數千萬，吾猶能雙手制之，何況一武盜耶！」乃以巨資僱武師數十人，保護其家。武師之中，有一姓蔡名中書者，技冠羣儕，陸衡庵善待如上賓。

一夕，陸衡庵宿于愛姬許仙之寢，許姬乃殊色尤物也，姿容冠于羣姬，玉肌而蟬鬢，婉好無倫。陸衡庵愛如心肝，待遇優于他姬。許姬閨閣在後園之西，處宅之偏僻，陸某以之自隱。一日晨起，粧台留有一封書，陸衡庵拆書視之：「昨夜吾來貴府矣！君警可速爲之戒備」。下署「王六」字樣，陸某見之大驚，于是告知衆武師，武師告其無恐。夜中衆武師飽餐一頓，各人準備武器以待。時至三更，仍無異狀。武師蔡中書莞爾道：「王六徒無能，故以恐駭耳！」一言未畢，忽然颼的一聲，一鏢正中腹部，衆人一見，不知鏢從何來，命人四處搜尋，但西廂空室中有響聲，因陸某黃金數千斤，盡堆西廂，衆武師追至，西廂黃金盡失，空空如也。窗戶關閉如故。陸衡庵自寢室中大呼有賊。是夜陸某宿于許姬之寢，半夜愛姬已不見踪影。發現寢帳上有一紙條，題「王六」大名其上。次日晨，有人見雞公山有二乘車輛，一車爲黃金，一車則爲許姬也。（完）

戀愛經（下）

·陳顧遠·

四

戀愛本是極高尚的事，可以有熱情，不可有熱態，可以使愛苗逐漸長育，不可使愛火突然爆發。雖然你最後的目的在與她成了眷屬，這祇是愛之果，不是愛的過程中所應該表現的事。愛的過程中，第一是純潔之愛，第二是純潔之愛，第三還是純潔之愛，要渾厚，要典雅，性子不能急，念頭不能雜。最好你能做到使她說出求婚的話來，那就是你的絕大成功。你縱然不喜歡在純潔之愛上兜圈子，但是爲了最後的收穫，總得耐心忍受地照這樣做，才顯得戀愛的高尚，乃是兩性間一種神聖的藝術生活。違背了這一準則而談戀愛，還有誰上你這輕薄少年的當，縱然僥倖成功，那祇算利誘，不算是戀愛！某，急色兒也，根本不應讓他混進戀愛之門，而他竟冒名頂替地要作情種。見了對方，目灼灼如賊，口吟吟垂涎，一副可憎的面目，虧得他做得出。倘遇對方故作鬧弄，假以顏色，表現出全殼媚態，適見其滿身俗骨，無論那一位密絲，西施也好，如此下流子，對於他都是一見而厭，再見而嘔，三見而遠避之，惟恐不及。

五

戀愛過程裡本是不容有缺陷的，行遠自邇，登高自卑，順着風兒往前進，使情苗逐漸外透，自然會到愛火高燃的境界。雖然有人說，戀愛的過程好比滾滾大江一般，總不免有些逆流迴瀾，卻也無關緊要；而且愈有逆流迴瀾，愈顯得戀愛的不平凡，愈烘托出極爲壯觀的高潮。假如你要寫戀愛小說，要拍戀愛電影，儘管在構思上這樣渲染是應該的。不然，平淡無奇的戀愛，千篇一律，味同嚼蠟，誰還賞鑑你的俗品？然而你不是作文章，寫劇本，而是戀愛過程中一個主角，最好避免這樣戲劇化的做作。因爲逆流迴瀾畢竟是險路，不是坦途，放馬總得會收韁才行，不會收韁，便要把馬走失，實在是得不償失。所以在戀愛過程裡，總得小心翼翼的應付對方，不要因一時小粗心的談話，或一點小動作，而造成缺陷，便永遠地做了歡喜冤家。某，戀愛已到愛火高燃階段，不免稍有放肆。假日，邀約心愛的人兒並其女友多人至一華麗的飯莊吃飯。飯酒席前，某向她勸酒，偏偏粗心地喊了一聲「老大姐」。對方沉下臉來，說道「我叫一聲老伯，好罷？」這兩個「老」字一出口，完結！

六

戀愛進行中不容有惡習，要討得對方的喜歡，須革除自己的惡習。這惡習雖不見得就是惡，既然爲對方所不悅，你就得顧其爲惡，不可再犯。因爲你不是單戀對方，而要對方回愛自己，對方作其爲惡，你偏特其爲善，又怎能彈起心靈上的交響曲，而結成連理枝呢？對方寡言笑，你就得學老實；對方尚樸素，你就得免華麗，一唱一隨，不特是戀愛的成功秘訣，而且是婚姻的不二法門。最忌：她討厭抽烟，你卻抽個不已；她討厭吃蒜，你卻吃個不休；對方對你沒有好感，並且要誤會你對她故示冷淡，根本沒有把愛字放在心坎，那又何必戀呢？某，向有睡癖，與人談話間也喜打瞌睡；甚或在街上，入店舖，倚櫃檯而立，剎那之間即入夢鄉。他惡習既深，始終不改，後談戀愛，就在這一點上失敗了。總對方見他喜睡，瞧不起；尤其認爲電影院本是同談戀愛的好地方，他卻是打瞌睡的好場所，對方看見他這種無意戀愛的表現，認爲還有什麼情形，繼續與他來往？待一覺醒來，玉人已他去不復返，此地獨留一好睡人！

生活漫談

凡到過廣州的人都看過，每至立冬後，大小館子門口都堆着一籠一籠各式各樣的蛇，大大小小，繚繞滿目，都以此來吸引老饕光臨。蛇的吃法，亦是花樣翻新，比較名貴的要算龍虎鬪，龍虎鬪就是蛇與貓合燒或燉。著者曾嘗試過，確有「此味祇應天上有，幾時流傳到人間」的感覺，以證明「食在廣州」的成語未錯。廣東厨司劏蛇的純熟，遠非台北十幾家蛇店可比，體會到熟能生巧之妙。其次是五蛇羹，菊花蛇，燒錦蛇等各有獨道之處，非不吃蛇肉的人所可想像。

龍虎鬪治台灣癢

馬騰雲

蛇肉最補，有強壯神經與抗毒作用，常吃蛇肉可防治各種皮膚病，如癩疾、痲瘋、風濕症、白殿瘋和梅毒性的風濕和半身不遂，關節炎、關節痛、神經痛等。台灣老幼嗜吃的一種日本簽命酒，傳主藥就是白花蛇。頭像犂鏟，鼻子反鈎，龍頭虎口，黑質白花，脇有二十四個方勝紋，腹有念珠斑，產在日本中部山區，因爲日本求補的人太多，白花蛇價鉅甚昂貴，據專家說，這種蛇將來有絕種之虞，日本報紙有暫禁捕這種蛇的建議。

中國有好幾位名將薛岳、鄭介民、冷欣、蔣伏生、蔣縈周，他們嗜吃蛇肉對治台灣癢，收到顯著的效果。每逢立冬後，總要吃上幾次，著者亦是參予的老饕之一，祇是每次的烹蛇的地點發生問題，因爲太太們堅決反對在厨房裏做蛇，以致影響吃蛇不能定時，又沒有固定地點。他們的吃法是龍鳳鬪，就是用蛇燉鷄。這種吃治台灣癢的蛇，菜蛇和沒有毒的蛇。功力較弱，必須要有毒蛇，最好的是眼鏡蛇，價目雖比普通蛇貴一倍，偶然爲之，亦無傷大雅。龍鳳鬪的味道，畧遜於廣州的龍虎鬪。最近我們吃過一次菊花蛇羹，是將眼鏡蛇肉煮熟撕成細絲，配以鷄絲、冬菇絲、筍絲，大盤新鮮青嫩的白菊花瓣和以豆粉，做成菊花蛇羹，味美清香，奇鮮無比，可媲美廣州紅棉酒家和紅葉餐廳的菊花蛇羹。首次吃蛇肉的朋友，最好先到蛇店問明性能，及烹煮要點，不過蛇店那種烹調術，老遠就嗅到蛇臊味，實在不敢恭維。有一次蔣伏生的副官曾君，買到兩條約五尺長的大眼鏡蛇，還有一次是筆者買到一條土弓蛇（咬人百步即死），那是吃蛇記錄中最過癮的兩次。江湖郎中們，將蛇胆形容得可治百病，目的莫非爲了賺錢，蛇胆和魚胆乃至鷄鴨胆都含有胆色素，胆脂，獸脂醇及硬脂醇等，郎中先生們的口裡，天花亂墜，都不太靠得住。

催眠術研究　廿二

鮑紹洲

三十一、折指催眠法

這是將被術人的手足指屈伸而導致催眠的催眠法。先令被術人仰臥于床上，或坐在椅上，將其兩手及兩足之指，聽號令而屈伸之。一屈指，數二伸指，呼三又屈指，呼四又伸指。如此數至五十，復從一再數，約二十分鐘時間，則雜念頓滅，而成催眠狀態。于是便暗示道：「更深眠，更深眠。」

此種原理的所在，當使屈伸手足指時逐令雜念停頓，而血液則循環于手足指間，腦血因此減少。因此導入催眠。

三十二、握指催眠法

施術人握住被術人的手指而催眠的催眠法。先請被術人憩于椅上，閉目靜坐。施術人用雙手緊握被術人的兩拇指，或不握兩拇指，而緊握其餘的四指，加以微震，如感觸電一般。且暗示之道：「將深眠了」，「更深眠了」。漸成催眠狀態。且行這種方法，而兼行視瞳法亦可。此法婦女頗不方便，故不得不加避免。此種原理，當握其指的時候，被術人注意力集中于手指，腦血減少而致入眠者。

自由報

（第八三九期）

中國郵政台字第一二八二號執照登記為第一類新聞紙

半週刊每星期三、六出版

督印　黃介寶　社長　李運鵬

社址：香港九龍彌敦道593—601號創興銀行大廈八樓五座

LIU CHONG HING BUILDING
7th FLOOR FLAT 5
593—601 NATHAN ROAD,
KOWLOON, H.K.
TEL: K303831

電報掛號：7191

承印：景星印刷公司　地址：嘉咸街廿九號地下

台灣總管理處：台北市大同街119號
台灣區直接訂戶　台郵劃撥戶
第五〇五六號萬有（自由報會計室）
電話：七一四〇三三、五五五三九五
台灣分社：台北市西寧南路110號二樓
電話：三三〇三四六，台郵劃撥戶九二五二號

司法應配合倫理教育

・丁作韶・

復興中華文化運動，自前年十一月十二日國父誕辰紀念日開始已來，於茲已進入第三個年度，但什麼是中華文化？如何去復興之意見，尚未臻一致。如以總統的中山樓中華文化堂落成紀念文作依據，很顯然中華文化的基本精神在倫理，故中華文化可稱之曰倫理的文化。如何去復興中國的倫理文化，總統在他去年四月二十一日的手令，並有一條一條的提示。但這仍然是原則性的，推而廣之，仍待國人繼續不斷的努力。願就司法方面，貢獻其一得之愚。

司法在前部長鄭彥棻領導之下，有很多的改進，固為國人所共見共聞。但在配合倫理方面，恐仍有未盡之處。查良鑑部長上台，更在銳意改進，對於倫理方面，或亦未曾給應有之注意。如對於中興大學羅教授之子其著焉者也。孝在中國倫理上居於首要之地位。故有孝為百行之本，百行孝為先之說。對於不孝，法律的處罰特重。弒父如弒君，罪列一等。殺父之仇，亦列為最大的仇。羅教授之子，將羅授教勒斃，應如何處以重刑，以為天下警，但法院竟一度判無罪！所幸檢察官提起上訴。結局如何？尚無所聞。兒子可以隨便殺死父親，中國的倫理安在？兒子殺死父親可以沒事，父親的地位安在？在復興中華文化運動中，而有此種現象，豈不是否定了整個中華文化運動！

現在在台中地方法院審理中的台灣省立台中第一中學發生的學生朱明義殺傷教官劉魚飛一案，台中地方法院如何判決，現在全省密切注視中。朱明義無故曠課，劉教官經尋覓該生，查其曠課原因，而該生已先自離校。時為去年十二月七日。迨至九日（星期一）上午第一節課時，劉教官飭該生到訓導處與以善勸，並着其將曠課原因，坦誠提出書面報告。遲至同日第三節課後，該生遲遲不肯交出該項曠課報告，再度詢問該生時，據答：「沒有時間寫」。劉教官仍溫顏婉色，許以次（十）日交來亦可。詎料次日，該生仍置之不理，劉教官始三度催促，而該生則表情惡劣，怒目相向，聲言「不寫就是不寫，要處分就處分，要開除也無所謂，你看着辦好了」！劉教官見該生不可理喻，亦未加深研，乃由在場之另一教官，將該生帶往主任教官室作個別開導，勸其勇於認錯，知過必改，當時亦已心平氣和。已有回心轉意之望。於是主任教官又加以開導，該生態度益見改善，且進一步請該班導師羅高明將該生領到導師室予以訓勉，期收化育之功。旋劉教官又以限時信約其家長來校面談，以便與該生家長密切聯繫，不料該生家長尚未來校，即於十日下午第二節，正值劉教官在操場上高十六班軍訓課之際，該生竟以身藏之改製武士刀潛至劉教官身後，將其猛刺四刀，計左下肋一刀，右上背兩刀，左臂一刀，並有一刀深入內部，劉教官在被刺第一刀時，當即倒地，瞬又掙扎而起奮力逃避，無如該生，追殺不捨。在此危急之時，幸有高三十九班學生張宗田將兇手抱住，始將兇燄遏阻，使劉教官得免於難。此時目擊學生羣情憤慨，咸欲將兇手扭送法辦。兇手則手舞兇刀，厲聲呵叫：「誰攔住我，我便殺死誰」！致使學生不敢迫近，俟校內老師聞訊趕至現場，兇手已衝出人羣，奪刀逃遁。當即報案管區警察育才派出所及警察局少年組。

以上就是轟動一時的所謂「學生殺教官」實際上也就是「學生殺老師」一案經過的眞實情形，同時也是本案的證據。即就本案而論本案，以普通案件而論，也應按殺人罪論斷。絕對不能按傷害罪，不管是什麼樣的傷害罪，不管重到什麼程度。從朱生殺四刀的情形觀之，顯然有殺人之故意，有殺人之蓄意，有殺人之預謀。由於本案並不是普通殺人案件，而是學生殺老師的案件，理應加重，重到不能再重。師在中華文化上，在中國倫理上，其地位在天地君親之下，僅次於親。教官，雖來自軍隊，但在地位，與教員與教授講師並無二致。不過在定薪上，比照教員比照教授講師而已。在教育制度上，各校有教官之設，誠為一特別之現象，為世界各國（尤其民主國家）所無者，但此却構成我國現行教育制度之一大特點。關於此種制度之好與壞，教官之功與過，非本文範圍，姑俟諸異日。但無論如何，教官就是老師，為無容置疑者，亦不應置疑，不容置疑。

閱各報對於本案之評論，同情學生者，雖非絕無僅有，實在太不應該！像朱某這種學生，實無一點可以同情之處。請再就上開經過的事實觀之，一切不是都是朱某不是。本案之起源，乃由於朱某曠課，由於朱某無故曠課。在歐美的學校，對於曠課，學校並不注意，上不上由你，只要參加考試就可以了，但在我國，則大大不然，在我國，各級學校，都列上課為學生天職，為必須要做的行為，換言之，非有特定的原因，絕對不准不上課。而朱某竟不上課，而且是無故不上課！在這種情形之下，劉教官一而再，再而三，三而四……要朱生寫出他的曠課原因來，是應該的，是對的，是他的職責，對於他的鍥而不舍，一再追問，學校社會應該表示欽佩之意，應該表揚他的任事負責，劉教官並無不是，劉教官絕無不是。嚴懲朱生以為天下學生警，這才是教育，這才是倫理教育，這才是復興中華文化。

朱生何以會有這樣悖逆的行為，這是另外一個問題，應另外謀解決。就事論事，朱生罪無可赦，罪無可逭，並應就殺人罪從重科處，從最重科處。在量刑上，法院固有權衡，而且在刑法上有減處之規定。但似朱生這種故意有預謀的殺師行為，應不適用。「治亂國、用重典」，在中華文化復興運動之下，在提倡倫理教育之下，我司法當局，應有所配合，命令所屬，一體遵照。質之查部長，或亦為然也。（完）

有的是人命！

自由談

世人談到官吏貪污風氣，每歸咎於公務人員的待遇問題，認為俸祿菲薄，迫使一般官吏挺而走險，利用權力機會，需索賄賂。這種說法，核與事實多不相符，構成貪污風氣的重要原因，在彼而不在此也。

如果認定官吏貪污乃是由於俸祿不足以養廉而然的，顧何以一般在過去業已聚斂了大量財富，日常錦衣玉食的達官貴人，今天依然貪取賄賂如故，且有變本加厲之勢呢？何以法定待遇比一般官吏優厚，並不愁仰事俯畜之資的國營金融機構人員，照樣利用職權而肆行集體貪污呢？何以凡屬公營企業機構的財務即一塌糊塗，使國庫大受損害，現有國家銀行的四十多億元呆帳是怎樣來的呢？

貪污的眞正原因

眞正由於待遇菲薄而感到生計維艱的，祇是中下級的官吏而已。他們瞻着上級的高官可以隨便貪污，行所無事，因而相率效法，利用主管職權，索取紅包。有位台諫御史告訴我一個小吏的貪污手段——這是經過他調查的事實。據說：某交通機關考試汽車司機，先經過體能調查，註明合格，再考驗駕駛技術亦夠標準，等到司機人請領駕駛執照時，主管單位却說該司機的食指短了一公分，認為不合規定，碍難核發執照，實際乃是司機人未送紅包的原故。舉一反三，今天的政治界，充分表現着「大不必法，小不必廉」的風氣，烏龜不笑鱉，大家泥裏滾，於待遇何干呢？

要防制官吏貪污行為之惡化——說剷除貪污是唱高調——第一是明辨功過，厲行賞罰，使那些有所不為的廉介之士，相信公道猶存，廉吏必不埋沒沉淪，大家力爭上游，轉移風氣，此乃求治的根本之計。次為簡化法令，藉以減少官吏貪污的機會，像現時的法令滋彰情形，以之求治，十不二三，以之整人索賄，十常八九。至於待遇問題，實屬末務，雖不妨依據現實生活水準，加以調整，却與官吏貪廉的關係甚微。對日抗戰時期，明正典刑的兵役署長陳某，成都市長楊某，都是富有的官吏，今日如能殺幾個著名的貪官污吏，其效用亦視增加待遇更大也。

馬五先生

「法理」・「恩怨」・「是非」「正義」・「調人」

▲楊治藻▼

本年一月二十一日監察委員張建中劉永濟等諸氏，分別提出調查教育部有關教育行政及處理私立學校違法失職等案，由於委員之間發生爭執之後，外間傳說紛紜，有人認為，這是私人「恩怨」問題，然而「恩怨」起至何處？無人深究。

我認為，「恩怨」，就是起於不守法，不講理。以不守法，不講理的態度與措施，用來處理任何事件，是為「恩怨」之始。既「恩怨」者必加深「恩怨」，進而演化成為仇恨。小之者，從個人可以發展致流血；大之者，從團體羣衆可以發展動搖到社會的秩序。所以，守法不僅是杜防滋生「恩怨」及保護個人安全，抑且是維持社會秩序的根本。

人民為了共同的安全而組織政府，訂定法律。有犯法者，政府對人民繩之以法。政府違法之時，人民代表機構——立、監兩院，循去執行質詢與糾彈，此為民主法治國家之常軌大道，無人可以否認。

（以下轉刊第二版）

昨日與明日

文化復興與文藝復興

總統倡導文化復興運動，自係國家民族百年大計。但此運動未見認眞積極推行。現在台灣的形式化主義，積重難返。文化復興運動亦有此現象。文化復興應以文藝復興為首要。研究西洋歷史的人，當更可了解文藝復興之含義。

文化復興與文藝復興，知識份子均須獲得尊重，應為不爭之論。無可諱言的，目前台灣工業社會的發展，讀書已成四民（士農工商）之末。知識份子無論教書、寫稿所得，僅能亶（食旁）粥糊口。其處境之假惡，幾達斯文掃地之境，這不能不說是文化復興的一大諷刺！

文史教員師資缺乏

在台灣二十年來，青少年一窩風攻讀理化，目的是為了出國深造，學成以後在美國成家立業，因此，大中學校文史教員便形成青黃不接情況。過去學術界曾發生國文、國語正名之爭，其實，現在教育界所發生的問題，已非國文、國語問題，而是國文、國語通不通的問題。在中學担任國文教員，讀別字、白字已不算稀奇，講解四書五經更是笑話百出。這一潛在危機，是中華文化的一大陰影！

任何一個民族，都需要文化不斷薰陶，才能進步。而文化的含義自應包括人文思想與自然科學在內，不容發生偏枯。我們所引為杞憂者，倒不是美國能發射太陽神太空船，繞月飛行，我們辦不到。而是我們正在毀壞固有的文化基礎——文藝。我們很懷疑，照此情形再混下去，將來的中國所謂知識份子能不能寫出一篇通順的白話文？

知識份子與國運息息相關

從中國一部興亡歷史中，我們可以看到知識分子攸關國運盛衰。在此一動盪的大時代，陷在大陸的知識分子已被誅鋤殆盡。留居歐美的，大部份已改了國籍，他們已不再背復國的十字架。台灣以及海外的知識分子，雖不若鳳毛麟角之可貴，究竟是民族復興一項不可缺少的重要因素。但為數不多的知識分子，大都在飢餓線上掙扎，這不能不說是國家重大的損失。

我們只知仿效美日等國工業的進步，却忽略了美日等國對知識分子的尊重。正因如此，美日等國的文化發展，才不致因科學、技術的急進步，而喪失應有的平衡，無數偉大人格的塑造，始能樹立國格。對知識分子的漠視，社會上的勢利主義遂應運而生，雖怪誕假造成「笑貧不笑娼」的澆漓風氣了。

知識分子對社會風氣有一種潛移默化作用。他們的影響力量始終沒有被好好發掘利用，因此所謂文化復興也就變成徒託空言了。

・易傳・

進步的台灣公路建設

台灣省公路局遵循省府施政方針，就公路交通事業範圍，以配合與促進本省經濟發展爲目標，兼籌並顧，致力於三民主義模範省之建設。

（一）工程部門：一面養護及改善原有公路與橋樑之設施，力求適應沿線市鎭經濟發展之需要；一面積極實施公路建設，以便利偏僻地區資源之開發，從而促進全面平衡之經濟繁榮。故截至五十七年七月，計有省道二、二六二、一二五公里，縣道二、六五九、六六六公里，鄉道九、八八二、一九五公里，專用公路三三四、〇三四公里，合計一五、一三八、〇二〇公里。

（二）重大工程計劃：一、環島公路系統長期改善計劃，計包括西部幹線及東部幹線兩大部份：①西部幹線（包括大肚溪橋改建）：本幹線沿線各鄉鎭市工商業發達，交通量增加必須加以改善，以資提高公路運輸效能，藉而配合經濟發展需要，經於民國五十年開工，分十二年辦竣，至大肚溪橋改建工程，業於五十六年三月開工，現已完成百分之八一，預定五十八年六月完成。②東部幹線改善工程：本省東部地處偏僻，部份路程實施行車管制，復因地質關係，常有災害坍方阻碍交通，爲取消行車管制（除蘇花公路一五五至一八八公里一段外），實現全線（除颱風豪雨外）全天候通車與便利開發東部資源。本工程於五十四年開工，分年實施改善，預定五十八年度完成，但因該線工程艱鉅，限於財力，約需延長至五十九年度完成，之後再改善花蓮至台東公路及南迴公路沿線橋樑工程。

二、完成本省橫貫公路系統計劃：橫貫公路計有北、中、南三線，除北、中南線部份已先完成外，南線西段部份已於去年八月開工，東段部份正籌辦中，全部工程預計四年辦竣，完成後本省公路幹線當可縱橫連繫，脈絡相通。

三、東部產業道路計劃：爲便利開發東部資源與促進本省東西兩部經濟同等繁榮，經新闢利吉——池上，東河——富里，花蓮海岸，豐濱八里灣，泰源——南溪，光復——豐濱等六條道路，及台東大橋，長虹橋，花蓮大橋新建工程。

四、台北市郊區道路發展計劃：爲配合台北市經濟繁榮需要及解決市區、郊區交通擁擠現象，計劃自台北市區分向西北各郊區發展公路，以利疏導。①台北大橋改建主橋長四九二・二五公尺，引道長四四〇・二五公尺，三重市端長一一八・一二公尺，預定今年底完成。②華江大橋及江子翠道路新建工程：該橋長九一七公尺，板橋端道路長三・五五公尺，台北端道路長一・五公里。③台北北投公路新建工程，其主線爲百齡橋至北投胡籟橋段，長四公里，支線自朝胡籟橋至關渡，長三・八公里。

五、外島交通計劃——彭湖跨海大橋，長二、一五〇公尺，路堤三一四公尺，引道三、〇六一公尺，總長五、五二五公尺，預定五十九年全部完成。

六、爲充實國防戰備道路計劃：汶水香枝戰備道路，全長六十六公里，預定三年後完成。馬武督拉號公路爲五十九年動員實施項目，估計需款二、八四七萬元。

七、建設基金下興建重要橋樑工程：①秀朗橋，跨新店溪，長五三三公尺，引道共長六百公尺，預定年底完成。②油羅溪橋，跨油羅溪，長三四九公尺，兩端引道共長三三一・二公尺，預定年底完成。③三鶯大橋，跨越三峽與鶯歌間，長四〇五公尺，預定今年十月間完成。

八、養路成果：①省道：以人工及機械養護高級路面一、二八九、一七三公里，石子路面九四一、三八二公里，合計二、二三〇、五五五公里。②重要鄉道養護：以人工及機械養護高級路面一、九八四、五〇〇公里，石子路面一、二一七、三〇〇公里，合計三、二〇一、八〇〇公里。（王永亭）

台灣人是中國人

郭雨新在省議會大聲疾呼 若干留學生數典忘祖謬行 希望政府應迅採補救辦法

（本報記者張建生台北通訊）省議員郭雨新於二月七日在省議會第四屆第二次大會第卅八次會議省政總質詢時，引用何浩若先生指辭若干人在海外搞起荒謬的運動，質詢黃主席。（按：何浩若先生於去年九月廿七日在國大聯誼會的時事座談會上發表了一篇：「美國姑息份子與台灣獨立運動」的專題報告，之後，復於同年十月廿六日起，連續在本報發表「日人操縱下的台獨運動」一文，因而轟動政壇。）

郭省議員以「台灣人是中國人」爲題，向黃主席提出總質詢，說「台灣是中華民國的一省，台灣人是中國人，原是不成問題的事。日據時期，多少青年冒險偸渡到大陸，讀書也好，謀生也好，全以身爲中華民國公民爲榮。光復當時，人民的歡欣鼓舞，大家因能重歸祖國懷抱，對蔣總統的勛業興恩戴德，眞是感激涕零。可是光復了二十多年的現在，不少出國深造的留學生，竟在海外搞起荒謬的運動，不承認自己是中國人。這種不幸的事，過去我們住在台灣很少聽到，自從國防研究院教授何浩若先生在立法院與國大代表聯誼會先後提出報告，並且寫文章在報紙雜誌公開發表之後，才知道問題的嚴重。

總統不止一次的要教育人員重視民族精神教育，要教育青年成爲堂堂正正的中國人，事實的表現是：本省過去在日本佔領時期沒有接受祖國教育的人，全自認是中國人，現在從小學中學大學接受新的教育，還有不少經過黨團訓練，一且出國留學，反而不承認自己是中國人，未免太不合情理了。」

因此，郭省議員質詢黃主席說：「一、主管機關有沒有檢討其中原因？二、如果是教育人員失職，政府將如何追究責任？三、如果不僅是教育有問題，政府有無其他補救辦法？」

這位連選連任省議員二十年的郭雨新議員，是青年黨的民意代表，他希望政府當局注意「新聞言論自由問題」，他很坦率的批評：「政府在這一方面做得似乎太不夠」，他並列舉具體證明來支持他的批評。他說：「一是前面所說有不少本省籍的留學生在海外不承認自己是中國人，胡搞了好多年，在台灣的我們竟會不知道其詳細內容；二是不久以前，政府各級主管新聞與公共關係的官員集會，建議政府加強宣導政令，多方蒐集民意，勸導各報館在議會開會期間，擴大篇幅，登載議員質詢言論等等。如果本省有充分的新聞言論自由，關於前者，在海外胡作妄行的青年，他們的父兄可以嚴切的予以誥誡糾正；關於後者，新聞官員就不必要有那一類的建議案了。」

郭省議員質詢：政府對於新聞言論自由的尺度，是否可以儘可能放寬？對於新聞工作聯繫會議那些很寶貴的建議案，政府能否予以接納？

台灣省主席黃杰答覆省議員郭雨新質詢前兩項問題時表示：本省各級學校推行復興中華文化運動增加中國文化概論、生活與倫理、公民與道德等課程，均屬加強民族精神教育，以教育青年成爲堂堂正正的中國人。並說：台灣新聞言論，事實上已享有充分自由，在法律範圍內，政府並無任何限制。議會開會期間，擬增篇幅登載質詢言詞，省辦報紙當可考慮云云。

「法理」、「恩怨」、「是非」、「正義」、「調人」

（上接第一版）

中醫學院，就是事前起於董事會中，有董事互不守法而發生糾紛，所以，教育部下令解散董事會（見原提案事前該校曾五次向教育部陳情，教育部不予理會），解散的目的，旨在使不合法者合法，教育部本身既爲執行機關，自應依法執行，始爲合理合法。今者，教育部竟亦不遵照法律行使職權，此種行爲，無異乎是「黑吃黑」的勾當，這就難怪「恩怨」之不得平，「是非」之不能明，事起決非無因了，也就是監察委員所以提案調查教育部的主要原因。

就監察院提案事由所載，中國醫藥學院經完成財團法人之登記，其已具有法律上之獨立人格，依法得爲財產權之主體，除有特別規定外，與自然人完全相同。我國民法對於法人制度，亦採干涉制度，財團爲公益法人，監管尤爲嚴格，依民法有關條文之規定：如在設立之先，須經主管官署之許可，成立之後，須受法院及主管官署之二重監督。其對財團捐助章程所定之組織不完全或重要之管理方法不完備者，法院得因利害關係人之聲請，爲必要之處分。爲維持財團目的，或保存其財產，法院得依聲請變更其組織，因情勢變更，致財團之目的不能達到時，主管官署得斟酌捐助人之意思，變更其目的及其必要組織，甚至解散財團。國家法律對於法人之干涉效果不爲不大，然而出於派員接管之途，於法則毫無根據。

財團法人係以捐助財產爲中心，由捐助人自任或其所聘請之董事，乃爲財團之機關，並非權利之主體，故「財團之組織及管理方法，由捐助人以捐助章程定之」，民法第六十二條規定至明，財團董事有違反捐助章程之行爲時，依民法第六十四條，法院尚得因利害關係人之聲請，宣告其行爲無效。董事以外之人，更有何權利接管財團之財產？是乃常識問題，有此情形，非屬毫無常識，即係明知故犯，若凡屬主管機關，即可無視於法律效果，而自認有接管私產之權，則教育部既可得接管私立學校，經濟部亦得接管私人公司，勢將使强取豪奪之事紛起迭行，將何以言法律秩序。或謂：「現代立法着重於公益，而不在私權之保護」，此係一種錯覺，現代立法固着重於社會公益，但僅指公益與私權相矛盾時，得以法律限制私權之行使之範圍，而擴大公益之領域，並非以公益爲藉口而剝奪私權，衡以憲法第二十三條之規定，不能謂此種論調爲非誤解。我國民法所設限制私權之規定，不勝指數，上述種種干涉法人之條文，即係基於維護公益之目的，均非剝奪私權。

復按，「命令與憲法法律抵觸者無效」，憲法第一七二條，既著有專文，「關於人民權利義務之事項，應以法律定之」，亦爲中央法規制定標準法第四條第二款所明定，是則任何機關所頒行之行政命令，均不能與民法效力相抗衡。有人引據「私立學校規程」爲接管私立學校之理論根據，姑勿論該規程中並未列有接管規定，即令有之，亦因與法律明文抵觸而失效力。至於接管並非監督，意義尤其分明，更無待解釋。監察院此一提案實足促使玩法弄權者流，普遍知所戒懼，而使「守法」「崇法」之寶貴典範，日益張其功能，其在教育上之意義至爲深遠，該項提案，已交該院教育委員會調查，將來調查結果，依法或爲糾正，或爲糾彈監院自必盡其職事風憲應有之責任，問題無庸過分重視。唯此一問題所引發有三點，值得在此一提者。

第一、爲中醫學院糾紛，有所謂「調人」之說。黃以周先生在南菁書院的自勉詞謂：「實事求是，莫作調人」，這是十分正確的態度。可見要作「調人」者，多屬不肯「實事求是」，不肯分辨「是非」的人，實有類於孔子所斥的「鄉愿」。黨國元老吳稚暉先生一生不作「調人」，也反對別人作「調人」。我們深信，爲了消解所謂「恩怨」，爲了「崇法務實」，爲了有個「是」「非」，也爲了國家法治前途，所謂「調人」也者，似可不必。縱使要作「調人」，當不能悖乎情、理、法也。

第二、監察委員，民命所繫，實無旁貸，不僅身負人民之重托，監督政府，澄清吏治，維護法律，尤與整個國家政治前途之命運關係綦切，自應義無反顧，勿以「理」爲「力」所屈。

第三、即我們之與論界也者，責在「剖寃白謗」，是代表「正義之聲」，一篇文字刊布，不僅是顯示報格，亦同時顯示爲文者之人格。「不明底細，莫斷是非」，否則，祇能混淆視聽，徒使奸者得逞其計，正義晦暗不彰，則罪在我輩，於公於私，良知實所難安也。（完）

喬治桑外傳　廿八

張大萬

「不是，不是，不瞞妳說，我的雜事也多，何況家務也需要她幫忙。」

「好了，好了，不要再說了，換個題目談談，免得李小姐來了，要懷疑我們在談她甚麼。」

鍾瑪利吸了一口香菸，仰頭噴出烟霧，姿態很曼妙。

「聽說妳的紅鸞星動了，幾時請吃喜酒？」

這次輪到喬治桑採取攻勢，這句話正如上海人所說，「相當觸心境。」

「這個消息那裏來的？我在這兒唱滿還要到馬來西亞去獻唱，說實在的，追求我的人倒不少，我只想多賺點錢再說，根本沒有攷慮到結婚。」

鍾瑪利在烟灰碟彈去菸灰，侃侃而談。

「這個消息在台北已經傳播很久了，假使有一位有錢的人肯娶妳，妳又何必再辛苦賺錢呢？」

「是誰？是不是姓桑？假使是桑博士，你向我求婚，我當然要鄭重攷慮的。」

喬治桑覺得這一婆娘到底是跑江湖賣藝的，伶牙俐齒很不簡單。

「哈哈，我那有這樣福氣，將我這把老骨頭賣了，也買不起一隻訂婚鑽戒。」喬治桑自我調侃很適時。

「我不希罕鑽戒，說眞的，如果我要結婚，只要彼此眞心相愛便行了。」

喬治桑明明知道她話不由衷，也懶得去和她辯。他心裏想這年頭那有不愛錢的人？包括我自己在內。

這時雅麗絲李已回枱，鍾瑪利起身告別，又到了她演唱的時候。

雅麗絲坐下來，默默無語，氣氛有點沉悶。

鍾瑪利又唱了幾隻熱門舞曲，渾身搖擺，乳波臂浪使全場引起輕微騷動，每曲以後，喬治桑熱烈鼓掌。

音樂台上又奏起勃羅斯舞曲，喬治桑很禮貌地請雅麗絲下池。舞跳到一半，喬治桑先開了腔。

「妳是不是有點不高興？」

「沒有，我很高興。」

「鍾瑪利誤會妳是我的女朋友，我已經解釋過了。」

喬治桑跳了一個花步，轉了一個彎。

「你是我的波士（老板），我那裏配當你女朋友。」

雅麗絲跟了一步，回答的話明明有點酸溜溜地。

「不是這樣說，妳比我任何女朋友都好。」

喬治桑訥訥地不知所云。

「那就用不着向她解釋。」

喬治桑一想眞糟糕，今晚碰上這兩個娃娃，倒是很難應付。

一曲舞罷，喬治桑還想繼續，雅麗絲已向座位走去，他只好像狗似的跟在後面。

全國工展揭幕

（本報台北航訊）中華民國五十八年全國工業展覽會，於本月十日下午二時卅分在台北市展覽會場隆重揭幕，作爲期兩個月的展出。開幕典禮由大會主任委員嚴就齡主持，經濟部長李國鼎應邀剪綵，參加觀禮者包括政府官員，工業界領袖，暨中外來賓達一千餘人之多。

官人列傳

卜中郎牧羊致富（廿三）

（二）反對統治經濟

周燕謀

武帝知道卜式乃爲奇人，並非一般有所求者，又復拜爲中郎，但卜式仍不願爲官，卒以郎官的頭銜，而去上林苑牧羊。上林苑是皇帝的園囿。卜式並不着郎官之服，仍穿布衣，親自牧羊於上林苑。牧了一年餘，上林苑中的羊羣肥碩異常，繁殖愈恒。武帝一見之大喜，不禁讚歎不已。卜式道：「不僅牧羊如此，治民亦猶是也。以時起居，惡者輒斥去，勿令敗羣」。上以卜式爲奇。卜式出身農民，未受過什麼高等教育，能說出此等話來，實令人稱奇。於是拜卜式爲緱氏縣令，姑試用之。結果一縣稱善。復遷成皋令。上以卜式忠耿，拜爲齊王太傅。

是時，漢武不僅屢用兵於邊戍，數討匈奴，耗費國帑不貲。而公卿又議封禪。封禪之先，皇帝必先巡狩天下，而各地方競相建修馳道，以迎天子，郡、國紛治道橋，修善宮室，以便天子幸居，爭以天子巡所爲榮。因此國用又耗於內，內外財政不支。正在國用不貲之際，而南越又反，西羌復侵華夏，邊境日急。武帝興樓船，遣水兵二千餘人擊南越，發三河之兵數萬人，以西方的騎兵擊西羌，又使數萬人在甘肅築金城。武帝以全力對付西羌之故，置張掖、酒泉郡、以及上郡、朔方、西河、河西等郡，邊兵共六十萬人，實施邊兵屯田。因此遠道餽糧，後方補給邊戍，遠者三千里，近者千餘里，其所軍需，皆仰給於大司農。此時大司農爲桑弘羊，此人是財政專家，曾爲武帝實行幣值改革者。邊境所需兵器不足，乃發武庫工官之兵器尤不足，尤其是馬匹，更爲缺乏，縣官錢少，買馬難得。齊國相卜式乃上書武帝：「臣聞主憂臣辱，南越反叛，臣願父子與齊之習船者往死之。」天子下詔曰：「卜式雖躬耕牧，不以爲利，有餘則助縣官之用。今天下不幸有急，而卜式奮，願父子死之。雖未戰，可謂義形於內。」於是賜爵關內侯，黃金六百斤，良田十頃。又佈告天下，以爲可以激勵天下人之響應，效法卜式之行。結果天下無一人如卜式者。列侯數百，皆無求從軍抗敵者。武帝拜卜式爲御史大夫。此爲漢武帝元鼎六年事也。

卜式爲御史大夫，實司諷憲，致於直言。當時郡國皆作鹽鐵，人民苦之，鹽鐵官賣，其價甚昂，或彊人民買賣之，因鹽鐵官賣，因此商人無生意可做，物價騰貴。卜式諫武帝勿與民爭利，武帝好大喜功，那裏肯聽。卜式其三陳之，武帝對卜式不悅。當時的邊患頻仍，軍需裝備補給，所需不貲。故有鹽鐵官賣，稅收以應軍需，鐵器以造兵刃。卜式以節儉生產者之姿態及見解，希望太平，無爲而治。在武帝的雄心與魄力之下，卜式之諫不中肯綮。對付南越及西羌，漢武以三年而平，番禺（廣東）以西，至蜀（雲南）等地咸服，新置十七郡。

元封元年，卜式貶秩爲太子太傅。桑弘羊爲治粟都尉，領大農，總管天下鹽鐵。桑弘羊乃是財政專家，他向漢武帝上了一條財經計劃，也是一套富國大計。他以爲天下地方官吏，皆與民爭利，乃請增設農部丞數十人，分部各郡國監督鹽鐵。各縣設均輸鹽鐵之官，爲「均輸」法。即造「貴賣賤買」之生意。各以貨相灌輸，又在京師置「平準」官署，專管天下之委輸。「貴則賣之，賤則買之。」富商大賈無所牟大利。天下萬物不得騰躍，故抑天下之物價名曰「平準」。武帝納桑弘羊之議，果然「民不益賦，天下富饒」。桑弘羊的一套計劃，完全是「國營」政策，在當時一般人民則以爲是「與民爭利」。而卜式是不能見及此，他故反對桑弘羊的政策甚力。恰恰有一年天不下雨，武帝命官求雨，卜式說話了：「縣官當食租衣稅而已。今桑弘羊令吏坐市列肆，販物求利。烹桑弘羊乃下雨。」桑弘羊爲一能人，而卜式則爲一奇人。以今日術語言之，桑弘羊則主張統制經濟，卜式則主張自由經濟。史記卜式無傳，只見於平準書，故不載其所終。以牧羊致富千萬，捐輸於國者千萬，又以布衣而爲卿相，是亦奇人歟！這種富翁，吾恨其少也。

名人情話

董小宛苦戀冒辟疆

四，欲仙欲死

周遊子

據辟疆自己的傳神之筆描述，陳圓圓是這樣的一種神采：「其人淡而韻，衣椒繭時背顧湘裙，眞如孤鸞之在烟霧。」那天，正好圓圓在演弋腔紅梅，以「燕俗之劇」，伊呀啁哳之調，乃出自陳姬之口：「如雲出岫，如珠在盤」，令人「欲仙欲死」。這是什麼滋味？由冒辟疆自己自供，絕非小說家之言。

等到戲演完了之後，辟疆便請了圓圓相見，也是一見神往，二人戀談到四更，仍不忍離去，一見相吸之情，是可想而知了。此時外面風雨大作，冒公子告別了圓圓，要登舟而去了。陳圓圓眞不忍相離，冒公子更是難分難捨。他拉了她的衣裳，肯切的道了珍重，要求圓圓再見。圓圓道：「光福梅花盛開，如冷雲萬頃，在等待我們去觀賞。君明日偕儂一游否？儂有半月的時光，可伴君遊也」。

冒公子以省親在即，不敢久留相眷，圓圓又道：「好吧！等君省親後，定再相見虎嘯蟠桂之間，儂期期等待着君再來。」說罷了「何日君再來」，冒公子方依依別去。

辟疆歸家奉母，已獲得了父親被調往被賊兵攻破的襄陽，心緒如焚。往訪圓圓，而伊人已被竇霍豪家强迫掠去，意欲進獻掖廷。冒公子聽悉，心覺慘然。在無可奈何的情況下，只好奉母溯江而上，去湖北省親。過閶門十五里的地方，偶對同舟友人說：「此地有佳人，可惜難再得也」。那位朋友答道：「君誤矣，前所掠者，乃假姬也。圓圓現藏於離此不遠之所，兄有意訪晤佳人，愚願奉陪。」

果然是陳圓圓在那裡，相見之下，伊人「如芳蘭之在幽谷」也，二人彼此發出會心的一笑。陳圓圓心中有說不盡的相思，滔滔不絕的對辟疆說：「冒公子！君忘了雨夜舟中訂芳約了嗎？前感公子殷情相待，芳約不借晤，後幾入虎口而幸得脫，能再見君，實天幸也！儂居處偏僻，常食齋，茗椀爐香，留君傾倒於明月桂影之下，儂還有許多話要對君言者。」辟疆此時因見不到小宛，心房正是空虛，因此一見圓圓，精神於是獲得了安息之所，纏綿悱惻，眞不可言狀。（未完）

文匯樓別記

大禹會諸侯於塗山，即淮河之濱懷遠縣境。以塗山作據點，週圍約三百六十華里之內，（即一八〇公里）歷史上代出奇才，其大名爲國人乃至於全世界多能知者，計有：李聃、莊周、管仲、曹操、華陀、周瑜、魯肅、包丞、朱熹、朱元璋、常遇春、戚繼光、李鴻章、段祺瑞、胡適、陳獨秀、楊振寧等，推翻滿清的黃花崗七十二烈士，僅壽縣、懷遠兩個城池，佔全國烈士名額的六分之一，尤其懷遠程良烈士，從被捕慘受酷刑，直到綁赴刑場梟首爲止，誓不發一言，國史上譽其爲啞烈士，啞烈士的哲嗣程世海，（楠秋）與住合的李洛九，包遜彭、朱與良、徐伯謙、龔子濤、孫克寬、岑文華等友善，惜程在抗戰業已殉職，樓主輓曰：「康了秀才又弱一個」（大學未獲畢業）「吾寡兄弟落淚千行」。

啞烈士與啞節婦

·文匯樓主·

今天我們要談的是懷遠一位啞節婦，婦姓薛世居懷遠西門崗，念歲結婚，姑逝翁存「卅歲喪夫，既賢且德，但寡婦門前是非多，條件稍好一點的話，中國代有西門慶，再加以王婆型的人推波助瀾，西門大翁需要，薛家寡婦不肯，閒話就從這兒發源，越傳越廣，「扒灰公」「扒灰媳」的謠語不徑而走，豆腐掉在泥土裡，始終洗不清了，翁媳之間也很快受到鄰里們的白眼，乃至於早上碰到這種人，都會被人吐一口痰，認爲全天會倒霉。翁既無可如何，祇好任人唾罵，反正心裡乾乾淨淨，孀娘呢？綠紗帶翁，代夫盡孝，認定祇要不做虧心事，夜半不怕鬼敲門，就是這樣經過了十幾個寒暑。北方的天氣很冷，有時冷到滴水成冰，翁媳共住一屋，孀娘亦坦白承認，一年有好幾次要爲乃翁暖腳，這種所謂「官不打自招」的話，頻添甚多花花絮絮。

照前清律法，地方若有亂倫事件發生，不僅鄰居被拖累，父母官還得受到法律制裁，城門都得削掉一面角，不若當今的殺父案都能宣判無罪，那就太自由了。薛家翁媳終於被四鄰連名稟到衙門，但稟貽寫得非常技巧，意思就是：「媳在內，翁在堂，夜更深，隔一牆，求大人，作主張，敢進稟，怕削牆。」當時的縣令是一位嚴正的趙老翰林，雖明察秋毫，但路上行人口如碑，輿論還是可怕的，縣令被迫常輕衣簡從，明查暗訪，不像現在的便衣警察身上裝着整本傳票爲所欲爲。

經過老翰林縣令偵察結果，某日發言了，認中國歷史上二十四孝中的「乳姑不怠」外，應再增加「孝媳養翁」一條，此事甫大白於父母官，很奇怪！西門崗於寅夜突然發生空前火災，數百家居民，包括堅固建築，悉被大火焚光，火勢蔓延了好幾條街，祇留着正中間幾十坪地即薛家茅屋和蘆葦牆，絲毫未被燃及，甚多早到火場的人，目睹孝媳正暖翁腳時坐未醒。此一千古奇聞轟動了全城，遍傳大淮南北，「神奇」的保留，任何人難以解釋，事經地方官具實上奏到朝廷，經派欽差大臣調查，後特頒「聖旨」將薛氏茅屋一塊神奇未燒地，定名爲「天留坊」並御賜良田百畝，留作薛姓後裔建祠祭祀，用昭貞烈。這件節婦故事除地方人皆執知外，到過懷遠和在懷遠駐防與做過官的人如：懷遠縣令孫克寬（現任台灣東海大學教授），龍躍（現台北公務員），軍法承審趙執中（現任高雄地方法院院長），駐軍首長有陳誠、蔣伏生、徐廷瑤、李文彬、該省聞人中邵華、魏壽永、潘澤鈞、陳紫楓、馬壽華、劉夢九、金維繫、陳訪先等，大體上都知道這段民間眞實故事。

禪學黃金時代

吳經熊著·吳怡譯

風趣的古佛—趙州（八）

文遠接着說：

「我是驢子的屁股」。

趙州又說：

「我是驢子的糞」。

文遠再說：

「我是糞裡的虫。」

到了這時，趙州不能再說，便問：

「你在糞中做甚麼」？

文遠回答說：

「我在那裡渡着假」。

趙州便說：

「好了，算你贏吧」！

邊說，邊拿了餅就吃。

在所有的記載中，這是趙州第一次認輸，也許這位老和尚當時很餓，爲了得到餅，只好輸了這場比賽吧！

我常奇怪爲甚麼有些聖人喜歡談一些不甚雅聽的東西。譬如莊子曾說道在尿溺，何穆法官認爲在宇宙中，腦的作用不見得比大腸的迴動明高了多少。同樣，在莊子和禪師們的眼中，更認爲大腸的迴動，與腦的作用是一樣的重要。

趙州認爲心淨一切淨，心不淨一切都不淨。譬如某天早晨，有一個尼姑要趙州告訴她甚麼是「密密意」，也就是說最根本的原理是甚麼。趙州便在她身上捏了一把，實際上他是要告訴這位尼姑最根本的原理就在她自己的身中，但這位尼姑卻被趙州出其不意的動作嚇得大叫說：

「啊！想不到你還有這個在」。

趙州立刻回答說：

「是你還有這個在」。

趙州這種非常敏捷的回答，完全是來自肺腑之言。

在趙州的眼中，眞如並不在於形式的教條和格言，某次，有位和尚問他：

「甚麼是你最重要的一句格言」？

趙州回答：

「我連半句格言都沒有。」

對方又問：

「你不是在這裏做方丈嗎」？

吳敬恆先生年譜（四九）

陳凌海編撰　陳洪校訂

在 國父第一次起義紀念週報告：主張吸收外資，聘請外國工程專家，集中人力財力，從事工業建設。馬君武逝世，先生輓之曰：「識先生追溯潯梧同舟，弱冠論交四十載；救中國主張政教合一，升堂入室三千人。」十月，先生發表「汪兆銘的罪惡及料其將來之結果」文。十一月，先生撰節約儲蓄券文。希望每一國民至少購節約儲蓄券十元，勸導旅渝親友每人皆購節約儲蓄券二十元，俾能集腋成裘，並先購買一千元，作爲倡導。十二月，先生參加慰勞前方將士簽名大會，對民衆發表演說，「日本必敗」。是年，中波文化協會歡迎波蘭駐華大使樸寧斯基，先生致歡迎詞。

民國三十年，辛巳（西曆一九四一年）

先生七十七歲。

二月初，爲張獻君母何太夫人題像贊，贊曰：「南國張子，才並周君。如革殷命，有婦同調。勘亂蘇臺，每過憑弔，諸女班謝，同稟母教。風雅之遺，屈 傾倒。壽考全終，報厥慈孝。」二十日，先生在新生活運動會演講：「禮義廉恥」。二十三日，參加中央宣傳部祭陸玄南等烈士大會（陷區工作者）。三月，參加中國國民黨第五屆八中全會。先生向大會提：「（一）請大量印發注音漢字通俗書報之刊物，以供已經認識注音符號之民衆閱讀，發揮宣傳及訓練之功效。（二）積極推行注音符號運動，期於五年內普及注音識字，徹底掃除文盲，以宣揚三民主義，促進抗戰必勝，建國必成」案。以上各案均獲大會一致通過。又作注音符號歌，以便利一般民衆學習注音符號。六月，與吳餘愛、陳漢海談，如何能有高尚興趣。外交部長郭泰祺（復初）、財政部長徐堪（可亭）等就職，先生代表中央監誓。倭寇自知必敗，但猶作困獸之鬥，於六七月間對我戰時陪都重慶，竟實施疲勞轟炸。日機不分晝夜來襲，致造成大隧道窒息慘案。先生爲躲夜驟避警報，無法安眠，致極爲疲憊。最後祇得就近走避交通部防空洞，俾資節勞。八月二十六日，美國總統羅斯福宣佈，派遣軍事代表團來華，並任馬格魯德（JOHN WAGRUDER）少將爲首任團長。九月，張季鸞逝世，先生輓之曰：「當今大手筆，愛國偉男兒」。中樞紀念北伐誓師紀念，由先生主席，報告紀念意義。略謂：「四年抗戰，精神上的勝利已得了兩個最寶貴的條件，第一是促此世界認識我們的國格的偉大；第二是喚醒全國國民一致興起了建國必有大成功的信念。」國慶紀念日並作廣播演講，勗勉全體同胞努力奮鬥，爭取抗戰勝利。十月，先生應中央大學柏溪分校之邀，由汪少倫、汪如今陪同前往演講，先生對中大分校三百餘學生講：「志在飛機」。

催眠術研究 廿三

鮑紹洲

三十三、單調催眠法

即令被術人專聽單調的聲音，使其雜念停止而生催眠效果。施術之先，先令被術人安坐椅上，閉目靜息，使被術人聽單調的聲音。什麼是單調的聲音？如鐘錶聲，或鄰室的鐘聲，令被術人計數之，從一至五十，返復算之，而施術人只專注意其能算與否，且暗示之：「專心記鐘數，不要妄想其他」。「如果記數錯誤，再從一再數」，如此更易催眠。

此種原理，如褓母的唱歌，而使嬰兒眠一樣道理，因其亦合于單調之理。又如在病人面前口念「南無阿彌陀佛」，傾心念誦，可使病人忘憂至喜，這也是單調之聲。但此時的眠覺，乃是自然的睡眠，而不是催眠；如施術人先有準備和暗示，防止其雜念之發生，其于原理，二者即一。施行此法，亦可乘用他種方法並行，未嘗不可，且更妙極了。借單調不變之音，而防止其雜念，使之成眠。又按此種催眠法，似乎與數數催眠相同，但只同一原理，而非同一方法。

三十四、利用催眠法

讚美他人的特長，被讚美的人都會感到快感，但這種快感可以利用爲催眠，這就是利用催眠法。因爲人的心理都是喜歡別人的讚美稱揚，這是人之常情。例如向人借錢，到了主人的家裡，知道主人所鍾愛的而稱揚之，甚至他養的貓、狗也稱許一番，使主人爲之愉快，然後乘機開口借錢，則主人必然輕輕允諾。這也是利用催眠之運用，先使被術人坐在安適的地方，閉目靜坐，再暗示道：「務必要沉靜」，「你的人格很高尚」，「將要催眠了」，「你很聽我的話，所以感應很容易」，「你很富精神修養，所以很容易成爲無念無想的境界，如宗教上所說的，罪惡深重的人，絕不會像這樣的深眠」。如此之類，反復暗示之。便能催眠。這種催眠原理，即是令被術人，因其讚美，或爲無罪的人，或人格高尚的人，或爲修養最好的人。被術人因此感到愉快，施術人便乘虛而加以暗示：「將催眠了」，「已深催了」，如此被術則入催眠了。

這種催眠法施行時，可以兼用其他催眠並行。這種催眠原理，則在避免催眠的精神之實，而引其虛譽，施術的人可乘虛而令其感應暗示，即可導致催眠狀態。

巨變歷險記！

最長的一天 廿六

胡慶蓉

晚上的一頓飯，代表們吃的特別的香。這並不是雞鴨魚肉，也沒有山珍海錯。只是鄉下人吃的東西。是鍋餅，窩窩頭，是秫秫（亦稱高粱）麵做的，作成餅餅，貼在鍋上，就稱之曰鍋餅。要是作成塔形——就稱之曰窩窩頭，亦名黃金塔。但嚴格的講起來，窩窩頭是窩頭，黃金塔是黃金塔。黃金塔應該是小米麵做的，或者是玉蜀黍（包穀）做的。因其顏色是黃色，故名之曰黃金塔。窩窩頭，名之曰黑金塔或紅金塔才對。紅金塔，在出鍋的時候吃，倒還好，擱冷了再吃，變得像鐵一樣的硬，吃不動，要啃，故一般人不說吃窩窩頭，而說啃窩窩頭。丁代表生在鄉村，吃慣窩窩頭，對於吃窩窩，不在乎。但在楊康四公，就不然了。他們年歲較大，城市中人，對於吃窩窩頭，毫沒有經驗，再加上牙齒不太好，有食不下咽的樣子。但因爲肚子飢，需要大，不能吃也得吃，看他們還是津津有味的樣子。

除了窩窩頭，就是「紅芋糊塗」了。「紅芋」是甜番薯的俗稱。「糊塗」也是俗稱，屬於粥一類，比稀飯要稠一點，普通用高粱麵或玉黍麵爲之，和上番薯，就成爲「紅芋糊塗」了。紅芋在冬季成爲民間的主食，往往早上糊塗，中午糊塗，晚上還糊塗。這在楊康等四公，或不習慣。丁職員生在河南夏邑非常習慣喝「糊塗」，他可以說是「糊塗」出身。這一頓飯，沒有見一點油，更沒有一片肉，但飢不擇食，在餓了一天之後，能得到「紅芋糊塗」充飢，五代表都感到很幸運了。

睡的地方呢？當然沒有高樓大廈，還是農村的房子裡。農民的房子，往往牲口和人一個房子；這邊是人睡覺的地方，那邊就是餵牲口的地方，有時候中間還支一口鍋。他們並沒有牀，而是一個「坑」，如牀狀，窄窄，長方形，以土堆成，中空，頭上留門，可以在裡邊燃火。下面有火，上邊就熱起來了。但五代表睡的「坑」，下面並沒有燃火。是不是因爲五代表年老的關係，各人送了一個筒筒被。如同布袋一樣，可以躺在裡邊。這筒筒被，看來是洋貨，裡邊裝的好像是羽毛之類，非常軟暖。一天疲勞的五代表，有這一個被子，都感到很饒倖。恐怕有人監視，都不敢說話，這樣就熬了一夜。

生活漫談

補腦補腎

．馬騰雲．

精神及神經衰弱，內分泌衰弱，與性腺機能衰弱的毛病，幾乎成爲一般很普遍的病例，正因爲這個關係，海狗丸、海龍丸、人參丸、鹿革丸、虎鞭丸、狼鞭丸等幾十種，連同東南亞各地華僑藥商出品的補腎藥，統計起來，最少有兩百種以上，那些富有性史氣味的廣告，簡直活像春宮圖，眞正的補腦補腎藥物，究有多少，雖非鳳毛，亦是麟角，並不是補腦補腎沒有藥，而是三幾十元一瓶的藥，加上人工，裝璜，廣告，捐稅，廿的人所能得到的太少了。

還有藥商們，對藥理學上很多重要問題瞭解不夠，如甚麼藥不易於離開身體，甚麼藥在體內迅速消減，甚麼藥宜於口服，甚麼藥宜於注射，其次如：用藥皮面吸收最難，粘膜面較易，腸內更易，皮下及肌肉吸收又更易，由靜脈注射，直接注入血流，可省去吸收這個階段，中醫們應當注意到這一點，也就是著者在生活漫談一集序文裡說：「仍以中醫爲本，吸取一部份歐美與日本醫藥新知，然攻錯可借他山，道並行經而不悖，深閉固拒，大可不必，學習別人長處，減少自己的短處，才是我們治學進步的基本態度。」如果西醫將麻黃，番木鼈，大黃，生薑，大蒜和神農氏嘗過的百草，都拒絕入藥，豈不是天大的笑話嗎？

遠在十八世紀，因化學的發達，提煉出種種藥物主要成份，如辛可那樹皮中的奎寧，鴉片中的嗎啡，咖啡中的咖啡鹼等，故用量較爲準確，而療效亦甚確實，十九世紀綜合化學發達，用人工合成的各種化學藥品，採作藥用，於是藥物之來源，脫離造物之羈絆，而得隨心所欲之境界。廿世紀的七十年代，各種複雜之維生素與內泌類，多半能自人工製造，各種的特效藥及抗生性物質，莫不自天然界得來，通過化學手續而合成。

從上面簡短的分析，中藥的製造，落伍久矣！只要一百年未加注意，化五百年的時間亦難趕得上，「迎頭趕上」，這是文人筆下的想其然也，除了買馬票中頭獎外，僞學、治事、打球、賽跑都沒有迎頭趕上的先例，猶其科學這個把戲，法國只落後了一步，就沒有辦法再追，政治上的戴高樂想挽救科學落後的頹牌命運，那究竟是背水無功的一戰，救不了戴高樂的政治生命，更救不了法國降爲二等半的國家。言歸正傳不過中藥還有無窮的生機路，那就是走食療的道，能從此時此地齊領眼提倡，仍可一路領先，因爲我們的祖先，留給我們的文化遺產太豐富了，永遠都吃不光，敗不完。還由於中國文字的艱深複雜的深奧，不管怎樣聰敏的外國人，亦難得其門而入，充其量學到一點皮毛，中藥裡的海參、淡菜、人參、鹿鞭、牛鞭、燕窩、牛腎、羊腎、猪腎、胡桃、枸杞、酸棗、動物腦髓、活蝦、鳥蛋，都可作爲日常的菜蔬，都又是補腦補腎的藥物，用天麻燉鷄，胡桃炒鷄（胡桃先以油炸），人參蒸老鴨，都是補腦的豐品，蜂蜜芝蔴茶，更是烏髮的絕對有效藥物，枸杞燉牛鞭，海馬老鷄湯，凉拌腰花，活蝦，生蛋，燉鹿鞭，燉狗鞭，鷄屁股，都是補腎和壯陽的有效藥物，經常食用勝過打針吃藥，也就是防盜比捉盜好的原理。

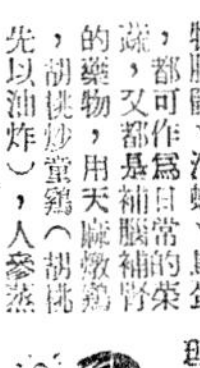

海國秋深（四）

文自梓

原來臨城街住所是工礦銀行儲君已準備的。銀行職員多，住所不免難於分配。趙先生他準備了靠近六號樓的一棟，嘉老嫌偏仄；恰巧有一位科長搬了家，銀行就以這臨城街舊日式住宅一廳二房的給了嘉老。廳上掛着左公早年寫的一首律詩，紙簡絹新，可見寫的時間已相當的久。嘉老幾十年來奔走四方，還帶着這幅詩屏，可見他對左公的崇敬；也可以說是表示他和左公的悠久交情。這首詩，左公很少替人題過，是譜史：「無豫讓酬知己，多事嚴光認故人。面上征塵衣上血，千秋贏得一沾巾！」以今日事後來懷想，「面上征塵衣上血，」卻好像預做了寫照；難道天下事常是有預定的麼？這書室放着幾張沙發，已無多周旋之地，雖廳外稍有庭闌，究嫌偏促，所以嘉老約客長叙，總利用酒店餐廳爲多。

眞的我們四人第二天下午都如約到茅那酒店最高層，定了一個小房間，稍稍談過，都叫茶房去買一副新的撲克牌，美國貨，密封的，嘉老給大家仔細看過，並無暗號；也無可做暗記處。然後坐好四方，輪流派牌，一連四盤都是嘉老得三個K或三個A和順子。李、唐、岑或得一Q，或得一J，或得一K，總成輸局。到最後一盤牛局時，嘉老出現在雜終局還早，但結局我已可推得出，各位所得的依然是一Q是一J，我卻還可湊兩個A。後來細細一翻果然。牌上確沒有爪甲細鐵，嘉老也沒有用任何不正當的方法去掉牌偷牌，這純粹是嘉老的聰明與賦超人處。於是席散筵開，嘉老乘着酒興，說了一段不平凡的歷史；而一再勸朋友們不要耽賭，更不可自以爲技高，有特而無恐。這席酒筵是說的與會淋漓，聽的也不覺靡靡忘倦，十分傾佩。

要回溯到前清光緒十九年，正是中英、中法戰後國家多事之秋，伍嘉玉降生於江蘇常熟伍家大宅。常熟北沿長江，南接吳縣，江南佳麗之地，也是魚米之鄉。伍家又是江南大族，伍老太爺良田百頃，只生這一個寶貝兒子，自然十分鍾愛。嘉玉生得白白胖胖，加以有錢人家講求營養食補；啓蒙老師也請得高明，從小冰雪聰明，出人頭地，到四書五經讀完，老太爺倒也看不起亂世官場——將軍大帥，侍郎滿街走，並不希望也兒子成虎成龍。接着民國肇建，工商勃興，老太爺計算田產，儘夠子孫一輩子開支；就是沾染些壞嗜好像大烟、嫖妓，也還不致落得赤貧。就怕賭博，因爲賭博局面大小是無底限的，一場牌九或許就可以把一門產業富光賣光。老太爺也有超乎常人的度量，正像夏禹治水：不主雍塞，導譜疏導。在嘉玉二十歲念畢四書五經，就替他娶了房賢慧媳婦。一面勸請賭場老手來家，關起門來教嘉玉賭。無論撲克、牌九、紙牌、沙蟹乃至輪盤押寶，都讓嘉玉學會，甚至精益求精。所以嘉玉學藝老太爺們歸道山以後，也就技壓光上邑。先到蘇、杭、南京，再到洋場十里的上海。絲竹管絃，無論蘇灘、清唱、京戲、亂彈，嘉玉都一學就會。名勝古蹟，校書門巷，自然也極身心之娛。眞所謂：

「腰纏十萬貫，
騎鶴上揚州。」

今古齋誌異

鐵骨熊

．常應芬．

鐵骨熊乃縱橫閩地之綠林豪傑也。閩人莫敢攖鋒。其家本爲南方人，幼孤，母被土豪刼辱。時鐵骨熊年方弱冠，痛其母之辱，立誓復仇。從一和尚學藝山中。師傅令其每日清晨，從山頂滾下山麓，開始深覺痛苦難當，練滾三年，已練成身如鐵石，當者皆披靡。行走於人叢中，衆人紛跌倒。汝師傅一日對鐵骨熊道：「今日已練就一身銅筋鐵骨，又習有擒公術，爲千人之敵。」又傳授以劍術，舞劍、飛劍之術，時過五年，鐵骨熊拜別師傅下山回鄉，故鄉惟矮屋三間，已頹廢不堪，於是乃走郡下，暗中探其母親下落，踏破芒鞋，川資告罄，仍不可得；不得已，乃稍事刼掠。地方官捕而訊之，鐵骨熊直認不諱，大聲道：「某之攫奪，月不過一次，此不過達官貴人稍破其慳囊而已，豈若汝輩之旦旦刼掠民脂民膏耶！」官吏大怒，繩之以法，令當斬頭。押赴刑場正法。劊子手用大砍刀對準他項上猛力一刀劈下，猶如刀砍鐵石之上，火光四射，刀鋒數折。劊子手驚愕報官，異而釋之。

同郡富豪慶辰，悅嚴稱壽，鋪張謳樂，賓客盈門，至晚，忽來不速之客，岸然直入，逕趨土豪之前，擲一物送土豪致賀。土豪折開一看，晶瑩一柄小劍，土豪大驚，劍墜於地。鐵骨熊指劍欲刺死土豪，土豪鏈膝跪地求饒。鐵骨熊詢其母之所在，土豪引入內室見其母。鐵骨熊一手挾其母，一手揮劍而出，豪頭落地。賓客見狀，紛紛逃之夭夭。鐵骨熊飛身而出，安置母親客棧。母子相對而泣，痛哭失聲。鐵骨念大仇已復，故舍已墟，母老無歸，淒涼之至，無計可施。於是，復行刼以養母。一日刼一巨富之宅，飛身越牆垣入內室，見燈下有一紅衣女子，手托香腮，若有所思。鐵骨熊穿簾而入，女子脫腕上玉釧向鐵骨熊擲來，鐵骨熊感覺着處微麻，知爲勁敵，俯拾玉釧，已成粉碎。紅衣女長跪求饒，對鐵骨熊道：「儂此釧一出，無不斷臂折骨，不意君骨強於儂釧，君爲鐵骨將軍矣！儂爲奸人所掠，賣身於此，今幸遇君，君願援手，救妾出牢籠否？」鐵骨熊允諾，即挾紅衣女，飛垣而出。剛出垣外，見空中兩道劍光，閃爍欲下，鐵骨熊與紅衣女伏地避之，光過如電掣，兩人頭髮全被削去，逃歸逆旅，負母偕女，入鐵籠山隱居，後來不知所終。（完）

御廚談藪

大鷄生肉飽

叉燒飽是以叉燒肉和以生抽、葱汁、黃酒及薯加白糖拌勻成爲叉燒飽餡，用這種餡製成的飽叫作叉燒飽，叉燒飽大體上說是廣東茶樓酒館的副產品，換句話說就是賣不完的叉燒和燒猪的碎肉和成叉燒飽餡，與賣和菜及客飯的道理一樣。但皇宮御膳房則例外。

大鷄飽是以生鷄剝成一塊一塊的和以與叉燒飽同樣材料，但有用生抽有的不用，猪油則非用不可，而且要猪板油撕去油的兩面皮切碎，鷄肉蒸熟時，油全部浸入鷄及大飽裡，肥嫩可口，這種大鷄飽是廣東早點的特色，同時大鷄飽餡，加以熟蛋也別具風格，至於飽餡的鹹和淡由讀友自行決定，恕編者不代定標準。

廣東的生肉飽與內地人吃生肉飽不同，廣東的生肉飽是以猪肉切成方塊大小約半個乾蠶荳，配料與叉燒飽類同，不過廣東生肉飽餡，食時似有烤乳猪碎肉或者鷄鴨碎肉在內。生肉飽的甜皮比叉燒飽稍重一點，總之廣東茶味有一個特徵，即向不默守陳規。

上列三種飽的和麵和色的方法，如果須要飽子軟和些的話，一斤麵粉可多加一兩水，廣東茶樓的飽子顏色雪白，這是用硫磺燻的，燻的方法，用一個小的鼓油碟，錐一個燒紅的木炭火點燃硫磺，即可將飽燻成雪白。

▲林泉隱▼

自由報

（第九三九期）

（半週刊每星期三、六出版）
每份港幣壹角・台灣零售價新台幣弍元
督印黃行鑫・社長李運鵬
社址：香港九龍彌敦道593—601號
廖創興銀行大廈八樓五座
LIU CHONG HING BUILDING
7th FLOOR FLAT 5
593—601 NATHAN ROAD,
KOWLOON, H.K.
TEL：K303831
電報掛號：7191
承印：景星印刷公司
地址：露成街廿九號地下
台灣總管理處：台北市大同街119號
台灣區直接訂戶　台郵劃撥戶
第五○五六號鎮岱有（自由報會計室）
電話：七一四○三三、五五五三九五
台灣分社：台北市西寧南路110號二樓
電話：三三○三四六，台郵劃撥戶九二五二樓

本報重要啟事：

本報外地贈戶包括「同仁贈報」「作者贈報」「自由之友贈報」、從本年度一月份起，除本港未變更辦法外，外地各贈戶，每份報每月酌收航空運費，計台灣區月收新台幣拾元，亞洲十一個國家（包括日本韓國在內）月收港幣三元　角，中東及歐美各地由本報駐各該地區代表人就近決定。本報此舉全爲求以報養報自給自足。敬懇各贈戶賜予支持並希諒察。

從展望今年歐洲局勢來討論復興中華文化的重要性（上）

顧翊羣

壹、引言

美國生活雜誌高級主編人法爾末氏近於訪問東歐及西歐各國後，撰有「展望一九六九年之歐洲」論文一篇，發表於一月廿日該刊亞洲版。該文對於近月來鐵幕內外因蘇俄進軍捷克所引起之大動蕩，有扼要而生動之描寫，對於歐洲各國之現狀與未來有所估量，而對於美國蘇俄及中共相互間之鈎心鬥角，乃至尼克森政府未來或有之政策措施，均加論列。其內容較一般報章之報告更爲翔實與深刻，值得吾人之注意與警惕。本文首將法氏論文擇要簡述，次則批判其報導之結論而討論世局未來之趨勢，終則對吾人之任務與希望，畧陳管見。

貳、法氏論文內容擇要

（一）美國在冷戰中將被迫轉採「重歐政策」：

蘇俄以暴力進軍捷克迫使美國在今年不得不將重亞政改爲重歐政策。希特勒當政時流亡來美之青年吉辛格氏，現爲尼克森總統國家安全委員會議之助理，事，甚爲重視。法國戴高樂總統曾告人，謂捷克事變使伊於主政十年後，首次感到大戰有重起之可能。此類言論滋長，因戴氏不啻承認其與東歐衛星國與蘇俄修好之外交遭到頓挫，且連帶的使西德所追隨戴氏之政策亦需改變。現在羅馬尼亞已召集工人國民總衛隊，南斯拉夫亦已局部動員。匈牙利主政者卡多氏甚至認爲冷戰在今年將進入史太林時代之冰凍狀態，但此觀察尚無確證。

法氏於與東歐諸國官員外交家及報章主編者談話之後，認爲蘇美雙方國家正在推入「膠狀的」冷戰，既不全硬亦不全軟。過去吾人肯信能知蘇俄領導者之動機，現在則未敢斷定，而對未來亦難下判斷，故翻從蘇俄何以侵入捷克，作爲新研究之起點。

（二）蘇俄侵捷爲「蘇彝士進軍」之重演：

蘇俄之侵入捷克，爲早經預定之計劃。去歲四月南國獨裁者狄多氏訪日本後經俄返國時，獲知蘇俄有此意圖，爲之震駭。狄氏與卡多氏曾圖調解俄捷歧見而失敗。蘇俄終對捷大舉進軍，而重蹈英國於一九五六年會同法以兩國進窺蘇彝士運河區之覆轍。英國當時希望恢復在中東之聲望，與重行團結在解體中之帝國各邦。蘇俄在去秋則深懼捷克之實施改革，行將導致共產集團之解體、鄰接捷克之東德與波蘭共黨政權，亦深懼捷克於獲得自由後，對伊等自身安全之影響。更爲重要者，俄共對歷史與經濟之進程有其自身一套「客觀的」看法。正如吉辛格氏所言，蘇俄當政者於考量博得西方世界之好感抑爭取地域上或政治上之利益時，向來無疑問的選擇後者。

於此更應注意者，爲蘇俄對西德之疑懼，就中心理因素較大於對軍事力量之估計。南國某外交官曾指出：「若謂俄國統帥部懼怕力量尚待充實之西德軍隊，自係荒唐之語，但（共產國）如與西德及其他西方國家在經濟上相繫，則又當別論」。

蘇俄對捷克之疑慮有歷史的淵源。捷克獨立宣言係於一九一八年六月卅日在美京華盛頓公布。一九四八年捷克願接受馬歇爾經濟援助計劃，亦係被蘇俄強迫退出。此外各種理由，例如有人指出捷克主政者不能貫徹初衷，而權力旁落致改革成爲空談；又如俄人認捷人向係斯拉夫族人，羅馬利亞人則屬於具浪漫性而無危險的拉丁種人，對羅人可畧寬，對捷人則必須牢握。說者更提出一種怪論，謂「社會主義的共產的國家」之最大問題即爲如何設法提出一種官式的歧見OFFICIAL DISSENT」，而養成對之容忍的習慣。伊謂如此問題不能解決，則當前形態之「社會主義的（共產的）體系」能否存在甚屬可疑。

此即是蘇俄本年在捷克所面對之難題。單就軍事佔領行動之效能而言，成果亦極煇煌，然從政治觀點而言，此乃係一種蘇彝士式之大失敗。當杜布賽克等被迫赴俄京，甚至遭受拘禁時，無人能信伊等於幾四個月後之今日尚能重掌政權。

現在則蘇俄在捷不得不費盡心力，與杜氏及其黨商，甚致發行地下報紙ZPRAVY」以與捷克報紙辯論焉。

蘇俄在本國過去未嘗曾費盡心力求局勢之正常化，而耗時如此次在捷克之久者，故其原定計劃必會於實施時被迫修改。此已爲西方所熟知之事實，其理由亦大致可知。但何以俄軍不在捷京重演其在匈京屠殺之故事，則爲值得研求之問題。

三、捷京何以未重演匈京之悲劇：

於此應注意者，英國在一九五六年突然停止向蘇彝士進軍之理由，並非由於聯合國中世界輿論之反感（英國對美國所抱持之立場至今不忘），而係由於英帝國中其他組成分子之態度所致。加拿大對進軍之舉態度冷淡，印度則對之大肆批評。當時更傳有（英鎊集團諸國）向英國提出存款之威脅，而有將世界貿易所應用之兩種貨幣中之一種（即英鎊）毀棄之可能。故蘇彝士事件之結果與原定目標正相反對，而實引致了大英邦聯之解體，乃一明顯之事實。

俄軍開入捷克之後果亦復相類似，正如狄多氏所預言，斯舉既不能解決舊問題，而反足引起新問題。所謂俄國單獨有權在一「擴大的蘇維埃邦聯」中以武力干涉其他共產國之學說，乃係一種事後偷詞說理之掩蓋的說法，久爲其他共產國所厭惡。但此說之存在引起了一種問題，而祇有蘇俄方能對之提出答案。進軍捷克是否係百分之百的自衛舉措，抑係爲了保證涉協定諸國之西部防線，而係別有用心的將強有力的俄軍駐於捷德邊界，再若是否羅國乃至中東將爲其下步驟之目標，均爲尚待解答之問題。

兩年以來，羅國不斷的批俄共之逼轢，頗使西方觀察者驚訝。此其答案應從地理的與心理的兩方面因素之綜合處覓取。羅國與蘇俄所最畏懼之西德，無共同之疆界，且並不容許捷克型的論調例如「（充任鐵幕）雙方的媒介」與「公民自由權利」等等在國內流行。羅國雖曾有抗蘇之表現（例如在去歲匈都國際共黨領袖會議席上之拂袖而去之舉動），但其政治仍係史太林式之多方管制，其共黨領袖齊薩斯柯氏（N. CEAUSESCU）亦不曾將社會（共黨）政體清算。故俄共直至今日尚不認爲羅國應被軍事佔領，斯舉可能永不會實現。

（四）南國重行檢點廿年前之國防方案以備萬一：

中歐諸國認爲中東之危險似更具有可能性。南國在地中海與亞得里亞海沿岸望見蘇俄艦隊往來巡邏。但從地圖上可察俄國通往中東之路須經南國「前廳 FRONT PARLOR」，不讀。俄國在任何公海上例如地中海游弋甚至加勒比海游弋，係完全符合國際法的。但俄國派遣有力艦隊至近美國經常守護之海道上巡游，殊不能避免引起對其動機何在之詢問。

此種問題之提出不涉共產之意理見解。今日在歐洲中部企圖討論有關馬克斯辯證法之爭執已日益困難，因無人對之發生興趣。但捷克之被佔領則在羅南諸國重行喚起了對於遠較共產主義古老之「大俄羅斯型的帝主義幽靈」之回憶。德國慣用名詞「高壓力 DRANG」重行被用作口頭禪。過去德國標語爲「向東方推進」。俄國者則爲「向南方推進」。卡薩琳女皇於一七七四年派艦隊進入地中海，英法聯軍於一八五四年在克里米亞對俄國戰爭後，阻止君士坦丁堡之陷落。當俄國聲稱將以地中海爲其內海時，中歐諸國之緊張正與美國派艦經過達達尼爾海峽而進入黑海時，俄國之緊張相同。

（以下轉刊第三版）

昨日與明日

尼氏登台

・成功・

孔子說：「衆惡之必察焉，衆好之必察焉。」衆惡之當然要察的；衆好之，又何必要察呢？那是因爲八面討好，無主張無立場了。因此一個標準的人物必須是：「……善者好之，其不善者惡之」。而尼克森總統在美國政黨，則庶幾近似，媚共姑息之徒都討厭他，而反共的人士則却喜歡他，因爲他有明確的反共認識，遠較他人堅定的反共立場。尼氏所以有此明智，並非是個人有何大過人處，而實得力於其八年副總統任內，參與機要，深明世界局勢之實況，和共黨禍患之嚴重而已。這一經驗，也可說是這一實際訓練，實不是金錢或書本可以換來的，以目有如此經驗和訓練的人，出任艱巨，實在是再恰當也沒有的了，因此有識之士，甚至認爲他是挽救美國當前危機的唯一救星。

面臨課題

尼氏是否爲美國的救星，那要留待將來歷史的考驗，但其爲得駕輕就熟，則是不可否認的事實，不至於像甘迺迪當年就任後，對總統的職務和處境，完全陌生。致有百日的混亂，這一點實是尼氏的一個很好的優點。不過在另一方面，尼氏所面臨的局勢，却也非常辣手，國內的問題不說，而國際上，錯綜複雜，層出不窮的紛爭，眞使尼氏陷入進退維谷之境。

首先說越戰吧，美國不怕打硬仗，怕的就是這樣不黑不白的往下拖，而越戰竟是糊裡糊塗的愈拖愈深，一拖就拖了四五年，到今天戰又戰不下去，和又和不成功，這局勢迫使得詹森放棄競選，退出政壇，而尼氏上台也是束手無策，不會有奇蹟出現。這已夠使尼氏進退維谷的了，而中東局勢又緊，柏林方面俄國又將了一軍。中東事情本不太難解決，但若牽涉到美國國內的猶太人，而這些猶太人正是美國的幕後大亨，尼氏怎麼得罪的起。爲了遷就猶太人，則勢必無法公平處理，依法解決了。柏林的問題，本是一個不是問題的老問題，但其焦點是在表示立場和態度，如拿圍棋爲喻，蘇俄這一着是個「問手」，看着尼克森的反應。軟了，則失面子，打擊聲望，影響以後的路；硬，則又剛上台，一切未曾佈置就緒，硬又硬不起來，這一「軍」蘇俄眞是「將」得高。

好自爲之

尼氏即將啓程赴歐，這一切問題，却要有個交代，尤其是，上台第一炮，可勝不可敗，願尼氏好自爲之，拿出胆量，好好應付一下，勿使反共人士失望。

自由談

無知的悲哀

舊有資本帝國主義對外擴張的方式是：用武力以攫得殖民地而統治之，搾取其資源人力，壟斷其工商業市場，窒息其生產機能，使殖民地的人民永遠過着窮困奴役生活，因而激起了當地民衆的民族主義思想，展開反帝國主義運動。於是乎，經過兩次世界大戰後，舊有各個殖民地相繼掙脫了帝國主義的枷鎖，紛紛翻身獨立了。

現代的新帝國主義較諸於舊帝國主義之缺失，作風乃不相同，手段更加厲害。新帝國主義不復侵佔別國的領土，而以控制別國的經濟市場爲目的。這因爲開拓殖民地而統治之，既須經常耗費人力財力，又容易激發當地人民的民族思想，引起反帝運動。如果祇是控制別國的經濟市場，表面上說是幫助當地人民發展生產力，改善生活水準，實際是殺人不見血的經濟侵畧手段，厲害極了！

四十餘年前，中國處於國際帝國主義的次殖民地環境之下，各個都市間的社會生活生計，乃是以十八世紀的生產能力，作二十世紀的消費享受。舉凡東西各資本帝國主義國家的奢侈品，以及新奇豪華的日用必需品，充滿中國市場，大家趨之若鶩，妄稱提高生活水準，却不知其爲斷喪國家民族生機的愚昧行爲。德國的工業基礎和科學技術能力，并不亞於美英法各國，但德人於二次大戰結束後的日常生活實況，一致刻苦節約，菲衣粗食，連香烟決不用舶來品，因而不到廿年的時間，西德的經濟潛力已凌駕英法之上，視美國亦未遑多讓，她的國際地位隨之復興增高，誰也不敢輕視了。

今日我國的經濟潛力如何？試看看台灣各家報紙上和電視廣播中的廣告，十分之九以上，都靠外商供給維持，可見咱們的生產力尚在幼稚時期，然一般社會大衆——尤其是都市居民，拚命追求廿一世紀的生活享受，這與四十餘年前的次殖民地生活，究有多大區別呢？兩年前，我在本欄指出台灣一般中級公務人員的家庭中，多有美式電氣化的設備，認爲不是「毋忘在莒」的生活現象，且與其菲薄的俸祿收入太不相稱。乃有人在報上寫文字，悻悻然指摘我是反對提高人民生活水準。人生最大的悲哀就是無知，奈之何哉！

馮[illegible]先生

益世文化事業有限公司 經濟部已核准成立
組成份子多國內外知名學報人 于斌總主教被推爲公司董事長

（本報特約通訊員柳一權台北消息）台北益世文化事業股份有限公司已在台北獲准成立，經濟部頒發經濟設字第一一一零二七號執照在案。該報完全爲學人和報人組合，股東多爲國際知名學者，一部份現執教歐美各大學，在台灣執教學人包括國立台灣大學，清華大學，國立師範大學，中興大學，中政工幹校，國立政治大學，輔仁大學，東海大學，成功大學等。益世文化事業股份有限公司董事長公推于斌總主教担任，該公司在台灣經營業務：一、印刷文化事業之經營，二、機器紙張進出口及代理業務，三、圖書雜誌之出版及有關事業之經營。公司所在地台北忠孝路三段二一巷二弄二號，現正在市區覓適當門市辦公地點，擇日開張。

（又訊）台北市商會於奉到經濟部五十八年二月十二日經台五八商字第〇五三六五通知後即以會盛業征字第八〇一一一號特函向益世公司致賀並歡迎參加爲會員，編入到台北市圖書教育用品公會。該公司同仁領悉之餘，甚感欣慰。除將各情報陳于斌董事長外，現已向台北市圖書教育用品公會辦理入會手續。

（本港消息）香港益世文化事業股份有限公司籌備處，於日前成立，地點設在香港九龍廖創興銀行大廈八樓五座，電話K三〇三八三一號，此間主要業務爲出版報紙雜誌圖書及教科書等之印行，業務對象爲日本，泰國，越南，馬來亞，菲律賓，印尼，紐西蘭，蘇門答臘，婆羅洲，印度，歐洲十幾國家，南北美洲等地華僑社會。香港益世文化事業股份有限公司在港登記事宜，正在與本港會計師律師擬訂各項手續中，待于斌董事長簽字後，即可送交本港政府辦理立案。按：中華民國未撤離大陸前，全國性民營報僅有四家，上海申報，新聞報代表工商業，天津益世報，大公報爲政論性，爲七億人民所推崇。大陸版圖變色，只益世報新光賽晦，黃菊晚香，隨時可肩荷復國任務。前天津益世報旅居香港台灣及海外同仁約有卅人以上，正積極計劃欲將天津益世報在香港復刊，于斌董事長表示願竭盡全力支持，且擬將益世第一屆董事會在香港召開，到香港各項出入境手續，皆由公司依法辦理云。

衛生處給無照藥商大開方便之門
非法頒佈行政法規 監院決定派員調查

（本報記者張健台北航訊）監察院內政委員會於二月間決定輪派兩位委員調查台灣省衛生處非法頒佈行政法規，給無照藥商大開方便之門案。

台灣省衛生處於今年二月三日公布辦理「熟諳藥性人員審核測驗辦法」核發成藥商執照一案，所謂「熟諳藥性人員審核測驗實施程序」；所謂「熟諳藥性人員應具備之條件及審核標準」，其內容完全爲一種專門職業技術人員之特種考試，按照憲法第八十六條規定專門職業及技術人員的資格，應經考試院依法考選銓定之。行政機關無權代行考試，因爲考試院爲國家最高考試機關，掌理考試。

查藥商管理規則，係內政部五十六年七月廿七日公佈之行政法規，其中規定「熟諳藥性人員應具備的資格與審查標準，由省、市衛生主管機關擬定，呈報內政部核定之」。惟這次台灣省衛生處形式上係依據藥商管理規則的規定，制定該辦法。實際上其所定應具備之條件及審查標準，既包括所有成藥商又包括所有無照藥商，甚至攤販都在內。

按照台灣省衛生處公布之「熟諳藥性人員應具備之條件及審核標準」規定，凡是初中畢業或具同等學歷；曾受聘爲藥劑師、藥劑生管理經營西藥販賣業二年以上而政府有案；或曾經實際經營西藥販賣繼續三年以上仍繼續營業者，只要持有：（一）繳納營業稅單據；（二）進貨證明；（三）統一發票存根；（四）足以證明其有三年以上營業單據；（五）新藥公會或（六）藥劑師公會證明；（七）執有成藥攤販許可證而有固定店舖者，即可參加縣市之「成藥販賣業者熟諳藥性人員」測驗。

至於參加「中藥販賣業者熟諳性藥性人員」測驗的條件是：初中畢業或同等學歷；曾於開業中醫師診所內接受中醫師指導學習達三年以上而持有經國藥公會署章之證明文件者即可。

熟諳藥性人員依每一千五百人錄取準予發給成藥、中藥販賣業執照一家。此項行政法規，實欲於藥劑師、藥劑生之外，另行製造第三級藥事專門職業人員，使無照藥商成爲合法藥商，乃庸人自擾並視人命如草芥之舉。

台灣省衛生處公布之該辦法，明眼人一望而知其目的欲一舉將所有非法之無照藥商，完全使其成爲合法藥商，企圖在藥物管理法公布實施之前，造成既成事實，使日後藥物管理法公布後無法徹底實施。尤其荒謬者，省衛生處竟將熟諳藥性人員的考試，委由縣市衛生局辦理；其考試委員包括各公會理事長，足證省衛生處欲借各界名義以達行全面考試及格之目的。依照該辦法規定，台灣省各縣可以考試者達一萬二千餘人。倘全省一次增加一萬二千家成藥商，則藥業行政之管理監督，將益增紊亂，而僞藥亦將猖獗無已，其玩法弄權，昭然若揭。

政府爲維護國民健康，爲徹底消滅僞藥而制定「藥物管理法」。然今之僞藥所以流行，若究其根源，肇端於藥業行政紊亂，無照藥商層出不窮，造成惡性競爭，助長僞藥的猖獗，實導源於藥業紊亂，藥政廢弛，是以僞藥流行乃藥政廢弛之結果。今省衛生處不求藥政之徹底解決，不從消滅僞藥之原因着手而整頓藥業，取締無照藥商，反而遷就無照藥商之蔓延情形，使其由非法變成合法，企圖彌補其弱點，不計後果，與總統剴切指示之徹底消滅僞藥完全背道而馳，使對於藥品一無所知的人，可以任意出售任何藥品？

按照憲法規定，立法權應由立法院行使，尤其關於人民的健康之，熟諳藥性人員的考試，憲法亦規定由考試機關爲之，今省衛生處自己立法規定其有委任下級政府考試之權，顯然爲違憲法之非法行爲，故監察院極爲重視而派委員調查。

裕隆公司獨佔市場十三年

叔子

台灣開放小轎車進口，唯一條件是售價高過裕隆公司製品百分之十。

裕隆公司，在政府「保護民族工業政策」，在「准小轎車進口，不准另外申請設廠」的情況下，避免惡性競爭，「獨佔」市場「獨享」市場十三年。可喜的是這家公司終於發了大財——它與日本日產公司合作製品青鳥牌計程車，每輛售價高達三千餘元美金，可說是「金牌」價格——不可喜的這家公司僅僅賺了錢而已，迄今，仔細說來，仍不過裝配工廠而已！

星霜數易，十三寒暑，就汽車工業言不能說是短程；但是裕隆走了十三年仍未走到一部自製成品以應市，可見展無羽之翅作起飛狀而沾沾自慰，大言工業起飛是患了多麼嚴重的「虛」症！

今日我們的工商業鉅子，眞是從辛辛苦苦中打出天下來的，可說是鳳毛麟角，泰半是「靠天吃飯」！如果說製造幾個擁有鉅資的「財主」，是資本形成的必然階級或是必然措施，則對台灣之經濟環境認識不够！

這不必在經濟學中去尋求，在台灣的證券市場則可以發現；除了幾個「股耗子」天天從早到晚在升升降降中搶「帽子」混個生活而外，眞正拿錢買股等着吃股息的，不妨統計一下能佔幾分之一二否？

經濟學中最簡單的原則即：「需要即價值」，就價值論，證券市場是我們客觀環境所需要的麼？

資本形成不是一蹴而成，其必備的條件殊多，對一個標「加工」出口——可說是勞力出口——的環境，我們腳踏實地，埋頭苦幹，實乃當務之急！

就裕隆言，就證券市場言，我們都應痛切檢討！痛切反省，痛切修正！

阿斗之所以扶不起來，是諸葛先生照顧的太週到，他本人所具有的智慧，除了尋求逸樂的刺激外，其他的門徑皆爲諸葛先生「褒者不使，蚊蠅不入」的安置妥當。他的腦子裡祗有樂，所以「此間樂，不思蜀」了！

諸葛先生之所以始終創不出一個東能和孫吳，北能推曹魏的局面，也即是太也自信，事無鉅細皆須躬親，自以爲「週全」！

我們希望的是人盡其用，事務人才即用之於事務，謀僚人才即用之於謀僚，政務人才即用之於政務！讓事務人才比政務人才只多一分細心，卻少大一點膽識與見地！

喬治桑外傳

廿九

張大萬

喬治桑有一般男人的蠟燭脾氣，小如太為柔順從了，反覺不够刺激，現在碰上雅麗絲，雖然是他的部下，出來遊玩，反有將在外君命有所不受之概，他反覺得餘味無窮。

「怎樣？生我的氣了？怪我不會說話，罰我。」喬治桑一付可憐巴巴的樣子，說完喝了半杯威司忌。

「我是老實人，說老實話，那敢生你的氣，酒不要喝得太多，明天你還有事要辦。」

雅麗絲宛然是管家婆口吻。

喬治桑已經兩杯酒下肚，他的量不差，還未到微醺之境，遂又吩咐僕歐再來一杯，同時向雅麗絲說：

「讓所再喝一杯好不好，我今晚非常快樂。」

美人在抱，佳釀滿杯，喬治桑根本就沒有看錶，倒是雅麗絲提醒他，時間已過午夜十二時，可以回去了，雅麗絲付了賬，與雅麗絲離開了華麗大飯店。

回到家以後，雅麗絲換了家常便服，問喬治桑要不要弄點甚麼吃的。喬治桑喝够了酒，只想吃水果，雅麗絲削了一隻蘋果給他，說也奇怪，平常雅麗絲照顧他，到並沒有甚麼感覺，今天這隻蘋果又香又甜，喬治桑可算是多情種子矣。

喬治桑這一覺睡得很好，第二天上午九點鐘，雅麗絲叫醒了他，他睡意猶濃，還想賴着不肯起床。

「是古先生打來的電話。」

喬治桑一聽是古有方來電話，連忙一骨碌爬起來。

「喂，有方兄嗎，有甚麼事？」

「我今晚有一個飯局，六點鐘恐怕趕不及到郝家，我至遲八點以前準到。」

「好的，請儘量趕早，你知道我的脾氣，來遲了恐怕不好。」

「穩一點好了，不要太做大牌。」

「是，是，等會見。」

現在喬治桑一切要聽古有方的，古語云「家有良田千頃，不如薄技隨身」，確實非虛。

郝隆昂家今天洋溢着喜慶氣氛，在中午時，唐珊珊和另外兩個小姊妹尤香，杜梅子都在他家吃飯，唐珊珊是落第的中國小姐，尤香是華麗大飯店銀幕小姐，杜梅子影劇雙棲。尤，杜二妹也跟唐珊珊叫郝隆昂乾爹。

郝隆昂是十足海派大亨派頭，咀裏經常咬着邱吉爾常吃的雪茄，他身上時時帶着三五萬美金現鈔，盡是百元一張的連號票子，他託人在外國帶一隻弗特必力豪華掛錶，鑽有珠鑽寶石，價值十萬港幣，總之，一身珠光寶氣，富貴逼人。

郝隆昂挺胸凸肚走進大客廳，一邊打着哈哈。

「珊珊今朝生日，尤香，杜梅子來此地一淘吃飯，好極，好極。」

「又要乾爹破費，眞不好意思。」唐珊珊向郝隆昂撒嬌。

「唐姐姐，我們向妳拜壽，妳要給紅包的。」尤香，杜梅子也跟着湊趣。

「我來替妳付，紅包是要的。」郝隆昂掏出兩百美金，一人一百。

「謝謝乾爹。」

「謝謝乾爹。」

（未完）

工業展覽的無聲呼籲

（本報記者丁傲）

六十年代世界性的經濟發展大競賽，愈來愈大，欲罷不能，今日舉辦工業展覽，可說是對大衆醒悟的呼喚！

五十八年是中華民國第五期經建計劃的開始，五十七年底第四期經建計劃圓滿完成，其農工生產，均能超過預定目標而開創新的紀錄。根據經濟部的初步估計，五十七年的工業成長率爲一八．九%，農業成長率爲六%；對外貿易方面輸出成長率爲二三%，轉入成長率爲一二%，在五期經建計劃中，政府訂定發展高級工業爲主要目標。

全國性的民營工業展覽會在今日——第五期經建計劃的開始年——舉行，尤其是在計劃發展高級工業的今日舉行，自有其重要的一環。

首先可以看出在廿九天的短促日期中，一個純民營的全國性工業展覽會，在沒有政府的補助與參加籌備中，快速的順利展出，充份表現發揮了我們中國人的聰明才智與團結互助合作的精神，這種精神是國家的財寶，應該善予利用與發揚光大。

由于我國的企業在規模上尚未發展壯大，本質上尚未完全蛻變爲現代化，實際上，無法與掌握世界經濟優勢的先進國家作競爭的抗衡，該等國家的企業，不但爲大規模化，而且實施其超越國家的合併聯營，組成企業大軍，建立佔據龐大市場，其工業產品的銷售方式，亦已由一次付款而爲分期付款，時間亦由五年而七年而九年，付款期間愈來愈長，方式愈來愈便，促使顧客樂予購受。我們發展高級工業面臨的困難，擺在面前，迫使規模愈來愈大，資本愈來愈多，競爭愈來愈烈，市場愈來愈小，這些困擾工業發展的因素，不是民營企業自己發揮極限所能解決的，今日工業展覽開展的意義，不祗是誇耀工業產品的品質或型式標準水準，更殷切期望國人深切瞭解國貨的優良，提倡社會愛用國貨，維護本國工業市場，藉育本國工業快速成長，發揮中國人的才智聰明，團結互助，辛勤合作的精神，不要浪費寶貴的外匯，購買外國產品，幫助外國增加就業，扼殺本國工業的成長，這些都是工業展覽無聲的呼籲！社會大衆與政府主管應該如何密切配合，遵照　總統昭示：發揮團結合作的集體力量，早日達成國家工業化，現代化！用以完成反攻復國的大業，增進改善國民的生活，促使國家民族的生命，萬古長青啊！

從「論語」看曾子

——曾子研究之一——

·黃德相·

「曾參，南武城人，字子輿，少孔子四十六歲，孔子以為能通孝道，故授之業，作孝經，死於魯。」（史記仲尼弟子列傳）孔子是西元前五五一年生，曾子應該是西元前五〇五年。比子游幼一歲，少子夏二歲，子貢大他十五歲，顏淵大他十六歲。

論語一書，曾子出現十四處。茲分類言之：

一、一以貫之：

孔子和兩位弟子提過：「子曰：賜也，女以予為多學而識之者與？對曰：然。非與？曰：非也，予一以貫之。」（衛靈公）○「子曰：參乎！吾道一以貫之。曾子曰：唯。子出，門人問曰：何謂也。曾子曰：夫子之道，忠恕而已矣。」（里仁）子貢忙著經商，孔子說：「賜不受命而貨殖焉；億則屢中。」（先進）以至貢結駟連騎。因此「一以貫之」的孔道，只有安貧樂道的曾子傳之。

二、聞諸夫子之言：

有兩則。其一，△曾子曰：「吾聞諸夫子，人未有自致者也，必也親喪乎。」（子張）其二，○曾子曰：「吾聞諸夫子：孟莊子之孝也，其他，可能也；其不改父之臣，與父之政，是難能也。」（子張）

曾子弟子樂正子春，亦有「吾聞之曾子，曾子聞諸夫子」之語（見曾子大孝），表明師承。

三、三省：

○曾子曰：「吾日三省吾身，為人謀而不忠乎？與朋友交而不信乎？傳不習乎？」（學而）

曾子之三省，注重「灑掃，應對，進退」，把傳文放在後頭；子夏亦然。子游曰：「子夏之門人小子，當灑掃，應對，進退則可矣，抑末也，本之則無，如之何？」（子張）曾子和子夏對「學」下的定義相似。

曾子曰：「君子攻其惡，求其過，彊其所不能，去私欲，從事於義，可謂學矣。」（曾子立事，大戴禮記第四十九）。子夏曰：「賢賢易色，事父母能竭其力，事君能致其身，與朋友交，言而有信，雖曰未學，吾必謂之學矣。」（學而）公明宣學於曾子，三年不讀書，曾子知悉，不予責怪，反而嘉其行。

四、士、君子的行為準則：

○曾子曰：「士不可以不弘毅，任重而道遠，仁以為己任，不亦重乎！死而後已，不亦遠乎！」（泰伯）

○曾子曰：「君子以文會友，以友輔仁。」（顏淵）

○曾子曰：「君子思不出其位。」（憲問）

○曾子曰：「可以託六尺之孤，可以寄百里之命，臨大節而不可奪也，君子人與？君子人也。」（泰伯）

五、憶友：

○曾子曰：「以能問於不能，以多問於寡，有若無，實若虛，犯而不校，昔者吾友，嘗從事於斯矣。」（泰伯）追懷顏淵的諸多美德。曾子二十五歲時，顏回「不幸短命死矣」。曾子是「以文會友，以友輔仁」，從顏子那兒獲益不少。

六、批評之語：

孔子的評語：「柴也愚。○參也魯。師也辟。由也喭。」（先進）顏回、曾子都屬於「大智若愚」的一型。孔子能退而省其私，曰：「回也不愚」。曾子亦美顏子曰：「以能問於不能，以多問於寡，有若無，實若虛。……」（見五）孟子曰：「曾子守約」（孟子公孫丑上）顏曾蓋同也。

（曾子曰：「堂堂乎張也，難與並為仁矣。」（子張）子游也說：「吾友張也為難能也，然而未仁。」（同上）孟子曰：「子夏、子游、子張，皆有聖人之一體。」（孟子公孫丑上）荀子則曰：「弟佗其冠，衶禫其辭，禹行而舜趨，是子張氏之賤儒也。」（荀子非十二子篇）批評他但宗聖人之威儀而已。

七、慎終追遠：

○曾子曰：「慎終追遠，民德歸厚矣」。（學而）曾子曰：「民之本教曰孝，其行之曰養。養，可能也；敬為難；敬，可能也；安為難；安，可能也；久為難；久，可能也；卒為難。父母既沒，慎行其身，不遺父母惡名，可謂能終也。」（曾子大孝，大戴禮記第五十二）子曰：「生，事之以禮；死，葬之以禮，祭之以禮。」（為政）慎終，即葬之以禮；追遠，即祭之以禮。中國之所以成為禮儀之邦，即由於民德歸厚之故。

八、疾病：

○「曾子有疾，召門弟子曰：啟予足，啟予手。詩云：『戰戰兢兢，如臨深淵，如履薄冰。』而今而後，吾知免夫，小子。」（泰伯）

○「曾子有疾，孟敬子問之。曾子言曰：『鳥之將死，其鳴也哀；人之將死，其言也善。君子所貴乎道者三：動容貌，斯遠暴慢矣；正顏色，斯近信矣；出辭氣，斯遠鄙倍矣。籩豆之事，則有司存。』」（泰伯）

「啟予足，啟予手」即「曾元抑首，曾華抱足」（大戴禮記第五十七）曾子力行孔聖「必也臨事而懼，好謀而成」之教，直到死而後已。大戴禮記復記載下段善言：

曾子曰：「夫華繁而實寡者，天也；言多而行寡者，人也。鷹隼以山為卑，而曾巢其上。魚鱉黿鼉以淵為淺，而蹶穴其中，卒其所以得之者，餌也。是故君子苟無以利害義，則辱何由至哉？……言不遠身，言之主也；行不遠身，行之本也。言有主，行有本，謂之有聞矣。君子尊其所聞，則高明矣；行其所聞，則廣大矣。高明廣大，不在於他，在加之意而已矣。」（大戴禮記第五十七，曾子疾病）

論語一書，記載到曾子的晚年，記了十四則曾子言語或批評，今分析而歸納成八項，曾子的言論在論語中舉足輕重。因此有許多人以為論語是曾門弟子所編，德相曾加以研究，以為泰伯篇為曾門弟子所撰，子張篇則為子張門人編輯而成。茲留待後申論，且繼續談從孟子中看曾子，從荀子中看曾子。

富人列傳（廿四）

三國鉅富糜竺（上）

周燕謀

糜竺字子仲，東海朐人，即今江蘇海州。此人為後漢之鉅富，祖世皆以貨殖致富，貲財鉅億，家中僮客萬人之多，賽過戰國四君。後來劉備在徐州，被擁為州牧，得此人之財力支持，並進妹妻劉備，即糜夫人是也。

糜竺幼習陶朱公之計術，因善貨殖鉅億，為後漢第一鉅富。子仲為人樂善好施，恤孤憐寡，喜賓客，善下人。關於他的神話頗多，「搜神記」與「拾遺記」均有記載。「搜神記說：糜竺從洛陽歸里，在途遇一婦人，求糜竺搭乘其車。糜竺慨然許諾，載之同行。行不數里，婦人謝辭對糜竺道：「我乃天使也，天帝命我去東海燒糜竺之家財；因感君見載，故耳相告也。」糜竺私下相請道：「火刼可免乎？」婦人道：「天命難違！但君可先去，吾當緩行，日中當火發。」糜竺敬謝急歸，將家財盡出，日中火發，而重寶獲免遭火刼。

糜竺擁有寶庫千間，貯藏財寶。馬廐之側，有一古墓，塚中有一伏屍，至夜聞哭泣。糜竺聞聽，便循哭聲尋去，見一婦人袒背而來，見了糜竺，哭訴於地道：「妾為赤眉所害，扣棺見剝，今袒在地，羞白日見人，迄今已二百餘年。今求將軍者，乞為深藏，並加衣裳以掩妾體。」糜竺對婦人之求，慨然許之，命家僮備棺槨，以青布為衣，寵於塚中，並設祭品而重葬之。過了一年，一日糜竺行於途中，忽然看見年前求葬之婦人，所穿衣裳，皆為前之所葬之物。那婦人不慌不忙近前對糜竺說：「君之財寶可支一世，當遭火厄，今以青竹杖一枚，長九尺，以報君昔日衣棺之重葬惠德。」糜竺挾杖歸家。置於庭中，鄰人常見竺家，有青氣如龍蛇之形。糜竺甚疑其怪，又不信邪術之事。僮僕有言逆忤者，極加痛責，故有異事，亦不敢明言。

糜竺家財之富不可數計，可謂堆積如山，室內有置方盆纘，盛大珠如雞卵，散滿於庭，謂之「寶庭」，外人不得一見。數日之後，忽見青衣童子數十人詣糜家道：「糜竺家當有火厄，萬不能免。惟以君家能恤斂枯骨，天道不辜君德，故來禳却此火，當使財物不盡，自今以後，亦宜防衛。」糜竺乃在寶庫四擁溝渠。過十日，火從庫內起，燒其珠玉十分之一。火盛猛烈之時，只見數十青衣童子前來撲火，一股青氣如雲，浮蓋火上，火勢即滅。一青衣對其家僮道：「可聚鸛鳥之類，以禳火災，鸛鳥能聚水巢上也」。家人乃收買交青（鳥旁）數千隻，養於池渠中以厭火」。這一段神話，我們不必採信。證明一件事實，那就是由於糜竺為人善於施舍，憐孤恤寡，施舍棺槨衣物。由此樂善之事，附會其神而化之色彩而已。

從展望今年歐洲局勢來討論復興中華文化的重要性

（上接第一版）

法爾末氏詢問南國一位政策制定者，謂俄國既已成為一重要的海權霸國，則其陸軍為何必須再在陸地上發展（例如將南國佔領）。其人答云：俄人現在對於散布全球各地之海軍艦隊之作為權力工具而運用，尚不習慣，故不能與過去之英國人相共論。南國人自信了解俄人之軍事心理，後者堅持須牢握陸上之一切力量。

南國人對於俄人所提出社會主義的（共產主義的）「邦聯」一名詞感覺不安。南國自認係一共產國家，不屬於任何邦聯COMMONWEALTH。如俄人認華沙公約即係邦聯時，則南國亦非華沙公約會員國。俄南關係自五十年代初年以來，至去冬而下降達於最低點。

一位南國將軍於討論軍事設計時率直答覆云：「此事并不困難，吾人祇需將一九四八年所擬就之計劃取出，略加「拂拭DUSTED-OFF」，便可適用。此計劃係狄多氏與史大林氏絕交時所擬就者，當時南國與義國關於屈里艾斯德港問題尚有爭論，故南國軍隊在義國邊界布防，雖於一九五四年屈港問題解決後仍無多變更。迨去秋捷克事變起後而情形驟形改變，南國統帥部不復注重西線防務，因已知其假想敵為何人矣。

中歐國家所最恐懼者，為蘇俄於第三次補充阿拉伯諸國之武裝後，下一次阿以開戰勢將引致美蘇之敵對，而將巴爾幹乃至歐洲均捲入原子戰渦中，後者並非雙方霸權國家所希企者。地中海上門法所引起之局勢，並非五十年代乃至六十年代初年之北大西洋公約所應行處理之任務。南國既不屬於華沙公約，亦與北大西洋公約無關連。

中歐諸國因捷克被佔領，而覺悟到俄國當政者判斷力之不可信任。伊等既對一局部政治情況，本應有正確情報者，而竟下了錯誤之判斷，則伊等對中東局勢亦可能產生錯覺，而引致全球性的後果。（未完）

名人情話

董小宛苦戀冒辟疆

五，陳圓圓被豪門掠去

周遊子

陳圓圓吐露了自己的心聲，決心託以終身。但冒辟疆心理有些矛盾，自與小宛失去連絡之後，心中甚感空虛，一見陳圓圓又欲仙欲死。等到實際接觸到焦點的時候，他的心理又起了矛盾。而圓圓則是亂世孤雛，且身遭虎口之餘生，意欲尋覓歸宿，當然辟疆是最佳對相。可是辟疆以父親身處兵亂，又在兵荒馬亂之中，堅絕婉謝了她。可是圓圓還沒死心。辟疆辭別圓圓登舟，但沿江盜賊所阻，過了一晚，次日晨，圓圓忽淡妝而至，她要求見太恭人，即辟疆的母親，她卒然對辟疆道：「儂此生幸脫樊籠，欲擇人事之，終身可託者，無出君右。」辟疆不得已，引見太恭人。圓圓心中的感受是「如覆春雲，如飲甘露」。太恭人也很喜歡她。但是辟疆又變又怕，仍然是婉言相拒道：「卿情雖濃，但嚴親處在兵火，此次省親，當棄妻子以殉，方為人子之道。今因兵火阻舟，無聊閒步訪卿一敘，並無他故；卿以終身大事相託，事乃突然，率爾輕諾，恐誤卿之雅望。」圓圓心意已決，堅欲訂下終身，隨辟疆而行。辟疆無奈，只得答允，但必須約期再見。圓圓大喜，驚喜細語，「絮絮不恭記」。辟疆即席作八絕句一首，付與圓圓，依依而別。

崇禎十五年（壬午），這是極恐怖的一年，陝督汪喬兵敗於陝西戰死，清兵入陷松山，洪承疇投降滿清，陷錦州；左良玉兵敗於朱仙鎮，李自成陷開封，蘇州，汝寧等地。就在這年的春天，辟疆在昆陵。陳圓圓在吳門遭竇霍豪門擄去。吳門地方富豪以圓圓奇貨可居，集千人將圓圓刼出藏之，而竇霍豪家又挾勢恐詐，又不惜以數千金為之賄賂地方官吏，將圓圓索去。辟疆因便過吳門訪圓圓，等他到吳門訪圓圓的時候，圓圓已被擄去十日了。辟疆至此，若有所失，「悵惘無極」。他的心理仍是矛盾着。愛情與孝思相煎，似難以得兼。據辟疆悔菴語所說：「以急嚴親患難，負一女子無憾也」！這是他在小宛死所寫的，而他當時是否如此孝思，恐怕未必盡然。正在抑鬱的一個晚上，又出現了「柳暗花明又一村」，足見他的閒情不減。

（未完）

吳敬恒先生年譜（五〇）

陳凌海編撰 陳洪校訂

翌日，先生由表姪沛士英、孫百英經由趙自山步行返渝，約行五十里，這段統計步數，並與表姪陳清海所統計步數作比較。先生體力雖尚能勝任，然實際已勞累過甚，迨二十八日自三民主義青年團講「總理行誼」返抵寓所，攝護腺肥大症大發。始則便閉，繼則小便閉塞。晚左右膀胱益脹，小腹撐痛，極為痛苦。私疑恐將不起，乃預立遺囑六份，交由表姪陳清海代為保管。翌日，延請狄瑞三醫師，經用橡皮管放尿，約計二千西西。鈕永建（惕生）、吳鐵城、狄膺（君武）、葉實之、楊愷齡、表姪陳洪（次仲）等親友，相繼勸先生住歌樂山中山醫院療養。先生不允。幸靜臥數日，尿道復通。蔣夫人為先生健康，始送牛奶。先生平素極力提倡科學，且信物質可補人工之缺陷。但對衛生之道不甚講究。對於自己身體，向採順天主義，不願以藥物治療。先生參觀蘇俄婦女展覽，並題「思想平等，尤須體格平等，乃得到真平等，可促進世界和平。」國民政府公佈「中華新韻」，此書為先生所審定。十二月，參加中國國民黨第五屆九中全會。十二月八日，美國檀香山珍珠港為日寇機艇猛炸，太平洋戰事爆發。

（未完）

巨變歷險記！

第二天還在等待

廿七　胡慶蓉

中華民國卅八年一月廿二日，仍在等待，未能與林彪會談。

假如昨天是最長的一天，今天也並不太短。只是換了一個地方。

昨天走了一天，特別在飢餓中行走，日子過得特別的慢。一夜的睡眠，五代表的精神恢復了。一人一個筒筒被，睡的特別的暖。但起來之後，又感到冷。天津附近的鄉間，是沒有取暖的設備的，一起來，就是四壁淸淸，到處冰涼。五代表換的新地方，看起來還是這村子上最闊氣的一家。房子雖然小，但還有一個四四方方很大的窗戶，用棉紙糊的大窗戶。北方的房子，大概是爲防冷的關係，往往只有門，是不開窗子的，即令開窗子，也往往很小，而且又用什麼塞住。房子裏邊都是黑漆漆的。五代表新換的屋子，倒沒有這種情形。窗子上糊着棉紙，更令人感到很敞亮。北方的房子，連同北平頂闊氣的在內，都沒有玻璃窗，能用棉紙糊的，就是很闊氣的了。「向陽門第春常在」。北方的房子，正房，都是向陽（即向南）蓋的。陽光射進來，房裏也就暖和起來了。

五代表不便出門，偶而也出來走走。是不是戒嚴的關係，或者是冷的關係，村子裡，簡直看不見人。四顧茫茫，一片曠野，一片沉寂，好像是有什麼大事不久會發生似的，代表們度日如年。

都在問爲什麼今天不給談呢？是不是就把代表留在這里，他們進行他們的攻擊？代表都有一個感覺，就是拖不太久了，天津的攻擊，恐怕是避免不了的。在等待中，他們紛紛私議。派來照顧他們的，是一位士兵，倒茶倒水，倒也很聽說似的。但代表們總心懷戒懼，總在他不在的時候，彼此才談論，等他一來，大家就又談別的了。

時間一點一滴的走過，代表都切盼能早與林彪見面談談，能不能撤退，不攻打天津？能不能延緩一個時期？待中央與共方的和談？這自然是林彪的事，但代表總在希望，萬一非打不可，也希望林彪能儘量少破壞。這也是五代表此次出來的任務。但戰事都是破壞的，想限制他的破壞，往往不大容易。「聽人事，聽天命吧」！代表們這樣的想。最後的消息：林彪準備明早八點前來與代表面談，代表精神爲之一振。

禪學黃金時代

吳經熊著·吳怡譯

風趣的古佛——趙州（九）

趙州回答說：「是呀！那是我，並不是格言啊」！

趙州繼承了慧能的思想，特別強調自性，也就是道，或眞如。他曾說：「千人萬人盡是覓佛漢子，覓一個道人無。……未有世界，早有此性。世界壞時，此性不壞。一從見老僧後，更不是別人，只是個主人公，這個更向外覓作麼」？又說：「佛之一字，吾不喜聞」。

趙州的看法和馬祖，南泉一樣，認爲這個道，或眞如是既非心，也非佛，也非物。它是超越了時空，但又遍及於萬物。它只是以我們朦朦朧朧看到的形而上爲背景，譬如，某和尚問趙州：「什麼是祖師西來意」？（這是禪的術語，意思就是「什麼是佛法大意」，或「什麼是道」。）

他回答說：「庭前柏樹子」。

對方抗議他只舉出一個物體。但趙州卻說：「不然，我並沒有指給你一個物體」。

對方再問：「什麼是祖師西來意」？

趙州仍然說：「庭前柏樹子」。

剝去禪的隱語，趙州所說的也只是指出道在庭前的柏樹子中，爲什麼要單單提到柏樹呢？這是因爲他當前第一眼看到的是柏樹，如果他先看到老鷹，一定會說：「鷹在天邊」。的確，不過他所說的是物體，是用這個物體，去表達道的無所不在的。他指給那個和尚的並不只是一個物體，而是因爲那個和尚自己的觀點只粘着於物體，不能超脫。

趙州對道的看法是和老莊一致的，並不是他有意的接受老莊思想，而是他的悟覺正和老莊起了共鳴。在另一方面，他並不完全同意三祖僧璨的那幾句偈語：「至道無難，惟嫌揀擇；

催眠術研究

廿四　鮑紹洲

三十五、複調催眠法

前只談過單調催眠法，現在介紹複調催眠法。即是使用高低音樂外與聲而變化之，而導致人催眠的一種方法。音樂之中，有所謂「興奮律」與「靜穩律」的，如奏興奮樂，即精神興奮，而感愉快，而不禁手之舞之，足之蹈之。但靜穩樂一奏，即精神徐徐沉靜，繼欲催眠，所以催眠宜用靜穩律，暗示「將要催眠」「一直想眠」，「要深眠」，便導致入眠。從前有一位朋友，善於吹明笛，亦用之於催眠。然而此法只可用於補助爲宜。這種原理，在奏樂而集中被術人的精神，使雜念不生，而使催眠。

三十六、電氣催眠法

就是用電器而催眠的一種方法。用平流電亦可。如用感電而發一種嗶嗶的聲音，這種聲音又可以導致催眠。先使被術人平臥，閉雙眼，施以微弱的電流，觸按被術人兩的動脈，使被術人計算，然後加以誘導的暗示，即可催眠，如理髮店所用的電觸按摩同一原理而催眠。或向足尖而通電流亦可。這種原理，因其電流之通過，使被術人頓起神秘的觀念，因之血液的循環以活潑，而生快感，因此雜念亦停止，成無念無想而成催眠。

生活漫談

失眠的有效食療

馬騰雲

失眠是一件非常痛苦的事，刑求犯人時，用一種疲勞審詢方法，不讓被審的人睡眠，被審的人因受不了不睡眠的痛苦，而承認自己不願承認的事，失眠雖沒有人向其刑求；但不能睡眠的痛苦，有時會導致自殺，以證明失眠對人體的嚴重性。

根據專家的實驗，失眠而死較失食而死爲快，長期失眠，能使大腦皮質之組織變化，及血中出現毒素等，我們在病時，更需要充足之睡眠，以謀身心均能休息，而幫助體力增強，使所患的病能及早痊癒。

導致失眠的因素，由於工業社會的進展，使事業關係日漸複雜，成敗得失，隨劇烈競爭而加速變化，患得患失的朋友，每晚輾轉反側，難以入睡，後來變成習慣，即所謂之失眠症，而患這種失眠症的人，多半發生在中上層社會，苦力和農民患失眠症的比較少，失眠症可以說是一種時代病，另一種失眠是因身體有別的病、如痛、癢、酸麻等不快的感覺，而致失眠，還有因戀情幻覺幻想，也能使人失眠，所謂「衡前花弄影，疑是玉人來」。

西醫對失眠症，大多靠催眠藥，其作用在抑制視丘內之睡眠中樞，使感覺能力減少，困倦而易入睡，睡眠之調節中樞，既在視丘，這個部門的病變或損傷，也會影響睡眠，中醫認爲用催眠藥使人睡眠，與西醫外科用之麻醉藥頗相似，所不同的用藥的輕重，當然這些看法，也有其部份理由。不過中醫對失眠症的醫療，沒有西醫那樣迅速兌現，可是中醫失眠症的診斷，是多方面的，改句話就是藥物治療沒有甚麼藥物特效，改用食療方法，對各種失眠症頗有幫助，此項王道的食療，値得向讀者們介紹，就是多吃胡桃和洋葱。胡桃可用油炸、糖製及炒菜的配料。中國的大江南北，糕餅店製糕餅，多採用胡桃，如五仁月餅、桃片糕、八寶菜、椒鹽桃仁、蜜桃仁等。因胡桃仁裡含有蛋白質、脂肪、糖類、灰份、鎂、錳、磷酸鈣、及鐵、維生素A，B，C，E等，爲有效的補腦緩和安眠劑，假如說海參壯陽，淡菜滋陰，都是因像形研究出來，那麼胡桃酷似人腦縮小，巧得很，胡桃恰爲補腦重要藥物，滋養強壯，兼有鎮經收斂之功，多吃洋葱，它能醒腦，對腦的淸寧很有幫助。西洋和日人，都喜歡吃洋葱。葱的成份含有蘋果酸、磷酸鈣、蛋白質、脂肪、無機鹽、纖維、含水炭素等，故能通暢經絡、活血、治傷寒、預防流行性感冒，失眠的人能常吃洋葱是有益的。不過葱的性質略帶熱性，常感燥熱和患有惡性便泌的人，不宜常吃；如果是胃寒虛渴，津液缺乏，可多食洋葱。

海國秋深（五）

文自粹

有一天，嘉玉正在上海斜橋弄華商總會和幾個人推牌，在座也有一時佼佼的涂星槎，年齡稍長於嘉玉，在上海是從科班出身，因爲老尊賢，豪俠尙義，上上下下，都人緣不錯。嘉玉卻偏要吃吃他，一晚下來，涂已輸了近萬元，在當時也算是大局面了。一輸再輸，愈輸愈忿，原想來個澈夜挑燈大戰。聽說上房出來當時的大亨言老九爺，吸足了烟癮，在邊一坐，看過半盤，就請嘉玉到後面小客廳。嘉玉只知道言老九爺是當時上海灘頭數一數二人物，還沒有詳細請教過，正好藉中仰慕。言九爺也和顏悅色，敬烟敬茶，問他出身經歷，就告訴他：『在這裏眞正地玩玩，相與都是品格的，就不要用花式了。涂星槎，大家認爲是灘上難得的後起之秀，希望特別幫幫他的忙！』拍拍嘉玉肩頭，請他有空時到言老烟榻上敘敘。這種親切的表示和教導，嘉玉那有不領情之理。趕快回報九爺說：剛才不過和涂星槎開開玩笑；也驗驗他的涵養工夫。九爺不見外，以後承教之處正多。就把得來的一把籌碼，一起還了涂星槎，星槎一再遜謝。時間已晏，用宵夜後大家也就散了。」

言九爺欣賞嘉玉這番能耐和涵養，商會常須招待體面的外客，常叫嘉玉來陪席。嘉玉琴棋書畫都通，高腔亂彈都熟，常使賓至如歸。

這幾年，正是北方政壇翻雲覆雨，一年一變局的時候，徐東海大總統要討好直系，又要拉着奉張。一面以吳玉帥先爲直魯豫巡閱副使，次爲兩湖巡閱使；李純戲劇性的憂傷國事自殺後，乾脆就以齊燮元爲蘇督兼蘇皖贛巡閱使。一面怕奉張冷了場，又加以張雨帥爲蒙疆經略使。倘使大家眞能放眼乾坤，將大好邊疆建設起來，那中華民國歷史地理教科書早可改寫了。那知大家爭來爭去，還是爲了身邊的俎上肉；甚麼長長的頭銜、名義，不過是爲發通電時好聽一點，以及將來百年以後墓碑上寫的好看一點而已。於是一回兒張雨帥推倒了靳閣，扶上了梁閣，一會兒通電過後又眞刀眞槍上場。因爲雙方都已準備很久，而戰場又是那麼逼近，所以幾天下來，勝敗立判。於是奉張出關，督軍團迎黎菩薩復職。整整一年，又爲了權利分配不均，趕走了菩薩，來了個豬仔賄選。在場五百九十三位國會議員只有一百十三位是挺得起胸膛的，臨大節而不辱；四百八十位每人領了五千大洋，平空使老百姓多負担了了二百四十萬大洋的臭賬。

國父孫中山先生爲護法，已奮結帝國主門多年，覺得這些軍閥勾義殃民禍國，層出不窮，非澈予摧毀，不足以鞏固民國。這種振聾發聵周示國人的呼籲，詳見之於十三年九月十八日的北伐宣言：

「國民革命之目的，在造成獨立自由之國家，以擁護國家及民族之利益。……此戰之目的不僅在覆滅曹、吳，尤在曹吳覆滅之後，永無同樣繼起之人，以繼續反革命之惡勢力。換言之，此戰之目的，不僅在推倒軍閥，尤在推倒軍閥所賴以生存之帝國主義。蓋必如是，然後反革命之根株乃得永絕，中國乃能脫離次殖民地之地位，以造成獨立自由之國家也。……」

御廚談藝

芡實補腎虧

林泉隱

覓實（俗稱芡實）以廣東肇慶產者爲良，現在台灣亦有出產，屬睡蓮科，生於池沼，係一年生水草，莖及葉背有刺，葉圓形而大，浮於水面，面綠背紫，果實即芡實，供藥用。據化驗成份其實含蛋白質百分之二點八，碳水化合物七五點四，脂肪零點二，灰份四點六六，糖及樹膠一四點三六，纖維五點六等。

照中醫用芡實的經驗，功能補中益氣，開胃固腎，壯精助氣，止渴強志，聰耳明目，解酒毒，祛著熱，腰背膝痛，夢遺滑精，小便不禁，白濁泄瀉，婦女白帶等等，服用芡實，有顯著效果。據中國藥典記載，它的補力，超過了乳汁，不過有胃病的人，小便不暢的人和患有惡性便泌的人，不宜常吃，因其實比較難消化，及有強精作用。一般都知道，病多出自消化不良，惟用芡實煎茶，飲芡實茶能有助於脾的機能健全，使消化系統沒有故障，於是病就不會多了劑。中國名醫張簡齊，常用芡實作爲去病劑，兼用行氣劑以爲佐，藉防滯滯，張氏處方的奇招迭出，陳果夫先生最爲欽佩。

芡實又爲滋養強壯藥，兼有鎮定之功，若因心煩意亂，坐臥不安，而引起失眠，頭痛、神經痛、關節酸痛、腰腿欠靈活等情況，可到中藥店去買鹹芡實，熬水飲，或做湯佐膳，最好是加入其他肉類同煮，有很好的醫療價値。鹹芡實又治婦女白帶和男子腎虧病，不過這些都是慢性病，芡實亦屬於慢性藥，猶其男子腎虧及五勞七傷，早晚食芡實粥，經過相當時間沒有不奏效的，芡實與蓮子山藥等量同煮粥，功力倍增

自由報

中華民國內政部登記證內警台報字第○三一號
中華民國僑務委員會登記證台僑新字第三二五號
中國郵政登記第一二八二號執照登記為第一類新聞紙

（第九四〇期）

（半週刊每星期三、六出版）
每份港幣壹角，台灣零售價新台幣貳元
社長李運鵬・督印黃行寶
社址：香港九龍彌敦道593—601號
廖創興銀行大廈八樓五座
LIU CHONG HING BUILDING
7th FLOOR FLAT 5
593—601 NATHAN ROAD,
KOWLOON, H.K.
TEL: K303831
電報掛號：7191
承印：景星印刷公司
地址：嘉咸街廿九號地下
台灣總管理處：台北市大同街119號
台灣區直接訂戶　台郵劃撥戶
第五〇五六號張萬有（自由報會計室）
電話：七一四〇三三、五五五三九五
台灣分社：台北市西寧南路110號二樓
電話：三三〇三四六，台郵劃撥戶九二五二號

本報重要啓事：

本報外地贈戶包括「同仁贈報」「作者贈報」「自由之友贈報」，從本年度一月份起，除本港未變更辦法外，外地各贈戶，每份報每月酌收航空運費，計台灣區月收新台幣拾元，亞洲十一個國家（包括日本韓國在內）月收港幣三元五角，中東及歐美各地由本報駐各該地區代表人就近決定。本報此舉全爲求以報養報自給自足。敬懇各贈戶賜予支持並希諒察。

西藏人談西藏問題

—紀念西藏抗暴運動十週年—

蘇南傑布

本（三）月十日爲藏人鑒集各方民族武力，在拉薩發動震驚世界的抗暴戰爭第十週年的紀念日。

這是一個令人非常沉痛的紀念日！因爲伏尸盈野，血濺雪紅的結果，不但一無所獲，且反倒助長了敵人的氣燄，而更加深了自己的困躓。

假定西藏人不在反共的觀念和意識上鑄成最嚴重的錯誤，稍許懂得一點兒「牽動四兩撥千斤」的借勁道理，假定，蔣總統深謀遠慮的偉大「戰略原則，不因人爲的因素而一味發生最嚴瞀的偏差，能够正確地加以執行，則此一經過六七年時間的發榮滋長，而已從游擊戰發展到陣地戰的西藏反共抗暴運動，決不會弄得如斯悲慘！

很明顯，此一悲慘的景象，完全是由于陽錯陰差的緣故所導致而形成的。

爲了不再鑄成錯誤，發生偏差，我認爲我們對這些已成爲過去，或依舊繼續存在的錯誤和偏差，實有以比較客觀的態度，畧加檢討的必要。

僅恃己力　不知借勁

如果說戰爭是一種藝術的話，則這種藝術的最高的形式表現，乃就是以敵人的力量來消滅敵人。

在吾國太極拳術中，將藉敵之勢，借敵之力，以小挫大，以弱攻強的拳術，稱之謂「借勁」。藝高者若善用借勁，則敵方任何部份之力，均無不可借之而予以反擊。這種借勁的道理，也正就是戰爭藝術的最高形式——以敵人的力量來消滅敵人的道理。

然而，西藏人底反共抗暴運動，始終僅依恃着自己的力量，根本不知借勁爲何物。

他們與敵人從事軍事鬥爭的觀念，是近乎原始性的。

二次大戰期間，希特勒下令攻擊俄國的戰鬥中，德國將領們都很懂得借勁的道理。他們將每日數萬的投降俄軍，悉數納入德軍進攻俄國的戰鬥行列。這自然是很成功的。但這事被一向認爲祇有德國人纔配穿衣服和帶武器的希特勒知道之後，即立刻加以禁止。顯然，希特勒底這一火鐮，對已不再強調世界革命，而不能不大呼「保衞祖國」的史達林來說，實無疑是送了一粒起死回生的救命丹。

西藏人矜矜都是希特勒的「信徒」。因爲在抗暴戰爭的過程中，他們對所有明白表示願爲「借勁」的共軍，均視若無睹。但憑藉自己的力量，決不可能做到堅壁清野，更不可能抽薪止沸。所以在戰爭史上，最不智的行迹，實莫此爲甚！這與神經分裂，予智自雄的希特勒給史達林送救命丹，頗有異曲同工之妙。毛澤東對西藏人這種「無形的幫助」，當然會感到非常「欣慰」的！

捍衞傳統　不求變革

人類歷史上最大的政治悲劇，莫過于一個民族的被消滅。這種消滅的命運，並非由于敵人的如何殘暴和兇狠的手段所造成，它完全是因存在于本身的種種自侮、自毀和自代的因素早就註定了的。

火焚灰作，水潴腐生。本蓋宇宙萬有，剎那無常之故。經云：每一念中有九十剎那，每一剎那中有九百生滅。這一念中的剎那，一剎那中的生滅，均可否定一切事物的不變性、獨存性和實有性。因此，無論任何民族的傳統決非不變的化石，文化亦非固定的遺產。

但是，西藏人反共抗暴的最基本理由，卻是爲了要保持固有文化和特殊傳統的「不變」。憑良心說，如斯西藏式的固有文化和特殊傳統，早就該自發自動地加以變革。因爲這種固有文化和特殊傳統，不僅嚴重地危害了民族的生機，且更註定了勢必消滅的命運。

西藏人捍衞傳統，不求變革的迷古心理，就已所篤信「剎那生滅」的佛法抑或眞理而言，也是很不正確的。

在充滿宗教氣味的抗暴宣言中，西藏人對元、清兩代中國皇帝對西藏教主的如何尊崇和禮遇，備加稱道。其實，那都是陰謀家所玩弄的政治手段。他們就是依靠了那種手段，使西藏人臟爛于「佛」的懷抱，來穩坐江山的。而西藏的版爲中國版圖，也就是由于當年政治手段異常高明的蒙、滿民族統治中國的結果。儘管抗暴宣言如何強調「西藏一向就是一個獨立的家」，但昭然若揭的這些歷史事實，是不容任何人否認的。西藏一向是中國的一部份。

所謂支援　不切實際

在戰爭中，爭取主動，掌握全局，是決定一切勝利的基礎。而「組織第一，情報爲先」的此一無上原則，卻又是建立這個基礎的先決條件。因爲沒有嚴密的組織，決不可能有正確的情報，沒有正確的情報，即無從到爭取主動，當然也更談不到掌握全局。

我們記得舉世報導西藏反共抗暴的最初的消息，都是來自倫敦的。這顯示了英國人的情報工作，還是眞不含糊。但照已付諸巨大人力和物力的實際來說，西藏抗暴消息的權威和先知，不該是英國人，而應當是我們政府的有關當局。可是，遺憾的是，我們的權威和專家們，在手忙脚亂之餘，對此一抗暴運動的發展情況，除了界倚外國電訊的新聞報導外，究竟它底眞象如何？全一無所知。本已費盡心血，勝算在操的藏區敵後活動，居然竟出現這種景況，實在太尷尬了。要不是抗暴義軍的代表來到台北辦公，那就更現得尷尬了。

若說我們沒有支援西藏抗暴，那是很不公平的。但所謂支援，但屬不切實際，缺乏要領，完全是憑着閉門造車的主觀理想，根本不予考慮存在于客觀的事實，這倒是眞的。我相信這種觀點，不會被視爲是「有成見」的（？）連、排長的見地，不能適用于涉及廣泛政治因素戰略作業。長官性的態度和命令式作風，亦不能使「揭竿而起」的人們，心悅誠服，「要聽我們的話」。

西藏的古人說：「欺詐的手段可能被誤認爲是審愼的行爲」。但積非爲是的結果，總是不堪設想的。

亡羊補牢　時不可失

共產黨不是三頭六臂，祇要我們不在與它作戰的觀念和意識上鑄成錯誤，既定的正確原則不因人爲的因素而發生偏差，則我們企望欲達到的軍事和政治目的，都能收到預期的效果。否則，所謂敵人已在崩潰邊緣，或時機已告成熟等的政治詞令，都不是面對現實和肯負責的老實話。

西藏人與毛共的鬥爭，並未因抗暴戰爭慘遭失敗而偃旗息鼓。血的經驗和教訓，已使西藏人意識到僅恃自己的力量，實不足以爭取自由的這個道理。因爲整個大陸同胞的重獲自由，是連鎖性的。因此，西藏人決不可能在毛共偽政權未能徹底推毀之前，在他們生長的土地上，重新建立起自由的家園。這些道理是顯而易見的。是凡腦筋長得不跟豆腐渣一樣的人，都會明白這些顯而易見的道理。

依靠自己所携帶的維他命和武器，空投到藏區敵後去「打游擊」的方式，從先天上就註定了成功的可能性少，失敗的可能性多。因爲一旦維他命吃完了，或武器失落了，就要陷于痛苦的絕境。同時，不求依賴敵人，一切需要己方補給，補給不上，就無法作戰的這種觀念，根本就不是革命的觀念。

以具有這種觀念的人員去與西藏人配合作戰，自然發生不了任何所希望的作用。

亡羊補牢，時不可失。無論西藏或職司支援西藏抗暴的人，都應當認眞地檢討一下我們的得失。因爲共肩艱鉅？携手同讎，是我們迫不及待的需求。

（完）

昨日與明日

混亂的越局

・成公・

就在巴黎和談膠着，尼克森啓程赴歐的時光，胡志明廣播宣稱：繼續作戰到底，直至美帝撤退，和傀儡們（按：指越南政府）被推翻爲止。旋又繼之以全面的春節攻勢，用炮和火箭攻擊了越南一百二十幾個城市。勢之猛，使得美軍發言人說：「這是幾乎一年中最猛烈的施出的協調炮擊。」在西貢方面，甚至有兩枚火箭，幾乎中美國大使館、和美軍的軍官宿舍，對於美方威脅莫大焉。

這一連串發生的事實，使得美國方面，感到非常遺憾，但在我們看來則是意料中的事，遠在詹森發動巴黎和談時候，本報即一再指出，和談不會有任何協議和結果，即只不過是共黨談談打打的故伎而已。我們揣想，假如當時美國某些人士，特別是某些所謂遠東問題專家，看到我們的意見，一定以爲我們是戴了有色的眼鏡，甚至以爲我們是爲蔣游說。但是事實勝雄辯，從五月十三日開始談判，一談談了八個月，直到今年一月還沒有談妥座位問題。座位才談好，問題又膠着了。僵局還未打開，攻勢又大舉發動了。……這並非我們不幸而言中，也不是我們智慧過人，料事如神，而我們是以痛苦經驗換了來的教訓。請稍按一下往事，看看當年國共和談的經過，不就前後如出一轍嗎？這一苦果，固然是我們直接吞食了下去，但美國人也何嘗沒有分嘗了些許呢？馬歇爾不就是參與其事，並因此斷送了一世英名，賫恨而終的嗎？但是美國人何以竟忘得一乾二淨，而永遠上共黨的圈套呢？我們眞是想不透。

或者說：美國的政治家又何嘗不知道共黨的這一套，但是美國的人民卻不能諒解這套，而只一味的愛和平。美國的政治家爲了博取這一般天眞的選民們的支持，維持未來的選票，便勢必不能把戰爭徹底打下去，而只有想盡方法與共黨謀和，儘管知道：和也和不成，——假如事實眞果眞如此時，那就問題太大，而也太危險了。政治家是要忠誠謀國的，要措社稷如泰山之安，豈能不顧國家安危，而只一味媚俗求寵，「民主」的眞諦，若竟如此時，那不如沒有民主。試看林肯、小羅斯福不都是排除衆人淺見，而領導國人走向勝利大道嗎？這才是眞正的領袖，而不負國人之所託，絕不可媚俗求寵。我們相信美國的政治家，不會如此的，他們所以與共黨和談委蛇，必另有其韜畧或苦衷。但是不要忘了，共黨的和談只是「緩兵計」呀，美國政治家們利用和談向人民交待，共黨則利用和談喘息、補充、佈署，而作一次更猛烈的攻擊，這不是縱虎貽患麼？只看這春節的攻勢便是明證。

自由談

民主政治的實質

馮正先生

有在美國僑居了多年，迭次目擊美國選舉情形的朋友說：美國每次選舉總統時，黑人的選票每張代價五元，各個工會會員的選票由工會控制，競選人必須捐贈一筆經費給工會，纔可以爭取到工人的同意票，這是公開的事實。前次約翰、甘迺迪與尼克遜競選總統之際，兩人的選票差額甚微，甘迺迪之獲勝，乃得力於芝加哥州的選舉人票不清不白，玩了花樣。所以，這次大選時，共和民主兩黨對於監察選票特別認眞，以防制再有集體舞弊的事情發生云云。

聽過朋友此一席話，我纔了然美國每次大選時，競選人何以要耗費幾千萬美元之鉅的所以然矣。美國原是世界上最民主的國家，一般民衆的基本教育程度亦很普及，而輿論的監督力量更不馬虎，所謂「扒糞運動」，毫無假借。然其選舉內容如此，足見民主政治的實質幷不怎樣高明，而其他國家的選舉效用如何，思過半矣。

談民主生活即離不了選舉，且以全民普選爲至上。可是，民選的結果比官選還要糟糕，花不起錢財的人，縱然名聞四海，學富五車而才高八斗，也休想從普選中獲勝，所謂「選賢與能」，廢話！至於共產社會的選政，另是一套把戲，先由當權者欽定選舉人和候選人，教「羣衆」如法泡製，歷歷不爽，卻號稱爲眞正的民主制，而指斥資本社會的選政是假民主。總而言之，統而言之，任何政體之下的選舉實況，都是欺天下人以無知的騙術冠冕堂皇，內容不堪聞問。

這證明政治生活實在是污穢的玩藝，難怪西方哲人如霍普士，洛克等要著書立說，攻擊搞政治的人了。不過，人類既有社會組織，即不能無政治行爲，同樣的都是騙術，與其浪費人力財力來搞選舉，找麻煩，到不如讓執政當局指派各種官史民意代表，比較省事而妥當些，像屠酤稗敗之夫，以及娼寮營業者，就決不會濫竽政治場中了。

我認爲開明專政如漢文帝唐太宗宋太祖之流的君主，雖在今日二十世紀的民主時代，亦有其價值。

非法處理農會土地圖利 蘇清波亮起了紅燈

台省府認為事證確鑿情節嚴重 已致送公懲會縣太爺開始着慌

（本報通訊員張樹人台北板橋通訊）當在五十六年縣區執政黨辦理本縣第六屆縣長候選人提名，蘇清波被獲基層反映票以百分之七十多數壓倒聲勢浩大之鄭水枝以及其勢不堪與敵之邵恩新和楊德壽等三人。正在慶幸可一帆風順取得黨內提名候選，進而穩可當選蟬聯之時，詎驟然平地霹靂轟出蘇縣長有「炒地皮」之嫌，由青年軍退役出身之新聞記者李柏明以「蘇清波會利用縣長職權，批准出售台北縣農會所有台北市紹興街三十九號土地一批，計五百二十四坪，以議價方式每坪四千餘元，賣給蘇清波之妻台北運倉公司董事長王咬女士，於五十六年二月成交時，每坪值價已為一萬六千元，旋漲至每坪二萬五千元，使蘇縣長夫人賺得一千餘萬元。」等情分向監察院、台北地方法院檢察處檢舉。

旋由蘇縣長招待新聞界說明此事經過，以及縣農會總幹事王以文挺身護航，登報啓事。而李柏明毫不示弱，復以洋洋數千言大幅啓事，登載台灣日報，以及聯合報予以還擊。

雖然使蘇清波第一回合中被省級黨部降為第二名申報中央核定候選，但因地方巨室李建興、李建和昆仲之派系關係對蘇清波水火不容，故有此次乘機之假手揭發，勢在一舉而打垮蘇清波。也因地方派系色彩之濃厚而沖淡了蘇案之實質，執政黨提名仍以蘇清波為重，並盡力予以疏解，李建興在蘇清波一再懇然求和之後，反回頭來表示請求李氏全族和地方一致支持蘇之當選，地檢處亦對蘇被檢舉案予以不起訴處分，但在處分書中拖了一條尾巴，指出那樁變賣農會公產土地案，在程序如有違法，屬於行政責任，尚難構成刑責。當時即有人意味着蘇案之是否違法，全在省府方面，若經省府細加推敲一番，說不定遲早是會翻案的。

在蘇清波第六任縣長上半年任內，除了「硬朗」作風十足外，對任何上級主管益見其平視對立，滿不在乎，因其依法不能三度連任，故對一切競選諾言，都置之腦後了。從月前一次台北縣府業務檢察室主任暴露出縣政府自縣長以下積壓公文之實況，對縣政影響深巨。雖然引起了國宅會執行秘書吳仁全等對檢查室「有失立場」，來了一番「討伐」式之責斥，為「積壓公文」情事打出了「欲蓋彌彰」之掩飾。人謂這位蘇清波託心置腹的吳秘書，對其主子的效忠也確實有他的一套，詎料斯時蘇縣長面前忽又亮起了「紅燈」，出乎蘇清波意料之外，更是吳仁全作夢也想不到的，那便是圖利自己的變賣農會公產土地案，竟爾翻案了，而且省政府已經移送公務員懲戒委員，依法予以議處。

衆料刑責或不致再燒上蘇身，從卸任多年的高雄前任縣長余登發因於任內侵佔公地之嫌，最近被公懲會審議撤職一事，與蘇案比較，而余案為輕，都為蘇清波担着一把汗，說不定短期內台北縣就會有補選縣長之舉呢？蘇縣長、吳秘書近幾天來，不僅變形於色，對檢查室暴露積壓公文事也顧不了。

中央社台北九日電：署稱台北縣長蘇清波涉嫌非法處理台北縣農會所有土地圖利案，經台灣省政府調查後，認為事證確鑿，情節嚴重，已經移送公懲會依法議處。台北運倉公司原由蘇清波經營，民國五十三年當選縣長後，改由其妻王咬為董事長經營。民國五十六年一月二十七日，台北縣農會以經費週轉不靈，報請縣府將所有台北市紹興街五百餘坪土地，統由王所經營之台北運倉公司單獨以議價方式承購，但卻未同時通知其他三家承租人徵詢意見，是否願意優先承購。台北運倉公司僅租用其中一百十一坪土地，其餘四百十三坪則分由糧食局、台北通儲公司、四健飼料行使用。縣建設局在這項公文上簽註意見時，註明依法不得以議價方式處理，須以公開招標方式進行，呈報縣長核奪，蘇清波於接到呈報後，竟利用職權，不顧法令之硬性規定，於五十六年一月卅日成交，以每坪四千元左右的價格賣予台北運倉公司共得二百三十七萬六千元，經查明縣農會在四天之中迅速辦妥土地售讓手續，是由於自五十六年二月一日起政府即將調整地價公告為每坪一萬六千元，以致轉手之間使運倉公司獲暴利一千餘萬元。據悉公懲會部份委員，認本案情節嚴重，將予審慎處理。

該項消息係由中央社發出的，更顯得案情之嚴重，結果似可不致再為落空。

立法委員痛責 公教待遇不公

（本報記者張健生台北通訊）全國軍公教人員待遇的調整，將自今年七月一日開始，調整待遇的經費，五十九會計年度中央政府總預算案編列了好幾億元，調整方案有好幾種，但究採何方案？行政院迄今尚未確定，這是嚴院長在立法院答立委質詢時公開宣佈的。

嚴院長於二月二十五日在立法院向全體委員宣稱：現今我國公務員的待遇，並非完全實行俸給制。因此，如一旦將各種待遇完全拉平，將賜少的人其薪水突然提高，會有諸多困難，政府由於財政上的困難，在不能普遍提高軍公教人員的待遇情況下，將先作重點的調整，諸如繼續實施建屋計劃，調整房屋津貼。

立法委員成蓬一、李雅仙、胡鈍俞、周樹聲等多人就軍公教人員待遇改善的問題，紛紛提出質詢。

行政院以行政命令頒行統一薪俸辦法而排除公務員俸績法的適用，這種捨棄法律所作的權宜措施，李雅仙委員認為：雖可原諒，但須要做到合理合情為是。統一薪俸辦法實施以來，轉眼二十年，政府似未計及績效，迨發現有陽奉陰違或藉詞另立門戶之乖謬現象後，又無整飭糾正的決心，以至不受政府預算限制的機關，如農復會，如經合會，如各種小組或研究中心等，各自訂定單行辦法，我行我素，而使行政院蒙受政令不出院門之譏。

李委員說：各國營事業機構所屬員工待遇經整頓的結果，

部長不及廳處長 以特支費而論 月差幾達八倍

竟是榨取低級人員的腦價智力與勞力而為高級人員（科長以上）備辦屋、置家具、僱傭僕，將規定待遇變成表面文章。更有甚者，儘量向中央爭取稅收分成與補貼之台灣省政府廳、處、局長及台北市局長處長的特支費用每月一萬元，竟較中央部會副首長月支一千三百元要高達八倍。尤以台北市政府改制前的預算為八億，改制後（五十九年度）增為二十五億元，即較原預算增加三倍有奇，中央撥補，無非寄望加強建設，今竟倒果為因，先將局長處長升格坐支巨額特支費。此種違情悖理的事，早已深植人心而生怨懟。惟此等破壞國家整個公務員待遇體制之乖謬措施，實不應令其繼續存在。今同在一市辦理公務的官員，位重權高者待遇少，位輕權微者待遇反多，事之不合理孰有甚此者？

就公務員現行待遇與其最低生活所需費用言：極不合理，公務員的工作報酬，倘以三十九年所得為計算基數，至今不過增加五倍，在此同一期間，生活必需品的價格上漲八倍，而中央政府總預算則增加二十倍，惟有公務員待遇僅增加五倍。

如何改善待遇？

李雅仙委員提出三點意見：第一是各機關與機關間之待遇應消除不平；第二是消除公員員間的差別待遇；第三是制訂高低合理之差距。

一、各機關間待遇之不平，除因特權階級與特殊機構所造成之割據局面外，尚有金融、公營事業人員與政府官員待遇的鉅大差距。如以相當荐任一級人員月俸為例，中央與地方的文官月支一千零八十五元，公營事業人員為三千七百四十四元，金融事業人員為[illegible]七百五十元。行政機關最高級簡任官的待遇，不如金融機構工友待遇。

蓋簡任最低，薪為一千一百三十元，最高級月俸也不過一千五百元，可是金融機關工友的工資最低者為一千三百一十元，最高者為一千八百四十元。至於月俸以外的待遇，更是相去十萬八千里之遙。如以房租津貼為例，文官最低者二百元，最高者三百五十元，貴為部長大使之特任官也不過四百元[illegible]

到處為家

旅美散見

張起鈞

風俗習尚是和經濟制度有關的，一個社會進入到農業經濟後，一切勢必趨於安定寧靜，不再會像游牧社會那樣的流動不安。中國一向之安土重遷，就是一個恰例，試看以往農村社會中，大家儘管彼此「……相望，雞犬之聲相聞」，卻偏個會是：「雖有舟輿無所乘之……民至老死不相往來」。但美國人卻不同了。

美國人不僅具備農業經濟生活，並且早已進入工業社會。但是美國人的習性風尚，卻充滿了游牧民族的色彩，他們一點都沒有安土重遷，留戀守舊的情調，反之卻是一味游動遷徙，流變不居，從來不想安閒納福，由每週週末的游樂，每年的外出度假，說到工作職業的轉換，都是喜動不喜靜，「少一事不如多一事」，而搬家移址更是不在話下了。尤其的，近些年發明了一種「追樂」，那硬是要把許多美國人變成「工業社會中的游牧民族」了。所謂「追樂」者是一種可由汽車拖着滿處跑的活動房屋。這「追樂」從外表看簡直就是一輛大貨車，但內部結構卻是一棟設計精美的洋房，地方雖不大，但廚房浴室、臥房客廳，甚至冰箱書架……無不俱備，真所謂是「麻雀雖小，五臟俱全」也，只要接上水、電，馬上就是一個家。

美國人本就與汽車相依為命，一輛汽車，載着全家大小（不是全家「老」小，美國人小不與老俱也）「滿處亂跑」。現在有了這「追樂」，更根本是拖着「家」「滿處跑」，隨便跑到那裏，看着好，車停下來就是家。過些天，待膩了，套上車，拖着走，再找地方。真是逍遙自在，到處為家。

我們若把美國人的汽車比作蒙古人的馬時，這「追樂」好像帳篷，而他們這種生活情調，不就是「逐水草而居」嗎？想不到在工業社會中，竟有此游牧民族式的生活。

[illegible]

喬治桑外傳（三）

張大萬

「小意思，小意思，等一會，我打牌要贏的話，再讓妳們吃紅。」郝隆昂進房來，身上帶的是錢，咀裏談的也是錢，正因為這樣，唐、尤、杜三個妞兒才拼命巴結他，可見「郎才女貌」已成過去，改為「郎財」才適合時代潮流也。

郝隆昂住的是大花園洋房，獨門獨院與一般公寓房子自又不同。寬敞的大客廳擺了三套沙發，一間是餐廳，一間是起坐室，餐廳裡有一張最貴重的柚木餐枱，配上十把雕花同質料的高背坐椅，假使兩個人進餐，坐在兩頭，說話聲音小一點，恐怕便不容易聽見。據說郝隆昂這種設計是因為看電影，覺得外國豪富人家才夠氣派，餐廳壁上掛了一張畢加索的畫，女人長了三隻眼睛，穿的是上空裝，裸露的乳房有四個乳頭，這種抽象派藝術，普通人自然無法欣賞，不過，郝隆昂是花了一萬美金從外國買來的，這不是附庸風雅，而是擺闊。

餐廳與起坐室有一道拉門隔開，這間大廳是兩間也是一間，大廳的右面，有落地十扇玻璃窗，都裝有窗帘，窗子外面是長廊，長廊的外面是一塊大草坪。如果是夏天，草坪上可以排十桌酒席，高大的棕櫚樹，松樹，將花園點綴得極為雅靜，假山，噴水池，各色花卉都經過園林專家的設計，自然與衆不同。

起坐室裡除了傢俱以外，有兩樣東西最名貴，一是商周時代的銅爵，擺在一張紅木八仙桌上，一是照管夫人畫的竹子。銅爵的價值是照體重以金子十倍計算，管夫人的竹子是一片葉子一條金子。總之，這家的豪華，使人一進門都感到富貴氣逼人。

「今朝是珊珊的生日，我有幾瓶最名貴的香檳，等一等大家喝幾杯慶祝，好不好？」郝隆昂滿面春風，坐在單人大沙發裡，珊珊在沙發扶手上，如小鳥依人。

「中午不要喝酒吧，下午乾爹不是還有牌局麼？喝多了酒會輸錢的。」杜梅子在郝隆昂的對面表示對乾爹的關切。

「沒有關係，我酒喝的越多，牌和得越大。」郝隆昂打着哈哈。

「乾爹請我喝的香檳酒要多少錢一瓶？我想乾脆折現算了。」尤香眉花眼笑，插了一句嘴。

「妳們倒真是好姊妹，一個比一個刮皮，香檳兩千洋一瓶，不過五十塊美金，折現也弄不好了，尤香那能（這點賞甚麼）格（這樣）小兒科？」郝隆昂一派大爺口吻。

「哎呀，兩千塊錢差不多是我一個禮拜的薪水了……」尤香還在嚼舌。

（未完）

董小宛苦戀冒辟疆

六、喜復相逢恨別離

周遊子

名人情話

冒辟疆「憶語」充滿了「愛情」與「孝思」的矛盾。其實那是事後的美辭，可以說他是愛情成份居多，「急嚴親患難」者幾希？他就在訪圓圓不到的當晚，便和友人僱舟去虎嘐夜遊，可見他的雅興不淺。次日朝廷有使到來，告其嚴親之危已解，不必去襄陽了。於是辟疆便派人去襄陽，自己則返故鄉探母。

在「解維歸里」的舟次，一日見一小橋流水的人家，有一小樓立水邊，倒影水中，相映成趣。辟疆道：「眞是一所美麗的別墅啊！」他詢問了舟子，這是什麼地方，何人所居。同舟的一位友人告訴他，此樓名「雙成館」，乃名姬董小宛隱居之所也。辟疆聞聽之下，不禁心花怒放。我別了她已經三年了，三年的積思，今日又復得解，眞天幸也！不禁狂喜。即刻吩咐舟子停船往訪。友人說：「君此時不可去，伊前不久被豪門所驚擾，所幸得脫虎口，在此病臥隱居，加之伊母又故，悲戚不勝，已閉門謝客久矣。」辟疆那裡肯聽。即刻登岸，隻身前往。走到樓下叩門，久之始有人來開門，進門去了，只見燈火闌如，宛轉登樓，進入臥室，則見藥餌滿几榻，小宛沉聲問傭人道：「是誰來了？」辟疆不待女傭回答，他便搶先答道：「我是昔日於曲欄花下的冒辟疆呀！卿竟忘記我了嗎？」小宛沉默了半晌不答話，好似在回憶一段往事，雙眼珠淚兩行，哀沉地說道：「昔日君屢次來訪，恨只一面；雖然一面之緣，母親常說公子奇秀，必成大器，可託終身。不幸一晤便久違，時已三年。今母已故，見君憶母之言，語猶在耳！君今從何而來？」說罷，便強欲起身，掀開帷帳，注視辟疆。將燈移置几上，延坐榻上，二人依依而談。時間易過，天已至晚。辟疆愛憐並交，不忍於病中久談，便向小宛告辭。小宛攬了辟疆衣襟，懇切挽留道：「儂病已十八天，寢室具廢，沉沉若夢，驚魂不安。今一見君，便感神怡氣主。」旋命女傭置酒留飲。小宛親自進酒，一對情人，飲於榻前，實有一番情趣。辟疆一連告辭再三，小宛苦留再三，辟疆又娓娓如訴的道來，說些什麼情話，下期再說。

從「孟子」看曾子

—曾子研究之二—

‧黃德相‧

孟子受業于子思之門人，而子思是曾門弟子，故孟子爲曾子之三傳弟子。曾子是西元前五〇五年生，孟子則三七一年，相差一百三十四年，一在春秋，一在戰國，但是孟子仍能把先師曾子的生活細節，詳細道來。今孟子七篇內，有八章提到曾子言行。分析於后：

一、出爾反爾

○曾子曰：「戒之戒之，出乎爾者，反乎爾者也。」（梁惠王下）孟子引用曾子的戒律，以奉勸鄒穆公行仁政，徹底革除「上慢而殘下」的政治陋習，方能使民親其上，死其長。

二、曾子守約

○昔者曾子謂子襄曰：「子好勇乎？吾嘗聞大勇於夫子矣。自反而不縮，雖褐寬博，吾不惴焉。自反而縮，雖千萬人，吾往矣。」孟施舍之守氣，又不如曾子之守約也。」（公孫丑上）

三、崇拜恩師

○子夏、子張、子游以有若似聖人，欲以所事孔子事之，彊曾子，曾子曰：「不可，江漢以濯之，秋陽以暴之，皜皜乎，不可尚已。」今也，南蠻鴃（鳥旁）舌之人，非先王之道，子倍子之師而學之，亦異於曾子矣。（滕文公上）

四、事親模範：（共兩則）

○曾子養曾皙，必有酒肉，將徹，必請所與，問有餘，必曰，有。曾皙死，曾元養曾子，必有酒肉，將徹，不請所與，問有餘，曰：亡矣。將以復進也，此所謂養口體者也。若曾子，則可謂養志也。事親若曾子者，可也。（離婁上）

○曾皙嗜羊棗，而曾子不忍食羊棗。公孫丑問曰：膾炙與羊棗，孰美？孟子曰：膾炙哉！公孫丑曰：然則曾子何爲食膾炙，而不食羊棗。曰：膾炙所同也，羊棗所獨也，諱名不諱姓，姓所同也，名所獨也。（盡心下）

五、保身至體

○曾子居武城，有越寇，或曰：寇去盍去諸？曰：無寓人於我室，毀傷其薪木，寇退，則曰：修我牆屋，我將反。寇退，曾子反。左右曰：待先生，如此，其忠且敬也。寇至則先去以爲民望，寇退則反。殆於不可。沈猶行曰：是非汝所知也。昔沈猶有負芻之禍，從先生者七十人，未有與焉。子思居於衛，有齊寇，或曰：寇至，盍去諸？子思曰：如伋去，君誰與守？孟子曰：曾子，子思同道，曾子師也，父兄也，子思臣也，微也，曾子子思易地則皆然。（離婁下）

六、君子所養：

○曾子曰：脅肩諂笑，病於夏畦。子路曰：未同而言，觀其色赧赧然，非由之所知也。（滕文公下）道不同，不相爲謀，若以君子與陽貨之流的小人周旋，側媚強笑，比在夏日耕田更難受。

七、孝親合禮

○曾子曰：「生事之以禮，死葬之以禮，祭之以禮。可謂孝矣。」（滕文公上）本句亦見論語爲政篇：「孟懿子問孝，子曰：無違。樊遲御，子告之曰：孟孫問孝於我，我對曰，無違。樊遲曰：何謂也。子曰：生事之以禮，死葬之以禮，祭之以禮。」這一則是孔子之言，抑是曾子之言，無關宏旨。漢書藝文志云：「論語者，孔子應答弟子，時人及弟子相與言而接聞於夫子之語也。」因此，漢書藝文志將「小道可觀」，蔡邕傳「致遠（恐）則泥」，子夏之言爲孔子。其「孔穎達傳，「以能問於不能」，以曾子之言爲孔子。後漢章帝紀引「博學而篤志」，王充論衡引「死生有命」，以子夏之言爲孔子；北史何妥傳引「仍舊貫，何必改作」，以閔子之言爲孔子；劉知幾史通引「吾日三省吾身」，「昔吾友」，以曾子之言爲孔子；論衡引「紂之不善」，以子貢之言爲孔子。宋書劉延孫傳贊引「事君數，斯疏矣」稱「子曰」，不稱「子游」。

孟子引的曾子曰，亦可云孔子曰。曾子講一句類似本句的話，即「愼終追遠，民德歸厚矣。」

由以上八則論曾子，孟子把先師曾子的戒律、守約、保身、尊師、孝親，當作楷模，用以教學、諷君、辯論，可見曾子思想和作爲，已深深影響後儒。

美國哲學家A. O. Lovejoy 說：「每人擴展他自我的解釋 每人追憶他的生命的 遙遠的過去事件，共同祖先，以及追蹤未來的共同理想，便產生團體或大我。」這和曾子「愼終追遠，民德歸厚」之意相通。

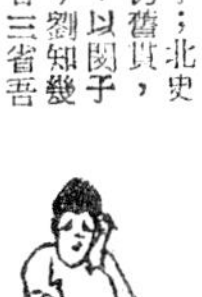

吳敬恆先生年譜（五一）

陳凌海編撰　陳洪枝訂

中國國民黨中央常務委員會召開特別會議，討論太平洋戰事發生後，我國應有之方針，並決定正式對日、德、意三國同時宣戰。先生作甲子與世紀對照表一種，說明每一世紀之十甲子，便利人了解。

民國三十一年，壬午（西曆一九四二年）

先生七十八歲

一月，因長沙會戰勝利，美國總統羅斯福稱中國爲世界四大強國之一。（即美、英、蘇、中）二月四日，先生應中央銀行之邀，在新生活運動會演講：「戰時生產建設」。聽衆先時到達者逾千，在先生演講一小時內聽衆意志高昂，足證講題針對當時需要，而符合聽衆之心理也。三月，社會教育運動週，先生應邀播講：「國語教育——注重注音符號」。四月，江蘇旅渝同鄉會致祭江蘇烈士，由先生主祭。六月，陳獨秀（仲甫）逝世於四川江津。先生輓之曰：「思想極高明，對社會有功，於祖宗負罪，且與前哲孤尋直筆；政治大失敗，赤美西若輩，留棘（人腳）口加斯，終輸阿Ｑ能跳樑。」八月一日，中國工程師學會第十屆聯合年會，在蘭州市抗建堂舉行，先生與鈕永建（惕生）、顧毓琇（一樵）、葉秀峯、沈百先、錢其琛、徐恩曾、陳海澄、胡鎮銚（博淵）、劉鴻生、王樹芳等二十四人由渝乘專機前往參加，並演講。先生仍被推爲中國工程師學會名譽會長。會後，偕鈕永建、胡鐵先（金旁）等考察西北各地，察勘玉門油礦。觀察哈薩克與蒙古人生活之異同，以及參觀敦煌石室壁畫。鈕永建續赴新疆，先生未去。歷時凡二月始乘西北公路車返渝。途中並遊秦嶺、劍閣、天水伏羲廟。過成都，遊覽武侯廟、薛濤井、嘉定、峨嵋勝跡。返渝後出席中樞紀念週報告考察見聞。先生強調，建設西北，首重鐵道建設，然後開發資源，將來必可成爲美國加利福尼亞州第二，蓋以其地理形勢，頗多相似也。十一月，先生對國民參政會中國民黨黨員參政員訓話，以四大主義爲勗勉。所謂四大主義：一是做大事；二是做大官；三是做大炮；四是做大瓜。做大事是指立德立功，救國救民。做大官是要負責苦幹，不發大財，不造大洋樓，不吃大魚大肉的好官。做大炮就是放大炮，是說對政治上之得失，要毫無忌諱之評議，以求設施日益合理化，現代化。做大瓜即是傻瓜，做不爭權奪利之大瓜。若能作到，我國之政治自然上軌而突飛猛進。十二月，參加中國國民黨第五屆十中全會。先生提：「從速培養本黨理論人才，擴大主義宣傳」案。

民國三十二年，癸未（西曆一九四三年）

先生七十九歲

一月十一日，中美、中英簽訂平等新約，先生發表談話，略謂：世界永久和平基礎已奠立，中國必須從速完成現代化。三月，蔡元培（孑民）逝世三週年，先生撰文以美爲教育主旨以紀念之。先生之法書，爲海內外所欽仰，尤其先生所書之小篆，可謂近代第一人。平素仰慕先生法書而往求者接踵繼至，頗使先生難以使人皆得如願以償爲苦。於是張道藩、章桐（警秋）等六人於七月十六日發起，爲先生訂鬻書潤例，以減少索書者之數量。應蔣委員長中正約，在重慶對岸之黃山小住數日。先生在黃山時，與陳布雷（畏壘）同宅而居，寓前有「鶴歸來亭」，涼風微拂，確爲暑間納涼勝地。先生返寓後，以鬻書潤例法幣三萬元，在「斗室」外增建「仿鶴亭」一間，作爲接見親友及揮毫之用。八月一日，國民政府主席林森（子超）逝世，先生撰聯：「繼國父之受終民主以合百揆；喪先生而築室獨居亦逮三年。」外界傳言，先生將繼國民政府主席，先生爲文否認之。其原文如下：「言乎公，小人忝竊大名，必使世界譁笑。愛國豈可辱國？言乎私，犂牛忽披文繡，定將餘年犧牲。

「托福考試」與「學位主義」

‧吳森‧

超鈞老師：謝謝十一月廿八來書，更謝謝萬有弟迅速辦妥各事，日後可能還要勞煩 老師

生翻閱托福書，頗爲驚訝，此左道旁門（引萬有弟來書）之術，簡直白費學子時光，生在美教學凡六年矣，而將有六篇論文在美國第一流雜誌發表，但坦白講句，如要生參加托福試，幾乎可以預料「名落孫山」或甚至「全軍盡墨」。生將之出示美國友人，彼等長于英國語言之學，且飽受高等教育，亦謂無把握考得合格，但爲求能入學計，白費時光亦無可如何也。

耶誕後一日赴華盛頓開哲學會，上月九日在芝加哥教育哲學會年會宣讀一文（Two Academic Dogmas in American Higher Education）批評「學位主義」及對出版過份着重之流弊。（生忘記是否已將此文寫上吾師，現另檢寄一份，海郵寄上）。聽衆不獨大讚，且謂此文令彼等從迷夢中驚醒也。

餘不多敘　敬請

得安

生吳森上十二月二十二日

大學人讀

戴傳賢致潘公展函

（民國二十四年四月於溫故齋）

‧鴻雁‧

孝經標明孝爲德本，教所由生，大學以格致誠正修齊治平，說明修德之法，而惟精惟一，允執厥中之教，則是五千年一貫之治平大道。我 總理復興國民文化，建立中華民國，其精神所在，亦復如斯。是以自信其爲繼承堯舜禹湯文武周孔之一貫大道者，實全國國民所應共信之眞實不虛者也。蔣先生二十五年以來，以畢生精力，於事功則統一民國，削平叛亂；於德行則克己復禮，教學不厭不倦，其何以致此哉，生民所最要之孝悌之道爲之本也。傳年將半百，一無所成，愧師友之德，而行之不能盡其性，亦惟有時時反省努力而已。承以言行見詢，賢昔年之文字，流落人間者多矣，今而後知古聖賢之不可及，吾黨師友之不可不學也，每憶及舊作，豈獨汗浹而已哉。至若賢之學力經歷，既無關乎大體，亦不足爲衆人道，天如假我以年，再努力二十年，或有以慰同志，而報衆友者，恕不覆也。

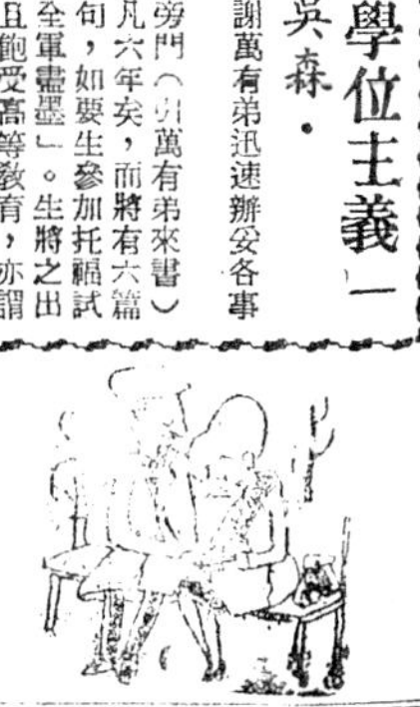

戴傳賢致葉楚傖函

（民國二十四年三月）

交來洪先生大著，大畧讀了，覺得此書有刊行必要，惟其中字眼，總宜細細校過。如第十頁建立吐蕃大帝國云云，此大帝二字，本不足奇，近人已經用慣，然而似不好隨便使用，不如稱之爲統一王國，或鞏固的王國之爲佳。事實上吐蕃雖強，彼亦究不能與中國比也。又如謂元明之故智，利用宗教羈縻其衆云云，輕輕十二個字，然而把中國歷史上的事實和用心說壞了些。宗教不是可利用的，利用宗教者，如白蓮教紅燈教便是，元明兩代之與西藏，其關係不止此也。又如記文金兩公主下嫁太畧，此乃西藏文明結成一個系統的來源，似不宜輕輕看過。如不嫌棄當爲寫一篇序言，惟近來目力太差，寫小楷竟不成字耳。

巨變歷險記！

與林彪第一次會談！ 廿八

胡慶蓉

明早，也就是民國卅八年一月十三日的早上，五代表早早就起來等待林彪的前來。林彪同五代表見面就在住的地方。傳來的消息：林彪本人自己前來，請五代表在家等候。

七點五十分的時候，林彪就到了，帶的一共有六個人。進到屋裡來的，除林彪本人而外，還有劉亞樓。其他四個人，全都停在大門外。林彪、劉亞樓，很親熱的同各代表一一握手。林彪的個子，沒有劉亞樓高。林彪，書生型；劉亞樓，倒有點武人味。林，斯斯文文，有不動聲色的樣子。從他面上，很少看見有什麼表情，而劉則不然，人很活潑，有說有笑。

談話的地方，就在代表睡的大坑上。林彪、劉亞樓盤腿坐在靠牆的一邊，而五代表，都坐在對面；第一個是丁代表，其次是楊，其次是唐……。大家隨便坐着談，沒有什麼儀式。剛剛坐下來，忽聽號啕大作。哭的是那麼傷心，哭聲感動得大家都流下淚來，泣不成聲……。不惟其他四位代表，有手足無措之感，林彪劉亞樓也不知道怎樣才好。他們兩位急忙在勸，請止哭。不勸倒還罷了，越勸，楊代表越哭，而且哭聲越大。楊代表，身體肥胖，調門、嗓門都高。且嗓音沙啞，有麒麟童的聲音然。但麒麟童的調兒，也有人喜歡的。在吳漢殺妻，在追韓信兩劇，都很耐聽。楊代表的哭聲，並不是假哭，而是眞正的哭，從心坎裡發出來的哀哭。他忽然有這一手精彩的表演，很令其他四位代表驚奇。這倒不是語驚四座，而是哭驚四座。大家只有勸。越勸越哭，越哭越勸，這樣差不多有半個鐘頭。楊代表終於說話了。楊代表哭哭啼啼，若斷若續的說：「……天津……四百五十萬……市民，太……太……可……可憐……太……可憐……啦……太可……」。林彪、劉亞樓，對天津四百五十萬市民的處境，也都非常同情。他們並且說：這都是戰爭的結果——這也是沒方法可以避免的。他問代表有什麼高見？還是楊代表接着說：「擬請……司令員……撤離天津……何如？……」林彪還是很斯文的答復：「這倒不是我林彪野戰軍的問題，這是天津市本身的問題。要撤離，應該是陳長捷撤離，林偉儔撤離，「國民黨軍」撤離。他們撤離了，天津的問題，也就解決了。我林彪不能撤，我的部隊不能撤！……」

有這樣的一位校長

—剛出茅寮初爲人師的感受—

．李兆麟．

記得在國民學校時候，寫過這樣的作文題目：「我的志願」。那時，我就沒寫着將來要當教員，然而我竟然幹了四三年，將來也許還要繼續下去。難道果眞有所謂「命運」嗎？

我並不是沒有雄心壯志的甘願屈服於命運之下的；但如今我要說，我沒有雄心了，更無壯志了。因爲我發現那只是海市蜃樓，空中樓閣而已，當你到了它的面前時，你會發現什麼也沒有。就像我的理想拿到社會上時，非但變了樣，簡直就沒有理想了。

民國五十三年，我自師大畢業後，教育廳分發我到南部一個大城市的第×中學任教，除了服兵役一年外，如今已三年矣。這三年下來，所給我的感受是失望，辦教育的人也清白不到那裡去。

成功嶺訓練完後，趕到學校辦完報到手續，即接到家兄的來信云：「人生就像舞台，既上了舞台就要演戲，要演得像，不管這角色你高不高興。」是的，我付出了我的熱忱，就像你初次做事一樣，想把這件事作到最好的地步。這一年，校方排給我的課是廿節，當時大部分老師只十八節，我根本就不知有所論「鐘點費」。待到服兵役回來後，有同事告訴我，有人「代」我領了兩節鐘點費，我知道那個人可「代」領呢？既已過去，只怨自己無知。翌年，又排了廿三節，超過三節，可是待要領鐘點費時，校長請我跟一位同事去，說是因爲他預先答應給某個衛生組長六節的鐘點費，如今不夠四堂，要從我們這兒每人拿去兩節；又說，「何況按照規定，你們僅超過一堂。」（按當時技能科最高可排到廿二節，但沒有一個學校如此，大都是廿節，並且看全校老師大多數是幾節爲準，務使每人都一樣，以求勞逸平均。）我當時有點莫名其妙，我想校長，你兼好幾節課，有那麼多鐘點費，你怎麼不也犧牲一點呢？如果你確實沒有辦法，我們當然無話可說。何況那是你答應的，是以我們答他：「只要校長認爲合情合理合法，我沒話講，不過我沒有惡補，沒回扣可拿，根本沒有不法所有的行爲。」我這樣無可亦無不可的習慣出了校長室。事後我知道校長不敢處理我的這份，然而我的話刺到那位同事的黑鍋，所以他答應了。有許多同事說我會「吃虧」。吃虧倒還沒有，不過是不識抬舉罷！翌年，這位同事升爲主科的數學老師。不知是因這件事情，或者送紅包的關係，因爲在民國五十三年，要教主科的時價是五千元到七千元，這麼高的價錢，或多或少應該送一些的，校長不會白與此事有關。但很顯然五六年第二學期將結束的時候，這學校發生一件更絕的事情，有一位林姓數學教員，監考一班女生的學期考，這時，有三個即將畢業的男同學在走廊上吵鬧着，當然這位老師要出來制止，那知這三個學生竟出手就打，於是全校老師都非常氣憤，但校長聞悉此事並無表示，所以我們組成一個小組作爲林老師的後盾，那知我們却受了校長的一頓痛斥，「難道你們要把事情鬧大嗎？又不打到你們身上，這些事由我跟當事人處理，沒關你們的事。」我們當然無意就此罷休，然而我們看到這位老師，好像懾於校長的淫威，何況他要代他處理，因此他也好像有了靠山似的漫不經心了。我們看到這種情形也就將小組解散了。果然，校長神通廣大，非但把這事平息而且還幫這位老師介紹到另一所學校，仍教數學，仍可以惡補。唉！學生可以打老師！這就是尊師重道！這就是尊師重道！

因之，不但我學乖了，全校老師都不再管學生了，萬一太熱心的話，說不定肚子挨了一刀，校長也許還說是活該的呢！這樣子辦教育的校長，還可以與之共事嗎？這樣的學校還可以待下去嗎？

富人列傳（廿五）

三國鉅富糜竺二（下）

周燕謀

陶謙領徐州牧，將這位有財勢的人物羅致入幕，自然是順理成章之事；何況在那戰亂頻仍之世，群雄割據之時，徐州又當四戰之地，打仗和攬政治都是用錢的事。陶謙辟他入幕，獲得了財政及軍用物資上的支持，用糜爲別駕從事。陶謙臨終遺命，將徐州牧拱手讓與劉備，這是劉備一身最走運的一段旅程。劉備有英名，但他只做過平原令和平原相，這一步青雲登上徐州牧的寶座，也是他意料不到之事。劉備是一位人傑，是一個有理想有抱負的人。推讓了再三也不行，此外尚有名士如陳元龍（登），北海孔融，和陳登之父陳珪等，都一致擁護劉備，劉備不得已只好應允。於是糜竺便慧眼識英雄，他認爲劉備是當代人傑，而有關、張、趙幾人的武功，且深相契合。糜竺將其家財、寶物、車服，以及黃金一億斤，錦繡、毡毯等，堆積如山之物，完全獻給了劉備，另外又買了駿馬一萬匹，以充實徐州的戰力。

後來呂布偷了劉備的徐州下邳，將劉備的妻小俘虜，劉備轉戰於海西。於是糜竺又獻了妹妹於劉備，隨從他妹妹過去的奴婢賓客，達二千人之多，眞可謂之一代之鉅富也。糜竺對劉備的供獻，眞可謂無條件的大犧牲。後來，劉備由袁紹處欲西走荊州依劉表，乃派糜竺爲特使，說劉表納劉備，事成之後，拜爲左將軍從事中郎。此時劉備已由劉表爲左將軍了。他一直隨劉備轉戰周旋。劉備定益州，拜糜竺爲安漢將軍，班僅次于諸葛亮的軍師將軍。糜竺爲人雍容敦雅，而幹翮非其所長，故劉備以之高位，而不予統御，乃爲報其最大之貢獻。除了爵位之外，賞賜也特別優寵，無有其比。他的妹妹爲劉備夫人，乃弟糜芳爲南郡太守。後來孫權偷襲荊州，糜芳見事不救，關羽敗亡。糜竺則自己綁縛請罪。劉備仍善加慰勉一番，兄弟罪不相及，劉備厚待之如初。後來以此憂疾病卒。所遺一子糜威，官至虎賁中郎將，威之子照，爲虎騎監。糜竺、糜威、糜照祖孫三代，皆善弓馬，善射御。而糜竺之慧眼識英雄，以全力支持劉備，而成帝業，此亦富人中之不可多得者。

命相與夢話

班超萬里封侯

公陶

班超字仲升，後漢扶風平陵人，爲徐令彪少子，爲人有大志，不拘小節；性孝謹，居家庭執勤苦之勞，不恥役辱；幼有辯才，涉獵史傳。永平五年，其兄班固被召爲校書郎，因此班超隨奉母入洛陽。因家貧爲人書記，以供養其母。因勞苦經年，所獲甚薄。一日投筆於地，不禁長歎道：「大丈夫無他志略，猶當效傅介子，張騫立功異域，以取封侯，安能久事筆硯間乎！」而班超之同事則窃笑之。班超聞之，愀然說道：「小子安知壯士之志哉！」

一日遇一相命者，對班超道：「君當封侯萬里之外」。班超問何以知之？相士答道：「君燕頷虎頸，飛而食肉，此萬里侯相也。」班超疑信參半。後來班超出使匈奴，降服三十六國，封定遠侯。食邑千戶。班超在西域坐鎮三十餘年，後來經幾次上書，思親念鄉，帝感班超之言，乃徵還漢土，至洛陽拜射聲校尉。後以胸疾不治病故，享年七十一歲，復合相士之論，封侯萬里之外。

海國秋深（六）

文自粹

當曹錕賄選告成不久，國父一面以正義申斥，一面吩咐湘軍、贛軍分頭北進，東北、西北，紛紛響應；費了一年，把這賄選的總統拉了下台。他臨行還下個命令，叫吳玉帥到青海督辦屯墾。實際上吳玉帥從海道繞了山東半島半個圈，到上海就溯江西上。趁着齊燮元撫蘇的關係，發了通電，連直系舊部也無一響應的，才不得已上雞公山呆了一個時期。不過比那些在台上拼命括錢，一下台就租界裏託庇享福，倒底有骨氣多了。

三、野哭幾家聞戰伐　夷歌數處起漁樵

話說杭州西湖有所雷峯塔，由來已久，可能比錢鏐王妃祈禱的保俶塔還早些。不過白蛇傳把牠牽連到法海和尚和白蛇鬥法的道上去，說白蛇水淹金山，不惜爲一己私慾危害十萬生靈，就把她封在雷峯塔下，並留下了偈帖：「雷峯塔圮，白蛇再出。」這眞是無巧不成書，十三年八月雷峯塔因爲日漸傾斜，抵不過地心吸力，眞的倒了。考古家還在那古傳裏找到了千多年前的雕鏤佛像和絹寫的經文，白蛇自然沒有誰能看到；但附近男男女女都傳遍了。恰巧九月孫督帥和孟昭月師長帶着雄兵由福建渡仙霞，穿龍游，順着錢塘江，封船下駛。也因爲有位佟廳長事先牽線，使他們兵不血刃，輕易進了雷峯塔下的南宋行都。齊督軍盧香帥求援奉張，奉張渴想他的武力推展到長江流域，這正是千載難逢的良機，就以援盧爲名，派狗肉將軍張宗昌帶着一批雜色隊伍——還包括了部份白俄，浩浩蕩蕩地坐着津浦路的火車南來。

先到南京，接着遁入上海市。

這時洋場十里的紳商洋奴，乃至妓女烟鬼也都怕了，聽說狗肉將軍是有名的粗貨，摧花辣手；白俄流氓也是久餓的饑夫，涂星槎、虞洽老等趕快先下手爲强，來個有備無患，使狗肉將軍等要酒有酒，要肉有肉，賭桌上倚翠偎紅，又少不了伍嘉玉作陪。狗肉將軍是有名的括進不退出的，只許贏錢不許輸，伍嘉玉恰好迎上胃口。先來點本領，使狗肉將軍心驚肉跳；到快要終局時給他一個滿堂紅。狗肉將軍既捧進了大把龍洋，又得常勝的榮譽。幾天以後，眞如水乳交融，沒有一席少得伍嘉玉。而吃、喝、玩、樂，也覺得非此璧人在座不快。四月間，狗肉將軍得令，督軍山東省，這和楊宇霆督蘇，姜登選督皖，雖是奉軍同時下的三著要棋；但楊、姜只能等在徐州，看得見盤，吃不到肉。狗肉將軍却盤踞山東，囊括一省精華，整整二年之久。因爲狗肉將軍離不開伍嘉玉，所以臨去約了伍嘉玉一起到山東，名義是顧問幫辦，實際是吃喝玩樂一切的幫辦。

禪學黃金時代

吳經熊著．吳怡譯

風趣的古佛—趙州（十）

但莫憎愛，洞然明白」。

在某次法會中，趙州曾持異議說：「才有語言，便是一種揀擇，便是爲了求明白，我這老僧不在明白裡，你們要好好的珍惜它，記在心中。」

當時有個和尚反問說：「既然你也不在明白裡，要我們珍惜個什麼？」

趙州回答：「我也不知道」，

對方再問：「你既然不知道，爲什麼又知道自己不在明白裡」？

趙州避開這個問題而說：「請你直接去體會吧」！

於是大家便向他禮拜而退。

那位和尚也許不是個初學者，他想逼老師去說清楚他的哲學觀點，而掉入了老子所謂「不知知病」的陷阱中，但趙州却巧妙的避開了這個問題，他像所有偉大的禪師一樣令學生站在很滑的地面上，使他們不致躲在那些明確的公式的溫床上。當馬祖說：「石頭路滑」時，那也是讚美石頭爲當代偉大的禪師。

然而沒有人比趙州更滑的了，有個和尚問他：「萬法歸於一，而這個一歸向那裏呢」？

（未完）

催眠術研究 廿五

鮑紹洲

三十七、合氣催眠法

合氣催眠法，就是施術人施行合氣術，而令人催眠者。施術前，先請被術人坐於椅上，施術人距離被術人約六尺之地，對被術人暗示說道：「我大聲一吼，你便閉目催眠了」。並且告訴被術人說：「兩眼注視我，作深呼吸。」而施術人直立不動，左手垂直，右手舉置頭上，運氣於下腹，注視被術人，待其精神沉定，視其呼吸，乘其呼氣之機，猛氣大聲一吼；這就是「合氣術」。到這時候，施術人將右手放下垂直。而被術人即閉目催眠。施術人即走近於被術人之前，對其暗示道：「更深催眠」，反復數次道之，被術人即應暗示而催眠了。

施行這種催眠術法子，必先自練呼吸的方法，如果習練不久，其聲音便不能震驚被術人的腦際，無從感應。所以呼吸法如未得其道，即無催眠之實效。而且「氣合」一術不特得力於催眠法，暗示治療法亦甚見效。此法如果練習得法，可一喝而定其催眠。如一喝而不能催眠，則可連續來四五聲，遇感受性最高者，乃可應聲而眠。

中華民國五十八年三月十九日 THE FREE NEWS 星期三 第一版

自由報

中華民國內政部內版台誌字第〇三一號
中華民國僑務委員會登記證僑新字第三二二號
中國郵政台字第一二八二號執照登記爲第一類新聞紙

（第九四‥期）

（半週刊每星期三、六出版）
每份港幣壹角・台灣零售價新台幣式元
社長李鵬運・督印黃行寶
社址：香港九龍彌敦道593—601號
廖創興銀行大廈八樓五座
LIU CHONG HING BUILDING
7th FLOOR FLAT 5
593—601 NATHAN ROAD,
KOWLOON, H.K.
TEL: K303831
電報掛號：7191
承印：景星印刷公司
地址：嘉咸街廿九號地下
台灣總管理處：台北市大同街119號
台灣區直接訂戶 台郵劃撥戶
第五〇五六號張萬有（自由報會計室）
電話：七一四〇三三、五五五三九五
台灣分社：台北市西寧南路110號二樓
電話：三三〇三四六、台郵劃撥戶九二五二號

從展望今年歐洲局勢來討論 復興中華文化的重要性（中）

顧翊羣

（續三月十二日第九二九期一版）

五、歐洲當前之情況

現在可對捷克事件發生後之歐洲情況加以考量，以與一年前之情況相比較：

（一）英國仍在等候經濟奇蹟之降臨，後者雖久已被邀請，但遲遲不肯到來。英國之加入歐洲共同市場，短期間尚不易實現，因雙方均感代價過高而無力担承。又次則有一不易解釋之怪論，亦即是：戴高樂氏去歲十一月所採取保護法郎使不貶值之措施，可能爲使英鎊不再事貶值之主要理由。當時英鎊之遠期交易，已低達每鎊僅値美元二三角四分，而戴氏突堅決拒將法郎貶值。（游資紛紛自法國逃出時，英鎊乃轉危爲安）。有一知名之英國人士詢戴氏云：「外國人士何必繼續不斷的討論英國如破產時其局面將爲如何？英國現在業已破產矣！此種情況向未發生於一種現代的已開發社會之中。我等將向何所作？豈必需待尾掛樹稍（頭對地足朝天）而後已乎？」

（二）法國去歲在經濟上大受打擊，但仍奮鬥不認輸。在春秋兩季之暴風雨中準備金損失約折合三十億美元，其餘四十億美元數額應足以保護法郎使勿再下跌，但須以戴氏之政治基礎不再遭侵蝕爲前提。捷克事件間接的引導去多十一月之貨幣危機，因法國商人之從事巨額貨幣購進售出者，甚易受世局變動之影響。蘇俄之軍事行動，在五六月間學潮工潮甫經恢復時期之後，而重行引起不安之感。投機者直至最近爲止獲利有限，但巨額資金之自法國流往西德及瑞士者亦尚未「回籠」，就中大都分最後進入美國，而將美股票市場抬高。法國國內通貨膨脹情形嚴重，薪水階級受盡剝削，學生與工人仍可能有示威表現。然戴氏爲一不會屈伏而將法郎貶值之人。伊寧奮鬥到底，雖至船海沉底時大炮仍當放射不停而人船並亡也。

（三）西德爲歐洲最富足之經濟社會，但德人既不忘紅軍之近在咫尺，又不願如過去之無條件的信賴美國確保西歐安全之承担，當各國中央銀行要人於去歲十一月會商阻止通貨危機時德國實際上採取獨立的姿態。其經濟部長與財政部長率直的拒絕將馬克價値提高，而給予美英法三國以自第二次大戰以來所未曾有之冷淡答復。德國已厭倦多黨聯合內閣，亟願有一以德國爲重而肯負責任之人，有如過去之阿特勞氏。近有一雜誌測驗公衆所喜之無權而位尊之總統人選時，以威廉皇帝之孫得票最多。至總理一席則以財政部長斯特勞氏較得人望，惜其巴佛利亞州之政治背景，難免引起反對之聲浪耳。如美國去秋同意簽訂禁止擴大核子武器公約，德國當時或可亦應允參加；但今年縱美國願簽字於此公約，德國恐未必亦肯贊成追隨。蓋德國之大選將於本年九月舉行，故此公約行將成爲政治競賽中之一「足球」也。

（四）義大利在經濟上情況相對的良好，（義幣平價可能係屬過低而需改高），但在政治方面則局面甚不安定，前途頗有隱憂。

（五）歐洲共同市場現在消沉狀況中，需俟法國恢復均衡後方可有起色。

（六）北大西洋公約各國於去歲十一月所召開之部長會議，乃係因捷克事件爆起後而提前一月召開者。據英國某方面所指出，此會遂限於「公共關係（門面）之性質」，蓋美國方青年對該公約無認識，開會所以表示要人等之忙碌也。茲公約之將來實有待於美國對歐政策之重行厘定Re DEFINITION。尼克森總統大體上似有意將公約强化，以及法德兩國增進聯繫，但此實非易事。吉辛格氏不贊成玩弄「手法DIMMICKRY」，且反對具爭辯性的「多層部隊MULTILATERAL FORCE」之建議而將之完全擱置。吉氏傾向於步武前任策畧，與歐洲逐件覓求解決（例如有關原子能的事件），而不主推動時機未成熟之將歐洲政治型作超越國際性之新組織化。

六、蘇俄豈將在南國進行越南式之游擊戰爭？

華沙公約在蘇俄繼續其中央集權管制前提之下，實爲一應被重視的武力工具，經過捷克事變之後其軍事力量較前更大。南斯拉夫隨時可被攻擊。北方俄軍可經由匈國南下，東方俄軍布軍可開進馬其頓尼亞，而南國都城易被佔領。南軍際此時當退入山區，以從事游擊戰，而盼望雖能實現之事出現，例如美國自空中投送補給之類，不問南國是否將繼古巴之後而引起美蘇兩强在地中海之鬥法，蘇俄勢將難免在南國遭遇到越南式的戰爭，而此乃方是眞正的民族解放戰爭，足使赫魯雪夫理論遭受自食其果之報應的。

羅國對美態度尚佳，主政者壽氏於尼克森氏前歲訪羅時招待頗週，而波蘭當局則拒絕尼氏入境之簽證。故壽氏等有理由譏笑波蘭當局之缺乏智見。壽氏等認尼氏應能設法結束越戰，同時伊等亦知如俄軍開入羅國時美國勢難爲力。壽氏於俄國駐羅大使在捷克事件發生而來謁之後，則對俄批評之聲浪抑壓下去，並曾勸告捷克當局應尊重其被迫與蘇俄簽訂之條款，而將之實行。此後俄人勢將繼續對羅施用種種壓力，甚至要求春間在羅境舉行華沙公約之軍事演習。

七、美蘇未來之談判，以及「中共之魔夢」

過去共產諸國團結力已形薄弱，近一年來更趨惡化。本年五月間所召開之國際共產黨員大會，將表現一種不會高於去秋美國民主黨在芝加哥城所召開大會之精神。中共俄共之分裂無望復合。法義兩國共黨因沾染上小資產氣息而偏袒捷克方面。阿爾巴尼亞與其支持者中共相距過遠。對此種四分五裂之共產運動而欲恢復中央管制恐非當前的乃至未來的蘇共領袖之能力所能做到，而祗有借助於紅軍的武力以重施史大林的軍事獨裁，方可將之實現。捷克事件足以證明伊等尚不知如何應付的。各國共黨之傾向於發展其各個民族之利益者。兩年以前在若干例如布匈等國之頗有希望的「自由化LIBERALIZATION」趨勢，現在業已名存實亡了。

歐洲東西方的武力均勢因捷克事件而失調，大批俄軍進入較一年前遠在西邊之駐在區。但此舉尙較輕於卅年前慕尼克協定將捷克前途毀滅所引起西歐之混亂。當前眞正的混亂乃係在共產世界本身之內。蘇俄因軍事行動而政治上付出極大的代價。俄共對此點似已有領悟，而於無法覓到可以替代當前的捷克政府之後，給予世人以對下一步驟之舉棋不定之印像。

於茲應注意者乃是：俄共仍然保留與美國相互交談之途徑，而建議開始談判雙方減少原子武器；且美國亦不反對直接與蘇聯開判。例如雖在大選進行時，美國仍不顧甚多次歐洲人士之失望，而對去歲八月之捷克事件祗表示輕度的官方之不滿。詹森總統於蘇俄大使至白宮報告茲事件時，尚與之舉杯飲酒交談。波爾氏在聯合國會議席上之講演，爲唯一之美國的良心之公開的表示。而詹森氏（據報稱）有關召集另一高層會議之試探（正在俄軍進捷克之後），無疑的曾促使波爾氏辭去其駐聯合國大使之職務。吾人無法否認之事實，爲白宮與克寧宮之間之直接電話繼續被使用，而在一種非軟硬之膠戰中，此種事態足以證實法國史學家茵柯氏所提出之一種理論。

茵氏理論係足令人煩惱的，特別迫驗威爾遜氏理想者爲之不歡。在他著作「美國帝國論 AMERICAN EMPIRE」書中茵氏迴溯而令人憶及「西方沒落」一書之作者斯賓格勒氏。茵氏主論點乃是：美俄兩國之實力既遠在其他一切國家之上，則防原子戰的主要任務必須由兩國担承。茵氏謂歐洲國家當然可能對此不滿，但歐洲實力既已在兩次大戰中消耗，且英法兩國十二年前之蘇彝士軍事行動之失敗足以證實此等國家在全球事務上之無力量。他的論理係「法蘭西式的邏輯Gallic Logic」，即是：如果一種歷程係無可避免的，則此歷程必有其價值。

尼克森總統在競選時似曾承認未來之四至八年爲美蘇交涉期而非對抗時期。尼氏曾提及擬與蘇俄舉行經常而不定期之最高會談。此種雙邊外交之進行定必引起法國德國等之疑夢，而懷疑歐洲可能被出售。同時中共政權亦可能同樣感到魘夢而不安。

中共雖有原子彈，但尚非一種超級國家，且或永不能成爲一强國。中共在亞洲之生存有賴於美俄兩强之持久的對立。有關越南戰事之宣傳，曾繼續反映對全球的美俄協調之畏懼。因之在美國大選決定總統人選之後，北平方面曾有暗示，謂中美兩國共存乃是並非不可能的。與此同時的，尼克森總統之公開的宣言中關於高層之主張，係與茵恩柯氏歷史理論相符合。美國新政府甚有可能將遠在一八三零年前法國學者之有關美俄兩國的預言加以證實。當時託克維勒氏在其「民主政治在美國」中，曾寫有如下之文字：「俄國與美國出發點不同，所經過路途亦異；然上天意似曾安排使此兩國中之每一國家來決定一半地球上人類之運命。」

昨日與明日

尼克森訪歐

・易僑・

歐洲的多數評論家都認爲尼克森的歐洲八天訪問是一項成功之舉。

直到詹森卸任前夕、歐洲與美國的關係一直處於低潮。其外纖因素不外：（一）法國戴高樂基於個人英雄主義，妄想建立大法蘭西主義，一意孤行，脫離了西方陣營。（二）歐洲的金融幣制所發生的危機，使歐洲各國之間以及美國的關係變成不愉快。尼克森在接任之初，曾引起世界各國懷疑孤立主義在美國復活的可能。現在尼克森訪問歐洲與歐洲各國元首晤談，至少是建立良好新關係的切要之舉。從當前國際客觀現勢來看，歐亞同等重要。尼克森訪歐應是美國政畧通盤籌劃的第一步，而絕無「重歐輕亞」之意。

蘇俄爲何威脅柏林空運？

蘇俄爲了打擊西德預定於五日在柏林舉行的西德總統選舉，除了嚇使東德關閉西柏林至西德的主要公路通道，更揚言威脅空運。西德總理凱辛吉和美，英、法三個西方盟國，已決定「採取必要的預防措施，以應付柏林危機的任何可能演變。」這是本年度最令矚目的東西冷戰局面，也是尼克森就任後，首次嚴酷的考驗。

西德和美，英，法步調取得一致，可以預料者，最後蘇俄的態度必將軟化。而西歐盟國共同採取堅定措施，與其說是西德總理凱辛吉外交的成功，毋寧可以認爲尼克森訪歐的一項體具收穫。如果美國對蘇俄威脅柏林事件，持觀望態度，將演變至何種情況是頗難預料的。照目前種種迹象顯示，尼克森對付共產黨的經驗，似較前任爲强。蘇俄若想冷戰佔便宜，恐怕不太容易。

戴高樂的方向

尼克森在巴黎宣佈，戴高樂將軍於明年一月或二月訪問華盛頓。由此可見美法關係已獲顯著改進。

西歐各國由於彼此的利害互有衝突，關係複雜而微妙。戴高樂是一關鍵人物，他在西歐的戰畧地位有舉足輕重之勢。尼克森如能爭取到戴高樂的合作，對於解決爭端自有裨益。今後戴高樂的行動方向，如無意外變化，他重回西方陣營，與美國，英國，西德站在一起，以對抗蘇俄是必然的趨勢。

自由談

毛酋的死訊

鳳五先生

最近據莫斯科發出消息，毛酋澤東已在北平死亡了。他害的病症老早就有外國記者在北平目擊其情，有所報導身體擁腫而隨時發抖，步履維難，需人扶持，說話亦感困難，這種病在醫學上的專門名詞叫作Parkingaon，屬於神經系的症候。凡是害這種病的人，時而昏迷不省人事；時而精神亢奮胡行妄爲。希特勒，史大林的晚年，都是以此項疾病而死去的。所以，俄共宣稱毛酋業已不在人世，很有可能，世人不能認爲這是俄共的詛咒心理表現也。

毛酋如果眞的「瓜直」了，大陸上的情況當然會發生變化的，如共黨內部爭奪領導權，如共酋們的派系鬥爭——特別是親俄與反俄之爭——等類鬧劇，一定逐幕表演出來，不成問題。假使共軍不發生分裂火併情形，共黨的僞政權就不會馬上垮台。因爲大陸上的一般民衆手無寸鐵，設法揭竿而起，陳勝吳廣雖然不少，却不容易遽徒手以推翻暴秦，時代不同了。

近十年來，由於毛酋害着痼疾，大陸上鬧得天翻地覆，雞犬不寧，祗要膺受一下外處力量的打擊，毛共僞政權便告崩潰無疑。這責任，中華民國政府義不容辭，而且早有準備。可是，自命爲自由世界救主的美國當局，藉口中美安全互助協定，始終不贊同我軍反攻大陸，吊民伐罪。初則寄望於毛共的第二代對外改取和平政策，可與「美帝」妥協，繼又幻想俄毛由反目而決裂火併，美國可以袖手坐收漁人之利。因此，毛酋乃敢於左手反抗「蘇修」，右手攻擊「美帝」，又在內部實施奪權的惡作劇，滿不在乎。

美國的政治人物根本不瞭解共產主義的本質是怎末回事，英國人害怕再有戰爭促成「大英國協」整個解體，千方百計的要使美國實力集中保護歐洲一隅。於是乎，美英的政客們乃造出許多口實來阻礙中華民國政府的討毛救國行動，處處加以牽制脅迫，內心上就是不願意中國統一復興，而漠視世界人類日益陷於奴役生活中，但求美英能夠苟安足矣。

我敢說：亡自由世界者，非共產主義也，乃三數自由世界的强權主義也！

中央公職人員遞補問題 行政院不尊重質詢

八八立委連署責難

希望遵照憲法依法補選

（本報記者張健生台北航訊）由於行政院不尊重立法院委員的質詢，因而引起立法委員們的不滿，致發生八十八位立委聯署提出質詢的事件。

青黨年籍立法委員李公權於二月廿五日在立法院本屆會期首次會議上口頭質詢：中央公職人員遞補的問題，當時嚴院長並未答復。到了二月廿八日，立法院第四十三會期第二次會議時，立法委員黃哲眞、李公權、梁朝威、齊世英、梁肅戎、程烈等八十八人就中央公職人員遞補問題共同提出書面質詢：政府今年將辦中央公職人員之增選補選，在增選補選前之一項先決問題，則原有立法委員候補人，依理應先行補缺，若不足時，再行辦理增選補選。

關於立法委員候補人之遞補問題：立法委員李公權首先提出質詢：臨時條款，「授權總統對依憲法選舉產生之中央公職人員，因人口增加或因故出缺，而能增選補選之地區，均得訂頒辦法，增選補選之。」這說明本條款修訂的原意，是增選補選以加強第一屆中央公職人員，即頒辦法時，其內容絕不能與原意相違。近聞政府構想的增選辦法，要將增選的中央公職人員稱爲依據臨時條款產生的，以示與原來依據憲法產生的有所區別，只要將增補選的公職人員，今後仍按時改選。

這個傳聞如果屬實，而又依此傳聞施行的話，李委員認爲要發生若干嚴重惡果：違反臨時條款修訂原意，與原條款相違的辦法，依法（廣義）是無效的。既將中央公職人員分爲兩種：一種是是依憲產生的；一種是依臨時條款產生的，那麼，臨時條款並未定有任期，何以又要依憲法所定任期改選，豈不自相矛盾？如果眞把中央公職人員分爲兩種，前一種是第一屆，後一種最初還可稱爲第一屆，再改選後就必變成爲第二屆，個議會，有兩屆議員混在一起，還像話嗎？我們的三個「國會」，已經貽笑中外，扞格難行。如再來一個「兩代同堂」的「國會」，不知道要亂成甚麼樣子。說得具體一點：傳聞中變質的中央民意機關將是：

（一）大部份是舊人，小部份是新人。

（二）大部份是大陸的，小部份是台灣的。

（三）大部份是光復大陸前不改選的，小部份是任滿後要改選的。

（四）就台灣說，同由台灣選出的，有新舊的不同，改選與不改選不同。

（五）就職責說，在這樣劃分之下，少數增補選的中央公職人員，如何行使他們的職責？

保持憲政體制完整 維護法統尊嚴

立委李公權大聲疾呼

這位青年黨籍的立委批評：這樣構想的增選補選，將不是加強中央民意機關，而是削弱；將不是保持憲政體制的完整，而是分散；將不是維護法統的尊嚴，而是破壞。

至於中央公職人員遞補問題：國大代表迄今仍可遞補，監察委員本無候補人，可說都無問題，唯有立法委員，司法院解釋雖說「在第二屆委員未能依法選出集會與召集以前仍由第一屆立法委員繼續行使職權。」但並未解釋沒有任期，實則行使職權，當然是在任之事。過去，行政院竟引伸爲立法委員「繼續行使職權，并非延長任期，而停止遞補，實已超出執行的範圍。較之國大代表遞補，尤失公平，自臨時條款修訂以後，中央公職人員因故出缺，當要補選，出缺者當然只是第一屆，第一屆既還在出缺，當然在任期中，過去行政院所執之見解，當已因臨時條款的修訂而自然不再存在，既要補選，候補人自當先行遞補，此乃順理成章之事，並不發生錯與不錯的問題，亦沒有個人得失，榮辱與成敗的問題。爲政在通，執法在公，希望大家本天下爲公的精神，放開胸心，早日恢復立法委員的遞補，俾人得其平，事得其宜。

行政院長嚴家淦答復李公權委員質詢時表示，中央公職人員增補選及遞補問題，憲法臨時條款「授權總統」，由總統決定之。嚴院長說：「李委員的意見甚爲週到，當將高見轉達總統。」而行政院「要等候總統根據憲法臨時條款的的授權所作的決定辦理」對立法委員候補人的問題並未答復。

因此，立委黃哲眞、李公權等八十八人復於二月廿八日提出書面質詢，抨擊行政院四十年四月間第一百十四次院會之「本屆立法委員法定任期已於本年五月七日屆滿；此後遇有缺額，自應停止遞補」的決議，係於法無據的一種行政措施。

黃委員等是本着「依法言法」而質詢。「應補即補」各，使地區及職業、婦女各團體均能有其立法委員，來代表該地區及團體，以貢獻智能力於國家，今日政府之將增補選自由地區的國代、立監委員所爲何事？目的在使民意機構更能充份具有代表性，而今大陸告陷，無法選舉，立法院在召集會而各地區或團體有缺無人者，已不在少數，則又何能不予遞補？據聞：四川第五區（瀘縣），廣東第三區（五邑客人），貴州邊區民族，四川婦女，醫師公會等，現均已無立法委員，似此事例實值得攷慮！中華民國憲法載：「主權屬於國民全體；人民有其權利義務，」立法委員所以代表人民行使其立法權，貫徹法治，宏揚憲政，爲國人共同之職責。

台鐵廠長汪兆廷 涉嫌營私舞弊 業已移送法辦

（台中記者吳積平通訊）台灣鐵路局台中鋼樑廠前廠長汪兆廷在任期間與其部屬串通勾結，對外承包工程，從中圖利，包庇及僞報差旅費，包庇工人王世範盜用公家材料，建造私宅，捏造公傷，冒領退休金，浪費公帑至鉅，被人列舉事實，提向鐵路局檢舉，由鐵路局派員調查，詎料事隔多時全無下文，檢舉人甘冒打破金飯碗之慮，再集齊資料，提向監察院，暨司法行政部調查局檢舉，現在已由台中地檢處傳訊偵辦。

據檢舉書指稱：鐵路局台中鋼樑廠工人王世範係汪兆廷廠長任用之私人，於民國四十九年間，盜竊廠內水泥，木材等建築物，建造私宅，經人檢舉，鐵路局派員調查屬實，後經汪兆廷設法庇護，未加追究刑責。復于四十九年八、七水災期間王世範並未參加水災搶救任務，更無因公受傷之事實，竟由汪兆廷廠長，僞造王世範因公翻車受電傷殘，商請鐵路局彰化醫務所出據證明，蒙蔽上級，請准王世範公傷殘廢優厚退休，並依公傷處理方式長期享受俸祿。孫鵬係工場領班，責在領導全班人員之作業，從來未出公差，竟獲汪兆廷之庇蔭，按月虛報公差，且領差旅費。監工張志良，庫守韓淑貞（女）等係汪兆廷廠長安插之私人，長年不需上班工作，不但領取所得薪津，並冒領加班費。此外，另有虛報馬萬田爲該廠臨時工程師，月領工資千餘元。

現在該案既已經由地檢處偵辦，大概不會再被枉法之徒得到逍遙法外吧。

立法委員候補人 爭取遞補頗積極

（本報記者童尚書台北消息）關於台灣區中央級民意代表之增加補選問題，依照臨時條款規定，增補中央公職人員，由總統訂頒辦法實施之。在去年一年中，該項增補選之實施進行情況，雖當騰載於報章，但其內容，類多推想，並非事實；自蔣總統於本年元旦文告中提示本年將在台灣地區實施中央級民意代表增補選後，則引起社會之注意，熱衷競選的人，亦頗多暗中進行爲競選舖路。據悉台北市臨時議會議員中，若干銓審資格不符參加市議員候選者，即預計轉向增補選中央級民意代表之競選，且認現任中央級公職人員係依憲法規定，並無銓審資格之限制，故欲躍躍一試。日以立法委員爲爭取熱門，國大代表爲次。監察委員係由省市議會選舉，競選活動範圍雖狹，惟名額有限，較之普選或更難，故此中預計競選之聲浪暫尚低微。

台灣省議會第四屆二次大會於二月中旬，復舊案重提，籲請省籍國大代表、立法委員、監察委員全部實施改選，以期產生新進份子，並謂中央採納，以符民主精神。此一決議案，顯與臨時條款規定不合，難獲效果。據一般推論，若現任省籍之立監委由政府任命爲適當官員，或可空出缺位，但其本人不願者，則難強制。至國大代表即如任命爲官吏，亦無法解除其代表公職，若省議會有力量能勸說其全體辭職，再由關係方面保證各個人之適當出路，當可達成省議會一貫之願望。若然，省議會究否有此勸說生效力量，關係方面究否能保證爲謀出路，亦頗成問題。再有以候補立法委員爲立場之議論，對前次傳聞中將來增補選出之立監委與國代，係依憲法規定各爲三年至六年之任期，而與現在繼續行使職權的中央級民意代表不同。尤對立委候補人根本難有遞補之機，茲表不滿，二月二十八日立委姜伯彰等八十八人，向行政院建議，趕快將立委候補人，予以遞補，以示公平，俾資增補選方有依據。

據熟悉個中人士談：增補選中央級民意代表係依據臨時條款，其實施辦法由總統訂頒之，自不依照過去選舉法律辦理。

立委候補人雖曾獲各方之同情，但有增補選之規定後，則似難有所補救。至新增補選後之任期，究應如何規定，是否能在此一辦法中，對立委候補人，有所權宜，均在不可知之中。惟據目前跡象台北市第一屆市議員將於九月以後選舉，如將立法委員、國大代表之增補選不能同時舉行，則中央級民意代表之增補選舉，也有人恐將延至更後，明春始可，人預料該項實施辦法將由行政院負責起草，經國家安全會議，呈請總統核定公布。

嚴揆立院施政報告 重點在乎發展經濟

平心而論確有相當內容

（本報記者張健生台北航訊）行政院長嚴家淦說：從今年開始的第五期四年經建計劃將繼續以建立民生主義的經濟制度，促進經濟現代化，維持穩定快速的成長，以及提高國民生活水準等長期經濟發展基本目的，作爲今後努力的準繩。計劃的性質，也是仍和以往各期一樣，提出總體的目標，和各部門的指標，以指出共同和各別致力的方向，並視發展過程的情形，隨時可作修正或調整。

這是嚴院長於二月廿五在立法院第四十三會期首次會議作施政報告時所宣佈的。

立法委員們對嚴院長的施政報告，有兩種批評，一種是公開的「質詢」，一種是私下的議論。成套一委員於嚴院長報告後，當天下午質詢時指「施政報告」，是太平盛世的報告」，對於「厚積戰力」，實現反攻大陸之準備，報告，則付之闕如。

有些立法委員私下議論時說：嚴院長素有「太平宰相」之譽。其「施政報告」係以各部會首長已經在立法院有關委員之報告爲藍本，經加以整理並摘其要者綜合而成爲一篇有系統的「施政報告」，這是獨創「平實」的風格，爲前任所沒有。

據一位不願透露姓名之立委很具體的指出：行政院長施政報告中之「第四期經濟建設四年計劃執行成果」的內容，可以說與經合會秘書長陶聲洋於五十七年十二月四日在立法院經濟委員會第六次會議「報告」的內容相同。陶聲洋的秘書長報告，刊於「立法院公報」今年一月十八日出版的一期。不但如此，台北各報根據新聞局發佈的「特稿」於二月十七日亦刊載類似的消息。例如：

嚴院長施政報告第四期經濟建設四年計劃執行成果，他說：「經濟成長率，按實質國民生產毛額表示，預訂目標爲平均每年增加百分之七，執行結果，四年平均每年增加率爲百分之十點五。去年的國民生產毛額以當年幣值表示達新台幣一千六百六十多億元。」這一施政報告，除其增加四字，修改兩個字，以及中間刪除兩句，並調整一句的文字外，其餘的語句和文字，與兩個半月前陶秘書長的報告完全相同。

平心而論，嚴院長的施政報告，是有相當內容的。例如，政府幾個較重要的公共建設投資計劃，都是有關台灣經濟與社會的發展，如繼續大規模開發電源，在今後四年內，估計投資毛額約需新台幣一百四十億元。如推行區域建設，政府決定把台灣分爲六個區域計劃，那就是：台灣北區，台中區，高雄台南區，新竹苗栗區，嘉義雲林區，台東花蓮區。現在行政院已設立區域建設委員會，負責策劃推動的任務。其次是台北市區鐵路決定採用原地高架；以及進行台灣鐵路南迴與北迴的測量規劃等等。

喬治桑外傳 三

張大萬

午餐的菜儘管是家常便飯，照樣有大閘蟹，時魚，上等的魚翅，海參，郝隆昂最喜歡吃的還是上海菜。

三位小姐陪郝隆昂吃飯，自有穿着制服的傭人開了香檳酒在旁侍候。

「來，珊珊，我敬你一杯，長命百歲。」郝隆昂舉起酒杯喝乾。

「謝謝乾爹，我不能乾杯，隨意好不好？」女孩兒家喝酒總喜歡扭扭捏捏地，唐珊珊也不例外。

「不行，不行，壽婆怎能不喝酒。」杜梅子在旁替老郝打抱不平。

「妳喝半杯好了，珊珊還是小娃，怎能稱爲壽婆？」郝隆昂顯有惜玉憐香之意。

「香檳酒又不是高粱酒，喝個十杯八杯又有甚麼了不起，乾爹總是疼自家女兒，做壽的人不論年紀都要稱公婆的，尤香妳說是不是？」杜梅子顯然堅持要唐珊珊喝乾杯中酒。

尤香笑着點點頭，沒有說話。

「這樣好，我們四個人一起乾。」唐珊珊喝酒算盤很精，想一杯換三杯。

「妳先喝完這杯，我們再敬妳。」杜梅子也不放鬆。

鬧來鬧去，大約有五六分鐘，珊珊才喝完第一杯酒。

唐珊珊喝完了第一杯，杜梅子，尤香接連敬她的酒，她拗不過，竟一連喝了三大杯，面色紅潤起來。

郝隆昂收唐珊珊做乾女兒還不到三個月，正在興頭上，一看見珊珊心裏便癢爬爬地，他在桌上雖無人和他拼酒，自斟自酌，已經喝了七八杯，他一面剝着蟹螯吃得津律有味。

「我上次到歐洲旅行，有一位大亨招待我，喝過一種綠色的酒，裏面放一條鮮然活跳的小魚，我倒是第一次喝，蠻好白相（玩）。」郝隆昂談起歐洲旅行的吃喝故事。

「眞的？那魚是不是也一口吞下？」尤香最好奇，搶先問郝隆昂。

「當然吞下去，一點也不困難，比吞藥片還方便。」

我在畫學會金爵獎中的答詞

◁徐佛觀▷

二月二十三日上午九時，中國畫學會贈送金爵獎給六個人，我也濫竽充數在裏面。當馬壽華先生講完話，發完獎後，受獎者臨時推定我致答詞，這都是照例文章，沒有什麼值得可說的。但二十四日某大報對我在三百人左右面前所致的答詞總括地竄改爲一副「奴才乞憐相」的兩句話，這便使我感到有把當時的答詞，加以紀錄發表的必要。我之所以如此，第一，並不是因爲當時贏得了四次掌聲而認爲自己的話講得有意義，在這種例行講話中不可能講出什麼意義；何況我是一個不會講話的人。更不是因爲報紙不於我們的場而感到心裏難過；因爲做學問，弄藝術的人，生命的延續性，決定於自己的著作和作品，與報紙毫不相干。實存主義的近代開山大師契爾契加爾德，生時是當地報紙經常嘲笑的對象，但進入到二十世紀後。假定當時嘲笑他的人們地下有知，恐怕他們用自己所出的報紙，還遮不住自己的羞恥。何況黃色新聞，是今日許多報紙的衣食父母；雖說稍有品格的人，會和黃色新聞中的脫衣主人，在報紙上爭一日的短長嗎？甚至也不是以報導的是否眞實去批評某大報的新聞道德；因爲今日正是文化復興運動的時代；在被復興的文化的往昔，還不一定有報紙，更有什麼新聞道德？我之所以要把這種照例的講話紀錄出來，是因爲我當時還代表了其他五位藝術家；我個人被誣辱不被誣辱沒有問題，而是怕誣辱了其他的藝術家，乃至誣辱了藝術。

以下是我的原講詞：

馬先生，各位先生，今天承中國畫學會把金爵獎贈給我們六個人，並由七十七歲的齒德俱尊的馬先生親自頒發，這是我們的莫大光榮；本人謹代表受獎者，表示深深地感謝。

就我的了解，中國繪畫，發展到魏晉時代，因受玄學的影響，便漸漸地，以「淡泊」爲其基本的性格。因爲它是淡泊的性格，所以在傅彩方面，由濃麗而漸漸採用「淡彩」，並出現了水墨畫；而在題材上，漸漸以山水爲主要內容。淡泊的性格所代表的精神，是高潔，純潔的精神。因爲它是高潔，純潔的精神，所以當一個人欣賞一幅中國名畫時，便立刻得浮囂於心理狀態中沉靜下來，於不知不覺之中，洗滌了世俗的污染，恢復了人生的本來面目，以助長生命中的生機，得以不斷昇華，向上。如果說藝術是人生的教養，中國繪畫便盡到了人生教養的責任。如果說藝術是人的精神的解放，中國繪畫便眞能使人得到精神的解放。

中國畫學會，是無錢無勢的一個社會性的學術團體；因此，中國畫學會的性格，正如它所代表的學術的性格一樣，是淡泊的性格。畫學會設置金爵，意在對藝術加以提倡。當各位先生決定受獎的對象時，是採用主動地選擇方式。當我聽到我的姓名也被濫竽充數時，使我感到很突然，使我感到很意外。因爲我對於畫學會的各位先生，一方面可以說是仰慕已久；另一方面也可以說是素昧平生。何況我又是一個使人討厭的人。由此可以證明，當各位先生作主動選擇時，無派系之見，無人情之私，無個人利害得失之念。所以由各位先生所流露出來的精神，也正和中國繪畫精神相符合，是一種高潔，純潔的精神。淡泊而高潔，純潔，說明了中國畫學會，是名實相符的一個學術團體。因爲是這樣，所以儘管眞正從事於研究創作的人，雖然不會留心於一時的榮辱毀譽；甚至對一時的榮辱毀譽，感到深深地懷疑。但這一分榮譽，是來自名實相符的學術團體，便有如一個人，雖然不怕寒冷的冬天；但自然而然的更喜愛溫暖的春天。尤其是，我已經老了，卻有機會和幾位年輕的藝術家，站在一起，領受這一份榮譽，好像生命中注入了更多的青春氣息，使我感到年輕了許多，更增加了一番喜悅。更應當表示誠摯的謝意。

董小宛苦戀冒辟疆

七、送君千里終須別

周遊子

名人情話

冒辟疆堅絕苦辭，小宛則執意苦留。辟疆道：「我明日須派人西上去襄陽，問家父平安。若宿卿處，則來不及遣，俟使者去後，再稍停留如何」？小宛道：「君誠孝子，不敢強留」。次日，辟疆遣人赴襄陽之後，再赴「雙成館」晤小宛。到了雙成館，小宛已豔妝立於欄杆，凝待辟疆。小宛一見辟疆來，喜不自勝，急下樓奔向辟疆，投之入懷，二人相抱久之，似若無言勝有言，熱情奔放。辟疆對小宛道：「我特來與卿辭行者，請卿速回，我便登舟啓行」。小宛道：「儂妝已成，隨舟相送君半程，妾心安矣」！辟疆以盛情難却，小宛自行登舟，辟疆阻不忍阻，遂同登舟。由滸關至梁溪，陵陽、陽羨、澄江而抵北固，這一送就送了二十七日，辟疆每日一告小宛請回，小宛不聽，堅絕以身相從，想就此而就辟疆。到了金山，辟疆與小宛雙雙登金山一遊，二人站在山頂眺望江流，好一遍自然景色，抒暢了小宛久抑的情懷。江水東流，滔滔不回，觸動了小宛的感慨，用手指江中流水對辟疆發出內心的誓言道：「儂此一生，如江水之東流，斷不返吳門矣」。小宛是一個不幸的薄命女兒，荳蔻年華便入了樂籍，逢人賣笑，燈紅酒綠，侍客強歡。她過膩了那種沉澱的生活，要尋覓一位理想的終身之託。當然辟疆正是她心目中最理想的良人，她此時已下定了決心，隨辟疆而去。她早打定了主意，藉送行之機登舟不下。

辟疆一聽小宛的誓言，變色堅拒。他對小宛懇切的說：「卿的濃情美意誠感至深矣，爭奈科試在即，加以大人滯危疆，家事委棄，老母定省具違。今日始歸來省親，料理一切。而且卿落籍吳門，脫籍之事亦費周章。卿可暫歸吳門，俟金陵夏試，再相約同赴金陵，秋試完畢，無論登錄與否，始可言卿之事；如在此時纏綿，兩妨無益。」辟疆言之諄諄，小宛聽之茫茫，躊躇不肯去。時有一友同行，對二人道：「我有一法，可解君等的困惑」。辟疆問道：「君有何善法？」「今有六骰，在此一擲，如得全六之巧，君等好事偕矣，如不得巧，亦天命也」。小宛聞言，肅拜天地，心中默祝，祝畢，友人一擲得全六之巧，時舟人皆表驚異。辟疆道：「天成，倉卒亦不成事，欲速不達，仍不如暫去，緩圖大事得偕」。辟疆心意堅如鐵石，最後小宛不禁痛哭失聲而別。辟疆別了小宛，催舟疾行，如釋重負，抵達海寧，便入闈科試，試畢，旋歸家省親。他的大太太對辟疆有一段感人的哀訴。（未完）

從「荀子」看曾子

——曾子研究之三——

·黃德相·

荀子打著仲尼、子弓的旗幟，批評諸子百家，以爲孔子仁智且不蔽，其他的思想家難免「蔽於一曲而闇於大理」。曾門弟子也受到攻擊。「子思唱之，孟軻和之……是則子思孟軻之罪也。（非十二子篇）」在批評十二子之後，荀子意猶未盡，把子張氏、子夏氏、子游氏之賤儒，也一併清算，唯獨對曾子、子弓，則倍加稱讚，給予甚高之評價。荀子有八則提到曾子，正好與孟子一樣。

一、精誠專一。

○曾子曰：「是其庭可以搏鼠，惡能與我歌矣。」言外物誘之，思不精，故不能成歌詠也。（解蔽篇）荀子引曾子之言以證「自古及今，未嘗有兩而能精者也」。

二、孝子之道：共三則

○曾子曰：「孝子言爲可聞，行爲可見。言爲可聞，所以說遠也；行爲可見：所以說近，近者說則親，遠者說則附。親近而附遠，孝子之道也。（大略篇）

○天非私曾、騫孝已而外衆人也。然而曾、騫孝已獨厚於孝之實，而全於孝之名者，何也？以綦於禮義故也。（性惡篇）

○曾子食魚，有餘。曰：「泔之」。門人曰：「泔之傷人，不若奧之。」曾子泣涕曰：「有異心乎哉！」傷其聞之晚也。（大略篇）

三、義利之辨

○曾子病。曾元持足。曾子曰：元志之，吾語汝。夫魚鼈黿鼉，猶以淵爲淺而掘其中。鷹鳶猶以山爲卑而增巢其上。及其得也必以餌。故君子苟能無以利害義，則恥辱亦無由至矣。（法行篇。大戴禮記第五十七曾子疾病大致同也）

四、不怨天，不尤人：共兩則

○曾子曰：同游而不見愛者，吾必不仁也。交而不見敬者，吾必不長也。臨財而不見信者，吾必不信也。三者在身，曷怨人。怨人者窮，怨天者無識。失之己而反諸人。豈不亦迂哉？（法行篇）

○曾子曰：無內人之疏而外人之親。無身不善而怨人。無刑已至而呼天。內人之疏而外人之親，不亦遠乎？身不善而怨人，不亦反乎。刑已至而呼天，不亦晚乎。詩曰：「涓涓源水，不雝不塞，轂已破碎，乃大其輻。」事已敗矣，乃重大息，其云益乎？（法行篇）

五、君子贈言

○曾子行，晏子從於郊，曰：嬰聞之，君子贈人以財，庶人贈人以言，嬰貧無財，請假於君子，贈吾子以言。（大略篇）

其他類似曾子思想言論者有：

一、「博學而日參省乎己，則知明而行無過矣！」（勸學篇）曾子曰：「君子博學而孱守之」（曾子立事，大戴禮記第四十九）曾子曰：「吾日三省吾身……（論語學而）博學，日三省乎己，都是承繼曾子思想。

二、「君子疑則不言，未問則不立。」（大略篇）曾子曰：「君子疑則不言，未問則不言。」（曾子立事同前）曾子荀子都是承繼夫子「多聞闕疑，愼言其餘，則寡尤」（論語爲政）的「闕疑」思想方法。

三、「賜予其宮室，猶用慶賞於國家也；忿怒其臣妾，猶用刑罰於萬民也。（大略篇）曾子曰：「賜與其宮室，亦猶慶賞於國也；忿怒其臣妾，亦猶用刑罰於萬民也。」（曾子立事）孝經云：「治家者不敢於臣妾，而況於妻子乎？」楊 云：「宮室，妻子也。」

四、曾子曰：「上之孝也，以德從命。」（曾子本孝大戴禮記第五十）荀子曰：「孝子所以不從命者有三：從命則親危，不從則親安，孝子不從命乃衷；從命則親辱，不從命則親榮，孝子不從命乃義；從命則禽獸，不從命則修飾，孝子不從命乃敬。故可以從而不從，是不子也。未可以從而從，是不衷也。明於從不從之義而能致恭敬忠信端慤，以愼行之則，可謂大孝矣。」（荀子宥坐篇）荀子發揮曾子「以德從命」之意。

五、「蓬生麻中，不扶而直；白沙在涅，與之俱黑。」（荀子勸學篇僅剩前半句；洪範正義則全句）曾子：「蓬生麻中，不扶自直；白沙在泥，與之皆黑。」（曾子制言，大戴禮記第五十四）

荀子一書，曾子事蹟凡八見，又有五則言論相同，可見荀子是深受曾子言行的影響；他甚重視曾子的「三省」、專一、孝行、禮義、闕疑、不怨天、不尤人、及重環境的思想。

文滙樓別記

從毛樹清說到陳裕清

「台北『文化從旗』創刊到現在，一直都把他人當作「病號」看待」。

文化旗每期執筆的朋友，都能義正詞嚴，不畏權勢，是値得欽佩的。樓主因年邁多病，又兼自掃門前雪的觀念，跟着歲月成長，在家已養成油瓶倒了不扶的鎮靜；但美國，日本及台北有幾種雜誌，包括文化旗在內，仍常買幾本翻翻。

文化旗最近攻擊毛樹清很烈，重點當然是王惕吾，是是非非，樓主不擬涉及，因攻擊毛樹清觸及到一些往事，今列入「別記」扯幾句塡補。民國三十二年毛樹清任職新湖北日報主筆，社長是嚴愼予，毛到重慶欲參加中央日報工作，當時中央宣傳部部長張道藩（宣傳部即今日之中央黨部第四組），毛爲中央日報練習主筆，毛樹清氣壞了，聲明非主筆不就，張指責之，毛要求願與中央日報各主筆共同考試，量才錄用，張問毛：「道藩要不要參加應考。」當時這條花邊新聞不脛而走，傳遍山城。

民國四十四年樓主在國外創辦某大型報，日出六大張，欲邀毛樹清主持筆政，毛因在美事務難馬上結束，乃改聘三民主義文藝健將王平陵。那時中央黨部對這位文化使節曾作盛大歡送，黨的氣氛異常濃厚。可是反給共匪統戰份子離間這家報各股東們的一次好機會，更增加王平陵到職後若干困難。今後有人應邀到國外，希望對僑居地的環境能先寄予注意。

毛樹清者是新聞界中的活躍人物，才思橫溢，風流瀟灑，與現任中央黨部第四組主任陳裕清，因受教於　總裁門下，皆中央政治學校高材生。毛與陳不同者，毛樹清活躍，陳裕清冷靜，毛對時事分析大膽假設，近乎賭博，但常被言中。有位美國朋友史密斯說（亦毛樹清的熟朋友，）蜜司得毛很像華府行鴻運的政論家中，雖然是開玩笑，但可以證明毛在美國人心目中是有份量的。陳裕清穩扎穩打，甚少錯誤。泰國內政部長鑾[illegible]拉普（學人）曾和樓主說：「你們貴國有一位『美國通』陳裕清，閣下認識嗎？他對時事的見解相當正確。」陳立夫，賴璉雖屬毛樹清，陳裕清的師輩，亦欣然承認後來居上。

私生活方面毛樹清比較隨便，陳裕清則非常嚴謹，嚴謹到死讀書，寡言笑。陳的業師俞頌華供職大剛報總編主筆時樓主恰忝在大剛報當總經理，俞對中央政治學校用心讀書的好學生中，念念不忘陳裕清，以證明陳在學術上的成就非偶然也。

毛的才思橫溢風流瀟灑是陳萬所不及的。有一次毛在曼谷邂逅一位名女人，能將次日的赴美行期改變，親到航空公司煞費周章交涉退票。不過名女人自有名女人的一套，毛樹清對這位「左腿坐過陳公博，右腿坐過周佛海」名媛確實着了迷，直到現在仍有餘味，嘖嘖稱讚「是眞名士自風流」，樹清當之無愧。「唯大英雄能本色」這副上聯亦應送給最本色的裕清才對。

·文匯樓主·

吳敬恒先生年譜（五二）

陳凌海編撰　陳洪校訂

惜身不應殺身！復次，燒了灰，還是國民黨，燒了灰，並是無政府主義者，下自委任末級，上至國府主席，凡屬政府官吏，決不爲者，李石曾唱於前，我亦隨其後，以往之歷史可證也。何必亂造謠言！」九月，參加中國國民黨第五屆十一中全會，一致推舉蔣總統爲國民政府主席，先生提議：「請召集中國國民黨第六次全國代表大會。」國慶日蔣主席就任國民政府主席大典，先生代表中央監誓，並致祝詞。又五院院長暨國民政府委員宣誓就職，中央派先生監誓，並分別致訓詞。他以一心一德，實現主義。教育部史地教育會議，先生自始至終均參與討論，對史地教育貢獻特多。爲陳果夫著「醫政漫談」作序。十月三十一日向全國播講，蔣主席中正五十七年的生日。先生旅渝寓所面臨市廛，親友往訪至爲方便，每日不論鴻儒或白丁，常告滿座「斗室」。先生又好客，致終日接待訪客而不暇。某日，送各客去後，深覺終日與訪客閒談，實屬瞎忙，而無意義，特書「說夢既好笑，彈琴更可憐」橫幅懸於齋壁，含意幽默而詼諧。十二月二十日，先生爲李華（潤章）、王文田證婚，並親書賀詞致賀。

（未完）

巨變歷險記！

與林彪第一次會談　廿九

胡慶蓉

五代表要求林彪撤退包圍天津的部隊，林彪那里肯！他還是再三的說，反要陳長捷和林偉儔部隊撤退。並請各位代表同去同陳、林談，同國民黨談。在林彪看起來，這才是天津避免毀滅之道。否則的話，戰事是無可避免的。

對於天津市民要保存天津，不要遭到毀滅，林彪說：他具有同感，他同天津市民的想法是一樣的。天津有這麼長的歷史，也不能一天能建築起來的。他也不願天津遭到破壞，問題在陳長捷讓不讓出來。陳長捷將天津讓出來，自然是沒有問題。陳長捷不讓，這邊的部隊，就只有打。

在林彪看起來，打天津並不是難事，其所以不打，也正是在保存天津，避免天津的毀滅。他談到這裡，畧畧的提高他的聲音，他說這邊也不能是常遠的這樣。這樣的情形，已經快一個月了，他說他從東北到天津，攻打城市，從沒有拖這麼久的時間。他希望五代表深切的瞭解，這個拖的局面是不會太久的，也不能太久。

對於不能再拖，五代表也有這麼一個感覺。五代表總還是要求儘量的再停一停。關於中央已有和平代表準備到「北京」談判，可不可以再等等，等到他們和了以後再講。林彪於此說：天津的事是天津的事，南京北京的事是南京北京的事。他的意思是在說：我不管南京北京如何，我一定要天津，我一定要拿下天津。

於此劉亞樓接着說：還是請各代表趕緊的回去，催促守城部隊撤離吧！這是根本要圖。劉亞樓說罷，還加上哈哈大笑。楊代表眼淚汪汪。他還是要求林彪撤離天津，以保全天津四百五十萬人民的生命財產。其他四位代表，也都隨着楊代表流下淚來。但淚並不能打動林彪等的心。代表們要求再給一次談話的機會，林彪答應了。遂又定在明天，民國三十八年一月十三日的上午再會談。這已經是上午十一點了，照顧代表的勤務，在給代表準備午餐，今天加了一隻雞。但因爲談話沒有具體的結果，代表都有食難下咽之感。

義勇千秋、亘古一人　關公的生前和死後（一）

·經緯·

（一）關公出的前奏曲

關羽是中國歷史上唯一紅人，他不但紅得發紫，更不僅紅極一時，而且一直紅到現在。最近影壇競拍「關羽傳」，要將中國唯一紅人搬上第八藝術的銀幕，大家有志一同的搶拍，鬧成影壇「多包案」，可謂盛極一時。在許多忠勇義烈的羣英中，關羽赫然「超羣絕倫」，由歷史人物，高踞神國的崇高地位，一直扶搖直上，登上「協天上帝」，進入協天宮，成爲一神之下，萬神之上。在人文思想領域中，關羽又被普遍的尊爲「武聖」或「關夫子」，與「文聖」的孔老夫子分庭抗禮。不僅此也，孔子不過被譽爲「萬世師表」；而關羽却被榮譽爲「亘古一人」。而在民間勢力，遠超過孔老夫子之上。關公的廟宇遍天下；家庭香火供奉關夫子者，更是無神可匹。所幸中國是一個多神教的國家，在關公之前的諸神，可說由他之紅巳「退避三舍」，很够「神氣」。否則，他如生在西方，必然會發生一次大大的神權爭奪戰呢！中國人崇尚禮讓，中國的神更是禮讓有加，雖然眼睜睜看到他扶搖直上，由侯、王而「帝」，諸神相形見絀，但無神出而抗爭。這是中國文化的壯闊偉大。所謂「身後是非誰管得」，諸神也只好自歎『神運』不佳罷了。一般人以爲關公之神化，是由於「三國演義」的渲染，這是皮相之見。考察關公之神化，却遠在演義之前，關公畫像，早在五代的趙忠義巳經開始了；神化的記載，早在隋代開始了。何得謂由演義渲染所至？關公如何會神化還是屬於人文思想、民俗文學、宗教學的範疇，本文不宜擴大，還是讓專家去研究吧！

（二）行俠仗義，好打不平

關羽的出生，正史記載簡畧，難快人心，筆者只有求諸於「野史」了。「野史」及傳說，纔有他的出生本末。筆者是鑽研民俗文學的寫作者，我認爲吾國正史記載，太簡畧，民間口碑中，却保存了若干可靠的歷史。爲了不多浪費筆墨，我只好一切從「簡」，像炒冷飯，可以節省篇幅。這碗冷飯是清代一位虔奉關帝的文士，他博採羣書，旁及傳說口碑，撰了一部「關帝聖蹟圖志」，凡十九卷。其中卷八，不但載有關公殺人亡命的游俠故事，並且詳細的考出了關羽的祖考里籍，較一般史乘詳細。把它引來補助正史的不足。所以我要抄冷飯的用意在此。關於關公的出身，「圖誌」說：

聖帝（羽）祖諱審，字向之，號石磐，生于漢帝永元二年庚寅。居解梁常平村寶池里五甲。父諱毅，字道遠。……

漢桓帝延熹三年六月廿四日，有烏龍見于村，旋繞於道遠公之居，遂生聖帝。……氏子生子平。次年末，聖帝二十歲。遂謝父母曰：兒已有後，足奉祖禰。今漢室將燼，盈庭觚稜輻邪，誰爲扶紅日，照人心者。遂詣郡陳時事，不報。歸而止於旅舍，聞鄰人哭甚哀，乃韓守義也，遭郡豪呂熊荼毒。呂黨連七姓，黠狡事瑞蔑職紀。聖帝眦裂髮豎，命守義導至七所，悉斬刈之。聖帝既除豪，意郡守……稔知郡懸必，原義士……遂潛去之。轉行五載，至於涿郡。

催眠術研究　廿六

鮑紹洲

三十八、計數催眠法

計數催眠法，是由施術人高唱數字而使其催眠的一種催眠法。

先令被術人處於安適的位置，令閉雙目，然後施術人對被術人暗示道：「我唱數由一到十，你聽到我數到十數時，則精神困倦而催眠」。於是施術人唱數，由一到十，長聲慢唱，數到九的時候，則暫停止，然後用足丹田之氣，大聲數十，尾聲拖長，自能催眠了。繼而再暗示道：「將深眠了，更深眠了」。如是再三念唱之。於是，可兼用下撫法，則可深眠。如被術人曾習練此法，施術人數至一二三的時候，便告催眠了。此法非有曾經受催眠者，或敏於受感性者不可。所以可兼用他法而後可催眠者。

這種催眠術的原理，是因爲施術人大聲呼數，而令被術人集中其注意力，致使其雜念勿生；且因伺待施術人的喚十時，則被術人即有一強烈之預期作用的結果。再加上施術人精神力的感應，而後致於催眠狀態。這種催眠法，又與自數數字催眠法大同小異。

御廚談藪

京都醬豆

鹹的甜的零食說過十多種了，要是大家吃也吃膩了，那麼就轉口味吧。

京都醬豆是酸甜的，在酒菜上酸甜的有「五柳魚」、「咕嚕肉」。照我來說，京都醬豆却較「五柳魚」更爲好吃。弄好了的京都醬豆，一吃開，總是不能停口，非把它吃清不可，實在做好了也非吃清不可，爲的是「隔宿」後滋味欠佳，在北方現在的天時還可以，在南方便要潮濕。儘管這味東西好吃，但除你自己弄，在市面上是沒有人做來發售的。戰前本港中環的越香村經年有賣，後來越香村給日機炸毀，該店老板全家死在日寇的侵畧戰中，此後京都醬豆便沒有人製售了。

材料：大蠶豆二斤，蘇梅醬一兩半，白糖二兩，生油二斤。

製法：蠶豆浸水二十四小時，取出將衣（皮）撕去上概約三分一，這時蠶豆上白下綠，美麗得很。下沸油中炸四十分鐘左右，泡子少了，豆身輕爽便可撈起，冷却後與蘇梅醬白糖一起拌勻即成。

▲林泉隱▼

禪學黃金時代

吳經熊著·吳怡譯

風趣的古佛——趙州（十一）

他回答說：「我在青州做了一件布衫，重有七斤」。

這簡直是答非所問了。然而這段對話却被後代禪師當作公案去考證初學者。一和多是相即相融的。假如多歸於一，那麼一也歸於多，因此無論任何微不足道的事物，它都佔有了時空，也都會歸於一，和這個一不可分。所以沒有任何東西比他在青州所做的七斤重的布衫具有特殊性了，同時也沒有東西比這個「一」更具有普遍性。在宇宙中任何特殊之物也都離不了這個「一」。

那麼是否趙州把這個一看作道呢？他決不會如此。否則這個道便變成相對之物了。以他的觀點，道是超越了一和多的，這似乎是他的中心思想。甚至當他年輕時，在南泉門下，便體會到道的超越性。有一次他引證南泉所謂「道不離物，離物非道」的話而問：「如何是這個超越的道」？

海國秋深（七）

文自梓

狗肉將軍一生粗魯，相傳還有一點好處，就是懂得民間的孝道。那時他太夫人雖已年老，但因一生刻苦，並不安逸。他接太夫人到任所奉養。她老人家知道兒子的缺點，愛色、愛貨。而且是一見生愛，不管生張熟魏，硬拖硬拉。當時濟南府[illegible]他鬧得雞犬不安。但是如果有人報給太夫人知道，一頓臭罵，狗肉將軍也只好順從爲孝，把到手的細皮白肉再送回去。那時伶界已不是譚叫天，譚鑫培大呂之音，因爲幾位名士的提倡，全着眼於青衣花衫的梅蘭芳的行腔宛轉，作工柔媚，更紅遍了南北。一天狗肉將軍聽得耳癢了，假借爲太夫人祝壽，將他由北平專車請得來，即晚貼演霸王別姬，聽他幾聲：「大王啊！……」已不能自持；及看到擊鼓舞劍，星眼微睨，柳腰輕擺，更覺得比女人們另有一番風味。虞姬自刎剛罷，霸王還沒有到烏江，便叫勤務兵趕快請蘭竹芳到酒席前領賞。因爲太夫人在場，不便過分肉麻，吩咐將酒席美酒移到後面簽押房，蘭竹芳還未卸妝，就給擁抱到簽押房去。一聲下麼，這些陪客當然識趣，只在大廳陪太夫人看戲。蘭竹芳就此二天三夜沒有出來。還是嘉王聰明，知道是某部受了創傷，成大事，告訴太夫人說蘭竹芳在北平很忙，還是派人把他們好好送回去。也好使他們一行人賞了整包賞儀，叫在嘉王送了回去。蘭竹芳因受此辱，革命後誰要狗肉將軍的頭，誰就可以領此巨賞。這是後話了。

那年秋天，吳玉帥東山再起，先到七年前舊部駐地岳州；再以鸞翟南歸的氣概，到武漢，就任所謂討賊聯軍總司令。會計劃是聯絡孫馨帥壓討奉張；只一個月時間，局面又來個一百八十度的轉變，吳玉帥又聯合狗肉將軍壓討馮煥章。馮煥章自知決抵不住，只好一面通電辭職，赴俄參觀；一面暗將他的部屬張之江、宋哲元、劉郁芬等分駐西北各地；[illegible]一面報告國民黨中央，一面就西北結合舊部和新興武力，爲北伐大軍的響應。吳玉帥表面恭敬，晚宴後還留他在行館小住，東來的日，再事詳商。那夜左公感念親切，寫他：

「雲暗關門閒道回，
戎衣黑塵雙催。
何堪野祭還家祭；
不獨人哭亦自哀！
鼙鼓離年空涕淚；
河山四戰一徘徊。
東征大業誰共？
喚得英靈去復來！」

生活漫談

寧波人與黃魚

·馬騰雲·

本草記石首魚，開胃消食，治暴痢腹脹，痢疾最忌油膩生冷，惟白念（魚旁）相宜，因其無脂不膩而能消宿食理腸胃。石首魚是動物學上的學名，因其頭部生着兩顆石狀尤骨，名叫作耳石，食黃花魚時，常常會發現如磁如齒的石粒兩顆，即是黃花魚所獨有的，石首魚因魚色黃如菊，又在菊花開時大量而來，故名黃花魚，簡稱作黃魚。

黃花魚沿海都有出產。北方人吃黃花魚靠黃海渤海區域供給，華中幾省靠舟山羣島區域供給，華南各省靠廣東沿海區域供給，台灣大量的出產，不過有一定的時令。黃花魚成千成萬聯羣結隊湧來，這種現象有專門名詞，叫「尋游汎」。漁人捕捉黃花魚，必須等候此時下手。市上賣的黃花魚有兩種，一種是小黃魚，一種是大黃魚。大與小因品種的不同，並非長得大是大黃魚，或長得小就是小黃魚。小黃魚脊骨是廿九節，大黃魚脊是二十六節，表面上也有很多不同。

黃花魚是溫帶、亞熱帶區域的海味，熱帶如南洋羣島國家並沒有大量出產。黃花魚的吃法，有醋溜黃魚，紅燒黃魚，清蒸黃魚，炸黃魚，京菜館有醋溜黃魚片，這是一般的吃法。用大黃魚加鹽蛋黃同配，佐以生豬油，冬菇，以豬油皮凍做蟹黃，小和饌蟹黃完全一樣。淡水蟹黃在大陸很貴，台灣根本沒有，喜歡吃蟹黃飽的人，不妨一試。

黃魚的藥用價值：黃花魚的魚鰾，含有豐富的蛋白質，滋陰補腸，生津潤肺。寧波產的黃魚，在海味中是很名貴的，滋補功效非常高。黃魚肉如本草所說，開胃消食，治暴痢腹脹。但若干內科病，凡忌食魚腥的，首先忌黃花魚。就一般發用食物來說，凡是魚類都容易發病，如傷風感冒，氣管炎咳嗽等，吃了魚腥以後，病況一定加劇，外科病更立見奇害。有瘡發膿，有移的起塊，皮膚敏感，俗稱作台灣瘡，吃了黃魚後可使瘍的面積擴大，瘍的度數加深，不可不特別注意。

黃花魚以寧波人的吃法最高明，不管是紅燒或者糖醋，他們知道多配冬筍、綠筍尖、木耳、胡椒、蔥薑有具好的藥用價值，香港幾家京菜館賣的一種醋椒魚，先將黃魚煎黃，加薑絲、胡椒熬成白濃汁的湯，奇鮮無比，胡椒成份有種軟骨素，常吃可減少臉上的皺紋，及嫩皮膚等功效。京菜館的醋椒魚後有向寧波吃法急起直追之勢，可是什麼地方產的黃魚，總不能和寧波出產黃魚比。清朝年羹堯將軍駐紮杭州，在杭州喜歡研究吃，他說吃遍了寧波黃魚，遠勝北方所產。康有爲嘉興黃魚豆腐，大概就別出心裁，所謂黃魚儉豆腐，是指此而言。正宗的南海黃魚是以活鯉魚一尾，將肉取出與豆腐混和，佐以配料再裝進魚內，可以糖醋，清蒸，看起是一條魚，吃時則爲荳腐，南海魚在國內爲名菜之一。

自由報

中國郵政台字第一二八二號執照登記為第一類新聞紙

（第九四二期）

（每逢星期三、六出版）

督印黃行寶・社長李運騰

社址：香港九龍彌敦道593—601號 廖創興銀行大廈八樓五座

LIU CHONG HING BUILDING
7th FLOOR FLAT 5
593—601 NATHAN ROAD,
KOWLOON, H.K.
TEL: K303831
電報掛號：7191

承印：景星印刷公司
地址：嘉咸街廿九號地下
台灣總管理處：台北市大同街119號
台灣區直接訂戶　台郵劃撥戶
第五〇五六號張萬有（自由報會計室）
電話：七一四〇三三、五五五三九五
台灣分社：台北市西寧南路110號二樓
電話：三三〇三四六，台郵劃撥戶九二五二號

從展望今年歐洲局勢來討論復興中華文化的重要性（下）

顧翊羣

叁、對法氏與芮氏意見之簡評

以上法氏對歐陸諸國近月來情況之報導，以及在本年內可能發生變化之臆測，甚值得吾人之注意。文中指出蘇俄在捷克軍事行動之不良的後果，乃至今年世界共黨會議之難以達成其團結一致之目標，固足令吾人興奮。然其結論乃是：今後世界當為美俄兩大霸主之抗衡與謀求妥協，以及歐洲諸國及中共政權與美俄間之作分作合刹敵忽友，而認此種狀況即係一百五十年前法國哲人許克維勒預言之實現，則吾人殊不能不表示異議。

法氏之結論係根據當代法國學者芮恩柯氏著作。芮氏在近著「美國帝國論」之前，曾著有「世界之頂」一書，討論西藏在地緣政治上之重要性，與「中國之靈魂」，「印度之靈魂」，以及其一九五七年著「未來之愷撒」等書，以喚醒西方人士，謂其文明（以美國為重心者）正在日益遭受「愷撒主義Caesarism」之威脅。在「未來之愷撒」書中第二十章，芮氏討論「新羅馬時代之黎明」時，即借用英法德義日等列強於第二次大戰後實力喪亡，而美俄兩國乃成為僅存之霸主。伊續論曰：「今日最顯明的事實，為茲世界軍事力量與地緣政治兩方面，適有兩霸權國為旗鼓相當之均衡。就中一國管制地面海權，其中心為『美之陸島』；其另一巨無霸則為橫貫歐亞大陸中心之統治者俄國。此種將全球平分秋色之分割與制衡，係由於一簡單之理由，即是：『海際霸權無法互相吞併，正如踞山之猛虎不受搗海的鯊魚所威脅相同。雙方各擁有衆多之原子彈以及空中力量，而互不相下焉』。

芮氏於引用許氏預言（見上文）之後，續徵引古代希臘波斯羅馬時代東西方角鬥之例證甚多，其大旨頗近於蘇、張、韓非等權力政治之論點，而祇於討論到麥克阿瑟元帥之坐鎮日本，以及古羅馬共和國茹苦樂斯將軍之掃蕩東方亂事時，方有與道德相符合之議論。伊謂麥帥與茹將軍同係懷抱有原則之保守主義者，同反對其本國之帝國主義與功利主義之政策，而努力綏撫當地，求秩序與治安之建立。麥帥遭杜魯門總統之免職，為美國承認東方赤色霸權之開始。茹氏在西亞之取締羅馬資本家、稅吏、及高利貸者，深得當地人民愛戴；迨伊被免職召回羅馬後（紀元前六十七年），密斯利黛特之革命力量遂重行高揚，以致以後羅馬元氣大傷。

吾人認為芮氏之論祇可視為一種具體而微的湯恩比或斯賓格勒等新的著作，而不能與中國太史公或司馬溫公等著作相提並論。在今日科學技術突飛猛進，地球日益縮小，人類思想文化日益加速交流之時代，而信賴共產霸權與自由世界可能維持於長期對峙之冰凍的和平狀況中，恐祇係玄想而已。鐵幕內之傷天害理殘忍冷酷的政治，與其民衆之離心要求自由之呼聲與行動，以及西方世界青年大衆之濫用自由而放蕩形骸，與負實掌權人士之重利輕義舍本逐末之現象，正在齊頭併力的向前競賽，而其進行並不依照一公平之規則；其結果亦將僅為再一次之大災難，而不能引導至千禧祉年。共黨方面深知僅持局面時間過久後，其政權必然崩潰，故急於在自由世界局勢混亂時進行種種侵略破壞之陰謀，且不惜以其武力為後盾。自由世界因懼怕原子戰而畏尾坐失機先，以致實力逐漸被消耗，且其政府中與學府中之「自由主義者」因病諱醫，反堅稱與共黨可和平共存，而日益步向戰國時代之六國，與南北朝時之梁陳。故芮之理論適足供應伊等藉口，以作為西方領導者美國之國策指標。此誠為不幸之事，吾人所不得不明白指出者也。

更有進者，依照中西歷史三角或多邊之權力集團共存形態，通常較直線兩端之力量易於維持均衡。當前中共之與蘇俄分裂，以及義大利加拿大等國之故意的與美國對華政策發生歧見，似可解釋為此種政權等對「美蘇主宰世界論」之一種反感。美國在二次大戰來皆全世界之道義的武力的與經濟的力量之領袖，經過多年來玩弄權力政治而失敗之經驗，其道義的聲望與武力財力均遜於前，至今日已發達內外交謫力不從心之艱局。其唯一之希望，端在反共有經驗，而做人有原則之尼克森新總統之將局面轉危為安。此後尼氏任內短短數年，將為決定人類前途之重大關鍵。武力與政治經濟因素固屬重要，但道義的立場實為更基本的前提。

吾人認為蘇俄今日並未能避免種種危機之出現。蘇俄立國逾五十年，而某種黑市尙仍然存在，民衆購買若干消費品時仍需排班等候。重要物資等如石油等已供不敷求。蘇俄於將海軍急激的擴充後，竟儼然視地中海為其內海，並準備於蘇彝士河交通恢復後，向紅海暨波斯灣石油區覓進展，即因其缺乏動力資源，而不得不挺而走險。故蘇俄已逐漸自大陸國轉而擴大其海上權力，並不肯如芮氏所論僅以陸上之猛虎自居也。俄共與中共實同係濫用民力以對外從事侵略者。與此等政權談和平，豈非「與虎謀皮」乎？

西方諸國對蘇俄（與中共）政權愈表示親善與愈求其諒解合作，則愈使共產國內痛恨暴政之廣大民衆，對此種西方偽善者之姿態感覺痛心與失望，而有助於暴政之不必要的延長。從此觀點而言，捷克當前主政者以及其民衆與青年等之勇敢的表現，實可與吾國秦末陳勝吳廣等起義兵之精神相比美。法氏之報導，紐約時報之社論，以及參議員傅伯萊等之主張，僅從軍事政治經濟外表立論，不能與吾國古代辛有，王孫滿，吳季札等人之觀察入微能見其大之議論相比。

肆、當前時會中的自由中國之重大任務

茲請對自由中國在當前時會所應盡之任務，略陳鄙見。吾國之基本國策為收復大陸重建中華。際此蘇俄遭受捷克事件之頓挫，毛共在大陸亦處處遇到嚴重抵抗時，自當一本初衷，務力求既定國策之早日貫徹。法氏文中所述美國政策之行將由重亞而轉為重歐，以及與毛共之謀求接觸，並不一定即對我國不利。蓋美國如在歐增強力量，則勢必由於俄共之新的企圖（例如對南羅等國之威脅）；後者可能使國際共黨更趨於分裂。且克林宮內部並不穩定，美國專家阿索普氏近曾指出其掌權者可能藉口於週前太空人遊行時之暗殺企圖，而重興史大林式之內部淸黨大獄。凡此種種均將與越和談相似，祇有增加自由世界與共黨國家相互間之糾纏與困擾，而絕不能達到任何問題之圓滿的或澈底的解決。吾人所必需具有之正確認識，即是：在西方列強對共產國家進行權力政治之讓步外交時，任何談判將永無結束或成功之望，因繼續談判為擴大西方內部動亂之重要手段，且共黨政權絕對不能亦不願與自由世界共存共榮故也。

復次，當前之世界已有如一位表面上紅光滿面忙碌異常，而實際患有精神分裂並白血球日增至全身漸覺疲勞，有類似癌症之病人。此君既需淸心寡欲檢束其行為，同時亦應對其病症施用刀鍼藥石徐圖復元。但其人則反而自我陶醉謂自身每日每時均在進步發展之中，而不忙於請教醫師。事實上則其人自身之（主管道德的良心）超自我意識Super—ego已漸漸消失，其「潛意識unconsciousness」（借用佛洛依特氏之術語）則任意發展而漸有種種乖僻放浪之表現。

我中華民國國民此時在世界上，實係各國之明禮義知廉恥負責任守紀律之正當人士，共同負起此病人之超自我（良知）的責任，而對潛意識橫行之毛共政權所短期控制之大陸，係進行徹底的治療與改造者。此舉如克成功，則病人之沉疴走向回頭之路，俄國繼之而被治療與改造當為順理成章之事。如我國不能重光大陸再造中華，則遲早此病人將致發狂失血，亦即世界將遭遇極大之災難。芮氏法氏所見到之美俄共同合作控制全球，無異於使超級自我（良知）向潛意識投降而使後者表面化，亦即承認放辟邪侈殺人如麻為合乎道德，其後果非吾人所能想像者也。

更有進者吾人須知近四百年來之人類知識進展，主要的祇係用於探查開採利用大自然之資源方面，而不知愛惜的將之浪費糟蹋並不顧到生態的平衡之建立。過去者為英法等帝國之興起與崩潰，現在則為美蘇之技術與資本在各地與共黨暴力抗衡，總之全球無法補充之資源，正在逐漸減少。此種情形，有類於大觀園中賈氏家族之不知天高地厚，而自貽伊戚。此在古希臘名為「狂妄HUBRIS」，行將遭到女神尼末西斯之「天罰」。廿世紀與歷代末年情形，堪為佐證。芮氏書中第二九四頁有如下之一段議論：「美國資源已不及過去之豐富矣；據一項估計，在一九五五年美國所消耗之原料超出其所自產者百分之十，而在本世紀初年則所自產者較所消耗者多出百分之十五。在一九五七年美國將『世界上無法重新補充之資源world's unrenewable resources』半數消耗，而估計照當時耗用速度推算，屆一九八零年時美國消耗率便將占全世界者百分之八十三。且原子能之應用並對此無補，因其祇係以一種原料換另一種而已」。芮氏續謂在不遠之將來，美國全部鋼鐵業所用之鐵沙，必需來自國外，而其對中東石油與馬來亞錫鑛之依賴亦異常迫切。

最近巴黎快報主編者塞梵許萊柏氏，著「美國的挑戰」一書，詳述美國之「技術革命」在近年進步之情形，而歷叙歐洲若干重要關鍵工業之為美國大企業所掌握，主張從速應用美國管理方法重振歐洲工業，並改組歐洲共同市場而邀約英國合組聯邦以相因應。此書亦係指美國資本之變質，有步向帝國主義之可能，而主張歐洲在經濟上應維持其獨立性的。

（以下轉刊第三版）

昨日與明日

飛機失事

・成公・

台灣地區的客運飛機不斷失事，已使飛行成為談虎色變的事了。民航機在台北近空林口的失事，使得整個民航公司為之瓦解，迄今大家餘悸猶在，而就在這種情形下最近竟接連着至一個多月內飛行又失事四次之多。其中兩次可幸是有驚無險，那是中華公司二月廿八日在花蓮降落小觸和二月十四日遠東公司在南部的擦傷，由於報紙未加刊載，一般人都未注意，甚至還根本不知道此事。至於中華公司東線的失事，和遠東公司在高雄的慘劇，則成了衆人無不傷悼感歎的新聞。尤其遠東公司兩位罹難的空中小姐，都是聲譽素著，大衆熟悉的人物，於是就更引起人們的哀憐，更增加了這飛機失事的悲劇情調。

影響嚴重

台灣的空運業務，較之列強，本不發達，而國內空運，尤其是正在萌芽的階段，現在在如此短暫的期間，受此接二連三的打擊，影響實在太嚴重，不僅許多旅客裹足，將原定乘飛機的計劃取消，改乘火車，而許多隨機服務的人員，心理也感到極不正常，甚至有些空中小姐的家屬和朋友都至勸她們轉業，足見這空中失事的影響有多麼嚴重！

速謀穩定

因此主持空運的部門，應速設法，穩定這種驚惶不安的情緒，使業務恢復正常化，而穩定之道無疑的是要能切實的保證，今後不再會有這些不幸事情發生。為了達到這個目的，不能再信口開河的，把責任諉諸氣流變化，天候失常等因素，而要切實檢討和糾正人為因素，例如外傳這些飛機早已逾齡，機器陳舊失修……究竟有沒有這些事呢？假定有，那又如何補救呢？再者即使說是天候氣流等因素，但科學就是可征服自然控制自然的，我們為何事先不知，事後又不能適應呢……這些問題一定要有個交待，人命關天，不能再糊裏糊塗的續航下去。

自由談

拿人命當作兒戲

馮玉先生

在幾個月之中，台灣境內的民營航空飛機，發生了兩次機毀人亡的慘劇，喪失生命不少。於是乎，有關的行政單位連續發表意見，說是今後一定要加強民航業務的監督管制工作了。這在邏輯和事實上，即表示慘劇未發生之前，是疏於監督管制的，難辭失職之咎吧？

每次慘劇發行後，根據所謂專家們的調查報告，都認為并無「人為」的因素，而是不可抗的天然故障所致，也就是說，那些遇難的人士命該慘死，於人無尤，其然，豈其然歟？

在空中墮毀的飛機，或是陳舊的運輸機改造使用者，或是貪圖便宜，購買別國舊貨翻新的報廢品，這能說是不可抗的意外故障嗎？外國廠派來的專家，他們為要掩飾自己以報廢貨品向外銷售的罪孽，其所鑑定的失事原因，豈堪採信乎？民營航空公司祇顧漁利，但知增加客運班次，而對於飛機的檢查乃漠不關心，拿旅客的生命當作兒戲。迨失事之後，即再三聲明按照國際航空法規，賠償遇難人員的生命損失，企圖用金錢來誘惑人心，藉以減輕自身的責任，可吶亦復惡也！

因此之故，我認為政府眞要嚴切監督管制民航事業的話，首先就應該澈查該公司的資金究有多少？其所擁有的飛機數目和性能是否合格？它的資金是否官僚資本佔多數？該公司的內部組織和人事，有無官商勾結情形？這纔是實際的監督管制之方，否即所謂監督管制云云，依然是官腔話，不會發生實效的。

過去某外商的航機，讓那并非正式駕駛員的外籍旅客胡亂操縱，因而發生慘劇，摔死中國人數十名，咱們的法院竟宣告該肇禍的外籍旅客無罪，可謂咄咄怪事！如今本國的民航機又相繼失事假使再不嚴切究處，仍以所謂專家的鑑定為口實，認為毫無「人為」的因素可言。那末，別人的觀感如何，不得而知，我是期期以為不可，而視本國的民航飛機為棺槨，望望然去之，不敢攖翼矣！

漫談外交及何以義大利將與中共建交

（本報義大利Genova通訊）疏筆已久，幾乎再也不想動它了，但面臨如此重大的問題時，也無顏不盡匹夫之勇，把親身所見所聞，和現在的國際情勢向自由祖國的同胞和新聞界的友人談談了。

國際之間，本來就無道義可言，一切的利益和國際地位，莫非自己的努力而獲取的，對於整個的國際現勢必需防患於未然，也就是說本乎先知而採取一種行動。因為天下的一般事物，目前的現象，必有前因而生後果，如果我們能見微知著，一眼看出，事先巧為防制，善予誘導和利用對方之弱點，則常能趨利避害，建功立業。

今日義大利之所以將與毛共建立交誼的盲目愚行，當然不是一日促成的，就他們這個國家來說，該不會比印度好到那裏去，尤其是人民道德水準之低落與生活習慣的懶散，簡直不能和歐洲大陸上任何一個國家相比；我到過英，法，希臘，瑞士，德國……等地，每當他們提道義大利人時，無不搖頭，無不咒罵的，因為他們懶散，污穢的習慣帶到了任何一個有義國人的角落，娼盜，和欺騙是他們的賺錢的手段，狂飲，漫罵是他們的日常生活；大概讀者認為我存有偏見和誇張，我也不必多做解說，只告訴你們，這是一個天主教的王國，但在教堂的門口就會有騙徒和私娼，每日的新聞都有盜竊，兇殺和綁票，每個來過的人，幾乎都奇怪，這麼一個民族居然能在歐洲立足……。

如此一個國家，當然經不起共毛的利誘和宣傳了，其實他們若真承認了毛共政權之後，未來的惡運和危機也就可想而知了。

但從另一個角度來看，那就不能不歸咎於祖國派出的這些外交大員了。就今天來說，我國不但派有大使館駐羅馬，去年又增派了領事駐米蘭，而毛共則一無所有，僅憑幾本宣傳雜誌，而得了功效，如此看來，我們的外交大員還不如幾本掛在書報攤上的雜誌嗎？假如大仁先生們對今日這種嚴重後果，僅抱以無可奈何和聽天由命的態度，而一個勁的只顧推銷點台灣商品的話，那麼第二個，第三個義大利將會不斷的出現，因為他們的人民都對自由中國和毛共政權永遠也不能有個清楚的認識和判斷。我以為外交大員們若無能做到摧敵的主要任務，也至少應該讓外國人知道甚麼是由自中國，它生活的繁榮和社會的安定不都是義國人所盼望的嗎！但可嘆之極，如今能了解自由中國的義國人，最多不超過百分之十五，而至少有一半以上，根本沒有中華民國這個印象存在，試問這樣的比例，憑甚麼能產生外交的美菓呢。

若以為逢年過節，邀上幾個洋朋友，好吃一頓中國山珍，然後舉起了香檳美酒，找個掛了國旗或領袖像的角落，拍一張合照，寄回灣台一刋，再說幾句昧心話，如此就算完成了偉大的外交任務，自以為是孔明在世，唱了一台「雙鳳記」，眞不知如今怎麼下得了台呢？難道還要演一幕「逃亡記」或是「殉職記」嗎？當然，我不敢說這些大仁不做事，我確實相信他們推銷了不少的中國貨，對於簽證和手續費總也不會忘記；但我却決不敢抬舉他們，如今弄清了義大利到底有幾個中國人，或者眞正為自由中國做了甚麼宣傳？就去年來說罷，Genova有幾位華僑，希望慶祝國慶一番，但米蘭領事館，（僅僅一百六十公里的）確毫無動靜，因此這些可憐的中國華僑，也只有放棄這個美麗的幻想了。確實的，只有華僑們才眞正證會出祖國存在的重要性，他們總巴不得同樂一堂，高呼中華民國萬歲！蔣總統萬歲！可嘆這些大仁先生們却只記得推銷商品了。我當然不以為他們眞忘了這大日子，我也確信他們准是放假一天，回家做幾樣可口小菜，請洋親友品賞一番，席散！洋人必然高舉大姆指，並盼來年再品其味！至於大仁先生們的少爺小姐們，我到敢保證他們將來又將成大仁先生們，因為我親眼見到他們進了歐洲各大名校，或者送往美國再造一番；但又有誰敢替這批大仁先生們保證呢？保證他們還有那樣美麗，舒適的來年呢？這年頭吃官飯，辦私事總是靠不住的呢！如今只有奉慰大仁先生們「莫因事變之來，便張皇失措，先要定己之心，心定自能有區處也」。

編輯老兄：小弟只以一吐心聲為快，若蒙發表，只盼寄下一份給Genova（信封回址）即可，該處為吾老友也，多謝之至。

筆者：多聞之士

既言精簡何又架床疊屋
各部會職權被分割
立委質詢認為欠妥

（本報記者張健生台北航訊）立法委員鄧翔宇質詢行政院長不重視各部會的的法定職權，行政院一方面要精簡機構，但機構尚未精簡，却又設立研究發展考核委員會，來研究如何精簡機構，這是很矛盾的。

鄧委員說：行政院所屬各部會。均為行政院的組成份子，行政院的所有職權，也是分別賦予各部會。行政院長對於各部會有統籌策進之權，但對各部會法定職權，應予重視。因此，所有政策決定之後，均應交由各有關部會去負責推行，假使認為各部會首長，有的不能配合行政院的整個政策，儘可調整人事，如果覺得某一件事情，非現行法定的機關所能辦理，而需另行設立一個機關承辦其事的話，也應先修改法律，然後才可以成機關，不能由行政院隨便設立一個委員會，把某一部會的法定職權分過去，在這半年中，行政院如雨後春筍般的設立了好幾個委員會，竟將各部會的法定職權，分割得不成樣子，似此情形，非常不妥。

他並列舉事例來說明其質詢是有根據的，如賦稅改革事宜，本為財政部所主管的業務，若財政部長（俞國華）沒有能力改革賦稅，儘可在人事上另作安排。但財政部是賦稅主管機關，且設有賦稅署專管此事，如對賦稅需作重大改革，必須設立一個參謀或幕僚機構，或者需要延攬專家學者參加，在財政部成立一個委員會就夠了，沒有必要在行政院設立賦稅改革委員會，行政院將財政部最重要之職掌拿去，而另外聘請一些專家來負責賦稅之改革，其對於法制的破壞，實在太大！嚴院長對財政部俞部長甚為信任；然而由形式上看來，彷彿這就是不信任的表示。

如行政院最近成立一個北區區域建設計劃委員會。所謂北區區域建設計劃，就是都市計劃法中的區域計劃，都市計劃法是以內政部為主管機關，在法中規定，區域計劃為跨越二省市以上者，應由省市政府會同擬定，報由內政部核定實施，並不是由行政院直接決定。行政院現在直接設立委員會來主管北區區域計劃，那是剝奪內政部的職權，此與立法院制定的都市計劃法之規定，亦有所不符。行政院假定認為都市計劃法規定的不夠，可提案修正，以期適應，現行法的規定，在未修改前就應該執行，行政院直接設委員會辦理此事，在嚴院長直接指揮監督下，可能收效較大，但這種效力是局部的，其對於法的破壞，在政治方面的影響，是遠大的。這種在小處有所得，在大處有所失的措施，是值得攷慮的。

最近，行政院又設立一個研究發展攷核委員會，這個委員會的具體職掌，差不多即等於行政院院長的職權，凡有關統籌政進的事情，都由設委員會負責，所謂研究發展也者，如果不是在工作當中經常的去研究發展，而另設機構像空中樓閣似地在那裏做研究發展工作，相信這不會有甚麼效果的。同時，人事行政局近來推行加強職位功能，曾攷核各機關的實際工作情形，在攷核時，發覺各機關的研究發展單位，根本無所事事，因而有些機關為了加強職位功能，便奉到人事行政局的命令，撤銷其研究發展單位，現在行政院人事行政局要求各機關撤銷研究發展單位，而行政院却在大規模的成立研究發展攷核委員會，這豈不是互相矛盾嗎？行政院設立許多委員會，政出多門；尤其行政院的不管部政務委員，差不多每個人都主持一個委員會，此事更令人費解。

鄧委員指出行政院組織法所以規定除各部會首長之外，另設若干不管部政務委員，是有其用意存在的；這就是唯恐各部會首長在討論其本身的問題時，有所偏袒，故借重這些不管部政務委員，站在超然的立場，參與討論，以使政策之決定，較為正確。現在不管部政務委員，均有委員會可以主持，當然使會形成「各人自掃門前雪，那管他人瓦上霜」的情勢了。這要請嚴院長攷慮一下，攷慮政治上的得失，攷慮有關政治制度上的問題。

嚴院長在答復時說：「鄧委員在政策原則上提到行政院的職權，應由各部會負責，這是對的。」至於「賦改會的工作內容，完全係做研究工作。」台灣北區區域建設計劃委員會「只做計劃與督導工作，不負執行責任。」「研究發展攷核委員會，該會是為精簡機構而設立」云。

民航機失事頻頻
筆下再難留情
安全問題實應加強注意

（本報記者張健生台北航訊）交通部民航局局長毛瀛初說：所有民航公司的駕駛飛行員，都符合規定，如身體健康，如飛行技能與經驗等。至於飛行安全以及安全設備，各航空公司亦應遵守規定，民航局在監督方面，則採抽查的方法加以檢查安全設備，這是毛局長三月五日在行政院新聞局例行招待會上答覆本報記者詢問時說的。

本報記者所提兩個問題，一是民航局組織條例第六條規定之安全事宜，一是駕駛飛行員健康的問題，毛局長答復時一再要記者們「筆下留情」。

在過去一年內，我國三家民航公司連續發生事故，這對我國民航事業係嚴重的打擊，也是慘痛的教訓！比如台北至花蓮的班機，由於旅客們在心理上緣故，致生意並不「茂盛」。

按：五七年二月十六日，民航由香港返台之波音型班機於林口失事，廿二人死亡。

今年一月二日，遠航由台東往高雄的B三〇九型班機，在武由岡失事，廿四人死亡。

今年二月廿四日，遠航由小港往台北之噴射螺旋槳式B二〇〇九型班機於歸仁鄉失事，卅二人死亡。下面是本報記者所提問題的全文：

本年一月二十日，貴局在立法院交通委員會說：「我們將盡一切心力要求各航空公司嚴格遵守政府的規定。」這一點做到沒有？例如，有關安全事宜，交通部民用航空局組織條例第六條已有明文規定；像這次失事之遠航班機在起飛前，民航局有無接到遠航公司之飛行計劃表？以及有無按照飛行計劃表派人登機檢查？[illegible]

[illegible]詢，因係部長未明確的答覆，致引起社會之傳言，應予澄清而正確答覆！

喬治桑外傳 三二
張大萬

「歐洲聽說比美國還好玩，幾時乾爹帶我去？」杜梅子分明想來一次免費旅行。

「旅費不少哩，乾爹可捨得？」尤香問。

「我倒捨得，就怕妳們不捨得。」郝隆昂話中有話，杜尤兩姝一時答不出來，還是唐珊珊打開僵局。

「時（魚旁）魚來了，要趁熱吃，冷了腥氣。」

郝隆昂有粗線條作風，他用高脚玻璃杯喝香檳，嫌不過癮，他吩咐佣人換大玻璃杯。

「乾爹，少喝點，不要喝醉。」唐珊珊畢竟關係不同。

「沒關係，觸那，我吃白蘭地兩瓶照樣能跳舞，妳又不是不曉得。」觸那是老郝的口頭語，和廣東人的丟那同一意思，雖是國罵，並無惡意。

郝隆昂有一種蠟燭脾氣，越是人家叫他少喝，他偏要大喝特喝，這倒不脫上海市井英雄本色。

「海龍王」牛飲，三位美嬌娘淺斟低酌，不覺已喝完三瓶香檳，這時，佣人來稟報，桑博士駕到。

「約好三點鐘，那能兩點不到就來了？觸那，眞正是『早（糟）兒』。」郝隆昂雖然如此說還是命佣人請喬治桑進來。

「恭喜，恭喜。」喬治桑一進門，行的是中國禮，兩手抱拳向郝隆昂和三位小姐打招呼。

「喬治，來喝兩杯，為甚麼這樣早？」

郝昂隆因為到過歐洲美國，稱呼喬治桑的洋名，無非表示他並非土包子之意。

台幣美元是否等值？
經濟成長率費猜疑！

（本報記者劉鄉台北航訊）立法委員針對行政院新聞局公佈之經濟成長率的數字表示懷疑，乃向行政院長提出質詢。

胡純俞委員說：「我們的經濟成長率，超過日本韓國，本席全然不信。三、四年前，我就認為這些統計數字大有問題。舉例說明之：第一、我們資本不夠，不能創造大的企業。第二、我們技術人才不夠，不能做大的企業。第三、自五十四年起，我們的貿易年年入超，四年來，貿易入超三億九千萬美元，如經濟真的如此發展，這些入超從那裏去了？前幾年，曾質問過外貿會，外貿會說：『不要急，現在不過幾千萬，而且都是買了機器原料，很快就可以回來了。』到今天四年了，却還未回來，所以像這樣的經濟成長率是不確實的，也是不可能的。」

行政院嚴家淦答復說：「目前我國經濟成長率，其百分比固較高，但事實上却不盡然。所謂我們經濟成長率高到百分之十或十一，是從一千億台幣增加一百多億台幣，日本比率雖較低，但其每年增加者為一百多億美金。

由此可知，日本經濟成長率為百分之十，即每百元美金增加十美元；十元美金折台幣四百元；我們經濟成長率為百分之十點五，即每百元可增台幣十元五角；台幣十元五角折合美金不過二角六分而已，我們計算經濟成長率若以美金為計算基礎，則又當別論了。」

從展期今年歐洲局勢來討論 復興中華文化的重要性

（以上接第一版頭條）

吾人僅憑此種鱗爪式之報導，即已足徵見當前世界之工業有如一頭巨怪，正在狂吞地面與天空海底之資源，以縱容增加如潮水之人類，將之消耗與浪費，並無視人類之相互殘殺，而不計及其將來後果。故共產世界與自由世界之爲了工業資源之控制而爭鬥，恐終將成爲廿世紀後期之最嚴重問題。吾國在過去幸有眼光遠大之先人，將西北、東北、西南各地資源大部保存，一面則在東南沿海逐漸增加海濱鹽田農田以利用厚生。故將來大陸重光後全國上下利用現代新技術而開發固有之資源，不需半世紀吾國便將成爲全球之第一位農業與工業國家。此皆由於前人審慎保守所留下之寶貴遺產所致也。十九世紀學者託克維勒氏，如早生數十年而考察中國，當不會認爲祗有美俄兩國方係承天之命而主宰世局的。

然人並非祗賴麵包而生存的，更爲重要者，乃係前人所耗費心靈頭腦而遺留下之文字學術，與人生經驗及信念（總名曰文化）。吾國文化之中含有無數寶藏，尚待吾人潛心默想，並用現代方法將其精義闡發，以企於拯救大陸同胞後，更克能遏阻此當前兩大集團因爭權奪利而瀕於狂飆式之鬥爭，而導使其遵循正道勿走邪途。此乃中華文化復興運動之主要任務。

伍、結論

當前三民主義信徒之中國青年，必須體會其本人承先啓後責任之重大，與夫世局混亂情勢之嚴重，而確認中華文化之復興，乃挽回世運之重大關鍵。吾人必需確認：一半自由而一半奴役的世界是不能繼續存在的。自由並非放縱，富裕的社會並非僅有富財與享受而已，更重要的乃是道德的自我約束與建樹，以及天與人，人與人之間的精神交感，一種信仰的與倫常的，有類於一個磁力場而非一盤散沙的社會。華夏民族之能綿延攸久，即因其有此種優良的精神傳統，而方能屢仆屢起，衰而重振。興復中華文化的重要性，係因我們的精神傳統，不僅爲大陸同胞所需要，並可對當前全人類有貢獻。此傳統久歷風霜，卓著成效，非黑格爾馬克斯或芮恩柯等人之主觀的「邏輯」所可相提共論。

「人生自古誰無死，留取丹心照汗青」。今日誠爲人類歷史上最危險的時期，亦爲最有希望的時期。危險來自共產邪說，與共產國之侵略，而自由世界中膚淺的思想家之過分樂觀看法，亦不能逃避責任。希望則在吾人痛定思痛後，將最古的而有經驗的先人訓示，與最新的科學技術成果相配合，而於拯救大陸同胞後領導人類步出陷溺在八陣圖中之絕地以重登坦途。此所謂將倫理民主與科學三者之結合，非眞誠信仰三民主義之中國青年，不能擔當任務。「鐵肩擔道義」此其時矣。中華健兒乎，曷興乎來！（完）

這是幽默，還是罵街？

・今武・

三年前林語堂大師寫過一篇中央社特約稿，題目是：「蘇小妹無其人考」，洋洋數千言，徵引繁博，拜讀之餘，異常欽佩。

不過大手筆寫這種小問題，寫得手滑，難免有一點小小的疏失，原是不足爲異的，怪我當時多事，竟寫了一篇「蘇小妹無其人考讀後」，有意向大師請教，試投「中副」，我就知道會通不過編者的巨眼的，特約稿也會有疏失嗎？何況林大師這位大師連美國人都爲之傾倒呢？

我的文字蹩脚，是不足爲諱的，但吾聞之：「言者所以在意，得意而忘言」，我的意思是什麼，是要追究一個是非，「是非之心，人皆有之」，我不甘心做「無是非之心非人也」的人，我想編者也是人，必與我有同感，所以就不計言之工拙，終於將拙稿投去，當然還是冒險的事。果然不錯，過幾天原稿退回了。

我那篇稿子的論點有二：

第一點我覺得「蘇小妹無其人」這個命題有語病，林大師所要考的，是蘇東坡沒有蘇小妹這樣一個妹妹，蘇小妹三難新郎的故事，完全是馮夢龍編造的，經考證之後，證據確鑿，毫無疑問，於是他就斷言「蘇小妹原無其人」，這種推論，我認爲是「舉一廢百」，除非調查清楚自古至今，再找不出第二個蘇小妹，則林大師的斷案，不能成立。

林大師學貫中西，雖還不知歐陽永叔「妾本錢塘蘇小妹」的一句詞嗎？這個蘇小妹也是歐陽永叔編造的嗎？如果拿不出證據來，則「蘇小妹原無其人」的話，不是武斷，無論如何也不能不說是一種疏失。

老實講，我的本意，還不僅在此，而是要探究一下，蘇小妹是不是就是蘇小小的化身？因爲錢塘既有一個蘇小小，又有一個蘇小妹，這太巧了，蘇小小是艷名甚噪的名妓，蘇小妹是才名籍甚的虛構人物，豈不更爲理想？

因此我「胭意猜」她們兩位，就是一個人，這可以說是「拿着無聊當有趣」，無關宏旨，說得好聽一點，也是「大胆的假設」之意，林大師博及羣書，如能證明我這一猜而中，何幸如之。如不中，也無喪無得有何不可，這是我寫「讀後」的本意之一。

第二點林大師把李端叔弄成李方叔，這倒是一個較大的疏失，這兩人的名字，雖僅有一字之差，究竟是兩個人，硬把李端叔說成李方叔，不許人提出糾正，這是趙高指鹿爲馬的手段，「中副」編者退還我的稿子，站在民主的立場講，這是講不出道理的。只可說這是無是非之心的專橫。

林大師的話，一般人一向都是視爲經典的。他約文章，起先都是一稿數「發」的（中央社發交各報）。年輕人看報，當然不知催敵，也無暇推敲，囫圇吞棗似的存下，將錯將錯，以訛傳訛，其結果雖然影響不到反共復國，但總不能不說與「實事求是」的精神背反吧？所以我大胆的提出這個疏失，自信是爲免使遺誤後生，不能說一點價值也沒有。這是我寫「讀後」的本意之二。只可惜我買不起「寫作與投稿」這種寶典，無法窺知投稿的竅要，揣測不出編者的意旨所在，就再寫得有價值些，也是白費。

事過兩年，這件事早已烟消雲散，成爲過去。不想去年底陽明雜誌發行人，忽然來信要我寫稿子，一時無以應命，恰好那篇退稿在亂書堆中發現，爲應急起見，匆匆加上頭尾，改了個題目：「舊稿新拾」，就寄了去，於是蘇小妹問題，又與世人見了面。

滿以爲此一舊事重提，就是舊案的結束，殊不知不如意事常八九，今年一月廿九日，「中副」刊出莊練先生「關於蘇小小」一篇大著，想不到死灰復燃了。文中提到我的賤名，認爲我提出命題爲多事。有云：「又何致有人一定要撥出歷史的典故，將錢塘蘇小妹來夾纏不清呢？」莊練君怪我夾纏不清，引據齋莊漫錄斷言蘇東坡有個妹妹嫁給柳子玉，這眞是駭人聽聞，柳子玉是東坡的長親，年齡相差二十歲左右，東坡父子兄弟皆一時人傑，何致這樣不長進，要高攀這樣一門年貌極不相當的親戚呢？我覺得莊練先生，太「拿着鷄毛當令箭」了，齋莊漫錄的話，就可以作爲論據嗎？他如不直斥賤名，他就是有更荒乎其堂的大著，我也管不着，自有「中副」的篇幅供其使用，既然指名笑落我，也不許人分說嗎？在忍無可忍之下，就寫了「蘇小小問題」一篇千餘言的稿子，遥投「中副」編者孫如陵，還是二月一日的事。在稿紙邊上，我還寫了兩句話：「如陵先生，莊練先生斥名笑落，能容我分說幾句嗎？」

一連四天過去，五號的「中副」登出林大師一篇大文，題爲「答莊練關於蘇小妹」，同時我也收到孫如陵先生的退稿和賜示：「今武先生，關於蘇小妹的問題，林語堂先生已有答辯，後天可望見報，事此，即頌大安，弟孫如陵敬上，二月三日，謝謝大作。」

林大師的大作，是二月二日發的，比我寫得剛好晚一天，晚到稿先用，先到稿不用，編者自有權衡，尚有何說？奇怪的兩稿論旨，殊途同歸，而編者先到不用，却用後到者，恐怕這還是「寫作與投稿」的竅門問題，欲明竅要，不讀其書可乎？

更怪的事還在後邊，林大師的大文，名爲「答莊練關於蘇小妹」，其實文章的重點，却是借題發揮，很潑辣的罵了今武一頓。因爲他沒有指名，但把蘇小妹和蘇小小扯在一起的只有我一個人，所以我說他是以「罵街」方式罵我，這是不錯的。

看他罵街的手筆夠多狠：

「莊練先生謂「蘇小妹」三字本「三難新郎」故事，不妨從俗，與我同意。有人故意把這個蘇小妹與蘇小小扯在一起，這又何必？市上不少想以罵人起家的輕薄子弟，可以不理。」

這就未免太盛氣凌人了。誰是罵人起家的輕薄子弟？我寫的兩篇不登「大雅之堂」的濫文，一字不改的附錄在後面，請大家看，那一句話是可以當做「想以罵人起家」的證據？如果證據不充分，就給加上「輕薄子弟」的惡名，權威雖能「虎」人，但不能服人之心，照樣也不過是「無的放矢」罷了。林大師號稱也是民主人士，但竟如此不許人開口，「訑訑之聲音顏色」，距人於千里之外，有這樣的民主人士嗎？暴君而已矣！

我原想「蘇小妹無其人考讀後」，如能刊出，林大師本其幽默的宿習，一定會說：「某也幸，苟有過，人必知之」的。我把他和孔子一樣看待，我對他的推許，到了這個地步，不可謂不至。誰想稍一不合意，居然破口罵街，揭穿面目，竟是一個悻悻然的小丈夫。可歎！

至於這位編者，根據什麼標準去取稿件，他自己知道，別人知道的也不少，但誰敢過問，凡事只憑一顆良心。不要忘記黨所付託給你的責任。（完）

名人情話

董小宛苦戀冒辟疆

八、桃葉館苦待佳音

周遊子

冒辟疆回到家中，他大夫人告訴他，董小宛的父親已經來過了，說董小宛自與門之後，茹素不出，靜待辟疆金陵偕行之約。辟疆與小宛一段情大太太已經知道了，並給了小宛的父親十兩銀子。大太太憐小宛的一片痴情，已經允許納小宛爲妾，但必須等科試完畢之後，再迎小宛。辟疆並未將此消息傳達小宛。竟赴金陵，待科試後再相告。等到辟疆出闈之後，小宛已病倒在「桃葉館」。因爲終日想念辟疆未赴約，久等不至，隻身借一老嫗同行，買了一葉小舟，自吳門往江蘇如臬而行，不幸江中遇到盜賊，舟藏蘆葦中倖免，但船舵已損，不能操舟而行，斷了三日炊，彼抵達三山門，又恐擾亂辟疆文思，沒有去驚動他，因此遲了兩天方去見辟疆。相見之下，不勝欷歔。闊別已經百日，小宛皆以淚洗面，茹素杜門不出，江行又遇盜，險遭不測等歷程。辟疆聽了小宛別後百日滄桑，也爲之洒一掬同情之淚。小宛見辟疆悱然心驚喜交織，而求辟疆偕歸冒門之意尤切，娓娓細訴苦衷，豔色具悽。在此時此地，辟疆的同年好友皆[illegible]，大家對小宛一致推崇，以爲董姬甚有[illegible]，又憫小宛之誠，皆爲辟疆與小宛之情，以詩畫品題以祝福之。美人名士，集一時之雅興，也是一段佳話。

辟疆自科試之後，他的自信心非常堅強，自以爲必中。功名有成，自然再將小宛的事解決。可是眞所謂好事多磨，忽然傳來了消息，是辟疆的父親已抵達江干，因不赴寶慶之調，從湖南回江蘇。以爲已經有兩年沒有奉老父，今冒兵火生返，喜出望外。因此一喜訊，又將小宛的事擱置了。辟疆仍沒有偕小宛而行，竟從龍潭追其父親的船，舟抵鑾江，父子相逢。辟疆的父親閱了他的試文，以爲必中，復留鑾江等候放榜。小宛在桃葉館僱舟追辟疆，在燕子磯遇風，舟不能行，險又遭覆舟之危。於是便在鑾江舟中盤桓，過了七日乃放榜，辟疆中了副車。辟疆窮一日一夜回到里門，小宛痛哭相隨，不肯獨返。因爲小宛脫籍的事，不是一朝一夕可以解決的；而功名未能魁首，只中副車，因此又堅拒小宛同行。舟抵郊外樸巢，遂冷面鐵心與小宛分別，仍令小宛先返吳門家等待。

辟疆過潤州，拜謁房鄭公。時自福建來人劉大行自都來潤州，與陳大將軍及同盟劉刺史相會，諸人飲於舟中。適小宛遣一奴子來告說：小宛自返吳門，脫去時衣，誓言：如辟疆不來相迎，寧願凍死以了此殘生。劉大行指着辟疆說道：「人謂君風義，而何得辜負一弱女子也」！劉刺史亦對辟疆舉杯晳然道：「若以千金恣我出入，即刻前往爲小宛脫籍」。陳大將軍立貸數百銀子，劉大行亦相助百金，並親往吳門爲之活動，結果不得要領，而回吳江去了。（未完）

讀列子

陳宗敏

老、莊、列三位在中國思想上有很廣很深的影響，而他們最大的貢獻之一，在於思想上的自由、開展、與奔放！

列子湯問篇，湯又問曰：「四海之外奚有？」

革曰：「猶齊州也。」

湯曰：「汝奚以實之。」

革曰：「朕東行至營，人民猶是也，問營之東，復猶營也。西行至豳，人民猶是也，問豳之西，復猶豳也。朕以是知四海四荒四極之不異是也。故大小相含，無窮極也，含萬物者亦如含天地，含萬物也故不窮，含天地也故無極，朕亦焉知天地之表不有大天地乎？」

「朕亦焉知天地之表不有大天地乎？」有這種思想上的自由馳騁，纔能爲中國思想的領域開展另一無限無窮的新境界，老、莊、列的思想的可喜在此，其可貴也在此。

天地之表有大天地，在今日科學的實證下已得到完全的證明，但是在列子的時代敢於作如是想，便是一種澄明的智慧，這種智慧之成，便在它敢於超越可看見的天地之表，以推想那不可見的無盡的思想世界，那至今人類還是不能確知的大天地——

吳敬恆先生年譜（五三）

陳凌海編撰　陳洪校訂

民國三十三年，甲申（西曆一九四四年）。先生八十歲

一月，國民政府授先生一等卿雲勳章。二月，上書蔣主席中正，建議經濟作戰部改爲管理國策經濟委員會，俾於戰後吸收外資，從事建設。旋由國防會議正式通過，成立戰後經濟建設籌備委員會。說文月刊欲爲先生八秩壽辰，出祝壽紀念專刊，先生特作書致衛聚賢，說明據外祖母陳習，自己係偷來人生，決不可作壽，一旦爲閻王知道，必定被拘到陰府之諧文，堅請萬不可爲其祝壽發行紀念特刊等等。三月二十五日爲先生八秩壽辰，中央黨部發起簽名向先生祝壽致敬，並爲募集「敬恆獎學金」。蔣主席中正親函道賀。蔣夫人又送壽糕。說文月刊則發行紀念特刊祝壽。李灑煜（石曾）、張人傑（靜江）發起，在美國紐約設立「稚暉大學」紀念先生壽辰。楊鵬升特刻紅壽山印章一對致祝。翌日，先生在中央日報掃蕩報分別刊登謝啓，中有：……本當一一叩謝，但不敢說明實有生日其事，故敬於斗室遥拜叩頭而已。五月，先生所著上下古今談，友人爲其重印。先生特爲重版之序。蔣主席中正又贈先生法幣五千元，由狄膺（君武）轉致，先生對蔣主席贈款，雖不欲受，又思如代捐獻，則有掠美之嫌，故囑狄膺連同前款仍存兩路口附近中國銀行，迄至三十八年重慶陷落，猶未提取也。五月二十日，參加中國國民黨第五屆十二中全會。先生效陋室銘而作「斗室銘」，藉敘寓所之情況及週圍之環境。

巨變歷險記！

與林彪第二次會談（三）

胡慶蓉

第二次會談的時候，丁代表曾提出停戰的請求。這未免太天眞了，林彪那里會允！他經毫不掩飾的說出他要攻取天津的目的，是他整個計劃的一環。停戰是不可能的，撤退也不可能。惟一他可以考慮的，是在軍事需要之外，儘可能的少破壞。他的意思：如有必要，破壞和犧牲，那也是沒有辦法的事。他並多次的表示：如不顧破壞天津，那就只有把天津讓出來。能把天津讓出來，戰事就可以避免了。否則的話，他也沒有辦法，他只有打。不過，他一定命令他的部隊，儘量的少破壞少犧牲，以答謝五代表來談之意。

在林彪看，取天津，如探囊取物；其所以遲遲不取者，正與各代表的來意符合，那就是少破壞少犧牲。現在他要天津讓出來。以避免戰事的擴大與延長。他請五代表回去同守城的部隊談。他並且提出分期讓出來的主張。

能先讓出來一部份，戰事就可以避免。對於這一點，五代表不贊一詞。楊代表突然又哭起來。這次哭的，比首次哭的更利害。他哭着說：我們還是爲天津四百五十萬市民請命，他們在圍城之下，情形也可憐了，仍請求司令員停戰撤軍，縱軍不能撤，戰也請停。至少俟南京與他方面來解決。但他說：這也是沒辦法的事。其他三代表也都說了很多話。對於圍城下的天津市民所身受的痛苦，他貓哭耗子的也在表示同情。是不是由於他們的情詞懇切，林彪竟答應停戰！

林彪說：爲答謝代表的盛意，停戰可以談談。代表聽到「停戰也可以談，衷心都感到興奮。在他們心裡想，林彪能答應談停戰，這是這次會談的一大進步。也是此次五代表前來所要達成的任務之一，至少也是他們所希望實現的一點。但要達成停戰，還有一段艱鉅的路程。無論如何的艱鉅，林彪既表示可以談，總不失爲會談的一大進步。丁代表要緊緊把握着不放，希望能從可以談，能從談，達到眞實的停戰，眞正的停戰。

義勇千秋、亘古一人

關公的生前和死後（二）

・經緯・

以上這段文字記戟，爲演義正史所無，故不避炒冷飯之嫌，把它炒熱，而補正史之不足。正史記關羽很簡單。而且出生月日有三種不同，正史無稽，只好從略。

關羽字雲長，河東（今山西）解人也。亡命涿郡。先主（劉備）於鄉里合徒衆，而羽飛爲之禦侮：……先主與二人寢則同床，恩若兄弟；而稠人廣坐，侍立終日，隨先主週旋不避艱險。……

正史對於關羽出生本末，沒有一字涉及。但籍貫姓名「亡命」等重要事蹟，都很相合。關羽是一種游俠之士，好打不平，行俠仗義，是可信的；否則，他怎會「亡命」？「亡命」就是變姓名，足見他本來是名關長生，亡命改關雲長。演義說他字壽長，後改雲長。張飛本來是名「翼德」，後改「益德」。演義稱翼德，也是有根據的。關公的「亡命」，原本是「仗義行俠」，誅除惡霸，剪斬豪强，殺貪官汚吏。正如後世的江湖俠客一般。反過來說，關羽是後世江湖俠客的祖師，他們都非常的敬重。我們看「三國志平話」說得更露骨：

話說一人姓關名羽字雲長，乃平陽蒲州解梁人也。生得神眉鳳目，身長九尺二寸，喜看春秋左傳。觀亂臣賊子便生怒惡。因本縣官員，貪財好賄，酷害黎民，將縣令殺了，亡命逃遁，前往涿州。

三國志平話，爲說書人說話的底本，三國演義之藍本，』它含有民間的口碑傳說在內，雖非正史，並非全屬子虛。關於出生就到此爲止了。

（三）劉關張有沒有「結義」？

關羽成爲後世江湖俠客的祖師，而劉、關、張桃園結義，也成爲中國民間異姓兄弟拜把子的兄弟幫的老祖師，在華僑社會，又有劉關張趙聯誼的「龍岡會」。但三國演義是將「桃園結義」說的有聲有色，而正史上根本找不出「結義」或「結拜」的字樣；究竟劉關張三人結義是否有這回事？這是本節要說明的本題。不過我的答案早已「肯定」的「有這回事」。

三人結義的時間，大約是在先主合徒衆禦侮的時期。是漢靈帝中平元年，西元一八四年，黃巾張角起事之年。劉、關、張會於涿縣。此時劉備乃廿三歲之青年，關羽不過廿一二歲，張飛更小，恐只十八九歲。以張飛傳中明說「飛少關羽數歲，飛以兄事之」。劉關張結義是在青年時代，大至不差。然則爲什麼正史上找不到「結義」二字？對史學、文字學頗有素養的人，纔知道這其中的底蘊。因在漢末時代「結義」「結拜」這樣的名詞，尚未產生。古人說是「刎頸之交」，「總角之好」，「恩若兄弟」，「誓與共死」等等，也就是異姓結拜兄弟而言。所以三國志中雖然找不到「結義」「結拜」等字樣，但許多地方都有三人一體，生死弟兄的含義。另外一種原因，是由於封建道德的影響，他們三人雖是異姓兄弟，但却是君臣名份。封建時代最重名份。尤其是史家，絕對不把君臣的劉、關、張，寫成劉關張兄弟。結義、結拜等名詞，大概在宋代方產生，總之是在三國之後。如關羽死後謚「壯繆」「繆」即是「穆」字。後漢以前用「繆」，宋以後用「穆」。岳飛謚「武穆」，就不用「繆」了。現在看三國史上如何說法。

一則曰：「先主與二人，寢則同床，恩若兄弟……隨先主周旋，不避艱險。」

一則曰：「吾極知曹公待我厚，然吾受劉將軍厚恩，誓以共死，不可背之。……」

當時的人贊詩對關羽說：「王與君侯，譬猶一體，同休等戚，禍福共之。」

在張飛傳中，因爲二人無君臣之份，故大書：「飛少與關羽具事先主，羽年長數歲，飛兄事之」。

綜合觀之，「寢則同床，恩若兄弟」，「王與君侯，譬猶一體。」「誓以共死，不可背之」。「同休等戚，禍福共之。」這是什麼關係？歷史上那三位君臣有此關係？「共死」是什麼盟約？什麼誓言，「誓以共死」還不夠兄弟的份量嗎？「誓」怎麼解釋？劉關張三人之結合，在漢末時代，正是一種秘密結社，是「兄弟幫」的代表典型。惟因他們三人做得突出，表現得轟轟烈烈而已。後來的趙雲也加入了他們的兄弟幫，不過表現的情義不如劉關張，所以稍稍遜色。

（未完）

催眠術研究　廿七

三十九、移念催眠法

鮑紹洲

當被術人思念某些事情的時候，即爲轉移其念思乘虛而令感應其暗示，遂導被術人於催眠，這便是「移念催眠法」。

施術時，先叫被術人仰臥於床上，或坐在椅上，閉上眼睛靜坐。施術人攙被術人的一隻手，高高舉起。暗示道：「我將你的手放開的時候，你的手自動放下時，你便催眠了。」然而被術人到時不放下其手，以其尚未催眠的原故。這時候，施術人用右手在被術人下垂的一隻手背上畫四方或圓形均可，畫一個叫被術人數一個，因被術人在念記其數時，不能同時記憶手之下與不下，此即忘却反抗心理的原故，因此被術人所舉的一隻手便不知不覺而放下了。這時候施術人便厲聲暗示道：「你的手已經照我的暗示而放下了」，「四面的聲音雖入耳鼓，也可以自己催眠了」。「你的手因暗示而放下，你的身體也因暗示而動了」，「更深眠了」。但覺被術人的手背，並不一定限於手背，其他部位也可以的，如額前、耳孔和足部位都可以。

「移念催眠法」的原理，在所有神經過敏之處，以觸覺刺激之，而集中其精神，使被術人沒有暇時思念別的雜事，因此雜念不生，等到被術人精神空虛的時候，直接暗示，使其感應，而達成催眠。

海國秋深（八）

文自粹

聽到門外輕輕有人剝啄，就推布帘出看，是個英俊書生，右手拿了電筒，左手拿了熱水瓶，像是負責招待的人。但穿戴又很文靜，風度亦自翩翩。左公讓他進來，他關好門，倒上開水，輕輕地告訴左公說：「玉帥留公，非出好意，剛才聽到今夜有秘密處置的話，我因爲很崇拜公的文章功業，冒死來告，請趕快出走。現在他們還沒有辦好布置，馬上由後門走，我知道有班運猪的貨車，夜間二時可過站西開，我可以護送公上車再走。」左公起初尚有疑惑，是否故意挑撥中傷？仔細詢問嘉玉的來歷，知道他原爲江南望族，少時就讀過左公民呼民吁各報詩文，還背得幾首出來，因爲張宗昌挽他來山東；又替張到吳玉帥帳前聯絡。因爲他人緣隨和，吳玉帥現在又正在拉攏張宗昌的時候，所以對嘉玉相當親密。他知道左公這次的來意，也了解吳玉帥不會結納；而且戰場上非友即敵，還要害他。嘉玉旣佩服左公的光明正大，所以急切易裝爲招待人員來報密，同時左公能脫逃與否，和他本人幷沒有利害關係，所以左公信他。不動聲色，簡取行裝，和重要文件圖書，桌上還鋪着未落款的詩，使人不疑其出走。戴着便帽，就和嘉玉由後門出去，嘉玉帶他到一個熟悉人家，換了農家裝束，棕衣，大笠，扁担，旱烟筒，從近路到小站，用玉帥行轅的切口，符號，通過了警戒線；到車站，便上運猪貨車，猪糞很臭，車中又無燈光，左公就靜靜地坐在一個角落裏，誰都不會注意到他，果然給他逃出了樊籠。左公事後證實那天夜裏玉帥確實逮捕他和有關的人，鬧了終宵，所以很感念嘉玉。以一個素不相識的青年人，居然冒險脫他於大難，左公到台灣，還和左右幕僚，談起這事。」

吳張結合倒馮的事情過去，嘉玉又回到狗肉將軍處復命。那時國民政府已授旗令總統蔣公，統軍北伐。因爲黨務，宣傳配合得好，一般人民都了然軍閥的殘暴，仰望國民革命的來臨，正如尚書記載商湯伐桀的當時情形：

『東面征而西夷怨，
南面征而北狄怨，
曰：奚爲后我！』

因爲廣大民衆的覺醒和擁護，革命軍人的愛民和忠勇，所以北伐以來，西路出湖南，武漢，中路由江西，南京，東路由福建，浙江，上海，都勢如破竹。嘉玉家農一封封信催着歸去；嘉玉也知再跟下去，同是末路一條。所以束裝告辭，由青島，上海轉回老家。

故監察委員鄉賢楊仁天先生九秩冥誕獻詩

・陳遜子・

秦中河嶽鬱雄奇。川原無無（肉旁）肇周基。[illegible]險固。[illegible]藍田暖玉無價。[illegible]古木稀。篤生賢哲有楊氏。頭角崢嶸少年時。[illegible]（清末關學碩儒牛夢周先生，號藍川，先生曾從之遊。）[illegible]

禪學黃金時代

吳經熊著・吳怡譯

風趣的古佛——趙州（十二）

南泉舉棒便打，趙州抓住棒說：「以後留心，不要錯打人」。這話贏得了南泉的讚美說：「龍蛇易辨，衲和尚不可欺啊」！這不僅是超越一和多，而且也超越了有和無，現象和本體。趙州特别善於從他所體認的道的超越中去隨意運用相對的術語。某次，有個和尚問他：「狗兒是否還有佛性」？

他回答說：「沒有」。

這話似乎完全違反了佛家的教義，因此對方又反問說：「上至諸佛，下至螻蟻，都有佛性，爲什麼狗兒却沒有佛性呢」？

趙州回答說：「這是因爲牠有前世業識的緣故啊」。

又有一次，另一個和尚問了同樣的問題，趙州回答說：「有」。

對方又問：「既然是有佛性，爲什麼却投了這個狗兒的臭皮袋中呢」？

趙州却回答說：「這是牠明知而故犯啊」！

筆者以爲有第三個人再問這個同樣的問題，他也許會回答：「有，也沒有」。他答有，是一種意思；答沒有，是另一種意思。

趙州對於相同的問題，很少以相同的答案回答。這並不是他酷愛新奇，而是他那純眞的心只爲了一個目的——就是引對方走向覺悟。由於這目的，使他在各種不同的情況裡，運用不同的答案。也只有這些回答才是活潑的，才是自然的從心中流出。從另一方面來說，假如你以同樣的答案回答同樣的問題，那便是變成了死板的格式，機械的記憶，和單調的陳述了。

自由報

中華民國內政部登記證內版台誌字第〇三一號
中華民國僑務委員會登記證僑新字第三二五號
中華郵政台字第一二八二號執照登記爲第一類新聞紙

（第三四九期）

（半週刊每星期三、六出版）

社長李運鵬·督印黃行畫

社址：香港九龍彌敦道593—601號
廖創興銀行大廈八樓五座
LIU CHONG HING BUILDING
7th FLOOR FLAT 5
593—601 NATHAN ROAD,
KOWLOON, H.K.
TEL: K803831
電報掛號：7191

台灣總管理處：台北市大同街119號
台灣區直接訂戶　台郵劃撥戶
第五〇五六號蔡萬有（自由報會計室）
電話：七一四〇三三、五五五三九五
台灣分社：台北市西寧南路110號二樓
電話：三三〇三四六，台郵劃撥戶九二五二號

致教育部閻部長一封公開信

中國分爲三大區并非錯誤 更未堅持

執筆人　沙學浚先生

仲望旌

振興部長道鑒敬啓者

去年十二月二日，先生在中央日報發表談話，其中有下列一句：

「國民中學第一册（地理）教科書內容及編排上所發生錯誤，再版時將予刪除」指「把我國的領土，區劃爲「邊疆」、「中樞」及「環拱」等部份，有違「行政區劃的規劃原則」，換言之，這種劃分是錯誤的。

國民中學教科書出版之前，負責主編的國立編譯館即宣傳將遵照　總統蔣公的訓示，予以「精編精印」。地理教科書的內容如果確有錯誤，實在是十分嚴重，自有追究的必要。

該册地理教科書原稿（該套教科書中國地理三册半統由沙學浚先生執筆）係沙學浚先生執筆起草，依規定會提交地理科編審查委員會審查修訂通過，如有錯誤執事人責任較大。值得注意的是有人公開造謠，說是由於沙先生堅持三大區以致三大區未在付印之前被刪除，因而認爲沙學浚先生應對此所謂「錯誤」負責，給沙先生種種困擾。

下列答覆書證明中國三大區之劃分，並非錯誤，而沙學浚先生堅持三大區之說，完全是謠言。

答覆書

關於徐委員漢豪所提國民中學地理第一册之質詢

國立編譯館國民中學地理教科書編審委員會提（五十七年十二月下旬該會送國立編譯館轉教育部）

甲、引言

國民中學地理第一册（以下簡稱本書）「編輯要旨」第十項「本書如有未盡妥善之處，請各校教師隨時提出改進意見，以供修訂時之參考」，本書內容並非盡善盡美，缺點自所難免，本會同仁虛心求精，當然歡迎各方面指出缺點，並提供修訂意見，本會無不儘量採納，即令所提意見，尚有問題，亦必提經本會研究討論後，加以說明，讓對方諒解。

爲國民中學編一部可用的地理課本，是本會同仁共同任務，我們要對青年學子負責，自應慎重將事，絕不可稍有輕率。爲眞理奮鬥，鍥而不捨，是我們的精神，也是我們的責任。我們要向社會交代，要向歷史交代。

徐委員漢豪先生此次對本書向教育部提出質詢，足以證明其重視地理教育，國民中學地理教科書編審委員會（以下簡稱本會）同仁非常感激，茲就上項質詢各點，提出答覆意見，希望徐委員不吝指教。

乙、徐委員質詢原文

（從略）主要認爲中國分爲邊疆、中樞、環拱三大區爲不當。並說「因編輯一二人的堅持，仍照原稿印行」）教育部召開會報時，大家一致認爲劃分不當，也沒有創設這兩個名詞的必要。……

丙、質詢原文與本書課文略有出入之處，特舉出下列六點：（從略）

丁、答覆意見共有下列三項

一、邊疆區一詞憲法有據，應用廣泛，似尚妥善。

（一）「邊疆地區」載於憲法下列各條文：

第三章國民大會第二十六條第四款「各民族在邊疆地區選出代表……」

第六章立法第六十四條第四款，（立法院立法委員）「各民族在邊疆地區選出者……」

第十三章基本國策第六節「邊疆地區」：

第一百六十八條「國家對於邊疆地區各民族之地位，……」

第一百六十九條「國家對於邊疆地區各民族之教育，文化，……」

（二）「邊疆」一詞，在學術上行政上之廣泛應用，因篇幅所限，祗列舉下列十種：

①「邊疆論文集」國防研究院民國五十三年出版，第一册合論文九十七篇：第一類歷史三十七篇，第二類地理十六篇，第三類民族十九篇，第四類政治二十五篇；第二册合論文一百〇七篇：第五類文化二十六篇，第六類宗教十一篇，第七類教育八篇，第八類經濟二十二篇，第九類涉外關係十七篇，第十類匪僞措施與抗暴革命二十三篇。這兩册共有一四七四頁，是一鉅著。

②本會委員張其昀先生爲該文集所著之序，提及：「則我蒙古新疆西藏等地區，在本國爲邊疆……。」

③「邊疆叢書」第一輯，蒙藏委員會出版，共計十二種，其中兩種「邊疆教育」「邊疆畜牧」，分別由蒙古籍學者札奇斯欽、烏占坤兩先生所編著。

④「邊疆文化論集」是現代國民基本知識叢書之一，中華文化出版事業委員會四十二年出版，分上、中、下三册，含論文二十一篇，是凌純聲、張其昀、郭廷以、姚從吾、朱睎、吳相湘、文崇一、傅樂成、札奇斯欽、方豪、林瑞翰、廣祿、李霖燦、芮逸夫、羅香林、時甲、陳天鶡諸位先生所著。

⑤立法院和監察院均設有邊政委員會。

⑥國防研究院成立以來設有「邊政與僑務」課程。

⑦教育部不但曾設邊疆教育司，且曾在南京設有邊疆文化教育館。

⑧「邊政學系」國立中央大學曾設此系，國立政治大學現設此系。

⑨「中國邊疆歷史語文學會」是我國重要學術團體之一，會務由來自新疆的立法委員廣祿先生主持，已出版之叢書有「西藏研究」「新疆研究」與「蒙古研究」三種。

⑩標準本初中地理一向分全國爲邊疆與內地，十餘年未有人提出異議。

（三）邊疆的特徵和範圍

占有內陸位置，和海洋隔絕，人口占全國百分之二，其中邊疆各民族占絕對多數（按這是劃分邊疆最重要的根據），包括下列各區：

甲、蒙古地方，西藏地方和新疆省。

乙、精華區除外的漢南四省和（精華區除外的）青海、西康兩省。

二、中樞環拱區，古今中外各國多有之，名詞較新，似尚妥善。

凡國家皆有中央政府（亦稱中樞），中央政府所在之城市稱爲首都，首都所在之區域稱爲中樞區域，此乃立國的基地。

中樞區域：在印度是恒河流域，以德里爲中心；在泰國是湄南河下游平原，以曼谷爲中心；在法國是巴黎盆地、在英國是倫敦盆地，分別以巴黎、倫敦爲中心；在匈奴突厥和蒙古，是色楞格河一帶的草原，以和林爲中心，近世蒙古始以庫倫爲中心；在吐蕃和西藏，是雅魯藏布江中游谷地，前者以邏些城、後者以拉薩爲中心（此二城大概在同一地點）；在中國（內地），唐以前是中原到關中，以洛陽長安爲東西兩都（班固有兩都賦）。宋以後的「中樞區域是古代中原之擴大，北面擴展到河北省北部，南面擴到浙江省和江西、湖南兩省之北半部（即其精華區域），面積占全國十分之一，占內地五分之一，人口稠密的兩大平原即華北平原和長江平原都在此，然其人口、耕地、農產約占全國一半，且有煤鐵等礦產，工業亦居全國重要地位，全國十三院轄市有六個在本區，包括南京、上海和北平，宋代以後，中國的首都（按指開封、杭州、北京、南京）都在此中樞區域。」（本書七至八頁）

中樞區域雖然源自德國地理學家日爾曼，但其含義與我國傳統「中原」一詞，頗爲相近，故宜加以採用。「中樞區域爲古代中原之擴大，[illegible]意義。古代「逐鹿中原」，近一千年來的歷史事實則[illegible]國父實業計劃[illegible]本書用「中樞」爲中樞區域之名稱，似尚適當。

一國之中樞區域必有若干環拱區域「環」「拱」之，這是中外歷史的事實，也是中外地理的事實，[illegible]這些事實，[illegible]，這是地理學的進步。

環拱區域，與中樞區域相伴而生，譯自英文Surrounding Region[illegible]。這兩個字合爲「環拱」，[illegible]這是靜態的。「拱」字取自論語：「若衆星之拱北辰」之「拱」，[illegible]爲動態了。九個環拱區主要根據地形劃分的，計有東北、[illegible]貴、五嶺南北、[illegible]其清代[illegible]域，若[illegible]先使東北[illegible]拱」的[illegible]一用中樞、環拱、邊疆三大區[illegible]十五省及二地方（蒙古、西藏）和海南島[illegible]十八個[illegible]子對我國[illegible]認識，這原是本書第一、二課「全國概觀」的目的。

三、西江之名根據[illegible]史方輿紀要，中外通用，相當正確。（從略）

本書原稿提出之後，本會同仁曾提出各種審查意見，不論口頭與書面，並無一人對「中樞、環拱、邊疆三大區」[illegible]版之後，也沒有一位國民中學老師對此點提出異議，足證「三大區」似尚妥善。

（以下轉刊第四版）

自由談

令人洩氣

由於英倫唐寧街政要之故意洩漏外交秘密談話，不但是英法兩國當局大起齟齬，且使美國亦感尷尬，因而尼克遜總統訪問歐洲的原定程序爲之更改，把訪法的行程排到最後了。

戴高樂之不滿意美英兩國，遠因是二次大戰期間他在英倫組織「戰鬥法國」政府之際，受盡了英方的奚落，也吃了不少的排頭。完整的法國海軍艦隊駐在北非土倫港，卻不接受戴高樂領導，而唯美英的馬首是瞻。大戰末期的開羅與德黑蘭兩次國際會議，「戰鬥法國」皆被摒棄不能參預。近因是戰後北大西洋公約的盟軍總部設在巴黎，然法國的發言權很低微，法國將領在盟軍體系中，總是居於偏裨地位。這些刺激使戴高樂沒齒難忘，他在法國當政後，即處處跟美英鬧別扭，要組織自由世界的第三勢力以與美國抗衡，他排斥英國加入歐洲共同市場的理由，就認爲英美是一體的，英國加入了，便係美國的化身。

迨美總統甘迺迪安葬時，戴高樂親赴華府送殯，本想藉此消解法美間隔閡，詎美方報紙對他冷嘲熱諷不已，使他信宿即歸，由沮喪而怨懟更深。最近他秘密向駐巴黎的英大使建議，以組織第三勢力爲允許英國加入共同市場的交換條件，自屬百分之百的事實，英外相竟予以公開洩露——而且正在美總統尼克遜宣佈先到法國訪問的前夕，可見英方是有意的，難怪戴高樂要惱怒了！

記得俄共首名人托洛斯基晚年曾作預言，他認爲英帝國主義將會[illegible]給新興的美國[illegible]落！可不是嗎？[illegible]主地位，[illegible]界的安全，[illegible]着俄共集團[illegible]紙老虎自居，[illegible]分低能，[illegible]本帝國主[illegible]看英國這[illegible]的渺小氣[illegible]遠矣，強[illegible]

馬五先生

昨日與明日

少年逃學問題

·易倩·

台北春節期間很多學生玩野了心，在各中學學校開始註册的前後數天，很多學生拿了學費沒去註册，在外嬉遊！市警局少年隊在這幾天接受查尋的案件，有一百餘起之多。據少年隊調查：二月廿四，廿五兩天，是全省各級中等學校的註册日期，但很多孩子都拿了錢去「遊山玩水」或「觀光」去了。台北是一個讀書最淡薄的城市，成年人工作之餘，吃喝玩樂根本沒有讀書習慣，固不必說，在學的學生，背着書包進電影院，咖啡館更比比皆是。過去在某次聯考，國文考試會出現「假使電影院是教堂」的怪異作文題，與論譁然，照目前在學少年男女的「野馬」式作風，冰凍三尺非一日之寒，家長和老師似乎都應負責。家長和老師建立了「好玩」的榜樣，對「身教」有惡劣的相反示範作用，是問題的主因。

金光黨乘機活動

在警方所查獲的少年中，最特出的是兩名由高雄逃到台北的少年，他倆都是初三的學生，上月廿四日，携帶註册費每人一千二百餘元，離家出走，來到台北，本來兩人準備好好「觀光」一番，想不到在火車站遇到金光黨，兩人的財物被兩男一女詐騙一空，結果在火車站遊蕩而被少年隊查獲。這是社會黑暗的強烈寫照！一般離家出走的少年，如果身上有錢，自然是城狐社鼠的最佳獵物。台灣一向以工業起飛，發展觀光事業爲社會進步的標準，但目前社會的道德藩籬已破壞無餘，少年的良知隨之泯滅，這種代價可謂慘重！在此一現實情況下，侈言文化復興，豈非是一大自我諷刺！

少女的心理病態

官方的研究小組，根據調查資料，認爲西洋的風氣，影響我們最大的，便是逐漸摧毀了我國固有的男女關係。目前十四歲到十八歲的少女，她們已不再服膺我國古時少女們那種吃苦，耐勞，節約以及貞節的風範。換句話說，她們雖未形成「嬉皮」組織，實已具有「嬉皮」思想。當前少年男女的病態心理，不但會造成家庭的悲劇，社會的悲劇，往深遠處看，更是民族的悲劇！我們不能坐視少年男女變成戕害民族生機的癌細胞，因此診治已屬刻不容緩。

台灣青菓合作社貪污案
情形嚴重較盜豆油案更辣手
牽及政府官又涉及國際政治

（本報台北通信）台灣高雄青菓運銷合作社，原係民間的社團組織，專司香蕉外銷的統制運輸業務，而以日本爲唯一的銷售地，每年在輸出之際，台日雙方的蕉業機構，必舉行議價會議，因而這項貿易又具有政治外交意義，「中日經濟策進會」即義不容辭，對台蕉輸出問題，隨時予以協助處理。據說，日本自民黨的黨費亦賴此項商行爲有所挹注——每簍香蕉附收日金乙百元——台蕉輸日數字，年在八百萬簍以上，這筆附加稅是很可觀的。職是之故，高雄青菓運銷合作社每年所耗交際應酬費，總是以台幣數百萬元計，主持其事的理監事們，無不擁資甚厚，該社理事會主席吳振瑞任職不過七八年，他自己承認現已擁有台幣四億元的私人積蓄現金，其他可以想見矣。

最近，該合作社內部發生意見，吳振瑞堅辭主席職務，外間紛紛議論，諸言孔多，乃引起政府情報機關的注意，派遣幹員多方偵查，發現該社有剝削蕉農，營私舞弊的種種情況，認爲黑幕重重，非加以徹究不可。結果查出該社去年假借二十周年成立紀念的名義，委託台北市的一家銀樓，鑄造十足赤金的果盤、飯盌、茶杯等，分贈省府與中樞的若干官員，其中獻與某某三名要人的金果盤，每只重達四十兩。這些金製的盤盂禮物，有些官員曾拒絕收受，有些是笑納了，也有接受數月之後，微聞風聲不對，才又退回的。情報機構於查得各項賀禮實據的資料後，認定該社理事會主席吳振瑞責任重大，決計將吳氏拘押訊辦，吳聞訊潛伏台北市數日，嗣知無法逃避，乃親撰自白書投案，現已移送高雄地方法院訊究，將吳氏當堂收押了。據聞牽涉本案的人士不少，除該社總經理和高級職員外，尚有行政官員在內，法院是否擴大偵查訊處，社會各界頗爲關心。一般的觀感，認爲民營企業機構爲紀念廿周年而致送禮品，固不犯法，問題是何以要送給政府要員，而且以重及數十兩赤金乙只的盤盂相將，這就無異於行賄了！

承製上項金質盤盂的銀樓老板，已被傳訊，店中的帳簿亦被提取稽考。銀樓替雇主製造金銀器皿，原係正當業務，并不犯法，有關機構對該店主人加以查詢，并調閱其帳簿，藉以明瞭實情，自無不可，若謂該店主亦有法律責任，那似乎說不過去——除非他有勾通分肥的事實。本案的重點，一是該社剝削蕉農的集體營私舞弊行爲，必須徹底查究，二是該社經常浮濫開支的交際費殊堪驚異，此中是否有官商勾串，朋比貪污之情，如官員接受金質禮物，固已構成賄賂罪行，倘再有其他情弊，問題更嚴重了。台灣的貪污風氣實在驚人，這次青菓運銷合作社貪污案，如能嚴切查究，毋枉毋縱，樹之風聲，或許可以矯正惡習，一新耳目，就看主管當局有無魄力了，一般認爲比上次的油案更爲辣手。

號召海外反共人士
擴大舉行救國會議
立法委員向政府提建議

（本報記者張健生台北航訊）立法委員們在質詢時間內，曾就憲政體制問題向行政院提出質詢，許多問題，行政院將以書面答覆。（所謂質詢時間內，係指每會期開始之口頭質詢結束前的時間而言。）

白建民委員說：依憲法規定：國民大會及五院皆有其明定之權責，但目前運行情形却與憲法規定有異。各單位邀請行政院院長或部會首長列席報告施政之情形，即一例，希望國民大會及五院之間，彼此尊重職權，不宜混淆。

按照憲法第五十七條規定，行政院對立法院負責。行政院有向立法院提出施政方針及施政報告之責。立法委員在開會時，有向行政院院長及行政院各部會首長質詢之權。同法第六六十七條規定立法院得設各種委員會；各種委員會得邀請政府人員及社會上有關係人員到會備詢。依同法第七十一條規定，立法院開會時，關係院院長及各部會首長得列席陳述意見。

此外，憲法並未賦予國民大會及其他幾個院得邀請行政院長及行政院各部會首長列席報告施政之權。

行政院對白建民委員質詢憲政體制的問題，將交有關單位專案研究。

商文立委員質詢時主張早日召開一次擴大救國會議。他提出：我們有多少科學家留在外國？多少有學問有才氣的政治家教授學者留在國外？多少有資力有能力技術人才留在香港星加坡以及世界各地？自古一與一亡，莫不關係人才之消長，以一人而興一人而亡者史實多有，人才集則與，人才散則亡，歷歷可鑒。

商委員質詢嚴院長對於集中人才，號召賢哲、延攬科學家、學者教授，聯絡反共人士，有沒有計劃？有沒有聯繫？我們要集中力量，不能不集中人才。他說：「我以爲擴大一次救國會議無妨早些研討，並同時召開各種專家會議，號召各方反共人士來台，不然，亦須由各大學各種機構藉種種機會邀人來台旅行觀光，我們給以隆重招待，虛心領教，則反共聲勢自然增高；我們多年來屹然不動不可爲訓，要動才有活力，要動才有聲勢，要動才有號召力，自古尊賢禮士爲治國平天下之要道。」

商委員質詢三考三打卡的制度是「疲勞轟炸」。他說：「我們已把握的各種人才，他們在此是很辛苦的，我們要給以物質及精神優待，物質優待是要使他們能養家活口；精神優待是要使他們在工作上不要受疲勞轟炸。我們的公務員收入不及韓國、越南，事實上難養家活口，我們在財政收入有了增加，就必須調整待遇，不過，調整待遇應該有個準，則不患寡而患不均，調整要公平合理；精神上優待，打卡制度機該取銷，現在，每日十二時下班，二時上班，或八點鐘上班過了十分鐘就將簽到簿帶走，或收到人事室，是不是虐待公務員？是不是疲勞轟炸？因打卡而死者有人焉，因打卡而病倒者有人焉。」

三打三卡形如整人
有虧尊禮賢士之道

商委員說：「打卡制度行後有人死於此，其友輓以一聯：『君爲五斗米折腰，三考三打送老命。我得十萬元脫手（指退休），一分一厘度殘年。』眞是千古絕唱，不知嚴院長聽到此聯否？打卡制度無一是處，請問嚴院長，你做公務員幾十年，從前不打卡你的公事都辦不好嗎？現在打了卡，你的公事都如意辦好嗎？同是一樣公務員，上級者則以汽車代步，不簽到，不打卡；下級者則非簽到不可，簽到遲一點都不可，我替下級公務員鳴不平，要知科長管科員，以及公事辦得好辦不好？不在打卡不打卡，既爲公務員他有公務員人格，他若天天遲到，科長只消輕輕提醒他，或當面與他難堪，他已經受不了，何須這種機械制度，請嚴院長尊禮賢士，將此虐政即刻取銷。」

商委員認爲：「台灣要辦好自治民主，應以辦好鄉鎮民主爲第一要着，否則，皆爲空談無補於事。」他說：「縣鄉鎮自治是民主政治的基礎，一國之人民大多數住在鄉鎮，鄉鎮民治不好，那一個國家民主政治一定差勁。歐美民主國家，在鄉鎮上都能行全民政治，我們已作教育上重大改進，國民教育提高爲九年，推行全民政治於鄉鎮，假以時間是絕對可以辦到的。台灣省各縣市實施地方自治綱要有待修正，最要緊的是縣鄉鎮財力不够，故各縣鄉鎮自治事業如民政、建設、教育、衛生都無錢舉辦。鄉鎮既無固定獨立收入，當然不能辦事，是故道路不修，村落荒蕪，市場髒亂，水溝奇臭，房屋傾敗，人民愚蒙，牛馬亂放，河上無橋，村中無樹，人民全不知自治爲何物？選舉爲何事？今後必須改弦更張，必須充實縣鄉鎮財政收入，猶之要建設台北市。鄉鎮收入增多，自會辦理各事，省縣又嚴密監督之，自然不會浪費，不必建設新社區，由鄉鎮辦之。

這些問題，與憲政體制有着密切的關聯。

稅官加薪勢在必行
一般工教人員
個個啼笑皆非

（本報記者張健生台北航訊）廣東籍立法委員，現已脫離民社黨而加入國民黨的王夢雲，他以極盡譏諷的口吻質詢行政院院長，並指責行政院「破壞制度」。

王委員在「敬以數事就教於嚴院長」的質詢中，一口氣問了十六個問題，其中有幾個問題是値得報導的。例如，他質詢賦稅問題時說：「賦稅屬財政部範圍，而行政院增設賦稅改革委員會，以與財政部分庭抗禮，各自爲政，此乃削減財政部之權責，破壞制度。若以改革賦稅之事，財政部上自部長至於次長以下之職員，有改革及研訂方案之能力，應將該會歸併財政部主管，以免脫節，否則將財政部裁撤，以賦稅改革委員會代之，較爲乾脆，何苦政出多門，自分門戶，倘以此爲例，則關稅、鹽稅甚至所得稅，烟酒稅，貨物稅，等等，亦要另設改革委員會，方濟其事」嗎！

他並指出：財政機關的職員，世視爲優缺，這種看法，固不能以偏槪全，但屬政府機關之公務員，毫無軒輊之差，故後漢書馬援傳有：「居前不能令人軒，居後不能令人輊，臣所恥也」的記載。（記者按：言爲人無所輕重之義）今行政院會議通過稅務人員調整方案；今年二月七日財政部俞部長說：「關於稅務人員加薪的問題，外界或有誤解，以爲增列預算，事實是從稅收項下提出一部份，作爲稅務人員律貼，故與一般公務人員待遇無關。」即嚴院長於施政口頭報告中亦有：「正在孜慮中的稅務工作人員待遇的調整」之報告，依據院長部長的表示，則稅務人員的加薪，大有必行之勢，置其他公教人員於不顧，其軒輊之高低，已失平衡，「豈臣無所恥乎」—爲政若斯，錯誤殊甚。

夫稅收超收，乃稅務人員的稱職，非稅務人員的功勞；若稅收減收，乃稅務人員之職責有虧，況超收稅款，係國家的財源，應歸國庫，非司其事者機關之私物，不得擅留挪用，而自由處分。倘此議一付實施，則經濟部所屬十個國營事業單位之估計盈餘三十一億零九百萬元，及財政部所屬事業單位之盈餘若干億元，亦可各自援例效尤，行見肥機關人員皆肥，瘦機關人員皆瘦，相形之下，啼笑皆非。近聞於酒公賣局，盈餘甚鉅，爲中央及省縣市之各事業機構之冠，早已提留部份盈餘，自行調整待遇，如所傳屬實，應嚴令糾正。

王委員在質詢中抨擊社風不良。他說：政府致力於改善風俗，提倡道德之措施，迭見報端，但黃色電影，黃色書刊，仍然猖獗，而妨害固有文化傳統及倫理道德之情節如故。設非管理無力，執行無力，即屬另有文章，陽抑陰扶，共發文化橫財，危及社會風氣，苟非積極取締，不足以挽救頹風而臻社會於良善安寧之域。儘管警察機關雷厲風行取締，然而色情秘窟，仍形同雨後春筍，有加無已，其中隱情如何，局外人不知其故。

王委員反對以賣淫賣笑來爭取外匯，他指出觀光事業年來頗有改善之處，祗因台灣地區，名勝古蹟不多，名產物品又少，實不值旅客觀賞購買。惟有妓館姑娘，價廉美麗；咖啡小姐，秀色可餐；觀光旅館，暗藏春色，從業人員，公開導淫；活春宮、土耳其浴、馬路僻巷，到處皆春，使觀光旅客，嘆爲觀止，去而復來。如此觀光事業之推動，有違　總統復興中國文化之德意，且使各地來台觀光旅客之妻子，視其夫來台觀光爲畏途，而政府名爲爭取外匯，此種賣淫賣笑所得之臭錢，有損我國傳統之道德。國家雖窮，此等臭錢，實不能取，若決策取臭錢而實庫收，則闢多設妓院，所有申請開設舞場、夜總會、舞會及有女性陪侍之酒家、酒吧、茶室、咖啡館等之家數，不加限制，一律批准。並將高雄之愛河、基隆之和平島、台南之安平港、台北之環河，以及各縣市有河所處，闢爲觀光區，釁花艇，徵佳麗，所有色情營業者，集中臭氣於一爐，其逐臭採花之徒，必如蠅蜂之萃聚，既易管理而增庫收，且免臭氣襲及市內青年而維善良風俗。

喬治桑外傳

三三

張大萬

喬治桑挨着郝隆昂坐下來，自有傭人替他安置杯盤碗筷。

「我先敬各位一杯。」

喬治桑的禮貌很週到。

「今天我晚上有要緊會議，但與老兄有約在先，所以先來和你打個招呼，我已約好一位朋友，在晚飯的時候來替我代打，輸贏都算我的，免得掃大家的興。」喬治桑將早來原因娓娓道來很有條理。

「哎呀，你有事我可以另外約搭子，你約生朋友來多不方便。」郝隆昂明明是不歡迎外人來。

「不要緊的，我約的朋友和老兄最熟人，是大豐銀行常務董事古有方。」

「噢，古有方，他是打大麻將的人呀。」

郝隆昂口氣改變了，似乎對古有方、喬治桑接力賽並無峻拒之意。

「我和有方兄是多年老朋友，他處世很隨和，尤其是打牌，大小都來，向不掃別人的興。」

喬治桑爲了古有方的「接棒」順利起見，不能不在郝隆昂面前美言幾句。

「好吧，不過事先需要講清楚，古有方來，你可以讓他搓，古有方不來，你一定要搓下去，拗枱脚，拆散場子是不寫意的。」

郝隆昂是一個企業家，很懂得先小人後君子的生意經。

「當然，當然，請你放心，我姓桑的做事向來落門落檻。」

喬治桑完全是上海白相人口氣

唐珊珊，尤香，杜梅子，在旁聽郝隆昂，喬治桑談話，似乎並不了解內中文章，因此，也不大注意，倒是喬治桑做人很週到，與郝隆昂談話以後，回轉頭來，向唐珊珊說：

「唐小姐，今天是妳的生日，我因爲不知道妳喜歡甚麼東西，這點是小意思，不成敬意。」

喬治桑邊說，邊掏出一百元鈔額的美金三張，遞給唐珊珊。

「這怎樣好意思，桑叔叔太客氣了。」

唐小姐的眼珠是黑的，看到美金票顯出異樣的光彩，不過她並沒有馬上伸手來接，她要看乾爹郝隆昂的表情。

「喬治，我已經事先向你說明了，等一等你拿一萬塊出來，我會一齊交給珊珊的，現在忙甚麼？一萬塊新台幣，兩百五十美金儘够了，何必拿三百塊出來？阿是表示你是美國僑領派頭大？」

文滙樓別記

涂全福與「六點半」

中醫師涂全福，刋登誇大渲染廣告，而涉嫌妨碍風化，業經台北地方法院檢察處依刑法二三五條之規定提起公訴。

俗語說：「人怕出名豬怕肥」，涂全福在台灣出名早達到飽和點，由於「物極必反」，現正步向下坡路，也是無可否認的事實。尤其靠「六點半」起家的醫生，更應當急流湧退。因人的慾望是無止境的，而補藥所能給人的等於涓滴之水，究難濟於黃河之流。

涂全福跌下來是必然，不跌則是偶然。還有一位「六點半」的醫生，傳說亦搞到好幾百萬和上千萬了，且身任醫藥界重職。涂全福會被提起公訴，而其能穩坐泰山，官方某大報雖曾予該醫生無情攻擊，並未能傷到其一根鳥毛者，這叫作「老公鷄不洒尿，各有各的路」。盼望台北市衛生局能找出理由自圓其說，否則又會使人想到「紅包」的幻影。

就道家對男女之道的看法，單陰不生，獨陽不長，天賜給人的，「二十天天，三十連連，四十數鈔，五十月圓，六十拜年」，人到了五十歲，男女關係是以月來論了。廣東人喜歡研究補，這和植物施肥，動物加料同一事理。涂全福之輩，不過替人「施肥」「加料」而已，所不同者在施肥加料的過程中，多多少少含有部份詐術，嚴格的說，也人之恒情。不過話又講回來，涂全福如果穿着草鞋在萬華擺地攤，除人體中的「六點半」不能陳設作標本外，狗鞭，牛鞭，羊鞭，老虎鞭，堆積成山，保證無人過問，絕對不妨碍風化，再誇大渲染，渲染到像牯嶺街性史，性技術，性照片公開買賣，衛生官員也不會來干涉，人世間之各種奧妙，眞妙不可言。

本港與台灣等地有一反常現象，這反常現象就是男女都不服老，表現得最突出的當然是電影圈和靠漂亮吃飯的人，他們當然不能服老，服老祇有退休。王元龍年逾古稀及五十歲以上某女紅星還在演少男少女，這是飯碗環境使然。還有些並不靠漂亮吃飯的人，男的要壯陽，女的求補陰固在不話下，我們所確知的有些男女，特別具有財勢的人，性行爲上簡直使人乍舌。涂全福這一行職業應運而生，乃調劑供求，並非甚麼大逆不道。眞正妨碍風化，應當注意色情電影，和黃色報刋。

高玉樹市長治下的大台北，燈紅酒綠，歌舞昇平，吃飯有色情，飲咖啡有色情，純吃茶有色情，酒吧裡更是色情世界，澡堂裏的鴛鴦浴，萬華有斷袖癖，鬧區中有小電影，門票五十到百元不等，看小電影不僅是男人，太太小姐照看不誤，有感以色亡國，歷代不免，而亡身亡家者更夥，身爲一市之長，對這一團糟的塲面，裝聾作啞歟？眞的陷於不知歟？末世人心如此，夫復何言？

·文匯樓主·

命相與夢話

范仲淹——胸中數萬甲兵

·公陶·

「士當先天下之憂而憂，後天下之樂而樂。」

筆者原意將歷代名相作一系列之介紹，希望在這一面鏡子中所映出的諸般形相，與今日社會作一比較，期收切磋之功，唯手頭資料不敷，因簡就陋處至祈諸君子鑒宥。

范仲淹，宋江蘇吳縣人，不到兩歲的時候父喪，隨母謝氏改適於長山朱姓，改名爲朱說，一直到他廿七歲，舉了進士才改爲本姓。

他的幼年生活非常不幸，在長白山僧舍讀書的這段日子，每天煮小米糕吃，一天如此，二天如此猶可忍耐，積年累月如此，則不是一般人所能忍受得了！

初舉進士，試金在鎔賦云：「如令區別妍媸，願爲金鑑。若使削平禍亂，請就干將。」這種心胸氣魄，比今天連作夢都鍾美翳邊兒的讀書人，眞不可同日而語了！

他中進士後，即任朝中官吏，非常克盡職守，律己甚嚴，廉潔愛民，獲得朝野一致的尊敬！雖然因爲得罪了一位權貴——呂夷簡也曾遭到坐貶徙配，可是這不但未損聲譽，反而因更獲得接近民間，而廣獲愛戴。

元昊反，范以龍圖閣直學士副夏竦經略陝西，戍守邊陲數年，他治兵寬嚴並濟，愛撫士卒，深得將兵之道，羌人呼爲龍圖老子，夏人相戒不敢犯界。又說：「小范老兒，胸中自有數萬甲兵！」

可見氣正則威。今日爲將帥能夠做到范仲淹一半卻是「羚羊掛角」了無一人矣——可見大器之難得！

范仲淹律己治家均嚴，逝時六十四歲，謚文正，追封楚國公。宋復棠題范文正公祠聯云：「兵甲富於胸中，一代功名高宋室，憂樂關乎天下，千秋俎豆重蘇台。」

范文正公於宋太宗端拱二年八月初二丑時生。四柱爲己丑，癸酉，庚戌，丁丑。日主之庚以酉爲陽刃，誕生於白露節後，秋金當令，陽刃得生氣！巫咸篇要云：陽刃得同生氣，閫外操權。而觀其守邊陲數年，羌人呼爲龍圖老子，可證。

月枝之酉，中藏辛金，日枝之戌又藏辛金，年時二枝之丑又各藏辛金，連同日主庚金，金計有五，金多主威武剛烈，而范文正公一生任事，具見剛烈處可說是撥拾即是，如對來使焚元昊答書，及將品劣的官吏一筆勾掉，並曰：「一家哭何如一路哭」？都是剛烈個性的表現。

時幹明見丁火，日枝之戌又藏丁火，命宮辛未，幹維屬金，卻藏火藏木，具見火得木生，金得火煉，大器之成，豈偶然哉！

四十八歲辰運丙子，山限庚申，上書言事忤呂夷簡，致貶饒州，五十六歲丁運甲申，小限壬子，因焚元昊之書，宋庠請斬仲淹，幸仁宗知范降本曹員外郎，見申子辰之水即不得安定。

但二十七歲午運乙卯，登進士第，爲廣德司理參軍。二十八歲午運丙辰，迎其母歸養，二十九歲午運丁巳，改集慶軍節度推官，還姓更名，足證剛金需火，運前逢火逢木即昂首青雲也。自此後或昇或貶，或進或退莫不與歲運攸關，歲運勁火，生火制水皆佳，迄至剖符錫爵呈瑞分疆。六十四歲丙運壬辰，五月二十日卒於徐州，此乃壬丙宣戰，辰戌相衝之故。

五朝名臣言行錄云：「公在杭州，子弟以公有退志，乘間清治第洛陽，樹園圃，以爲逸老之地。公曰：人苟有道義之樂，形骸可外，況居室哉。吾今年逾六十，生且無幾，乃謀林第治圃，顧何待而居乎？吾之所患在位高而難退，不患退而無居也，且西都士大夫，園林相望，爲主人者，莫得常遊，而誰獨障吾遊者，定必有諸已而後爲樂耶，俸賜之餘，宜以賙宗族，爾曹遵吾言，毋以爲慮。」

錄此爲鏡，祈廊廟中人懸之以爲戒，國有望焉，中興有日焉！

大學尺牘

康有爲上光緒書一束

鴻雁

（一）膠警乃其借端，德國固其嚆矢耳。二萬萬膏腴之地，四萬萬秀淑之民，諸國眈眈，朵頤已久。慢藏誨盜，陳之交衢，主者屢經搶掠，高臥不醒，守者袖手旁觀，若病青狂。唾手可得，俯拾即是，如蟻慕羶，聞風並至，失鹿共逐，撫掌歡呼。其始壯夫動其食指，其後老稚亦分杯羹，並思一臠。昔安南之役，十年來乃有東事（甲午之戰），割台之後，兩載遂有膠州。中間東三省龍州之鐵路，滇粵之礦產，土司野人山之邊界，尚不計矣。自爾之後，赴機愈急，蓄勢益緊。事變之來，日迫一日，教堂遍地，無刻無可啓釁，礦產遍地，無處不可要求。骨肉有限，剝削無已。且鐵路與人，南北之咽喉已絕；疆臣斥逐，用人之大權亦失；譬如埃及之管其戶部，如土爾其之柄其國政。樞垣總署，彼可派其國人，彼且將制其事命。鞭笞親貴，奴隸臣民，因奴士夫，蹂躪民庶。

（二）願伏皇上因膠州之變，下發憤之詔，先罪己以勵人心，次明恥以激士氣。集羣臣咨問以廣聖聽，求天下上書以通下情，明定國是與海內更始。自茲國事付國會議行，紆尊降貴，延見臣庶，盡革舊俗，一意維新。大召天下才俊，議籌變法之方，採擇萬國律例，定憲法公私之分。大校天下官吏賢否，其疲老不才者，皆令冠帶退休。其未遊歷外國者不得當官任政，統算地產人工，以籌歲計預算。察閱萬國得失，以求進步改良。罷去舊例，以濟時宜，大借洋款，以舉庶政。詔旨一下，天下聳動，士氣奮躍，海內歸望。然後破資以勵人材，厚俸以養廉恥。停捐納，汰冗員，專職司以正官職，變科舉，廣學校，譯西書以成人材。懸清秩功牌，以獎新藝新器之館，創農政商學，以爲阜財富民之本。改定地方新法，推行保民仁政，若衞生，濟貧，潔監獄，免酷刑，修道路，設巡捕，整市場，鑄鈔票，創郵船，徙貧民，開礦學，保民險，罷蠶征。以鐵路爲通，以兵船爲護。夫如是則庶政盡舉，民心知戴。

（三）請皇上勿去舊衙門，而惟增置新衙門；勿黜革舊大臣，而惟擢新小臣。多召見才俊志士，不必加其官而惟委以差事，賞以卿銜，許其專摺奏事足矣。彼大臣向來無事可辦，今日仍其舊，聽其尊位重祿，而新政之事，別責之於小臣，則彼守舊大臣既無辦事之勞，復無失位之懼，則怨謗自息矣。即皇上果有黜陟全權，而待此輩大臣，亦祇當如日本待藩侯故事，設爲華族，立五等之爵以處之，厚祿以養之而已，不必盡去之也。

禪學黃金時代

吳經熊著·吳怡譯

風趣的古佛——趙州（十三）

即使你的答案是獨創的，有生命的，可是經過你這種單板的重述後，便會像一個風乾了的檸檬一樣的失去了它的生命。如果用這種方法，你便會把人變成了一隻鸚鵡而已。

據說趙州用這種方法去考驗別人，會揭發了不少假禪者。他有一種判別眞假的銳敏感覺，常常有許多自南方來的和尚，他們從許多著名的禪師那裡學了不少警句和話頭，因此談起話來非常流利，其實多半是套用老師的話，趙州稱這種人爲「担板漢」。有一次，他遊五台山，碰到了一個奇怪的老太婆，他的侍從會告訴他說：「這個老太婆常在路邊迎接每個來遊的和尚，當別人問她山上的廟是如何走法時，她便說：『一直去』，等別人照她的指點她再說：『又是這樣去的』。」很多人認爲她深通禪理，但趙州卻對他們說：「驗我去攷驗她一下」。

於是趙州故意走向她，她也照常的迎面而來，趙州便向她問路，她說：

「一直去」。

趙州便照她所示的方向走去，她再說：

「又是這樣去的」。

第二天，趙州對他的隨從們說：「我已替你們看破她了」。

禪的精神就在於力避陳腔濫調。莊子曾說：「有眞人而後有眞知」。趙州的看法也是如此，因爲他爲禪的運用，一切都存乎其人，他曾發揮說：

「正人說邪法，邪法亦隨正；邪人說正法，正法亦隨邪」。

最令人驚奇的是趙州在風燭殘年時，並沒有消失了他那青春的活力，她好像永遠也不會衰老似。當時比他年輕的許多禪師都沒有像他那樣的充滿了活力，在他最後的幾年中，曾看到禪宗衰退的跡象，他說：

「九十年來，我曾看過馬祖以後的八十餘位禪師，他們都具有創造的精神，可是最近幾年來，學禪的人卻逐漸的走向繁瑣、分歧。離前人的創造精神是愈來愈遠，這種頹風是愈變愈厲」。

趙州說這些話是在九世紀末，那時他已是一百一十歲的高齡了。我們不得不承認他觀察的正確。在這時，禪的黃金時代已過，他可說是唐代最後的一位大禪師——他是最後，但也是最重要的一人。

（完）

吳敬恒先生年譜（五四）

陳凌海編撰　陳　洪校訂

其原文如下：「山不在高，有草即青。水不厭濁，有礬即清。斯是斗室，無關德馨。談笑或鴻儒，往來亦白丁，可以談對牛之琴，可以背癩痢之經，羣臀草際白，糞味夜來騰，無絲竹之悅耳，有車馬之作聲，南堆交通煤，東傾掃蕩盆。國父云：「阿斗之一，實中華民國之大國民」。九月，先生發表：「告僑美全體全胞書」。」內述共匪假借抗戰名義坐大經過，先生在中央研究院評議會閉幕會講演。

民國三十四年，乙酉（西曆一九四五年）。

先生八十一歲

一月，知公子詳在上海舊疾復發，女公子芙亦病腹。先生商諸友好劃款濟急。二月二十七日，先生應蔣主席中正邀，前往黃山（重慶對岸）商談國際大勢。三月，國共進行和談，先生致周恩來書，正告應以國家利益爲前提。五月，出席中國國民黨第六次全國代表大會暨六屆一中全會，担任主席團之一。大會推舉蔣公中正連任總裁，先生代表主席團說明提案旨趣，先生亦被選連任中央監察委員會常務委員。七月五日，蔣主席中正邀先生與孫科（哲生）、鄒魯（海濱）、吳鐵城、陳立夫、陳誠（辭修）、陳布雷（畏壘）、王世杰（雪艇）等商談外蒙問題。七月，蔣主席中正囑先生書一聯及發地震等五獻。聯云：「生活的目的在增進人類全體之生活；生命的意義在創造宇宙繼起之生命。」

（未完）

巨變歷險記！

與林彪第二次會談（一三）

胡慶蓉

在代表們意識中的停戰，是等於撤軍的。戰能停下來，不就等於撤軍嗎？即令軍不撤，戰能停下來，戰事的威脅不就解除了嗎？但事情沒那麼容易。林彪的停戰是附有很多條件的。要這邊答應讓，他那邊才能停。讓天津給他，代表們根本沒有這個意思，天津市的軍政當局也沒有這個意思。要是讓，根本就不會來談。對於讓，林彪提出分期的辦法：第一期讓出天津的那一部份，第二期讓出那部份，……。這如何可以！讓，怎麼可以分期？讓林彪的部隊進入天津某一部份，天津還能抗嗎？這樣的讓，代表有什麼權答應？對於談判停戰，還有個大問題，那就是時間的問題，限期的問題，停戰，停好久？林彪的意思，是越短越好，而代表們的意思，則越長越好。這一點也極不容易談。林彪堅決的表示：時間不能長。他推到士兵身上，說他們很苦。

即令戰停了下來，問題還問題，問題依然存在。在代表的心目中，停戰下來，問題雖然存在，但不失為緩兵之計，假若在停的階段，能有中央的軍隊到來，能得到外邊的援助，能反守為攻，也是很有意義的。單單靠天津市現在內部的力量，反守為攻，是不大可能的了，只有希望外援之一途。陳長捷司令是這樣告訴各代表的。請代表儘量的爭取，當然越長越好。

是不是林彪不願意過分刺激有代表們，對於停戰的期限，總不願意提出來。但到了會談快要結束的時候，林彪的猙獰面目露出來了。林彪這個人，看來非常斯文，有訥訥不善言詞的樣子，但在他沉靜之中，卻有鋼鐵的表露。他並沒有顧到代表的請求，沒有顧到天津市民的意思，他注意和考慮的是他的迅速的勝利，其他均非所顧。在他看起來，停了差不多一個月，沒有大打，對天津，已經很對得住了。在他的等待，已經快到頭了。他告訴各代表：若不能就近讓出天津，戰事是難以避免的。屆時，天津有什麼破壞犧牲，責任應由守城的部隊負之。

義勇千秋、亘古一人 關公的生前和死後（三）

·經緯·

演變到了宋代，元朝以後，「結義」、「結拜」、「換帖」一類風俗，就是三國演義，及水滸傳、彭公案、施公案、七俠五義等等產生的時代，結拜、結義金蘭之好、換帖一類名詞，始紛紛出籠。但水滸以下所謂結拜兄弟，卻日漸遜色了。如施公案、彭公案上面的兄弟，「結」之事。如西門慶的「熱結十兄弟」，更是阿毛阿狗，胡鬧宵小之徒。如果他們也在關公面前行禮如儀的話，關雲長必然大怒喝道：「鼠輩，滾蛋吧！」

劉關張三義結拜，不但超君臣，超友誼，超同胞手足之情義。「亘古三人」，至今尚找不到第二個兄弟幫可以倫比。

（四）關公的勳業

關羽自三人結義成為兄弟幫時，他的生命史便開始了新的一頁。他的一身勳業，可以說與劉備是不可分的。一直追隨劉備，不避艱險，生死與共，顛沛流離，不改其志。他一身可以說是造到孟子所說：「富貴不能淫，貧賤不能移，威武不能屈」的精神。自從担當起荊州重任，配合取川，北向宛洛，逐鹿中原的軍事策略開始，才與劉備分開，各負一面之責，一直到遇害為止。

劉關張趙及孔明，均出身平民，在當時羣雄中，劉關張兄弟幫才是一個純粹的民間集團。沒有豪門、貴族的雄厚資本，完全白手起家，憑毅力大志，堅定不移，不為人下的耐性，縱橫天下。比起曹操、孫權，以及袁氏兄弟等羣雄，都困難得多。完全是憑真本事，硬功夫打下來的天下，得之不易。有些皮相之見的人，往往以成敗論英雄，以為關羽不過一勇之夫。這種看法，似乎太皮相了。關羽的勳業，在此不用分別介紹，大家都會知道大概的。

我們平心靜氣來評論一般皮相之見的誤會吧！

關羽首次聚義是破斬黃巾，他的勳業一直息息與劉備相關。但是他的勳業，往往都是他和劉備分開的時候顯出。劉備一身用兵，都是親自指揮作戰，不分兵則已，凡是分兵，只有關羽獨當一面。如在徐州分兵，則關羽領兵屯下邳。在當陽分兵，關羽以一北方人，獨領精兵萬人（水軍），直趨漢津會師。劉備取川，關羽獨當荊州重任，在此時，他身任一方面的主帥，荊州不但是劉備的根據地，而且四鄰強敵，南方新收四郡，全部包括在內，掌握軍政大權。起初孔明只是輔佐關羽，在四郡造的「調其賦稅，以充軍實」的任務。一直到劉備之死，劉備沒有給孔明獨當一面作過戰，一直任內治，「足食足兵」之功，是孔明的長才。取了漢中之後，只有魏延為劉備獨當一面，鎮守漢中。荊州可以說是劉備事業上最重要的環節。如但取川失利，便得退回荊州，荊州一旦有失，則劉備一身事業便全完了。劉備為什麼不把荊州重任交給諸葛亮？孔明的前半生的青年時代，可以用「初出茅廬」四個字來結論。劉備一身都是實兵指揮作戰的老手，關羽亦如劉備一樣，都是從實兵陣中打出來的。諸葛亮是在劉關張死後創業人物凋零了，才能展露才華。但談到用人，他還不如劉備上乘。在蜀漢虎將之中，也只有關羽可以担當此重任。雖然關羽最後是失敗英雄，但在荊州表演的有聲有色，可以說是蜀漢時期的如日中，就是日後的孔明北伐，也是不可企及的。

關羽一生戰績，最為時人震驚的，以三國演義所說最為精采；但是我們是據正史評論人物，不能以小說家言為依歸。如斬黃巾，斬華雄，斬蔡陽，義釋黃漢升，皆為正史所無。除此之外，他的武功仍然是赫赫不可一世。如斬顏良的一幕，正史寫如神來之筆。「……紹遣大將顏良，攻東郡太守劉延于白馬，曹公使張遼、關羽前先鋒擊之。羽望見良麾蓋，策馬刺良於萬眾之中，斬其首還。紹諸將莫能當，遂解白馬圍：……」雖寥寥數十字，但寫得神威凜凜，有聲有色。陳壽對于蜀漢一向存有偏見，雖惜墨如金，對于此戰，寫得十分突出。由此戰之後，關羽在當時國際上是赫赫有名，震驚敵國。于敵人口中，皆稱「關張為熊虎之將」，「萬人之敵」，誅文醜一事，雖為正史所無，演義平話皆有，而宋人洪邁的「容齋隨筆」，這是一部相當考信」的著作，該書有了誅文醜的記載：「關公手殺顏良、文醜于萬眾之中。」故平話演義都有了根據，並非造謠。又在洪邁的「容齋續筆」卷十一「名將晚謬」一則，論古來名將，鮮能克保令名，首舉關羽為例：「自古威名之將，立蓋世之勳，而晚謬不克終者，多失於恃功能而輕敵也。關羽手殺顏良、文醜六將于萬眾之中，及攻曹仁、于禁于樊，于禁等七軍皆沒。羽威震華夏，曹操議徙許郡，以避其銳，其功名盛矣。而不悟呂蒙陸遜之詐，竟陷孫權計中，父子皆擒，以敗大事。」他把關羽列為名將晚敗之首，對關羽是極其重視歎息。洪邁是一位用力甚精的學者，其言論著述相當精審，但手殺文醜也有了着落。雖然正史未看何人斬文醜，此時關羽仍在曹營，寫此役是緊接着誅顏良之後，所以斬文醜，宋代已有了着落，這位考信的學人，絕不是道聽途說可比，是很可信的。

海國秋深（九）

文自粹

四、願假飛鴻翼　乘之以遐征

話分兩頭，嘉玉的冤家對頭李才奮也是出生於江南魚米之鄉，不過遲了二十年，於民國前二年出生於浙江慈谿。餘姚、慈谿理學很盛，李家也正是書香門第，才奮的叔父前清還中過舉。父親看民國後大局趨向於商戰，所以趁那幾年江浙比較平靜，就到上海開了爿茶葉莊，西湖的龍井，徽州的紅茶，都很著名，徐姚到上海又不遠，漸漸又做了外銷，生意倒也不差。所以李才奮在家鄉讀完初中，父親就叫他到上海讀高中，一面可多些見識；一面為將來升入大學的準備。後來才奮果在復旦大學畢了業。因為青少年時代都在上海，才奮也聰明巴結，送來迎往，對地方長輩，港粵仕商，都招待得很好。由於大學中一位廣東同學的介紹，他認識了廣東大老陳紆公的夫人，說起陳紆公，廣東幾乎無人不識。因為他是廣東最早到日本學習海軍的人，回國後就一直辦海軍，而又一腔忠忱，所以國父中山先生護法，北伐和削內亂，紆公都很有所貢獻。可惜後來一次戰役中傷了腿；鋸掉了，接上一支義肢；平常還不大看得出來。但是他雖只剩一隻腿；國家有難，還是一樣努力將事。民國廿四、五年陳伯南主席擬聯合兩廣，另組小朝廷，紆公首先反對，率艦來歸中央；和空軍陳慶雲司令的率隊北飛，薛伯陵、李漢魂兩軍的義不附逆，同為國人引為欽敬的英雄。陳夫人看李才奮初出校門，處處能夠謹慎精細，又熱心助人，很可器重，叫他將來如到港，務來看望紆公夫婦，想不到第二年七月七日就發生了盧溝橋事件，上海很快成了戰爭前哨，李才奮父親是記得廿一二八上海抗倭之役的，雖然不過兩個月，戰火的範圍也只及於一隅，但也使百業蕭條，人民流亡載道。何況這次是全面抗戰呢？所以他很快就叫才奮到香港去看看；如果必要，不妨把上海生意歇了，在香港重建茶葉莊。才奮到香港，就去拜望紆公夫婦。紆公也認為他是一個可造就的青年，就認他作為義子；李漢鵾也是義子之一，他們的交情，就是民國廿六年開始建立的。

那時廣州也常受轟炸，有錢的人都向香港跑，在港的老居留人乘機做起房屋地產投機生意。其實港九蕞爾之地，一百年來就經濟帝國主義者看在便於侵略剝削份上，多方建設起來，如今稱為海上明珠。實在連喝的淡水，吃的米，都要仗大陸輸入，那有什麼國防價值？如果有個野心國家，帶上幾萬部隊，水陸夾攻，一鼓就下。紆公那時正著眼於萬一粵省不保，不能不先為部署游擊埋伏；一面為收集情報，聯絡各方，香港也是值得建立一個機構的。

生活漫談

陽萎特效藥—蠶蛹和牛骨髓茶

▲馬騰雲▼

一般人的錯覺，將陽萎陰萎看成兩回事，甚至還有人將陽萎認作為男人的陽物萎弱，陰萎是女的陰部萎弱，有這種錯誤觀點的人，又「不恥下問」，有很多人將這問題埋在心坎若干年，當然對醫藥常識較深入者例外。

其實所謂陽萎者，就是陽物不舉，陰萎者乃陰莖不舉，陽物陰莖為一件東西，怎麼能夠當作兩回事來看呢？構成陽萎的因素不外一：過度好色，支出太多。二、是性具年久不用，性機能漸漸萎退，形成萎縮現象。三、更年期的人。四、精神上受了大刺激與煩重心情。五、用腦過度的人。六、亂吃刺激性神經的藥物，如日本巧克力糖紫梢花，西班牙金蒼蠅之類。紫梢花服後不出精，金蒼蠅可使人發狂。現在的黑市價一隻要賣二十五元美金，西北酋長馬××就是因金蒼蠅弄得身敗名裂。

欲尋求性感官享受的人，怎能不特別注意呢？

上列一到五引起的陽萎是有救藥的，祇須在治療上注意到增精添髓，補腦強腎，先固本而後培養元氣，嚴重一點的，三個月輕微症狀的陽萎，半個月就能恢復青春。中醫對陽萎的治療，最近新方用蠶蛹製劑，詳情參閱二月拙作。據說堅而且久，其效甚驗。有關一些刺激性神經的藥物很多，恕著者不提倡，有謂以麻雀肉，冬令煮食，為治陽萎特效藥，吃麻雀蛋與麻雀肉同功。中國人吃生蝦與日本人吃生魚，皆與陽事有連帶關係，組織療法中的吃什麼補什麼？於今不但不落伍，相反的已由俄國傳到東西德、瑞士、丹麥、捷克、奧國等地，慢慢的又會回籠到中國。

東南亞僑社同人×君，在東南亞地區從事文教反共工作，卓著勞績，近欲做國際貿易，辦理進出口業務，有感國藥在海外地位反較祖國為高，欲促請有關當局提倡組織漢藥研究中心，並一再商請著者指導其事，將在台灣、香港、馬來亞、菲律賓有關拙作資料，計劃着手製五種品質高級，售價平民的五種茶。一、芝麻茶。二、人參茶。三、當歸茶。四、枸杞茶。五、檳榔茶。想藉此打開自由中國在海外國藥加工市場，與中共匪幫一較長短，著者嘉其壯志，願以全力促成之。最近在台北經售的一種牛骨髓茶，號稱為冬令補品之王，不算是太過火，凡患有陽　的朋友不妨一試。

牛骨髓茶的組成計有牛骨髓（和平東路口牛肉店已賣到一百六十元一斤），一般人對牛骨髓的熬煉難得其中秘竅，因之牠的功用和牛油沒有多大區別、黑豆、黑芝麻、何首烏製作上均費時費力費思索，言之非艱，行之維艱，以證明一件很小的事，求真、善、美，都不太簡單，其次就是要蜂蜜。常情來說，凡是補物多屬熱性，熱性的食品天天吃，對大便總是不利的，但用真蜂蜜後（廣東人稱作蜂皇漿），則無此弊，本文談到陽　的治療，鄭重介紹牛骨髓茶可療此病。

催眠術研究　廿八

四十、信心催眠法

鮑紹洲

信心催眠法，是利用被術人的仰心理，而令其催眠之法。施行之先，必先查詢其信奉什麼宗教？例如問「你信仰什麼宗教？」被術人答道：「所信奉耶穌教。」施術人便說：「信奉耶穌教最適合，我也信奉耶穌教，我的催眠術也類似耶穌所行的治重病的奇蹟，原理與方法都相同。故我以信教之力而醫治你的病。至於信耶穌教的人，則更容易治療。」

然後令其仰臥於床上，或坐在椅上，合閉雙目。且暗示道：「我再三恭念亞名，你的精神自然就會沉着，至無念無想。」其後再加以心力暗示：「將催眠」繼而謳唱亞名，聲音引長，遂漸低沉，而被術人的精神，漸至於無念無想之狀態。施術人即誘導暗示道：「更深眠了」……。

不管被術人信奉何教，施術人便隨其信仰附合，與被術人同一信仰，利用其精神作用，以感應其暗示而催眠。

致教育部閻部長一封公開信

（以上接第一版頭條）

「本會同仁並無任何一人堅持中樞區、環拱區必須保留。本會循民主方式討論學術與教育問題，有人堅持己見，事實上不可能。本書再版在半年之後，本會同仁誠懇接受徐委員質詢之意見，繼續研究商討，需要刪除者即刪除之，需要改正者即改正之，敬請張委員多多指教為感。」

（按依規定此答覆書全文應在立法院公報發表，沙學浚先生三月十二日去函該公報探詢，尚未接覆。）

需要補充一點：國民中學地理第二冊原稿中原有包含「中樞區」詞句子共有八處之多，而原稿曾經編審委員會審查通過的。沙學浚先生為了避免外間誤解，自動全部刪除（事後請該會追認），並於去年十一月三十日正式函告總訂正凌純聲先生請轉告國立編譯館，更足明沙學浚先生絕未堅持三大區，而且嚴格遵守「編輯要旨」（原稿沙學浚先生所擬）第十項的旨意。先生去年十二月二日發表上革談話，公開指責三大區劃分是錯誤的，根據何在？理由何在？先生能否公開向社會有所說明？仲望旌，五十八年。

中華民國內政部登記證內警台報字第○三一號
中華民國僑務委員會登記證僑台報字第三二五號

自由報

中國郵政台字第一二八二號執照登記為第一類新聞紙

（第四九四期）
（半週刊每星期三、六出版）
行銷港幣壹角，台灣零售價新台幣貳元
社長李運鵬・督印黃行驚
社址：香港九龍彌敦道593—601號
廖創興銀行大廈八樓五座
LIU CHONG HING BUILDING
7th FLOOR FLAT 5
593—601 NATHAN ROAD,
KOWLOON, H.K.
TEL: K203831
電報掛號：7191
承印：景星印刷公司
地址：嘉咸街廿九號地下
台灣總管理處：台北市大同街119號
台灣區直接訂戶 台郵劃撥戶
第五○五六號張萬有（自由報會計室）
電話：七一四○三三、五五五三九五
台灣分社：台北市西寧南路110號二樓
電話：三三○三四六，台郵劃撥戶九二五二號

支持立法委員徐中齊先生的質詢

・朱公陶・

為保存國家民族之歷史文化命脈及維護國家元首之尊嚴，應即驅除國立編譯館國民小學國語科教科用書編審委員會中之無行不學之徒，並聘請學識卓越之士主持該會之全面改組與優良國語課本之編撰，。

一、去年三月間徐中齊委員兩次提出之質詢，未獲教育部滿意之答覆。茲謫錄此項質詢中之要點於後：

（一）國民小學國語教育，直接關係國家民族之歷史文化命脈存亡。故必須以學識卓越之士主其大計，苟以不學之徒，濫竽充數，則不僅誤人子弟，而且危害國家。

①「按趙友培本為智識界一著名不學之徒，觀其賴以升任教授之著作，「鑰匙字之研究」一書，錯誤之多，堪為學林之冠，若有必要，本人將提出更完整之書面批評。又觀趙友培以白話文翻譯的正氣歌，其錯誤早已騰笑於世，至於「牧童騎在牛背上邊走邊吃草，」「一切都在打勝仗，」等等不通之語句」，引起智識界公開嗤笑，驚為奇談。」（五十七年三月一日）

（二）案由：本院委員徐中齊為國民小學國語教科書之編輯以「不學」之徒濫竽充數有辱國家名器破壞教育大計特提再質詢。

②「趙友培植黨營私，在「中山學術文化基金會」附設之「文藝創作獎助委員會」，曾因包庇「文化漢奸」，以示其操權市恩，知識界認為有辱 國父令譽，正在「鳴鼓而攻之」。蓋當韋情激憤，一致聲討「文化漢奸」之罪行，並批駁其鄙陋之得獎作品之際；趙某竟罔顧民族大義，暗中為此奸宵奔說項，以圖混淆輿論視聽，蹤徹事理，此為本黨有關人士與中央日報編輯人員所共知之事實，不容抵賴。」

③「趙友培之不學，姑勿論矣，茲再略論其「夾袋中之人物」：王鼎鈞隨趙某身邊，其人根本鮮受教育，僅為「文藝協會」附設「小說訓練班」三個月之「速成品」，此等粗製無學之輩，匪特思想直等於空白，且毫無國家民族觀念可言。……難道面對八年抗日之種種血債，中國人連對中國人之本能增惡都不許有？一定要問製造過「南京大屠殺」之劊子手「何日君再來」才算「合理」？」

④「林海音，不僅與前述二位「妙人活寶」相似，同非國民教育之專家，且其思想行為，尤有令人懷疑之處，當其任聯合報副刊編輯時，竟刊登含沙射影，侮辱領袖之新詩（見民國五十二年四月廿三日該報副刊，新詩題名）「故事」，致遭革職。而今竟膺任撰編國語教科書之重責，焉敢保證其不流毒後生乎？」（五十七年三月十二日）

二、教育部提出四點答覆，文不對題。

（一）查國民小學國語科教科用書編輯委員會主任委員為師大教授孫邦正先生，並非趙友培先生。

（二）國語編輯委員會委員包括教育學家、語文專家、大學國文系及研究所教授、作家、國民學校校長、教師、國民教育行政人員、版式及插圖設計專家等，共計二十六人，至執筆者則為王玉川、祁致賢、林海音、孫邦正、石學懷、高鼎信、蔡雅琴、趙友培等人，上述編輯委員及執筆人均係由國立編譯館分別聘請。

（三）國文教科書採取「集體合作」方式編寫，其程序為：（一）召開編委會議定編輯方針及原則；（二）執筆者據以擬定編輯計劃及教材綱要；（三）集會審查並修改編輯計劃及教材綱要；（四）執筆者編寫；（五）脫稿後送訂正人予以通盤訂正；（六）訂正稿送國立編譯館繕寫油印分請各委員及會外專家審查；（七）集會逐課討論課文是否合用，並逐字逐句作文字上之斟酌；（八）執筆者根據各委員之口頭意見，再將原稿加以整理修改；（九）繪製插圖；（十）修改後之文字稿及圖稿送請專家二人校閱；（十一）再請執筆者酌改文字，繪圖者修改插圖；（十二）定稿。故每册教科書實由全體編輯委員「集思廣益」而「合作」編成，並非由某人執筆。

（四）供本年秋季使用之新編國語教科書，計有國語首册（專供教學注音符號之用，國語第一册等二本，現國語首册早已脫稿，並經修改完成，刻在繪製插圖中，國語第一册亦即將於日內脫稿，二書均須在五月上旬之前付排，八月間出書，庶不致延誤供應。（見五十七年四月三十日印發之立法院關係文書）

我們知道徐中齊先生向行政院提出質詢的主要目的，是說明以趙友培之流，「不學之徒」濫竽充數，擔任國民中學國語教科書的編輯工作，不但有辱國家名器，而且破壞教育大計。質言之，也就是要問像趙友培這種不懂文字學，不懂聲韻學，不懂國音字母，文字不通的語文專家之流，能不能夠稱職編語教科書？並不問「國語編輯委員會」的組織內容，更不管國語教科書是採取什麼方式編寫？和新編國語教科書何時「脫稿」，會不會「延誤供應」。教育部對上述問題似乎沒有任何正面解釋。而且用「每册教科書實由全體編輯委員「集思廣益」而「合作」編成，並非由一人執筆。」來搪塞徐先生對趙友培之流的指斥。也是完全違背「常理」的。試問如果因為「教科書是全體編輯委員合作編成」，並非由一人執筆」，就可以聽任趙友培之流「不學之徒」去濫竽充數，誤人子弟，那眞是天大的罪過，教育部的之乎也者以言他，更是罪之魁首了。

這就是為人民服務！

昨日與明日

經濟繁榮的隱憂

・千城・

人間樂園

今日自由中國經濟的繁榮，是千眞萬確，有目共睹的事實，不是誇大的，虛偽的宣傳。

政府列舉的經濟進步數字，也許有些抽象化，可是看看今日台灣人民生活和各地——特別是農村——情況，就可瞭然，今日台灣確是人間樂園，非愁雲慘霧，血腥遍陳的大陸所能比擬。譬如新的建築物，到處可見，柏油路面的公路，四通八達，各大城小鎮，新的商店不斷在創立，新的娛樂場所，也不斷地在增加，電視機，洗衣機，收音機等以前被視為奢侈品，現在普通家庭都有了，雖農村家庭也享受現代化的電氣設備，而各地娛樂場所和飲食場所的經常客滿，人民搭乘遊覽車赴各地觀光遊覽，絡繹於途，以及各百貨公司的假日人潮，都在說明：今日台灣人民資財富裕了，生活水準提高了，謂為人間樂園，實不為過。試問：在毛澤東統治下的中國大陸，有如是景象否？

不無隱憂

就在經濟繁榮之中，非不無隱憂存在。

第一，人民負債增加了，因為各商店分期付款購買辦法的提倡，人民的消費受了很大的鼓勵。凡是用分期付款能夠購買的東西，很多家庭都設法購買，以前被家庭視為奢侈品的用具，現在已變為生活必需品，因而，造成一般家庭普遍負債的現象。分期付款雖可刺激購買，促進銷售，有助經濟繁榮，但也限制了消費者未來的購買能力和家庭經濟的安全性；而且，消費者信用太濫，也容易導致個人的破產，公司商號的損失，以至影響社會經濟的安全。

第二，社會趨向浮華奢侈了。因為人民生活富裕，多趨向於生活的享受，更有不少人快意於聲色犬馬之好，因而大小城市，夜總會，酒家，舞廳林立，甚至酒家也滲入了農村，雖然是鄉村小鎮，也會發現有酒家和酒女，人們縱情於吃、喝、玩、樂，將「戰時生活」完全忘懷。中國農業社會優良的樸實節儉之風，完全消失了，現在流行的則是浮華奢靡之風，反攻云乎哉？復國云乎哉？瞻望前途眞是不寒而慄！

第三、社會犯罪案件增加了。由於社會趨向奢靡，人民趨向享受，人們為了追求物質享樂，不惜作奸犯科，以達到目的。於是，搶刦、偷盜、貪汚、舞弊等等新聞，不斷在報紙出現。物質環境的引誘，使人們——特別是青年——犯罪不斷增加，擾亂了社會的治安，也動搖了國本。這項隱憂，豈不更值得我們重視。

匡正時弊

物質文明愈進步，精神文明愈墮落，這可以說是今日世界各國普遍的現象。今日台灣經濟繁榮，也不可避免地帶了無限隱憂。如何挽狂瀾，救時弊，端在今之政府負責諸公和上層人士。我們始終認為：社會風氣之壞，多受政治風氣影響。清朝末年，社會風氣不良，不少有心上層人士對整風易俗，曾有所提倡，譬如曾國藩在兩江總督任內提倡布衣運動，收到一時之效。有人說：出入酒家、舞廳，夜總會的，雖然多是工商界人士，而被邀請的客人，常多是官府中人。挽救社會頹風，必須自整飭政風開始，相信：政府如能徹底辦理必可收到宏效。

自由談

且聽下回分解

近年來，台灣社會上發生了幾大宗的貪汚瀆職案件，前有黃豆失竊，復興公司接收大秦紡織廠等等所謂五大案，現在又有高雄青果運銷合作社舞弊營私，賄賂官員案，基隆海關私貨倉庫怨告起火案。這些案件的內容都不簡單，牽涉很廣，而國庫的損失尤大，至於人民間接受害匪淺，更不待言。

黃豆失竊案祇是幾個中央民意代表吃了一些「豆油」而受到懲處，且還有逍遙法外的，如某一地下律師即其著者，而值價十餘億元台幣的黃豆究竟下落如何，始終成為疑案，弄不明白。其他的四大案，束之高閣，存而不論。職是之故，一般公職人員乃滋生大不必法，小不必廉的下意識，有機會即不惜納賄受賂，儌幸以圖一逞，而高雄「剝蕉」案，基隆「焚倉」案相繼發生了！展開近年來的台灣報紙看看，社會新聞報導中，官吏貪汚事件琳瑯滿目，嘆觀止矣。

最近發生的「剝蕉」「焚倉」案，前者事證昭彰，確鑿有據，後者情弊顯然，不問可知——因為在主管官吏宣佈訂期拍賣歷年海關沒收的私貨之前夕，而貨倉即突告起火，巧合如斯，用不著多費推究偵查之力，把那負責監守倉庫的人員，推出斬首，決無冤枉的。昔劉璋治蜀闇弱，民情婾惰，政風疲玩，迨劉備取而代之，丞相諸葛亮崇滌蕩積弊，振奮人心，採取「治亂用重」的法家之術，綜覈名實，信賞必罰，而政治上即煥告改觀了。政府遷移台灣垂廿年，就未聞殺一貪官，斬一汚吏，仁則仁矣，其於影響治道，沮喪民心何？

所以，對於「剝蕉」案，凡是接受了金製盥盂杯碟的大小官員和民意代表，必須宣佈名單，俾衆週知，青果社負責人員的舞弊瀆職罪責，自應從重論斷，依法懲處，萬不宜稍事朦徇，再存姑息觀念。這次如不能徹底查究，樹之風聲，則所謂澄清吏治，革新政風云云，都是自我諷刺的戲言，不必再談了！

馬五先生

國父遺教與總統訓示 閻振興部長讀的太少

在立法院教育委員會講錯話

・鍾國仁・

「『中國』二字是外人人對我國的稱謂，我們自己叫應改為『我國』方為允當。」這句話何等幼稚，何等錯誤。講這句話的人是教育部長閻振興，地點是全國最高立法院教育委員會，時間是五十七年十一月九日上午。（教育委員會開會詳情載立法院公報第五十七卷第八十六期五十七年十一月二十日出版）

小學三年級平均八歲的學童，應不會講這種錯話，因為他們讀過現行國語課本第五冊二十七課 國父的革命精神，其中有下列幾句：「 國父……在路上碰到一個中國人。」……「要把 國父送回中國。」「第一地方是中國公使館。」……這一句中以及第二、第三兩句中的「中國」都不宜改為「我國」。這是八歲學童都知道的常識，主持全國教育行政的教育部長竟然不知道，令人詫愕。

閻部長這句話的前半部，根本與事實不符，因為「外國人對於我國的稱謂」除日本、韓國也用「中國」二字外，其他絕大多數國家一定用他們本國文字表達：例如英文國家，德文國家和西班牙文國家都用China，法文國家用Chine，都是「一」個字，他們不懂中文，絕不會用中文的「中國」二字稱中國。

「中國」原是中國人對中國的正確稱謂，有下列六大著作為證。這六大著作是全國國民和全球僑胞的偉大教科書，所用「中國」的次數多或很多，而用「我國」的次數則很少或絕無。

國父：孫文學說，中國二一一次，吾國三次，中國人二十五次。

國父：三民主義，中國一〇〇八次，我國一次，中國人二三一次。

國父：實業計劃，中國三二二次，我國〇次，中國人十次。

總統：中國之命運，中國四五八次，我國二十二次，中國人十四次。

總統：蘇俄在中國，中國五〇六次，我國十八次，中國人八次。

蔣總統嘉言錄，中國一五四次，我國十四次，中國人二十三次。

閻部長是否要把這許多「中國」一律改為「我國」，才算「允當」！

蔣總統說過：

「我既是一個中國「我國」人，我就要忠於中國「我國」，變中國「我國」，我就要使我中國「我國」成為獨立自由的國家，使中國「我國」成為中國「我國」人的中國「我國」，恢復我們國家平等的地位，發揚我們民族光榮的歷史。」

這一句中的七個「我國」，是筆者插進的。

請讀者遵閻部長的意見，把上述七個「我國」代替這句中的「中國」，而後讀一遍，必將有莫名其妙之感。

閻部長在立法院講錯話，由於他平時少讀 國父遺教與總統訓示。

蕉蟲剝蕉轟動寶島 人人爭傳金碗金盤

高潮迭起牽涉範圍廣泛 監委怒吼主張嚴辦到底

（本報記者張佛生台北通訊）中國青年黨籍立法委員徐漢豪與監察委員丁俊生，分別在立法院質詢剝蕉案之「金飯碗」；及在監察院提案調查各級政府主管官員有無貪污失職，因而使剝蕉案高潮迭起，尤其報載國民大會憲政研討會副主任委員谷正綱、行政院秘書長蔣彥士、台灣省政府主席黃杰等，將高雄青果社二十週年紀念贈送之金盤、金飯碗退回，而獲得報紙的讚揚之際，監委們怒吼了，認為退回金器就算了事嗎？為甚麼不追查呢？

監委丁俊生的提案，列入監察院三月十三日第一一〇四次院會議事日程，編為提案十二號，丁委員認為監察院應迅派員查明高雄青果運銷合作社香蕉弊案，各級政府主管人員，有無貪污失職情事，以正視聽而維吏治案，院會決定派五位委員調查。

他的提案理由是：查高雄青果運銷合作社剝蕉弊案，經司法行政部調查局調查以來，報章刊載，輿論譁然，惟報章所載，僅係表面文章，其間中央主管機關之外匯貿易審議委員會主辦香蕉種植，包裝，內外銷及外銷社團之分配事宜；台灣省政府合作事業管理處，經濟部商品檢驗局（原台灣省政府檢驗局）主辦香蕉品質之檢驗事宜，各機關職責分明，平日依照規定認真辦理，無論對香蕉之出口包裝，品質檢驗及出口社團之經營管理及數額分配，均能一秉大公，嚴格處理，當不至有今日如此重大弊端發生，是證各級主管人員中，必有執行不力，貪污失職，勾結舞弊之情事，再查高雄青果運銷合作社竟以黃金八百四十兩，製成金盤、金碗、金杯，贈贈各級有關人員，該社理事長吳振瑞業將接受贈品人員名單供明，其中接受贈品之高級人員姓名呼之欲出，希望本院調查人員，對此項違法接受贈品人員，尤其政府高級人員，認真查明，連同各級主管人員貪污失職情形，一併查明，嚴加糾彈究辦，俾使佔外銷金額第三位之香蕉出口業務得以順利進行，以充裕國庫收入，而增加蕉農之收益，所提是否有當，敬請討論公決！

誰收金碗金杯 姓名呼之欲出

丁俊生委員在院會口頭補充說明時指出三點：第一、外貿會對裝運香蕉之竹簍與紙箱的問題：中南美運銷日本之香蕉，是用紙箱裝運的，因此腐爛率減低，而我們雖有裝蕉用紙箱之倡議，遲遲至今始採用紙箱裝蕉，其數量僅及需要的五分之一，所餘五分之四仍採用竹簍。今之紙箱生產公司，係該社與外貿會若干人所共同投資而經營。第二、台灣省合作事業管理處未盡監督之責，致多年來不但未查獲其弊端，相反的，該社年年都獲得政府之獎狀，其弊狀之多，為人民團體首屈一指。第三、檢驗局的檢驗人員與該社勾結，致檢驗工作一塌糊塗，名不符實，這很顯然，各級政府主管人員有違法失職之情事。

接着，陶百川委員發言支持丁俊生委員的提案。他說：現在三個金器有了下落（黃杰、谷正綱、蔣彥士均退回），但其他政府高級官員有無接受？有沒有退回？必須徹查。由於台灣的社會風氣、政治風氣太壞了，所以調查局辦這個案子辦得很好。

陶委員說：剝蕉案已經由檢察官指揮調查人員在進行偵查，為甚麼要監察院派委員調查呢？我們怕調查局人員、檢察官不敢查大官，不敢得罪高級官員，由我們提案並派委員調查，旨在支持他們，要把這個案子查清楚，要把這個案子作適當的公開。

這位素為各方所尊敬的委員，一向不興禮勢，他說：「我相信，除了谷正綱、黃杰、蔣彥士這三位官員外，尚有中央高級官員在內，倘調查局不徹底偵查，則今後的政治風氣將不得了，將無法收拾。」

大吃小層層剝削 影響政治風氣 實在非常重大

黃寶實委員說：大蕉農吃小蕉農；香蕉出口商吃青果合作社，層層剝削，而高雄青果社賄賂案涉及省府、中央的官員，大官把金碗退回去就了事嗎？為甚麼不追查賄案送金碗的動機？

經過踴躍發言之後，監察委員鄭景福（現任中國國民黨中央政策委員會副秘書長）主張成立五人小組調查，並提出參攷名單計有：丁俊生、余俊賢、陳志明、張秉智、張國柱等五人，但也有人推陶百川、葉時修等調查。五人調查小組已不成問題，至於人選將於第一一〇五次院會決定。

此外，早在丁俊生委員提案調查前兩天，即三月十一日，青年黨籍立法委員徐漢豪在立法院第四三會期第五次院會中提出質詢，他說：「關於高雄青果合作社在前（五十六年十二月十二日）年二十週年紀念，曾製造三百個金飯碗、金酒杯、金盤等分別送人，包括各方面人士及政府官員與民意代表，今天（十一）報載，共耗用黃金千兩，送出者八百五十兩，其餘一百五十兩落入中飽，我以為這是一個極嚴重的問題，紅包是政治風氣敗壞的根源，過去所謂紅包者，不過幾百元乃至千元而已，可是這一次卻直截了當的送起黃金來了，這種行為對於政治風氣的影響，實在非常重大，現在既經發現，就應該嚴加懲辦。我有一個感想，過去，凡屬有權勢的人，總有辦法大事化小，小事化無，有許多事情，調查局調查已很詳盡，結果檢察官不起訴，或者檢察官起訴，法院的判決卻又是大事化小，小事化無，這種事例，數見不鮮，長此下去，我們的社會風氣與政治風氣如何改善，何異緣木求魚！關於本案，我請司法行政部注意兩點：（一）要徹底的偵查。（二）查出證據，希望法院從嚴從速懲辦！」

查良鑑提保證 絕對依法嚴辦

司法行政部長查良鑑立即答覆徐漢豪委員的質詢，他回答：「徐委員問到高雄青果運銷合作社案子的情形，司法行政部為整飭風紀，對於貪污舞弊的案子，是採從嚴處分的態度；並且定有具體的追訴計劃。關於高雄青果運銷合作社最近所發生的舞弊案，現正在本部調查局及高雄地方法院檢察處傳訊證人，收集證據，凖擬偵辦之中，俟偵訊完畢，如查有實據，司法機關，一定會公正的依法嚴辦。」

記者按：監察委員丁俊生與立法委員徐漢豪，分別為中國青年黨（臨全會）中央執行委員會執行長、中央執行委員。

據台灣省政府經營之新生報三月十二日報導：「高青社致送紀念品（金製果盤），黃主席早即命退回，胡萬水（台中火車站鐵路刑警）曾專程送高雄市警察局長劉清池轉交給吳振瑞」。同一天的中國時報也這樣的報導，並且說：「高雄青果合作社呈獻金杯的行動受到婉謝後，幾乎使得其有關的人下不了台，因此，在去年（五十七年）他們乘省府各省首長到前線勞軍之便，捐出了二千簍的香蕉，由勞軍團攜往前線勞軍；至此，這段公案，才算暫時了結。」監察委員黃寶實乃針對此而發言。

此間各報的社會版，多采多姿，而幾家晚報也各有千秋，尤其大華晚報的報導，可以說「一鳴驚人」。三月十二日，該報來自高雄蕉案採訪小組的電話，謂：「高雄青果合作社發生的弊案，傳說有『十八羅漢』『八大金剛』護航，這十八個『羅漢』，據說是高雄地區的新聞從業員，治安機關對這『十八羅漢』正作進一步調查，是否他們也有收受青果合作社的金碗金杯等。……據透露：這十八個『羅漢』，有些列名果社的顧問，有些則經常替『八大金剛』護航，因此在前幾天的調查中，發現帳冊中有十八個新聞界人士名單，經常接受他們的招待與補助」云云。

這則獨家新聞，頗為國內國外人士所重視，不過，比這則新聞更受人注意是此間盛傳有二十多位民意代表與十多位官員，榜上有名，而成為轉動的新聞。現在的問題是：司法機關將如何着手深入調查而獲得強有力的證據。

據說：本案爆發之導火線，係高雄青果合作社投資國際農工企業公司五百萬元，這是該社理事會通過，而後由代表大會追認。國際農工企業公司係官商共同投資合作經營香蕉紙箱包裝。

按照合作社第三四條規定：理事依合作社法及合作社章程之規定，與社員大會之決議執行任務，並互推一人或數人對外代表合作社。理事違反前項規定致合作社受損害時，對合作社負賠償之責。而合作社法施行細則第四十條規定：合作社理事致社員受損害時，除依法處罰外，並得由社員或社員大會依章程罰則之規定公斷之。所謂章程，即同法施行細則第十三條載有明文。

此外，合作社理監事違反法令或合作社章程時，得由社員大會全體社員過半數之決議，解除其職權。（合作社法第四二條）而理監事如有其他足以危害合作社之情事者，主管機關認為必要時，得令其解除職務。（同法四三條）所謂主管機關，在縣市為縣市政府，院轄市為市政府社會局，省為合作事業管理處、社會處或建設廳，中央為內政部，為合作社法施行細則第二條所明定。除此而外，高雄青果運銷合作社之中央主管尚有前外貿會現改為國貿局，經合會，農復會與經濟部，在省尚有農林廳。

按照規定，高雄青果運銷合作社理事會應於年度終了時，造成業務報告書、資產負債表、財產目錄及盈餘分配案，等等，合作社法第三十六條規定在社員大會開會十日前，送經監事會審核後，報告於社員大會。社員大會承認後，依合作法施行細則第三十五條規定，應呈報前述之主管機關審核。

至於盈餘分配高雄青果運銷合作社依合作法第二十三條規定：應提百分之十以上為公積金，百分之五以上為公益金，百分之十為理事等酬勞金。第二十四條規定社員盈餘額之分配，則視其交易額之多少為標準。同法施行細則第六條規定：經營運銷業務之合作社，為適應社員之需要，得兼營與主管業務有關之其他附屬業務，其附屬業務之名詞，可不於社名中表明之。

本報記者引述合作社法有關條文後，作為讀者更進一步瞭解所以發生高雄青合社案的主因，係由於制度法律規章所造成，加上人謀不臧，利用法律缺陷從中圖利。

關於香蕉紙箱的問題，本報記者將於下次討論。（三月十三日）

喬治桑外傳　三四

張大萬

「不是的，我因為要早走，所以趁客人還沒有來先付唐小姐的祝敬，多的錢請唐小姐買點零碎東西好了。」

喬治桑很通人情世故說的頭頭是道。

「珊珊，妳就先拿着吧，反正桑家爺叔是自家人，不必客氣。」

郝隆昂的話不啻是命令。

「謝謝桑叔叔，希望桑叔叔今天贏錢。」

在中國古老時代有「鴇兒愛鈔，姐兒愛俏」之說，現在的摩登小姐恐怕還是愛鈔的居多，唐珊珊接了喬治桑三百美金，立刻眉開眼笑，替喬治桑满斟了一杯酒，又送上半隻油淋鴿子，美鈔的魔力真不小。

「喬治，你是不是常常搓麻將？」

郝隆昂喝了一口酒，問喬治桑。

「很少，很少，這次來台北，連今天一共只打過三次牌。」

「手氣好不好？」

「我的技術你是知道的，我打牌只求小輸，十次也難得贏一次。」

大學只讀

齊白山札記

·鴻雁·

民國三十四年（乙酉·一九四五），我八十五歲。三月十一日，即陰曆正月二十七日，我天明復睡，得了一夢：立在餘霞峯借山館的驟坪邊，看見對面小路有抬殯的過來，好像要走到借山館的後面去。殯後隨着一口沒有上蓋的空棺，急急走到殯前面，直到我家走來。我夢中自思，這是我的棺，爲什麼走的這樣快？看來我是不久於人世了。心裏頭一納悶，就驚醒了。醒後，愈想愈離奇，就做了一副自輓聯道：「有天下畫名，何若忠臣孝子；無人間惡相，不怕馬面牛頭。」這不過無聊之極，聊以解嘲而已。到了八月十四日，傳來莫大的喜訊：抗戰勝利，日軍無條件投降。我聽了，胸中一口悶氣，長長的鬆了出來，心裡頭頓時覺得舒暢多了。這一樂，樂得我一宵都沒睡着，常言道，心花怒放，也許有點相像。十月十日是華北區受降日子，數了八年的苦，受了八年的罪，一朝撥開雲霧，重見天日，北平城裡，人人面有喜色。那天，侯且齋、董秋崖、余倜等來看我，留他們在家小酌，我做了一首七言律詩，結聯云：「莫道長年亦多難，太平看到眼中來。」

民國三十五年（丙戌·一九四六），我八十六歲。抗戰結束，國土光復，我恢復了賣畫刻印生涯，玻璃廠一帶的南紙舖，把我的潤格，照舊的掛了出來，我的第五子良巳，在輔仁大學美術系讀書學畫，頗肯用功，平日看我作畫，我指點筆法，他能專心領會，仿我的作品，人家都說可以亂眞，求他畫的人，也很不少。十月，南京方面來人，請我南下一遊，是坐飛機去的，我的第四子良遲和夏文珠同行，先到南京，中華全國美術會舉行了我的作品展覽；後到上海，也舉行了一次展覽，我帶去的二百多張畫，全部賣出，回到北平，帶回來的「法幣」，一捆一捆的數目倒也大有可觀，等到拿出去買東西，適十袋麵粉都買不到了。十二月十九日，女兒良歡死了，年十九歲。良歡幼時，乖巧得很，剛滿週歲，牙牙學語，我教她認字，居然識了不忘，所以乳名小乖。自她母親故去後，鬱鬱不樂，三年之間，時常鬧些小病，日積月累，遂致不起，我憐痛她短命，又想起了她的母親，六十年傷心，灑了不少老淚。

民國三十六年（丁亥·一九四七），我八十七歲。三十七年（戊子·一九四八），我八十八歲。這兩年，常有人來勸我遷往南京上海等地，還有人從杭州來信，叫我去主持西湖美術院。我回答他一首詩，句云：「北房南屋少安居，何處清平著老夫？」那時，「法幣」幾乎成了廢紙，一個燒餅，賣十萬元，一個最次的小麵包，賣二十萬元，吃一頓飯館，總得千萬元以上，眞是駭人聽聞。接着改換了「金圓券」，一圓折合「法幣」三百萬元，剛出現時，好像重病的人，緩過一口氣，但一霎眼間，物價的漲風，一日千變，比了「法幣」，更是有加無已，囤積倒把的人，街頭巷尾，觸目皆是。他們異想天開，把我的畫，也當作貨物一樣，囤積起來，拿着一堆廢紙似的「金圓券」，訂我的畫件，一訂就是幾十張幾百張。我案頭積紙如山，看着不免心驚肉跳，朋友跟我開玩笑，說：「看這樣子，眞是『生意興隆通四海，財源茂盛達三江』了。」實則我耗了不少心血，費了不少腕力，換得的票子，有時一張畫還買不到幾個燒餅，望九之年，哪有許多精神？只得歎一口氣，揭出「暫停收件」的告白了。

命相與夢話

·公陶·

六一居士—歐陽修（上）

歐陽修字永叔，江西廬陵人，爲宋之名相，爲國之大儒！

歐陽修四歲喪父，賴母鄭氏教養，家貧甚，小的時候讀書習字都是以蘆荻畫地，稍長從鄰里借幾本書讀，有點需要手抄，但抄未完即已背誦如流。二十四歲舉進士，即著有文聲。

歐陽修的幼年雖不幸，但他卻有一位廉潔、仁厚、公正的父親，及識書知禮重氣節的母親！他父親歐陽觀是一位難得的官，在他瀧岡阡文表中云：「太夫人告之曰：汝父爲吏，嘗夜燭治官書，屢廢而嘆，吾問之，則曰：此死獄也，我求其生不得爾！吾曰：生可求乎？曰：求其生而不得，則死者與我皆無恨也。矧求而有得耶，以其有得，則知不求而死者有恨也。夫常求其生，猶失之死，而世常求其死也。回顧乳者，抱汝而立於旁，因指而嘆曰：術者謂我歲行在戌將死，使其言然。吾不及見兒之立也，後當以我語告之。」

今日爲刑官者，具這般心懷者有一否？

今日爲刑官者，家中淸寒若歐陽而有一否？

修日後爲官，風節自持，潔身自愛，爲朝野所尊敬，故是讀書之功，然家教亦佔有重要的一環。

歐陽修一生官運尚佳，唯晚年對王安石之新政，致無意仕途，但帝不許，熙寧四年辛亥乃以太子少師致仕，時年六十五歲歿。謚文忠贈兗國公。

文忠公天資剛勁，見義勇爲，平生與人盡言無隱，而且獎拔後進，擢拔人才。在朝爲官時，士大夫有所干請，大多都是當面決定可行不可行，是非觀念特重，決不會渾圓通，因此也得罪了很多人，但是邪不侵正，多半是背後發發牢騷，沒人敢正面爲敵。

五代以來，文體卑微，文忠公遊滁州得唐儒韓愈遺稿，讀而心慕，寄肝研究幾至忘食廢寢，此後文辭日隆，文章名滿天下，學者亦翕然師之。

晚年嘗曰：吾集古錄一千卷，藏書一萬卷，有琴一張，有棋一局，有酒一壺，吾老於其間，是爲六一，並自號六一居士。

名人情話

董小宛苦戀冒辟疆

九，金山之遊

周遊子

董小宛落籍的事，吳刺史不得要領。冒辟疆回鄉而不知情。小宛孤身維谷，難以收拾。虞山有辟疆宗伯聞知，親赴半塘，接小宛於舟中，又請了不少晉紳，張宴於舟中，一則爲小宛籌措資斧，一則餞別於虎疁，另買舟與小宛，遂往如皋。辟疆宗伯馳書相告，辟疆始知其情，旋又請張荷部爲之落籍，其餘爲落籍出力者，尚有李中宗憲，經過了十個月之久，始將此事辦妥。據辟疆「影梅庵憶語」記落籍的事，甚費苦心，「萬斛心血所灌注而成」。

小宛落籍之後，辟疆迎於吳門，但辟疆未迎歸於家，欲隻身還里。小宛送至北固山，堅決相從辟疆回家。辟疆再三相辭，小宛不依，悲切欲死，不肯回去。舟停於江邊徘徊不行。辟疆有友鼎兮梁氏，贈西洋布一疋，薄如蟬紗，潔比雪艷，以退紅爲裡，爲小宛作輕衫加身，美若仙子。據辟疆自述說：「不減張麗華桂宮霓裳」。小宛不肯回去，辟疆便偕小宛登金山遊玩。時值五月端午，江賽龍舟。山上遊人數千，一見小宛與辟疆一對玉人，美若仙子，爲山生色。於是絡繹尾隨二人，觀者稱爲「神仙」。小宛辟疆繞山而行，凡他倆所到之處，遊人便跟到那裡，龍舟也隨着人潮所至，追逐他倆所至之地，龍舟爭赴，迴環數匝不去。這是小宛生平最出風頭，最快樂的一天。

觀賞龍舟競賽之後，二人回到舟中。舟中有宜興大白壺，滿盛櫻桃，鮮紅如珠，與小宛共嘗之，但不辨其爲櫻紅抑唇紅也。據辟疆自述：「江山人物之盛，照映一時。」此情此景，又勾起了辟疆昔日在秦淮風月的舊夢。當辟疆與小宛相戀之初期，在一個中秋節日的夜晚，四方同社諸友，以爲小宛鍾情辟疆，不辭盜賊風波之險，間關相從。爲他二人慶賀，置酒宴於「桃葉水閣」上。在座的有眉樓顧夫人、李寒秀湘夫人，皆與小宛爲至戚。以小宛之屬於辟疆，讚不絕口，舉杯爲賀。酒後餘興戲劇，演的是「燕子箋」，演到霍華離合處，小宛觸景生情，爲之淚下，「一時才子佳人，樓台烟水，秋聲明月，俱足千古」。辟疆思之，不啻遊仙枕上夢幻也。

遊罷金山，又被鎮江汪汝爲邀去。因汪新造花園一座，園亭極盛，而江上小園，尤收盡江山勝景，宴於江口梅花亭上。長江白浪擁象，盡掛杯底。小宛一時興之所至，開懷暢飲，小宛酒量甚大，一時在座諸妓，皆頗慷慨。平日小宛甚謹慎，惟獨是時豪情大發，爲辟疆所僅見。這一遊出的宴遊，使小宛心情開朗，這段期間，是小宛一生最快樂的時期。但是，後來的苦戀，尚有淒惋切悲傷的日子呢！

吳稚暉先生年譜（五五）

陳凌海編撰　陳洪校訂

八月十日，日本受美國兩次原子彈之轟炸，願接受波茨坦宣言，以正式照會請由瑞士政府轉達中、美、英、蘇四國，宣佈無條件投降，全面抗戰獲得勝利，舉國歡騰，先生至感愉快。九月九日，日本駐華總司令岡村寧次大將正式代表日本政府在南京陸軍總司令部簽訂投降書。我國由陸軍總司令何應欽（敬之）代表最高統帥接受日本投降。九月，毛澤東應邀到渝，舉行政治協商，由王若飛陪同晉謁，先生未予接見。十月十一日，先生作緘毛澤東書，勸其適可而止。其意蓋謂：毛氏既已取得權位與榮祿，不可再生吞活剝，實現共產主義。十二月，答畢修勺書，論德先生與賽先生及其進化之理。德先生民主。而賽先生者科學也。十二月三十日，先生寓所左鄰深夜發生火警，幸而及時撲滅。

民國三十五年，丙戌（西曆一九四六年）

先生八十二歲

一月，政治協商會開會，商討國共合作問題。二月初，先生寓後鄰茶社，深夜又發生火警，相距雖近，幸未波及。二月九日，蔣經國邀先生赴黃山，與陳布雷（畏壘）、戴傳賢（季陶）、陳果夫等談千變萬化宇宙不擇循。柴燧偕逝世上海。先生特電致唁。三月，在渝參加中國國民黨第二屆二中全會。先生被選爲國民黨出席國民大會制憲會議代表。毛澤東叛亂，先生作致毛澤東書，送蔣主席中正核閱。旋擱復，認爲是時不値與彼等作文字辯論，俟適當時期再發表。（未完）

文滙樓劄記

胡文虎意欲何爲？

文滙樓主

大慈善家胡文虎因萬金油、八卦丹而起家；而萬金油、八卦丹又因有星系報業股份有限公司而自發廣告，因而大發、特發。胡文虎開始做「月月紅」所謂返老還童補藥之王，生意相當好，銷新加坡、瓦城（曼德里）、暹邏、千島等地。後來索性改做萬金油、八卦丹，這是胡文虎的絕招，廣東話：「一碟子」，就請主顧，甚少送藥一、「豎子」頭不曉得用出，何況萬金油、八卦丹，又能治百病，每個人試驗一次。所謂「聚沙成塔，滴水成河」，試用後，果有妙處，個、十、百、千萬的「一碟子」，變出一位「財神」典型胡文虎，不僅空前，今後可能也很少了。

人有錢了，就會被人動腦筋，像台北的「萬春和德安林」，錢賺飽了又想嘗嘗名的味道，「公論代有新大頭」，各輪台幣千萬元」。胡文虎生意發達後，亦有人勸他辦報，但胡不容易被說服，且認辦報最易招是非，惹麻煩，無補於萬金油、八卦丹，生意的發展。這位勸胡文虎辦報的人亦姓胡，當然是有相當招數的人，告訴胡文虎說：「報紙有沒有力量，家門大哥請試試瞧！」第二天一家銷路最大的報紙，登出一條頂幅廣告，廣告紙七個大字「胡文虎意欲何爲？」胡文虎喜歡做慈善事業，富而能仁且義，朋友當然很多，再加上自己的財力，受到社會各階層人的關懷自在意料之中，一週之間收到信件萬封，却是問「胡文虎意欲何爲？」的事，害得胡文虎沒有方法處理這些堆積如山的函件，不拆不看呢？又恐有業務上重要的事，封封拆看呢？一封信三分鐘時間的話，一個鐘點祗能看廿封信，這時胡文虎知道報紙宣傳力量的重要性了。傳播事業，心理作戰，進展到現階段，國與國交兵，勝負都靠宣傳作決定了。故胡文虎乃決心創設星系報業股份有限公司。以後業務發展，擁有十幾家一流報紙，散佈在東南亞各國家。非特爲自己的藥宣傳，更如虎添翼，因而更發達，並且始終站在中華民國政府立場發言，這是值得推崇的。

胡文虎不僅對祖國的捐獻多，東南亞國家也沒有未受胡文虎捐獻的，泰國強人乃叔是耶哆卜將說：「像乃胡這樣的華僑入境絕對不予限制，乃韓（韓信先生）將兵，多多益善。」緬甸議會硬是有人提案，追加「歡迎胡文虎能來仰光」的一條，他如印度、紐西蘭、印尼、菲律賓、越南、寮國，都像接財神般心情看胡文虎，排華的國家猶不排胡文虎，這是一幅排華國家識認自己的上乘廣告題材。

有人說香港虎豹公園，建築得很俗氣，不足以代表中國文化藝術，說這話的人當然很多，其實發財的人很少不帶一種俗氣的。揚州是中國昔時最富有區域，因之山水都帶有俗氣，如果不相信的話，有詩爲證：

青山亦恨揚州俗
多少巒峯不過江

壽絜師暨師母七秩雙慶

·程其恒·

膺公絜悟老師，籍隸江西樂安。在一師畢業後，即出任省會第十二小學教員，并參興黨務工作，此亦筆者受業之時。後以熱心任教成績優異，特別提升爲校長。民國十六年共匪在江西作亂發生四二政變，因絜師爲本黨忠實信徒，反共最力，幾險遭毒手，與段錫朋先生等秘密化裝離開南昌，追隨李烈鈞先生在杭州暫住。後段先生任中央黨部委員會委員兼主任秘書，師隨入該會工作。未幾，十四軍二師政治部主任黃光斗先生電邀絜師至該部任組訓科長，後黃先生辭職，絜師即代理其事。民十七年奉派爲江西省總工會整理委員會委員，民十八年，入中央宣傳部工作，（此應爲絜師一生之轉捩點）由幹事、總幹事、專員、科長、遞升爲專門委員、主任、處長，前後歷十八年有餘。

筆者離開十二小學校後，與師多年不晤。民國廿八年春中央宣傳部在重慶辦理戰區來渝失業新聞記者登記，筆者前往登記時，始得與絜師重晤，時絜師担任該部新聞事業登記處科長（後調指導科科長），對筆者諸多關照，嗣筆者參加中央宣傳部服務，又派在絜師主管科中，在他指導下工作四年之久，深深感覺到他的長處甚多，對人溫和有禮，處事深思熟慮，不苟言笑，對待部下亦極誠懇，從來不打官腔，溫文敦厚，亦未發過脾氣，凡此，皆壽徵也。筆者追隨絜師數年當中獲益良多，絜師平常均呼筆者爲「其恒」，祇有一次，筆者處理某事不當，被稱呼爲：「程同志」，這比挨官腔還要利害，然僅一次而已。絜師對部屬策勵獎掖不遺餘力，筆者第一次獲得本黨的獎狀，即係絜師所簽請頒發者，這是對我一種莫大的鼓勵。

三十八年四月政府遷穗，杭立武先生出任教育部長，即延攬絜師担任人事處長兼教部發言人，以其對人處事，四平八穩，必能應付裕如。時共黨謬論猖獗，又復命絜師主持反共叢書之編輯。後來程天放部長，張曉峯部長，對絜師均極器重，絜師追隨天放先生爲時最久，凡天放先生受命爲江西省黨部委員、江西省政府委員兼教育廳長，中宣部副部長，軍事委員會委員長，南昌行營黨政委員會委員，教育部部長，直至考試副院長，絜師均在天放先生領導下服務，絜師退休時爲銓敘部首席參事，現在仍是國民大會代表兼老人福利協會常務理事，今以古稀之年，仍奮鬥不懈，爲老人謀福利，殊值吾人崇敬。

師母貞靜夫人爲游氏望族，持家勤儉，自奉菲薄，教育子女姪輩嚴有度，待人接物，尤爲和藹，絜師事業之成就，師母內助之力居多。絜師對其姪輩視同己出，一手培植，現均能卓然自立，一門麟鳳，足以承歡膝下，加以絜師之修養有素，壽登期頤，定可預卜也。今欣逢絜師暨師母七十雙慶，謹撰此文，聊表祝賀之意。

義勇千秋、亘古一人 關公的生前和死後（四）

·經緯·

關羽鎮守荊州，並非只是消極的防守，而是配合隆中對策的鉗形攻勢，北向宛洛的基地，他負起鉗形攻勢的一環，漢中之軍由劉備親自指揮。關羽由荊州（江陵）北向，進攻襄，樊，圍曹仁，擒于禁，七軍數萬皆被關羽解決。龐德死戰，亦被俘斬首。當此之時的關羽，可以說是「智」「勇」都表演得精采。史稱「水淹七軍」，「威震華夏」。雖然是寥寥數語，做起來並不容易。關羽也懂得政治。當他在荊州八年時間，不僅是劉備的事業如日方中，而且弄得曹操坐臥不安。他在情報方面，樹立支黨方面，都有很好的建樹。許昌以南的地區，都是關羽所派遣的游擊區，地方支黨，都遙受關羽的印號，許昌（京都）以南，百姓惶惶不安，一日數驚，說關羽就要攻到許昌了。使得曹操的部將惶惶不安，文官更不用說。所以曹操召集羣臣，商討遷都。不是司馬懿的妙計，關羽可能得志。在西戰場方面，劉備打下了漢中，張飛打敗張命、黃忠，斬夏侯淵于定軍山，漢軍聲勢大振。此時正是劉備如日方中的時候。孔明坐鎮成都，足食足兵。劉備身邊的高級參謀是法正（孝直）及張飛、趙雲、黃忠、魏延、馬超等名將，都在四川和漢中，而關羽只一個人，沒人輔佐。只靠他獨當一面在幹，斷得孤立。荊州之失，責任也不能全歸關羽。當時調孔明、張飛、趙雲入川，取川之後，沒有派遣一位得力的心腹大將輔助關羽在荊州的北進，使得北進圖樊城之後，後方無大將鎮守。本來江陵留守重兵的，由於陸遜、呂蒙的詭計，故意致書關羽，大拍馬股。關羽不知是計，始將留駐江陵一帶重兵漸漸撤赴前方。一則他欲全力解決樊城、襄陽之後再來對付東吳。二則以爲劉、孫是結了同盟的。殊不知盟約隨時可以撕毀的。北方硬漢，吃虧在此。內在內素固然由於關羽的矜驕，輕視東吳，同時對部將賞罰過嚴，遂致江陵一失，吳兵臨城，各地守將紛紛投降。如劉封、孟達、士仁、糜芳等，都做了投降將軍。荊州被偷襲之後，正如項羽之被困垓下，十面埋伏，四面楚歌。父子終於遇害。同時爲之殉義的，尚有趙累、王甫、周倉。

外在因素有二：一是劉備、孔明沒有在取川之後，派輔佐之良將。荊州四面臨強敵，魏、吳必爭之地。孔明以爲東吳既有和盟，沒有注意及此。第二是東吳自魯子敬死後，沒有一個人懂得國際政治。青年一輩將領一反過去和劉備的外交，斷然毀盟。這是孔明、劉備、關羽都不會料到的。有此內外在的幾種因素，遂造成了荊州之失。我們不能以成敗論英雄。以爲關羽之敗，就是一介武夫，一文不值，那是一種意氣的看法。

（五）關羽在時人口中的地位

關羽、張飛之威名，在三國時代，從敵人的口中，可以得到結論。勇的一方，可以說他的威名是首屈一指。其他如呂布、馬超、趙雲、許褚、典韋、黃忠、文醜、顏良都不能與關、張匹敵。如呂布、馬超、趙雲、許褚、典韋，都是由於小說的渲染，正史則無聞。說關、張之勇名，完全出自敵人之口，固不是自我宣傳。而且後世稱「勇」者，都是關張自況，影响一千多年。請看敵人口中怎樣說法：

魏國謀士程昱說：「劉備有英名，關羽、張飛皆萬人之敵。」

魏志劉曄說：「若小綏之，諸葛明於治國而爲相，關羽、張飛冠三軍而爲將，則不可犯也。」

東吳第一位大將周瑜說：「劉備以梟雄之姿，而有關羽、張飛熊虎之將，必非久屈爲人用者。愚謂大計，宜徙備置吳，盛爲宮寶，多其美女玩好，以娛其耳目，分此二人（關張）各置一方。使如瑜者，得挾與攻戰，大事可定也。」周瑜之計夠狠，可惜行不通。

暗算關羽的東吳大將呂蒙，他對關羽的長短，看得最爲透澈。引一段正史以觀之：「……魯肅代周瑜當之陸口時，過蒙屯下，肅意尚輕蒙。……酒酣，蒙問肅曰：君受重任，與關羽爲鄰，將何計畧以備不虞？」肅造次應曰：「臨時施宜」。蒙曰：「今東西雖爲一家，而關羽實雄虎也，計安可不預定？」因爲肅畫五策，肅於是越席就之，拊其背曰：呂子明，吾不知卿才畧所及，乃至此也。遂拜蒙母結交而別。

江表傳寫得更明白：「……兄今代公瑾，既難爲繼，且與關羽爲鄰。『斯人長而好學，讀左傳畧皆上口，梗亮有雄氣。然性頗自負，好凌人。今與爲對，當有單複，以卿待之。』」

揚州獅子頭種類繁頤

·杜負翁·

二月五日，本報第四版，載林泉隱先生，「揚州獅子頭」一文，負翁世居揚州，對於揚州獅子頭，知之甚深，與林先生所記，微有出入，或者各有所嗜，爰就所知，畧貫如下，求指正焉。

考揚州獅子頭，始自世家主婦之手，各有專長，種類不一，爭奇鬥勝，燦然大觀，一如著名於世之秋季菊花，不但高低，肥瘦、顏色不同、花冠、蕊、瓣，亦各有異，各家獅子頭，雖紛然雜出，不知若干種，然有要點四，不可不遵，（一）不可用油煎，煎則不嫩。（二）不可用醬油，醬油失本眞。（三）不可用芡粉，用則黏滯。（四）必用悶（火旁）鍋與悶（火旁）砵，不可煮於鍋內。余於揚州各家獅子頭，嘗試殆遍，方得此結論，林先生所談，對於以上四戒，已犯其三，製成之品，恐絕不能獲膺上選，而饜老饕口腹。余曾撰揚州獅子頭短文，載余著蝸涎集、下册、第三七頁、至三八〇頁，倘能就各種方法，加以試驗，（林君方法，當包括在內）各取所好，則更善矣。

催眠術研究（廿九）

四十一、喝棒催眠法

鮑紹洲

這種方法，由施術人棒喝被術人道：「將催眠」，就是此法。行此方法催眠，應以曾慣於催眠者不可，又非敏於感受暗示的人不爲功。施行時，先令被術人安坐，閉目暗數呼吸。等被術人心定神凝，則暗示道：「我若大聲一喝催眠，你即深深睡眠了」。於是正襟立，運氣於丹田，俟機大聲道：「催眠」！繼而暗示道：「更深眠了」。再暗示之即可。時或者被被術人聽大聲催眠之聲感覺滑稽，因而發笑者有之，故施術人必要作莊嚴之聲調，以免被術人作反對的觀念，始有效果。

海國秋深（一〇）

文自粹

他請准中央在港九買下兩座房屋，一座在九龍太子道，作爲住所；一座在香港皇后大道中，題着「華記」招牌，爲同志往來聯絡之所。紆公叫才薈不必在港作開業打算，不妨先在華記幫忙奔走；李瘦鵑也是兼任工作人員之一。瘦鵑是廣東南海佛山人，佛山是全國四大鎮之一，附近農工產品的總匯。號稱一毛不拔粱新記牙刷廠就設在佛山。因爲對外交通利便，出外洋的僑民也特別多。瘦鵑的父親是一位老名士。却一直在革命機關做高級幕僚的工作。瘦鵑雖然出生在民國改元後之三年，少時還是跟老儒讀四書五經、打好國故底子，再入新式小學讀英、算、史、地。訂的婚是民十以來赫赫有名的梁財神的小姐，但瘦鵑並不以家世爲倚仗，高中畢業，一憑本領考入廣東省銀行做練習生，一直從基層做起。他不要銀行賣任何一個人情，兢兢業業，準時到工。那時吳鼎新先生辦的國民大學巳擬辦夜間部，瘦鵑就在辦公完了吃飯後去入學。過了一年多，中日戰事發生了，省銀行因爲瘦鵑辦僑匯比較熟悉，年青又理得迅捷，調他到香港分行，晚間他就在香港學校讀書。後來國民大學也疏建到香港，他仍然在母校畢了業；這也是亂離中青年工作和學業能兼顧的一個幸運分子。尤其幸福的，是他在香港和早訂了婚的梁小姐結了親，倆小口子和和順順，不久就有了結晶。」

才薈在華記奔走頗忙，瘦鵑畢業後每晚都可來助理。不過他們所接洽的階層稍有不同。才薈年青體健，無家室之累，紆公吩咐他聯絡中下層階級，特別看重勞働羣衆；瘦鵑則助理文牘。有一天，星期日，瘦鵑帶着大肚皮太太出來溜街，醫生勸她要多多散步，免得頭一胎生產歷時太久，做產母的會太辛苦。所以平常辦公時間，李太太總是和鄰近幾位太太走走菜市場；星期假日瘦鵑列無約會，就陪着太太散步。偶過中環，他覺得太太額上已微微出汗，知道走乏了，就提議到延香茶樓喝一盅二件。這一盅二件是廣式茶樓的特色，一盅是茶，二品餚點像蝦餃、燒賣、叉燒包等。中環一帶像延香、大三元、高升幾所大茶樓都是價廉物美，色味兼勝，所以每日總是座上客常滿，盅中茶不空。有的一談大半天，就連午間餐也設席在茶樓，好在和菜便飯，這幾家茶樓都可咄嗟立辦的。

生活漫談 漢藥中的官燕

▲馬騰雲▼

燕窩出產在暹羅（即今日泰國），是一種金絲海燕用唾液和小魚絲醞成的窩巢，它們的窩巢建築在海邊懸崖削壁，最優者質白光潔堅實透明，窩厚而有網絲，泡水時膨脹力甚大，一錢燕窩，能漲至一兩到二兩，這種燕窩俗稱作濕水燕，其補力最强，暹羅燕窩又不及蘇門答臘產者之顏色純白，但營養價值仍以暹羅燕窩爲高，耐燉膨脹力大，香味濃。中醫師認爲燕窩爲高貴之補劑，故食燕窩者多爲富貴人家。

日本有很多島嶼也產燕窩，但產量微乎其微，日本的人造燕窩，可以亂眞，暢銷各地，賺進的外匯相當可觀，人造燕窩沒有天然燕窩色澤好，有神光，天然燕窩雖夾雜有毛，出乎自然，有一種鯽魚的香味，人造者色白可愛，惟無神質，粗線條，畧有海藻氣，燕窩除毛燕可算佳品外，白燕血燕，人造品越來越多，其價昂貴與天然燕窩同，否則不能取得富人的信任。

採燕窩的趣聞：金絲燕爲安全計，它們將窩建築在最危險的島上，以躱開人的麻煩，一個窩的巢成須三個月時間，當地土人在燕未生卵前，採取其窩，海燕於窩被掠奪後，再築新窩，這就是「白燕」，直到第三次築的窩叫「血燕」。南洋羣島土人採窩時，先覓鮑魚爲橋樑，因燕窩之下必有鮑魚，鮑魚可能是爲了安全，而向金絲燕看齊，也可能鮑嗜燕味，採燕的人先以鐵刴輕擊鮑魚，這時鮑魚即吸緊石壁，其勁力甚大，人以一足踐其上，如法再擊另一鮑魚，可循此魚路而上，得到採燕窩目的後，仍將舊路而下，將鮑魚順便刴下帶回，這是眞正的「走路折路，過橋折橋。」又蘇門答臘土人，畜養善解人意猿猴，以小布袋盛果餌與之，促其出發，一個有訓練純熟的猴子，常能滿載而歸，每次採到三斤到五斤不等。土人最普通的採燕窩方法，用網與刴，乘扁舟，順急流，邊刴邊撈，惟非常危險，偶不小心，即葬身海底，「人爲財死」最現身的說法，莫過於此。

燕窩所含的營養成份百分數，水份一〇點四〇，糖類三〇點五五，蛋白質四〇點八五，灰份六點一九，鈣〇點四二四九，磷〇點〇三，鐵〇點〇〇四九，燕窩裏面所含的成份，最多的營養素是糖類和蛋白質，照西醫的看法，糖類在食物中分佈最廣，沒有甚麼重要，燕窩的蛋白質含量雖高，並比不上牛奶，羊奶和雞蛋，礦物質的取得不需要化這高的代價去吃燕窩，中醫師們的意見則與西醫師相反，認燕窩功能生津益血，理膈止痰熱，養胃滋陰，對病後諸虛爲無上妙品。民國二十九年著者在重慶教場口石灰市就教於國醫聖手張簡齋先生，承告「現在很多吃燕窩的人，用雞鴨湯同煮，味雖鮮美，已亂其淸補本能，即冰糖也不宜多入，免阻碍潤肺補腎下行之功」，特爲誌之，供嗜食燕窩者研究。

自由報

（第九四五期）

（半週刊每星期三、六出版）
每份港幣壹角・台灣售價新台幣弍元
社長李運鵬・督印黃行奮
社址：香港九龍彌敦道593—601號
廖創興銀行大廈八樓五座
LIU CHONG HING BUILDING
7th FLOOR FLAT 5
593—601 NATHAN ROAD,
KOWLOON, H.K.
TEL：K303831
電報掛號：7191
承印：景星印刷公司
地址：嘉咸街廿九號地下
台灣總管理處：台北市大同街110號
台灣區直接訂戶　台郵劃撥戶
第五〇五六號張萬有（自由報會計室）
電話：七一四〇〇三、五五五三九五
台灣分社：台北市西寧南路110號二樓
電話：三三〇三四六，台郵劃撥戶九二五二號

青年節的意義與由來

・賈星源・

[illegible]男女青年之所以被世人特別重視者，乃是他她們為國家的支柱，民族的命脈，社會的中堅，時代的先鋒。五千年來，我們國家遭遇多少禍亂，歷經過多少危難，但是，我們終於戰勝一切，昂然屹立於世界上。這就是由於每當國家危急存亡的時候，自必有許多愛國青年毅然奮起，不顧生死，扞衛國家，使我們的民族得以免遭浩劫，使我們的歷史文化得以綿延久遠。黃花岡七十二烈士，就是許許多多愛國青年中的典型。他們承受了歷代愛國青年的傳統，在中華民國開國史上留下了可歌可泣的一頁。

青年節，乃是男女青年的節日，為一具有深長意義的偉大節日，可是觀察一個人不單單祗其年齡之大小，而要細看他的一切行為之如何？西諺云：「有百歲之童，有三歲之翁」這話頗有道理。假使一個青年，終日暮氣沉沉，不求上進，並且胡作亂為，多行不義，例如目前社會上那些太保太妹類型的青年男女，不僅無益於國家民族，並且有害於社會人羣。要知道作一個青年，必須身體健壯，品德優良，愛國家，愛民族。更應該知道「學問為濟世之本」所有在學青年，自當以讀書為先務，除有外患臨頭，不顧生死，挺身而出，保衛國家外，其他均所必戒。所謂「讀書不忘救國，救國不忘讀書」惟有如此，才配稱為時代青年。才不辜負一年一度隆重舉行青年節的意義。

至於青年節的由來，謹特略述之：

民國十九年七月十日，中國國民黨第三屆中央第[illegible]百次常會決定，以每年三月二十九日為革命總紀念日，所有為革命而殉難的烈士，亦均於此日合併紀念。迨至民國二十七年三月二十九日，中國國民黨臨時全國代表大會，集會於武昌，決定組織三民主義青年團，為團結抗戰之中心。旋於七月九日成立中央團部後，為紀念民國八年五月四日，北平青年愛國運動，發揚愛國犧牲精神，經呈准中央，通令全國，以每年五月四日為青年節。又于民國三十二年三月二十九，三民主義青年團第一次全國代表大會，在陪都重慶舉行，是日為黃花岡七十二烈士殉國紀念日，而大會為號召全國青年效法革命先烈救國救民的犧牲奮鬥精神，用以承當繼往開來之革命任務，經一致決議以每年三月二十九日為青年節，當經呈請中央核准，公佈施行。而五四之青年節，同時廢止。

當民前革命起義迭遭失敗後，中國國民黨老前輩黃克強先生，秉承國父意旨，又在廣州作起義之活動，不幸事機洩露，迫不及待，於是提前於辛亥三月二十九日倉促發難，率領青年革命同志百餘人，各執武器，橫衝直闖，直撲滿清兩廣總督衙門，一時血肉橫飛，死傷枕籍，但各個同志，前仆後繼，終不畏縮，只以眾寡懸殊，械彈不足，卒告失敗。可是諸志士之浩氣英風，實足驚天地，泣鬼神，誠如國父所說「是役也，集各省革命之精英，與彼虜為最後之一搏，事雖不成，而黃花岡七十二烈士轟轟烈烈之概已震動全球，而國內革命之時勢，實以為之造成矣。」雖然，此亦革命史上最悲慘壯烈之一頁也。

總計國父領導之國民革命，於民前十七年九月九日，廣州第一次發難失敗，連這一次起義，共有十次之多，所謂「失敗為成功之母。」惟以有過去的失敗，尤其這一次的悲壯，始能激起我國人革命的高潮，而有辛亥十月十日武昌起義之成功。宋代眉山蘇洵有云：「夫功之成，非成於成之日，蓋必有所由起。」假使沒有辛亥三月二十九日黃花岡一役，亦就沒有辛亥十月十日武昌起義之成功。所以三月二十九日定為青年節，亦為中華民國歷史上最偉大，最有價值的紀念日。

溯自三十三年三月二十九日，全國各地熱烈舉行慶祝第一屆青年節，迄於本屆，為第二十六屆青年節了。緬懷往事，瞻望將來，反攻復國之大業，正有待於青年學子加倍努力也。

擇肥而噬！

自由談

越南訪問美國的代表團長陳文倫說：美國有少數人認為越共頭子胡志明并非共產黨徒，而是民族主義者。陳氏所說的「少數人」，指的多半是美國政府人士和其所謂「遠東問題專家」之流，這些人的意見很可以左右白宮的外交政策，思之可哂亦復可恥也。

二十年餘前，美國政治上的「少數人」——即駐華外交人員以及國務院的顧問和專家如高思，拉鐵摩爾，費正清，吉塞浦，乃至於國務大員艾奇遜等等，異口同聲認定毛共集團不是共產黨，且與蘇俄無關，而是「土地改良主義者」。他們處處替毛共張目助勢，過事給中華民國政府以打擊，唯恐毛共不能奪取政權，決意非把中國的反共政府搞垮不可！結果毛共雖不辜負美國「少數人」的期望，奪據了中國大陸，却始終視「美帝」為死敵，反美到底，決不妥協。

至死不悟

詎料美國這些「少數人」至死不悟，經過了二十多年來血淋淋的教訓，依然自作聰明，還要為共作倀，又想把東南亞地區亦淪於共黨暴力統治之下。若謂他們不是偽裝自由主義者的國際共黨同路人——或者就是如假包換的共黨份子——實在令人難以索解。過去古巴在巴斯蒂納總統主政時，實行美式民主生活，而美國政府的「少數人」攻擊巴斯蒂獨裁，恭維亡命在美國的卡斯特洛是自由主義者，千方百計地贊助卡斯特洛奪取古巴政權。今天古巴徹底赤化了，不特南美地區動亂頻發，美國本身亦已深感威脅，無可如何。這證明整個美國人皆犯着樸素的幼稚病，根本對共產主義茫昧無知，乃被少數的國際共黨同路人牽着鼻子走，禍將及身而莫名其妙，哀莫大於心死，其斯之謂歟？

孔子學說主張「不患寡而患不均」，又謂「民為貴，社稷次之，君為輕」這證明是民主社會主義思想，就美國的共黨同路人費正清之流，竟指毛共的暴力獨裁政治是符合孔子的傳統思想。似此胡說亂道，瞎話三千，而美國政治上的少數人居然相信它，危險孰甚哉！

美國人如果再不覺悟，還要信從那般偽裝自由主義者的邪說詭詞，作為領導自由世界的大政方針，我敢預言：自由世界固然完蛋，美國本身亦應該及早準備後事，以待共產政權之降臨，嘗嘗跪着活的滋味罷！

馮五先生

昨日與明日

蕉蟲豪舉

・予叔・

行政院司法行政部司法調查局最近在台灣破獲許多不法案件，其中以高雄青果合作社舞弊嫌疑案最為轟動。

高雄青果社案以理事及各單位主管等「八大金剛」從事剝削蕉農而肥己的勾當達數年之久，並且皆已成為億萬級豪富！

此案牽涉中外幅面甚廣，中則由中央，省級而串連到地方，外則自「屏東越洋而輻射及日本」。

這次藉慶祝其成立廿週年的機會，鑄造了八百五十餘兩黃金不等量的器皿，按量分到有功人士！

數年本是一個短時間，以億為單位不是一個小數字，主管輔導機構居然不知，地方人士居然不問，蕉農幾次提出而居然不理，始不往深處剜掘，僅就離譜於面上的這幅景象，可斷為嚴重性社會痲痺症。

金碗、金盤

對於那些按功分到的金碗、金盤等，據報載有三二高階層官員拒收。

就其個人言，這種德操是身位政府高級官吏之所必備；但就其所任之職位言，這種消極的自衛性的行為，既不是砥礪所屬廉潔奉公，更無力使諸金剛及準金剛有所警惕。

再從另一角度言，這推蕉蟲其所以不敢明目張胆的按功計酬，證明社會仍有明的一面，但這事僅賴司法調查局來支撐，其力量仍屬有限，此居廊廟中高階層官員如僅作消極性的「潔身自愛」實不足以竟擊退社會上頹勢力之功。

徹底根除

監察院已成立五人專案小組，調查高雄青果運銷合作社香蕉舞弊案中，各級政府主管官員有關貪污失職情事。

監院是平均年齡最高的機構之一。許多監委均是六七十歲以上的老人。

這些人的學識，品德，操守，與經驗的豐富都不容否認。但體力與精神，對於從事於一項繁瑣的調查案件，當是一件極為吃力的負荷！這一點應也不容否認。

譬如司法調查局近日的成就；與其最近吸收一批新血參加，因而朝氣蓬勃力量充沛，具有很大的關係。

因此，我們建議監委此一調查小組不妨會同司法調查當局的有關工作人員共同進行。蓋因這一案能否作的澈底，能否連根拔出，對社會的影響非常重要，甚至可說是一個政風轉換點！

基港倉庫一場怪火
億元私貨悉成灰燼
拍賣前夕竊火緣因成謎

（本報通訊員黃今覺基隆通訊）：春雨連綿？烟籠密霧的雨港，近發生兩樁新聞：一為失竊，一為我國海關成立百年最嚴重一次損害——台北關私貨倉庫，被付一炬，盡成灰燼，國家損失財物在一億元以上。

當在三月初，這座設在一號B碼頭私貨倉庫，在日夜戒備森嚴中，忽然發生竊案，被竊去一批私貨，由於倉庫內各色各樣的私貨都有，祗知道小偷破窗進入，而竟不知偷走了些什麼東西，無法一一查點。

台北關於三月四日曾貼出關緝五八字第二號公告稱：「本關現擬標售下列充公物品：收音機、人棉、化學品、太空被胎、紡錘、製紙機零件、放電鍍裝置、棉條筒、絲玉、染料、機車零件、百貨、機器零件、電視機、機車、西藥風琴、貨車、機器、手錶、暖氣機、書籍、汽車零件、營養食品、家具裝飾品、寶石等，凡欲購者應於三月七日至十日上午九時至十一時半，下午二時至四時半，在私貨倉庫看樣，十一日向緝私課交付押金，十二日在台北關開標。」

這一大批私貨公開標售日期既定，忽於十一日深夜十時發生火警，延燒整整十二小時，於十二日上午十時始行撲滅。

火起時由停泊該碼頭我海軍「五四〇」與「二二二」兩艦首先發現，遂聯合港警及保安隊與台北關人員，共同搶救，因倉庫重門緊鎖，濃烟佈霧，混成一片，荒亂緊張中，藉用海軍太平斧欲擊倉庫門鎖，折斷太平斧五把，門鎖也沒打開。後雖將倉庫大門砍開，但為火舌黑烟所困，搶救人員無法入內，經四小時之灌救，天始破曉，倉庫燃燒猛烈，四面八方之灌注，亦無可如何，一直延燒至十二日上午十時，始行熄滅，但所有私貨，已完成化為灰燼，損失慘重。

據一般判斷，起火原因：既非電線走火，也非烟蒂所致，而火源却在倉庫內端。因公告拍賣私貨之前夕，既有竊盜光顧一番，接着發生火警，把所有私貨燒得一乾二盡，遂致形成絕大疑題。

起火原因，究係人為？抑為天然災害？均待治安機關運用科學方法鑑定，以及查究內情。迄至十五日止，本案正由省刑警大隊副大隊長蔡關枝，督同專案小組在基隆地檢處陳瑞甫檢察官指揮下進行「秘密」調查。尚無顯著之發展。

美國汽車帶來的煩惱

旅美散見

張起鈞

人人都知道美國是個汽車國家，但你如不到美國來親身體會一下，你不能知道「汽車」對美國社會，美國人生有着如何深切的影響。

中國人很少有汽車的，縣帶所及也就很少有人會開汽車了。尤其中年以上的教授們，更是如此，這在中國原無所謂；但來到美國，尤其是來到夏威夷可就受了大罪了。在這裡雖非人人都有汽車，卻至少是家家都有汽車，既有汽車可供驅馳，使感到都市的範圍不大，任何地區都可彈指即到。就像火諾奴魯這個市區，最遠的距離也不會開車超過二十分鐘，簡直是不值得一跑，但在我們這沒有汽車不會開車的，便是另一個天下了。在汽車一開就到的，你走起來起碼便是半小時，即使是散步消遣也嫌太長，何況是要上班辦事？更何況是在四季如夏，時時驟雨的夏威夷？要是在別的地方，特別是我們這所謂「落後地區」（？）儘可有別的交通工具可以利用，而在這裏三輪車、自行車，當然是沒有了，計程車也不發達，不僅價錢極貴，並且非打電話定叫不可，街上是找不到的。至於公共汽車雖然也在街上跑，可是實在難於利用，早晚上下班的時候，還比較像話，逾此以往，就真叫你啼笑皆非了，有一次我和張滄教授吃飯歸來，在唐人街等車，時間不過晚上九點多鐘，又是最熱鬧的地區；那知一等等了五十分鐘，最後還是設法找了輛計程車才回來的。後來我問人何以如此，人家說「這裏家家有汽車，請問誰還坐公共汽車和計程車」，話是不錯，可就苦了我們還不會開汽車的了。

有一次我給吳森教授寫信，訴說這「行不得也」的苦處。那知他回信不但不同情我說：「……大抵在美不慣開車之人，均遭遇無車的苦處，反而誤認他那有車之苦。他受此一方面之苦痛，然懂得開車，亦有別種問題。數年前，生在雞大附近，亦一度以八十元高價，租一 Furnisher 房間，其後學會開車，則每月花七八十元甚至過百元在車子身上，蓋舊車百病叢生，修理動輒數十元。及至去年冬，老爺車病入膏肓，無法再用；而在美國工作又不能一日無車，迫得到銀行貸款購買新車一輛，每月付六十元，兩年半還清。目前車子自用，連汽油在內每月超過百元以上，豈無車者之所能知？故吾師實不必後悔不能開車也。生目前房租及車子維持費，已去了月薪過半，加以書籍雜用等，每月僅達收支平衡（因太忙，長少自炊，在外吃一頓，輒一元以上）在美生活，實不見得勝於台灣或香港也」。

這封信，就好像一陣清風般吹散了我胸中的迷霧，恢復了頭腦的清醒。它使我跳出個人的當前困擾，而想到全面的問題。我與吳森教授的煩惱雖然大不相同，而使我們在此煩惱的癥結，卻是來自同一根源，那就是汽車的出現。人們所以發明汽車原是要節省時間，使本來要走半小時，一小時的路程，彈指之間便可立到，但那知一旦汽車出現後，尤其是在普遍的使用之後，人們不但不把他們上班上學的時間縮短到最短，反之卻是利用汽車的速度，而到更遠的地方去上班上學，或是搬到遙遠的地區去居住（按：社會經濟各種活動範圍的擴大，也是由於同一道理）。結果，走路的速度固是加快了，但要走的路程卻是加多了，截長補短仍然要走半小時，一小時。因此，汽車的發明，只不過是拉長活動的距離而已，至於所預期「縮短時間」，卻早已去在九霄雲外了。——在沒有拉長距離之前，人們可以不要汽車，但在距離拉長之後，就怎能沒有汽車？既然離不開汽車，汽車的問題便來了。假如這問題，僅僅是我和吳森的問題，那就簡單了；只要買一部好車，每月多花幾個錢也不在乎，那不就解決了嗎？但是問題並不如此簡單，反之卻是有其根本不能解決的矛盾在。

在我們這所謂「落後地區」，所謂「未開發地區」，看到有人坐着汽車揚長而過，真是羨之若仙。因爲他除了多花幾個錢以外，簡直是有百利而無一害。但那知「橘逾淮北爲枳」，到了美國情形便不同了，不要看個個開着汽車，實際上個個人、有的行止都受着汽車的控制。在「落後地區」只有一些「老爺」才有坐汽車的權利和必要，而許多修養的達官貴人，則根本禁止小孩子坐着汽車去上學，太太坐着汽車去打牌。但在這已開發的「現代社會」，距離拉遠了，全家老小，誰能不坐汽車？於是在中國本來是「老爺」的，在這裏便要扮演車伕的角色，每天依次送了少爺小姐上學，太太上街，然後再去辦公。下班時再又一一接了回來。「老爺」如此辛苦，少爺小姐們是否舒服呢？簡直不舒服，常常看到些學生沒課了還不走，一問，原來是等家裡的車來接。這簡直成了沒脚的螃子了，像什麼話？或者說只是要有錢多買幾部車就好了，但在美國十六歲以下是不准開車的。你家裡就是開着汽車公司，小孩子們仍然不能行動自由，而仍然是你開車的負担。現在就再假定寧可斷子絕孫，不要孩子只要汽車，問題是否便能解決呢？不的，請你看停車問題就知道了。（上）

北市議會連珠砲發

譏劉先雲教育失當

陳鴻韜憤責教育弊端請劉下台

（本報記者公孫熊台北消息）台北市臨時議會於三月十二日由教育質詢部門第一組之議員蔣鳳崗、張四英、鄒建信、陳鴻韜、鄭李足、葉生進、孫文章、紀明、陳英、袁建華、陳敦敬、陳清軒、陳錫岐等十三人共同對市教育局提出質詢。由蔣鳳崗代表發言，將教育部門予以嚴厲批評，言詞尖銳，攻擊得體無完膚，直把這位素有長袖善舞之官場專家弄得啼笑皆非，大有招架不住之勢。

他們指出：台北市教育，在量的方面年年有增加，但在質的比重上頗欠理想，例如人才不能配合需求，是非功過之不能獎懲嚴明，預算之不能如計劃動支，設備之難合標準添置，代辦學生用品服裝不能務實，校舍之不能及時完成，校地之不能及時解決，場地之不能配合推展，對於私立學校之不能作密切之督導，其他不如人意者，未臻貢建及革新之境地者，更屬不勝枚舉。一致指責教育局，並未認真做事，而只是在敷衍，沒有脚踏實地的在辦教育。

陳鴻韜議員指責劉先雲局長不要使台北市的教育黯然無色，應自作檢討，如果實在做不下來，就趕快離開這個職務，讓別人來辦。

陳鴻韜議員對空小改校經過及現狀，曾不禁痛哭流涕，因此陳議員對台北市教育之指責批評，頗有引起社會之注意，且信其言而有徵。

陳議員並具體指出：議會專案小組調查國民中學的學生服裝、課本、書包、及其他物品，發現有不少的弊端，而且提出了具體的報告，將各項不合規定的事情，一一予以列舉，教育局到底辦了沒有，爲甚麼不迅速予以處理，尤其是服裝，明知其不合規定，卻任其自然發展，這不是辦教育者應有的表現。

葉潘生議員告訴劉先雲局長：我們對於教育部門的質詢，將有一連串的問題，你準備好好的答復。

市議會[?]當之決定：所採方式極爲嚴格，將予毫不客氣的以嚴厲的口吻和語氣，質詢劉先雲局長，甚至請他自己放棄這個教育局長的職位，而且希望他自己下來。

一般社會人士對劉先雲批評說：劉氏係以黨政資格佔官運，並無任何學位出身，若說普通行政官僚地位，或尚可有作爲。雖然他曾做過台灣省教育廳長，卻談不到有甚麼成績，當年試行恢復高中會考制，被幾個淺薄的省議員爲了反對提高高中學生水準，歸上幾抱，劉先雲以省教育首長地位，卻說不出高中會考制，曾經在中國現代教育史上，發生過振興文化復興民族的力量。最可惜的就在他任教育廳長的當時，竟把高中會考制度取了下去，使高中教育水準低落一直到了現在。台北市政府升格，爲甚麼由劉先雲來任首任教育局長，也是令人難以瞭解的事。

空小改爲國校

竟致面目全非

此一服膺「知行合一」之生活教育專家從事小學教育四十年前創空軍子弟小學校長陳鴻韜議員，於上年出本後，所遺空軍子弟學校，進行國第，交由市教育局接辦，改爲地區國民學校，實開人言，該校改爲市立後，不僅水準降低，反致面目全非。

台北電話找人難

信不信由你

本報通訊員　歐陽瑞

機關衙門化，官僚化到目前快遂顛峰，欲到機關裡去找一個朋友，官階稍爲大一點，都規定客人先報姓名，然後還得說明服務單位及所任工作。不過還好，三代生庚八字尚毋庸呈上，否則那就更不成話了。

有一位曾打電話的朋友，電話一撥，對方總是「在在在」，「有有有」，從未碰過釘子，被人特別研究才發現用的是「開門見山法」，告訴對方自己是台北最紅的單位，待接通後再說明是誰。這樣做法，乃因某些主管喜歡說謊，明明在辦公室談天看報剪指甲，偏向客人扯謊在開會。其實扯謊並不可怕，而是久而久之他將別人的真話也當作是說謊，那簡直可怕極了。很久以前旅緬甸一位學人，上了一份報告到中央黨部第×組，據實講出緬甸反共工作應興應革各點，且附呈甚多非常有價值的證明文件，句句真實，血淚之言，但被認爲是說謊，這位學人向記者大哭一場離去。

官場作忙是事實，同時亦得搞清楚，去見官的人，也絕對不是「純吃茶」之輩，本可依照情理輕鬆處理各項問題，何必局位拘着電話整天說謊，對方固不高興，自己亦很難安，尤其任親民工作的黨工人員，這個樣的搞法怎麼行呢？

喬治桑外傳　三五

張大萬

郝隆昌知道喬治桑說的是老實話。

「喬治，跳舞你是第一流的，聽說還要研究，這是國際舞。」喬治桑還沒有開口，尤香立刻插嘴。

「桑叔叔那跳得好？幾時請我們？」

「妳們不要聽范爹的，我跳的是老舞，跟本不合妳們的胃口。甚麼露魂舞、阿哥哥、恰恰我都不會跳。」

「桑叔叔說話太客氣了，鑒爾滋、勃羅斯，探戈才能顯出其工夫。那些新式舞誰不會跳？大概桑叔叔是不喜歡跳吧。」

喬治桑一想，唐珊珊的話很有道理，不覺點了點頭。

「我說的不錯吧，我將來要拜桑叔叔爲師學跳舞。我先敬桑叔叔一杯酒。」

唐珊珊拿了喬治桑的美金，免不了要奉承他一番。

「豈敢，豈敢。我學跳舞拜過師，但沒有教過人。」

「喬治，你的舞大概是經異人傳授，所以不肯教人。我從來沒有學過，高興怎樣跳便怎樣跳，這叫「自由舞」。」

現在桌上的氣氛很熱鬧，大家有說有笑。不覺已到了下午兩點三刻左右。

「周總經理、李董事長到。」佣人進來很有禮貌地低聲回報主人。

「請他們進來。」郝隆昌吩咐傭人。

「周總經理是大發紡織廠的老板。李董事長是世界水泥廠的老板，兩位都是老搭子。」隆昌先向喬治桑介紹。

在客人還沒有進來的時候，郝喬治桑在台北聽到過周玉君，李吉和兩位的大名，都是億萬以上的富翁。

周玉君，李吉和一進門便打着哈哈。

「海龍王今天又擺了？利用乾女兒的的生日過壽？」

周玉君身材很矮小，顯得有點弱不禁風的樣子，戴一付金絲眼鏡，西服穿得很考究，左手戴一隻勞力士金錶，表大手腕細，顯得有點不調和。

「你說老郝手摳，你不服？反正你們都是牌精，我是孔夫子的手巾——包書（輸）。」

李吉和一口京片子，很像法門寺的桂兒。李吉和穿了一襲長衫，捲起袖子，體型高大，一望而知是燕趙男兒。

郝隆昌起身將周李二位與喬治桑介紹。

「桑博士，久仰、久仰，你的麻將是在美國學的？美國人最愛打對對和，桑博士是不是也如此？」

李吉和很爽朗，一見喬治桑，便和他開玩笑。

「我連對對和都不大會打，只會打七對。」喬治桑也樂得自我調侃一下湊趣。

「那好極了，今天老郝老周可能要陰溝裏翻船，兩個不會打的與兩個會打的同場，會打的不一定贏。」

國代詹挈悟七十壽

友好發起簽名祝嘏

（本報台北訊）國大代表詹挈悟先生暨夫人游貞靜夫人，于三月廿三日七秩雙慶。詹代表早年獻身革命，從事黨政教育新聞及人事行政工作四十餘年，對黨國貢獻良多，其友好谷正綱、張其昀、郭澄、杭立武、郭驥、姜伯彰等二百三十八人，爲其發起徵求詩文書畫爲壽，並于該日上午九時至十二時，在南昌街公賣局康樂中心，舉行茶會，簽名祝壽，備有紀念品致送來賓。詹代表服務黨政軍教育新聞界數十年，交遊甚廣，高朋滿座，盛況非常。

文滙樓剳記

台北公論報自李萬居起，經過的負責人計有張祥傳、黃成金、蔡水勝、李連鵬、劉文龍、閻奉璋、蔡萬春、賴森林、張愚山、王惕吾等，就公論報轉來轉去說，恰為八嫁，奇怪的是公論報誕生的年月日時八個字看來，用四句命譜術語可包括，也恰是「滿盤濁氣令人苦，一點清枯也苦人，半濁半清無去處，多成多敗度晨昏」。公論報從創刊到改為經濟日報，風雨恩仇猶若一場噩夢。

李萬居死了，蓋棺定論，李不是壞人乃為一般所公認。台灣人對他的崇拜，從選舉省議員的票數中可以看出，他競選時不須要親自出馬，且不化分文能使所得的選票一路領先。還有些為台灣人所不恥的人，其實外省人對其也無半點好感，當局則拚命支持，不顧輿情和百姓的心理趨向選用的寶貝，除了對黨的少數人署効蠅頭微利外，不啻沒有領導能力，變成政府一個大包袱。講老實話國民黨有偉大賢明傑出的　領袖，有不少的政治幹才，更擁有甚多學人及工商界領袖人物，我們對復國任務始終充滿信心，但希望選賢與能，不背包袱，例公論報本是台北市政府社會科主管的事，但廿幾年人為的風雨恩仇，超出情理和法律之外，釀成一種吃力不討好的尷尬局面，將近四千餘萬新台幣的債權人在政府高壓下，告狀既告不了，敢怒又不敢言，這個大包袱應當趕快丟，不惜一路哭，祇給一人笑的做法，是政治上的大忌，曹一鳴教授著「公論報風雨恩仇錄」句句金玉，字字珠璣，若干寶貴意見是值得重視的，原作將交由本報獨家連載，這是讀者們的好消息。

公論報風雨恩仇錄

曹一鳴老教授亦名報人，本其春秋之筆將公論報一部報史，寫到絲絲入扣，引人入勝，對李萬居「內閣」制度事業的失敗，張祥傳辦公論報的經緯，引證老報人成舍我的名言；「外行辦報形同治喪」。李連鵬有卅年辦報經驗，五次轟轟烈烈創業耀煌記錄，攻讀新聞，直接受教於　總裁門下，為甚麼亦會失敗且賠了一萬向名報人張季鸞看齊式的官司，更值得創業人的參考，蔡水勝究竟是一個甚麼樣的人，他曾的擁有甚勢力嗎？毀多譽少呢？還是譽多毀少，本文有比較公平的交代。蔡萬春、賴森林因辦公論報所招致的煩惱，直到現在，餘悸仍存。張愚山坍塌的來龍去脈，和閻奉璋將公論報壽終正寢。曹一鳴教授以史家之筆，作公正細微之刻劃，是近一世紀中國報業史上一頁重要文獻。

樓主打算全文看完再寫書評，今祇作簡略介紹。「公論報風雨恩仇錄」政黨人士不能不讀，因公論報涉及到甚多黨派問題；新聞界業更非讀不可，因公論報同仁中同室操戈，新聞中另有新聞，讀「新聞學」的學生應該人手一份，了解新聞學」的實際新聞；本報海外讀者百分之八十為高級知識階層，更不在話下了。用為介紹，並祝曹教授成功。

・文滙樓主・

三百年前一位青年抗戰的民族文藝家—夏完淳（一）

・汪辟疆・

一、歷史上的奇蹟

在我國過去幾千年的史冊上，的確產生了不少「殺身成仁舍生取義」的民族英雄。但是他的年齡，僅僅只有十七歲；他的工作，前後統計，確做了兩三年的艱難困苦的抗戰工作；他的人格，竟做到臨難不屈百折不撓罵賊而死的民族英雄；他的文學，幾至無體不工；雖然不能和徐陵、庾信、杜甫、李商隱、辛棄疾，這一般人齊驅並轡，的確是步着他們的後塵，走入了他們共同的路線，或者具體而微。他同時期大名的文人學者，如錢謙益、吳偉業、陳子龍、杜濬、顧炎武、朱彝尊，這一班的人，也要向這一位青年文藝家五體投地的致最敬禮。

三百年前為什麼產生這樣一個人？國家遇到了外憂內患最危急的時期；一切，都走上緊張救亡的路徑。在朝不少的人，雖然文恬武嬉，但是在野的士大夫，就不免憂到國破家亡的慘禍一天一天的迫近。這些士大夫，要幹一下救國救亡的工作，必定要把當時的邊情、軍備、財政、戶口、農田等等，時刻留心和研究。你看看這一般讀書人，如陳子龍、徐孚遠、顧炎武諸人，那一個不留心經世大業——農田水利軍政及其他——。這一位青年抗戰英雄，就是在這種學術環境應時而產生的一個。

「臨難不懼殺身成仁」是我民族的無上光榮；也就是文天祥臨命時所說的「讀聖賢書所學何事」的事。國家的提倡，士大夫的勗勉，在平時已根深蒂固的膠結在民族意識中。尤其是在外族壓迫的鐵蹄下，大家更感到了種族淪亡的痛苦，這種民族的意識，最容易高漲到極尖端，有不可遏抑的情勢。誓死要和非我族類的敵人，去拚一下。萬一失敗，也就視死如歸的慷慨致命，毫不畏縮，毫不恐怖。這一位青年抗戰民族的英雄，就是在這種民族主義的信條下而壯烈犧牲。

教育的威權，的確是偉大了！尤其是在家庭間，平居燕處的一切有形無形的耳聞目見，——動作和言論——最容易感化和養成一種高尚的人格。這位青年抗戰的英雄，他的父親，是一位以身殉國不負所學的奇男子；他的伯父，是一位讀聖賢書死得其地的偉丈夫；——自縊於文廟復聖位旁——他的母親姊妹和他的夫人，皆是平日講忠談孝的婦女，及國破家亡，都截髮為尼。他處在這樣的家庭環境，平時的薰陶，早已樹立了他的人格。況且他的師友，如陳子龍、侯峒曾、侯歧曾、吳易、杜登春諸人，或慷慨捐軀，或激揚風義，師友的協助，尤其是與他的家庭，流溢一氣。這位青年抗戰的文藝家，被這一種教育的感化，自然走上了共同的路徑。

年齡限制不了人的學問和事業；孔子大聖，師項橐；能執干戈以衛社稷的童子汪錡，也曾見稱於大聖孔老先生。文人如王勃、李賀，都是早慧，他們也不過活了二十幾歲。人的智慧，本來有早成晚成，但是處在一種特殊環境的家庭和社會，暗中就幫助他的成功不少。這位抗戰的民族英雄，幼年確是投在一批特殊文學環境中；而且他的家鄉，又是一個山明水秀，素產生文人的地域。薰化已久，天才的文藝家，就是這樣醞釀而產生。

二、夏完淳的抗戰與成仁

在一六四四年明代崇禎十七年三月十九日的一天，流寇李自成打入了北京城。崇禎知大事已不可為，走上萬壽山上自縊而死，明朝就算亡了！[illegible]的定鼎燕京，改國號為大清，改元為順治元年。明朝宗室福王，雖然倘想撑持這半壁東南的殘局，但是到了順治二年，清朝派豫王多鐸統率大兵下江南，南京陷落，福王[illegible]死。明宗室出王[illegible]又在福州稱帝，[illegible]，江南的[illegible]，有許多士大夫，[illegible]在沉淪，異族的[illegible]，[illegible]有不少的民族英雄，內心裡燃着憤怒的火炬，一齊踏進了抗戰救國的路徑上，不自量力地担負了他們責任，去和殘暴的異族作殊死戰。他們有百折不撓的精神，他們有視死如歸的勇氣，這種偉大的民族意識，是永久長留在我們的子子孫孫一直到現在，雖然他們是在異族刀鋸鼎鑊下的壯烈犧牲者。

曹濱是華亭縣中一個小小的市鎮。那裡有水木明瑟的湖沼；有眉黛如畫的遠山；到了春夏的時候，遙遠的坡陀，和迤邐的桑田，濃綠如幪。在這種美麗的鄉村，最容易使人發生愛國愛鄉的思想。三百年前，我們這一位青年抗戰的民族文藝家——夏完淳——，就是生在這個小小市鎮。（未完）

吳稚暉先生年譜（五六）

陳凌海編撰　陳洪校訂

三月二十一日，因抗戰勝利，中國國民黨準備結束訓政，實施憲政，為籌募中央黨部務經費，特成立勸募總隊，推舉先生為募捐總隊隊長。三月十九日，蔣主席中正請，書蔣母墓園碑文。經徐州名家勒石。三月，中央信託局前為先生築避空襲壕，特在曾家巖行政院防空洞側坡上建平房三間，作為休憩之所，今特將該房屋奉贈先生留作永久紀念。先生復書謂：該房屋將[illegible]歸君守，永不過問，並保持完整。四月三日，謝蔣主席中正，談英、美兩國之異同。由渝乘蔣主席中正專機飛上海與家人歡晤。一別已八年矣。返滬後，住重慶南路四十號[illegible]（拍勞）室，以舊居所藏圖書函札無損，頗覺忻喜。留渝之行李衣物，應由呂斯百、陳漢負責運回南京。

先生返滬後，世界文化合作中國會會員茶會歡迎先生，並攝影留念。五月，國民政府宣告還都南京，先生到京出席還都典禮。九月十九日，為張人傑（靜江）七秩誕辰，友好在上海集會慶祝（時張人傑旅居美國），先生撰文慶賀。蔣主席中正六秩壽辰，先生撰：「成吉思加湖西回伊始，華盛頓再主北美之中」聯，親書賀祝。十一月十五日，制憲國民大會在南京開幕，推先生任臨時主席。先生致詞，希望各黨各派相忍為國，制定完善憲法。十二月二十五日國民大會通過「中華民國憲法」，先生主持閉幕典禮，並代表全體國民大會代表將中華民國憲法送交　蔣主席中正，十二月卅一日，國民政府　蔣主席中正公佈憲法令。先生偕同國民大會代表主席團監誓。先生八秩華誕時，中國國民黨中央執行委員會為先生募一「敬恒獎學金」，當時所募款項，為數頗巨，嗣以法幣貶值，由勸募委員會購買黃金儲蓄券存儲。抗戰勝利後，先生故鄉之道南中學為造就本鄉子弟，大[illegible]擴充該校教室及圖書設備，先生商得[illegible]委員會之同意，將該「敬恒獎學金」全部撥充該校增添設備之用。[illegible]於滬舉辦酬會，先生亦參與。

董小宛苦戀冒辟疆

名人情話

十，小宛的家庭生活

周遊子

清順治二年，明弘光元年，唐王隆武元年，公元一六四五年，小宛二十二歲。這一年小宛開始在冒家生活。冒辟疆奉母及家人流寓於鹽官定居。春天，偕小宛過半塘姬的舊家，家中尚有小宛之妹，名曉生，及沙九畹，聞小宛路過，登舟往訪。見小宛事姑惠順，待人賢淑，相視如水乳，見者稱美不絕，稱為冒公子「如意珠」，[illegible]皆羨之。宴畢，同登虎邱。小宛隨辟疆重臨舊遊，重理前事，吳門地方知道小宛往事者，皆稱小宛有慧眼俊識，得其所歸。冒氏全家，皆僑寓湖上，烟雨樓高，[illegible]，[illegible]閣中半在湖中，環城四面，名勝寺，[illegible]者，皆湖光山色也。前人一登烟雨樓，途追勝景，已遠，但不知[illegible]之致，尚不僅於此。辟疆與小宛作竟日遊，遍覽[illegible]江下、雨[illegible]、[illegible]湖碧浪、若巖之勝。小宛道：「新安山水之逸，在人枕杜間，尤足樂也。」可見他倆這一次的游山玩水的生活，是何等的寫意！何等令人羨煞！

到了鹽官，辟疆之父早已將家中一切佈置停當，並置酒宴餉客。辟疆不敢將小宛之事稟告。飲至四更，客不得散。辟疆的正夫人甚賢淑，待小宛如賓，席未散而先離去，為小宛另設新房，帳幃燈火，一應具全。席散之後，只見侍女前來侍候小宛，不見辟疆。芳心感到懷疑，且深惆悵。進了閨房，見室內無一不備，詢問侍女，方知為正夫人所置，小宛芳心感激不已，深歎其賢，至是乃放下一顆忐忑之心。

小宛自歸冒官之後，未敢攜入冒家，局居一室，洗去鉛華，御下錦衫，儼然另一家庭主婦之姿態出現。每日精學女紅，月餘以來，足不出戶，耽寂恬靜。小宛自歎道：「驟出萬頃火雲，得清涼境界；回視五載風塵，如夢如獄。」所居數月，對於女紅無不妍巧，錦繡工餅，刺巾鐵袖，如範無損，日可製六幅；剪綵織字，鏤金刺紋，各臻其技，正是鍼神鍼絕，前無古人。

小宛居別室四月，大夫人始將小宛攜回冒家。小宛聰慧賢淑，善解人意，待大夫人及太恭人甚恭，太恭人及大夫人以下，人人見人愛，實有「我見猶憐」之感。小宛對於幼姑長姊，尤珍重相親，待人接物，彬彬有禮，大家閨秀不能及也。家人咸稱，德性舉止，均非常人。小宛之待太恭人及大夫人，常左右請安，服勞承旨，較婢女有加無已。對於辟疆烹茗剝果，必親手以進，開眉解意，爬背喻癢，無微不至。折膠鑠金時，必拱立座隅。辟疆有時見小宛太恭人，執婢女之役，心有不忍，強攜之同坐共飲，而小宛則時坐時起，時起執役，拱立不并坐。辟疆每課兩小兒讀書，有不稱意，小宛見之，為之改削成章，莊書以進，至午夜不懈。與辟疆家人相處九年，沒有一語與大夫人齟齬。視衆御下，辭讓不遑，上下均感其惠。辟疆出入應酬之費，與大夫人日用金錯布帛，皆出自小宛之手，而小宛無一絲一毫私有，且不積蓄，不製寶環釵鈿，小宛之賢淑，古代烈女、節婦不能過也。

（未完）

義勇千秋、亘古一人 關公的生前和死後（五）

・經緯・

呂蒙口中的關羽，長短互見，可謂公平之論。呂蒙在偷襲關羽之時又說：「羽素勇猛，既難爲敵；且已據荊，恩信大行；兼始有功，胆勢益盛。未易圖也。」

綜合時人對關羽的評價，總算不是「一介武夫」之流可比。呂蒙尚且說「既難爲敵」、「恩信大行」、「羽素勇猛」、「胆勢益盛，未可圖也」。這是敵人口中的話，絕非溢美之詞。而且陳壽三國志，根據吳史官所記，未加刪削，東吳之事，多溢美之，對魏、漢多抑壓之。可見關羽在時，敵人尚且畏之如「熊虎」，不可與敵。而且「長而好學」、「讀左傳，略皆上口」。足見絕非一介武夫之流可比。

最後，我們引陳壽的評語，來作本節結束：

「關羽、張飛皆爲萬人之敵，爲世虎臣。羽報效曹公，飛義釋嚴顏，並有國士之風。飛暴而無恩，以短取敗，數理之常也。」

陳壽的蓋棺之論，皆甚中肯綮。公平之至。在張飛傳中，尚有幾句評關張之語：「……飛雄壯威猛，亞于關羽，魏謀臣程昱等咸稱羽飛萬人之敵。羽善待卒伍，而驕于士大夫；飛敬愛君子，而不恤小人。先主常戒之。」

以上這些都是關羽的優劣個性，所見皆同。故不用多費筆墨爭論了。讀者可以自由的下一個評斷吧！

（六）義勇忠烈，照耀千秋

關羽之勇，上面已經表過，不再重複。再補充幾句，是關雲長刮骨療毒一節，是他神勇的表現，這是有史可稽的：「羽嘗爲流矢所中，貫其左臂，後創雖愈，每至陰雨，骨常疼痛。醫曰：矢鏃有毒，毒入于骨，當破臂作創，刮骨去毒，然後此患乃除耳。羽便伸臂令醫劈之。時羽適請諸將，飲食相對，臂血流離，盈于盤器。而羽割炙飲酒，言笑自若。」演義更寫得生動。醫生說：「君侯眞神人也！」這並非過譽。在當時沒有麻醉劑的時候，能做到如地步，豈非神人！這就是「勇」的精神的表現。但是，我們以「勇」之一字，便斷定是一種德行。「勇冠三軍」固然是「勇」，但也得看他勇于什麼？勇要見忠，見於仁、義。「見義勇爲」才是眞正的勇德。關羽一生，勇于戰陣，固不用說，戰陣之勇，即勇于王事，他和劉備打天下，是有着匡扶漢室之志，劉備爲王，獻帝被暴臣曹操劫持，權臣竊命，卒至於篡位。故關羽對曹操早有除害之意。對於故主，始終勇于負責，忠于王事，至死方休。「忠烈」也與義相行不背。有人以爲關羽降曹操，乃爲白圭之玷。其實各種德行，應從其大者。如勇于鬥門，拔劍而起，挺身而鬥，只不過小勇。大勇若怯，大智若愚。如果關羽在當時隨劉備身無立錐之地的時候，在下邳戰死，死而何益？自己初衷的抱負，則付諸東流。死有輕如鴻毛，重于泰山之別。設若在下邳，則輕如鴻毛。故關羽在下邳不死，一則以劉備家室被俘，劉備下落不明，生死未卜。設若劉備已死，那關羽必然死而無疑。因此，我們今日來看這一件行爲的措置，亦必差之不遠。後來在曹營所得到的恩厚，無人可比。美女、金銀、爵祿……不能够動搖分毫。一聞劉備下落，即刻掛印封金，拜書告辭。」雖然有「拜書告辭」，而曹操不阻止，也不殺他，由此看來，關羽之降曹，是「約降」的，並不是「無條件投降」可知。曹操也有過此承諾。迨曹臨如雄都被他的義氣所感召了。不禁的說：「眞義士也！」而當時劉備身無立錐之地，可以說前途渺茫。而曹操則爲丞相，一切軍政大權集于一身，官爵欲取欲求。如在曹營，也是名正言順。因爲曹即獻帝的丞相，降曹即是降漢，有何不可？如果換了他人，早已不顧一切，死心踏地的降了。所以他不死，是「死非其時」。後來劉備爲王，身爲前將軍漢壽亭侯，威名盛極一時，後來被埋伏所陷，不屈不撓，父子慷慨，殉義死節，毫無反顧。由此可知，關羽早年何以不死，晚年何以要死？這就不容我再多浪費筆墨了。

（七）關羽死後的神化歷程

關羽死後，謚曰「壯繆」。以前有不識古文者以爲「惡謚」，其實非也。「壯」爲「克亂不遂」而成仁者，「執德布義，中情見貌」曰「繆」。並非惡謚。關羽克亂不遂而成仁，這是謚法上面的解釋。有人解釋「繆」、「紕繆」之繆，誤矣。「穆繆」、「魯繆」、「序以昭繆」，宋以後的「穆」字，則「繆」矣。前已有言之，在此不再解釋。

關羽死後，極走「神運」，從隋代以降，愈走愈紅，到了宋代，簡直紅得發紫。然而爲什麼他的神運有如此之紅？爲什麼佛、道二教如此重視他，把他捧出來？這些是極深邃的民俗、宗教之學，非三言兩語可完的。但是，關羽神化，一定有他的基本條件。不然的話，曹操、諸葛亮爲什麼不成神？「義」德一門，關羽可以說是表現得最爲精采，最爲突出。難怪他成「俠義」的守護神。他的義的表現，固不用我多說，讀者想必能道其詳。下面只將他在各代神化的封號引起讀者注意就够了。

關羽在隋朝已經爲道教拉去充當神將，在玉泉寺顯聖，封玉泉寺爲顯烈廟，神話很多，在此不能再拖長本文了。經唐宋各朝，時有褒贈。到了北宋，民族國家危亡之秋，關羽就更紅了。神運猛交，諸神爲之側目。宋哲宗紹聖三年，賜帝王泉祠，額曰「顯烈廟」。宋崇寧元年，追封爲忠惠公。大觀二年，加封「武安王」。由公而王，是神爵的提升。繼武安王之後，又加「義勇」武安王。把關公的義勇二德表彰出來。因爲關公在宋代，曾經大戰蚩尤，驅邪除妖、打敗蚩尤後，關公正式成爲中國的戰神。蚩尤是中國最早的戰神。到宋代關公取而代之。宋高宗建炎三年，加封壯繆義勇武安王，告辭云：「肆摧奸宄之鋒，大振黎元之溺」。宋淳熙十四年，加封英濟王，告敕云：「當陽縣顯烈神壯繆武安王，名著史册，功存生民，一方所依，千載如見。」如此一來，封爵如同推羅漢，推了一大堆：「壯繆義勇武安英濟王」。元代異族入主中國，「一順其固有風俗而撫循之」。照樣聽任民間敬崇如舊。到了明代，關公顯靈尤多，滅妖除怪，佛教又封他個「伏魔大帝」。萬曆四十二年，「乃追司禮李恩，奉旒袍，封大帝。」關公于是登上「帝」的寶座。到了明嘉靖十年，又有一個矛盾的封號，封爲「漢關帝壽亭侯」。又賜龍袍。接着又加封「三界伏魔大帝神威遠震天尊關聖帝君」。如此一來，關雲長神運已經登峯造極了。一「神」，二「帝」，三「聖」。神、聖、帝三者皆備，到此諸神側目而已，莫奈他何。不僅此也，他還要當「關夫子」，「協天大帝」呢！與文聖孔子分庭抗禮。滿人入主中國，照樣崇拜關老爺。「協「忠義神武靈佑仁勇威顯護國保民精誠綏靖翊贊宣德關聖大帝」。二十六個字的頭銜，諸神無以倫比，不僅空前，恐怕絕後

命相與夢話

・陶公・

六一居士—歐陽修（下）

文忠公生於宋眞宗景德四年六月廿一日寅時，卒於宋神宗熙寧五年閏七月二十三日，四柱乃丁未、戊申、乙卯、戊寅。日元之乙屬木，誕生適爲六月剛好過了立秋——所謂金風未退，暑氣正熾的秋老虎，年幹中有丁火，年枝中又藏丁火，時枝中又藏丙火，命宮丁未，幹屬火，枝又藏火，可說是一座火燄山，木豈有不亢之理。

月時交拱戊土，年枝未與命宮未又各藏己土，月時二枝申寅，又各藏戊土，土多若此，可稱廣袤的大平原。

但，造物之妙，常有不可思議的神來之筆，試想一塊廣闊的土地上，有炎炎之火，豈不是火山地區？但文忠公生於丁未，命宮又是丁未，納音同是天河的水，生日乙卯納音又是大溪的水，時枝的寅中藏甲木，日支的卯與年支的未命宮的未，又各藏乙木，於是水火相濟，有木疏土，不僅春發其華，尤應秋收其實。

何況，自坐祿元，時逢帝旺，月偏夾乙，可說是氣象萬千。袁天綱云：「幹爲祿本，定卜職位高遷。」詳以文忠公此造，眞可說命相之學，屬玄妙亦有所本，不是神妙莫測的「術」，而是一種數理的大學問。

文忠公四歲時屬庚戌，父鄭國公歐陽觀終於江蘇泰縣軍事判官任內，廿七歲癸酉元配胥夫人卒，廿九歲乙亥繼配楊夫人又死了，三十歲丙子爲了切責高若訥，降爲峽州夷陵縣令（湖北，宜昌西北）。三十二歲戊寅，與胥夫人生的兒子夭逝，因爲孤甥犯法牽累，又降知滁州。四十六歲壬辰鄭太夫人棄養，這一切的遭遇，可說是坎坷不幸已極，就造命看，丁運屬火，已運藏火，癸運化火，皆與經過流年的衙刑對制。

二十二歲乙運甫交，文忠公拿了自己寫的文章到漢陽去晉謁胥學士，胥公讚其才思文學，遂留置門下，翌年即與他到京師去，參加國子監考試獲第一名，秋解試又獲第一名，再過了一年禮部試又放了第一名，及至御史試考了第十四名，五月就發表了將仕郎，此所以能一帆風順而直上青雲，就造命言已是乙木大運聲氣機應。

及至三十三歲由縣令而復舊官，充館閣校勘，修崇文總目，嗣任揚州、穎州（西湖）開封等地縣長、府長等又轉兵部尚書，改知蔡州，晚年又官昇文殿大學士，太子少師！這幾年就命造言，皆因適當甲辰、癸卯、壬寅等水木資助之運。

子夏曰：「死生有命」！豈可不信？

海國秋深（一一）

文自粹

瘦鵑伉儷步上樓去，禮拜天特別擠，好容易才看見才蓉也在那邊，但周圍還是座無隙地。才蓉也看見了，趕快過來照呼，並和其他客人逐一介紹，馬上有三位便起立讓坐，他們說正有事要先告辭，瘦鵑夫婦來，恰好接坐。還有兩位同桌的未走，一位矮胖子名趙得勝，汕頭人，當兵傷了腿，紆公幫他辦了退役，替同鄉人看顧店面。還有一位周壯飛，上海人，替萬大公司做貨車司機，正在那邊談長沙第二次大捷。趙得勝說：「到底是我老長官有辦法，你想薛禮征東，岳飛克金，薛老總簡直兼兩人之長了。」周壯飛比較多讀些報章雜誌，他說：「薛長官確成！不過現在戰爭不比唐宋時代了，要懂得科學，要擅長軍事，也要擅長政治。現在已無前後方之分，也無純軍事之戰。長沙還兩次大捷，就是以民族至上，意志第一，發揮軍民整軍的力量，來造成這輝煌的戰果。」後來又提到南京漢奸們，趙得勝說：「我十幾年前在武漢聽過汪精衛的演講，那時候他剛從國外回來，過上海時還看見報上登的他主寧漢一體，大家集中力量意見到中央，來完成北伐。那曉得他一到武漢，反來煽動寧漢分裂，什麼革命的到左邊來，不革命的滾出去！他的演講很像花旦做戲，眉毛，嘴唇都跟着細細表情，說到苦處，蹙眉酸鼻，眞會引人流淚的。我是老粗，沒有多讀書，不過少時崇館教論語，說巧笑倩兮，總不是正人君子的作風。這個人天又賦給他一副漂亮面孔，不高不矮的身裁，說他爲國雖跳火坑，激昂慷慨，眞有少年荊軻渡易水刺秦皇的一付神氣。他們還追誦他民前刺攝政王時引刀成一快，不負少年頭的詩句。有一天，我在長江碼頭站崗，看一批要人上岸過去，有一個面孔很熟，怎麼近看是一臉麻子——一顆顆粗毛孔，但又像芝蔴般的黑斑，後來走遠了，他回頭向人招手，才看出原來是汪主席。」周壯飛想不到趙得勝老粗也讀過線裝書，舉起大拇指說：「你眞有高見，用孔夫子的相人哲學來衡量當前形形色色，當然魔鬼也無可遁形了。」周壯飛又說：「四年前我還在南京替中央黨部開車，每逢常會或政治會議，大家到了丁家橋中央黨部大門內，委員們下了車，總要從上午九時開到旁午，大家閑着無事，好在空地上已栽滿了槐柳雜樹，也有小橋流水，杜鵑玫瑰，風景不差，大家就在樹蔭下談談賭經，交換花邊新聞。有一天，杜阿四說：「他眞倒霉，那天十點半鐘會議廳工友就來叫他，說陳璧君委員有事吩咐，他知道散會尚早，或許有什麼重要文件開車送行政院。那知是會議中陳委員便急時，沒有赴廁，就假會議廳門口的痰盂權作臨時廁所，會議廳幾個工友都是五十以上的人，她不便差遣，就叫我拿去倒了，順加沖洗。原來會議廳樓下就有廁所，陳委員爲什麼不多跑一分鐘路呢？會議廳那麼多開會的男人，眼睜睜的，她也眞不愧是女革命家，當衆就能脫褲小便，還要我去做男丫頭，眞是倒他一輩子的霉！』」周壯飛說着，回頭一看李瘦鵑太太在座，不覺臉上一紅。

自由報

中華民國內政部內版臺字第〇三一號
中華民國僑務委員會登記證台字第三二五號
中國郵政台字第一二八二號執照登記爲第一類新聞紙

（第九四六期）

（半週刊每星期三、六出版）
每份港幣壹角・台灣零售價新台幣弍元
社長李運鵬・督印黃行齋
社址：香港九龍彌敦道593—601號
廖創興銀行大厦八樓五座
LIU CHONG HING BUILDING
7th FLOOR FLAT 5
593—601 NATHAN ROAD,
KOWLOON, H.K.
TEL: K303831
電報掛號：7191
承印：景星印刷公司
地址：嘉咸街廿九號地下
台灣總管理處：台北市大同街119號
台灣區直接訂戶　台郵劃撥戶
第五〇五六號張蔗有（自由報會計室）
電話：七一四〇三三、五五五三九五
台灣分社：台北市西寧南路110號二樓
電話：三三〇三四六，台郵劃撥戶九二五二號

中國民族與文化（上）

・錢穆・

講到中國文化，首先就聯想到中國民族。由民族產生出文化，但亦由文化來陶鑄了民族。沒有中國民族，便沒有中國文化，但亦可說沒有中國文化，也就沒有了此下的中國人。天地生人，本沒有分別，分別則在民族血統上，乃及文化上。今天是特地從民族方面來講文化。

中國民族如何形成？這似乎不是問題，而實是一大問題。中國廣土衆民，世界上沒有那一個民族擁有像中華民族那衆多的人口。中國佔地之廣，也非世界任何一個國家可及。由中國人來構成如此一個偉大的社會，這都是受了文化力量的影響。而且此一社會綿延最久，以美國歷史來比，不及我們二十分之一，德國、意大利，歷史更短，英法兩國也沒有超過一千年。所以世界上民族最大，文化最久，只有中國。

我們讀西洋史，最易引起注意的是他們很看重民族區分。如巴比倫、埃及、希臘，只環繞在地中海一角的小地面上，但民族相異而又永不相融和。尤其是同在一地，最先由一個民族居住，後來由另一民族侵入，最後又有另一民族進來，記載得清清楚楚。即如現代歐洲，地面也不算大，然而民族分歧，也永不得相融和。英倫三島，最先是某一民族居住，最後又是某一民族侵入，直至目前，英格蘭人、愛爾蘭人、蘇格蘭人，還是有分別。難道中國大陸上一生下來的便都是中國人，其間更沒分別嗎？難道上古三皇、五帝、伏羲、神農、黃帝、堯、舜，直傳下來，便只是一個中國民族嗎？我們讀了西洋史，回頭來讀中國史，只覺得中國史上很少講到民族問題，使人不易看清楚中國民族究從那裡來，又如何般生長形成。我們只能粗畧地說，正因我們中國人向來不重民族區分，因而很易成爲一個大民族。西方人正因太看重了民族區分，因而民族和民族間遂致不易相融和。

現在我們再追溯到歷史上來講，中國古代有氏姓之分。男人稱氏，指其居地言。女人稱姓，指其血統言。若把我們古史上所見的姓氏仔細加以條理，可見某一同血統氏族分佈在那幾處地區，或亦可指出其最先從那一地區向後又轉移遷徙到那一地區去。如此說來，在中國古代，未嘗不是有許多異血統的部落同時存在。如炎黃相爭，亦未嘗不是中國古史上一種民族鬥爭，但後來我們則自稱爲炎黃子孫，至少此一民族界線早已泯滅了。因此我們只認中國古代有氏族之分，却不認爲有民族之分。

下至西周時代，列國分封，絕大多數是姬姓，然不能說那時的中國已由姬姓民族來征服統治了其他各民族。因在古史上其他帝王的後代也都有封國。到東周春秋時，諸侯列國同稱諸夏，當時他們自稱是夏王朝之後，都是歷史上一個傳統流衍而來。如孔子是殷代之後，他生在魯國，居在魯國，又說郁郁乎文哉，我從周。從民族觀念上說，孔子也認是諸夏，是當時的中國人。在政治觀點上說，則孔子主從周，不主從夏或從商。但當時諸夏之外還有許多蠻夷戎狄。那些蠻夷戎狄像是異民族，其實不盡然。如晉獻公大戎狐姬，小戎子，姬是周姓，子是商姓，可見大小二戎皆與諸夏同血統。又晉驪姬，可見驪山之戎亦同是姬姓。又有姜姓之戎。如此之類尙多。可見當時夷夏界線之分主要在文化，不在血統。楚國自稱蠻夷，後來亦漸被認爲諸夏了。吳越皆諸夏血統，在春秋初年不與中原諸夏相通，當亦在蠻夷之列，到春秋末國，亦爲諸夏之盟主。可見講春秋的學者所謂夏而夷狄則夷狄之，夷狄而進乎諸夏則諸夏之，此說決不錯，而夷夏界線在文化不在血統，即此可證。從戰國到秦代，中國大陸上便已融洽爲一民族。中庸所說：今天下，車同軌、書同文、行同倫，當時的交通、文字和人倫道德，都已統一。而所謂中華民族，亦至是遂臻確定。那是在中國文化中最値得大爲闡揚的一件事。中國文化不僅由中國民族所創造，而中國文化乃能創造中國民族，成爲有史以來世界上獨一無二的大民族，那還不見中國文化之價値，那還不値得我們來闡揚其甚深意義之所在嗎？

血統是民族特徵之第一項，居地是第二項，中國古人對於居地能影響當地居民性格方面之關係亦認識得很清楚。小戴禮記王制有篇云：

凡居民材，必因天地。寒暖燥濕，廣谷大川異制，人生其間者異俗。剛柔輕重，遲速異齊，五味異和，器械異制，衣服異宜。修其敎，不易其俗，齊其政，不易其宜。中國夷狄五方之民，皆有性也，不可推移。

那是說天時氣候溫度濕度，交通物產、環境上有了種種差異，便影響到各地居民之性格，如剛柔輕重遲速，乃至習慣風俗之一切，以及飲食衣服使用器械種種之相異。中國古人承認此諸相異，并認爲此諸相異不可強同，甯要在此諸異之上要能修其敎，齊其政，要敎化修明，政治齊一，務求對此五方諸民均能使其皆有「安居和味宜服利用備器」。以至於其「語言不通、嗜欲不同」也所不妨，只要能「達其志、通其欲」便是。當知此一理論，便是中國文化所以能在廣大土地遼雜居民之上漸漸融成出一大民族來之主要原因所在。我前講性道合一論，亦可用此一節話來互相闡發。

依照中國人想法，天時、地理、血統不同，民族性不同，均不得事。只要有一番敎化，在此敎化之下，有一番政治，敎化與政治便可形成一個文化而發出大力量來，自然可以道並行而不相悖，萬物並育而不相害，自然可以盡己之性而盡人物之性，自然可以會諸異於大同，而天下自達於太平之境。試問此是中國文化理想中所含蘊的何等見識，何等抱負？宜乎在此文化大理想之下，可以形成一偉大無比的大民族，而直傳至今依然堅強不衰，剛毅不屈。在將來，它依然會發生大作用。諸位如讀西洋史，如古代之希臘、羅馬，中古封建社會神聖羅馬帝國，至近世現代國家帝國殖民、資本主義，各有它們的精采處，但永遠爲一個民族糾紛所纏住而不得解脫，而使西方文化永遠還有其一限度。所謂考諸三王而不謬，建諸天地而不悖，質諸鬼神而無疑，百世以俟聖人而不惑者，只有中國歷史中國文化所懸此一理想可以當之。若僅在物質上求發明，當知會永遠達不到此境界。

現代西方的科學發明，關於天文學、氣象學、地質學、生物學、心理學、考古學、人類學、社會學，乃及現代新興之文化學，種種知識，實可對我上引王制篇中一節話加以種種證明，種種發揮。但只缺少了一番一視同仁的文化理想，來爲世界各地居民建立一個共同的政治與敎化，來爲世界各地居民通其志，達其欲，所以西方歷史上那一個民族糾紛直到今天不得解脫，而且仍會不斷糾紛下去。若反觀中國歷史，好像中國民族如自天下降一般，好像中國民族自始便是一個中國民族。到今天，却覺得中國民族沒有一股力量像西方般也能來欺侮人，而且還不能避免別人之欺侮，就反而指摘中國文化之無意義與無價値，那眞是一種短視，一種謬見，我們不該不加以糾正。

我們再從上引王制那一段話來說，世界人類同是天生，人性應是相同，但因居住環境之不同，大同中不害有小異，則中國民族之民族性自應與西方民族乃及其他民族有其相異處。不僅中國民族與其他民族有異，即在中國之南方與北方，其民性也不同。東南區與西北區又不同，東北區與西南區又不同。但中國人却只說道一風同，這是在小異之下仍可有大同一明證。道一風同即指文化言。中國人有此文化信念，故不重視那些血統相異，不認爲異民族便不能融和合一。在西漢以後，中國北方大敵有匈奴，那裏的天時地理，交通物產，和中國內地相異太遠。當時中國人也知匈奴是夏代之後，但中國人并不看重這一點。中國人那時的意見，一是拒諸塞外，求能不來爲中國之害。一是招他們來居住內地，好讓他們在中國內地之政治與敎化之下逐漸同化。那本是中國文化一大理想，大抱負，可惜東漢三國以下，中國內部自己的政治敎化力量大大衰退，遂致有五胡亂華之大災禍。其實五胡亂華那些胡人，本已早居住在中國內地，如劉淵、石勒、符堅之輩，也多少受了中國文化陶冶，也早如一中國人。所謂五胡之亂也近是一種內亂。而此下的北朝，則成爲另一時期之華夷雜處，與春秋時代之華夷雜處也有其約畧相似處。

下到隋唐統一，中國地面上又盡變成了中國人，異血統還是成了同民族。在唐代，有不少政治上學術上傑出人物，論其血統，則本是一胡人。此下遼金元時代，還是不斷有異族內侵，但到明代統一，那時又是在中國地面上的盡變成了中國人。在那一時期的歷史上，又許多政治上學術上的傑出人物，論其血統，則本是異民族的。而在中國文化之繼續發展上，他們亦曾盡了一番力量與貢獻。清代入主到今天，滿洲人也盡變了中國人。中華民國創建，高呼五族共和，照中國文化理想與歷史實證，將來的五族也自會融成爲一族的。

中國人又有一理想，認爲地域太遠，行政上設敎上有許多不方便。則只求其能文化融和，不必定要合成一國。如韓國，遠在周初殷人箕子早已到了那裡，他們早與中國文化有關係。又如越南，周初也曾和中國有來往，秦代早列爲中國之一郡，此後不斷有中國人前去，但中國人只求對韓越兩地有文化傳播，不想有政治統制。明清兩代此一關係最[illegible]。（未完）

昨日與明日

和平難求

・叔子・

中東以阿的明槍暗箭，越戰的西邊談東邊打，雖說都是局部戰爭，不足以構成大規模的戰爭；但由於這些戰爭的存在，却使人意識「自由民主集團」與「國際共產集團」間的和平共存已是至艱至巨的大工程，何況達成人類渴望之和諧、無慮、健康的生活？

就事實言，以阿、越戰、柏林問題及韓國統一問題，並不是星星之火，如果以「救火員」的姿態，在起火的現場澆水，四週圍防火線，但無濟於事。因爲這點點滴滴的火是人爲的，其目的即在於使救火員疲於奔命而行其乘機打劫的勾當。

在國際共產集團中，雖然一旦面臨戰爭不會步調一致，但在對付自由民主集團却是容易集中智力。而在自由民主集團中，雖然一旦面臨存亡關頭，步調自會劃一，但在對付國際共產集團！不但意見分歧，甚至自亂諧調！

因此，局部戰爭雖不會成爲燎原之災，而要欲求撲滅也不是一蹴而成的事！

沒獲得共鳴

尼克森訪歐返美，僅表示此行極爲愉快。

然此愉快並未能點燃希望之火把，戴高樂的「降半音」，英國的「大英國協貴族曲」，不僅是使自由，民主集團的合唱難以達成和諧的旋律，且時而唱成反調，促使指揮者不知如何舞動那支指揮棒！

何況，就尼克森之迄今仍擬不出亞洲政策來看，亞國尙未獲得這位「伙伴」的共鳴！

毛俄之爭

毛俄在烏蘇里江邊界處衝突頻仍。就毛共言，皆在轉移人民對僞政權的厭惡心理，而減輕其心理負荷，期使所謂九全大會能夠在毛酋操縱下順利召開。

另一方面打擊蘇俄即將召開的國際共黨會議。

這一招是看透了蘇俄目前不敢輕啓戰端投入戰爭。至於調動人馬等等，也都是爲了「政治」目的，蓋以毛共的實力言，尙不足以應付一場戰爭。

再說，毛共最恐懼的仍是台灣！

重視經驗

這一個時代是一個大的漩渦！

平息這個漩渦有賴於人類智慧的集中、力量的集中。

此一智慧產生中，經驗者應較產生於創意者重要。尤其是對待共產黨徒，經驗可說是唯一能撕下他那偽裝的最有力工具！

[illegible]比無値。

自由談

革命黨人的氣質

已故之老胡漢民先生在生時有言：革命黨人須具備兩種氣質，即身家清白，旗幟鮮明是也。其說可圈可點，允屬不刊之論。

所謂「身家清白」云者，并非指家庭貧富或社會地位高下的意思，乃指其人的生活習慣與革命旨趣相符合，不腐化，不墮落，不投機，不降志，我行我素，人不知而不慍。至於旗幟鮮明之說，義理顯然，毋待詮釋。

凡是革命運動尙在艱難困苦、顚沛的階段中，而毅然投身於其間者，皆屬身家清白、旗幟鮮明的志士仁人，毫無疑問。

如民國肇建以前的「同盟會」會員，如民國五年以前的「中華革命黨」黨員，他們儘管對於革命計劃與方畧不無異同之見，但其革命氣質和志事却無二致。或偶有中道改志的，固屬少之又少，且終身不願公然採取反革命立場，知恥自愛有所不爲。

若在革命運動成功，取得政權之後而欣然參加革命黨的，可以肯定他們多半都有身家欠清白，旗幟不鮮明之處，志在趨時投機，因利乘便。這類人祗可共安樂而不足與共患難，試看民國卅八九年間，大陸淪陷之際，許多國民黨人親共投降的情形，即可概見矣。所以，我認爲國民黨在大陸上失敗的基本原因，是假黨員太多，而眞黨員太少，毛病就在國民革命成功後，毫無所擇的濫收黨員，來者不拒。平時既不審考其身家是否清白，又不留意其旗幟是否鮮明，更不稽覈其歷史有無汚點，但憑其外表上矯揉造作的忠實形態，誤認爲親信幹部，重予任使，一遇危難，乃相率「轉與殘蟬過別枝」了！

不談革命，不講組織則已，要想以革命手段達成反共救國的志願，對於參預革命行列的人員，必須遵守「身家清白，旗幟鮮明」這二大要素，以爲驅策天下英雄志士的圭臬。凡屬過去變過節，投過機的，皆祗爲問題人物，縱不能拒於千里之外，亦不宜昧昧引爲心膂之臣，大陸淪陷的慘痛敎訓，應該念念不忘，庶幾免蹈覆轍也。

馬五先生

透視香蕉案的發生及新聞報導！

（本報記者張健生）

自高雄青果運銷合作社因「業務侵佔，剝削蕉農」案，經司法行政部調查局高雄站於三月七日以閃電手法扣押大批賬册，並傳訊有關人員，漏夜偵查，經檢驗官史如洲下令將蔡坤山、羅清源收押後，此間各報的新聞報道，多采多姿，爲時九天，這種一面倒的新聞，誰也吃不消。記者特就該案發生的原因，新聞自由及人權保障諸問題，加以「透視」。

從香蕉案的新聞報道來看，中華民國的新聞自由並不遜於英美民主國家，惟這種新聞自由顯已超越範圍而侵害到人權；司法機關並未尊重法律規定而做到「偵查不公開」的境界，法院是維護正義保障人權的最後一道防線，若這道防線一旦崩潰，其後果之嚴重性不堪想像。

例如，監察院於三月十三日之一一〇四次院會中討論監委丁俊生提案請院會推派委員調查高雄青果運銷合作社香蕉舞弊案各級政府主管人員有無貪汚失職情事一案時，由於時間關係而延長十五分鐘，當時由鄭景福委員（現任中國國民黨中央政策委員會副秘書長）提出五人：丁俊生、余俊賢、陳志明、張國柱、張維智等組織專案調查小組；而丁淑蓉委員則推陶百川委員，陳翰珍委員推郭學禮，院會主席並未宣佈已通過，而僅說委員們已離席（這時已十二點二十分），人選問題，下次會議決定。

（一）監院調查人選一度發生波折

不料，第二天的各報消息，有的說已通過，有的說未通過人選。而中央社和中央日報的消息，恰恰相反，因而引起不必要的爭辯。

由於各報的消息相異，監察委員們所看的報紙也不同，故三月十五日監察院一一〇五次院會之日程「討論事項」列有丁俊生委員的提案，請院會決定如何處理，於是發生「通過」及「未通過」的辯論。

吳大宇委員首先發難說，丁委員的提案，上次院會已經通過推派五人小組調查，人選亦推出，何以本次院會日程還說討論未完呢？

主席李嗣璁說這有紀錄可查，而吳委員不相信主席的話，主張放錄音。經過一場爭論，吳大宇委員又說：「本案在程序上沒有問題，至於推選多少人，沒有限制；倘因鄭委員提五人而反對，這是不智的」。所以，葉時修委員說：「本案討論達兩小時之久，實在丟人。」

本來監察院上次會議通過黃寶實提議成立五人小組之原則，由於吵鬧不休，有人主張七人小組，只好提付表決，在場監察委員四十人，贊成張一中提議七人小組僅十一票，未通過；贊成五人小組者二十三票，多數通過。並仍由鄭委員所提之五人爲調查委員。

觀此可知，記者們報導時應當愼重。

政府高級人員風傳亦被涉及

嚴院長表示決嚴查嚴辦

三月十四日，立法院第四十三會期第六次會議，有兩位立法委員質詢高雄青果運銷合作社案，一位是林炳康委員，一是蕭一凡委員，前者新聞見諸此間報紙，後者質詢則無。

蕭一凡委員詢說：「如高雄青果合作社舞弊案，由報章上看到，自同仁處聽到，其所牽涉的範圍甚廣，甚至於行政院的高級人員也被牽涉在內。記得立法院過去曾發生所謂分Commission一案，本來分Commission在其他民主國家是認爲無罪的。但是，我們承辦此案的人員，可以把關係人案頭日曆所載請客的紀錄，亦採爲罪證，而予定罪。今天行政院的高級人員，已被牽涉在內，行政院長爲何不趕快把他們拘捕法辦？記得俞故院長鴻鈞，在其任內，那時中信局尹仲容，因爲放款放錯，經立法院同仁揭發，被俞故院長立即予以停職候查，曾爲衆人所稱讚。然而，現在都是罰不得平，令人歎惜」！

行政院嚴家淦院長答覆時說：「蕭委員提到平賞罰，在平時要信賞必罰，在戰時更要賞罰分明，行政院一定要這麼做。蕭委員以高雄青果合作社舞弊案爲例，要行政院秉公處理，因爲該案正在司法機關偵查階段，希望司法調查要澈底，一定要毋枉毋縱。對於不好的人，一個也不放掉，對於好人，也要給他刷洗清白的機會。」這是嚴院長對高青舞弊案首次公開表示態度。

剝蕉歷時甚久

至少十年以上

立法委員林炳康認爲這次高雄青果合作社及聯合社的改組，是「新瓶裝舊酒，換湯不換藥」。誠哉斯言，蓋如謝敏初之輩，在日本也設有觀光飯店的買賣。

林委員一連串提出六個問題質詢，並由經濟部長李國鼎答覆。他說：

第一、高雄青果合作社的營私舞弊剝削蕉農，歷時很久，至少已達十年以上，「冰凍三尺，決非一日之寒」。平時，在省有合作社事業管理處（按：尚有社會處、建設廳、農林廳），在中央有外匯貿易委員香蕉輔導小組之指導監督（按：另有內政部、經濟部、經合會與農復會都有指導之權），豈不知道有此事？如果該社職員經過此次偵查，將來被法院判罪，請問政府官員有無失職失察之處，要不要處分？

第二、據說：政府爲每年販香蕉在日本的市場，必須改良包裝，向來包裝皆用竹簍，今後想用紙箱，以免損壞，政府有關機關有意介紹美籍廠商來台製造紙箱，該社乃組設「國際農工企業公司」，預備製造紙箱，以資對抗，致引起有關機關極不愉快，因之設法予以打擊。究竟有無此事？請政府予以說明；若無此事，似有澄清之必要。

高青合社剝削蕉農

應懲處當事人

積極改革積弊

第三、高雄青果運銷合作社係包括高雄縣市、台南縣市、屏東、台東的香蕉產銷業者所組織，範圍甚廣，分量很重。台灣年產香蕉六十餘萬公噸，而高雄地區佔百分之六十以上；台灣輸出香蕉年獲外匯六千萬元美金，高雄地區即佔三千五百萬美元，對國家不能說不重要，現在該社重要負責人員，有的被拘押，有的被傳訊，人心惶惶不安，會不會影響香蕉輸出業務？請問有無考慮補救對策？

第四、台蕉輸出的主要對象爲日本，因之家國與日本，大約每三個月即有一次香蕉貿易會議，大致決定三個月內輸往日本之香蕉若干簍，每簍價格若干，及其他一些技節問題，本次會議即定於三月十七日在台舉行，而此項會議一向由吳振瑞這一幫人代表出席，但現在這一幫人均被拘押，當然不能出席，聽說此次會議相當重要，應當對日商有妥善的對策，而現在我方在劇烈商戰中「陣前換將」，當然是不得已的辦法，請問主管機關對參加代表已否遴選妥當？有無計劃對付的良策？

第五、過去高雄青果合作社剝削蕉農，以及浪費舞弊等情事，固宜積極加以改革，該社當事人也應當予以懲處，不過現在主管單位，對該社予以整理，更換負責人員，在在都會影響香蕉之產銷工作，主管單位似應加正視。因爲香蕉產銷的整個過程，與其客觀因素，自成一套系統，自通知割蕉到繳場、檢驗、包裝、運輸、驗付船期裝船等等作業，是一貫的，中途一有枝節，其損失後果，即爲蕉農所承受，新換者雖多屬該社原有社員，但在此時期，格於「手續」，「人事關係」，「派系恩怨」，「配合技術」等問題，設非政府予以支援，恐怕後果堪慮，此點請政府特加注意，不能只照一般機關團體改組，可以「蕭規曹隨」視之。

第六、合作社組織政策，應加檢討確定。上項所陳，係指技術執行人員而言，爲謀久遠之計，關於合作社社員代表及理監事之產生等所引據之法令規章，亦宜在政策觀點重加檢討改進，因目前蕉農之知識水準仍低，只知埋頭耕種生產，而不甚關心合作運銷，對其本身利益的影響，因之野心狡滑之徒，乘機擴張，利用現行法令之掩護，由控制社員代表開始，進而必然操縱理監事之產生，及理事主席之選出，造弊端疑竇可見之時，主管機關缺乏矯正或制止之有效辦法，只得坐視以待弊病成熟暴露，司法調查干涉制裁之時，始計議補牢。鑒於高雄青果合作社之長期舞弊，及傳聞中台中青果合作社之類似弊嫌，中央政府似宜主動檢討合作社之「組織過程」，「監督隸屬」，「檢查督導」，培植蕉農幹部」等問題，確定有效改善之政策，進而改進有關法令規章，以資適應，否則，新瓶裝舊酒，換湯不換藥，對弊端之防止效力，實值得懷疑。目前，高雄青果合作社在形式上雖有改組之名，但下屆理監事之改選，聞在不久之將來即舉行，選舉下屆理監事的社員代表，則該社在未被檢舉前之一〇二人，早已全部選出，亦等於下屆理監事大體形式上已告確定，倘非司法調查機關採取行動，下屆理監事又是原班人馬，殆可預測，由於該社病入膏肓，有關單位亟予有效整理指導。

喬治桑外傳

三六　張大萬

「少喝點，請到麻將間」。鄒隆昂已經邀客入局。現在台北市面繁榮，豪富人家都有麻將間的設備，闢有專室專門爲了雀戰之用。

由鄒隆昂領頭，大家進了麻將間。

這間房大約有十個塌塌米大，排了一張方桌，雪白的枱布，籌碼早已分好，有四根牌尺　桌子兩頭放着兩個茶几，每個茶几放有一聽茄力克香烟，一碟巧克力糖，茶也泡好了，一盞象牙科醫生用的燈，大放光明，一切設備齊全不在話下。四人入座以後，鄒隆昂向喬治桑說明一下：

「紅的籌碼是十萬元一個，藍的籌碼是一萬元一個，白的籌碼是一千元一個，黃的籌碼是一百元一個。每人發九十九萬，輸完一百萬，我們平常打，最多只有三五十萬輸贏，從來沒有人賠底。」鄒隆昂先將籌碼的價值作一解釋。

「一摸四，門前清兩番，斷么兩番，僅獨兩番，假獨一番，五門齊五番，清龍，姊妹花五番，對對和，與一色七番。清一色，雙龍抱一萬和底再加獎，滿園花八千和底。全帶一，全帶九兩萬和底，將相和兩萬和，十三么兩萬和，混帶么三番，清帶么五番，吊五加一番，缺五兩番，三五兩番，一千和加獎，三萬和滿貫。」

美國汽車帶來的煩惱

·張起鈞·

旅美散見

（續上期）美國人相當和氣，隨處都可聽到「我能幫你點忙嗎」？而一陣「王豆腐」式的寒暄客套，有時復使你肉麻要命。但在停車的問題上，這一切就都另說了。走到街上一看，馬路兩旁一個挨一個的牌子寫着「不准停車」，頗是有着叫人生氣，你怎麼就知道我要在這裡停車，老早先就擋駕？還有些公寓私宅更是氣人，不但不大喜歡迎訪客，反之都在門前牌示「訪客汽車不得開入」，甚至還有更不客氣的索性就說：「未經允許擅自停車，一律罰款×元」。他們何以如此的不客氣呢？那全是由於問題嚴重，不得不拉下臉來嚴厲拒絕了。試想人人都有車，車又滿處跑，那會能處處都預備下充分停車的地方？在比較冷僻的地區還好，而在那人衆聚集之所，或是肆廛林立之區，那就麻煩了。往往到鬧市去買東西，駕着車跑來跑去找不到停車的地方，結果開到遠遠的地方停下，然後再長途跋涉的走回舖子來，而這所走的路程，在中國就早需要坐三輪車了。這種情形在紐約更爲嚴重，不僅上街難找停車之處，就是回到家裏也往往是「停不得也哥哥」。有一位夏大的同事任先民先生告訴我，他在紐約時，常常到了夜裡兩三點鐘了，身體已經疲倦到萬分，仍然開着車在街上轉，就因爲找不到停車的地方。而有此經驗的，實大有人在，絕不是他一人而已。而更使人啼笑皆非的，還是另外一段故事，我有一位同學葉　先生在聯合國工作。六年前，我過紐約時，邀我到他家吃飯，我說：「你怎麼沒有汽車？」他說：「賣了」。「怎麼？賣了，你難道還缺錢用嗎？」「害（口旁），別提了，那裡是爲的錢，實在是受不了啦……。」於是他便訴出一套有車的苦經。原來在紐約地狹人衆，尺土寸金，誰能有車房？因此便只有將車停在門前路旁，偏偏門前附近的地區，只有在入夜之後晨曦之前（好像是晚十一點後晨七點前？記不清了）才准停車，晚上回來早了，便只有提心弔胆，作蜻蜓點水式的逗留，而早晨又要絕早起來，把車開走，因此往往在上班前一個多小時便到辦公室了；那倒不是勤奮奉公，而實在是爲了伺候汽車，有一個時期身體倦怠，天氣又冷，起的晚一點，未能及時把車開走；一連着便接了多少罰款通知。最多的一次一個月竟罰了兩百多塊，試問這個那怎麼受得了？因此索性把它賣了，倒是賺得個「無車一身輕」。——我本來還想學學開車，但面對着這事實，心早寒了一半了。（中）

吳志宗涉嫌不法列爲漏網新聞

監察院中有一封檢舉書

經濟部長李國鼎於答覆林委員時說：「由竹簍改用紙箱之事，外間種種流言，都與事實有出入。改用紙箱的主要原因，是爲了日本市場有此需要。」四、五、六三個月，是香蕉外銷的旺季，在此時，「竟發生高雄青果合作的舞弊案件，當然是很不幸的事，三月十三日的行政院院會，黃主席經詳細報告，已由省政府合管處在切實負責幫助該社展開有關工作，經濟部國貿易督導小組（由王關亭召集）也派員去高雄協辦有關工作，相信不會因舞弊案的發生，而使香蕉輸出業務受到影響。」

李部長認爲：「高雄青果合作社及青果聯合社等團體，都已經過民間組織商量之後，改組完成。而改選出來的人選，都係有經驗且曾參加過中日香蕉交涉的熟手，相信他們對其業務，可以負起責任，同時中日香蕉貿易，一向是由民間團體交涉，即將在三月十九日舉行的會議，除由政府加以輔導外，日本亦派通產省的一位科長參加會議，我政府由駐日羅公使參加，均在促使會議任務，順利完成。」

就在三月十四日的同一天，李部長「相信改組後高青社及聯合社的人選，可以負起責任」。監察院經濟委員會第二七六次會議議程內，列有一封「檢舉書」，指青果聯合社經理吳志宗涉嫌不法，成爲漏網新聞。

文滙樓剳記

「道高一尺，魔高一丈」！魔能敗道，亦可衛道。道者可以驅魔，亦可以惹魔。魔和道本來是一體，魔之欲將道摧毀，並非與道為仇，正所以試驗學道者之功力。道可以惹魔，非與魔有不可分的關係，乃由于道的感召，魔往往為過而長，道是秀才將軍，吳佩孚對道與魔的看法，耶穌被聖靈引到曠野，受魔鬼的試探，魔鬼將世界上的萬國，與萬國的榮華，都指給耶穌看，且對耶穌說：「你若俯伏拜我，我就把這一切都賜給你。」除了神性人身的耶穌能抵擋這種富貴榮華的誘惑外，在這末世的社會裏，簡直是不可能的事。台灣年來發生的一些大貪污案件，嚴格的說都是魔與道門，撒但抬頭所使然。所謂「道高一尺，魔高一丈」是也。

從吳佩孚談道說起

幾年來台灣學道者日衆，比較知名的，如：楊管北、賀衷寒、蔣伏生、王曾斌、南懷瑾、劉世綸、程滄波、劉嘯月、趙家焯等。雖各有其道，惟皆導人以正乃無可否認。「道可道，非常道。」道本不是用言語可以形容出的東西、儒、釋、道三教所講的道，皆三教指人必經的道路。每一條道路，經緯本末，雖各不同，而皆離脫一條大原則，想成聖賢要走這條路，想成仙成神要走這條路，欲爲佛爲菩薩，亦非走這條路不可。這條路就是道，即修身的大道。儒家的修身大道，是正心誠意，佛家的修身大道，是明心見性，道家的修身大道，是三花聚頂，五氣朝元。三花者精、氣、神，五氣者金、木、水、火、土。如櫻主這些話不算太「外科」的話，當向道上再深入一步。儒家偏重實踐，實踐來自理論，理論仍回實踐。凡事皆就可見可聞可行者加以研究。佛家與儒家不同的，將人世間之形形色色，概視爲空，道家則虛實並進，由外功以成內丹，存浩氣以成元神，以彼例此，籍虛證實。道之大要既如上述，乃一而三，三而一也。不是太玄虛，或不着邊際的事物。有些學道的竟將身體修殘廢，還有因旁門左道而導致喪亡者，這就失去學道的本義了。

不過話又說回來，學道的人如果思想未純，則魔必乘機作祟。學道的人的情欲未斷，則魔必因而引誘。故學道的人不患魔力，祇患自已道行不夠。由於所備道行不足以自衛，魔力乃乘其空隙，斷其私欲，可使九仞之功，虧於一簣，千日之修，毀於一旦。這是一件很可怕的事實。古之謂積善而累功，庶可得入道之門。又謂仙佛祇可指示迷途，其實就是人生命經的第六感）。一個學道的人，成則自成，敗則自敗。語云：長城多爲自毀。在台灣學道的人多，有的人少，聽說貴為主席，得過北平名師劉神仙過先生的眞傳，空谷足音，確否待證。

・文匯樓主・

三百年前一位青年抗戰的民族文藝家—夏完淳（二）

・汪辟疆・

他的父親夏允彝和陳子龍是同鄉同年的進士。允彝做了五年的長樂縣知縣。到了崇禎十七年，崇禎殉國，他便慟哭了幾天，決心毀家倡議。走謁史可法，和他商量興復明朝的大計。一直到了順治二年，南京陷落，他的朋友徐石麒、侯峒曾、黃淳耀、徐汧諸人，都以戰敗了，作壯烈犧牲。允彝感到國破家亡的痛苦，和朋友們的慷慨捐軀，他便決心以身殉國，預先作了一篇沉痛的絕命詞，在這一年的八月，他的船泊在松塘的時候，他一人便悄悄地走到水邊，投水而死。允彝的親兄夏之旭，也是一個忠義憤發的奇男子。他見他的兄弟已經殉節，本來就想即時引決，但因允彝臨死前，曾以孤寡托他，他只好暫時忍耐着，替他照管家中老弱，在另一偏僻的鄉間住下，兩年不到城市。到了順治四年的五月二十五日，他一人走入文廟，自縊於顏子的神位旁邊。這時允彝的妻妾，已截髮爲尼。他的兩位小姐，早已遁入空門，去過她們的寂靜生活。夏氏的一門忠義，到此眞算國破家亡了！

夏允彝兄弟既已先後殉國，幸運的家庭，早已殘破離散，在允彝殉節的時候，他的兒子夏完淳，纔十五歲。他眼見國家的大好江山，已經淪陷於異族；人民的顛沛流離，奸淫焚殺，已經是水深火熱；朋友們的慷慨赴義，視死如歸，已經是驚天地動鬼神。他不肯作草間偷活的生活；他不肯負他父兄師友的教訓，作夏家的不肖子；他不肯負他平生的所學，爲民族的罪人。他的熱血是奮湧着！他的內心火焰是燃燒着。他的勇氣，是凌厲無前！他只有救國救種報仇雪恨的偉大志願。

民族英雄陳子龍，在太湖重行樹起了民族抗敵的大旗。我們這位青年抗戰的文藝家，——夏完淳——他以與陳子龍有父執和師長的關係，隻身走入陳子龍的軍中，同時他的岳父錢栴，也投入陳軍的旗幟下。他們三人，同時歃血互爲盟約，決志恢復國土，爲江南倡義的壯舉；事成則撐持半壁，事敗則慷慨同死。他把他的父親所遺留下來的家產，全數售去，以供給義軍的糧餉。在陳子龍初次在松江起義時——順治二年閏六月——他曾經同他的父親參預過陳氏軍事，到這時陳子龍再行起兵時，他又重行過他的軍隊生活。後來陳子龍兵敗，他又走入吳易軍。在吳軍中擔任參謀。不幸的吳易軍又敗，完淳抗戰的志願，仍不少沮，他和陳子龍錢栴諸人，只得暫時隱居鄉間，到處流轉，以待機會再來時，去做他轟轟烈烈的大事業。一直到了順治四年，唐王追念他父親夏允彝的忠節，追謚他父親爲文忠，又授完淳爲中書舍人的官職。他便草了一篇謝表，託謝堯文帶去呈奏。此文在途中爲清軍偵探所獲，搜出了完淳的表文和同事的名冊。那時明朝大漢奸洪承疇經略九省，正在南京，通緝完淳等甚急。巡撫王國寶正搜得他的表文和名冊，便把他和錢栴及其他的三吳名士數十人，縛解金陵，他毫不畏縮不恐懼地在途中談笑賦詩，神色自若。或有爲之下淚者，他說「君無庸，天下豈有畏人避禍夏存古——完淳字——哉？我得歸骨於高皇帝孝陵，千載無恨！」。他的好友杜登春，在蘇州虎邱遇見了他，杜登春與他依依惜別，他倚贈了杜登春詩一首云：

竹馬交情十五年，飄零湖海更誰憐。
鄉心獨弔要離塚，亡命難尋少伯船。
山鬼未回江上夢，楚囚一去草如烟。
高堂弱息憑君在，極目鄉關思悵然。

（另一本絕句作「姑蘇明月夜入醉，剪燭無言更惆然。」）

完淳解到金陵以後，清兵便把他關禁在皇城內瑞宅中，以便隨時傳審。他在獄中，和他同繫的友人，吟詠不絕。他是始終無恐怖的神色；而且他的獄中詩，比較他生平所作，更爲高妙。他們被逮在順治四年丁亥的七月，在九月的某一天，清朝在南京的官吏，始把他們一干人傳訊。那時漢奸洪承疇，早已知道夏完淳是江南才子，意欲把他救出，留爲滿廷之用。傳訊的那一天，洪承疇是最高審訊官。他便開始道：「童子何知？豈能稱兵叛逆？誤墮賊中耳！歸降當不失官」。假如完淳是偷生怕死的人，只要說一句我爲人挾迫的話，他的性命，至少可以保存。這位抗戰的青年，却毫不遲疑，毫不思索，以譏諷的話語對待他：「我聞亨九先生——亨九爲洪氏號——本朝人傑，松山杏山之戰，血濺章渠。先皇帝震悼，褒卹，感動華夷。吾常慕其忠，殺身報國。年雖少烈，豈可讓之」。他說這話時，辭色甚厲。法庭上衛隊，大聲喝止他，說：「上座者即洪經略」。完淳破口大罵，說道：「亨九先生死王事已久，天下莫不聞之，曾經御祭七壇；天子親臨，淚灑龍顏；羣臣嗚咽。汝何等叛徒，敢僞託其名，以污忠魂」，他說完了這些話以後，因罵起大聲厲罵不絕。洪氏內心上的慚愧，登時現出一種沮喪的神情，半天說不出一句話。那時候完淳的婦翁職方主事錢栴，同在法庭審訊，低頭不發一言。完淳大聲說道：「當日者，公與督師陳公子龍及完淳三人，同時歃血，上啓國主，爲江南起義之倡。江南人莫不踴躍。今　公慷慨同死，以見陳公於地下。豈不亦奇偉大丈夫哉」。錢　遂大罵不絕口。在九月十九日最光榮悲壯的這一天，他的好友杜登春，到金陵去探聽完淳的消息。

（未完）

吳敬恆先生年譜（五七）

陳凌海編撰　陳洪校訂

民國三十六年，丁亥（西曆一九四七年）

先生八十三歲

先生撰春聯：「百代郅隆惟立憲，一年之計在於春」。元旦，參加開國紀念會。謁國父陵。又參加國民政府團拜。元月，國民政府公佈「中華民國憲法」及憲法實施準備程序。九日，先生遊上海復興公園。先生爲造就鄉親子弟，招親屬男女生五六人至滬就讀，先生親授國文，如是者，延續二年。三月，參加中國國民黨第六屆中全會。先生向大會提：「請特別扶持私立專科以上學校，以維教育案」。並當選爲中央監察委員會常務委員。五月，先生所藏之巴黎新世紀，爲國內僅存之孤本，先生欲贈予中央圖書館珍藏。事爲其他史料機構所悉，咸來函要求見贈，致先生無法應付。適世界出版協會有意重印新世紀，方得如願以償。六月二十四日，公子詳因病由上海乘輪赴美就醫，由媳李筱梅伴同前往美國紐約。臨行前往林森路寓所（康綏公寓）平臺國家攝影留念。抵紐約後，初住紐約雜暉大學校舍。媳筱梅，留美高材生，有賢德，（公子詳於先生逝世後，以乏資，不獲繼續診療，曾與某電機公司訂約，代製電機精油零件以維生。五十年六月十八日肺結核病再度猝發，逝世於紐約，享年六十五歲。）八月，先生謝絕以後不再爲人證婚。九月，參加中國國民黨第六屆四中全會。國民黨蔣總統中正提名先生等爲中央監察委員會常務委員。先生偕親友重遊湯山，沐溫泉浴。訪問徐永昌（次辰）。

雷震與「自由中國」

——當年內幕誰知道　一番往事話從頭——

・王曰叟・

（一）揭開內幕

我們如不太健忘，當會記得前些年轟動自由中國的雜誌「自由中國」。而提到這個雜誌，又不覺想到雷震：在大家的心目中，都以爲這個雜誌就是雷震自己創辦的，而這雜誌又是站在政府對立的立場，而標榜所謂民主自由的主張的，終至與政府格不相能，最後終於發生雷震被捕判刑的慘劇，好像雷震眞是一個爲民主自由而奮鬥的烈士。

是不是這樣呢？不是的，這完全是皮相之見。而不知當時的實際情況。據老叟所知，這自由中國創辦時的立場絕無與政府對立之意。反之，還傳聞與最高當局有某種默契，並得到相當的支持，而看從表面上看，這雜誌自始就在雷震的家裡，並且一直都是雷氏在主持辦理，這當然像是雷氏創辦的，但那知，這一雜誌的創辦，實另有一批與雷氏無大關連的人，而是雷氏在某種微妙情勢下，以其靈活的政治手腕，輕劫取來，再用霸王硬上弓的辦法，自己辦將起來的。我們若說是「巧取豪奪」，實不爲過。

雷氏是當年政壇上非常活躍，而又有辦法的人物，他何必搞這個小刊物哩，原來他有一套高瞻遠矚的大想法，滿以爲拿到這個雜誌：乃是在政治上押了一個大寶，這是預計，眞是「相君之面，不過封誌；相君之背，貴不可言」。那知拿到手後，整月未滿，情勢已非，雜誌眞個只是辦不下雜誌了人，試問錯做豈是辦小雜誌的閒棒，但騎虎難下，只有硬着頭皮辦下去，不料辦下去後，好處未撈到，反而整整一下跌到善路上去，其後竟因此，惹出大禍，眞是又折兵，「早知如此，何必當初」？。

這是眞眞確確的實情，並非老叟故作翻案文章，參與其事的人，除了少數一兩位作古（如羅書琴教授）外，其餘都還健在，當可鑑別老叟所述的眞僞，而作最佳的見證。

下面且聽老叟慢慢道來。

（未完）

董小宛苦戀冒辟疆

十一、小宛辟疆的文藝生活

周遊子

小宛與辟疆兩人相愛，眞可謂兩情繾綣，如膠似漆，正是如魚之得水，八九年的家庭生活，非常有意義，豐富極了。除了家事之外，如藝文藝術，閨房之樂，花卉種植，山水玩賞，飲食之製作，花前月下的情懷，無一不備。下面先看她們的文藝生活吧！

名人情話

辟疆是一代才子，對於文藝深爲酷愛。自從定居歸官，有小宛相伴以來，則多一知音同好。辟疆最愛唐人詩文，定居以來，即事搜集，分門別類，集各家評述，列人物與年代，分爲次第，編爲稿集，每集細加評選，廣搜遺失，成一代大觀。其品類達六百多家。由於世亂方殷，搜求不易，每獲一帙，必細加丹黃，他書有涉及此集者，均錄首簡，交小宛爲之收貯、整理。編年論人，以唐書爲準。小宛助辟疆專心文藝，終日稽查抄寫，細心商訂，永日終夜，相對忘言，小宛閱詩，無所不解，而常出意解以解之，她愛好楚辭，尤其是李少陵、王建與花蕊夫人、王珪等三家之宮詞，周迴列諸座右，至午夜衾寢之間，猶擁數十家唐書而臥。一日辟疆讀東漢陳仲舉范郭諸傳，不求甚解，爲之撫几沉思。小宛見狀，一一求解其始末，發不平之色，而妙出持平之議論，或攜作一則史論。

辟疆因搜騎文史不易，常向友人借書讀之，凡有奇僻，則由小宛手抄。事有涉及婦女閨閣者，則另錄一帙。常常於友人家中抄錄者，歸家則續成之。後來纂爲一集，名曰「奩豔」，其書之瑰異精，凡古人女子生活所作，自頭至足，以及服食器具，亭台歌舞，針神才藻，下及禽魚鳥獸，即草木之稍涉有涉者皆歸於細字紅箋，類分條析，具在集中梓，就有願夫人遠向小宛借閱，極贊賞其妙，促其付梓問世。辟疆之校對，終於遂成小宛之志，小宛風麗奇女子。

小宛又喜好書法，她見帝文書月賦，仿鍾繇筆意。因此遍尋帖習之。閱「戎輅表」，因稱關帝，遂廢鍾書法，而改習曹娥碑字，不誤不落。辟疆有所選擇成帙，無論史詩小語，皆以小宛又寫書最強小楷扇。大夫人經手細，以及內外出入，皆由小宛登不遺。她細心專力，爲一時學人道在「影梅庵憶語」中記述甚詳前在吳門高張豐繡時，曾經學過作小叢蘭樹，筆墨楚楚，時於几畫，故小宛對於繪畫，時有特好

（未完）

限四十八小時答覆（三）

胡慶蓉

在林彪看起來，他等待天津守城部隊的答覆將等了一個月了，已大有仁至義盡之意。假如他的部隊當一到達天津，就開始攻擊的話，天津早就下來了。他有足夠的力量，攻下天津；其所以不即攻者，同五代表的目標一樣——保存天津市民的生命財產。但這種等待要有限度。

五代表聽了林彪的話，心裏都意識到停戰問題要談的，就是一個期限問題，這期限恐怕不會太長。在第二次會談中，到後邊的一段時間，就集中在這上邊。五代表當然希望儘量的長，越長越好。第一、他們向林彪提出延到中央的和談終止，假如到那個時候，中央還沒有處理的辦法，天津軍政當局自會有個辦法，自會給林彪一個答復，到那個時候，五代表願意再來。

這，林彪竟欣然的答應了。五代表正感欣幸，但林彪另有條件。他要求在停戰等待中，將他的部隊開進天津的一角。他甚至於說，隨便那一角。要五代表回去向守城的軍當局轉達。這事五代表都感到異常嚴重。林彪的部隊，如何能開進天津？任何一個角落，林彪部隊可以進去的話，其他部份如何守下去。

林彪又說：請回去同天津的當局談談。以我的兵力，我什麼時候想拿天津，就可以拿。其所以遲了不拿者，完全基於保護市民生命財產的一念。若守城的當局不離開，因而不得不出於轟擊之一途，人民生命財產的破壞責任，應由天津城守防當局負之。

對於停戰時間，始終沒有決定。最後林彪告訴五代表：必須在四十八小時以內答復。到時候得不到答復，即開始總攻。這四十八小時，從一月十三日晚上十一時起到一月十五日晚上十二時止。這等於林彪對天津當局下的最後通牒了。

（未完）

今古齋誌異

甘鳳池與陳美娘

江南甘鳳池，是清八俠之一，所稱八俠是：首僧了因、呂四娘、曾仁父、馬民瞻、周潯、呂元、白泰官、甘鳳池是也。八人曾歃血爲盟，結爲異姓兄弟，各懷絕技，不相侵犯。日後了因僧違背盟約，七人共殲之，異姓兄弟遂星散。

呂四娘本是呂晚村後裔，懸清廷殺父之仇，挺身飛入禁廷，殺仇人而去。[illegible]之「女俠」一則，即指呂四娘，是乃記實之作。

甘鳳池生得短小精悍，少擅技擊，深得其師之傳，技尤精進。一次入盜賊窟，[illegible]打落入水，賴緣木登岸，得以不死。一日，在[illegible]中[illegible]館爲[illegible]，一因一女，女子生得美麗非常，二人自稱兄妹。男子對衆說道：「有人能[illegible]勝者，以妹相許。」女子年約[illegible]，雙頰[illegible]，甘鳳池一見神往。想獲佳人，與男者挑戰。二人酣鬥良久，少年[illegible]決勝負，女急飛以紅繩，險中甘鳳池眼睛。甘鳳池急以口咬住女子足趾，女子一失[illegible]倒，履行諾言，遂相偕[illegible]水。女子自稱世家後裔，淪落江湖，姓陳名美娘，兄名麗哥，父母皆被清人殺害，賣藝江湖，一則結識俠士，再則乘間復仇，時已三年，苦無良機。甘鳳池嘉女之志，願助美娘復仇。而清廷時亦通緝甘鳳池不得，心頗畏懼。一日，復獲消息，稍甘鳳池偕一女旅館中[illegible]。急奔他方官吏嚴拿到緝。既夾某公，因識得技擊家以[illegible]語。有一人高聲[illegible]者，[illegible]武[illegible]勇士數人，四處[illegible]，時鳳池偕美娘適在逆旅，不知消息。一日，鳳池獨自遊街市，見一賣火石者，能以兩指擊石，聞賈者開價而有高低。出價相同者，給石輕重不差分毫，衆甚奇之，結舌追隨。鳳池便用金買石，詰賣者道：「吾購火石之心一。」賣石者心陷驚怕，交石鳳池，命自取不心。鳳池接在手，石即成粉砂。賣石者心知此人即甘鳳池也。原來賣石者乃鐵指賢之化裝；於是暗示衆武士，齊捕鳳池，鳳池因措不及防，[illegible]被捕。[illegible]，關入鐵牢中，[illegible]上刑。市民聞訊，消息[illegible]，不料的是，美娘與麗哥[illegible]。從火[illegible]夜入[illegible]時，先縱火，[illegible]，常中[illegible]，美娘及麗哥遂出險境，浪跡江湖，不知所終，江湖上惟聞甘大俠之名而已。

（完）

催眠術研究（三）

鮑紹洲

四十二、一瞬催眠法

一瞬催眠法，即一瞬間催眠之法。一瞬催眠法，即在一秒的時間以內而不能催眠者，便違背一瞬催眠法之實。但這種方法，並不能人人能辦到的，如感性高，或者曾經施行過止動狀態以上的催眠狀態者方可辦到。

施術時，先令被術人或坐或立，或步行，或工作，而施術人全集氣力而一喝斷「眠」的暗示，則在此一瞬間催眠。如「合氣法」，「口笛法」，亦不外同一妙用。但施術人一「眠」的暗示，其中便含有許多催眠法。而又可令其至深眠者，故感受性薄弱的人，自然可以一「眠」一字暗示即能應聲而眠。

另外一種催眠法，即先令施用其他方法而催眠有效之後，便對被術人說：「以後我只說一「眠」字，你便深眠。」到下次只喊個「眠」字，被術人便能感應入眠。這就是運用後餘暗示作用。

此種原理，是施術人所給暗示的感應與被術人預期的作用，互爲結果，而發生催眠的狀態。

海國秋深（二）

文自粹

瓊朋夫婦也常常相聚高聲談笑，作爲沒有歸到周壯飛們閒談罷了。後來下樓，李太太問瓊朋，才薈爲什麼要和這些三山五岳的人吃茶？瓊朋指着他這是紓公革命才略，將來定有用處。我們談歷史： 國父當年不是也在香港布置了機關，和延致了各色同志麼？才薈後來告訴瓊朋，這些朋友都是四合會的人。四合會由來已久，大概是滿清統治時一批不願屈從的仁人志士所發起，來團結民間的忠義的。瓊朋問他有多少會員，他說：香港連新界；現有人口大約四百五十萬，勞動群衆以半數計，約二百三十萬，除去老弱，成年工人六十來萬，恐怕什之九都已入會了。瓊朋說這就是一批力量，才薈說紓公要我們促進他們的團結，嚴密他們的組織，多選拔幾位熱心國事的勇敢人物爲幹部。紓公也排定日子分批約叙他們，或在海濱，或在公園，或在漁村，或在農場，不露痕跡了。

五、北極朝廷終不改　西山寇盜莫相侵

實際上才薈所接觸和偕辦的只是民間團體一部分。當時有更重要的事，自廣州省城失守，紓公早就開始指揮行動了。因爲省城失守前，西南抗敵體係工作由省軍政機關負責主持，紓公往來廣九，只爲情報徵集和京滬淪陷地區工作人員的聯絡和支援。到省垣失守以後，吳主席先奉命移港，就近策應各縣市；以後，日寇深入，僞府成立，局面就變爲長期鬥爭，中央派吳主席回渝，另於曲江成立戰時省府，由李漢魂任主席，各廳處都合在一起辦公。東江一帶的游擊武力就由紓公在港就近指揮。後來省政府在[illegible]設辦事處，與敵後縣市保持聯繫，但游擊武力大多還是由紓公延聘指揮的；那就非才薈所得而聞了。

三十年十一月日[illegible]珠港對美國海軍投下了大批炸彈，[illegible]使世界耳目一新，[illegible]終於不能相容。[illegible]，他們以爲[illegible]大東亞共榮圈的一[illegible]

生活漫談

南棗嫩膚去皺益壽延年

馬騰雲

在中國北方幾省的民間風俗，新婚那天新郎新娘睡的新床，在新人未上床前，推選「老全人」一對，將很多紅棗，及染成桃紅色的白果、花生（又名長生果）散播在新床上。「老全人」就是一般咸認的標準夫婦，指有父母，有兒女，及感情彌篤的夫婦而言。紅棗，白果暗示新婚夫婦婚後要常食用的意思，也有祝福「早」生貴子，「百」子千孫，「長」生不老之意。魯迅狂人，認結婚儀式是「宣淫的廣告」，這一套如果被他看到，一定會指爲「宣淫的果實」，必然胡說八道一番。今天談紅棗，黑棗，烏棗，南棗等，閑話不擬多扯，棗是棗樹結的果實，採取其成熟者，蒸之曬乾備用。在北方很便宜，有時當作副食品。中醫師們認乾棗甘溫補脾養胃，滋養血液潤肺安神，食之耐飢，亦可浸酒，取瓤作餡，臥時口含一枚，可解煩悶，以北方產大而堅實，肉厚者有效，補力最勝，名膠棗，亦叫黑大棗。色赤者名紅棗，氣味較清醇，開胃養心，醒脾補血，亦以大而堅實者佳，取棗瓤和粉作餅餌，焚之辟邪崇，荒年用中藥數種製成防荒，服一丸整日不飢。安徽和蘇州所製蜜棗，太甜膩，有胃病人不宜多食，因增胃酸，損齒生痰。汪訒菴云：大棗甘溫能補中益氣，滋脾土，潤心肺，調營衛，緩血，生津液，悅顏色，通九竅，助十二經，和百藥，傷寒及補劑，加用之，以發脾胃升騰之氣，多食損齒，中滿症忌之。

南棗出浙江金華東陽縣茶場產者爲佳，透明如血，核子如栗，稍捏即脆，能補脾胃生津液。一，治腸出血，以南棗五枚，同黃耆一錢煎湯，五更服，又方南棗十枚，槐米一兩，同煎去米食棗日三次即愈。二，治痔瘡，南棗一枚去核，頭一個搗碎，銅青[illegible]滿棗內，緊緊火烙烟盡伏土存性，研成細末，用秋海棠葉煎洗，然後用藥和水敷之，三日即消。三，棗參丸，比例：用大南棗十枚，蒸軟去核，配人參一錢，用布包妥，飯鍋內蒸成爛熟，搗勻爲丸，如彈子大，補氣便捷。又以大南棗一斤，好柿餅一斤，黑芝蔴半斤，洗淨炒香，糯米粉半斤炒熟，俟芝蔴研成細末，和柿餅同入飯中蒸熟，取出搗爛，和炒米粉，再搗勻爲丸，加參更妙。常食嫩膚去皺，益壽延年，抗戰前上海英美公司「華芳牌」香烟，華芳即上海「花魁」潘雪艷，潘雪艷常年服用人參南 大補丸，聞係某孟河名醫代其配製，年已三十看上去若十七八歲大閨女。這和李麗華紅星服用陳存仁處方烏芝蔴製劑，前後媲美。

御廚談藝

酥炸合桃仁

林泉隱

酥炸合桃（胡桃）是種甜的零食。

在酒館的菜餚上有「合桃丁」，「合桃腰丁」等，合桃在菜餚上算是一種配菜，所以我們吃到的合桃是不大可口的，但在零食中的酥炸合桃，卻使人吃之不厭，乾隆皇帝最喜吃此物。

合桃[illegible]後，其肉像腦，因此有人說它是補腦的，後經化驗合桃確含鱗質甚多。

合桃本身是沒有什麼味道的，吃起來比不上花生米，但製成酥炸合桃後，卻又比花生米好吃多了，並且成爲一種名貴食品。市上製售的酥炸合桃，每兩要賣六毛美金近左右，普通人買來吃的不太多，但你如依這方法自製，最多每兩不過二毛多錢的代價。

材料：備合桃若干（一斤二斤都可以），生油約五斤，白糖二斤。

製法：以木槌敲擊合桃的頂或圓背（切勿敲它的縫，否則合桃破殼後其肉變成四瓣），殼碎後以鐵針輕輕剔出其肉，把挑出後的合桃肉集中起來，泡在滾水裏，片刻取出，以小刀去衣，便成雪白的合桃肉了。然後將糖放進鍋裡，加水一湯碗，畧煮十分鐘，將鍋內的柴火抽去，但炭火不要熄滅，便可將合桃肉放進糖溶液裏，隨即撈起，放下沸油中炸約兩三分鐘，待冷卻後，即是名貴美食的酥炸合桃了。

錢神歌

魯蕩平

錢，錢，錢！紙幣方，硬幣圓。有了錢，便欣然；不但可通神，而且可弄權。錢是萬惡之淵，昔人稱錢爲泉水之泉，以其到處流通，可以爲一切媒介之天。沒有錢，便可憐；衣食住行，四者有密切之關連。只恨錢，長期與貪官污吏、奸商巨賈，終日相週旋；竟與清介廉潔之士，一面也無緣。洪範九五福，一曰富，有了錢，新式交通工具可代步，東西各國可周遊，大廈高樓可久住，嬌妻美妾供歡娛；男盜女娼，都是爲錢故；阮籍哭窮途，韓信乞於路，精神受威脅，爲錢所恐怖。王戎多鄙吝，石崇最豪富；回頭仔細想，人財何處去。社會之不安，國家之不固；變亂之所生，也是爲錢故。自古有錢人，難得皆覺悟。吾先有晉南陽魯褒，亦作錢神論；晉史已流傳，堪爲後世訓。附之於篇末，以爲讀者諷：

按晉史所載：晉惠帝時，朝政廢弛，舉下競相貪貨，賄賂公行，毫無畏忌，勢位之家，更相饋託，有如互市；南陽魯褒，因作錢神論以譏之曰：錢之爲體，有乾坤之象，親之如兄，字曰孔方；無德而尊，無勢而熱。排金門，入紫闥；危可使安，死可使活。貴可使賤，生可使殺。是故忿爭，非錢莫解。令聞非錢不發，洛中朱衣，當塗之士，愛我家兄，皆無已矣。執我之手，抱我終始。凡今之人，惟錢而已。

（湖南文獻）

自由報

中華民國內政部登記證內版台報字第〇三一號
中華民國僑務委員會登記證僑新字第三二三號
中國郵政台字第一二八二號執照登記為第一類新聞紙

（第九四七期）

（半週刊每星期三、六出版）
每份港幣壹角，台灣每份售價新台幣式元
社長李運鵬・督印黃行寶
社址：香港九龍彌敦道593—601號
廖創興銀行大廈八樓五座
LIU CHONG HING BUILDING
7th FLOOR FLAT 5
593—601 NATHAN ROAD,
KOWLOON, H.K.
TEL: K303831
電報掛號：7191
承印：景星印刷公司
地址：嘉咸街廿九號地下
台灣總管理處：台北市大同街119號
台灣區直接訂戶　台郵劃撥戶
第五〇五六號張萬有（自由報會計室）
電話：七一四〇三三、五五五三九五
台灣分社：台北市西寧南路110號二樓
電話：三三〇三四六，台郵劃撥戶九二五二號

中國民族與文化（下）

・錢穆・

在明清兩代，還有不斷的海外移民，他們隨帶着自己的一套文化前去，傳宗接代，拳拳勿失，但對其所居地之異民族異文化也能和洽相處，既不抱蔑視心，也不抱敵視心；處處沒有一種狹義的民族觀念之存在與作梗，此是中國文化偉大民族偉大之一證。

現在再說到文化相異，由於民族性不同，而民族性不同，則由於自然環境之影響，此一觀點，本是與中國人向所抱持之天人合一觀與性道合一觀相通合一，而中國民族文化則是在北溫帶大平原農耕地區上發展生長，因此中國文化得天獨厚，其民族性最為平正中和，最為可久可大，此刻則稱之為中華文化之同化力。此一種同化力，第一是先同化了此一地區內之各民族而成為一民族。第二是文化向外，把四外異民族盡化為同一文化，如韓國、越南與日本。第三是異民族入侵而同化為中國民族，如漢後之五胡，如宋後之遼金蒙古滿洲。第四是異文化傳入而同化為中國文化之一部份，如印度之佛教，宗教以外有藝術，如塔廟建築，如繪畫、如石刻、如雕塑，如音樂舞蹈，其間皆有外來成分。智識方面亦有不少外來成分，如天文曆法，乃至如水利。東漢時治河，用一韓國人王景。故中華民族能不斷吸收異民族，而中華文化亦能不斷吸收異文化。

中山先生提倡革命，乃是政治的，並沒有提倡文化革命。現在總統提倡文化復興，亦不是說文化革新。如一盞燈不好可以換一盞；一輛車不好可以換一輛；一所房子不好可以另造一所；一條道路不好可以另修一條，這叫做革新。物質方面可以革新，但很難把一民族革新成另一民族。如最近以阿戰爭，埃及人所駕飛機與以色列人所駕飛機不管是美國造或者是蘇維埃造，總是差不多，兩國空軍一碰頭，這是人的不同，心理的不同，性格的不同那就有大差異。以色列人可以改用俄國機，埃及人可以改用美國機，但雙方民族精神則不易對換。而列韓決勝負時主要因素則在雙方的民族精神上。

民族創造文化，文化也可以創造民族，可以陶冶個人。世界上最偉大的思想家、宗教家，如孔子、釋迦、耶穌、穆罕默德，他們生在不同的環境和不同的歷史裏面，形成了他們不同的思想與宗教。而他們的思想與宗教又影響了他們各自的民族文化。假使孔子不生在中國而生在印度，就不會是今天的孔子。孔子是中國北方的天時、地理、物產、交通種種自然環境乃及歷史文化社會風俗積累的大傳統之下所產生。倘使耶穌生到中國來，長在春秋時代，他就不會成為今天的耶穌。耶穌說：「凱撒的事由凱撒管，上帝的事由我管。」當時猶太民族是羅馬帝國的奴隸，他們過着長久的流亡生活，從這裡流亡到那裡，痛苦已極，就有他們的先知告訴他們說：一定有個上帝會來拯救我們猶太人，耶穌接着說，上帝不僅要救猶太人，還要救世界人類。至於當時羅馬凱撒的政權統治，耶穌也無奈何，只有由他去。若使我們今天到印度去，還可依稀想像到一點釋迦牟尼當時的心情。

到了阿拉伯的沙漠地帶，也可約略想像到當時穆罕默德的心情。但春秋時代的中國社會，就一切都不同，那時已有天子、諸侯、卿大夫，政治上有一套，堯舜禹湯文武周公以來，歷史上又有一套，論其天時地理物產交通自然大環境又和釋迦耶穌穆罕默德三位所處大不同。因此我們可以說，乃是由中國社會中國文化而產生了孔子，孔子又光大了中國文化。印度社會印度文化產生了釋迦，釋迦又光大了印度文化。耶穌、穆罕默德，也都是在不同的社會環境與文化歷史之下產生不同的思想與宗教，他們的思想和宗教又影響光大了此下不同的文化。

但從另一面講，同一文化也不定能融為同一民族。如西歐，他們可說是同一文化，但如拉丁族、條頓族、斯拉夫族，此種民族界線永遠在歐洲史上引起無窮糾紛。而且西歐亦可說是同一宗教，西歐文化應說是由中古時期的基督教開始，但同一宗教亦不能融化成同一民族。甚至同一民族同一文化在同一地區，地區並不大，而仍不能共同建立一國家，如古代之希臘、近代之西班牙與葡萄牙皆是。若要他們建成一大國，則由武力征服而成為帝國型。如古代之羅馬，近代之大英帝國，此與中國之由同一民族同一文化而建成之國家大不同。更甚至於在同一國家之內而仍各保持其各自之獨立地位，并不能融凝成為一體，如英國之有英格蘭、蘇格蘭、與愛爾蘭。西歐近代科學發展、地理、交通、商業、經濟，均已化成為一體，而依然分疆劃界，諸國林立，不能融和。以前是西歐鼎盛時期，世界任其宰割，各自爭霸爭雄，猶自可說。此刻則赤色帝國之蘇俄眈眈在旁，一面共同需要美國之支援，而其內部仍是鉤心鬥角，互相齟齬、互相排拒，仍不見有稍微之改變。試問原因何在？則不能不說仍是受其文化精神影響。

古代希臘人便說：智慧即是權力，近代西方人依然抱持此觀念，說科學可以征服自然，當知此一觀念，就人對物言，似無大病，就人對人言，則正貴能在人類自身發展出一套合理想的文化，化異民族為同人類，在此高天之下，厚地之上，共同生息，共同相處，以同躋於一個大同太平之境。就此而言，則中國文化之偉大亦自可想見，不煩深論。

中國古人說：「大道之行也，天下為公。」所謂大道，正是指的人類一種合理想之偉大文化言。此刻則無可諱言，正是一個天下為私的世界，中國傳統文化正該為世界人類善盡其一分應盡又可盡之責任。近代中國只有孫中山先生深知此義。他在講民族主義時，曾舉一例說，有一香港碼頭工人買了一張馬票放在他竹槓裡，到開獎時，一看中了頭獎，喜極而狂，他想已中了頭獎，此後決不需再做一碼頭工人，就把隨身竹槓丟到海裡，卻連獎券也丟了。中山先生告訴我們，要講世界大同，正需我中華民族發揮其傳統文化善盡職責。當前我民族受盡折磨，既盡艱辛，正如一竹槓之可厭可鄙，但頭獎卻在那竹槓裡。中國民族自己看輕自己，把中國文化傳統自己丟棄了，卻要來高唱世界大同，這就和那香港碼頭工人一般。中山先生此一譬喻，實是大堪深思。此刻　總統提倡文化復興，便是教我們要在竹槓裡找尋出那中了頭獎的馬票來。

現在就比較樂觀的一面講，現代科學已使世界交通、經濟、物產化成一家，目前的聯合國，只要繼續進步，也可使世界政治漸向調和融合的路上走。最難的卻在各民族文化精神有不同，更要的是宗教信仰之不同，若要世界各大宗教融化歸一，此事頗不易。但在中國社會裡，各宗教卻可以和平共存，不起大衝突。此事遠從唐代以來已可見。那時佛教回教耶教都已同時在中國存在。直到目前，並未為宗教問題而使中國社會發生分裂。縱亦時有小糾紛，到底非是一件不可弭平之事。如此可證，將來世界各大宗教之大合流，亦很易在中國社會中形成。亦恐只有在中國社會中能形成。

今試略去世界各大宗教信仰內容之相異於不論，而各大宗教則共同有一套外在之禮樂，亦可說各大宗教有一共同形式，厥為禮樂。而中國傳統文化又是極偏禮樂的。世界各大宗教未免在其外在之禮樂上多拘泥，中國傳統文化則雖極崇尚禮樂，而在禮樂上多變通，少拘泥。有人提倡以藝術來代替宗教，但藝術含義較狹，不如說禮樂，更較具體實在，而含義亦較深廣。

再說各宗教之共同精神，幾乎全信有一上帝。換言之，均信在人類之上有一最高不可知之主宰。中國文化傳統正是同有此信仰，而能提出天人合一性道合一之理論，把此一不可知之主宰與現實人生相融和，而彌縫其間之裂損。只有佛教，依法不依天，重內不重外，與其他宗教相異。但佛教之出世精神早已在中國文化中融和了，早已變成一種人文中心之新教義。此後中國若能更發揮其天人合一性道合一之理論與信仰，而文之以一套新禮樂，在中國社會上一向所想像之儒釋道三教合一，未嘗不可再上一層，來一套五教合一乃至諸教合一。此一理想，雖尚遙需時日，但在中國文化中演出，實非一不可能之事。

以上說明了中國文化同化力之大，可以化異民族為同民族，豈不能化異宗教為同宗教？世界大同必由此途邁進，而中國文化之所以必將大行於世界者亦在此。

今再申言，武力、經濟、政治、宗教，均不能統一世界以進達於大同之境，只有文化有此力量，有此功能，而中國傳統文化則最近之。

千言萬語，併歸一言，請諸位對民族知自尊，對文化知自信，對此一根竹槓善為保持不失，則馬票頭獎還是在內，而獲得此頭獎之後，仍是用在公，不是用在私，此乃中國民族之真實足以自尊，中國文化之真實可以自信之所在。若設不信，則請從中國民族文化五千年歷史上去細細追尋。

（完）

昨日與明日

口號與實質

・何如・

「復興中國文化」這句口號，近年來，國內各界人士大聲疾呼，響徹雲霄。究竟所謂「復興中國文化的中心點是甚末？應該從那裡着手？似乎很少人觸及這種核心問題。多見其寫些大而無當、博而寡要的空疏文章，發些孔孟學說，八股道統的陳腔濫調，便算是恪盡了復興中國文化之能事，可笑復可嘆也！

歐洲「文藝復興」（Renaissance）的中心思想，就是「我之自覺」。每個人對[illegible]的精神與作用，在日常生活中躬行實踐，鍥而不舍，以底於大眾化。今天我們談復興中國文化，當然亦是要復興固有文化的精神與作用，既非志在讀古書，復古制，也不是拾撫一些孔孟之學的空泛理論，喧騰於眾，發為口號宣言，即可見效的。

吾國固有文化精神是倫理與政治息息相關，治國平天下歸本於修身齊家，而以正心誠意為主旨，講究做人的道理，明義知恥，有所不為，因而民德歸厚，彌成高尚的民族氣節。中華民族數千年來，曾被異族統治幾次，嘗到亡國生活，而終能復興自立的基本力量，就是固有的文化精神所使然。

吾人今日如要復興中國文化精神，說大話，發空論，撰寫洋洋灑灑的文章，掛出冠冕堂皇的招牌，都是些無裨實際的自欺欺人的表面造作。最重的工夫，是在個人之自覺自省，檢討自己的言行，是否符合禮義廉恥的儒學義蘊？不求人知，不存虛偽，而以正心誠意為本。這樣，自然而然的構成一種善良的風氣，演化為民族節操，而復興中國固有文化的實績，庶有可觀者矣。

如其不此之圖，大家扯起復興文化的旗號，大言炎炎，廢話一堆，說的倫理道德，行的卑污苟賤，卻冒然諱咋，自命為實現了總統的號召，孔子在地下有知，即非以杖叩其脛不可也！

自由談

國際的荷花大少

從最近二十年來的事實經驗中，我發現美國領導自由世界的外交策略，有幾點值得注意的。

一是對於願意接受美援，視美國為老大哥或奉之為救主的友邦，遇事頤指氣使，擺出「大爺」派頭，自我中心，決無商量餘地，稍不愜意，即以停止美援相警告。在政治上必須以實施美式民主生活為準則，否則認為是不值得援助的獨裁政權，如非棄置不顧，即慫恿該國人士從事叛亂，推翻政府，古巴總統巴蒂斯之垮台流亡，南韓總統李承晚之被放逐，南越總統吳廷琰之遭殺害，皆其例證也。

二是對於共產集團肆行侵略擴張主義，隨便蠶食自由世界，屠殺反共非共的各國人民，漠然不以為意，而且對那始終仇視、蔑視、鄙視「美帝」的毛共政權，特別表示忍讓態度，并造出許多自我陶醉的幻想，替毛共解嘲助勢。美毛的所謂華沙會談，儘管談了十多年亦毫無結果，美國還是樂與周旋，鍥而不舍，以視其對待自由友邦的面目，恭倨有如兩極化，充分表露怕惡的傑作。

三是美國避戰畏戰的心情達於極點，乃隨時夸稱核武器的優越強大實力，認為無敵於天下，而侈言「報復主義」與「嚇阻政策」，自鳴得意，却坐視自由世界的土地和人民，陸續淪入共產鐵幕而無動於衷。甚至共黨火線蔓延到了自己的後門口——古巴，亦莫可奈何，所謂「報復」「嚇阻」云云，徒成笑柄而已。

按照美國這種領導自由世界的策略，祗要共產集團的火箭飛彈不射入美國本土，即不妨獨善其身，期待共產世界之自行崩潰，讓美國在「和平共存」的幻想之下，不勞而獲的坐收漁翁之利，一廂情願，天真極了。

滬諺有「荷花大少」一語，係指一般金玉其外而敗絮其中的紈袴子弟之生活行為，美國大少爺得無類是耶？可憐亦復可嘆也！

馮五先生

透視香蕉案的發生及新聞報導！

（本報記者張健生）

（二）

正當各方讚揚司法行政部調查局「整法紀」，「施鐵腕」之際，立法委員林炳康在質詢時，要行政院嚴院長注意「人民的身體自由應得充份保障」。他毫不保留地指責調查局「以『約請』談話的方式來拘捕人民，常常夜以繼日的談話超過二十四小時以上」云云。

林炳康委員係前福建省國民黨黨部書記長，他在書面質詢中，首先指出：「我們行憲以來，政府爲了尊重人民的身體自由，除有憲法第八條所規定的爲依據外，對於機關行使職權，也要尊重人民的身體自由，政府還先後制訂許多法律，如刑法、刑事訴訟法、提審法、羈押法等等來補充憲法的不足，以達到保障人民身體自由的目的。人民非有罪嫌，政府不得限制人民的身體自由，可知政府是非常尊重人民的身體自由；我們賢明的嚴院長，自從組閣以來，恪守神聖的憲法與其他法律的規定，也很注重人民的身體自由，且曾三申五令的通飭有關機關，不得隨便拘捕人民，人民若有罪嫌，應在二十四小時以內送交司法機關處理。」

「很遺憾」，林委員質詢說：「許多地方警察派出所沒切實的遵守，常以『莫須有』的罪名拘捕人民，放在拘留所裡超過二十四小時以上，方予釋放或移送法院檢察處偵訊。司法行政部調查局在省、市設立調查處，各縣市則設立工作站，遇到人民有某種罪嫌，不用檢察官的拘票，而以『約請』的方式來拘捕人民，常常夜以繼日的談話超過二十四小時以上，在『接待所』內，也常用不正當的方法迫人自供，然後才移送檢察處偵查，偵查的時候又派員在旁監視，使人不敢翻供。」

這位曾任福建中央日報社長的立法委員，他「希望內政部徐部長、司法行政部查部長詳爲查究，警察機關和調查機關近來有無侵害人民身自由的情事。」

由于事實需要 裝蕉改用紙箱

經濟部長李國鼎於答覆林委員有關紙箱質詢，表示「是由於事實需要而改變的。」

關於改善外銷香蕉包裝案，始於民國五十二年日本進口貿易自由化之後，我們在日本市場已經遇到勁敵——中南美香蕉，其品質並不亞於我們的香蕉，爲保持日本市場的優勢，須加强研究有關香蕉產運銷技術並採行各種措施，予以改進。

因此，民國五十三年四月間，外貿會委託省檢驗局及省交通等單位辦理「外銷香蕉包裝運輸改進計劃」試驗各種包裝方式，該計劃於五十三年十二月辦理完成，並於五十四年六月提出試驗報告，認爲以改用紙箱效果最佳。

五十五年五月十四日，青果合作社聯合社申請免結匯免稅進口日本紙箱三百萬箱，案經提報外貿會香蕉小組同月二十四日第六十三次委員會議決議：「同意先行試辦進口五十萬套（一百五十萬箱）香蕉改裝所需紙箱。」

經提報外貿會五十五年六月三日第五五七次委員會決議：「照審查意見通過」。此項措施，因未獲得日方業者之協議而無法推動。

外貿會對紙箱堅持一貫作業

兩度會議作了七項決定

外貿會爲改善輸日香蕉而於五十七年一月十五日至十七日的業務檢討會時，對紙箱及一貫作業案，作如下決定：

一、香蕉輸出必須立即開始使用紙箱包裝，並採一貫作業方式，由外貿會香蕉產銷輔導小組會同台灣省合作事業管理處督導實施。

二、紙箱包裝計劃限於三年內完成之。五十七年度內紙箱包裝數量應達全年總外銷量百分之二十以上。

三、紙箱之品質必須達到國際標準。

四、改用紙箱及一貫作業之進行，應與國際第一流之企業機構進行技術合作，由外貿會決定辦法飭令（青果合作社聯合社）遵辦。

據說：其用意有二：「（一）紙箱必須符合國際標準，始克達到改用紙箱以保護香蕉品質之目的。（二）改善香蕉品質，紙箱僅爲整個改進業務之一環節，必須配合一貫作業之進行，爲技術上問題，國內既有之技術，恐未能適應需要，故應與國際第一流之企業機構進行技術合作，以求盡善盡美。」（這是外貿會副主任委員錢昌祚在立法院第四十一會期經濟、財政兩委員會第三次聯會的證詞。）

五十七年二月廿四日（星期六），由外貿會召集經濟部、綜合會、農復會、省農林廳及合管處首長會談所決定之原則爲：

一、爲欲改善外銷香蕉之包裝運輸技術以掌握外銷市場，必須對五十七年一月十七日香蕉外銷業務檢討會所決定改用紙箱包裝第四點：「改用紙箱及一貫作業之進行，應與國際第一流之企業機構進行技術合作」之原則，立即指示台灣省青果運銷合作社聯合社與經公認符合「國際第一企業機構」之美國立頓公司進行技術合作之商談。

二、青聯社與立頓公司進行技術合作，經飭令（按：二月二十六日公文下達）該社根據五十六年八月六日台東聯企宣字第五〇八二號呈外貿會香蕉產銷輔導小組文所稱：該社五十六年七月二十五日第四次理事會決議各點之原則對「技術合作之費用」，「技術合作後之報酬」，以及「合作紙箱工廠」等問題，依公平合理之原則，積極進行商談。

三、由經濟部、綜合會、農復會、外貿會、省農林廳、省合管處組成指導小組，並由農復會代表爲召集人，督促並指導青聯社與立頓公司技術之進行。

改進包裝技術與厄蕉爭市場

並防堵菲蕉向日本進軍

現任行政院秘書長蔣彥士，他是「台灣青果運銷合作社與立頓公司協商香蕉包裝技術合作指導小組召集人」。他對紙器業公會與紙業公會會員所產國產紙箱是否合國際標準持懷疑態度而於五十六年一月二十日，邀請立頓公司和政府有關單位，及青聯社幹代表，在農復會就有關香蕉品質的改進，與改用紙箱包裝及一貫作業之技術合作的可能性交換意見，然後青聯社與利通公司作進一步的商談。

遠在五十五年夏季，美國聯合水果公司曾欲與我們合作，用一貫作業的方式改進台蕉生產與包裝技術，企圖打退向日本市場進軍的厄瓜多爾香蕉，並防堵美國標準公司由菲律賓生產的香蕉，但要求合作承辦香蕉輸出業務。據蔣秘書長告立委稱：「我們不願意犧牲香蕉輸出利益，乃未允所請。其後，美國聯合水果公司就在宏都拉斯大規模種植香蕉，採取與我們競爭市場。」

蔣氏很讚揚立頓公司，他說：「但正與我們談一貫作業而不談合作承辦香蕉輸出業務的，只有立頓公司一家。」同時，他批評台灣區紙器、造紙工業同業公會理事長陳重光等「講國產紙箱經日本本州紙廠試驗，認爲已符合國際標準，但日本本州紙廠是與本省鳳山製造紙箱的國際製造工企業公司技術合作，以此種關係所作的試驗，如何敢輕予置信？」

一貫作業有問題　這是誰的責任

—立委對外貿會有指責

國產紙箱是否合符國際標準？台灣區造紙工業同業會總幹事劉長生去年四月八日告訴立法委員們說：「目前國產紙箱品質，都已達到國際標準，並不落伍。」

台灣省建設廳前任廳長林永樑五十七年三月廿八日答覆省議員的質詢公開宣稱：「本省所製香蕉紙箱已合國際標準，生產能量足以供應出口香蕉所用紙箱。」

經濟部常務次長汪彝定於五十七年四月二十日，代表經濟部向財經委員會立委們表示三點意見：一、經濟部認爲香蕉非採用現代包裝不可。二、這次請願具見民間團體間的問題，經濟部對香蕉業同屬重視，但對紙器工業也應顧及，他們應該商討妥善的辦法解決。假使本地紙箱便宜又符合標準，香蕉業自願以採用本地紙箱，假使本地紙箱品質稍差一點，而價格並不太高，亦希望香蕉業能夠採用。三、利用外國技術改良包裝，並不限於立頓公司一家，如果國際上另外有經濟企業願意與我們商談，我們當然歡理，因爲多幾家比較會更合理化。

據吳振瑞於今年二月二十三日談話刊載某報南部版，有「合蕉改用紙箱遲遲實施；吳振瑞解釋箇中原委只因美商條件太苛。所謂箇中原委，係指「美國立頓公司來合設置紙廠所需建設土地，需由省青聯社購買，立頓公司只負責裝設機械，並須經營十二年後，方歸聯營使用。請立頓公司幫忙一貫作業，係由我方付薪水及在台一切費用外，並須付指導費、一貫作業訓練費二萬美元，幫助設立紙廠報酬十萬美元。……青聯社認爲要花費八千萬元，尚無經營權。」（詳監察院經濟委員第二七六次會議日程）

觀此可知，外貿會力主「一貫作業」而飭令省青聯社與立頓公司商談紙箱包裝的問題；經合會投資業務處介紹立頓公司與省青聯社商訴；指導小組召集人蔣彥士等，對國產紙箱是否符合國際標準表示懷疑，台灣區紙業工業公會總幹事劉長生、與省農林廳前任廳長林永樑則表示國產香蕉紙箱已合國際標準；經濟部汪次長說：本地紙箱品質縱然稍差一點亦希望能夠採用。香蕉紙箱之所以發生問題，原因在此。

這是誰的責任？

誠如一位立法委員所說：關於香蕉產銷所發生之問題，主要的是過去外貿會做一貫作業，由於外貿會在基本上還沒有組織法，本身沒有固定之職掌，亂將其他機關的職權拉過來，結果自已因爲一切條件不夠，而弄出許多問題來，因而農產品外銷所遭遇這些困難，就是受了外貿會一貫作業之累！

（待續）

國父總統重視國文

有憑有據不容蒙蔽

恭錄總統嘉言大家應當遵守

總統於中華民國五十四年十一月十二日宣讀　國父百年誕辰紀念文之前，特別說明以文言撰寫紀念文之理由，謂：「國父平生著作及與人書札無不用文言文者。三民主義爲白話文乃依於講詞爲紀錄，原非　國父之原著，今余紀念　國父特用文言文，正以繼　國父之志，蓋國父一向以中國文字典籍爲中國文化精神所繫，故主張用文言文著述。余今宣讀紀念文，望諸君子細諦聽之……云云」，時在台北市中山堂中正廳　總統領導中央民意代表及中樞官員舉行　國父百年誕辰紀念典禮中爲此前言，翌日各報登載此典禮盛況，概將　總統此段前言略去，然當時恭聆訓示者不下兩千人，自必記憶猶新也。

自來許多君王領袖，亦爲臣下蒙蔽，下情不能上達。民間臣下雖有極寶貴之意見，君主領袖一無所知，以至作出愚行惡事，令人歎惋。至如領袖賢明，德音美言，使之不能下達，則史鮮前例，令人益爲痛恨！試觀　國父　總統咸皆諄諄垂示：「中國文字典籍爲中國文化精神所繫，故用文言文著述……」此何等深刻有見之言，乃竟爲屬下封蔽湮殺，使國人無所景從，言之令人痛心，此舉若出於無知，則殆爲買櫝還珠。若出於有意，則其心尙堪問哉

喬治桑外傳

七三

張大萬

郝隆昂牌運如數家珍，好在喬治桑並非一般不通當能了解。

「有沒有兩索，三索？對碰加不加番？」喬治桑問。

「我忘了，當然有，兩索一萬和底，三索八千和底。公二開，兩百塊底。四番開和。」

讀者在台北住久，大概都知道國下一般打牌的規矩。所謂四番開和至少是八百和，則出錢的要付一千六百元加上二百元底便是一千八百元。這不是小麻將，是相當大的大麻將。

四人入局以後，第一副牌，郝隆昂就和了一付六番，三千和。是周玉君出統，喬治桑付一千七百元。喬治桑暗想，兵兇戰危，必須聚精會神的打，不能稍存怠忽。

頭四圈牌，沒有出甚麼大牌，喬治桑計算籌碼輸了三萬七千多元。他是賽輸此數，因爲他在未入局前已付過「彩金」，一上場郝隆昂便派過來一個藍色籌碼。

講好打二十四圈，剩下的牌還有二十圈，喬治桑巴望古有方來猶如大旱望雲霓，但他知道古有方不會這樣早便來。

換位以後，喬治桑連和了兩副四番。老式麻將，三番是大牌，新式麻將，四番是「屁和」。

三圈打完，喬治桑扳回了一萬多，還輸一萬多。心情稍定，不料周玉君陰溝裡翻船和出一副全帶三，加五獎，共一萬三千和，是自摸的，每家要輸兩萬六千四百元。喬治桑混身出汗，面容漲得通紅，喬治桑暗想，這樣打下去，如果輸上十萬，二十萬豈不糟糕。古有方雖然武藝高强，輸了一個大洞，讓他來補到底是吃力的。

八圈打完，喬治桑檢點籌碼已經輸了七萬多元。摸風以後，「海龍王」—是喬治桑的上家，周玉君在對面，李吉甫是喬治桑的下家。西風圈開始，喬治桑總算沒有再輸下去，在他坐莊的時候，起了一付好牌，五六六七索，四五五六六萬，六七筒，一張二筒，另兩張么九張。他一看這付牌，大有滿園花的架構，便先打出一張么九。幾張牌過後，筒摸成一對，雖然美中不足，和下來也不算是小牌，不料，下家老李搶出九索，一索，喬治桑再打出一張九萬又被他吃進七八九萬，三付牌子落地還加四歸一。喬治桑一想，他的一手好牌，可能要犧牲了，萬一上張，他絕不敢冒險打出六索，吃「包子」是吃不消的。正在盤算，一伸手摸進一張七萬。照理應該打出多餘的六索等五八筒。那是門門，斷斷，平平，二將，至少七番，四千和。假使自摸五筒，那便成爲門摸四，平平，斷斷，二將，外加姊妹花五番，共十四番，一萬一千和，可是，目前局勢這張六索卻不敢打出去，他考慮了一下，拆掉二筒一對。又過了幾圈，喬治桑摸進八筒，打出剩下的一張二筒，單吊大肚子六索。這付牌雖少了二將，卻變成全帶六。和下來大得不得了。喬治桑暗地在求菩薩保佑，讓他和出這付牌，一下子就可以翻本了。

老李是北派，牌脚一長，他倒哼起平劇來。「我本是，臥龍崗，散淡的人……」喬治桑聽老李哼空城計，引起怪念：莫非這付清一色是假的不成？不過，他還是下定決心，寧可信其有，不可信其無。吊定六索，就是不打。摸來摸去，牌還剩下八九張即將摸荒。

三百年前一位青年抗戰的民族文藝家—夏完淳（三）

·汪辟疆·

正在街道上走着，聽見有鳴鑼的聲音，杜登春就擠在人叢中去探望，親見完淳和蘇州劉曙等皆在縛。完淳神色自若，舉首望見鍾山，遙呼道：「好山色，某今日得瞻高皇帝孝陵而死，尚復何憾乎」。及至刑塲，完淳不肯跪，持刀者從喉間斷之而仆。這樣的壯烈赴義，傳播遠近，聞之無不淚下；而且這一段悲壯的情緒，是永遠地留存在民族意識中，無盡無窮地一直到現在。

三、夏完淳的天才與文學

夏完淳不僅僅是一個抗戰的民族英雄，同時也是一個青年民族文藝家。

過去的歷史，本來不少節義文章轟轟烈烈的奇男子。在一部乾坤正氣集上，許多殺身成仁舍生取義的烈士，就中最煊赫最傳誦人口的，莫如宋朝的文天祥，明朝的黃道周張煌言諸公。談到他們的年齡，文天祥四十有七；黃道周六十有二；張煌言也有四十有五歲。他們在幼年讀聖賢書，加以幾十年的韜晦鬱修養和經驗，遇到執筆自寫胸臆的時候，稱心而談，文章爾雅；自然可以起頑立懦傳誦古今。夏完淳年紀纔只有十七歲。但是他的學術，不比文天祥張煌言差多少；他的文學，更是典麗奇崛，文情並茂。他有一往直前的氣概；有百折不撓的精神，有千回萬轉的情緒；有迴腸盪氣的詞采；好像他每一握管，都奔赴他的腕底，供他驅使。我們在三百年後的人們，只要打開他的內史集，南冠草，隨便讀過幾篇，沒有一篇不使你的熱血騰躍，好像要噴薄而出。我們讀過了他的詩文，更相信文學的作品，是不受時間空間的隔閡；殊非人類是缺乏情感的動物。

「這位青年抗戰的文藝家，爲什麼成就這樣的偉大」？不少的人有這一個同樣的疑問。我却說這是毫無奇異的一件事。文學本來是原本學術，不僅僅是「情緒」和「技巧」兩方面的事。一個人的學術成就，雖然要費着很長久的時期去研討，但是在幼年時代，處在一種特殊的環境──家庭教育和師友的訓導──更加上政治和社會已經發現崩潰的嚴重局面，不容許你不走上救亡的大路。天才的學者，每每處在這樣的情況下，很容易督促他成功。學術既然爲文學的內質；有了學術，只要把情緒和技巧去運用他的學術，文章自然有永久的價值。況且忠義之士，他的志趣，是高卓的；他的胸懷，是坦白的；他只有救國救種的志願；他只有報仇雪恥的企圖。他一腔熱血噴薄的氣概，寫入他的文章，更可以驚天動地泣鬼神。文藝的技巧，更是限制他不了。他的文學早成，這又毫不足異。今姑就這兩種原因再分說之。

明朝中葉，士大夫多以空洞無實的學術，互相標榜。如詩文則以模仿秦漢盛唐爲主旨；結果流爲僞體。八股文爲人人應有的工具。大多數的讀書人，只有抱着「高頭講章」和「兎園册子」爲終身研究學術的對象。自東林諸賢講學蘇州，始提倡氣節和經世致用的學問，同時不廢文學。高才生張溥楊廷樞一般人，又本着東林宗旨結爲文會，名曰復社。夏允彝則同邑的陳子龍、何剛、徐孚遠、王光承，諸人同時又結一幾社，和復社相應和。他們沒有一個不留心當世之務。明朝的學術，到這時才有了轉機。夏完淳的業師陳子龍嘗手輯有明一朝的有關治術的文，共有五百零八卷。（未完）

雷震與「自由中國」

——當年內幕誰知道　一番往事話從頭——

·王曰叟·

（二）

三十八年大陸淪陷，許多北方反共的學者，堅拒與共黨妥協，冒死南下避秦來台，演出多少可歌可泣的故事。

任何事脫離了當時的背景，是無法了解其意義的。在今天台灣成爲繁榮安定的寶島，成爲國際觀光的勝地，多少人爭着要來台灣定居。但在三十八年時情形大不相同，那時國事混沌，赤燄高漲，共黨高倡血洗台灣的口號，除了許多爲共黨罵作「政治垃圾」的立監委、國大代外，那個敢動念到台灣來，並且來了後又怎麼辦。但這些反共學人却不顧一切，堅決來台，記得有一句非常感動人的話，至今流傳不忘。當時這些教授們逃到廣州時，許多友好們（也許是共黨特務）就勸，千萬不可到台灣去，他們勸聽的說詞是：「大局已至此地步，你敢担保台灣，爲什麼冒此險，就算暫能苟安不解放，但也別想回大陸了，只有流浪天涯，作「白華」。（按：係仿照「白俄」一詞所撰）你我有資格作「白華」麼？何況你是一個教書的，犯的着去陪葬麼？」當時張起鈞教授說：「台灣是否可以不解放，誰也不能担保。不過好比一條船沉了，船身已入水中，船尾仍然翹在水面，我們就算明知不久也將沉下去，但我們仍要爬向船尾」。這眞是一息尚存，反共到底的名言。

這些教授學人們，從大陸來到台灣，正好像從一個擁擠紛鬧的市塲來到原野荒郊，那時台北的街頭，那似今天這樣繁榮熱鬧。舉目四望，一片寂寞落寞，而教授們的心情却是更加的落寞寂寞，大家乃以臣孽子的心情，作新亭沉痛之聚議，決定創辦刊物，表示嚴正立塲，縱使大局全非，也使世人知有海外之孤憤。

第一次的聚議，是在三十八年六月初，那時，來台人士還不多，只有初步的交換意見，等到六月底，許多有分量的學人都已相率抵台，於是便有決定性的決議，也就是第二次的聚會，地點是在台灣銀行愛國西路的一個招待所，也就是現在的「自由之家」的舊址，到會的人士計有：張佛泉、崔書琴、王聿修、侯璠、張起鈞、黃金鰲……等教授，另及一部份熟識的反共友好，例如：北平中國銀行的總經理霍文熙，當年重慶的防空司令胡伯翰，以及雷震……等共約二十餘人，當塲獲致重要決定如次：

（一）創辦刊物，定名爲「自由中國」。

（二）推定負責人選，計：總編輯一人，毛子水教授担任。副總編輯三人：張佛泉、崔書琴、張起鈞三教授担任。總經理一人：王聿修教授担任。

（三）開始集稿擇吉發行。

看官！你們看到這裡時，可以清清楚楚的知道，這「自由中國」雜誌乃是一批北平來的教授們倡辦的，而與雷震先生風馬牛不相及，但是那後來又怎麼會和雷震搞在一起了呢？那便是雷震畫龍點睛的一手絕招了。當諸事議定，即將散會離塲時，忽然想到稿子寫好交給誰呢？大家怎麼聯繫呢，那時大家顛沛流離，館舍「不」定，實在難以安排，正在躊躇無奈時，雷震輕輕的說了一句：「放在我那裡好了」，只此輕描淡寫的一句，便把教授們創辦的「自由中國」挪到雷家，並且演變成了雷震的所有物了，欲知端倪如何，且聽老叟下回分解。

吳稚暉先生年譜（五八）

陳凌海編撰　陳　洪校訂

九月中旬偕季炳辰同赴無錫晤舊友。十一月，先生當選第一屆國民大會江蘇省武進縣區域代表。先生推舉表姪陳洪（大仲）爲江蘇省第二區立法委員候選人。又舉楊愷齡爲國民大會無錫縣區域代表候選人。國民政府蔣主席中正電修宗譜，聘請先生爲大總纂。先生並爲撰武嶺蔣氏宗譜序。又爲山西徐永昌撰徐氏族譜序。十二月，先生輓張繼（溥泉）聯曰：「待人至粗，待人至篤，故偉且大；盡瘁于國，盡瘁于家，不私其身。」

民國三十七年，戊子（西曆一九四八年）

先生八十四歲

三月，先生由滬赴京出席第一屆國民大會，推爲主席團之一。四月四日，先生參加中國國民黨第六屆中央委員會臨時全體會議。討論總統及副總統候選人提名問題，蔣主席中正力辭出任候選人，經上下午兩次討論，一致推請蔣主席中正爲總統候選人，蔣主席仍不贊同，最後決定交中央常務委員會研究後，再行決定。六日，國民黨第五屆中央委員會臨時全體會議，接中央常務委員會對本屆總統候選人提名問題之研究報告，建議請蔣主席中正爲本屆總統候選人。並經決定，本屆總統候選人，仍擁護蔣主席中正競選，但黨不提名。本黨同志在國民大會中得依法聯署提名。先生依法推舉蔣主席中正爲本屆總統候選人。十九日，國民大會進行選舉總統，蔣主席中正當選爲中華民國行憲後第一任總統。關於副總統之選舉，先生始終支持孫科（哲生）競選，惜未獲當選。五月二十日，中華民國行憲後首任總統蔣中正在國民大會堂宣誓就職。由先生監誓，並致祝詞

董小宛苦戀冒辟疆

十二，花前月下閨中異品

·周遊子·

名人情話

小宛酷愛文藝，偶得長卷小軸，與篋中舊珍，時時展玩不置。流離時，寧願遺棄衣具，而以書畫貴爲第一；網載自隨，最後不得已時，則遺棄裝潢，只存紙絹，但終不得免於兵災，書畫遭厄，是小宛最痛心之事。

小宛大概出入風塵之故，頗喜飲酒，但見辟疆「不勝蕉葉」，遂罷飲酒，每晚侍大夫人稍飲數杯而已。此外小宛善飲茶，與辟疆同好，對於岕片，二人都很酷嗜。友人半塘顧子兼擇佳片緘寄，皆有片甲蟬翼之異。文火細烟，小鼎長泉，小宛則親自吹滌。辟疆每誦左思嬌女詩，吹噓對鼎鑠之句，小宛爲之解頤。至於沸乳看蟹目魚鱗，傳瓷選月魂雲魄，尤爲精絕。辟疆對於花前月下，有極精采之傳頌：

「每於花前月下，靜試對嘗，碧沉香泛，眞如木蘭沾露，瑤草臨波，備極廬陸之致。東坡云：分無玉椀捧蛾眉。余一生清福，九年占盡矣。」冒辟疆享盡了九年的艷福。令人羨煞！

小宛嘗與辟疆靜坐香閣，細品名香。小宛製香尤絕，稱爲閨中異品。小宛酷愛種花，冒家園亭，凡有空地，皆植梅花，春來早夜出入，皆爛漫於香雪中。小宛於花含蕊時，芟翦得宜，花放便採入供，即四時花竹葉，無不經營絕慧，領略殊清；使冷韻幽香，恒霏微於曲房斗室。至於艷肥紅，小宛並不鍾愛。一次小宛病臥三月，有友送剪桃紅，花繁而厚，葉碧如染，濃條婀娜，枝枝有雲罨風斜之態。小宛扶病三月，猶半梳洗，見而愛之；遂留置枕畔，每晚高燒翠蠟，以白團迴六曲圍三面，設小座於花間，位置菊影，極盡參橫妙麗之能；始入菊叢中，菊與人俱在影中，迴視屏上，對辟疆道：「菊之意態盡矣！其如人瘦何？」此句乃李清照之「人比黃花瘦」一句而得。

冒家園中樓下有黃梅一株。每臘萬花，可供三月插戴。（臘花，即將花摘下風乾也）小宛移居於「香園」中靜養病體，園中數百株花樹，一枝不放，惟聽孔濤聲聲，增添她的凄咽而已。

小宛最愛月，夏日納涼小宛，與小兒誦唐人詠月及流螢紈扇詩句，小几半榻，隨着月之升沉偏斜移座，以領略月的四面。午夜歸閣，小宛意尤未盡，乃推窗延月於枕畔間，月去則捲幔倚窗而望，語辟疆道：「我曾書謝希逸『月賦』，深體其月三昧。古人厭晨歡，業宵宴。因夜之時逸，月之氣靜；碧海青天，霜縞冰淨，較赤日紅塵，迴隔仙凡。人生擾擾，至夜不休，或有月未出已鼾睡者。桂華露影，無福消受，與君長歷四序，娟秀浣潔，領略幽香，仙路禪關，於此盡得之矣。」李長吉詩云：「月漉漉，波烟至。」小宛每誦此幾字，則反覆迴環，日月之精氣韻光景，盡於斯矣。

美國汽車帶來的煩惱

·張起鈞·

或者說：只要大有錢，多蓋車房，廣租停車地方，不就解決了嗎？不錯，那是解決了，但只解決的是你個人的問題，並且還必須由政府規定只有你（或極少數的人）有此特權，然後才可以。否則縱令人人都是百萬富翁也辦不到。因爲這問題本身便含有解決不了的矛盾。須知，我們買了汽車，並不是擺在家裡不動。也不是坐在車裡滿街跑着不下來，而是要到別處去辦事。因此只要有一輛汽車，便勢必要有無數停車的地方準備着。家裏不要說了，辦公地方一定要了，而要去街上買東西，戲院聽音樂，上飯館，逛公園，那個地方能打着汽車走？[illegible]而這些處所還不是每天必去，停的地方也可輪流使用；而家裡及辦公地方則必須各有固定的停車地點，縱使空着也不能讓別人佔用。因此一輛汽車平均至少須有四個停車地方。那就是說只要汽車工廠製造出一輛汽車，社會上便必須提供四塊停車地方。汽車可以無限製造，而停車的地方却不能無限供應。因此在車少的時候，有車之人儘可得車之利。等到車道大行，人人有車之後，汽車就要「英雄無用武之地」了。所謂「無用武之地」，不是沒有馬路馳騁，而却是停不下來。到這時，汽車就好像是一把沒有鑰匙的鎖了。爲了給這鎖配鑰匙，近代都市的建築，要蓋房子必須先預備停車塲。學校停車的地方不够，還不致於使教授學生「一哄堂大散」，而商店沒有適當的停車地點，試問顧客誰來？那就只有靜候「關門大吉」吧！所以美國一個「商市中心」往往店鋪只有畝來大的面積，而停車塲倒足夠兩三畝之多。設想在這尺土寸金之區，硬要挖出那麼多的地方，空着停車；這是多麼大的犧牲？這簡直是在挖肉補瘡，飲鴆止渴嘛！但是挖肉雖挖而瘡未平，鴆雖飲而渴未止。無盡的車流，並不因土地的昂貴而減少，反之川流不息的顧客，總是感到找不着停車處所。人們雖把停車廠向空發展，加蓋幾層，但也不過是緩弛一下緊張的需要而已，終不能抵抗水漲船高的局勢，更談不到問題的解決。

小的時候看神仙的故事，描寫一位仙人肩上背着一個葫蘆，要出門時，把葫蘆打開，掏出一個紙樣兒順風一吹，就變成了一匹驢，騎上揚長而去。到了目的地，又一吹仍然變成張紙，摺好放在葫蘆裡，眞是多麼的愜意，何況還不吃草？我想只有到了這種地步，汽車問題才能徹底解決。但是不要忘了那是仙人，而我們却祇是凡人啊！

（下／完）

日商來台製火腿說起

生活漫談

日本火腿商人將到台灣來設廠（詳見報載），在習慣上「技術合作」四個字總是離不開的「遠來的和尚會念經」，一般人心理如此。假定這次日本火腿商人到台灣來設廠，又將「技術合作」招牌抬出來擺噱頭，那簡是新聞上的術語：「狗咬人是常事，人咬狗是新聞」。

食在中國，世人咸知，這大概是一個推不翻的原則。手藝這樣東西很難科學化。民國三十六年上海新聞報社長程滄波先生，中報社長潘公展先生邀宴著者於上海跑馬廳國際飯店豐澤樓，那時豐澤樓掌紅鍋是光緒皇帝的御廚（姓名已記不清了），著者特爲到廚房，看到他的烹調技術，連想到聖賢說的話，「口無同美，則無子都，口無同嗜，則無易牙。」做菜這玩意太不簡單了。國際間的慣例，大使館的廚師可用外交官證照，廚師其所以能受人這樣的重視，是很有道理的。在若干國家外交禮應的禮節上，被宴的主客，常要親向廚師表示謝謝。中國古代帝王齊桓公離開了廚師易牙，飯就吃不下去；開除這位廚師，竟動員宰相管仲的聽力。以證明廚師不僅近代有其國際地位，即中國古代帝王對廚師也看得很重的。

醃製火腿是食品手藝之一，以浙江金華，雲南宣威兩地產品最爲著名。火腿的製造方法，是以猪腿十斤，配鹽十二兩到十四兩，將鹽炒熱，加皮硝末少許，須趁猪腿炒鹽兩熱之際擦勻，乘猪腿熱的用意是新才能有鮮，乘鹽熱可使鹹味深入，然後將擦好了的猪腿置大缸裏，用石壓緊，五天翻一次，候一個月將腿取起，掛在有風的地方風乾，四個月後可食。其中以皮滿色潤，明亮通體，隱隱可看到內骨者爲上品。像五十斤猪腿，須修一隻荷腿。

火腿又有冬腿春腿之分，前腿後腿之別。冬腿就是在小雪之後，立春前醃製的，可久留不壞；春腿交夏變味，久則蛆蠹雜食。冬腿之中又以後腿爲佳，肉細厚味道香，皮很細無鬃眼，手摸之潤膩，切開沒有黃油，爪是彎的。至於火腿收藏之法，先用麻油遍塗，置於通風處，雖數年不壞，倘交夏入梅上起綠衣，或生虫有蛀孔亦無大碍，祇要用竹籤將虫挑出，以麻油搽之即可。家庭食用，生火腿剖切剩者，須用鹽搽切口肉上，用乾荷葉包好懸之，亦可久留不壞。至於煮火腿的方法可說是一種專門學問，須先將火腿泡一日夜，然後將火腿取出，用刷刀刮去油漬穢物，再以盤刀慢慢將腿骨取出，用鉛筆桿粗的麻繩（新繩須先用滾水煮半小時）將火腿纏繞扎緊，投入鍋裡滾二十到三十分鐘，釜底抽薪，祇用木柴餘下的炭火，溫熬到兩個鐘點，再將煮火腿的水燒滾，立將火腿取出，如是可保持原味，這就是最標準的火腿煮法（此法得自上海陸稿薦，後又經御廚的指導）。

・馬騰雲・

今古齋誌異

七首女殺豪

清末河南某縣令，官由捐首而來，貪婪無厭，人民苦之。治下有某翁與地豪爭地涉訟。賄賂土豪千金，判令某翁敗訴，且受誣告之刑，血肉糢糊，創傷徧體。某翁自殺於獄中，翁家聞耗驚駭不已。一婦一女，投署痛哭道：「我家無壯男，生活惟依於夫，今夫死無依，求大人贍給。」縣令逐出。於是孤女寡婦，踽踽於道。有族婦憐而收養之。

鄉里聞之大譁，擬上控縣令，然縣令恃財勢，與上司上下其手，訟不得伸，其事遂寢。

縣令恃勢更驕橫無忌，邑人莫敢言。道路以目。時婦女依人籬下，女十餘歲，秀外慧中，邑人爭爲娶之，婦道：「苟能爲未亡夫雪仇者，甘以女配之。」聞者莫能辨。因於無人處使告女述其父慘死之狀。母女每號啕於室中。居不久，女兒失蹤，婦人四處尋覓，芳蹤渺然，悲痛幾死。清夜自思：所依者夫，所遺者女；今夫死女亡，傷心如儍，不如一死以了殘身。遂解帶上吊，爲人發救已不及，草草安埋。

事過兩年，有一少年，風姿翩翩，騎一白頭馬，來到邑中，尋旅店住宿，人皆以爲貴公子。少年偏詢邑人，問某富豪無恙乎？邑人道：「某豪勢焰薰天，與縣令莫逆，無敢撩其威福。」少年道：「某婦人安在」？邑人道：「婦自夫死惡人之手，女兒失蹤，婦乃自縊死矣！至今黃土一杯，在西城外十里耳！少年與某有親故否？」少年失色。淚珠兩行。見者爲之惻容。

少年歸旅邸，旬日不見一出，窗牖常閉，人皆疑其行蹤詭秘，偶從門隙窺之，室內唯短劍橫陳而已。人知其異，不敢發其隱秘。

一日邑中喧傳：縣令被人割去鬚髮；夫人被割去雙乳，均在夢寐之中被戮者。夫人大痛驚覺，隱約見一紅綃人，手執短匕，越垣而去。縣令驚悸欲絕。邑人正詫然間，忽某豪家人奔訴縣令道：「主人於昨宵被殺，頭被割去。」令偵騎四出，大索邑中。有人見西城外十里荒墳上有一人頭，血肉模糊，鬚髮交并。縣令命取人頭來驗，果爲富豪之頭也。并在墓上得一匣，內盛一匕首，背有某公女字樣，另一紙條一十字道：「記否當年事？今朝不汝饒！割取狗豚肉，可惜污此刀」！縣令閱畢，面如土色，不敢追究。

全邑人民莫不稱快。謂少年者，乃翁失蹤之女而喬裝者。（完）

海國秋深（二一）

文自粹

爲使日本成爲大東亞戰史上向所未有的海上大帝國，所以珍珠港偷襲得手後，另一支龐大的海陸空軍就指向了港九。經過十來天的激戰，英國守軍聽說水源被敵控制，自來水不夠喝了，馬上心慌，豎起降旗。還是紆公平日用心的四合會和一部分東江游擊武力，調回在香港布防，協同作戰，才撐到十七天。九龍先失，香港彈丸之地也無法久存，終於在聖誕節第二日爲日軍佔領了。紆公帶著最後一批武力用小汽艇向沙魚涌退却，走入大陸。留示才嗇要在香港設法生根；必要時不妨潛入敵人機關，取得掩護。過了一個月，日本人覺得港九四百多萬人確是不容易分別應付的。初佔領時部分軍人姦殺擄掠，固然丟盡皇軍顏面，沒有幾日，就紛紛陳屍海口山谷，甚至深巷高樓，把軍師團長們弄得神魂顛倒，決定擴大憲兵隊偵緝組，並設法多物色熟悉本地各界情形的人，才嗇就去應試。那時才嗇身高一六〇八分，體重六十八斤，尚不及三十而立之年，中文、英文、粵語、日語，都可應付；而九流三教的情形更是瞭然於心，胸有成竹了。所以他以最優分數考取，經過一段試用期限，就正式升他爲偵緝組組長。

那時候日寇最注意的就是抗日份子，沒有來得及走避的，先後都給日本憲兵逮捕了。陳紆公夫人在游擊隊撤退沙魚涌的時候，沒有來得及同行，九龍太子道的房屋早就撤空；先避居朋友家，一覺不妥，就由才嗇派人通知另遷他處。才嗇將安全內移的路線布置好了之後，就派人護送陳夫人離港。先乘客貨船到沙魚涌，經惠陽城外（城內有日軍）到博羅，爲第一段。再經龍門、藍田、內石、官渡爲第二段。官渡到大坑口通公路車，大坑口到曲江通火車，爲第三段。第一段要經日本憲兵隊的刁難檢查，第二段有些山頭土匪常常出來搶劫比較富有行商，都預先派人招呼了，總算一路平善。這條路綫布置好，又有楊明璽事件。楊力姐是民國廿一年一二八抗倭之役中，冒險送國旗給四行孤軍而馳名中外的一位童子軍，那時她才十三歲。現在跟親戚住在香港，總以爲一向沒有負什麼任務，不會惹人注意；那知日本憲兵還是盤根錯節的追查她以前的行動。楊明璽才想起才嗇，過去聽說的，託四合會的人去找他。才嗇倒也慷慨，馬上設法替她領到回鄉證，由會裏人替她由沙魚涌一路送去，也平安到達了大後方。比較困難的還是韋秘書長夫人。韋秘書長在黨裡歷史久，抗日戰起出任駐美大使，到珍珠港事變，奉命調任中央職務。他和夫人一起回國，到港後，先飛重慶；夫人因爲身體發福些，不適於長途飛行，血壓比較升高，暫留香港療養。不料日寇很快就佔了香港，韋夫人是黨國元老，當年汪精衛刺攝政王的彈藥就是韋夫人送過去的；所以她倒也是見怪不怪，泰然處之。那知南京方面來了電報，要設法邀她北上，這顯然是一個陷阱。韋夫人這才急了，問紆公一番，於是才通知才嗇，才嗇替她設計另外找一個身材相似的太太去申請回鄉證。那時回鄉證要由日本憲兵親自詢查核發。稍有疑問，就檢出另作個案調查。也就靠才嗇安排招呼，給她領到了。才嗇叫四合會一對夫婦也領了回鄉證，陪韋夫人安抵曲江後，帶些土產回來，作爲驛商行旅。

命相與夢

・陶公・

[illegible]就是張天師，自他以後，使三百六十行外又多了驅邪捉鬼，打醮濟世這一行業。

張天師是後漢人，名道陵字輔漢，江蘇豐縣人，是漢初三傑之一張良的第八世孫。據古籍的記載，張道陵是「巨無霸」型，身高九尺二寸，濃眉大眼，滿臉紅光，連頭都是紅的，可是卻有一雙綠色的三角眼；而天庭圓滿，地額方圓，垂手可過膝，龍踞虎步，並且有一付好鬍子，看起來頗爲威武莊嚴。

漢光武建武庚子，天師才七歲就讀老子所著的古書，並通曉書中奧義，更是對天文、地理、圖書讖緯的道理也都能貫通，就學文讀可說是博學之人，有一千多個學生，今日浙江臨安的神山關，就是他當初講學的地方。

也算教宗——張道陵

二十六歲時科試中，叫他到四川江北縣去做縣太令，他不幹、到洛陽邙山去修煉。這時他的聲譽日隆，好像日中天！和帝永元己丑，他五十六歲的時候，帝徵他爲太傅，封冀侯，詔了三次，他都不幹。

六十三歲在丙申，他去雲錦山煉九天神丹，據說是丹成後雲錦山上龍蟠虎踞，就把雲錦山改爲龍虎山。

一百〇九歲壬午，得三五都功，諸品經籙。

一百十歲登青龍山。

一百廿三歲（桓帝永府丙申）遊嵩山，奉太上玉冊命爲六合無窮高明大帝，封道陵爲天師。

後漢順帝永壽二年正月初七日午時卒。

他是中國歷史上的長壽者，不論他是創教傳作治病的人。其功過，就其於嘉慶十年入蜀，時值亢旱，皇帝請他祈雨以濟蒼生，倘求之不應。信從他的道教人士說是天意不可違！不信從道教的人會覺得道是可笑的事。就其辭官不就來講，張道陵的胸襟見識仍有其值得尊敬的地方，尤其是求道心堅，也不是常人能做到。

就命論命。

張道陵生於後漢光武建武十年正月十五日子時。

造命爲：甲午、丙寅、壬戌、庚子。日元壬戌納音五行，爲大海之水。莊子云：天下之水，莫大於海。水能潤物，然必須濟之以火，才能調協陰陽。日元中水，既居上位，又是主宰。年支之午，月支丙寅，日支之戌聯成火局，雖有寅木在月令，其歸宿仍在地支，是乃火居下位，水上火下，機動機成，其人必也聰明絕倫。

再加上時支子旺，年支擁祿、剛好成就他修道之誠，處修之道。蓋時支年支坐旺，始能視富貴如浮雲耳。

廿六歲巳運，與年干甲合，未又與午合，頭頭是道，凡事遂心。

四十七歲午運，建初五年庚辰，叫他富官，辭而不就。五十六歲壬運，永和元年己丑，和帝又徵他爲太傅，三次詔請均婉辭不就。是證金水相生，致顯望日隆，朝野均敬。

六十三歲申運，煉九天神丹成，山見龍虎，水得長生矣！唯爾貞合子，有先紛後擾相，證之不誤。

一〇九歲丁運，漢安二年癸未，一百二十三歲卯運，永壽二年丙申，氣求響應，水火相濟，均得道多助，故能大功圓滿。

御廚談藝

冰糖蓮子湯

▲林泉隱▼

武漢的冰糖蓮子的出名，遠勝過蓮子的產地湖南和福建，也可說湖南和福建朋友對吃蓮子沒有得到訣竅，而被武漢人得到。這種訣竅的得到就是「蒸」，因湖北這地方，擅長吃蒸菜，蓮子也用小鉢加冰糖後放在籠內蒸出。有時他們放一點小桂花或者嫩荷葉，清香甜美，妙不可言。民國二十七年，中製基本演員白楊小姐和編者吃冰糖蓮子，她很高興的念出「此味祇應天上有，幾回得嚐到人間」。

冰糖蓮子清補降火，常吃有返老還童之功。乾隆皇帝爲中國帝王中最高壽的，活到九十歲。他每晨早膳用的八珍糕是配合有蓮子的。光緒皇帝嗜食桂花蓮子，在台灣酒席中也常用冰糖蓮子做甜菜，但比武漢的冰糖蓮子差的太遠。其實這種偏差是人爲的，比如蓮子用「蒸」和一兩粒小桂花嫩荷葉之類，並不費事。

催眠術研究（一三）

四十三、握指催眠法

鮑紹洲

握指催眠法，是施術人握被術人的手指而催眠的一種催眠術。

施術時，先使被術人坐於椅上，閉目靜坐，施術人用兩手握被術人的兩拇指，或者握被術人的左右四指，握時用力緊握，微微加以震顫，使之如感受電流之感覺，一面對被術人暗示道：「將要眠」，「更深眠」。行這種方法催眠時，且可兼行其他催眠法。此法對於婦女，則頗爲不便，故對於女性，可改用其他方法。

自由報

（第八四九期）

（每逢星期三、六出版）

社長李運鵬・督印黃行寶

社址：香港九龍彌敦道593—601號六國大廈八樓五號
LIU CHONG HING BUILDING
7th FLOOR FLAT 5
593—601 NATHAN ROAD,
KOWLOON, H.K.
TEL: K303831
電報掛號：7191

承印：景星印刷公司

台灣總管理處：台北市
台灣分社：台北市

消弭壞風氣？是鼓勵壞風氣？

——爲稅務人員提高待遇作——

·南天·

中華民國現時軍事、政治、經濟、教育、建設等都有長足的進步，這是任何人不能否認的事實。惟有社會風氣改造沒有進步，大有江河日下之勢。到處紙醉金迷，爭奇鬥豔，論吃喝玩樂穿戴，這些少數人的生活，幾與世界富強國家毫無遜色。

現在社會風氣的敗壞，影響於政治風氣之不良，政治風氣之不良助長於社會風氣之腐惡，所以社會風氣是與政治風氣互爲因果的。想改造社會風氣，必先自改造政治風氣始。早在數年之前改革政治風氣政府即下了最大的決心和勇氣，訂定懲治貪汚條例，去辦涉嫌貪汚高級民意代表及官吏，大刀闊斧的貫徹實施，値得喝彩。爲什麼政治風氣迄今仍未稍戢？甚至層出不窮，花樣翻新，即以桃園縣大溪鎮，石門水庫管理局及桃園稅捐稽征處等官商勾結，串通舞弊，以改地目（茶砌改水田）高抬地價，涉嫌貪汚人員達五十九人之多。又高雄青果合作社貪汚案涉嫌更衆，並有金碗，金盤之新奇珍貴禮品出現，這些稀世寶物，能有幾人見不心動，縱令先生利令不昏，太太一定見金心躍，不速收藏玉候才怪呢？這兩大貪汚案鬧得滿城風雨，震驚中外，幸政府處置迅速，遞捕法辦，大快人心，値得嘉頌稱讚！

數年前一般人民對司法，稅務，警察，土地登記及工商登記等反映不佳，貪汚案件常有發生，以爲他們生活太苦不足養廉，政府爲對司法，稅務，警察等予以職務津貼，以資防微，使可溫飽養廉，不再發生貪汚案件。這是政府始念以上三種事業人員辛勞艱苦特別優遇，客歲劉大中博士以考察台灣經濟發展之後，去美時建議政府「應再提高稅務人員待遇三千至五千元，以鼓勵他們努力徵稅而免貪汚」，當政府現在仍在考慮之際，一般民意代表認爲不公極力反對。但理想與事實往往是不相符的，近年貪汚案件中，仍不乏有這些待遇特提高的人，他們並未仰體政府對他們的優遇而不再發生貪汚不法，甚至一點也未減少。由此可知貪汚與不貪汚，是個人操守品德問題，而不是待遇高低問題。

一個操守廉潔的公務員，他自會滿於現實，安於工作，埋首自己的職責，即使再不如今天的待遇，仍不能溫飽，（如抗日時草鞋，破衣，糙米）他亦不會動搖職務，想法子害人利己，做出違背自己良心的事。如他是個貪汚不法份子，即令再提高待遇百倍，千倍，萬倍，也不能塡滿貪汚者無底的慾海。金錢多的人越是想方法聚集錢財，越是越[illegible]光蛋，壓根兒也不想金錢。試看歷次貪汚案件中大多都是家庭富有，生活優裕的人，但正短衣少食的窮光蛋究有幾人？防止貪汚不思正本清源的辦法，而以增加待遇來塡補[illegible]來，眞猶抱柴救火，徒使其焚，助長其勢大。沒有毛病或毛病少的地方倒不聞問，這不是驅使人心向壞嗎？這種助長歪風的不良作風，實在不應再提倡。政治的革新，是要懲惡揚善，在同一種待遇，同一個機關之內，有的很好，有的不好，當然不是待遇問題，而是「人」的問題。「人」的問題，應從整頓人事著手，人事革新了，政治風氣自然也革新了。若徒提高待遇希望改革貪風，等於緣木求魚。現在國土未復，國恥猶在，大陸七億同胞掙扎於生死邊沿，盼我國軍反攻大陸如大旱之望雲霓，我們在台公教人員都在一個水平線上，同甘共苦，一心一德共同奮鬥！除國家財力許可，有理由可以享受特殊待遇，無人敢與爭論外，其他任何事業人員皆不應特殊，待遇一律平等以示公允。

治亂世用重典，現値反共復國時期，非有常法，始難適應現時環境。按戡亂時期貪汚治罪條例第四條：有左列行爲之一者處死刑，無期徒刑或十年以上有期徒刑，除死刑外得併科十萬元以下罰金。

一、盜賣侵佔或竊取公用器材財物者

二、盜賣侵佔或竊取公糧者

三、藉勢或藉端勒索勒徵強占或強募財物者

四、建築或經辦公用工程或購辦公用器材物品浮報價額數量收取回扣或有其他舞弊情事者

五、以公用馬匹駛艦船舶車或航空器裝運違禁物品或漏稅物品者

六、對於主管或監督之事務圖利或對於職務上之行爲要求期約或收受賄賂或其他不正利益者

上項貪汚治罪條例，自五十二年七月十五日總統明令公佈實施，經過六年時間，並未發生嚇阻力量，是立法太輕，或執行太鬆，沒有聽說幾個人不能嚇倒貪汚的人嗎？現在應是檢討修訂的時候了。行政院如能仿照妨害兵役治罪條例，按照各事業人員訂定一種單一治罪條例送請立法院立法公佈實施，使各事業人員在心理上建立一種畏法守法的觀念，隨時自知提高警惕，不敢冒昧。當能收到改革政風的效果。賞罰相輔而行，獎勝於懲，獎是積極的手段，懲是消極不得已的辦法。獎由下起，懲由上行。創業惟艱，守成亦不易。如欲改革政治風氣，必須對奉公守法埋頭苦幹，守分安命的絕大多數好人，每年擇優獎勵以示鼓勵。其次敗壞社會風氣方面，如茶室，咖啡廳，酒家，歌廳以及觀光飯店旅社，建築堂煌富麗，設備豪華，爭奇鬥勝，營業盛極，如不嚴加限制，一切進步都會被社會的發展不能放縱偏向，必須誘導向工業建設，使經濟發展起飛，尤爲重要。能眞正趨於富强。轉移社會風氣，在上者率先躬行實踐，在下者自能效法也。

（完）

昨日與明日

艾森豪蓋棺定論

艾森豪將軍於二次大戰時，曾是英美法聯軍的最高統帥，指揮大軍登陸諾曼第，擊敗納粹德國，[illegible]柏林，[illegible]則因此而當選美國總統，在位八年。時勢造英雄，幸運極了！他看近代歷世，舉世矚目，安享時，各國的頭號政治人物，也集榮譽於一身，絕造殊榮，亦極了！

毫無疑問，他是一位世界名人，若論歷史價値，也就止於名人而已。論軍功，不如美國的麥克阿瑟和英國的蒙哥馬利元帥。論政績，更不及美總統富蘭克林。羅斯福，英首相邱吉爾確遠矣。

盟軍統帥出於意外

根據小羅斯福所撰二次大戰中的回憶指說：羅斯福總統當時不選用馬歇爾將軍[illegible]聯軍統帥，而指揮一個「地中海戰區美軍司令」艾森豪充當此項大任，完全是基於應付英首相邱吉爾的人事關係而然的。因爲邱吉爾堅持主張盟軍由希臘登陸以擊巴爾幹半島，步步東進，為進軍東歐之路，再從[illegible]德國，藉除後患。但代表美國在倫敦談判盟軍戰略計劃的馬歇爾參謀總長不贊成，[illegible]由諾曼第進軍之策。羅斯福認爲若教馬歇爾擔任統帥職，恐他跟邱吉爾相處不融洽，[illegible]大事，乃揀中其性平和，他能協調人事關係的二流軍事將領艾克擔任盟軍統帥，邱翁不致發生摩擦，容易合作。

這是羅斯福總統的[illegible]措施，不失其爲大政治家的作風，而艾克卻僥倖由此[illegible]的榮譽來臨，平步青雲，一躍而爲世界名人之列，若論戰功，倘與其他將帥相比，平淡而已。

八年總統的政績

艾克就美國本身的利益設想，艾克同不願做「偉大」的總統先生。而對俄共集團採取姑息政策，任共黨勢力遍佈於全球，始終以[illegible]的態度應付俄共集團的擴張主義，而以[illegible]手段對待自由國家的反共行動。[illegible]以大軍[illegible]人民反共運動，[illegible]艾克總統[illegible]不聞，[illegible]；英法聯軍[illegible]埃及政權時，艾克總統[illegible]石油供應作威脅，[illegible]英法撤退，[illegible]中東[illegible]，[illegible]古巴卡斯楚的共產政權，亦係由美國[illegible]起來的。

艾克一心一意的要「和平繁榮」之名，[illegible]美國本土安定繁榮，國民收入逐年增加，於願足矣。他當政八年的結果，美國的經濟雖有增益，科技[illegible]發展亦復可觀，但自由世界的共黨[illegible]了。平[illegible]，斯人也！

·何如·

自由談

所謂「人事關係」

邇近若干年來，社會上流行着一種極其無謂，而在官場中極其重視的術語，即所謂「人事關係」是也。

爲政之道，不外用人行政二大端，國家設官置吏，職責分明。舉凡人員之進退黜陟，政務之因革損益，一是皆以法制與民意爲本。用人唯賢能是尙，內可舉親，外可舉仇；行政唯績效是求，有功必予懋賞，有過必如嚴懲。「大道之行也，天下爲公」精神，固無所謂「人事關係」之說，有之，便是天下爲私的現象。

政治上專講人事關係的結果，用人只在市恩示惠，而以「所識窮乏者得我」爲前提，眞是一人得志，雞犬皆仙。甚末選賢與能，徵辟隱逸云云，都屬廢話而已。行政但知黨同伐異，而以官官相衛爲主旨，甚末考績稽勳，賞罰升遷，全像基於私人好惡之見而然的，法制與民意皆不發生絲毫作用。於是乎，政治上的派系觀念必然強烈，而小圈子主義即相應盛行了。

政府用人行政，如其重視人事關係，而置法制與民意於次要，甚且漠然不以爲意，官吏的責任心即自然薄弱。日常爲着應付人事關係，趨赴逢迎，唯恐弗及，對於份內的職務，祇好不求有功，但期無過，而多做多錯，少做少錯，不做不錯的頹廢思想，油然滋生，沛然莫之能禦，政治焉有不腐敗之理？

人事關係養成政治風氣後，一方面如南宋許及之所指述的政象：「羣臣且爲安榮，以姑息爲仁恕，以不肯任事爲簡重，以不敢任怨爲老成。敢言者爲浮，鮮恥者謂之樸實」；一方面派系門爭的暗流湍急，私人恩怨之見甚深，無所謂眞正的是非功過，充分表現着人治主義的極致，法制徒具形式，民意影響，貪官汚吏藉有人事關係背景，賄賂公行，肆無忌憚。人事關係之爲害，大矣哉！

社會上每有若干積非勝是的術語，時因地而產生，大家習焉不察，聽其作崇貽患而罔覺，所謂人事關係即其一例，詞而闢之，不亦宜乎！

·[illegible]·

國人重視琉球交與日本問題

（本報記者張健生台北航訊）關於琉球交與日本的問題，過去極少看到台北報紙[illegible]文評論，而國民大會憲政研討會第一、第二屆年會中雖有論及，但未見諸報章雜誌。最近，即三月初，分別由中央日報、新生報和大華晚報，就琉球歸屬問題撰述「社論」，表示執政黨、政府和民間對此問題的重視。而立法委員[illegible]之在立法會議中亦公開提出質詢行政院。

[illegible]委員說：「琉球交與日本之企圖，中華民國[illegible]均表示反對！誠以美國必須與有關和約國家協商意見，無權單獨授與，請政府表明堅決態度立場」！

外交部長[illegible]說明：「[illegible]委員所提質詢有關外交方面者，由本人答覆。關於琉球之[illegible]問題，依據第二次世界大戰同盟國的宣言與[illegible]金山和約所訂，應由有關國家協商決定之；[illegible]其在目前的國際情勢之下，[illegible]琉球關係[illegible]之安全，[illegible]，此爲我一貫之立場，亦[illegible]所知。中、美之間，對於此一問題仍有接觸。」

國民大會憲政研討委員會今年三月二十[illegible]第十[illegible]合會議[illegible]有：第十一[illegible]「領土主權之研討」一案[illegible]結論，當時有關人士[illegible]發表，來幾中央日報首先發表「社論」評論琉球的問題。

國大憲政研討會之「領土主權之研討」一案指出：「美國與日本所謂：『日美協議委員會』再就『琉球問題』於五[illegible]日舉行第十五次會議，對台灣[illegible]本國會的問題，大體上取得了協議[illegible]在一九六九年（即今年）七月[illegible]琉球住民選出兩位參議員，[illegible]位參[illegible]日本國會，實際上參加日本國政[illegible]琉球[illegible]領土主權歸於日本完全「切[illegible]」我們[illegible]告美日兩國政府，我們[illegible]國把琉球交給日本的做正立場[illegible]會「希望政府當以沉靜的觀察，[illegible]措施基礎，[illegible]具體而可行的辦[illegible]的時期，付之實行，以收未雨綢[illegible]代表政府在台灣新生報「社[illegible]琉球如何歸屬，關於亞太地區[illegible]由有關國家協商解決。」在「一[illegible]會議，及於一年的波茨坦宣言[illegible]理日本戰前所屬島嶼的原則，一[illegible]舍山和約，依此上項原則，將[illegible]託管之下，如果要改變琉球地位[illegible]求所能管理，亦不應只循雙邊[illegible]來謀求解決，必須由上述有關[illegible]，這在法理、程序和[illegible]則上所[illegible]。」

（三月十一日）

向教育部長閻振興進一言

李公正

一、近閱立法委員對國民中學地理第一冊部份內容欠妥善，希望國立編譯館研究改正所提之質詢（立法院公報第五十七卷第八十六期），其重點在「欠妥善」及「研究改正」兩項，態度民主、開明、合理。閻部長去年十二月二日在中央日報發表下列談話，態度橫蠻、武斷、不講理：

『國民中學第一冊教科書內容及編排上所發生的錯誤，再版時將予刪除被刪除的部份，將包括地理的「中國行政區域圖」及國文第一課「秋」』。

此項談話與張委員質詢內容完全不符，且有誇張之嫌。張委員只講「欠妥善」，而閻部長偏說「錯誤」。張委員只講「希望……研究改正」，閻部長偏說「刪除」，爲何如此誇張？

閻部長又說：『「秋」，本是一篇好文章，但選做教科書課文，尤其放在第一課，則不太合季節時宜』。這只涉及文章日次先後問題，關係很小，「好文章」不應加以「刪除」，閻部長爲何要刪除這篇「好文章」？

去年十二月初距再版時尚有半年以上的時間，可從長研究改正，閻部長偏在彼時發表談話，顯得有些操切，今後應力求避免。

二、受立法委員批評的課本並不限於地理和國文兩科，閻部長只提出這兩科公開予以指責，而不提其他各科，這是第一種不公平。又對地理國文兩科可能的缺點，加以誇張，吹毛求疵，對於其優點與進步，卻一字不提。例如地理教科書取材精實，文字簡明，標題扼要而醒目，地圖和照片用彩色印刷，十分美觀，各方討論稱讚，惟有閻部長絕不提一詞，這是第二種不公平。對於曾經大力宣傳「精編精印」的主編者國立編譯館，上項談話也是十分不利，等於說該館騙人，這是第三種不公平。希望閻部長今後待人接物要十分公平。

三、閻部長談話中提及「地理的行政區域圖把我國的領土，區劃爲「蒙疆」、「中國」及「臺灣」三區，有違行政區域的原則」，這問題是否存在及如何解決，不應由外行人如教育部一些職員決定，而應由地理科編審委員會大部分是專家學者，包括中央研究院院士和中學教師所組成決定。專家學者如認爲應予保存，如認爲不妥善，當然予以刪除或改正。地理國文兩科如此，其他各科亦然。務請閻部長自誠信，尊重專家學者，不要誤信一知半解、少見多怪的教育部職員。

接管私立中醫學院　教部措施有違法令

認閻部長答覆缺乏法律依據　立委湯如炎不滿再提嚴厲質詢

（本報記者張健生台北訊）立法委員黃玉明對教育部委派督學等接管私立中國醫藥學院全部財產，並指定台大附屬醫院主任兼充該院院長，及函知台中地方法院撤銷其財團法人登記等措施，認有違法令，提出質詢。殊料，教育部長閻振興之答覆，缺乏法律常識與法律依據，且有答非所問「無事生非」之情，因而，致爲另一立法委員湯如炎不滿其答覆而提出質詢，教育部侵犯法院之職權，使行政院不得不允以書面答復了。

湯委員說：學校之設立許可，與財團法人登記，爲截然兩回事。設立之許可，權在主管行政官署之教育部，而財團法人之登記，則屬法院之職掌。且學校許可設立在前，財團法人登記在後，故必須先取得設立之許可後，方得辦理財團之登記，絕無未取得設立之許可，而獲准財團登記者，職掌各別，權責分明，不容曲解。

依據私立學校規程之規定，私人擬設立學校，應由創辦人擬具設校計劃，開具各必要事項，申報主管教育行政官署審定，俟獲核准，再籌組董事會，報請立案，經核准後，始得開辦招生，此爲學校許可設立所必經之程序，學校設立後，一切業務主管官署仍應負責監督，民法總則第三十二條規定：「受設立許可之法人，其業務屬於主管官署監督，主管官署得檢查其財產狀況，及其有無違反許可之條件，與其他法律之規定」。據此，可知主管教育行政官署之職權，只限於學校設立之許可，及其業務之監督。至法人之登記，則權在法院。民法總則施行法第十條明白規定：「法人之登記，其主管官署，爲該法人事務所所在地之法院」，且法院所登記之財團法人，必須爲已經主管教育行政官署許可設立之學校，以故民法第五十九條規定：「財團於登記前，應得主管官署之許可」，所謂：「許可」者，係指該財團所屬之學校而言。因之同法第六十一條規定：「財團設立時，應登記之事項」明訂於第五款：「受許可之年月日」的限制，且即說明，在前之學校設立之許可，權在教育部，在後之財團登記，權在法院，倘無設立學校之教育部許可，即無財團之法院登記可言，今中國醫藥學院早經核准設立，開辦招生有年，該院所在地之台中地方法院依法爲之核准財團法人之登記，實無「悖於登記之原則」（閻部長語）」，乃教育部竟認爲「該學院作財團法人登記之先，未得本部之許可」，故殊不承認其登記，實屬曲解「財團於登記前應得主管官署之許可」一語之法意，殊不知財團登記，既依法屬法院之職掌，准否登記權在法院，行政官署無權干涉，倘如該部之所認定：財團登記之許可應先由行政官署核定，則法院不啻成爲行政機關之附庸，顯屬侵犯法院之職權。

財團組織及管理法有明文規定

教育部究依據何項法令不承認該學院財團登記

湯委員抨擊教育部長閻振興「無事生非」。他說：民法第六十條規定：「設立財團者，應訂立捐助章程。」……捐助章程應訂明法人目的及所捐財產。」同法第六十二條規定：「財團之組織及其管理方法由捐助人以捐助章程定之，捐助章程所定之組織不完全或重要之管理方法不具備者，法院得依利害關係人之聲請，爲必要之處分。」同法第六十三條復規定：「爲維持財團之目的或保存其財產，法院得因捐助人董事主管官署或利害關係人之聲請，變更其組織。」同法第六十四條復規定：「財團董事有違反捐助章程行爲時，法院得因利害關係人之聲請宣告其行爲爲無效，」是則捐助章程爲財團法人登記之要件，而其內容悉以捐助人或利害關係人之意見爲依歸，如有不完備時，即主管之法院亦得依據其意見爲之處理，教育部究依據何項法令而不承認該學院財團之登記？憑何權力函知台中地方法院撤銷其業經核准之捐助章程？又憑何種身份與地位指責其內容不當而予撤銷？

這位極具影響力之湖南籍立法委員指教育部沒有法律之認識。他認爲：教育部雖會於五十二年通令各私立學校辦理財團時必先送教育部驗印，姑勿論此項措施是否合法，但該中國醫藥學院財團之登記係在四十九年完成，本諸法律不溯既往之義，教育部亦無置喙餘地，至謂「如准其登記無異作了私人財產，例如任意改組董事會，任意指定繼承人，均有悖於財團法人登記之原則」一節，更表現其缺乏法律認識。中國醫藥學院之財產，本屬私人自願捐助，進而辦理財團登記，成爲財團法人之所有，其效用在於而杜絕任何之侵蝕，即捐助人亦不例外，其捐款之用途以貫徹其創校目的，並取得行政、司法雙層之監督與保障，教育部亦本此意義，於該學院財團法人登記在案，乃教育部假借有人抬棺請願，擴大事態。蓋抬棺請願如係犯罪行爲，自有司法機關予以審判，警察人員予以制止，尚不成爲接管財團侵奪財產之原因，至謂改該校爲公立，依法須得財團之願意，教育部縱即有意，亦無逕行支配之權。

湯委員指「閻部長弦外之音，似想假維護治安大題爲侵奪私產之借口，台灣治安良好，冠於亞東，乃有賴總統『五守』之訓示，萬衆一心，崇法務實之所致，若謂閻部長之『如此這般』，反足以防止學潮，則非僅貪天之功，更令人不勝無事生非之慨！」

這是一篇極有份量之質詢。（完）

瀛海秋萃（一）

霍芝亭

巨眼識英雄，患難與共　觀音原濟世，火後更殷

・林公偉・

南天霍芝亭，少負任俠，家貧，孝其母，有甘旨必先以奉。其時，宇內多故，芝亭與其幼年儕侶程維基昆仲，慨焉有澄清天下之志。助維基之弟完成軍事教育，服務桑梓，已則日担城郊，收拾廢物及破舊，檢剔整理，售諸識者。所得雖不能日計有功，偶值殘珍，則盈餘不可以什計也。

維基精堪輿，聞花縣有龍穴，走謁三四，確甚。乃與弟共奉先人靈骨入之。芝亭譬與維基昆仲甘苦俱，亦以先人靈骨入之，而各翻其業如故。

一日，芝亭收拾破舊於羊城某巷，巷故多高第，以不戒於火，燬其三四。芝亭以與斯簽因認，請於燬餘檢點，得觀音立像一，火燬像已焦黑，殊不雅觀，芝亭事母孝，知母奉佛虔，因以二金易之，及歸奉母，母以佛像遭燹，跪拜嘆嗣，爲拭燬染，剝落處燦然，若有毫光，且像身沉重，因疑或爲金製，不敢張揚，陽偕走訪某金肆，即肆主鑒顯微之鏡，省視久之，吁然長嘆曰：此烏金所製，值殊不貲，姑從何來？盍珍藏之。霍母唯唯，再拜持返。

會維基之弟升任團長，特調駐順德。順德爲汛邑，部隊開拔，例須報効。霍母力囑芝亭以觀音像押於金肆，得二十萬金，助程弟移駐順德。程弟誠有心人，勵精圖治，不五年荐升師長，會政局更迭，中樞發以重任期程氏，不十載遂總軍民各政。時號令森嚴，戒烟戒賭，犯者斃無數。而於河南岸設特區，置戒烟院，即中霍氏任之。爲者捐納巨稅，領牌照，於戒烟院內戒烟，實則公然吞吐也。以是霍氏財巨億，程氏亦藉其捐獻。顧市內則秩序井然，夜不閉戶，道不拾遺，或以譽之至聖之於魯也。

喬治桑外傳　三八

張大萬

喬治桑一摸，摸進一張八索，這才眞正的傷腦筋，折散這手好牌，於心不忍，否則不打八索，便要打五索，或者是六索。喬治桑猶豫不決，自言自語，喝了一口茶，點上一支香烟，遲遲不能決定。下手老李的空城計已經唱完，換了洪羊洞。

「喂，快點，快點，我的牌已經拆散了，喬治，你要想和牌，便拼一下，輸錢又不要送命，有甚好攷慮的？」海龍王開口了。

「桑先生自然是大牌，他應該攷慮，攷慮，你何必催他。」對面老周在幫喬治桑說話。

「好吧，我包你一付。」喬治桑經過了五分鐘的長攷，打出一張八索，這張八索打得很有學問，因爲下家碰九索，吃七八九索，要八索的可能性不大，同時，喬治桑的小牌，暗藏春色，和下來不比清一色小。八索是一個惡張，打在桌子上，冷冷的面孔，爲禍爲福都決之於它。老李笑一笑，向喬治桑說：

「這張牌我怎會要，桑博士太小心了。」

喬治桑這張八索過了關，如釋重負，他打牌多年有一種經驗，危險張子拼得過，就有和牌之望，果然在摸第二張牌的時候，和出一付全帶六，喬治桑的高興，眞是難以形容，老於江湖的他，不自覺兩手發顫。正在這個時候，古有方進入麻將間。

國中教科書內容荒謬　要教育當局拿出良心

立法委員徐中齊昨提出質詢　指司法人員破壞耕者有其田

（本報記者張健生台北航訊）立法委員徐中齊質詢國民中學教科書內容荒謬。他說：國民中學教科書的編輯預算，高達一千六百餘萬元，以這樣充足的經費，則編輯委員就應當專心致志，力求精進，才是，今竟粗製濫造，編出錯誤百出的書，究竟是有心做錯，還是無心之失？是不是應該查究？請問教育當局對自己的良心，對國家的、國民的責任，如何交代？

徐委員列舉事例來證明他的質詢是有根據的。例如「國中國文第一冊第二課（按：立志做大事）對國父的介紹，我的評語是『不實不盡』；第十七課（按：自由與放縱）的注釋，我的批評是李戴張冠，均係貽誤青年之作，『不自由，毋寧死』，是法國革命時吉郎特黨羅蘭夫人口號』，不知此語乃美國大政治家享利巴特利克於美國獨立革命所提出的口號，幾乎舉世人皆知的名言；而編輯委員常識如此，難道全體委員竟無一人提出糾正？

又如「國中地理第一冊第二課對佔全國內陸面積幾達一半的邊疆（按：蒙古地方、西藏地、新疆省）反無隻字片言的說明，對於近百年來外人侵奪我邊疆的血腥史實，更不用說了，居心何在？令人費解？

其次，是「中山基金會所作獎助，根本沒有標準與知識可言，除文藝理論獎頒給錯誤百出觀立公式的『藝術的奧秘』一書外，更可笑的是學術獎竟頒給『亦雲回憶』一書。按『亦雲回憶』一書係黃郛白先生之夫人沈亦雲女士所撰述，爲一水準極高之傳記文學作品，然而絕非學術論著，中山基金會卻頒以『學術獎金』，不獨對社會的學術標準，是一種諷刺，而對著者，亦是一種輕侮。中山基金會這種顢頇無理作風，對於紀念國父的重大意義，更是辱於汚蔑，甚至存心予以消失。」

因此，徐委員希望「行政當局即對中山基金會採取必要措施，或予以澈底改組或改名，不要再開笑話！」

此外，徐委員對行政機關與司法機關人員破壞耕者有其田國策，再度提出質詢，因爲前次的質詢，政府從未依法答覆。

他說：彰化縣政府於四十年間放領溪湖鎮四塊厝小段五七〇之一號公有土地時，各級經辦人員有枉法瀆職之嫌。頃據台灣省政府官文書記載：「四十三年以後，洪丁山參與耕作該洪某承領之五七〇之一號內二分之一土地」，據查亦爲事實，此種承領公地私行轉讓使用，顯屬違反台灣省放領公地扶植自耕農實施辦法第十五條規定，而彰化縣政府實施農戶總檢查時亦未發現，且未作適當處理，承辦人員難辭失職之責。」

三百年前一位青年抗戰的民族文藝家—夏完淳（四）

·汪辟疆·

名已[illegible]，刊行海內，爲明末學術界的一大偉著。他的父親文忠公在福建長樂縣爲知縣時，即以善斷疑獄，名聞海內；他縣有經過幾十年不能決斷的疑案，上官多發往長樂去辦。在王鴻緒的明史稿夏允彝傳上，也曾說過：「允彝學務經世，歷朝制度，暨昭代典章，無所不諳習。獨處一室，志常在天下。」這確是可信的話。就這幾件事看去，完淳在幼年時代，父親和師長的言論，自然影響到他的學術不少。再就他本身說：蔡嗣襄所撰夏存古事畧，有這麼一段記載：「完淳年纔八九歲時秀眉豎目，舉止就如老成人。席間抵掌談烽警及九邊情形，娓娓可聽。其伯父文伯先生止之曰：『有客在座，小子何嘖嘖爲？』」在南吳舊話上，也曾說道：「完淳爲童子時，好閱邸抄，一見便能悉其首尾，一時嘆爲奇童。」這幾段記載，我們就可知完淳在童年即有志當世之務。他的學術，決非倚儒章句的學，而是經國治軍的偉畧。

文學的成功，誠然是要天才。完淳確是一個天賦異才，他五歲誦五經，九歲便善詞賦古文。我早年看見這樣記載，頗疑這些傳說，近乎神話，後來在陳眉公集內，見有童子讚，下注爲允彝長子端哥作，——完淳小名端哥——讚文中有這幾句話：「包身胆，過眼眉。讀經義，五歲兒」。眉公死於崇禎十二年，這裡說五歲兒，當是崇禎八年所作。錢謙益集內，也有贈夏童子端哥一詩，詩內也說過：「端郎信不同，非我欲求蒙，背誦隨人詰，身書等厥躬。倒懷常論日，信口欲生風」，這詩作於崇禎十一年，那時完淳亦不過八歲而已。以五六歲小兒，便能誦五經，不能不算夙慧。

陳子龍爲當代文章鉅子，他父親命他師事子龍，大爲陳子龍所深賞。夏氏一門忠義，同時也是一門風雅。在平時家庭父子間，談忠說孝，倘友古人，已足陶養他的人格。家庭中如他父親、伯父，皆是文章老宿，詞林宗匠。他的母親也能作詩，允彝殉國後，削髮爲尼：有追悼一詩，流傳人口，他的姊姊夏淑吉，適嘉定侯洵，年二十一而寡居，後亦爲尼，法名神一。以工詩文，有龍隱遺草。他的妹妹夏惠吉，國難後亦適入空門，有詩爲人傳誦。論到他的師友，自陳子龍以外，如侯峒曾、侯岐曾、侯洵、錢熙、陸培、邵梅芬、杜登春、侯演、宋徵輿、預天逵、杜濬，這一般人，沒有一個不是文章氣節照耀當世的奇男。完淳處在這樣文學環境中，又加上他的天才，文學上的成功，決非偶然的。（未完）

雷震與自由中國

—當年內幕誰知道　一番往事話從頭—

王曰叟

（三）

我們前面說：「相君之面，不過雜誌；相君之背，貴不可言」。這雖是一句改造的戲言，却道盡了這齣戲的實況。因爲從表面上看，「自由中國」不過是一本薄薄的雜誌，但這雜誌在彼時彼地，而又由這一般人來辦，並且取名爲「自由中國」，這中間就牽關聯着深遠的背景和無盡的意義了，這一點若不加以說明，便無從澈底明瞭這事的前因後果；來龍去脈。

「自由中國」雜誌的背景，要從北平說起。

當年的首都雖在南京，但學術的重鎮，思想的中心仍是在北平。北平各校教師的言論，和其學生的活動，自五四以來一直影響全國民心的向背，而這民心的向背，往往決定全國政權的興起與轉移，共產黨固是直接導源于北平大學的「馬克斯主義研究會」，毛澤東更是起自北京大學圖書館的服務生，而國民黨的突然壯大，迅速完成北伐，也是由于五四運動新潮的主流，只看五四時代的健將，包括胡適之先生在內，都側身國民政府，便是明證。因此搞政治的，誰也不敢忽視這股力量，反之，無不設法爭取或操縱，以謀政戰的勝算，尤其抗戰勝利後，西南聯大復員到北平。這古老的舊京，就變成爲國共雙方心戰和宣傳戰之決死搏鬥的戰場，政府方面除了有人負責學運外，並有專人和這些教授名流們聯繫。當時代表政府，負責與胡適等人聯繫的，便是陶希聖、陳雪屛，尤其陶氏兩次隨同蔣總統飛抵北平就是負責進行聯繫工作。當時蔣總統行轅設于圓恩寺，陶氏等下榻北京飯店，實際則是住在崇文門內的德國飯店與北方學人作頻繁的接觸。據傳說：當時政府的策畧，是敦促和扶助胡適出來組織一個真正像樣的反對黨，這樣不僅可以實現政府推行民主政治的誠意，並且可以拆散共產黨的聲勢，瓦解共產黨的羣衆，原來八年抗戰，痛創鉅深，滿目瘡痍，苦何待言，共產黨便利用這種情勢，煽動人民反抗政府，不過人民雖然對政府失望不滿，却不見得就贊成共黨，尤其共產主義已成爲人民唾棄不顧的陳貨，（否則一個標名「[illegible]」的黨，而竟收起共產主義，大談其新民主主義？）誰甘心去擁護它，這種情形，政府當局深爲洞悉，才設計由胡適先生聯同一般名流組黨，接出這般中立而純潔的羣衆，特別是智識份子和學生。這樣不僅可以防止這股洪流，流入共黨的陣營，並且[illegible]的可能導致于民主正軌。這不僅是政府的策畧，並且也是民間一致的推測和希望，尤其是一般苦悶的青年所渴望的出路，這不是事後作文章的空話，而確有許多事實可以證明，只一看當年「市民治促進會」成立的那一幕吧。

民國三十六年初夏，胡適先生主持成立「市民治促進會」，這個會的宗旨，是以政治學教授張佛泉先生的構想爲藍圖的，張先生尊是熱心民主政治的，他們認爲民主政治的推行應從基層作起，許多國家大計，非書生所過問，也非力所能問，因此，根本其所知所能，組織此會，從促進市內選舉，（而非參加競選）作起。這本是一個極專門而瑣細的問題，除了張先生等少數專家有興趣，和與張先生等至近的人，不能不捧捧場外，應該沒有幾個人參加。那知那天開會，不僅北平教授名流紛紛參加，「摘」「摘」一堂外，而平津各報的大牌記者，一起到會。老叟當時也在場，便奇怪的問道：「這種雞毛蒜皮的小事，怎麼你們都來了？」他們衆口同聲的說：「小事？還有比這個大的新聞，這個不採訪，採訪什麼？」何以認爲是大新聞呢，因爲在所有記者先生和一般人士的看法，這便心照不宣的是成立新黨了，而所謂「市」民治也者，不過是「國」民治的煙幕而已了。那知道全是旁觀者一廂情願的想法，說句佛學的術語，便是「高推聖境」了。後來事實證明「市民治促進會」就是「市民治促進會」，並無更多的東西。胡適先生到底是書生，只能坐而論道，不能起而問政，他可以接受「提名當總統」的設計，而沒有組黨問政的勇氣，大家（包括政府方面）在失望之餘，感到若是讓諸梁啓超先生，那一天會出來幹的。假如當時胡氏挺身而出組黨號召一下，士氣民心，國際觀感，便將大大的不同，我們深信國事由此改觀，但大陸便不會淪陷的那樣快，則敢斷定的斷言。然而「此情可待成追憶，只是當時已惘然」。

吳敬恒先生年譜（五九）

陳凌海編撰　陳洪校訂

總統府成立，蔣總統中正聘先生爲資政，以備咨詢。先生以年事已高，體力衰[illegible]，寓滬杜門謝客，以爲屏絕他務，俾能靜心編訂圖譜，整理六十年來所寫之文稿函牘及剪貼之新聞紙類，以供日後史家之采擇。八月十九日，蔣總統中正頒佈「財政經濟緊急處分令」，發行金圓券，法幣三百萬元折兌金圓券一元。自二十日起施行，同時停止發行法幣，限期兌收。先生認爲：此次法幣制改革後，經濟可以從此穩定。嘗勸親友，凡持有黃金美鈔者，應迎向中央銀行兌換金圓券儲存。先生固無金鈔也。在十一月間於滬寓所猝患暈眩，天旋地轉，狀似中風。幸經短期調養，大致痊癒。是年先生從事編　蔣總統中正年表。

民國三十八年己丑（西曆一九四九年）

先生八十五歲

一月，蔣總統中正引退離京，返奉化。仲春，蔣總統中正遊雪竇寺妙高臺閒吟詩一首「靜觀明月松間照，閒聽清泉石上流」贈先生書聯。共匪倡亂，日甚一日，不旋踵，傅作義（宜生）在北平嘗行局部和平，使華北變色。徐蚌會戰又告失利，形勢急，李宗仁以副總統代總統職務，竟誤和談代表赴北平與共匪談和。國事日非，先生憂心忡忡，意志銷沉，一再向親友表示，決不願意再行走避。如上海一旦告緊，決立志殉國，而不受共匪之辱。原已整理之六十年來文稿函牘及新聞紙類，認爲已無價值，必要時且擬將全部焚毀。

董小宛苦戀冒辟疆

十三，亂世鴛鴦（上）

周遊子

名人情話

辟疆全家逃抵友家，賊人又至。賊言血洗全村。辟疆將所攜金銀，全部分給壯勇，分道村外各路堵禦。而冒氏全家則在夜半潛逃。辟疆一手扶老母，一手挽了大夫人及兩個幼子，而對於小宛則無暇兼顧。只對小宛道：「快隨我走，否則不及了。」小宛一人踉踉蹌蹌，仆行約里許，便告失散。在大難中，小宛對辟疆說：「隨難時，首急老母，其次六如，及兒子幼弟爲要，儂雖顛連不及，死而無憾！」

冒氏全家逃難，經過五月的流亡，到南都，始將小宛尋歸。辟疆對小宛深明大義，通權達變的精神深爲感動，他感歎的說：「雖讀破萬卷，不及婦也」！此時清人已抵江南，雉髮之令急下，人心惶惶。賊兵又至。冒氏全家八口，準備逃亡，將小宛託付一友人。臨行對小宛道：「此後如復相見，當結平生之歡；否則聽卿自裁，毋以我爲念」！辟疆之負小宛，小宛之苦戀，令人心爲之不平。而小宛頗深明大義之奇女子，她對辟疆答道：「全家皆賴君如命，堂上膝下，皆百倍重於我；如以妾爲念，非徒無益，實乃害之。妾願君以友而去，若可自全，自當偷生以俟君回。如有不測，縱觀大海，狂瀾萬頃，乃妾葬身之處也。」而辟疆父母深恐小宛不平，以爲辟疆獨舍小宛爲憾。小宛愴惻而行。辟疆全家逃亡，展轉於深林僻路，茅屋漁舟，或一月一行，或一日一行，寒風苦雨，苦不具述。又在馬鞍山遇到潰兵，殺戮奇慘，所幸得一小舟，八口飛渡，骨肉得全。奴僕盡散，生平所蓄玩物愛寶盡皆無存。逃到方殿伯家，惴息方定。但已身爲難民，向親友乞貸米糧爲炊。又展轉逃到海陵，小宛又由友人送至，眞是亂世鴛鴦，難以比擬。

文滙樓別記

歲寒然後知松柏

·文匯樓主·

人類的個性與品格，無論是好是壞，都源於天先的本質而然。但在平時的言行中，每多矜持掩飾，很不容易表現出廬山眞面目，一到禍福利害當頭的重要關頭，原形即畢露了。所以，古今來的大奸大詐、犯上作亂之徒，或孤臣孽子、志士仁人之輩，必須於危難憂患的生活環境中，纔可以顯示出來，毫無假借，所謂「疾風知勁草」，「歲寒然後知柏松之後凋」是也。遠者不必談，祇以近數十年來的若干政治人物和其行爲而言，即可概見矣。

對日抗戰時期的大漢奸葉蓬，於民國廿一年在武漢警備司令任內，首倡効忠領袖的特殊作風，凡在稠人廣衆中，聞有稱說「蔣委員長」語句，即昂然立正，將皮鞋後跟猛撞而發出砰然響聲，表示敬意。投共名人張治中與劉斐。他倆在未叛國謀逆以前，眞不愧爲道地的忠貞份子，誰也相信不疑的，然而一經非常時代的考驗，前後判若兩人了。

當中原板蕩，大陸淪於共匪的階段中，政治人物和高級知識份子變節從賊，或僞裝中立超然姿態以求苟活者，固屬不少，但求心之所安的，亦所在多有。不過，後者都是些落落寡合，而矢志不渝，始終與共匪不兩立，置個人禍福利害於度外，有所不爲的狷介之士，平時行己有恥，不求聞達，迨大難來臨，却表示「匹夫不可奪志」的節操，不變不懼，雖千萬人吾往矣。如老報人馬五先生（雷嘯岑）即其中之一。

民國卅八年秋間，國府播遷西南一隅，軍事節節敗退，局勢危急萬分，而美國當局對中華民國政府落井下石，一面聲稱「台灣旦夕淪落」，明令撤僑旅台僑民，一面派遣密使吉索浦在香港策動華人組織第三勢力。斯時港澳一帶充滿了中大陸湧出的政治難民，譁然攻訐國民黨及其領導人，構成一面倒的左傾親共氣氛，許多過去在大陸上以國民黨爲衣食父母的黨政官員和民意代表，亦相率改變態度，而以「民主人士」自居，唯恐沾上國民黨色彩，至於共匪宣傳勢力之瀰漫海隅，氣燄萬丈，更不待言。「香港時報」適於此時創刊，雷嘯岑受聘主持該報筆政，每日除撰寫反共抗戰的社評外，又以「尙方」及「馬五先生」筆名，分寫「自由談」與「新世說」，一是皆以指斥共黨以及一般親共媚共的降虜貳臣爲題材，更隨時用眞姓名發表專欄文章，闢斥英美對毛共的姑息政策。有人警告他，家小尙在大陸未退出，似不必常常用眞姓名寫反共文章，致陷家小於危境，他毅然道：「我自已的生死且不可知，還顧得了家小嗎？義之所在，祇好拼了！」繼而李宗仁以代總統身份，潛往美國，謀張其幻，企圖勾結外力以反對蔣總統復職，雷氏即不斷著論痛斥李瀆職誤國的罪責，台灣「中央日報」亦曾轉載他的大作。環顧當時海外的高級知識份子，像雷嘯岑這樣臨難毋苟免，不惜摩頂放踵以效忠於國家民族和政府領袖的，究有多少呢？

他在香港時報苦幹了十年，險阻艱難，備嘗之矣。在這段時間，海隅一般政治難民大搞其第三勢力，背後且有外援支持，有些今日又在台灣以忠貞份子出現的人，曾趨之若鶩，雷却避之若浼，拒不參預；即對美國在香港設置「知識份子救濟協會」，他亦不屑過問，聲言「我非無國籍的難民，不需要外國人來救濟」。磊落大節，不屈不撓，都有事實可據的。

雷嘯岑隸國民黨籍將近五十年，過去在大陸上從政時間亦有廿年，他對黨政生活都有良好的紀錄，無懈可擊，而於國運艱危之際，不顧一切的爲黨國奮鬥，不矜不伐，人不知而不慍。樓主認爲他有國士風格，決非阿好溢美的虛語吧！

巨變歷險記！

與林彪談[illegible]來的會談，林彪的意思，完全露出來了，那就是要天津當局在四十八小時以內將天津交給他，否則就要猛攻天津，換言之，若不能以政治取得天津，即以軍事取之。

四十八小時，時間實在緊迫得很！各代表聞悉之餘，莫不誠惶誠恐，深深的感到戰禍即將來臨。因爲天津軍政當局都抱着抵抗到底的決心，戰禍更難以避免，大家只有快快結束會議趕回天津，與軍政當局彙謀對策。秦庭之哭，既不發效，當然只有決戰之一途。於其曠日持久，倒不如早打早解決之爲愈，於是代表又都收拾眼淚，踏上歸途。

與林彪談後踏上歸途

胡慶蓉

林彪對於代表們的願望，希望他們能在天津軍政當局方面發揮協調作用，在[illegible]們要離開的時候，林又各親起來了，親自來送，很和[illegible]，以及他的衛兵馬弁，也都在送行，林彪走着談着，同代表再三表示，他決定盡力的減少天津市民的任何損失，此點，請勿以爲念，只要代表們能快快回來，四十八小時的時間，也並不太短，他總希望在四十八小時之內，能得到代表們滿意的答復，對於代表的吃苦耐勞，他表示無限的景仰，無限的欽佩。

代表們[illegible]回天津，是在民國三十八年一月十[illegible]日的下午。中午林彪請各代表[illegible]，其實，同代表們自己吃的一樣，也沒有加[illegible]，也沒有[illegible]，[illegible]吃沒有[illegible]。[illegible]簡單，但對於代表的健康，是很有關[illegible]的，[illegible]，以便在路上食。

臨別之前，劉亞樓也說了很多話，不管是真的假的，他極力的希望代表們快去快回。他並且希望代表能有好的消息帶給他。代表們，雖然疲勞尚未恢復，但還是強打精神，毅然就道，還是搭[illegible]送他們來的一般人，開始走起來，並不感到什麼，但越走越重。代表們能夠回天津，想到不久就會與全體市民見面，自然感到興奮；但一想四十八小時會很快的過去，將於職責的艱鉅，未必能得到好的結果，不免擔心起來。

行行復行行，天快黑了！代表們繼續拖着他們疲倦的身體，仍舊不斷的前進。前途是那樣一片，前途茫茫，在這作戰的狀態中，燈光是管制的。月光之下，[illegible]，但[illegible]依然，代表想到四百五十萬的天津市民都在等待他們，都在希望他們的早日回來，又不覺惘然。如何安慰他們？代表又不覺在多方的思考。約莫在七點的時候，代表們已經回到原來走出的林莊門了，代表到達，立刻就感動了整個的天津。（三三）

翼王石達開末路與義女四姑娘

上饒馬監生，投極無聊，入翼王軍中，人極機警，然小楷以外無他長，惟貌似翼王，非觀其氣宇，幾難辨也。四姑娘一日語翼王，願嫁馬生。翼王笑曰：「此騃儒何能爲，而賞識之耶？吾軍中不乏文武材士，且以軍中倉猝，不早言，不暇議婚嫁，若何者，而必此人耶？」四姑娘曰：「父言如是，然兒意有在，父他日或知之耳」。翼王不更詰，即下嫁焉。馬生始願不及，斯時驚以外別無他言。夫婦仍助翼王治軍，諸如故。年餘，四姑娘生一女，翼王將入蜀，賂土司爲聲援。四姑娘阻之，諫曰：「土司[illegible]，恐不可恃，且蜀道至險，進退不易，鋒鏑之功，未可幸也。」翼王曰：「[illegible]吾亦知之，特以窮年用兵，勝敗得失，從無完局，近來朝廷於我，猜忌既深，而君臣自相疑阻，恐非佳事，吾與其從借亡，不如別樹一幟，藝一逞。吾聞蜀西衛藏，外險可守，內沃可富；又地廣闢而民良懦，倘能據之，何減一餘國王。今併力疾走，過城不攻，不過一月，遂雅之險至，庸有及哉。」同時諸將亦多進諫者。翼王皆不聽，遂入蜀。初戰頗利，已而入險，土司果背約，相持[illegible]。翼王所部，不悉道路，首尾[illegible]，王猶力戰，[illegible]，地近大渡河，從者二千人。[illegible]軍士同合三萬餘，急圍之。翼王既不支，謂四姑娘曰：「[illegible]」。四姑娘[illegible]自殺，左右急持之。四姑娘[illegible]生曰：「王平日[illegible]待吾儕，將何所爲？[illegible]今日猶自惜身命耶？」馬生方躊躇。[illegible]曰：「咄，庸奴，尚戀戀妻孥耶？」時手中抱兒，立投階下，呱呱一聲，已碎首矣。馬生大錯愕，顧見四姑娘以刀自臨其喉，猶咽其將斷之聲曰：「速[illegible]衣冠，與王更易。」馬始悟，從王入帳後，少頃，[illegible]中傳呼王已[illegible]。[illegible]已借[illegible]人[illegible]，[illegible]馬生[illegible]，欲收[illegible]耶雅[illegible]中部，開[illegible]。[illegible]軍中健將數人，皆[illegible]清[illegible]，[illegible]散，不可復合。王[illegible]曰：「事[illegible]矣[illegible]何[illegible]！」[illegible]山有老[illegible]，年九十餘，王來，[illegible]門[illegible]，王[illegible]其前[illegible]，[illegible]契合。同時從王披剃者五人。[illegible]云：「翼王是維摩後身，而四姑娘則散花天女也。」

——按此乃翼王末路之一說，錄自太平天國文献，附識待考證。

▲來函▼

編輯先生：近讀貴報第四版「海國秋涼」，因我從香港來，也看[illegible]代史，對此頗有如見故人之感。

我[illegible]想一[illegible]，[illegible]即名[illegible]史「[illegible]老」，[illegible]因此「[illegible]」[illegible]可在[illegible]報[illegible]出來。[illegible]有[illegible]，[illegible]賜教或轉請文先生指教。

我們都有前報[illegible]，理[illegible]，希望[illegible]編[illegible]，[illegible]期，[illegible]是方塊，加花邊；[illegible]三五期則不[illegible]，[illegible]貼。[illegible]將來有[illegible]本，則更好了。

讀友李[illegible]上
[illegible]日晚

催眠術研究 二三

鮑紹洲

四十四、搖動催眠法

這種催眠法，即被術人的身體全部或一部，使之動搖極微而令其催眠之法。我們在家庭哄小兒入睡時，在小兒身上作微弱之震動，小兒即可入睡，就是此種原理。先令被術人坐於椅上，閉目鎖定，施術人以兩手加以在被術人的兩肩上，作微弱的震動，或前或後微搖之，且一面暗示道：「忘了你的肉體，只覺有心而已」，「將欲眠」，「漸漸深眠」。被術人由於受搖動而精神集中一方，至雜念止而筋肉舒，因此而催眠了。

生活漫談

胡桃補腦又延年

·馬騰雲·

前清陝甘總督林之[illegible]，嗜食蜂蜜胡桃，其婿孫林解元將食法傳於著者先父，先父八十四歲時，行[illegible]，每逢重陽節必登山，八十二歲還[illegible]中國北方，到香港[illegible]旅行，並登[illegible]山看日落，晚年得子，將又個個扶養受完整教育，這皆[illegible]壽康，以證壽年對人的重要性。先父常將多壽歸功於仁，其次謂常年服用蜂蜜胡桃膏，及牛骨[illegible]茶有不可抹滅的關係，胡桃產山海關內北方各省，以山東青州最上品。爲落葉喬木，高五六丈餘，果爲核果，中隔淡褐色之子皮，皮內包藏子仁，仁爲白色脂乳，形如雙鬟。又有一種山胡桃，核殼爲卵圓形，厚而堅硬，殼外有無數凹凸，難破碎，必須以炭火燒之，再入水浸之，然後以小刀於其關口部破之，及得子仁，亦可生啖。其營養素爲：水分四點七四，蛋白質二八點四七，脂肪五九點一八，無機物三。胡桃壓出之油，色淡黃，經一兩日則作濃黃色，易變性。補肝腎，強腰膝，治遺泄，療痰嗽，係滋強心健壯藥。肉能補腦及潤養皮膚，諸醫皆言能通命火，退肺潤腸，補氣益血，斂氣定喘、[illegible]精[illegible]，[illegible]甘[illegible]可利，計[illegible]則能入腎通命，皮[illegible]則[illegible]可定，[illegible]則[illegible]可補，氣熱則食不宜多，故服有[illegible]，命門火[illegible]者忌之。食胡桃方法：凡食胡桃，不得太[illegible]，須[illegible]服一[illegible]，每五日加一顆，至二[illegible]，[illegible]止，周而復始，常服令人骨肉細膩光潤，[illegible]，血脈通潤，老年人咳嗽，[illegible]臥不得，服此立可安定，胡桃肉去皮，杏仁去皮尖，生薑各一兩，研膏入[illegible]少許，和丸如彈子大，每臥時嚼一丸，薑湯下，按此方體實者宜，肺虛火盛，不可妄用。遺精核桃仁四兩，搗爛，黃臘二兩化開爲丸，桐子大，每一錢開水下，取其澀氣之功。小兒頭瘡，日久不癒，胡桃和皮，燈上燒存性，盌蓋出火毒，入輕粉少許，以油調塗，一二次即癒。咳嗽不止，胡桃一斤，去殼切勿去皮研碎，白蜜一斤，先將豬油一斤，熬去渣，入兩藥同滾熬，貯磁器內，每早取二調羹，滾水沖服，雖一年半載痼疾，亦可逐減消除，且甘美易服。白癜風，取新鮮胡桃，劈開去殼，將綠色新肉擦患處，即發黑，三數日後黑皮退即癒。油胡桃即胡桃仁，日久出油者，能殺蟲攻毒，[illegible]疥瘡，楊梅，白禿諸瘡奇效，並潤鬚髮。

今古齋誌異

鐵鉢丐

丐不知何許人，亦不詳其姓名，常游丐於西湖，[illegible]丐[illegible]以口皆[illegible]，[illegible]之[illegible]，[illegible]人有[illegible]，[illegible]於人叢中，[illegible]以[illegible]，人[illegible]，游客[illegible]，擲以錢，[illegible]。

托鉢而[illegible]，重可千斤，夜來[illegible]，有[illegible]地上，丐爲之倒起，傾錢於地，[illegible]用[illegible]盛之，[illegible]者。[illegible]丐之[illegible]，[illegible]，可用月餘，[illegible]，鉢中物，既[illegible]，睡醒吹笛，其聲如[illegible]吟虎嘯，人莫敢逼近。

一日有賣藝者至寺，[illegible]丐[illegible]其面，其[illegible]之，丐促與共[illegible]故，賣藝者傾試其下技擊，丐[illegible]不出一語。不久，[illegible]賣藝者道：「余將[illegible]者，君[illegible]否？」[illegible]爲我取[illegible]，[illegible]解者[illegible]，取[illegible]，[illegible]須：「[illegible]」，不足以供一[illegible]，賣[illegible]知此[illegible]：「[illegible]乃[illegible]大言。何不[illegible]之[illegible]乎？」丐即走近[illegible]，[illegible]三[illegible]，[illegible]技不稍動，賣解者拍掌大笑。稍[illegible]片刻，[illegible]，[illegible]定，技落[illegible]，賣解者大驚，問其神技，丐道：「此乃內功運氣術，非[illegible]所知也」。賣解者[illegible]服，[illegible]而去。

丐一日出行於途，[illegible]，[illegible]之中坐一女[illegible]，[illegible]哭泣，四人[illegible]爲鏢客，[illegible]行，有人知其事者道：「此[illegible]家女，爲某[illegible]劫奪者[illegible]。」丐聞悉其情，飛身[illegible]，[illegible]合[illegible]者停[illegible]，[illegible]女於懷，鏢客一人[illegible]丐，足尖[illegible]膝上，鏢客仆於丈許外，其他三人知非對手[illegible]返家，女家[illegible]，丐不受。自此，[illegible]丐之名大噪，然從未有[illegible]居[illegible]，[illegible]蹤跡。

海國秋涼（一三）

·文自粹·

李[illegible]服務的省銀行已經由敵僞接收，雖然老職員[illegible]可以就下去。不過[illegible]自己老處：過去已經替汪公和組織上做了些事，總不[illegible]。同時他[illegible]東南亞大局，日益氣餒方張，一時恐結束不了，還是想法到後方去，[illegible]直接做些工作，比較有意義。他在銀行未被接收前，已先抄下資產負債總表以及經辦外匯往來各戶款項，再用化學藥水一寫在論語書頁中。因爲他[illegible]僞控制區內，中請回鄉證明，比較少些問題。趕緊[illegible]夫人和新出生的男孩，坐船回到廣州，再轉車佛山。過了些時節。本來佛山年節前後家家[illegible]結綵，很[illegible]的推銷糖果和手工藝品的季節。現在雖然沒有近在火線上，但老百姓忍着氣過日子，這些興頭就淡了，遠的客商沒有來，生意也自然[illegible]了，[illegible]把家存放在佛山老家，自己到廣州一探淪陷後情形。住旅館常有僞組人員來盤查，不如[illegible]住到僞省長陳耀祖官邸。陳是汪精衛[illegible]，未抗日前[illegible]和陳家也是通家之誼，常有往來的。[illegible]告訴陳僞省長，因爲香港分行經辦僑匯業務已移交[illegible]，來[illegible]老伯，有無其他差遣？陳僞省長叫他稍住再說。有一天也是合該有事，在酒樓裡碰到一位舊識，他藏有新交行券，在淪陷區很難[illegible]用券，知道[illegible]對金融管制機關比較熟悉，大商人[illegible]有往來，堅決拜託[illegible]幫他多方奔走辦通了，二十萬新交券換軍用券二千四百元，雙方都同意，由[illegible]居間交換了。[illegible]經濟[illegible]人員[illegible]到這批新券，查是何人由何處出來，雙方只知[illegible]們廣州舊住處，[illegible]人員[illegible]到，家人偷偷地跑到官邸告[illegible]，[illegible]只好匆匆的走出廣州，留了一封信給陳僞省長，就回到佛山。佛山自然也不能再留，先到三水岳家，計劃由三水到曲江，必經英德一[illegible]，常有土八路在搶劫，[illegible]太太八位，所以[illegible]財神有[illegible]，[illegible]兩手[illegible]，[illegible]在中年好[illegible]，[illegible]稱他爲雙槍手王七爺，[illegible]他有什麼辦法？七爺說：「我就化幾天陪你們走一程，了一隻木船，由河口沿北江上駛，三天到了英德，又三天就到曲江，果然一路平安，老少歡喜。

省銀行已在曲江馬壩上，建了大批竹棚房，四壁上水泥，仿照西式平房格式，銀行有職員八百人，都[illegible]四村落。總行顧總經理[illegible]險將香港分行重要表據抄回，[illegible]連升他幾級，派爲總行[illegible]給宿舍。七爺因爲閒散慣了，又到南華寺去膜拜了一天，就回三水了。

為紀念　總統蔣公　爭取

小學國文科稱爲國語之錯誤

評審結果

[illegible]年國民教育開始實施，國文第一正確政策順利推行，[illegible]年十月舉辦論文[illegible]，[illegible]結果：

甲組：（小學）第一名江治力，第二名朱仕傑，第三名陳佩龍

乙組：（中學）第一名[illegible]永英，第二名洪季定，第三名[illegible]

獎金：第一名新臺幣二千元，第二名一千元，第三名五百元，均已分別寄出，特此公告。

學粹雜誌社謹啓

自由報

（第九四九期）

（半週刊每星期三、六出版）
社長李運鵬・督印黃行寬
社址：香港九龍彌敦道593—601號 廖創興銀行大廈八樓五座
LIU CHONG HING BUILDING
7th FLOOR FLAT 5
593—601 NATHAN ROAD,
KOWLOON, H.K.
TEL: K303831
電報掛號：7191
承印：景星印刷公司
地址：嘉咸街廿九號地下
台灣總經理處：台北市大同街119號
台灣區直接訂戶　台郵劃撥戶
第五〇五六號帳戶（自由報台辦事處）
電話：七一四〇[illegible]、五五五二九五
台灣分社：台北市西寧南路110號二樓
電話：三三〇三四六，台郵劃撥戶九二五二

從讀書作文談到胡適博士
改良文學芻議（上）

。李漁叔。

近數十年來，發生一種特殊現象，就是我全國人士，除文章學業自具淵源，或作養有素外，大都對讀書興趣異常低落。至大專學生作文，無不感到十分吃力，大學和學力稍差的，更加手不應心，不要說作不出文從字順，上下古今的文言文，就是寫幾句像日語一樣的白話，也很難首尾通順。大家已逐漸看不通前代用文言文寫的各種書籍，對先哲一切文章議論學術思想，以後均將借助傳譯，無法直接研習貫通，這種現象，還在一天天推廣下去。

在這種情勢下，使人很容易聯想到胡適博士的「改良文學芻議」，那是他改革中國文字的初步計劃，也就是提倡白話文學，推翻舊文學的先聲。他那八項意見，即有名的所謂「八不主義」，雖然也引起了當時一些學人譏笑和抗議，但終於在時代的尖端裡，得到陳獨秀、錢玄同等人的聲援，而成爲一股強大的力量。他所擬具的文學革命方案，「國語的文學、文學的國語」。不久竟至風靡全國，在北洋政府時代，正式下令採用施行，一直到今天，相沿無改，依舊是白話文的天下。

事實告訴我們，時至今日，絕不能無視當前的嚴重現象，更不可自我陶醉，諱疾忌醫。我們天天聽到大家在喊復興中國文化，而實際上只是在繼續不斷地做着毀滅中國文化的工作。我們知道，要毀滅一個國家的文化，最基本的辦法，就是要毀滅這一個國家的文字，使到大家對本國的文化基本精神，逐漸由觀念模糊，而發生全部誤解，這樣，就會一步步走上衰亡之路。因爲每一個國家民族優秀的高度文化精神，就存在於它過去留下來的無數文章典籍裡面；那就是前代人所辛苦耕耘收穫的豐盛果實無可數計的遺產。尤其是在世界上，文化最悠久的中國，從三代、周、秦、漢、魏、晉、南北朝、隋、唐、宋、元、明、清，所遺留下來的經、子、史、詩、騷、辭、賦，以及諸家專集所包涵的義理、詞章、考據之學，都用的是一種體裁的文字，即令是殷墟甲骨，除字體外，文章語法是一樣。那些，正是歷來讀書的士子們所朝夕揣摩學習的文字。這一種文體通順了，就可以貫通我們祖先遺留下來的無數文章典籍而毫無困難。雖然其中也有少數作品較爲艱深的，不容易立刻理會，但究竟只是一種文體，不過構造稍有不同，只要熟練一些，也就跟着可解了。如果一旦大家對這種文體發生了問題，即會對本國文化的源泉，發生了[illegible]深的狀況。

在五四運動前後，胡適博士等人，排斥的就是這傳統的文言體裁，他們認爲這是一種死文字，二千多年已經死亡了。胡適博士還曾以開玩笑的態度，爲這種文體發過喪。他們另外主張一種文字，那是從南宋以來所用過的講學家語錄，以及過去一般守舊的文士們所賤爲「登大雅之堂」的閒書、小說評話一類接近口語的「白話」文體，這些才是活文字，也才是眞正的文學。他們提出了文學革命的口號，自然不能不一切來推翻「文言文」。陳獨秀竟拖「二十四生的」的「大炮」，對十八妖魔宣戰，那十八妖魔指的是明代前後七子，加上歸有光、方苞、劉大櫆、（不勞）姚鼐等合計十八人，這些人被指爲妖魔與遺孽的罪狀，是阻礙了白話文的進行，這種構想，如非別有用心，實令人大惑不解。

就這樣，由「文學革命」而成爲「革命文學」，把切切實實的在中國成爲一普羅列塔利亞的文學，鋪好了路，那是另一問題，不在這裏討論。單就現在讀書作文兩方面情形說來，則其嚴重後果，到今天才爲我們所痛切地感到了。

在目前，如果拿出任何一本古書，沒有白話註釋，也沒有標點符號，給任何一位高中以上程度的學生，除少數特殊情形外，大部分恐怕都會十分茫然，甚至看不懂，因爲[illegible]

[illegible]

「韓愈撰平淮西碑，憲宗以石本賜韓宏，宏寄絹五百匹，作『王用碑用，男（疑係男字）寄鞍馬並白玉帶。』劉又持茶命數斤去，然不能止。」

上面標點，均照錢馬服君原文。括弧內的「王用」，「碑用」使人不解。那由上文落下來的一個「男」字，就不得不懷疑是「另」字的錯誤了。按文中「宏寄絹五百匹。」之下應該是：

「作王用碑，用男寄鞍馬並白玉帶……」才對。王用字師柔，太原人，是唐憲宗的舅父，官至右金吾大將軍，「用男」就是王用之子名沼。韓愈所作「王用碑」及「謝許受王用男人事物狀」，兩篇文字，都在韓昌黎集裡面。又：

「白居易修香山寺記曰：『予與元微之定交於生死之間，微之將薨，以墓誌文見託。既而元氏之老狀其臧，獲與馬綾帛洎銀鞍玉帶之物，價當六七十萬爲謝文之贄……』」

「臧獲」古代奴婢的名稱。「狀」即開具之意，如果從臧字斷句，就說不通了。

另外最近看到某書刊，登載張滌泉先生所撰「國父的一篇文章，前段記國父在日據時代到台灣梅屋敷的情形：

「其色黯然，若怡然，服黑色。酒藥少入唇，偕行者國人二、日人一，做禮，書『同仁』，『博愛』兩橫幅相贈，欣然別去。」

編者們不認識「偕行者」幾個草書，也斷不了句，竟把這幾句寫爲：

「……似乃日國人，二日人一做禮，書『同仁』，『博愛』兩橫幅相贈……」

這樣一來，那「似乃日國人」，指的就是國父，國父何以似日國人，貴國究係何國？作者似乎全沒有考慮過，還有「二日人一飯能」，也不成話。下面書同仁，博愛兩橫幅的，照文氣看，竟是那兩個日本人了。文後段有一句「若合符節」，亦錯成「符合符節」，都是無可推諉的過錯。（如像手民之誤等）

像這樣情的點讀，當然也不一定遍皆如此，但在今天，這種情形，是十分普遍的。因爲這一代人所受的全是白話教育，從五四運動（民國八年）到今，時間已不算短了，尤其在台灣二十年中，提倡白話文更有了長足的進步。我們日常所閱讀的報紙，來看，全部中外新聞和[illegible]以及社論、社評、專欄、副刊等，[illegible]一律白話，其純白話，[illegible]除[illegible]外，必[illegible]，初[illegible]任何新聞紙，可及，在學校方面，[illegible]文言文。大學文學，[illegible]，實際就是文言文的白話注釋，[illegible]大部是用口語解釋，一直一過，青年[illegible]於文言文，自始至終，

沒有建立起獨立研讀的能力。

然而以這樣的國文程度，其讀書理解力之差，以及說話時困惱和艱澀之狀，不難想見。他們對本國最重要基本書，如經中的易、禮、詩、書、春秋三傳；諸子中的老、莊、荀、墨；史中的四史、晉書、南北史、資治通鑑，以及揚雄、司馬相如、賈誼、仲長統、許慎、嵇康、蘇軾的辭賦、奏議、經術、詩詞，韓愈、柳宗元、朱熹、陸九淵、王守仁的理學，以及其他用稍深一點的文言著作，皆不能直接閱覽，這無異將中國數千年分類的四部典籍，一網給大家貼上一張封皮。從大陸中華民族，無數文章典籍，西士文人，在所謂新文化的[illegible]，一律變爲死文學、死文字，被[illegible]妖魔怪物。只有水滸傳、儒林外史、紅樓夢、醒世姻緣、老殘遊記等白話小說，才算得上中國最高文學作品。只有我佛山人，南亭亭長，洪都百鍊生，才足與世界第一流文學比較而無愧色。（見胡適博士改良文學芻議。我佛山人等爲二十年目睹之怪現狀，官場現形記，海上花列傳的作者）先賢前[illegible]的思想言行，對後學青年，不再發生直接影響。我們少年時代大家所最欽佩的往[illegible]的人，如馬伏波、班定遠、陶桓公、諸葛[illegible]公、王右[illegible]、范文正等，時不復能舉其姓名，但是只知道宋江、吳用、馬二先生、牛布衣、賈寶玉、林黛玉、潘金蓮、老殘、黑旋風等。[illegible]文化先[illegible]者們，還曾建議青年們對本國文字，只要能認識與使用約四五千左右即夠，其餘都算是死文字。這些見解主張，宜足以驚世駭俗，而大家卻似乎早已習見不怪。這很令人懷疑他們對中國文學文字，以至全部中國文化，必欲斬斷消滅之而後快！像這樣連根拔起的中國文化，只看它何時倒地枯萎而死，[illegible]者已去，[illegible]復興。

學的青年們，終日彷徨無計，絕大多數聰明象，只有用白話寫的報章雜誌、時人論著、新詩創作翻譯小說、散文新詩等。那些淺薄偏激的戀愛小說，一直爲青年兒女們所嗜讀，一部部武俠小說的飛花入壁、蟻語傳聲等老套，依稀十分流行，談者不倦，聽者也不厭。（未完）

昨日與明日

十全可喜現象

・叔予・

中國國民黨召開之十全大會，揭幕迄今已十餘日，台灣發行之日晚報，或擴版或闢欄，逐日報導會議進行之情況，幷就與會代表之學經歷，年齡等分別予以介紹。根據各報發表的資料，給予社會的印象是這一屆的國民黨代表智識水準較高，而平均年齡較歷屆爲低。

智識水準高，即等於識智的體質既深且廣。

平均年齡較以往低，亦足徵其已作部分之新陳代謝。

此一現象就國民黨言，值得珍惜，就社會言值得一賀。尤以國民黨爲執政黨，其在組織與運用和有其有利的條件，如能擬取對智識精英予以妥善的運用，當有一番更新的作爲。

勿須重法

十全大會的代表，已就政事紛擾，政風窳敗提出檢討，此爲使今日社會癱瘓之部份主因。雖然欲求澈底的廉潔賢明的政府並不是一蹴而成的事，然而首先必須要培養一公正獨立的法！

台灣不是亂世，無須嚴之重法！亦無須另立法條！祇要求能做到公而無私，使知法者不敢玩法，司法者不放縱法，執法者不敢怨法，即可收效。

如果法不能公，施之甲則重，施之乙則輕，權衡之標仍是爲「有辦法」與「沒辦法」之間所操縱，豈不殺了雞而做不了猴？

再，爲行政官員的且忌浮夸，修飾，硬將台灣的經建功績變出兩隻羽毛已豐的翅膀，更令其搖搖欲生的作起飛狀。實際上，經建確有進步，但何遽於

官場感情

作者基層與會代表，能分門別類推選富有經驗之年青代表，深入社會做進一步，深一層的探源與研討，然後擷取綜擬出的資料，用作有系統的解析，再提供本標的變通治療，更能切合實際，造福國家，社會上許許多多的怪現象，其[illegible]因多半來自人爲因素，小部份其他客觀環境的關係。這些現象如有專家作「病理探原」，故然是一件大工程，如果欲求澈底根除，也是大手術！可是並非「治之症，而事實上也不是到了「東手無策」的階段，祇要「不諱疾忌醫」，剷除「因循維護」的官場感情，共爲復國大業而努力，台灣前途

到「起飛」，仍需要大多的努力，尤其是地理，受先天的限制，地上的延續資源發展餘地有限，僅是加工出口作勢力輸出，實無力於起飛，何況尚有人口問題，失業問題等，都係經建成效之抵消力量，此一力量之消除，實屬迫切。

無量！

自由談

謹防共諜作祟

記得過去潛伏在我中央銀行多年的共諜冀朝鼎，於民國卅九年在共偽政權僞立後，曾以表功心情，在大陸上的共黨報紙上，發表了一篇「我怎樣搞垮國民黨的財政經濟」的文字，說他經常把自己擬訂的一些財經計劃條陳，呈請服央行和財經大員貝某，再由貝某影響孔宋，而將其主張付諸實施云云。其言或許不無誇大自吹之處，但不能認爲全非事實。因爲在對日抗戰中期，重慶報紙上曾有人指說冀朝鼎是共黨份子，而央行孔總裁即公開發表談話，願以身家性命保證冀某決非共產黨，可見當時深得上司信任的情形了。

凡是潛滿在敵方的共諜，隨時隨地皆表現其忠貞之士的顏色，反共態度比任何人更堅決，對於現實政治，決不作半句不滿的言論，目的在討取上司的寵信，乘機玩弄奸計，危害敵方，稍不留意，沒有不吃虧的，如冀朝鼎即其明證。此外尚有若干曾被視爲忠貞可靠的要員，於大陸淪陷之際而暴露面目的，歷歷可指，不勝枚舉，以致取人之禍害，大矣哉！

平日喜歡讒謗，對現實庶政得失每作批評的，他對國家民族乃至於領袖的忠貞心情，卻始終如一，毫無假借。當則這原是很淺明的事理，若是別有用心之徒，又何致於表示不滿現實的言談，給別人以猜疑目標呢？私人朋友相處，凡是能夠當面指善規過的，乃表示友誼甚深厚，唯恐你不成材而失敗了。假如提起你即默默無所可否，表現不屑一談的態度，那便是由知已變成異己的象徵，到達絕交的敵對階段了，這不是很容易瞭解的尋常事情嗎？

普通朋友間的親疏好惡，爲害尙不嚴重，政治上如其誤認共諜爲忠貞份子，言聽計從，而譏其據要津，參密勿，有如冀朝鼎之流的故事然，貽禍將不堪設想。前事不忘，後事之師，我希望負有救國救民職責的名公鉅卿，仔細省察，好自爲之，幸勿使後人復哀後人乃可！

馬五先生

預算彙編技術方面發生政治得失爭論

程烈特就五權憲法制度向嚴家淦院長提出質詢

（本報記者張健生台北通信）東北籍立法委員程烈就五權憲法制度與預算彙編的配合暨公營事業預算有無機密之必要；以及儲蓄與投資的興趣；國際貿易應與行外交等諸問題，提出向行政院長嚴家淦質詢。由於這些問題與當前的國策休戚相關，故嚴院長對程委員之質詢，沒有即席答覆，而以書面答覆。

程委員說：自行憲以來，國家總預算的編制，都是由行政院彙編，然後送立法院審議。雖然其他四院（按：指立法、司法、考試、監察院等四院）將所需預算送行政院，由行政院主計長彙編送出，但取捨增刪，乃取決於行政院。衡諸一般三權分立的國家，彙編預算時，是由立法、司法、行政各部門各自編造其預算，然後彙送立法院審議，並不由行政部門擅作增損，因此才不致使其他部門感到應辦的業務受到妨礙。

我們行憲二十一年來，編制預算，係採（各院將所需預算送行政院主計長彙編送出）前述方法，以往並未發生任何問題。但最近由於立法院與監察院事務費的編製不同，預算審議時，最後由立法院作了一個希望通案調整的決議。外界不明眞相，以爲我們有增加支出的提議。我們以爲，這種紛擾，乃在於五權體制預算彙編技術方面發生了政治上得失的爭論。也許有人以爲立法院審查預算，不該作決議和案外支出。我們知道，廿一年來，審查預算只有三條路可行，一爲照案通過，一爲照案否決，一爲作適當的修正。預算內容包含了預算的政策和金額的排列。如果我們對政策有所決定，當然要有決議，該決議對政策是同意，抑不同意，或同意到某一程度[illegible]否決，當不發生其他問題，如果對同意的程度作適當的修改，於是就發生了數字的變動。我們二十一年以來，審查預算，沒有一件預算案是有增加支出的提議的，至若對某一問題表示意見，如我們對公教人員的待遇太低，而對行政院的政策有所提議，這是增加支出的提議嗎？又如對九年國民教育的促成，要另籌算和實籌預算而對政策的批評，這種政策性的決議如不作文字的敘述，則意思無法表達。所以我們對預算的審核，所作決議，乃依法定的職權。這位現執政於中興大學之委員，也是一位計政專家，爲中華計政學社理事長，故對主計財政業務以及一切作業，都有深入之研究與瞭解，所以他說：

支出總額不變 項目相對調整

至於數字的更改，歷來所採取的方式，是支出總額不予變更，只在支出項目作相對的增減的調整。外傳我們審查預算有增加支出的提議，實屬誤解。因爲我們不能作數字間的調整，那麼我們對行政院政策便無從審議，這樣審議預算，實有虧立法的職守了。程委員之所以提出這項意見，純因將來應辦理的事情還很多。此次立法院和監察院事務費的事情，希望以後不再有類似的情形發生，如何避免？他主張：五院的預算彙由行政院送立法院審議，立法院本乎立法的職守，作適當的決定，此爲憲法上所訂五權制衡的基本精神，很重大的關鍵，未知行政院的看法以爲如何？

本報記者按：立法院審查五十八年度（五十七年七月一日至五十八年六月卅日止）中央政府總預算案時之決議文：行政院經製中央各機關預算，關於事務費之標準，係按各機關人數每人每月二百元基準計列：立法委員監察委員歷年亦按照此標準核計。本年行政院編送五十八年度中央政府總預算案時，以近年來一般物價已有上漲，各機關事務費，均感不敷，爲維持政務順利推進，適應各機關當前業務實際之需，將各機關事務費每人每月從二百元調整爲四百五十元計列；但立法委員監察委員並未按照通案調整，仍按二百元編列。是與本院審查五十八年度總預算時，各委員以立監兩院委員需經常出席會議，或調查案件，其任務與一般機關職員固有不同，但因爲處理公務，則並無二致，故其事務費之編列，自應按照歷年來一般標準辦理。換言之，一般機關調整時，亦應比照一般機關通案調整，不應有任何軒輊。故五十八年度總預算案審查結果：「立法院監察院事務費，應照本年度通案調整，並列入請行政院辦理事項內。」

國大憲政研討會作出五點結論

有人認爲亦非持平之論

立法院之議決文，國民大會憲政研討會會加以「研討」，結論是認「其有偏差，似無疑義。」

國民大會憲政研討會之結論計有五點：

一、各級民意機關審查同級政府預算案，應依照憲法第七十條規定，不得爲增加支出之提議。

二、各級政府應在限期內提出預算案，各級民意機關應在規定限期內審議通過。

三、各級民意機關審核預算，不得附帶決議及附加注意事項。

四、各級政府如須追加預算時，應儘量嚴實，維持收支平衡。

五、各級政府對同級民意機關審查預算之提議或議決，如認爲有違法或礙難執行時，應依法送請覆議。

國民大會憲政研討會的「結論」，亦非持平之論，因此有人主張：行政院主計處可仿美國之預算局改隸於總統府，直接向總統負責，而不受行政院的管轄。各院將所需預算送總統府，由總統府主計處長（預算局長）彙編，將支出預算加以規定。這樣，行政院便無權刪減預算而影響到其他院的業務。

程委員認爲：政府實施數期的經濟建設計劃，在國內外甚獲好評，而實際成績也可自慰。但是整體的計劃須顧到個別計劃的各方面；而個別的計劃也須參酌整體的計劃而訂側。假使我們需要人民投資，如整體計劃與個別計劃配合，投資便不致浪費，所以政府每年公布民間投資的細目，俾民間投資能配合政府的經濟建設計劃。至於我們每年審查國營事業的預算，這項預算雖然佔整體經濟的百分比不算多，但數量也不算太少，我們爲了公營企業增產，經濟建設與民間的建設配合，則民間似乎有瞭解國家經濟建設趨勢的必要，而我們的公營事業的預算，往往以機密爲理由，不向外公開，但爲發展現階段的整個經濟，國家公營事業，實無對人民有機密之必要。

儲蓄與投資的問題：程委員說：我們有獎勵儲蓄，有儲金儲蓄，但沒有看到提出有效的儲蓄特別辦法，而使與投資的興趣相配合。例如，工商業資金困難，我們便要減低民間企業貸款的利息，但同時對於一般銀行存款利息也隨之而減低。

效法韓國制度獎勵民間儲蓄

以低利轉借于生產事業

因爲銀行利息低，人民便不向銀行儲蓄，於是工商業所需資金便不能不求諸黑市，也就不能走上銀行貸款的正途了。我們現在一方面獎勵儲蓄，但一方面降低利息，這是絕大的諷刺。韓國對民間在銀行儲蓄利息提高，而銀行卻以低利轉借於生產事業，中間所生的差額，列入預算，由全體人民負担，就是說，獎勵生產者。而對於不生產者應多付捐稅，這才是適當的！

，很值得我們參攷！

程委員主張：我們目前應當擬定具體的經濟作戰方案以配合外交。故經濟部最重要的工作，是國際經濟作戰計劃應如何配合外交來實施。此外，他對公教人員眷屬生活補助費每人二十元，主張在五十九年度預算內「免編列」，因爲這二十元對公務員無所補益，徒然浪費編造預算的人力、物力與時間而已！

瀛海秘辛（二）

一品夫人

·林公偉·

婦德端莊，較武曌爲正；
政事嫻熟，豈子夫所能。

前談及程維基精堪輿，實亦精衡量。其弟既駐軍順德，維基繼參議，轉裘俊馬，日徜徉山陰道上，遊目四盼，實欲爲其弟物色佳偶。惜日既久，果不負苦心人，覓得一貧家女穆氏，年方剖瓜，雖無沉魚落雁之容，一顰一笑，亦自有其可人處，勸弟納聘，即俗所謂平妻。

不五年，穆氏遂繼師干，穆氏相夫有道，勵志於學，迭隨夫君出席中央重要會議，進退中節；生佳子女若干人，亦皆敦品力學，有聲於時。

婚後十年，夫君升任主席，更五年，聲威顯赫，殆不作國內第二人想。幸三軍將士，深明大義，先後反正，中央得收反掌之功。程氏夫婦奉命出國，考察歐洲各國政治，數年後復膺疆寄，卅八年戡亂大役中更有聲於時。

伉儷考終，頌者載道。

或謂維基館所爾得之花縣龍穴，民廿四五年間忽有桂省名堪輿，指其方向未確，毫厘之差，影响殊鉅。程氏時方有大舉，厚金禮聘，請其躬蒞指正，及安窀，以爲必不有差，不虞自春到秋，大局忽變，幾至全軍盡墨。事後程氏展視先人龍穴，發棺後盡爲黃水，始知龍脈已爲斬斷，痛惜不已。

穆夫人仙逝後，飾終之禮甚渥。有秘詢之美容師友人，始悉其有一毛長及膝際，主貴無極；然其敦品自處，相夫教子，誠非常人所可及，則洵賢妻良母也！

讀者投書

（本報台北通訊）一位讀者最近接到他的就讀與鳳商專兒子的來信，告訴他學校裡近況，他特地把這一封信寄給本報，希望能刊登出來，讓該校知所改進，原文如下：

父親大人：

寄來之包裹已收，謝謝！

我們開學到現在說起來已第五週結束了，但實際正式上課只有三週，因扣掉註册日起至開學典禮止共三週的時間，雖然如此，但我們所用之課本，大部分是全學年用，因而不必另購新書，唯有英文，和數學是新買的，但至今尚未見到課本到來。英文老師爲我們着急向學校要，聽說書已到，放在校長家，開學至今，校長均未來上班，實際情形如何，並不知道。而數學書未到，連老師也就不來了。請班長向學校方面要書，聽說尚未訂購，學校當局還不知要用那一本書好，這眞要命。實際情形如何，尚不太明瞭，須待查，我想如可能的話，將請在自由報上給予攻擊，看其反應如何。還是台灣目前最盛行「學店」，也就是大本乞丐。

這學期經濟課程換來一位新老師，上課非常認眞，教圖解說明都講得很清楚，因那種東西，如非腦筋清楚，而加以細心分析，是不容易明瞭的，所以有時候上課老師自己也會搞迷糊，雖然如此，他也很耐心將它弄明白再講解，因此往往一個圖形要費很多的時間才能說完。但可惜的很，他却來碰到我們這批大笨蛋，每次一堂課下來，總是有三分之二強的同學不懂，而另外少數聽懂的同學雖然頭腦比較靈活些，但被老師叫起來多問兩句也是「莫宰羊」—眞是「莫法度」。限於時間關係，老師不能多講，只好讓同學自己去摸索，互相研究，因而讀起來很吃力，除此之外大部分還應付得了。下次再談，謹此候安！

兒某某上

喬治桑外傳

三九　張大萬

「哈哈，你眞是「來富」，喬治桑輸得走油，你一進門，他就和出伞帶六。」郝隆昂向古有方開玩笑。

「喂，有方兄，你來算算這付牌幾番？」喬治桑問古有方，多少含有自鳴得意的味道。

「一摸四，平平，斷斷，獨獨，滿園花加十獎。滿園花算幾和？」古有方是麻將會計專家，立刻算了出來。

「算八千和。」喬治桑答。

「那是一萬八千和。」古有方提出了結論。

一萬八千和，每家三萬六千和，外加四百元的跑子，共三萬六千四百元。這一付牌，喬治桑除了將已輸的撈回，還反贏兩萬餘元。

喬治桑將籌碼理齊，便向在座的牌友拱拱手。

「對不起，我因有要緊的約會，先走一步，請古先生代玩下去。」

古有方坐下來，自有郝隆昂替他介紹給周李兩位。老周，老李只要有牌打，不大挑選搭子，何況在郝隆昂家，更不必表意見。

古有方入局，喬治桑告退。牌戰繼續進行，他在第二副便出統郝隆昂一副全代公，五門齊。之後，又接連放了幾個統，都是郝隆昂和出的。

「有方兄，你上來一牌不和，專放銃，怎樣向桑博士交代？」海龍王其辭若有憾焉，其實乃竊喜之。

「手氣不好，沒有辦法，萬一輸了就算我的好了。」古有方派頭很大。

老周，老李覺得換上來的古先生打牌比桑博爽快得多。

「打牌換上換下很不好，古先生打下去好了，桑博士就算再來也不換手了。」周玉君說。

郝家的牌局，自喬治桑走後，風浪奇大。十二圈打完，郝隆昂變成大贏家，古有方反輸一萬餘元，老周老李二人輸的錢差不多將近二十萬元。暫停，共進晚餐。

「麻將打不過你，還是你一吃三。」老周端起白蘭地酒杯喝了一口說。

「還早呢，牌才打了一半，輸贏那能算數？」郝隆昂說。

「乾爹，你又贏錢了？等一會給我吃紅。」唐珊珊替郝隆昂斟酒，順便又再伸手。

「打完了再說，尤香，杜梅子都走了？」

「她們都走了，只有我一個人在等着吃紅。」珊珊答。

「今天我們是替唐小姐賀生日的，你贏錢至少應分給她一半。」老李說。

「我們父女不分家，用不着你嚕囌。」郝隆昂人逢喜氣精神爽，喝了酒紅光滿面。

「舐犢情深，隆昂兄，你有沒有舐過唐小姐？」周玉君的話中有刺，十分尖刻。

「舐過怎樣？不舐過又怎樣？你不要亂話三千，當心我掀你的底牌。」郝隆昂立刻反攻。

重訂三字經

章炳麟

大學之牘

人之初，性本善，性相近，習相遠。
苟不教，性乃遷，教之道，貴以專。
昔孟母，擇鄰處，子不學，斷機杼。
荀季和，有義方，教八子，名俱揚。
養不教，父之過，教不嚴，師之惰。
子不學，非所宜，幼不學，老何爲。
玉不琢，不成器，人不學，不知義。
爲人子，方少時，親師友，習禮義。
香九齡，能溫席，孝於親，所當執。
融四歲，能讓梨，弟於長，宜先知。
首孝弟，次見聞，知某數，識某文。
一而十，十而百，百而千，千而萬。
三才者，天地人；三光者，日月星。
三綱者，君臣義，父子親，夫婦順。
曰春夏，曰秋冬，此四時，運不窮。
曰南北，曰西東，此四方，應乎中。
曰水火，木金土，此五行，本乎數。
十干者，甲至癸，十二支，子至亥。
曰黃道，日所躔，曰赤道，當中權。
赤道下，溫暖極，我中華，在東北。
寒燠均，霜露改，右高原，左大海。
曰江河，曰淮濟，此四瀆，水之紀。
曰岱華，嵩恒衡，此五嶽，山之名。
古九州，今改制，稱行省，院轄市。
曰士農，曰工商，此四民，國之良。
醫卜相，皆方技，星堪輿，小道泥。
此所生，有草木，此植物，遍水陸。
有蟲魚，有鳥獸，此動物，能飛走。
稻粱菽，麥黍稷，此六穀，人所食。
馬牛羊，雞犬豕，此六畜，人所飼。
曰喜怒，曰哀懼，愛惡欲，七情具。
曰仁義，禮智信，此五常，不容紊。
青赤黃，及白黑，此五色，目所識。
酸甘苦，及辛鹹，此五味，口所含。
羶焦香，及腥朽，此五臭，鼻所嗅。
宮商角，及徵羽，此五音，耳所取。
匏土革，木石金，與絲竹，乃八音。
曰平上，曰去入，此四聲，宜調叶。
九族者，序宗親，高曾祖，父而身。
身而子，子而孫，自子孫，至曾玄。
五倫者，始夫婦，父子先，君臣後。
次兄弟，次朋友，當順敘，勿違負。
有伯叔，有舅甥，婿婦翁，三黨名。
斬齊衰，大小功，至緦麻，五服終。
凡訓蒙，須講究，詳訓詁，明句讀。
禮樂射，御書數，古六藝，今不具。
惟書學，人共遵，既識字，講說文。
有古文，大小篆，隸書經，不可亂。
若廣學，懼其繁，但略說，能知源。
爲學者，必有初，小學終，至四書。
論語者，二十篇，羣弟子，記善言。
孟子者，七篇是，辨王霸，說仁義。
中庸者，子思筆，中不偏，庸不易。
大學者，學之程，自修齊，至治平。
此二篇，在禮記，今單行，本元晦。
四書通，孝經熟，如六經，始可讀。
六經者，統儒術，文周作，孔子述。
易詩書，禮春秋，樂經亡，餘可求。
有連山，有歸藏，有周易，三易詳。
有典謨，有訓誥，有誓命，書之奧。
有國風，有雅頌，號四詩，當諷詠。
周禮者，著六官，儀禮者，十七篇。
大小戴，集禮記，述聖言，禮法備。
王迹熄，春秋作，寓褒貶，別善惡。
三傳者，有公羊，有左氏，有穀梁。
爾雅者，善辨言，求經訓，此莫先。
注疏備，十三經，惟大戴，疏未成。
左傳外，有國語，合羣經，數十五。
經既明，方讀子，撮其要，記其事。
古九流，多亡佚，取五種，備文質。
五子者，有荀揚，文中子，及老莊。
經子通，讀諸史，考世系，知終始。

（上）

三百年前一位青年抗戰的民族文藝家——夏完淳（五）

·汪辟疆

四、夏完淳的文學

文學到了明代的末年，的確是露了一種蓬蓬勃勃的新氣象。後古派和公安竟陵派，到了崇禎時，都漸漸消沉下去。這時期的詩文作家，各有自闢門戶的趨向，而且派別分歧，各不相下。我們只打開這時期的作家專集一看，隨時可以發現了不少的希語。但是有一句話要記着，詩文到了六朝三唐以後，要想自成派別，確實很難。這裏所說的新趨向，也不過把宗尚前人的風氣，畧換一下，結果是脫離不了六朝三唐的窠臼。我們衡量唐朝後的文學，只問其有用和無用，有我和無我。文學的反應，是要有用；文學的內質是要有我；有用就不會言之無物；有我便不會模擬他人。批評文學家，只要把持這樣一個水準，自然沒有什麼派別意氣的爭執。明末文學風氣，是承受六朝三唐的遺產，嘉隆七子是如此，啓禎也是如此。七子摹仿古人，只求字句和體製的逼肖，有時忘記了自己。末流的弊病，竟至生吞活剝，把古人的詞句，好像用集字集句的方法，一齊搬入自己文章上去，他們反對「我某篇非某人不作」又武斷「這幾篇擬之某人集中，可以亂楮葉」這些話，就顯然是暴露他弱點。崇禎朝文家如李世熊、黃道周、高古從秦漢得來；詩家如陳子龍、顧炎武、沈歷從三唐得來。也不見得完全脫離了古人，但是他們都是自己的話，不是古人的話。這種新氣象，就是明末的文學勝過嘉隆七子的地方。

夏完淳師事陳子龍，他的文學，自然受了他不少的影響。陳氏年事較高，文學的組織，似乎較有變化，方面也多。完淳年歲僅僅有十七歲，才思雖然有餘，工力總難和陳氏抗行。

完淳駢文，承學六朝徐庾陳隋這一派，散文則介乎不駢不散之間，很像吳梅村。詩才亦有杜少陵李義山的餘格，有詞藻、有情韻、慷慨纏綿的作品，自然也有他自己的人格，要是嚴格的就詩論詩，固然不無可議，但我們欽仰他的人品，這些也可以不論。詞雖亦有纖約綺放兩種，不脫清初習氣。我早年從藝海珠塵內得讀夏內史集，讀至他十六歲時所作的大哀賦和獄中上母書遺夫人書這幾篇，有時熱血上湧，有時酸楚欲絕；不知不覺的使我對于這一位青年抗戰的文藝家，欽佩無已。大哀賦是做庾信的哀江南賦而作，全篇排論明代興亡，最爲工麗。朱彝尊爲絕作，足以和庾子山比美。姑節此數段在下面：

（未完）

官人列傳（廿六）

周燕謀

後漢富宦羣相

（一）侯覽豪奪致富

歷代富豪，要以由貪官致富者，居十之八九；此有史籍可按，勿假贅述。諸如貪贓枉法，搜括民財致富之流，本不勝列舉，政治史上，貪污納賄之官吏；而前代史家恒有貪人贓吏，其用意不過留惡名於千古，令後人鑒之，其用心亦甚良苦，不可厚非。

民富則國強，民貧則國弱；官富則國亂，官清則國安。此爲歷史一治一亂之定律。每一朝代之興亡，皆不出此種定律。讀史的最大作用是鑑往知來；但是歷史殷鑑昭昭在人耳目，而後代執政者却又往往踏前車之覆轍而不自知，寧可嘆歟！

後漢之亂，以至於滅亡，寔由於官富民窮所至。其間有幾個中朝的富宦，可以抹出來作爲代表。最著的就是所謂「十常侍」，這些中朝的宦者，是後漢斷送劉氏江山的主要份子，如侯覽、張讓、趙忠、夏惲、郭勝、孫璋、畢嵐、栗嵩、段珪、高望、張恭、韓悝、宋典等十二人，簡直就是一個宦官集團，一個貪污集團。當然貪官污吏尚不止此？其他如曹操的父親曹嵩，甚至於富有四海之內的皇帝，也收受賄賂，聚斂財寶。如此烏烟瘴氣，一塌糊塗的搞法，如果不亡，豈有天理！所以後漢之亡，沒有什麼値得嘆惜。因此曹操再如何的奸，也是好得不討厭，雖可愛。因爲他搞的總比後漢各代好得多。所以張氏弟兄說是「蒼天已死，黃天當立」，倒是不無道理。

侯覽是漢桓帝時山陽防東人，此人十足是一個心狠手黑的小人，卑鄙下流的「國蠹」。他身世怎樣出身，史籍不詳，初初爲桓帝中常侍，以佞獫獵得皇帝寵幸，「倚勢貪放，受納進遺，以巨萬計」。這一筆貪器帳記載詳析，可爲財證，亦可說是其「致富之道」。桓帝延熹中，連年征伐，朝廷府帑空虛，皇帝覺勵大臣解囊，要百官上稅。這個是開了一則前例，在官民都窮的時代，不失爲一個好辦法，可是官就可不得了，貪官便可以搜括的民財，用作升官之張本。侯覽便是其中一例。侯覽就納了縑五十匹，以誅外戚梁冀有功，進封高鄉侯。由此我們可推諸侯覽的身論到一個結論，此人也是賄賂而來的中官。侯覽與另一位宦官段珪，家都在濟陰，二人競營田宅，成爲當地巨豪大富。翻主惡僕，狼狽作惡，惡僕、賓客侵犯百姓，劫掠行旅，無惡不作。這也是其「致富之道」。濟北相滕延，有一股子硬派作風，他就不信邪，將侯、段二家惡僕劫掠者，逮捕斬首示衆，一傢伙殺了數十人，百姓稱快。

可是因此禍事也也就來了，侯覽、段珪聯合在皇帝面前誣奏一本，說濟北相滕延「坐殺無辜」，將之免官。因此一來，這二人更加大膽妄爲，毫無忌憚。

侯覽之兄侯參爲益州刺史，也是一個搜括的能手，人民富有者，便誣人以大逆，收入人罪，皆誅殺之，財物沒入私囊，前後累億計。太尉楊秉劾奏一本，帝命檻車徵侯參，在途中自殺。收載侯參金銀珠寶三百餘車，侯覽連坐免官，不久，又以賄賂復官。

建寧二年，侯覽喪母返鄉，大起塋塚。督郵張儉舉奏侯覽「貪侈奢縱」，前後請奪人宅三百八十一所，良田一百一十八頃，起築宅十有六區，皆有高樓池苑，堂閣相望，飾以綺畫丹漆之屬，制度重深，僭類宮省，又預作壽塚，石槨雙闕，高廡百尺。破人居室，發掘墳墓，搶奪良家婦女等十惡大罪，請誅之以謝國人。而侯覽神通廣大，竟能一手遮天，彈章不得上。張儉心有不甘，破侯覽家宅，沒收資財，以人證物證，再上奏章，又奏侯覽之母生日，交通賓客，干亂郡國。可惜這樣堂堂大罪的奏章，證據確鑿，又不得通天，皆因侯覽一干宦官集團，貪污集團，把持朝政，與皇帝被蒙。結果張儉反而被誣爲「鈎黨」，以及故長樂少府李膺，太僕杜密等，皆被誅滅。眞是沒有天理，沒有天理的。政權，豈能長久！侯覽反而獲得晉升，代曹節領長樂太僕。熹平元年，有司舉奏侯覽「專權驕奢」，策收印綬，侯覽自殺而死。而侯覽之富，其第宅可以居帝王，其塚可以葬帝王，作爲後來宏農王之所居，宏農王之所葬處，其貪歛致富亦可想而知。

董小宛苦戀冒辟疆

周遊子

十三，亂世鴛鴦（下）

名人情話

但是，由於逃難忍受顛簸之故，辟疆一病不起。在此逃難中，辟疆飲食起居之[illegible]，全靠小宛一人扶病侍候。因小宛日夜侍[illegible]，憔悴於辟疆[illegible]前，[illegible]，即披[illegible]，[illegible]；或撫其背，或衛其足，[illegible]，小宛侍之左右，凡辟疆[illegible]，小宛皆以身就之。[illegible]長夜，無形無聲，小宛皆存[illegible]，[illegible]藥，小宛日日交[illegible]，其至[illegible]、小宛皆以目[illegible]，調[illegible]色味，以[illegible]，小宛日食粗糲一餐，除[illegible]首之外，惟[illegible]之前，[illegible]曲說，以求辟疆破顏一笑。辟疆因病失常態，時發暴怒，詬罵交加，而小宛仍和顏悅色相報，小宛的這種委屈忍苦而事辟疆，雖古之烈女亦不如也！

經過了漫漫長夜的百五十天，小宛三年[illegible]之危疾。如此一百五十天的勞役，加上一物質的[illegible]乏，小宛已經瘦骨如柴，目睹及正[illegible]感交併，顧代小宛侍疾。小宛道：「我竭其心力，以[illegible]夫子，夫子生而妾死猶生也！若夫子不測，妾留此身將何以寄託！」當辟疆病危時，小宛著不捲，不驅蚊，徹夜坐於藥爐傍，侍辟疆於枕畔。五年以來，辟疆三次危疾，均賴小宛照料，其情其苦如此，古之烈女義婦，不之過也。

小宛由於勞累憂傷過渡，自己一病不起，月餘就香消玉殞了。臨死之時，遺言葬時不用一金一珠，手拉辟疆之手不脫。辟疆說：「竟合長恨再譜」。但玉環又何可及也？

小宛一風塵女子，見冒一睡傾心，費盡千辛萬苦，好事乃偕。一生苦戀，萬言難盡，事情人如父如長，萬苦不顧；做人接物，深明大義，實乃風塵中一奇女子也。小宛書法秀麗，初習鍾繇，旋改習曹娥，閨中史詩成帙，皆爲遺跡。後爲冒辟疆吟而傷感，因而焚之，後又悔其不該，是故除「奩豔」一書之外，餘皆不傳，享年僅二十八歲。

小宛死後，葬於「影梅庵」旁，張明弼爲小宛作傳，吳綺爲誄。小宛歸冒氏之後，所居名「豔月樓」，不是「影梅庵」。這可證明小宛並未入清宮被廷之說。如果讀者再一讀冒辟疆手撰的「影梅庵憶語」一書，那麼一切好事於造謠更加一播而光了。（全文完）

吳敬恒先生年譜（六〇）

陳凌海編撰　陳　洪校訂

適表姪陳清海赴穗，先生檢　國父與蔣總統中正等重要函札物件兩箱，囑其帶穗暫爲保管。陳清海又爲裝運重要資料五箱，一同攜穗。該項資料即現在存中國國民黨中央黨史史料編纂委員會者。二月初，局勢益緊，蔣總統中正派員勸先生至台灣休養。二月二十四日乃乘蔣總統中正專機美齡號飛抵台北。袁夫人與女公子芙仍留居上海，未同行。同機抵台者有：胡鐵銚（博淵）、內姨馬袁冰如、姨甥馬光顧及親友楊豐儲、儲福興等。台灣省政府主席陳誠（辭修）接待先生住於中山北路一段八十三巷七號寓所。先生藏書兩萬餘册暨六十年來完整無缺之親友函牘剪報百餘箱，除臨行前焚毀部份外，均未及攜出。又先生鬻書歷年所收潤例，爲數頗巨，估計約値三五千兩黃金。然先生不顧效法世俗之所爲，以之購買金鈔或實物，而將所得之款悉數存入銀行。抗戰勝利後，法幣與金圓券相繼貶値。迨先生抵台，所得之存款，在數字上堪稱龐大，然以當時金圓券折合新台幣僅値一百四十二元而已。此非先生之不善理財，實爲尊重國家幣制信用，忠貞愛國之又一表現也。先生抵台後，偶得所藏剪報函牘雜貼成册，名曰：「望鄉臺」。隨意翻閱自覺頗有價値，而對在滬焚毀之函牘深感婉惜也。先生遷居台灣後，對日式疊席房屋感覺方便，認爲合於老年人之居住，因而鮮再外出。三月，先生對陳誠召開全省行政會議，凡與會人員集中食宿一事，認此種方式，可省却招待之麻煩，値得提倡。先生始作說文篆形字圖片，準備託胡鐵銚帶美國精印。五月，上海國軍經過空前慘烈保衞戰，殲滅共匪十一萬人後，於二十七日自動撤退。六月一日，　蔣總統中正訪晤先生，垂詢對當前軍政問題意見，十四日，台灣省政府主席陳誠宣佈，台灣省幣制改革，原流通之老台幣，每四萬元兌換新台幣一元。二十一日，共匪在北平召開新政治協商會議，先生認共匪發動和平攻勢，係緩兵之計。六月二十四日，　蔣總統中正由大溪至台北主持之東南區軍事會議後，訪晤先生，就政治、經濟、外交等問題商談。

巨變歷險記

返津覆命（三四）

胡慶容

五代表是民國三十八年一月十三日晚上七點鐘返抵天津的。還是從林森門進來。這在天津是大消息。廣播之快，有出人意料者。沒有到達天津市議會之前，天津市議會已擠滿了人，裡裏外外，水洩不通，尤其市內外的新聞記者，無不爭先恐後，都想得到五代會談的消息，尤其是會談的結果。他們簡直像熱鍋上的螞蟻，到處找代表，到處向代表採訪。因爲得不到要領，就從代表的身上打主意。代表的言談舉止，儀態衣着……，無不在他們採訪之列。

他們在丁代表身上捕捉了幾個肥的大虱子，認爲是莫大的收穫。於是大肆宣傳，大加描寫。其實，虱子在華北，甚至在整個的大江以上，並算不了什麼，是一件很普通的事。因爲北方天寒，很少機會洗澡，身上髒，虱子就產生出來了。

會談的結果？天津林彪的兵撤不撤？天津之圍能不能解？又戰能不能停？停好久？……這都是市民們所最關懷的，也是他們所要知道的。但代表對於這幾點，總是守口如瓶，決不露出來。僅作了一份公報式的消息，交給各報記者參考。這份公報是市議會發佈的。他僅僅披露：（一）五代表已平安歸來，健康狀況甚爲良好，（二）五代表與林彪司令員曾有兩次的會議，都在很平靜的緊張的狀況下進行，（三）五代表曾提出撤軍、停戰，以事關重大，尚未得到結論，（四）林司令員很同情我天津市民一致的願望，答應儘速予以注意，務使天津市民的損失減少最低限度，（五）林司令員願與五代表，在四十八小時之內再度會議。新聞記者的頭腦是靈活的，得到這份公報，都一致的注意到這「四十八小時」等字眼。他們很快的意識到這「四十八小時」裡邊有很好的文章：是不是停戰的期間？是不是共產的哀的米敦書？是不是四十八小時過後，得不到滿意的答復時，戰爭又要開始？「四十八小時」同時也是各報的論文題目，社論題目。大家都在這四十八小時上多方揣測，街談巷議，茶餘酒後，更是以「四十八小時」爲資料，代表則堅持這四十八小時只是再談的期限，這與停戰無關，與撤軍無關。但代表無論怎樣解釋，也沒法解除大家對於四十八小時的重視。每談到這四十八小時，大家便有山雨欲來風滿樓之感。且看事實之演變。

台灣郵務有整頓的必要

○杜負翁○

閱二月五日，貴報第二版，載「郵誤引起閒話」一文，就余所知台灣郵務，可以說中國郵務，自前清創始，以迄於今，最近數年，爲「最不滿人意」時期，約舉數端，可見一斑。

（一）郵局以服務爲目的，郵務人員，對於顧客，不應持傲慢態度，目下除郵務總局，稍有禮貌外，其餘各地分支局，多沿日人習慣，視顧客爲亡國奴，（郵務人員，許多由日治時期養成，本性難移，若用日語，與之交涉，立見和顏悅色，便可證明。）

（二）變相加價，從表面觀之，從三十八年，政府遷台，以至目下，郵件加價，次數不多，其實近年以來，每將各種郵件重量減低，如印刷品，原定起碼三百公分，前年忽改爲二百五十公分之類，並不登報申明，僅在櫥窗外，貼一通告紙條，造成既成事實，人民無如之何。郵政儲金匯業局，對於手續費之增加，亦是不告而行。以前起碼手續費，僅有一角或二角，現今已漲至一元起碼。

（三）以前儲金營業時間，照常服務，雖星期日，可以提存。自上年起，忽然與郵局、銀行一致，星期日停止提存，事前且不通知客戶，以至所有客戶，無不空勞往返，怨聲載道。

（四）郵政辦公時間，爲上午八時開始，但匯款、提存部門，必九時開始，人民不便已甚，不知何故。

（五）余女服務香港，每月寄款來台，均交港郵保值掛號，余居台北新店，每月皆接新店通知，內云：「香港寄交台端航掛一件，似被拆損跡，請帶身份證及圖章，駕臨本局具領爲荷。」余居距新店甚遠，且須本人親往，種種查對身份證照片，種種爲難，及閱香港寄來之信，毫無被拆損跡，問其所以，彼亦不能解答，以不理了之。如此情形，月月皆然，不勝其煩，余乃見其主管，彼持一印成印刷品，以示余曰：「汝畏麻煩，可簽字於此單之上，則以後可送至居所，不必汝來本局矣。」余爲之欣然，及閱該刊物所印辭句，有「以後如有香港掛號信件，請逕送余址，設有遺失，信內附件，不須貴郵局賠償，此乃本人志願」云云：（大意如此）余爲之駭然，隨函香港吾女，以後改寄台北市友人轉交，至今仍然。

（六）余居近新店郵局第四分局，每寄保值掛號信件，在家寫好信封，至該局索取封條，加蓋印章，該局絕不許可，必在當時索取郵局信封，當時填寫，方能收受。台北郵政總局，以及其他各處分局，皆無「非用郵局信封不寄」之例，此又百思不得其解者。

（七）凡在景美、新店，寄出印刷品，如雜誌之類，非剪角不可，郵政總局，以及其他地方郵局皆不須剪角，余收各地及國外寄來書刊，皆未剪角，何以景美、新店獨異。

（八）每年新製郵票成套若干次，非購成套不售，內夾數十元一枚郵票，變像強迫購買，無異搾取集郵家金錢。其圖案，有時令人費解，如國際人權年，一元郵票，不知意義所在，又國際水文十年紀念郵票，右上角，有圓形紅色太陽，好似日本國徽，下有中華民國郵票六字，簡直不成話，有辱國體。

御廚談藪

鷄汁混蛋

▲林泉隱▼

將鷄蛋外殼微敲一小孔，倒出蛋清蛋黃，去黃用清，加濃鷄汁拌入，用筷子打甚久，使之鷄汁蛋清交溶，仍將注入蛋中，上用紙封好，飯鍋蒸熟，剝去外殼，就變成一個混蛋了。混蛋的味可按南北人自行酌量下料，朱元璋嗜契，御膳房而有此設計。（見中饋錄）

滄園秋涼（一四）

·文自粹·

那時省政府各廳設在黃田村。曲江、黃田村和夏壩恰像三個據點，各踞一角。用汽車由曲江到夏壩或黃田村，各約半小時以上。久經烽火，大家從鬧市逃難入山林，用不到躲避緊急警報，夜間可一安睡了，這安全感給人們一個最大的欣慰。

有一天，忽然聽到不遠處有人叫救命，年長的趕快開門出去，爬上高岡，看不見動靜。正要回家，聽到鄰村老百姓已在打鑼，一時趕去一問，原來有只大老虎下山傷人，一時人聲鼎沸。有小孩子早起的人家趕快清點人數。據說常送報的那個鄰村中學生，給老虎咬了。這個小孩家境清貧，刻苦努力，所以每早出來替銀行和訂戶送報，賺取費用。一聽是他給虎咬了，大家倍覺惋惜。他父母趕去現場，老虎給鑼聲一震，已經逃入附近大竹林，這個被咬少年頭部却已被咬了大半個，血漿流成一堆，無法救活了。鄰村有幾個獵戶，但竹林深密，面積廣達四五十畝，幾個人一起去，恐怕追不到老虎；分開圍剿，又怕力量單薄，爲虎所傷。正在徬徨無計，非獵戶來到，他們爲了大家幾千人的安全，非把這下山的猛獸除掉不可，讓我到前面打電話給行裡警衛隊調槍手來，請你們先看住虎蹤，不要讓牠消失。約莫一刻多鐘，警衛隊開來了三輛大卡車，載上三排人，另槍手機關槍俱全。臨時分配爲四隊，三位排長各帶一方面，另一方面由隊長和獵戶帶着。先看竹梢搖動處，知道老虎還在竹林裏，因爲林密，虎路蜿蜒都要壓到竹竿，所以老虎奔騰時，只見上面碧綠的梢葉兩邊分倒，像海邊二道怒濤，竹葉疊翠，間有新篁細嫩微黃，東倒西歪，煞是好看。也就因爲有這目標，一步槍機槍全跟着竹浪下面掃射。但見久久無效，老虎給槍聲一嚇，倒又跑到另外一所更大的竹林裡去了，我們進頭一所竹林去檢點，原來竹是富於彈性的，槍彈都給踏歪了：獵戶說：老虎背上的毛也很滑溜，槍彈很不易進去，警衛隊長和幾位排長一商量，知道單憑槍彈不成，又跑去打電話，再調來六十名士兵，帶了手榴彈；外面四方仍由四隊守着。非老虎出林，四隊不放槍，一免流彈不慎，傷及進林的弟兄。這纔轉趨沉靜的搏鬥，深入竹林的義勇軍找到老虎了，牠倒身躺着，許是林子密，不易全身舒展，又恐怕追蹤牠的人多，發覺牠就要迅捷奔逃，弟兄們距離牠五十碼左右，即不再進，取出手榴彈，從幾排竹林隙中拋向老虎的腹下。一時轟轟之聲震耳，竹竿有的連根拔起，老虎起來奔逃，丟手榴彈的又追着丟過去。許是腹部炸傷了，牠怒嘯着，衝出竹林，一跳就到山岡下，還沒等機槍掃射，牠躺倒了，滿地血跡斑爛。機槍手再掃射牠腹下，牠哀鳴了，刷起鋼鞭似的尾巴，小樹們給牠一括就連根飛掉了，最後虎頭也垂下了，眼睛閉了。獵戶說：老虎確實死了。幾位胆大的首先躡脚過去，聞不到呼吸的怒息，招招手，大家湊近，老虎肚皮下面炸得稀爛；肚腸流在岡上一大堆。

檸檬化痰又治壞血病

生活漫談

·馬騰雲·

檸檬含維生素C甚多，故可作爲製造維生素C的原料。人體內如缺乏了維生素C，就要發生壞血病；平常食物，若長期缺乏新鮮的蔬果，體內就缺乏維生素C，也會引起營養障礙症。香港小說家石冲（鍾情的賦友）即患此病而死。對這種病症，檸檬的鮮汁，有很好的治療作用，又可作爲抗壞血病的藥劑。牠的鮮果汁，含有多量檸檬酸及維生素C，還含有蔗糖與轉化糖等。檸檬酸汁，入到胃裡，有分解爲葡萄糖與果酸的作用。牠的皮，含有濃黃色而帶芳香味的揮發油，維生素C的含量亦多，醫藥上用於驅風及健胃劑，又作爲調味品及清涼飲料。夏日炎熱，出汗過多，維生素C的消耗亦跟之增加，食檸檬作爲補助亦是一種好辦法。牠的酸汁，既能增强消化，又可清理胃腸，使大便流通，對身體實在很有利的。日常食用的檸檬有兩種：一爲本省出產的，一爲外國來的西檸檬。若以檸檬酸含量而言，本地出產的比外來的多。中醫謂檸檬能下氣，除痰火，故常用以治痰多氣鬱的咳嗽病，又常用檸檬以治「心氣痛」。前清老一輩的人，每用西檸檬一個，灌入一些「鴉片烟泡」，由牠陰乾，收藏以備不時之急，凡遇「心氣痛」或胃痛症，則切兩片煮水飲，或刮一些細末冲水飲，能收到特效。這因爲檸檬本身已有止痛順氣的作用，而又加以「鴉片」的麻醉劑，是以「鴉片檸檬」能治「心氣痛」。民間早已認識。只可惜未領許可做成特效藥。檸檬還可以製成膏，作爲保護皮膚之用，對因日光曝曬皮膚紅赤發痛，可用檸檬膏調搽之。此膏能使人皮膚細膩滑嫩，故很多化粧品都加入檸檬的成份。往日女性，晚上每用鮮檸檬擠汁，混入一些蛋白，臨睡前塗在面上，長期使用，可保持面部的嫩白幼滑，不會現老。現在的醫藥，對檸檬含有維生素C的重視，他們認爲採用方便，內服後吸收亦易。有一位新聞界的朋友，身體本來不甚弱，後來因工作關係，長期到茶樓酒家吃飯，乃漸漸形成貧血現象，口腔牙肉腫爛滲血，脚腿頭着地則發痛，行動遲緩，常吐黃痰，呼吸不順。醫生說他患壞血病，命他每日用兩個檸檬搾取鮮汁，配糖冲水飲用，病果痊癒。原來缺乏維生素C的壞血病，用檸檬去治療是特效的。檸檬的葉，其效用與鮮果相同。民間又常用檸檬的葉作香料，多用在肉類上食用，也有良好的解毒功能。

今古齋誌異

義盜薛玉

常應芬

義盜薛玉，江南人，父爲名孝廉，飲酒罵座，爲仇家所殺，年十五歲，母又病故。薛玉痛父母之慘死，遂盡焚其所讀之書，隻身走燕、趙間，求名師學藝，以圖報仇。僕僕風塵，食風宿露，苦其心志，勞其筋骨，餓其體膚，一年艱辛，形銷骨立，窮疾交迫。某僧憐其孤苦，招之入寺，任洒掃，薛玉執行維謹。入夜輒在廡下石槽，出利刃磨之。某僧異而問道：「汝所磨利刃爲何？」薛玉以欲報父仇答之：「大仇不報，何爲人也，茫茫寰宇，誰能助我？」言訖，淚如泉湧。某僧尤憫其志。遂修箋推介於某大師。某大師善技擊，予往求之，可遂汝願。薛玉掩泣而別。既見大師，大師笑曰：「孺子何苦乃爾？老衲行將就木，吾乃方外之人，不問世間之事久矣。汝可速去！」薛玉聞言，不覺大慟，欲出利刃，意欲自戕。大師笑道：「老衲不開殺戒已三十年矣，豈能因汝子而開殺戒！孺子之事，當自己了斷。」於是命薛玉習技擊，五六年間，練得一身絕藝，百步之內，能殺虎豹猿猴，百發百中。一日別師下山，臨行時，師語薛玉道：「汝武功大成，江湖間恐無敵手，然幸勿亂殺人，以累老衲之羞。」薛玉拔劍斷手指一隻，以示不忘。

薛玉拜師下山三日，仇家全被薛玉斬除。自此之後，江湖罕見薛玉蹤跡。過了三年，有富豪，以奪女殺人，人民告入官府，官畏其勢，不能奈何。聞者髮指，不過旬日，而豪富忽然被人所殺。官府懸紮罪首，終年不獲。一日忽於道上見刀一柄，柄端有「薛氏玉印」，於是知爲薛玉所斬。由是義盜之名大噪。（完）

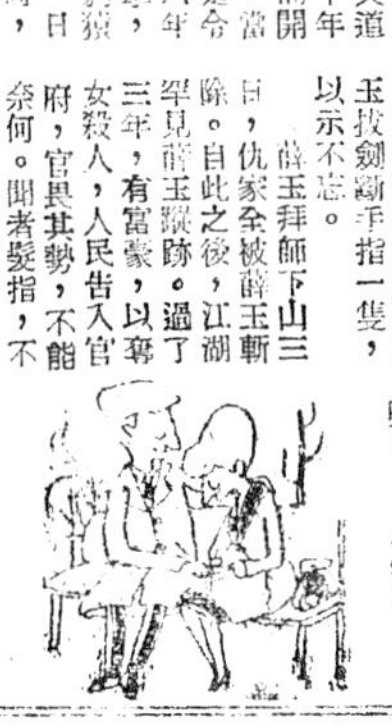

催眠術研究（三三）

四十五、不諾者之催眠法

鮑紹洲

還有催眠法是施行於不願催眠的人，如被術人敏感很鈍者，此法則很困難；若感受性敏感的人，則很容易催眠。但催眠之法，貴於敏感，如被術人不肯受術，此時若強令施行催眠，則被術人的精神充實其內，那便難以感受。如果行此法，則在被術人的精神引度之外，不令其抗拒，施術人俟其間隙而施行催眠，使被術不自覺而催眠，故可名此法爲「不諾催眠」法。

例如某少年有病，他的父親欲以催眠治他的病，某少年不肯，百般逃避。而施術人，以爲此病非催眠不可，此時則可施術。當被術人來到催眠室時，某少年欲逃避催眠，起身回家時，施術者僞令其去，等他將出催眠室時，施術人則忽然大聲一喝：「不能出去」，某少年被此一吼，忽然驚愕，回頭審視；就在此一剎那間，施術人又厲聲道：「你的身體已不能動了」，少年受此暗示，竟不能動，再則暗示道：「你已催眠了，必須聽我催眠，便成了眞催眠狀態。

中華民國五十八年四月十九日　THE FREE NEWS　星期六　第一版

自由報

中華民國內政部登記證內版警台報字第〇三一號
中華民國僑務委員會登記證僑社字第二二五號
中國郵政香港第一二八二號執照登記認為第一類新聞紙

（第九五〇期）

（小型週刊每星期三、六出版）
每份港幣壹角，台灣零售價新台幣式元
督印黃行　社長李運鵬
社址：香港九龍彌敦道593—601號廖創興銀行大廈八樓五座
LIU CHONG HING BUILDING
7th FLOOR FLAT 5
593—601 NATHAN ROAD,
KOWLOON, H.K.
TEL: K303831
電報掛號：7191
承印：景星印刷公司
地址：嘉咸街廿九號地下
台灣總管理處：台北市大同街119號
台灣區直接訂戶　台郵劃撥戶
第五〇五六號張萬有（自由報會計室）
電話：七一四〇三三、五五五三九五
台灣分社：台北市西寧南路110號二樓
電話：三三〇三四六，台郵劃撥戶九二五二樓

從讀書作文談到胡適博士
改良文學芻議（下）

。李漁叔。

此外還有許多十分低劣而含毒素的小說書刊，像毒蛇般毫無聲息地囓着他們的心靈。他們明知這些有害，也會批評，如像前些時自殺的首仙仙一樣。可是，他們除此以外，缺乏較高的精神食糧，他們無法擺脫那些枷鎖，會無法看懂前代優良的學術思想與文學著作，發生雍容涵泳，變化氣質的作用。

讀書，可以增益智慧，開拓胸襟，培養偉大而健全的人格，於人生極關重要，但決不可抱殘守闕，或固步自封，而是要放眼全局，博通中外。不通，本國的學術思想文章藝事，為成學立德的基礎，基礎不立，則在治何種學藝，皆屬徒勞。這是堂堂中華兒女們所應當確切體認的。我們絕不同意胡適博士否定全盤中國文化的看法，以為羣經子史，義理詞章考據之書，都是「說不出聽不懂的死文字。」只應當「與歐美各大學的拉丁文學，希臘文學佔同等的地位。」（見胡適文存第一集一一四頁）那是故意顛倒黑白，擬於不倫，蒙混人耳目的。因為拉丁希臘文並非英、法、德、意本國之物，故而這些國家建國後，都有了自家的文字文學，其捨棄希臘拉丁文自屬必然，亦全不相干。若我們中國則自始至終，只是這一種文字，行之數千年，根深蒂固，倘亦半途加以廢棄，則無異拔本塞源，自斷命脈。而況這些文字，即是全部高度文化精神之所寄，其中包涵往昔聖哲修、齊、治、平，成己成物，體用兼備之學，以及無數詞人墨客愜意稱心，富有出色之作。其精神思想、辭藻句調，永遠是活生生的，絕沒有死，也永遠不會死。至於那些白話語錄、小說等，與歷代文言典籍相較，在質與量上，都有着極大的差別和距離。尤其是那些白話小說，除小數較佳作品外，大部分集荒謬鄙劣之大成，不僅不能取代聖往哲大雅微言，甚至危害身心，貽青年以無窮之禍。

然而，我們並不必譴責過去胡適博士，以及五四運動前後許多位眞正愛國家愛民族的志士與學人們，他們在那時的偏激主張，不過為救時而發。他們反對當時腐敗的末流文學社會風氣，亦屬時勢之所必趨。不過稍嫌矯枉過正，到了今天，已經過時失效而已。我們現在同處於「復興中國文化運動」這一個偉大的目標下，為提高文學文字水準，重整固有道德，恢復民族信心，及培養領導人才計，我們殷誠希望政府當局將胡適博士那種偏激而失了時效的看法和主張，連根拋棄。另行延請學者專家重新考慮出一套切合中華民族文化，不偏不易的教育計劃，不再過份偏重白話，而加強青少對文言文閱讀與寫作的能力，使他們從頭認識中華文化眞正的內涵，進而迅速發揮其潛力，以挽回目前的頹勢，策效於方來。

至於作文方面，已是江河日下之勢，更屬顯然。有些人担心照此情形混下去，將來我國的知識份子，能不能寫出一篇通順的白話，亦有問題，推其原因，全係五十年來政府過份提倡白話文所致。文章的創作，應該以學問識見為主，而章法與辭句次之。而今知識的來源既斷，文章的義法與技巧等，又多屬茫昧無知，教者既無所指，學者更無所承。幼稚空疏，左支右絀，而徒然只在那幾句拙劣淺薄的白話中求通順，講文法，其不斂尋處體者幾希。

以下，擬談談胡適博士所著改良文學芻議中較重要的幾項。

最可商酌的是胡適博士反對中國傳統的「文以載道。」而另外主張「言之有物。」

「道」是什麼？我們不可把它看做神奇玄妙之物，但亦不可如陳獨秀錢玄同輩，把它看成死敵，「不能因為漢文不好，而是因為漢文所載的東西不好，所以要廢而滿之。」（參看胡適文存五五頁答任叔永一按語的附）儒以道為路，又與理同，遠的如周禮所謂德、行、道、藝之道，且不去管它。至孔子說明言道，大抵不外「忠恕」、「仁義」之類，最易了解。韓愈作原道篇更明白指出「仁義」即是道。[illegible]修也說：「道者仁義之謂。」曾鞏說：「道之大體非他，備於其身諸心，尤諸身，擴而被之國家天下而已。」這些話對道的體用，皆有所說明。至文章方面，如蘇軾說：「我所為文，必與道俱。」與司馬光的：「君子有文以明道。」周敦頤的：「文所以載道也。」等，精神旨趣是一樣的。如果我們不反對我們祖先所遺留下的倫理觀念，不反對仁、義、忠、恕等等美德，就得承認這代表中華民族優良傳統精神的所謂「道」的存在。這就是中國正宗文人，所共同遵守的一個原則，凡是所為文章，大致以此為準。

胡適博士首先把這種根本精神揚棄，而代之以一個「物」，物的解釋，則是情感和思想。他以為情感就是文學的靈魂，沒有情感就沒有文學，那自然是對的，但情感之於人，即為喜怒哀樂，這類情感的發動，雖不宜勉強壓抑，流於詐偽，但大體上，必須有禮義以為之節制，才不會過分狎放，氾濫成災。倘若放棄那些原本道德觀念的所謂理智，而一任情感主事，則人慾戰勝天理，其流弊將不可勝言。至就思想言：亦自有其正反的各一面。例如繼承中國堯、舜、禹、湯、文、武、周、孔正統的　國父思想，總統言論，所發揮的仁民愛物，親愛仁誠之道是思想的表現；而主張放棄中國傳統文化精神，提倡全盤西化，也是思想的表現；即令最醜惡的唯物史觀、共產主義，以仇恨殘殺、清算鬥爭為手段的，也是思想的表現。思想如果缺乏正確性，缺乏道德中心，則見地、識力、思想，倒皆足以為濟惡之具。因為這些見地、識力、思想皆是畸形的、反常的。如果以此之「物」施之於人，施之於文，必至大大地發生偏差，甚且流為放僻邪侈，不可收拾。

其次，還可以一談的，就是「不摹倣古人。」和「須講文法。」兩項。

胡適博士自然算得是「白話文學」或「革命文學」的大師，但他對於中國文學，却沒有甚麼深到的造詣，所以一涉及中國文學術析，其見解多陷錯誤。我們知道，中國的學術思想、文章藝事，有一定的規範，只有合理的遞次的前進，而沒有革命式的推翻（八股文試帖詩係自然淘汰）。例如詩的五言變為七言，古詩變為近體，又變為詞、為曲，而「能變」與「所變」，均有其生命之存在，亦均有其因變摹倣之迹，等到另成一格後，精神面目，又全不相同。我們不能以唐詩宋詞代興，遂謂三都兩京之賦皆成糟粕。猶如「唐人不作商周之詩，宋人不作相如、子雲之賦。」而唐宋人的詩賦，其淵源所自，絕非與商、周，相如、子雲全不相關。韓愈是一個主張「文必己出」的人，但儘管思想、精神是自己的，而其體貌始終脫不了左丘明、司馬遷等那一套。如果說文章藝事，完全放棄摹倣，毫無憑藉，全出心裁，將會文不成文、字不成字。

講到文法的結構，在初學作文時，必須加以講求。等到文字眞正通順了，即會左右逢源，而不必斤斤於是，如果過分拘泥文法，文章反會不通。因為文法之論越多，文學亦將愈機械而無生氣。以現在最流行的白話文而論，所作的句子，大部分是十分累贅，而缺乏美感的。他們大概是只注意到文法，而不敢多事洗鍊，或必須特別遷就「國語的文學」，以求文法與句法的相符。例如陳源所作的「玄思」（國民中學國文第二冊）文中，有下列三句：

「淚也便湧到眼眶裡了。」

「把我的眼淚都抑止不住的叫出來了。」

「我的眼淚眞要奪眶而出了。」

都是通的，也都是合文法的，但看了實在使人心煩。假如能減少一兩處，或改用文言的「淚珠承睫」「淚涔涔下」等，或許會好一些。還有孫福熙的「初夏的庭院」（同上國文二冊）文中，有一句是：

「我這樣仔仔細細的觀察了一會兒院子裏的景物，便又回頭去二百五十加三千四百的撥動算盤珠……。」

句子裡面的數字作何解釋，為何單取這兩個數目，好像活畫出一個「冬烘」先生自鳴白話的醜口，實在使人不知所云。這樣：文法是講了，而文章也就注定了「江河日下」的命運。（完）

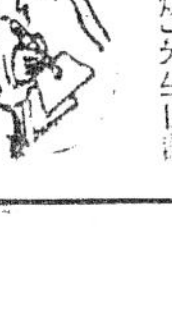

昨日與明日

十三太保說起

·何中庸·

毛澤東的小圈圈，越縮越小，縮到目前為止，只有十三個人了，共黨同志稱他們為十三太保。

我們對這十三太保加以分析，汪東興和康生是毛澤東的特務頭子，江青是毛澤東的老婆，陳伯達是毛澤東的軍師，姚文元是毛澤東的文化打手，張春橋，謝富治是毛澤東的哼哈二將。溫玉成，吳法憲，黃永勝是林彪的家將，葉群是林彪的親密夫人。

毛澤東擁有這十三太保，將全黨權力集中在這夥人身上，迷信這十三個後進，勝過當年的劉少奇，鄧小平，周恩來，朱德，賀龍，劉伯誠，高崗等等老太保，照馬克思主義精華：「凡一件事物發展至其極，即被其自己含有之否定所否定。」老太保被否定固屬必經過程，現有的十三太保正順理成章的被「同志」在否定中，且一直要被否定下去，亦就是我們討毛救國把握所在。

能夠兩面作戰？

從毛澤東不理會華沙談判，和毛澤東調大軍到邊戍增防，與蘇俄衝突殺傷情形看來，毛澤東眞有不怕「新八國聯軍」的態勢，很像不惜對美蘇兩面作戰的樣子，站在一個中國人的立場，似乎值得驕傲。

但事實與理想往往相反，安內而復攘外，這是治國的一個鐵定原則。照大陸各地反毛農民活動的激烈，與毛林從紅衛兵發生的武鬥搏殺，瞬夕萬起，杭州人民廣場，「革命委員會」成立那天，槍響大作，溫州發電所和命難樹被反毛份子擲了很多枚炸彈，安徽，湖北，廣西，廣東鐵路交通經常中斷，政治上毛澤東是百孔千瘡，所謂一身都是紕漏，那裡還有可能有力量對外呢！

像一條眼睛蛇

今日毛共，很像一條眼睛蛇，眼睛的眶眶生得很大，恐怖猙獰，確有點嚇人。美國之急於華沙談判，加拿大，意大利像急色兒樣，欲和毛建交，殊不知眼睛蛇的黑眼睛並非兇器，其兇全靠一對毒牙，中國共產黨的毒牙早已拔掉。

比如以劉少奇為首的一支毒牙，迄今穩坐北京中共主席寶座，率領着鄧小平等好幾十個毛澤東當年的革命老伙伴和毛鬧着不共戴天的革命情緒。另一支以毛妻賀子珍為首，偕同中共開國「元勳」陳紹禹很多人，在莫斯科從事各種反毛運動，與大陸內外反毛力量相呼應，百足之蟲，死而不僵，遍體傷損的一條眼睛蛇政權，實在沒有甚麼值得可怕的。

自由談

談維護善良風俗

近來台灣報紙上，對於治安機關因取締民間違警行為而停止旅館營業若干天，或以查獲外國遊客宿娼而逮捕介紹者「黛娜夫人」等情況，陸續刊載，不厭其詳，從維護善良風俗的道理而言，似屬義所應爾。

可是，尚有更甚於此的傷風敗俗情事，如某某學院董事長因受不過家庭間的閒氣而自縊死亡，報紙上却很少紀述，社會人士的注意力，亦不若對「黛娜夫人」被捕問題之熱烈議論，這表示年來大家宣傳不已的復興中國文化精神，只是空口說白話，湊湊熱鬧而已。一個最高學府的女董事長，忽然自盡，而主持學院的人又是她的兒子，這項倫常慘劇，究竟如何釀成的，以視旅館侍應生之違警行為，嚴重十倍，能不特加注意研討，而漠然置之度外嗎？

中國文化是講究倫理的，對國家民族的忠心，必以對父母的孝思為基礎。堂堂最高學府的董事長乃以自殺聞，即或是神經失常所致，也應該問個清楚明白，纔是復興中國文化精神的應有之義，輿論界，但斤斤於為着遊客宿娼而處罰旅館主人，以及提拿介紹人等事，得無舍本逐末之嫌乎？

談到停止旅館營業若干天問題，似亦有商榷餘地。介紹流鶯給遊客尋樂的是旅館侍應生，而遊客并非個個皆觸犯了妨害風化罪，處罰侍應生或旅館主人，均無不可，停止旅館營業而使其所有旅客搬出，不特玉石俱焚，有失公道，亦侵害了旅客的居住自由權，這是不足為訓的。「法者，天下之平也」，漢代的司法官——廷尉——張釋之這句名言，允爲眞理，有如寶樹之長綠，談法治者，幸留意焉。

馮五先生

張君勱先生生平言行

·張健生·

中國民主社會黨將隨創黨人張君勱之去世而趨於式微。此間政壇人士咸認爲該黨已面臨「名存實亡」之階段，誠中華民國憲政史上重大的損失。

張君勱先生籍隸江蘇寶山，他對中華民國現在所行的憲法提供意見甚多，也是執筆起草人。先生對於他的憲法草案底稿之重要精神，有一段說明，其文有謂：

「此稿之立腳點在於調和中山先生五權憲法與世界民主憲法之根本原則；中山先生爲民國之創建人，其憲法要義自爲吾人所當尊重。然民主國憲法之根本要義，如人民監督政府之權，如政府對議會負責，既爲各國通行之制，吾國自不能自外」。

君勱先生在中華民國民主憲法十講序文有謂：

「我自青年時代即有志於制憲事業。留學日本時，讀威爾遜國家論，蒲萊士美國共和政治，陸克政府論，彌爾代議政治論，與安森之英國憲法及其慣例各書。迨於民初，國會或私人團體討論或擬訂憲草，我好與之往還，貢獻意見。他國新憲法制成之日，我每求先睹，譯而出之，供國人瀏覽。如蘇俄第一次憲法及德國威瑪憲法，皆由我介紹於國人。民七之際，上海有八國體國是會議，此會所草憲法，即爲我之底稿，嘗著國憲議一書以說明之，國民政府孫哲生先生議憲之日，屢邀參加，我則以基本條件不具辭之。抗戰之中，有所謂憲政期成會，憲政實施協進會，雖既往經驗之昭示，將爲有頭無尾之局，然以情勢難却，而厠身其中」。

君勱先生廿一歲（光緒卅二年）以江蘇省寶山縣公費留學日本稻田大學修政法，是年梁任公以戊戌政變，流亡海外，自美至日，倡導憲政，組政聞社，先生相見後，即爲其相從合作之一人，是爲從事政黨活動之始。四十七歲，即民國廿一年四月十六日，創立中國國家社會黨於北平，組再生社，發行「再生月刊」，並於再生月刊創刊號發表其主張。廿七年四月間，代表中國國家社會黨與中國國民黨總裁交換文件，支持抗戰，我國政黨共赴國難。自此始由秘密結社而成爲公開活動之政黨。三十年與青年黨及其他政團組民主同盟，旋於三十五年九月以該盟爲共黨滲透，違背組盟本旨，聲明退出。

更名爲中國民主社會黨

三十五年八月十五日，中國國家社會黨與在美國的中國民主憲政黨合併，更名爲中國民主社會黨，成立中央組織委員會，在全國代表大會未開會前綜理黨務，選舉張君勱先生爲主席。三十八年十月十六日，在香港召集民社黨中央常務委員會，檢討一切，當經議決繼續反共，並擁護政府反共及反攻大陸，此後主席不在台時，一切黨務概由中常會議辦理。其公忠體國、磊落光明，爲舉世欽仰。

因此，青年黨人朱文伯先生在自立晚報撰文「敬悼張君勱先生」，有謂：「君勱先生似較丁（文江）胡（適之）諸公稍勝一籌。丁（文江）先生可以在北洋軍人之下作官，可以爲浮言所惑而訪問蘇俄，可以在極權思想風行之時贊成獨裁專政。（筆者按：丁文江與朱文伯先生，均爲江蘇省泰興縣人，且有通家之好。）胡（適之）先生力倡言論自由，而本身不寫批評文章；主張有強有力的反對黨，而本身不參加政治組織；到了環境惡劣的時候，索性閉口不談政治。比起君勱先生那樣澹泊名利而始終堅守原則的殉道精神來，就不免遜色了。」

臨終不忘反攻大陸

朱先生的評語，朝野人士咸認爲係持平之論。君勱先生在臨終之前，「對於國事，時時提及光復大陸」；並云「光復大陸必須國內政治與國際外交同時加強。國內政治必須培養民主與法治；國際外交必須知己知彼，其對象必須政府與人民並重。」且強調：「東方國家對抗共產主義，必須每一國家以其固有之文化爲基礎，吸收西方思想與科學方法，融合而建一合於時代之新文化，以之薰陶人民，使其深信不疑，庶幾任何害國害民之主義不易侵入。若任令國民拋棄自身固有之文化，一味西化，則皮之不存，毛將焉附。在吾國，對於國學尤須注重；教法讀法均須改進，俾我國文學哲學之價值，可以普及于大家」。他認爲「中國數千年保持民族獨立，抵禦外來侵略，由於社會組織之穩固，而社會組織以家族組織爲核心。今日許多工業化城市化國家，發生家庭離散，子女奔放，青年人走入歧途，以致社會不寧，皆由家族倫常觀念之衰落。故吾國家民族組織之優點，必須發揚而光大之」。

君勱先生希望該黨人士「將他一生文字彙集編一文集」；希望「自由鐘」繼續出版，並望「蔣勻田君担任主編」；希望他「前年在新加坡演講社會主義」的演講稿，「在自由鐘分期登載」。此間該黨人士將盡力而爲之。

筆者與君勱先生無一面之緣，但因在其所領導之民社黨創辦之「民主中國」半月刊「賣文維生」，時逾兩年，如果說有淵源的話，僅此而已！

在民主政治中 質詢權極重要

喬一凡議論確不平凡

（本報記者劍聲台北通訊）行政院不尊重立法院的質詢案，致引起立委們的不滿，乃紛紛於立法院第四十三會期之「質詢期間」向嚴院長質詢。

立法委員按照憲法第五十七條規定向行政院長及行政院各部會首長行使質詢之權，而立法委員行使質詢權的程序，立法院議事規則第十二章著有明文，規定立法委員對於行政院之施政方針、施政報告或其他報告即席提出之質詢，被質詢人行政院長或行政院各部會首長應於每一質詢後即時答覆。但經質詢人同意，得於十日內以口頭或書面答覆。除前述之即席口頭質詢外，立法委員得以書面質詢列入立法院議事日程報告事項，由立法院院長移送被質詢人之行政院。被質詢人應於收到前項質詢後十日內，將書面答覆送由立法院院長轉知質詢人，並列入議事日程報告事項。

儘管法律如此明文規定，但行政院並未[illegible]到完全遵照規定。

立法委員徐中齊於質詢時說：「我於五十七年九月十日，爲行政與司法機關人員破壞耕者有其田國策向貴院長提出質詢，時逾半載，迄未見答覆，不知是何緣故」？

立法委員徐漢豪於去年十月十五日質詢中國文化學院私創「哲士」，由於教育部答覆「語焉不詳」，爲此，徐委員「爲維護國家法令尊嚴及教育制度，不能不再提出質詢」。

立法委員喬一凡於質詢時，「首先談一談質詢方面的問題。本來質詢是民主政治很重要之一環，任何一個民主國家的國會主席，沒有對議員之發言加以干涉，除非發言的議員有擾亂會場秩序時，主席才可以擊敲其權錘，否則，即使議員的發言直到深夜，也不受任何限制。比方本席現在發言，如果要講到夜晚，其他的委員可以離開會場，主席與行政院長不能離席，一定要聽本席講話。」

立委侃侃而言 何奈一錘禁聲

這曾任全國教育學術團體聯合會理事的江蘇籍委員，他抨擊：「現在立法院限制各委員發言時間，是民主政治的一種恥辱，立法院與行政院之間，應該相互切磋，研究得失，俾能開啓國運。然而當前局勢，非常可慮，我們在可慮當中，立法院同仁有這許多智者，有這許多人才，我相信在行政院中是找不出來的。

同時，立法院同仁所聽到的輿論，行政院各首長不一定會聽到。現在立法院同仁，正當發表有思想之言論時，何妨多聽一下，以幫助國運之推進；然而不此之圖，竟然對各同仁之發言時間，自加限制，甚至於宣讀委員書面質詢時，宣讀一半，即停止宣讀，請問，似此半途而廢，紀錄是如何作法？院會的紀錄，是不是就只記一半呢？再說，一個人的講話，其最重要之點，往往多在最後之結論，試問，結論沒有說出來，行政院如何了解委員質詢的要旨？現在，有的同仁多講一、二分鐘，台前的綠燈馬上就亮起來，接着鈴也響了，使講的人心中不安，這種方式，實在有檢討之必要。假如在此時，有外國友人或外國記者來旁聽參觀，對於這種情形也會發生懷疑。」

行政院長嚴家淦對這位有同鄉之誼的長者的「指教與直言」，非常的欽佩和感謝。

嚴院長答詢謂：「我們兩院之間，正如喬委員所講的，應該有更多的連繫，雖然有時見仁見智，見解未盡相同，即使見解不同，也應該直言不諱，如果能夠相互規勸，一定會使政治更上軌道。喬委員提到質詢方式，這是貴院所決定的事情，行政院覺得能與貴院委員多一點時間在一起，聽到各位委員更多的指教，當然更好；就是在開會時間以外，各位如能經常給予指教，也非常歡迎。」

政壇人士認爲喬一老的質詢，是不平凡的。

瀛海秋年（三）

萬姬（東陶）（上）

·林公偉·

來時秋雨滿江樓，歸日春風度客舟。
回首荊南天一角，月明吹笛下揚州。
宋人絕句

吾友南海李瘦鵑，翩翩年少，少擅風流，壯歲來台，爲某公主翰墨。公餘喜度曲，繞樑三日，聆者咸以多之。前歲爲宣揚吾華文化，組團應西貢僑領之聘，飛往公演一個月。觀者萬人空巷，以該團服裝道具，全由香港新訂製來，文武場亦皆一時之選。首晚李君任鳳儀亭呂布，唱腔宛轉，出谷鶯聲；而投手騰足，饒有英氣，每一段落，掌聲如雷。及午夜卸裝，忽有雛鬟叩門，操南海方言，云聞團主降臨，敝女主人亦南海李姓，與團主爲兄妹行，已屆車門口，切企一晤，蓬篳生輝。李君一再道謝，云俟改日再登堂奉候，雛鬟堅不空回，云即事忙，稍用茶點再回寓處，有何不可？原聘公演之代表潘君適來寒暄，亦勸李君一行，藉增僑界交誼，李君始勉隨鬟行。及出門，果有一高級轎車肅候，登車疾馳，至郊外社區，華邸連雲，殆爲富商貴人住宅。至一花園別墅，開門駛入，綠草如茵，列炬勝晝。女主人聞聲出迎，風鬟霧鬢，始二十餘歲，共入客廳，酒點紛陳，主人自言幼隨父來西貢，已嫁一富商，商戀法國女人，棄產赴歐，主人自詡頗高，追逐者雖如蟻附，不屑顧也。李君唯唯，以明日仍須登台，稍坐即辭，主人堅請小飲，李君爲欲早回旅館，勉吸一小盃，即握手道別。自是李姬每演必定前席，風雨不改，李君亦雅感之。將旬日，姬以柬請餐敘，時間約定爲演畢卸裝後，李君不忍峻拒，依時赴約，山珍海錯，而席僅設二人，主人亦嫻粵曲，以是談吐之間，不虞冷澀。李君本不善飲，終席醺然，不覺沉沉睡去，遂與姬結霧水姻緣。自是每夕演畢，即車馳別墅，不再與同人共止旅社矣。一月公演畢期，以觀衆佳評如潮，僑界續挽一月，瘦鵑既樂不思蜀，亦盼羈旅之日長。二期演畢，全團遄歸，團主不得不借行，李姬願結束越居，一同返國，瘦鵑在台固有妻室子女，力勸止之，約到台安排，定期迎聚。

喬治桑外傳 四

張大萬

古有方坐在餐桌上低頭吃飯，不多說話，很斯文的樣子。

大凡打牌的人吃飯速度必快，所以不一會兒大家已經吃完。

古有方利用洗手的機會向郝隆昂低低的說：

「讓你贏好了，一切聽你吩咐。」

「四六拆賬，我六你四。」

古郝兩人說話簡短，外人莫測高深。

晚餐以後，郝隆昂手風更旺，幾乎予取予求，他拼命做大牌，做得太明顯了，大家戒嚴，偏偏能夠自摸。只殺得周李二將汗流浹背，倒是古有方羽扇綸巾，大有滿不在乎之態。

一點鐘左右，牌局散場，老周，老李開出支票，古有方如數付出美金。老周，老李暗想：姓古的倒是硬裡子，輸了錢一點不含糊。

郝隆昂留牌友宵夜，周李兩位，因爲吃不下東西，先告辭了，古有方留下來。

郝隆昂暗暗塞了一叠美金支票給古有方，古有方也不點數便收了進去。

「喬治那邊歸你。」郝隆昂說：

「我明天會去見桑博士。」

古有方匆匆吃了兩碗粥，向郝隆昂告辭。古有方走後，唐珊珊還沒有走，大概要替乾爹盡一份孝心。按中國古時，孝子孝女都以親生骨肉居多，現在乾女兒，乾兒子，比親生骨肉的關係更密切，這是工業社會的一種新奇現象，大家司空見慣，也就不以爲怪了。

唐珊珊做生日，海龍王收穫最大，古有方次之，喬治桑又次之。倒霉的是周李二家，好在鈔票，銀子也帶不進棺材，千金散盡還復來，會賺大錢的，根本不在乎。

郝隆昂家牌局已散，兩輸兩贏並未爆出冷門，在台北比較有身份的人，偶爾逢場作興，對於輸贏向來諱莫如深，因此，郝古二家究竟斬獲多少？局外人是無法打聽的。

這有點像「三叉口」這齣武戲，摸黑打門，一不留心便會着了道兒。這且不表，當郝家雀戰方酣，喬治桑的夜晚活動多采多姿仍有一述的價值。

喬治桑是藉故退席的，他根本甚麼鳥事也沒有，不過鑒於兵兇戰危，不敢戀戰而已。他出了郝府大門，夕陽西下，玉兎未升，天畔抹着絢麗的晚霞，倒像一幅精緻的水彩畫，使人心曠神怡。喬治桑心裡暗想，他交給古有方的籌碼，略有盈餘，趁機告退面子裏子都有，即使古有方陣上失風，也不會再讓他破鈔，至於送給唐珊珊的壽禮，與一般紅包炸彈的普通應酬不同，因爲郝隆昂是工商界遮奢人物，與他進一層拉上交情，絕不會吃虧。喬治桑的心情愉快，步履也就顯得輕鬆起來。

「塔克西。」喬治桑在呼喚計程車。

「到林森北路。」上了車，喬治桑吩咐司機。

自從喬治桑與雅麗絲李吃飯跳舞後，感情激增，一有空便趕回家，他覺得在家裏和雅麗絲聊聊閒天，比甚麼都美，而且省錢。

「雅麗絲，我回家了。」喬治桑一進門便用英文報門而進。

「今天爲甚麼回來這樣早？」雅麗絲穿了一件花綢襯衫，紅色西裝褲，薄施脂粉，別有一種韻味。

「在郝家打了八圈麻將，沒有甚麼輸贏，便讓別的客人接下去打了。」喬治桑一面坐進沙發椅，一面回答雅麗絲。

「雅麗絲，今晚家裏有甚麼吃的？」

「我不知道你會回來吃飯，我只做了一份三明治當晚飯，你想吃甚麼……」

「不用忙了，我也吃不下，妳替我也做一份三明治好了。」

原來桑府上是完全西化的，平時吃飯很簡單，比咱們中國人大戶人家吃飯講究兩葷兩素一湯的便飯，確實省事得多。

三百年前一位青年抗戰的民族文藝家—夏完淳（六）

·汪辟疆·

粵以乙酉之年，壬午之月，玉鼎再虧，金陵不復。公私傾覆，天地崩離。託命牛衣，巢居蝸室，弔東華之翠華，蒙塵枳道；望北來之浴鐵，飲馬姑蘇，申胥之七日倚牆，秦庭何在；墨允之三年采蕨，周粟難餐。黃農虞夏，遐哉尚矣之鄉；南北東西，渺矣容身之所。在昔士衡有辨亡之文；孝穆有歸梁之札；客兒飲恨於帝秦；子山傷心於哀亂。咸悲家國，並見詞章。余始成童，便膺多難。揭竿報國，束髮從軍。朱雀樓船，蕭蕭長往；黃龍戰艦，茫茫不歸。兩鎮喪師，孤城潰版，三軍魚腹；雲橫歇浦之帆；一水狼烟，風動秦房之火。我行星散，幕府飈離。長劍短衣，未識從軍之樂；青燐蔓草，先悲行路之難。故國云亡，舊鄉已破。先君絕命，哭纓房於九淵；慈母披緇，隔祇園於百里。羈孤薄命，漂泊無家。萬里風塵，志存復楚；三春壁壘，計失依劉。蜀帝子規，千山俱哭；吳江精衛，一水羣飛。哭海島之田橫，尚無其地；葬平陵之翟義，未有其人。天晦地冥，久同泉下；日暮途遠，何意人間。磨酒楚歌，何能安樂；吳歈越唱，祗令人悲。已矣何言，哀哉餘悼。聊爲此賦，以舒鬱懷。嗚呼！黃旗紫蓋，雪戟霜矛；何以南朝天子，竟投大將之戈；北地單于，遂繫降王之頸乎。此天時人事，可以痛心疾首者矣！國破家難，腐草木而無情；岳圮辰傾，睨山河而失色。勞者嘗以達其情，窮人歌以誌其事。追原禍始，幾及千言。寄愁心於詩酒，阮籍窮途；結豪士於屠龍，張良倉海。後有作者，其亦重悲余志也夫——大哀賦序

——這一篇大哀賦小序，不啻是完淳一生的自序。在地集內，尚有一篇土室餘論，自序生平所遭際，與此相同。但文詞工麗，實以此序爲最。其大哀賦中，述及揚州和南京失陷的一段，在今讀之，眞是字字血淚。

……於時清人河上之師，天寶通好之使，未許其冠帶春秋，遂至夫荊天地。屬國之旄節終留，庾開府之江關永棄，移貂帳之千里，逐龍駒之萬騎。投鞭則淮水不流，飲馬則長江無際。白羽死夫孔明，綠幘亡其道濟。嗟乎！揚州歌舞之場，雷塘羅綺之地。一旦烟空，千秋景異。馬嘶隋柳之風，鷹吐海門之氣。潮上廣陵而寂寞，枝發瓊花而憔悴。

……玄武湖邊，景陽宮裡，莫愁之歌舞何如？長樂之鐘聲已矣！斜陽歸而燕子秋飛，蔓草平而後湖月起。秦淮則一點青烟，桃葉則三聲漁市。蘗燕徧於故宮，莓苔碧於舊內。平康之絕巷鷄鳴，鍾嶺之空山鶴唳。風塵蕭索兮十二樓，烟雨淒迷兮四百寺，烏啼上苑之花，鵑噪孝園之樹。故老吞聲，行人隕涕。殷王子麥秀之歌，周大夫黍離之淚。天地何心，河山無罪。——摘錄大哀賦——

完淳以順治四年七月被逮，羈押在金陵皇城內之一內監宅中，在獄有八十幾天，到九月十九日殉難。他自被逮和在獄中，所作的詩文，後來有人收拾彙爲一集，名曰南冠草。在這一卷集內，幾至無一篇不工，字字眞摯，讀之令人淚下。畧存幾篇在下面：

拜辭家恭人

孤兒哭無淚，山鬼日爲鄰。古道麻衣客，空堂白髮親。循陔猶有夢，負米竟誰人。忠孝家門事，何須問此身。

寄內

憶昔結褵日，正當甲申時。門楣齊閥閱，花燭夾旌旗。問寢談忠孝，同袍學唱隨。九原應待汝，珍重腹中兒。

由丹陽入京

萬里河山拱舊京，楚囚西去淚如傾。斜風衰柳丹陽郭，細雨孤帆白下城。殘夢忽驚三殿報，新愁翻覺一身輕。從軍未遂平生志，遺恨千秋愧請纓。

御用監被鞫拜陵恭記

城上鍾山色，松杉落翠微。朝光羣鳥散，瞑色二龍飛。曉月沉銀海，金風翦玉衣。孤城瞻拜近，泉路奉恩輝。

西華門與同難諸公待鞫

同舟今日半南冠，魂斷雲山舊策壇。仁壽鏡移江月落，景陽鐘動曉風寒。誰將杯酒消秦獄，卻向欒頭識漢宮。相對銀鐺趨右掖，夢中猶作侍臣看。

完淳內史集中詩文，不少慷慨悲歌的作品，錄不勝錄。但是他就義的頭一天，有一篇「獄中上母書」，淒楚動人。他一生心迹志事，可以在此一篇書內，整個看出。我把牠介紹給讀者：

（未完）

名人情話

董小宛苦戀冒辟疆

十四，甲申之變（上）

周遊子

小宛實可謂是風塵中一奇女子。對外應酬接物，皆有大家風範。閨房異品，製作絕佳；廚下手段，亦高人一等，燒得一手好菜，而她自己飲食簡節，每飯以芥茶一小壺，佐以水菓香豉數莖粒便可一餐，辟疆飲食甚少，愛食香甜海錯風薰之味；又喜與賓客共賞。小宛深曉其意，儘量調其美潔，出佐盤盂。又能釀飴爲露，和以鹽梅；凡有色香花蕊，皆在初放的時候採摘漬之，可存一年，香味色澤不變，鮮紅如摘。花汁融液露中，入口噴鼻。奇香異豔，非復常有。最嬌者爲秋海棠露，海棠本來無香，此獨露凝香茂。乾菜，海味，火燒，油煎，以及各種美味，小宛都無一不精。又以慧巧變化爲之，莫不異妙。不可勝述。

甲申春三月，（清順治元年）李自成僭號，張獻忠入四川，三月李自成陷京師，崇禎帝崩於煤山，吳三桂乞師於清，多爾袞入關。天下鼎沸已極，人民飢饉，地方盜賊蜂起，辟疆同里三十餘家，只有冒家有炊烟。盜賊據縣官，聲言焚刼。冒家老弱避入郭外，小宛跟辟疆形影不離。準備應變。小宛將書畫文券，各分精粗，一並封識，分婢僕攜帶。盜賊四處殺掠，鄰人皆星散，勢難獨立，只得僱小舟一隻，冒氏全家開始流離生活。（未完）

大學尺牘

重·訂·三·字·經

章炳麟

自羲農，至黃帝，並頊，在世上。堯舜興，禪尊位，號唐虞，爲二帝。夏有禹，商有湯，周文武，稱三王。夏傳子，家天下，四百載，還夏社。湯伐夏，國號商，六百載，至紂亡。周武王，始誅紂，八百載，最長久。周共和，始紀年，歷宣幽，遂東還。周道衰，五綱墜，逞干戈，尙遊說。始春秋，終戰國，五霸強，七雄出。嬴秦氏，始兼并，傳二世，楚漢爭。

高祖興，漢業建，至孝平，王莽篡。光武興，爲東漢，四百年，終於獻。魏蜀吳，爭漢鼎，號三國，迄兩晉。宋齊繼，梁陳承，爲南朝，都金陵。北元魏，分東西，宇文周，與高齊。迨至隋，一土宇，不再傳，失統緒。唐高祖，起義師，除隋亂，創國基。二十傳，三百載，梁滅之，國乃改。梁唐晉，及漢周，稱五代，皆有由。趙宋興，受周禪，十八傳，南北混。遼與金，皆夷裔，元滅金，絕宋世。蒞中國，兼戎狄，九十年，返沙磧。太祖興，稱大明，紀洪武，都南京。迨成祖，遷宛平，十六世，至崇禎。權閹肆，流寇起，自成入，燬神器。清太祖，興遼東，金之後，受明封。

至世祖，乃大同，十二世，清祚終。凡正史，廿四部，益以清，成廿五。史雖繁，讀有次，史記一，漢書二。後漢三，國志四，此四史，最精緻。先四史，兼證經，參通鑑，約而精。歷代事，全在茲，載治亂，知興衰。讀史者，考實錄，通古今，若親目。漢賈董，及許鄭，皆經師，能述聖。宋周程，張朱陸，明王氏，皆道學。屈原賦，本風人，逮鄒枚，暨卿雲。韓與柳，並文雄，李與杜，爲詩宗。凡學者，宜兼通，翼聖教，振民風。口而誦，心而維，朝於斯，夕於斯。昔仲尼，師項橐，古聖賢，尙勤學。趙中令，讀魯論，彼旣仕，學且勤。披蒲編，削竹簡，彼無書，且知勉。頭懸梁，錐刺股，彼不教，自勤苦。如囊螢，如映雪，家雖貧，學不輟。如負薪，如掛角，身雖勞，猶苦卓。

蘇明允，二十七，始發憤，讀書籍。彼旣老，猶悔遲，爾小生，宜早思。若荀卿，年五十，遊稷下，習儒術。彼旣成，衆稱異，爾小生，宜立志。瑩八歲，能詠詩，泌七歲，能賦棋。彼穎悟，人稱奇，汝幼學，當效之。蔡文姬，能辨琴，謝道韞，能詠吟。彼女子，且聰敏，爾男子，當自警。彼雖幼，身已仕，爾幼學，勉而致。犬守夜，鷄司晨，苟不學，曷爲人。蠶吐絲，蜂釀蜜，人不學，不如物。幼習業，壯致身，上匡國，下利民。揚名聲，顯父母，光於前，裕於後。人遺子，金滿籯，我教子，惟一經。勤有功，戲無益，戒之哉，宜勉力。

（下）

（本書已由林尹、李漁叔兩先生注釋，並加國語注音，特印單行本出版）

雷震與自由中國

—當年內幕誰知道　一番往事話從頭—

王曰叟

（四）

由於胡適未能挺身而出組黨領導，于是這般知識份子的洪流，便呈現泛濫無歸的狀態，始而紛紛組合發表言論，立異標奇或是抨擊政府，繼而便在共黨統戰的運用下，相繼走到共黨的陣營，例如當時抨擊政府最犀利的一個刊物「新路」，便是北大法學院長周炳琳主辦，而寫文章的大將就是那天參加「市民治促進會」的活躍人物，又如一個以作家身份出現的天津實業家李燭塵，起先也是常常貼近胡適這般名流，並且常在大公報發表文章，後來失望之餘，也漸漸接近共黨而投共了，在這種大逆流下，除了少數眞正有思想，有見解的，仍能保持獨立自主的立場外，一般知識份子，無不捲入罵國靠共的邪流，至少也是意存觀望，不敢表示眞正的意思。

儘管演變不如理想，政府爭取知識份子合作的努力，仍未放鬆。後來戰局時勢，一天一天惡化，政府便計劃爭取深明大義，能與政府合作的教授到南方，至少也要使碩果僅存的反共教授，不要再到共黨的陣營，但這些教授「南」（當時流行的術語）後，如何安頓呢，于是政府負責人員便與胡適先生商定，由政府改組台灣大學，將這些南遷教授羣請到台大去充實台大當時甚爲空虛的陣營，可謂一舉兩得之策。商定後，另有一批老教授自抱學府，一意出掌台大，以負此重任，想請胡適先生推薦此事必須一位有魄力有擔當的人物才可勝任，因此一致認爲傅斯年先生最爲適合。這是在三十七年十一月底，十二月初的話，但那時傅斯年先生被任爲台灣大學校長時，大局已呈急轉直下，局勢混亂，面目全非，原來計劃至少可接出四百位教授的，結果連胡適在內，也不過接出二十來人而已。于是原來的計劃全成畫餅，到校辦事而已了。今天傅斯年先生逝世十多年了，台大前後的變遷也很大，無不對傅氏愛戴和懷念。但如何知道傅氏當年出長台大，這一段陰差陽錯的內幕呢

吳敬恒先生年譜（六一）

陳凌海編撰　陳洪校訂

先生雖已八五高齡，而談吐自若，對政治、經濟等問題，皆有深入之觀察研究。先生鑒於當前局勢之嚴重，建議蔣總統中正設置總裁辦公室，以黨領政。蔣總統中正接受先生之建議，遂決定總裁辦公室之設置。七月十六日，中國國民黨在廣州成立非常委員會，行使最高決策，通過扭轉時局方案。七月，爲中央日報譯載亞洲紅禍記撰序。八月五日，美國政府發表對華「白皮書」，此事件對我反共抗俄及民心士氣影響極大，先生發表沉痛感想，認爲美國此種措施，其主持者實缺乏遠慮，而有落井下石之嫌。十五日，台灣省實施「三七五」減租政策，爲我實行民生主義推進之又一步。九月二十七日，我國向聯合國大會提出控告「蘇俄違反中蘇友好條約侵華」案。十月一日，共匪在北平成立僞政府，蘇俄承認毛匪政權，我外交部聲明，對蘇俄斷絕邦交，蔣總統中正六秩晉三華誕，新生報請先生題：「百壽圖」。十一月十一日，蔣總統中正訪晤先生，先生對當時國內外時事之觀察，及英、美、蘇等國之政策與當前人才之選拔，就其觀察所及，曾向蔣總統中正有所直諫，又先生對蔣總統中正赴渝挽救危局一事，甚表贊成，惟謂蔣總統曰：「萬不可使李宗仁脫卸其政治上應負之責任，」先生老成謀國，實令人折服。十三日，蔣總統中正由台飛重慶，佈置軍事，李宗仁先滯桂林，旋潛赴香港逃美，棄政府於不顧，由行政院院長閻錫山（百川）暫代其職務。十一月，鈕永建（惕生）、王懋功（東城）、余井塘、朱佛定、洪鈞培、鈕長耀等爲收容在台江蘇子弟，發起創立強恕[illegible]中學，推請先生爲強恕中學董事長。

民國三十九年，庚寅（西曆一九五〇年）

先生八十六歲

一月，美國國務院表示有意放棄台灣，台報皆紛予駁正。二月，公子畔在美患中風，旋即痊癒。三月，中國國民黨蔣總裁中正順應輿情，經立法院提議，復執行總統職務。先生參與典禮，至爲愉快。蔣總統中正亦親訪先生，與之合影。春，應陳誠（辭修）請書自嚴聯，語曰：「艱難困苦不足以移其志，危懼震撼不足以動其心。」爲陳果夫著「回憶錄」撰序文。

台灣鐵路在第二次世銀貸款項下第一批採購普通客車第四批十輛於三月十七日運抵基隆港。圖爲該車起卸情形。

白果治淋定喘清濁

生活漫談

·馬騰雲·

白果，又名銀杏，鴨公孫樹科，落葉喬木，高達數丈，葉扁圓像鴨脚，夏開淡青色花，實如杏桃狀，相傳大禹會諸侯於塗山時，植有白果樹一株，迄仍未死，樹的久遠可以想像。

白果的肉含有蛋白質五、三，脂肪一．五，澱粉百分之六十八，灰份一．七五，糖百分之六。生的白果肉，有很好的利尿功用，但熟的果肉，尤其是煨熟它來吃，可以抑制排尿過多，這是白果肉生熟不同的正反功用。本草謂白果能斂肺，定痰喘，收濇，止帶濁，溫肺益氣，平咳嗽，縮小便，生食則降痰，消毒殺虫，一般用爲收斂鎮靜咳藥，可治頭暈，喘息，耳鳴，慢性淋濁及婦人下帶等病，製爲「油浸白果素」，可治肺結核，頗有治療功效。依據藥理學的分析，白果所含的「銀杏酸」，對分枝桿菌有抑制作用；但白果所含的「銀杏醇」、「銀杏分（西勞）酸」，於分枝桿菌有促其生長的作用。同是一種果肉，竟含有相反的兩種物質，難怪生用它則利尿，熟用之則又能抑制多尿。白果可治淋病，凡患「前尿道炎」的病者（即初起淋病），小便刺痛，短赤，濃濁，不妨用生白果數十粒，搗爛，加入一些砂糖冲滾水飲，飲後小便清純，刺痛減少，如病毒不深，也有飲用三數次而可以痊癒的。夏秋之間，天氣燥熱，胸中煩悶，面紅目赤，煮湯時可用白果肉，將它清煮甜食亦佳，食後燥氣清除，小便澈清，濕熱亦去，人體自感舒適。因它能清膀胱小腸之熱，心火燥盛亦能減低，胸中煩悶，自然可除。這是從「利」的方面利用白果。若從「斂」的利用白果，必須將白果通常煨熟，或用火煨熟然後去殼，這種白果，可以用作收斂劑，如痰多氣喘，小便多，這種白果肉配到藥劑裏，自然收到去痰定喘縮小便之效。民間有一條用白果肉治婦女濁帶的單方，是用白果肉四兩，放在鑊上炒之，炒至全粒三分二爲度，於是加入清水三大碗，適量冰糖，煎取一碗，乘熱食用，如能飲燒酒者，加入一些酒更佳。凡是長年累月，白帶長流，甚而小便微有刺痛者，用這個方治療很有效。民間又有用煨白果以治夜尿症，將白果原粒放在炭裡煨熟，食時乘熱，對止夜尿有卓效，名醫雜論謂煨食白果，孕婦食用可以安胎，並能治受孕期間的腹痛。生的白果肉性塞，身體虛弱的人勿多食，假如要食，以熟爲宜。男女下部不潔生出一種「八脚蚤」，奇癢難忍，可用水銀膏治，在鄉村沒有水銀膏的地方，多以生白果嚼碎塗搽，立可止癢，數次，「八脚蚤」自落，這可能是白果裡含有「銀杏分（西勞）酸」和一銀油的關係，只可惜我們祖先留下來的文化遺產——國藥，我們任其荒廢，太可惜了。

宦人列傳（廿七）

後漢富宦羣相

（二）張讓與趙忠（上）

周燕謀

張讓是穎川人，趙忠是安平人。兩個都是著名的宦官，少爲給事省中，桓帝時爲小黃門。後漢都是宦官與外戚的鬥爭史，一內一外，迭門不休。趙忠就以誅外戚梁冀有功，封都鄉侯，延熹八年，黜爲關中侯。靈帝時，張讓、趙忠同時做中常侍，皆封列侯，與曹節．王甫相爲狼狽奸，

曹節死後，趙忠領大長秋。張讓之家有監奴，爲之典任家事，交通貨賂，威形宣赫可知，富豪亦可想見。

時扶風富豪孟佗，家財鉅億，時與張讓監奴交通，傾竭饋問，無所遺愛，監奴甚受其惠。因問孟佗道：「君何所欲，惟力能所及者不辭。」孟佗道：「吾望汝曹爲我一拜耳！」時賓客求謁張讓，車馬數百輛，孟佗亦求謁張讓，因其後至不得進，於是監奴乃率諸倉頭迎拜於路，以當車載入門，衆賓客一見大驚，皆稱孟佗尤善於張讓，皆爭以珍玩賂遺孟佗，孟佗以之贈張讓，張讓大喜，遂使孟佗爲涼州刺史。一個中常侍，竟可使富翁一步登上刺史，其能指權亦可想而知。其讓其時皇帝公然賣官，恐亦由張讓所賄而來。

其時宦官中常侍共有十二人，皆爲列侯貴寵，父兄子弟布列州郡，所在貪殘，爲人蠹害，故弄到天下大亂，人民皆由是而起。所以黃巾乘勢一呼數十萬，或數百萬，造成天下鼎沸。郎中中山張鈞上書道：「竊推張角所以能興兵作亂，萬人所以樂附之者，其源皆由十常侍多放父兄子弟，婚親賓客，典據州郡，辜榷財利，侵掠百姓，百姓之冤，無所告訴，故謀議不軌，聚爲盜賊。宜斬十常侍，縣頭南郊，以謝百姓，又遣使者布告天下，可不須師旅，而大寇自消」。張鈞可算是一位直言之士，有血氣的男兒，使義直言，鞭辟入裡，一針見血之論。可是，任何人都想不到的，就是靈帝這位低能兒皇帝，他竟將張鈞的奏章給張讓看。張讓等十常侍皆免冠徒跣頓首，乞自致洛陽詔獄；並出家財，以助軍費。結果下詔時卻變了卦，皆冠履視事如故。靈帝反而對張鈞怒責道：「此眞狂子也！難道十常侍沒有一個好人麼？」張鈞再奏如故。但是再奏的本章就通不了天，被擱置了。有錢能買推磨鬼，張讓等十常侍握權，有財有勢，只要有賄賂，沒有不通之理，結果下詔廷尉御史考問張角徒衆者，御史受了張讓賄賂，反而誣奏張鈞私通黃巾，收掠死獄中。而張讓等才是眞正與黃巾勾結者。後來中常侍封諝、徐奉二人私通黃巾，事被人發覺，坐誅。靈帝因怒張讓道：「汝等常謂黨人欲爲不軌，皆令禁錮，或有伏誅，今黨人更爲國用，汝等反與張角私通，該不該殺頭？」張讓等十常侍皆叩頭道：「此事乃故十常侍王甫、侯覽所爲」。結果，就這樣矇過一頓算了。

御廚談藪

酒醃大蝦

▲林泉隱▼

大河蝦洗淨瀝乾，剪去鬚尾，每斤用鹽五錢醃四小時再瀝乾裝入瓶中，每斤蝦一層放花椒三十粒，或用花椒拌蝦入瓶中亦可，每斤放三兩最上高粱澆入瓶內，瓶口封固，夏天三五日，冬天十日可食，傳安徽鳳陽朱元璋未帝時則嗜食此物。

滄困秋涼（一五）

·文自梓·

那老虎是公的，像大水牛般有三百來公斤，鄉間沒有起重機，還是本地老百姓聰明，用整根的竹編成網兜，像山兜，放在閘下，將老虎滾上兜裡，抬上卡車，浩浩蕩蕩，開到警衛隊的停車場。獵戶和隊裏十來位弟兄，化了半天功夫，才把虎皮剝下，虎頭也身分牢了，作了一個紀念的分配。虎鞭送給李主席，虎頭做成標本留在隊部，虎骨、虎肉，全部弟兄、獵戶、鄉行同事都有分嘗。等到大家吃了虎肉，獵戶提出警告：有公老虎必有母老虎，現只滅了公老虎，還不能安枕無事。又動員了警衛隊，分班搜索，幾天未見，或許母老虎聞到槍聲，夜裡逃逸，見着公老虎死身的血腥，嚇得避入深山。久久都不見蹤影，人家也就當牠聞風遠颺了。

後來又遇到一件事情，更爲有趣；也是轟得中外科學家遠來山區研究的一件大事。我們省行有位同事湯老，名士氣派，一生行佛，有位小姐已非常高中，到標梅年齡。平常沉默，守規蹈矩，父母都看沒有不容變嬌的。湯老和同事暢飲，也喜酒後吟詩，往還也近，儼如通家。有一天，都已睡了，父母親都沒有辦法，湯老叫他來請搜過去商量。湯家小弟提着燈籠來敲門，說姊姊病篤，父母親都沒主意。搜過想到這是急事，而且也不是短時可辦得了，叫太太閂上門休息，他匆匆和湯弟趕過去。到了湯家，湯老說：中午還是好好的，晚上吃飯不多，父母們以爲愛女胃口不佳，想明天多買點魚肉，那知她飯後一睡下去，先是叫氣悶，八卦丹、十滴水，都無靈驗，呼吸愈來愈弱，現在好像已沒有氣了，天熱，只好把她停到廳堂來。湯太太在寢室裡哭得死去活來，我也沒有主意，請你想想，有無急救的方法。搜過一面安慰湯老，一面趕去儀請銀行醫務室，拜託大夫帶針藥來試試看。約摸一小時，人和藥都來了，大夫一問病經過，再量血壓脈搏，脈搏早停了，瞳孔都已放散。湯老聽見愛女無救，想這二十年來，禮捏提抄，偏偏找培一朵名花；尤其這四年來，有些落後，就要挑日女提着包袱，首先避匿，現在總算安頓了，高中也已畢業了，計劃着去考中山大學師範學院，怎就無疾而終了？生命實在太奧妙了，也太淒慘了。免得驚動多人，只好和搜過將門板取下，停靈中堂。所謂中堂，實在是一間容室，一停了靈，也就沒有周旋之地了。湯太太還在房裡哭，湯老也老淚縱橫，小弟究竟年少，不耐辛苦，就在湯太太膝邊睡着了。搜過不好走避，只得勸着湯老：小姐鳳慧，許是菩薩臨凡，不宜久落人世，兩老更不宜太傷神，致她泉下不安。開劑取了半瓶酒，替靈前放了三杯，其餘勉強和湯老乾下。湯老也點香爲念往生咒。搜過這時向門板上下細細檢查，看有無貓狗，聽說貓狗是已入生魂所避的。那知一看到板上湯小姐面上蓋着的元寶——黃表紙貼着錫箔，微微掀揚。他怕屍變，出去找警衛隊班長，他住處也不遠，叫來之後，搜過在門外告訴他所見情形，他一看確在掀揚，就回去拿來繩索，輕輕從湯小姐衣外和門板綑在一道，就是屍變，也不會跳下追人。然後告訴湯老，乾脆將元寶拿掉，看她有無變化。

今古齋誌異

花光血影

常應芬

齊東有孫超者，生得體幹卑小，倚練壁虎功，能以其四肢附壁，可行數百步。其初家庭小康，後日家道中落，流與宵小之輩爲伍。孫超以武功最優，所入亦豐，因與衆偕同黨出發，孫超並夜逾垣而走，不敢返里，徬徨歧路，仍操故技，然因其地，居民貧苦，終不得逞，潦倒不堪。而大富大家，則已高垣高牆，屋宇深邃，家丁警衛，亦不易問津。

一夜，孫超姑往試探巨宅，逾垣而入，屋內杳無一人，約過數十間，始隱約聞有人聲。孫超施展壁虎功，躡行危牆上，行見一大廳，有數十人環坐，形貌不一，有類儒生者，有似武士者，但以方外之人爲多，惟高居其上者，爲一羣女子，皆年青貌美者，有戎裝窄袖，以紅綃抹額，神采飛揚，婀娜中更含剛氣，與下坐者喁喁互語，不知所述何事。孫超見其異狀，不敢下手。但欲窺其究竟，又恐爲其發現，乃隱匿于牆之深處，以一足倒掛僉勾。未久，女子一人笑道：「王某爲吾部下數年，猶不知守吾黨規，私出擾人，罪當自裁死。」言猶未畢，見一少年離座，跪于案前，顏色慘淡道：「吾已知罪。」中一女子道：「然汝固老家，吾當善視之，成例若此。」少年拔出懷中利刃，自刺其項，血如泉湧，少年痛甚，力躍起數丈，始跌僵在地而死。女冷然道：「汝等當引以爲戒。」衆人默然不語。忽然牆外又有一女子躍入道：「姊子主此數年，乃猖狂若是耶！王某雖犯科，罪不當死，何強迫以死，吾恐汝不日衆叛親離，不可復留于此矣。」座上首女道：「王某與我本無私仇，特乃衛規誅之耳，妮子不服，即以此座相讓可也。」女子不答，忽一劍飛來，女以袖拂之，劍落丈外。笑道：「吾知汝與王某有親故，然不可以私廢公。汝以小技爲吾所知，吾今不忍見逼，汝可自去。」

孫超見狀，惴不自寧，忽見女飛一劍來，白光如龍，心知不免，驟仆于地，醒來拭目視之，則見一頭陀死在地上，身首異處。始界劍非爲自己而發。而女收劍道：「頭陀無道，伺我已久，故而加誅。汝非其類耶？」孫超力辯自非同黨，實告其來意。女道：「汝爲生計而來，吾賜汝五百金，作爲川資，速歸鄉里。天下異人正多，似汝之技，不足以接吾一指，幸汝希勿再作馮婦可也。」孫超諾諾連聲，循路以歸。偶以此事語人，猶覺心有餘悸不止云。

（完）

催眠術研究　三四

四十六、甲子催眠法（上）

鮑紹洲

甲子催眠法，是對於體格弱而鈍於感受性者，則用此多數之眠法。甲子催眠法；是集多種催眠的一法。施行這種方法前，應準備如左的三件事：

（一）施術人觀察被術的精神狀態，且而疏通其疑惑之意見。施術者對被者用種種問答，以試他對於催眠的解釋如何。「有甚解嗎？」「有疑問嗎？」如有，施術人當然應設加以說明，使對方感到有如其言受益，切忌不可傷其感情爲要。而且使他對施術人感到人格高尚，言謹行之感，務能發揮其快感爲宜。

（二）宜講催眠後之心狀如何：催眠後之心狀。也無異於普通的睡眠狀，不知不覺而自眠者；但催眠時，皆自知催眠中的行事，或可記憶之，或有不分辨者，皆爲催眠狀態。至於催眠狀態與醒覺狀態的區初點，如非專門學者，則不易分界。故催眠者只能記憶施術中之事與否，實不知關於催眠狀態如何。施術人宜將此事詳加說明，使被術人釋疑，因此說明關係此術的功效甚大。

自由報

中國郵政台字第一二八二號執照登記爲第一類新聞紙

（第一五九一期）

（本週刊每星期三、六出版）
每份港幣壹角，台灣零售價新台幣貳元
督印兼發行人：黃運鵬・社長：李運鵬
社址：香港九龍彌敦道593—601號 廖創興銀行大廈八樓五座
LIU CHONG HING BUILDING
7th FLOOR FLAT 5
593—601 NATHAN ROAD,
KOWLOON, H.K.
TEL: K303831
電報掛號：7191
承印：景星印刷公司
地址：嘉咸街廿九號地下
台灣總管理處：台北市大同街119號
台灣區直接訂戶 台郵劃撥戶
第五〇五六號張萬有（自由報會計室）
電話：七一四〇三三、五五五三九五
台灣分社：台北市西寧南路110號二樓
電話：三三〇三四六，台郵劃撥戶九二五二號

國民黨正向全面勝利進軍
——十全大會呈露無限光芒與新氣象

・黃公偉・

(一)十全「十美」的民主革命史頁

民國五十八年三月廿九日是「青年節」，中國國民黨以年輕而壯大的姿態，在衆目睽睽，舉世矚目下，召開了第十次全國代表大會。這是遷台以來的第四次盛會，自蔣總裁親臨主持下，在名山陽明之麓，掀開了「致良知」與「知行合一」的一幕新史頁。中山樓的壯麗標宇，花木芬芳氣氛，更爲全國內外精英之畢至而益加巍巍然不可一世。一週來黨內「民主」，黨外「革命」的精神，發揮了無限的光芒。不消說，這是歷史與亡，乾坤一擲的反攻前的一次集會。這是由「雌伏」而「雄飛」的轉換點。國際友人的賀電紛紛而來，遠道出席的代表踴躍湧至，元老與青年，民衆與官員，濟濟一堂。這說明向三民主義集中，向民主自由團結一致，國人對反攻復國的意志，已無分老幼，都感到無上的迫切，而必須見諸行動了。

這次集會的特色充分表明，國民黨已不再是大陸淪陷時代的面目了。而在生聚教訓中茁壯，壯大起來，重新振作起來，朝氣蓬勃，恢復了建黨時代的氣魄。透過組織選拔出席的代表眞是有的可敬，有的可愛。在大會中，不分老幼都表現了相與爲國的懇誠。他們的報告，討論、提案、決議、和會外集議、展覽，使大會格外生色。一週來爲報紙電台所推崇的特色，都集中到青年代表，學生代表特別熱情。海外代表，意氣昂揚，敵後代表工作感人。軍中代表前線代表，省籍代表，引人注目。這些青年同志的朝氣籠罩了會場。一片知無不言，萬衆一心的心聲，贏得主持大會的元老同志，工作同志會心微笑。不是別的，就爲他們響亮而堅決奮鬥的呼聲，爽朗而明快的陳辭，已經爲三民主義的革命帶來了新靈魂新生力。在全會的氣象萬千中，洋溢着「大家一條心」的熱烈奔騰，使「意志集中」產生「力量集中」掀起反共復國的行動新高潮。我們意識到國民黨的民主自由傳統，在更新在壯大中已成爲社會基礎雄厚的革命政黨，又重回傾覆滿清，北伐革命，抗戰勝利時代的全民向心政黨了。這裡的新血輪，已往負起再造民國，收復河山的重任。踏着黃花岡七十二烈的血蹟，站在反攻復國的前哨，爲驚天地動鬼泣神滅共事業而提供了力量。

由這次大會所顯示，我們的經濟建設，政治革新，軍事進步，外交成果，無處不爲反共的全面勝利，奠立基礎。這種新氣象自然是空前的，也是國際所公認的。對被奴役下的大陸苦難父老兄弟而言，告訴他們將有出頭之日，對大陸敵後工作的革命志士而言，提供了無比的鼓舞力量。對海外同胞而言，當可使大家相信，自由祖國的反攻復國行列已空前壯大。只待機而動了。對大陸共匪而言，這無疑地是一強烈的「當頭棒喝」，告訴他們「不是敵人，就是同志」反正投誠加入滅共救國行列，已刻不容緩了。

(二)從「海外」，「敵後」工作看反共救國的新力軍

遠離祖國到海外創業求學的青年，他們忠黨愛國的赤忱特別強烈。這裡說明在海外各國的華僑青年並無「離開台灣爲台灣」的病狂症。相反的，僑居異地愈久其嚮往祖國的熱情愈高。一如置身敵後，一旦回歸台灣一見祖國國旗，不期然而然流出幾行熱淚，感激和興奮之情不能自已一樣。共匪在世界各國的滲透宣傳活動，全有賴反共青年隨時隨地予以懲罰。在大會中來自全球各僑居地的青年同志，帶去大批資料展覽，反映他們的工作是那麼積極，成果是那麼輝煌。值得國人崇敬。因此，他們在大會中也是備受歡迎的代表，到處人爭到處留。他們給大會平添了不少異彩。假如政府更進一步對這種青年隊伍，加以組織領導。相信，「從海外反攻大陸」，其聲勢將無可比擬。

其次，在黨政領導下的敵後工作，六年來的成果已由敵後代表親予報告。只是有敵後代表出席大會這一點已足證，我們「從台灣反攻大陸」已發展到「從大陸反攻大陸」的新階段了。共匪的內鬨給予我們敵後工作一客觀有利條件。我們已切實掌握了這種形勢而建立了全國性的反共領導體。這固然已表示我們的政戰心戰工作收效豐碩。更揭出一個事實就是反共青年同志在大陸工作的策劃與執行上已壓倒了敵人的一切監視，逮捕的撲滅工作。在點燃大陸全境自由民主之火，革命青年同志的貢獻，令人感動。以此爲起點，如何推動滅共拔毛的工作，迎接大反攻。我們希望十全大會有所決定。

總之，反共救國的新力軍已兆大起來。結合海外敵後所有青年，一致起來爲消滅共匪暴力統治而作總反攻。這時機已經到了。

(三)從基層新血輪展望全面勝利

十全大會的代表，雖然「老同志可敬」，因爲他們是黨的締造者。民國的創始者。但青年代表的可愛，卻更爲重要。來自各階層的知識青年，包括中學，大學代表在內，他們才是黨的接棒者。過去那種以參加大會爲獵取官位的機會觀念，今天已不存在。這次大會選拔多數青年代表反映黨眞正在革新了。從青年代表的發言熱烈直言不隱來說，這次大會不但是政治革新的大會，更是黨務縮向青春活力的大會。回顧辛亥革命，北伐革命，抗戰八年，無不以青年爲主力軍。他們那種冒險犯難！勇爲先登的鬥志，才完成了歷史使命。今此共魔未滅，我們將選拔新血輪，參與黨政的革新，就是提高了反共的總實力。也就是在老同志的教導下，擴充青年隊伍，充實青年陣容。把國民黨整個活青年化，革命化。我們才足以擔任艱巨事業而達成全面反攻的目標。近六年來黨中央的苦心策劃，現已看到了成果。從現在的成果也不難預測今後向全面反攻勝利進軍，我們有理由表示樂觀。在此，我們敢說，十全大會呈露了無限光芒。

四月八日台灣

謀和的哀歌
昨日與明日

・叔子・

越南出席巴黎和談代表團長范登林，對記者表示：越南在戰爭停止後，願意在國際監察之下舉行普選，並請越共參加選舉。

這是越共（民族解放陣線）所提的建議。范登林的這個表示，也就是說南越接受北越的建議。看出謀和之心，如何迫切！

事實上，南越政府所控制的地區與人口，均不能與越共比，在公平的政治競爭下，其處境已是劣勢，而在已居劣勢的環境下，是否即能獲得公平的競爭？這關係一個國家命運的決定！范登林的表示作爲「和平壓力」的度量衡看，我們以過來人的感受來談是欲言無語，以之蠡測越南未來的遭遇，則不能樂觀了。

至於范登林所說的「依憲法規定，「民族解放陣線」須被禁止，但是並不禁止「民族解放陣線」的份子參加普選，只要他們改變了思想。」

作爲一個必然的原則看，即等於是拒絕越共參加普選，因爲，越共在根本上，就否定了越南政府的憲法，而此憲法在「和平壓力」下是否仍具有其不變的力量？這一點也不需再作天眞的研討。

影子藍圖

總之！越南的「和平」之途已有了一條影子藍圖，即籌組「聯合政府」，這對於全力謀求「和平」，全力結束「越戰」，似是有途可循，但是否能達成事實，還有一段滿佈荊棘的距離！

今日，在越南戰場上仍是砲火瀰漫，殺伐之聲響徹京畿的時候，談聯合政府也能，談和平也能，其必是越打其討價與還價的差距愈大，如果今日越南戰爭是在河內附近舉行，「和平」也須會早日駕臨，否則，其必在漫天討錢之下，不得不爲了「和平」而忍痛付錢！

越南可付得起？

如何對越南人民交代？

「和平」是沒有人不希望它的，但談「和」，必須在有條件的環境下將可達成，這個條件是力的均衡，力量上有了差異，則無法產生眞正的和平！

今天，越南的和談是美軍動員五十餘萬人打出來的局面，試問在美國人民厭戰的情況下，而其「和平」壓力可以說直接的要越南承受，范登林的表示，也僅是以證實是被壓出來的。

自由談

美國務長官羅吉士最近聲言：美國將與中共建立友好的外交關係，亦不致刺激蘇俄；又說相信蘇俄不會以飛彈突襲美國而招致慘烈的報復。自說自話，不知所云。

若認爲藉此向毛共送秋波，飛媚眼的言談，即可緩和毛共的反美政策，那便是幼稚淺薄到了極點的思惟，對共產主義的本質完全莫名其妙也。四十年前，英國掌握着資本主義世界的霸權，因而蘇俄共產政府拚命反對英帝，那時候，俄共跟外國人接觸之際，決不說英語，遇着說英語的人士，即怒目相視，置之不理，民國十五年我在俄國旅行時，就親自嘗到過這種滋味；至今不忘。二次大戰後，美國居於自由世界的盟主地位，共產黨人即以反對「美帝」爲職志了。所以，周恩來最近告訴日本人，說毛共以「美帝」爲頭號敵人。

可憂亦復可哂！

這是共產主義者進行世界革命的嚴有方針，豈是美國當局幾句甜言蜜語所能誘惑轉變的？

當前的世界局勢并不緊張，尤其是美俄兩大強權國家，正表現着「和平共存」的妥協氣氛，羅吉士乃謂蘇俄此時不致對美突襲，寧非庸人自擾之談？何況尼克遜政府一面進行七十億美元的反飛彈系統的建設；一面又相信蘇俄不會以飛彈突襲美國，然則所謂反飛彈系統的建設，便屬多此一舉的浪費了，所爲何來呢？

更可笑的是羅吉士認定毛共於「九全大會」，對美外交將採取和緩的一廂情願，毫無故實，這原係拾取英國人的唾餘——說毛共的下一代必然改取和平外交策略，旨在替自己的姑息妥協主張解嘲而已。

自由世界還遭着這類識陋無能的政治人物來領導，而希望制止共產主義者的侵略擴張行爲，實屬不祥之至，可憂復可哂又孰甚哉！

馮五先生

預告：本報下期專論爲鍾國仁：「亟待整頓的台灣大學」對這一個台灣最高學府提出甚多寶貴意見，且亦揭穿了該校不少黑幕。鍾教授以客觀的態度，嚴肅的筆法，春秋責備賢者的心情，實在難能可貴，謹致謝意！

・編者・

自由報　中華民國五十八年四月廿三日　星期三　第二版

剝蕉案餘波猶盪漾
誰拿金碗心裡有數
因涉嫌經手文件被洩漏
女打字員打破了瓷飯碗

（本報記者公孫熊台北消息）轟動一時的高雄青果合作社驚人剝削蕉農弊案，經調查局專案小組二十餘天之日夜偵查，報紙連篇累牘揭載，涉及範圍廣大，案連政府大小官員以及中央級民意代表，傳播中之數字達三十餘人之多。

據報載高雄地檢處所接到之調查報告中指出：青合社前理事主席吳振瑞構成六大罪嫌：

一、擅自購買九九三成色黃金之卅兩果盤八個，五兩金碗卅個，一兩重金杯二九七個，銀果盤八個（每個重十五兩），違背該社理事會議之決議意旨，以慶祝該社成立廿週年名義，贈送行政院、內政部、外貿會、檢驗局、公務員懲戒委員會、人事行政局、立法委員、國大代表、監察委員、省政府、合管處、交通處、農復會等有關人員。涉嫌違反國家總動員法。

二、違背理事會議決議意旨，對現任理監事及幹部人員贈送金盤、金碗、金杯及巨額獎金，意圖為第三人不法利益及涉嫌侵佔背信。

三、開支浮濫部份：涉嫌詐欺、侵佔及偽造文書。

四、違反合作法令，非法投資國際農工企業公司，涉嫌侵佔背信。

五、非法收取採購回扣。

六、剝削蕉農，涉嫌侵佔詐欺。

以上情況合併詳目，雖經極少報紙披露。惟該項消息中，所列接受該社贈送金盤、金碗、金杯的共有十三個單位，但這十三單位中，有部份單位曾公開否認收到「金飯碗」。例如人事行政局即曾鄭重否認，以該局同人年來兢兢業業，奉公守法，潔身自愛，決無收受此項贈品，因該局與青果合作社毫無關連，亦不可能收到此項贈品，該局並向調查局查詢，證明報載消息，純係訛傳，並追查消息來源中。

該局聲明係三月二十五日，但報紙又於二十八仍載前述十三單位名銜，某報並附載據研判：這種「出入」有兩種可能：①青果社賬目記載不實或在押被告作不實之供詞。②收到金飯碗的人，翻臉不認賬。

自報紙載出有關十三單位消息後，而高雄地檢處女打字員楊雪蘭却因經手之文件，有被洩露於記者之嫌，竟被所隸長官命其辭職，因「金飯碗」而砸碎了「瓷飯碗」，業於三月底辦妥辭職手續。在一般中低級職員深切同情，慰問交加之下，含淚別去了辛勞已十四年的工作崗位。據說，她將不免因無意洩露公文的責任，受到刑事的追究。

據傳：在剝蕉案偵辦過程中，曾有少數新聞記者經常向青果社「揩油」，彼等雖無直接犯罪嫌疑，却使新聞界蒙羞，同業曾向調查局請求，將所謂新聞界十八羅漢之名單予以公布，以利自清，或個別通知所屬報館，由其自行處理。

監院推五委員
進行專案調查

再該案生發後，監察院頗為注意，曾致函高雄地檢處，要求將收受「剝蕉案」金器紀念品之監察委員名單，查明見復，以正視聽。據其答復：「有關剝蕉案涉嫌人員，因仍在查證階段，無法開列名單。」再監院將該案原已成立五人調查小組，推由丁俊生、余俊賢、陳志明、張國柱、張秉智等委員負責。截至記者發稿時止，監院又經協調，改推張岫嵐、劉巨全、熊在渭、張國柱、丁俊生等委員為調查小組。

歸結剝蕉案現已捲入之官員有：①外貿會專門委員高道儒，主管香蕉產銷業務，利用職務上機會，於五十三年間給予該青合社甚多便利。因高某五十一年間在台北因案與人涉訟，需有價證券作為担保，乃利用職權，透過合社台北聯絡處主任周芳杞，向吳振瑞借去合作社所有愛國公債二萬五千元正，迄今尚未歸還。②台灣省政府稅務處職員許寬義，主辦印花稅業務，曾利用職務上之機會，向青合社內銷課長蔡登雲以內銷蕉送貨需帖印花可以幫忙為條件，索賄五萬元，經該社以暫付款付給。上列捲入之二官員均係調查局送高雄地檢處調查報告中所指出。至於剝蕉案中所有收受「金器紀念品」之名單，究否公布，據黃主席達雲在十全大會餐敘時稱：「有關收受金飯碗等物名單，調查局將於十全大會後，悉予公布，諸位關心本案人士，等着喝杯涼茶吧」！

喬治桑外傳

一四　張大為

雅麗絲不一刻工夫，端出兩份三明治，一塊火炒鷄蛋，一份火腿，另外又倒了兩杯冰開水。

喬治桑到底年紀大一點，喜歡吃點熱的東西。

「雅麗絲，請給我一杯熱的檸檬茶，謝謝妳。」喬治桑十足洋紳士派頭。

「今天唐珊珊做生日，我看郝隆昂比他老太太過壽還起勁，眞有意思。」喬治桑吃着三明治，打開話匣。這也是西化，吃飯不忘聊天，與「食不語」的中華文化大異其趣。

「噢，我聽說唐珊珊是郝隆昂的「情婦」，不知確不確？」雅麗絲用的是英語。這句話雖粗俗一點，小姐用英格利西，似乎也就無傷大雅了。

「妳怎樣知道的？」

「這又不是秘密，在台北社交圈子裡那個不曉得。」雅麗絲撇撇咀唇，很有嬌態。

「我並不喜歡唐珊珊，太妞泥作態了，甚麼不懂，只知道要錢：……尤其今天穿的一件迷你裙，眞太短了，而且大腿生得並不美，我眞不知道她怎會出來競選中國小姐的？」

「哎呀，你看「詩選」看得眞仔細。中國傳統美觀念只講一張臉蛋兒，所謂沉魚落雁閉月羞花，根本就沒有三圍的說法。」雅麗絲侃侃而談，好像很內行的樣子。

「妳說的雖不錯，但現代審美眼光，不能只顧頭不顧脚，所謂評頭評足即是此意。」喬治桑用評頭評足來支持其中學為體西學為用的觀點。

喬治桑打趣了雅麗絲一下，接着又說：

「不是我當面捧妳，妳倒眞是一個美人胚子。」

「你怎麼拿我來開玩笑？我自己知道生的醜，所以才用氣力混飯吃，拍電影；選美，我做夢也不敢想。」雅麗絲話雖這樣說，聽見喬治桑讚美她，眉宇間顯有得色。

「我向來不開玩笑，妳眞的很美，並且我看得出妳都是眞的，沒有假的。」

「你越說我越不明白了，甚麼眞的？假的？」雅麗絲帶着惶惑的神氣。

「譬，譬如有些女明星到日本去改造眼皮，胸部，臀部，那便是假的。」

雅麗絲聽了，面孔紅紅地，不勝嬌羞。

「要不要再替你倒一杯紅茶？」

「不要了，謝謝。」

「聽說在日本整容的費用很大，可惜我沒有錢。」雅麗絲是女人，愛美是天性，話告一段落，她重又挑起。

「妳實在用不着整容，增之一分則太長，減之一分則太短，施朱則太赤，施粉則太白……」喬治桑竟迷迷糊糊背誦起「登徒子」賦了。

「你又咬文嚼字了，我不懂，反正我不是美人。」雅麗絲其詞若有憾焉，其實乃深喜之。

「可惜呀，可惜。」喬治桑紹然自悲，自嘆，使雅麗絲莫測高深。

「可惜我年紀大了，假使時光能倒流，雅麗絲，我一定追求妳。」

「包死（洋文老板），你眞會說笑話，我怎能高攀得起？」雅麗絲微笑着說。

「甚麼高攀不高攀，我眞向妳求愛，跪在地上，比妳要矮得多呢。」

「好，我看你向我跪。」雅麗絲也忘記賓主的尊卑了。

「說跪就得跪。」喬治桑離了座位，眞有撲通之勢。

雅麗絲連忙向房後呶呶咀，意思是說讓下女看見不像話。

「好了，好了，心領，心領。」雅麗絲說了短短八個字，亦莊亦諧，但心中對喬治桑却有幾分好感的。

「吃過飯，要不要出去玩玩。」喬治桑是不能閒的，又在動腦筋殺時間。

瀛海秋聲（五）

萬姬（下）

林公偉

來時秋雨滿江樓，歸日春風度客舟。
回首荊南天一角，月明吹笛下揚州。

瘦鵲既返台任職，嬈於某公端方之教，深覺前行之荒唐，無論對妻對子女，皆必須毅然與李姬絕。但李姬之於瘦鵲，實由愛才，非有絲毫貨利之圖，以是瘦鵲之絕姬，殊難措詞。假日關室陽明山，專心構織，稿凡五六易，首陳家室，次爲姬前途謀，宛轉陳情，冀其見納。函去越旬始得姬覆，惟自傷緣薄，囑瘦鵲節前務再到西貢一叙。瘦鵲以節函殆已承納，每念舊情，痛自決絕。滿明貴色，柳絲桃紅，瘦鵲亟必携妻祭登山臨水，欣賞自然。今歲乃慽慽若不勝風，不久果病矣。初若傷胃，繼則大便秘結，數日始下小顆粒，若羊所遺。面日黃，肌日瘦，腹則日鼓，不得已始就診醫生，中西迭易，迄不見效，痛苦日甚。而姬約叙之函繼至，云續晤必可減君痛。瘦鵲始恍然同居時或爲下蠱，故有此怪病，飾詞告假，升飛西貢，重叩姬居。姬首實瘦鵲初未坦陳，及兩情繾綣，方以家室爲慮，而姬已有孕，幸囊追姬最勤之某君，懇陳愛悃，決不以姬之孕爲嫌，姬始勉允與偕鴛侶。至是，出濃茶一甌，囑瘦鵲痛飲之，約句鐘如厠，下黑汁殆一面盆，腹鼓頓減，姬再進參湯，調護小睡，隔宵體健大復，留三宿而別。瘦鵲感其多情，且能諒負夙約，約玉戒指以爲贈。姬以報以鑽錶，欣然返台，然每當風月良宵，未俟佳期，或櫝板輕敲，未嘗不魂銷西望。蘇東坡之乙卯紀夢詞云，不啻亦爲瘦鵲詠也。

夜來幽夢忽還鄉，
小軒窗，正梳妝，
相顧無言，惟有淚千行。
料得年年腸斷延，
明月夜，短松岡！

民社黨羣龍無首
勢將陷于分裂
青年黨有望商談團結

本報記者顧碧天台北消息：中國民主社會黨自其主席張君勱月前在美逝世後，關於該黨之團結問題，社會人士有兩種看法：一為張氏去世後黨已失去領導中心，勢必陷於羣龍無首，將演至無限期之分裂，各立門戶，各行其是，自難有再團結之可能。一為由蔣勻田履續張氏生前之委託，速行返國，就前次所結連之各派系，再行研議，召開全國代表大會，改為常務委員制，以主席名義永為紀念張氏之崇高地位。常委席次無妨多設，另由常委推出若干人為召集人，輪期改選，或可有濟。此外另有人主張，以蔣勻田繼承領導，較為適當。論蔣氏在該黨歷史以及學術地位均可勝任，但須與同列為張氏門生之孫亞夫等推誠合作，始可相機一試，否則難有途徑。

近悉該黨為賀中國國民黨十全大會之電文，則有兩個中國民主社會黨中央黨部，一由向構父、郭虞裳、王世憲、孫亞夫、李緞、楊毓滋等六人領銜，一由梁朝威、劉政原、李華裕、孟昭麟、朱遠謀等五人領銜。足見該黨內部仍在分裂中。未若中國青年黨中央黨部僅一賀電而已。顯見青年黨在年前承蔣總統之懇切希望左舜生協調該黨團結，經由左氏會同組成團結商談會議之後，團結已有進展，各方正當慶幸中，詎該商談會議發言人王師曾，於三月二十八日在台北報端發表，青年黨已決定於本年七月廿一日在台北市召開全國代表大會，恰於執政黨十全大會之前一日，發布此一消息，故頗為社會所重視。旋由另一中國青年黨大團結聯合會秘書長董微登報否認王師曾所說「召開全國代表大會」說法完全不符。并謂：「青年黨自主席曾慕韓在美逝世後，因中央領導無人，致陷於四分五裂狀態，先後成立整理委員會、黨務委員會、臨全會、大團結聯合會，分立門戶，各自爲政」云云。據悉該黨有識之士，認為團結商談會議，係秉承蔣總統之希望之所以成立者，且迭次商談，均有進展，故對王師曾所發表之中國青年黨全國代表大會召開時期，頗具信心。據聞此一相反意見，該黨有關人士正進行協調中。

老子思想的盛行（上）

——老學漫談

·張起鈞·

老子一書，早在戰國時代，便大行於世。關於這點，我們有兩方面可資證明：

一、從史書的記載看：

按史記樂毅傳讚：「樂臣公學老章老子，其本師號曰河上丈人，不知其所出，河上丈人教安期生，安期生教毛翕公，毛翕公教樂瑕公，樂瑕公教樂臣公，樂臣公教蓋公，蓋公教齊高密膠西，爲曹相國師」。

又皇甫謐高士傳曰：「河上丈人著老子章句，當戰國之末，諸侯交爭，馳說之士，咸以權勢相傾，惟丈人老而修道，老而不虧」。

在這兩段記載中，雖然沒有明言河上丈人的身世，但他顯然是戰國末期的一位道家，他不僅本人修習老子，而且替老子作章句，把老子之道傳授門徒。由此可見老子一書在戰國末期已有定本，且已互相傳授。

二、從當時的事實看：

戰國時代，各家爭鳴，辯士輩出。這些辯士們常常引用老子的話，依爲依據。如縱橫家，兵家，法家之流，史書中也明載，蘇秦、孫子、愼到、田駢、接子、環淵等都學黃老道德之術。不僅如此，而且在許多大思想家的著作都明白引用或講釋老子的話。其中最顯著的是莊子和韓非子兩書了。

莊子書中，不僅極度推崇老子，把老子列爲重要的一個學派；而且他的思想也是老子一書的闡述和流變，他到處引用着老子的文句。如大宗師篇：

「夫道有情有信，無爲無形，可傳而不可受，可得而不可見，自本自根，未有天地，自古以固存，神鬼神帝，生天生地，在太極之先，而不爲高，在六極之下，而不爲深，先天地生，而不爲久，長於上古，而不爲老」。

知北遊篇：「道不可聞，聞而非也。道不可見，見而非也。道不可言，言而非也。知形形之不形乎，道不當名」。

又知北遊：「夫知者不言，言者不知，故聖人行不言之教……故曰失道而後德，失德而後仁，失仁而後義，失義而後禮，禮者道之華，而亂之首也。故曰爲道日損，損之又損之，以至於無爲，無爲而無不爲也」。

上面所舉的幾條文字，有的是老子思想加以擴充，有的是加以解釋，有的却完全是老子原文。在莊子一書中這些例子實在不勝枚舉。（按：據淸人陳壽昌統計，莊子引老子之原文凡二十一處之多）

至於韓非子一書，雖然認爲當代的顯學是儒墨兩家，似乎沒有把道家列入。但這非把道家看輕，而是因爲顯學篇所要批評的就是當代兩大顯學——儒墨，韓非無意批評道家所以不必把道家列入。事實上韓非對於道家却是相當同情的，他有些方面便和道家很相近，如主道篇所說：

「道者萬物之始，是非之紀也，是以明君守始以知萬物之源，治紀以知善敗之端，故虛靜以待令，令名自命也，令事自定也，虛則知實之情，靜則爲動者正，有言者自爲名，有事者自爲形，形名參同，君乃無事焉，歸之其情」。

不僅如此，他還特別把老子一書加以研究，寫了兩篇文字——解老或喻老。所以史記把它和老莊並列爲一傳，認爲他「歸本於黃老」。

以上我們從史書的記載和當時的事實兩方面，足證老子一書在戰國時代已大行於世。在當時交通不便，書寫困難的情況下，一本書能大行於世，當然不是旦夕的事，而是經過不知多少人的轉抄或傳授，所以我們可以推想老子的成書，至少在戰國初期，甚至春秋時代。

以上我們從老子思想的盛行情形，推知老子成書的成書年代，並不能完全代表這本書中思想的發生年代。因爲一種思想的形成，是源遠流長的，因此我們要瞭解老子思想的本來面目，還必須追溯老子思想的源流。

（未完）

三百年前一位青年抗戰的民族文藝家—夏完淳（七）

·汪辟疆·

不孝完淳，今日死矣！以身殉父，不得以身報母矣？痛自嚴君見背，兩易春秋；寃酷日深，艱辛歷盡；本圖復見天日，以報大仇，䘏死榮生，告成黃土。奈天不佑我，鍾虐先朝，一旅纔興，便成虀粉。去年之舉，淳已自分必死，誰知不死，死於今日也。斤斤延此二年之命，菽水之養，無一日焉。致慈君託迹於空門，生母寄生於別姓；一門漂泊，生不得相依，死不得相問，淳今日又溘然先從九京，不孝之罪，上通於天。嗚呼！雙慈在堂，下有妹女；門祚衰薄，終鮮兄弟，淳一死不足惜，哀哀八口，何以爲生？雖然，已矣！淳之身，父之所遺，淳之身，君之所用；爲父爲君，死亦何負雙慈？但慈君推乾就濕，教禮習詩，十五年如一日。嫡母慈惠，千古所難！大恩未酬，令人痛絕，慈君託之義融女兄；生母託之昭南女弟。淳死之後，新婦遺腹得雄，便爲家門之幸；如其不然，萬勿置後！會稽大望，至今而零極矣！節義文章，如我父子者幾人哉？立一不肖後，如西銘先生爲人訴笑，何如不立之爲愈耶？嗚呼！大造茫茫，總歸無後！有一日中興再造，則廟食千秋，豈止麥飯豚蹄，不爲餒鬼而已哉？若有妄言立後者，淳且與先文忠，在冥冥誅殛頑嚚；決不肯捨。兵戈天地，淳死後，亂且未有定期。雙慈善保玉體，無以淳爲念！二十年後，淳且與先文忠爲出塞之舉矣！勿悲！勿悲！相託之言，愼勿相負！武功甥將來大器，家事盡以委之。寒食盂蘭，一杯清酒，一盞寒燈，不致爲若敖氏鬼，則吾願畢矣！新婦結褵二年，賢孝素著；武功甥好爲我善待之！亦武功渭陽情也。語無倫次，將死言善。痛哉！痛哉！人生孰無死，貴得死所耳！父得爲忠臣，子得爲孝子。含笑歸太虛，了我分內事。大道本無生，視身若敝屣。但爲氣所激，緣悟天人理。惡夢十七年，報仇在來世。神遊天池間，可以無愧矣！

遺夫人書

三月結褵便遭大變，累淑女相依外家，未嘗以家門盛衰微見顏色。雖德榜齊眉，未可相喻，賢淑和孝，千古所難！不幸至今，吾又不得不死；吾死之後，夫人又不得不生；上有雙慈，下有一女，則上養下育，託之誰乎？然相勸以生，復何聊賴，無田廢地，已委之蔓草荒烟，同氣連枝，原等於隔膚行路。青年喪閨，纔及二九之期，滄海橫流，又丁百六之會。煢煢一人，生理盡矣！嗚呼！言至此，肝腸寸寸斷，執筆心酸，對紙淚滴；欲書則一字俱無，欲言則萬般難吐。吾死矣！吾死矣！方寸已亂。平生爲他人指畫了了，今日爲夫人一思，究竟如絲積麻，身後之事，一聽裁斷，我不能道一

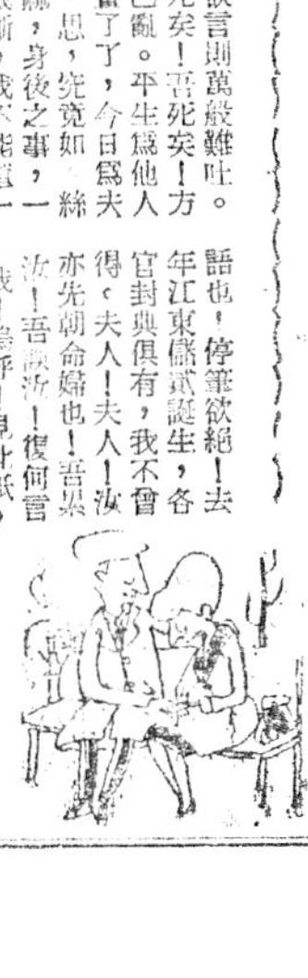

如見吾也！外書秦篆細君。

在上面所錄出的幾篇詩文，我們就此可以窺見這位抗戰民族文藝家的至情至性。文章是要有自己的個性，用不着一毫循人的態度，我自己要怎麼說，就怎麼說；這才是把握着現實，反映着人生。完淳一生，爲舊式倫理的代表；他只知有忠孝；只知國讎家仇；他的思想，是幾千年儒家傳統的思想；他的胸襟是坦白的；他的行爲，是直線的。他發爲文章，雖然千回萬轉，詞采濃至，却終和他的人品是一貫。這文章能到此地步，才叫做「眞」。

（未完）

名人情話

董小宛苦戀冒辟疆（下）

十五，甲申之變

周遊子

這樣一位風塵奇女子，似乎鑄定了她的紅顏薄命的大數。爲人之妾，她已感到十分滿意了，可是命運之神仍沒有一個最好終結，過了不到五年的家居愛情生活，又開始她最苦的行程。冒氏全家由江南渡澄江北，在黑夜中水行六十里，抵達湖州李宅（不知是誰），江上盜賊遍佈。辟疆欲從間道送其父從靖江行。半夜，冒父對辟疆道：「路上需零碎銀錢，可有準備？」辟疆茫然，轉問小宛，不知小宛早已準備了零碎銀子。小宛取一布袋，有分許，有錢許，每十兩可數百小塊，每封都用布封好，小楷寫上分兩輕重，以便倉卒隨手取用。冒父見之十分驚奇，且訝且歎道：「小宛何致精細如此！」

次日，分僱十隻小舟，用百餘銀子，僱二百人護舟，遄行數里，潮落舟擱不得進亦不能登岸。遙望江口，有大盜數百人，據六舟爲之犄角，守隘以待。所幸潮落，亦不能下舟相逼。辟疆有朱姓親戚，派一有力大漢前來報信說：「後有盜賊截斷歸路，不可返去，護舟二百人中，且多盜黨。」一時十舟家人爲之哄動，僕從呼號，辟疆笑指江上盜徒道：「我冒家三世百口之家皆在舟，自先祖及我，六七十年來，居官守里，從無負心負人之事。若今日盡死在盜手，身葬魚腹，此乃上無蒼天，下無茫茫了！潮忽早落，彼此舟不相接，便是天相，禍福無恐，即舟中人皆爲敵人，不能害我也！」

辟疆想脫離盜困，欲一旦登岸，恐無車輛可乘。故在夜半以二十金付沈姓者登岸覓雇車輛二乘。是人詫異笑道：「明早一帆不到午時便可抵彼岸，何故黑夜多此一舉？」辟疆不理無識之徒。乃詢舟子，另覓登岸通湖州之路，舟子道：「此橫去半里許，有小路六七里，可通湖州。」即命舟子鼓楫靠岸。雇車二乘，恰乘父母妻子，其餘婢僕，盤藥隨舟中。抵達朱姓戚家，衆人始知辟疆卓見。

（未完）

吳敬恒先生年譜（六二）

陳凌海編撰　陳洪校訂

先生以鬻書潤例在新店修建平房數間（友借予地土），作爲防空疏散之用。十日，美國新聞記者團訪問台灣，其中有記者問：萬一台灣有問題，流亡何處？先生忿然曰：「想流亡紐約，然恐屆時紐約早已陷於蘇俄，故未決定。」二十五日，參加國民大會代表聯誼會。六月，響應台灣省政府推行節約儲蓄，率先購二百五十元作爲倡導。表姪浦士英赴花蓮地方法院任推事，先生贈以「人民保障」四字爲勉。中央政府遷台灣，先生鑒於局勢之需要，認爲旅美華僑太少，深感在輿論方面不能發生影響作用，爭取不到美援，故提倡「中飯主義」，主張大量移民。所謂「中飯主義」者，即赴美華僑以開飯店維生而以移民爲實也。夏，先生以台北天氣炎熱，於七月二十一日上阿里山避暑。由甥女馮元賓，及外甥儲福興等陪同前往。表姪陳洵（序叔）則由嘉義送先生上山。住阿里山林場俱樂部貴賓室。不數日，先生患痢，蔣總統中正特派名醫陳耀翰由表姪陳洪（次仲）、姨甥馬光啓、陳淸海陪同赴阿里山爲先生診治。旋返台北。蔣總統中正聞悉，甚爲關切。即飭陽明山管理局施季言局長在山上撥屋，施季言指撥陽明路一段四十二號供先生居住。先派狄膺（君武）、陳洪、陳淸海等看屋後，然後遷陽明山。六月二十五日，北韓共軍突向南韓進犯，韓戰爆發。蔣總統中正電大韓民國總統李承晚表示關切外，並向美國國務院提出備忘錄，願響應聯合國安全理事會號召，派遣陸軍三萬援韓，惜因某種因素，未爲聯合國接受。旋聯合國駐大韓民國聯軍統帥美國麥克阿瑟將軍由東京飛台訪問我國，先生聞訊，至爲興奮。認美國已有備戰之意。七月二十六日，中國國民黨中央常務委員會通過「中國國民黨改造方案」，成立中央改造委員會，發表：陳誠（辭修）、張其昀（曉峯）、張道藩、谷正綱（叔常）、鄭彥棻、陳雪屏、胡健中、袁守謙（企之）、崔書琴、谷鳳翔（岐山）、曾虛白、蔣經國、蕭自誠、沈昌煥、郭澄（鏡秋）、連震東等十六人爲委員。聘先生及鈕永建（惕生）、于右任、張羣（岳軍）等三十二人爲中央評議委員。

（未完）

巨變歷險記！

陳司令急於同五代表見面，他的黑色小轎車，在五代表還未到達市議會之前，已經派到市議會，接五代表到警備司令部了。五代表忙着應付新聞記者，應付完了之後，即驅車到警備司令部。這是一座兩層黑灰色大樓，在市中心區，從外表看起來，非常莊嚴。因為車子是司令的，在進門的時候，門崗並沒有阻攔，並向五代表敬禮。這幾天，天津下雪，厚可盈尺，門崗都穿着大衣，倒還顯得精神抖擻。招待人員引代表直奔陳司令辦公室。

誓死抵抗到底（三五）

胡慶蓉

陳司令的辦公室很高大，沙發也擺得很多。陳司令看見五代表進來，即起來相迎，叫拿烟倒茶，坐下細談。在聽取五代表的報告後，他最注意那「四十八小時」，在他看，這四十八小時就是國際法上所說的哀米敦書，也就是最後的限期。在這四十八小時以內，假若不能給林彪滿意的答復，戰爭是在所難免的了。而且這場戰爭就是林彪對天津的總攻擊。

如何面對林彪的總攻擊？是打還是不打？陳司令說：天津已經抵抗這麼久了，天津還要抵抗下去。我們決定一本初衷，同林彪打下去。不打不可以嗎？能答應林彪無理的要求嗎？那是不可能的。假如能答應林彪的無理要求，天津何必抵抗至差不多一個月之久？無論如何，我們要繼續抵抗，要誓死抵抗到底，在他沉着的表情中，露出強堅的意志。

林彪要求陳司令讓出天津，或者讓天津的一部，作為停戰的條件，陳司令說：這是騙人的，哄小孩的，絕對不能答應。這等於投降，我姓陳的決不投降。

關於再去林彪處，陳司令說：我既決定誓死抵抗到底，你們五位也就不必再勞駕了，我既不能將天津讓出去，他一定要總攻，還有甚麼可以談的呢？五代表已去談過一次了。此古之所謂先禮後兵，我們的兵是哀兵，應該是可以勝的。

後五代表又去面晤林軍長，林市長，他們沒有別的意見，以陳司令的意見為意見。林軍長接見五代表，是在他的軍部，是在一個甚麼工廠裡，他以水果罐頭招待，他對戰爭前途也很樂觀。他說：再抵抗一月，諒無問題。杜市長在市長室與五代表相見，他也是以陳司令的意見為意見，儘可能的同陳司令部配合。

文滙樓別記

樞機總主教──于斌先生

大富無產．大貴無爵，至德不變．至理不移。

文滙樓主

這四句話，照道理可將樞機總主教于斌寫盡了。以于斌一生對國家民族的貢獻，對宗教本身的宣揚，都竭盡心血，臻於至善，給人的印象，于斌的思想是救世的，事業是社會的，我的話應當不會有人反對。

于斌昨日（四月十三日）六秩晉九大壽，台灣各界皆熱烈祝賀。一九〇一年他雖出生在黑龍江省的蘭西縣，但他的原籍是山東省昌邑縣，至聖先師出生在山東，大思想家孟軻出生在山東，近兩世紀山東的昌邑縣又出生了兩位歷史上偉人，前者是劉墉（石庵），十全老人乾隆皇帝的宰相，曾舉進士，官至東閣大學士，善書法，名滿天下，政治文章，功業，皆為書名所掩。近一世紀要推于斌了，他小時名叫于彬彬，乃父認為文質彬彬，不會有甚麼作為，乃替改名斌，取文武雙全，期為全人的意思。由於小時他非常富英雄氣，自己取名「冠吾」，後來再改「希岳」，目的在想做岳飛一樣的忠臣。最後終於在聖靈的感召下，改號為「野聲」，用意乃在和聖約翰一樣，作曠野之呼聲，而傳佈真理福音於天下，他作中國教會的前驅。不過話又說回來，那個時候改名字不像現在吃力，毋庸通過內政部、區公所、警察局、派出所乃至地方法院等，否則祗好文質彬彬了。

于斌在震旦大學畢業後，就到意大利最高學府去留學，一九二九年于斌（保羅神父）便正式被任命為羅馬傳信大學中國文學教授，由於他的摯誠和喜歡交遊，很短時間朋友遍佈地球每一個角落，是教廷得人，亦中華民國的殊榮。當時國民政府對法西斯主義極感興趣，張學良將軍曾往羅馬研究法西斯主義，于斌力勸張學良別搞這玩意。庇護第十一，喜歡和中國修士們接近，對這位魁梧的身材，堂堂的儀表，教宗稱他為「滿洲大漢」，因于斌來自中國東北，故賜此稱呼。

于斌遇見　蔣委員長是一九三七年，在南京委員長的陵園官邸，　蔣委員長對這位青年英俊的教會人士，印象殊深，後來于斌對國家民族與國民外交若干驚人卓越的貢獻，史家都會有嚴正記載，樓主想不多贅。一般的看法，于斌有三件與歷史共垂不朽的事業，期待他完成和拓展的。一、將輔仁大學辦成為昔日的北京大學。二、于斌本身為權威政論家，必須於最短期內把七億人口共同擁戴的天津益世報提快復刊。三、整理中國天主教會，紛歧錯雜的思想必須擯除。有人說天主教像有割據局面；亦有人說地域觀念在天主教很難拔除。就樓主對于斌的瞭解，這是一種很浮淺的表面看法，所謂小圈圈者可能是吃「教」和吃「于」的人自己一種想法，于斌似很討厭這些不識大體的人。

湖國秋涼（一六）

·文自粹·

這時，星光下，遠處已有一兩聲雞叫，快三時了。忽然湯小姐啞啞的說話了：『誰把我移到這裏？』大家以為她復活了，趕緊將繩索解了，湯太太也趕過來一把抱起：『阿女！妳嚇了吧？還在家裡；大家以為妳中著了。阿彌陀佛！我說把阿女養到這麼大，妳怎捨得媽媽去啊！』湯小姐擦擦眼睛說：『誰是妳阿女？』把湯太太僵住了。我們怕湯小姐死過幾個小時，魂靈還未清醒，就慢慢地告訴她：『這裡是夏塢湯家，妳不是從少很乖，由廣州跟父母來；暑假畢業曲江高中湯秀華小姐麼？』湯太太把晚上熬着的人參粥，當時湯小姐口僵，灌不進去，現在裝了一小碗給湯小姐提提神。湯秀華又說了：『不對，不對！我不是湯秀華；我是陳定春，夏塢街上雜貨店，就是我爸爸開的。』湯老還在那裏怪他女孩，不該裝聾作瘂，來嚇她媽媽。我看事有蹊蹺，叫班長陪着湯老，一面讓病人多喝些粥，好長氣力。我回家，將這事告訴太太，騎了腳踏車，映着星光和手電光，就到街上。果然三叉路口有爿雜貨店，大概是街上唯一的百貨店，門還虛掩，裏有燈光。我不便太冒昧，先在門縫一看，果然店堂也停了靈，好像是一個後生。於是輕輕敲了店門，將車停好，善意的推醒一位守靈老人，問他在死的人是否叫陳定春。他說：『是啊！你是否高中老師？』我告他是省行來的，同事湯老的小姐湯秀華昨晚無疾而終，現在復活了，但是他說他名叫陳定春。可能是兩個人的生魂掉錯了，所以趕來通信，盼他父母過去，免得魂又失了。』他擦擦眼睛，聽得出神，說他不是陳定春父親，他是孤身的近鄰，和定春得熟。昨晚收店，聽陳老板說，定春照例爬上高櫈去搬罐頭，一一放好，不小心跌了一交，就人事不省，醫生來過，查不出一點傷痕和病症，鬧了半夜，總救不醒，只好停靈客堂。他過來，勸陳老板夫婦去休息一下，明早起雇人埋葬，事情還多哩！陳老板和他剛休息不到一小時。并就端出竹椅，請瘦鵑坐了，他跑到後堂把老板叫醒，告訴曲折，老板夫婦原也沒有睡熟，一聽趕將出來，就想和瘦鵑一道去湯家。那知這時陳定春也叫起來了：『媽媽！好熱啊！』他身上蓋着薄被，原準備下殮的，陳太太趕緊取下殮被，伸手扶起定春，定春推開她的手：『妳不要拉我，我不認得妳！我是省銀行湯秘書小姐，請放規矩些！』聲音一如生前湯秀華的腔調。更妙的是，他一看見我在竹椅邊，就微笑叫了：『李伯伯，你怎麼也來了？我真糊塗，怎麼會睡到雜貨店裡來？請導我，和你一塊兒走。』我明白了：這一定是兩個人的魂靈走錯了，該說是借屍還魂吧！趕快安慰她：『湯妹妹，妳先休息着！妳吃力，不會走，我告訴妳爸爸叫山兜來抬妳！』於是示意陳老板夫婦，先去附近找個山兜，由陳太太陪着來，陳老板和我先騎自行車去湯家。湯小姐已起來盥洗，吃過粥，又吃了些飯，大概昨晚少吃餓了。我和陳老板進去，向湯老夫婦輕輕說了陳定春亦已復活：說話一如秀華，一見就叫出我的稱謂，已請陳太太用山兜陪着來。少頃還是先把他們放在客室，我電話曲江去請教虛老和尚。佛法無邊，我想終可幫助復原的。

催眠術研究　三五

鮑紹洲

四十六、甲子催眠法（下）

（三）其次令被術人仰臥：仰臥之中，以寢台為最好，塌米亦可。暗示道：「你身體如果有不舒的地方，須要預為安適。」務必令其自在，不可有一點東西不舒服，然後撫其身體，安定其位置，檢按被術人的脈膊之多少強弱，蓋之以輕被或毛毯，然後施行以下的各種催眠法，依次實施，自然入催眠狀態。

（1）結指法：施術人可依地方或坐或臥或立，但必須挺胸斂肩，上身直立，而精神力則運於下腹部，以手結一「精神統一印」（參照結指催眠法）而後守靜默想，約三分鐘。

（2）號令法：令被術閉目，將其雙手自肱以下摺起舉上，與胸部成直角。然後施術人數一則將手放下，數二復舉起，數一放下，數二舉起，或快或慢，或暫停或突然，被術人專聽其號令，則心神無二。

（3）撫下法：其次撫摩被術人的身體，上部撫摩，則自前頭部，經兩肩胛部而到手指尖，又自腰部到足尖，輪流撫摩。

今古齋誌異

尼俠

青年陸少陽者，吳郡人，秉性荏弱，風姿娟好，如美婦人，且雅好修飾。某年科舉，陸少陽入京應試，隨身攜一書童，因陸生從未離其父母遠行，不堪跋涉千里，披靡風霜之苦，陸生頗感喟然，惴惴不安於道。然為揚名顯親之志，不得不如是也。行旅月餘，已入晉境，其地素稱不寧，盜匪充斥其間，行人視為畏途，陸生無御[illegible]，行數日，漸入山谷中，情況恐怖，時有壯男數人，側目視生微笑，旋即越生而過，生雖驟異，然計身無長物，不足以為盜匪垂涎者。一日黃昏，陸生欲覓宿棧。御者厲聲道：「如此窮山，何來宿棧，不妨向危崖叢中庵臥不起可也。」言畢，立示兇悍之態。陸生儒弱，只好唯唯諾諾，不敢稍違。

原來騾夫早有害生之意，因時未到，山谷中尚有行人，恐操之過急也。天晚抵一古剎，騾夫扣門無人答應者，初以為破廟無人。騾夫遂萌歹意，拔刀向陸生及童子，陸生驟異而號哭。騾夫笑道：「汝狂號吭裂也無應者。吾與汝本無宿仇，只為生計，不得不昧良心也。」言未畢，忽然騾夫倒於地上，身首異處。陸生驟得呆如木雞。忽見一中年女尼，走近對陸道：「汝等受驚了，然有吾在此，豈可任令盜賊橫行耶！此等鼠輩，不足以當吾一指，今後當無慮矣。」陸生長跪拜謝女尼，請入寺中令陸息於廊下。至夜半，騎燦雜光沓來，欲破關而入，尼躍登屋頂呼道：「鼠輩活得厭生耶！」乃出長劍一揮，白光一閃，盜賊人頭盡落地上，只三人生還者。尼對陸生道：「君因身無長物，然鼠輩有目無珠，以為衣飾華麗，疑為富家子，入京買官者，必挾有重金，若無我在，必難幸免，今後當慎之。前路伏莽無多，可以無慮矣。」尼護送數十里而返，遂安抵都上。（完）

自由報

中華民國內政部登記證內版台誌字第一○三一號
中華民國僑務委員會登記證僑字第三二三號
中華郵政台字第一二八二號執照登記爲第一類新聞紙

（第二九五一期）

（半週刊每逢星期三、六出版）

社長李運騰．督印黃行

社址：香港九龍彌敦道593—601號廖創興銀行大廈八樓五座

LIU CHONG HING BUILDING
7th FLOOR FLAT 5
593—601 NATHAN ROAD,
KOWLOON, H.K.
TEL: K303831

電報掛號：7191

承印：景星印刷公司

台灣總管理處：台北市大同街119號
台灣區直接訂戶　台郵劃撥戶
第五〇五六號張萬有（自由報會計室）
電話：七一四〇三三、五五五三九五
台灣分社：台北市西寧南路110號二樓
電話：三三〇三四六，台郵劃撥戶九二五二號

亟待整頓的台灣大學

·鍾國仁·

首先我們要聲明的，此處說「亟待整頓的台灣大學」，並不是說別的大學不需要整頓，相反的截至今日止，在台灣的各大專學校如其評分品論時，平均分數最高的，當然還是台大。要整頓，別的大學更需要整頓，此處所以單言台大，乃是本乎春秋責備賢者之義耳。

台大之待整頓恐怕是每個關心台大及台灣教育的人所想說的。但是由於某種微妙關係，一直沒有人公開討論。這個道理很簡單，外行人不知從何說起；內行人則隸於台大的，要爲親者諱；不隸於台大的，又怕人家譏諷，是因進不去台大，而有此「酸葡萄」論調。但現在問題愈來愈明顯，愈來愈嚴重，以致校內的人首先忍耐不住，不斷發出需要改革整頓的呼聲，例如三月二十七日「中央日報」「文教走廊」欄內三條，使有兩條揭載了有關台大的敗聞，一則說：「……按該研究圖書館的貴重書籍或專集，有好多被借書的學生整章或數張的割走，害得後來借閱的學生望殘屍而興歎……」這還是少數學生的行爲不檢！而更嚴重的乃是學術水準，海外聲譽之日漸低落使得文學院長，沈剛伯氏不得不發浩歎。沈院長在英鎊法郎貶值的高潮中，苦笑的說道：「我們也有一次貶值，也轟動國際」，事實是：

「沈剛伯最近至他所授的中國文化史堂上，曾慨乎言及該校的成績單，日見貶值。他說，在過去該校教授們打分極嚴，一般學生又多孜孜不倦汲取知識，對分數抱着豁達的態度，所以雖然成績單上數字不大光輝奪目，但拿出來眞如金牌，所以申請國外學校獎學金時，向來被信爲眞才實學。甚且有國內大學向彼邦申請入學，所附成績單多有函請他重估其實價者。但近年來，這種盛況已衰。沈院長說：『現在的學生選課要選分數給得寬的教授，考試事先要「考古」一番，教授們也因衆怒難犯，也漸漸把貴手高抬了。成績單上的數字不再被人信任，也收不到那種請他重估別人實力的函件了』（按：以上所引幷見本年三月廿七日中央日報第四版）

看到上述情形，要慨歎豈僅沈院長一人而已。大學本是智慧的源泉，社會的燈塔，今天非僅未能領導社會前進，反而江河日下，大不如前，怎不令人痛心。所以致此者，原因甚多，但一言以蔽之，乃是未能配合社會發展，延攬人才，力爭上游而已。自三十八年政府遷台以來，二十年間，台灣有了如何驚人的進步，而台大這二十年間試問延攬了多少碩學名儒，校內教師，有了多少學術貢獻，不僅得不到正面的答覆，相反的其給社會的印象（也許是誤解）却是固步自封，關門把持。以致前些年學術界的耳語說，台大某一學院遴選人才的標準有三，第一福建人，第二留日的，第三不好的。現在又傳聞某一系的標準是第一，要是本省人，第二並且要是中部的，第三也最好是留日的，第四當然也要不好的——這些話自是中傷之語不可爲信，但空谷來風也不會完全事出無因吧。至少十幾年前台大公然拒聘程天放，浦薛鳳兩教授的事，是讓社會無法理解的。程天放之博雅有識，浦薛鳳之功力深厚，爲大家所公認的。台大法學院中能找出幾個這樣的人才。但是竟爾否決不聘，理由據聞是因爲作官荒疏了學問。假如程，浦兩先生是研究文學藝術的，或是物理化學的，這個理由當然正大。但程，浦兩位乃是研究政治學，而必要來教政治學的。他們作了幾年官再回來重理舊業登壇授課，那正如一位工程師從工廠裏實習了回來，滿懷的經驗，有話要講，怎麼說是荒疏。難道一位法學教授作了幾年法官反而不能教書了嗎？眞是加之罪，何患無辭，但這種理由如何能令人心服。

上面所說也許只是偶然的一例，不足概全，尤其也許校外人士的故意吹毛求疵。好，我們仍看「台大人」自己的話吧，在台大學生們自己辦的「大學雜誌」第十四期，刊有一篇「如何培養大學的學術風氣——以台大爲例」一文，作者楊升橋：註明是台大農化系的學生我們且看他是怎麼說的：

「筆者認爲台大學術風氣的不蓬勃，有着以下的四個原因：其一，我們缺乏良好而且富於熱情的導師來啓發和指導我們從事學術研究。……！其四，大學制度中對不求長進者過度保障，造成了反淘汰……！他們壟斷着講壇，永遠不肯放下棒子，讓年青人有一展身手的機會。就筆者所知不少回國學人就遭到這班人的排斥和傾軋（作者按：例如一代大師錢穆先生，試看可曾在台大講過演？更不要說是執講授課了）……據說在我們的最高學府裡面，有終身不從事研究，但仍把持教席的教授；……對於台大我們急需要更多第一流學人至此講學」

又一個台大校內的報紙「大學新聞」第二五期的社論也發出同樣的呼聲：

「……二十年的日子不算短，理應足夠培植一批的人才，然而事實並不如此，即使新進人物也多滯留海外……其二便是與國際學術界的交流，不僅不夠，且有積滯現象：當年的北大曾經邀請過羅素，杜威，泰戈爾等來華講學……假如今日的台大也有類似的壯舉，相信必能冲破學界的某種積滯現象」。這是何等高瞻遠矚一針見血的卓論。但是他忘了台大有氣象恢宏的蔡元培嗎？台大有一批像羅素，杜威，泰戈爾，看得起的教授團（Faculty）嗎？

由上面所引這些話看來，可見台大今天之須待整頓已不是校外人士的故意挑剔，而校內的人士也有同感並言之更切。今天若再這樣因循下去，聽任某些人士大則把持一院，小則把持一系，視爲私臠不知長進，則將來不知要伊於胡底。台大是自由中國第一個，也是最主要的一個大學，其影響之鉅，將不可勝計。未來遠計姑且不談，而就眼前來說，又怎麼對得起那些唱唱向學，拼了十幾年小命，才擠進台大的青年學子！

每年到大專聯考放榜的時候，台大就是最神氣的時候了。它所取的學生都是第一志願的，挑剩下來的，再編到別的學校，眞是作到了「得天下英才」了，但是問題却出在「而教育之」上了。這些百戰試場，勝利的寵兒好容易踏進了夢寐求之的台大之門，那知裡面除了房子巍峨外，[illegible]是一片空虛，許多課程，使人失望。尤其大一國文，大一英文這些開門見面課，往往教的既無深度，而教學經驗技術，熱忱還比不上國校高三國英教員教的好，甚至還會發現在國校教不下來的人，在這裡搖身一變以大學講師的姿態高踞君臨，試問學生如何不失望！光是失望還不要緊，最嚴重的是使學生發生一種誤會，以爲教授就是這個樣子；因爲「台大尙且如此」，別的學校只有更糟了。於是對整個學術界失去信心，而流於消極。果眞如此時，許不要成了「得天下英才而陷誤之」了嗎？試問這還怎麼對得起青年，怎麼對得起國家民族。因此我們虔誠的呼籲政府和台大當局，痛下決心，大力整頓，而在這方面給其他大專院校樹立一個良好的標樣，使台大成爲一個眞正的有領導作用的大學。

昨日與明日

改良文化環境

吉鴻茂

最近本報「昨日與明日」專欄中，曾經讀到兩篇關於文化復興的文章，說來都是語重心長，有感而發之作。關於這個問題，是近年來政府文教當局所標榜的文化方針，曾經開過若干討論會，出過專刊，呼過口號，貼過標語。不過這種種作法，都未免流於形式主義的格調，無補於實際。口號與實質相距迢迢。此不僅文化這一端如此，其他政務方面，亦五十步與百步耳！

人材爲何外流？

復興文化之道多端，所謂條條大路通羅馬。筆者有感而發，亦爲吾人當務之急者，嗣爲「改良文化環境」，以「防止人材外流」。我們炎黃子孫的偉大精神，就是在於能刻苦播種。凡是有人類文化的地方，都有炎黃子孫創造的痕跡，各種困難的環境，都難以限制我們的開拓和播種。「楚材晉用」的情形，亦形普遍；現在學術界都高唱着無國界的調子，我們這一代的青年人當然更可以理直氣壯的去開拓自己的出路，創造自己的前途，豈可厚非！我們當局爲了防止人材外流，在法令上動手術，在學制上動腦筋，在考試上做文章，以防止人材的外流。愚見以爲都是流於形式，不察其本，而齊其末，是故方法罔效。因爲人是向上的動物，愛美求善，是人類的天性，這一天性，就是人類文化演進發展的原動力。青年們在一個不適宜深造的文化環境之中，他們怎能不向外發展呢？

改良文化環境刻不容緩

要防止人材外流，愚意以爲必須改良文化環境，方爲有效之圖。我們今天的文化環境，眞如一遍沙漠，一個堂堂國立編譯館，一年出不了一部像樣的著作，有某學院掛了幾十個研究所的招牌，其用意完全是「生意經」，毫無內容。一個教授兼了幾個學校的課，從早教到晚，尙不足以應付一家的開支。教授都如此，惶論其他！如果國內有可造之所，有求知深造之所，有適當的出路，青年們又何苦一去不回！不談復興文化則已，如要彈此高調，首先趕快改良文化環境，讓他們有深造之所，有各得其所的出路。到時不必用「愛國」的皇冠，更不用什麼限制，他們會自動煥然歸來。昨日已矣，明日尙可不預乎！

全國工展圓滿閉幕

輝煌成果有目共睹

全面起飛應有方案

（本報台北通訊）中華民國五十八年全國工業展覽會，於四月十日晚上十時，雖然沒有閉幕儀式，而仍由該會主任委員嚴靈峰偕同秘書長李平以及各組組長暨全體工作同仁，隆重而嚴肅的降下大會會旗，宣告結束。

爲期二個月的工業展覽，由於該會嚴主任委員授權經驗豐富，處事老練的李平　書長全權處理而成果輝煌。前往參觀的觀衆，包括海外華僑，國際觀光人士總計約一百五十萬人之多，尤以嚴副總統，考試院長孫科博士，經濟部長李國鼎……等，均以展出容充實，產品優良，貢獻卓越，表示欣慰而讚揚備至。

由於大韓民國紡織訪問團，南非貿易團，在華非洲農業人員講習班官員，美國留華學生……等外國團體，前往參觀大量購買各類產品，並對中華民國工業成品「價廉物美」之讚揚而更引起國際間工商界的重視。

在此次舉辦工業展覽以前，大多工業產品，均表揚以中日合作，或中美合作等字樣，作爲其商業宣傳之口號，利用大家對「外國月亮圓」的錯覺，作營業的競爭，殊不知我國工業技術品已到達國際水準，更有卓越精良產品的展出，使前往參觀外籍人士驚奇而樂於購買，實屬令人敬仰。由是而引起了中國國民黨十全大會代表們的好奇前往參觀，對國產工業品的精良，價格的低廉，代表們均異口同聲，大聲疾呼，要培養全國同胞「愛用國貨」的心理，去除前對國產品錯誤的觀念！

台灣的經濟繁榮，有賴於工業起飛，工業的能起飛，有賴於對外發展貿易。今日的工業優良產品，要開拓國際市場，按照目前環境需要，有賴於政府補導扶持，而輔導扶持，更應有整套的完美計劃，擬訂方案，尤以對各種工業產品的生產購料及外銷資金的運轉，不是就民間私人工業所能完全負荷得了的。今日工業展覽成品精良的成果，雖然有目共睹，要想全面起飛，經濟繁榮，提高生活水準，謀求社會福利，不是單靠私人企業自己摸索就能成功的，政府當局實應責成有關單位，擬定方案，計劃開拓，促使迅即走於成功坦途！

（丁徹）

自由談

蘇俄與毛共對於邊境爭端發生軍事衝突後，近乃向毛共要求談判，然毛共置若罔聞。這是俄共自己丟臉，毛澤東樂得擺架子，給「蘇修」下不去，藉以哄騙中國人民，消弭一些反共心情，其計良狡，亦適足以表示克里母林宮羣酋之無能也。

當毛共製造「紅衛兵」之亂時，大陸上各地區的反毛勢力佔着上風，而毛共的反對派要角陳紹禹，王稼祥等亦在俄國從事反毛活動。假使蘇俄此時在我東北和新疆境境，幹一次如「珍寶島」之類的軍事動作，必使毛共內部人心惶惶，意見紛歧，而其奪權的惡作劇，很可能沒法終場，而劉少奇這羣親蘇派修正主義者，或許尙有可爲。我說俄共頭目無能，其故在此。

低能的強權國家

如今毛共以反對「蘇修」爲旗號的奪權運動已告完成，而「蘇修」所提倡，旨在穩定共黨國際領導地位，併要藉此譴責毛共的世界共黨大會，亦復阻碍横生，遷延莫決。俄共此時希望毛共與之和談妥協，可謂與虎謀皮，既不知彼，亦不知己，一廂情願地企圖佔便宜，獲大利，不亦愼乎！

眞奇怪，戰後二十年來，美俄互爭世界霸權，且在發展新武器方面，均有成就，唯對於政治鬥爭，彼此皆顯示着低能不中用的情況，民主的美國如是，極權的蘇俄亦然。羅斯福一死，美國再沒有一個像樣的當政人物；史大林暴亡，蘇俄也就瞧不見近乎上駟的獨裁者；乃至邱吉爾一旦去世，而高據英倫唐寧十號首相位置的，亦盡是些碌碌之輩了。世人儘管厭惡戰爭，祈禱和平，但強權國家的當權派都是些低能兒，相激相盪，很容易招致戰神之降臨。譬如毛澤東若不及早「瓜直」，他便是引起世界戰爭烈燄的火頭無疑也，吾爲此懼！

鳥乙先生

興建草嶺潭水庫

引起朝野各界重視

雲林人士積極爭取

（本報駐雲林記者龍堅特稿）雲林縣古坑鄉草嶺潭，原係一個天然的儲水庫，具有興建水庫優厚的先天條件，且在觀光事業上，可望有遠大的發展。論其資源：如煤礦，山產等蘊藏極富，潭內儲水量據專家估計約三倍於日月潭。潭口可興建一座巨大發電廠，潭的上下游兩岸，更可開發數萬頃之良田。概括而論，草嶺潭是具有多邊的開發價值，如能興建水庫，無論在水利、觀光、經濟、交通、國防、社會福利、教育文化等方面估計，其價值實屬無可限量。可惜本人並非專家，在各項建設計劃上，未能提供技術的有系統的建議，我寫這篇稿的動機和目的，在於喚起社會人士，能對草嶺潭開發的價值與認識，進而協力促進政府早日計劃興建，以裨益國計與民生。

草嶺潭沿革

草嶺潭位於雲林縣東南方古坑鄉草嶺村的南端，距今一百多年前，經天災而成潭，當時潭的面積，約目前五分之一大，後來經過十三年時光的連續崩潰，曾造成斗六方面之虎尾溪，長達八四八里，遠在民國卅年十二月十七日（十二月十六日即日對美宣戰）由於一次大地震而造成山崩，土方達一億二千六百萬立方公尺，形成一座天然巨堤，使上游山谷積水成為一周約廿八公里之山中巨潭，面積長達十三公里，闊約三公里，深約一百六十公尺，潭的西端接嘉縣二路頭山，南端連阿里山大塔山，東面有天然煤礦山三座，後在四十三年，由於一次颱風豪雨造成水災，天然巨堤部份崩潰，迄今廿餘年，潭之輪廓原形如故。

水利目標多利用價值

草嶺潭面積約三百九十七公頃，潭長十三公里，潭高二百公尺，底寬四千八百公尺，容水量一億五千七百七十六萬立方公尺，集水面積一，六八五平方公里，吞吐量五億七千三百萬立方公尺。潭口可興建一座巨大發電廠，據估計發電能力，最大六萬四千六百KW，平時二萬八千七百八十KW，平均四萬一千二百KW，灌溉能力：兩期作約二萬公頃，三年輪作六萬公頃，其發電量可供一萬戶以上的電力，上下游兩岸可灌溉數萬頃農田，農產品可供三千萬人口之食糧，獲益之大，自不待言。

觀光事業發展

草嶺潭且有優美環境之天然觀光區，沿線崇山峻嶺，峯迴路轉，懸崖雲海，潭光山色，別有一番天地。而茂林修竹，翠綠相映，堪稱世外桃園，誠係騷客騷人吟哦賞詠的好去處，若身臨其境，有如：「峻嶺高峯劃不成，一潭光景許澄清」之概，由此而知草嶺潭的景色是如何的優美。如能配合水庫建設，美化環境，在潭之四周，加以工程修建樓台對閣，設置水潭遊艇，專供遊客備用，開設動植物園，關建游泳池，兒童樂園及各小型娛樂場所，建築合乎國際水準之觀光旅館，歐化，此外建築一間宏偉的復興中華文物館，藉供外邦觀光人士觀賞。草嶺潭之南為梅山公園，及湖山巖兩個風景區，可供遊客留戀忘返，潭之大尖頂有抗日忠烈史蹟，士人記憶猶新，倘加建一座忠烈祠，供觀光遊客往來憑吊，更可顯政府崇功報德之意。在交通方面而言，以斗六站為中樞。有縱貫鐵路，公路，及台西民營客運汽車，交通暢達。另在大尖山頂建築一小型飛機場，這對觀光事業前途之發展，不論在天然環境及風景遺蹟上之評價，較之日月潭，石門水庫，澄清湖之觀光地區，有過之而無不及。

配合交通建設

雲林縣境之公路，四通八達，獨古坑鄉公路未臻完善，且有部份路基仍未鋪設，倘能開發興建草嶺潭水庫，必先測建公路，才談得上開發資源，發展觀光，轉運煤礦，山產等等交通運輸。在日據時代，早經開鑿之路基，均雖達到交通上安全之準則，爲了開發資源，增進地方經濟繁榮，提高人民生活水準，興建公路爲首要之急務。草嶺公路爲本線唯一之山區產業，煤礦，觀光旅遊之主要交通，歷屆縣長曾有多次計劃修築，始終未能實現，該路線每年有五六個月的雨期無法通車，造成部份山產資源，通向竹山輸出，對雲縣古坑之經濟繁榮，影響至鉅。在文化、教育、行政方面而言，沿途一五〇〇戶，居民將近萬人，每遇雨季，交通斷絕，對學生之學業與政令推行，和治安之維持，均不無影響。據交通當局計劃於近期開闢東西縱貫公路，以發展阿里山觀光區及煤礦資源運輸起見，現正積極籌劃中，趁在開發草嶺潭時機，應予積極爭取先行籌劃建草嶺公路，以配合開發工作。

經濟價值

沿線森林，約有林地一萬四千公頃，集集嘉南三縣梅山，吳鳳，南投，古坑四鄉鎮之山地產物於一地，蘊藏物產，資源，煤礦等，均極豐富，計原始雄木七、七〇〇公頃，天然檜木二〇〇〇公頃，人工造木三、四八〇〇公頃，各種竹類四、九〇〇〇公頃，木耳三〇、〇〇〇公斤，香菇二五、〇〇〇公斤，栗子二五、〇〇公斤，各類水菓三〇〇公頃，煤礦產類估計在三、〇〇〇萬噸以上，每天以十輛大卡車載運，約可生產八十年，每天產量約在五百噸左右，品質之佳，冠乎全省。草嶺公路一旦延伸至阿里山線開闢成功後，各煤礦廠商即可關闢支線直達礦區，則採煤量比較現有之數，可增產至八、四〇〇餘倍，在煤礦價值方面，就高達百億元以上，不但帶來了古坑，斗六兩鄉鎮的經濟繁榮，對本省工商業更是一大貢獻。

國防貢獻

草嶺潭公路路線，爲聯貫西部山區地帶唯一國防公路之重要幹線，由阿里山可通嘉義，經竹崎至大埔而遠及高雄旗山等地，樟湖，竹山桶頭線已於去年打通，故此可由竹山經日月潭至埔里，直入霧社山區而聯貫東西橫貫公路，在國防交通上，極具其重要之地位。

普及教育

草嶺潭水庫興建完成後，沿線十八村里之教育，勢必普遍提高，該潭東岸，環境幽靜，風景雅緻，甚爲適合創設一間屬於研究性的學府，配合國家發展科學的政策，這不特提高山地居民的教育水準，且更可吸引觀光遊客的嚮往。

增加社會福利安定民生

開發草嶺潭水庫，及配合觀光、交通、水利、經致的建設，工程非常浩大，關于專門人才及工程技術人員，和工程經費單工工程踐工費等，在這裏不加詳述。據該工程概略估計建設的時間，需費時六年才能完成，在這裏單就人力工程所需之民工，據最低估計，斗六，古坑兩鄉鎮受益就業民工約在二千人左右，按六年興建時間，和二千人參加工作而計算，總共需四百二十二萬工作人天，不論男女，每工作人天，按普通工價約需五十元，全部工資需二億一千一百萬，這項社會福利竟高達至二億多元，對促進斗六，古坑兩鄉鎮的民生安定，有莫大補助，對雲縣的經濟繁榮，更令到全縣民鼓舞而興奮。

結論

草嶺潭水庫興建開發計劃，早於去年經雲林汽車客運公會秘書蘇惕草擬興建計劃書，分別呈報省府汽車客運公會，水利局及觀光發展有關單位，後經中央某單位透過聯合國組織，促請指派專家實地勘查與研究，聯合國水利發展總署暨觀光發展總署，於去年十一月間曾派專家三人會同來台，雲林汽車客運公會會員，斗古鎮林秘書，古坑鄉鄉長，蘇秘書等，曾前往實地勘察，經檢討研究後，認爲確有興建開發多目標水庫的價值。在五十八年二月廿七日再經專家作第一次空中勘查時，因天氣惡劣，視線不佳，未能找出適當興建地點，省水利局及雲縣建設局長決定聘請水庫專家作第二次空中偵查，并衛北港第五工程處會同水利專家，再從地面作實地探查，據雲林縣長□禎祥透露：經濟部長李國鼎對草嶺潭興建水庫一案，極表重視，隨着在三月初已飭令省水利局擬草嶺潭有關資料呈報經濟部，作深入的研究，同時亦獲得中央的重視，興建水庫的計劃，可能性已大爲增加，草嶺潭水庫是否能夠興建，站在雲林縣本籍的地方人士立場，應主動呼籲有力仕紳，協調一致，積極進行爭取興建，不但斗六，古坑兩鄉鎮之繁榮，即可指日而待，人民生活教育亦隨之而提高，國家經濟繁榮，及爭取觀光外匯，增進邦交等，均有利賴。

（完）

台北新聞信

藉「選拔」斂財 刁風亟應糾正

（本報通訊員柳一權）政府自遷台迄今，已屆二十年，儘管官吏雖如人意，貪贓受賄之風盛行，公家事務非錢莫辦；但是社會安定，經濟繁榮，則是不爭之事實。由於工商企業日臻發達，民間富力有餘，新建築物如雨後春筍般地紛紛建立；於是一些打着「文化人」招牌的非法之徒，便大動歪腦筋，搞甚麼「十大傑出」之類的選拔，近年還有所謂「十大優秀建築師」「十大優秀營造企業家」以及「毛衣皇后」「雲裳小姐」「模範父親」等新聞，披諸報端。流風所被，愛慕虛榮者趨之若鶩，致造成浮誇的風氣。一些不良份子，便利用人類好名的心理弱點，假「選拔」爲名，行「斂財」之實，故爲社會有識之士所詬病。內政當局有鑒及此，於五十七年曾公開發表聲明，大意爲「今後有關選拔之類事宜，一律不准私人擅自舉辦……」俾免投機取巧者，藉以招謠撞騙，以正歪風，因而此風稍戢。

詎料近來又有所謂「中華民國建築金鼎獎選拔會」名義者，分函各建築師事務所，各營造廠公司，各室內裝飾設計協會會員，推荐第二屆「十大優秀建築師」暨「十大優秀營造企業家」暨「建築最佳設計獎」「建築最佳施工獎」「最佳室內裝飾獎」選拔，并定於四月十日爲截止報名及推荐書日期。

據有關人士透露：該選拔會乃一未經政府主管立案之非法組織，其於五十六年三月所舉辦的第一屆「十大」選拔時，曾向當選者索取新台幣一萬元至二萬元不等之報酬。而且居然私刻「中華民國建築金鼎選拔會」之「關記」及「鋼印」，頒發「當選證書」。如此似已構成僞造文書詐騙之行爲。就因爲儻來之財取如拾芥，遂食髓知味，又復舉辦二屆選拔以飽私囊。據此，政府主管及治安機關，實不應漠視此種不法行徑，爲害社會。若人人效法，尤貽患無窮，應即勸令禁止，嚴加取締，以糾正此一浮誇倖進的歪風邪氣。

瀛海秋拾（六）

沈成章鎮靜退敵

·林公偉·

湖北沈成章鴻烈，海軍宿將，戰前長青島市，戰後襄政中樞，又以□能勤愼名，上月溘逝，識與不識皆深致哀悼。

民國二十三年，不才遊青，得承青睞。越二年，日人於華北未能肆意，乃與韓復榘勾結，轉謀青島。九月間以我黨人在青工作努力，民衆組織嚴密，日本紗廠剝削我工人利益，乃由工會通告全體罷工。日總領事叫囂不已，復報請日政府調來海軍艦隊，以卸下砲衣，實彈指向市政府爲要挾。沈市長明悉其威脅僅爲一種侵略伎倆，但日方所提：停止黨務活動，解散工會組織，取締仇日教材等，皆非屬一市之事，須請示中央應付。中央派秦次長及溫委員分途赴青，實地察商辦理。秦次長過濟後，繞道他去。溫委員爲南方之强，到濟後，韓主席不便出面攔阻，日命李幼椿民政廳長等强與文酒之會，實則羈絆不使到青。溫氏自十月十五日到濟，轉瞬六宿，心傷不已。廿二日適爲星期日，溫乃預約韓向方以次要員於是日暢遊千佛山，并擊鉢賦詩。及向午設席，酒盡一甕，既山上丹楓，皆醺然有醉意，溫氏推說回寓更衣，立去西關登膠濟路火車。過三站後始有韓氏憲兵上車查詢有無中央溫委員，溫僞爲商人，並告以似聞有中央人員在第二站已被請下車。遂得半夜至青。

沈市長應付日領事之喋喋不休，日浪人之過事生非，日軍人之跋扈作態，已半閱月，始終鎮定，不爲少屈。至是欣得溫氏實地察勘，共同研商，當夜即同車遍視紗廠，碼頭，乃及日軍警戒各線，並與黨部，工會負責同志交換意見，翌日與沈氏共電報告中央，中央悉可所議，三日之間，化戾氣爲祥和，日軍撤去，紗廠復工。溫氏於廿四日回濟，韓主席極意奉承。不料翌日西安事變電傳，韓氏立即露出猙獰面孔，日强迫接收山東兵工廠，搜查溫氏密電碼，便衣看管，不使回京，此爲後話。是次青島事件如非沈溫兩氏之沉着應付，迅赴機宜，再拖延三宿者，日方必趁西安事變而興波復染擾手，塵烟膠濟，動搖華北全局矣。

喬治桑外傳 二四

張大萬

雅麗絲搖搖頭，說：

「在家不是很好，不要出去花錢吧。今晚電視不壞，有「法網恢恢」，還有你最喜歡的平劇節目。」

「平劇是甚麼節目？」喬治桑從前也算是羊毛票友，亦生亦旦，惜惜哼幾句皮簧。

「是貴妃醉酒。」雅麗絲答。

「噢，貴妃醉酒。當年路三寶這齣戲最有名，但很多人都沒有看過。路三寶以後，當然要數梅蘭芳了。勝利以後，梅蘭芳已是望六之年，貼演貴妃醉酒，風華絕代，簡直將一代尤物楊玉環演活了。『臥魚』的腰腿工夫，毫不含糊。這便是平劇的藝術價值。」喬治桑歷歷如數家珍，說了一大套。

「梅蘭芳我是知道的，可惜我沒有看過。像我這樣年紀的人，對於平劇簡直一竅不通。你剛才說的「臥魚」，甚麼是「臥魚」？」雅麗絲很有求知慾，她向喬治桑虛心請教。

「臥魚是花旦的腰功，講究蹲下身子，再升起。必須姿勢美妙，使人看起來柔若無骨。啊，對了，當年我在上海時，喜歡玩票，曾學過這齣戲，後來因爲沒有幼工根底，臥魚練不好，反而閃了腰。最後還是扮了高力士伽驅過一過戲癮。做貴妃不成，却當了太監。哈，哈。」喬治桑年青在上海當買辦，是到地的有閒階級。那時登台彩爨是最時髦的玩意。

「我倒不懂，平劇裏面的脚色，爲甚麼喜歡用男人扮女人？一個大男人上台扭扭捏捏的，豈不噁心？」雅麗絲睜着一雙明媚的大眼睛，問喬治桑。

「男人扮女人與女人扮男人，無論在戲台上或銀幕上最能抓住看客心理。男人扮女人，男觀衆拿他當女的看，女觀衆拿他當男的看。梅蘭芳之所以紅遍大江南北。女人扮男人，情形亦復如此，凌波扮梁山伯一炮而紅，亦是此理。」喬治桑似乎說的頭頭是道。

電視螢光幕上，警匪正在槍戰，乒乒乓乓打個不停。喬治桑與雅麗絲談話，根本沒有注意電視。這個節目過後，响起鑼鼓喇叭，貴妃醉酒即將登場。

扮演楊貴妃的，是軍中劇團的坤角，出場以後，唸引子，定場詩中規中矩，也算難得。喬治桑因爲學過這齣戲，在楊貴妃唱「海島玉輪……」四平調時，不覺喉嚨發癢，隨聲和唱起來。

「『包死』你眞是多才多藝，我雖然不懂，但我覺得你唱得很不錯。」雅麗絲在稱讚喬治桑。

「眞的，拳不離手，曲不離口，隨便哼哼還無所謂，上胡琴恐怕就不行了。」喬治桑很謙虛，倒有京朝大角的派頭。

（未完）

雷震與自由中國

—當年內幕誰知道　一番往事話從頭—

王曰叟

（五）

教授「南遷」，也就是政府爭取北方教授的工作，本來是從容部署，以求妥善的。但不料北方戰事突然逆轉，一夜之間，北平陷入了共軍的包圍。這一突發的變化，不但市民驚駭錯愕，手足無措；就是政府當局也大出意料之外，那些時，北平——這京戲的老家——時常演唱「空城計」，劇中諸葛亮曾經驚愕的說道：「司馬懿的大兵來得好快啊！」沒想這句話竟成了讖語，而西蜀軍民的心情竟成了此時此地的寫照。

在這圍城中的人們，大家反應不同，但可說是「同床異夢」。擁護政府的人，自然是憂心如焚，垂頭喪氣；而那些左傾人士，則又無限興奮，準備着迎接「解放」。但不管是左是右，是喜是憂，有一件是大家共同憂慮的是：傅作義是有名的善守大將，北平是整個政局關鍵的重鎮，絕不會輕易放棄，而北平又是一個消費都市，什麼都不生產，除了空氣、日光、水（北平城內有水井）以外，什麼都要從城外運入，要是一圍一守，拖延幾個月下去，北平二百萬的市民便會活活餓死。長春圍城時，一兩黃金買不到一碗飯的故事，是人們不能或忘的。因此大家不論政見如何，却無不都希望早日「離開是非鄉」，一時紛紛搶購飛機票，情形混亂，已到駭人聽聞的程度。於是剿匪總司令部馬上下令管制民航客運，而人民申請登記購票的一下就達到兩萬多人，那知正在登記熱鬧的時候，兩個飛機場已經丟了一個半，西苑飛機場迅即淪於共軍，而南苑機場已陷入共軍大炮射程之內，民航飛機根本不敢降落，誰也飛不成了，登記的也是白登記。

正在這千鈞一髮的時候，政府由南京派了一架專機來接胡適先生了，這是三十七年十二月十四日的事。情形非常緊急而機密，除了胡先生本人及接電報的鄭天挺秘書長（按：全國各大學的編制，只有北京大學有「秘書長」）外，只有六七個人知道消息。大家馬上回家拿點換洗衣服，零用錢，集合，隨胡適先生到南海勤政殿，由剿總派專車送赴南苑機場，但不料當時情勢已極混亂，軍隊調動頻繁，胡先生一行的汽車走到永定門，竟未能順利出城。加之共軍炮火又直射到機場，當局深怕出事負不起責任。于是胡先生一行又折返勤政殿，而由傅作義下令前線軍隊衝一陣，始迫共軍後退一步，使南苑機場免于炮火威脅，然後再送胡先生登機啓行，這已是第二天，十二月十五日的事了。當時隨着胡先生一齊南飛的教授，計有張佛泉、王聿修和王雲槐，另外還有幾位在混亂中失去聯繫，而未能成行的，則是毛子水、敦福堂和張起鈞。

以上是第一起，至于第二三兩起的教授，梅貽琦、錢思亮、楊武之（楊振寧的父親）等人是怎樣出來的，則容下次再行報告。

吳敬恒先生年譜（六三）

陳凌海編撰　陳洪校訂

九月三日，張人傑（靜江）逝世美國紐約。先生甚爲痛悼，除電張夫人致唁外，並於中央日報發表紀念文。（該紀念文由先生口述，表姪陳清海筆錄。）十二月，傅斯年（孟眞）逝世，先生輓之曰：「成學派自由，豫判共匪，五四君千古；是眞正校長，主持大學，孑民後一人。」

民國四十年，辛卯（西曆一九五一年）

先生八十七歲

元旦，參加總統府開國紀念會。春，編撰彈成功史表。二月，在新店自建疏散房屋側建防空洞，備作不時之需。三月，台灣省國語推行委員會特編印吳稚暉生平一書，於先生八十七歲華誕致祝。夏，遷居陽明山。八月，陳果夫逝世，先生輓之曰：「自困不治之篤，亘四十年，專心爲治我弱國；留遺藥國之方案，積數百卷，並足以藥後世人。」先生小便閉塞症復發，旋返居台北。所患不久即癒。四日，對日和會於美國舊金山開幕，我國未被邀參加，除向美國提嚴重抗議外，由外交部發表嚴正聲明，「對日和會」無我參加，實予侵略者以鼓勵。吳治晉（憲勝）逝世。先生爲其發起治喪。共匪以專橫殘暴統制大陸，自去年起，在各地展開清算鬥爭，迫害忠良。先生預估共匪在三數年之內，將採殘殺、人海戰術、遷徙流離失所，以及飢餓等方法而殺我同胞兩萬萬，而手製共匪禍國殃民圖解。邑人吳士良、吳和叔、丁稚圭、毛錫鎣、吳永法、朱道明、馬榮秀、吳永亨（克成）夫婦、陸逢時、秦邦植（維屏）、馮錫淵、吳士熙等十餘人，因遭共匪迫害，相繼逃亡香港，先生顧念鄉梓，特爲設法申請來台定居。先生生前有一志願，鮮爲人所知者，即欲於其故鄉雪堰橋鎮建一所規模宏大之圖書館，供全鄉爲學之士進修之用，並作娛樂休憩之所，此事因局勢關係，遷延未能付諸實現。先生來台後，會以此願私語親友，寄以俟將來光復大陸後，爲其實現未竟之願望。是年先生輓居正（覺生）曰：「創造　國父之中華民國，公實乃武昌起義重要一份子；完成堯舜後民治憲法，君又爲三民主義自始起草人。」

民國四十一年，壬辰（西曆一九五二年）。

先生八十八歲

一月三十日，日本政府遴選河田烈爲「中日雙邊和約談判」首席代表，前來台北與我國外交部長葉公超談判中日和約問題，我國全權代表葉公超秉承蔣總統中正對日寬大政策，希望中日間進一步合作，並依據金山和約爲藍本。日本全權代表河田烈感謝蔣總統之寬大精神，並願鼓勵日人盡其責任，而告達成協議，中日和約遂於四月十八日在台北簽字。

老子思想的盛行（下）

老學漫談

・張起鈞・

要探索一本書的思想源流，除了從該書中直接發現前人的思想外，並且還必須從前人的書籍和言行中去印證，所以對於老子思想的源流，可以分爲三個途徑來探求：

一、從老子本書中求證——老子書中有許多話；顯然是前有所本，而有許多地方更明白的是在引錄古代聖王之言。因此足以證明包涵在老子書中的思想，實已遠在道德經成立之前便已存在了。

二、從古籍中推證——在比道德經早的典籍中，如書、易等其中許多話，實在是十足的道家思想。由此可證此種想法，並非道家一家所獨占，而在古籍中也一樣有人同此心的想法。這種想法當然全直接間接的助成道德經的發展。

三、從古代帝王言行中印證——由於儒家注重歷史，所以古代帝王，好像都已成了儒家，實則這些帝王的想法固然有極大部份的言行是完全合於儒家的，但在另一方面，也往往有極濃厚的道家意識，初不以儒家爲限，儘管這些史書都是經過儒家之手的，但仍有許多地方，可以流露出他們的道家意識。有時是在言語上，有時是行爲上，而這些道家式的想法，無疑的會對道家思想的成立有極大的幫助。

下面我們便分別試爲討論。

在我們翻開老子一書，尋求其中有關前人思想時，必須注意一個困難，就是前人著書，由於書寫困難，轉抄不易，不能像今人一樣，凡是引證的地方都可以注明出處。他們有時把前人的說法，融入自己的著作；有時雖寫明是他人的著述，都沒有詳細注明出處；有時因爲手頭沒有資料，僅憑記憶或傳聞而引證，故其中常有錯漏或增添之處。老子一書，正是如此。尤其老子一書雖然成於春秋戰國之間，但這是指最早的雛型而言。至於今日的老子一書，未必就是最古的本子，其間經過轉抄，不僅附入後人的思想，甚至連注解也被列入，如第三十一章的「吉事尚左，凶事尚右；偏將軍居左，上將軍處右。言以喪禮處之……」。因爲偏將軍，上將軍爲古時官名，可知這段話是後人注釋。

由於這種種理由，所以我們要劃分老子書中，那些文句是前人的思想，却頗爲不易，但幸而老子書中有幾處是說明了採取前人的文句，這些文句包括有古書語文、銘文、古訓、格言等等。如：

一、古書語文：

第六十九章：「用兵有言：『吾不敢爲主而爲客，不敢進寸而退尺』。」

二、銘文：

第四十一章：「故建言有之：『明道若昧，進道若退，夷道若纇，上德若谷，大白若辱，廣德若不足，建德若偷，質眞若渝，大方無隅，大器晚成，大音希聲，大象無形，道隱無名』。」

三、格言：

第二十二章：「古之所謂『曲則全』者，豈虛言哉！」

四、古訓：

第五十七章：「故聖人云：『我無爲而民自化，我好靜而民自正，我無事而民自富，我無欲而民自樸』。」

第七十八章：「是以聖人云：『受國之垢，是謂社稷主；受國不祥，是爲天下王』。正言若反」。

以上各章句是老子明言引用前人的文句，來印證自己的見解，另外還有幾條老子雖沒有明言，却與前人的文句完全相同：如第七十九章的「天道無親，常與善人」。乃來自易逸文。第四十二章的：「強梁者不得其死」。乃出於周廟金人銘辭。

由以上老子徵引前人的文句看來，雖然沒有指明出處，雖然其所徵引的範圍很複雜，但毫無疑問的，這些文句在老子一書以前並已存在，而且爲大家所熟知，否則也無徵引的必要。尤其我們把這些文句加以分析，發現它們都是強調守弱處卑，無爲好靜的，而這正是老子一書的中心思想。所以老子所徵引的這些文句，不像其他古籍一樣，只是依託和借重而已。老子的徵引，却完全是該書該章的結論，因此我們可以推知，老子書中的前人思想，乃是道家思想，在老子成書以前，已有道家的思想的存在。（完）

三百年前一位青年抗戰的民族文藝家——夏完淳（八）

・汪辟疆・

五、夏完淳的詩文集

完淳的詩文，在明清間，流傳人口者却不少。他殉節以後，人間亦祇有抄本流傳。今尚可考見者，他在九歲的時候，就編成詩文一卷，叫代乳集；甲申酉間所作的詩文，名曰玉樊堂集；他從軍以後，自丙戌到丁亥，這兩年所作，名曰內史集；南冠草，則爲臨難時途中獄中的詩文。清朝文字之獄，層見疊出，不少文人，動輒以文字賈禍，民間雖藏有寫本，也沒有敢替他刊刻。乾隆的末年和嘉慶的初年，吳省蘭刻藝海珠塵，始大膽的將殘餘的夏內史集刊入。青浦王昶又託莊師洛、何其偉、陳均等搜輯，編爲夏節愍全集，連同陳子龍的集，合刊于世。世間稍稍流傳。此外𨼆坤正氣集內，存完淳文一卷；明三十家詩選二集內，存完淳的詩一卷。表章最力者，要算明三十家詩選的作者汪允莊女士；允莊爲錢塘陳裴之妻，裴之嘗作一篇夏內史的長詩，汪氏併把錄入詩選小傳後。但是以時代的遼遠，文字的禁忌，畢竟少有人注意。三十年前，我在北京大學讀書時，從巴陵方柳橋的碧琳瑯館藏書，發見一舊抄本內史集，當時曾糾合各種叢書編集，重校了一次，寫定夏內史集二大冊，寫完後尚題了一首五言古詩和四絕句。絕句四首，似乎收入綠天香雪　詩話。五言古詩爲孫雄採入道咸同光四朝詩史，今皆不能記得一字。惟舊抄本南冠草，有桐城方授一序，評論最爲詳確。考江南通志「方授字子留，桐城人，嗜學工詩，晚年入四明山中，結茅而棲，采橡栗而食。著書百篇」完淳內史集，有寄懷子留方二七古一篇，中有句云：

我汝年皆十五餘，江南江北稱神駒。
文章一顧驚烟動，自愧風流頗不如。

據此則方授亦明末清初間人，與夏完淳，皆一時才士，且相契也。今錄此序以代結論：

壬辰冬，偶遊四明，與朱陸諸子論甲乙以後忠節及松江諸公。余言夏爰（王旁）公——允彝字——死最先；其子完淳，字存古，以十七死；其人其文，古未有也。諸子請其詳。余曰：存古五歲知五經；九歲善詞賦古文；十六十七與友人有事吳中。會江東有詔諡爰（王旁）公師文忠，廕一子中書。存古乃上表及疏，稱中書臣。完淳死，以進報某虛實，約兵以某日航海會某所，爲邏卒所獲。就鞫金陵。某某欲活之。曰：汝年少，豈知兵？存古曰：吾年少，豈遂不知兵？某曰：汝口何不惜汝身？曰：倘吾死而復生，來日破虜，汝必先文忠與我也。身何足惜？因顧謂其婦翁曰：男兒死耳；何能作求生狀？遂就義於金陵之西市。諸子曰：有是哉！恨未見其人也。其疏及表在乎？余曰：微獨疏表在，向余過武水蔣氏兄弟，見存古有大哀賦，有獄中上太恭人書，寄錢糯人書，有示同事諸友書，有自訂詩近千首，此存古之文也。已又得其南冠草。因出示諸子。諸子請歌之。余爲之歌別雲間。諸子曰：壯哉！往而不還也。何鶴唳之足悲乎？爲之歌辭恭人。曰：哀而不怨，太恭人有子，復何恨？爲之歌寄內。曰嚴而婉，責其婦以程嬰乎？余盻歌。曰：存古死而遺腹得一子一女。天之報施不爽哉！爲之歌寄姊及甥。曰：甚矣哉！大仇其可忘乎！爲之歌寄半邨及聞大鴻訃。曰：其皆死心乎！是知生而知死者也。爲之歌細林。曰：知大夏者，其孟公乎！非孟公而細林之哭，誰能若是。爲之歌遇九高及轅文。曰：是眞可以告朋友乎！又何知友之明也。爲之歌入京及被鞫諸什。曰：至矣哉！烈而辭，苦而甘，怨而溫，直而不屈，勇而不懼，靜而不亂，思而不貳，求仁而仁，取義而義。惟故國之傷也。以忘其身與家。其存古者，忠孝兼之矣！而以十七傳古人未嘗有也。南冠草者，可以名存古之人，可以名存古之文矣！因手訂之，而命余爲序。——方授南冠草序——

巨變歷險記！

誓死抵抗到底，也是五代表所望於陳司令，林軍長與杜市長者。五代表聽過他們的話，對於前途也非常樂觀。尤其林軍長的話，給五代表的鼓勵最大。他向五代表保證再打一個月沒有問題。究竟林軍長的法寶是什麼？他告訴五代表：你們看好了！再抵抗一個月，最少最少最少，不成問題。

杜市長是個文人，他雖萬分贊成陳司令、林軍長的高見，對於天津還能抵抗多少時，則表示懷疑。他注意在守城部隊的作戰力上。他感覺到天津守城的部隊，不但少，而且裝備差，心理狀態才關重要。

對於天津全體的市民，五代表不敢坦率的將林彪與陳司令敵對的態度談出來。四十八小時的時限，市民不知，誓死抵抗到底，市民也不詳細。他們都是希望能不打，以免受損失，以免犧牲。他們那里知道雙方都在劍拔弩張，戰爭已經迫在眉睫，暫時的平靜，乃暴風雨的前夕。在五代表往談判期間，天津一直沒有戰爭，過去的槍聲炮聲，都停止了。天津好像是一個平靜的城市。代表回來以後，天津依然安靜：聽不到槍聲炮聲。天津市民在感激五代表的奔走，感激他們在爲天津市民的利益而奮鬥。

代表市議會，爲市民喉舌的，有丁代表辦的「抵抗」。這是一個週刊，由丁代表自己主編，印刷交天津益世報。這刊物是圍城後的產物，天津被圍以後才出的。眞是洛陽紙貴，不脛而走。由這也可以看出來，天津的市民，也是希望能繼續抵抗的。市民雖然不十分明白雙方的態度與意見，雖然不曉得四十八小時與誓死抵抗到底，但空氣的緊張，戰雲的瀰漫，火藥的味道，他們也都有預感。圍城之下，他們日夜在研究各方面的情況。戰爭已迫在眉睫，已爲全體市民所知了。因此對於日來的沉靜，也感到不耐。

林彪開始向天津總攻

胡慶蓉

四十八小時，會很快的過去的。看着錶，四十八小時快到了，四十八小時到了……五代表在虔誠的禱祝，戰爭不發生，戰爭不發生……

……但這個希望很快的破滅了。正在民國三十八年一月十四日下午四點，是四十八小時的限期到了，天津外邊四週的槍聲炮聲，就突然響起來了。這是林彪的總攻開始了。

林彪不是說過嗎？四十八小時之內，看不見天津的代表回去，即作爲拒絕他的條件，他就沒有再等待之必要。現在天津四週的槍聲炮聲，就是林彪對天津總攻的開始。

丁代表同陳司令、杜市長不斷的聯繫，彼此在研究對策。陳司令告訴丁代表：已有妥善的準備，請市民好好的在家中守候。天津四週的槍聲炮聲，隨着一分一秒的前進，好像越來越多越來越密了！……在林彪部隊總攻的槍聲炮聲響起後，我們這邊也在開始還擊了。（三六）

催眠術研究　三六

鮑紹洲

四十六、甲子催眠法（續）

（4）按窒法：施術人以手按被術人的下腹部，就着被術人的呼吸而抑揚之，手如作感電一般的微波顫動，以使其腹部。如被術人有腹膜炎之病，則不宜壓揚其腹，以免有妨於病故也。

（5）快感法：其次用手輕壓被術人的兩膝，而加以微動，約數分鐘。又以雙手輕壓被術人的足的腿部而微動下撫之，直至足尖，反復約數回。其次按其額動脈而壓迫微動之。

（6）砥散法：次令被術人緊握施術人雙手，再使足尖膝頭加以用力，全身及下腹部亦同時用力；且暗示道：「兩膝用力，更加強力」，如此而後再行下法。

（7）算息法：使被術計算呼吸法，從一至五十九二回，且令急速運動其兩膝，亦從一數至五十九二回。再後則行靜呼吸，漸至微弱，暗示道：「你頭上血壓到足而靜止精神」。其下則行望看法。

（8）望看法：用催眠球，以特製的小箱盛球於箱上，放在被術人的胸上，暗示道：「微微開眼注視此球」。即令其細眼瞰視此球。

（9）指眼法：此時已過二十分鐘時間，若尚未閉目，則暗示道：「閉目而眠」（如已閉目不用）以兩指輕輕按其兩眼，且同時行撫下法，反覆試之，再行言語法。

（10）言語法：凡施術人自始至終，常用言語暗示，以誘其深眠，如施術人向被術人凝結精力。暗示：「將要眠」、「更深眠」，反覆暗示之，遂漸至於催眠狀態。

前面所說的各種方法，大約費時三四十分鐘之時間，便能令其催眠。如果已行前項各法，則撫摩其雙手，而暗示道：「我現在撫摩你的臂，你必然知道，雖然知道，必然善於感應，我的話全知道了。這是正在催眠中」。遂按其脈，其脈搏尚比醒覺時稍靜，即知其已成催眠了。然後徐徐舉其手，詳其肱，而暗示道：「此手已輕輕舉起」，再凝其神力道：「還隻手尖有沒有也不自覺」，再次使觸被術人手尖道：「還雙手下至於此」，再觸其腰側之部。若手感覺有遲滯之感，則宜加以心力法而暗示道：「已下，已下，已下」，即可垂手而下；或撫其足尖而暗示之，亦無不可，自能催眠了。

生活漫談

胡椒與烹調秘訣

・馬騰雲・

胡椒是蔓性常綠灌木，原產東印度，葉卵形，頭端尖銳，夏日開黃白色小花，果實爲綠色球形漿果，成熟時變紅色，採集其乾燥果實，供調味及藥用。

我國南部近熱帶地區，也有胡椒出產所含辛味成份約爲百分之六——十三，其中有結晶體的胡椒鹼，及有揮發性的胡椒揮發素等。胡椒的粉末，可爲調味劑及健胃藥，少食可增進食慾，若用過量則刺激胃粘膜，因而引起局部的充血發炎。本草謂胡椒能暖腸胃，除寒濕，反胃，虛脹，冷積，陰毒。可用爲健胃驅風藥，對於寒積性的腹痛，虛火上浮的牙痛，胃腸蠕動力減低的消化不良，胡椒粉都有卓效。它的本性溫熱，味辛辣而帶芳香，有驅寒祛水，溫暖內臟的特殊功能。胡椒粉，古名古月粉，是用胡椒磨成的，民間多用以調味，能驅寒氣，除腥味。食魚食肉，常常加上一些胡椒粉，可增加肉類的芳香，促進食慾，增強消化，呆滯的胃口，每因此而靈活。食卵飲湯時，加一些胡椒粉同食，別有風味，胡椒粉除作芳香食品用外，還可以止痛，如腹部時見寒冷，鬱鬱作痛，痛時則反胃嘔吐清水，小便清白頻數，面清唇白，每痛則四肢冰冷，這是陽積有寒氣，急救不妨用正胡椒粉開水或酒送服，服後身體會感溫暖，腹痛隨亦痊癒。若平常服用以預防作用，可用原粒胡椒浸酒，臨睡前飲用少許，自有驅寒却病之功。民間用胡椒浸酒以治「縮陽」症者，縮陽之病，皆由元陽衰弱，腎冷精寒所致。胡椒可以壯元陽，溫精髓，故「縮陽」病，長飲胡椒酒可以治癒；如果用爲救「急」，則可以胡椒粉開「白蘭地酒」，救急縮陽病最有效。此方還可用之以治「馬上風」，藥物雖簡單，功效實迅速，患「虧者」宜留意。胡椒又可以治腎氣衰弱，心力不足，甚或下肢寒腫病。治療方法，選白胡椒一斤，另用熟地六兩煎水，將熟地的汁液，與白胡椒混和，放在飯面上蒸，連蒸數次，晒乾備用，早晚吞服一次，每次七粒，只要長期服用，不可貪多，腫脹漸漸自然消除。寒氣太多，夜尿頻頻，食慾不振的老人；經期不準，色素過濃，性慾冷感的婦科疾患，早晚吞服此種胡椒，也是慢性治療的好方法。但胡椒辛溫，多食亦能傷人腸胃，身體發熱，血行壯旺的人實不相宜。

我國在抗戰前駐德大使館裏廚師吳昌齡，常以「口無同嗜，則無易牙」自豪，他做的醃羊肉，燉甲魚，荷包翅，紅炆海參，清蒸黃牙白，脆皮雞等，確巧奪天工，與衆不同，希特勒、墨索里尼、麥克阿瑟、弗朗哥等國際風雲人物，都做過他的食客一點也不假，著者是喜歡研究吃的朋友，窺出這位外交廚師製菜秘訣，就是烹調不離「胡椒」，吳君迄仍在國外操持舊業，一直未同到祖國。

海國秋涼（一七）

・文自粹・

巫峽啼猿數行淚
衡陽歸雁幾封書

曲江南華寺是禪宗名刹，唐朝六祖慧能成道頓身，還供奉在寺裡。一千多年來，寺院當然歷盡滄桑；但自民國初年，福建的虛雲老和尚從雲南雞足山回來，卓錫此間以後，眞是海內共仰，宗風遠被。民國十年，國父率師北伐，駐節寺裡，還和虛雲老和尚研談佛理過。所以，國父有次說到哲學，指析各家奧旨，而說是佛教的哲學最深，國父之博厚高明，眞是無所不包了。

省銀行和省政府遷到曲江，虛老和尚已是一百以上年紀，他是林則徐督粵以前出生於福建，鴉片戰爭到現在已經一百〇二年，虛老年紀可推而知，但是他向不示人以神怪，絕少以稀齡高壽去詡於信衆，人家問他，總說是八九十歲，已經不中用了！省府和省銀行都有些平常念經的在家居士，難得撰近大德，就聯合恭請虛老和尚爲他們開解楞嚴大意。虛老答應了，爲便利聽衆飯後來，特別定在晚後七時至九時。開講之日，左廂讓來賓坐，右廂僧衆，總有五百來人。虛老和尚當中坐定之後，全堂肅然無譁。有一隻白毛狐狸，施施然從山門走入，一步一步十分輕巧，到講經台前，兩足曲起，亦像人們參拜，伏着不動。虛老贊嘆：「善哉！衆生皆有善知識！」就有條不紊的講下去，到九時虛老起座，白狐狸才回身出去，一出山門，一倏的飛逝。以後天天如此，無論風雨；虛老一天沒有間斷，聽衆也一天沒有間斷，白狐狸也一天沒有間斷過。到楞嚴大意講完，已是春末到了夏初了。講經會結束，人家偶爾問起虛老，也沒有看見白狐？虛老說：衆生皆有佛性而已。

那天湯陳兩家往返聯絡，不覺已經天亮，雞已三鳴。陳鳴電話曲江電訊局轉線到南華寺，一問虛老，已經給事變各界請去在綏辦雲寺講經。沒有辦法，只有電話報告省行總經理顧翊羣先生。這顧先生出身官宦人家，雖在美國進修經濟之學，但能詩能文，對國故一樣探玄鉤微。聽這樣奇事，很快起來，還約了行農幾位主管，一起趕到湯家。這時陳定春已經抬來，她見人衆，硬要向閨房裡跑，湯太太弄得沒法，只好把他引到兩老房裡，給他淨手，吃飯。顧總經理由湯陳兩老陪着，分別和兩小口子問過話。任你怎樣開導勸解，沒法把他們的魂靈各回原處。顧總經理想這也許是前緣，勸兩家不如結成親家，因爲否則一到晚上，安頓就成問題：陳定春，鬧着要睡湯小姐自己的床，而湯小姐的本身，却也不願久在湯家。午間由顧總經理叫省行餐廳送來兩桌酒菜，乘便就算訂親；實在不久他兩家，誰也沒有工夫，就爲他們成婚，禮堂即假省行會議廳，總經理做了證婚人，理說色即是空，空即是色，兩方家長以及觀禮親友皆大歡喜。到這事經報紙刊布，美國大使館過了一個月，接到加州佛尼州某某博士來電話，費心的使館一查此事眞假，部電話詢問的確，而且倆小夫妻非常和諧，外交不過兩人的升學問題，只好擱淺，因爲男生說話娘娘腔，女生却又發高音，固然會引人騷動；最困難的還是宿舍，起居，飲食，澡沐問題。

今古齋誌異

石霸與鐵臂

・常應芬・

石霸者，清同治南沙人，膂力過人，善技擊，有虎項象肋之譽，力能舉千斤，擅舞雙刀，習習生風，能在客廳中，衛戶緊閉之，雙刀飛舞，人皆呼曰石霸天。石霸初練技時，懸一棉絮于帳頂，每日握拳升縮，向空擊之，練逾三年，至拳起絮飛如白雪，復於水井口向井水擊之，一擊水花四濺。石霸自驚道：「如是當吾臂者死。」因此在臂上戴一鐵環，以爲警惕，如獻技之時，則去鐵環，自負神技，天下莫敵。

一日飲酒於市中，沉醉而歸，至夜半，忽然大風雨，及抵家，大門緊閉，石霸用手叩門，門正開，適婢開門，掌觸於婢，婢跌倒大叫，幾死。由是戒運臂力，作事悉用左手，蓋左手力遜右手故也。

一日縣中有賣藝者，姓周名鐵臂，橫行於市井，呼嘯逼人，入商市索錢，予錢少者不去，商人大患。有舉石霸前去除害。石霸佯稱請石勇前往，民衆設筵親待。周鐵臂亦被邀參加。酒至半酣，主人命各獻絕技，其意指示霸獻技，石霸故作不知，大吃大喝。周鐵臂已不耐，遂出席舞醉八仙拳，其勢洶洶。石霸佯不知，亦不一顧。俟周鐵臂入席，徐徐拍周鐵臂曰：「壯士，我勞汝一杯酒。」周舉杯盡，還敬一杯，石霸立盡。與盡欲出，衆人止之，以爲石霸心怯，衆譏嘖嘖，莫敢出聲。頃刻，周鐵臂辭去，衆讓石曰：「此人睥睨如此，君何忍耐如此耶？」石霸曰：「此人如果稍謙，尚可活命，否則不能飲食矣！」衆人皆不信。旋往探鐵臂，已臥某寺中，呻吟嗚咽，不能起矣。衆詢問之，答曰近患風濕病，半身不遂，肩以下呈青紫色，不能行動。衆方驚異。鐵臂逾五日，死矣。石霸以手拍其肩者，鐵臂已中其技矣。周鐵臂死於驕，至死猶不悟，惜哉！（完）

佩詞集

低調與高調

由於時代之推移，人心詭詐，似乎與日俱增；無論官場、社會，唱高調之風甚熾。官場有官場之高調，商場有商市場之高調，市井小人有市井小人之高調，形形色色，難以枚舉。

所謂「君子之德風」，於是上行下效，眞正能夠做到「爲政不在多言」，不唱高調者鮮矣！高調者，言不及義，不着邊際，唯以標榜歌頌爲能，報喜不報憂，粉飾太平，文過飾非，口號叫得響徹雲霄，春雷打的滿天響。聽之者以爲其人眞能呼風喚雨，撒豆成兵。其實下台鞠躬之後，猶如春天之雷，聲宏雨小。一霎時雲散雨過天青，徒增人心之困擾而已。低調者反高調也。就事論事，是非分明，不阿諛，不歌頌，不拍馬，不文過飾非。此即本報一貫所唱之「低調」也！

自由報

中華民國內政部內版台報字第〇三一號
中華民國僑務委員會登記證台數新字第三二三號
中國郵政台字第一一二八二號執照登記爲第一類新聞紙

（第九五三期）

（半週刊每星期三、六出版）
每份港幣壹角，台灣零售價新台幣弍元
社長李運鵬・督印黃行甯
社址：香港九龍彌敦道593—601號廖創興銀行大厦八樓五座
LIU CHONG HING BUILDING
7th FLOOR FLAT 5
593—601 NATHAN ROAD,
KOWLOON, H.K.
TEL: K303831
電報掛號：7191
承印：景星印刷公司
地址：嘉咸街廿九號地下
台灣總管理處：台北市大同街119號
台灣區直接訂戶　台郵劃撥戶
第五〇五六號張萬有（自由報會計室）
電話：七一四〇三三、五五五三九五
台灣分社：台北市西寧南路110號二樓
電話：三三〇三四六，台郵劃撥戶九二五二二號

論儒道墨三家精神之異同

王邦雄

孟子云：「天下之言，不歸楊，則歸墨。」韓非子云：「世之顯學，儒墨也。」春秋戰國，禍端時啓，生民塗炭，凡聖哲人，莫不奮身而起，以救世之弊。孔席墨突，乃此中翹楚，故能垂訓千古，永紹後世，而隱者之流，及楊朱老莊，則大異其趣，從反面另尋人生之途。三家並流，相互輝映，一時蔚爲奇觀。

儒家乃吾國學術之主流「極高明而道中庸」；而其栖栖皇皇，以求顯用於世者，唯仁義而已。如旭日東升，陽光普照，照亮了整個的人生大道。墨氏異軍突起，高舉兼相愛之大纛；而其「摩頂放踵，利天下爲之」，言輒不離功利，一時風起雲湧，有如日正當中，光明光大，幾奪儒家之天下而代之。道家主張消極無爲，返歸大自然之秩序，若落日餘暉，閃爍著智慧的光，流瀉在人世間的幽徑小道；然「夕陽無限好，只是近黃昏」，始終予人以日暮途窮的感受與悲哀。

儒家將傳統理想化，以六藝敎人，挽瀾於既倒，唯有恢復傳統之秩序，故主張「仕而優則學，學而優則仕」。唯其有學，方能予傳統之禮法制度，以新的理論根據，由此建立其人道主義（非世俗之謂君道也）；唯其有仕方能使理論成爲實際，以行其治國平天下之理想抱負。墨家站在平民立場，以反對傳統（周制）自居，故與儒家對立。提倡功利主義，注重人生實用，故非禮非樂，節用節葬。其救世之基礎，首在兼愛論，主張非攻，並「以繩墨自矯，而備世之急」，以超人的氣魄，積極地付之實行，如淮南子所云：「墨子服役百八十人，皆可使赴火蹈刀，死不旋踵。」又如史記游俠列傳所云：「其言必信，其行必果，已諾必誠，不愛其軀，赴士之阨困。」墨子如楚救宋，孟勝爲陽君而死難，慷慨激烈，其自我犧牲之精神，古今中外無出其右者。道家對儒墨救世之奮鬥，則根本取相反之態度。隱者以「滔滔者，天下皆是也。」即不欲「易之」。儒墨所重者，在廣大人羣之生活，在現實人生，與現實之政治；道家則反是，專重外界自然，內在之素樸，與自我之自由。楊朱「貴己」，「全生保眞，不以物累形，」旨在消極避世，人人「獨善其身」，而後「兼善天下」，自可期也。老子著眼自然，尋求自然之通則，謂欲征服自然，唯一之途，在順乎自然，故無爲，即無不爲，由楊朱之「闢」，前進爲一「順」，行之於世，則爲「旨約而易操」，事少而功多」之黃老治術也，西漢文景之治，東漢明章之治，與民休養生息，即其明例。莊子謂萬物其性殊異，自宜各遂其性，故反對人世間一切政治之制度，以強不同以爲同，變之適足以害之也。主張以不齊齊之，以不治治之。人於自然不僅止於「闢」，止於「順」，而要更進一步，「無己」及「齊死生，同人我」，不以害爲害，哀樂不能入，無入而不自得，自是無物能傷，絕對的逍遙，而達「天地與我並生，而萬物與我爲一」的境界。如此之超脫奔放，在世界思想史上，尚屬首先，無怪乎與儒墨二家，鼎足而三，影響後世至深且巨。

儒家仁愛，是有差等之愛，乃一發自內心極端自然之愛，由親而疏，由近及遠，忠爲盡己之心，恕爲推己及人，孝爲時間之延綿，弟爲空間之推展，由親親，而仁民，而愛物，先循小康而遂大同。墨氏相愛乃無條件之愛，謂人皆天之子民，自應不分親疏，同等相愛，一蹴而幾大同。是則兩家愛人救世之旨趣皆同，唯墨子路人與親人不分，殊背人倫之常，反見情之僞。如是非獨大同之世難期，且猶恐其弊而無窮矣！道家楊朱「拔一毛以利天下不爲也」，老子「人至老死不相往來」，莊子妻死尚「鼓盆而歌」，是泯除人之感情，不有愛之存在，缺乏遠大之理想，沒有向上之熱力，否定人生正面之意義，恐人倫爲之解體而文化退化矣！

儒家義者，宜也；墨氏義者，利也。儒家正其誼不謀其利，僅求行誼之正，心之所安，其不言利，而利即在其中矣。墨氏標榜功利，凡事必有大利，而後行之。雖則兩家之終極，均在尋求公利，令天下萬民，皆能各得其所，各有所養。然墨家仁內義外，無所爲而爲，方是合理可行正道；墨氏心曰利、有所爲而爲，與其兼相愛之本心，背道而馳；且唯利是圖，天下大禍必追踵而至矣！

道家根本無有義利之辨，是非之別，人生沒有奮鬥的目標及方向，沒有創造與發明，只有逆來順受，只有順乎自然，缺乏進取之精神，如此學說思想施之人羣、推之天下，吾不知其何以利用厚生矣！

孟子曰：「楊氏爲我，是無君也；墨氏兼愛，是無父也。無父無君，是禽獸也。」孟子以「如欲平治天下，當今之世，舍我其誰哉？」之抱負，力距楊墨，以宏衛聖道，義薄雲天，苦心可感；然其斷章取義，難免有過甚其辭之失，而抹殺了楊朱二家之價值。楊朱果眞爲我，豈會大倡其救世學說？而人人爲我，各不相爭，豈非弭禍亂於無形？墨氏既愛天下衆生，何獨不愛其父母哉！父子天性，其愛彌篤，是不待說而能者；且此等親情之過於濃染，實人類紛爭之所自起，人類紛爭無已，皆人人以己國己家己身爲重之故也。墨氏慧眼明見，自不會輕啓禍端，緣木而求魚。其故曰：「視人之國若視其國，視人之家若視其家，視人之身若視其身。」方能泯除人我之私，以竟大同。如上觀之，以楊墨如是明智與胸懷，而蒙禽獸之譏，不亦冤哉。

儒家學說，偏向社會之上層，在政治社會上，提出一套理智的方案，影響中國數千年，並影響整個東方世界。墨氏是儒家之反動，故偏向社會下層，其徹底反對古代貴族制度及生活，比孔孟更加前進；然兼愛說，建立在「天志」說之上，又落入古代上帝神說之窠臼，又顯得比儒家後退甚多；且忽視人之自然情感，把握不住人心，其陳義並非不高，惜「失之毫釐，差之千里」，卒使一代名家，終歸曇花一現，星殞天際，無以暢行千古。然其熱情之奮鬥，毫無保留不計犧牲之殉道精神，却遠非儒家「危邦不入、亂邦不居」之有所爲不爲，所能及其萬一，此實墨氏之偉大處，墨家之感人處。

儒家雖不及墨家之自我犧牲精神，然尚知「知其不可而爲之」，道家則只重一己超脫之理解，對天下國家根本不爲，於社會人羣之奮鬥，較墨儒二家，則大爲遜色矣！（完）

昨日與明日

「越戰報告」

・叔子・

美國國防部於四月七日發表了長達三百四十七頁的「越戰報告」的文件，文內自一九六五年起迄至一九六八年底止，有關越戰情況，均有詳盡的記載。

該文前後兩部由前駐越美軍總司令魏摩蘭將軍及前太平洋美軍司令夏普上將分別執筆。兩位執筆人都曾爲直間接的核心指揮官，寫來不僅有極高的可信性，並且極具參攷價值，可視爲第一手資料。

魏摩蘭將軍在文內直率指出越南戰爭無法結束之徵結－是由於華盛頓方面對越戰之「限制」所導致。文內云：「因詹森總統禁止對敵據境國，東埔寨的北越軍作戰，使無法擊潰其主力。」夏普上將也指出：「如果當時能加強對北越轟炸，北越將無法在戰爭中立脚」！

換一句話說是政畧限制了戰畧！致使美軍祗可擊「迎面而來」的拳，這一種「眼前防守」，「背後挨打」的政畧使直接領導美軍參與越戰的司令官，一直陷於不求勝利之戰的泥淖！

舉步趑趄

這一文件，使人憶起韓戰，杜魯門不允麥帥「直搗鴨綠江」的建議，而導致韓國迄今仍是南北分裂未能統一的局面！

但是因此，我們不可認係美國缺少政治家，而可斷定美國缺少眞正瞭解「東方」的政治家！

美國對韓國越南所採取的立場及作爲，處處仍是以「美製標竿」來衡量的，唯因其對東方文化有差距，排闥直入，反而舉步趑趄，無所適從。

催生作用

今日，美國在越南之所以進退維谷，「打」既打不下，「退」又退不出來，「和」又在虛無縹緲間！

此即，本文再三申述其重點：「在從事於不求勝利不能失敗」之戰！

魏摩蘭將軍與夏普上將之言，與本報所論「不幸」而同。

美國防部發表此一對詹森政府含有反對之意的文件，其目的可能是緩和美國人民因越戰而不滿的心情！將事實向人民坦白交代！

蓋美國人民初並不反對參加越戰，但陷之太久，傷亡日增，負担日重，漸而不滿并大力反對。

由於從眞相中獲取敎訓，再敎訓中而激取的反應，正是政府對取捨之可資依據！

我們深信，此一文件的發佈，對尼克森政府亞洲政策之抉擇，將有無限裨益。並且對遲遲難產的亞洲政策亦具有催生作用。

自由談

知識份子觀

馬五先生

共產黨最憎惡知識份子，非消滅知識階級不可，毋怪其然。因爲這般人有思想，有見解，不願盲目地被別人牽着鼻子走，而自安於奴役生活。

極權主義者亦討厭知識份子，但其作風和共產黨有些不同。他對於可以「倡優蓄之」的士大夫，竭力籠絡利用，要官給官，要錢給錢，滿不在乎，祇要對他効忠，取富貴如拾草芥。如其立異鳴高，有所不爲，爵祿不能羈縻，金錢不能收買，那就非投諸濁流，即予以宰殺，決不姑寬。

民主主義者對知識份子採取容忍態度，祇要在理性與法治範圍內，聽任士大夫之流自由發展，不加干涉。可是，知識份子在民主社會中，却特別不安份，一面是百事皆有說詞，我慢自私，同時又好作政治活動，個個要以領袖自居，政治權位有他一份，就是民主，沒有他，便是獨裁，即非反對不可！所以，像美國那樣最民主的國家，政府一切措施乃隨時受到一般所謂學者專家和號稱進步的青年學生干擾箝制，無可如何。反觀中國大陸上那般「民主人士」，被共黨整得死去活來，亦復俯首帖耳，沒有甚麼。這情形若在民主社會裏，那還得了嗎？

知識份子的一般氣質，是見解孔多，予智自雄，而意志不堅定，私心甚重，慾念迭生。爲着追求一己的利慾，投機變節，恬不爲怪，甚至賣友求榮，忘恩負義的勾當，亦悍然爲之而無所顧惜。

因此之故，知識份子的智能，總是成事不足，敗事有餘。在生產力貧乏，工商企業落後的國家，搞民主政治必然紛擾不寧徒亂人意。如有開明睿智的人物，担當國家大任，實行獨裁政治，一是皆以「天下爲公」的精神出之，明是非，正賞罰，我認爲比較妥當。今日如有漢文帝，唐太宗，宋太祖那一類型的獨裁君主，我是衷心擁護的！

法顯首先發現美洲

墨西哥歸薩克即中國和尚

達鑑三

近讀五十八年三月八日台北新聞天地一〇九九期第十六頁李小康先生所寫「中國人最先發現美洲」云：『關於中國最早發現美洲大陸的事，歷史學家達鑑三，曾寫了一篇十數萬言的研究心得可惜未獲反響，反爲中南美洲本土的歷史學家們後來居上了。

第一屆中南美洲歷史研究會，於一九六九年二月十一日，在墨西哥京城國立歷史博物館，開了一次歷史研究會議。內有墨西哥歷史學家蘇理士，發表了一篇長達百頁之論文。……』據報章所載，與拙著大同小異。所述「法顯首先發現美洲，及墨西哥神人歸薩克即中國和尚法顯，李先生譯爲法憲」，亦與拙著相同。以上云云，筆者於民國四十六年、四十八年、四十九年，即一九五七、一九五九、一九六〇年，先後發表於台北中央日報、台北中華日報，及一九五八、一九五九、一九六一年又發表於墨西哥烏尼烏爾撒、墨西哥厄瑟細奧，墨西哥新聞等報。今蘇理士在中南美洲歷史研究會議上發表論文，竟能與鑑三之意見大致相同，深以爲幸。

李小康先生所寫「中國人最先發現美洲」末段云：「至於美洲大陸是由中國人首先發現的這一說法，不只由我國大代表達鑑三氏倡說於前，墨國蘇理士將軍繼說在後，……」可作本文之證明。證明達鑑三發明在先，蘇理士繼說在後。

蘇理士對於「法顯首先發現美洲，及墨西哥神人歸薩克即中國和尚法顯」，敘事較多，證據很少，似有美中不足。茲補充意見，將有關證據畧述如左，以供讀者之參考：

一、法顯首先發現美洲之部分證據：

法顯首先發現美洲，證據很多，第一是法顯自己曾說他到過耶婆提國（即今墨西哥），並著有「佛國記」詳述其事。其次因爲法顯是中國人，所以墨西哥之中國文物，比比皆是：如中國碗、中國鼎、中國藥、中國毛筆、中國官袍、中國船碑、中國陶器、中國彫刻、中國繪畫、中國婚禮、中國喪禮、中國星相、中國農業、中國建築、中國文字……（見拙著扶桑國考證，及耶婆提國考證）。又因爲法顯是佛敎徒，並在印度留學十餘年，所以墨西哥佛敎氣氛盎然，並帶有印度色彩（詳見拙著扶桑國考證）。其存留之古蹟碑記，到處有之，經筆者搜羅墨西哥現存中國文物之圖片，適合於法顯身份列爲重要者有三十餘幀；列爲次要者尚有數十幀之多，已是百分之百的確切證據（詳見拙著法顯首先發現美洲考證）。

二、墨西哥神人歸薩克即中國和尚法顯之部分證據：

墨西哥通史所謂東方神人歸薩克，即中國佛國記所謂漂到耶婆提國之法顯。除法顯外，再找不出第二人，能合於中墨兩國史實者，惟有法顯首先發現美洲說證據確鑿，顛撲不破。

（以下轉刊第三版）

台北新聞信

台北報業進入彩色競爭

本報通信員柳一穆台北消息：台北計有七家日報，即中中央日，中華日報，新生報，華報，青年戰士報，中國時報（徵信新聞報），聯合報；三家晚報，即自立晚報，大華晚報，民族晚報，除晚報銷路鼎足而立，上下難分外。日報以聯合報銷數最大，宣稱為二十餘萬份，其次則為中國時報，不過近數月來有一個很大轉變，就是中國時報改置彩色機印刷後，頗受本省讀者歡迎，發行數字直線上昇，用商場生意來看，彩色印刷機很像作戰新武器，登山涉水，如入平履。照當前實際情況發展，台北報紙發行首席寶座，可能會被中國時報佔有。不過事實究難盡如理想，聞中央日報在美國買的高斯彩色印刷機快運到了（每部美金四十萬元）與中國時報首先競賽的是中央日報而非聯台報，鹿死誰手，很難預卜。因中央日報與中國時報互有制勝條件，中時以社會新聞著稱，但比起聯合報還稍遜一籌，中國時報的優點經常有獨佔報導。馬彬（南宮博）任社長後，報型似很接近香港銷數最多的「星島晚報」，看起來很悅目，副刊與聯合報比較，一般的看法，八兩對半斤。中時有一個比別人好的優良條件，即指揮較其他報社統一，這一點能向中時看齊的只有新生報。中央日報傳統的優點是嚴肅，辦官報本很困難，所謂「不求有功，但求無過」，中央日報由於嚴肅形成的權威是讀者中公教人員和知識份子佔多。士為領導階層道一公式恐永難推翻。本報同仁對這方面體會的最深，因本報寫作的人，固皆名教授，名報人與國士，讀者百分之六十屬高階層，但正讀書人不看自由報的亦很少，這是積二十年經驗所得結論。台灣區僑報進口將近萬份的恐怕祗本報一家，因之本報同仁現正計劃於最短期內舉行慶祝突破萬份進口紀錄。就辦報的慣例來說，用彩色印刷創造奇跡的甚少見到。十年前的曼谷世界日報是彩色印刷，集中台港泰第一流人才，很顯然的彩色對讀者們沒有甚麼新的刺激，紐約，倫敦，巴黎，柏林，東京各地報業情形大致雷同，台灣可謂「破天荒」。中央日報既對中時正迎頭趕上，聯合報自不能坐視，由於份數的關係，改用彩色亦不是那麼容易，但不改亦不行，台灣的報紙很顯然的一個新趨向，彩色報紙暫領先了。

中華日報南北版，新生報和新聞報，青年戰士報銷數來比較，巧得很，又是鼎足而立，各有千秋，華報在本市的銷路尚佳，編排內容均較前進步，台灣辦報比香港容易若干倍者，香港登記無限制，祗三百五十萬人口的地區，擁有日報晚報七十幾家，台灣計有一千幾百萬人口，全省日報晚報紙二十幾家，以香港為比例的話，台灣可增辦新報兩百家，就報人的眼光看台灣報業市場，簡直是黃金地帶，報業鉅子胡仙幾度來台欲增設一家星系報紙，亦就是為清楚了閉着眼亦能賺錢。台灣幾家大報廣告員都有最新型的自備小汽車，非無由也。甚多國家元老和達官貴人，擠公共汽車的狼狽，相形之下，便是一幅好漫畫。

台灣新聞紙登記長期凍結的後果，工商業宣傳上受到很嚴重的威脅。舉例香港三家大報，即是星島日報，華僑日報，工商日報，經濟廣告，每條港幣兩元，計四十個大號字，四個三號字，共佔七行地位，七行地位在台北登經濟廣告須新台幣八十四元，以此類推，折成港幣約十二元，奇貨可居，工商業的損失難以數計。台灣新聞專校與各大學新聞係的學生，畢業就等於失業，造成人才外流因素，這一嚴重問題，不能不作鄭重考慮。還有很多為黨為國身經百戰的報人，到台都等於失業，凡此下情均應上達，台灣的安全繁榮進步爲亞洲冠，政治上何必留着這一缺口呢？

瀛海秋平（七）

丁鼎老望重泰岱

・林公偉・

山東日照丁鼎丞惟汾先生，項命先進，尤以 國父逝世前後，奉命發[illegible]北方黨務。於軍閥環伺，擇人而噬之下，正氣凜然，不爲少屈。北伐後有「丁家黨」之稱，蓋尊其領導羣倫，碓著績効也。

民十九年，閻馮戰起，中央統籌全局，頗費苦心，亦有一時未能爲人所諒者，鼎老布衣返魯，閉門著述。山東於清季研究小學之風盛，巨室收藏典籍，多至數十萬卷，鼎老究心琳瑯，儼然與世若遺矣。

民廿三年，中央推居覺生，陳立夫，方子樵諸委員巡視華北黨務。五月由平津南下，蔣委員長介公特方駐節南昌，督率剿匪諸般要政。而於陳氏過濟時，特以中樞切盼鼎老回京主持，請三委員於平津南下時，專程過魯，向鼎老面致衷悃。陳氏先過梁漱溟之實驗區，請演民生主義之理想，次去青島，約沈成章市長同訪鼎老，定期回京。一面由沈市長知會膠濟紳商耆宿及黨中俊英，爲鼎老舉行盛大酒會，致歡送之忱。是夕與會者凡三百人，蹌濟蹌，極一時之盛。對鼎老致力著述，固深傾佩；但以時局艱巨，僉信鼎老回京主持中樞，爲更有貢獻，鼎老首肯，始訂期而別。陳氏等先行回京，鼎老不久亦專車南下，以中央常委駐會。自是而抗戰，戡亂，鼎老始終贊襄中樞要政，未嘗一日離。

鼎老今已歸道山，芝蘭挺秀，亦天所以不負耆哲也。

華僑學人語重心長 向政府提三點建議

加強對旅外學人報導資料供應 留美學生回國就業應加強輔導 大量編印英文版中國文化叢書

（本報華盛頓通訊）旅美學人，近就有關文化教育問題，向美政府有關方面提出數項頗具建設性意義的建議，茲誌如下：

第一項建議，請求「加強對旅外學人學生報導資料之供應」，在建議中說：（一）留學生在國外與當地人士或與他國留學生接觸機會頗繁，每當晤談集會之中，常可利用機會爲國宣揚。（二）友邦人士，及外國學生對中國文化大多懷有好奇心和不了解，尤以國內各項進步實況往往爲所忽畧。（三）留學生遇有爲國宣傳或澄清誤解之機會，每因爲缺乏最新資料，不易使人信服。（四）留學生本身對國內進步情形，亦頗爲隔閡，若非不知所答，則多語焉不詳。（五）外國人對中共問題多感興趣，而留學生若非對於匪情缺少瞭解，則所答辯之理由難以令人心服。

因此他們建議三點：（一）請政府編訂簡明「答客問」資料，分期分發各地使館備用，並于每年修訂一次。（二）對共匪問題包括所謂中共核子科學之實況及大陸混亂情形，作具體之分析，以供海外旅人及留學生之參攷。（三）攝製表彰我國各項進步實績之影片，發由各領事館定期招待旅外學人及學生參觀，並舉行座談會，交換意見。

第二項建議是：「加強留美學生回國就業輔導」。建議中說：（一）我國留學生在美學成之後，往往不願回國服務，一方面固由於美國就業較易，而研究環境之良好，生活問題容易解決，亦爲主要原因。但另一方面則恐用非所學，而致荒廢所學。（二）留學生回國後，適合于所學之機構，每不易使無歷史關係者獲展所長，有輔導就業之責者雖代爲尋求，但各機構未必皆能虛位以待，亦難保證人與事能完全配合，因此留學生回國除却少數能按照本身專長獲得工作外，其他方面，若非學難致用，即是一等數月未遂所願。此雖非政府之過，但此等情狀，一經傳播，則後至者便難免裹足不前。

留學生回國前職位應先安排

分發工作避免人情關說

他們建議：（一）政府輔導留學生應採積極主動方式，作經常之指導攷核，以作汲引任用之依據。（二）政府授權使領人員對該管區內留學生有攷核之實，於未回畢業之前，即應將其志願及學歷調查，先期報告政府，轉交有關部門，分別延攬。（三）政府在各該留學生回國前對職位已先有安排，由使領館告以安其心。（四）政府分發工作時，應以品學及志願爲依憑，避免人情關說。（五）留學生服務若干時間後，再出國時，宜給予協助及便利。（六）政府責成駐外人員對待留學生，應公平誠懇親切，處親師地位，以堅其內向之心。（七）部份留學生辦理出國手續時所受之困擾，心頭長留陰影，致抵消其向心力量。國內主辦機關應請嚴加檢討，以符「新、速、實、簡」原則。

第三項建議是「結集學術文化出版界力量，編印中國文化叢書及中國語言教科書」。

在建議中：（一）目前在美國一般人士對中國問題發生興趣，學習中國文化及研究中國歷史之風氣日盛，部份中學課程即列有中文爲外國語文之一，大學中有中文研究所、中文學系、中國語文課程，中國哲學、藝術、歷史，皆受普遍重視。（二）但目前美國各大學有關中國歷史、文化課程教科書，多由外國學者編著，稍對中國歷史、語文、哲學等有研究者，莫不以中國問題專家或漢學家自居，其中固有不少對中國文化有深切研究者，但大多數皆如瞎子摸象，若非曲解中國文化，即是以偏概全，而外國學生則一無所知。一般所謂漢學家和中國問題專家，也就似乎成爲眞正「權威」人士。（三）目前在美大學內中文教材有直接自匪區出版者，有自行編訂者，後者亦以中國大陸爲背景資料，故其流毒甚大，大學當局多認爲自由中國尚無此類教本可供採用，只有任由教師自行選擇，此風不戢，將來彼邦中小學教科書亦將被左派編輯人所左右，則其貽害更大。

他們建議：（一）由政府有關機關與學術出版界合作精編英文版中國文化叢書，供應美國及其他友邦大學採用。（二）延聘旅外學者參加編著，並在國際出版物上多作書評以廣流傳。（三）美大學現與我國在台進行輔導美國留華學生之中國語言文化之合作計劃，漸次增加，亟應運用此種關係，合作編印供應美國大中學生所用中文教本。

喬治桑外傳 四三

張大萬

電視上楊貴妃唱個不停，電視機旁桑博士隨聲附和，刷子掉了毛，有板有眼。

雅麗絲既是電視的聽衆，也是喬治桑的聽衆。她很識時務的，替喬治桑泡了一杯龍井茶。

喬治桑用英語道聲謝謝。心裏想雅麗絲眞善體人意，了解唱戲的人需要。

平劇節目播放完畢，桑博士的戲癮也算過足了。他是一個精力充沛的中年人，根本一時都靜不下來，便又重新開始與雅麗絲閒聊。

「雅麗絲，妳有沒有學過聲樂？」喬治桑問。

「我是一個俗人，甚麼也不會，那裡學過聲樂。」雅麗絲答。

「妳的聲音很好，假使妳願意學平劇，我可以教妳兩段。」喬治桑的態度是誨人不倦。

「我那裡能唱平劇，我只不過在唱片中學了幾段國語歌曲，很本唱的不像樣子。」

「好，好，就請妳哼一段國語歌曲。」雅麗絲說溜了咀，被喬治桑一把抓住。

「我眞的不會唱。」雅麗絲推辭着。

「有甚麼關係，家裡又沒有外人，唱着玩，又不賣票。」喬治桑緊追釘人，毫不放鬆。

「好吧，你不許笑我，唱甚麼呢？」雅麗絲已經應允了。

「妳看，妳還說不會唱，妳叫我點曲，分明妳會的很多呢，隨便甚麼都好。」

「我唱相思河畔。」雅麗絲到底是新式女子，很爽氣。

「自從相思河畔見了你……」聲音低沉甜美，喬治桑聽了很舒服。

「李小姐電話。」下女突然插咀，有點殺風景。

「對不起，我去聽電話。」雅麗絲面容畧顯尷尬。

喬治桑點了點頭，多少有點悵喪。

「哈囉……」

喬治桑在客廳聽得很清楚。但自此以後，雅麗絲的聲音很低，根本聽不到她在說些甚麼。喬治桑有一種敏感，是她男友打來的，二三分鐘過去，心中竟有點酸溜溜地。

又過了一盞茶時間，雅麗絲的電話還沒有打完。喬治桑孤零零地坐在客廳中，只好點起一支香烟，他撮起咀唇，吐出一個圓圈，兩個圓圈。這些圓圈由小而大，漸漸化開，他的心中充滿了人生虛幻的感覺。

這僅是一個消磨長的電話，好不容易，雅麗絲又回到客廳。

喬治桑與雅麗絲都是模仿西化的人，最忌打聽私事，所以喬治桑心中雖然悶悶不樂，却不便向雅麗絲問長問短。

「不是我的電話？」其實還是一句廢話，要是他的電話，早會他去聽了。

雅麗絲搖搖頭，說：

「是我的電話，這個朋友很嚕嚕，沒有甚麼事，却不肯放下話筒。」

目前房內氣氛已經改變，雅麗絲固然沒有再唱相思河畔的興趣，桑博士也無意再逼她唱。一時竟成了冷場，兩人默默相對，半晌無話。

還是喬治桑首先打破沉悶的局面。

「今天有沒有人打電話給我？」

喬治桑的「業務」以交際應酬爲主。雅麗絲李自從担任他的私人「秘書」以後，一年多總共不過過三幾封英文信。喬治桑要用一位秘書，其目的也不過是表示其功架與人不同而已。

「下午有一位洪小姐打電話來，我猜是白美人的小雲雀。」

「嗯。」喬治桑訕訕地答應，他心裡想雅麗絲眞是一個鬼靈精，她怎麼會知道小雲雀的？

雷震與「自由中國」

—當年內幕誰知道 一番往事話從頭—

王曰叟

（六）

胡適走了，南苑飛機場也就丟了。這時北平已與外界完全隔絕，而成了一座死城。

儘管斷絕了對外通路，而反共意志堅決的教授們，仍然不放棄南下的決心；政府當局接運教授的誠意也同樣的堅定，毫不因此動搖。當時在南京極力奔走的是傅斯年、陳雪屏，主持其事的，是蔣經國、王叔銘；而在北平負責聯繫的便是北大秘書長鄭天挺教授。鄭先生素有小諸葛之稱，是北大校務的實際負責任者。這時學校處於圍城之下，當家人之艱鉅可想而知。偏巧又碰上北大五十週年校慶，校中事情特別多，現在又負責聯繫籌劃反共教授南下了，並且還要高度保密，以防左傾份子攪阻危害，眞是備極辛勞。

中國人的辦法多的是。飛機場都丟光了，而當局想到利用東單牌樓大操場修建爲臨時機場，用小型飛機來接運。連夜搶工的結果，（十二月）十九日的中午便修好可用了，是距胡適先生離去才四天。當天晚上，鄭天挺先生的辦公室內聚集了十幾位北平學術文化界的鉅子，有計劃的商討二十日以後反共教授分批南下的大計：首先大家感到胡適先生的走時倉皇雜亂，該走的未走，不相干的人反而混進去走了，實在太亂。因此決定組織起來，分批啟行，憑票登機。當下鄭先生便拿了幾張鄭箋，裁成數十張小條，用毛筆編上號碼，每一張上，由在座的梅貽琦、袁敦禮（北平師範大學校長）兩位校長簽字，再由鄭天挺、張起鈞兩位教授加蓋私章，便算是票，同時決定第一批走的人名單。由於小飛機容量有限，所以只有梅校長（貽琦）、李書華（北平研究院院長）、袁同禮（北平圖書館館長）、趙梅伯、敦福堂、張起鈞、張頤（北大教授，曾任四川大學校長）、顧毓珍、胡先驌、錢思亮等教授，連同眷屬一共二十四人。並商定由梅長担任領隊，最年青的教授張起鈞担任總幹事，以利事權。（當時還大致決定第二批的人員名單，並決定朱××爲領隊，陳××爲總幹事，後來局勢變幻莫測，乃使這第二批名單成爲畫餅）

第二天清晨，齊集北京飯店，候機啟行，胡先驌、錢思亮，因事不能成行；兩家空出八個位子來，當時機票全在總幹事張起鈞手裏，張氏的家屬又都已整裝待行，於是敦福堂、趙梅伯兩位便提議，何不順便把張的眷屬補進同飛，張氏期期不可，他說：許多碩學，都沒有機會，他能列爲首批南飛，已深慶幸，豈可利用職權，把自己的家眷帶走。於是乃與梅校長鄭天挺商量，補了別人，而梁實秋教授的夫人，便是在這種情形提着個漱洗包倉卒加入的。人數雖湊足了，但因南京的氣候不好，不能飛，於是全體人員在北京飯店留宿一晚，翌日十二月廿一日中午，才能成行。

這次飛行是兩架小飛機，在東單大操場起飛的。說得誇大些，是北平有史以來，城內第一次飛飛機。保守的北平市民那裏看見過這種事；因此無不好奇觀看，何況在圍城中起飛，又是何等令人艷羨的事。就在教授們登機啟飛的前後，從崇文門直到東單牌樓，再轉過東長安街，幾里路的大街，全都遠遠的擠滿了人，在圍觀那情形就如台北雙十節市民們看閱兵的一樣。

菲島來鴻

·陳毓賢·

李社長、張老師：

一別已經三個多月，時間能說過的不快嗎？

我回來後，本想立即到美國去升學的，沒想接到通知是要從秋季開始。這段時間只好找點事作，來打發日子。

很幸運的，我找到了一個非常有興趣的工作，就是好萊塢一位製片家，來菲拍攝電影，題材是在二次大戰中，美菲聯合對日作戰的故事，主角是司提芬鮑埃，他們需要一位英文秘書。我就前往應徵了。不僅待遇好，並且可以看到許多電影幕後的事情，這對一個愛看電影的女孩子，是多麼有意思的工作啊。

我們辦公室在馬尼拉海灣邊沿著名的杜威大道一間大厦裡，我有空時喜站在玻璃窗前遠眺停泊着來自各國的大輪船，偶爾也看到數隻彩色的小遊艇衝激着閃閃的水波劃海而過，有時可看到赤棕色身體的非律賓人在海邊戲水，對幾尺外風馳電閃的汽車視若無睹，我在這裡做些什麼呢？幾乎什麼樣的事都有：打電影脚本，寫信，陪老板的客人聊天，採購，會見工人，甚至安排私人約會，而在這一切之中保持心情輕鬆愉快，儘量裝整，因爲我們要拍的一部日據時代美菲游擊隊並肩作戰的電影，所以我的工作也包括到圖書館找資料，到博物館瀏覽。

我現在工作最大的困難是忘記我前一個工作所學的，在聯合國工作時，多講一句無須講的話便是滔天大罪，我現在卻時時要表達自己老板不在我便是發言人，那時候，遲到五分鐘便小心給老板看到，現在只要知道沒事，整個早上不必上辦室也可以，解釋也是多餘的，那時候什麼事都要經過上面指點才敢做，現在什麼事都要自己拿主意，以前得學習保持嚴肅，安靜，現在明明是跟人家談生意，還先嘻嘻哈哈一番，好像生意根本只是連帶講到的，沒有前一個工作的經驗，我現在的工作會不知如何做起，也許根本就不會受聘，但另一方面，上一個工作給我的約束，使我失去自動的信心，做起事情來緊張萬分，戰戰兢兢，惟恐做錯了事，說多了話，現在是好多了，但老板還得常提醒我：Relax！Relax！記得張超鈞老師曾在自由報有一篇文章描述各種的秘書，同叫做秘書，工作的性質卻有天淵之別，正是這樣！

這其中，也許還滲入老板作風不同（以前聯合國是歐派的階級分明的，現在這美國猶太人後裔的作家，是美式民主派的）風土人情的不同。

做了這份工作，有機會和非律賓電影界、文化界、新聞界及各階層的人接觸，以後開拍後，並可到處跟着增廣見聞，以便趁機會在非律賓歷史方面多下工夫，以前在非律賓時生活圈子便是在華僑社會裡的學校、教會，並一直對非律賓懷着「他們是蕃人」的心理，上課時不得不讀非律賓歷史，也是死背爭分數的，所以得到的多不多，現在接觸的多了，視界擴大了，理解力也隨着年事增長，同時離開過一陣子，回來覺得非律賓人也有他們可愛的地方，如單純的情感，演說、舞蹈、音樂、藝術的天賦，樂觀、好客的習慣……讓我最感興趣的是他們「大雜會」的文化，十五世紀西班牙人未踏非土時，這已經是亞洲文化交匯的地方，最先來非是四千年前可能來自非洲的小黑人，他們在偏僻的山野還生活着，過五百年後來了介於歐亞之間的印度尼西亞種族（與現今印尼人好像並非同一族），接踵而來的是馬來西亞三批移民。第一批在西元前二百年，是多神教的，第二批西元一百年左右，帶來了佛教及印度文化，第三批在十三世紀，帶來了回教及亞拉伯文化。西班牙人未「發現」非律賓」前，非島已普遍地與中國、日本、印度、亞拉伯、泰國、印尼、馬來亞等通商，受西班牙人統治三百年，此間歐洲有何政治、文化、社會的變動，都波及遙遠的非律賓，並在非留下了痕跡。受美國統治了五十年，使非人成爲喝可口可樂，說英語的民族。受日軍蹂躪了三年，使他們的幽默中滲了苦味，此間有原始赤體、殺人頭的村落，駕車經過時得關上玻璃窗，有超現代的設備，亦有還保持着十七世紀風味說西班牙的小鎮。還有每天向麥加膜拜三次的回教部落。三年多來徜徉在中國文化裡的我，正可換換口味。

法顯首先發現美洲

墨西哥歸薩克即中國和尚

（上接第一版）

茲將歸薩克即法顯之證據，畧舉數點如左：

根據中、墨兩國史籍記載：歸薩克之衣服（長袍大袖），與法顯相同。歸薩克之同伴（同伴多人）與法顯相同。歸薩克之年貌（鬚髮皆白），與法顯相同。歸薩克之傳授（佛教），與法顯相同。歸薩克比丘人數（五比丘），與法顯相同。歸薩克由海洋漂流而來，與法顯相同。歸薩克行色匆匆（依佛國記停留五月日，正合哈斯保惜爲時甚暫），與法顯相同。歸薩克到達年代（第五世紀），與法顯相同。歸薩克來自東方，與法顯相同。歸薩克乘蛇形舟（中國帆船）而去，與法顯相同。歸克薩流傳文字（中國象形文），與法顯相同。更加之道經雪山，凍死同伴，號啕大哭，中（佛國記）墨（歸薩克）兩國史蹟記載不約而同。故十足證明墨西哥東方神人歸薩克，就是中國高僧法顯。查法顯（歸薩克）在墨西哥之史蹟，提髮難數，以上云云，不過九牛之一毛。哥倫布於公元一四九二年，始發現北美巴哈馬羣島，法顯（歸薩克）於東晉安帝義熙八年公元四一二年，已發現墨西哥，較哥倫布早一千○八十年（詳見拙著法顯首先發現美洲考證）。

（完）

三百年前一位青年抗戰的民族文藝家—夏完淳（九）

·汪辟疆·

某次過渝市某書局，尚存有道咸同光四朝詩史一本，因即購之，果得其第十七編詩史，我的舊作題內集詩句在焉，遂爲之再錄於此！

鈔夏內史集竟即題其後

造物我不解　世亂多英才
旣生宜有爲　胡爲使　軻
卓犖夏氏子　妙年擅麗歌
束髮便從軍　浩氣壯山河
南都相繼沒　荊棘委銅駝
天命豈不知　父志誓靡佗
切齒報韓仇　赤日揮魯戈
大勳雖不成　忠義安可磨
天才復橫溢　諷詠賡黍禾
緘竊比汪　文事詎同科
我讀公遺文、未竟涕滂沱
錄副付藏篋　鬼神當護呵

民國二十七年六月十日重慶

汪辟疆先生所著「三百年前一位青年抗戰的民族文藝家——夏完淳」，民國二十七年六月十二日發表於重慶時事新報（原在上海，抗日戰爭爆發後遷移重慶）星期增刊「學燈」渝版第二期，拜讀之後，夏完淳的人格、功業、和詩文都令人十分感動，即把此文保存，間時展讀，欣賞，迄今已達三十年三個多月。今特發表於「學粹」（五個小標題是編者加上的）相信必能引起讀者對夏完淳的景仰。夏完淳的人格、功業和文學在我國歷史上和文天祥，史可法，譚嗣同相當，但其壯烈成仁時，只有十七歲，這在中外歷史上是絕無僅有，成爲偉大的中華倫理文化的之最佳代表。

夏完淳的大哀賦是「夏完淳集」十二篇賦中最長之一篇，也是夏完淳集中最長的一篇，共三千八百餘字，前項摘錄之兩段，只有三百餘字，約爲原文十二分之一。「大哀賦爲作者才華最佳表現之一。」「夏完淳集」，本社計劃明年出版，特此豫告。

茲附錄學燈有關「編輯後語」於後：

汪辟疆先生是詩人和文史學家，他的一篇「近代詩派與地域」刋戰中央大學文藝叢刋，曾是傳頌一時的。這篇「三百年前一位青年抗戰的民族文藝家——夏完淳。」是發掘了中國文學史上一顆奇珍，我很想將夏完淳和英國的拜倫作比。兩人都是天才橫溢的文豪，拜倫活到三十七歲，夏完淳只活到十七歲。拜倫代表了西洋人的矛盾性格，他是一個天神與惡魔的結合物。他令人愛，也令人厭。他的死於援助希臘復國運動，纔給與他的人格以永久的光輝。

夏完的熱情與天才不在拜倫之下，他是中國文學史上的一個奇人。然比起拜倫來，他代表了中國的倫理文化。他是一個最純潔的，最可愛的「有至性之人」。他的性格沒有惡魔，他有天神似的純潔，卻富有最高度的人間熱情。這是中國倫理文化的靈魂，表現在文學裡。

——編者——

吳敬恒先生年譜（六四）

陳凌海編撰　洪校訂

四月，以攝護腺腫大，小便時感不適，延醫診治。日見炎熱，自知難治，封存遺囑，仍還居陽明山。六月，蔣總統中正贈先生書一聯，語云：「千秋氣節久彌著，萬古精神又日新。」二十五日晚，小便猝不通，原肯做淺薄說容。」翌日，先生由中央信託局醫師吳祖堯先生施救，計瀉尿二千四百西西，旋送臺大學附屬醫院第七○二室。由陳登科醫師主治，並由蔡錫琴、丁農、陳耀翰等會診。蔣總統中正親臨探視，復致函慰問。預祝康復。友好張道藩、朱家驊（騮先）、蔣經國、張其昀（曉峯）、嚴家淦、胡適（適之）、洪蘭友等紛紛至醫院探視。十一月，小便始通。李煜瀛（石曾）返國探視，並攝影留念。先生康復情形較佳時，屢次表示願赴美國就醫，[illegible]，因種種因素而未果。國民黨蔣總裁中正提名先生爲中央評議委員。十一月，美國大選，艾森豪當選總統，張其昀大振，病亦大瘥。除夕，先生招親屬數人在台大醫院病室歡聚，並攝影留念。

民國四十二年，癸巳（西曆一九五三年），先生八十九歲。

三月，大韓民國總統李承晚七十九歲華誕，先生以中華民國國民大會代表名義，題「萬壑遺澤，長遐灑東」八字致祝。又應蔣經國請書政工幹部學校「中正堂」橫匾。此爲先生親書之最後匾額。先生養病台灣大學附屬醫院數月，身體日趨康復，三月二十四日，[illegible]二十五日爲先生八秩晉九壽辰，先生對新生報記者作書面感言：「八十九歲不敢預斷，明年九十如能活到，自當稱慶。」

（未完）

外交「官僚」

依詞集

國民黨十全大會的召開，用集多士於一堂，各抒所見，使啓新機。尤其是海外代表，仗義直言，說眞話，不含糊、不忌諱，値得我們喝采；中央亦能善納逆耳之言，也値得大書。

民主政治，官吏爲人民之公僕，此乃天經地義，四海皆準。據海外發表發言稱：我們的外交官中，有部份外交「官僚」，因「山高皇帝遠」，當局長鞭莫及，是以特權在握，視華僑爲外人。一項簽證，須塡表十餘張，手續之繁事小，牛頭馬面之態難當。華僑中文不佳，事實固然，請求協助，亦理所應爾。可是我們的外交公僕，唯獨以官腔。華僑求助無門，惟有「臨表涕零」，「不知所塡」。此種外交「官僚」咀臉，盤據異邦，善作威福，實乃國家之恥，尚希執政黨當局劍及履及，去腐代新，對簽證手續，亟應簡化，以新海外華僑之耳目，則善莫大焉！

癌症是怎樣來的

生活漫談

・馬騰雲・

照中醫的傳統看法，認為癌症由於熱積於膀胱所致，大多生於神道，靈台兩穴間，色紫黑不一，裏面先潰爛臭。癌症的初起，不作寒，亦不作熱，不痛，亦不癢。有關癌症的預防，請加閱拙作「生活漫談」第一集，今天本文專討論癌症的自我檢查。

其實癌症不止發源於神道靈台兩穴間，通常總是肝癌佔多，其次如胃癌、肺癌、腸癌、淋巴腺癌、唇癌等，到處可以發生癌症。中醫和西醫不同的觀點是：西醫認為病菌為致病的唯一原因，中醫則認為除花柳、瘧疾、喉痧、白喉、霍亂、痢疾、鼠疫確有病菌的存在與傳染外，其餘的外感、時病、雜症與內科諸病，則認定風、寒、暑、燥、濕、火、六氣為其致病的原因。上列的病症，雖然亦有起因於生理上的變化，但究竟是內受外界六氣的刺激而起。反對中醫的人如傅斯年先生等，認為中醫的風、寒、暑、濕、燥、火，簡直是胡說八道。金、木、水、火、土，更是玄而又玄。著者拜讀過傅氏這篇大作，感覺到傅先生對醫藥常識很缺乏，以一位缺乏醫藥常識的人，對精深繁雜非經十年以上的研究，不能畢業的中國醫學，當然會莫明其妙。所以傅先生對中醫見解的錯誤，實為他的識域所限，不足深責。殊不知中醫的風、暑、濕、燥、火、六氣，又分內外兩因，換句話就是分外因的六氣和內因的六氣，因之癌症之來，不一定是傳染，其與風、寒、濕、暑、燥、火有很大的關連。有關中醫的風、寒、暑、濕、燥火，和金，木，水，火，土等在生活漫談第一集講得很多，不贅，現在我們談檢查癌症了。癌症一旦進入人體，最普遍的現象是貧血，面上的氣色不正常，食慾減退，體重減輕，聲音常常沙啞患咳嗽，吐痰時有一點帶血，大小便不正常，吞嚥食物有阻塞，胃部常感到不舒適，每每懷疑是胃病，女人更是月經不調與乳部硬化。假定我們的身體有這些現象，雖不一定就是癌症上了身，但得提高警覺，趕快請正式醫生或到醫院檢查，癌症新藥根據國際間很多資料，相信于一兩年內，必然問世，留得生命在，不怕沒藥醫。制止癌症菌發育，（見生活漫談一集）達觀，注意飲食營養，注意節慾，注意衛生。中國醫藥辭典有載，凡因色過度而引起的癌不治，色上從刀，兒戲宜防，一個患着絕症的人怎麼能不特別注意呢？至于若干江湖醫生的包醫癌症，和借癌症作宣傳題目斂財的，在台灣罪不勝舉，而且招謠得非常熱鬧。我們借林語堂的話：「不罵我們所看不起的人」，否則便可以寫出一部「癌症春秋」了。

宦人列傳（廿八）

後漢富宦羣相（下）

（二）張讓與趙忠

周燕謀

我讀後漢書，三國志，感慨良多，如果說後漢劉氏朝廷不該滅亡，眞是沒有天理！過了一年，張讓等在天子面奏了一本，請詔「歛天下田畝，一畝稅十錢，以修宮室。發太原、河東、狄道諸郡材才及文石，每州郡部送至京。」而黃門常侍，又收賄賂，賄賂不通者，即呵斥之，不中意者，因强折賤買，十分顧一，因復售之于宦官。因此材木遂至腐朽堆積，宮室連年不成。地方太守，刺史又擅增人民私調。百姓叫苦連天。要升二千石刺史者，皆以助修宮錢之多少為定，大郡二三千萬，餘各有差，納錢做官者，先至西園議價，然後得去。有的錢不足納繳者，遂自殺者有之，操守清廉者，求不之官，皆迫遣之。

時鉅鹿太守、河內太守司馬直新除，以有清名，減責三百萬。直被詔，悵然道：「為民父母，而反割剝百姓，以稱時求，吾不忍也！」辭疾不聽。行至孟津，上書直陳當時之失，古今禍敗之戒，即仰藥自殺。天子自此暫時停止徵收築宮室之錢。但又造「萬金堂」于西園，引司農金錢繒帛，堆積其中。這是皇帝積私財的一例。天子以為桓帝不能作家居，故聚財私藏，另外尚將財寶分別藏于小黃門常侍府中，各家分藏數十萬。可憐的皇帝說：「張常侍是我父，趙常侍是我母」；眞是天大的笑話。宦官之得志亦可想而知。我看歷代皇帝要以靈帝為天下第一大寶貝，十足是個低能兒。天下豈有不亂之理！宦官見天子如此，他們也毫無忌憚的大搜括，爭起第宅，比擬宮室。帝常登永安侯臺，宦官恐怕皇帝看見他的宏大如宮室一般的第宅，乃使中大夫尙但諫曰：「天子不當登高，登高則百姓虛散」。簡直妄誕不經，欺蒙低能兒。帝自此不再登高臺。當靈帝時，天下第一富豪應該數靈帝，這是指他蓄的私財，而非指天下。

當衆大臣忠諫停收宮室之費後不到一年，靈帝便不管民窮財盡，而且大幹特幹。命鈎盾令宋典修繕南宮玉堂，又使掖庭令畢嵐鑄四個巨大銅人，列于蒼龍玄武闕。又鑄四巨鐘，能受二千斛的大鐘，懸于玉堂及雲台殿前。又鑄天祿蝦蟆，吐水于平門外橋東，轉水入宮，又作翻車渴烏，施于橋西，用灑南北郊道路，以省百姓灑道之費。又鑄四出文錢，錢皆四道。識者則笑道：「侈虐已甚，形象兆見」。此錢鑄成，必四道而去。及京師大亂，此錢果然流布四海。帝又以趙忠為車騎將軍，百餘日旋罷。六年，靈帝崩駕，中軍校尉袁紹對大將軍何進說：「盡誅宦官以絕後患。」袁紹猶豫不決。結果被張讓等十常侍設謀陷害何進。十常侍宦官集團的首領是蹇碩，當天子成立西園八校尉時，蹇碩為上軍校尉，與外戚何進對立。一次假召天子疾篤，請何進入宮，剛進得宮門，為司馬潘隱做了一個暗示，何進趕快逃走，遂未遭害。于是外戚與宦官交構始成。何進只好聽從袁紹之謀，誅殺宦官，召董卓入京，駐兵平樂觀。又使府椽太山王匡，東發該郡强弩，召東郡太守橋瑁屯兵成皋，使武猛都尉丁原火燒孟津。各路諸侯聲言一清君側，何太后只好答應，將十常侍及小黃門一類中官全部勒令回家，何太后反命宦官去何進府求情，袁紹勸何進將張讓趙忠等殺掉，何進不忍。張讓與何太后有故，張讓娶了何太后的妹妹為媳婦，張讓又深獲太后歡心，他託媳婦武陽公子向太后說情。結果何太后收回成命，又叫太監們回宮當差。何進以太后忽然變卦，親自入宮力爭，以三署郎入宮守宦官等。可是「不待君行早，更有早行人」。宦官們早已佈署好了，在張讓等的安排下，在宮中埋伏，等待何進入宮。一日假傳太后詔，召大將軍何進入宮議事。何進到了嘉德殿，被埋伏武士一聲喝賊：「拿下叛徒！」被上方監渠穆拔劍砍死何進于嘉德殿前。

如此一來，禍就鬧大了，何進遇害消息傳出來了。大將軍屬下吳匡、張璋等聞訊，將兵向闕，宮門緊閉，宮內有中黃門持兵守閣。吳匡、袁術等攻之不進，袁術率兵火燒南宮九龍門東西兩宮。張讓等入奏太后，太后無法可想，只好率禁中宮人逃走。另一枝由袁紹率領之兵與叔父袁隗攻入宮省，將宦官樊陵、許相、趙忠等捕獲斬首，所有宮中無鬚者，一概斬殺。張讓段珪等人逼太后及帝、陳留王等數十人，步行出穀門，走黃河渡口，欲奔山西，公卿多不從。有一個中部縣的小縣尉，名叫閔貢，是王允派去跟蹤盧植的，拔出寶劍，一劍把張讓、段珪殺死，其餘有的自殺，有的投河。到此，所謂作惡多端，一代貪汚致富的集團全部消滅。以後的事，便是羣雄割據的天下了。也就是後漢走向滅亡的一代亂世，三國鼎立的開端。（完）

催眠術研究　七三

鮑紹洲

四十六、甲子催眠法（續）

（11）心力法：若前面所述的催眠法均已施行，尚不能催眠時，須用心力催眠法。如果此已施行過尚不能催眠，則為被術人疑心頗深之故，對於這種人，施術者暗示道：「心神鎮定」，而被術人則偏作不鎮定之想，極力暗拒之，如此即不能催眠。心力之法暗示道：「我未說開眼，切不可開眼，手足亦不可動」。「我催眠施未到十分，切不可亂動，必須經過長時間的手續，然後可以開眼。」而施術人必須凝結其心力，切不可輕發言或觸及身體。如此被術人亦無法抗拒。

普通催眠，則用純然之哲學的，反而不如生理、心理效果之大。如以被術人有例外的性質，則用例外的催眠法，或反可奏效。以我數十年的實驗所得，如試以本節所述的催眠法而不奏效者，十人中實無一人。然因人有深淺之度，間有感性之遲速，用此法甚易見效。故從此書而初學者，宜從此法研究，自可收效。然後再試行其他方法，最後再用此法。此法是集多數方法於一爐，其原理可通其他一切催眠法。

滄國秋涼（一八）

・文自粹・

美國大使館復電美國，不久就有一批研究靈學的博士們越洋飛來重慶，由外交部、內政部分別派人照料，一起到了曲江夏壩，和倆小夫妻談了話，錄了音，拍了照。陳定春肚子大了，不久可以生產結晶品。這是千眞萬確的事，科學家無法解答的；只有讓靈學家去探討。可惜到卅三年春日寇發動湘桂大侵擾，飛機狂炸，連鄉間也不免，曲江因為省府、省行等機構所在，夏壩和黃田村中了很多彈，無辜的民衆給濫炸死的五百多人，這小倆口子都死在路上；否則倒可供列國的靈學家們，長期研究了。

瘦鵑在夏壩省行服務了一年多，因為日寇在太平洋上已遭遇到美國的猛攻，開始呈現敗兆，他急欲結束中國國內的戰事，好調出百萬雄師。所以偽府講和不成，日寇使大舉向湖南湖北進攻。省銀行為未雨綢繆，把總行和衡陽分行的貴重品先向桂林集中，擴充桂林分行的編制，設招待所，把瘦鵑調去做總務課課長，兼辦總分行的動產疏運工作，撥給他十六輛汽油運輸車，完全由他調度。他於卅三年五月開始將集中桂林的金銀向貴州桐梓寄存。桐梓位於西南公路上，交通便利。位於黔北，有必要時須更西上，很快可入川境。曾將廣東的石井兵工廠也搬在桐梓城外，就兵工廠左邊山岡，掘成地道，通地窖，即藏物資其中，除了行裏警衛外，還要託兵工廠警衛隊兼為防範安全。瘦鵑把家屬也放在桐梓，自己為疏運物資後還須兼運人員，仍常往來黔桂。

瘦鵑在桂林辦招待所時，有一次由省府秘書長介紹一位劉先生來暫住，他以湖北省主席陳辭公的介紹，想到廣東來辦理縣政，瘦鵑看到他行李簡單，想戰時或有匱乏，告訴他必要時可由招待所先爲支應。後來劉先生發表的是廣東省府委員兼東江辦事處主任，劉先生很感念瘦鵑困難中照顧之情；瘦鵑自然也很高興，熱烈地去電祝賀。

瘦鵑由貴州回來，有一天車過航空公司，看見有個客人的背影很熟，下車進去一看，原來是才蓉。他問才蓉怎麼有工夫離開香港到桂林來？才蓉以為瘦鵑在廣東，也想不到在桂林會遇見他。將旅客登記表偵妥，就拉着瘦鵑的手出來，一道到了七星樓，叫些小吃，和瘦鵑一面飲酒，一面訴說。

原來才蓉在偵緝組久了，門面愈攬愈大，接觸的人也愈來愈多，好的有，壞的也有，眞所謂良莠不齊。在一個賭博聚會中，他遇到伍嘉玉，氣味很相投。嘉玉從山東回到江南以後，碰上北伐統一，尤其是廿二至廿六年七月以前這段時間，政治清明，地方安定，年成豐收，物價奇賤，眞是民歌大有之歲，他也就在常熟做老太爺，攜妻抱子，甚是得意。偶或上海南京跑跑，左公已是黨國元老，在南京每逢走調，總要留住小酌，盤桓竟夕。一直到抗戰發生，江南魚米之鄉也遭到鐵蹄的蹂躪，嘉玉先到上海。

今古齋誌異

李舜華報恩割情

常應芬

鹿城李舜華，陸拳師之義女也。舜華父親早喪，陸拳師與李為芳鄰，乃收養之，撫育成人；幼年授以拳術技擊，年十五，負譽一方；旋從天台某和尚習「鐵指頭術」，三年而成，其技絕倫，用兩指擊物，金石無不裂開；若擊於人體，骨折腰殘，可得心應手。鄉人知其技，咸表畏焉。人道「李家姑娘，艷麗若仙女，負此技擊，誰敢求偶焉」！因恐此姝必遭禍耳。然舜華謹守厥技：不輕易示人。歲暮，義父拳師出外捕犯，暴卒於道，不知元凶為誰。舜華為之安葬畢，債累千金，債主日來討索，咄咄迫人，舜華一籌莫展。不久，有廣東某鉅商，富有鉅資，欲納女為媳，聞此女債累，欲以金償債，然後料理婚事。舜華聞知，竊出意表，願以身事其嗣，託媒為之紅娘，婚禮乍成，簾幕啟處，一對玉人，人謂雙璧。彌月之後，其舅逝世，女哭之甚哀，為將其柩返粵，同居共室，情愛彌篤，同衾共枕，生女出世。中秋佳節，女與夫一杯醉倒，及醒來時，明月已西，萬籟已寂，庭中桂葉落地，簌簌作聲。舜華與夫憑欄話舊，娓娓不倦。未久閒，舜華謂夫道：「面對良宵，儂心極樂，人生難得此良宵幾回？更難得夫妻朝夕與共，共享此良宵，儂願終夜不眠，以待日輪。」夫道：「予對此深宵，心存戒懼，正鬼物猖獗之秋，猶憶吾當年旅西時，某一夜晚，月色慘淡，曾遇一人踽踽而前，呼之不應。余心惶恐，乃舉磚擲之，其人莽撲而來，余出其不意，力擂其陰囊，是人大號一聲倒地，余即返奔歸邸。此人生死未卜也。至今思之，心中忐忑焉，此人而死，其魂豈甘我哉！余所以深夜畏懼也。」

舜華聞夫之言，神色為之變，急曰：「莫兆歲暮某日在某所乎？」夫曰：「然」。女曰：「此人甚殆矣！郎君狼心哉！郎君休矣！」夫聞言大恐，借女入內安寢。越日，舜華托故而歸。與儀義父之靈，泣首不可仰。復商於鄰人，將義父薄產，騰價出售，得八百金，並貸於戚黨者三百金，湊資復東歸，至夫家，對夫曰：「前者乞若父資千金，此如數奉璧，儂有隱衷，恐不能與郎君共生死矣！請擇自珍攝，從此告辭」。言畢，淚如雨下，嗚咽悽愴，垂頭至膺。夫大奇之，曰：「卿有何隱，余當為卿出力，請卿速言，毋以悶葫蘆示人可乎？」舜華搖頭默然，久之舜華起立，汗流浹背，舉手手若千斤不能起，儘力舉起，向夫肩一拍曰：「儂與君從此長辭，行在相見，驅步出走，夫追踪戶首，已不知所去，悵然若失。入內，覺肩不能伸縮，至夜半，半身不遂，竟成殘廢，雖能起床，姑以千金服藥調治，卒亦無效，金盡，鬱鬱以終。族人葬之於某山之麓，越歲之寒食，有人見一婷婷玉女，哭於葬所，哀怨抑鬱，不可卒聞。有識曰：「此女乃舜華也」。欲就詢其故，忽然不見。後數歲，舜華卒於鹿城，病劇時，舉以告人，咸歎服其英勇俠烈，非尋常女子足以倫比。殺其義父者，乃其夫也，女為義父報仇之心切，故不惜犧牲愛情，殺其夫，以報義父之德也，偉哉舜華女！

自由報

中華民國內政部內版台報字第〇三一號
中華民國僑務委員會登記證台報新字第三二三號
中國郵政台字第一二八二號執照登記為第一類新聞紙

（第九五四期）

（半週刊每星期三、六出版）
每份港幣壹角．台灣零售價新台幣弍元
督印黃行寰．社長李運鵬
社址：香港九龍彌敦道593—601號廖創興銀行大廈八樓五座
LIU CHONG HING BUILDING
7th FLOOR FLAT 5
593—601 NATHAN ROAD,
KOWLOON, H.K.
TEL：K303831
電報掛號：7191
承印：晨星印刷公司
地址：嘉咸街廿九號地下
台灣總管理處：台北市大同街119號
台灣區直接訂戶　台郵劃撥戶
第五〇五六號張萬有（自由報會計室）
電話：七一四〇三三、五五五三九五
台灣分社：台北市西寧南路110號二樓
電話：三三〇三四六，台郵劃撥戶九二五二號

國文程度低落與加強國文教學

・葉經杜・

國文程度低落，要為不爭之事實，吾人不能因有一「說得雋」之作者而斷言今日學生國文程度甚高，猶之乎不能因李政道、楊振寧而斷言中國科學水準甚高，不能因楊傳廣、吳阿民而斷言中國體育水準甚高，此淺易之理，不必多言。是以如何提高國文程度，實為今日當務之急，中華文化復之基，固在於是也。惟有國文程度提高，始能熱愛我充實光輝之中華文化，始能熱愛我多災多難之中華民族，然後為科學家始能為愛國之科學家，為運動家始能為愛國之運動家，而不致數典忘祖，長留異邦，甚且脫離祖國國籍，喜洋洋以為榮且貴矣。

奠定吸收固有文化堅實基礎

唐魏徵有言：「求木之長者，必固其根本；欲流之遠者，必浚其泉源；思國之安者，必積其德義。」今日始注重國文教學之加強，已成亡羊補牢之計，吾人應以補偏救弊之心情，臨深履薄之精神，深思熟慮，以確立此一國之大本。提高國文程度之根本何在？在加強國民中小學之國文教學，增加其識字數量，提高其內容水準，重視記誦聖賢名言之學，以奠定吸收固有文化之堅實基礎。今之國語課本，過分重視日常語言之學習，一二年級固為「小貓叫，小狗叫」之類，五六年級亦復如是。進入初中、高中，仍有貓叫狗跳之詞亦寫不通者。國文教學之入此歧途，余以為極端之白話文學運動家實難辭其咎。彼輩之主張，實乃迎合人類之惰性，趨易避難，捨本逐末，去深就淺，捨高就低，以現代化新文學為口號，以大眾化，通俗化為口號，將我崇高悠久光輝之文化典籍，一概斥之為死文學，死文字，毀我文化長城，於是馬克斯邪說長驅直入而盤踞我華夏古國矣，於是造成今日亙古未有之紅禍浩劫矣，言念及此，誠不知涕淚之何從也。是以不言復興中華文化則已；如欲復興中華文化，必自改革小學中學國文教學始，余向主張小學國文教學時數增加一倍，中高年級學習淺近文言文，實以為此乃固其根本之學也，不可不特予重視，如貓跳狗叫之教材照舊採用，甚且初中、高中、大學亦以此為教材，而欲求中華文化之復興，是誠甚於緣木而求魚也。我中國文化固不死，文字固不死，文言文學固不死，而一羣莽夫狂人竟斥之為死，竟冀其速死，誠非愚即妄矣。消滅古典文學，文言文學，即消滅中華固有文化矣。中華固有文化消滅，中華民國自隨之消滅矣，中華民族自隨之消滅矣，此勢所必至，理有固然也。死文字，死文學，死文化，死中華，斬草除根之亡國運動，孰有甚於此者乎？

改進國民中小學國文教學

所謂國文程度低落，社會各階層人士無不包括在內，非獨學生然也。人之所以常言學生國文程度低落者，以其常參加考試故也，設教師參加考試，閱卷者必驚異教師國文程度之低落也。教授參加考試，閱卷者必驚奇教授國文程度之低落也。文武官員參加考試，閱卷者必亦怪文武官員國文程度之低落也。此非妄言，時賢評閱高普考試及特種考試國文試卷者，早已一再發為文章見諸報端而作沈痛之呼籲矣。雖然，吾人不能對社會各階層人士耳提面命而諄諄語誡也。根本補救之道，仍在於改造各級學校之國文教學也，仍在於改進國民中小學之國文教學也。「源不深而豈望流之遠，根不固而何求木之長？」（魏徵語）中小學國文根柢欠佳，欲求國文程度之提高，舍本以求末，是則「雖在下愚，知其不可」（魏徵語）也。

欲提高中小學國文程度，一在教材之改進，一在教法之改進，然其更重要之關鍵，則在提高中小學國文教師之水準，以往師範學校之加授中國文化基本教材，師範學校之升格為師範專科學校，十二所大學院校之設立國文學系，對中小學國文教師素質之提高，已發生相當之作用矣。十二所院校之國文系名稱不一，有名國文學系者，有名中國文學系者。就其內涵言，國文一詞，應包括中國文字，中國文學與中國文化，如以中國文學名系，似覺狹隘，愚意應以國文學系一名而謀統一之。

培養中學國文師資

國立中央大學決定在台復校，亦將設立國文學系，且決定分為文學與經學二組，就學術文化之研究發展言，宜專不宜博，分二組甚至三組四組亦無不可。如就培養中學國文師資言，則宜博不宜專，仍以不分組為是。高中國文教材，取材廣泛，經史子集，幾乎無所不包（連注釋計，且包括外文），如國文系分組，以分組畢業之學生充任中學教師，反而各有偏失不能勝任愉快矣。大學教育並非造就學者專家，而在為學者專家舖路；大學畢業生並非學者專家，而在得其為學者專家之門徑而已，本此義言，大學院校之國文系，應使學生對我古今文化、文學、文字作全盤之探討，求概括之了解，窺其全豹，得其大要；然後就志趣之所近，作部分深入專精之研究，以求卓然成家。

近有人謂「不論從事經學研究或是文學創作，莫不以語言文字為基礎，所以文學經學二組本都應該加強語文之訓練的」，因而主張國文系應加「國音」課程，甚且在大學院校另設語言文字學組或簡稱語學組，與「文學」、「經學」二組鼎立」，再進而改設「中國語學系」、「中國文學系」、「中國經學系」，其涉想雖新，但令人有想入非非之感，廣義言之，以往之經史子集，無一非文學作品也，亦無一非「中國語學」（姑用其說）作品也。如必單設語學系，不知將設何等課程以教學生也。本省光復二十餘年，國語推行工作向負盛譽，如謂「中文系畢業生熟讀國語國音的也就成為鳳毛麟角了」，則足證國語猶未徹底成功也。治本之法，除加強小學國音國語教學外，須同時加強中學、大學及社會之國語推行工作，此但須在國文教學及其他教學活動中注意即可，而不必專系。設謂小學六年尚不能精通國音國語，必須在大學院校專設語學系以教以學，是何國音學之難如此？何國音學之難如此？是不亦令人聞而生畏，望而卻步歟？言普通語言之學，古音古語之學較難，今音今語之學甚易。古音古語何以難學，以其流變龐雜且非存於今人生活之中也。今音今語何以易學，以其俱存於今人生活之中也。以生於今世之人，學習今世之國音國語，六年尚不能精通純熟，是非大可怪也歟！余但年於鄂北之僻壤，幼曾習二週之注音符號，自進入新制小學迄大學畢業，未再專習國音國語。以我平庸之資質，担任初高中國文教學十六年，且教且學，已可應用國音國語教學矣。今日大中學生國音國語不甚熟諳流利，除大中學未注意國語之推行外，實社會環境未能普遍使用國語有以致之耳。

造就繼往開來之中國新青年

國文教師之責任，誠如韓文公所言，在於「傳道、受業、解惑」也。小學教育應圓滿完成國音國語之教學，中學以上，便應重視高深之國文教學，而不宜再斤斤於一音一語之學也，必如是，始可謂之由淺入深，由近及遠，而造就一承先啟後，繼往開來之中國新青年也。國語學家每有「二上聲字相連則前字變陽平」之說，同一一字，同一不字，在不同之語言中又有不同之音調。此種分析法，一般人多莫名其妙，我以為殊無必要。此種規則之產生，在乎人類語言之自然變化，既然吾人日常語言聲調之變化有其自然性，則聽其自然可也，實不必再定為種種規則。如必本諸規則限制語言，則反受滯礙不便有害於語言自然之美矣。吾人不能期望人人皆為語言學家，國語專家；吾人亦不能要求每一國文教師皆為語言學家，國語專家，但求每一國文教師語言自然流利足矣。今日國文系畢業任國文教師者，國音國語有問題者少，而在於國文根基欠佳，所知有限，執筆為文，每有文通欠當者多。欲求提高中學國文教師之素質，問題之不在於國音國語也亦明矣。

時人又有大量翻譯古籍以復興中國文化之說，我有痴人說夢之感。如史記、漢書、資治通鑑等數十萬言之巨著，如譯為白話，將數百萬言且千萬言以上矣。譯文之浩繁即使可以不論，誰復有此閒暇有此毅力以閱覽此皇皇千萬言之巨著乎？進一步言之，古文之精粹優美簡要洗鍊，有非白話文所萬難望其項背者，即使譯文生動流麗，亦絕難及文言文之精要醇美於萬一。

（以下轉刊第四版）

十全大會圓滿閉幕

・易倚・

昨日與明日

國民黨的十全大會、在三月廿九日這一具有歷史性的紀念日召開，為時十二天，現已圓滿閉幕。十全大會的特色之一是，有若干在學青年被選為代表出席大會。青年代表表現蓬勃朝氣，無論就中華民國前途及國民黨的前途來看，朝氣是主要的前進原動力。國雖舊邦、其命維新，由此可見國民黨求治之心的深切。

這是一個充滿黑暗也充滿光明的時代；充滿沮喪也充滿希望的時代。復國建國大業雖是一條艱苦，崎嶇之路，只要中華民國海內外人民同心協力，拿出勇氣來相信必底於成。十全大會顯示了國民黨光明的前途，從而帶來了全民的希望，自是本年度值得大書特書的一件大事。

向敵後代表祝福

在十全大會開會期間，最引人注意的是敵後代表，也以他們贏得掌聲最多。這些深入敵人心臟的勇士，不僅是國民黨最敬的同志，更是全民敬仰的英雄。復國並非語言文字之事，要靠轟轟烈烈的行動。大陸已變成一個大牢籠，在大陸做隱秘的反共工作，很不簡單，必須具有過人的機智和勇氣。我們願向敵後代表深深祝福。

除了上述，這次十全大會更有很多產業界人士參加。任何現代國家，沒有產業界人士的努力，是談不到經濟成長的。近年來台灣工業的進步，固然已有很卓越的成就，但距理想標尚遠。自然因素，由於煤鐵的缺乏，無法建立重工業，自係事實。但法令繁瑣，財政金融與經濟政策，未能密取配合，這些人為因素亦不容諱言。現在十全大會能讓產業界人士在會中多多發表意見，以供政府將來制訂經濟政策的參考，當然是一大進步。

中常會面目一新

十全大會閉會以後，選出的新中常會，已在海外各界發生良好的印象。其中如：孫運璿、李國鼎、林挺生等都是新面孔；他們根本不是從事黨務工作的人。正因如此，大家都能想像執政黨中央漸對現代經濟發展的重視。同時，一向專門從事黨務工作的人，也有選出這一執政黨中央決策機構者。這是國民黨本身的革新。唯有現代化政黨，才能促使國家及早現代化，於此，更增加我們對此信念。

新中常會的成立，意味着政府的改組，目前種種猜測嫌過早。只有一點可以確立的是，將來政府的改組是以如何加強經濟、軍事的準備為目標。若說國民黨十全大會為勵精圖治的一項里程，當非溢美之詞。

自由談

馬列主義之敗亡

以俄共為主宰的共產國際集團，自南斯拉夫於十幾年前退出「九國情報局」的組織後，便已開始渙散；繼有東德波茲坦的反共大暴動，繼有匈牙利全國人民的反共鬥爭；最近捷克人民的自由運動尤為劇烈。俄共雖以大軍鎮壓匈、捷的反叛，但捷克的局勢仍在動盪不安之中，而羅馬尼亞又公開聲明不接受「華沙公約」的約束，且拒絕外國軍隊入境。至於中國毛共的敵視俄共，演成軍事衝突，更不待言了。

國際共產集團破裂的基本因素有兩點：最主要的就是馬列主義已證明「此路不通」。南拉夫早已改絃易轍，承認一定限度的私有財產制，而俄共在國內亦採了以利潤刺激生產力的資本主義生產方法，這在思想上對馬列主義不啻宣告破產。因而各個共產國家的當權派，對俄帝的控制，潛滋着離心傾向。一般人民乃燃起爭取自由的心頭火炬，發為反共行動。若夫毛共之敵視俄帝，指其為修正主義，旨在攘奪共產國際的領導權，就思想而言，實係一種頑固的落伍派，將來只成為馬列主義的殉葬者罷了。

現在俄帝對東歐各附庸國動輒臨之以兵，就對中國的毛共拒三要求談判邊境問題，用意乃在防止共產國際之整個崩潰，光求東歐局面得告粗安，以免危及蘇俄本身的生存，徐圖苟延殘喘。

馬列主義之式微、沒落，已成必然的趨勢。俄帝現時在地中海不時耀武揚威，在中東的埃及和敘利亞各國拚命滲透，盡力顯援，這是對自由世界虛張聲勢，藉以和緩各個附庸國家的離心力而已。領導自由世界的美國，祇想拉攏蘇俄以對付中共，卻忽視東歐與中東的情況，無所作為。如果說世界大戰終難避免，東歐與中東都是引起大戰的導火線也。不過，無論大戰是否發生而馬列主義之敗亡，卻是無疑義矣。

馮子先生

中央公職人員增選補選 政府正積極籌備中

（本報記者台北消息）關於自由地區中央公職人員增補選事宜，政府現正策劃中；至於國民大會代表之增選補選，立法委員增選，監察委員之新選，可能要到明（五十九）年春開始，如果籌備不及的話，將順延至明年年底，始能完成。

四月十二日，由內政部召集所組成的中央公職人員增選補選工作籌備小組舉行首次會議，討論「動員戡亂時期自由地區中央公職人員增選補選辦法」施行細則、及選舉事務所組織規程草案之起草事宜。

按照該中央公職人員增選補選辦法第三條規定：在動員戡亂時期，自由地區之中央公職人員增補選，都依該辦法的規定，在現行國民大會代表、立法院立法委員及監察院監察委員選舉罷免法律有關選舉之規定，一律不適用於辦理增選補選。

總統依照動員戡亂時期臨時條款第五項之規定，制定動員戡亂時期自由地區中央公職人員增選補選辦法於今年三月二十七日以命令公布施行，是以該增選補選辦法與中華民國憲法之效力相等。

行政院於今年四月三日，以台五十八內字第二六七六號分函立法院、監察院等中央民意機關「查照」。

立法委員及監察委員之婦女當選名額，依該中央公職人員增選補選辦法第七條規定，均依立法院立法委員選舉罷免法第五條（在十名以下者，婦女當選名額一名，超過十名者，每滿十名應有婦女當選名額一名。）及監察院監察委員選舉罷免法第三條（每省監察委員名額中，婦女當選名額定爲一名。）的規定辦理。

台灣行政區域 曾作兩次調整

就法理而言，中央公職人員因行政區域調整增設之轄市及省轄市之新選；原選舉行政區域之人口增加而增選；或因原選舉行政區域選出之公職人員出缺而補選。台灣省之行政區域調整兩次，一次是光復之初，前行政長官公署劃分爲：台北、新竹、台中、台南、高雄、台東、花蓮、澎湖縣等八縣；及台北、基隆、新竹、台中、彰化、嘉義、台南、高雄、東市等九省轄市。另有宜蘭、花蓮二縣轄市。中央公職人員之名額悉依當時之行政區域計算而產生。到民國三十九年，本省推行地方自治，及先後公布「台灣省各縣市實施地方自治綱要」及「台灣省各縣市行政區域調整方案」，將原有八縣九省轄市重新劃分爲十六縣五省轄市，計新設：宜蘭（原台北縣轄市），桃園、苗栗、南投、彰化（原省轄市），雲林、嘉義（原省轄市）、屏東（原省轄市）縣等八縣，原省轄市除台北、基隆、台中、台南、高雄市等五市外，其餘之新竹、彰化、嘉義、屏東等四省轄市調整爲縣轄市。而花蓮市仍爲縣轄市，在新增八縣中，除去原與縣地位相同之四省轄市外，尚有四縣沒有選舉產生中央公職人員。

其次是五十六年將原爲省轄市的台北市，調整爲院轄市，其法律地位與台灣省相同。

北市及宜蘭等五縣 新選國代及立委

由於本省兩次調整行政區域而新設院轄市、省轄市，按照中央公職人員增選補選辦法第八條規定，每縣市及其同等區域各選出國民大會代表一名。但其人口逾五十萬人者，每增加五十萬人，增選代表一名。依此規定計算，則台灣省之宜蘭、桃園、苗栗、南投、雲林等五縣及台北市須新選國民大會代表、立法委員，其名額是：宜蘭縣等五縣應新選國民大會代表一名，台北市應新選國民大會代表三名（暫以一百六十多萬人口計算）及新選立法委員五名、新選監察委員一名（除去調整行政區域前原已選出之監察委員李緞）。此外，原由職業團體分業分省市及省市婦女團體選出之國民大會代表，因故出缺無候補人遞補者，按其出缺名額辦理補選。原行政區域人口增加者，新辦理增選。

立法委員除辦理因人口增加之增選外，不辦理職業團體、婦女團體及因故出缺無候補人遞補之補選。監察委員既不辦理不足憲法上規定名額之因故出缺的補選，而僅辦理新設台北市之新選，而此項新選名額二人，尚須除去原有行政區域選出之監察委員名額。是故此次中央民意機關代表之選舉，將着重於國民大會代表之新選、增選、補選工作。

因此，青年黨籍之監察委員葉時修及該黨候補立法委員對中央公職人員增選補選辦法分別提案及撰文評論。

監委應否補選 監院熱烈討論

葉時修委員「爲監察院監察委員如有出缺，致較原有選出之名額爲少時，在自由地區以應予以補選，以符憲法精神而維憲政體制由」的提案，經監察院第一千一百零八次院會熱烈討論後，決議由院推派李嗣璁（召集人）、黃寶實、葉時修、陶百川、陳慶華（台籍）等五人組織小組研究處理。

葉委員之提案謂：「查中央公職人員增選補選辦法，業經總統於三月廿七日公布，其第十一條規定，監察委員之增選名額，其計算方法如左：一、按現制之行政區域，依憲法第九十一條第一款第二款之規定計算，減除原選出之監察委員名額後爲增選名額。二、計算減除名額時，對於在調整行政區域前原已選出之監察委員，以其當選之選舉單位爲準。依此規定，監察委員祇辦增（新）選，不辦補選，即在自由地區，台北市因升格爲特別市，可以增（新）選監察委員二名，由台北市議會選舉之，而台灣省出缺之監察委員一人（丘念台已去世），則不予補選。

「查憲法實施準備程序規定本屆選出之監察委員任期至正式省市議會選出監察委員爲止，是監察委員之任期並未終止，但與任期雖已屆滿，而因無法辦理選舉而延長任期之情形，稍有不同，是則自由地區選出之監察委員如有出缺，似可辦理補選，不受任期屆滿之補選限制，以監察委員人數逐減，亟應增補選出，以資補充藉增生力。此次，僅可增（新）選台北市二名，而台灣省不辦補選，未予省議會以依法選出監察委員之權，似有未妥，擬請修正原辦法，准省議會補選一名，或列入增選之內，將原辦法第十一條第一款後段改爲：『減除現有之監察委員名額後爲增選名額。』將『原選出』改爲『現有』二字即可，可否交由內政委員會洽請行政院向國家安全會議提請修正，以重憲法精神而維憲政體制，是否有當，敬請公決。」

關於監察委員丘念台去世後之遺缺，遠在五十六年三月十四日，陶百川委員等提案於監察院第一千零一次院會，其案由爲：「本院丘委員念台之遺缺，如能早日補選，不獨可以增強本院人力，且可稍新世人耳目。用特提案，擬請李院長洽詢有關機關，可否依照監察院監察委員選舉罷免法第十三條之規定，（監察委員出缺後，繼任人之補選日期，以命令定之。繼任監察委員任職至原任期屆滿之日爲止。）早日決定日期，辦理補選，是否有當，敬請討論案。」經該次院會決定「由院長洽詢辦理」。

引經據典侃侃而談 監委出缺應予補選

此次，監察院在討論葉時修委員提案時，台籍監委陳慶華說：中央公職人員增選補選辦法之「增選」，不適用於監察委員之選舉，蓋台北市爲新設之院轄市，本來依法產生監察委員，何來之「增選」？故祇能謂之「新選」，至原行政區之台灣省參議會選出之五位監察委員，因丘念台委員之去世而出缺，應依法補選。

陶百川委員說：「我支持葉委員的提案。中央公職人員增選補選辦法規定『監察院監察委員選舉罷免法』中之選舉一章停止適用，即監察委員出缺後，不辦理補選，則影響憲法賦予人民監察權之行使。按照制憲國民大會民國三十五年十二月二十四日第十九次會議通過的『憲法實施準備程序』，與憲法有相等之效力，其第三條規定，依照憲法，應由各省市議會選舉之首屆監察委員，在各省市議會未正式成立以前，得由各省市現有之參議會選舉之，其任期以各省市正式議會選出監察委員之時爲止。像我是上海市參議會選出之首屆監察委員以前，我的任期是無限期的——十年、二十年、三十年……甚至永久任期；因爲我們首屆監察委員是依據『憲法實施準備程序』產生的，所以不受憲法第九十三條任期六年的限制。」

陶委員對中央公職人員增選補選辦法規定不得辦理補選，認爲「不合法理」。他的批評是：「依照中央公職人員增選補選辦法規定，不但台灣省參議會選出之監察委員出缺後，不得補選，即反攻大陸光復的自由地區，也不得辦理補選，那有如此不合理。例如，政府光復上海後，代表上海行使監察權之監察委員去世而出缺，由於該辦法限制補選，則將涉及五權憲法制度、監察制度了。就法理言，憲法實施準備程序的效力，高於監察院監察委員選舉罷免法，與中央公職人員增選補選辦法，而與憲法效力相等，因爲憲法實施準備程序與中華民國憲法，都是制憲國民大會所通過。而國民大會代表、立法院立法委員、監察院監察委員選舉罷免法，是在中華民國憲法三十六年一月一日公布三月三十一日，由國民政府依照憲法之規定制定公布的；中央公職人員增選補選辦法是由憲法產生之國民大會通過之臨時條款而授權總統制定公布的，其效力低於『憲法實施準備程序』。」

陶委員同意陳慶華之「台北市不是增選而是新選監察委員」的法律見解。是故「現任監察委員與國民大會代表、立法院立法委員之產生不同；監察委員的任期至各省市議會成立後正式選出之監察委員爲止，而國大代表任期六年及立法委員任期三年應受憲法的限制。大法官會議以監察委員任期六年而延長任期繼續行使職權之解釋，是不合憲法實施準備程序的法意。」

增選補選辦法 計有三項特點

青年黨籍候補立法委員認爲：「立委有任期，始能辦理增選補選。如無任期，立法院一憲法上之臨時機構耳，補選固不能辦，增選又安能辦？立委如無任期，何能『繼續行使職權』？如解釋爲『並非延長任期』，則增選之新立法委員亦未曾『行使其職權』，又安能『繼續』行使其職權？假如新選之委員有任期，三年期滿改選，則立委將分爲兩種，兩代同堂，如何開會？如何表決？」故主張補選。

查中央公職人員增選補選辦法，有下列之特點：第一、依照該辦法產生之國民大會代表，立監委員沒有任期，也不受憲法規定之限制。第二、國民大會代表與立法委員，排除選舉法上之候補代表及候補立委制度。第三、放寬選舉人之限制及提高候選人之資格。依照現行選舉法規定，凡是中華民國人民年滿二十歲，而無左列情事之一者，有選舉權；年滿二十三歲，而無左列情事之一者，有被選舉權。一、犯刑法內亂外患罪，經判決確定者。二、曾服公務而有貪污行爲，經判決確定者。三、褫奪公權尚未復權者。四、受禁治產之宣告者。五、有精神病者。六、吸用鴉片或其代用品者。

但依中央公職人員增選補選辦法規定，年滿二十歲之中華民國人民，在本籍或各該選舉區內繼續居住六個月以上，而無褫奪公權尚未復權者及無受禁治產之宣告尚未撤銷者之情事，有選舉國大代表、立法委員之權。至於犯內亂外患罪，經判決確定者；曾服公務而有貪污行爲經判決確定者；有精神病及吸用鴉片或其代用品者，該辦法並未明文規定無選舉權，較現行有關選舉法爲寬。相反的，該辦法規定中央公職候選人之積極資格必須高級中等以上學校畢業或普通考試以上之考試及格，始得爲國大代表、立監委員之候選人；同時規定犯內亂外患及貪污罪以外之罪，判處有期徒刑以上之刑，經判決確定，尚未執行或刑期未滿者，不得爲中央公職人員候選人，而此項規定，爲選舉法所沒有。第四、選舉法規定，由政黨提名，或經三千名以內、五百名以上選舉人之簽署，得登記爲國大代表、立法委員候選人，而中央公職人員增選補選辦法未採此制。

第五、關於選舉訴訟之審理，中央公職人員增選補選辦法規定由高院一審終結，不得提起再審之訴。選舉訴訟程序，準用民事訴訟法之規定。此與本省地方公職人員選舉訴訟之規定相同。（完）

本期因篇幅關係，「喬治桑外傳」迫要暫停一期，希讀者見諒。

——讀者投書——

攪派系·排異己 音樂學會成一人之天下

任何一個全國性的人民團體，必需能負起帶頭作用，領導團結，共爲這個事業發展而努力。而中華民國音樂學會，成立迄今已有十二年之久的歷史，它們作了些什麽事？事實告訴我們說：只有利用這個學會來成立派系，排除異己，完全只爲戴理事長一人的權勢而存在，不僅失掉學會存在的眞實意義，亦妨礙音樂水準的成長。同人等身爲中小學音樂教員，終身奉獻給音樂教育，亦曾殷切希望能透過這個組織，共爲音樂的發展而努力。然而，眞正從事音樂工作的人士，却受這個學會的種種刁難和無理的限制，拒人於千里之外，不能成爲會員，亦不准參與工作，現在眼看着它的把持和腐化，使我國的音樂教育，將淪於萬刼不復之境地，痛心之餘，同人等未敢緘默，爰略舉其罪跡數端，敬陳垂察，並請速予派員澈查，勒令改組，這是我們所盼望的、亦是音樂界的大幸事。

一、音樂學會成立之初，其會員資格，竟公然訂以師範大學音樂系和政工幹校音樂系畢業者爲限，而師範學校音樂科畢業者即不得參加，這是什麽道理？顯然的是爲了維護戴家班的勢力。

二、會章規定理事長的任期，以連任一次爲限，戴理事長竟然在未徵得會員的同意，擅自透由汪總幹事宣佈，僞稱爲奉上級指示修訂會章，而遽將理事長的任期，修訂爲永遠連任的終身職？這是什麽體統？這是什麽組織？

三、理監事人選，原先均是師大和幹校音樂系教員所霸攬，後來雖經多方的指責，乃加入藝專和文化學院一二人，然而監事人的產生，仍是僞作選票予以操縱。

四、會員人數本爲三百餘人，歷年開會人數依次遞減，今年到會人數僅有五十餘人，戴主席眼看情勢不妙，又囑汪總幹事宣佈，僞稱接到上級指示，理監事不予改選，如此非法把持，尸位素餐，怎能充當領導人物。

五、行政院明令規定，凡屬國際會議之召開，條件不足者，不得任意舉行。目前國內音樂環境亟待充實，沒理想的音樂廳和够水準的樂團，是不足以向國際人士宣揚的，而戴理事長召開國際音樂會議，僅爲他個人出風頭，沒想到會場、翻譯人員、接待人員、音樂節目、和經費等等都不能達到理想，這無異給外國人看到我們自己的醜陋，無疑的是在浪費國家公帑於無用之地，我們何不埋頭努力作一些脚踏實地的教育工作。試問將近二十年了的師大音樂系和省交響樂團，它們有什麽成就？不去從事自我檢討，而只顧自己一人的出風頭，我們音樂界不歡迎這樣的人物，我們爲了響應總統的文化復興運動，我們希望主政當局，能加以重視，那我們國家的音樂教育就有救了！

中小學音樂教員聯盟同啓四月五日

中華民國五十八年五月三日　自由報　星期六　第三版

雷震與「自由中國」（七）

——當年內幕誰知道　一番往事話從頭——

王曰叟

由於民情風氣的不同，各地方尊敬的人物都各自不同，在上海、香港，最神氣的是富商大賈，而北平人最尊敬的却是學人教授，像胡適、蔣夢麟、梅貽琦這些人物，在人民心目中的地位，遠非一般方面大員，部長司令等等所能比美於萬一。抗戰前北方風雨飄搖中，五大學校長的行動，便成了影響民心的最佳安定力，在這種氣氛下，忽然整批教授，集體南飛，並且包含了北大清華的校長，那在北平人的心目中，是何等重要的大事，因此圍城中的報紙無不繪聲繪色，發此新聞，而各報的駐平記者，也都紛紛報導此一新聞，可惜的是當時函信已經不通，無法遞出，但其中也有利用特殊機會寄出的，例如南京的江南晚報便在三十八年一月七日，刊載了一篇遲到的北平航訊，「首批大學教授離平記」，報導十二月二十一日梅貽琦校長等飛離圍城的故事。

這篇報導寫的很有風趣；一則請讀者看看當時原始史料，換換口味，二則老叟也可藉此偸一期懶，讀者諸君會原諒吧，下面便是江南晚報的全文（原報存老叟處）。

「北平航訊」教部爲了搶救平津各院校的院校長教授，陳雪屏部長曾經一度來平私與各校洽談辦法，決定每天派飛機一架，分批搶救名流學者和他們的眷屬，據說要搶救的一共有三百多教授，除了上次胡適校長南行那次專機以外，這要算是第一次了，東單機場修好以後，降落的飛機前兩天已經有了，而起飛的這却還是第一次。

早上八點鐘，北京飯店大廳裡，陸續來了許多位等着上飛機的人，其中以北平圖書館袁同禮館長家的人口最多，除了他的太太之外，還有一個女兒袁靜，和兩個兒子袁澄、袁清，他們早上都沒有吃東西就來等飛機的，袁館長去買了麵包就在大廳裡分給兒女們吃起來。

趙梅伯教授表示，他一直打算最後一批撤退，但因爲教部要他去，而且北平藝專音樂科的許多外國教授，都已經離開了，所以他就決定南去，他這次是一個人走，行李帶的很簡單，書雖然非帶不可，但是飛機重量的限制，僅帶了隨身的幾本書。

據張起鈞教授告訴記者說：因鑒於胡適先生走時的慌亂沒有秩序，行李上的太多，不易飛行，所以，這一次事先開會討論，分配名單，並且還製了飛機票，在票面上有兩個人簽字，兩個人蓋章，梅貽琦和袁敦禮是簽字，鄭天振和張起鈞是蓋章，走的人和行李分成甲乙兩組，梅貽琦，梅氏弟婦，李書華，李小姐，袁同禮夫婦，袁靜，袁澄，袁清，楊武之，董守義，宋繼元等十二人爲甲組，顧毓琇（工商部工業實驗所所長）顧太太，張起鈞，張頤，張太太，趙梅伯，姜文錦，姜太太，姜慰慈，梁實秋太太王蟬，一共是二十四個人，因爲怕行李過重，所以，在事前自己先過了磅，本來一架飛機可以有三千磅的，可是他們却只有二千多磅。

清華數學系教授楊武之（老叟按：那時還不知道他有得諾貝爾獎金的兒子——一笑），告訴記者說：原來在昆明師範學校，今年九月才回北平，僅住了三個月，北平是令人留戀的，不過，因爲家都在昆明，所以也就先到南京，再轉道昆明。

梅貽琦校長對於教授南行，他認爲並不是爲了逃難，而是會起一些積極作用，他到機場去時，是一隻手提着皮包，另一隻手提着打字機，聽說他的弟弟梅貽寶夫婦在前幾天已經走了，還有北大教育系齊泮林教授，聽說他是搭着一隻軍艦走的。

幾經聯絡的結果，在中午十二時過，接到飛機場的電話，說是南京方面已經雲開霧散了，於是就忙着搬行李，由樓上一一五號房把東西搬到樓下去，張起鈞和趙梅伯兩位教授特別忙碌着張羅。

六七輛小汽車一齊出發，到了飛機場，過磅以後，就分別用汽車送他們登機，兩個飛機都是綠色的，甲組的飛機是三二一號，乙組的飛機是三二三號，叫名字收票上飛機，叫到趙梅伯教授時，都連呼趙小姐，沒有人答應，後來才發現是趙教授，送客的人都爲之大笑。

一點十分，飛機騰空而起。（恨我寄）

論語泰伯篇爲曾門弟子所輯說（上）

黃德相

論語一書，有十四則與曾子有關的言論，中學時代讀論語，國文老師說：「論語爲曾子所記」。頃讀柳宗元的論語辨，以爲論語是曾門弟子所輯。其言曰：

或問曰：「儒者稱：論語孔子弟子所記，信乎？」

曰：「未然也。孔子弟子，曾參最少，少孔子四十六歲。曾子老而死。是書記曾子之死，則去孔子也遠矣。曾子之死，孔子弟子略無存者矣。吾意曾子弟子之爲之也。何哉？且是書載弟子必以字，獨曾子，有子不然。由是曾之，弟子之號之也。」「然則有子何以稱子？」曰：「孔子之歿也，諸弟子以有子爲似夫子，立而師之。其後不能對諸子之問，乃叱避而退；則固嘗有師之號矣。今所記獨曾子最後死，余是以知之。蓋樂正子春、子思之徒與爲之爾。」或曰：「孔子弟子，嘗雜記其言；然而卒成其書者，曾氏之徒也。」

程子承柳子之說：「論語之書，成於有子，曾子之門人，故此書獨二子以子稱。」（論語集註序說）

姚鼐不以爲然，曰：「檀弓最推子游，似子游之徒所爲，而於子游稱字、曾子、有子稱子；似聖門相沿稱皆如是，非於子稱字稱子有重輕也。」（古文辭類纂）

其實論語尙有閔子、冉子之稱子。並且曾子之子曾申在檀弓亦被稱曾子：「穆公之母卒，使人問於曾子曰如之何？對曰：申也聞諸申之父曰：哭泣之哀，齊斬之情，饘粥之食。自天子達。」（禮記檀弓）因此，柳、程二氏之說，缺乏有力證據。

鄭玄曰：「論語乃仲弓、子夏等所撰定。」（經典釋文敍錄引）邢昺謂：「仲弓下脫子游二字」。象山語錄謂鄭玄、王肅均云子游、子夏所編。日本人太宰春臺，因論語記諸弟子，均舉其字，或稱「某子」，惟上論子罕篇有「牢曰」，下論憲問篇有「憲問恥」，於琴牢、原憲二子，獨去氏稱名；故謂上論爲琴牢所撰，下論爲原憲所撰。或許此二章是二子所記，門人編輯時，採用之，不足以此，而謂爲琴牢，原憲所著。

論語崇爵讖謂子夏等六十四人共撰。傅子謂仲弓之徒所撰。異說紛紜，莫衷一是。

論語原有三種不同板本，即二十篇的魯論語，二十二篇的齊論語，多問王、知道二篇，及二十一篇的古論語、從孔子壁中所得，有兩篇子張而無問王、知道。三種板本之章句文字多寡不同。

現在的論語已不是三種板本之任一種，而是漢代張禹的删定本。他兼研魯論及齊論，除去問王、知道二篇。（崔述洙泗考信錄）

觀論語一書，除「子曰」外，弟子問孔子之語不算，單獨發言者，「子夏曰」有十二章，「子游曰」四章，「曾子曰」十一章，「有子曰」三章，「子張曰」三章」，子貢多半是贊美夫子之言，或爲夫子辯護之語。由於這許多孔門弟子的單獨發言權，可推論那些篇爲誰的門人弟子所撰。今試就泰伯篇作以下論證。

泰伯爲論語第八篇，共二十一章，其中第二十章爲「孔子曰」外，十五章「子曰」，另外五章「曾子曰」。其他孔門弟子，全都沒有發言之權。孔子的話佔七十六%。曾子佔二十四%，曾子是在晚年講這些話，那時孔子也許已去世半個世紀了。因此所引用的「子曰」，沒有參雜一言半語弟子的問話，鄭玄怎可說這是仲弓、子夏所撰的呢？日本人以爲是琴牢撰上論語，本篇更不可能是他編的，根本沒有「牢曰」。程子說對一半，而柳子厚全答對了。「有子曰」本篇沒出現。子夏、子張、子游以有若似聖人，欲以所事孔子事之，強曾子，曾子曰：「不可：……」（見孟子滕文公上）因此，有子沒有發言權。

曾子是孔門最篤厚的實行家，對孔子，他忠心耿耿的服膺。本篇四分之三以上，是孔子的言論，曾子自己的言論五則，兩則是臨終的善言，一則追懷孔門最佳弟子——顏回，以爲曾門弟子之榜樣，另外兩則是士、君子立身行道必須遵行之原則。先分析孔子言論：

1禮、樂：有三章。

△子曰：「恭而無禮則勞，愼而無禮則葸，勇而無禮則亂，直而無禮則絞。君子篤於親，則民興於仁，故舊不遺，則民不偸」。（第二章）

△子曰：與於詩，立於禮，成於樂。（第八章）

△子曰：師摯之始，關雎之亂，洋洋乎，盈耳哉。（十五章）孔子說過：不學詩，無以言；不學禮，無以言。禮樂是孔子教育最重要的一環，故曾子引之以爲訓。

2法先王：有五章。

△子曰：泰伯其可謂至德也已矣，三以天下讓，民無得而稱焉。（第一章）泰伯本是先王，以其高節，讓王而去，文王始得有繼承父之王位機會。

吳稚暉先生年譜（六五）

陳凌海編撰　陳　洪校訂

此雖寥寥數十字，然充分表現先生之詼諧幽默之風趣。中國國民黨中央黨部在台北市貴陽街五十二號實踐堂簽名祝嘏。國民黨蔣總裁中正親臨醫院道賀。六月二十二日，袁夫人以咯血逝世於上海。享年八十八歲。女公子芙隨侍含殮。時先生臥病醫院，左右皆不敢以此噩耗見告。六月，先生移居陽明山，曾親書一聯懸於寓所，聯云：「全世界人類先驅，一萬年歷史古國」。此爲先生最後之法書。旋小便又覺閉塞，以山居就醫不便。七月二十八日，仍還回台灣大學附屬醫院。在還回醫院前，先生致函張道藩，言明必須下山之原因。此亦爲先生最後之函札。八月，尿毒徵浸兩臀，心臟亦趨衰弱，飲食銳減。十月十九日，以腸出血輸血。經請丁農、張西林、陳耀翰、陳登科、蔡錫琴等名醫會診後，認爲只有試行手術，當徵得先生同意，由陳登維主持，在膀胱中取出結石大小十六顆。用橡皮管插入膀胱，經常通輸小便，經過良好。晚有寒熱，逐日漸降，但未退盡。二十七日晚九時體溫猝昇。二十九日晨，腸又出血，急救輸血，惟熱遞增。腸出血不止。延至三十日下午十一時二十八分，（中原標準時間）竟瞑目長逝。當先生彌留時，張道藩、蔣經國、張其昀（曉峯）、王世杰（雪艇）及親屬等環侍病榻。先生逝世後，由蔣經國宣佈先生逝世時間，并行禮致哀。由張其昀拆封先生遺囑。先生遺囑內容，所講雖爲家事，但富有教育意義。先生將抵台數年來之收入，包括薪津，蔣總統中正賜贈之醫藥費，鬻書潤例諸款，除去開支，所有剩餘，存在第四信用合作社者全爲倒掉。先生在結賬時寫上「恰當」兩字。至遺囑後之少數收入，先生分別指定贈給親戚。并在遺囑上寫了一句：「生不帶來，死乃支配，可恥。」中國國民黨全體中央委員組織成立治喪會，料理喪事。并由全體委員輪值守靈，爲　國父以後享有殊榮之第一人。十一月一日晨，移靈實踐堂。各界瞻仰弔祭。二日大殮。（未完）

文滙樓剳記

讀「諸葛亮狂想曲」後

劉玄著「諸葛亮狂想曲」讀後，看出作者的文思敏捷，筆下傳神，既宗名爲狂想曲，又假諸葛亮先生所想出，一股先帝知臣謹愼的風儀，縱橫有術的政治招數，都描繪得淋漓盡緻，非斷輪老手，難臻於此，讀者注意力跟着作者的思路走，猶餘事焉。

狂想曲的人物，上下幾千年，狂想的境界，由地球而太空天庭，表面看來，簡直胡說八道，冷靜的一想，民間所崇拜的英雄豪傑，聖賢神佛，那一件又不是出自文人的手筆呢？歷代的君王和大政治家們，都懂得善用和挖文人的腦力，就是這個道理，秀才造反雖少有成，但造反離不開秀才，已屬鐵的公式。

狂想曲已登場的人物，地位最高者爲「玉皇大帝」。玉皇生於漢末，原名張儀，眞定府人，從小學道，後隱居武當山，採藥煉丹，研究醫術，宋徽宗時，有術士林靈素者，誘請徽宗，封張儀爲「玉皇大帝」，勸令全國人民，建廟敬拜，尊之爲神。又「太上老君」，照綱鑑記載，李耳名聃，號伯陽，生於周末，皖北人，做過史官，著有「道德經」，寫出挽救世道人心的正軌，唐高宗時，加封老子爲「玄元皇帝」，到了眞宗又加封爲「太上老君」，後被稱爲「元始天尊」，且適令各地立廟敬拜。關羽，山西蒲州人，是後漢昭烈皇帝時的名將，被封爲漢壽亭侯，忠義千秋，肝膽照人，後受歷代各種各型的封爵，且一致認關羽在天庭仍膺重職。還有就是元朝仁宗三年，封宋朝的一位狀元陳子春爲文昌帝君。唐明皇封江西龍虎山的張道陵爲天師。晉朝的皇帝司馬炎，崇拜劉邦的功臣灌嬰，立畫像於讚德廳，供百官效法，後人訛傳，稱爲城隍爺等。凡此皆可稱爲帝王們的狂想曲。他們的狂想目的，容未盡同，但希望被自己封過的人眞變爲神，乃一致的。保佑國泰民安，人壽年豐，還是最起碼的要求，過份的就罄竹難書了，總之人不爲己，天誅地滅。大陸各地常有打城隍、刮城隍，大概都是人神之間問題未擺平。

諸葛亮狂想曲原作者，抱歉的是事前未經其本人同意，其實被後代加封的人，很少同意被封的事，祇是活人有所運用，豎想其然也。中國的娼妓，台灣稱作綠燈戶，供奉法家管仲的偶像，還對管仲說，簡直構成公然侮辱。不過話又說回來，照諸葛亮狂想曲描寫的，香火既對死去的人那麼重要，包括劉備，張飛，趙雲，馬超在天庭的生活費用，都得靠關羽照顧，受妓女供奉的香火雖不太潔淨，在一切以資產爲本位的社會裡，「祇看活人受罪，誰見死人頂枷」，難怪當今寡廉鮮恥的事與日俱增，非無由焉。包括啓迪民智的讀物，亦難例外。起初諸葛亮聽到「龜貴相連」字眼，極不習慣，後來慢慢瞭解，乃自己思想尙未搞通，從前是以六親不認形容一個人的冷酷，於今工業社會已進步到不認六親，註：父親欲賺保險費而放火燒死親女兒。兒子可以當衆刺死親父。凡此皆諸葛亮聞所未聞的一些小鏡頭。

聽說諸葛亮在下界前，先準備和羅斯福、約翰．甘迺迪、杜魯門、艾森豪、麥克阿瑟、邱吉爾、吳廷琰、李承晚、蠻披紋等，交換交換對時局意見，是外交上的禮貌，「要走山上路，須問打柴人」，亦處理事務必經的過程。諸葛亮對上列政治領袖所造成的若干錯誤，及對世道人心如何轉移，與對美國戰不求勝政策的看法讓劉玄作者慢慢的去补吧！（文滙樓　十一）

海國秋涼（一九）

·文自粹·

那時徐星槎已是上海惟一大亨，重以民十年間的因緣，嘉玉也就每日出入徐公館。後來上海租界也不安全了，轉到香港。以他歷世經驗之豐，技藝之精，才會對他眞是望塵莫及了。嘉玉幷不驕傲，很隨和，半島酒店玫瑰廳的宵夜，常是嘉玉做東的。所以兩人相處無所不共。卅一年底嘉玉看香港管制愈來愈緊。

有一晚要不是躲在才會姨太太房間衣櫥後面，差一點就給日本憲兵捉了去。因此，他必須內避，私心也想到重慶左公處謀個差使，才會替他準備了路費、禮物、及到重慶候差期間的費用，乃至一路鄉會上的照呼。嘉玉即說到後方好歹有一個小差使，就來信，幷將費用寄回。過了幾年，也沒見匯來，還好才會手面滑絡，各處張羅，先彌縫過去，倒也就不太計較了。

到了卅二年下半年，日寇原想打通印度，與德軍在中東會師的；夢想很見成空；十一月中英美三巨頭的開羅會議，更給德意日侵略者精神上很大的威脅。所以日寇決定要盡全力在中國大陸求取勝利。香港日寇對一切地下抗日活動從嚴檢查，發覺才會幷不是可靠的傢伙。才會自己也體會到了，不等憲兵發動，趕快偷偷地跑掉，由間道到曲江。

不知道瘦鵑會同到曲江省銀行總行，一路節約以前。才到桂林，聽說飛機票很難定得到，正在發急旅費萬一不夠呢。幸好遇到瘦鵑，患難重逢，自是喜出望外。瘦鵑和他洗塵，問才會到重慶準備怎樣呢？才會說一俟飛機票排定時間，即電嘉玉，他給嘉玉的費用五萬港子，以嘉玉和左公的關係，如能替我找個工作；我想可以爲國家出些力——可能沒有人比他對日本特務機構更了解的。如果工作十分困難，有五萬港子至少也總可淸茶淡飯維持過兩三年吧！韋秘書長伉儷處如得見，我想去問候；工作倒不便因一點小劬勞便向人開口。初時因爲十分秘密的離開香港，一切普通朋友都未便寫信告知或干託；嘉玉和我如兄如弟，我想替我作個小安排總做得到吧！瘦鵑沒有見過嘉玉，聽才會說得如此密切，想不可靠。由桂西上的飛機，瘦鵑因爲代省府招待過往要人機會多，倒容易替才會拜託的。酒罷瘦鵑付了賬，再陪才會到航空公司和業務主任約定隔日下午的加班機，自己因爲還要趕到桐梓，便給了才會三千元，匆匆別過。第二日車上倒想起，才會到重慶本來沒有限期，自己回桐梓，却要開一趟運輸車，要是帶他同行，一點不必多化費，沿路還可增加見聞，由桐梓去重慶，替他買張黃牛票，也不消半日程了。因爲路已走遠，想及才會一個秘密出奔之身，能早日投到國家的懷抱，有所安頓，也是好事，遂也釋然。

（未完）

通俗小說與彈詞（上）

周遊

中國女性文藝春秋，現在談到明淸的女作家。明、淸是通俗小說「彈詞的盛世，因此不得不將其來源大概介紹一二。因爲中國的通俗文學，在民國最有普遍的勢力，散文當推通俗小說，韻文首推彈詞。小說的來源很古，漢人以爲出自稗官；稗官的職務，是採集「街談巷語」，是耳食他人之言，不是創作。所謂「街談巷語」，不過是在民間流行，但却很深入普及，而指不出任何人是始作俑者，其內容正如傳說神話，越傳越多，越傳越複雜，越傳越奇，都是爲了引人入勝。傳說與神話是怎樣來的？魯迅曾經有此說法：

昔者初民「見天地萬物，變異不常，其諸現象，又出於人力所能之上，則自造衆說以解釋之：凡所解釋，今謂之神話。神話大抵以一「神格」爲中樞，又推演爲敘說，而於所敘說之神、之事，又從而信仰敬畏之。於是歌頌其威靈，致美於宗廟，久而逾進，文物逾繁。故神話不特爲宗教之萌芽，美術所由起，而實爲文章之淵源。惟神話雖生文章，而詩人則神話之仇敵，蓋當歌頌紀敘之際，每不免有所粉飾，失其本來，以是神話雖托詩歌以光大，以存留，然亦因此而改易，而銷歇。（見中國小說史略）

這些神話與傳說，只不過見於古書中，尚未有人集錄爲專書。我們在列子、莊子、史記、淮南子、左傳、楚詞、詩經……書中，都有當時的神話與傳說，其中雖有古代留傳下來的，並不完全是當時的。唐、宋傳奇，雖大部份爲當代之傳說，但文體冗長，其目的在聳人聽聞，不得不爲之渲染，致失本來面目。古代小說，一到此時，文辭漸不通俗，已和他們的旨趣內容異趣。眞正的通俗文學，受了佛教的影響很大，在民間漸漸流行。通俗文學的作者，都是平民，所以文字淺俗，人人能解。到了宋代，這些作家顯露頭角。到了明、淸二代，他們竟佔據了正宗文學的地位，發揚光大，有驚人的成績表現。譚正璧「中國文學進化史」對於此一點說得簡明，錄之以觀。

中國之有通俗文學，不能不說幾乎完全受了佛教影響，佛教徒因爲傳教的便利，將經典翻成「俗文」、「變文」，又爲吸引觀者起見，夾用敘事的韻文，以增高其興趣。今尚有「佛本行集經俗文」、「維摩集所說經俗文」……及「釋迦八相成道記」、「目蓮入地獄故事」諸書，大都唱白兼用，後來「寶卷」都用這種體裁。在文學上，却受了他的影響而創立了「彈詞」體。此外，仿之而作的，有「唐太宗入冥記」、「胡秋小說」……等，但無唱句，單爲說話體，已開宋人話本的形式。所以我們考求通俗文學的發源，當始自唐代，而她的體裁，「話本」和「說話」同時並興，亦同到宋代大盛。說話由宋代的話本進化而成元、明的「通俗小說」，唱本則由宋代的「淘眞」進化而成爲元、明人的「彈詞」。

中國文學進化史接着說：

宋時有「梁九公諫」，敘狄仁傑諫武后事，亦爲說話體，可見是仿唐人的著作。唐代的「傳奇」、「詩歌」和「詞」，宋人都均擬作或創作，說話當然不致於例外。唐代已有說書的人，到宋代鼎盛時，民間遊樂之事甚多，其中有所謂「說話」，業此的人，名之爲「說話人」，即唐人說書的遺風。唐代說話，立在勸懲；宋代的說話人，專講古今驚人動聽之事。說話所用的底本，叫做「話本」。說話又分做四科：第一科：是小說，第二科：是「談經」，第三科：是「講史話」，第四科是「商謎」。今存的話本，如今本通俗小說，屬於小說科；大唐三藏取經詩話，屬於經科（此說大有問題），大宋宣和遺事及五代史評話，屬於講史科；商謎科無專書可見，但齊東野語卷二十所載「隱語」若干則，當爲現時僅見的遺文。宋代「淘眞」的體裁若何，今亦無書可見，惟存「太祖、太宗、眞宗帝、四帝仁宗有道君」兩語。後人遂依據此兩語，斷知「淘眞」係七字爲句，和後代的彈詞相類。唱的人大抵爲男女盲者，手彈琵琶，或敲鼓，口唱古今小說平話中故事。他們亦分爲若干科，如「唱賺」、「小唱」、「彈唱因緣」、「唱京詞」……等。至於各科的分別，現在亦已無法考知。從陸放翁的「死後是非誰管得，滿村齊唱蔡中郎」二句詩，也只知唱的是古人動聽的事蹟能了！

國文程度低落與加強國文教學

（上接第一版）

誦讀文言文，如品香茗，如飲醇酒，俯仰吟詠，意味深長。如譯爲白話，則原文之精神韻味盡失，是化神奇爲腐朽，化珠璣爲砂礫，化高雅爲庸俗，化絢爛爲平淡，誰復有此閒情以吞食此淡而無味之物乎？是古籍翻譯白話成功之時，亦我固有文化毀滅之日也，繼承云乎哉，復興云乎哉？

綜結以上所述，復興中華文化，爲我復國建國之起點，其重要性實不待贅言，欲復興中華文化，首在改進各級學校之國文教學。中小學國文教學之改進才爲根本關鍵所在，以小學中高年級宜有文言文之學習，以厚植其國文之根基。我固有文化典籍之吸收，必須熟習文言文，是固有文化有如珍珠寶庫，吾人當予青年學生以啓門之鑰。我固有文化有如金山銀山，吾人當予我青年學生以開礦之斧。我固有文化有如山珍海錯，吾人當予我青年學生以烹調之術。我固有文化有如遍地皆金，吾人當予我青年學生點金之指。不此之圖，一味講求淺易明白，過分強調國音國語之神聖萬能，甚或將古籍一律譯爲白話，則是點金成鐵，則是毀滅中華文化之道，非復興中華文化之方也。

繼往聖絕學．爲萬世開太平

宋儒張橫渠先生有言：「爲天地立心，爲生民立命，爲往聖繼絕學，爲萬世開太平」。孔子之學，集往聖之大成，國父孫中山先生之學，集中外聖學之大成。國父乃中國近代之聖人，其思想乃繼承我中國往者聖聖相傳之道統，同時融合西方近代學術思想而成。吾人謀中華文化之復興，自不能不繼往聖之絕學，同時須吸收西方近代之新文化，除舊布新，去腐生新，汰劣存優，取長補短，古今合一，新舊合一，中外合一，天人合一，融鑄成三民主義之新文化，以補救西方物質文明之偏失，以消滅馬克斯共產獸性文化之毒素，是之謂「爲天地立心，爲生民立命」，「以建民國，以進大同」，是「爲萬世開太平」矣。吾黨君子，盍興乎來！

（完）

瑣碎談使節

·錢一釗·

才思橫溢的駐菲律賓大使孫碧奇，對於吃非常有研究，橋的丸吃更精。他講話可與康丁法拉斯的演技媲美，他說：偕太太旅行，猶若帶着便當進「餐館」耐人尋味。

中國國民黨中央黨部秘書長出身的駐韓國大使唐縱，富組織天才，生着神聖不可侵犯的嚴肅面孔，很少顯露笑容，其實唐大使的革命熱忱與負責任，守紀律的精神，堪作黨中模範。

老母雞，雞要讀成「資」音，代表合肥人的意思，豆瓣醬代表安慶，因安慶產生豆瓣醬馳名，駐盎比瑞亞大使楊繼曾即安慶人氏，不過楊有時候不承認自己是安慶人，這和鳳陽張我華（內政部長）如出一轍，張死後靈柩被邑人有組織拒絕入境。皖人希望楊氏仍做皖人。

防洪專家沈怡與筆者在國外爲鄰多年，一介學人，談笑風生，在大陸避亂過程中與其夫人失去連絡，夫人急甚，加緊禱告，沈歸來後，夫人告訴爲他禱告的苦心，沈又問：「耶穌怎麼能聽懂中國話呢？」

駐澳大使沈錡，在中國外交界中，是一位最有前途的外交官，距離外交家還有三幾步棋，樓主第一次抵達國門時，剛進入旅邸，就看到沈的請帖，誠摯使人難以忘懷，又樓主爲調解星島日報與孔肅之先生糾紛時，沈所表現的態度，可謂恰到好處，他不是太極拳，而是坦誠和量力，當樓主將經過告訴香港大法官（大律師）胡鴻烈時，胡亦釋然。

有儒將與詩人大使之稱的胡璉，幾年來在越南有卓越的表現，頗受越南僑社所擁戴，駐越南公使歐陽中庸，與沈錡大使同學，皆中央政治學校高材生，又皆留印度同學，襄贊館務，對胡貢獻頗多。

催眠術研究（三八）

鮑紹洲

四十七、甲丑催眠法

甲丑催眠法，令人望之生疑，這是自定的名稱。即是以體格強壯而感受性低的人，施合併數多的催眠法。對於身體弱者不宜專用此法。因體格弱的人，不能耐其疲勞，而且有害的原故。如果施之於感性高的人，用最簡單的催眠法，亦可令其深眠。至於感性低的人，合併許多的催眠法，而後得少許的催眠狀態。此法是倘強壯的人以及感受敏捷的人。但必須合數種催眠方法，集一時施行。催眠之先，先令被術直立，然後行之。所集以下各種催眠法如左：

一、撫下催眠法，二、迴首催眠法，三、檢搏催眠法，四、挾指催眠法，五、忘身催眠法，六、強壓催眠法，七、旋指催眠法，八、輕擦催眠法，九、動息催眠法，十、語言催眠法等十種。

以上所舉各種方法，皆有獨立施行的價值，前已分別說過了。因集合以上十種獨立催眠方法，所以雖然感性不敏的人，也不能不催眠。以我經驗所得，曾用三四十分鐘時間，用此法催眠，尚未遇到一人不入眠的，大都是尚未施完時已經催眠入睡了。如果萬一碰到不入催眠狀態的話，最後尚可用「一心力催眠」法，如此，則未有不入眠者。

此種催眠的原理，以各種的催眠法合併施行，亦即包括以前所述的各種原理。

自由報

中華民國內政部登記證內警台報字第○三一號
中華民國僑務委員會登記證僑台新字第三二三號
中國郵政台字第一二八二號執照登記爲第一類新聞紙

（第九五五期）

（半週刊每星期三、六出版）
每份港幣柒角・台灣售價新台幣弍元
社長李運鵬・督印黃行蔚
社址：香港九龍彌敦道593—601號
廖創興銀行大廈八樓五座
LIU CHONG HING BUILDING
7th FLOOR FLAT 5
593—601 NATHAN ROAD,
KOWLOON, H.K.
TEL: K303831
電報掛號：7191
承印：聚星印刷公司
地址：嘉咸街廿九號地下
台灣總管理處：台北市大同街119號
台灣區直接訂戶　台郵劃撥戶
第五〇五六號張萬有（自由報會計室）
電話：七一四〇三三、五五五三九五
台灣分社：台北市西寧南路110號二樓
電話：三三〇三四六，台郵劃撥戶九二五二二號

發展觀光與抓觀光客

周公言

編者按：政府厲行掃滅淫風之舉，自是正當措施，然在技術方面亦不無可研究之處。昨以瓜李有嫌類皆置而不論。今本文作者周教授曾爲某大學訓導長，立身方正，衆所共仰，故敢不避嫌疑，爲文論之，洵不可多得之文也，謹披露以饗讀者。

我看了自由報馬五先生維持善良風俗一文，不禁感慨萬千！

台灣要發展觀光事業，似乎是誰也不能否認的事情；而台灣因爲要維持善良風俗，曾經抓過觀光客人，這也是誰也不能否認的事情。

一面要發展觀光事業，一面又要抓觀光客人，是不是一減一等于零呢？這是値得警務處和觀光局共同會商的問題，也是値得省市當局及中央主管再三考慮的問題。

中央日報本月二十日載，交通部次長費驊在立法院說：去年一年的觀光收入達美金六千五百萬元，佔國內單一項目出口貿易之外匯收入的第四位。他預計今年收入將達七千五百萬元。這個數字可不算少啊！又本月二十一日中央日報社論「撥正觀光事業發展的方向」一文，曾指出：

台灣地處太平洋西大旅遊地區日本與香港的中途，觀光資源豐富，在這方面很是大有可爲，經過政府與民間的合作努力，近十年來已有顯著的進步。民國四十六年，來台觀光的人數，只有一萬四千多人。五十六年，已增加到二十五萬多人，去年則更達卅萬人以上，估計爲國家帶來了六千五百萬美元的外匯收入，在我們的輸出貿易中，約列第七位。

但是就正說，我們的觀光事業，比諸人家相差甚遠。例如西班牙的觀光收入，年來已收十億美元以上，義大利早已超過十二億美元。美國則達卅億美元，去年三月詹森總統爲平衡其國際收支，還親自呼籲全美觀光事業界，協力吸引更多的外國遊客。」

我們固然不要東施效顰，請蔣總統親自出馬，呼籲全國觀光事業界，協力吸引更多的外國遊客，但總呼籲警察界不要藉故抓外國客人！

警察界爲什麼要抓外國遊客呢？他們也可能是持之有故，言之成理。我爲此事曾問過觀光局長某先生：「你爲什麼任他們抓觀光客人，而不聞不問呢？」他的答覆是：「據說有一種什麼違警法，可以抓召女郎，同時可以抓召喚召女郎的客人……」這就有商量的餘地了。

假設眞的有這種違警法，我建議修改。因爲取締私娼是一回事，抓觀光客人又是一回事，不可相提並論，混爲一談。

私娼應如何取締？公娼應否加以擴充？這本來是一個根本要加以解決的問題。觀光旅社及浴室旅館爲雨後春筍般在台灣各地。尤其是否非發展，如果說我們一面要取締私娼，一面不擴充公娼，本月二十日中央日報載市府爲維持善良風俗，決不增綠燈戶。甚至還有人提議禁絕公娼，試問這些旅館是不是可以閉門呢？或則有人說住旅館的客人不是人人要召女人的，但是有一部份要召女人，尤其渡假的美軍和韓岸的水手和水兵，這又是誰也不能否認的事情。我們不解決公娼問題，天天去抓私娼，試問誰有本事來斬草除根呢？不能斬草除根，那就要陷于「野火燒不盡，春風吹又生」的境地了。我想不擴充公娼，台灣，尤其是台北，私娼是無法根絕的，不信，且拭目以待之。

退一步說，取締應召女郎，與召女人陪宿，何能混爲一談？因爲召女人陪宿的祇會指定要「女人」，不會指定要「私娼」，既不會指定「私娼」，則「私娼」被召了，與客人何關？客人有何罪可言？

反過來說，假設我們中國人到了日本或其他國家觀光，召了女人陪宿，化一筆合規定的價錢，忽然警察半夜叩門，把我們具有五千年文化的堂堂大國的中華國民抓到官衙去，加以訊問，錄其口供，或在報上宣佈姓名，或予以罰款，甚至拘留幾小時。你看，這位中華國民是不是有臉回國嗎？我想他一定是「無面見江東父老」了！

前幾天，我看到一位自香港來台參加十全大會並接受海光榮譽獎金的老友徐某，他說：「我們中國一面要發展觀光事業，一面要抓觀光客人，是矛盾的，是不應該的。」中央日報本月廿一日社論中亦說：

「最近警務部門，正在加強掃蕩黃色生活，這是堵塞社會風氣敗壞必要的措施。但是在執行時，還是要儘可能責之在己，避免擾及外來觀光旅客的安寧。」

我進一步說：「不僅不應擾及外來觀光旅客的安寧，連本國觀光（旅行）旅客亦不能任意地抓，任意地罰，任意地公佈姓名。」

如果違警法有這種抓客人的規定應予以修改！

末了，我要聲明，我是不嫖不賭，而且反對多設舞廳及夜總會的，但是我始終不贊成藉維持善良風俗這塊金字招牌去抓觀光客人！

從徐柏園被免職談起

昨日與明日

兩個第一

中華民國五十八年四月廿日，中華民國政治史上有件轟動的事，就是：政務委員兼中央銀行總裁徐柏園因香港「蕉案」，被總統明令免職。政府遷台以來，官至內閣閣員，被免職者，以徐氏爲第一人；而中央銀行總裁以免職開者仍以徐氏爲第一人。

輿論反映

在報刊披露這項震驚國內政壇的消息後，輿論反映幾乎一致的對政府措施表示讚美和擁護。對於蔣總統的當機決定，更深感他老人家確是英明公正，洞燭機微。本來，自從蕉案發生後，風風雨雨，就傳說與徐柏園有關，但是因爲他官大勢大，街談巷議，雖然到處可聞，而報章雜誌却很少刊登有關他的消息。後來他的紅人有如左右手的中央銀行企業務檢查處副處長，前外貿會香蕉小組執行秘書譚玉佐被扣押後，內幕逐漸揭開。有幾家報紙公開報導：「譚玉佐供詞，與上級不利。」在台中出版的台灣日報四月廿日公開評論：「質問徐柏園先生」，有一家報紙也曾報導：高雄青果社贈送金碗、金盤紀念品帳上，也有徐柏園的大名。政府終於將徐柏園免職了，就社會民間立場講來，究竟大快人心之舉。

最大號召

執政黨十全大會曾特別重視政治風氣問題，海外代表和國內青年代表對腐化貪污份子大肆抨擊，蔣總裁更號召全黨同志知恥力行。全會剛過，司法行政部調查局就展開了香蕉舞弊案的調查，接連着傳訊扣押有瀆職嫌疑的政府官員譚玉佐、王關亭等人。行動迅捷，手法俐落，令全民佩服。最妙的是行政院參事，前外貿專門委員王關亭自從高雄青果合作出事後，他竟被任爲整理該社的主持人。結果，不但沒有整理別人，自己反而被整了。由此可見：調查局的精明處，如有毛病，是逃不掉的。由政府對蕉案的處理以及將徐柏園的免職等等看來，執政黨已貫徹十全大會的決議，對於從政同志，不管地位有多麼高，如有毛病，也一定有懲辦的。這種整飭政治風氣，厲行政治革新的作風，是中國國民黨確是一個革命政黨的明證，也是反攻復國的一個保證。是最大號召，是最大成功，豈祇振奮人心，鼓舞士氣而已。

才德熟重

也有人很替徐柏園婉惜，徐負財金重責數十年，非有相當才幹不克致此。與徐氏相稔熟的人都很欽佩他的才氣和豪氣。可惜孔孟之書讀的太少，毫不瞭解會滋生所謂研的程朱理學的妙用。本屬台閣之才，而德不足以濟之。於是朋友太少樹敵太多，譽之太寡而毁之者太衆，在此民主世界，又在蔣總統提倡復興中華文化之際，焉能不失敗哉。

・易儔・

自由談

老虎被困於跳蚤

俗言「獅子搏兎」，意謂用力過當，得不償失。若夫美國對於越南戰爭的方式，實視獅子搏兎的手法更拙劣，殆如老虎捉跳蚤，結果徒費氣力，反而被跳蚤困擾得心神不安，進退維谷，大有向跳蚤告饒認輸之勢，寃哉乎也！

美國對付越戰的正當策略，不外兩項：一則自始即以優越的武力，從事陣地戰，尋得敵軍主力所在而殲滅之，爲了戰勝的目的，任何顧忌皆屬次要。一則始終居於幕後支持地位，而以充分的物力財力和技術人員，應援越南反共政府，獨力作戰，如中俄共之支援越共然。

可是，美國計不出此，既要挺身在越南打頭陣，又害怕把越共打垮了，激怒毛共出兵參戰，更顧慮毛共若被擊敗了，難免不引起俄共的「兎死狐悲」之感，發生美俄直接衝突，釀成世界大戰。因而標榜着「不求戰勝主義」，但希望敵人適可而止，不作佔領全越之想。這眞是不知共黨人所謂世知革命究係怎末回事的幼稚譾陋見解，宜其在越南出動了五十萬人以上的兵力，被動作若干年而毫進展，以致泥蹕愈陷越深，欲罷不能，祗好再三要求敵人言和，前任總統詹遜且嘗明顯以四十億美元給越共作社會建設之餌，弊重而言甘，其情可憫，其志可哀，其於越共置之不理何！

近來由於中俄共之反目，美國企圖拉攏蘇俄，迫使越共胡志明政權就範，跟美國誠意談判。但毛共早已全力支援越南的所謂「民寮國和高棉邊境，隨時輸員，補充「民族陣線」的志明願意跟美方妥協，而毛共教唆之下，抗不受命。美國縱或承認「民族陣和談單位之一，而「民族全部撤出越南爲談判的先不參預。」胡志明固然沒法」跟着自己走，俄共更莫美國在越南期待着達成「一大願望，依然是幻想而美國這隻老虎，在越一切失敗的鬥爭策略，終筋疲力竭，非倒地不可啊

馮五先生

加強管理民航公司
交部決定標本兼施

（本報記者張健生台北通訊）關於今年二月二十四日遠東航空公司DARTHER ALD型B－2009號機於台南歸仁鄉失事後，迄至交通部長孫運璿列席立法院交通委員會第四十三會期第二次會議報告，該機失事原因，仍未確定。

孫部長向立法院交通委員會全體委員說：「這次遠東航空公司客機失事，對失事原因的鑑定工作是非常愼重的，所以到現在仍不敢有所確定。假定是機械的故障，就必須找出故障發生在什麼地方？這個故障對機的性能有無影響，必須注意。因此，約請外籍專家從技術的觀點上詳加分析鑑定。英籍飛機製造廠專家，發動機製造廠專家，民航局專家已相繼抵台，經他們初步檢查的結果，認其中幾件飛機零件尙有問題，爲了愼重起見，須送國外作詳細分析檢驗之後才能確定，所以不敢講失事的原因究竟在甚麼地方。」

孫部長又說：「今後，交通部民航局對各航空公司如何加強管理？從治標與治本，從緊急措施到長期措施，現在我們都在積極辦理中。」

據交通部民航局長毛瀛初在立法院交通委員會表示：自遠東航空公司客機失事後，民航局即採取各項之預防措施，除嚴飭對定期及規定之維護檢查澈底實施外，並對正在第四階段大檢修之B－2001號機及B－2011號機之接受檢查，電請英國廠方派員來台會同民航局技術人員，實施聯合檢查，檢定合格後，始發適航證，以昭愼重，而策安全。有關遠東航空公司飛行人員之考核，現正由英國民航局指派之檢定駕駛員雷斐對遠航公司全體駕駛員個別檢定中，民航局並派有專員隨機督導，該項工作不日即可完成。同時對遠航公司維護人員考核，亦由民航局派員會同英國廠方工作人員實施各項檢查，及再予加強學術科訓練，以求提高維護作業品質。

毛局長指出民航客機因近年來民航事業發展迅裝配未能適切配合」所致爲確保今後航行安全，除，繼續積極督導各民航公云。

立法院交通委員會的公司客機失事的原因，從民航制度方面也値得檢討立法委員艾時懷疑遠還有套取外匯的情形」。

」艾委員質詢遠航公司員經驗不夠」。他說：的經驗不夠，所以對部屬實，以致機械人員對工作認眞去檢查某些機件是否作的許多工作，留在夜間班費，也因是夜間的關係檢查也就馬虎從事。故外航線內飛機，多處在艾委員指出：「遠航機有九架之多，修護人員以三十多位工作人員維護可說是相當的辛勤。但滿意，因爲中華與永安都有安家費發給，據說安家費，對於薪給也大有航空公司駐外人員是以是美金折合港幣，而以遠航公司對員工家屬計較，至於在外營運收取外匯的情形，也艾委員抨擊遠航公在公司方面買這架飛機元），現在賠償可得到受到若干損失，而且還。……其實這問題中實存在，以遠航公司這通事家指出，是英國在時飛機改裝而成。……飛機之性能，據空姐該機機聲很響，定有問題

碧潭記遊

青年習作

· 林猷暉 ·

一、初遊碧潭

自台北市南下，東行約二十分鐘，即達新店鎮。鎮西新店溪，蜿蜒北流入淡水河，溪淤流淺，無足觀者。惟至新店附近，忽蓄水成潭，深可逾丈，寬約數百尺，長達里許，潭水清澈，其色深碧，故名碧潭。余多年前南至台北，遂慕名往遊焉。

下車後沿街南行，西望一見吊橋兩端之高墩，聳立天際，此心已飛向潭邊矣。旣至則清風徐來，令人心曠神怡；潭上碧波如綾，舫艇往來不絕，更雜以笑語曼歌之聲，幾疑置身仙境也。

沿岸設茶棚冰室無數，設備雖嫌簡陋，但倦遊之餘，一碗清水，半杯紅茶，斜躺竹椅之上，與遊伴談笑風生，實亦樂也無窮。

每屆盛夏，此亦游泳一好去處；善泳者多欲一顯身手，惟潭深水冷，且有急湍迴流，不愼者喪身水底，時有所聞。

二、吊橋景況

潭上勝景，首推吊橋。橋建于日治時代，至今殆已逾齡。惟其橫懸名潭，宛如彩虹在天，於朝曦夕照下，遠眺其豐姿綽約，最足引人入勝。然當星期假日，一時人潮如湧，擁塞喧擾，兼以橋面破舊，動盪震撼，不惟安全堪虞，且亦有煞風景也。

遊橋最妙當在雨天，此際遊人稀少，撐傘孑行獨行，四下清寂，塵慮盡消，只覺遠山含黛，潭影空濛，別具一番情趣。

三、碧潭樂園

越橋而西，有小山倚岸聳峙。山上林木蒼翠，間有奇石突出，景色佳妙。近年某僑商斥資建築樂園於此，樓台亭榭，點綴于山樹巖壑間，頗富東方園林之美。

園中有各種遊樂設備，吸引孩童俗客無數，惟商業氣息過濃，反減却湖山幾分秀色。

四、空軍公墓

樂園之北，有小山不知其名，俯瞰台北盆地，穩然可見北市高樓沒入濃霧中。入夜燈火閃爍，光耀中天，獨有晚歸人能享此眼福！

山巔有空軍公墓，爲神鷹英雄埋骨之所；靈塔高碑，與蒼松修竹，長伴忠魂，益增勝地之靈氣！

自公墓仰望對山樂園，諸景歷歷在目，較之近眺，倍覺神妙。偶遇園中上演山地舞，彩衣絢爛，艷光四射，鼓樂且隱約可聞，疑似天上仙女正作霓裳羽衣舞也。

女子不宜服任軍事輔助勤務

孟廣厚提九點理由 建議政院從長計議

（本報記者劍聲台北航訊）立法委員孟廣厚提出九點理由，認爲女子不宜於服任軍事輔助勤務。孟委員本着行政院嚴家淦院長的提示：「這個問題必須從各種不同的觀點來研究。所以，希望各位（立法）委員多提示寶貴意見，俾使此一問題，臻於至善。」以質詢方式提供意見，備行政院研討此一問題的參考，「非敢標奇立異，獨唱反調，有觸反攻備戰之建制立法也。」

第一、女子服任軍勤對於國民生產之影響。孟委員質詢：「女子服任軍勤條例草案中，規定服勤年齡包括十八歲至四十五歲之未婚及已婚婦女，這對農工各業及家庭副業的生產，可能發生很大的影響。因除在學的女子以外，凡是參加家庭副業及在工廠服務的女工，均要受到暫離生產工作的影響，這對生產量的減低數額，可能是很龐大的」。「國民生產毛額，可能因此而有很大的減縮」。「不要忘記，一切家庭，在經濟意義上言，都是一個生產單位，農村家庭更是如此，而婦女的勞力便是這個生產單位的主力軍，由這個生產單位中抽調一部份生產力去服任軍勤，將對國民生產發生很大的打擊；對整個國民經濟言，將造成很大的損失」。

婦女在家庭中教養責任重大

第二、就國民教養而言，「婦女在家庭中所負的主要任務，除經濟生產工作外，還有教養子女及弟妹之責任，母親對子女，長姐對弟妹，都兼任師保之重任。全體國民，在兒童時期都要受家庭教養之陶冶；個人一生的學業及事業成就，都須在家庭教養中，植其初基。尤其善良之品德，偉大之個性，罕有不出於母教之功績者，孟子及岳飛，乃典型之例證。如使婦女在經濟、生產、子女養育教導及家庭日常工作外，再加上服任軍勤的責任，未免太重，很難有餘力負荷。況徵調婦女離開家庭到軍中服任軍勤，將置兒女家庭教養重任於何地？這絕不是爲父兄的男人所能代勞代辦者」。「此對整個國民教育之影響，將是如何的嚴重，不難想像知之」。

第三、就家庭生活而言，「家庭是組成社會國家的基本單位；婦女是家庭生活的重心，也是統理家務的主宰。西諺云：『上帝不能無處不到，所以是創造了母親』，又說：『妻子是上天對人特有的恩賜』。因此，對子女言，母親是他們的上帝；對丈夫言，妻子是他精神及生活所繫的核心。家庭婦女被徵召服任軍勤，無異由童年子女，奪去了他們的上帝；由丈夫身邊抽掉他精神及生活的核心。習語說：丈夫是好的一半，妻子是壞的一半。在夫婦整體生活中，抽走好的一半，只剩下壞的一半，其對家庭生活之不良影響，可想而知」。

生理心理性格均與男人不同

第四、就中華倫理文化傳統精神言，「婦女在生理、心理及性格上，均與男人不同，故在家庭及社會分工上有其特殊之功能與任務，顯與男人有異；如掌理家務，教養子女，所謂相夫教子，乃其對社會國家最大之貢獻；至其綿延種族，傳遞倫理文化精神之功能，更爲婦女偉大之功績。中華倫理文化精神傳統，實由歷代偉大母性肩負傳遞之重任。因中國歷史上所有對文化學術事功有卓越貢獻之聖哲偉人，罕有不受母教之薰陶訓誨植其基，而能有超絕之成就者。如謂中華倫理文化精神傳統，係藉偉大母性之手而世代相傳遞，亦不爲過。現在竟漠視女性這種特有的倫理文化傳統精神之傳遞功能與功績於不顧，而使其肩負軍勤任務，豈非有背中華倫理文化精神傳統之垂訓，其爲對女性特有才智功能之誤用，一望可知。棄其所長，用其所短，人力資源之浪費，有甚於此者乎？老成謀國，負決策之責者，果當爲斯乎？」

第五、就國力之根源言，「中華文化精神傳統，以倫理爲中華立國之國力的根源。中華立國之國力根源，厥爲倫理；此與西方國家立國之國力根源爲宗教者迥然不同。」「至孝親敬長美德之養成，則必有賴於家庭母教之浸潤與陶冶。今置家庭母家之重任及子女孝親美德之養成於不顧，而令婦女棄家庭而轉任軍勤，其對下代青年孝親敬長美德之培養，勢必有嚴重之影響。其有損於國民道德品格之養成及國力根源之培育，無待贅言矣」。

第六、孟委員認爲：「女子服任軍勤，將造成國防經費之浪費」。他說：「爲女子服任軍勤所必須支出的營舍建造、被服、伙食及徵召管理訓練等費用，必積成鉅額之消耗。所訓練的技能，不過爲護理、通訊、駕駛、文宣等輔助勤務工作。而這些技能，可用其社會成人教育方式訓練之，殊無建立強制女子服役制度之必要。由成本費用觀點言，此項龐大經費之支出，不免要造成國防經費之不必要的浪費，豈非可惜，智者不爲也」。

應該適合國情 勿貽效顰之譏

第七、孟委員又說：「任何一種制度的建立，應以自己國家的實際需要爲前提，不可盲目模倣他國，免貽東施效顰之譏。若干在學青年，現役軍人，知識婦女及有閒之婦女，在報紙專訪徵答欄中，表示贊成女子服兵役，所根據的理由並不十分深入健全，且有舉以色列爲例者，由表面看，這種一面倒的專訪談話，很易使行政當局發生錯覺，以爲社會家庭婦女，尤其是農村家庭婦女，也贊同這種主張。實際不然，我願正告行政主管當局，這種消息傳到農村社會所引起的反應，並不見佳。他們立即感到恐慌與困擾；因爲女子服兵役對於家庭生活的干擾太大了，不像那些說話不負責任的青年學生、現役軍人、社會婦女所說的那樣簡單容易，在生活未親身受到這種制度影響的人，不配代表家庭婦女發言，表示意見。政府當局不可根據這些不負責任的膚淺空論，爲決策建制的根據，那是很危險的。任何一種政策制度的推行建立，如沒有切身利害關係的當事人之熱誠擁護，是不容易順利成功的。希望行政當局對此問題要經過一次普遍廣泛的農村社會家庭婦女訪問調查，徵詢她們內心的眞實意見，作爲研討決策之依據，較爲妥當。主觀空想，閉門造車，本位主義，常爲決策錯誤之緣因；一旦冒昧從事，木已成舟，則噬臍莫及矣」。

第八、孟委員很担心「『實施女子服役軍勤制』，可能造成擾民之秕政」。因爲「女子服役軍勤條例草案」中免征、免召、緩征、緩召各項規定，又有分期服役辦法，設想倘屬週密；但實行時，必甚困擾，且恐難免藉此需索，發生偏差，滋生流弊，形成弊竇叢生之擾民秕政，有違國家施政便民利民之本意；故不可不察，而預爲高瞻遠矚，深謀熟慮也。愼始方能敬終；允宜詳衡利弊得失，愼察本末先後，勿以國事爲兒戲；庶可使此利少害多得不償失之不必要的強迫女子服役制度，暫緩冒昧實施」。

最後，孟委員建議行政院，「暫將此條例擱置，從長計議，不要立即送立法院審議，以昭愼重」。

太史公曰：「狂夫之言，聖人擇焉。」

（完）

五票悲劇到處上演 職業教育刻不容緩

海派站不住，效法山東人。

（本報通信員柳一權台北消息）高利貸是工業社會的一杯鴆酒，雖可以臨時止渴，最後中鴆毒的機會甚多。放高利貸的人比飲鴆者略勝一籌，這「勝」就是可以不放，不像舉債人非借不可。最可憐的是甚多退休公教人員上演「五票」悲劇，將一生的辛勞付諸東流。

抱去鈔票，換來支票，到期不能兌現遭到退票，至此可忍孰不可忍的情況下，祇好一狀告到法院，法院依法發出傳票，跟着再發拘票。姑無論「鈔票」、「支票」、「退票」、「傳票」、「拘票」都是社會上一個嚴重問題。這一嚴重問題如何解決，據專家的看法，趕快提倡職業教育，趕快丟掉士大夫肩不能挑，手不能提的舊思想包袱，踏向生產面對現實。在台北擺炸油條、賣大餅，五毛錢一杯冰水起家蓋大樓的，數不勝數。工業社會六親不認，恕略此而言其他，皆不識時務之輩。

有人說，山東人是中國優秀民族，這話似是而不是，本報在東南亞國家及歐美各地的宣傳口號是：「有太陽的地方就有中國人，有中國人的地方就有自由報」，本報導要套這句口號，「有太陽的地方就有中國人，有中國人的地方就有山東人，一有山東幫」，山東人一股吃苦耐勞的精神，見到的人都會感動。「大禹教民以勤，越王教民以死」，山東人都做到了。他們能深入外國各縣市農村，賣布是高尚的，賣大餅、賣麥牙糖、賣炒米花，竟能够成家立業，由小康而致富的亦多到車載卡量。

據統計山東人在台灣，擁有一百萬以上財產的約有一萬家，擁有一千萬以上財產的有五百家，擁有五千萬以上財產的約兩百家，擁有一億以上財產的約卅家，擁有五到十億財產的約十家，這個數字雖未經電腦統計，但並非沒有根據，我們如果杜絕五票悲劇，祇有向山東人看齊，海派作風時代業已過去。

喬治桑外傳

四四

張大萬

「在台灣的酒家女都像蒼蠅，拿客人當臭豬頭，死釘不放。」喬治桑這番話的意思分明是想撇開仙和小雲雀牽絲扳藤的關係。

「我倒不是這樣看法，酒家女也是人，她們爲了職業，怎能隨便放鬆客人。」雅麗絲也是女人，她在替酒家女說話。

「像『包死』，你這樣的男人，既有才華又有錢，不要說酒家女，任何女人看見你都會發生好感的。中國古語說郎才女貌，你不但有才而且又有加貝的才，難怪小雲雀要釘着你不放了。」

剛才雅麗絲接到男朋友電話，纏綿不休，原是喬治桑吃她豆腐的機會，不想奇峯突起引出一個小雲雀，倒被她佔了上風。

「雅麗絲，妳不要再開我玩笑了。我已經是花甲老翁，絢爛之極歸於平淡，應酬場合也不過是逢場作戲而已。」其實，喬治桑人老心不老，說話口是心非。

「我並沒有說你愛上小雲雀，我知道你是逢場作戲，你不必解釋，我很了解。」雅麗絲臉上帶有狡黠的笑容。

「我回到房裡換衣服。」喬治桑看了看腕錶。「現在才十一點多鐘，我們可以玩一下橋牌。」

喬治桑回到臥房，卸下全身披掛，換上一套睡衣，套上一件絲質睡袍，穿上一雙氈便鞋，立刻感覺混身輕鬆。他從床面前夜壺箱抽屜裡，拿了一副撲克牌，再回到客廳。雅麗絲正坐在沙發上翻閱一本外國時裝雜誌。

「雅麗絲，妳會不會玩橋牌？」

「怎麼不會，但我不懂卡勃森規則，我打的是自由式，朋友們都說我玩羅曼蒂克橋牌。」

「我們又不是參加國際比賽，有甚麼關係。」

「兩個人怎樣玩法？不是要四個人才行嗎？」雅麗絲帶着疑惑的眼光。

（未完）

讀者投書

台北地價狂跌 眞正算是新聞

閱四月十七日聯合報的第四版載「情形特殊地區，地價調整時，幅度將提高」一則新聞，想借貴報寶貴的一角發表下列管見：（一）記得貴報曾登載過，和平東路數十居民連名投稿，關於台北市政府公告地價時拒絕市民申報地價，指摘市政府的土地政策不當，後來聽說中央機關對台北市政府之措施頗爲不滿，曾命市政府調查報告，市政府爲了敷衍上級報告中說「五十七」年修正實施都市地權平均條例，對于公共設施保留地之地價不予限制，故市府當注意該地段地價動態及市價，俟下次公告現值時作爲適當調整」云云，但據和平東路居民稱「市政府不但未予的當調整反以劃一地段之美名，將該地段原公告地價七千元降低爲三千四百八十元」，顯然的違反民主政策。（二）財政部國有財產局出售公有土地時，其售價應該依照公告地價，可是他的售價超過當時公告地價百分之十至三十不等，所以租用人或估用人申購時，都因地價過高無力担負，雖有分期付款辦法，但分期的條件太苛刻，申購者亦迫得走頭無路，不得不放棄申購權而繼續租用。記得去年因北市地價飛漲，政府爲了抑低地價，曾禁止全省銀行對建屋購地之貸款藉以抑低地價，所以前者抑低，後者提高致政策不能貫澈，實有改善必要。（劉逸人）

雷震與「自由中國」

——當年內幕誰知道　一番往事話從頭——

王曰史

[illegible]等人之飛離北平，在一般人心目中（包括政府人員在內）都認為這是接運教授的開始，今後勢將每天（或是隔一天）有飛機從東單操場起飛，載着知名的教授一批一批的飛向南京，至少第二批（若連胡適先生那起也算在內，應該是第三批）是一定要早走的，因為第二批不但人員名單決定，同時連領隊，總幹事都已選出，準備第二天飛機一來接就要走的。

但那知飛機到了南京之後，局勢竟已大變，當時徐蚌會戰不利，前線吃緊，集中所有飛機空運，以濟軍需，尚且不足，還那有餘力迢迢萬里，遠來北方接教授？於是這件事就等於無形取消了。經過傅斯年，陳雪屏極力奔走呼籲，後來總算又派了兩架大型運輸機，飛了北平一趟，那已是三十八年元月七日，上距梅校長一行已是兩週有半了。

到了七日傍晚，有關人士聽說接教授的飛機到了，便都懷着興奮而期待的心情到機場去迎接。這次的飛機在當時已算是大型的，兩架飛機，連行李什物，最少可載八十餘人，那知打開門下來的，却只有北大的錢思亮、毛子水、師大的候璠、清華的劉崇宏（金[illegible]）、輔仁的張懷、吳千里等十來人而已。在機場迎接的無不黯然而有不滿足之感，傅斯年先生尤其光火，回到雞鳴寺中央研究院史語所，還未進辦公室，便斜倚在走廊壁傍，啣着煙斗，憤慨激昂的指責那些畏難苟安未能前來的教授。例如袁志仁（師大校長袁敦禮）便是他列於「該來未來」項下的一位人士。（按：袁校長曾於北平淪陷前夕，一月二十七日，由剿匪總司令部秘書長焦實齋派了一架便機，偕同溫廣漢，黃金鰲跳出圍城，但袁未來台灣。）傅斯年先生為何如此光火呢？除了一般政治，人情等理由外，還有一點就是在軍情奇緊的時光傅先生竟能交涉成功派出這兩架飛機，試問那是多麼不容易的事，而如此艱辛得來的成果，竟未能好好利用，只出來了十多個人，試問傅先生如何不光火。

那麼那些教授是否就應該指責呢？那也是冤枉，原來在軍情緊急聲中，一切不能預定，並且還要保密，這兩架飛機北去，誰也不知道，只等到了北平，於上午十一點降落臨時修建的天壇機場後，才用電話通知北大鄭天挺秘書長，轉告各位教授於下午兩點以前上機啟飛。北平是諾大的一個城，教授又不是住在「集中營」，在兩個多小時內，怎能通知，召集赴機場，上機成行。毛子水先生是上次要隨胡先生走未走成的，錢思亮先生是第二批臨時未走成的，他兩位都是在整裝待發。候璠先生是已把家眷送去廣西，隻身在等飛機的，劉崇宏先生是從清華冒險騎腳踏車，進城找飛機走的，因吳千里、張懷情形也是在束裝待機，因此只有這幾位僥倖的搭上了這突然而至馬上就走的飛機，其餘的人就一概來不及了；例如劉先生得訊，是一位陳教授通知的，而這位陳教授，踏兢着腳，着急，來不及上飛機。

論語泰伯篇為曾門弟子所輯說（中）

黃德相

△子曰：巍巍乎，舜禹之有天下也，而不與焉。（第十八章）

△子曰：大哉！堯之為君也，巍巍乎！唯天為大，唯堯則之。蕩蕩乎！民無能名焉。巍巍乎！其有成功也。煥乎！其有文章。（十九章）

△舜有臣五人，而天下治。武王曰：予有亂臣十人。孔子曰：才難，不其然乎？唐虞之際，於斯為盛。有婦人焉，九人而已。三分天下有其一，以服事殷。周之德，其可謂至德也已矣。（第二十章）三分天下有其二，是指文王。

△子曰：禹，吾無間然矣！菲飲食而致孝乎鬼神。惡衣服而致美乎黻冕。卑宮室而盡力乎溝洫（亦洫）。禹，吾無間然矣。（第二十一章）

以上五章，是曾子給門弟子上的歷史課，引用「子曰」，奠定法先王的基礎，到孟子，便大大的發揚，言必稱堯舜。荀子前十篇，「先王」提了十八次，「後王」提十二次，是三與二之比，亦可說受曾子影響。

3戒律（或稱「不」字哲學）：有六章。

△子曰：民可使由之，不可使知之。（第九章）

（未完）

通俗小說與彈詞（下）

周遊

現存的話本，只有今本通俗小說和五代史平話，確為宋人作品。宣和遺事和取經詩話或亦是宋人所作，或以為元人所擬作，尚無定論。最近在日本發現的元刊本平話——自武王伐紂書、三國誌平話「五種，更難斷定他作書的年代。總之在宋代確已有「小說」和「平話」兩種體裁。小說都是述說戀愛、鬼怪……等一切社會瑣事；平話就是講演史書，這是可以深信的。這種體裁相傳至明代，還混稱為「通俗小說」；明代和清代的天才文學家，都用這「通俗小說」的體裁創作了許多有價值的，有生氣的作品，為沉悶的中國文學史上開創了一個新鮮的燦爛時代。

中國著名的小說，如水滸傳、金瓶梅、三國誌、西遊記、今古奇觀……都產生於明代，中國最長的彈詞——安邦志、鳳凰山、定國誌三部曲，大概也產於明代，可是女性的通俗文學家都產生在清代。

通俗文學家都產生於明代，成為鼎盛。這在大體來說，這是中國文學發展演變的自然洪流，如漢之賦、唐之詩、宋之詞、漢之曲、明之通俗文學等。詳細論之，頗費筆墨。我們只略一提為足。

明代的中國女性，仍一直處在深閨，但通俗文學已在社會流行了，可是流入深閨就比較遲了一步。其原因不外二者：一是女性識書的人較少。二是受了「女子無才便是德」的影響。等到社會上流行已久，一般人皆視為平常，茶餘閒談，於是她們才得寓目。她們識字的人，既能「學而優則仕」，又不須爛熟古人以揚名後世，她們只有做一個節烈之婦，也就是一般所恭維她們的德。偶然識幾個字，又忍不住胸中的積鬱的悲憤。見到通俗文學的體裁易作易懂，便仿着自己也來創作。這一點可能就是女性文學抬頭的原因了。

女性作家為什麼獨喜創作彈詞？篇幅又不厭冗長，內容不嫌複雜，如「筆生花」，長達一百多萬字，如玉釧緣、再生緣、再造天，不厭一續再續。在中國所有一切文學作品中，她們都佔到第一個地位。這原因，大概因彈詞是韻文的，女性大都偏於藝術性，她們不獨因富於情感，嗜好文學，也因為有音樂的天才而偏長於韻文。整部的中國女性文學史上，最能得我們注意的，沒有一個不是韻文的作家，這個現象，足以做女性偏當於藝術性的證明了。而且一般欣賞通俗文學的女性，她們嗜好彈詞，也甚於小說。至於通俗小說的作者，我們僅發現了汪端一人，她的作品元明佚史既已佚失不可得見，而她的身世也考證不詳。長達百萬餘言的彈詞，至今盛行社會上，簡直的「元明佚史」連知道她的名目也不多。從這點上，我們更可以窺見社會婦女對於通俗文學嗜好的傾向，和女性通俗作家的偏好重於創作彈詞之不無見地了。

彈詞有南北之分。北詞大約與「鼓兒詞」相近，南詞則以七字為句，有襯字。女性作品都為南詞。有人以彈詞為女性文學的主體，在女性自身果如是，在彈詞本身卻並不如是。彈詞為彈唱而作，同戲曲為了表演而作一樣。女性所作彈詞，只能供應女性在花前月下曼吟低詠，而不很適宜於絃索彈唱，所以反不及文辭淺陋的三笑姻緣、玉蜻蜓一類作品盛行於兩性社會之間，而家傳戶曉。

民國以來，中國文學逐漸走入了新的領域，完全受了西洋文化學的浸染。截至今日，幾乎完全離脫了中國舊有文學的關係，站入世界文學的場所。女性作家在這時代，更顯露了他們特異的天才。女性作家之多，可以說已經「陰盛陽衰」的現象了。至少可與男性作家分庭抗禮。究竟如何，且看後來的事實了。（完）

「旅美漫話」讀後

郭櫻櫻

哲學家的豐采，早就想瞻仰了，不過確實除了想聽聽哲學方面的思想和觀念以外，並不曾想到文章欣賞這方面，同時也想哲學家的文章，大概也是關於哲學的，卻沒想到看到的居然是那麼清麗的散文集。看了張起鈞教授的旅美漫話，你不僅會被那些優美的風景，有趣的題材吸引住，更不會相信這竟是出於一位老學者的手筆呢！沒有哲學文章那麼「玄」，卻有使我一再深思，回味，不忍釋手的吸力。

張起鈞教授在師大執教哲學，已有多年的歷史了，又曾多次應聘前往美國講學，華盛頓大學、夏威夷大學、南伊大學幾個學校，都有張教授留下的思想和成果。

旅美漫話一書，包括張教授前往夏威夷大學執教的旅程點滴和見聞，分成三篇；上篇是零星的生活點滴，中篇則是討論美國目前常見的幾個問題，末篇是幾次學術會議的紀錄。全書的重點，總是中篇的幾點見解，讀了那些，不僅佩服他的見解，更欣賞那份膽量呢！

在我們的印象中，上一輩的思想和文筆，總是和我們有點距離的，現在，我卻完全推翻自己的看法了。零碎的生活隨筆，篇篇可觀，語氣清麗雋永，儘是可朗誦的絕妙散文呢！傳奇性的出國，有趣的巧合，已深深的捉住讀者的心了，這也是寫作的技巧呢！何況描寫的手法那麼逼真，當我看到夏威夷的世外桃源時，就好像有到「擁滿花環的夏威夷女郎，綠經爬滿的小屋」。而文中的俏皮話，常會使人笑掉煩惱。記得他記載拿護照的事，因太遲才借問，他竟說：「那便是螞蟻從炭谷爬到芝加哥，也早爬了好幾個來回了」，你不覺得多麼俏皮有趣麼。

美國目前的情形，男女之間的觀念，金元問題，已經有不少人寫過，談過了，卻沒有旅美漫話中談得那麼深刻、徹底，所以我說更欣賞那份敢寫的膽量了。在他那篇男女之間裏，把目前美國男女之間的看法，和形成的原因都清楚的道出。無疑的，美國生活的過於自由和富裕，造成了這個問題，而商人的利誘，更是罪惡的深淵。他說：「商人們不僅佈滿了誘惑性的廣告，更具體的提供種種便利男女的設備，例如火車，使有種種兩人一間的設計，普勒曼臥車，這本是送到就了事了，而關上門與世隔絕，無人干擾，並且還都自備浴廁，這顯然不是怕旅客鬧肚子吧！」只是這段話，就隱藏了多小陷阱，至於露天電影場，那也不用說了，歡樂過後，接下來的，就是個人人生的摧毀，社會的腐蝕墮落了。見微知著，利弊超然，他的目光，還不深遠麼？

在金元世界一篇裏，更顯出張教授對美國政治看法的正確。一個哲學家談論政治，已足夠使人驚奇了，而見解的深遠明透，更使你瞪大了眼睛，張口不說話呢！他說：「美國是非常有錢的，是用錢來辦外交，但這只是金錢勢力的一小部份，並且只是表層的淺象，實際上，美國是徹頭徹尾籠罩在金錢的勢力裏，從個人到社會，從政治外交到學術文化，那一件背子裡不是金錢。」看了這段，相信大家都有同感。美國正用金錢在掌握其他國家呢？入教堂做彌撒，禮拜要奉獻，連乘電車居然也有下班時間臨時漲價的事，這對美國的社會，真是諷刺到底了。

更使人驚訝的事，是當年聯合國會址本計劃在舊金山，表示對亞洲國家的重視，然而因洛克斐勒願意捐地捐款建造，竟因了他的條件，設在紐約，這麼大的世界政策，就不勝金元的壓力，乖乖的投降了。結果只是恭富了洛氏，金錢的勢力，不令人可悲嗎？但是儘管美國的盛況是由金錢造成的，也因此破壞了社會的平衡，形成畸形的發展。這種種的看法，有些人是不敢說出來的，怕得罪人，而張教授卻把它寫個痛快，讓我們也看得痛快。同時這也反映出張教授學養的深厚，若不是對於政治經濟有深刻了解的，那是寫不出來的。

一般人往往喜歡看大部頭的世界名著，可是有時卻被它的「大部頭」壓得透不出氣來，以致感到沉悶吃力，甚至會失去興味。而旅美漫話卻不同了，你在閒暇時，煩悶時，可以把它當作消遣品來看，既沒有看名著那麼費神，更會使人忘掉憂愁而沉醉在書中的境界。金元世界一篇，更是精華，其深容有見，足與世界名著媲美。那種論議是別的書本上所沒有的。可消遣，可深玩，耐人尋味，該是它的特色了。至於此書中隨處流露的愛國愛民的精神，救人救世的抱負，書是富有教育的意義，真是一本值得一看的書。

吳敬恒先生年譜（六六）

陳凌海編撰　陳洪校訂

蔣總統中正主祭，並題匾輓曰：「痛失師表」。各機關團體一百四十餘單位公祭。三日，遵先生遺囑舉行火化。靈骨暫厝圓山忠烈祠。十二月一日，奉先生靈骨由忠勇號專機空運金門卜葬中華民國大小金門間之南海。

蔣總統頒褒揚令，明令褒揚先生。總統令如下：「吳敬恒先生開國元良，多士師表，淹中西之學，究天人之理，秉浩然之氣，為振奇之人，初張民族大義於神州，翊佐國父革命於海外，藉勞力以求新知，雜莊諧而明真理。其對國音統一之貢獻，實鑄民族文化之宏基。於生活則不辭粗衣糲食；於思想則兼備沉潛高明；於國家危難之際，則常定大計決大疑於機先。而以民國十六年之清黨，二十六年抗戰與三十八年之遷台建立反共抗俄基地，翼贊中樞，厥功尤偉。論高風碩德，允為一代完人。當此國步艱難，尤慟老成凋謝。茲特明令褒揚，並將其生平事蹟宣付國史館，用昭國家崇德尊賢之至意」。關於先生遺著，當經中國國民黨中央黨部指派狄膺（君武）、陳洪（次仲）、吳則中、馬光啓及宋晞等五人負責整理，後又加邀嚴雲鶴，時隔數載，尚未完成。迨四十八年多，羅家倫（志希）認先生之言行，足可供青年學子楷模，必須從速整理，乃商之先生表姪陳洪。陳洪以先生之事，義不容辭，然允諾。遂先後邀約許師慎、陳清滄、姚漁湘、安懷音、睦雲章、吳相湘等組成整理小組，就先生遺稿內容性質，予以分類，抄繕、勘校、考訂，在有限度之人力下，經數載之辛勞，終於將先生遺著全部整理完竣。計有：（一）政治主張一百六十餘萬言；（二）科學與工藝三十五萬言；（三）哲理二十餘萬言；（四）文教六十餘萬言；（五）雜著九十七萬餘言；（六）史地二百餘萬言；（七）國音文學五十餘萬言。民國五十三年三月二十五日為先生百年誕辰紀念，教育部國際文教組接我聯合國文教組織常任代表陳源（通伯，亦先生表姪）來電報告，先生百年誕辰紀念已被聯合國文教組織理事會於一九六二年六月第六十一屆會議通過，列為世界百年文化學術偉人，並經秘書處於同年十月二十二日通知會員各國，對先生在文化學術和科學方面之貢獻，表示適當之紀念。此為先生在學術上第二次享有國際間之最高榮譽。亦為我國百年以來享有國際榮譽之第一人。（全文完）

巨變歷險記！

林彪部開始向天津總攻

胡慶蓉

五十八年一月十四日的午夜，是林彪四十八小時的最後限期。在這以前，槍聲炮聲雖然有，但總不失為催告性質，緊一陣，鬆一陣，含有試探的作用，威脅的作用。遠近四週常有房屋着火，救火隊還是出動，但已到了防不勝防，消不能消的地步。在這麼冷的天氣，無家可躲藏是够慘的。但這是戰時！一想到戰時，除了忍受，還有什麼辦法？

到了夜午十二點，林彪眞的開始總攻了。一時槍聲炮聲，響徹雲霄，響聲四起，簡直像過舊曆年。大家都異口同聲的說：總攻了！總攻開始了……都在屏息的在聽，都在祈禱能不被波及，能逃出劫數。我們的炮也在不斷的還擊，因為是向外，市民感覺的不大清楚，好像只聽見人家似的。入夜更深人靜的時候，槍炮的聲音，會感到特別的響，簡直是震耳欲聾。有時候站在房上面往外看，到處是火綱。林彪是在總攻了！從炮火方面判斷，我方的炮火比較弱，甚至於令人懷疑我方是不是還在反擊。

三十八年一月十五日的夜午往下一點的時間，外邊打進來的槍聲炮聲特別密，密得簡直令人抬不起頭來，有山崩地裂之勢，特別是住在市中心區的人們，感覺得最為親切。四面八方的槍炮，都向這裡集中。住在警備司令部附近的丁代表，胆子特別大，有時候還上到樓上去看，像一條一條的火龍一樣，在空中交織着，很顯然是要吃掉警備司令部。炮彈確得很，彈無虛發，個個中的。眼看見警備總司令部燬於炮火之下，陳司令堅持不離開。炮從樓上跑到樓下，又從大樓跑到小樓，陳司令同丁代表的電話還在通，但次數已經漸漸稀少了。

在槍聲最密的一段時間，陳司令要求丁代表丁議員再度出馬出城再與林彪談。林軍長杜市長也有這種要求。本來是義不容辭的，但丁代表說：四十八小時的時間過去了，林彪部已開始總攻。總攻一開始，是不會停止的。不能於四十八小時以內去談，而要在四十八小時以外，對方是不會接受的。何況在炮火之下，那裡都去不得，怎能出城去談呢？但在陳司令林軍長杜市長敦促之下，五代表還是在答應了，但到那裏去找林彪，在那里同他說……這都是問題，炮火之下，一切都成問題。這不是代表不去，而是沒辦法再去。代表願意再度去談，還是假手電台，但對方沒有反應。對方沒有反應，去有什麼用？

答復五代表，林彪用更密集的炮火打進來。談是不行了，現在只有打了。怎樣打下去？丁代表很多次要問陳司令，但很多次又將舌頭縮回去。事關大計，希望陳司令眞的繼續打下去……

（三七）

生活漫談

鹽清血液安心臟

・馬騰雲・

人不能一分鐘離開空氣，空氣由上帝免費供應，人不能一天離開水，故水也形同免費供應。人不能一個月離開鹽，因之鹽祇署收工本費用，使貧窮的人都能够買得起。

除了患有特殊疾病要戒鹽外，天天都得吃鹽，但多半疏忽了鹽的藥用價值。對食鹽的知識，也很少人研究，食鹽在夏天的重要性。都市醫藥便利，什麼頭暈肚痛都找醫生，可是窮鄉僻壤，如小孩子叫肚痛，母親用一點鹽水或鹽茶給他飲，孩子的肚痛就痊癒。婦人若感到頭暈頭痛，他會炒熱一點鹽，用布包着去熨熨頭部，痛或暈總會減少或消失。這都是民間利用食鹽治病的方法。食鹽大別分為兩種：就是「海鹽」和「礦鹽」。東南各省人食用的都是海鹽，藥用也是海鹽了。礦鹽就是醫藥書籍所說的「戎鹽」或「青鹽」，品質不純，除「氯可鈉」外，還有其他的「鉀、鈣、鎂、鐵」等雜質。我國的四川、雲南、新疆、內蒙古等地區不近海，多食用此種「礦鹽」。現在普通的一般用鹽，包括藥用或食用，皆以海鹽為標準。食鹽的主要成份為「氯化鈉」，為人體的重要營養品，乃調味的重要原料。在醫療上，食鹽有很大的價值，如霍亂病，因為吐瀉用水份過多，血裡的水份消失，則影響血液循環，用大量的鹽水，注射入血管裏以補充水份，病者就可得救。有時因為大量失血，血液或水份損失太多，亦須急速注入鹽水於靜脈，以補償液體的損失，這也是救治失血病的一種好辦法。故鹽在醫療上的價值相當高，在日常食用上沒有牠，則健康與生命，都會發生問題。人體的血液，要有適當的鹽份存在，才能得到「中和」。有了中和的血液，才能抵抗病菌，體溫才能維持平衡；智力與體力才能集中有用、鹽對心臟的「安定」亦有很大的作用，沒有鹽的質素，心的正常跳動就要發生問題。藥典說鹽有瀉火、潤燥、清心的功用。凡是虛火上浮的腫痛，用鹽水將浮火降下，前腫痛自然消除。喉部漲痛及心跳失常，用鹽水也能收到很好的治療效果。

食鹽還有很好的殺菌作用，除西醫用鹽水治療霍亂外，中醫也用鹽治療霍亂的方法，有一條古方名為「焦鹽湯」，是用以治霍亂的，在中國鄉間亦每採用。因為內地醫藥不便利，若遇到霍亂嘔吐抽筋等病狀，必用食鹽二三兩，放進鍋裡燒至焦香，然後放入清水兩碗，煎取一碗溫服，每收到救急及治療之效。這與注射生理食鹽有殊途同歸之功。每天早晨能飲一杯淡鹽溫開水，不但有清導作用，且可使整天的精神上感到舒適。可見鹽在食用上和藥用上的重要性。

滇國秋涼（二〇）

・文自粹・

河山北枕秦關險
驛路西連漢時平

瘦鵑回到桐梓，石井兵工廠因為久設在粤，員工什九是廣東人。抗戰持久，廠裏為了振奮員工精神，調劑眷屬生活，特別成立了員工粤劇社。瘦鵑對音樂戲劇舞蹈，都曾下過一番功夫，為人又熱心，就禮聘他為顧問。那年多籌備新年彩排，每晚都練習很勤。瘦鵑在家，事情不多，也就樂於出席幫忙指點。每夜差不多都要練到十一時過。瘦鵑因為住在城內，城門十二時要閉，也必須準十一時就離廠，由廠裡派四個衛兵陪他回到家再轉來。戰爭久了，為了地方治安，也就不得不小心。有一晚月色很好，瘦鵑手裏又帶着電筒，入城之後，過了大槐樹，兩個轉彎就到。槐樹在望，就叫衛兵「回」，他乘着月色蹀躞方步來。大槐樹入冬已落葉，月色下倍覺淒清。走近了，當頭槐樹上掛着一雙大脚，有大褲管，看不見上身。他以為熟人故意開玩笑，就說：「算了罷，我是黔驢之技，不過如此！」他故着向槐樹右邊走過去，那知他剛一移右轉，那雙大脚又掛到右邊樹枝上來了。這不是又開的玩笑，他摸摸手槍，未帶着，手電筒照照，也不過如此。還是衝過去吧，俯下頭直衝過去，大脚筒像機關布景一樣，也一垂到地，還是沒有上身。這一來驚得瘦鵑跌倒，無知無覺了。還是大烟鬼鄰居，在烟館偷偷買了幾兩土回來，經過樹下，才叫起鄰人把瘦鵑救了起來，一病經月，總算洪福齊天，還能趕上新年彩排，盡到有始有終的顧問責任。

本地鄰居告訴他，許是那天夜遊神和瘦鵑犯了；或者親友間有急難示意你去救，所謂解人倒懸。不過如果夜裡碰到山狗，千萬要當心，要給山狗一咬就無藥可治了。瘦鵑問他山狗是什麼？他說山狗是一種山魈似的野獸，有狼那麼高，因為吃人多了，或許通靈。貴州苗人新死，不用棺殮，盛服穿戴之後，子女就抬去山谷，丟下深澗，也有沒有滾到深澗就給樹枝巖石攔住，或者到了澗邊，沒有拖着或冲走了他，山狗嗅覺特靈，一聞附近山谷中有新死的人，夜間就循味找尋，吸他的腦漿和骨髓，并不吃肉，然後脫下衣冠，照樣穿戴，拿根竹竿，一步一號，號聲淒咽。如果外路人不明底細，回頭向牠一看，牠就追上將你咬死，照樣吸髓和腦漿才罷。

瘦鵑往返桐梓、桂林，整整一年，自衡陽方先覺軍的堅守失陷，而湘桂路風聲愈傳愈緊，夜裡給分行經理長途電話，經理說：「你不必來了，軍事緊急，說不定一日之間，變化很大。好在庫存都已疏運到桐梓，你就在桐梓貴陽之間聯絡。汽油車可放二輛來，桂林如有轉進，總行吩咐朝粤桂邊境小縣暫避，再觀局勢，切保聯絡。」瘦鵑連夜吩咐司機開空車去。後來日寇雖然一度衝到獨山、都勻，由於湯恩伯軍團連夜趕上前線，封住陣脚，中央吩咐湘黔、湘川邊境的駐軍，同時反攻；廣西南部軍隊也開回切斷日軍後路，日寇自形成甕中之鼈，幾個出口都要給國軍封死了，趕緊撤退，眞如喪家之犬，沿途死傷，不可計數。

（未完）

七十感懷

韓中石

一、雲湖河畔一銀田，水秀山青景物妍，我誕有緣生此地，民康物阜自年年。

湘潭縣之西鄉有雲湖小河，可通帆船，銀田市為一小鎮，位於河畔，余家距此約二里許。

二、零丁孤苦憶童年，撫育全勞伯母賢，未報深恩千古恨，惟將血淚灑晏天。

余半歲喪母，九歲喪父，又無兄姊，孤苦零丁了，賴伯母謝自余半歲，即苦心撫養以至成立，民國三十一年，農曆八月十五日伯母逝世，享壽六十五歲，深恩未報，遺恨終身。

三、勤研鄉土利民先，水壩功成白玉泉，萬頃農田資灌溉，高歌擊壤樂堯天。

余在鄉辦教育時，常感農民苦於乾旱，乃詳研鄉土及水源，發現銀田上游之白玉泉，原泉混混，不舍晝夜，遂倡議在該處築一水壩，名為玉泉壩，可灌田數萬畝，從此吾鄉無乾旱之虞矣。

四、教育原為百政先，廿年心血已如烟，可憐衡嶽失顏色，玉碎猶能勝瓦全。

百年樹人，為興國大計，以是余對興學育才素具熱忱，服務湖南省黨部時曾有全省推行黨化教育計劃，擬在廿年之內每縣辦一小學，各行政區每區辦一中學，省會辦一大學，自民國廿一年起至卅七年止，雖中經八年抗戰，仍以個人影响力在湘中湘南成立小學者廿五縣，成立中學者四區，大陸淪陷後全被共匪目為國特學校，悉予燬滅，言念及此，痛心曷已。

五、秉性清廉志節堅，三年聽訟信無偏，譽南留得虛聲在，譽溢包公總赧然。

余曾任山東滕縣地方法院推事兩年餘，廉正自矢平反冤獄頗多，地方人士譽余為包公，愧何敢當。

六、仗劍回湘胆氣豪，許身黨國不辭勞，除奸發伏閭閻靖，獨恨魔酋漏網逃。

民廿一年余奉中央命回湘任肅奸工作，直至卅七年止共十七年，此十七年中破獲漢奸及共匪組織甚多，辦理自首自新者數萬人，使奸匪無法活動，屢蒙中央嘉獎，惟未獲擒毛酋引為恨事。

七、日寇無端啓戰爭，八年勝利獲殊榮，皇皇行憲張民意，我愧賢能忝列名。

抗戰勝利後，中央為嘉獎余在抗戰中之努力，發有獎狀及勝利勳章，並提名競選立委。

八、立法深慚學識疏，卅年孤島志難舒，樓船橫海收京日，壽我河山樂有餘。

余當選立法委員後，深感才疏學淺不能勝任，惟望早日反攻，家國同慶，謹拭目以俟。

今古齋誌異

談三妖

・常應芬・

話說「封神榜」中殷紂王，有一日在廟裏進香，發現女媧娘娘生得好似天仙一般的美麗，這位色胆包天的一代暴君竟想入非非，心神蕩漾，被女神的美姿傾倒；由於她是泥塑木雕，紂王就題猥褻詩一首於壁上。因此褻瀆神靈。女媧娘娘在天庭聞知消息，大怒不已。為了報復，就命仙女搖動聚妖幡召集天下羣妖聚會一堂，把紂王的瀆猥神靈的事報告一番。最後作了結論，挑選了三位妖精下凡，去下界擾亂紂王的江山。這三位妖精，就是軒轅墳中的三妖：千年得道的狐狸精，玉石琵琶精，和九頭雉雞精。女媧娘娘對三妖吩咐道：「汝等三人下凡，可隱其形，托身宮院，惑亂君心，供武王伐紂，以助成功，但不可殘害衆生。事成之日，保汝等成其正果。」三妖叩頭謝恩，化陣清風而去。

千年狐狸精，借華州太守蘇護的女兒之身，借屍還魂，因此蘇護將女兒進於紂王的，卻是千年狐狸的化身，取名妲己。妲己進宮之後，把玉石琵琶和九頭雉雞二妖也引入禁宮。三妖由狐狸精為首，二妖受她指揮。妲己在封神演義中出現的時候很多。下面分別用照妖鏡看三妖的原形。

妲己是狐狸精轉世，此妖的根據是「武王伐紂的平話」：華州太守蘇護，生有一女，生得端正，有傾城之貌，寰中第一。年十八歲，取名妲己。當日知帝令嚴，不敢隱匿，親將其女來進獻。約行數日，前到故恩縣，今獲嘉縣是也。至館中安下。半夜子時，狂風大起，人皆入睡，只見一隻狐狸，竄入驛中，見佳人濃睡，吸去佳人鼻中三魂和氣，和一身骨髓，皮肌大損，吹了一口妖氣，鑽入蘇女軀中，遂換了女子之靈魂，變為妖媚之態。」除此之外，尚有鐵證。妲己在歷史也有記載：

國語：「殷有辛有蘇氏。有蘇氏以妲己女焉。妲己有寵，於是乎與膠鬲比而亡殷」。「竹書紀年」、「荀子」解蔽篇、「史記」殷本紀、帝王世紀等，都有她的根據。

（一）

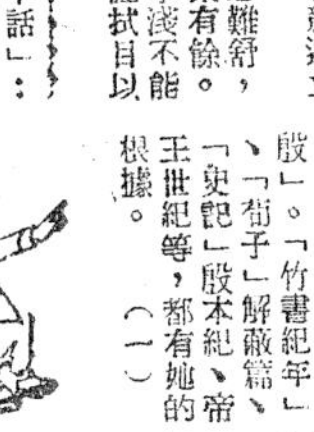

催眠術研究　三九

四十八、甲寅催眠法

鮑紹洲

這也是集中各種配合的催眠法之一種，即由最簡易的暗示，而達到難的暗示；由淺的催眠而達到深的催眠的催眠法。其對相亦係體格強健者和感受感的人。施行的時候，令被術人直立，施術人相對直立，以手結一「精神統一印」，下腹部則運氣力，而暗示道：「閉眼鎖定你的心情」。然後施術人加強運其精神力道：「你的精神的確在此，而你的身體都聽我的指揮」。於是將被術人的手上舉，又凝聚精神力暗示道：「這隻手仍然輕輕上舉」，於是被術人的手便上伸了，雙手舉到一般高時，兩手掌便互相均對之，而暗示：「你現在已經不知道你的手的有無了」。此時，施術人用手觸其雙手，使被術人的雙手相合，又暗示道：「你的雙手漸漸相合了」，「眞聽我的話」。接着又暗示道：「手既然已經合了，則又分開了」，接着又暗示道：「你的手由上而下放了」，「垂下的手則貼於腰側」，「手緊貼於腰側，任何人也不能分開」。至此，施術人試以手試分開被術人的手，已經不能動了」。貼緊過後，又要使他手分開。暗示道：「現在又容易離開了」。使用手漸撫被術人的手背，便隨手而離。如使被術人更深眠時，則施行補維的暗示，使他感應。

這種方法一旦很難，以初學的人未敢施行此一方法。然實際並不然，如對相當感性的人，反很容易。此種原理，以人皆有感性暗示的通性，而催眠一般的原理，是關於哲學及科學的運用，而發現暗示感應的現象。

自由報

中華民國內政部內警台報字第○三一號
中華民國僑務委員會登記證僑新字第三二三號
中國郵政台字第一二八二號執照登記爲第一類新聞紙

（第九五六期）

（半週刊每星期三、六出版）
每份港幣壹角，台灣售價新台幣弍元
社長李運鵬，督印黃行寶
社址：香港九龍彌敦道593—601號廖創興銀行大廈八樓五座
LIU CHONG HING BUILDING
7th FLOOR FLAT 5
593—601 NATHAN ROAD,
KOWLOON, H.K.
TEL: K303831
電報掛號：7191
承印：景星印刷公司
地址：嘉咸街廿九號地下
台灣總管理處：台北市大同街119號
台灣區直接訂戶　台郵劃撥戶
第五〇五六號萬有（自由報會計室）
電話：七一四〇三三、五五五三九五
台灣分社：台北市西寧南路110號二樓
電話：三三〇三四六，台郵劃撥戶九二五二樓

文藝節論戰鬥文藝

蔡丹冶

洛九按：丹冶兄是我國當代少數名文藝評論家之一。五十五年曾獲「中國文藝協會」文藝論評獎；五十六年會獲「國軍文藝金像獎」文藝理論獎。現任文協理事，負責台灣幾個大型刊物的文藝評論欄。出版有「文藝論評」、散文「雨。夢。畫」等書。値茲第十九屆文藝節的降臨，承蔡兄撰寫本文，以饗讀者。

一

文藝，是時代的反映；文藝，是時代的先導。

時代，是文藝的母體；時代是文藝的雨露。

中世紀的歐洲，君權、神權的黑暗時代，孕育了「文藝復興」。而以人文主義，自由主義，希臘思想爲內容的「文藝復興」，卻衝垮了「黑暗時代」的最後防線，改變了歷史面貌，開創了近代文明的新紀元。

民初的中國，列強，軍閥，侵迫，割據，導致了中國的「文藝復興」。而提倡科學與民主的「五四運動」，卻配合歷史主流—國民革命的發展，向精神領域進軍，摧毀了封建思想的殘餘，整理、發揚傳統文化，揭開了中國文學史的新頁。

文藝和時代的關係不可分。惟有深刻地表現時代精神的作品，才能具有永恒的生命，也惟有偉大的時代，才能產生不朽的作品。

二

作爲一個作家，一個文藝工作者，首先，他必須是他所屬的時代的一分子，無可逃避地，他必須肩負着時代所課予的歷史任務。作爲一個二十世紀中葉的「中國作家」，文藝工作者，責無旁貸地，他必須肩負着復興中華民族，保衛歷史文化的神聖的戰鬥任務。

英國文學理論家路斯金（John Rushin 1819—1900）曾說：「凡是偉大的詩人、作家、藝術家或歷史家，都住在他們自己的時代裏，並從其所屬的時代中，獲得創作的靈感和作品的素材。這是不變的法則。」

逃避現實嗎？「象牙之塔」，早已在共匪叛國的砲火中坍塌了；「東離秋菊」，也在匪徒們的踐踏下凋殘了；「自由神像」，已經被小土匪「紅衛兵」們搗毀了。

「不變的法則」，規定了我們必須生活在我們的時代裏，創作在我們的時代裏，戰鬥在我們的時代裡。

三

能不戰鬥？毛澤東獨夫及其一小撮徒衆們，正全副披掛，張牙舞爪，瘋狂地叫囂要「撕掉自由、平等、博愛」，要對中國的傳統文化「一鬥、二批、三改」，予以徹底消滅；大陸上的「勞改營」，正在強迫知識份子「脫胎換骨」、「自我改造」；正在強迫文藝作家成爲所謂「毛澤東時代的新人」；「在清水裡泡三次，在血水裏浴三次，在鹻水裡煮三次。」（一九六四年匪「文藝報」第八、九期合刊）鍛鍊成爲匪黨的「齒輪和螺絲釘」（毛澤東「延安文藝座談會講話」）。

能裝聾裝啞嗎？蕭軍、孫瑜、俞平伯、胡風、黃源、呂熒、路翎、吳祖光、朱光潛等人的淚痕血跡，斑駁猶新，最近兩年，十六萬被下放「勞改」的大陸文藝工作者的抗爭，吶喊，呼籲震耳。

能無動於衷嗎？吳晗、田漢、夏衍、李廣田、賀綠汀、蔡若虹、華君武、翟白音、于黑丁、陳登科……這些「打着紅旗反紅旗」的良知醒覺的反共作家，藝術家，剛剛被共匪「搞垮，搞臭」，近年古稀的老舍（舒舍予）也慘死在「紅衛兵」的凌辱之下；就連繼承魯迅雜文衣砵，曾被共匪賞識的秦牧（林頑石）也無以自存而服毒身亡了。

血寫的結論，說明一個事實：毛澤東殺盡大陸作家，毀滅中國文學的「第五次文藝整風」，正在過去四次「文藝整風」的血腥基礎上，肆無忌憚地瘋狂進行。

四

能不戰鬥嗎？不能的！良知，責任，都不容許我們做時代的「逃兵」。

爲保衛國家、民族，我們需要戰鬥；爲保衛歷史、傳統，我們需要戰鬥；爲保衛眞理、自由，我們需要戰鬥；爲保衛文化、藝術，我們需要戰鬥；就是祇爲了確保個人的創作自由，我們也需要戰鬥；値得戰鬥！

毛澤東匪徒們說：文藝作家對共產黨「懷有刻骨仇恨！」不錯，我們對共產黨的確「懷有刻骨仇恨」。因爲我們對大陸上七億苦難同胞，懷有不移的愛心之故。

在戰鬥的時代裡，作家必須劍及履及，用血創作，創作戰鬥文藝；用筆戰鬥，直至最後勝利！

五

戰鬥，是時代加之於當代文藝工作者的歷史任務。

戰鬥文藝，是現代中國文學的主流。

那麼，什麼是戰鬥文藝？

領袖曾作原則性的指示：「表揚民族文化，純眞、優美、樸實，使其深植人心的新文藝作品」，就是戰鬥文藝；「培養民族正氣，鼓舞戰鬥精神，有益於國民「心理健康」的新文藝作品，就是戰鬥文藝。（見「民生主義育樂兩篇補述」）據此，我們知道：戰鬥文藝不是戰爭文學。戰爭文學，祇是戰鬥文藝的一個組成部份。戰爭文學，範圍狹小；戰鬥文藝，天地廣闊。

六

戰鬥文藝的內容是什麼呢？

第一、鼓舞全民反共戰鬥，報導個別反共鬥爭事跡；描寫英雄時代的英雄人物，用以激勵民心士氣，復興革命武德，強固雪恥復仇的精神。這是戰鬥文藝。

第二，描寫匪區人民悲慘生活，揭露共匪罪行，報導大陸人民英勇抗暴鬥爭，激發鐵幕內外人民的反共情緒，提高敵愾同仇的反共心理，堅定反攻復國必勝必成的信念。這是戰鬥文藝。

第三，表現在我偉大英明的領袖領導下的復興基地——台灣寶島的光明面；同時也批判性地指出應興應革的所在，促進反攻基地的不斷進步、壯大、堅強，成爲中華民族希望之所寄；成爲亞洲反共鬥爭的堅強堡壘。這是戰鬥文藝。

第四，表現自由中國人民勤勞幸福的生活狀況和健康愉悅的精神面貌，加強人民擁戴領袖的熱誠，以及保衛民主自由的生活方式的決心。這是戰鬥文藝。

第五，通過典型故事和典型人物，表現人性善良，發揚仁愛、慷慨、合羣、積極、負責，以及求精、求實、言行一致的諸種美德，提高國民道德，端正社會風氣，鞏固復興基地的精神防線。這是戰鬥文藝。

第六，通過歷史故事和歷史人物，尤其是周、漢、宋、明各代的明君、忠臣、名將、義士——如漢光武，田單、文天祥、岳飛等以及辛亥革命、東征、北伐、抗戰、剿匪各個時期忠黨愛國的英雄先烈——如黃興、林覺民、邱清泉、黃百韜、張靈甫等，表現他們的光輝事跡，及其爲國爲民，犧牲奮鬥，成功成仁的豪情大義，激發現代青年的愛國熱情，提高精神和實際的戰鬥力量。這是戰鬥文藝。

七

一個作家，一個文藝工作者，應爲民族盡孝，爲國家盡忠，爲時代盡職，爲眞理戰鬥爲榮爲傲。

盡人皆知：拜侖參加過希臘的獨立戰爭；托爾斯泰曾參加土俄戰爭；梅特林克第一次大戰期間，曾長期從事反德宣傳工作；海明威參加了兩次世界大戰；毛姆和葛拉姆，葛琳，都是英國情報部工作人員；沙特是第二次世界大戰時法國反納粹地下組織的領導人。

我們所熟知的這些文學史上的大師們，他們並不因爲參加政治活動和實際戰鬥而有損作家尊嚴；他們的作品也不因爲含有濃烈的政治色彩和戰鬥意識而降低藝術價值。相反的，他們的生命，他們的作品，都因戰鬥而更加光輝燦爛，更爲永恒不朽。

八

今天，我們的國家，正處於一個偉大的戰鬥時代。

今天，我們的民族，正在呼喚每一位作家參加戰鬥。

今天，我們的時代，亟需大量優秀的戰鬥文藝作品。

今天，我們的政府已經發出號召：「強化戰鬥文藝」，「作爲三民主義思想作戰之前鋒。」

今天，我們的領袖已經明確指示：「純眞和優美的文藝作品，以及表揚民族文化的新文藝作品，須加以積極提倡和鼓勵。」「使其深植人心」。「文藝戰鬥工作，不但應注意新戰鬥文藝創作，而且應注意現有各種不良文藝之改進。」「使國民不再「受黃色的害」，「中赤色的毒」」。

九

作爲戰士，就必須用劍完成他的時代使命和歷史任務！

作爲作家，就必須用筆完成他的時代使命和歷史任務！

（完）

昨日與明日

想起「魯迅信札」

歐陽鑫

毛澤東和他的文化打手姚文遠，一個擅長騙，一個專會吹，所謂：武大郎養貓頭鷹，甚麼人玩甚麼鳥。」

這次中共的「九全」大會開幕，姚文遠說：「全國人民熱烈烈的慶祝」，各地集會人數據說在四億以上。因之連想到十年前「北京」人民研究院出版的「人民書簡」初版，（美國新聞處可能還有珍藏）魯迅在致孫伏園的信裡說：「糟了，我們這一夥都落到醬缸裏來了，不管翻上來或滾下去，反正都在醬缸裏釀……」魯迅自比五穀蛆，將共產黨形成爲糞缸。今日中共「九全」大會，在大陸內外學人的心目中，仍舊是一個熱騰騰的糞缸不過範圍擴大而已。不管你滾下去，或爬上來，一齊都在糞缸裡，有甚麼值得慶祝的呢？

魯迅當年，如果未看清共黨眞面貌，亦不會寫出那樣擲地有聲的語句。魯迅既被共黨奉爲「聖人」，聖人說的話，不會有甚麼偏差吧。

當心「台獨」運動

台灣的局勢，本來是我們不攻，對方亦會來打，彼此之間都在選擇有利時機。但毛澤東的有利時機消失已久，這是共酋陣毅自己也坦率招認的。

今後不無隱憂的是：「台灣獨立運動」從美國日本及本港所得消息，「台獨」的做法將發展經濟，認爲社會祇有經濟問題；經濟解決，凡事解決。其次是集中人才，謂任何事不能離開人才。上次來台訪問的史卡那皮諾，（台獨顧問）其年薪爲美金七十五萬元，非有大資本家撐腰，不可能有這樣大的手面。而且史卡拉皮，祇是「台獨」中高級職員之一，其組織龐大，可以推想。

執政黨的對手是毛澤東，老實講「台獨」還未構成爲目標，這是從政府對台獨份子寬大處理上看出。亞里斯多德有句名言：「革命並非瑣小事物，但他卻是起源於瑣小的事物」搞「台獨」與同情「台獨」的其中有好幾位做過外交官的。史拉皮最擅長國民外交。我們要當心，一般的說外交官是用最高尚和最好的策略，做出最卑鄙或最下流的事。

爲政不在多言？

大陸農村，百分之九十九以上地區，根本沒有農業機器可供使用。中共的模範大隊，山西昔陽工作隊，農民至今仍然是使用扁担，鋤頭，鐵鎬，從事勞動生產，保持着中古遺風。大寨黨部書記陳永貴領着四隊人打先鋒，兩三百斤重的大石頭，用肩膀一塊一塊地抬登上去。廣東博羅縣公社，山東省的模範大隊，河南秀縣雙陽大隊等，和山西昔陽情形一模一樣。（詳人民畫報）

自由談

行政效率之所以低劣，官吏貪汚行爲之所以叢生，人民法定權益之所以常受侵害，政治風氣之所以永難革新，唯一的原因就是法令多如牛毛，以之求治則不足，以之病民則有餘。

無論從那一方面講，吾國現行的法令皆非切實整理不可。這問題我在本報提出研討不下十次了，原希望立法機關本其職權，把現有法令通盤審核，來一次整理工作，該修正的，該廢止的，該照樣通行的，分門別類，重新頒訂俾週知。我認爲這是當務之急的大事情，對國家和人民都有莫大的裨益。可惜立法機關無暇及此，爲之奈何？

舊話重提

現時國民大會擁有創制複決權，設置「憲政研討委員會」志在改革法制，勸求治道。可是，各個委員會經常研討的議題，盡係枝枝節節的行政事項，如財政金融政策之如何改革，甚至都市道路之如何修建等等，不惜彈精竭慮，多所擬議。殊不知國大的憲政研討會非立法院可比，其決議案對行政官署沒有拘束力，祇能送請參考而已，費力多而效用乃等於零，何苦哉！

假使國大憲政研討會抓住要點，將現行的一切法令集中起來，按其性質，交由各個委員會詳加審核鈎稽，何者予以修正，何者應該廢除，何者維持原狀，再經過研討委員全體會議後；依法複決，咨送中樞公佈施行，其功德實至深鉅，也對選民有所交代，詎不懿歟？

世上決無永垂不敝之法，即號稱爲立國基準的憲法，亦隨時有所損益，以期適合需要。咱們的現行法令，從軍政、訓政、剿匪、抗日，以至憲政時期所頒訂的，一律援用不誤。這在學理上可謂不倫不類，使我們的政體罔知所云；在事實上乃增加官吏溺職瀆職的根據與口實，遇事翻雲覆雨，高下在心，儘有法令可資依據，決無違背職責之處，而人民苦矣，政府的信譽隨矣。

不從整理大雜會的法令入手，而欲改革政治，樹立良好的政風，弼成憲政之治的實質，寧有倖理乎？

—馬五先生

國際現勢之分析再版序

·何浩若·

這本小書於民國五十七年十二月初版以後，到現在還不到四個月就全部銷完了，這是出乎筆者意料之外的。此外還有許多的讀者來函予以鼓勵。有一位讀者引了梁任公兩句詩說『廿年之後當思我，舉國如狂欲語誰？』筆者所提出來的台灣獨立問題是一個民族存亡的問題。假如現在沒有人重視這一問題，二十年後是不會有人想到我的了。對於『舉國如狂欲語誰？』這句話，筆者卻有同感。為甚麼台灣的報紙刊物，除了極少數的幾種雜誌以外，都漠視這一問題，或竟拒絕登載這一問題呢？筆者認為現在台灣絕大多數的中華兒女都是熱愛祖國的。台灣的姑息份子和親日份子雖然也和當日的美國太平洋學會一樣造成形勢控制輿論，祇要我們能將事實和眞像向大多數的羣衆說明，這些出賣民族國家的陰謀，就不會得逞的。筆者有信心，將來的台灣，絕對不會變成親日漢奸辜寬敏所領導的台灣獨立共和國，也不會變成一般親日份子所期望的受日本保護的附庸國，更不會再度變成日本的殖民地。台灣同胞將負起反攻復國的責任，來重寫中華民族的歷史，光復大陸。

在本書初版以後，陸續發生了許多美國姑息份子對台灣獨立運動的活動。主要的是費正清一九六八年七月廿三日在哈佛大學著期學校的講演。他講演的題目是：『一九七〇年代的美國對華政策』，他主張推翻『獨裁的國民黨』，他說美國的政策將來會變，他說台灣獨立是合乎美國的利益。最後他說：『台灣人一定要起來反抗，因為是台灣人民要求獨立的』，費正清在講演以後，還花了將近一小時和許多台灣學生作專題的問答。這是去年冬天出版的台灣獨立季刊第七卷第三期報導的。可笑的是現在台灣的那一批費正清的朋友還硬說費正清已經放棄台灣獨立運動，並且已經被他們爭取變成中華民國的友人。記着吧，費正清不僅現在搞台灣獨立運動，而且在一千九百七十年代還要搞，一直搞到打倒『獨裁的KMT』為止。

其次是范宣德。他在接見記者和台獨代表的時候，以最惡毒的語調鼓動台灣人，他說『台灣人要獨立就要向全世界表明他們不是政治太監』"political eunuchs"。他說在日本統治的五十年間，台灣人就根本和中國人沒有接觸，何況台灣人在一八九五年就主張獨立。他說他多年來就主張台灣獨立並且主張中共入聯合國，把安理會席次讓給中共。他說假如尼克森當選為美國總統，台獨成功的希望很少。他在訪問中指示台獨的代表說：『初步的做法可以尋求一二同情的美國參議員在國會裡面響應你們的觀點。』這一篇訪問也是台獨季刊第七卷第三期報導的。范宣德是太平洋學會的中堅份子，在大陸淪陷的時候，是主持出賣中華民國的美國國務院遠東司長。本書附錄有美國國會調查他如何反對　蔣總統和援助中共的詳細記錄。現在他仍然繼續着出賣中華民國的工作。此外筆者在羅伯甘迺迪的遺著『尋求一個更新的世界』第一五七頁找到了他主張台灣獨立的證據。他攻擊中華民國的國民政府貪污腐化，他說台灣人在政府裡面沒有發言權。他根據民族自決的原則，譴責美國政府沒有對台灣人予以援助。羅伯甘迺迪曾受到文星雜誌公開的擁護。筆者列舉費正清范宣德等策動台獨的事實，祇希望說明一點，那就是，台灣獨立運動是五十年來國際共產黨陰謀摧毀中華民國出賣中華民國的最後階段。參加台獨的台灣青年祇是他們魚鉤上的虫，受到了他們的欺騙。我們如何能不為民族存亡提高警覺呢？

民國五十八年四月一日

立委指責稅官弊行
向政院提嚴厲質詢

（本報記者健生台北航訊）立法委員石九齡質詢：「行政院答復，完全是包庇財政部在說謊。一個對立法院負責的行政院，對立法委員的答復公然捏造謊言，偽造文書，還還成什麼民主」！這是石委員在財政、經濟、司法三委員會討論「加強稅捐稽征條例草案」時提出的。

石委員認為行政院送請立法院審議加強稅捐稽征條例草案，是基於事實上有此需要；但此一條例付諸實施，恐怕沒有強化稽征，反而又給不肖的稅務人員更多對於人民加強苛擾、加強勒索的名目與機會，勢必民怨沸騰。因為以這些年來我們親眼看見，本來在法律上沒有規定的，他們都敢明目張胆的曲解稅法，甚至於公然違法，以達到其貪污舞弊的目的。現在加強稅捐稽征條例草案明白規定：（一）稅務人員可以隨意向任何機關或個人調查課稅資料；（二）稅務人員可以隨便以核算方法核定人民的稅額；（三）稅務人員可以隨時申請檢察官簽發搜索票，搜索納稅義務人及其共同行為人之住居所……等等規定。俞部長先生，平心靜氣的想一想，以我們現有稅務人員的素質，與稅務風氣，豈不是要天下大亂！

石委員進一步指出：加強稅捐稽征條例草案中，只規定對人民要如何加強稽征，而對於稽征機關與稅務人員如何加強督導與如何加強管理一字不提，這就叫「只許州官放火，不准百姓點燈」了。現在稅務人員的稽征權利加強了、擴大了，但是最可慮的是沒有任何督導管理的規定，稅務人員變成最熱門的當權派了。

石委員並列舉事例來證明財稅機關可以創制法律、可以廢止法律或曲解法律，以達到其營私舞弊的目的。他質詢說：在幾年前修正關稅稅則的時候，當新修正的稅則草案送請立法院審議，而當時現行稅則中有幾項是比草案中稅率為重，可是新稅則正在立法院審議尚未成立法程序咨請總統公布實施以前，而財政部關務署就讓海關對這項進口貨物依照尚在審議中的低稅率征稅了，這樣違法瀆職還不算，等到新稅則完成立法程序公布實施以後，立法委員鄧翔宇對行政院提出質詢，建議行政院對這筆幾千萬元差額稅款亟應補征。行政院答復鄧委員說，絕對補征。

過些時，鄧委員再質詢行政院，這筆差額補征了沒有？行政院答復：已經全數補征完畢。又過些時，鄧委員接到監察委員金越光一封信說：因為查案調卷，看見你的質詢與行政院的答復。金委員說：財政部根本就沒追繳這一部分差額稅款。行政院答復，完全是包庇財政部在說謊。一個對立法院負責的行政院，對立法委員的答復公然捏造謊言，偽造文書，這還成甚麼民主！鄧委員當時很氣憤，再向行政院提出質詢，到現在還未得到答復。

蕉案掀起二次高潮
一批主管贓官
紛紛作階下囚

（本報記者公孫能台北消息）衆所矚目的高雄青果運銷合作社，官商勾結，串通舞弊，其積弊之深，涉嫌之廣，較諸過去轟動一時之油商賄案，實有過之而無不及。

自司法行政部調查局將此一黑幕重重之「剝蕉案」，組成專案小組，動員大批青壯幹部，分為第一階段以涉嫌之「商」民為目標，是以該合作所有涉嫌職員包括有「香蕉大王」之稱的該合作社理事主席吳振瑞以及理事重要職員等，初步調查搜證，側重於侵佔、浪費公款、剝削蕉農及收取回扣不法事實之查證。於進行取證中發現官商勾結以及二十週年社慶贈送近八百兩純金紀念品，與政府民意機關等顯要。所謂三十兩重的金果盤、五兩重的金飯碗、一兩重的金杯，幾乎送遍津要。這些火辣的刺激新聞，直把案中更大的黑暗面遮蓋住了。雖然全部金飯碗的造價，僅及於吳振瑞集團侵佔數字百分之一，而一個省合作事業管理處官卑職小的股長郭壬癸接受青合社招待最多的一年達八十八次之多，每次招待費均在二、三千元，而最少的一年，郭壬癸全年也接受了八萬元的招待。

可是人們卻對「一金飯碗」獨具談興，街頭巷尾形成一遍談「金」潮，都沒有把這些透頂揩油事實放在話下。

本案在風風雨雨中，延續達兩個月之久，第二階段的行動高潮，終於四月二十一日起，分在台北、高雄、台中等地全面展開，調查局長沈之岳曾扶病到達中部對所屬業務予以視察。

在這一行動之前，很多「無名人士」向有關機關退回金碗、金杯，已超過十件以上，其中省府有關官員退回的也有五、六件，均由專案小組保管中。

據調查方面透露，剝蕉案中，關於剝削蕉農部份，每年竟達三億以上，如此鉅額剝削蕉農膏血，誠屬駭人聽聞，涉嫌本案之官員，連日經約談傳訊被高雄地院檢察官下令收押者有：一是紅得發紫的王蘭亭，他有這樣輝煌的頭銜名分：行政院參事，經濟部顧問兼國貿香蕉小組召集人。在香蕉案發生以後，行政院曾為此成立了整頓小組，負責督導青果合作社業務，這個小組負責人，就由他兼任。

據說王蘭亭本來是省農林廳主秘，五十二年實施香蕉五五制出口，外貿會成立香蕉小組，由蔣彥士任召集人，將將王蘭亭調去，擬由王出任執行秘書，不料外貿會主委徐柏園，突然從中央銀行把譚玉佐借調來作了香蕉小組執行秘書。否則所有香蕉弊案，均將由王蘭亭負責。

王蘭亭任省農林廳主秘時代，更是炙手可熱，為廳長金錫鎬下第一位紅人，現時存在農林廳的熱門新聞，那便是王蘭亭與一位葉姓小姐之間的糾葛。王曾將由人事室僱員調至主秘室服務，因此他們之間發生了不足為外人悉知底蘊之糾葛。

該廳人士都知道這位葉小姐有一個外號，叫做「二百萬」，據說：她曾接受了王蘭亭的一棟房子，還有實物等等，總數共有二百萬元之多，王究因何事如此慷慨，則無從證實。

王蘭亭利用職權
圖利高青合社
追究責任將難脫罪

王蘭亭在剝蕉案中，除受了一只金碗以外，還因在香蕉小組的委員任內，參與密謀。作出圖利高青社的決定，王曾利用職權幫助吳振瑞集團，將原來每簍香蕉三十四元，提高為三十九元，使該社憑空獲巨利，依法追究責任，他是免不了的。

問題的癥結：香蕉弊病發生以後，政府有意擬將香蕉貿易，改為國營，故先予成立一個整理小組，為甚麼把這個「整弊除弊」的任務，委任一個本身便有「汚髒」的人去負責，眞令人遺憾之至。

自王蘭亭被收押以後，中央級的簡任級官員被扣押者已有三人，就是前外貿會香蕉輔導小組執行秘書現任中央銀行金融業務檢查處副處長譚玉佐，商品檢驗局長單鳳標和王蘭亭。

二是鹹鎮一方的商品檢驗局高雄檢驗所長鮑逵、省合管處督導陳久暘、第三課長郭壬癸及前已被押的方立禾、徐正一等官員。

據悉，鮑所長曾受了一個金果盤外，計在檢查所長任內期間先後收取為數達十餘萬元的不正當的禮物，因此有受賄之嫌。

據悉，檢驗局的官員們，曾於五十七年間，吃了青合社卅八萬元，這些錢都是蕉農的血汗。

上列官員他們由台北上觀光號火車或飛機起，所有的費用全由青果社負責。在招待包括醇酒、美人，連吃帶拿的小「意思」，一位檢驗局官員在五十六年間，接受青果社一〇八次的招待，費用總額為十三萬元，青果社都存有清晰的花帳。

所謂紀念性質金質品，凡與青果合作社無直接利害關係的人，收受了這類的物品，在法律上卻無甚麼責任，但在青果主管署的有司，受了那些物品，就會列入受賄部分接受法律處分。

台灣省政府高級官員說：省府直屬廳處官員牽涉高雄青果社弊案的有關人員，此等官員並非在業務上互相勾結，而僅收取小型禮品，因此無刑事責任，至於行政責任，則正在研究中。

喬治桑外傳　四五

張大萬

喬治桑咀嚼着一支雪茄，坐在餐桌旁將撲克洗得嘩喇喇地，打法嫻熟，頗有西部電影上賭徒的功架。

「來，雅麗絲，兩個人玩的叫蜜月橋牌，我一教妳，妳就會。」

雅麗絲只好放下雜誌，走過來坐在喬治桑的對面。

「我因為沒有渡過蜜月，所以不懂蜜月橋牌，你大概渡過很多次蜜月了？」

「我是舊式結婚的，那裏有渡蜜月的經驗？不過，一般留美學生都會玩蜜月橋牌。」

喬治桑將玩牌的規則向雅麗絲解釋了幾分鐘，雅麗絲已經領會，兩人便開始玩起來。一直玩到午夜一點多鐘才停止。喬治桑這個人在上海話叫做「老白相」，是殺時間的專家，他每天都要玩，今天下午打過麻將，晚上打過橋牌，總算又混了一天。

第二天喬治桑睡到十點鐘才起床，雅麗絲已替他準備好早餐。

「果得毛寧。」

「果得毛寧。」

喬治桑與雅麗絲互道早安。

「有沒有人打電話給我？」喬治桑打開報紙，啜了一口鮮橘汁，用一把刀在烤麵包上塗上牛油。幾個動作似乎都在同一時間，他是在學老美那股邋遢不可終日的忽忙勁兒，但目前的他，根本是一個好整以暇的中國有閒階級。

「古有方古先生上午九點多鐘打電話來，我問他要不要叫醒你，他說不要。他說十一點鐘左右會到家裏來看你。」

「好。」喬治桑答應了一聲，一面在看報紙。

「雅麗絲，請妳將報紙上登載出售汽車的小廣告登記下來，同時也接洽一下，我想買一部美備用過的舊汽車，價錢希望不超過兩千美金，沒有車子實在不方便。」

「是的，叟。」雅麗絲這一句話表示現在是辦公時間。

「我好像記得今晚有日本朋友請我吃飯，是不是宮本武藏飯店？」

「是的，叟，時間是下午七時，大塚先生今早也打電話來，請你務必準時到，並希望你能帶上次一起的女伴去，他們都約好了女伴。」

喬治桑一想，大塚，野田兩個日本赤佬一定是約好了貴妃，還有一個叫什麼鳳的。無疑他們是希望我帶小雲雀去。可是，我對小雲雀早已沒有胃口了，假使單刀赴會，豈不是要掃大塚，野田的興？他眉頭一皺，計上心來。

「雅麗絲，妳能不能幫我一次忙？」

「幫忙？不敢當，你有甚麼吩咐？」

「今晚的應酬我想請妳陪我去。」

（未完）

雷震與「自由中國」

當年內幕誰知道　一番往事話從頭

王曰叟

（九）

政府當局本來是準備大規模的接運教授，當時已經擬定要接的名單，共有三百多人，以後還可再加，但由於時局的推演，落得只剩了上述三次，而這三次，除了第二次（即梅校長一行）稍有秩序外，其餘兩次全都是倉卒慌亂，甚至可說是非常狼狽。

這三次的起飛地點都不同，第一次還正式是從南苑飛機場起飛的，第二次則是在臨時搶修的簡易飛機場，「東單大操場」，這個機場，事實證明不可用，梅校長所乘的那架飛機，就差一點撞着東單菜市場的屋頂，所以後來剿匪總司令部，趕緊設法利用天壇的廣場，改建臨時機場，天壇的許多故國舊木，蒼松翠柏，便在這種情形下被砍去，眞是令人心痛，而第三次的飛機便是在這裏起飛的。

這三次，巧的很，每次都有一位大學校長，第一次是北大校長胡先生，第二次是清華大學校長梅先生，第三次當時雖無校長，但其中的錢思亮先生，後來却當了台灣大學校長，直到如今，這大概是冥冥中有魁星安排吧。這些人接出來後，有的到了美國，如胡適、梅貽琦、李書華等先生，有的回到故鄉，而終又淪陷在大陸，如張頤先生是，也有的定居在香港，如趙梅伯先生是，而反共最堅決的，便都輾轉來到台灣，例如張佛泉、王聿修、錢思亮、毛子水，張起鈞、侯璠、劉崇宏（金勞）、英千里等先生是。這些教授們在胡適回國時，曾經假青田街劉崇宏（金勞）先生寓宅，餐聚一次，歡迎胡適先生，並答當年奔走主持接運事宜的蔣經國、王叔銘、陳雪屏三位先生，至於當時最熱心的傅斯年先生則墓木已拱多時了。那時是民國四十二年元月五日的事，六天後，即元月十一日，蔣總統又於士林官邸款待這些教授一次。

這都是後話，此處不提，我們要說的乃是「自由中國」雜誌就是這一批從北方出來的教授們所倡辦的。這些教授人數不多，意義却極大，「自由中國」由他們來倡辦，那將代表着學人反共的眞意，（按：許多附和共黨的教授其實都是被劫持，而並非眞意），表現了學術，人格的尊嚴。尤其大家推選的幾位教授無不是北平文化與論界的實力份子，例如那三位副總編輯，張佛泉、崔書琴、張起鈞都可說當年北平輿論界的一路諸侯，何以說是「諸侯」呢？那要待老叟把當時北平文化界的情形，稍稍描繪一下。

司馬遷與史記

·謝木火·

一：前言

本文只是就我所瞭解的，寫出我讀史記的心得，並不想做考證的文章。古人關於這方面已經做得很詳細了，因此讓我們從另一方面來看司馬遷與史記吧：

二：司馬遷的時代

如果司馬遷生在公元前一三五年（另有一說爲一四五年），這就是漢武帝建元六年，離漢朝初立（公元前二〇六年）只有七十多年；所以司馬遷也可以說多少還能夠呼吸著「先秦」的學術精神或氣息的。

那麼司馬遷的時代在文化上是怎樣的型態呢？我們要先知道，漢朝的文化是繼承楚、齊而非周秦的文化。楚的文化是怎樣呢？我們從史記春申君列傳所記春申君門客的豪奢，再看「招魂」，大招裏的鋪陳，便知道楚人生活的豪華富貴，在這樣經濟條件之下所產生的文化一定是「浪漫」的。齊人也同樣善於想像。至於西漢的經學多半是齊學，而黃老之學也是齊學；而且由於漢武帝的南征北伐，大通西域，異國的風俗，情調便被介紹進來了。

在這種浪漫的，幻想的時代裏，司馬遷遂受陶冶成爲不世出的大文學家了。

三：司馬遷的父親司馬談

司馬遷的成功不止由於時代偉大，而且由於他有一個偉大的父親。現在惟一可以看出司馬談的全部學問的是他那篇不朽的論文——論六家要旨。這是對古學術的總結價，對司馬遷的影響是很大的，因爲我們從史記看出司馬遷對於任何家的學問均能欣賞並能批評，直然是司馬談的副本啊。

司馬談生年不詳，卒於元封元年（公元前一一〇），他死的時候，遺給二十六歲的兒子重大的使命：「余死，汝必爲太史，爲太史，無忘吾所欲論著矣……孔子修舊起廢，……，則學者至今則之……史記放絕；今漢興，海內一統，明主賢君，忠臣死義之士，余爲太史而弗論載，廢天下之史文，余甚懼焉，汝其念哉！」（見太史公自序）。

這可以說也是促成司馬遷作史記的最大原動力之一。

四：司馬遷對孔子的崇拜

在整部史記裡，徵引孔子言論的地方非常多，約有二十幾處，可見他多麼崇拜孔子了，再者司馬遷在研讀了六經以後，尤其在研讀春秋以後，他得到孔子的精神也就更多了，而且他自己的心胸也曾以作春秋的孔子自居，他說：「自周公卒後，五百歲而有孔子，孔子卒後，至於今五百歲。」那麼，是不該有第二個作春秋的孔子嗎？讓我們討論一下在「史」這方面，司馬遷受惠於孔子者有多少：

1、對歷史上人物的欣賞與評論。

2、古典精神與理智色彩。

3、愼重和徵信的態度。

4、人生的體驗與智慧。

五：司馬遷年譜

漢武帝建元六年（西元前一三五）生於龍門（在今山西河津縣西北，陝西韓城縣東北，跨河爲門闕）。

元朔四年（西元前一二五年）自序：「十歲誦古文」，漢書儒林傳載司馬遷亦從孔安國問故，大概是向孔安國學古文尚書吧！

元狩五年（西元前一一八年）司馬遷十七歲，李廣自殺，李廣傳贊曰：「余睹李將軍悛悛如鄙人」，可見司馬遷是見過李廣，而李廣之死給司馬遷很大影響，難怪李將軍列傳寫得那樣好。

元鼎元年（西元前一一六年），二十歲，開始壯遊。

元鼎三年（西元前一一四年），二十二歲，仕爲郎中。

元鼎五年（西元前一一二年），二十四歲，扈駕至雍。

元鼎六年（西元前一一一年）漢定西南夷，遷奉使西征巴蜀以南，南略邛作（竹頭）昆明。爲以後作西南夷列傳之本。

元封元年（西元前一一〇年），二十六歲，武帝封禪東行，遷復扈從封泰山，泛海自碣石至遼西，歷北邊而歸。

元封二年（西元前一〇九年）二十七歲，河決瓠子，武帝令羣臣自將軍以下皆負薪填決河，遷與其事，因作河渠書。

元封三年，二十八歲，繼父談爲太史令，由（紬勞）金匱石室之書（史記當始於是年或次年）。

太初元年（西元前一〇四年）與壺遂定律曆，以春正月爲歲首，奠定了現在陰曆的基礎，支配了中國人時間觀念在兩千年以上。遷年三十二歲。

天漢三年（西元前九十八年），遷受腐刑，年三十八。

天漢四年，遷受刑之後，復爲中書令。

征和二年（西元前九十一年），十二月作書報任安，以後事蹟不可復攷，或即卒於是年（亦或可能卒於昭帝初年），年四十五、六歲。

六：司馬遷交遊考

（一）長一輩的有唐都、孔安國、董仲舒、蘇建、樊佗廣、馮遂。唐都是司馬遷的父執，孔安國、董仲舒是司馬遷的師輩，蘇建是友輩的尊親。樊佗廣是樊噲之孫。馮遂是馮唐之子。他們給司馬遷的幫助大都在學業和史料方面。

（二）比司馬遷晚一些的友人有壺遂、楊敞、楊惲。壺遂是司馬遷的學生，楊敞是女婿，楊惲是他外孫。史記副本就存在楊敞家裡。

（三）至於平輩朋友：有賈嘉、東方朔、摯峻、兒寬、田仁、任安、李陵。賈嘉是賈誼之孫，史記：「賈嘉最好學，與余通書。」東方朔爲司馬遷好友是見桓譚新論，然史記未見記載。其他五人，亦見史記記載。

老輩、晚輩、平輩一塊算起來，見於史記記載的是這十六人，此外像當時的賦家司馬相如、枚皋、蘇武，以及其他在武帝周圍的一部分名臣大將文人，恐怕都有著友誼，然而司馬遷所得於朋友的只有「交遊莫救視，左右親近不爲一言。」這是多麼刺心呀！

七：史記一書的憤慨處與諷刺處

我們讀司馬遷的史記，必須瞭解司馬遷的反面文章，決不能專看表面。書中最大的諷刺是對付漢代，尤其集中在武帝，他的方法却是指秦罵漢，試舉數例以見。

1、秦楚之際月表言「虞夏之興，積善累功數十年，湯武之王，行仁十餘世，秦之統一，也百有餘載」。言外之意是漢憑什麼，却這樣容易得天下。

2、項羽本紀，高祖本紀，蕭相國世家，在在都寫出劉邦的不孝，無賴與小氣，忌刻。另外，劉邦似乎有許多神異的事彷彿是眞命天子了，可是司馬遷早藉蕭何之口說出：「劉季固多大言。」那末一切神異也就多半是劉邦自造，化爲烏有了。

（上）

文滙樓劄記

淮安顧翊群的風趣

·文滙樓主·

淮安顧翊羣教授乃中華民國能學之士，文章道德向受欽佩，歷任政府財政部次長，中央銀行、中國銀行、交通銀行、中國農民銀行四聯總處秘書長，國際貨幣基金委員會財務處長。用商業術語去形容，顧翊羣乃合乎國際規格的名學者。

淮安這個地方很怪，地方不大，奇才輩出。歷史上一位最有名的軍事家韓信就是淮安人，淮安舊稱淮陰，韓信的事跡可謂家諭戶曉，毋庸樓主重覆。後漢三國演義中的十八路諸侯討董卓，雖係曹操（孟德）發起，並公推袁紹爲最高統帥，但討董卓整個的軍事計劃就是淮陰名學人臧洪所擬定。

明代學人周永年詩淮陰侯云：「一市人皆笑，三軍衆盡驚，始知眞國士，元不愧羣情，楚漢關輕重，英雄出戰爭，何爲就俎醢，垂釣足平生。」本詩末尾道出韓信不能急流勇退，而遭受殺身之禍。不過話又說回來，政治上能知道急流勇退的人太少了，遠者不論，祗將近半個世紀的事回憶一下，好像白髮宮人，談開元天寶遺事，悲歡離合，成敗興亡的場面，聽來祗是徒增感慨。樓主爲文易犯跑野馬的毛病，今論顧翊羣的風趣，應當言歸正傳。

顧翊羣是一位最懂得急流勇退的人，講話做事一樣，不急不徐，有條有理。月前在台北有幾十位名學人聯合歡宴他，樓主亦羅漢之一。顧於茶餘酒後述一故事，謂古羅馬時尼羅王以壯士與獅搏鬥，在公式上壯士照例被獅果腹，熱鬧場面在軍樂悠揚中依序閉幕。有一次，尼羅王欲換換眼福，選了一個瘦皮猴弱者與獅搏鬥，當猛獅跑出來正欲爪噬之際，弱者祗小聲說了一句話，猛獅竟然被嚇後退，觀衆莫不嘖嘖稱奇，尼羅王召弱者親自詰問，用何術能將力大千斤兇勇難抵擋的猛獅嚇退，從實招來，可以免死。

弱者說：「我祗告訴牠一句話，這餐飯可以讓你吃，可是吃過了得寫文章」。聽者噴飯，全桌大笑。樓主回憶到前大公報總主筆張季鸞，亦有幾句關於寫文章的話謂：「寫文章比女人臨盆生產還困難，因女人臨盆時肚子裡早有貨了。」顧翊羣先生的風趣固引人入勝，顧翊羣對這次吃飯的意義所在，流露出側面答覆，未幾天「從展望今年歐洲局勢來討論復興中華文化的重要性」一篇句句金玉，字字珠璣的佳作，親自送來。本報同人拜讀之餘，認乃空前倡導中華文化復興運動最有份量的作品。文章的佈局結構，文思，非斷輪老手，難臻於此。且感到曹丕的：「蓋文章經國之大業，不朽之盛事，年壽有時而盡，榮樂止乎其身，二者必至之常期，未若文章之無窮。」似在對淮安顧翊羣先生而發。

論語泰伯篇爲曾門弟子所輯說（下）

黃德相

△子曰：好勇疾貧，亂也；人而不仁，疾之已甚，亂也。（第十章）

△子曰：如有周公之才之美，使驕且吝，其餘不觀也已。（第十一章）

△子曰：三年學，不至於穀，不易得也。（第十二章）

△子曰：不在其位，不謀其政。（第十四章）

△子曰：狂而不直，侗而不愿，悾悾而不信，吾不知之矣。（第十六章）

曾子一向是「戒愼恐懼」，師法夫子「臨事而懼，好謀而成」之訓。故引用孔子之言，常有「不字」出現，像是擘西十戒一般，重在信仰和反省。

4爲學與處世之道：有兩章。

△子曰：學如不及，猶恐失之。（第十七章）

△子曰：篤信好學，守死善道，危邦不入，亂邦不居。天下有道則見，無道則隱。邦有道，貧且賤焉，恥也；邦無道，富且貴焉，恥也。（第十三章）

曾子把孔子之言，禮樂、戒律、法先王、爲學處世之道，當作傳道授業之本，泰伯篇五章曾子之言，是排列在第三、四、五、六、七章，連續下去，顯然曾門弟子是有計劃的編排。

△曾子有疾，召門弟子曰：啓予足，啓予手。詩云：「戰戰兢兢，如臨深淵，如履薄冰」，而今而後，吾知免夫，小子。（第三章）

從曾子語氣，可知他一生「戒愼恐懼」，直至臨終才鬆了一口氣。

△曾子有疾，孟敬子問之。曾子言曰：鳥之將死，其鳴也哀，人之將死，其言也善。君子所貴乎道者三，動容貌，斯遠暴慢矣；正顏色，斯近信矣；出辭氣，斯遠鄙倍矣。籩豆之事，則有司存。（第四章）

右二章是論語最後出現的事蹟，從孔子三十而立，至曾子有疾，將近一個世紀之久，這就是說，孔門第一個弟子的招收，至最後一位死亡的弟子之間，有百年之久。

△曾子曰：以能問於不能，以多問於寡，有若無，實若虛，犯而不校，昔者吾友，嘗從事於斯矣。（第五章）

孟子曰：「曾子守約。」觀本章，曾子美顏子之語，可知顏，曾志同道合，「大智若愚」，有若無，實若虛。其「以能問於不能，以多問於寡」，正如「子入太廟，每事問」。曾子憶及亡友顏回，要門弟子模仿。

△曾子曰：可以託五尺之孤，可以寄百里之命，臨大節而不可奪也，君子人與？君子人也。（第六章）

△曾子曰：士，不可以不弘毅，任重而道遠，仁以爲己任，不亦重乎？死而後已，不亦遠乎？（第七章）

右二章要士、君子具備堅毅不拔的精神，以天下國家爲己任，影響後代讀書人甚鉅。

由於曾子言論菁華，集中在本篇，孔門別的弟子，無置喙餘地。孔子的言論，也選擇有關爲學、處世、禮樂、戒律、先王諸事，來表明其教育宗旨。故，無疑的，論語泰伯篇是曾門弟子所輯。

（完）

海參强腎去疲勞

生活漫談

·馬騰雲·

海參爲棘皮動物，生於海洋之巖石間，形圓而長，全體柔軟，爲富有營養的食物，往日民間視爲珍貴食品之一，現在交通便利，捕捉海參的技術亦提高了，台灣市面上有大量海參出售，且價錢甚經濟。有些人謂：海參濕類食品，只適宜秋冬季作補品食用，實不宜於夏天作食用的。其實這些「外科話」是沒有根據的，海參既適宜於秋冬進補，更適宜於春夏作食用，因爲海參不是「熱性」的，而且很溫和的一種食物，夏天汗出太多，飲水亦多，肉類及澱粉質的營養，因胃口「呆滯」問題而減少，故夏日的人易倦，更易疲勞，就是這個原因；如不設法調整，則容易影響到血也有問題，這就是脾弱血衰現象。倘在每餐飯，能煮一碗海參湯，對脾弱血衰有很好的補助。有些人又謂，海參是熱性，實不宜隨便吃。其實除了患者傷風或外感發熱時不要吃外，則其餘「塞低」、「熱低」的人都可常吃，吃的方法可以用作滾湯，或配用瓜菜炒熟、清蒸等。現在市場上發好的海參出售，每斤十餘元，吃時更加簡便。海參含有豐富的營養成份，它含蛋白質百分之二十一點四五，脂肪零點二七。糖一點三七。灰份一點一三。還含有鈣質，磷質，鐵質等。有很高的營養價值，患肺結核或神精衰弱的人，常食海參，故然可以增加營養，且對其病況有治療作用。中醫謂海參能補腎。滋陰，壯陽，益精，通腸，潤燥，並可治出血。一說謂常吃海參，可以預防血管硬化。老人夜尿多，及青年體弱遺精；可用瘦猪肉清燉海參食用，有謂海參能滑精是不確的，因海參富很好的補精功能，如身體強健，精力充足的青年，多吃海參有時會遺精，這是「滿則溢」的情況，並無礙於身體健康。海參的鈣，磷，鐵等質份，對人體有很好的補血作用，它的膠質，對體力的消耗，更有很好的補助，尤以夏天受到熱浪的侵激，神經欠缺了安定，身體常常感到非常疲勞，以海參佐膳，可以消除這種情影。還有一種簡單而利便的食用海參方法，可向雜貨店買幾斤泡好的海參，原條將它蒸熟（不必蒸太久，海參很容易熟的。）晒乾，再把它焙脆來研成粉末，用玻璃器載着，在吃飯飲湯時，將粉末加入，這樣的吃法，就簡單極了。小孩子初出牙或學行，食之增強健康並防疳病傳染。

通俗小說作家：汪端

有清一代極力提倡女性文學，前有袁隨園，後有陳碧城，袁、陳兩人的女弟子，幾遍于全國。隨園門下都是詩人；而陳氏的門下有詞人、有曲家；家庭是一個文學家庭，有小說家、詩、詞家濟濟一堂，尤稱多才多藝。他的媳婦汪端女士，在通俗小說盛行時代，是僅見的女作家；除小說外，尚有「元明佚史」、「明三十家詩選」；見解高絕，尤爲當代一般女子所不及。

陳碧城字文述、又字伯雲、錢塘人。著有「碧城仙館詩鈔」、「頤道堂集」、「西泠閒詠」……等著作。他的夫人龔玉晨、字羽卿，亦能詩文；他的四個如夫人文靜玉（字湘霞）、管筠（字湘玉）、薛蕊蘭（字玉媚）、薛纖阿（字雲危（女旁））；他的女兒華取（女旁）（字麗取（女旁））、都是文學好手。汪端是他的媳婦，陳裴之的太太，字允莊。她自幼聰慧過人，七歲能賦「春雪詩」；人以爲不減謝道韞之「柳絮因風」，因呼之爲小韞。汪端學詩于梁楚生，嘗取唐宋元明及清人詩，閱過即棄去，只留高青邱，吳梅村兩家，最後去吳，以爲「梅村濃而無骨，不若青邱淡而有品」。後讀明史，見青邱爲魏觀奉累被害，于是大憤；然尚希望厄于遭遇，而不厄于聲名；及覩七子標榜成習，錢牧齋「列朝詩集」，沈歸愚「明詩別裁」，都推崇夢陽而抑青邱，又大恨。乃立志打詩壇翻案，選「明三十家詩選」，丹黃甲乙，晨書夜寫，數五六寒暑，始得竣事。此書的長處，她的老師梁楚生說：「允推所選，以清蒼雅正爲宗，一掃前後七士子門逕，于文成、青邱、清江、孟載諸人，表彰尤力。至于是非得失之故，與夫興至亂之源，尤三致意焉。讀是書者，不特三百年詩學源流朗若列眉；即三百年之是非得失，亦瞭如指掌。選詩若此，可以傳矣。」

因爲明太祖待青邱暴酷而恨之；因吳王張士誠待士之賢而感之。乃節錄明史，搜採佚事，用平話體作成一書，即「元明佚史」，凡十八卷。此書曾否刊行已不可考了。所謂「成則爲王，敗則爲寇」，歷來一切史家的見解，都是除太史公之外，一口腔調。張士誠在元末，在一般史家看來，不過是割據一方的羣雄，並無特別表彰的必要。殊不知張士誠在吳，頗得民心，其待文士優禮有嘉，吳中人至今猶贊其賢。汪端的著「元明佚史」，以表彰士誠，雖屬有感而發，究亦非空中樓閣。我們不妨把梁啓超的作「王安石傳」和胡適之替王莽翻案一例觀。

「明三十家詩選」例言中，有論詩一段，可以代表汪端的文學見解：嘗言詩不可「不清」，而尤不可不眞：清者，詩之「神」也。王、孟、柳，如幽泉曲澗，飛瀑寒潭，其神清矣。李、杜、韓、蘇，如長江大河，魚龍百變，其神亦未嘗不清也。若神不能清，徒事抹月批風，描淡閒寂，則假王、孟而已。「眞者」詩之骨也。詩以詞爲膚，以意爲骨。康樂跅弛，故其詩豪邁；元亮高逸，故其神冲淡；少陵崎嶇戎馬，故其詩沈鬱；青蓮慕仙靈，故其詩超曠。後人詩之，想見其人性情出處，所以爲眞詩。若乃生休明之世，而無病呻吟，處衛泌之間，而恣談國是，則僅少陵而已。

所謂「清」者，就是有「意境」，所謂「眞」者，就是有「情感」，不無病呻吟；也就是胡適之先生所提倡的是「言之有物」的文字，「不做無病呻吟的文字」。汪端生在十八世紀，那是一個烏烟瘴氣的時代，居然能夠如此透澈而大胆的文學見解，難怪他會重視通俗小說，而自己也試作了。

汪端對於當代的詩，最重視二王，即王仲瞿和井叔。仲瞿名曇，著有烟霞萬古樓集」，秀水人，好遊俠，通兵家之術，善弓馬，騎馬如飛，慷慨悲歌，不可一世。下第過穀城，招琵琶妓三十二人，祭西楚王墓。集中有「住穀城之明日，謹以斗酒牛首合琵琶三十二絃，侑祭于西楚霸王之墓」詩三首，中有「如我文章遭鬼擊，嗟渠身手竟天亡」之句，悲壯蒼涼，不啻爲自己放聲一哭。川、楚敎匪作亂，他的座師吳省欽荐于朝，謂能「掌心雷」及「奇遁幻變」之術，可佐軍事，吳因此以妄言罷職。而曇遂廢棄終身。所著尚有「神史」一百卷，「居會稽古錄」若干卷。寓秦淮時，取遼懿德皇后「十香詞」纂，譜「回心院傳奇」四十折皆不傳。又善塡詞，有「一幅紅裙包裹了十二萬年青史」句，頗爲奇特。他的繼室金雲門，善畫梅，後寓居西湖紅柏山莊，皈依淨土，雲伯姿文靜，爲輯刊其遺詩，名曰「秋紅丈室遺詩」。井叔名嘉祿、長洲人，著有「嗣雅堂初稿二集」若干卷，「桐月修簫譜詞」若干卷，尤工駢文。雲伯嘗讌客揚州玉樹堂。他在座間雲伯作「秣陵集」駢體序，援筆立就，洒洒千言，坐客皆歎服。阮梅叔當衆誦讚，至「李供奉脫裘換酒，百年三萬六千塲；杜司勳蠟屐尋詩，南朝四百八十寺」。爲之擊節，座客爲之各浮一大白，比之爲王勃的滕王閣詩序。先娶黃壽玉，爲大藏書家士禮居主人蕘圃之女，故善辨別板本。結婚一年卒，井叔賦悼亡詩百篇，寫「眉嫵殘月圖」以寄哀思。繼娶曹小琴，善書法，爲墨琴夫人弟梧岡之女，繼承爲從姑之任。我們在此評述二王的身世，因爲要表明二王都是當時的奇特人物，他獨爲之推崇，可以想見她自己的胸襟。她嘗置二人詩集於案頭，呼之曰王老先生，小王先生。仲瞿臨終時，以詩稿附之裴之，尙未整理而卒。汪端乃爲之選定。裴之嘗欲刻井叔詩，亦不果行。汪端乃爲之既錄，于病中請于雲伯，必付梓以完裴之人世文字之債，雲伯許諾，不過數日而死。

汪端初歸裴之，生子孝如，彌月而殤。過了一年，又生孝先，姚後失調，體弱多病，繼以選明人詩，太過疲勞，未加靜養，將成怔忡。乃請堂上命裴之納妾，俾自己得安。而其心優文史，以延餘年。裴之乃納秣陵王子蘭爲妾。汪端先期營香畹樓居之。然佳人薄命，不久即卒。裴之著「香畹樓憶語」哭之，人皆比之「影梅庵憶語」。汪端亦著詩十六章，她的庶姑管筠評之曰：「哀思，極沉痛，不妒之美，上符關雎、樛木，非直詩之正也。」她身處多妻之大家庭內，即使欲丈夫不納妾亦不可得，所以請命納妾，乃是僞道學先生之言也。非出于其本心，所謂「順水推舟」而已。到子蘭香消玉殞，作詩以哭，也不過暴露她天生的同情心，爲一般薄命女子一哭，無所謂慟不慟也！裴之後客死漢皋，死的時候，父母尙存，兒子孝先僅十四歲。汪端爲重刊其遺集「澄懷堂遺詩」。她自己做的詩，有「自然好學齋詩集」十卷，現尙有刻本流行于世。總之，她是女性文學史上一位僅見的通俗小說作家！

滄州秋涼（二一）

·文自粹·

這一年在國際方面，美國副總統華萊士訪問我陪都。九月間我軍在緬北滇西會師，並解救了被困的英軍。一到三十四年，德、意、日走上侵略必經的惡運；五月德、意投降，八月日本亦無條件投降。瘦鵑又奉命將疏運來黔庫存金銀，分批運回總行。因爲抗戰八年，才獲勝利，各機關員工乃至逃難西來的民衆都紛紛要早日回鄉，一訪故舊，所以水陸空交通工具都非常擁擠。好在廣東銀行自己有運輸卡車，還比較便利的。撥上汽車，嚴密關防，約了憲兵一排，隨車警衛，浩浩蕩蕩，頭天到了獨山。瘦鵑因爲重視公庫，將庫存放在車中央，前面後面分配憲兵，自己行李皮箱也放在後廂。第二天開車時檢查，庫存都還無恙，自己的行李皮箱不見了，幾年以來，辛苦儲積，乃至春嬌首珍寶都在箱內，車門未被撬開，後廂物件怎會丟失？心知是內賊所爲，但這時公庫爲重，只有嚴令駕駛人員，儘一日趕到桂林，將庫存交代清楚，總算一來一往，整整二週年，近五十億的金銀、珠寶、契據，無一毫損失；只我一家的心血白費了。分行經理電報總行，承特准補助十萬元，作爲獎勵，實在也是補償，總算很難得了。

眞是無巧不成書，三年前在桂林招待所小伴的劉先生，前經發表爲省委兼東江辦事處主任，現在勝利復員，劉先生適改長廣東省銀行，承他的情，調瘦鵑到總行辦理機要。瘦鵑很望能到重要的分行，增多歷練，過了一月，總行就派他爲新加坡分行的副理。新加坡是南洋重邑，僑匯相當豐盛。副理業務也很重要。可惜瘦鵑不服水土，也許是旅中飫食起居疏忽，到星末二月就病，而且一病纏綿。勉強過了年節，請調回省，總行經理又派他到香港分行，仍任副理，兼營業科長，眞是勝地重遊，故交重聚，自是歡喜十分。

廣東和香港的人民都經過日寇殘酷的統治，一舉一動都受無謂的干涉，吃了午飯，說不定晚飯就未必能安然在家。現在中、英、美、法，勝利復員，香港中外僑民無不歡天喜地。也有些廣東鄉下佬，一生節衣縮食，積了些錢；總不肯用，經過這次敎訓，都把人生看透了，鄉下佬攜着老伴，帶着兒媳，全家到港，作幾天舒服寓公，所以香港就更熱鬧了。

那天瘦鵑在辦公室，忽然接到三年不見的才普來的電話，瘦鵑原想請他即來；後來一想萬一同事中有在香港淪陷時知道他的，反爲不美，約好下下五時散値就在半島酒店小[illegible]，好好細談談。

今古齋誌異

談三妖（二）

·常應芬·

玉石琵琶精的原形也有根據。她出現在封神榜第十六回。姜子牙倒霉的時候，在朝歌城中算命糊口。一日，玉石琵琶精心血來潮，她變了一個民女到外面去遊戲人間一番。看見一位老頭子在擺攤算命，她想戲弄一番。不料被姜尚看出她是妖精，於是口吐三昧眞火，把玉石琵琶燒現原形，只是一具玉石琵琶，燒如焦炭。圍觀的大譁，議論紛紛不休。

「武王伐紂平話」說：「臣啓陛下，如今街上有一女子來買掛，先生道：「此女子不是凡人，係上界金星也！」女子見道，化金光去了」。紂王問曰：「卿何姓？」老人曰：「臣是東海人，姓姜名尙，號飛熊。」」

原來封神作者把金星化女來買掛的事加以改編爲玉石琵琶精的。但據我推想：玉石琵琶精恐有尾的原始形態，在未發現新證據以前，姑且止此。

九頭雉鷄的原形，也可窺見原形。三妖除妲己爲進獻之外，其餘二妖爲妲己所介紹進獻的。「武王伐紂平話」說：「紂王問妲己道：「如何教寡人見卿姊姊？」妲己道：「陛下如要見梓童姊姊，去宮內修台座，可高三百尺，名曰「玩月台」，二名「摘星樓」，每年到上元十五夜，於台上宴飲，必見仙娥也。」」

另外墨子非攻篇的記載，也足爲封神作者啓示。墨子云：「武王踐功，夢見三神曰：予既沉漬於酒德也，往攻之，予必使汝大堪之。」女媧是還三妖，這裡是說「三神」。小說家往往是搜集竹頭木屑，加以「加工」附會而成，固不必完全相似也。下期預告：「說七怪」。

要談問題

依調集

辛子

溯自三十八年政府遷台，到今天整整二十年。這二十年，舉國上下，臥薪嘗胆，整軍經武，乃得有目前台灣小康的局面。但不少人却因此而自滿、自誇，根本忘記了我們今天整軍經武、建設台灣，爲的是甚麼？不僅如此，還有一些人甚至連存在於進步的繁榮表面下的問題與危機，致作充目不見、充耳不聞。如當前政治風氣敗壞、社會習尙侈靡、敎育問題嚴重等。當朝袞袞諸公，並非不知道，而是不肯提出來討論，不願當作問題來處理。不但自己不願不肯，即使別人提出來或討論到，也不樂意聽、甚或討厭別人說、禁止別人談。最好是大家都得過且過，粉飾太平。這種現象是多麼危險，這個問題是多麼嚴重！

「自由報」乃是由一批「投筆有心」的敎授學者們所創辦、支撐，用以發表政治主張與交換國是意見的園地，因此我們願提出問題來討論，我們不怕談問題。惟有大家都肯、都敢談問題，我們的社會纔能日漸進步、國家纔能眞正興盛。昔宋神宗時，王安石執政，程明道被召赴中堂議事，安石方怒言者，厲色以待，明道徐曰：「天下事非一家私議，願平氣以聽。」書生報國，唯有文章，幸有權解決問題者勿等閒視之。

催眠術研究（四）

鮑紹洲

四十九、不知者催眠法

所謂不知者之催眠法，即是施於不知者的一種方法。以上所討論的是明白公開表示爲人催眠，這種就是不令人知道而施行的催眠法。如在汽車中，可對同車人施行催眠，不必告知爲他催眠。施術人強烈凝聚其精神力，而暗示：「欲眠」。被術人則閉目深眠。如凝神以舉手，被術便舉手，如令其手放下，被術人便將手放下。全依施術人的敏感而定。大凡精神冷靜者，隨時均可催眠。在汽車中，有車輛行駛的聲，又有微動，這也屬於一種催眠的原理。而被術人曾經受催眠一次者，施術人若在被術人的鄰室或十步以外，在被術人不知的時候，可凝強烈的精神力，以致「催眠」，則可催眠了。

此種原理，爲施術人的精神，自其肉體中發射動作波於空間，而影響於不知的人之精神，以致感觸於催眠是也。這種催眠法，是原於哲學的催眠的原理，這是理論的根據。

自由報

中華民國內政部內銷登內警台報字第〇三一號
中華民國僑務委員會登記證台報新字第三二三號
中國郵政台字第一一二八二號執照登記爲第一類新聞紙

（第九五七期）

（半週刊每星期三、六出版）
元式幣新台價售零灣台・角壹幣港份每
督印黃行靈・社長李運鵬
社址：香港九龍彌敦道593—601號
廖創興銀行大厦八樓五座
LIU CHONG HING BUILDING
7th FLOOR FLAT 5
593—601 NATHAN ROAD,
KOWLOON, H.K.
TEL: K303831
電報掛號：7191
承印：景星印刷公司
地址：葛咸街廿九號地下
台灣總管理處：台北市大同街119號
台灣區直接訂戶　台郵劃撥戶
第五〇五六號張萬有（自由報會計室）
電話：七一四〇三三、五五五三九五
台灣分社：台北市西寧南路110號二樓
電話：三三〇三四六，台郵劃撥戶九二五二樓

帝王與道德經中的聖人（上）

張起鈞

我們可以從老子一書，和幾部古籍中，發掘出不少道家思想的線索，但我們的努力只成功了一半，因爲我們尚必須把這些線索連成關係，進一步的去證明老子書中的前人思想，即是古籍中所含的道家思想。

爲了作這進一步的證明，我們必須首先找到其間相交的焦點。這一焦點就是「聖人」兩字，在儒家的幾部古籍中也常提到「聖人」兩字。如果這兩方面所談的「聖人」是同一性質的聖人，也就是說他們所提到的聖人，即是歷史上眞實的人物，那末老子思想的源流，便昭然若揭了。

現在我們先看看老子一書中所謂的聖人。

①老子書中「聖人」的性質：

老子書中提到「聖人」之處，共有二十三次：

（一）第二章：「是以聖人處無爲之事，行不言之敎……」

（二）第三章：「是以聖人之治，虛其心，實其腹……」

（三）第五章：「聖人不仁，以百姓爲芻狗」。

（四）第七章：「是以聖人後其身而身先，外其身而身存」。

（五）第十二章：「是以聖人爲腹不爲目，故去彼取此」。

（六）第廿二章：「是以聖人抱一爲天下式……」。

（七）第廿六章：「是以聖人終日行，不離輕重，雖有榮觀，燕處超然，奈何萬乘之主，而以身 天下……」。

（八）第廿七章：「是以聖人常善救人，故無棄人……」。

（九）第廿七章：「聖人用之，則爲官長……」。

（十）第廿九章：「是以聖人去甚，去奢，去泰」。

（十一）第四十七章：「是以聖人不行而知，不見而名……」。

（十二）第四十九章：「聖人無常心，以百姓爲心……聖人在天下，歙爲天下渾其心，聖人皆 之」。

（十三）第五十七章：「故聖人云我無爲而民自化……」。

（十四）第五十八章：「是以聖人方而不割，廉而不劌（刀旁）……」。

（十五）第六十章：「聖人亦不傷人……」。

（十六）第六十三章：「是以聖人終不爲大，故能成其大……是以聖人猶難之……」。

（十七）第六十四章：「是以聖人無爲故無敗……是以聖人欲不欲……不貴難得之貨……」。

（十八）第六十六章：「是以聖人處上，而民不重……」。

（十九）第七十章：「是以聖人被褐懷玉」。

（二十）第七十二章：「是以聖人自知不自見……」。

（二十一）第七十三章：「天之所惡，孰知其故，是以聖人猶難之」。

（二十二）第七十八章：「是以聖人云：受國之垢，是謂社稷主……」。

（二十三）第七十九章：「是以聖人執左契，而不責於人……」。

綜合以上二十三個例子，使我們有兩點認識：第一是老子所提到的聖人都是出於讚美的，都是把他們當作偶像來崇拜。第二是這些聖人都與政治有關，其中有的更明言他們是萬乘主，社稷主，且指寫他們爲聖人之治。

對於第一點，也許有人懷疑的說：老子第十九章中曾說：「絕聖棄智，民利百倍」，既然老子要「絕」「聖」爲什麼要歌頌「聖人」，豈非矛盾？事實不然，老子在「絕聖棄智，民利百倍」下，接着說：「絕仁棄義，民復孝慈」，既然要絕仁棄義，爲什麼要提倡孝慈呢？這是因爲仁義是觀念，是空名，而孝慈卻是實際的德行。同樣聖與智也只是一個空名，所以老子要捨空名而求務實。而聖人卻是指具體的歷史人物，這些聖人之所以爲老子所稱頌，乃是因爲他們都懂得治世之道，雖然他們身都俱有「聖」和「智」，但在他們爲治時，卻不顧鼓吹「聖」，「智」，以免人們追逐於虛名，其間非但不矛盾，相反的，卻是道家無爲之治的運用呢？所以在這裏我們很清楚的看出老子所稱頌的聖人，絕不像莊子書中的至人，眞人等理想的人物，而是指有血有肉的歷史人物。

這些歷史人物是誰？我們且慢下結論，先把易經中所提到的「聖人」，和老子書中所歌頌的「聖人」比較一下：

易經乾卦：「知進退存亡而不失其正者，其唯聖人乎」！

易經豫卦：「聖人以順動，則刑罰清而民服」。

易經觀卦：「聖人以神道設敎而天下服矣」！

易經咸卦：「天地感而萬物化生，聖人感人心而天下和平」。

易下傳第二章「上古穴居而野處，後世聖人易以宮室……上古結繩而治，後世聖人易以書契，百官以治，萬民以察……」。

顯然的，易經中的聖人和老子中的聖人，性質相同，他們一方面懂得天道，一方面又從事於政治。可見老子的聖人即易經中所指的聖人。

在禮記的中庸篇裡，曾讚美聖人說：「大哉！聖人之道，洋洋乎發育萬物」。又說：「子曰舜其大孝也與！德爲聖人，尊爲天子……」。禮記和易經同爲儒家的經典，當然他們所指的聖人是同一類型的。那末，老子所謂的聖人，既然與易經中的聖人相同，自然也與禮記中的聖人相同。而禮記中明白的指出舜的道德可以配稱爲聖人，所以老子所說的聖人，可以推想是指與堯舜等相似的古代的聖君或賢相了。

然而舜等聖君賢相都爲儒家所推崇，何以又爲道家所讚美呢？這是因爲在中國的政治舞台上，只要是明君，只要是賢相，他們的言行中，都含有道家的成份。漢書藝文志中所記載的道家，在老子之前的，便有伊尹，太公，辛甲，鬻子，管子等數家，這些都是輔弼之臣，其中像伊尹，管子等，都是一代的大政治家。漢書藝文志把他們都含有道家思想，才有這樣的歸類，都是很明顯的事實。

至於古代的許多明君們，像堯舜禹湯文武周公等，由於孔子的讚美，爲儒家所推崇。因此後人都認爲他們是屬於儒家思想的範圍，而忽略了他們所含的道家思想，忽略了道家思和源流也是以他們爲開端的。

現在就讓我們從這個開端說起：

中國古代的帝王，在司馬遷的史記中，是以黃帝爲開始。但在黃帝之前還有伏羲，神農等人物。據易經所記載：

「古者包犧氏之王天下也，仰則觀象於天，俯則觀法於地，觀鳥獸之文，與地之宜，近取諸身，遠取諸物，於是始作八卦，以通神明之德，以類萬物之情。作結繩而爲罔罟，以佃以漁，蓋取諸離。包犧氏沒，神農氏作，斲木爲耜，柔木爲耒，耒耨之利，以敎天下，蓋取諸益，日中爲市，致天下之民，聚天下之貨，交易而退，各得其所，蓋取諸嗑」。

這段話說明伏羲和神農對中國文化的草創之功，他們是儒家所奉爲的聖人，也是道家所尊爲鼻祖。但尤於伏羲和神農的治績太渺茫，所以道家常常抬出功業顯赫的黃帝作爲他們的聖祖。

本報將屆廿週年

歐陽鑫

昨日與明日

今年的六月二十六日，爲本報正式定爲二十週年紀念日，本報在致各界首長函中謂：「敬啓者香港自由人三日刊，創始於民國三十九年（一九五〇年）韓戰爆發之秋，由海外華僑社會中，各黨各派人士共同經營，爲民主思想而努力奮鬥，旋以原創辦人多數離港，乃於民國四十六年停刊，而本報同人，乃繼踵前修，賡續出版，舉凡編輯方針與言論宗旨，胥與自由人一脈相承，了無異致，迄今正是二十週年矣，同人等緬懷往事，軫念來茲，擬發行特刊，藉資紀念，敬希惠予支持，賜撰鴻文以光篇幅，毋任感禱。

港外業務發展

自由報在香港出版，發行區域偏重於東南亞十幾個國家暨歐美各地，本報於一年前在全球各重要都市，約定了三十幾位代表人，（率多學者），目的在達到在太陽的地方就有中國人，有中國人的地方就有自由報。本報同人，努力不懈，國外業務已漸次展開，在祖國的發行額，幾與香港相伯仲，益證明一分精神一分事業。

本報的風格，拘定大作家寫小文章，小報紙談大問題。自由報在港出版二十年，目睹本港七八家日報，晚報，興仆起伏，不一而足，而被人視爲純粹學人經營之報紙，不假政治力量，不仰財閥資助，言論始終獨立，而自由發展達二十年者，惟自由報，自由報能受到政府朝野重視，與海內外知識份子一致支持者，道理也在此。

以資產爲本位的社會，凡百事業，經濟爲先，猶其辦報，上焉者自懷黨見；求其次，各衛其主；較下者，生張熟魏，朝秦暮楚，制售客賣，自無言論。而自由報者，寒士一羣，敖骨天生，認定找尋眞理，獲得眞理，乃我們辦這張報的目標；更認定自由中國有自由，自由中國就是我們的國土，猶其國外辦報，到國內受欣賞，一如衣錦還鄉，雖苦亦樂。

同人竭盡心血

本報社長李運鵬，從事報人生活三十幾年，一生不問政治，不兼他業，專心一志經營報務，於去年接辦自由報時，台灣發行數是一七〇〇份，經過一年的整理拓展，於本年六月底前，可突破一萬份進口紀錄。（註：一萬份自由報勝過一般報紙十萬份，根據名學人錢穆、顧翊羣、吳經熊、曾約農、查良鑑、劉振東、林語堂、沙學浚、錢用和、熊式一，近百位學人語記者，他們都是將每期自由報從頭看到底，顧翊羣等全家看完後，更將這張報航空寄到美國給親友，證明自由報甚少走馬看花讀者）。

他如泰國，馬來亞，越南，緬甸，菲律賓，印尼，紐西蘭，沙勞越，中東地區，歐洲地區，南北美地區，澳洲地區，自由報業務，均有顯著進展，巴西和倫敦兩航空版於最短期內將可實現，就本報同人來說都是興奮消息。本月份又派沈以恒君從台灣前往西德擔任駐西柏林特派員，其使命即在發展歐洲地區業務。

台灣區域的讀者，對自由報的誠摯愛護，更勝過各地僑社，有時因上版抽稿，有時受機場檢查而延誤時日，函電查詢此起彼落，充份表現出祖國讀者對本報所寄予的關切。又本報在台灣地區的贈報有七百份，從上月起每份每月加收航空郵費拾元，以資挹注，各贈戶一致響應，劃撥款雪片飛來，據說李嗣聰，鄭彥芬，梁寒操，魏壽永等都親自塡單劃撥，或親送報社。前掃蕩報主持人蕭贊育來函謂：「貴報自閣下接辦以來，內容生動豐富，一改舊觀，極堪欣佩，茲滙繳到六月底爲止，郵費六十元，即請查收……」同人等於感激之餘，誓當竭盡心血，忠誠爲自由報讀者服務，冀能與復國工作同底於成，亦我們最高願望。

自由談

談先憂後樂

宋代人士范仲淹作秀才時，聲言「以天下爲己任」，要先天下之憂而憂，後天下之樂而樂。後世讀史者每豔稱之，認爲這是了不起的人生觀，實則多見其爲自我陶醉的空話而已。

古時的秀才，尤其量跟現代的大學畢業生一樣，社會上到處都是的，失業落魄者車載斗量。你縱然胸懷大志，用世心切，但高據廟堂之上的政治大亨們，個個都是允文允武的犖犖大才，治大國如烹小鮮，並不需要你這窮秀才來相助爲理。你跟他們既沒有戚誼、寅誼、世誼、學誼的淵源，又缺乏小組織的派系關係，光憑一股從政的熱情，滿目時艱，竟以天下爲己任，誰來理你？你要先天下之憂而憂，憂死了亦是活該，還要落得一個「妄自矜狂」的譏評啊！

談到後天下之樂而樂，更是不足爲訓。人生及時行樂耳，須富貴何時？別人都是今朝有酒今朝醉，或上酒家，或入舞場，或逛歌廳，或游風化區，而你卻抱持窮秀才的起碼資格，妄作憂國憂民的讀聖賢書的志士仁人狀，藜藿自甘，過着清苦生活，期待達官貴人賞識你的清操視爲不可多得的奇才異能之士，予以拔擢。這樣，你根本就是不合時宜的人物，大家就心你是個不聽話的傑傲不馴之徒，避之若浼。所以，世俗之所謂「公共關係」，實際即指嫖賭吃喝之類的賞心樂事情形而言，沒有給要人們搞通「公共關係」的本領，而欲以迂闊拘謹的書生結習，刻苦自勵，希望在政治上平步青雲，紆青紺紫，這不是幻想嗎？

不錯，范仲淹後來曾是位列三台的宰輔人物，他那「先憂後樂」的法螺似乎吹響了。可是，請翻翻中國的歷史紀錄，類乎范秀才這種「先憂後樂」的士大夫不知若干，卻未見再有如范秀才的際遇者。因此，我懷疑范秀才說的是一套，做的又是一套。譬如我們口口聲聲說要復興中國文化，官越大的，叫的口號越響亮，然昧廉鮮恥，悖禮蔑義的行爲，在政治界乃屬司空見慣之事，毫不稀奇。

貧居陋巷而高談先天下之憂而憂的，是瘋話，侈言後天下之樂而樂的，是廢話，所謂不識時務，不通人情的高調而已。

馮子先生

「蕉案」登峯造極
徐柏園被免職
有無刑責胥視案情發展
或謂責任確定再無意外

（本報記者公孫熊台北消息）總統于五十八年四月二十九日發佈明令：中央銀行總裁、行政院政務委員徐柏園呈辭本兼各職並請處分，查該員在前行政院外匯貿易審議委員會主任委員任內，對青果外銷業務督導不週，用人失當，着即免除其本兼各職此令。特派財政部部長俞國華暫兼中央銀行總裁。此令。

總統命令公布後，剿蕉案對於涉嫌之官員，已發展至最高層，本案第二階段之行動，象徵至此已將告一段落。

台北各報多謂徐柏園過去對國家財政貿易推展頗具功績，藉此正可優游林下。據悉調查人員在整理青果合作社的賬册中發現有中央銀行總裁徐柏園名字在內，其記載爲該社吳振瑞贈送徐柏園金質紀念品果盤。並悉係三十兩的金果盤。徐究否收受？是否涉有責任問題？正待發展中。

惟據捲入案中之外貿會香蕉輔導小組執行秘書譚玉佐，曾於徐柏園未被免職以前，對辦案人員之一連串犯罪調查談話中，把一切責任推給他的上司，他曾說：他僅是香蕉小組一個幕僚，所有香蕉小組產銷政策，均奉上級命令發辦，他個人決沒有決策權力，更不可能片面批准吳振瑞卅七萬九千簍香蕉輸日特案。譚且力稱：拿取權利金，是絕對不可能的事。

譚玉佐於爲自己辯護時還提出了一大堆外貿易香蕉小組呈批，及與青果社來往公文作爲辯證。

他雖一再提出是奉上級命令，發辦各項香蕉產銷公文書。但譚玉佐在青果社賬册上所顯示，「吃」青果社的數字相當的驚人。據其供稱：這龐大數字，並非他個人獲得的不法利益，有些是青果社冒用他的名目，但也有不少他是替罪的「羔羊」。

雖然上述各端在在與徐柏園不利，但一般相信：就最高當局所已發出的命令而言，徐柏園的責任，業告確定，而對徐柏園的處分，就一個特任官而言，似亦已達於極致。

譚玉佐的供詞對徐柏園不利

此外尚有不同之看法：如依譚玉佐所供，以及青果社賬册上所顯示「吃」的驚人數字，以及「也有不少他是替罪羔羊」等情事，既已傳播社會，就應明確交代，法律之前人人平等，特任官既被免職，何有例外？問題不在於所謂重達卅兩的金果盤，徐柏園究否收受。而在於三十七萬九千簍香蕉輸日特案以及其他決策實施上，徐柏園究否與吳振瑞有勾結，究否有使譚玉佐作「替罪羔羊」之情實。如果沒有明確交付法律審判，則所謂「刑不及上大夫」，更非今日之民主法治所宜。而總統之對徐柏園免職令，係一最公正之行政處分，並無免除司法追究之含義。

報載某人士有進一步指出：「免職令中既已將徐柏園責任確定，如欲擴大徐柏園之責任，似亦須由決策方面決定，負責偵辦本案之單位，除提出其資料而外，當無能作任何決定性之決策」。此說亦含混不清，因司法中之檢察、調查人員係負責刑事偵訊調查，固須受上級命令指示，當無指事審判官之獨立權限，但剿蕉案係刑責中之較複雜者，青果社理事職員等所涉嫌不外侵佔、或行賄等。而在主管官員方面之涉嫌，當以貪瀆刑責爲主，外貿會之香蕉小組又爲首當其衝者，如在決策上果有受賄情事，則徐柏園之受訊問或作證，均爲不可免之事，檢、調人員如有須要例當行之，昔年尹仲容長經濟部時於揚子公司案時，檢察官亦曾於其寓所偵訊筆錄取證一切。徐柏園今已免職成爲平民，檢調人員如因案有其須要，想無所顧慮必要。

統購服裝簿本及課桌等
北市國中積弊重重
市議會已調查得一清二楚
主張經辦人員應受處分

（本報記者張健生台北通信）台北市各國民中學在去年代辦理制服舞弊一案，及代辦學生簿本不合規格一案，和教育局主辦全體國民中學所需課桌椅有偷工減料、粗製濫造及材料油漆等均不合規定一案，均經台北市議會教育審查委員會費時數月，調查得一清二楚，認爲確有非法之情事，各主辦規劃小組人員未盡職責，應受行政上的處分。

關於國民中學之服裝、簿本、課桌椅等問題，監察院爲明瞭有無不法情事，曾推監察委員葉時修、王文光二人調查，結果，調查報告「存」了，這就是說國民中學並無不法情事，故監察院的調查不及台北市議會的調查報告內容充實，實在值得監委們虛心研究！

台北市議會議員紀明、陳天來等，於第七次臨時大會提臨時動議略以：「爲本市國民中學各項設備或代辦事項，都因價高質劣不無弊端，請大會組織專案小組徹查，公諸社會，以釋羣疑」一案，經議決：「交教育審查委員會調查後提下次大會報告」。由於該審查會無司法警察權及各項儀器設備，致不能深入調查。

關於國民中學代辦學生服裝舞弊案部份：台北市教育局五十七年五月十五日指定大直、北安、建成、永春、市農附中等五校校長組織「服裝規劃小組」，由大直國中校長爲召集人。

參加投標廠商有十三家，實際上以臘價得標者爲蓬萊被服股份有限公司、中崙實業公司、光華行被服工廠、大明實業公司、文興企業公司、凱南工廠等，唯臘價得標廠商得標後轉包於三德實業公司、久享與中一廠等三家，服裝規劃小組未依規定制止，故有人懷疑該小組可能涉嫌串通舞弊。

服裝未依規定
涉嫌串通舞弊

按照合約規定，學生服裝布料爲華隆公司出品之「優耐牌」。但台北市議會調查報告指出：華隆公司出品之「優耐牌」布料早已賣完，很久未再染製出售。這次承包台北市國民中學服裝的廠商，係向億興公司購買。

台北市議會調查報告書之「檢討與改進」意見如下：

第一、服裝規劃小組未能善盡職責，彼此推諉，敷衍從事，以致流弊叢生，乃人謀之不臧，應請市府議處。

第二、規劃小組調查華隆（12060）布料單價，每碼四十四元五角，係零售價格，成批購買每碼只需四十二元。

第三、規劃小組調查長袖上衣及長褲各需布料兩碼，查華隆「優耐牌」（12060）布料，係屬闊幅，且國中一年級學生，平均身材較矮，每套平均只需一點六碼，相差一點四碼，再以每碼四十二元計，每套服裝布料相差達五十八元八角之多，總價相差則爲數至足驚人，顯係調查底價不實。按：台北市國中學生服裝總數爲一十一萬六千二百卅三件，總價款爲新台幣七百一十一萬八千七百卅八元，以每套相差五十八元八角計算，約差四十餘萬元。

第四、查各校所填學生規格數量調查表，及開標結果，暨各校合約附件：（一）對布質均規定爲華隆公司出品之「優耐牌」或「天然牌」，凡服裝早已交貨（去年九月開學後不久即交貨），今經請規劃小組通知各校，轉請承包商提出購布證明或發票，迄今多數學校未能提出有證明，實爲重要關鍵，應請市府會同規劃小組轉各校已繳服裝抽樣送檢驗局鑑定究用何種廠牌布料代替，如驗證與規格不符，則應責承包商負賠償之責。

輾轉承包於中取利
魚目混珠敷衍塞責

第五、大直、仁愛等國中所送承包商向華隆公司購布發票，經核對規格單價均不相符，因華隆公司布料種類繁多，若敗壞商德，魚目混珠，亦應追究責任，以正社會不良風氣。再查合約樣品與規格又不相符，且多數褲料襯料紗根不足，具見規劃小組辦事粗忽，各校驗收人員只求量的通過，而不作質的查驗，尤爲敷衍塞責，教育局應加究辦。

第六，開標過程中，與中崙公司單獨議價者計有大件十二件之多，與其他廠商議價者僅有小件四件，厚此薄彼，實有操縱之嫌。

第七、依規劃小組所送資料，承包商共計六家，實際承包各校制服者計有九家，輾轉承包，而規劃小組竟未加制止，其故安在？

第八、學校爲學生代辦服裝，旨在爲家長服務，藉以節省時間物力，且收統一整齊之效果，今查大直及金華國中由學校單獨招商代製冬裝，對台北市議會調查竟不予塡報，諉稱係學生自由購買，試問學校如不允准，商人怎能到學校大批承製，並且訂承製契約？顯然言行不實，有損教育尊嚴。

第九、查五十七年服裝標價均比五十六年爲低，事實勝於雄辯。而台北市教育局總務秘書熊本善五十七年六月十九日在規劃小組開標底價會議時指示：「學生服裝聯合招標底價之訂定，希詳細議定，因今年布料雖價格較低，但人工、稅金實有增加，希比照去年（五十六年）底價訂定之。」既未切實調查，詳加分析，作客觀之依據，只說服裝承包商要用工人成製及繳納稅金，所以必須維持去年底價，但布商同樣要用工人紡織及繳納稅金而布價反較去年降低，其標購服裝之底價衡乎常理亦爲隨之酌予減低，故對熊秘書未能顧到減輕學生之負担而竟作前述有利商人之指示，不但令人難解，更難以自解。

簿本紙質低劣
招標何其匆匆
驗收馬虎值得追究

台北市議會調查報告書提出移送市政府後，尚未聞有受到行政處分。

至於台北市國民中學簿本規劃小組，五十七年五月十五日，由教育局指定金華、華江、長安、興雅、螢橋等國中校長組織之，並由金華女中校長爲召集人。國中簿本統一招標，樣式及紙質均一致，簿本發包總價款新台幣二百三十九萬四千六百四十八元八角三分，計一百四十六萬六千一百二十五本。

但據台北市議會調查報告書指出：去年五月卅日僅在某報刊登招標公告一文，但在市女中校門口張貼公告五天，此種作法，若與學校無交往之廠商，實難得到消息，當然失去投標機會，甚不公平。如此構想，不知簿本規劃小組之用心何在？若以往各校招標，均用此種方法，則何怪千萬家長，嘖有煩言。簿本規劃小組對於招標底價，竟於調查，且欠詳盡之成本分析，引以爲憾，各科簿本，均以五十六年底價爲準，但是依樣畫葫蘆，缺乏崇實務本之服務道德，應加糾正。

調查報告謂：參加投標廠商爲十六家，而承包廠商爲十三家，等於集體協標。

關於包商減料及小組單價成本分析部份：內頁用紙規定中興六十磅模造紙，每令三三六元，經抽查內頁用紙係由台紙五八磅模造紙，每令二七五元，兩相比較，每令差數達六十一元，爲數甚鉅，所謂減料弊端即在此；封面規定用中興八五磅書面紙，每令四百五十元，經抽查簿本封面係用台紙八十磅書面紙，每令四百廿元，相差爲卅元，爲數亦不小。依合約第六條規定，「各種簿本於交貨時免費加交百分之三作爲損耗補償之用。」此種利益歸誰所有。

，似爲弊端之源：台
北市教育局雖明責
任依法辦理驗
收工作，衡
組並未規定
，各校亦無
意見，實
檢討改進的
最後，
中課桌椅之
北市議會
一月間即
同意由市府
」。然而市
五十七年
大同、萬華
景美、北政
成課桌椅
，拖延時間
之久，未能
辦理，致
於時限，
趕工，形成
之事實，
落成與桌
不切取配合
援，益使
求。
台北市
國民中學
費，編列在市
辦，若推

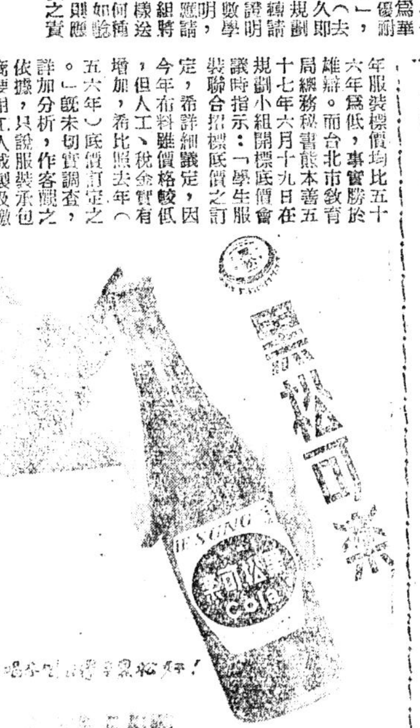

司馬遷與史記（下）

·謝木火·

3、至於幫助劉邦定天下的諸大臣，如蕭、曹、樊、滕之流，司馬遷亦極諷刺之事，一則曰：「方其鼓刀屠狗賣繒之時，豈自知附驥之尾：：德流子孫哉？」再則曰：「才能不過中庸」意思是說他們統統是趁時會，因人成事而已。

4、司馬遷在諷刺整個漢代及漢初人物之外，時常揭發漢家一貫相承的嚴刑峻法與刻薄寡恩。高祖自不必說，文景二帝似乎是忠厚的人，其實不然。例如張釋之列傳中，文帝為一人驚了自己的馬，就要致之死地，可見這位廢除肉刑的文帝，也是一個偽君子而已。

5、可是司馬遷所要諷刺的最大目標，卻是漢武帝。在封禪書中，整個文章，都是寫武帝之愚蠢、幼稚與可笑的。比外，在酷吏列傳中寫漢代慘酷的家傳，而尤重在武帝，其中還有「天子聞之，以為能」之語，可見武帝是暗許的。在高祖功臣侯年表中說：原先受封的百有餘人，到了太初，百餘年間，只存五人，原因是網太密！除此之外，有些散布在各篇夾縫的，還有很多。

現在我們再看看他諷刺的手法：一則用揭穿事實的方法，如他寫景帝，只說周亞夫死後，乃以王信為蓋侯，就夠了（周亞夫生前不贊成王信為侯）。二則用無言的諷刺，凡是他不贊成的事便不去寫，如循吏列傳中不敘漢代。三則用互見的方法，四則用指秦罵漢法。

撇開司馬遷的一切文學造詣不談，即僅以諷刺論，他應該坐第一把交椅的。

八：結論

司馬遷和史記，值得討論的地方當然還不止這些，譬如談到司馬遷的學問由來以及他與先秦諸子思想匯通處，或者是史記一書的缺和補的問題，那還是需要長篇大論。最後引梁任公的兩段話作為本文的結束（見中國歷史研究法補編）。

史記每一篇列傳，必代表某一方面的重要人物，如：孔子世家、孟荀列傳、仲尼弟子列傳，代表學術思想界重要人物，……如四公子列傳，刺客，游俠列傳代表當時社會一種特別風尚，大都從全社會看跟，用人物來作一種現象的反影，並不是專替一個人做起居註。

太史公家學淵源既深，生於天下之中央，而足跡遍海內，其於孔子之學，獨得力於春秋，而南派，北東派（指管子、鄒衍）、北西派（申、韓）之精華，皆能融化，又世在史官，承胚胎時代之舊思想，以入於一百三十篇之中，雖謂之為上古學術思想之集大成，可也。（完）

最老民間讀物——通俗日報

文滙樓剳記

·文匯樓主·

民國卅一年，我與朱經農、李運鵬、俞頌華、李曉清、馬漢嶽（南宮搏）、李持潔等同服務於湖南通俗日報（宣統元年創刊），朱經農是湖南教育廳長兼通俗日報董事長，俞頌華，當時大剛報總主筆與李曉清分任主筆與總編輯，馬漢嶽編通俗副刊，李持潔主持編務，黃印文為駐重慶特派員。樓主為總顧問。

朱經農是中國教育家，未為官前，聲望地位與胡適相伯仲，俞頌華為前上海申報總主筆、東方雜誌總主筆，是一位有個性、有氣節、有作為、的標準報人。一般稱其為文章醫生，他會將張季鸞寫的一篇社論，找出二十幾個毛病，學生們眞是佩服到五體投地，跟他讀過書在滬台的學生，計有：余利民、耿修業、徐鑄成、黃宣威、胡鴻烈（香港大法官）、孫如陵、張明、唐煜、吳俊才、沈錡、劉耀文、費暨楨等，俞頌華在重慶小溫泉中央政治學校執教，對學生如若子姪，有儲裕生嚴問天，師學文（女）、李潔持（女），十餘同學於五點下課後，循溫湯河划船或散步到俞府，遇飯吃飯，飯後照例談到很晚，然後借馬燈踏入歸途，次日送還馬燈，又遇飯吃飯，如是一週，師母固吃不消，頌師亦被迫拿出辦法，特備廉價的小白紙燈多隻，燈上書明此燈毋庸再勞送還，這些年青時的回憶，順筆寫來仍覺有味。

湖南通俗日報，從前清起，歷由學台衙門主辦，到了國民革命北伐完成，主管單位是教育廳了，報社的全銜是「湖南省立通俗日報」，又在習慣兼辦「湖南省立通俗圖書館」，不過從宣統元年直到民國三十年，通俗日報社長人選皆有功名的人担任，舉人、進士、八貢都有，但不第秀才，則甚難問津，且有人說，湖南教育廳是一條「馬奇諾防線」，用堅甲利器，也攻不破的。又謂教育廳有龍頭龍尾，龍頭所指是主任秘書周調陽，龍尾所指是第三科長余先勵，其實都是一些中傷的話，包括擁有雷霆萬鈞之力的兼主席薛伯陵都信以為眞，事實上，周、余皆品德兼優飽學人士，朱經農亦非人能左右的，民國卅年，朱斷然決定整理通俗日報，請一位青年報人李運鵬主持湖南省立通俗日報，直到省府會議通過，順理成章，明令發表，並未遭遇到任何甚麼阻碍，證明「謠言天天有，不聽自然無。」李比民國小幾歲，湖南通俗日報交接時，有鳴炮有賞賜，李口袋未裝錢，顯得尷尬，事後雖照補，味道究竟不同了。

湖南通俗日報，當時的發行數是一萬幾千份，可窺出該報深入農村和普及社會情形，不僅省政府、教育廳一再傳令嘉獎，軍事委員會　蔣委員長親題「導俗以正」頒發訓勉，湖南省議會副議長嘉惠在議壇上公開的說：「湖南通俗日報發行量將近兩萬份，僅次於上海天津幾家大報，特別在抗戰期間，對安定民心，鼓舞士氣卓著成績，聞該報每月經費仍為二千七百元，祗能吃到三十餐客飯，這是甚麼搞法……」不像現在辦官報，多的是財產，有的是鈔票，後來朱經農做上海商務印書館總經理時，仍念念不忘湖南通俗日報這一階段。

喬治桑外傳

六四

張大萬

「那恐怕不方便吧，日本人帶的一定是不三不四的女人，我夾在當中算甚麼？」雅麗絲這幾句話說的有理，喬治桑很難再勉強她。

「不是的，這兩個日本人要和牛董事長合辦製藥廠邀我合作。我介紹妳與他們相識，將來可以替妳謀一個兼差，或者送妳一點乾股，你看好不好？」喬治桑很懂女人心理，女人是沒有不好財好貨的。這一着果然有效，雅麗絲口風立轉。

「我不會講日本話，酒量又不行，與日本人交際恐怕不行吧。」

「沒有關係，他們都會講破碎英文。黃酒讓他們儘灌好了，並不要妳多喝酒，有我扈從，妳什麼也不必怕。」喬治桑以護花使者自居，總算約好了雅麗絲結伴赴宴。

「我只參加宴會，飯後節目恕我不奉陪。」雅麗絲李婷於是無條件的應允了。

「這，妳可放心，日本人見了酒不醉不休，那裡會有飯後節目？如果妳有興緻，吃完飯，我們倒可以去玩一下。」喬治桑的意思是想將晚上時間分為兩截，吃完飯由他和雅麗絲在一起，更有情趣。

雅麗絲聽了喬治桑這一番話，未置可否。

叮叮噹噹，門鈴響。目前台灣大戶人家裝門鈴，講究裝一個八音帶音樂旋律的，如此，客人來到按門鈴，不會使主人家聽了驚心動魄。

「妳去看一看，也許是古有方先生來了。」喬治桑顯得很關心，非為別故，而是想了解昨晚郝家戰況。他已經送了三百美金壽禮，到底有點肉痛。這三百美金拿來與雅麗絲一同吃喝玩樂足數十次以上的消耗，豈不痛快？

一會兒工夫，雅麗絲領了一張名片進來，喬治桑一看這張名片禿上既無銜頭，又無地址電話，光禿「桑敬業」三個字。

「我一看這人一副潦倒相，我怕他是來向你借錢的，所以推說我剛從外面回來，叫他等一等，你要是不願見他，我便去回絕他，這個姓桑的是不是你的本家？」雅麗絲是很機靈的，她一看來客衣冠不整，立即保留了主人接見與否的彈性。

「嗯，他是我一個遠房的姪兒，已經出五服了，上次我來台灣，他託我找事，我介紹他到私立南方中學教書，他只有一個老婆兩個孩子，儉省點也可以過得去了，又來找我做什麼？」喬治桑緊皺眉頭，似乎是很不高興的樣子。

「那你要不要見他？」雅麗絲問。

喬治桑沉吟了幾秒鐘，輕輕向雅麗絲說，「妳告訴他我到南部去了，不知道幾時才能回來，妳問他找我有什麼事？」

（未完）

雷震與「自由中國」

當年內幕誰知道　一番往事話從頭

王曰叟

（一〇）

上次說到「自由中國」選出的編輯人選都是文化界的實力份子，自由學人的象徵人物，甚至說他們都是文化界的一路諸侯——什麼意思呢？這話要從北平文化界的概況說起：

在抗戰前，有一個馳名全國，最具權威性的刊物：便是在北平發行的「獨立評論」。這一個印刷既不精良，又無編排技術的薄薄週刊，何以具有如是的權威呢？那是因為主辦這刊物和寫稿的是胡適，和北大清華的許多權威教授，所謂物以人貴了。原始基本的人員，除了胡適外，陶孟和、張奚若、蔣廷黻、張佛泉、陳之邁、王化成、傅斯年、蕭公權等，其後陶希聖、翁文灝、陳雪屏、張忠紱、李長之……等人也都紛紛撰寫文章，當時社會上籠統的稱這些人們為「獨立評論派」。等到抗戰勝利後，北大清華復員到北平，所謂獨立評論派的人物，作官的作官，出洋的出洋，已是星流雲散，加以社會的環境，又大大的變遷，再想恢復昔日之盛，已不可能，於是便改絃更張，成立「獨立時論」社，重價徵求有份量的文稿，發售給全國各大報紙，約定同日刊出，作為星期論文。例如本報社長李運鵬先生，當年在衡陽自辦的中興時報，是這「獨立時論」論文的訂戶。

獨立時論社是誰主辦的呢？不消說當然是胡適，實際主持的，是當時與胡先生最為接近的張佛泉、崔書琴兩位教授，這種辦法是張佛泉先生提議設計的，而實際推行則是崔書琴教授。獨立時論社的社址，便設在中老胡同崔先生的家。而許多行政業務，便由崔先生的夫人徐遠暉女士担任。由此可見張、崔兩位對於遠承獨立評論的「獨立時論」，是如何的重要了。而現在「自由中國」所推出的兩位副總編輯，就正是這張、崔兩位。

總編輯一席，所以推定毛子水教授，除了由於年高德劭外，並因他與胡適先生的關係較之張、崔兩位更接近，張、崔兩位與胡先生之接近，是在其思想看法，而毛先生之接近，即是在生活。當時到東廠胡同校長寓宅去看胡先生的，經常會碰到毛先生，並且是翻翻書籍，悠然閒坐，而非是作客。胡先生離開大陸，到美國去後，毛先生是與之固定維持聯繫的人氏，因此擁毛先生也就等於象徵式的把胡先生拉進來，而後來，雷震所以能招搖壯勢，把發行人的帽子，強扣在胡適身上，也不是毫無淵源的，其道理就在此處。

至於另一位副總編輯張起鈞的來歷如何，且容老叟下回分解。

政治垃圾現形記（一）

李槃

垃圾原是一種廢物，它對人類社會只有妨害健康的發酵遺臭作用，非隨時加以掃除不可。所謂「政治垃圾」云者，也就是指那些貽臭人間的過氣官僚政客。他們曾經顯貴一時，造孽不淺，貽害孔多，表面上像是為國為民的英俊瑰奇之士，然其所作所為，卻屬於昧廉寡恥的卑鄙齷齪之流，把他們的本來面目鈎畫出來，俾衆欣賞，對於世道人心，似乎不無裨益，亦即人們掃除垃圾之意云爾。

遠在民國初年，有「平江不肖生」寫過一部「留東外史」，他聲明是專寫一般不讀書而祇知荒唐胡調的假留學生的生活史迹，藉昭炯戒。至於眞正出國求學的士君子，應在贊歎悅服之列，不敢妄加月旦的。區區撰述本篇的用心，亦與平江不肖生寫留東外史的動機相同。我所縷述的事情，固非荒無故實之談，但個中人的姓名卻不能不加以隱諱，藉存忠厚，讀者如果留心近數十年來的中國政治史迹，也就不難想像得之，心照不宣呵！

第一回　幕楚朝秦，官場誇得意　慢妻寵妾，醜劇誤終身

話說我國滿清王朝末造，外患頻乘，國難嚴重，朝野人士相率講究洋服，提倡出洋留學，而以赴日本游學的人最多。迨辛亥武昌首義，推翻滿清帝制，肇建民國後，各省文武顯貴，十九都是留日出身的新進人物，因而陸續前往日本留學的更見踴躍。當年出國留學很隨便，並無資格限制，小學沒有畢業的，只要有點錢，即可出洋鍍金，身價倍漲。這些去到日本的留學生，有少數是由本國政府以官費派往學習陸軍的，直接進入「日本士官學校」，此外大多數的人，都是先考文學堂，考不進文學堂，才改習武藝，投入「士官學校」。

日本的士官學校，等於我國清末的弁目學堂和講武堂，祇是養成排連長的初級軍事教育機構而已。可是，我國留日士官學校歸來的，常常平步青雲，一躍而居將帥地位。同時由於長期鬧革命運動，從事內戰之故，政治上構成了「重武輕文」的風氣，軍人萬能，兼資文武，時而領兵，時而從政，時而軍民兩政一把抓，以致國事蜩螗，動亂不已，而這些自命為允文允武的時代驕子，亦每每幹出許多可哂可鄙的事情，貽笑中外，成為政治垃圾。顧昌達便是其中的一個典型份子。他生長在一個小康生活的農家，資質遲鈍，民國七八年間，他行年已二十歲開外，娶妻生子了，才從舊制中學畢業出來，便欲投考各個公私立大學皆不及格。這時候，他有一位父執輩的同鄉人米壽華，剛由日本士官學校畢業回來，在各地領兵割據的軍閥頭子們爭相延攬，他瞧着這樣情形，很想到日本留學，米壽華亦贊成，即勸顧昌達的父親允許兒子東渡。

顧昌達到東京學習了一年的日文後，報考文學堂不成，想入「成城學校」習武，又因年齡過大被拒，他寫信求救於米壽華，希望能夠進士官學校，但進士官學校需要中國政府保送才行，按照日本軍部規定，中國各省的督軍亦可以保送士官學生。恰好米壽華此時已在某督軍署作參謀長，乃請求某督軍備文保送顧昌達，將來學成歸國，願在某督軍麾下効力，顧昌達的志願總算達成了。

生活漫談 談談牛骨髓茶

·馬騰雲·

人體「即時進補」，還和植物施肥，農村裡養牛養馬加料，工廠機器加油等道理一樣，牛骨髓茶是中國北方最平民化的補劑，它的功用補髓添精，益虛弱，強脾胃，牛骨髓的補力之强，舉一例可資證明，未滿卅歲身體健康的男女，如每日食用牛骨髓茶製劑，不及一個月，鼻子常會出血，老年人吃到一個月，最顯明易見到的面露紅光。

製牛骨髓茶的牛骨髓，在台灣來說以黃牛最佳，其次是黑牛、青牛，再其次爲水牛，牛油店爲了牟利，常以牛油澆製成牛骨髓的樣子，用這種假牛骨髓製成的茶，吃了不僅沒有甚麼用處，且可使血管硬化，但牛油的味道與牛骨髓沒有太大的區別，購買時要特別注意，最好是買整副牛髓骨，當面請其取髓。

牛骨髓茶的製法，是將牛骨髓熬化，成液體，每四兩牛骨髓和以麵粉半斤，炒米粉半斤，黑芝麻屑半斤（炒熟了研成屑），松子仁二兩，何首烏粉二兩，將上列的配料研成細粉，置板上和以牛骨髓，用手搽搓均勻，食時甜鹹聽由自己決定，即成爲本文所指牛骨髓茶，一斤牛骨髓茶，每天早晚食用，可作爲一週量。中國山東、河南、安徽等省若干縣市，風行老妻少夫制，習慣上總是太太比先生大幾歲乃至十幾歲，男方有十歲左右就完婚的，女方進門後就像大人照料孩子一樣的夫妻，因之牛骨髓茶就成男方的恩物，不過牛骨髓茶，如果「遵古泡製」，黑芝麻須九蒸九晒，手續既雜且煩，恐弄巧反拙，經考慮仍以從簡爲宜。

牛骨髓茶的功用既如上述，黑芝麻、松子仁、何首烏也有個要介紹必要，黑芝麻雜糧行有賣，每斤約十二元新台幣左右，就是中藥裡的胡麻，又稱巨勝子，是一種含有脂肪緩和强壯藥，適用於腸液缺乏之便秘，有滋潤營養之功，對於高血壓亦有卓效，益肝補腎，養血潤燥，增髓健腦，解毒清導，當代一流紅星李麗華就是常年食用黑芝麻製劑的一位，她迄仍顏悅髮烏，與常食黑芝麻的關係很大。松子仁滋養强壯，消痰潤肺。何首烏又名夜交籐，其所含的大黃酸，能夠很顯明的促進腸管蠕動，爲一種推陳出新滋養强壯藥，功能促進血液新生，對於衰老，病後復原，便病，便秘等均有良好的效驗，前清慈禧太后好嗜此物（有御醫扎記可考），台灣出產的何首烏價廉物雖不美，用時份量加重可與大陸上何首烏同功。（按著者一向提倡藥無分貴賤，有效是靈丹），組成牛骨髓茶的各物功用如上，著者特別推荐作最佳補品，相信必爲本版讀者所歡迎。

宦人列傳（廿九） 黃帽郎鄧通

周燕謀

俗有謂「生死有命，富貴在天。」吾觀歷史上許多人物，實有冥冥中之巧安在焉。李廣一生戰匈奴，其功甚大，其部下皆以討匈奴封列侯者十餘人，而李廣終身未封侯，此亦命歟？鄧通錢佈天下，最後餓死，此亦命歟？

鄧通乃文帝時一倖臣，一身無他技，又不學無術，後來竟時來運轉，平步青雲，且爲天下鉅富，但最後則竟餓死，此亦冥冥中巧安排歟！

鄧通蜀郡南安人，平日喜戴黃帽，因戴黃帽而被文帝擢爲郎官，時人呼爲「黃頭郎」。

一日晚上，漢文帝造了一夢，夢欲上天，又不能上，忽然有一個戴黃帽者將文帝一推，文帝竟飛身上天。醒來時，到未央宮之西的漸台，向上天禱告，欲求戴黃帽者。於是傳旨命人四處尋覓戴黃帽者。結果鄧通竟時來運轉，被皇帝召見。文帝一看他一身穿帶，衣後穿了一個孔，頭戴黃帽，正是夢中所見之人，問其姓名，姓鄧名通。文帝因尋到了推他上天的人，大喜，拜爲郎。故時人呼爲「黃頭郎」。其實鄧通就是造黃門郎一類近臣。爲皇帝服賤役，皇上賜予之豐，竟達十萬，由於他一身無長技，惟執役勤謹，善解上意，由是漸漸爬上了上大夫之地位。文帝因寵他甚討人喜歡，因此常幸鄧通家遊戲。鄧通無一特長，就是諂媚。文帝知道他無他技，亦不能薦有爲之士，心中未免有點懷疑他的夢境，於是命善相者爲之觀相。相者曰：「此人當貧賤餓死」。文帝聞曰：「能富貴鄧通者在我，朕使之富，何謂貧餓乎！」於是賜鄧通蜀嚴道銅山，即雅州榮經縣西北三里地，此山產銅甚豐，當時的嚴道，即後來之榮經縣。又特准鄧通可以自鑄銅錢，名曰「鄧氏錢」，因此，鄧通自鑄錢幣，竟流佈天下，富甲全國。所謂一個人時來運轉，任何力量也擋之不住。

文帝嘗患癰疾，鄧通即爲帝吮之。文帝心猶不快意，竟問鄧通曰：「天下最親者爲誰」？鄧通答道：「萬歲最親者莫如太子，於是文帝召太子入宮，帝命太子吮癰。太子雖不敢違命，但太子面有難色。事後太子聽說鄧通嘗爲帝吮癰，太子雖慚愧，而心恨鄧通入骨。鄧通倒霉種因在此。

文帝駕崩，太子即位爲漢景帝，就將鄧通免官，由是返鄉家居。不久，有人告他「盜出徼外鑄錢」。查有實據，盡沒鄧通家財充公，而鄧通尚債台高築，館陶公主知之賜予巨萬償債，結果又被沒入充公，命一簪不得著身。館陶乃賜予衣食。帝又下詔籍收天下鄧氏之錢，一文不留。卒至寄食民家，民家無食，最後餓死。鄧通實集富貴貧賤於一身，此亦命也乎！

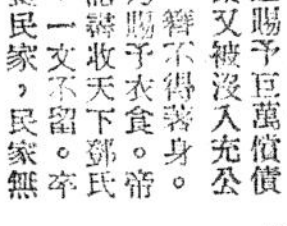

滿園秋涼（三二）

·文白粹·

原來才蓄自卅二年冬在桂林和[illegible]潤分手之後，航空公司果然替他排在隔日下午的班機，才蓄用了財匯名字，隨即打個電報由左公轉給嘉玉，請他到機場照料。因爲才蓄雖已送了好幾批人入陪都，但他却還是第一次拜望呢。下午四時飛機降落李家沱飛機場，歡迎的行列中却不見有嘉玉，但有幾個生面孔在那邊朝他指點，好像是代表嘉玉來接他的。行李檢查後，一出小欄門，那幾位果然過來問，這位是否李財匯先生？他說是的，請問貴姓？是否嘉玉兄託代招呼？非常不敢當！那幾位倒也不甚拘禮貌，問才蓄行李是否都已提出？就扶他出機場，上了一輛舊吉普車，一直向郊外開。才蓄約略看了重慶部分街市，高高低低，依岡而建，行人穿着樸素，但大都精神抖擻，他心裡充滿高興。也聽說陪都自從廿八年五三、五四大轟炸之後，許多公務機關及職員宿舍，都疏散在四郊比較安全地區。四川不愧是天府之國，有四季不凋的花草樹木。自從卅年十二月在香港出生入死過着不分晝夜的生活以來，人也瘦了不少；能在陪都鄉間小暢幽懷，或者有一小工作，可以復習八年前學校的課程，豈不是一個難得的機會？正在想着，汽車停在山後一座西式平房門口，有人出來招呼，却依然未見嘉玉。他想陪都公務人員都特別的忙，可能還沒有散值回來呢？他很客氣和招呼的人一一點頭多謝，即被安排在後面一間小屋，有一張竹床，一張竹几，他也聽說四川竹器出名，想必都是政府提倡利用厚生所致。一回洗澡過了，重慶天色黑得快，五點才過，就要點油燈了。才蓄這才想起：油燈還是小孩時候在鄉下用的，後來小學讀書，用煤氣燈，讀初中二年級，才有電燈。這時一溜三[illegible]前的兒童生活，何等有趣！男工送來一菜一湯一飯，戰時生活自與港九諸揮霍的不同。大約七時左右，男工請他到隔壁一所辦公室，他以爲嘉玉來那邊辦公，到坐下一看，頗像在偵緝組詢問人犯的氣氛。門外警衞的人都帶有手槍，他才了解了：嘉玉並沒有友誼地來招呼我，却送我到偵緝機關，一腔熱淚，簌簌的掉了下來。六、七年來在紆公指導之下，爲黨爲國，盡力奔走，及日寇陷港，也是奉命深入，爲同志掩護；由我護送到安全內來的人，以及我所經轉的情報，應該是鐵的證明，我這樣冒險地逃回中央，却給我所資助的人把我放在此處？

於是人問一句，他答一句，將七年來記得起來的事，都款款地說個明白。主事的人倒還通達人情，他說因爲你在港所担任的是日寇屬下偵緝組的職務，既然有人檢舉有名內來屬實，不能不采公措置。你過去對黨國的貢獻，我們會詳細地去查證，不會虧待你的。請好好地在這裡休息，等一個從些書報等，供你消遣。他走後才蓄覺得能在家長前一[illegible]我[illegible]年的苦衷，倒也滿心舒暢，加以旅途勞頓，也嗚嗚中很快就入睡了。

巨變歷險記！ 天津陷落（三八）

胡慶蓉

林彪對天津的總攻，從槍炮聲來辨別，很顯然是從五十八年一月十五日的夜裏十二時正開始的，這也就是林彪哀的美敦書最後的限期。

丁代表、陳司令，林市長的辦公地方都在市中心區，他們的感覺也最爲銳敏。五十八年一月十五日夜裡十二點鐘，一陣槍響，一陣炮響，簡直像山崩一般地裂一樣，密集的程度——難以言宣——也非筆墨所能形容，四面八方，八方四面，槍炮全都打向市中心區，故所在市中心區的人，感覺更特別清楚。在炮火密集之下，天津警備司令部大樓很快的就倒下來的了，丁代表眞是胆子大，不時跑到樓上平台去展望天津在炮轟下的神色，在十二點到下兩點，槍聲炮聲有來有去，很顯然是個對壘的局面。這時候，火網交織。但相形之下，我方的火力，遠較對方的爲強。從兩點到三點，槍聲炮聲逐漸稀少起來，這是不是在整頓，是不是林軍還沒有得手？但到以三點後，槍炮聲又大作，這一陣，林軍攻勢異常凌厲，有壓倒我軍之勢。而且越來越弱。丁代表自己在問：是不是林軍進了來？

丁代表一直抱着電話，同陳司令聯繫，同林軍長聯絡，同林市長聯絡。從電話裡邊，可以清楚的聽到陳司令的聲音，他在很辛苦的指揮天津整個軍事，可以清楚的知道警備司令部大樓燬於炮火了，陳司令數度變更地點——到了四點一刻的樣子，就再聯絡不上了。在四點的的樣子，他很沉痛也很淒凉的低聲告訴丁代表：……進來了……進來了……丁代表同林軍長的聯繫，同杜市長的聯繫，差不多同時中斷。他們斷的時候，還要比同陳司令斷的時候早一點。丁代表轉來同天津廣播電台聯繫。電台快到五點的時候被林軍佔領了。在被佔領以前，常常有電話給丁代表，報告林軍情況，電台被佔領以後，林方即向天津全體市民宣佈天津易手，限全體市民即時起恢復原狀。

丁代表、丁議員此時孤掌難鳴，也只好揮淚與天津告別。在他拋開電話，他的精神已經疲倦不堪了，倒在沙發上，大大的痛哭一場，家人都來相勸，一木難支大廈，還是離開吧？先回北平一行吧？北平是什麼情形，丁代表並無所知。天津不守，北平能守嗎？誰來守呢？傳作義不穩的消息，已略有所聞，但是不是眞的。丁議員還在考慮。家人又暗暗的告訴了丁議員，林彪的部隊已經到了我們門前了；請丁議員去看。這是千眞萬確的事，也不容丁議員否認。他從窗子裡望見外面馬路上確切都是林彪的部隊，他們靠着路邊牆根坐着打瞌睡。這恐怕就是林彪攻天津的部隊了！不能不承認天津陷落了。應該說是在民國三十八年一月十六日的早上六點。

催眠術研究　一四

五十、與鷄鶩催眠法

鮑紹洲

在動物之中，鷄是最容易催眠的，所以初學催眠術的人，可以鷄爲最先之試驗，然後再研究其他動物可也。但是鷄的當中也有難易的分別；如小鷄就易於大鷄，母鷄則易於公鷄。所以初學的人，宜先實驗於小鷄和牝鷄開始，而後順及其他之動物。

催眠牝鷄的方法，先將鷄的兩足縛住，橫臥在地上或桌上，待其安靜之後，從鷄的眼邊畫一條白線於地上或桌上，或者用線一條，從眼邊直牽於地面，約經五分鐘時間或二十分鐘之後，慢慢再解其所縛的繩，則牝鷄便因此不動，這就是催眠狀態。

這種原理即是說：鷄因被縛時又看見白線等，則鷄心中便生一種受縛而不動的觀念，這種觀念使使不動。另一說法：鷄看見直線或地上白線，便停止聯想作用，而至於無念無想的狀態。另外一種已經失去根據的說法是：凡是鷄凝視白器的靈或線，久之眼疲倦，便告催眠。然對鷄鶩的催眠，有下列的幾種：

（一）先用報紙鋪在桌上，以免弄髒桌面。鷄、鶩的睡眠，本屬同一道理，所以在以後只稱鷄便是包括了鶩。就是對鶩的催眠亦照此法。施行催眠的時候，先將鷄橫臥在桌上，用右手壓住頭部，以左手壓住腹部，而右手之中指即輕輕壓鷄眼睛，而輕輕摩擦而且要凝聚精神，以便使其催眠。但有的鷄，也有作反抗人爲動作的，但只要壓之過兩三分鐘便不會再動了，而陷於催眠狀態。到此時，便可將兩手放開，而鷄則照常不動，雖在傍邊拍手，或者拿東西拍它眼睛，也不會醒覺。如入催眠中，睜開鷄的眼睛，也不知覺。（一）

自由報

中華民國內政部內警台報字第〇三一號
中華民國僑務委員會登記證僑報字第三二三號
中華郵政台字第一二八二號執照登記爲第一類新聞紙

（第九五八期）

（半週刊每星期三、六出版）
每份港幣壹角，台灣零售價新台幣弍元
社長李運鵬・督印黃行竈
社址：香港九龍彌敦道593—601號
廖創興銀行大厦八樓五座
LIU CHONG HING BUILDING
7th FLOOR FLAT 5
593—601 NATHAN ROAD,
KOWLOON, H.K.
TEL：K303831
電報掛號：7191
承印：景星印刷公司
地址：嘉咸街廿九號地下
台灣總管理處：台北市大同街119號
台灣區直接訂戶　台郵劃撥戶
第五〇五六號張萬有（自由報會計室）
電話：七一四〇三三、五五五三九五
台灣分社：台北市西寧南路110號二樓
電話：三三〇三四六，台郵劃撥戶九二五二樓

本報重要啟事

（一）本報臨時職員張仰成業已解除職務，今後該員在外任何行動概與本報無涉。（二）本報採發行本位，從無專人到各處招攬廣告，如有假借本報名義在外撞騙詐，敬請就近扭送治安機關，或電話本報五四二五三一、七一四〇三三以憑辦理（三）本報台灣區服務證，自即日起一律作廢，並開始重行整理登記換發新證。登記處：台北市承德路七號自由報。

帝王與道德經中的聖人（下）

張起鈞

易經繫辭傳上曾說：「神農氏沒，黃帝堯舜氏作，通其變，使民不倦，神而化之，使民宜之。易窮則變，變則通，通則久，是以自天祐之，吉無不利，黃帝堯舜垂衣裳而天下治」。

易經這段話，明明白白的把黃帝和堯舜連在一起，認爲他們都是開創文化的聖君。但對黃帝的推崇，儒家反不及道家爲多，道家常自稱他們的道術爲黃老之學。

然而黃帝何以能成爲道家的偶像？這固然是後代道家們的高推聖跡，把黃帝請出來，以表示他們比儒家的淵源還要早，但根據正史的記載，黃帝也有成爲道家的因素，司馬遷說他：「順天地之紀，幽明之占，死生之說，存亡之難」。可見他也和老子一樣，懂得天道，而且能由天道及於人事。

黃帝以後，最有名的君主要推堯舜禹湯文武了，他們雖然積極經營，且有儒家的精神，但他們的言行和成就，却都與道家的思想暗合。

先拿堯來說：他的禪讓，不僅成爲歷史上的美談，而且也充分表現了他有道家「成功身退，天之道」的禪讓風範，書經堯典上曾記載這段故事。

「帝（指堯）曰：『咨四岳，朕在位七十載，汝能庸命巽朕位』。岳曰：『否德忝帝位』，曰：『明明揚側陋』，師錫帝曰：『有鰥在下曰虞舜』，帝曰：『俞，予聞如何』，岳曰：『瞽子，父頑，母嚚，象傲。克諧以孝，烝烝乂，不格姦』，帝曰『我其試哉，女于時，觀厥刑于二女，釐降二女于媯汭，嬪于虞，帝曰『欽哉』！

堯爲物色繼承的人才，不惜以自己的兩位女兒下嫁給舜，以試探舜是否在「二女同居，其志不同行」的情形下把家庭治理得很好。因爲在二女的爭風吃醋，而把家治理的井然有條，自然就能治國。同時堯又讓舜執政三年，果然成績斐然，於是便把帝位讓給了舜，並告訴舜說：「咨爾舜，天之曆數在爾躬，允執其中，四海困窮，天祿永終」。

堯的這種禪讓的作法，不僅顯示了他的謙卑自持，同時也表現出他處事的高度智慧，所以當他在位的幾十年間，天下太平，百姓無事，帝王世紀中曾記載當時有位老人擊壤而歌：

「日出而作，日入而息，鑿井而飲，耕田而食，帝力于我何有哉」！

這首歌寫出了當時政治的清明，政府採取不干擾態度，百姓也可以無憂無慮的生活，正如老子所說的「太上下知有之」而已，這種境界就是無爲之治。

舜一方面接受堯帝思想的影響，一方面繼承了當時太平無事的政局，因此他在位的幾十年間，更發揮了道家的精神。書經舜典中曾記載說：

「舜格于文祖，詢于四岳，闢四門，達四聰。咨十有二牧曰：『食哉惟時，柔遠能邇，惇德允元，而難任人，蠻夷率服』。他命契作司徒說：「汝作司徒，敬敷五教，在寬」。他命夔典樂說：「教胄子，直而溫，寬而栗，剛而無虐，簡而無傲」。

由於舜的政治，能夠分層負責，所以他可以無所事事而把天下治理得很好。孔子便曾讚美舜說：「無爲而治者，其舜也與，夫何爲哉！恭已正南面而已矣」！在孔子的眼中，舜所以能無爲而治，乃是由於他能恭已南面而已。朱熹在這段話下，曾註解說：「無爲而治者，聖人德盛而民化，不待其有所爲也，猶稱舜者，紹堯之後，而又得人以任衆職，故尤不見其有爲之迹也，恭已者，聖人敬德之，既無所爲，則人所見如此而已」。

承繼了舜的無爲之治的是禹。禹在歷史上最大的功績是治水。禹的治水據說是形勢天下，三過家門而不入，這好像與道家的作風相背。其實不然，我們從兩方面可以看出禹如果沒有道家的智慧，恐怕根本無法成功：第一，在當時的環境下，要整治黃河，必須專門的技術人才，和大量的人工，要如何去支配他們，運用他們，必須要有道家無爲的治術，否則大禹儘管形勢天下，也只是徒然而已。第二，鯀的治水用築堤，禹切改用疏導，這正顯示他的道家思想。知道順其自然，合乎本性才能成功。

由於禹在治水上表現了他的才能，所以舜便把帝位讓給了他。禹登位後，瞭解人心猶如水性，一切都是順其自然。他最得力的助手是皋陶，皋陶在所定的九德，像「寬而栗」，「柔而立」，「簡而廉」，「剛而塞」等，都是深合道家的思想。

禹之後，不幸優良的禪讓制度中輟，此後的君主多半碌碌無能，直到「弔民伐罪」的商湯出來，才解民於倒懸。商湯是以征戰聞名，孟子滕文公篇上曾描寫說：

「湯始征，自葛載，十一征而無敵於天下。東面而征西夷怨，南面而征北狄怨，曰：奚爲後我？民之望之，若大旱也」。

湯的征伐何以如此的成功，這是因爲「湯武善御衆」，他曾說：「天下非一家之有也，惟有道者處之」。而人民之所以引領而望者，乃是因爲他施政在寬，頗有道家無爲的精神，書經微子之命說：「乃祖成湯，撫民以寬，除其邪虐」，而他自已爲治時也是「與必慮衰，安不忘危」。

湯之所以能有此成就，我們不能忘了他的一位功臣，就是伊尹，伊尹在漢書藝文志是被列爲道家。所以湯之成就能與道家理想符合者，伊尹的功勞絕不可沒。

至於文武周公，雖然與儒家思想的關係，密切但他們仍然與道家思想有來往。先以文王來說，他被商紂因於羑里七年，在這段時間，他研究易經，替六十四卦作繫辭，禮賢下士，他手下最著名的輔士有八位，其中像太公，辛甲和鬻子三人都是漢書藝文志中標明的道家。尤其文王遇太公時，太公已是一位七十二歲的老隱士，正在渭河上打魚，可見太公在未世前，根本是位道家。而他的年齡，也正可以「老子」相稱呢？

太公不僅是文王的輔士，後來又作了武王的師臣。他一方面幫助武王會師於牧野，擊敗了商紂；一方面幫助武王措理政務，統治戰後極廣大的國土。使得武王不僅武功，而且文事也是盛極一時。書經武成一篇中記載，武王曾說：「列爵惟五，分土惟三，建官惟賢，事惟能，重民五教，惟食喪祭，惇信明義，崇德報功，垂拱而天下治」。他這種垂拱天下治，正是道家無爲之治的理想。

以上我們簡述了堯舜禹湯文武的治績，但綜合了以上各君主的成就，而集大成的却是周公。周公是中國歷史上最偉大的政治家，他對中國文化的建樹，我們暫且不談，而他之所以有此建樹，我們却不可忽畧了那裏面是有道家思想的幫助，孔子曾讚美周公說：「如有周公之才之美，使驕且吝，其餘不足觀也已」。可見周公之所以偉大，乃是由於他能謙讓，能寬宏。試看他攝政七年後，還政於成王，而能同心一德，締造新邦，可見他的氣度。成王曾敘述周公的教訓說：「無依勢作威，無依法以削，寬而有制，從容以和」，又說：「必有忍，其乃有濟；有容，德乃大」。這種堅忍寬容的氣度，正是道家思想的風範。

以上堯舜禹湯文武周公，都是被儒家所稱頌的聖君明主，他們所建下的規模，所樹立的道統，雖然都爲儒家所繼承；但他們手下的名臣都半具有道家的智慧，而他們本身也正是老子書中所指的「聖人」。

（完）

昨日與明日

希望與隱憂

何西

國文不會消滅，從公文，電報，文告，各種各樣應用文，國與國間國書，婚書訃文都未採用白話，以證明筆者的話不會錯。且替國文留着無窮盡的希望。

其實念國文並不是要廢除白話，可是國文底子未打好，問題就嚴重了，台北某高中國文教員解釋「緣木求魚」謂說一根大圓木在水裡就可捉到魚，還有某大牌教授「斷輪老手」」迭念「斷輪老手」「一草菅」人命，總是念草「管」人命這些例子可舉出整千整百，究其因素都是從念「小貓叫小狗跳」沒有文言底子必然結果。而這些傢伙現在地位都爬得相當高，由於臭肉同味，亦就變成白話文的支持者，就國家教育前途說，實在包含着無限隱憂。

五四運動後

九年國民教育的成敗得失，主要瞰小學國文教育的成敗得失而定。我國傳統教育以國文即中國文字文學與文化爲中心，學童先把國文基礎打好，以後便可博覽羣書，包括文言文和白話文，吸收各種知識，欣賞中國文學；由於能讀文言文典籍，就能受到我偉大中華文化的陶冶，而成爲堂堂正正的中國人。

五四運動以後，由於民族自信心的喪失，陳獨秀、胡適等人，自命爲新文化運動者，提倡所謂「文學革命」輕視中華文化，盲目迷信西洋，使北洋軍閥政府教育部，把小學國文科改稱爲國語科，教材是貓叫狗跳爲中心的粗陋膚淺、淡而無味即言之無物的白話文即所謂國語教材。由於注重說話而不注重識字，二年級讀完時只學到七三四生字，四年級讀完時只學到一七七四生字，國文基礎十分薄弱，因而各級學校學生國文程度普遍降低。

國父用文言

民國五十四年十一月十二日 國父百年誕辰紀念大會在台北市中山堂中正廳舉行。總統主持盛典，在宣讀 國父誕辰紀念文之前，特別說明以文言撰寫紀念文的理由，大意是 國父著作及與人通信無不用文言文。只有三民主義是用白話，乃由於以講詞爲紀錄，並非 國父之原著。國父誕辰紀念文所以採用文言文，正以繼 國父之志，蓋 國父一向認爲中國文字與中國典籍爲中國文化精神所繫，故主張用文言文著述。今天宣讀這篇紀念文，望諸君子細聽之云云。

當日參加紀念大會的人約有二千，包括中央民意代表及中樞官員，都聽到此段前言，記憶猶新。但此段前言，十一月十三日台北市各報紙，都未刊出。這是一件大奇事。

最後本人對於提高小學生國文程度，誠懇提出下列三點拙見：

（一）小學國語科應正名爲國文科。

（二）小學國文科的教材和教法，應恢復採用我國傳統國文教育的優點，啓蒙須從識字入手，淺易精美文言文包括韻文應列爲熟讀即背誦的教材，精美白話文應列爲廣泛閱讀的教材，不須背誦。

（三）學講標準國語政策應加强推行。小學國文程度的提高是復興中華文化的根本，而復興中華文化是討毛復國一定成功的保證。

自由談

不能變造歷史

馮五先生

歷史知識對於人類生活的重要性，誰也不會否認。但歷史是人寫的，寫的人難免沒有主觀成見夾雜着，或者被動地有所偏差，像我國古代董狐那樣嚴正不苟，秉筆直書的史家，數千年來只有他一人而已。所以，孟子乃有「盡信書，不如無書」的慨歎之言也。

例如我國的「五、四」運動這幕史劇的經過事實，至今不過五十多年，當時參預其役的人，有許多都健在（區區亦是搖旗吶喊過的學生羣衆之一），以今人寫「五、四」運動的史事，應該正確可信了，然亦諸多不實不盡之處。

「五、四」運動的起因很單純，就是一般青年學生爲着「巴黎和會」對中國問題不作正義公道的處理，而曲從日本帝國主義的要求，斷佔我們山東領土不交還，大家指摘當時的外交官員曹汝霖，陸宗輿，章宗祥等親日賣國，羣起反對，而有北平趙家樓火燒曹宅之舉，繼以全國各界的響應，把曹陸章等罷免官職，風潮纔告靜息。當時的北大校長蔡元培先生曾有「民亦勞只，可小康」的談話發表。可見這原是純粹的愛國運動，與所謂新文化問題不相干。

可是，近人談「五、四」運動，多與新文化運動扯在一起，認爲中國現代的科學與民主思潮，是導源於「五、四」運動，好像認定沒有「五、四」之役，中國的科學與民主思潮就無從產生似的，這眞是擬於不倫，有乖信史。果如其說，那末，康有爲的公車上書，要求變法，更是提倡科學與民主的老前輩，「五、四」運動不過是繼踵前修而已，何足矜夸呢！

我不否認胡適，陳獨秀等人提倡新文學創作之功績，但不承認這和「五、四」之役有甚末關連。愛國思想和新文化思想的意義，雖然可以攀附，却與歷史事實不相符，倘欲保存信史，使後人知所取鑑，我們不應該變造歷史，隨便胡扯！

兵·法·援·美

·吳常熙·

三十年來，侵略威脅和平，人類惴惴不安；這是時代的大問題。侵略來自何方，那是無論男婦老幼都知道的。為甚麼和平勢力不能壓制並削弱侵略勢力呢？這才是問題的中心。

若干年來，對於和平勢力不能約束侵略勢力，有許多答案。雖然這些答案有種種不同，但它的性質都是屬於政治，我們這一代國際政論家，太喜歡把自己束縛在政治圈內，而忘記了決定政治一大因素——軍事。

我們對軍事觀察得太少。我們只抱怨國際綏靖氣氛太濃厚，但我們沒有再尋找何以濃厚的原因。我們只抱怨美國人畏戰，但沒有再尋找美國人何以畏戰的原因。

美國兵學素養不夠

越戰發生了，它把二十多年來國際迷霧揭開了。至少對我個人是如此。

「三十年來問題癥結是世界領導和平勢力的美國對兵學的素養不夠。」

因為戰技不高所以畏戰，因為畏戰所以產生綏靖氣氛。這是再明白不過的邏輯。三十年來的世界一直受國際共產的擴張的威脅。它的擴張是以戰爭為矛頭的。國際共產是新「戰神」。它存在一天，戰爭便存在一天。有無制服這一新戰神的技術是左右國際的政治一把總鎖鑰，可惜國際政治家，一直把它忘了。因而形成三十年來的悲劇。

現在讓我列舉一些鐵的史實來證明：這一國際悲劇的啟幕，是雅爾達協定；由於這協定使國際共產在東北培養新勢力，而竊據中國大陸。韓戰越戰因之接踵而起，遂成今日的局面。這是人所共知的事實，但是值得我們研究的是羅斯福為甚麼會在雅爾達協定上簽字呢？他簽定這協定目的是要購買蘇俄對日宣戰。當時德國已降，日本海空軍已被殲滅。日本軍閥正在集中人力物資在我大陸上企圖從事最後的掙扎。當時一般忽略領導精神在戰略上的價值的人們，低能軍略家，他們認為縱使日本本土被美軍佔領，日本軍閥仍能在中國大陸從事戰爭。其時蘇俄在德蘇戰爭中死傷壯丁二千萬。一個不到兩億人口的國家，死傷二千萬壯丁，已決無戰爭潛力；可是竟然有許多人認為蘇聯可能勾結日本軍閥延長大陸戰火。羅斯福基於這種研判，簽定雅爾達協定。這實在是由軍事的錯誤估計，而導致的政治悲劇。

失去韓戰的好機會

其後韓戰發生，本是削弱侵略勢力的極好機會。韓戰初期，美國雖有若干死傷，到後來軍勢已穩。中共匪幫不得已只有以自殺性攻勢，飛蛾撲火的方法，以龐大的人海投入韓國這一狹長地帶，美國海陸空的火網中，來維持共產國際的面皮。這時是卅九、四十年，距離二次大戰結束才不過六七年，蘇俄元氣未復，原子彈尚未製造，美國獨有絕對軍備優勢。共匪也盤踞大陸未久，安內不暇。聯合國內絕大多數擁護美國，這正是美國暢所欲為之時。可是美國朝野竟視韓戰為大禍臨頭，惟恐蘇聯參戰。惶惶不可終日，力求停戰，使大好時機從手頭滑過。韓戰停火日期也就是奠邊府烽火燃起時期。北越竊佔小國，美國以五十萬大兵苦戰數年，果得總統詹森揮淚放棄競選。這能說不是戰略戰術出了問題嗎？在這樣子均勢的國際形勢中，誰也不敢輕易發動大戰，越戰型式將是戰爭惟一型式。美國如從越戰中失敗了，將只有接受共產國際無窮的勒索，這危險性有多大！美國朝野吵來吵去，只吵着「打」與「不打」，而沒有想到美國對這一戰爭不打的原因。所以詹森總統曾說：「不這末辦？怎末辦？」可是美國為甚末不想到戰略戰術問題呢？以美國五十萬大軍，加上龐大物資支援越南政府，打勝越戰是不成問題的。（只有打勝越戰才能使北越坐下和談。）問題是在採用如何戰略戰術才能發揮優勢打敗北越。說到這裡，我們不能不談一談美國的傳統兵學。

陷于進退維谷境地

美國傳統兵學是先確定敵人戰線的面積，再確定消滅這一面積的火力與空中力量，再確定使用這火力的人員與運輸量。這種戰法對我優敵劣的陣地戰是有效的。在越戰中美方仍佔優勢火力，可是沒有陣地，戰爭是運動性的。美國雖有優勢火力，但是失去攻擊重心，所以不能收到戰果，所以戰爭久持不決，拖延下來了！就成為前不能制敵取和，後不能平國內輿論，所謂羝羊觸藩，進退維谷的境地了。

所以我對越戰的綱評是：敵以無形制我有形。而我以有形困於敵之無形。

敵人何以能無形呢？因為（一）敵在越南有地下補給網、（二）北越有停戰線掩護。美國如以大兵進佔河內，必然受到蘇俄的警告，而且可能遭到更廣大游擊戰的更廣大的消耗。

可是除掉進佔河內外有無方法改變敵我形勢，使我漸無形，而敵漸有形呢？曰有。其法有二：（一）全面發動越南人民反共戰爭，以肢解北越地下補給網。（二）發動東南亞，全面爭取自由革命運動，而配以小股武裝潛伏戰鬥。這樣便使蘇聯無法說話。那末會不會引起中共匪幫大舉南下呢？不會，中共大舉南下就把越戰型變成韓戰型，將使中共陸軍變成美國空軍火網下的飛蛾。如何進行上列（一）（二）兩項措施呢？事關軍機，不願多說。

最重要的，我所說的這些批判是出於中國古兵法，也可以說出於孫、吳、春秋，古代聖哲的軍事理論。（拙著：孫子精義尚未出版，因為一部有實用價值的兵法的出版，是費煞躊躇的），筆者敢大聲疾呼：「要想打贏這種變形戰爭（無形的、潛形的，包括政治、外交、教育、宣傳、經濟的戰爭。）非精通中國古兵法不可。

何以故？因近代西方軍事理論多出於經驗的歸納，因而，其理論只適用於某一種或數種情形，而對於越戰型戰爭則不能適應。（越戰忽而陣地戰（如溪生之戰），忽而游擊戰，忽而在西貢近郊，忽而在寮越邊境，變動太大。）至於我中國古兵法為演繹法，其適應性極為廣大。

需要立即兵法援美

話到此地，作一總結，三十年來世界問題癥結是在於世界和平陣營之主力——美國——不通中國古兵法，因而不能制止侵略。如果美國學中國古兵法不但能制止侵略，而且能漸漸消滅侵略，越戰將使美國作最現實的選擇。改變傳統法，抑或接受國際共產的無窮勒索。所以，我要高呼：「兵法援美。」這是挽救人類劫運的惟一道路。

最後，必需要說明：戰爭是最嚴酷的。兵法是最精湛微妙的，不精通此道的不要玩火。這是一套完整精確的專門學問，不是要一兩句「話頭」就可以了事。趙括是歷史的明鑑。筆者在研究孫子兵法的過程中，發現古今中外，沒有一家能註通孫子。英國和日本有時著明孫子一兩句微言大義，但只是一兩句而已。所以我們從事兵法援美是最艱難的，也更需要最嚴謹的。

于斌樞機羅馬晉封記

·李寒泉·

一、華僑人士盛大歡迎

于斌樞機於四月廿三日上午九時乘搭汎美班機，由紐約飛抵羅馬。到機場歡迎者有中國駐教廷大使陳之邁，教廷代表，由台灣及美國來的四十餘位觀禮團團員，留義學生、華僑、神父、修女及傳信大學中國修士等共約百餘人。

于樞機下機時，由傳信大學中國修士所組之樂隊奏樂歡迎。他老人家精神飽滿，面帶喜色，向歡迎他的人一一握手致謝，旋往羅馬市傳信大學神學院，該校當局早已備好樓房一組，作為于樞機的行館。

二、傳信大學迎接佳音

教宗保祿六世於四月廿八日上午十時，在梵蒂岡宮舉行秘密御前會議，正式公佈了卅三位新樞機。

十時卅分，教宗派遣三位樞機主教分向卅三位新樞機報喜送任命狀。他們分聚三個不同的地方等候迎接喜訊：這三個地方：一是傳信大學神學院、二是東方禮部、三是羅馬教區秘書處。

于斌樞機和其他十位新樞機在傳信大學神學院等候迎接喜訊，傳信大學神學院座落於聖伯多祿大殿附近之治亞尼高樂山傍，是一座雅美的偉大建築。在它華麗的大廳裡，加上紅地毯，紅色的大座椅，和紅色的樞機袍，更顯得燦爛生輝。道賀的燈明和觀禮的人羣擠滿了大廳內外。

于斌樞機坐在最右邊的首位上，在他的周圍有非律賓總統馬可仕夫人，中國觀禮團團員，歐美各國籍司鐸和學生。

十時五十分，教宗使者教廷勸部樞機持教宗任命狀到達，大廳立時呈現一種肅穆景象。待費樞機宣讀第一個任命狀呼出于斌的名字時，大廳裡掌聲雷動，歡呼不止，這時于斌總主教正式昇任為教廷樞機。

新樞機一一領受任命狀後，于斌樞機代表其他十位新樞機以拉丁文致答詞，其大意如下：

樞座：我們被教宗任命為樞機，心中又興奮又感激。教宗任命我們，並非因我們有什麼功德，乃表示他對教會的關懷，和對世界人類的愛護，因為我們來自各國各民族，代表那裡的教會。教宗既把我們當作親信託以重任，我們今向教宗保證，決以最大之努力完成教宗的重託。最後我們邀請在場各位親友同我們一齊感謝天主和他的在世代表——教宗，同時也感謝在場各位。

以後各位新樞機開始接受親友的道賀。首先向于斌樞機道賀的是菲律賓總統馬可仕夫人，接着是中國駐教廷大使陳之邁、中國駐義大使許紹昌、中國觀禮團毛振翔副主教、由美來觀禮的賴恩神父、雷震遠神父、陳之祿神父、潘朝英博士等三百餘人。嚴副總統於次日自台灣致電道賀。

新聞記者問于樞機有何感想，他說：「這事使他很高興，但也很使他想念祖國，懷念遭難的大陸同胞。樞機在教廷中樞有更多發言權，還對他伸張正義，推動反共的努力，將有更大的幫助。」

四月廿九日下午三時，于斌樞機在傳信大學神學院大廳舉行茶會，招待旅羅中國聖職人員及僑胞，共到數百餘人。情緒至為親切。

三、流血衛道保證忠誠

教宗保祿六世於四月三十日晚，在梵蒂岡隆羅廳為卅三位新樞機舉行加冠典禮。這個典禮的重點乃係教宗在每位樞機頭頂戴上一頂三稜四角紅帽，並授予一羅馬教堂榮譽銜，這是樞機職務的標誌。于斌樞機首先受了紅帽，並在羅馬領木工耶穌堂銜。于樞機對這座教堂的教務行政並不作任何干預，只是一個榮譽銜，象徵與羅馬關係的密切。

新樞機一一領受紅帽及堂銜後，教宗向他們說：「紅帽是樞機偉大地位之標誌，象徵流血衛道的大無畏精神。」

教宗致詞後，于斌樞機代表卅二位新樞機以義大利文向教宗致謝，他說：「為維護信仰樞機負有流血捨命的任命。流血捨命雖尚未臨到我們頭上，但在過去不久，有的樞機已為我們立過榜樣，有的樞機還正在遭受迫害。我們全體新樞機謹向教宗保證我們的忠誠和服從。」

在典禮結束前，教宗發表了祁國安國務卿因年高退休，由法籍樞機魏樂接替。

四、領受權戒恭讀福音

教宗保祿六世於五月一日上午十時，在聖伯多祿大殿舉行彌撒聖祭，由卅三位新樞機與教宗共祭。參加典禮的有六十餘國外交官及兩萬餘教眾。

于斌樞機領導卅二位新任樞機，接受教宗頒贈的權戒（指環），此項權戒，鐫有教宗及佩帶人姓名，它是樞機權力與責任的象徵。

在共祭中，于樞機宣讀聖經，教宗宣讀四種語言的聲明，這是他的勞動節文告，他強調欲求消除貧窮，必須致力於人類的經濟開發，和憑藉正義精神的力量，不應憑藉暴力。」

約在正午十二時，共祭彌撒結束，卅三位新樞機由于樞機領先，在數萬觀眾的熱烈歡呼中，步出聖伯多祿大殿，正式加入了教廷樞機團。（轉自教友生活）

喬治桑外傳

四七　張大萬

雅麗絲點點頭，走出了客廳。大約過了兩三分鐘又回來。

「他說孩子生病，沒有醫藥費，想借一千塊錢，三個月還你。我看他很可憐的樣子，說的話可能是事實。」雅麗絲似乎動了惻隱之心。

「妳不知道，他每次借錢都有個藉口，我已經借給他兩三千元了。」喬治桑邊說邊掏出皮夾子，抽了兩張百元面額的台幣。「妳去交給他，就說是妳給他的。」

「兩百元？是不是太少了？」

雅麗絲接過了錢，說了這一句話。喬治桑沒有說甚麼，又加了兩張，揮了揮手。雅麗絲一言九鼎，嘉惠窮人不少。

這次雅麗絲出去，喬治桑聽到關門的聲音，知道她已經打發桑敬業走路。

「唉，錢真是奇怪的東西，桑敬業拿到四百元台幣，目中露出我從未看見過的感激之色。其實在有錢人，四百元台幣又算什麼！」雅麗絲坐定以後，自言自語似有無限感慨。

雅麗絲不過是隨便說說的，喬治桑聽了卻有點不是味兒。

「一個人總應該自立奮鬥，向人借貸不是辦法，在中國找親戚朋友幫忙還能勉強行得通，美國社會是六親不認的。」喬治桑將中國美國社會作一比較，說的頭頭是道。

「『包死』（老板的洋稱呼），我知道你一向慷慨大方，我並沒有說你，請你不要誤會。」雅麗絲已看到喬治桑有不悅之色，趕緊辯明。

「那裡，那裡，我也不過是這樣說罷了。」喬治桑也不願意爲芝麻綠豆小事與雅麗絲搞得不愉快。

「今天中午，你在不在家吃飯。」雅麗絲問。

「等一等再說。」喬治桑看了看腕錶，「現在不到十一點，時間還早。」

八音律在這時又響了，雅麗絲未等喬治桑吩咐，立刻去應門。這次沒有拿名片進來，卻帶了古有方。

「桑博士，你早。我在九點多鐘打過一次電話來，老兄高眠未起，不敢驚動。」古有方彬彬有禮，中國讀書人的氣息很重。

「有方兄，你早。李小姐本來也可以叫醒我的。真不好意思，希望你不要笑我是懶骨頭。說實在的，我到台北以後，不像在美國那樣窮忙，倒真變成富貴閒人了，哈，哈。」喬治桑與古有方輕鬆地寒暄。「雅麗絲，請妳去準備一下，留古先生在家便飯。」

「不用，不不，如果博士有空，中午由我作一個小東，到外面去吃，好不好？」古有方很客氣。

「等等再說吧，雅麗絲，請你去砌一壺鐵觀音來。」喬治桑以接待貴賓的方式，接待古有方。

雅麗絲奉了主人之命，到後面泡鐵觀音去了。

「是一個福建華僑送我的，據說是最名貴的茶葉。」喬治桑向古有方先作介紹。

「博士你太客氣，真不敢當。」古有方說完，塞了一疊美金給喬治桑。「昨晚情形還好，略有盈餘。」

喬治桑捏美金在手，心中真比抱住華盛頓、傑佛遜的大腿還高興。

（未完）

龔弘計劃賣便當

文匯樓主

文滙樓別記

民國卅六年，龔弘任職上海中國文化服務社總經理，當時文服社董事長爲劉百閔，社址在四馬路，距天蟾舞台甚近，服務社對面是幾家菜飯館，菜飯分排骨、四喜、鰳魚、辣糊、炸雞，價廉物美，於今台灣還沒有人動這個腦經，非常可惜。

龔弘是一個絕頂聰明人，小學讀書時就在林語堂辦的「論語」雜誌投漫畫稿，生動而有靈感，國民黨中和龔弘同樣聰明的是駐澳大使沈錡和駐泰大使沈昌煥，一望而知爲聰明人。民國三十六年樓主代表西南一個請願團，晉京交涉一件事，駐在中國文化服務社間壁大中華旅館，因與龔係老友，又朝夕過從，常天南地北，談到生意經時，龔弘確有一套，這是先天的，而不是可以學到的。

他認爲工業社會，上海的公司行號，工廠及公教員吃飯是個大問題，如果能組織一個大規模便當公司，穩賺不虧，既利人又利己。第二他看到上海的報紙都是七大張，八大張乃至於十幾大張，不合乎工業社會要求，他主張辦一張彩色四開七號字，內容應有盡有的小型報，上車可讀，口袋易裝，節省人力、物力、財力，那時晉京代表團同人曾憲欽（現任台南地方法院檢察官）亦認爲這是絕招，非聰明人想不出，第三個計劃是到無錫泥人廠訂製杜威相，待杜威當選美國總統後推出，數目計劃是五萬個，本錢每座美金五角，正欲籌劃推行之際，從美國傳來消息，杜的當選有問題，後越看越不對，祇好放棄泥人計劃了。

龔弘的哥哥龔強，任職紐約中國銀行經理，龔弼供職農復會，三龔誰也不靠誰，皆可單獨作戰，龔強花旦唱得好，與徐柏園夫人配戲，有人謂台灣雙絕，龔強臉上有戲一望即知，「過話又說回來」，工業社會假若一個萬花筒，沒有幾套是不行的。吳家元一豬一手好牌，官拜山東鹽務督辦，就是一個好的例子。

龔弘主持中影，名符其實，有聲有色，是值得欽頌的，幾年前陸運濤事件，顯現出龔的卓越能力，祇是陷自己爲劇中人，在影言影，團體和個人損失皆大。如果陸運濤未被摔死，對國家貢獻何不在話下，相信龔弘亦別有洞天，有所謂命也，運也，時也，空也。

台北因有幾個上海人組織便當公司，因而思及民國三十六年往事，其實彩色四開七號字小型報，採發行本位，在台北或香港都可動腦筋，中國時報改用彩色後業務扶搖直上，就是最好的例子，台灣目前缺乏一張像樣的週報，如果能集中人才，籌備基金，當一件事情去奮鬥，是有前途的，何必化一筆大錢去買糾紛，買煩惱，買來一張日報登記證，形同抓一蛋子放在自己頭上呢？

論語子張篇爲子夏門人編輯說（上）

◁黃德相▷

由二十五章構成的子張篇，有一特色，就是沒有「子曰」。「子夏曰」却佔據了十一章，吾人隱約可看到孔子之影，是由曾子曰：「吾聞諸夫子……」和子貢該「夫子」「仲尼」。底下一則文字，告訴我們這一特色產生的原因。

子夏喪其子而喪其明，曾子弔之。曰：「吾聞之也，朋友喪明則哭之。」曾子哭，子夏亦哭。曰：「天乎！予之無罪也。」曾子怒曰：「商，女何罪也？吾與女事夫子於洙泗之間，退而老於西河之上，使西河之民，疑女於夫子。爾罪一。也喪爾親，使民未有聞焉，爾罪二也。喪爾子，喪爾明，爾罪三也。而曰：女何無罪與。」子夏投其杖而拜，曰：「吾過矣！吾離群而索居，亦已久矣！」（禮記檀弓）

子夏爲魏文侯之師，那時魏都是天下文人才子聚集之處，相當於後來居上的齊國稷下，而子夏地位超然，在西河以孔子繼承人自居。拿泰伯與子張比較，便知道曾子與子夏之間的第一[illegible]成立。曾門弟子[illegible]的泰伯，「子曰」佔十六章，「曾子曰」僅佔五章而已；子夏門人所編的子張，却沒有「子曰」，他們把子夏擬於夫子，因此「子夏曰」有十一章之多。

子張、子游、曾[illegible]

師長地位出現，但是子張、子游只是「西河學院」的顧問，曾子和子貢似乎在講「洙泗學院」的故事。

雖然這是以「子張」爲篇名，且前三章都是「子張曰」，第三章云：「子夏之門人問交於子張。」可知，子張被問始言。那末，第一章極可能是子夏門人問「士」，因此——子張曰：「士，見危致命，見得思義，祭思敬，喪思哀，其可已矣。」第二章也是門人說話口語，子張曰：「執德不弘，信道不篤。焉能爲有，焉能爲亡。」另外有兩章，是曾子和子游對子張的批評。

〇「曾子曰：堂堂乎張也，難與並爲仁矣。」（第十六章）〇子游曰：「吾友張也，爲難能也，然而未仁。」（第十五章）

子游除了批評子張未仁之外，還批評「西河學院」的教育宗旨。子游曰：「子夏之門人小子，當灑掃，應對，進退，則可矣，抑末也，本之則無，如之何？」子夏聞之曰：「噫，言游過矣……」

曾子之子曾申，受春秋於左邱明，受詩於子夏。曾子和子游都居武城；曾申是門人，回武城省親，因問起子張的爲人，因此而有「子張未仁」的異口同聲的批評，再問「喪」：

〇子游曰：「喪，致乎哀而止。」（第十四章）

〇曾子曰：「吾聞諸夫子，人未有自致者也，必也親喪乎。」（第十七章）

曾申問起孟莊子，爲有

〇曾子曰：吾聞諸夫子，孟莊子之孝也，其他，可能也；其不改父之臣，與父之政，是難能也。（第十八章）

曾子另外有一章，也是被問始答。

〇孟氏使陽膚爲士師，問於曾子。曾子曰：「上失其道，民散久矣，如得其情，則哀矜而勿喜。」（第十九章）

從以上分析，子張、子游各三章，曾子四章，都是被問而答，相當於「西河學院」的「客座教授」，皆在解惑。子張、子游都礙見或說出「子夏之門人」，而這位門人必定和孔明子弟子熟悉。那時，子張居陳（史記儒林傳），子夏居西河（同上），子游爲武城宰（論語雍也），曾子亦居武城（孟子離婁下），子貢終於齊（史記儒林傳）。曾申是曾子之子，與子游同居住于武城，又是子夏之門人，並且好學，據漢書藝文志、漢書儒林傳、詩經和春秋之傳授：

詩：孔子——子夏——曾申——李克——孟仲子——根牟子——荀子——毛亨——毛長（草頭）

浮丘伯申公——楚元王

左氏春秋：孔子——左丘明——曾申——吳起——吳期——鐸椒——虞卿——荀子——張蒼——賈誼。

曾子在論語有十二處發言，只有子張篇有兩章「吾聞諸夫子」，顯然是對曾申說的。

子貢在本篇佔了篇末六章，談了「紂之不善」，「君子之過」，以及四章爲夫子辯護與稱道之語。

一、評論兩則

〇子貢曰：「紂之不善，不如是之甚也，是以君子惡居下流，天下之惡皆歸焉。」（第二十章）

〇子貢曰：君子之過也，如日月之食焉。過也，人皆見之；更也，人皆仰之。（第二十一章）

二、辯護之文：四則

〇衛公孫朝（見張起鈞先生中國哲學史話P四七——四八）問于子貢曰：仲尼焉學？子貢曰：文武之道，未墜于地，在人，賢者識其大者，不賢者識其小者，莫不有文武之道焉。夫子焉不學，而亦何常師之有？（第二十二章）

〇叔孫武叔語大夫于朝曰：子貢賢于仲尼。子服景伯以告子貢。子貢曰：譬之宮牆，賜之牆也及肩，窺見室家之好，夫子之牆數仞，不得其門而入，不見宗廟之美，百官之富，得其門者或寡矣。夫子之云，不亦宜乎（第二十三章）

〇叔孫武叔毀仲尼。子貢曰：無以爲也，仲尼不可毀也，他人之賢者，丘陵也，猶可踰也。仲尼，日月也，無得而踰焉。人雖欲自絕，其何傷于日月乎？多見其不知量也。（第二十四章）

〇陳子禽謂子貢曰：子爲恭也，仲尼豈賢于子乎？子貢曰：君子一言以爲不知，一言以爲不和，言不可不愼也。夫子之不可及也。猶天之不可階而升也。夫子之得邦家者，所謂立之斯立，道之斯行，綏之斯來，動之斯和，其生也榮，其死也哀，如之何其可及也。（第二十五章）

雷震與「自由中國」

當年內幕誰知道　一番往事話從頭

王曰叟

（一一）

提到副總編輯張起鈞教授的來歷，那要從勝利後北平的雜誌談起：

復員之初，北平的文化學術活動，可以說是一片空白，僅有的一點文化事項也都沾染着敵偽的遺毒。例如當時最流行，一期可賣三兩萬冊的「太平洋」雜誌就簡直可以說是莫名其妙的雜誌，不僅水準低下，內容荒唐，連文字都不通，而這樣的一本雜誌就正是那個社會的產物。

等到三十五年秋後，北大、清華復員，教授學人陸續回到故都，于是文化事業才又復蘇，春夢再度回到故都，首先有三個雜誌先後出現。一個是「知識與生活」，據說是閻錫山出錢支持的，一個叫「××××」（恕老叟記不起來了，讀者如能賜告，無任感謝），據說是燕京大學一個蕭姓教授，賣了兩所房子辦的，而另一個便是張起鈞氏辦的「正論」了。

過了一年多，前面的兩個雜誌即無法維持，先後停刊，只剩下正論雜誌却是愈辦愈起勁，這時倒下去的雖是兩個，起來的却是一羣，許多夠水準，敢說話的雜誌都如雨後春筍般，紛紛出現，在這許多後起雜誌中，最有份量的當推「中建」、「新路」、「周論」三部，「中建」是由一個實業機構支持的，實力最爲雄厚。「周論」是北平市黨部辦的，而由清華大學的雷海宗教授主編。「新路」則是北大法學院長周炳琳教授主辦。

北平是政治鬥爭的中心，在這個舞台上辦雜誌，豈容你孤芳自賞，超然物外，于是共黨的操縱統戰下，大部份雜誌期刊，不知不覺走向左派的陣營，而專以攻擊政府爲能事了。其中最突出的是周炳琳辦的「新路」，周本是五四運動的健將，少年飛黃騰達，作過教育廳長、教育部次長、國民參政會副秘書長，尤其還作過政治學校的教育長，足見與政府關係之深。但是勝利後不知何以與政府鬧翻，而這刊物便是一味以四十二寸的大炮向政府開火，一時許多對市民治安促進會的教授們，便紛紛投集周氏門下，專寫抨擊政府的文章，致使人把「新路」與南方的「觀察」等量齊觀。

至于剩下來的「正論」、「周論」，則被共黨統戰人員，一齊歸到右派，把正論、周論稱爲「二論」。周論是市黨部辦的，歸到右派，還無話可說，至于正論和獨立時論社却可說是無立場，無成見的，一切都是「是者是之，非者非之」，對共產黨的不對固是責之，對政府的錯誤也一樣批評，既不是「右」，又何成「派」？但是共黨是承襲西秦中古的「不容忍」精神的，非友即敵，是敵就要打擊，更何況胡適這樣大的目標呢？于是便劃歸右派，指爲政府的幫兇，那麼政府是否引爲同論，視爲一家呢，也不然，政府把這些人視爲「自由份子」，而「自由份子」也多少意味着有些不受歡迎的意思。

現在「自由中國」選出的幾個編輯人，就正是這一批從北平來的地道的「自由份子」，而張起鈞氏更是在北平主辦雜誌，逃出圍城來到台灣唯一的一人。

政治垃圾現形記（二）

李槃

第一回　暮楚朝秦，官場誇得意　慢妻寵妾，醜劇誤終身

士官學校修業期間共爲十八個月，開始在聯隊當兵一年，最後在學校上課六個月就畢業。顧昌達學的是炮兵科，炮術和數理科技很有關係，他對數理的智能很差，成績當然說不上優良的話，而學校當局對於比較高深的軍事知識，又以「保密」的國防觀點，禁止中國學生聽講，顧昌達在學校吊兒郎當的瞎混，每逢星期日即與本國籍不喜歡用功的同學胡士惠、柳成章等人，到東京或橫濱市內吃喝玩樂，追逐女性，混過了十八個月，照例畢業回國。

顧氏歸國後，即向原來保送他進士官學校的某督軍署報告一切，某督軍亦是日本士官學校出身的，且有父執米壽華參謀長從中吹噓，某督軍適創立炮兵隊，就派任顧氏爲督署上尉參謀，在炮兵隊服務。這時國內動亂不歇，南北軍閥割據稱雄，內戰連綿，經過了兩三年的鏖爭鬥，某督軍在北方的實力逐漸擴充了，乃把炮兵集中建制，成立炮兵司令部，而超拔顧昌達担任司令一職，視之爲心腹幹部，顧氏亦深感知遇，努力圖報，怎奈才識庸愚，毫無建樹，更有使某督軍失望的事，某次他在前線指揮作戰時，爲着玩女人的關係，夜間微服離開部隊後，被戰火阻隔不能回防，以致大吃敗仗，損失重大。某督軍大爲震怒，免去他的炮兵司令職務，調爲督署高參，他害怕受到處分，乃向敵方輸誠告密，引導敵軍兩處進攻，把某督軍的實力消滅了大半。戰事結束後，顧昌達來到南京，受任國府少將參軍，不時奔馳津滬漢一帶，做些軍事上的聯絡策反工作。

有一年，顧昌達在武漢旅次結識了一名交際女郎，兩情繾綣，其樂只且。女郎自稱黃姓，與先烈黃克強同族，畢業於長沙古楠田「周南女學」，顧昌達信以爲真，視同祖拂再世，說言髮妻已去世，願娶女郎作繼室，女郎亦不拒，但須正式舉行婚禮，並指定要請赫赫有名的當時「武漢行營」主任何上將軍作證婚人。顧昌達一一照辦，廣招當地文武官吏到場觀禮，拍攝結婚照片，且在報紙上大事宣傳，熱鬧非凡；這是民國廿年間的事。此時顧昌達的髮妻帶同兒子媳婦和孫兒一家人，住在南京，她原是鄉村的農家女，又不識字，行年已屆五十歲了，對於丈夫在漢口重婚的事情懵然罔覺，顧將黃姓女郎安置漢口日本租界內，自己常常往來南京武漢間，大享齊人之福，到也逍遙自在。

既而中樞軍事委員會在武漢設立「豫鄂皖三省剿匪總部」，採取三分軍事，七分政治的剿匪策略，在匪患區域內，實施「行政督察專員」制度，顧昌達官癮勃發，央請中央某要人推轂，受任某省第三區行政督察專員職位。他從未幹過行政事宜，也缺乏政治知識，更沒有行政幹部，他那專員公署與保安司令部的職員，多數是妻妾雙方的姻婭之輩，遇事互爭權益，各不相下。黃姓女郎藉着丈夫常住任所，干政尤甚。一日爲着人事進退問題，黃女在專員辦公室內與顧昌達爭吵不已，終於互相毆打，黃女伸手抓緊顧昌達的下體不放，說是「我跟你拚命！」顧昌達痛不可支，乃大呼「救命」，驚動了關署職員，乃由幾個科長走來專員辦公室勸黃女鬆手，有話慢慢商量。這一幕鬧劇馬上傳到外間，成爲笑柄，顧氏頗不自安。

（未完）

巨變歷險記！

天津陷落了（三九）

胡慶蒼

天津淪陷可以說是在民國三十八年一月十五號的夜裡，也可以說是在民國三十八年一月十六號的早上。在民國三十八年一月十五號的夜裡，林彪部隊就已經攻進天津城裡來了，但我方完全停止抵抗，則在民國三十八年一月十六號早上。槍炮聲最密的時候，是在民國三十八年一月十五號的夜裏——十二點鐘左右，以後就逐漸的稀少下來，到十六號的早上六點，槍炮聲就完全沒有了，一切歸於靜寂。家家都打開收音機，圍着靜靜的聽。從廣播上，市民意識到天津是淪陷了，廣播一天到晚的播，市民一天到晚的聽。市民希望政府能有軍隊到來，再把天津拿回來。但這個希望必竟沒有能夠實現。天津市民在等待，但這等待是失望。

共產黨對於廣播非常重視，在攻取一個地方的時候，他首先要佔領這個地方的電台。電台成共產黨威脅市民的工具，共產黨在宣傳上自然有他的一套，很善於運用廣播，也是無可否認的。第一他們的音調就特別，話出來非常衝動，非常緊張——非常激動，他叫你怕，叫你樂，叫你哭——叫你笑。在廣播中，共產黨儘量消滅我們的勇氣，打擊我們的銳氣，在廣播中，市民聽到守城的陳長捷司令已經被俘了。他的警備司令部已經被完全破壞了。陳長捷被俘，到那裡去了，沒有人得知！

天津淪陷，戒嚴取消，街道的工事也完全取銷。在被圍的時候，天津市本身就是一個戰場，在街道的中間，處處都是工事，本來是準備作巷戰用的。萬一敵人來攻，即與他巷戰，與他肉搏，尺地必爭，寸土必爭，逐屋必爭，逐瓦必爭，但事實上並沒有能够這樣，因爲事實工事幾乎全沒有能够用得下。事實上防禦的工事全沒有發揮他的工作。

淪陷後的天津，第一是消滅所有一切戰爭的痕跡，工事一律拆除。老百姓的房子都把大門打開，把窗子打開，放進空氣來，到街上走走，一時街上的行人擁擠不堪。過去一個月的生活，是屋子裡邊的生活，一天到晚——一晚到天亮，無不是在家中。天津淪落，人民要求空氣。外面很冷，冷也沒有能够阻止人民的出外散步。

共產黨忙着接收，笑話百出。共產黨都是鄉間人，城裡他們那裡見過？一旦進了城市，比劉姥姥不如！把抽水馬桶當作洗米的地方，把電扇的響音當作飛機的聲音，吓的趕快躲在床下。在人民大量湧出遊走的時候，所有反共人士都趁機逃了。丁作韶博士，就是其中之一，他是在天津淪落之後就離開的，他改裝平民，夾在人潮裡邊溜出天津。他到那里去了呢？德鄰里十三號，丁博士的住處——訪問的人，絡繹不斷，有山陰道上之盛。丁博士家的人，均一一予以拒絕。

生活漫談

熱咳與寒咳的急救

・馬騰雲・

在我們感染到咳嗽時，首先戒絕油膩，不吃太冷太熱的食品和飲料，用淡鹽水或硼酸水常常嗽喉嚨，這樣可使咳嗽不會加重，然後再研究是熱咳還是寒咳。因熱天的咳嗽與冬天的咳嗽治法不同，如果用冬天治咳嗽方法，治夏天咳嗽，不僅無效，而且變本加厲，患有咳嗽的朋友，不得不特別注意。

夏天的咳嗽，大多屬于熱咳，治熱咳用柿餅煎水溫服最有效驗，柿餅的成份，含有轉化糖、遊離酸、甘露酸、柿醇，它可以治痔瘡、大便不暢，將柿餅切開，加一錢青黛，嚼食可治吐血。我國各地皆有出產，以安徽、山東、河南產者爲佳，福建、台灣兩省產品次之，成熟柿餅爲溫和滋補品，內服能止血、調順大便、降低高血壓，對治療痔疾腫痛、痔瘡出血、直腸出血，均有顯著效果。用牛蒡豐碩柿餅，加兩碗水煎到還有三分一，溫熱飲，專療熱咳、兼化痰、潤心肺、清腸胃、治痔瘡，柿蒂能下氣、治逆嗝，柿霜清喉痛、治肺熱，柿漆（在大陸爲作雨傘用），一湯匙混和牛奶或果汁沖服，一日三回，爲高血壓、腦出血急救藥，本方爲日本藥田吉氏所有。

在中國北方幾省，立冬前後都爲紅柿季節，尤其沿淮河流域，無分老幼，均嗜食此物，食時很習慣的將柿蒂粘貼在牆上，幾十個到幾百個，柿蒂雖是一種好藥，但太普遍了，賣不到錢，藥店亦很少儲備，可是遇有呃逆病、高血壓，須柿蒂急救時只好家家戶戶去行討，柿蒂裡含有無氮素結晶物質，既苦且澀，可能就是治上列病的有效成份。

另一個治熱咳的驗方，是扁柏葉燉豆腐亦非常有效，這是一位廣東醫生傳授，產地以廣東清遠產者爲最好，台灣山地亦很普遍，中藥名叫側柏葉，其成份含有松柏苦味素、側柏昔、精油、樹脂、柔酸等，爲一種良好健胃藥，兼能清涼收斂，如咳血、吐血、腸出血、婦人子宮出血、及赤白帶下等症，用本品大量內服無流弊。又能治淋疾利尿，以此治熱咳，可能採其涼血消痰、滋肺袪濕關係，豆腐裡含有石膏，石膏乃清涼解熱藥，用于急性熱病之齒痛、頭痛、咽喉痛有著效，綜上所述以此二物混和，用于暑天治熱咳的驗方，是很有道理的，側柏葉的份量，不能超過三十公分，用時須注意。

除上列兩驗方外，咳嗽不止使人非常難受，有很多病人被迫內服麻醉劑，這是非常危險的一件事，用麻醉藥成了習慣後，再咳嗽用麻醉藥難以收效，很多吃鴉片及海洛英的朋友，都是因治病上癮，筆者有一偶然而發現的驗方，就是當咳嗽咳得太劇烈的時候，以萬金油之類藥品少許，按摩咽喉骨，立可止咳，有殺菌和末梢神經知覺麻痺作用，再以少許抹在紗布嗅之，不僅沒有害處，且利咽喉，治感冒。

救國日報——曾琦

曾琦，字慕韓，爲四川隆昌縣人，畢業於美國喬治華盛頓大學，公認爲中國青年黨領袖人物。

曾琦與左舜生、李璜是震旦大學同學；與唐有壬、易君左、張夢九是東京華瀛通訊社同事。早年先後主持成都商報、四川公報、民國新報、醫重醫學報筆政。對當時腐敗政治，口誅筆伐甚遭時忌。民國四年北上，得識章太炎、梁任公。後在上海創辦救國日報。時正適五四運動，曾琦有一篇「國體與青年」一文章，頗爲時賢推重。後時局略定，曾應上海新聞報聘，担任巴黎通信。並與李璜合辦巴黎通訊社。民國十三年，由法歸國，出任上海大夏、法政、同濟各大學教授，（月薪一般皆四百銀元左右，銀元可購牛肉十斤），與今日台灣挾皮包跑鐘點教授截然兩途。同時與左舜生、李璜、余家菊、陳啟天、張夢九等創辦醒獅週報，在上海出版，知名學人，多在該報執筆。

▲報壇點將▼

海國秋涼（二三）

・文自粹・

早晨起來，呼吸新鮮空氣，男工送來近日的書報，也有筆記簿，供書寫之用。才曾既了解此來爲嘉玉所陷，乾脆不用去函給他。只要求寫一封信給紓公，請由江省政府交轉，一封信給韋秘書佑儒，告訴被人陷害的經過，却望他們據實以爲證明。後來大概兩方都有復信，替他作證，並且還派人替他送來零用、食品和衣被。約摸過了三星期，有一位頗負重責的官長傳見他，嘉許他已往的貢獻，只因香港方面工作太雜，有些事情還待多方查詢，希勿心焦，倘生活有所需待，請隨時告知辦公廳單主任。實在，在那邊禁錮，除自由受限制外，物質生活並無什麼虧待；才曾謝了他。

好在國家前途日益光明。常德會戰，第三次長沙大捷之後，日軍曾大舉包圍衡陽，進逼桂黔。但不久傳來我軍反攻湘桂路，敵人倉皇潰退；卅四年一開始，首是東南亞方面盟軍登陸菲島，歐洲軸心國家的宣告覆亡；到八月六日廣島丟下原子彈，九日長崎再丟下一彈；陪都報紙差不多天天出號外。到十五日晚上八時起就聽到遠近澎湃，都是爆竹聲，聽說是日皇廣播無條件投降。到九月底長官再傳見，說經過多方查證，的確你是一個了不起的愛國男兒，現在勝利復員；共匪還在各地煽動叛亂，你還是以一個平民身份，再到香港，聯絡中下層忠義之士，勿爲共匪所愚弄，並給他一張赴港飛機票和路上用費。那時大家都紛紛東下，才曾也急於給家人確訊，發航空信去後，趕快搭機回港。聯絡部分老友，又回上海、浙江家鄉一趟，其中細節不及贅述。現在爲了安定部分朋友生活，想在海濱辦一所大規模的遊樂場，名叫幸福樂場，有高尚的餐廳、舞廳、泳池、球場以及百貨攤位、兒童遊藝場等。經費預定一百萬，已籌集就緒。將來如港府需要關照，再來奉託。搜鵑也安慰一番，祝賀一[illegible]。

到第二年夏天，幸福樂場果然在北角銅鑼灣開幕了，氣派軒昂，生意不惡。才曾告訴搜鵑：那片基地是海埔新填土，向公家租來，連建築設備確用了一百〇五萬元左右，不過開幕之後，光是百貨攤位所收定金就有六十多萬元。香港有的是享樂的先生小姐們，只要設備新，花樣巧，多化幾個錢不在乎的。搜鵑也爲才曾得意。

正在張治中、邵力子這批傢伙粉墨登場，北上和談的時候，忽然分行經理接到總行緊急電話，叫搜鵑交代，馬上到廣州去。電話既未明言職位升降，當然經理也不便詳問。搜鵑將負責事務交代清楚，就趕回到省城。

先去見總經理，那時劉先生已交代，以杜梅和升任。杜是老香港分行的經理，也是搜鵑結婚時的介紹人，當然很熟。他告訴搜鵑，這是主席的命令，主席大概另有借重，叫你一到省城就去見他，我這邊先去電話報告。

富人列傳

石崇與綠珠（三〇）

周燕謀

我們談到富人，往往爲一般人所討厭，以「守財奴」，一身銅臭，更以「爲富不仁」加之。總之，一般人都敬愛兩袖清風的廉節之士，而惡銅臭財奴；至少也認爲富人俗不可耐。但本文所述的一代巨富——石崇，却是一個例外。不但不俗不可耐，而且令人激賞。

石崇是晉代南皮人，累官至荊州刺史，使客出海商賈而致富者。刺史是掌管一方軍政大權的首長，相當于今日一省之長。荊州是富庶之區。石崇是既貴且富，「置金谷別墅」，買了一名大美人——綠珠，藏于「金谷」，即「金谷藏嬌」是也。金谷之中，天下奇珍異寶，山珍海味，金銀玉石，堆積如山。石崇就在金谷中享其艷福。可是好境不常，聞有一個顯貴孫秀，常聽綠珠是一個大美人，向石崇索綠珠，石崇斷然拒絕了搶愛，奪美的要求。孫秀大怒，在趙王司馬倫之前，譖毀之，矯旨收石崇斬首棄市。孫秀以爲這一下可以如願以償，可是大大出乎意料之外。綠珠知道石崇乃爲她而遭滅門大禍，伊人感動，痛不欲生，竟跳樓殉情。寫下了一頁「殉情記」，至今爲人樂道之。

石崇雖然是「累官至荊州刺史」，但他並不是刮地皮，吸人血而致富，乃是「使客航海致富」的，這是他值得可取之一。猶其是值得讚揚的：普通一般富人，大半是重利輕義，往往把一些侍妾當作禮物，惟恐達官貴人不垂青，甚而送進門去，走入內線，作爲升官發財的張本。歷史上屢見不鮮，難以舉例；石崇雖富，却沒有如此卑鄙的勾當。孫秀是當時的權貴，向石崇求綠珠，他斷然拒絕，干冒權貴不諱，雖殺頭棄市，不畏也！

我們所耽心的，是石崇死了以後，如果綠珠公然投到孫秀的懷抱，使孫秀如願以償，那才眞令後人詬罵，石崇固然死不瞑目，旁人也要爲之痛心疾首。歷史上這類女人太多了，也不勝枚舉。

綠珠不但不投向孫秀懷抱中去，而且行其所難行，跳樓自殺以殉。以義還義，以情還情，這一對男女，未嘗不是沙漠中之「奇花」，實可謂空谷足音也。

催眠術研究（二四）

五十、與鷄鶩催眠法

鮑紹洲

（二）又有簡單催眠的方法，如以右手捉住牝鷄的後頸，約一瞬時間，直放在桌上，使橫臥或臥，同時合氣而喝聲，則鷄俄然而陷於催眠狀態。這種方法熟練之後，可順手捉鷄而一喝，則鷄自爲催眠了。

（三）捉住鷄頭而屈於翼裏，將挾頭的一面向上而放在翼上，則亦催眠。

（四）把鷄放在暗室中，突然燃起金屬元素的強光，以刺激眼睛，此時鷄已受感而成爲強直狀態，便告催眠了。以平常而計之，鷄的催眠狀態的持續時間甚短，往往在施術後數分鐘即醒覺。如果要它催眠久，則將鷄的雙眼用手輕輕撫摩，心中則凝神而念其催眠。如能用這種方法，可以持續長久。這種方法不僅能用於鷄，也可以用於其他動物。

動物如何暗示方法？它不解人意，故不能用語言暗示而感應；但施術人捉住鷄，整一整其一定的姿勢，則鷄不變異既定的姿勢，這就是暗示的狀態。例如舉起它的尾巴，鷄便舉起不變，如伸其脚，鷄便伸脚而不變易，若令足爪緊握，也就緊握不變。

美國芝加哥市阿里拔氏，曾應用催眠術而研究多種產卵的方法，常以鷄作實驗，頗有成功。就是每日早晚入鷄舍施行催眠術，每次固定的時間，早上一個時間，晚上一個時間。其方法便是將鷄舍作黑暗，靜坐鷄舍，使精神統一，心中默念：「我家的鷄，產卵必多。」如此凝着精神力，則精神成爲一種暗示，而感應於牝鷄，因此鷄產卵則較平時爲多。（二）

中華民國內政部內警台報字第〇三一號
中華民國僑務委員會登記證僑報新字第三二三號
中國郵政台字第一二八二號執照登記爲第一類新聞紙

自由報

（第九五九期）

（半週刊每星期三、六出版）
每份港幣壹角，台灣零售價新台幣弍元
社長李運鵬・督印黃行舊
社址：香港九龍彌敦道593—601號
廖創興銀行大廈八樓五座
LIU CHONG HING BUILDING
7th FLOOR FLAT 5
593--601 NATHAN ROAD,
KOWLOON, H.K.
TEL: K303831
電報掛號：7191
承印：景星印刷公司
地址：嘉咸街廿九號地下
台灣總管理處：台北市大同街119號
台灣區直接訂戶　合郵劃撥戶
第五〇五六號張萬有（自由報會計室）
電話：七一四〇三三、五五五三九五
台灣分社：台北市西寧南路110號二樓
電話：三三〇三四六，台郵劃撥戶九二五二樓

宣揚中華文化責任

林景隆

在本年四月十六日的「輔大新聞」的社論以「僑胞的心聲」爲題說道：「在十全大會召開的時候，僑胞們回國來表達他們的願望，並一致申明，願全力的支援我們反攻大陸，這是僑胞的心聲，顧念僑胞的期望，思慮中華兒女，想到我同胞在海外所受的痛苦，我們有義務參與建設強大祖國的神聖工作，僑胞們的心聲既已表達，國內的同胞當有一個適切的回應」。

的確，這是海外孤兒的心聲，他們熱愛祖國並誓爲復國的後盾，華僑特別愛國，是一般人知曉而且讚不絕口的，然而愛國的原因，當被認爲是遠離家園，思鄉心切所致，這也許不是最重要的原因，有許多華僑在國內無家無親，有許多華僑是在海外土生土長，從未進入過國門，而愛國心却是那麼熱忱，這是因爲華僑在國外，大部份都是憑着一雙空手，披星戴月，埋頭苦幹，然後方能有一點成就，既繁榮了當地，也使自己得到一點溫飽，假使遇到了那排華運動，唏哩嘩啦地，不但把那一點辛勤工作的成果丟個乾淨，並且連命根兒也可能不保，在這樣的處境下，叫天不應呼地不靈，流淚沒用，反抗更糟，思前思後，唯有寄望於自己國家的強大，能夠爲自己撐緊那得來不易的飯碗，爲此，怎能叫華僑不愛國？

自從第二次世界大戰以後，各地排華運動，此落彼起，已不能算是新鮮的事情，身爲中國人，誰都會因爲自己的同胞受到這種不公平，不合理，不人道的遭遇而感到悲痛與氣憤，尤其爲華僑的我們，內心的憤慨感觸與苦痛，該不是一般人所瞭解。

大家都曉得，華僑居留海外，已有了悠久的歷史，而人數將達到二千萬左右。這麼多同胞遍佈於全球各角落，除了創業謀生外，在政治上，並不像西方民族一般有着侵略企圖，而在經濟上，也沒有絲毫獨佔的野心，對於當地社會的開發和繁榮，僑胞的貢獻和功勞，是無論如何也不能磨滅的。當然，我們不會因爲這些而希望當地人士，對我們有所感激，我們只希望世界各國人士，深切地明瞭，就是在將來，衆多的華僑，對於各地的開發，進步，與建設，也將是不能忽視的主要推動者，而好好地改善華僑的待遇、使處於平等地位，實在是安定當地社會的最佳保障。由此觀之，所謂「排華運動」實在是一種不够聰明，盲目而衝動的運動，一般有識明理的人士，是絕不會贊成的。

這種沒有理智的運動，所以一再地發生，尤其是在東南亞地區，主要是因爲這些地區，在二次世界大戰後，紛紛由殖民地而獲得獨立，所以報復心理及狹隘的民族主義，高漲一時，從而產生了盲目的排外運動，人數較多的華僑，首當其衝，受到種種打擊，遭遇了許許多多的困擾，而中國這個時候，却正處於內憂外患之中，以致不能給予僑胞很好的保護。

舉個實例來說，事情發生於一九六〇年，這是印尼大規排華的一年。槍殺，迫遷，沒收財產，封閉華校等等殘絕人寰的事件，層出不窮，斯可忍，孰不可忍。其時中共却利用此機會，儘量搾取華僑人力，高唱「海外孤兒有了娘」的口號，派了四艘輪船，免費遣返難僑回歸國。這些可憐的無辜受騙的華僑又在碼頭中遭到印尼官員的百般虐待，把他們的自行車鋸成好幾節，羊毛毯被剪成碎片，據稱：是怕華僑私藏鈔票與金條，這不是無理取鬧嗎？猶有更甚者，就是一位印尼海關檢察官竟拔出一把尖刀，威迫一位女學生把手錶送給他，但這不屈的中華兒女，却理直氣壯地面對印尼官員說道：身爲黃帝子孫，中華兒女，頭可斷，血可流，那還怕你的尖刀與威脅，看吧！還，然後把錶掉在地上，恨恨地踏了一腳。這女學生的行爲，是英勇的，是可佩的，她僅正替華僑出了一口氣。這是碼頭中的一部插曲而已，還有其他更多的凌辱華僑事件，實在不能盡言。

國家之不強盛，華僑只好像豬羊一樣任人宰割。以目前來說，僑胞們所該做及所能做的，就是以最大的忍耐力，儘量與當地人士友善相處，以謀求解除其對中國人的一般成見。今日，不少地區都有唐人街及中國城的存在，實在說，這絕不是很好的現象，因爲將使我們與當地人民較少接觸與瞭解，同時將使僑胞成爲當地的特殊階級。現在有許多僑胞，尤其是我們這一代的青年，大多數都失去了祖先們克勤克儉的美德。許多人貪圖物質享受，生活奢華以致引起當地人士不平的心理，這是最要不得與最危險的不定時炸彈，隨時都有爆炸的可能。當我們中國還沒有統一與富強之前，無論如何，我們僑胞的處境，將不可能有太好的改善與永久的保障。做一個現代的國民，我們應該深切瞭解，個人的幸福，完全寄託在國家的富強上，謀求中國的統一與富強，是僑胞們積極爭求平等待遇，阻止排華運動的發生的不二法門。其實，這是說來等於不說的漂亮話，也就是一排廢話，有誰不知道，國家富強，可以保護自己的生命財產？問題是國家的富強，並不是三年兩年所能實現的，而我們却不能坐視排華運動不斷地發生。退而求其次，我們當前所能努力的就是和當地人民建立友誼，套一句時髦的話來說，就是多做一些國民外交工作，這些工作，無疑的一定是在祖國——台灣就學的僑生所應該擔負起來的。國家撥出鉅款，優待僑生回國深造，唯當僑生學成賦歸，多宣揚中國文化，敦睦友邦，造福僑胞社會，我們的民族是愛好和平，我們的文化是以孔子大同思想爲主，中華民族的文化是以仁來感化別人的，我們應該使周圍的人也生活在中華民族愛好自由和平的文化裏。（完）

昨日與明日

血濺杏壇

成公

日前台灣省立基隆中學的學生，竟然在課堂上，用利斧把導師砍死，逆倫悖義駭人聽聞，達於極點。今天全世界歐美日本，無不普遍的鬧學潮，風氣囂張，師道無存。獨有自由中國，學校安靜，師生之間情味濃深，這正是使得許多從業者引以爲慰！而世人也都交口稱譽的，但想不到在這一個尙存古道的國度中，現在居然產生如此悖逆之事，眞是令人遺憾萬端！

事出有因

月暈而風，礎潤而雨，凡事絕不能無端而至。此一不幸事件，不發生他處而獨出于基隆中學，據聞悉內情者言，實非偶然，語云：唯上智與下愚不移，此生固非上智，但也絕不是泯頑不化的下愚。如其置身良好的環境，受到良好的薰陶，那也絕不會作出這特大逆不道的事。而基隆中學却正是一個校風一向不良的學校。學生在後山賭博時有所聞，訓導人員不敢管，甚至學生將老師打倒在地，也未聞有何懲處，甚至在莊嚴的升旗時，學生會向訓話的老師示威喊殺，在這種環境中，產生殺師逆事，不是意料中的結果麼。

誰負其責

學校本是培養品德，訓練體魄生活的，怎麼反而會演變成這種怪現象，那不用說是人謀不臧，校長不能辭其咎了。尤其是基隆中學這位王宗樂校長，王氏早年在師範學院（即師大前身）任學生管理員，甚不理於口，學生呼之爲「王八蛋」，即同事之熟悉者，亦以此雅號當面相稱。其後劉眞出任教育廳長，王某的掌握劉氏陰私，要挾劉氏發表其爲省立中學校長，遂來基中。王氏不僅資歷不够，品學甚差，而作風尤其不類校長。基中本爲一人才濟濟，甚有聲譽之中學，同仁見此怪狀，自不心服，然諫既無從，告又無效，憤恨之餘，曾於中央日報第一版，刊登「基隆中學王故校長宗樂撞車死亡訃告」，以資洩憤，不僅開教育界未有先例，且給中央日報帶來不少麻煩，由此諸端，則王某之爲人作事如何，亦可思過半矣。在劉眞廳長任內，王某因掌握劉氏陰私，劉氏不敢處置，尙有諸說，何以劉氏卸職之後，王某仍能繼續至今，實在難以理解。語云：「對壞人的寬容，就等於對好人的劣待」，正因爲對王某如此寬容，才產生今天江新同老師被殺的慘禍。

不容再誤

「往不可諫，來者猶可追」，我們不容使這種悖逆之風再蔓延下去，我們希望教育主管當局，第一、要認淸此事的嚴重性，其後果不止於一個中學而已。第二、要弄清責任，明辨是非，賞罰分明，尤其不適宜作校長的，不可使其再濫竽下去，或調到別處去害別人。第三、應切實下決心想辦法，扭轉淚氣，遏止頹風，不可只是開幾次會，擬幾條紙面的辦法，便等因奉此，完事大吉。

自由談

人才與時代

馬五先生

時代有昇平世與擾亂世之別，政治上所需要的人才亦迥然有異，未可概論也。

昇平之世，國泰民安，時局穩定，担當國家政務的達官顯宦們，貴在循規無華，按步就班，循序漸進地推行政府既定的建設計劃，聿觀厥成，而非常的措施，以及獨特傑出的人才，皆非急需。西漢文帝時代，適爲昇平之世，須在安定中求進步，政治上實行「蕭規曹隨」方略，因而才氣縱橫的賈生，終雖得志於時，而使後人有「可憐夜半虛前席，不問蒼生問鬼神」的慨歎之詞。這不是文帝不能任用傑出人才，而係時代不需要所使然的。

若夫擾亂之世，社會動蕩不安，人心趨於激越，國家陷於膠擾喪亂的非常狀態中，政治上非有卓異瑰奇的人才及時崛起，得當以顯，即不容易獲致撥亂反正之績效。假使擾亂之世，一般紆青綰紫的顯貴人物，相率依違立朝，如脂如韋，日唯患得患失，關心於固位邀寵，而以混世主義爲職志。但知等因奉此，照例行事，有如一面死鼓，敲一下，響一聲，大家不肯負責，認爲多做多錯，少做少錯，不做就不錯，誰也不敢有所主張，唯恐妨害了自己的前程。憑着這類的政治人才，而希望創造非常之業，奠立不世之功，挽狂瀾於既倒，救國家之危亡，寧非癡思幻想嗎？

眞是人才，必有個性，平日知恥自愛，有所不爲，臨事勇於負責，罔顧個人利害。他決不以作官爲念，而以能否施展抱負爲進退的基準，今天欣然上台，明天就毅然引去皆無所謂。這類人都有擇善固執，正色立朝的風格，知之者，認爲他是不平凡的傑出之士，不知者說他是不聽話的異端之徒，以視一般官僚份子之唯唯諾諾，瞻上欺下，專事阿諛逢迎，歌頌功德的官行，在感情上張羅討取別人的歡心，此即古往今來，治世少而亂世多之癥結所在，値得愼思明辨的。

廿億富翁台北有卅個
乞丐竟然是千萬之家

有「一條」有理末落　有土有財正興

（本報通信員柳一欄台北消息）台北的暴發戶有增無減，往日能有三五百坪地的戶頭，今日皆千萬富翁。茲據統計，台北擁有廿億新台幣財富者約在三十位以上。這三十位暴發戶，既非靠工廠起家，又不是做生意賺來，乃完全受地價波動，坐享其成。有人担心財富集中所造成的後果，其實二十億新台幣並非甚麼了不起的數字，祇是在公教人員心目中看得很大。

台灣的財富，並未集中在這三十個人手裡，相反的，這三十位暴發戶，除三兩人是從事工商起家外，其餘乃將土地變更爲錢造成暴發，對政府執行的土地政策，「耕者有其田」並沒有構成甚麼不良影響。

若干暴發戶在台灣行爲上須檢點則非常需要。例如：有位公教人員在西門町珠寶店，以八百元新台幣買了一隻訂婚戒，看到一位暴發戶買了七粒金鋼鑽，每粒從三萬五到五萬元新台幣，這位公務員問他，買這麼多金鋼鑽作甚麼用？？暴發戶回答說：「三個媳婦，兩個女兒，還有老太婆和外甥女」。不過這位暴發戶自己確穿着木屐，非常樸實。

還有一位千萬台幣的暴發戶，也是靠地皮造成，幾個兒子都擁有小洋房，轎車，祗是老太爺自己患着連瘡腿，仍在馬路伸手向行人乞討，施者不知他就是千萬財產的富翁。他乞討的目的，在心理上表示不忘本，他自己幾乎不相信，從前連飯都供應不上的幾甲荒田，現在變成爲千萬富翁，幾個兒子雖日常花天酒地，但亦感到自己父親在馬路上乞討，是一件不太體面的事，力勸老太爺不要再有這種不應該有的行爲。千萬富翁對兒子答覆的很好，「我乞討不從今日起，從前乞討是爲養活你們，現在乞討是怕你們把錢敗光了，將來沒有飯吃，到今天我才體會到「守成不易」的眞實道理。孩子你們的火候還不够，犯了『小人暴富挺腰大肚』的毛病，爲父的看得太多，像你們這樣坐吃山空揮霍無度，即家有金山銀山，早晚也會吃完。」末了，他不耐煩的教兒子走開，他說「人越圍越多，不知道的，還疑爲馬路上發生了甚麼新聞呢？」兒子們亦祇好敗興而返。

在台灣打官司的人有「條」有理，漸成過去，因學人部長查良鑑銳意整理司法風氣和司法部調查局一般新血液注入後，確表現得相當好。聽說調查人員將化作現行犯，混入監獄作綢繭抽絲式調查，故有「條」不一定就有理，但有土有財，方興未艾，炒地皮似有達官新貴發生帶頭作用，其危害社會，遠勝過有「條」有理，當局已予注意。（完）

劣徒弒師倫常大變 輿論咸主從嚴懲兇

王宗樂辦學不善劣跡昭彰 禍延導師江新同血染杏壇

本報通信員黃今覺基隆通訊：省立基隆中學於五月七日晨七時四十五分，發生駭人聽聞的高二學生周振隆手持斧頭於教室內，將該班導師江同新砍死，兇嫌已被警方拘獲移送當地法院處理，并請從嚴懲辦。

據警方調查兇案發生原因是，周振隆在校讀書差池，曾因賭博記大過，近且有曠課情事，導師江新同時加勸導，並告誡早爲改善，免遭退學處分，影響本身前途，詎料兇嫌周振隆竟置若罔聞，毫不改過，前天又發生逃課。江導師再爲其前途着想，着具請假單，轉請校長蓋章許可。周振隆卻不解其好意，竟以下流話大罵老師，江導師乃將經過報由訓導處，正當研究處理中。周獲知其情後竟於七日晨早讀時，手持利斧入校，進入教室瞥見江導師正低頭看書，即照準頸部連砍兩斧，當將江導師頸部動脈砍斷，立時血如噴泉，倒臥講台，傾告慘死。

兇嫌周振隆逃往後山旋被警捕獲偵訊。據供：他原是市二中初中畢業攷入省中的，編入高二七班就讀；他已供認殺死老師不諱。並稱：他當時尙無意殺害老師，祇圖舉斧威脅一句話，如被開除就要砍了，不料斧頭剛舉起時，室內學生即轟然大叫，又見老師回頭看他，於是手不由己，朝下猛砍，不料竟出了人命。

據悉，江新同係桃園人，國立師範大學數學系畢業，現年卅歲，尙未結婚，任教該校，住校內宿舍，每日早起，同學生早讀，平素認眞負責，教法進步，歷年攷績，俱列甲等。家有父母姊弟等，聞耗悲痛不已，對該校學風之不良，尤不勝痛絕。

血案發生後，省教育廳長潘振球除派遣督學杜繩武前來慰問死者家屬並協同處理善後，並籲請全教育人員和學生家長，在此社會形態極度變還環境中，應特別加強聯繫，發揮愛心，共同關切其學生或子弟的生活行爲，以鼓勵其向上，避免不幸事件發生。

省主席黃杰，對江新同教師殉職表示悼念，除飭主管單位優于撫邺，並連同教育廳各贈一萬元慰問死者家屬。教育部派中教司長王亞權亦以一萬元慰問。

此一弒師案發生後，震動朝野，詎校長王宗樂於事後，強調兇手患有「神經病」，指責死者江新同老師未予准假之「處置不當」，並認爲這僅是「偶發事件」，部分老師則認爲校長如此言論應該愼重，不可推諉，不可掩蓋。

諂上傲下校務廢弛 釀成今日惡果

黃主席下令嚴辦王宗樂

據社會一般指責：省立基中近十年來由於校長王宗樂本身之不善，當其接任時即有人於中央日報惡作劇登載訃告謂王宗樂因車禍殞命，害得王校長親友即送花圈輓聯於台北殯儀館。王靦顏任職並無振作氣象，以致校風很壞。兼以內部糾紛常起，以致家長紛將子弟送到台北去攷省立高中。使十年前該校之美譽，付諸東流。

曾有該校學生爲偸攷卷，竟縱火將教務處儲藏攷卷櫃燒掉。甚有某教員女兒被該校學生強拉山上予以強暴，事經和解，該生勒令退學。

二年前該校某一女教員因變情糾紛，被人用槍打死。另有該校年青女老師在監攷時，學生還吃她豆腐，叫女老師轉過頭來讓他們看看，是否漂亮。且有初二學生公然對某一位女老師說：「下午我們在公園等候妳」，終使這兩位女老師先後羞憤辭去。該校後山校園中午時，學生每每羣聚賭博，後竟將賭場搬進教室，大家「有志一同」，毫無顧忌。老師中亦間有好賭麻將者，往往於宿舍設局，纍戰忘形，學生嘗到賭桌上去請老師任課。

王校長多於外間或台北到處花天酒地，諂上傲下，一任校務廢弛，釀年今日惡果。

本年學期開始，省主席黃杰蒞基，主持全省十四次省中校長座談會，曾有該校教員宋明康攔途告狀，檢舉校長王宗樂違法失職十一條罪狀。據狀中指出：王校長盜刻教育廳印信，據以向學生收費。並於註册時，強迫學生認購理髮券，否則不予註册。王校長公然侮辱老師黃松楠，有傷師道尊嚴。王並吃工友三名空缺，以及中飽體育費、衛生費等八萬餘元，更假帳報銷實驗費，每學期中飽六十餘萬元。以及收用畢業紀念册謝師宴餘款等八萬餘元。

更有王校長縱容少數教員打架，或帶妓女進宿舍姦宿，尤其收取「廣文」、「環球」等書局之回扣，每學期爲數可觀，有帳可查。

該校積弊已深，內部糾紛迭起，行政效率低落影響教學情緒，間接使學生受害，歷年來該校教職員或學生羣毆事件，已司空見慣。至於檢舉案，據聞省教育廳已經查明，事實如何，卻無絲毫表露。

再悉兇殺案之前，兇嫌即與江同新導師誤會已深，曾一再請求調班，未獲王校長當機解決。致演致老師喪命，學生犯上滔天大罪，王宗樂竟敢公然說是「偶發事件」，無怪死者家屬嚴格要求校方賠償。

在該校全體教員悲憤招待記者會上，一致抱怨上級主管對該校內情如此昏天黑地，未能及時作適切之解決。

省主席黃杰於五月九日下令教育廳長潘振球，對基中此一不幸事件之發生，應予該校校長王宗樂在[illegible]處分，最低限度將予降調職務。據悉對兇嫌亦將從嚴懲罰，可能送外島長期矯正並公布家長姓名與職業。惟社會各方則企望對該校校長王宗樂之被檢舉案，應予公開將調查結果以及王校長應負如何責任，究應如何發落，悉爲明白表出，以挽救教育之惡風，否則省區教育，則面臨破產，曷勝杞憂。（完）

金克和租房惹麻煩

・柳一權・

台北市銀行董事長金克和近年來受徐柏園之賞識，政壇上一帆風順，榮膺市銀行董事長，可以大展財經宏猷，不意該行開幕之日，金克和却碰了台北市議會全體市議員的軟釘子。因爲市銀行董監事名額，竟沒有市議會的份，全體議員對金克和開幕觀禮邀請，都相應不理，無一到場恭賀。據悉也有市議員在翻底牌：市銀行以五百萬元押租租了陳副議長少輝的房子，作爲該行儲蓄部的營業處。這個數字未免太多一點，有無別情，殊堪玩味。

喬治桑外傳

四八　張大萬

「辛苦，辛苦。」喬治桑以在後台捧京朝大角的口吻來安慰古有方。

「我們是自己人，博士不要客氣。」古有方用萬能的雙手摸了摸頭髮。

「有方兄，我告便一分鐘。」喬治桑暗示要去洗手間一下。

「請便。」古有方笑眯眯地。

其實喬治桑並非內急，而是要到洗手間去看一看到手的美金是多少。他進了洗手間，摸出美金一數，百元面額的美金整整十張，除了三張回籠，又多了七張。喬治桑心中大喜，他下意識地照了照鏡子，覺得鏡中人一表人材，紅光滿面，充滿時來運轉的自信。

喬治桑走去洗手間，不進客廳，先到後面找到雅麗絲。雅麗絲正捧着一個茶盤，泡好鐵觀音，準備奉客。

「雅麗絲，妳在冰箱裡拿三份紐西蘭牛排，請妳下廚房做，我們留古先生在家吃飯。」喬治桑意興遄飛，好像家有喜事的樣子。

「是，叟。」雅麗絲奉命唯謹。

「另外還要準備什麼菜？」

「牛排是主菜，另外準備一點生菜，番茄便夠了。」喬治桑已是半個洋人，招待客人也採取美國式。

「我今天叫下女燉了一鷄，用中式鷄湯行不行？」雅麗絲問。

「妙極。這將是一份很好的午餐，不過又要麻煩妳了。」喬治桑嘴巴很甜，使雅麗絲樂於下廚，這是他的手腕過人之處。

「我很笨，只會煎牛排，你的胃口我是知道的，不知道古先生愛吃熟一點還是生一點？」

「妳別客氣，我知道妳會做[illegible]，我想古先生是中國人，他一定喜歡吃熟一點的牛排。」喬治桑這句話有點語病，他說古有方是中國人，他是什麼呢？但雅麗絲聽了並不以爲怪。

喬治桑交代已畢，回到客廳，看見古有方站在「貓戲圖」前，雙手背在身後，在細細品賞這幅郎世寧的工筆畫。文縐縐地，十足中國士大夫階級的味兒。

（未完）

瀛海秋聲

・赤松子・

滄海拾遺 （一）

黃炎培三攪共產

民國五十年中，有三位標準投機份子也是著名的不倒翁，第一位是黃炎培，第二位馮玉祥，第三位是盧作孚，關于第二三兩位在「民國風雲人物奇譚」中，已經介紹了一個大概，現在來介紹黃炎培。

黃炎培以浦東學究，把持江蘇省教育會，近廿年，由趙正平、史量才等結爲十兄弟，在北伐以前，江浙大專學校校長，與黃無關係而能站住的，其事絕少，留美學生，初到上海不向黃氏低頭或拜門，能夠找到一碗飯吃的，其事難于登天，可是黃的人生哲學有三大原則：一、見勢利必崇拜，二、爲目的不擇手段，三、捧紅不踏黑。黃氏抱此三大原則，無往不利，在北伐以前，黃氏身兼各大專學校董事長或經濟董事，至少在一打以上。後來五四以後，又以江蘇老紳士，滲透金融實業兩界，當吳秀才在洛陽時，曾發表黃爲教育總長，黃尙力辭不就，難道以這位標準投機份子，會不想做官？其實他當時不就教育總長，還有兩個原因，第一、他學紹興師爺，捐個六品頂戴，只做身價的招牌，實際是不辭的。第二、他從五四以後，已經醉心于共產主義，他認爲中國政治，長期混亂以後，加以大多數人民，生計艱難，中國早晚必將被共產黨所退；不過他因爲是一位標準投機分子，所以他一面向資本主義投機，一面又向共產主義投機。

民國八年的某天，由穆藕初、聶雲台作東，地點在地皮大王陳炳謙家裏，客人都是上海灘上實業界金融界的大亨，約有兩桌，這次不僅是吃飯，中心問題，是討論中國社會制度的前途，因爲這時是五四以後，全國四分五裂，各地軍閥張牙舞爪，四海困窮，青年前進，而列寧的第一次代表，已經到了上海，中國大陸，當然早已是共產黨的溫床，究竟這一塊破碎不完的神州，會不會立刻變爲蘇聯第二，却是少數有眼光的新與資本家們，不能不予以些微注意，不過他們的注意，並不是關于國家的興亡與夫黃帝子孫的命運，不過是研討如何使他們[illegible]發財，能使他們的子孫萬代，永遠享受高等華人的生活，因爲如此，所以這次宴會，也比人尋常宴會不同，不僅沒有人議搓麻雀，沒有人要叫姑娘，就連地皮大王擺好的大烟盤，也沒人去看它半眼，不過討論時，非常激烈緊張，因爲各人都有意見，而且不易調和

國際青商高雄大會誌盛

（本報記者趙家驊高雄通信）國際青年商會一九六九年高雄大會，於四月廿六日下午在高雄市隆重揭幕，副總統嚴家淦以貴賓身份在大會發表演說：他向各國代表說：國際青年商會所提倡的，乃是發展青年個人才智，鼓舞青年合作努力，來改善人類、社會、和精神的康寧福祉。青年商會所着意強調的如：發揚公民應盡的責任、培養領導才能、努力社會發展、促進經濟進步、以及溝通國際瞭解等，都是富於良知而精力充沛的現代青年們重要的活動範疇。

他又特別指出：今天許多國家裏有一種極感困擾的現象。那就是青年一代中，因不滿現實而表現的猖狂態度，不是憤世嫉俗，就是放浪形骸；希圖改革社會環境；如果他們的基本態度是積極性的、建設性的，未嘗不是可喜的現象。因爲改革可以導致進步。然而，有若干青年所採取消極頹唐和不負責任的途徑，却給人們帶來了極大的關切。本人認爲，當前的首要課題，乃在提醒青年記取他們應盡的公民責任，這一要求，如果透過有組織的引導，青年們自己便可有效的加以完成。因此，本人對於國際青年商會以發揚和促使每一公民承担其應盡的責任爲宗旨，替青年們樹起時代中最好的楷模，深表讚佩。

國際青年商會一九六九年高雄大會於四月廿六日下午四時半，在高雄煉油廠大禮堂舉行，由菲律賓青商世界副主席阿奎諾主持，廿三個國家和地區一千二百餘位代表參加。大會在悠揚的歌聲中揭開序幕，高雄分會[illegible]世雄會長宣讀青商信條，並恭讀 蔣總統賀電及來自各國的賀電及賀函。

中華民國青商總會長羅傳地致詞說：青年國際性會議在高雄召開，在高雄建市史上是一件空前倡舉，過去多國會議都在各國幾百萬人口的首都舉行，高雄不到一百萬人口而能在此召開，說明青商具有創造性。

大會主席菲籍世界副主席致詞說：這次會議是亞洲地區多國會議規模最大的一次，希望參加大會的各國代表瞭解籌備這次會議的不易，應加以珍惜。

青商世界主席湯姆蓋茨在會中說：高雄大會多國會議是今年全世界五個重要會議的第一個。他指出：高雄大會的主要目標有三：一、交換意見；二、促進各國青商會會友的瞭解；三、提高每一青商會員領導才能的發展。

國際青商高雄大會，會期五天，在此間最大的華王大飯店舉行，其中心議題爲：一、亞洲地區組織共同市場之可能性及如何推行此一經濟性活動；二、越南難民救濟運動；三、國際青商活動的新理想，以及如何充實社會服務活動。

高雄青年商會自四十六年成立迄今，已十二年，擁有會員百餘人，皆係社會中堅份子，他們根據青商信條：「服務人羣是人生最崇高的工作」。對高雄社會的貢獻很多，舉其要者有以下五端：一、在壽山麓建築青商亭，供市民遊憩；二、與建垃圾焚化爐一座，有助於中洲漁民改善環境衛生；三、在市區內小圓圈建立標準鐘一座，以壯觀瞻，藉收時效；四、創設小型動物園，供市民及學生參觀；五、捐贈圖書館，予啓英聾啞學校。

「鼠牛比」型的人

文匯樓主

文匯樓劄記

吹牛皮，實則是「鼠牛比」，距離懸殊之意，亦就是將小話的放大。就樓主的經驗，這種人牛下流社會佔多，上層社會也有，但皆缺乏家庭教育之輩，或者做過八路的人，有時將白的硬要說成黑的，這種惡劣的傳統，也有其師承或祖傳根據。

十年前樓主應政府邀請，回到祖國講學，講學單單包括有各大學及中央有關機構與各人民團體等，有山東國大代表某君者，向僑委會某高級僑官「鼠牛比」一番，謂「樓主辦報都是他拿的錢及支持」，（辦報須兩百萬美金，國代月入不及五十美金，百年祇五萬元），他未想到這位高級僑官會懷疑，更未想到鼠與牛差類太遠，別人會來求證，求證的結果這位國大代表簡直不成一個人形了。原來祇是求一職而未達，不過話又說回，這些人率多厚黑學信徒。

還有一位點頭之交的朋友，突然託人帶一個口信，要樓主好好的幹，別再亂來，言語之間，似與我有「八塊年糕」的交情，這種恃老賣老型的「鼠牛比」，殊不知從頭到尾祇見過數面，且地位亦差得很遠，其荒唐的程度，比這位山東國大代表猶有過之。連想到台灣的「鼠牛比」何其多也，最奇怪的是都喜歡標榜自己是某某將軍的紅員嘛　鄉下人，老政論家李桀聽說後，要搜集這些「鼠牛比」型人物資料，欲把這種人統統編入到本報「政治垃圾現形記」陣容裏。藉光篇幅。

今天祇舉出兩個，「鼠牛比」代表性人物者，並非是要報復，而是警告「鼠牛比」輩，從今趨安份一點，「鼠牛比」無所謂，傷到人時必受還擊，尤其上列兩位「鼠牛比」，從公到私的醜事，如非顧慮大陸與本港共產黨報紙轉載的話，全盤托出，怎讓再見江東父老，對方稍稍一彈，立就會倒下的人，盲目的「鼠牛比」何苦呢即？

我之一向不與「鼠牛比」的做朋友，並非怕「鼠牛比」，因「鼠牛比」並不可怕，尤其盡不聽他「比」就是了，可怕的是「鼠牛比」型的人物，自己日常生活與「鼠牛比」中，他把別人的話都當作是「鼠牛比」，簡直可怕極了。比如這種人在一個機關服務，在他的心目中，這個機關首長的話都是「鼠牛比」，他和同人或親友打交道，他會將同人和親友的話都當作是「鼠牛比」，西諺說：「言語之賦給我們，在使我們互相間作悅身之辭」並不是開口就一連串「鼠牛比」，而作傷人之用。

朋友之列入五倫者，因朋友是人合的兄弟，與兄弟屬天生之朋友，乃五十步與百步，天生的朋友——兄弟，情親愿重，是不由自己選擇的，人合的兄弟——朋友，品別類殊，擇善而交，正所謂：「前漢之所以興也，親君子，遠小人。」我們將大前題搞淸楚後，就不會有「鼠牛比」的事發生了，萬一遇到這種事，可效法樓主作適當的點破，聽任發酵，是非益多，責人不過七分，本篇就此結束。

論語子張篇爲子夏門人編輯說（下）

◁黃德相▷

子貢比子夏大十三歲，大于曾子十五歲，對曾門弟子和子夏門人而言，子貢地位超然。顏淵、子路早亡，子貢成了夫子最得意的門徒，與曾子領受夫子「一以貫之」之道，季孫之母死，魯哀公、曾子與子貢前往弔焉（禮記檀弓）子貢言論，曾申可以搜集得到，或聽其父，或問諸師。曾子與子貢在本篇是提「夫子」的成份較多，因此，可說是講「洙泗學院」的故事。記子夏則完全以夫子的口吻傳道授業。

子夏在論語共出現十九次，其中七次是當學生，十二次「子夏曰」是爲人師表。這十二次，除一在論語第一篇學而外，全都在子張篇。這十一則「子夏曰」，有條不紊的放在子張篇的第三章至第十三章，可謂爲「西河學院」的教育方針。茲將章分爲六條目。十一

一、教育宗旨：

○子游曰：子夏之門人小子，當洒掃，應對，進退，則可矣，抑末也，本之則無，如之何？子夏聞之曰：噫！言游過矣，君子之道，孰先傳焉？孰後倦焉？譬諸草木，區以別矣！君子之道，焉可誣也，有始有卒者，其惟聖人乎。（第十二章）

大學章句序云：「人生八歲，則自王公以下，至於庶人之子弟皆入小學。而教之以灑掃、應對、進退之節，禮樂射御書數之文。」吾師張起鈞教授解釋云：「灑掃是生活訓練，應對乃待人接物，進退即立身處世。」

二、爲學之道：

兩則「治學方法」。

○子夏曰：日知其所亡，月無忘其所能，可謂好學也已矣。（第五章）

○子夏曰：博學而篤志，切問而近思，仁在其中矣！（第六章）

這兩則治學方法，影響後代至鉅，如顧亭林有日知錄，近代學校的月考制度，中庸上的「博學、審問、愼思、明辨、篤行」及朱子白鹿洞書規，都是這兩則治學方法的延伸。

三、德行修養：

三則

○子夏曰：君子有三變，望之儼然，即之也溫，聽其言也厲。（第九章）

○子夏曰：大德不踰閑，小德出入可也。（第十一章）

○子夏曰：小人之過也，必文。（第八章）

四、交友之道：

○子夏曰：可者與之，其不可者拒之。（第三章）

子張駁爲：「君子尊賢而容衆，嘉善而矜不能；我之大賢與，於人何所不容，我之不賢與，人將拒我，如之何其拒人也。」（第三章）孔子主張：「無友不如己者」（論語學而）曾子引周公曰：「不如我者，君不與處，損我者也；與吾等，吾不與處，無益我者也；吾所與處者，必賢於我。」（曾子制言）大戴禮記第五十五，孔、曾同也。

五、爲政之道：

兩則

○子夏曰：仕而優則學，學而優則仕。（第十三章）

○子夏曰：君子信而後勞其民，未信，則以爲厲己也；信而後諫，未信，則以爲謗己也。（第十章）

子夏重視學以致用和「民無信不立」兩原則。

六、下學上達：

兩則

○子夏曰：雖小道，必有可觀者焉，致遠恐泥，是以君子不爲也。（第四章）

○子夏曰：百工居肆，以成其事，君子學以致其道。（第七章）

子夏不重視「小道」，對格物致知的下學工夫輕視，影響後世自然科學不發達；「百工」與「君子」劃分界線，使職業教育受鄙視。專門重視上達工夫，學而優則仕，指引讀書人科舉一途。

以上，將子張、子游、曾子、子貢、子夏在子張篇的言論，列舉分析，並特舉出曾申的特殊地位。柳子厚以爲論語爲曾門弟子樂正子春、子思所編，德相以爲泰伯篇或許爲彼輩所輯；子張篇必不是矣！本篇極可能是子夏門人爲學之書所編。

如果照希臘蘇格拉底之後的柏拉圖和亞里斯多德，各立學院，以收弟子。則孔子逝世後，洙泗對術分成二大支，即「武城學院」和「西河學院」，曾子主持前者，論語泰伯爲談學院校刊；子夏主持後者，論語子張爲其校刊。

子夏、子游、子張欲以有子代孔子，主持「洙泗學院」他們彊曾子，但是曾子不許。由此可知曾子尊師重道，甚於他人，曾子且指責子夏「使西河之民，疑女於夫子」。並且曾子有時以「吾聞諸夫子」來談話，正像是今人所舉　國父說：「……」，或　領袖說過：「……」。（完）

× × ×

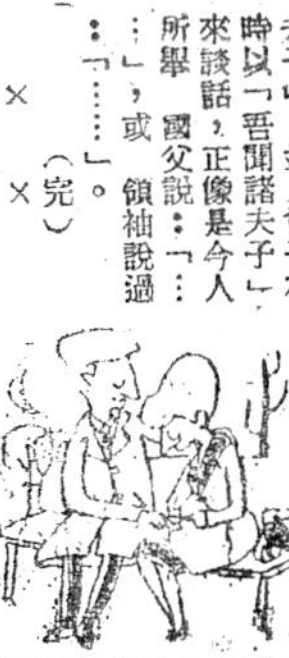

雷震與自由中國」

王曰叟

（一二）

從上面所述，可見「自由中國」選出的幾位編輯人選都是所謂地道的「自由份子」，按照一般常情，自由份子是共黨拚命拉攏的對象，事實上絕大多數的自由份子也眞是相率投共（儘管後來後悔），何以他們這些位，卻萬里迢迢避秦來台，還要辦刊物反共呢？這就是「自由份子」之所以爲「自由份子」了。

原來所謂「自由份子」者，就是指的這種無一定立場，無一定成見的散漫人士，出手既不合拳路，言論更不切「實際」（？）而他們自己還有一套書呆子的自我麻醉劑，說是什麼追求眞理，明辨是非。由於對眞理是非的理解不同，自由份子便各行其所是，形成各自不同，互無關聯的散沙，假如大家都有一定的立場，都有相同的言行，那就成了統一戰線了，還怎麼叫「自由份子」。

自由份子不僅紛歧散漫，並且人品學識也是良莠不齊，尤其在政治方面的認識，更是高下不一，許多學者名流，作家藝人，在學問藝術方面有極高的成就，極大的名望，但在政治方面則幼稚得像個小學生，共產黨便利用這個弱點，鼓其如簧之舌，花言巧語把他們騙殺，而再用他們學問藝術方面的名望去影響羣倫，自壯聲勢，許多自由份子全是在這種統戰策略下，被騙投共的，但共黨這套對於前述張崔幾位教授卻不適用。他們都是政治學的老教授，教的就是政治，怎會上這當？例如張佛泉他是北京大學政治系的教授，戰前曾任大公報的社論委員。崔書琴他也是北大政治系的教授，有名的政治理論家，張起鈞是中國大學政經系的教授，講授政治學和中、西，政治思想史，對於中、西的政治理論包括馬列主義，都有極深刻的認識（編者按：張起鈞氏目前則是國內外知名的哲學教授）。王聿修則是北平華北學院的政治系主任，他們不僅不會被共黨詐騙，反之卻能清清楚楚的指出共黨錯誤不對之所在；因此他們便挺身而起，中衷的，自發的反對共黨暴政。他們不僅各自撰文評是論非，有時並聯合起來，表示集體的意見，其中最出名的一事，便是那馳名國際的「十八教授宣言」。

當年內幕誰知道　一番往事話從頭

那是民國三十六年冬天的事，當時共黨爲了打擊政府，便發動宣傳攻勢，指使外圍份子紛紛表示反對美援，乃使顢頇的美國人，以爲中國人完全反對美援。因爲這時善良的老百姓，明哲保身的鄉厚人士，誰也不敢觸犯共黨之怒，來敢表示願意接受美援。在這種情形，張崔各位教授，挺身而出仗義直言了，他們鄭重的告訴美國朋友。反對美援的喧囂，並不代表中國人的眞正意見，那只是一部份人的意見；廣大的中國人民都是歡迎美援的，縱使「軍援」有助長內戰之嫌，但用於建設的「經援」，則是全中國人，無保留的，歡迎的。宣言的形式是一封英文的公開信，打印成多少份，分別致送杜魯門，馬歇爾，各有關議員及重要報館，信上簽名的計有朱光潛（北大代理文學院長），鄭華熾（北大的教務長），賀麟（北大的訓導長），張佛泉（北大教授），崔書琴（北大教授），陳友松（北大教授），周迺塤（北大教授），劉崇宏（金勞）（清華大學教授），張起鈞（中國大學教授），王聿修（華北學院教授），齊思和（燕京大學教授）……等（按：其餘幾位的大名，恕老叟記不得了。）十八位教授，因此人們便稱之爲「十八教授宣言」。

這個宣言有沒有產生什麼實際效果呢？據老叟看來，大概是一無作用，不過在毀譽方面，卻引起極重要的反響。由於這簽名的都是名教授，並且包括北大的教務長，訓導長，因此極受國際的重視，杜魯門，馬歇爾，周以德……等無不分別回信，紐約時報，並特別刊登報導，足見其受重視，但在另一方面，則共黨石家莊的廣播電台，則指罵這十八位教授的名字，足足罵了個把多月。

政治垃圾現形記（三）

李桀

第二回　才非百里顧君可當大任　李根源出楊永泰予提拔

顧昌達以庸碌的軍人而初任地方行政官，他對於民政事宜根本莫名其妙，除卻用人與用銀兩椿事情，完全自己作主外，一切公文和政務，皆由秘書科長負責處理。自從姨太太在辦公室內大打出手的醜劇演出後，人言嘖嘖，頗不理於衆口，他向剿匪總部請假兩星期赴南京看看老妻與兒孫輩，意在解悶。到達南京後，聽說華東某省府將要改組，又想乘機活動，弄個委員兼廳長幹幹，曾與國府參軍處的舊同事商量進行方法，大家認爲「豫鄂皖三省剿匪總部」秘書長楊永泰甚得上峯信任，若能挽請楊氏一言推轂，必可成功。但顧昌達自覺與楊氏的關係還不足以語此，即有人建議，可設法找當時閒居在蘇州的政學系首領李根源向楊氏保舉，必有大效。顧昌達大喜道：「李印老（根源別號印泉）是留日士官學校老同學，我跟他早有來往，不妨試試看。」馬上前往上海，購買了一些珍貴禮物，轉赴蘇州訪晤李印老，表達自己的願望。這時國內政治界的派系大別爲三類，即以軍人爲中心的黃埔系，以黨人爲支幹的所謂CC系，以政客爲構成份子的政學系。前二系是新興的集團，後者乃北洋政府時代的舊有政團，隨着大革命運動而滲透到國民政府來的。政學系吸收羣衆的方針有兩點：一是爭取未曾加入黃埔和CC派系的游離份子，二是只收羅在政治上有些地位的官員，卻不要普通的羣衆。顧昌達的資歷恰合要求，李印泉很願意幫忙說項，即親筆寫信給楊秘書長永泰，謂顧君才非百里，可當大任，希望楊氏惠予提拔。李楊二人是政學系的老搭檔，關係深厚，楊對李的話極其信從，乃向上峯力保顧昌達爲華東某省府的民政廳長，明令立即發表了。顧昌達自然得意非常，趕回行政專員任所辦理交代，不待新任到來接事，自己先赴武漢疏通活動。

當時曾有明瞭政情的朋友提醒顧昌達，華東某省府的委員廳長，盡係某主席那一派的核心幹部，顧摻雜於其間，且佔據重要位置，將來一定處不好，到不如向上峯表示謙辭，以換取其他省份的同樣位置。但顧昌達不信這套說法，他不願把到了手的好官丟掉，且恃有楊秘書長的背景，祇要自己奉公守法，某派系其於予何呢！隨即攜同□太太和三數幹部，前往華東某省就職。某省主席與面上對顧當然敷衍，但採取「敬而不親」的態度，遇事講法制，說官話，顧氏但求作[illegible]，也無所謂。然其姨太太照樣干政，[illegible]長或各縣市的公安局長，某主席爲着敷衍民政廳長的面子，亦不便完全拒絕，而妻妾兩黨競爭權力的鬧劇，又在某省民政廳內[illegible]了，某主席很不高興，對顧廳長的觀感甚爲惡劣。

巨變歷險記！

天津淪陷，林彪派員到天津市議會五代表府上請去談話，丁代表是他找的重要對家，但他那裏也找不到……丁代表那裏去了呢？各方揣測紛紜。是不是同陳司令一樣，作了共產黨的俘虜？是不是爲共產黨請去，作他的上賓？是不是逃出去了？是不是逃往南京？逃往上海？逃往台灣？是不是已經死亡？或藏匿在一個什麼地方？但這都沒有猜對。

天津四百五十萬的市民中不屈不撓，不與共產黨共戴天的，不在少數。炮火停止，抵抗停止，是在五十八年一月十六號的早上，天還沒有亮的時候。甚至於更早些，放下鎗炮的我方士兵，都早已換上便裝逃出天津了。天津商買輻輳，路條條通天下，往南往北，往東往西，無不可以逃。丁代表、丁議員、現在丁博士，自從放下電話，同陳司令、林軍長、杜市長失去聯繫，他就打定主意離開天津？那裏去呢？他很考慮了一番？

丁博士潛往北平（四〇）

胡慶蓉

他——丁博士最後還是前往北平。南下？這個時候，恐怕不易，沒有交通？西去？東去？也不容易，而且沒有作用？不如去北平的好？北平的情況，丁博士雖不澈底明瞭，但也瞭解個大概。北平在華北剿匪總司令傅作義防守之下，傅作義的態度，在天津被圍還一個月之中，是不夠明朗的。他不積極反共，從他不出兵援助天津這一個事實，已足以見之。但丁博士絕不願以小人之小，度君子之腹，雖然各方面對傅作義之態度表示懷疑，但丁博士仍以爲北平方面，事非絕對不可爲。傅作義態度不夠明朗，自然有他的苦衷，假如善爲說詞，也未始不可以拉回來，使他完全站在政府的立場，統率華北健兒，以與共產軍相週旋。這未免希望過高，但丁博士並不放棄希望。他之放下天津，前往北平，就是這個道理。

整個的一夜，丁博士沒有合過眼，每一分鐘，每一秒鐘，都在萬分的緊張狀態中。每一分鐘，每一秒鐘，都在關心着天津全局的變化。到了我方放下抵抗，電台報告林彪部隊佔領，各方面的線都斷了的時候，他恨恨的把電話筒一摔，長嘆了一聲，暗暗的在流淚。他的眼睛已經紅了。但他並沒有睡意。他的佣人，常常給他端上棗子茶來。這並不是茶，是比茶濃；這不是咖啡，這比咖啡輕。棗子在華北是一項特產，山西的稷山棗，河南的靈寶棗，尤其馳名。棗子當茶，放在炭盤上煮，喝他的汁，特別的提神，在喝棗茶的時候，他已經拿定主意了。他同住天津陝西街德鄰里，十三號的人，一共不下廿幾口，但他對誰也沒有表露。

就在天還不太亮的時候，丁博士就悄悄的獨自離開故居，走到街上，加入了人潮，向北平方面走去……

這一代

父親·我·山

李炳南

那是放風箏的年代烙下的記憶，年事移轉，藍天上那隻招風飄抖的白紙鷹已模糊了，但那些事兒可未曾忘記一絲一毫。

每次，當滾熱的朝陽從綠色的地平線湧出，我似乎又回到那片原野了。在晨霧迷濛中，在陽光、草香交融的氛芳中，那是巍然的靈山，那是巨人般的父親，那是轆轆地駛動的破舊牛車，那是我的白紙鷹……。

三歲時，母親死了，沒有悲哀，就從此開始我牛車上晃蕩的三年歲月。我在父親的身旁，從清晨到薄暮，一趟一趟的，無知地感受路旁村人的搖頭嘆息。

清晨，還是許多孩子的熟睡時刻，我却睜開眼看朝陽的金光四迸。父親總是以巨壯的手臂指示我東方鍍上金似的靈山，「看！那是靈山。」我們便循蜿蜒的車道向靈山而去，而靈山恒以聖潔的姿態屹立。正午的烈日當空，頭頂是令人瘋狂的火熱，我的嘴唇死乾，浩大的原野彷彿在冒火，靈山是個然凸起的清晰影像，那兒有甘泉涼爽，父親總以乾澀的沙啞頻頻說：「靈山快到了！」而薄暮早星下的靈山則是曚矓的莊嚴。

就這樣的，我是父親唯一的兒子，也是靈山的兒子，堅強地，搖搖顛顛地向生之途舉步。

當父親不再用好的話哄我時，我就知道我長大了，於是，我幫父親作事，也作我自己的事。

早上，不用父親叫喊，我會在出發前餵牛飼料，然後套上車。我會呼牛趕車。那時，我有一個泥土作的葫蘆，一個大的鷹形風箏。風大的時候，我便在車尾放我的風箏，四野像無人的大漠，從細小的線的顫抖，我想像風神的纖指撥弄。放線，又緩緩地收線，我準會在牛車抵達村頭時收回我的大風箏。父親工作時，我便抱着我的葫蘆，加了晒乾的牛糞燃燒。沒有火只有烟，我躺在野地上看長長的一縷縷白烟冉冉上升，也讓父親在回家前呼喚我。

暮色襲湧而至時，世界便有猙獰的形象，我感到寂寞，而晚山映着父親巨人般的身影，他剩人的短鬚沾滿了泥土，我忽然覺得出奇的陌生，楞楞地望着父親，他的眸子閃着淚光，跌在他的懷裏，我忍不住哭了。

四周空曠死寂，老牛反芻的咀嚼聲特別響。父親緊摟着我：「孩子，看，靈山。」靈山默默地矗立着，山林裏的燈火好像在山胸前的無數寶飾，閃閃發亮。

此後，我就不再跟着父親，父親把我送進了學校，我的腦子裏仍只有父親，只有靈山，一萬個不願去到那陌生的地方忍受百般的嘲謔，而每次總是父親寬大健壯的手臂護送我到學校門口，目送父親巨大的身影走向靈山，我就不再怕了。

緬往一千多個牛車上的日子，搖搖顛顛的坎坷已成過去，我長大了，而我是巨人般的父親的兒子，是靈山的兒子，那不可磨滅的聖潔莊嚴啊！

催眠術研究　四三

鮑紹洲

五十、與鷄鶩催眠法

阿里拔氏尚不滿足。更講强度的暗示，使感應於牝鷄，以爲補助法。用許多壁畫母鷄，掛在鷄舍，壁畫彩色各異鮮艷，結果母鷄產卵滿地。阿里拔氏的天井，也造成鷄卵之形狀，顏色也用鷄卵的顏色；在屋宇的每一角落，都用磁器所造的假卵，或一角落累積如山之狀，使鷄得到日夜觀感。除此之外，阿里拔氏又令鷄感產卵的暗示，常常利用留聲機器，用唱片播放一種如鷄產卵和撲鳴的聲音，令母鷄聽。黃昏時分，便放起柔美和諧的歌曲，給鷄聽；因此鷄的精神因和順而易於睡眠。到了午後十時，便叫母鷄醒覺從天井用線垂一鷄卵，以强度的電光照射，用線搖動左右，使母鷄觀覺，暗示母鷄產卵。阿里拔氏以上述方法，使鷄產卵比平日多一倍以上。

鷄的催眠狀態必持續，如不持續其方法，則自然醒覺，然以人力而使鷄醒覺的方法，也很容易，即用手指觸鷄的身體，鷄受其刺激就會醒覺。

要使母鷄催眠，必須要將公鷄遠隔別地，如公鷄的叫聲，如使母鷄聽到，則母鷄便會醒。動物催眠與人類大致相同，某鷄受催眠的次數愈多，則更容易催眠。如鷄第一次不能催眠，以後亦更難催眠了。如果把鷄强縛其自由，自然它會强拒狂奔。因爲他是動物，不通人性，故第一次務必善於使催眠，以後方可催眠，第一次最爲重要。（三）

生活漫談

猪腳通乳補血·猪肺治肺虛

鄉村的婦女如生了孩子，最喜歡用「猪腳燉薑醋」吃，他們不祇用爲產婦食用品，稍爲有錢的人家，還將這種猪腳薑醋，分贈親友鄰居，作爲禮物，表示他的家中已喜獲佳兒。婦女在生產時耗血過多，耗血多則體內虛，虛則易爲風寒所襲，又可說易爲病侵，故產婦應該多食補血驅風行氣的東西。「猪腳燉薑醋」，是補血驅風行氣的有效食品。有些人說，猪腳產婦食之不會肥滯嗎？如產後消化不健全，不是會影響消化問題嗎？這完全沒有問題的，除了產後有外感發熱，或有其他屬於產後熱病之外，食用它是有益無害的。猪腳雖膠質多，但有醋與之一齊同煮，醋不獨可以助消化，還可以和猪腳骨頭骨髓的鈣質起分解作用，食之有很好的補血功能，醋與薑化合，可以驅寒散瘀，促進血液生長，對產婦是最合用的。一說這種食品還有解毒的性能，並能使因耗血過多的產婦不容易中毒。本草對於猪腳的紀載，謂牠能下乳汁，解百藥毒，利敗瘡，去寒熱，李時珍也認爲牠能通乳脈，托癰疽，清毒氣，去惡肉。據近人分析牠所含的成份，近爪部爲：水份一四、三，蛋白質四、一，脂肪六、九，無機鹽〇、二。由此可見牠不十分肥膩的，營養份雖比不上猪肉可是牠與醋分解的鈣質，其補血作用比猪肉勝得多了。猪腳燉薑醋不祇有利於產婦，就是對體弱貧血的人，體溫不足的人，也很適合食用的。猪腳價廉，製作簡單，是合乎大衆化的好食物，用以作菜，能醒胃健食。其實，只要我們日平飲食適當，不一定要吃什麼維他命丸的。

猪肺，民間多用以燉湯，尤其是患有肺病時，北杏燉猪肺，或白菜燉猪肺，可以清肺熱，解肺毒，去咳嗽，大衆常有用之。以形補形，以臟治臟，本來是我國的固有的醫療方法之一，近才發明了組織療法，組織療法因有科學的根據，適足以證明我國古醫術的可靠。據分析，猪肺也有營養價值，牠含水份八三、三，蛋白一一、九，脂肪四、〇，無機鹽類〇、九。在食用者的經驗言，謂猪肺燉牛奶有很好的補肺功能。可買一個原個的小猪肺，泡洗清淨之後，在喉管裡灌滿鮮奶，放入燉盅裏，燉至爛熟，然後配入鹽油食之，既香滑可口，常食有益肺部，又猪肺灌鷄蛋與麻油清燉，爲北方民間治肺病菜，對肺弱多咳的人，大有治咳强肺之效，肺弱者不妨試之。

·馬騰雲·

御廚談藪

神仙鷄的製作

▲林泉隱▼

明太祖朱元璋四十歲稱帝，他在十七歲的時候，還是安徽鳳陽皇覺寺裡的小和尚，不守清規，猶餘事焉，寺附近的鷄狗走失，常與這位好吃的小和守有關，（地方民間傳說）神仙鷄，一名叫化鷄，就是朱元璋的傑作。

神仙鷄者，是將鷄殺後，腸臟取出，用和好的黃泥將鷄包起，以雜草亂樹根爲燃料，燒一個時辰，破壳鷄毛隨泥全脫，肉香無比，酥嫩可口，有關偷鷄摸狗絕妙的方法，不便見諸文字（從略），後人將神仙鷄的製作，改進以硬麻包裝，鷄腹內裝多姑，干貝，雪耳，金針，開洋等，和以葱薑汁，花雕，生抽，用兩個破鍋合攏，上下皆以木炭火烤，其味鮮美，與原始叫化鷄更不可同日而語，但很奇怪，電烤箱製作的叫化鷄，味道就差得遠了，明夫談狗肉的製作，罐子肉者，乃未使用過的陶器尿壼煨出的狗肉，後人有很多人不顧意吃狗肉，引用此法烹調猪肉，仍享盛譽數百年，以證明口無同時，則無易牙。

海園秋涼（二四）

·文自粹·

原來北平和談已瀕破裂，江北土共已威脅長江江防。薛主席接到閻院長機密電話，中央先遷廣州，希立即準備；但對外暫勿宣布，以免影響人心。薛主席請余長官、歐陽市長等來府商量，中央五院機構多，人員衆，匆促之間，非有通達大勢的事務幹才不易辦妥此事。就省市現職人員中一再斟酌，頗難得其選。席上有人提到抗戰時省行疏運物資的李瘦鵑，能控制時効，保全財產，做事又有魄力，他頗難得。主席也記起此人：長沙三次大捷，是他代表廣東各界到長沙貿功；最後一次空投物資，居然那時覓得眞正三星拔蘭地；後來主席到桂林採補急切軍用品，也是瘦鵑在招待所替他匆急中趕齊全的。他也說：好，這人確是年青有爲，廉能不告，如果別無更好人選，我們就決定派他全權辦理吧！大家知道這種事是很難邀功；而，倘一疏忽便會招致民意代表和長官們評譏的，樂得有人承其之。於是查出瘦鵑現職，立命省行電邀前來。瘦鵑到省府，杜總經理電話已先報告過，主席立命進見，說明此事經過，並勉勵他一切儘可放膽做去，先決定接待工作估計，要人協助，可列名向省市政府借調；要錢，可向省行先借支，主席都可允准。又爲了瘦鵑處事接洽的方便，省府派他做參事，再要長官公署派他兼諮議，他也願問：瘦鵑再要謙辭，覺得各方如此重視，就不便啓口了。臨行只好說：既蒙主席重方案，當得效勞，我明天即和各方商擬一項接待委家，先呈主席核定，再行遵辦。五時半回家，老太爺却已先他一步到家，看見媳婦帶着孩子舖蓋回來，還以爲瘦鵑在分行人事攪得不好被免職了。一見到瘦鵑，就問種切。瘦鵑告以主席改派省府參事來省，老太爺以爲孩子在開玩笑，他自己在省廳處已造了幾十年高級幕僚，還不可得參事名銜；現在年紀大，想進行過；瘦鵑黃毛丫頭，又沒有什麼功勞，怎會給他高位呢？瘦鵑才詳細地說明接得中央疏遷辦公的任務，並說了主席准予調人、撥款的好意。老太爺覺得事出有因，而且絕不宜遲，就說那由我替你約批總務幹才到家裡晚飯，就便商擬方案。要了一席便菜，並分電請了市府總務秘書、保安司令部總務處長等十幾位。不到一小時，客人都到，老太爺爲孩子介紹，並說明爲接待事請教各位的話，大家都是熟人，也不客氣，飯後就商擬了一份協助人員名單，以保安司令總務處長爲副總幹事，下面分組辦公。接待地點就在廣州各大旅社、公私招待所，一早，約略估計席次，以及應用款項。第二天，一一給主席批准，即午在愛羣酒店二樓區域出辦公處。愛羣舊住客人商量選讓，否則先集中樓下一層，其他幾所大旅館，也調查了房間數、現住人數，分別訂約，即將現住人客如期結束。

自由報

中華民國內政部內版臺誌字第〇三一號
中華民國僑務委員會登記證台僑新字第三二三號
中華郵政台字第一二八二號執照登記為第一類新聞紙

（第九六〇期）

（小週刊每星期三、六出版）
每份港幣壹角·台灣零售價新台幣弍元
社長李運鵬·督印兼發行
社址：香港九龍彌敦道593—601號
廖創興銀行大厦八樓五座
LIU CHONG HING BUILDING
7th FLOOR FLAT 5
593—601 NATHAN ROAD,.
KOWLOON, H.K.
TEL: K303831
電報掛號：7191
承印：景星印刷公司
地址：嘉咸街廿九號地下
台灣總管理處：台北市大同街119號
台灣區直接訂戶 台郵劃撥戶
第五〇五六號張萬有（自由報會計室）
電話：七一四〇三三、五五五三九五
台灣分社：台北市西寧南路110號二樓
電話：三三〇三四六，台郵劃撥戶九二五二號

中華文化的特質

褚相思

一、中國文化特質在儒

中國文化的開始者，應說是伏羲氏。周易繫辭下傳：「古者包犧氏之王天下也，仰則觀象於天，俯則觀法於地，觀鳥獸之文，與地之宜，近取諸身，遠取諸物，於是始作八卦，以通神明之德，以類萬物之情。作結繩而為網罟，以佃以漁，蓋取諸離。包羲氏沒，神農氏作，斲木為耜，揉木為耒，耒耨之利以敎天下，蓋取諸益。日中為市，致天下之民，聚天下之貨，交易而退，各得其所，蓋取諸噬嗑。

「神農氏沒，黃帝堯舜氏作，通其變，使民不倦，神而化之，使民宜之。易窮則變，變則通，通則久，是以自天佑之，吉無不利。黃帝堯舜垂衣裳而天下治。蓋取諸乾坤。刳木為舟，剡木為楫，舟楫之利以濟不通，致遠以利天下，蓋取諸渙。服牛乘馬，引重致遠，以利天下蓋取諸隨。重門擊柝以待暴客，蓋取諸豫。斷木為杵，掘地為臼，臼杵之利，萬民以濟，蓋取小過。弦木為弧，剡木為矢，弧矢之利，以威天下，蓋取諸睽。

「上古穴居而野處，後世聖人易之以宮室，上棟下宇，以待風雨，蓋取諸大壯。古之葬者，厚衣之以薪，葬之中野，不封不樹，喪期無數，後世聖人，易之以棺槨，蓋取諸大過。上古結繩而治，後世聖人易之以書契，百官以治，萬民以察，蓋取諸夬。」

這一段，說明了伏羲氏，法天地萬物，創作了八卦，這八卦，便是中國文化的開始。其後，神農氏，黃帝、堯、舜，繼有發明，有了書契——文字，有了百官之治；有了各種生活上必需的工具，以濟萬民，以利天下。其後，又經過夏商二代的繼續創造，至周文王，繫辭於卦爻，孔子復為之傳（稱十翼），彌綸天地，屬引萬類，窮極精微，以喻人事。淮南子云：「今專言道，則無不在焉。然而能得本知末者，其唯聖人也。今學者無聖人之才，而不為詳說，則終身顛頓乎混溟之中，而不知覺寤乎昭明之術矣。今易之乾坤，足以窮道通義也。」

漢書藝文志曰：「易道深矣，人更三聖，世歷三古。」又曰：「六藝之文，樂以和神，仁之表也；詩以正言，義之用也；禮以明禮，明者著見，故無訓也；書以廣聽，知之術也；春秋以斷事，信之符也。五者，蓋五常之道，相待而備；而易為之原。」

孔子，集古代思想之大成，除了刪詩書，訂禮樂，作一整理工作外，更傳周易，融會貫通以後，又為其孫說卦爻中位之義，聖賢居之，在朝則為聖君明主，在野則為人師，所謂作之君作之師也。「子思恐其久而差也，故筆之於書，以授孟子」（中庸羊窯章句）以為孔門心法之傳。追本溯源，亦易道也。

「易之為書也，廣大悉備，有天道焉，有人道焉，有地道焉。」（易傳下）這一個具體之全，孔子曾為曾子言之，即大學經一章，而曾子述之，即為大學篇。格致誠正，心性之學也，天地之道也，修齊治平、經世之學也，人道也。合起來，則是：「把一個人從內發揚到外，由一個人的內部做起，推到平天下止。」（民族主義第六講）

人道至繁，主為人倫。人倫，便是昌明人與人的關係。孟子云：「學則三代共之，皆所以明人倫也」；「契為司徒，敎以人倫；父子有親，君臣有義，夫婦有別，長幼有序，朋友有信」；而「聖人，人倫之至也。」但，春秋之世，「世衰道微，邪說暴行，臣弒其君者，有之；子弒其父者，有之；孔子懼，作春秋；春秋，天子之事也。」因此，莊子說：「春秋以道名分」，論語上亦有：「必也正名乎，名不正則言不順，言不順則事不成」。至於太史公說：「春秋上明三王之道，下辨人事之紀」（史記）則較詳了。這一些，都是說：春秋是為了輔助人倫與人道而作的。

孔子以後，道術始為天下裂。孟子時代，言論盈天下的楊墨，據淮南子說：墨子「受孔子之術」，不過，他後來背周禮而用夏政，逐漸形成一個學派而已！至於楊朱，或為顏回系統，而更偏於「為我」者，老莊列子，亦都是這一系統。莊子一書，屢次稱述顏回之言，如人間世，大宗師等。尤其著名的，是其「心齋」「坐忘」諸論。秦初，韓非論其時之顯學，仍然只是儒與墨，不過「儒分為八，墨離為三」而已！

漢初司馬談，始將其前之學術，分之為六，曰：陰陽、儒、墨、名、法、道德。東漢時，班固始分之為九流十家，并一一為之作一界說。這只是論評先秦之學術，並非漢代之事實。秦為法家之治，漢初為道家（黃老派）之治，武帝尊儒後，儒家收回了墨家的尚賢；法家的尚法，名家的正名，道家的無為之治，陰陽家的天道地道。（之道，曰陰與陽——易傳）這一些，本來都是儒家的，散見於各書；不過，儒家以人道為主，各家各有聖人的一體，「各為其所欲焉，以自為方。」（莊子天下篇）漢代儒家，收回了各家專闢了的寶貝，而成為新儒家。

魏晉與南北朝，一度又弘揚了道家，南朝宋文帝為之設立了玄學，與儒學同列。但它是老莊一派，偏於個人的修養，尤其是精神的境界，它超出了人間世與人生界。這一時代，譯傳了天竺的佛學，隋唐是其黃金時代，因而有小乘二宗，大乘八宗之說。然而它亦如老莊派，是超人文的。人間世，仍然是儒家的天下；儒家的學術，仍然是這八代的思想主流。漢代至唐，都是儒家的經學時代。

宋與，儒家更參酌了道家與佛家，上溯孟子、中庸、大學與易經，而與起了新儒家——理學。明代，王陽明更直標之為心學，以大學的致知與孟子的良知，合起來，倡為「致良知」之心學。清代，一部份是理學心學的系統，另一部份，回復到漢學系統。其實，理學心學，均本於經，豈有離經以明道者？從歷史上，順流而下，我們看出：從伏羲氏至清末，中國思想與學術的主流，都是宗師孔子的儒家。因此，國父始說：「中國有一個道統，從堯舜禹湯，文武，周公，一直到孔子；三民主義，便是繼承這一道統的。」據此，我們始敢說：中國文化特質在儒。

二、儒學內容及其精義

儒學，在漢儒說之為經學；在宋儒說之為理學，在明儒說之為心學。（王陽明說：「聖人之學，心學也。」）其實，都是聖人之一體，而未得其全；得其全者，為大學篇。大學上說：格物、致知、誠意、正心，心學也，心性之學也（理學亦屬此類）。修身，身學也，修身之學也（如視聽言動，克己復禮以為仁，不學詩，無以言，不學禮，無以立；以及孝弟為仁之本；志於道，據於德，依於仁，游於藝等。）齊家，人倫之學，倫理之學，道德之學也。（父慈子孝，兄友弟恭，夫義婦順等）治國平天下，政治學，經濟學，經世之學，人道之學，治平之學也。（人道敏政，為政在人，凡為天下國家有九經等）以上四學，始是儒學之全，聖學之全。（至於經學，只是典籍之整理，但亦不可忽。此四學亦均發源於五經）

儒學之義，誠如荀子所說的：「其義則始乎為士，終乎為聖人。」（勸學）士，「凡通古今，辨然否，皆謂之士」，（白虎通義）穀梁傳成元年：「古者有四民：有士民……」范注：學習道藝者」，何休云：「德能居位曰士」；曾子曰：「士不可以不弘毅，任重而道遠」似之。至於儒，漢書司馬相如傳注：「凡有道術皆為儒」。孔子有君子儒，小人儒之說，荀子更有大儒，雅儒，俗儒之分。儒與士，名異而實同，有時亦合稱之為儒士，如舊唐書曹華傳：「[illegible]禮儒士，習俎豆之容。」儒者，應習儒行（禮記有儒行篇）；士人，亦應習士禮（即儀禮），且須為君子儒與大儒。

聖人，孟子，就人倫說，認為：「聖人，人倫之至也。」荀子就禮義說，認為：「聖人，人之積也，積禮義而為君子；積善而全盡，謂之聖人。」因此，亦以簡稱：「聖人，人之至也。」儒家祖述堯舜，「堯舜之道，孝弟而已」（孟子）；又宗師仲尼，「夫子之道忠恕而已」（論語）舉其全的，除大學外，尚有中庸：「誠之者，人之道也。……誠者，非自成己而已也，所以成物也。成己仁也，成物知也，性之德也，合外內之道也。」大學與中庸，所舉的這一個道體之全，便是莊子所稱的「內聖外王」之道。

大儒之效，外王之行，並非人人可得。誠如中庸所說：「苟無其位，亦不敢作禮樂焉。」那麼行道呢？可照孔子說的：「惟孝友于兄弟，孟子說的：「修身見於世」；荀子所說的：「積禮義而為君子，積善而全盡」。怎麼樣才能做到這樣呢？孔子屢次說過：「智仁勇」，智以知仁，勇以行仁。「仁者人也，親親為大」；「孝弟為仁之本」；「力行近乎仁」。「知仁勇三者，天下之達德也；所以行之者一也。」一者何？誠也。

「誠者，天之道也；誠之者，人之道也」。（中庸）

「自誠明，謂之性；自明誠，謂之敎。誠則明矣，明則誠矣。」（同上）

「唯天下至誠，為能盡其性；能盡其性，則能盡人之性，能盡人之性，則能盡物之性；能盡物之性，則可以贊天地之化育；可以贊天地之化育，則可以與天地參矣。」（同上）

「誠者，非自成己而已也，所以成物也。成己仁也，成物知也，性之德也，合外內之道也。」（同上）

總之，有了這些，始能得儒學之精義，又以中華文化特質在儒，這一些又是中華文化的特質，中國文化的精義了。

昨日與明日

談美秘密外交

歐陽鑫

美國在越南進行的秘密外交，似已打開和談僵局，根據華府戰略家的看法，敵對的使節之間，終於有特定的問題可談，不像已往，互發空論。

外交官本來就是用最高尚的態度，與最美好的方法，去說或作最卑鄙的事情。在慣例上，當外交官說可以，意思就是有可能，當他說可能時，意思就是翻了。翻了如果出自外官的口中，這個外交官就該打屁股了。

解釋撤軍詳情

美國國務卿羅吉斯，啓程訪越，討論和戰方略，鞏固盟邦對尼克森政府在越南謀和戰略的支持，此行將向盟邦解釋可能撤軍詳情。

一切科學都有原理，惟揭戰爭沒有甚麼固定的法則或原理。撤軍就是撤軍，解釋不出甚麼道理的。盟邦對美國作戰的參差，民間的紛擾，和財閥們的一團暮氣，已經看够了，毋庸羅吉斯再解釋了。

提醒美國愚行

參議院民主黨領袖曼斯斐德說，尼克森的秘密外交，可能已打開巴黎和談僵局，並已使越南戰爭開始走上和平解決之途。

戰爭本是一種可怕的交易，但是如果為了正義，火藥氣味有時是香的。軍事貴乎審機以待敵，或蓄銳以待敵，美國與敵和談所走的路線都不是，似乎走的是幻想以待敵。

西方人有句名言，「幻想及幽默，如果不斷地縱容，可以預期替自己佈滿了愚行。」除祝美國秘密外交成功，兼提醒美國別為自己佈滿了愚行。

一個人的愚蠢

這年頭還談秘密外交，眞所謂愚蠢中的智着，因雙方坐下來談判，根本無秘密可言，如果說這秘密完全是對付盟邦，但盟邦絕對不會像美國想像的那樣傻。我們担憂的是美與越共和談，一個人的愚蠢，是另一個人的財產。

自由談

讀報者言

每天展閱報紙紀載，有幾種極其無聊的新聞消息和作品，深覺大倒胃口，不忍卒讀。

一是所謂「電影明星」私人結婚離婚情形，刊載不厭其詳。這類私生活行為，有甚末新聞價值之可言？對於世道人心，又有甚末敎育意義？有之，即是他們把婚姻視同兒戲，隨便胡來，徒然滋生妨害善良風俗的惡劣影響而已。若認為電影男女演員的桃色新聞應該紀載，然則社會上其他各行各業人士——特別是政治人物的許多奇聞怪事，喧騰社會，而報紙上却漏網不錄呢？

次為武俠影劇和小說，經常琳瑯滿目，宣傳不休。時代已進入了核子世紀，憑科學技能而揭開宇宙秘奧，宗敎家所謂「上帝」，且證明為虛誕之詞。然負有社會敎育責任的報紙，對於落伍了至少百年以上的武俠打鬥戲劇和小說，依然大力紀述，視為吸引讀者的妙品，不亦怪哉！

再則人們死了，無論阿貓阿狗，都在報紙上登載着所謂「治喪委員會」的廣告，某也主任委員，某也副主任委員，某也總幹事。這種低級趣味的玩藝，比那些在死人的訃文上，歷述過去作過某官某職的情形尤為可哂。這雖然不是報紙編纂的新聞紀錄，而係跟那些夸誕的醫藥廣告同其性質，但使讀者倒胃口則一也。

時人高談復興文化，要注重倫理與科學。上述各項新聞消息和作品，對倫理與科學都是背道而馳的，實屬不足為訓，似有改革之必要。內政部最近頒訂社會節約方案，限制人們讌會以及祝壽、慶生、拜年的浪費財力人力，我認為移風易俗的要務更有甚於此者，即婚喪禮制，至今沒有規範彈型，任由民衆隨意為之，如所謂「治喪委員會」即其一例，這那能算是開國將近六十年的中華民國立國之道呢！

馬五先生

再度透視蕉案的發生及新聞報導（上）

（本報記者張健生台北通訊）本報五十八年四月五日發表「透視香蕉案的發生及新聞報導」之台北通信，極爲有關機關所重視。

本報記者現再就香蕉弊案發生前後之政府機關，和民意機構及輿論的看法，續作報導，俾使讀者對本案的因果及來龍去脈，有一詳晰的瞭解。

自香蕉弊案發生後，立法院有關委員會委員紛紛提出質詢，尤其非主管之公務員接受金碗等金器，是否觸犯戡亂時期貪污治罪條例第六條第四款之罪嫌，除立法委員梁肅戎於立法院司法委員會向司法行政部長查良鑑提出質詢外，監察院調查香蕉弊案小組亦頗爲重視，故密切注意中。立監兩院及法界人士都重視此一問題，因爲油商案若干被告是以非主管圖利之罪刑而判刑的。

立法委員梁肅戎對非主管圖利瀆職的問題，頗爲重視，他於立法院司法委員會第四十三會期第三次會議質詢說：司法行政部爲配合革新社會風氣，令台灣高檢處研擬已核定實施之「獎勵保護檢舉貪污瀆職辦法」一種，計九條，對人民或公務員知有犯罪而予以檢舉者，分別由有關機關予以表揚，對於公務員違背職務之行爲，交付賄賂而自首者，得斟酌情節依法免除其刑或緩刑等，均有明文規定，執行有無偏差？是否徹底？高雄地方法院檢察官偵辦香蕉弊案，在行偵查方面可能發生偏差，可能不徹底！

四種人拿金碗 等級各有不同

梁委員指出，最近報載有四種人接受金飯碗，一種人是青果合作社的職員，一種人是非公務員而與青果合作社有深交者，一種人是有主管監督事務權之公務員，一種人是非主管之公務員。倘非主管事務之公務員接受金飯則不予追訴，這是不對的。刑法第一三一條規定公務員圖利國庫亦犯瀆職罪，如稅務人員向納稅務人征收不應征收之稅金，即犯圖利國庫罪。五十二年由立法院通過之戡亂時期貪污治罪條例第六條第四款，擴大到非主管事務之公務員，如犯圖利罪，處五年以上有期徒刑。倘若明知爲有罪之人，而無故不使其受追訴或處罰者，按照刑法第一二五條規定，處一年以上七年以下有期徒刑。

梁委員認爲：若與高雄青果合作社業務無關之公務員接受金盤金碗而不辦，是違背。戡亂時期貪污治罪條例的規定。不可基於政治理由或所謂政策，而專辦小官不辦大官，站在立法院的立場，立法院是不同意這種政策的。懲治貪污是防止政治腐化，如沒有懲治貪污的決心或不徹底，對影響政治風氣，故香蕉弊案應做到徹底偵查。

司法行政部長查良鑑答復說：高雄地檢處偵辦香蕉弊案，是根據中央的立法政策而執行，務期毋枉毋縱。關於報紙所載消息，曾與沈局長研討，調查局沒有宣傳。

立法院經濟委員會對香蕉弊案，立委們曾紛紛提出質詢，且有相當的深度，但未爲國會記者所注意致質詢內容未見報。

蕉貿會議結果 蕉價反而下跌

據國際貿易局局長汪彝定列席立法院經濟委員會第四十三會期第三次會議報告說：「爲賡續執行既定政策，督促業者改進品質，經於本年一月三日訂頒『五十八年改進外銷香蕉品質執行方案」一種，主要爲：

第一、分期促使外銷香蕉包裝全面紙箱化。

第二、嚴格控制自割蕉至運達日本港口期限爲六天。

第三、查察並檢討每航次香蕉到貨實況，並督導改善與獎懲。

第四、加強檢驗及防腐處理。

第五、分別改善蕉運作業，促進現代化。

第六、對於合作社理監事之有違反法令或合作社本身利益行爲者，依法請由主管機關予以解職處分。」

汪局長在立法院經濟委員會表示，今年四至六月之中日香蕉貿易約在六百萬簍左右，銷日價格原則上不予降低云。

結果如何呢？立委黃煥如的質詢，是很好的證明。他說：第十四屆中日香蕉貿易會議，已於三月二十五日結束，開今年四至六月份輸日香蕉總數爲五百三十萬簍，較原定六百一十萬簍少了八十萬簍。價格方面：竹簍爲美金六元西角，較原爲每簍七元（少了六角），紙箱二元三角，較原爲每箱美金二元五角（少了兩角），故論質價格都不理想。

本報記者按：每簍售價差美金六角，五百三十萬簍，計差美金三百十八萬元，以每一美金折合新台幣四十元計算，總計爲新台幣一億二千七百二十萬元。而此次我國駐日經濟參事，中信局駐東京代表均奉命返回參與協調，政府動員了許多「大將」，結果中日香蕉貿易會議不但不理想，甚至較日方預定之五百五十萬簍還少了二十萬簍。

蕉案最大毛病 出在運費上面

因此，黃委員指出：我們對於香蕉應改良品質，減低運費，爭取配額，中南美香蕉運到日本要二十一天，台蕉輸日最多不過七天，我們爲何尚不能與他們競爭？這次高雄青果合作社舞弊案，最大的毛病出在運費上，交際費每簍要折新台幣一元，亦嫌過多，還有各種基金每簍攤派甚鉅，據說已結三億六千餘萬元，用途不明，這類費用，應該酌量減收或免收，使這次輸日香蕉價格降低之數，最好不要轉嫁到蕉農身上，同時要爭取輸日香蕉自由化，防止爲日本輸入組合所把持操縱，使數量與價格均能達到理想目標。

立委魏惜言抨擊現在香蕉業者，提出所謂「產銷一元化」之主張，那簡直是不通。國際貿易是專門知識，在大學中設有專門課程教授學生，並不是每一個人都能懂國際貿易，你想，負責生產香蕉的人，怎能期望他辦好國際貿易呢？所以這種主張，不值大家注意。

魏委員認爲：國際貿易局對於香蕉出口，管得也嫌過多，現在不但管貨管人，而且連包裝、肥料也要干涉。

立委張其彭對香蕉產銷制度，亦加以檢討。他說：關於香蕉舞弊案現在鬧得正很熱鬧，有關司法問題，我們不談，對於產銷問題，則不應再予忽視。今後對於香蕉之生產，應多注重蕉農利益。關於香蕉之運銷，亦應以蕉農之利益爲優先。本來青果運銷合作社爲蕉農所共同組成之社團，自應以蕉農之利益爲利益；但事實不然，此一組織，名爲合作社，事實在剝削蕉農利益，使少數人飽滿私囊。

由於香蕉的生產對農村經濟以及對外貿易方面，都佔有很重要的地位。所以立法委員林炳康就香蕉包裝問題、價格問題與蕉價分配問題等，提出質詢，質詢汪局長。

香蕉包裝問題 各有各的主張

所謂香蕉弊案之發生，外間傳說與紙箱有關，是故林炳康就香蕉包裝問題、香蕉價格及蕉價問題，提出質詢。

關於香蕉包裝問題：林委員質詢：「過去香蕉出口，係用竹簍包裝，現在經濟部改用紙箱包裝，唯據業者表示，香蕉出口不一定需要紙箱包裝，因爲現在在日本做香蕉生意者，華僑佔七成，日本人只佔三成。日本的香蕉商人需要改用紙箱，華僑香蕉商人倒喜歡仍用竹簍。有人說，目前日本香蕉商人也不要紙箱包裝了，因爲現在已有其他的包裝方法，比紙箱包裝更好。此外，台灣製造紙箱技術已達國際水準，國內所造紙箱既已符合標準，爲甚麼經濟部指定用立頓公司（中美合作工廠）的產品？已引起業者之不滿，這應加注意。」

林炳康委員一語道破香蕉弊案之所以發生的真正原因，蓋利之所在，故有些人運用權勢而達到利己的目的，此實非國家之福。

林委員對香蕉價格問題，毫不留情地加以檢討。他說：香蕉輸日價格，原來每簍美金七元，最近因（三月中旬舉行之第十四屆）中日香蕉貿易會議決定，降爲每簍六元四角。而香蕉的收購價格，現已由每簍新台幣一百六十五元，降爲每簍新台幣一百五十三元六角（減少十一元四角）接近成本價格，蕉農收益無多，因此，種植興趣大減，如此下去，一般蕉農恐怕要改種其他作物，到時，政府所預定的出口目標，恐怕也就難以達到了。

關於蕉價分配問題，林炳康委員也有分析：現在香蕉輸出，在價格中包括：一、產地蕉價每簍一五三．六〇元，二、包裝集運管理費三七元，三、海運費三六元，四、出口利潤腐損補運費用一三．六元，五、品質改進基金四．九元，如此分配價款是不是合理？蕉農願意嗎？其中有無導致青合社浪費或者舞弊情事？應請政府注意檢討。

林委員質詢：每簍香蕉提取新台幣十三元五角出口利潤費，不知此款收入如何分配？是交給運銷合作社或是歸由其他機關所使用？提取此項收入事前是否經過國際貿易局核定？

品質改進基金 用到那裏去了

此外，提取品質改進基金，過去是每簍七元，此筆收入據說是撥給農復會使用。林委員認爲政府是爲民服務的機關，香蕉品質不好，應該協助並獎勵其改進，政府不此之圖，反而向蕉農征收改進品質基金，這是怎樣說法？我們知道，這幾年來，此項基金爲數一定可觀，究竟用去多少？現在還有多少？應該有所說明，以使大家瞭解。

這次台蕉減價的內幕，據立法高語和質詢：第十四屆中日香蕉貿易會議結果，台蕉價格被迫削減到每簍六點四美元，每箱二點三美元，日方殺價的理由是因中南美香蕉削價競爭，但據四月十五日報載中南美香蕉因日方採購數量太少，已經決定不削價了，致使我方有被欺騙之感，究竟眞相如何？剛剛聽到汪局長說，我們馬上試用眞空包裝，這是好現象，因爲這是迎頭趕上，聽說中南美香蕉用眞空包裝運到日本，腐蝕率已降到百分之零點五六，與我國用紙箱腐蝕率百分之一相較，以一年七百萬簍計算，我約多腐蝕三萬多簍，折合美金二十多萬元，既然眞空包裝有很多好處，我們應當研究改用眞空包裝。依改用紙箱日方可多負担的例子，可能希望日方負担些眞空包裝的包裝費，何況中日一水之隔，比中南美近得多，採用眞空包裝，根本沒有沿途磨擦撞擊，腐蝕率還可降低。眞空包裝，抵日上岸後，可從容轉運各地，假期卸貨與否，也不必緊張了。（完）

滄海拾遺

欲向大英帝國請願 劃江浙兩省爲租界（二）

．赤松子．

例如地皮大王，他的意思是要把租界擴及全國，他的理由是「中國不亡，是無天理」，上海租界是中國的天堂，百年以來，上海租界的人民，沒有聽過槍炮聲，就是洪楊擾亂十幾省，十幾年來，南方各省，漫天鋒火，可是上海地皮還是天天漲價，有錢的人，都天天發財，沒得錢的人，也很少餓死，這樣共產黨怎麼會成功，我主張由我們一般上海的大亨，去向大英帝國請願，先把江浙兩省，化爲租界，以這兩省地皮漲價的利潤，可以養活長江流域各省的窮人。到了三年以後，再把長江流域各省，一律化爲租界，五年以後，把北方及閩粵和西北各省，一律加入，我相信百年以內，共產黨也不會到中國，不知諸位如何？

大家聽了都覺得他的知識水準太差，也就不與答覆。

穆藕初主張多送青年留美，以發展全國實業，他相信中國廿幾省，只要一省有一打留美學生，中國絕不會亡，也不會變爲共產黨。

蕭裳召有善隴的綽號，他說上海租界內窮人都有飯吃，這並不是大英帝國的恩惠，而是上海老太太愛做好事，要是各省軍閥的老太太們都知道做好事，多辦點慈善事業，共產黨在中國，至少百年以內不會成功。

有某銀行大亨，主張「磕頭運動」，以救中國，他說各地軍閥殘民以逞，不知愛國救民，第一由于他們的先代，多半是男盜女娼；其次也是由于當代人，沒有人敢向他們說話。如今由我們這兩打大亨，組織「磕頭團」先到北京請願，然後遍游全國，也許他們稍稍同心轉意。

說了半天，席也吃完了，還是沒有結論。于是不倒翁，提出他的驚人辦法，他說：「中國的當前環境和從前沙皇時代一樣，北洋的軍閥巨頭和南北大小土軍閥，差不多都是些大小沙皇，今天中國的老百姓，也和從前俄國農奴差不多，所以將來中國，必由共產黨控制，這是毫無疑義的，我們要趁今天，抓住千載一時的機會，不然，要被野心家利用，你我都要變成「俎上魚肉」了。

喬治桑外傳 四九

張大萬

「有方兒，我們不必出去了，就在這兒便飯，我已經關照李小姐親自下廚替我們做牛排。我的牛排是由紐西蘭來的，味道與台灣的不同。我晚間有應酬，是日本朋友請客。我最不愛吃日本料理，中飯只好多吃點。」喬治桑殷殷留客，並說出一套吃喝經。

「叨擾你，實在不好意思。牛排我很愛吃，就是胃口不大，我只要半份便夠了。」古有方顯然已接受邀請。

台灣這幾年工業齊飛的結果，一般生活水準大爲提高，尤其是有錢的人，對於吃喝玩樂精益求精，不肯絲毫馬虎。台灣土產的牛，據說不及紐西蘭的牛肉好吃，所以，肉商千方百計進口牛肉，以應老饕之需。日本在戰後，爲了爭取觀光客到該國，以便吸收外匯，用啤酒飼牛，硬要牛飲啤酒，牠的肉才特別好吃。喝啤酒的牛，其身價自然較吃草的不同了。

「這張畫確實是郎世寧的精品，足見博士有藝術鑑賞的眼光。」古有方倒眞有書畫鑑賞的眼光。

「郎世寧的畫，不算頂[illegible]，不過，拿來補了壁還可以過得去。」喬治桑好像也是行家。

「郝隆昂家裏掛的一張畫，將女人畫成三隻眼，這算那一門，我倒眞不懂。博士到過巴黎，你是不是懂得這種畫法？」古有方忽然提到畢加索，要考一考桑博士。

「畢加索的畫一變再變，也和我國張大千一樣。西洋畫派有所謂印象派、抽象派、野獸派等各種名堂。西洋社會崇拜偶像的觀念比我們更深。畢加索已成名，他隨便怎樣畫都是好的。就好像電視中的廣告術語「好就是好」。郝家的那張畫，我猜是畢加索中年時期的遊戲筆墨，大概屬於印象派、野獸派的綜合體。」喬治桑娓娓道來，古有方不住在旁點頭。

喬治桑談鋒很健，又繼續說道：「巴黎的畫壇怪事最多，據說有一個畫家，僱有模特兒美女，混身脫光，由畫家在她身上塗滿油彩，模特兒在畫布上打滾，你想奇特不奇特？」

（未完）

查良鑑任重道遠

文匯樓剳記

文匯樓主

查良鑑先生出席國際某次有關司法的會議歸來，在下機時聽說自己被發表爲司法行政部長。就查本人來說，一個品德並茂，學驗兩優，又是一位很乾淨的學人，可謂當之無愧，就最高當局對人選的考慮，給查良鑑的任既重道又遠，是一次非常嚴肅的決定。

蔣總統在七億人民的心目中，是一位無折無扣的慈祥者，中國文化復興運動，就是想把歷代美好的政治制度和善良風氣，盡量加以復興。今天單就司法角度來說，中國的政治傳統，最忌興獄，且在法院的大門口（就是府衙）懸掛着開門見山的對聯：「仰爾各安生業，無事休進此門。」人民心理上對政府的衡量，即政治越上軌道，法院門前越冷落，大唐貞觀之治，刑具監獄，幾同虛設。就是最好的證明。假定用法院的門庭若市，與各地監獄客滿，乃至於誇耀用人犯罰欵的數字，增加國庫加入，作爲司法上的成績，那就和日本侵華戰爭中，日本軍閥屠殺婦孺競賽心理沒有兩樣，即所謂幸災樂禍。中國文化復興運動，據樓主的想法，貞觀之治，就是復興目標之一，名學人查良鑑於此時此地被發表部長，民間的看法有其很深長意義，也寄予非常大的希望。

據非正式統計，台灣省犯罪類別是很畸形的，竊盜佔過半數，其次是違犯票據法，再其次是烟毒，但違犯票據通緝犯最多，且皆工商界中上層生產人士，照港台各報統計，祇票據通緝犯就有十萬左右，而大半在台北，這一可怕的事實，凡關心國事的朋友，孰不對這些問題，懷着高度警惕呢？一個通緝犯影響到五張選票的話，（包括父母妻子兒女至親好友）高玉樹的當選和周百鍊的落選，就是一個最良好的例子，由於選票不能步入正常，在政治上是多麼嚴重的一個問題，此一刑事上的救濟政策如何厘定、行政上如何措施、赦免通緝犯或修改票據法，皆爲解決眞實問題辦法之一，週前 蔣總統在一次重要會議上，對台北馬路修、補、挖的情形都非常清楚，以證明司法上的很多問題不會比修馬路的事情小；無法隱瞞他老人家的。

東南亞若干國家，年來不斷的實施大赦。似可借作參考。大赦在法律上，是元首代表國家行使的大權，由司法部呈准總統，不必根據國會或外間任何請求，待諸冰而辦理大赦或減刑，都是權力下移，自開惡例，所以爭取主動，爲政治上的絕招。 蔣總統是一位外戰[illegible]家，凡事皆有其卓越觀點，相信早已體會到這些[illegible]影響選舉的通緝犯，[illegible]不能不[illegible]意，更不能不解決。

查部長對司法上改進各點，深得輿論支持，於司法報告時，元首頻頻垂聽，欣慰之情溢於言表，可看出司法前途現出很大的曙光。三十年前 蔣總統在重慶小溫泉向高等考試人員訓示：「國家的制刑，不在懲惡，而在勸善」，中華民國一件重大的任務，躬落在查良鑑部長的肩上，司法上的若干推陳出新，固不在話下，任重道遠，祝望成功。

許世英五次電告蔣廷黻密報四次

西安事變重要文獻之一（上）

鴻雁

一、「日首相、海相、外相、陸相今日（十二月十六日）協議，以西安事變中之日本動向，將使中國全局有重大影響，歐美將極深注意，故有暫時靜觀形勢進展之必要。出巡官憲應嚴戒輕舉妄動。業於本午由海、陸、外及首相發出通電。」

二、「昨日（十六日）外、陸、海各局長會議結果，對西安事件，嚴重監視其演變，萬一僑生命財產有危險之虞時，決定採臨機適當之措置。……三省意見，以此時對華經濟機構，決有積極援助合作之必要……社大黨昨聲明，謂西安事變爲中國之不幸，如由此惹起軍閥對立之爭，決非如淺見者所稱之可喜現象。倘中國由此而更採容共政策，則日本受害匪淺，日本應清算過去對華政策，對中國民族統一國家建設適當採援助之方針」。

三、「本日（十九日）午前十一時，有田（時任日本外相）約談，首稱蔣鼎文攜帶張學良所提條件到京，中央政府是否與張妥協？……中央如在抗日容共之條件下與張妥協，日本決強硬反對。……張條件內容如何，日本自不便勉強奉詢，以免有干涉中國內政之嫌。……中國政府應付難局，不勝同情」。

四、「廣田（日首相）本日（廿三日）在樞密院會議報告，對西安事變決採不干涉方針。倘國府與張學良以容共爲妥協條件，日本則予以斷然排擊。……」

五、「日本放棄武力政策，曾經迭電奉陳。茲探得各重要方面，確有覺悟，以爲對華壓迫，不啻爲淵驅魚，徒促成中國赤化，斷即改變基本政策。海軍對此主張甚力，陸軍亦已同意，業經法命嚴誡，並令各線全行中止。綏邊戰事，純係田中隆吉等特務機關所爲，日本政府未經同意，亦令即時中止……宇垣如組閣，對華政策可望實行親善提攜」。

上述許大使之電報，雖不足據以斷定日本侵略政策之根本改變，但日本不致乘我領袖蒙難之機，加緊擾亂，或釀造其他事變，則余前向駐華日使館要求之旨趣，顯已收有效果。此爲使余心引爲安慰者。蓋余最慮日本如在此際加緊擾亂，將使張楊兵諫之舉，轉得國內之同情，而共匪遂亦將利用張楊，實現其赤化之毒計，不特蔣公不得出險，全國秩序亦將隨而混亂。余兼掌財政，首須安定金融，尤慮日本乘機擾亂，促成物價波動，使我政府應付全局，更臻困難。今日本軍政有力首腦既倘有不爲已甚之表示與行動，對外減少一層顧慮，然蘇聯政府反應如何，則仍屬極堪注意。（未完）

大學尺牘

雷震與「自由中國」（一三）

當年內幕誰知道　一番往事話從頭

王曰叟

這些份子既都是對共黨的伎倆本質，有清楚的認識，並且有堅强反共的歷史背景，因此也就無怪乎，在顛沛流離之際，還要計議創辦刊物，自動自發的從事反共工作，尤其所選的幾位負責人士，都是標榜的適當人物，象徵着自由學人的主流，以這批人來高舉「自由中國」的大旗，是再恰當不過的了。

所謂自發自動者，乃指他們此舉，並未受到任何方面的暗示與支持。與政府更是毫無連絡，（當時政府也在風雨飄搖之際，自身難保，計不及此），他們完全是基於自己的信念，抱着爲眞理正義而奮鬥的傻勁來幹的，這種情形就與本報社長李運鵬當年在海外辦報一樣，李氏赤手空拳，毫無憑藉而先後在緬、泰兩地創辦了五個反共報紙。誰叫他辦的，是他自己要反共，李氏雖是國民黨員，且爲政校學生，但他與政府並無聯繫，非僅無聯繫，而許多工作的人，還以他搶了反共的功，而看着他不順眼，要來踢兩脚，你看傻不傻。但「聰明（？）」的人，只能作官，而作事則正需要李氏和教授們的這股傻勁啊。

閒言少叙，書歸正傳，古語說：「秀才造反，三年不成」，這話一點也不差。這些教授們，雖有勇氣主張創辦「自由中國」，但也只是紙上談兵而已，無從負責着手，劍及履及。加之大家既非一個固定團體，又有個人衣食問題，行動不久便發生變化，崔書琴、王聿修兩人赴港，張起鈞去了台中，主要人物中，只剩下了毛子水、張佛泉兩位先生了。按照這兩位性格的分析：王聿修在北平自己有事業，懂得經營，比起其他那些「四體不勤，五穀不分」的書呆子們，最有幹才。在這一夥搭檔中，張氏是理論家，崔氏是實行家，在北平的「民治促進會」和「獨立時論」，都是張氏出的主意，而幹的則是崔書琴。至於張起鈞到年富力强，能吃苦、肯實幹，也還算是個作事的人，而現在偏偏這三個人都走了，只剩下孤掌難鳴坐而論道的張佛泉和好好先生毛子水，於是這台戲，便等于拆散了。因此在當時有關人士的心目中，都把「自由中國」的創辦，看成晴空的陣雷，空響一陣就算了，不會有雨的。

那知就在這「山窮水盡疑無路、雲散星流復何言」的當中，那「自由中國」雜誌竟然破空而至，呱呱誕生了，這不僅大出世人意料之外，就是張、崔等有關人士也弄的丈二金剛，摸不着頭腦。

那麼這「自由中國」，究竟是怎樣誕生的呢，由於篇幅所限，且容老叟下回分解。

政治垃圾現形記（四）

第三回　如夫人干政公安局交接鬧禍　丈夫出絕招欲做烏龜竟未成

李槃

越民國廿三年春間，軍事委員長南昌行營，召集剿匪區域十省府的廳長，秘書和各個行政專員會議，研討剿匪計劃，顧昌達當然出席。正在會議期間，華東某省主席拍來一道密電致顧廳長，原電係用行營的密碼，且由行營辦公廳譯轉，原文云：「據報：本府新委〇〇縣公安局長赴任接事之際，有自稱顧廳長夫人之婦女，馳往該局阻止舊任移交，大事咆哮，無可理喻。似此情形，請問貴家長究應如何處理，立盼電復」。顧昌達接電後，頗爲慌張，乃就商於當時參加會議的某省幾位舊同寅行政專員，大家交換意見的結論，認爲內幕情形並不簡單，有幾點值得注意。顧氏原攜有某省府專用的密電碼本，而某主席乃使用行營的密碼，原電亦註明由行營辦公廳譯轉，顯係有意掃顧廳長的臉面，當時担任辦公廳主任的胡士惠，係顧昌達在日本士官學校的同學，亦囑顧氏善爲應付；他保證不把消息洩漏出去，此其一；電文竟有「請問貴家長如何處理」的語句，一派官腔，決無同寅協恭的意思，實爲不祥之兆，此其二；某主席將這種對顧廳長名譽有損的事情，先讓行營知道，即係迫使顧氏下台的手法，此其三。基此三因，大家主張，顧氏即遞簽呈於軍事委員長蔣公，引咎自劾，表示齊家無方，擬即回省處理某縣公安局長交接事宜，一面申請辭職，以免事態擴大，難於收拾。顧氏既請辭職，某主席亦必不爲已甚，今後顧氏在政治上尚多活動餘地也。詎顧氏作官心切，利令智昏，捨不得辭退現職，旋復電主席道：「某電奉悉，請依法辦理爲禱。」

某主席接得顧氏復電，欣然依法辦理，即電令某縣長，將該非法干涉政事，大鬧公安局的婦人拘捕訊究具報，以憑核辦。某縣長明知該婦人確係顧廳長的如夫人，乃網開一面，將主席電令交與舊局長查閱，囑轉告該婦人從速離開，免干未便。新舊任公安局長立刻交接如儀，由縣長電復省主席，謂該婦早已別去，新任局長亦已就職，請釋念。

不料該婦人甚恨顧昌達不予迴護，竟電請主席拿辦她，語爲斷義絕，誓不甘休，乃走到上海，以湘省同鄉之誼，乞援於寓居上海的先烈黃克强之子黃一歐，擬以重婚罪向法院控告顧昌達，黃氏即介紹律師章士釗替她撰寫狀詞，附以顧氏當年在漢口與該婦女正式結婚照片，坐在中間的證婚人，係大名鼎鼎的何總長，誰都認識的。章律師又告訴她，上海租界會審公廨設法處理本案，可向出事地點的法院控訴，遞傳被告顧昌達質證爲是。該婦遵照律師指示進行，另又找得一個在上海打流的湖南人，自稱是該婦人的哥哥，代表原告出庭應訴。

强將無弱兵

——拿破侖與小鼓手

有一天拿破侖，在軍營裡發現一個小孩子，他問道：「你是幹什麼的？」「我是屬於軍隊的，先生」這小孩子回答道。「你在軍隊裏做什麼？」拿破侖問道「我是一個鼓手，先生」這小孩子驕傲地答道。拿破侖便道：「好，既然是鼓手，帶你的鼓來。」小孩子立即把鼓拿來，站在拿破侖面前。

「現在」拿破侖說：「擊預備鼓」！這個訊號是軍隊在出發前一小時發出的，給士兵有時間去拆帳幕，收爐灶，作出發前的一切準備工作。

這小鼓手擊了召集鼓後。拿破侖說：「好，現在擊集合鼓」。這是給部隊站好隊伍的訊號。這小鼓手便立刻打了集合鼓。

「現在擊前進鼓」！拿破侖非常歡喜地命令着。這時小鼓手的眼睛閃閃生光地擊出前進鼓來。

「現在擊攻擊鼓」！拿破侖興奮地吩咐着。當時這小孩更精神百倍，並以一種生動而野蠻兇猛的手法打出攻擊鼓來，使空氣都顫動起來！

「好啊！好啊！」拿破侖不覺叫了起來。並再叫擊「退却鼓」。這時鼓棒從小鼓手的手中掉了下來。他挺起胸膛，表現出大丈夫的氣概道：「將軍，我從沒有學過這個，因爲我們軍隊是絕不退却的！」拿破侖聽了小鼓手的說話，便笑道：「好孩子！」

眞的，在拿破侖的一生中，他所率領的軍隊從來未聽過退却的訊號！連這位小小的鼓手都能養成這樣旺盛的攻擊精神，誠所謂「强將無弱兵」，難怪他們所向無敵了！（東漢）

巨變歷險記！

北平—天津

（四一）　胡慶蓉

抵抗一個月零一天的天津名城，丁博士有濃厚的感情，是不願意離開的。但又迫於時勢，不得不離開。他很掛念陳司令、掛念林軍長、杜市長，他感覺到他同陳司令、林軍長、杜市長合作得非常好。在東北失守之後，所謂某某大軍壓境而來，在這種壓勢之下，能不爲所動，能迄立不搖，同天津四百五十萬的市民抵抗到底，不管結果如何，單單這種氣魄，就足以驚天地而泣鬼神。但必竟天不遂人願，現在淪落於共產之手！

外邊的天氣還冷得很，想到防禦天津的軍民，現在四分五散，丁博士非常難過。如何繼續抵抗，就變成了丁博士胸中最大的問題。他總以爲事非不可爲，爲事在人，成事在天，丁博士禱告上蒼多多的保祐。

丁博士離開了天津市陝西街德鄰里十三號，就混進前往北平的人潮中，他深恐怕有人看出來他就是丁作韶丁博士，又戴上了他去同林彪談判時候戴的那頂猴頭帽。這帽子用於逃難太好了！人什麼也望不見。但看人却看得清楚。人的面容，都充滿着恐懼與焦慮。匪軍進入天津，估據天津，每個人的財產能保得住嗎？於其讓他來清算鬥爭，何如脫離爲妙。有很多是存着這種想法而離開的。但求人能離開，東西沒法帶的。所謂倉惶逃走，僅以身免，彷彿似之。有親的奔親，有友的奔友。

其在共黨，他也樂得天津市裏邊的人儘量的疏散，儘量的疏散到附近的鄉下，疏散到四方，疏散到八方，疏散三十二方六十四方，這可能是他的政策，也可能是他的願望。也就是這種原因，匪軍對於到四方八面的市民，絲毫不加阻止，也未始不可以說他也在多方鼓勵。丁博士就藉這個便利，逃出天津。

天津北平之間，坐火車，坐直達車，要兩個小時多一點，若然用步行，廿個小時也不够。丁博士昨天一夜太累了，實在是聲嘶力竭，絞盡腦筋。林軍長不是答應抵抗至少再一個月啦嗎？爲什麼抵抗不到一天呢？他一面走一面想。士無鬥志，恐怕是最主要的原因。領導的人都很健全，但沒有人給打，豈奈之何！而聲勢作用之大，也與此可見。

天津北平之間，經過的盡是農村，整個被紅色的恐怖所籠罩。天津是陷落了，北平又如之何？共產清算鬥爭的暗陰，進入了每個人的心中。他們對於天津逃出來的人們，問長問短，但眞不知道拿什麼話來安慰他們。他們望着這逃難的人潮，只有無上的同情，但一想到自己，又不免兎死狐悲，他們不久就會到來的遭遇，他們都會意識到。

天津北平之間，都在靜待共產的宰割。他們有什麼方法可以抵抗呢？他們用什麼方法來抵抗呢？……

大葱散風寒、消腫痛

生活漫談　·馬騰雲·

葱的味辛，屬於有刺激的植物，含有蘋果酸和磷酸糖等，它的營養成份；水份百分之六、五，蛋白質○、九，肪○、二，無機鹽○、六，粗纖維○、五，含水炭素三、○，民間食用之，多作芳香品，或多量採用以作蔬菜，如泡製「薑葱風魚頭」這個菜色，就要用多量的葱來配合的。日本人好用葱滾湯，他們謂食之可以調節體溫，防止腸胃患寄生虫，又能興奮神經，皮膚排汗正常，身體就可以減少發熱的弊病。葱對消化液的分泌，是有促進作用的，故胃口呆滯，食慾不振，不妨在作菜時加入一些葱。它能醒腦，對腦的清寧很有幫助。葱還含有一種油質，名爲葱油，有強力的殺菌力，是以對於流行性感冒、頭痛鼻塞等症候，可以用葱煎湯，也很有效。本草謂葱能發表，和中，通暢經絡，活血，治傷寒，理寒熱，療中風及面目浮腫。葱的「粘質」很多，一般人皆謂多食它能惹痰，是以多用葱作爲蔬菜的時候，最好先行把它「出水」，然後配入醬及其他肉類食物內，這樣更爲好食而安全。葱的性質是溫熱的，常感燥熱的人也不宜多吃，如是胃寒虛渴，津液缺乏，食用它也很適宜。種老的葱，它的頭很結實，外皮紅色，把它晒乾，名爲乾葱頭，收藏之可作長期食用，亦有將它醃酸，有醒胃驅風的效用。乾葱頭的用處很多，如胃寒嘔吐，或寒氣積滯胃中，致不思飲食，甚而食後胸膈脹滿。用乾葱頭配合一些老生薑，煎水飲之，能收到止嘔開胃之效。倘因飲水過多，作悶口淡，喉部鬱日不舒適，腸有微痛，而背部亦感有惡寒的情狀者，此乃胃中積有風寒作怪，不妨用乾葱頭十餘個，原放在鑊中，加入一些豆豉及生鹽，炒至葱頭發燶（火旁），然後以清水兩碗，煎取八分飲之，不舒適的情狀就沒有了。至於「葱白香豉湯」是中醫一條治感冒的單方，民間多懂得用，是以鮮葱白四五條，淡豆豉三錢，有些還加入生薑三片，同煎水，乘熱飲用，以有微汗發出爲佳；輕微的感冒，用這個方法也可以治療的。葱又可以用於外科，皮膚若有腫痛，用葱煎水乘熱洗之，能消炎止痛。就是跌打受傷的積瘀發痛，在跌打藥物中，配入鮮的葱，可以促進其他藥物的消腫退炎功能。

郭燕嶠畫展介紹

·王子步·

郭君燕嶠，世居湖南雄東，書香門第，家學淵源，其父績臣先生收藏歷代名家書畫甚豐，且精鑑賞。郭君幼甚聰穎，頗富美術天才。從其四叔紹晉先生學習山水、花卉，從其長兄郭愚學習翎毛；後感於大自然風光之美妙，專攻山水，迄今作畫已三十餘年。喜旅遊，凡行踪所至，一山一水盡入畫囊；常寫寶島風光，意境佳妙，予人清新之感。不論臨古、寫生、創作，筆墨縱橫，功力深厚，富有感情詩意，頗具獨特面目，識者皆稱不可多得者。

郭君作品曾於美國賓州利維城及威州華維可大學作兩次個展，參加歷屆省展、全國美展、國外展覽等團體畫展百餘次；獲得中部八縣市美展、優等、首名、特選、及全省中學教員美展第一獎，彰化縣政府文藝獎金，及五十二年榮獲中國文藝協會文藝獎章等獎十餘次。中外人士一致好評，實非偶然。曾担任彰化救國團、台糖溪州、世界新專等國畫研究班教師多年；對於復興中華文化貢獻殊多，郭君爲人有恒、沉靜、誠實、淡泊，只知耕耘，不問收穫。茲値郭君自五月廿四日至廿八日於台北中山堂舉行國內首次個展，特將平時所識簡介如上。

這一代

大人的話

雷涵琳

又來到這個地方，人事的變遷，使得十幾年前那片一直以爲很大的田園，和那片很大的草地，已不復存在。只有在那田園草地上樹落一排排的住屋。我回過頭來，尋找我以前那小心靈所最感到滿足的一塊「大」石頭。這石頭，在我還沒回到這裏以前，我仍然承認它大得可以讓我躺在上面睡覺的。可是，當我眼光再接觸到它時，哦，怎麼是不像了呢？怎麼是兩個人坐在它上面還窄了許多了呢？噫！年歲日長，見到的也多了一點，滿足的標準提高，那「大」的，如今也不大了。

但是我仍然喜歡那「變小」了的石頭。因爲在我不辭路遠地來到這裡時，它仍然是使我感到一陣溫馨。我坐在上頭，低下頭來默坐著休息。遙遙地似乎聽到一羣小孩嬉笑、奔跳的聲音。悠悠然，我彷彿又是穿著汗衫小短褲的女娃兒，跟那一羣打光脚的同伴們，忙著東躲西藏地穿梭在那深草叢中。

父親到台灣比我們晚。我和弟妹，單靠著母親爲人作作針線、織織毛衣過活。城市的生活不是我們當時可以過的。所以我們就住在這似乎不用錢的鄉下。我喜歡母親作的任何東西。最喜歡她繡的被面花。每每她拿根細得似乎看不見的絲線，在錦緞上綉出美麗的花紋時，我總提著脚跟，伸長項子，極力想看看。母親，只是催促著要我出去。因爲她怕我會一個站不穩，弄壞了她的東西。看不到，那也只好出去了。不是跟著些小同伴們爬樹抓金龜子去了啦，就是跑到溪邊看大人罨泥鰍。漸漸地，我喜歡上了大自然。我喜歡農人翻田時，從土裡鑽出來的那白白的「鷄母虫」。我喜歡看清淺水邊小螺絲偷偷地把頭露出它的硬殼外。我知道爲什麼要把死貓掛在樹上。我害怕月亮來割耳朵，所以我從來不敢在晚上把指頭朝上。我害怕數星期會變白痴，所以總不願抬頭多看它們幾眼。大人們的告誡語，常使我奉爲聖旨神符。我聽說過「不聽大人言，吃虧在眼前」的話。大人說：不要把脚踩在地上，會生病。所以我不穿鞋時，一步一步地總要找塊石子著走。有時實在找不到一小塊石子作「跳板」，迫不得要「踏空」一步時，我會安慰自己說「表面雖然看不到石頭，但下面一定有的。」偶而和大人出去，回來在路上天黑了。母親會不斷摸著我的頭，一面喃喃說道：「小琳回來，小琳回來。」我只覺得我的靈魂，似乎眞的是被那麼一叫，才從老遠的地方回來似的。

過年過節時，拜拜是到處可以看到的。有一位把我看成是他家「小媳婦」的「阿巴嗓」的人，常帶我去附近山上的仙公廟上香。我只覺得大人們實在偉大，石階兩步作一步走還不够，而我拼命地一階還要作兩步。到了那廟裡，已經是累得不會動彈了。但我還不敢隨便在神面前就地而坐。因爲對他不敬會肚子痛。看大人們誠敬地頂禮膜拜，我就應該也曉得那座上披紅掛綠的神是有很大權威的。

偶而在那田角邊拈了棵小花回來，我一定把它好好地種在我的花園中。看到它又在我的花園中開花，我會驚動所有大大小小的人來讚美它。有條小虫在它上面緩緩蠕動，我雖然極討厭那小虫，但我仍然會耐心地蹲在旁邊，看那小虫是怎麼地把我的小花弄壞。我非常傷心，但是却不敢害那小虫，因爲大人們說：殺生是有罪的啊！

催眠術研究

四四　鮑紹洲

五十一、分部催眠法

分部催眠法，與以前所談各種催眠法不同，以前所討論的是全身催眠，這是被術人身體的一部分催眠。在敏於感受的人，而經過數次催眠者，方容易感受，否則就不易催眠了。

一、半身催眠：如行此法，則向被術人暗示道：「君之右半身是催眠，左半身仍醒覺」。說完後，施術人以手由上而下，作分身的狀態，從頭上向下，在身體中劃一線條，表示分開。旋又暗示道：「這一部分是催眠，那一部份是醒覺。」另外再向催眠的另一部分做下撫法，加以催眠的暗示。經催眠的另一部爲催眠狀態，另一部分爲醒覺如常。一旦入催眠的一部分身體，則失去知覺。

二、局部催眠法：催眠其身體的一部份，例如催眠右手，則右手以外的各部，都是醒覺。所以施術人先向被術人取其右手而暗示道：「只催眠你的右手而已，故其他的部分都是醒覺」。對被催眠的右手作「下撫」而暗示道：「專催眠此右手」，「你無所不知，但右手則全不知覺、如失去一樣」。如此暗示，便受感應。即用針刺亦不知覺；如以香烟令其吸，其左手活動如故。

此種原理，由暗示感應的原理，可以說明之。即感應亦於半身或一部催眠的暗示，致使其結果。本來腦神經密佈於全身，所以對局部的變化；也應影響於全身。故施行這種方法，則務令其他部分不受影響，而又不能免其間接的影響。所以不受催眠的一部分，實不能絕對的獨立不移之現象。

海角秋涼（二五）

·文旬粹·

鐵路局東山招待所面積很寬，不過房舍舊了，沒法將現住人騰出，澈夜修理。以陳伯南主任長官的東山別墅爲總統行轅，東園和東山招待所爲院、部長官邸。定了愛羣、金龍、迎秀、嘉賓、大光明等八所大旅館爲各院部會臨時辦公及人員住宿之所。中央黨部假市黨部辦公，只要職員宿舍就够了。京蘇大菜、廣東菜、四川味的膳厨人員，都物色雇定，接待車輛也準備妥當。這時江陰要塞已爲共匪控制；立監委、國大代，紛紛南來，有的一路吃盡風霜之苦，想不到一到羊城，吃的住的一切都已準備齊全，非常感謝接待處辦事周到，主席、長官也覺面上很有光彩。

到四月初，院、部長也絡繹莅止，機場和廣州市之間，終日電話聯絡和車運不絕。南京撤守前夕，已得電閻院長等將有三架專機到達，院長又派一位文主任再同辦事處職員去看了東園和東山招待所，怕人多不敷居住。那天夜裡，星月爭輝，專機一直到九時後才到達，才一起南行。總算都平安到達了，雖然時間遲一點。搜鵑和省主席、余長官等都在場恭迓。山西撤守人員大多着棉衣或長棉袍，因爲北地四月還寒；何況航空升入高空。想不到廣州那時已穿單恤夏衫了。招待所後，他們棉大衣毛線衣等一律卸下，進熱水浴室洗浴，由接待處吩咐幾間衣莊經理儘將店存單恤夏衫單褲送來。等他們浴罷試穿。一一合身，連院長也嘉獎了，說你們辦事效率太高了，這麼一百多人的服裝，咄嗟之間，立可辦妥，太難得了。王亮疇、戴季陶、謝冠生、閻伯川四位院長住東園。童冠賢、劉健羣正副院長住東山招待所。戴院長因爲傷心國事，服藥身殉，就在東園，搜鵑等趕到已是夜間二時，院長口吐白沫，只能低聲呻吟，醫護人員盡力搶救，但因服藥太多，院長年歲亦高了，終于挽救不起，給大家一個很慘痛的當頭棒喝。

自由報

中華民國內政部[illegible]第〇三一號
中華民國僑務委員會登記證台救新字第三二三號
中國郵政台字第一二八二號執照登記爲第一類新聞紙

（第一六九一期）

（半週刊每星期三、六出版）
每份港幣壹角・台灣零售價新台幣弍元
社長李運鵬・督印黃行賓
社址：香港九龍彌敦道593—601號
廖創興銀行大廈八樓五座
LIU CHONG HING BUILDING
7th FLOOR FLAT 5
593—601 NATHAN ROAD,
KOWLOON, H.K.
TEL：K303831
電報掛號：7191
承印：景星印刷公司
地址：嘉咸街廿九號地下
台灣總管理處：台北市大同街119號
台灣區直接訂戶　台郵劃撥戶
第五〇五六號張萬有（自由報會計室）
電話：七一四〇三三、五五五三九五
台灣分社：台北市西寧南路110號二樓
電話：三三〇三四六，台郵劃撥戶九二五二號

調整稅官待遇能防貪污並加强稽征嗎？（上）

陳天式

比年以來，中華民國國家行政最爲領袖痛心，最受時論批評，最損害國權民利並腐蝕反攻復國根本者，就是稅捐之稽徵。因此，行政院便有賦稅改革委員會的設置。

賦稅改革委員會自從設置以來，在主任委員劉大中博士領導下，一直沉默不語的平實努力着，直到本（五十八）年元月十一日，劉博士始有「賦稅改革的目的和成敗的關鍵」一則之披露，此一披露，共有兩大揭示：第一是所得稅法的修正，其次就是調整亦即提高稅務人員待遇之宣布。由於前者有對於未分配盈餘須預扣百分之十的所得稅的規定，而後者則要單獨的在比較上「優厚了」稅務人員的待遇，所以震動人心極大！

劉大中博士爲什麼把調整亦即提高務稅人員的待遇和修正所得稅法列爲賦稅改革的最先急要呢？據「賦稅改革的目的和成敗的關鍵」所提指：賦改會認爲，若要對納稅義務人加强稽征，必先對稅務人員加强管理；否則，不但不能得到預期效果，而且可能有擾民的事實發生。關於加强對稅務人員的整飭和管理辦法，應當用一套合理且科學化的辦法。關於這一層，賦改會已經有一個第一步的具體建議，在其他若干國家已經實行有效，在我國則尚未辦理，如不立即開始，賦改會的其他工作，都將無法推進。我們深切相信這一項措施，在最短期內，即將見諸事實。同時，我們若要加强對於稅務人員的整飭和管理，就必須同時改善其待遇；否則，既不合情理，又不會有效。增加稅務人員的待遇，同時加强其管理，稅收必然增加，對政府的預算，決不會有影響。而且稅收增加後，其他公務人員的待遇，才能提高。」蓋「改善稅政，加强稽征，是賦稅改革的一個必要的先決條件。」而「無論稅法如何改善，假如稅政執行方面，不能充分配合，終將淪爲具文」也！這無疑是一種非常非常正確的看法。稅法改革了，以調整待遇的方式改革了的稅務人員來執行它，使其能充分配合，發揮法的功效和作用，而不致如過去那樣，「計劃了又計劃」，終究不過是淪爲具文而已。

如是，我們不難發現，劉大中博士的賦稅改革，在不使修訂了的稅法淪爲具文的要求之下，是依循了中國儒家政治之「徒法不足以自行」的傳統方向，把整個賦稅改革的希望，都寄託在改善稅務人員的待遇之上的。必如此，然後才能「稅收增加」，才能提高「其他公務人員的待遇」。因此，賦改會就堅持了必須改善和「增加稅務人員的待遇」，而且優先「增加稅務人員的待遇」。這是「賦稅改革的一個必要的先決條件」，也是賦稅改革的「成敗的關鍵」！論斷至爲深遠。

自從議先調整或增加稅務人員的待遇」的消息公開之後，由於目前一般公務人員的待遇都是停在不足以養廉的邊緣線上掙扎，所以朝野上下，都表示了震動性的反應，而輿論之指陳則尤爲尖銳！元月二十一日民衆日報的「台北訊」說，立法委員艾時質詢要點指出：「劉主委以賦改會主委立場，爲了加強其征收，而要提高稅務人員待遇，這是『本位主義』，而沒有顧到整個政府的俸給法，在劉主委的立場，爲了加强其征收，未可厚非，在行政院的立場是以可以；劉主委要加强征收，難道軍公人員不要加强防禦與攻擊嗎？教育人員不要加强教學嗎？警政人員不要加强維持治安嗎？其他公務人員不要加强其本身工作嗎？以稅務人員來說，如果『稅務人員加强增收，就必須提高其待遇，不則既不合情理又不會有效』的話，難道其他公務人員加强其工作，而不提高其待遇，就是合情理而有效嗎？所以這話是說不通的。以奉公守法來說，如果說稅務人員一向是奉公守法，而且清苦，對國家財政有極大貢獻，現在爲了加强增收，應提高其待遇，那麼，請賦改會一面委託民意測驗機構，究竟民意對稅務人員的看法如何？另一面也請調查稅務人員的財產，與一些稅務人員的家庭經濟生活狀況如何？如果是眞正奉公守法，生活清苦的，你給予十倍百倍的金，我也不反對，不能鬍子頭髮一把梳；而單獨提高稅務人員的待遇。以整飭管理來說，如果說提高待遇，是今日以後的事，以前的事我不問了，那麼，請問劉主委，你究竟整飭管理是以什麼爲標準？難說某些稅務人員，過去是害羣之馬，現在還要提高其待遇嗎？某些稅務人員是各公司的做賬人員，待遇現在還要提高其待遇嗎？」這是反對提高或調整稅務人員待遇的。

艾時先生是中央民意代表，他的反對稅務人員調整待遇，或者代表了中央級民意代表的意見。然則地方民意代表的看法又如何呢？二月五日自立晚報的「省市社會版」說：「（台灣）省議員余陳月瑛昨天在省政質詢中最後一位發言，特別大聲疾呼，强調稅務人員片面調整待遇是不合理，而且是危險的措施，她希望政府愼重的考慮。余陳月瑛議員認爲目前公務人員待遇太低應普遍提高，已爲衆所公認，稅務人員既係公務員，當然也有提高的必要，賦改會主張稅務員優先調整，其原因既係他們經管稅收，若其待遇不足以維持生活，容易發生貪污舞弊而影響稅收；稅務員的待遇增加後，可使稅收增加，然後公敎人員的待遇可以普遍提高。預防非法索取的好處係以調整待遇來遏阻，是否治本辦法，可說係消極的辦法，無濟於事。調整稅務人員的待遇至足以養廉的程度是必要的，但應另行制定一項納稅理想稅法，則人人守法，又何懼稅務人員損害到國家稅收。早在七八年前，政府鑒於部份司法官和警察風氣欠佳，特發給額外津貼，希望他們專心工作，改變貪墨風氣，而稅務人員也以同一理由，從五十一年起，發給稅務津貼，故目前稅務人員的待遇，較一般公務人員已高出百分之五十以上，但稅收的不良風氣，是否已因此而獲得改善，其效果不太好已是有目共睹的事實！其基本原因乃由於『紅色』之收入超過其薪津若干倍，故津貼已不發生太大效果。那些不肖份子，因此改變作風，實不又能！如經管稅收，易於舞弊，乃提高其待遇，如金融機構以及各機關之事務與出納也容易作弊，管地政與管執管的公務人員也是易生弊端，政府是否也提高其待遇？果然如此的易啓弊端，政府是否也提高其待遇？而奉公守法，不能或不願作弊者，反而不予鼓勵，豈非有失常軌？」這也是反對提高或調整稅務人員待遇的反對的理由，大體上與中央民意代相同或者近似，但用字運詞，都比較深刻一些，厲害一些。

對於稅務人員提高或調整待遇的民意機關代表的意見已如上述。那自然是不能以一班輿論全體的，現在我們應該來看看一般輿論的看法了。二月一日的聯合報社論說：「賦改會所以主張稅務員優先調整，其主要理由是基於稅務人員經管稅收，若其待遇不足以仰事俯畜，很容易貪污舞弊，進而影響稅收，結果一般公務人員的待遇也無法調整。稅務員的待遇增加後，可使稅收增加，然後公敎人員的待遇，可以普遍提高。如果這種構想確能實現，我們相信絕大多數的人士都會支持賦改會這項方案的；相反的，假如賦改會的方案，並不能達到預期的理想，就大有商榷的餘地」。因此，聯合報社論「對提高稅務員待遇的看法」是：「除了對奉公守法者略有幫助，要想使那些不肖份子藉此改變作風，黽勉從公，殊少可能。因此，將來新的待遇實施後，稅務風氣能否因此而改善，實不無疑問」。參之以前引中央與地方級民意代表的意見，這無疑也是一種反對的聲浪，但卻更從理論和「事實邏輯」上下功夫，所以反對之力，似乎也不虛弱，而在發爲言論之時，都更技巧一些，高妙一些。

報紙之例如此，另一代表輿論的雜誌的看法如何呢？同月十日出版的第二十一卷第十一期「政治評論」的自木先生的「關於調整稅吏待遇問題」表示說「無可諱言的，目前我們的稅吏風氣，令人詬病之處頗多，除了『紅色』，『陋規』之外，稅吏在各廠商兼任會計，幫助商人逃稅的事實，已成公開的秘密。這些弊端，政府可以說知之甚詳。那麼，那些歪風，政府如何現在不來依法嚴懲，而要待遇調整之後，再來『嚴辦』？是否政府認爲目前那些稅吏的貪墨行爲，係爲生活所逼於無奈致挺而走險？我們知道，我國的稅吏就有了什麼『稽征津貼』之類的合法收入，他們待遇已遠比一般軍公敎人員高。不信，請到各稅吏及一般軍公敎人員的家裏去看看，比比他們的生活情形。那些已被揭發的貪污案件，主角多有百萬家財，我們可以這樣說：所有的貪官污吏，其所以『貪』者，與其所謂他們的待遇太差，毋寧說他們是『貪得無厭』。基於此理，政府這次增加區區數千元的待遇，是否能滿足某些貪吏的味口，達到徹底整飭稅吏風氣的目的，實令人憂慮。至於以『稅務人員因經常與工商界接觸，如果待遇太差，便容易勾結舞弊』作爲調整待遇的理由，更屬牽强，因爲這是制度及制裁的問題，我們應在制度上使他們沒有機會勾結，並且有嚴厲的法律使他們不敢勾結，使他們不能與不敢勾結，才是解決問題的正確方向。如因爲他們有舞弊機會，就調整其待遇，實等於承認某些人的非法行爲。賦改會這種『除良安暴』的措施，我們認爲實有不當。」這自然同樣是不贊成調整稅務人員待遇的方案的，而且言論還至爲激切！

（未完）

昨日與明日

蔣特使訪泰

成公

繼訪日訪韓之後，蔣經國部長又成功的訪泰回來了：

蔣部長今天在政治上的地位和份量，是大家所共知的。以蔣氏這樣崇高地位，掌握着實際權力的人物，最近僕僕風塵，遍訪日韓、泰、幾個重要的亞洲國家，這顯然的：這絕不是一個普通的禮貌拜訪，也不能看作一部份人所揣測的，是爲了「聲望」，而應該是具有深切的意義的。

休戚相關

多少年來我們就吃虧在外交方面，而這問題的中心所在便是美國。因爲美國一方面國力雄厚，成爲自由國家的領袖；但在另一方面，美國卻缺乏反共的認識與決心。尤其傳統因襲下來，一是的重歐輕亞，潛意識裡，看不起有色人種，以致使得在東亞方面的政策與行動，都是一錯再錯，始終不能澈底覺悟。我們中國固然是在這種錯誤下，被斷送，而韓越兩國又何嘗不是吃的這種虧。再舉目展望，下一個要犧牲的，眼看着就要淪到泰國了，難道我們就坐以待斃　聽任一個不了解亞洲情勢的西方國家，來決定我們的亞洲命運嗎？

東亞聯盟

因此蔣氏這一連串的訪問，我們不希望，——並且也絕對不可以——只是一種禮貌的訪問，回來就算完事了。相反的，我們希望能以蔣氏的身份和聲望，把這幾個國家串連起來，排除一切技術上，和枝節上的困難，而能在共同大家期待多年的東亞聯盟，由蔣氏之訪問，而步入實現的階段。

北太平洋公約

國際上的政治是現實的，有一分力量，才有一分主張的權力。今天國際大權掌握在美國手中，我們不能只固東亞的結盟，便可自決自己的命運；但果眞團結一起，自是一種不可侮的力量，當然會迫使美國對東亞付出更多的注意與熱忱，因而影響其決策，這是可以斷言的。在歐洲能有「北大西洋公約」，在亞洲，我們又爲什不能締造一個積極有力的「北太平洋公約」呢？

自由談

外國人——特別是美國人——每見着海外華僑家庭的青年子弟，自幼迄壯，個個安份守己，知禮明義，對於父兄之敎無不遵奉實踐，從來沒有「嬉痞」的行爲，頗爲驚奇，不悉華僑人家的子弟，緣何有此善良的成就？

中國人士即答復道：這是中國文化的潛能所致。因爲中國人從幼年啓蒙識字開始，由於每一個中國字都賦有陶治性情，敎忠敎孝，修己安人的義理，「三字經」是識字的入門課程，第一段即是「人之初，性本善，性相近，習相遠」「苟不敎，父之過，敎不嚴，師之惰」這些詞句，再經父兄師長講解詳明，青年人自然受着薰陶，形成向上發展的人生觀。

危乎殆哉！

馬五先生

自從所謂新文化運動產生，高倡全盤西化，打倒孔家店之說朋興，主張把線裝書丟到毛廁裡去。於是乎，青年子弟，祇是唸些「貓兒叫狗兒跳」的看圖識字這類課本，視識字僅係一種謀生的工具，與做人的道理渺不相涉。及其弊也，各級學校的敎師價値，乃等於商賈販賣貨品，所謂尊師重道云云，成爲迂腐之談，父兄之敎更沒人注意了。於是乎，青年學生儘多「阿飛」之徒，越是富貴人家的子弟，「阿飛」「嬉痞」的性行即越普遍而深沈，殺人越貨，滿不在乎。試問五六十年前的中國青年子弟，有此惡劣現象嗎？如果有，不特家長和校長要受嚴厲處分，即該管行政首長亦非撤職查辦不可！同屬中國人，行己之性習養成，這除卻歸咎於敎育政策失敗破產而外，別無確切的解釋吧？

最近台灣基隆市的省立中學生周某，在敎室內公然以利斧殺死數學認眞的老師，社會輿論大譁，主張將該生處之重典，此乃舍本逐末之談。大家如不認眞努力於復興中國文化工作，依然，沿襲早已宣告破產的敎育方法，盲目進行，而鄙棄國文的功用，甚且有些識字無多的人士，還要妄倡簡化漢字之說，勢必誘導後輩青年子弟不知倫常爲何物？師道作何解釋？將有如前年的美國一個青年，向母親索錢不遂，即槍殺其母，中國有羅某以同樣事情[illegible]其父的梟獍行爲，亦無所謂，而共產主義之必然征服全人類，即待驗著了，危乎殆哉！

再度透視蕉案的發生及新聞報導（下）

高委員對香蕉輸出體制問題，並有所指責。他說：報載日本通產省輸入業務課長柴田答復日本通訊社記者所提問題時說：「正如在第十三屆中日蕉貿會議，雙方業者所相信，只要台蕉的輸出體制完整，能與中南美同樣進行自由輸出輸入自由化，就可獲得解決。」甚麼樣的體制才算完整的台蕉輸出體制？我們何時才能做到台蕉輸出體制完整？日本香蕉輸入自由化，對我們的影響又如何？

這許多問題，汪局長許以書面答復。

關於高雄青果運銷合作社所發生的不法情事，在半年前，即去年八月間，台灣省議會會分別通過省議員提案及省議員於省政總質詢中提出質詢，尤其省議會青果業務調查小組報告書，經大會通過送請政府研究辦理，惟未爲各有機關關所重視，各有關主管首長難辭失職之咎，職司監察之監委們，應依職權調查並追究其失職。

例如，省議員余陳月瑛於去年八月間省政總質詢時稱：「主管機關規定每簍外銷香蕉扣取『市場發展基金』，一年有幾千萬元。市場發展基金功用何在？日本爲主要市場，並且獨佔，究竟由蕉農扣這龐大的錢用於何處？這些年來未見開拓新的台蕉市場。」

蕉貿發展趨勢實在頗不樂觀

省議員陳林雪霞質詢謂：五十六年香蕉外銷，爲我國賺取高達六千三百餘萬美元的外銷收入，成爲主要輸出品。可是，由幾年來發展的趨勢來看，台灣香蕉事業的前程，非常不樂觀，我們看到日本的香蕉市場逐漸被台灣以外的香蕉所侵入，我們看到日本的香蕉進口商一再杯葛台灣香蕉貿易，我們又看到國內產銷團體經常傾軋，這種種跡象，都顯示台灣的香蕉事業面臨着空前的嚴重危機，將影響到蕉農的收入，農村的繁榮，社會的安定，國家的外匯，以及中日的邦交，有這樣的後果，我們怎麼能夠一再袖手旁觀，置之不理，任其自然發展？雖然香蕉貿易是外貿會的職責，但省政府對於台灣香蕉事業的前程，也不能不負起責任，給予改善。目前，我們認爲最迫切的問題，並不是有關業者本身利益多寡的爭執，而是如何確保並擴大現有的香蕉市場，也就是台灣事業存續絕亡的問題，對此問題，希望省政府有全盤而澈底的檢討，找出問題的癥結，研擬妥善可行的方案，建議中央採納。

省主席黃杰即席口頭答覆說：「本省香蕉銷日問題極爲重視，乃輔導蕉農增產秋冬蕉，及運銷單位改善包裝，並研究外交政策問題向中央提出建議，俾期參致改善。」

省議員陳希哲以專題的方式，向省府提出質詢，而此項質詢，竟不幸而言中。

野心巧言人士操縱了青合社

陳省議員指出：「本省各級青果運銷合作社，乃蕉農自有自享自治的合作組織，其是否健全，關係業務發展，及財務經營上至爲重大，蕉農教育水準不高，易被少數野心巧言人士控制操縱，本省合作事業管理處職司指導監督之權責，據該處向本會（省議會）報告：『歷年來強化各級青果合作社之組織，財務監督情形』，曾有舉例：『配合各社業務需要，核定組織系統』，『輔導各社建立人事制度。』現在請問：台灣省青果合作社周理事主席於五十七年元月三日銷假上班，執行其職權，而現在仍由該社總經理（吳振瑞在押）代理其職務，同時再另請台中理事主席（劉嘉修在押）代理該聯合社總經理職務，這是合乎甚麼規定？根據甚麼法令准其如此胡來？假如政府未准，爲何該聯合社大胆如此，置省府合管處立場於不顧？」

省議員陳希哲認爲：青果貿易商之外銷香蕉發生腐損爲甚麼要由蕉農負担？還是不是合理？他說：香蕉的「產」與「銷」，實際是不能分開的，有了生產沒有市場，和有了市場沒有生產，兩種情況都會發生嚴重影響，所以在國內我們應該重視「產」的問題，在國外應該重視「銷」的問題，「產銷適應則繁榮發展」，「產銷脫節則衰敗萎縮」，事關民生，其決策與主管者，不能不以其「良知」和「良心」負責盡職，現行香蕉之產銷，是根據「外銷香蕉運銷及計價辦法」辦理的，其辦法中有關制度的規定：①生產社團供應給「承辦出口單位」的外銷香蕉，是在港口交貨。②外銷香蕉數量分配，每航次以「生產社團」及「青果運銷輸出貿易商」各佔半數爲原則；請問：生產社團把合格的外銷香蕉在港口點交給出口商，這一筆買賣就算成交，運到日本時，不論甚麼原因，香蕉發生了腐損，都與生產社團無關，爲甚麼由蕉農聽得蕉額中，扣百分之五的腐損賠償基金，由蕉農負担，是不是合理？

日本進口台蕉華商控制大局

他並質詢：香蕉小組硬性規定，生產社團向日本報價給華商數量不能低於百分之二十，台灣青果出口商把合蕉出口量的二分之一，報價給他們在日本的分號或其頂名合作的日本商社，再加上生產社團報價給他們（指在日華商）的百分之二十，則造成華商掌握過半數的進口權利，此權利可以出售，坐享佣金，而妨害中日香蕉正常貿易，使台蕉在日售價偏高，喪失競爭能力，而使日商無利可圖乃進口中南美洲及其他地區之香蕉，日本之所以獨對台蕉組織輸入組合其用意有：①急速組織組合，決定進口實績，以免華商實績繼續增高而控制大局。②成立單元進口組織，集中全力對抗台蕉輸出體制，對日本市場之影響。

省議員陳希哲對台蕉由於季節氣候溫度的影響，全年多季產量頗不平衡，不能適應日本消費市場需要，此亦爲日本進口其他地區香蕉原因之一[illegible]，提出質詢：「政府對香蕉偏多偏少現象，訂有何種有效措施？自五十三年至五十六年每年提倡增產秋冬蕉，到底增產多少？政府每年對此投下多少經費去輔導？假如政府認爲林班可利的山坡地是增產秋冬蕉的唯一辦法，爲何不趕快將宜農土地放租給蕉農？香蕉分級分把裝運出口，日本早已贊成，這樣做可以增加秋冬蕉出口數量，政府爲何不督促我國香蕉貿易會代表爭取實現？防治病虫害亦係增產香蕉重要方法：自民國五十三年至五十六年每年防治各類病虫害，用了多少錢？每年發生病虫害蕉園的面積有多少？假如經費一年比一年用的多，而發生病虫害的面積也一年比一年廣，是否該從防治方法及執行技術，以及勤惰上研究改進，否則，每年動輒數千萬元，仍不見何大效，勞民傷財，何苦乃爾！」

紙箱等老問題迄今不聞不問

關於改用紙箱包裝計劃，自五十七年起之三年內完成。省議員陳希哲曾抨擊：美國立頓公司紙箱只十二元幾角，爲何不買？一定要進口十九元的紙版，再在國內加工出售？

由於這些問題，迄今依然原封不動，這是值得有關方面研究改進的。

自從蕉案於三月七日發生以來，此間新聞報導，可說高潮迭起，當各報首次發表高雄青果運銷合作社以成立廿週年祝念名義，分別贈送行政院、內政部、外貿會、經濟部檢驗局、司法院公懲會、人事行政局、立法委員、國大代表、監察委員、省政府、省合作管理處、省交通處、農復會等機關有關人員之金果盤、金飯碗、金杯及銀果盤。此項新聞立即獲得反應是：人事行政局函請各報更正，否認其收到紀念品。監察委員熊在渭亦聲明已退回紀念品，懲戒委員何某也否認。唯四月十一日大華晚報以獨家消息發表「移送書」，亦提到前述機關，但未更正。四月十一日大華晚報的「移送書」，經翌日兩家日報續刊，而有關方面對「移送書」「內容並未「更正」否認，其中分爲四大部份：

第一、高雄青果運銷合作社理事主席吳振瑞等違背該社理事會暨社務會議之決議，購買金器，賄送政府官員，涉嫌觸犯妨害國家總動員懲戒暫行條例、背信等罪。

第二、該社主席吳振瑞、經理李鎮鐘、前監事主席邱潤銀等人違背理事會暨社務會議之決議，核發巨額特殊有功人員獎金，涉嫌背信罪嫌。

第三、該社主席吳振瑞等非法投資國際農工企業股份有限公司，涉嫌侵佔背信等罪嫌。

第四、開支浮濫浪費社款而觸犯圖利罪嫌。

所謂購買金器，賄送政府官員，即前外貿會主委徐柏園、經濟部檢驗局程局長與省合管處黃永世，以及在押之王蘭亭、譚玉佐、鮑途、方立禾、陳久陽、徐正一、郭玉癸等八人。

大華晚報之報導正確與否，祇有留待事實——起訴書證明了。

處理香蕉業務經常朝令夕改

政府在處理有關香蕉業務方面，出爾反爾的事例不勝枚舉。例如，關於「香蕉生產貸款與蕉款發放」事宜，台灣省政府五十七年十二月四日以府農特字第九六四三三號令規定由農會辦理，因此，省合作金庫於五十八年一月二十一日訂定「南部地區五十八年度香蕉生產貸款辦理要點」竟含糊不清，並曲解省令之「合作社」爲信用合作社，所以高雄縣政府五十八年三月二十八日通知高雄青果運銷合作社暨以：「香蕉貸款與蕉款發放應由農會統一辦理。」殊料半月後，高雄縣政府於同年四月十四日通知高雄青果運銷合作社暨以：「香蕉貸款與蕉款發放改進方案中，並無『由當地農會統一辦理』之規定。」前令是轉省農林廳今年三月十四日的函，後令是依據省社會合作管理處今年四月十二日的函，此足以說明是如何的自相矛盾，使人民無所適從。

（完）

滄海拾遺（三）

不倒翁異想天開派人向列寧學習

·赤松子·

某銀行家笑道：「潤芝的意思，是要我們都要留點兒滿腮鬍子，去做東方的列寧，托洛斯基嗎？那不僅是「東施效顰」，簡直是「秀才造反」，豈不是一場大笑話」。

那知這位不倒翁受了這一番無情的笑落，仍然面不改色道：「諸位請不要誤會，要諸位去做列寧，托洛斯基，當然是大笑話，不過現在陳獨秀、李大釗，在「新青年」上不斷的提倡共產，還有一位新文化聖人，也在提倡「打倒孔家廟」，照這樣下去，二三十年後的中國，是永不會清靜的。如諸位同意，就由我們今天在座的，籌集十萬元，存在銀行，由我選擇一位敢作敢爲的新青年，派往俄國，去見列寧，並送上「陳情表」，表示我們這一打人，都是中國社會上很有地位的人，將來都是蘇聯的朋友，如此一來，中國將來必就是共產革命成功，你我也永遠不會受人宰割」。

大家聽了，都舉雙手贊成，立刻籌了十五萬以上，由某銀行大亨開了一張支票，交給黃炎培：黃見目的已達，乃將十四萬分存各錢莊，吸收高利，以一萬元找到一位新詩人康白情（自命小康聖人）。白情來找我商量，我說，這事爲害國家民族太大，不可不愼。白情道，本來我是要到美國去，如今先到一個新興國，也是一件不平凡的機會，不倒翁的意思，假如我們不趕上這個潮流，將來張作霖等人換個紅帽，還是要統治我們，難道我們子子孫孫都應該永受宰割嗎？我聽了這話，覺得這位不倒翁，還有野心，我問白情，他是不是想做列寧？白情笑道，他不過想做一個列寧的黨徒。後來白情忽然聽說到俄去的道路不清，另向不倒翁推薦一位青年姚作賓，他就到新大陸去了。

喬治桑外傳 ○五

張大萬

「這眞是異想天開，我想這大概是野獸派中的野獸派。對了，我也想起中國畫壇的有趣故事，只是不大雅，不知道我能不能說。」古有方的豐富常識也不在喬治桑之下。

「沒有關係，談話要不拘形跡才顯得是自己人。」喬治桑表示了聽故事的濃厚興趣。

「博士你知道中國社會有附庸風雅的習性。據說有一個畫家做壽，希望親友無論會不會畫，都要畫一張畫送他作爲壽禮。內中有一個人，根本不會畫，但卻畫了一張壽桃送給壽翁。壽翁在讚賞之餘問他：『你是怎樣畫成的？』他紅着臉赧赧地說：『我是脫了褲子用屁股坐在大硯台上，然後又坐在畫紙上，壽桃便出來了。』我想此人可算是野獸派鼻祖。」古有方一說完引得喬治桑哈哈大笑。

「有方兄，你和我一樣，雖然喜歡畫，但卻不會自己畫，何不學一學野獸派？」喬治桑謔浪笑傲，在自我幽默。

「我倒覺得梅蘭芳等老一輩伶人，都能畫幾筆，眞不容易。」古有方天南地北胡扯，忽然又扯到了梅蘭芳身上。

「你談到梅蘭芳，我倒有一把扇子，我去拿你看看。」喬治桑不等古有方答話，跑進房拿扇子去也。

不到兩分鐘，喬治桑拿了一把湘妃竹的摺扇出來。在過去中國紳士夏天出門，手中少不了一把摺扇，一面字一面畫，扇骨有用湘妃竹的，有用象牙的，有用烏木的，有用檀香木的，花樣很多。現在大家都穿西裝，住的地方裝冷氣，所以扇子也就不時興了。

古有方接過來打開一看，一面是梅蘭芳畫的紅梅，上款是：紹孔先生方家指正。下款是：梅蘭芳敬繪。用一顆小小的圓章，刻有「畹華」兩個篆文字。古有方看了一怨兒，又翻過另一面，是言菊朋畫的黃色菊花。上面題了一首詩：秋花猶可敵濃春，璀璨金英染朵勻，天地寂寥存正色，始知處士未爲貧，也寫上了上下款：上款是紹孔先生雅賞。下款是菊朋敬寫。一方圖章，比梅蘭芳的要大一點，刻有陰文菊朋書畫四字。

「這把扇子很名貴，難得的是言菊朋畫菊。梅蘭芳的梅花我看過很多，但言菊朋的畫菊，我還是第一次看到。請問博士，言菊朋的題畫詩是不是他自己做的？」古有方一面還在把玩扇子一面問喬治桑。

「這，我倒不知道。不過言菊朋是書香子弟，票友下海的，聽說會做詩。你看這首詩做得如何？」喬治桑脚蹺黃天霸，嘴裡啣了一枝香烟，很寫意的樣子。

「詩做得不壞，博士是詩人，你比我更懂了。」古有方搖頭晃腦低聲吟哦起來。

「此調不談已久，我是眼高手低，我以前常常做詩，到美國久了，終日在工業社會裡奔忙，現在連一句也寫不出了。哈，哈。」喬治桑有自知之明，比目前台灣一般社會賢達功成名就以後，動不動還要做詩，使人看了背上澆涼水，似乎猶勝一籌。

（未完）

陳立夫未搞好組織嗎？

文匯樓別記

民國十二年（癸亥）仲夏，陳立夫先生畢業於北洋大學礦冶工程系，隨即前往美國，入匹茲堡大學礦冶工程系，民國十四年得碩士學位。從去美到歸國，教育及各項費用皆由其胞兄陳果夫先生籌措，因以學成。

陳立夫於民國十四年夏返國時，國父孫中山先生於同年三月十二日在北京逝世，這是國民黨最暗淡的一階段。次年多陳立夫與孫祿卿女士結婚，陳果夫趕赴上海助辦婚事，兼治自己吐血症，很快痊癒。那個時候，國民革命軍由 蔣總司令統率北伐，分路挺進，湘北江西先後克復， 蔣公駐節南昌，召陳果夫由滬秘密前往。

CC者所指陳氏兄弟，亦中央俱樂部英文簡寫，乃民國十五年到十六年，共產黨爲分化國民黨，及打擊丁惟汾、陳果夫，造出「大同盟」與「CC團」兩個名詞，前者是指丁，後者是指陳。那時候陳立夫還未能成爲季候，證明共產黨用心之苦，直到民國二十七年共黨在長沙召開幹部會議，將「CC團」與「藍衣社」刻劃成鬥爭目標。CC兄弟此時大名鼎鼎，國民黨同志中，連胡展堂（漢民）、孫哲生（科）都信以爲眞，在中常會上，很不客氣的詰詢小組織的事。不過話又說回來，共產黨如果沒有這一套正宗騙術，國民黨同志之間也不會分化得那麼快，我們之所以對陳立夫崇拜者，因他在追隨 領袖幾十年過程中乃最瞭解共產黨的一個。

陳立夫之受各方重視，不是在國民黨中的官階，更不是搞組織或者辦教育，講老實話，國民黨組織並未搞好，這未搞好的癥結，如果歸咎於陳立夫，那又是天大的冤枉。張厲生、朱家驊、陳果夫應該各負責百分之二十五，教育呢？則很難說了，這是見仁見智問題，但陳立夫爲百年樹人之大業，竭盡心血努力在幹，則屬事實。尤其抗戰期間，對國家及爭取青年的貢獻，即是最反對陳立夫的齡畯榮、楊玉清、俞頌華（三人均曾任中央政治學校教授，後附匪做了部長級官員或執教），未附匪前每談及陳立夫時，也都異口同聲的說：「陳是國民黨人才」。有的說：「可惜」，有的說：「幹錯了行業」，其實都不是，祇是李鴻章的口頭語「命運而已哉」。照陳氏的八字：「庚子、甲申、丙寅、戊戌」，行到己丑，水氣不舒，飄然遠行，庚寅運中（就是目前）寅來沖動，而有放棄養雞，歸國定居之舉，因丙午有氣又水輔陽光，才不會：「谷口春殘黃鳥稀，辛夷花盡　花飛」，能夠：「始憐幽竹　窗下，不改淸陰待我歸」非無由也。

這半個世紀爲臣的人，在歷史上絕對可傳的當然還不止陳立夫、陳果夫，容另文叙述，關羽能傳的是「秉燭待旦，忠義千秋」，諸葛亮能傳的是：「鞠躬盡瘁，死而後已」，又文天祥能傳的是：「被執後，固請死」，岳飛能傳的是：「文臣不受錢，武臣不惜死，天下太平矣」，陳果夫、陳立夫能傳者：「忠於黨，忠於國，忠於領袖」。而陳氏家庭又一貧如洗，兩袖淸風，非有至德的人，難臻於此。末了，特別聲明的，樓主與陳立夫並未見過面，其左右手，倒認識幾個，可惜都是在鼻子上搽粉的朋友，此處祇本正義之筆，留作史家參考而已。

·文匯樓主·

許世英五次電告 蔣廷黻密報四次

西安事變重要文獻之一（下）

鴻雁

幸自余電各駐外使節後，即得駐蘇聯大使蔣廷黻左列的密報：

一、「兩

近於

日內（十六、十七兩日）見蘇聯[illegible]員長（李維諾夫）斯副委員長及鮑大使，與談西安事變，彼輩均認爲不幸，並對我極表同情，並盼事變之和平解決。我政府對日交涉之趨强硬，及在綏遠之抵抗，彼輩均引爲幸事。職問李維諾夫，能否於此事變除在其機關報發表有利於我之言論外，更進一步予我以協助？李即直說後，自張學良離東北以後，蘇聯與其毫無關係，愛莫能助。」

二、「本日（十五日）眞理報關於西安事變社論，略云：南京政府方面團結國內一切力量，向抗日之途徑進行，乃反動派頑强阻過此種運動，張學良所部叛變之原因；應於此中覓其解釋。張學良固曾有抵抗日本之一切機會，乃彼抱不抵抗主義，不戰而將東北各省拱手讓於日人 現乃轉以反日爲號召，此乃投機，事實上將促成國家之分裂，淪中國爲外國侵略之犧牲品。的廣東軍閥亦嘗以反日運動爲護符，實際上乃爲日本軍閥之帝國主義作倀。……日本軍人認蔣氏統一中國之進展，對於日本奴化中國之計劃，有致命危險，故欲要中國將領，反對南京政府，必要時且不惜假借反日口號，日本報紙意欲嫁禍於人，素習造謠挑撥，謂張學良已與蘇聯締結軍事同盟，此種虛構杜撰之謠言，實自暴其醜。蘇聯嚴格不干涉他國內政，與慣於造成傀儡之政策，絕不相同。中國人民當不致爲日人挑撥者及買身之漢奸所欺」。

三、「本日（十四日）消息報關於西安事變之社論云：張學良向南京政府提出要求，包括對日宣戰及聯共抵抗日本，而對學良不在東北事變時抵抗日本，獨在西北則共之際抵抗日本之矛盾，刻意分析，實亦足證共產國際對於張楊無合作之可能。消息報更引毛澤東齊勒評論報之文字爲人民陣線之眞正企圖所在，足見蘇聯聯親毛澤東而實疏張楊，則張楊雖欲藉延安代表以博取第三國際與蘇聯之支援，亦將必無成就。此中因果微妙，余在當中已窺其癥結，其後周恩來潛入西安之後，蔣公竟能出險，與余前所測斷，不差毫黍。

讀者如欲窺知當時蘇聯政府對兩報社論之態度，可再於蔣大使第四次密報中得之。

四、（十二月十七日）「李維諾夫見面即言：余願趁此機會向君抗議。中國政府禁止報紙登載眞理報、消息報社評及塔斯社否認日本謠言之聲明，表示中國政府對蘇聯與張學良有關，此種猜疑，實不友誼。余前已告君，自張學良讓出東北後，蘇聯與彼即無關係。在莫斯科雖有中國共產黨如王明（按：即陳紹禹）等，然蘇聯政府不與彼輩發生關係云云。職答以我政府禁止登載社評，本人尚無所知，惟張學良與中國共產黨有關，而共產黨與第三國際有關，此乃顯明事實。李維諾夫即言：第三國際與蘇聯政府無關。職答此乃蘇聯一貫之立場，但世人皆不信云。李云：蘇聯將始終維持其立場，無論世人之信與不信。職告以張逆叛變，影響甚大，如不設法制止，勢將演成西班牙式戰爭，諒非蘇聯政府之所願，故願望蘇聯能協助解決此事。李云：唯一協助方法，在使中國共產黨知道蘇聯政府態度。今中國政府反而禁止登載，我無他法，並將向南京政府提出嚴重抗議。」

（續完）

古籍中所含的道家思想（上）

◁張起鈞▷

我們從老子書中的前人思想，去推證老子思想的源流，也許有人懷疑的以爲那些文句其實都是老子的創見，只是他不自居功，而要託古罷了。對于這一懷疑，最好的證明就是從比老子更早的古籍中去尋出道家思想的線索。

比老子更早的道家書籍很多，依漢書藝文志的記載有：伊尹、太公、辛甲、鬻子、筦子、黃帝四經等等，然而這些書籍，有的則是後人的僞託，都無參攷的價值。因此我們要在老子以前尋找比較可靠的古籍中，只有詩、書、易，論語等書。雖然它們是儒家的經典，但能在儒家的經典中，尋出道家的思想，更足證此一思想的先導，并非後代道家的杜撰。

在我們要從這幾本古籍中尋求道家思想之前，首先應該把道家思想中的心旨趣確定，否則便無從着手。依筆者在拙著「老子」一書中的分析，曾把道家思想的旨趣分爲四點：

（甲）自然主義：「所有道家全都歌頌自然，他們認爲自然是有一定的秩序，而這秩序又是美好完善的……唯有一切遵循自然，才能幸福美好，才能達到最理想的境界」。

（乙）退化史觀：「道家既以爲自然完善美好，而人力無小不好，因此便認爲人類社會也是在那原始自然狀態時候，才是最理想的境界。……等到社會演化，人們逐漸脫離原始狀態，而有文明產生，道在一般人看來當然是文化進步，遠離野蠻狀態了；但在道家看來，這却正是人們的墮落表現，并且要給人們帶來無盡的痛苦」。

（丙）消散政術：「……道家的政術主要方針是從側面來着手的，他們不去正面處理一個問題，而只是從一深層的觀點着手，使問題消失爲有，因而也就不了自了」。

（丁）恬淡人生：「……他們根本是崇尚自然，厭惡人工的，因此對與世俗的榮華奢靡，全無所取，只求過一個簡樸適性的生活」。

以上是道家思想的四個特色，我們爲了求證方便起見，再把它歸納爲兩點，一是自然的追求，二是弱道的運用。因爲道家的境界，在求和自然融成一片，道家的應用却在謙卑自牧，柔弱自處。只要能契合其中的任何一點，都可說它是具有道家思想的特色。

辨定了道家思想的旨趣後，接着我們就從這幾部儒家的經典中，逐一的看看它們之中是否會有道家思想。

（一）書經：

書經是儒家最重要的一部政治典範，也是中國最古的一部政治文獻。其中有不少地方都和道家的弱道之用符合。如：

①虞書大禹謨：「汝惟不矜，天下莫與汝爭能，汝惟不伐，天下莫與汝爭功」。

②虞書大禹謨：「惟德動天，無遠弗屆，滿招損，謙受益，時乃天道」。

③虞書大禹謨：「寬而栗，柔而立，愿而恭，亂而敬，擾而毅，直而溫，簡而廉，剛而塞，彊而義，彰厥有常」。

④周書洪範：「一曰正直，二曰剛克三曰柔克，，平康正直，彊弗友剛克，燮反柔克，沈潛剛克，高明柔克」。

⑤周書無逸：「徽柔懿恭，懷保小民」。

⑥虞書舜典：「柔遠能邇」。

⑦周書顧命：「柔遠能邇，安勸小大庶邦」。

⑧周書文侯之命：「柔遠能邇，惠康小民」。（未完）

雷震與「自由中國」（一四）

當年內幕誰知道　一番往事話從頭

王曰叟

北平有句俏皮話：「坐席的不忙，砸碟子的忙」，而「自由中國」的事情，却正有這「反客爲主」的現象，本來負起責任籌備出刊，并經營辦理的，乃是選出來的那幾位編輯和經理，而這些先生，席還沒有坐上，就紛紛開溜，星流雲散了，其實就是沒有四散離開之前，據老叟所知，誰也沒有認眞去作一點籌備工作。甚至選出後連一次編輯會議都沒開過，倒是有毫無名義，只提供地點的雷震先生却一直不聲不響的在積極籌備，他一方面招兵買馬，佈置內部工作機構，一方面四出奔走，籌募糧餉，因此儘管負責的人，都已星流雲散，而出版的事，並未躭誤，終于在民國三十八年十一月二十日，這有名的「自由中國」雜誌便呱呱誕生了。

辦雜誌所費不貲，並不是件簡單的事，那裏來的錢呢？是不是雷震自己掏的腰包呢？那才不是呢！據說他是在 蔣總統那裡拿了新台幣四萬元作的開辦費，那時黃金才二百八十元一市兩，這筆欵子可以買一百四十幾兩黃金，數目相當可觀，開支自然也就很算寬裕了。同時聽說他還在正中書局方面要了二百令白報紙，當時正中書局的負責人就是現在政治大學的校長劉季洪先生。雷向劉氏申請補助報紙的名義是「爲黨宣傳」（按：這個黨，當然是國民黨，而非共產黨，可見「自由中國」初起，絕非與國民黨對立，絕非攻擊政府的刊物，詳后）。

雷震這樣熱心經營，越俎代庖，是否出于那些編輯、教授們的委託呢，不是的。這些教授們不僅未曾委託他作，反之，他所作的一切，大家事前連知道都不知道。他這一切所作所爲，全是所謂「霸王硬上弓」的辦法，假如要把雜誌比作政權時，雷氏這種行爲是百分之百的篡國篡位，那麼說雷震罪不容誅，大家要恨之入骨了，那倒不盡然。雷氏雖有篡竊之嫌，但好也就好在這一「篡竊」。我們平心而論，假如當年若不是雷氏這樣獨斷橫行，越俎代庖，那就根本不會有「自由中國」這一雜誌，別的不要說，這些書呆子們，那裡去籌募那一筆開辦的經費。因此老叟所知，這些明理而恬淡的教授們并不恨雷震。而唯一不滿的，乃是後來雷氏歪曲了創辦時的旨趣而把這雜誌當作他私人攻擊政府的工具。

政治現形記（五）

李槃

第三回　如夫人干政公安局交接闖禍　丈夫出絕招欲做烏龜竟未成

顧達昌的民政廳長業已去職，對於被控重婚案亦不便到案受訊，法院再傳不到，即下令通緝之。如是，顧達昌惶恐萬分，自己躲到漢口日本租界居住不出來，一面派人到南京與髮妻商洽，寫一張倒塡年月的協議離婚書，送到法院證明自己并無重婚事實，以期平息訟事，再謀發展。可是，法院認眞不苟，又行文到南京警察廳查詢顧家的戶籍，警廳函復法院：「查得南京某街某巷某號住戶，家長係顧達昌，髮妻艾氏，尙有兒媳與孫輩同住，顧氏年逾五旬，并無離婚情事。」法院根據這項證明文件，確定被告觸犯重婚罪，缺席裁判，處顧氏兩年有期徒刑，通緝歸案執行。如此結果，顧達昌乃無上訴餘地，唯有蟄居漢口日本租界內，度其書空咄咄生活。然該婦人還不肯能休，她知道顧氏的行蹤所在，亦到漢口住下，隨時偵查顧昌達的行動，企望一路相逢，扭到官府論究，目的在要敲顧氏一筆竹槓。顧亦得悉此情，曾託人向該婦妥協，該婦索價大洋五萬元，顧祇答一萬元，事乃不諧。繼而顧昌達奇想天開，他叙一位同鄉的少壯軍人，設法認識該婦人，每天跟她交際應酬，結成膩友，所需費用皆由顧氏供給，條件是要少壯軍人與該婦人通姦，而於姦宿之際，秘密通知顧氏到場捉姦，這樣就可以除該婦人控告顧氏重婚的案子了。無奈該婦人終始不與少壯軍人發生超友誼關係，只是日夕過從斯混，使少壯軍人花錢進舞廳，上菜館，或購買衣物而已，久之，顧昌達感覺所費不貲，而目的難達，祇好作罷。他一直伏處漢口日本租界，到對日抗戰時，武漢撤守後，該婦人不知所終，他亦潛回自己鄉里避寇，不敢前往重慶，未幾，病逝了！正是：欲出奈何天，除非身死日。

淪陷秋涼（二六）

·文自粹·

九月初，中央決定遷至重慶。蔣主席和余長官本來貢獻有堅守兩廣的計劃，以曲江、樂石、南雄爲第一線，以劉安祺、劉玉章、王贊斌等部縱布防。及中央決定西遷，劉部已到衡陽後不再南下，王部又西遷廣西，中央電蔣主席限三日內將中央機構人員一律西遷重慶，集中飛機一百架，川流不息，往來運送。蔣主席知道廣東的捐予沉重了，身邊只有警衛營一千人，主席把重要文卷、收發電機、大卡車和警衛營人員集中一處，各廳處長、主秘，其眷屬如另有去處的可先行安置，否則每家限定五人爲準，統送香港。叫瘦鵑和杜綱經理切實把握庫存金銀現貨。瘦鵑和杜綱經理約行內四部經理密談，問他們對時局的看法和態度，他們都願意和省府一同行止。於是叫他們眷屬準備一起赴港，他們隨省府主秘一同瞻宿，負責看管現款及金銀庫存；一面電香港分行再車送一批外幣到省。不過那時市面上還是昇平氣象，因爲中央還粵辦公，半年來平添許多公私開支，市場非常景氣，鄉間雖有部分土共，但還不敢明目張膽入市。

等到十月，決定撤離廣州的一天，主席命令各方負責人員於下午三時一律到達省府集合，一面要天生、棣華二登陸艇在太子碼頭侍命，海珠鐵橋及電力廠於三時半炸壞。二時還叫瘦鵑坐吉普車到街上轉一圈，回報工商一切正常；日間電影及游藝場也仍是滿坑滿谷。主席偕同各人上登陸艇後留警衛上照來攘往的人羣，伏艇大哭：「我對不起廣東父老！」大家勸止他，吩咐趕快開船。那知江水非至四時未上潮，開了很久都不能下水，倒引了很多旁觀的人，主席立刻懲辦警衛室政工隊隊長，叫他事先準備好時程，爲什麼上潮的時間都沒有調查清楚，徒惹市民驚惶！

海珠鐵橋三時半準時炸斷了，電力公司的工人都守着不許炸掉電廠。因爲海珠鐵橋的炸斷，一聲巨響，烟火騰空，四郊土共知道政府撤退，就紛紛入城，街上有放火行劫的，民衆頓覺陷入恐怖世界。還好那時潮汛來了，登陸艇可以順利的入水駛出去。及過黃埔，因爲海珠橋已炸斷，沒有人管理出入船開機件的移撥。橋頭又擠滿了人，也有土共在散播謠言。不得已只好由艇上下去警衛隊三十名去攔開民衆，開啓船閘。登陸艇看過去了；但土共搶佔了那三十名警衛，沒有方法再趕回艇上了。

天黑，過虎門要塞，先拍無線電報去，無復電。及過要塞口，上面已先開槍，趕快一面應戰，一面疾駛，總算衝了出去。一剎海面，風浪很猛，登陸艇只有上下搖擺，船上人沒有人能坐得住，都伏在舖上吐了；更不要說吃飯了，還好過了二晝夜，沒有遭遇覆溺。

這一代

黃芬琪

低語

那天，驍惠來找我，在昏黃的燈光下，我倆的影子長長地映在地上，微風吹過，靚動的樹葉，和沙沙的腳步聲，陪伴着我們，惠激昂的聲音中充滿了責備：「懸心！我真不明白，你的條件那麼好，他爲什麼離你而去？你又爲什麼這麼懦弱的忍受侮辱，而不報復？」

力！你和我相處了那麼久，該當清楚我的性格，平時對一隻爬行在地上的小蟲都不忍傷害，更何況對你——一個令我動心的男孩？如今，你雖悄悄的去到另一個女孩的身邊，留下深深的傷害，但我仍不會如此狠心的，再說，報復又有什麼用？難道報復就能把你從她那兒拉回來？不，即使能，我也不願，因你已不再是原來的你，我所欣賞的你。

衛外，正落着牛毛般的細雨，使我回想起前次在雨中，你曾拂去覆在我額前的髮絲，凝視了好一會：「癡心！我真不知在這小小的腦袋中，究竟藏了些什麼？讓我摸不透、猜不着。」也許，這就是造成今日這種結局的原因，感情是不能勉強的，我不怨你，也不怪她，或者她會比我更適合你，這一切只有歸咎於我與你無緣，又豈能庸俗的採取報復手段。

何況，我一直以爲，人與人之間純真的情誼，一旦產生了隔閡，就如眼中滲入沙粒，白紙上抹了黑點般，這正是我所不能忍受的，而你，我是屬於兩個完全不同的世界，彼此都無法適應對方的園地，兩片不同的雲，縱使相遇，也有分開的一天，不是有句說話：「悲劇可能是沒有一個人有錯誤，而照舊發生。」你沒錯，她沒錯，我也沒錯，但悲劇卻仍然發生在你、她、我之間，與其往後彼此痛苦，倒不如現在由我來獨自承當這份打擊。我並不怕孤寂，但卻怕深長的折磨、痛苦，我想她一那女孩也無法忍受的，還是讓我回到我這寂靜的小屋吧！

夜深了，偶而傳來雨水滴落的聲音，我含淚寫完這封信，願它帶去我的祝福！

依稀集

暴戾之氣

辛子

日前（五月十日）本刊曾以「要談問題」爲題，發爲低調，認爲當前社會的問題太多，太嚴重，我們必須面對問題、討論問題、並解決問題。這些問題究竟是甚麼？不可否認的，今天台灣社會最嚴重的問題是到處充滿着一股暴戾之氣。以最近發生於基隆中學的弒師案爲例，不但令人震驚，而且使人覺得不可思議。何以一個十七八歲青少年，竟滿腔子充滿着殺氣，必需藉着殺一個與自己並無深仇大恨的人以洩胸中之憤？我們並不空喊復興中國文化的口號——認爲這是違反了中國「尊師重道」的精神，必須加重處罰，以儆尤效。因爲這是司法的事，在法律程序進行中，我們不便多所置喙。我們所要提出并討論的問題，乃是何以今天的社會普遍充滿着一股暴戾之氣？因爲這不是一件孤立事件，而是一種普遍現象。別的不說，即以教育界最近一連串發生的事件爲例，在此之前，有政大的學生自焚、某中學女生自盡，這決不是簡單問題；而且問題的形成，也決不是一朝一夕之故，所謂「冰凍三尺，非一日之寒」。我們難道不該對這個問題多加思考、多加探究，以追究原因而謀求改善嗎？至於改善之道，因篇幅關係，不能多談，但幾個原則性的意見則可以提出來，以供大家的參考：第一、各項政治設施，必須力求公平，尤其法律應能得其平；第二、各級行政單位主管，應求能得人，做到君子進而小人退；第三、社會上的事，更讓大家有發表意見的機會，不要由少數人一手遮天。

陳先生承先六秩華誕雙慶

蔡慕陶

陳先生永康，字承先福建林森縣人，爲黃花岡七十二烈士之一陳公更新之哲嗣。早歲從事教育，嗣留學日本，歸國後曾服務軍中，歷任福建臨溪海澄等縣縣長，暨福建省參議員。來台二十年中，歷任台灣省立復興岡山等中學校長，現係台灣省立宜蘭中學校長，四月廿七日爲先生六秩華誕，全體師生欲稱觴祝嘏，先生婉謝之，爰賦詩一章，藉申祝賀之忱。

黃花岡一役，高舉革命纛。羣雄繼之起，滿室乃傾覆。公爲烈士嗣，壯志凌鴻鵠，桑梓興庠序，英材樂教育。學爲貫中外，東瀛負書鹿（竹頭）。業成歸國後，風塵發僕僕。險難非所顧，沙場奮[illegible]逐。元戎念其勞，謙沖獨自牧。重命寄百里，移風而易俗。作民之喉[illegible]，咳唾皆珠玉。翹翹者其楚，甘棠郁馥馥。世局多變化，萬事窮轉燭。官高何足論，還我初時服。桃李天下遍，春風化雨沐。閒來家常話，稟賦何其淑。數十年之事，歷歷如在目。蘭桂[illegible]九畹，伉儷[illegible]鶴。赫赫功業在，無負元首囑。（公於五十年在陽明山受訓時，總統蔣公囑其好好努力，發揚先人遺志）華誕晉六秩，師生齊慶祝。如南山之壽，如東海之福。

生活漫談

馬蹄清肺胃、除熱痰

御廚談藪

馬騰雲

李（草頭）薺（俗稱馬蹄）是民間普遍的食品，台灣馬蹄並不壞，價錢賣得也便宜，可以生食，可以熟食，並能作藥用，若小兒發熱，恐怕他有出痲疹病症，或痲疹已透發，民間每用馬蹄配入元（草頭）荽蘿蔔之類煮水給他飲，以協助清理痲毒。他們平常每用馬蹄燉粥給小兒吃，謂可以清熱及潤澤內臟，此物栽植於水田中，約三月下種，冬月掘取。廣州汴塘南京玄武湖，出產的馬蹄，所製成的馬蹄粉，其品質更好，故遊客到廣州汴塘或南京旅行者，多購買這種的地道產品，馬蹄含有豐富的糖份，水份百份之九五、六，蛋白質一、〇，無機鹽類一、〇，粗纖維質〇、四〇，含水炭素一四、七〇廣西桂林所出產的馬蹄粉雖然亦有名，但品質不如汴塘及南京的良好，不過玄武湖的產量少，汴塘所產的數量，又遠不如桂林出產的多，是以在市面上買桂林馬蹄粉易，買南京和汴塘馬蹄粉難。馬蹄的鮮汁，一般人謂它能制胃火，瀉腎熱，故胃火不足，常常作懸反胃，或腹瀉頻頻，小便多而清白，腎氣不足，腰骨痲痺酸痛的人，不宜常吃。倘若熱病者，吃之可以清熱明目；喉間常有一塊塊的膠痰障塞，吐出困難，胸膈因此翳痛，還是熱痰作怪，多服馬蹄鮮汁可以治療之。馬蹄又有解烟積的妙處，如吸烟太多，喉頭發痛，也可以吃馬蹄或其鮮汁，能收潤喉清肺熱的效果。總之，馬蹄最適宜於肺胃有火的人用，若肺胃俱熱，每能引致胸膈疼痛，食不下咽；且有兩脇苦痛，胃部脹痛，不時吐出酸宿之氣，甚或聞到米氣食品之味則作嘔，大便不通，小便短赤。這種病候，常因肺胃積熱所引起，倘醫者强用苦寒之劑以清其肺胃，胃腸虛弱障礙，每每不能受納，徒然引起更辛苦的嘔吐而已，因熱腸氣，用馬蹄鮮汁可以治之。如飲馬蹄鮮汁仍嘔吐者，可用生薑一些，加入馬蹄汁裡而後飲之，胃部自然受納，嘔止熱退，飲食恢復，病亦減退。至於夏日，爲暑氣所傷，發生暑濕下痢，或者鬱下血痢，飲馬蹄鮮汁亦有很好的治療功能，假如身體素弱，受不起鮮汁的甘涼者，可用馬蹄粉煮糖食之，對病證也有很好的補助。平常吃用馬蹄粉，有預防「腸炎」的功能；用馬蹄燉湯，可以清理膀胱積熱；原個馬蹄燉熟，乘熱啖之，能除虛熱，減少大便下血，煨食之，功效更佳。

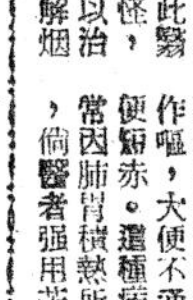

椒鹽雄活肉

▲林泉隱▼

活肉者是以五花肉三斤，避蠅蚊接觸，用鄭膠紙圍扎，下邊吊一竹籃，讓肉生蛆落于籃內，集夠一盤時，置流水口洗滌，務將腐味冲淨，然後備用。

花椒三四粒，小茴嫩芽三五條，葱白少許，生薑汁少許，嫩蒜花數根，最好是將大蒜穿起在水中所發嫩芽，胡椒粉少許，除花椒須炒焦研粉外，其餘皆切碎。活肉（蛆）用生抽、高粱醬拌外，滾油炸黃和以上列配料入鍋和炒數十秒鐘則成爲椒鹽炸活肉，味奇鮮，非食過者不敢相信是蛆做出的名菜。

中華民國內政部內版台報字第○三一一號
中華民國僑務委員會登記證僑新字第三二三號
中華郵政台字第一二八二號執照登記爲第一類新聞紙

自由報

（第九六二期）
（半週刊每星期三、六出版）
每份港幣壹角・台灣零售價新台幣弍元
督印黃行驚・社長李運鵬
社址：香港九龍彌敦道593—601號
廖創興銀行大廈八樓五座
LIU CHONG HING BUILDING
7th FLOOR FLAT 5
593—601 NATHAN ROAD,
KOWLOON, H.K.
TEL：K303831
電報掛號：7191
承印：景星印刷公司
地址：嘉咸街廿九號地下
台灣總管理處：台北市大同街119號
台灣區直接訂戶　台郵劃撥戶
第五○五六號帳戶（自由報會計室）
電話：七一四○三三、五五五三九五
台灣分社：台北市西寧南路110號二樓
電話：三三○三四六，台郵劃撥戶九二五二號

本報重要啓事

（一）本報臨時職員張仰成業已解除職務，今後該員在外任何行動概與本報無涉。（二）本報採發行本位，從無專人到各處招攬廣告，如有假借本報名義在外撞騙詐欺，敬請就近扭送治安機關，或電話本報五四二五三一、七一四○三三以憑辦理。（三）本報台灣區服務證，自即日起一律作廢，並開始重行整理登記換發新證。登記處：台北市承德路七號自由報。

調整稅官待遇能防貪污並加強稽征嗎？（中）

陳天式

基於如上論列，所以同期的「政治評論」的社論也說：「據聞現在在稅務人員的俸給不僅不比一般公敎人員低，並且比公敎人員俸給高出百分之五十以上，既然一般公務員都能夠在菲薄的待遇情況下生活，爲什麼一般稅務人員反不能仰事俯蓄。，而必須出之於貪污舞弊呢？問題很簡單，這是部份稅務人員不知足，不安份，且能有較多的機會上下其手之故。制度未臻健全，法令又多漏洞，管理更不完善，難怪稅源不暢，稅收不如理想了。政府如果不從事這些基本因素的消除，而徒務稅務人員待遇之提高，將是捨本逐末之務。」

所以「政治評論」的評論要特別警告：關於提高稅務人員的待遇，如果說他對稅務人員有積極鼓勵作用的話，那只是使過去部份稅務人員貪得無厭的行爲受到安撫，其他並無若何積極的意義。至於說，先提高了稅務人員的待遇，稅務人員將會盡其所能來開發稅源，增加稅收，那還是『未定之天』！」這就是根本否定了賦改會的：「我們若要加強對於稅務人員的整飭和管理，就必須同時改善其待遇；否則，既不合情理，又不會有效」了！此乃自邏輯及利害與制度及管理上對提高或調整稅務人員的待遇的方案予以辯難，論理不但動聽，而且還是非常有力的呢！

於是，我們又要回到對於報紙輿論之批判的研究了。同月二日的中華日報的「良心話」欄：「主張稅官加薪的理由據說是：稅務人員經管稅收，如果待遇不足以維持家庭生活，或則舞弊、或則影響工作情緒，結果都足以影響稅收。我們贊成稅官加薪，但並不完全贊成這個理由。因爲今日公務員薪俸普遍在生活水準之下。能夠有一部份提高，總算是件好事。但若說是怕舞弊而提高其待遇，則可能產生不良的後果。或謂：有些稅收人員根本不靠薪俸，而靠收受紅包；故有『三分天下』之說，即公庫、稅務人員、納稅者各得應納稅額的三分之一。現在爲免舞弊而加薪，能否『化暗爲明』，尚待將來事實證明。淸朝雍正年間，曾將州縣錢糧浮收的好處，化成所謂『養廉銀』，化暗爲明，利益均沾，地方官吏的工作情緒爲之普遍提高。但現在的稅官加薪，是取之於國庫，而非自其經手的稅收中提求，兩者不可相提並論。要鼓勵稅務人員淸廉而努力，應該還有其他的辦法，爲免其他公敎人員感到不平，則對稅官必須制訂一項特別法，加重瀆職的處罰，例如接受招待即撤職，接受餽贈即坐牢等。使權利與義務相等，才不負當局的一番苦心。」話是委婉極了，表面上是完全贊成提高或調整稅務人員待遇的，但皮裡陽秋，任何稍有良知的稅務人員聽了，都會慚愧得無地自容，要拒絕或反對提高或調整其待遇的！

但「稅務人員加薪，聞已原則通過」，稅務人員爲依行政法服務於政府之公務員，因此對於待遇之提高調整，自亦無從亦無權拒絕或反對！且代表政府發言的台灣新生報，在同月七日的「對調整稅務人員待遇問題的看法」社論中，已經有非常嚴正的表示了。新生報說：「近來各方對稅務人員調整待遇的反應，常非對政府採用重點主義與確立優先程序不表贊同，而是攷慮到下列兩點：一爲稅務上的積弊，能否因工作人員待遇提高而弊絕風淸？二爲傳聞的調整幅度，與一般公務員現行待遇相距甚遠。我們首須了解，軍公敎人員待遇能夠改善至何種程度，關係政府財政狀況，尤其決定於稅收的增加。近年稽征方面的陋習與若干稅務人員操守有問題：乃是征績雖年有增加，而稅收未能涓滴歸公的重要原因，基於倖以養廉的道理，提高待遇使能安定生活，愛惜名譽，自係應有之舉，但在積重難返的情形下，除給予足以養廉之俸，務須在整飭風氣、嚴申法紀方面，採取措施。」

新生報又說：「調整稅務人員待遇方案的提出，與改善公務人員待遇問題密切相關，我們不必諱言七年之病，更須期待開始尋求三年之艾。從此一觀點來看問題，許多不同反應當可趨於調和了。」這說明了新生報的整個看法，就是以全體主義爲出發點而「予人爲善」的，在新生報的意思，予以爲善之人，如終不能爲善，控制和管理上必是有辦法來範圍的，且不妨先來個「七年之病，求三年之艾」吧！何況所謂調整稅務人員的待遇，如該報同日的電訊：「財政部長俞國華昨日表示：計劃中的稅務人員調整待遇，其財源便在超額征收之稅捐收入項下開支」，還「並不增加政府財政上負担」呢！「許多不同的反應當可趨於調和」，趨於止息了。

自然，調整或提高稅務人員的待遇，是由政府決定的，新生報是政府的報紙，在情理上，它自然不能反對政府的決定，而必須贊成政府的決定了。不過，也有民間報紙是不反對政府的決定的。

二月九日華僑日報「台灣新聞」欄的「這次稅務人員調整待遇，遭遇各方面的猛烈反對，情形如抗日時期在大後方，已故孔祥熙氏對中、中、交、農四行從業人員予較高待遇的情況相同，惟事後證明孔氏獨排衆議的做法完全正確。銀行人員管的是錢，如果待遇菲薄，在錢財方面往往會出紕漏，孔祥熙提高四行人員待遇後，在錢財方面便較少弊端，可見孔氏慧眼獨具，稅務人員管的是。如果待遇欠佳，難免毛病叢生，政府無形中損失龐大的稅源，比增加稅務人員薪俸的總額，何啻倍蓰？依照開源節流的經濟算盤，還是調整稅務人員待遇划得來。這幾年來國會議士，省縣市民意代表，經常對稅務、司法、警察人員迭加指責，却沒有提出一個良善的解法辦法。現在政府調整稅務員待遇，便是一帖對症下藥的良方。」

此種說法，是相當平實的，雖則對於銀行之類的從業員目前的待遇仍然是優厚的一點，不會加以指出，使稅務人員於待遇之調整或提高的贊成，在表面上總是有一些突出，未能汲引成爲心平氣和的輿論之疏導的，這是非常可惜的！

但是，對於提高調整稅務人員待遇的心平氣和的輿論之疏導的文章，並不是沒有，這就是五十八年一月三十一日出版的第六二四期「稅務」旬刊的社論了。「稅務」旬刊的社論說：「當前環境由於國家財政困難，公務人員的薪給多屬偏低，稅務人員亦不例外，例如身爲一個中級稅務工作人員，每月所得僅祗二千餘元，以此戔戔之數，實不足以仰事俯畜，爲得有積極的工作情緒以發揮其工作效能來增進其稅收？故上焉者設法兼差，藉以換取最低的生活資料以求自足自保；下焉者則乾脆利用職權，營私舞弊，貪贓自肥。凡此不僅導致稅務工作效率的低落，而後者更是腐蝕稅政，敗壞稅風，戕賊整個稅務工作的罪惡淵藪。整頓之道，除了消極的對貪墨之徒繩以嚴法之外，祗有積極的提高薪俸以養其廉，並藉使稅務人員加薪以後積極加強其管理，用以提高工作效率增進稅收，以增收所得再用以改善其他一般公務人員的待遇。」

這種說法，其基礎自然也和新生報的「予人爲善」的論調是相同的，但由於有鼓勵性的安排，所以在意義上便積極多了，而且還不和其它已有優厚待遇者相攀援，以免有所牽扯，把問題弄得更複雜，更深刻化，說道理只在就事論事上着眼，看法自然應該是正確的，較之華僑日報，是更進一步了。

如上論列，對於爲大家反所矚目的稅務人員調整待遇問題，在贊成與反對之間的一般的輿論，我們大體上都有了一些認識了，而此之認識，且有一共同之中心，不因贊成與反對或有所不同，此即兩者均不以爲調整稅務人員的待遇之後，稅務人員的貪墨就可以防制，稅收的稽征就可以加強，國庫的損害可以不再發生，而只是實望政府在調整稅務人員待遇之同時或以後，迅即制定一套嚴格地管理稅務人員的辦法出來，把稅務人員孤立於所有公務人員之外，看守和列管起來，就像把小偷孤立於人羣，甲級流氓孤立於社會，娼妓孤立於良家婦女之外看守和列管一樣，都並不相信可以用調整待遇來直接交換得稅務人員對國家和政府的忠誠與廉介，稅務工作人員的素質敗壞到如此程度，國家的稅務行政之窳劣眞是已經陷入悲觀和絕望之境了，還有理由值得大大討論一番的。

昨日與明日

和談經年

成公

巴黎的和談，自去年五月十三日開始到現在已經一年多了，和談的結果帶來什麼東西呢，恐怕只有西貢附近的迫炮聲吧。

二十世紀眞是個多采多姿的世界，人家每談自然科學大進步了，社會科學，政治倫理仍是依然固我，太沒有進步了。這話要看怎麼說，我們若是忍着沉痛的心情來看時，不是也很多發明麼：日本發明「不宣而戰」，英法發明「宣而不戰」，美國則除了發明「戰不求勝」外，又一再發明和製造「談而不判」。

「談判」原是要解決問題的，因此旨在求得一個結論，儘量雙方意思逕庭，談判爲之破裂，但「破裂」，也是得到一個結論。但今天美國人所搞的，却顯然是爲談判而談判，並且是永遠無盡期的在談，從來不想有什麼結論。板門店和華沙的會談，都是一談就談個十幾年，但從沒聽說過有什麼結論和進展，但是美國人却耐心耐煩的，派了一批人在那裏談，其突這那裡是談，說句北平的土話，這是在「泡蘑菇」玩嘛。

第三個長談

但是美國人不知是對此長談有興趣呢，還是上當還沒上够，俗語說「事不過三」，而美國人却要在飽嘗板門店和華沙的苦頭後，還要熱心開闢第三個長談，經過多方努力，總算在巴黎開成了，但在談判的也就更是精采了，從去年五月到今年元月，八個月的時間才談判了一個座位問題，那要談出結論，豈不要待兩百四十多年。

或者說，美國秉國鈞的，豈有不知此理的，而眞所以肯如此作者，乃是總算對人民有個交待——果眞有「交待」時，自是可以，但請他們自己撫心自問，這眞是個「交待」嗎？恐怕那是騙人之談吧。這只是轉移人民的視線，逃避問題的解決而已，說穿了就是在敷衍。

不戰不降，不和不走。

爲什麼要這樣敷衍呢，道理很簡單，「戰」，既無此決心，更不敢犯人民之衆怒，而「和平解決」又無此智慧，因此只有出之於拖之一途了，但拖是拖不出所以然來的，從前英法聯軍之役，世人訕笑葉名琛是「不戰不降，不和不走」，而今天美國的情形，正復如是，葉名琛的結局如何呢？想到這裡，我們眞替美國不寒而慄。

自由談

不能已於言也！

馬五先生

走遍全世界的大小國家，除却二次大戰後新興的落後地區如非洲諸邦情形，不得而知外，其餘的東西洋文明國家，絕未聞有軍警在夜間隨便進入旅館，檢查旅客的咄咄怪事發生。有之，祗是四十年前吾國的軍閥政府時代，擅自設置「軍警督察處」或「稽查處」，許名清查「亂黨」，任意騷擾旅客，叢集民怨，終成爲國民革命對象，趨於敗亡的命運而已。

中華民國政府遷移台省以來，嚴格施行旅客出入境管理制度，凡是進入或居住在台灣境內的旅客和民衆，無論從法理和事實的那一方面設想，都應該享有居住旅游的自由權利，官府不能任意妨害人民的法定權益，這是常識，誰也能知能言的。

然而，台北市的警察機關，最近忽有夜間檢查旅館，把外國旅客和一名中國女郎抓到公廨拘留罰鍰之舉，可謂奇聞怪象也矣！外籍旅客到台灣來游玩，從事娛樂生活，決不犯法，他縱有女人陪伴，又有甚麼值得大驚小怪之處，而必須置之於理呢？若說妨害風化，那末，官府允許綠燈戶公娼存在，而且收取她們的稅金，便是維護善良風俗的仁政不成麼？

據說，去年度台灣收入旅游觀光費，共爲六千萬美元，政府當局鼓勵人民發展觀光事業，而警察却查拿在旅館有女人陪伴導游的外國旅客，這叫作「前面賣生薑，後面喊不辣」，是對政府主張發展觀光事業的一大諷刺，笑話極了！

警務人員對於檢查旅館事，大發其文過飾非之詞，既說檢查旅館足以保障旅客的安全，又說存心正大的旅客就不怕檢查，這是甚麼話？殊無一駁的價值。

民主憲政生活的要諦，即在尊重法治與理性，歪曲法律，藐視理性，決非民主政治的應有現象，妨害民衆的自由人權，其事小，毀壞國家的對外信譽，其事大，因而吾不能已言如此也。

監院成立七人研究小組
配合政府展開革新運動
監委多流汗人民可以多受益
研究不切實際法令如何遵守

（本報記者張健生台北消息）監察院決定成立七人研究小組，研究監察院如何配合政府展開革新運動。此項決定，是根據監察委員陶百川、金越光、丁淑蓉、余俊賢、葉時修等五人，以及張一中、郭學禮委員等，分別提案經一一一一次院會討論而作此決定的。

這兩個提案除文字畧異外，其內容大致相同。

陶百川委員等提案謂：國家必須不斷革新方能進步，惟有進步方能生存。而革新進步之收效，極有賴於檢查、批評、糾正及懲儆。凡此皆爲監察院之職責。

——現當行政部門展開革新運動之際，監察院亦應振作有爲，自求革新，並發揮彈劾權以稍戢違失，增進審計功能以減少浪費，以糾正案補偏救弊。

——而監察院本身精神之更振奮，風格之更砥礪，組織之更健全，院務之更改善，實爲先決條件。用特提請制定院務革新或改進辦法，以宏功效云。

張一中委員等提案謂：查監察權之行使，有賴組織嚴密，管理得法，運用靈活，始收指臂之效。年來，院、部部份同仁，抱殘守缺，精神散漫，影響所及，怠惰風氣益熾，工作流於鬆弛。倘仍積重難返，委員年華日高，人事配備不能得心應手，而相脫節，監察業務勢將形同癱瘓。

——我政府現正謀政治全面革新，已由信念發展到積極行動，有關實施要項計分：「刷新政風」，「厲行政治」，「健全機構」，「改進人事」，「加強研究發展」五大重點，將從風氣、制度、機構、人事各方面全力貫澈。此一行動，切合當前需要，不僅爲中興復國之要務，亦爲莫大政治號召，全國上下均在熱烈響應，共策進行。

——監察院職司監察，在現階段應如何依據憲法賦予職權，配合中央決策，內則革除積弊陋習，守時守法，求新求行，提高委職員工作效率，外則監督各級政府切實整飭頹風，在在均爲當務之急。

——提案主張由院會推委員數人，就上開政治革新五大要點，參以監察院當前情況，加以研究，規劃院、部革新實踐方案，俾有效達成全面革新目標，以期加速反攻復國勝利之來臨云云。

監察委員陶百川在院會討論該兩提案時說：政府雖屬行革新進步運動，但其成效並不顯著。監察院一年一次的總檢討會，對政治設施提出檢討、批評，這已經是很難了。監察院過去的一年中（自五十六年十一月至五十七年十月），糾彈案件只有三十三件，但却化了不少的金錢和人力，從目前的政風，不法事件可以說多如牛毛。我們是否可以研究一下，俾更振作有爲，更求進步。今後是否依據憲法賦予我們的權力，提出更多的糾彈案件，至於如何革新，希望大家提出具體的意見。

——倘每個人每年提出一件糾彈案，則現有監委七十二人，便可提出七十二件糾彈案。像目前的政風，不要說提七十二件糾彈案，就是加十倍，提七百二十件糾彈案，也不能說太多。

——每一位監委能夠注意或多流一點汗，則對國家和人民都有很大的幫助。就監委値日制度而言，亦値得檢討。從今年一月三日起至今天（五月中旬止），每天三位監委全到値日批閱「陳情書」的，祇有八天次。按照規定，每一位監委每月僅値日一天次，這不是苛求，爲甚麼大家不多流一點汗呢？至於調查案件，在實際上需要制訂調查案子注意事項之類的規定，這樣可促進認眞調查，可更進步。

——在職員方面，由於領導發生問題，由於獎懲不公平，所以發生問題，其實並未到了不可藥救的地步，所謂好與不好，如能作妥適之處理，當無此現象。

——目前，我們院長的[illegible]境較前好得多，而社會地位與聲望也日高，故很可以放手做點事。院長的聲望日隆，這也是我們大家平時的努力所致。

——尤其八十歲以上的幾位老先生，每次參加審查糾彈案件的會議，都是很早就出席了。

張一中委員說：政治風氣太壞，這是一般人所公認的。前幾天，在一次重要會議上，聽到　總統訓示，始知　總統對馬路修、補、挖的情形，亦極清楚。就守時言，如我們無論是地方巡查或至地方政府查案，各機關公務員都沒有做到按時上班，甚至我們事先通知他們並約定某日某時晤談，但被約談話的人也不遵守約定時間。監察院應配合並支持政府的革新運動，我們在行使監察時，首先應注意行政機關的行政效率，有沒有革新改進？同時，由各委員會對行政效率是否革新改進應作有系統的調查。

就守法而言，出於守法的人太少，於是形成是非混淆不清。比如按時上班的人，處處會受人諷譏，反之，一個不守法的人，居然被視爲有辦法。

記者按：民主政治的條件是：①一個民主政府只能行使人民准許它行使的權力。②所有的人在基本上都是生而平等的。③民主政治是由全國人民所統治。④民主政治的成功有賴於全國人民須有公正的精神。⑤民主政治是依賴法律和法治而存在。⑥民主政治不但要使人民守法，而且要使人民尊重法律，蓋尊重法律要比服從法律深一步。

葉時修委員說：大家要做到時時守時，人人守法；人人盡責，時時求新的境界。所謂「守時」，應有彈性。比如，監察院的職員上班必須守時，那末首先要解決的第一是宿舍，第二是交通車。今天因無宿舍致職員無法集中住在一處而散居各地，由於沒有交通車而上班時須乘公共汽車，所以無法做到按時上班。

——所謂「守法」，今天很少聽到人說要遵守憲法。至於遵守法令，必須顧及實際。比如有許多不切實際的法令，甚至規定某一事項的前後法令相互矛盾，或者行憲前制訂的法令，理應廢止但未廢止，像這樣的法令要人守的話，可以嗎？倘呆板的守法恐怕難矣！

因此，葉時修委員於檢討時建議院會成立小組，就如何有效達成全面革新進步目標加以研究。旋經監察院第一一一一次院會決定，推委員陶百川（召集委員）、張一中、王文光、陳大榕、葉時修、余俊賢、張維翰副院長等七人，成立研究小組制定院務革新辦法。

滄海拾遺

一號共酋是陳獨秀（四）

·赤松子·

姚作賓是一位四川的留日學生，在東京素有僞壯士的徽號，他拿了黃的一萬元，只到了海參威，不敢前進，因爲當時俄國人民不將糧食拿出，列寧派人在山東東北，招了一羣胡子，到鄉間去搜括人民糧食，這批胡子，頭戴紅帽，到了鄉間對于俄國男女，奸淫擄掠，無所不爲，以致俄國人見了中國人就殺，于是姚作賓在海參威，住一日本旅館，請求保護，每天旅館費銀元五百元，（當時日本軍佔領海參威），住了兩個禮拜，逃回上海。（以上是第一次）

不久虞頌華、耿濟之、瞿秋白，到了俄國，俄代表越飛又到上海，會見各方人物，叫他們有志搞共產的，都到俄國去，于是陳獨秀，江亢虎諸人，都紛紛到俄國去，這時不倒翁再以一萬元助姚作賓到俄國，這一羣人先後去了一百多人，人人以爲到俄國去了，回來都是列寧，那知俄國第三國際主持人，也要攷察資歷，陳獨秀的頭銜，是北大教授，兼「新青年」發行人，又冒充是少年中國學會發起人，于是蘇聯核准陳獨秀爲中國共產黨首領，其餘一概送還回國。（以上是第二次）

北伐以後，政權集于中央，一切教育權，皆集中教育部，于是不倒翁的老巢傾覆，一切生活根據，掃地無餘，這位上海廿年來的不倒翁，一朝被打倒以盡，從此黃炎培對于國民政府認爲是不共戴天的仇人，從前兩次搞共產，是想抓住這個機會，騎在四萬萬人的頭上，現在想搞共產，却是想利用共產黨來打倒國民黨，從西安事變以後，與章乃器史良等人往還甚密，後來到了參政會，隨時與共產黨密切合作，以牽制政府。

抗戰起後，政府遷到武漢，當時共產黨以財政部對八路軍餉項，未能照時發給，想支持一位與共產黨表示友好的人來作財長，有某野心家亟涎此席，遂和周恩來商量，由各在野黨聯合推一代表往見最高當局攻擊孔氏，並推薦某氏，以後八路軍餉項，可以不成問題，共黨進行此項計劃時，各黨派大致贊成，只有少數政黨對此加以堅決反對，請大家不可墮入共黨陰謀。後來共黨計窮乃去找不倒翁，要他代表各黨派往見　蔣先生，不倒翁去會　蔣先生，談話未及一半，蔣先生冷笑道：這不是人事問題，當今戰費如此浩大，無論誰來担任財政，就會點石成金嗎？不倒翁碰了一個釘子，只得抱頭鼠竄而逃。

喬治桑外傳 一五

張大萬

不說桑古兩人在客廳裏談詩論畫，却說雅麗絲在廚房裏洗手作羹湯，早已煎好了三塊又大又肥的牛排。她命令下女到餐廳裏先排好四副刀叉。桑家下女是素有訓練的，知道主人是中西雜食之人，家裏準備有中餐西餐的用具。並且也懂得西餐刀叉應該怎樣排。

雅麗絲脫下白圍裙姍姍走了出來，請古有方，喬治桑入座。

「有方兄，簡慢，簡慢。」喬治桑用右手作了引客入席的手勢。古有方坐定以後，用餐巾鋪下膝上完成了進食的準備。

「喝什麼酒？」喬治桑問。

「中午不喝吧。」古有方答。

「那有不喝之理。」喬治桑再勸客進酒。

「來點白蘭地好了。」古有方屬於海派人物，比較愛喝白蘭地。

「我正好有一瓶陳年白蘭地。雅麗絲妳去拿來。」喬治桑對古有方特別表示熟絡。

「隨便喝點什麼好了，何必要開名貴的酒。」古有方很客氣。

「與爾同銷萬古愁。」雖得有此機會，酒總是讓人喝的。有詩爲證。其實，台灣的一般人生活雖困苦，像喬治桑與古有方的人物，是無愁無憂的。說到此處，作者倒想起一個有趣的事。某人最崇拜杜甫，刻意模做了一首詩是：舍弟江南歿，家兄塞北亡。賤妾眠僧舍，山妻臥道房。朋友見了，痛對他的坎坷遭遇寄以無限同情。他連忙聲明絕無此事，只不過想拚命學杜詩體裁而已。

台省議會三次大會
黃杰主席施政報告
知恥知病爭時間求新求行求進度
千言萬語一句語台灣一切有辦法

台灣省政府黃杰主席，今天上午九時，在省議會第四屆第三次大會，作施政總報告，說明五十九年度本省地方總預算編製情形，當前省政決策，以及第四期經濟建設四年計劃執行成果和第五期四年計劃的發展目標與建設重點。歷時三十分鐘，獲得全體議員熱烈的掌聲。

黃主席在施政總報告中說：這些年來社會型態的轉變過速，若干適應新社會的行爲規範，未能及時建立，而舊日家庭與社會間所保持的一種傳統美德，又不爲人所重視，於是姦僞相乘，變詐相角，甚且逆倫犯上，出於[illegible]壞，使社會風氣日趨澆薄。

黃主席尤引以自責者，他個人原亦了解，政治風氣足以影響社會風氣，而官常不飭，更是敗壞社會風氣的重要原因。在長期綜理實際政務之中，竟不能預測未來的發展，竭盡振衰起弊的責任，以言其咎義不能諉。現在，爲了挽轉當前一切偏失，正遵照　總統訓示，厲行全面政治革新，於五月十六、十七兩日召開全省縣市長座談會研訂「台灣省政治革新綱要」一種，就行政措施中的每一環節，作澈底的檢討與改進，並以整飭政風爲革新的樞紐。希望在「知恥知病」之餘，爲時間爭分秒，爲進度爭毫釐，貫注全副工作的精神，以開創新機。

黃主席認爲，在全面革新的號召之下，行政的革新，固然需要立竿見影，日起有功。但社會風氣的轉移，更要邁開大步，以資配合。因此，黃主席特別要求社會上的領導階層，必須主動地立於前驅，爲社會羣衆的表率。他說：我們不能把苦難的後果留給下一代，也不應使下一代在混亂中摸索無告，因爲下一代的健全有爲，大半得力於上一代的楷模啓迪。所以，我們爲人父兄的成年人，都應該嚴格檢討本身的生活與行爲，是否可作下一代的借鏡。

黃杰主席在施政總報告中說：耕者有其田政策，自實施以來，本省自耕農戶，已由五七％增加到八七・七％，耕地面積，已有九一・二五％，爲自耕農所有。但是目前地主保留的出租耕地，還有六萬四千多公頃，由佃農十一萬二千多戶承租使用，公有出租耕地，也還沒有全部放領，省府將遵照貫徹實施耕者有其田政策，加強管理公地放領耕地，繼續辦理公地放領，對於地主保留的出租耕地，除都市邊緣地區、工業用地、新都市、新社區、新港口、及經政府核准的出租耕地外，其餘的將徵收放領，尚未取得耕地的少數佃農，都能成爲自有耕地、自行耕耘、自享收穫的農民。同時加速推行農地重劃，編定土地使用類別，以保持地盡其利的久遠成果。

黃主席報告說：九年國民教育實施將近一年，雖已能觀其成效。惟創辦伊始，尚有許多困難，需要克服改進。省府正採取下列措施：（一）九年國民教育經費運用問題：省縣市應把握重點，專款專用，國民中學校舍造價及開辦費等，決予調整，各項必須補列增列的開支，予以支援，中、小學教師研究費，自本年七月開始，調整爲四百元，小學級任教師及中等學校導師輔導費，決予提高。（二）中、小學教師的訓練、進修問題：決定加強辦理，偏遠地區師資缺乏者，由縣市政府統一調度。（三）健全行政組織問題：各縣市教育科改爲教育局，縣市教育局長、督學，由統一調度，務使人地相宜。

黃主席並指出：第五期經濟建設四年計劃已奉行政院令頒，從今年開始實施。計劃發展的目標，包括下列各項：（一）充分有效的運用財政與金融政策，使每年物價水準的上漲，不超過二——三％，以維持經濟穩定。（二）加強推行職業教育及技藝訓練，建立需要技術多的勞力密集工業，使就業人數，平均每年增加十七萬一千人，年增加率爲三・六％。（三）出口增加，爲經濟成長的重要關鍵，平均每年最低應保持一二・五％的出口增加率。（四）妥籌財源，擴建電力、運輸、及港埠等基本設施，使電力年增加率達到一二・八％，交通運輸增加率爲七。四％。（五）加強工業研究發展，促進重工業及高級工業之建立，平均每年工業成長率，應最低達到九・一％。（六）加強農業科學研究，增產外銷作物，提高農業生產力，儘速達到農業工業化、科學化，使農業生產，平均每年增加四・四％。（七）國內生產毛額，以五十五年新台幣幣値表示，預期至六十一年，增加爲一千九百四十億元。

張農博士的怪毛病

文滙樓別記

每個人都有點小毛病，無傷大雅則不致構成爲怪，例：汪精衛講話時喜歡揩手，李石曾開會時愛吸鼻烟，哲學家吳康講話時右手老是劃，劉振東習慣走着講課，羅剛教授講課常捽粉筆。

民國三十七年春，樓主應邀到廣州文化大學講演，講題是：「辦報難，難在那裡」（容另文詳述），次日，廣州中山大學農學院長張農博士亦邀樓主到該校作時事講演，講題是：「美國人被毛澤東玩弄了」，同月在衡陽湖南外僑聯誼會講演，亦是這個題目，廣州有好幾家討好共產黨的報紙，認爲不然，說毛從未玩弄人，出人意料的湖南中央日報社長段夢暉，公開表示，樓主的講演是胡說八道，（按：段附匪已久）種下段夢暉被當衆潑酒的一幕。

我之向濟公活佛看齊，和吃龍肉吃虎肉，都從是時開始，於今已經成爲習慣，這點口福應當歸功於廣州文化大學新聞系主任嶺英鳴兄。中國有「穿在杭州，吃在廣州，死在柳州」的話。穿在杭州很有道理，眞所謂綾羅綢緞，美不勝收；吃在廣州，更有道理，粵菜之特別，在不拘泥於同一形式，因時因地，因氣候制宜；死在柳州就沒有研究了。據說是因柳州出產大杉木出名。

言歸正傳，張農博士的怪毛病，渠小便時，雙手提着生命根，在牆上劃出尿圈，劃得圓而齊整，則非常高興。初疑爲張博士，偶而爲之，後發現每次小便皆然，乃詢其故，張博士很愉快的說出：「惹他娘，（湖南罵人）小時候毛病，改不脫了，不這樣尿，會感到很沉悶」因之樓主又連想到幾個有怪毛病的人。

青年軍政治部副主任高福堃，民國三十六年任職湖南中華時報主筆時，嗜嗅愛妻裹腳布發天不換的臭味，某次樓主巧遇，引起大嘔，認屋內有屍臭，後杜邑祥、胡雛楓、饒迪華三兄急作眼色，幸未當場開罪友妻，幾年前杜任職正中書局總編輯時，談及此事仍有餘悸。又上海申報特派員黃潮如，亦中央政治學校高材生，喜歡挖鼻屎捏成綠豆粒小圓，向白壁上彈射，彈中時其樂融融，有時樂到自已大笑不已，他的寫字桌對面白壁，點點滴滴，儼若痲皮或女人雀斑，與這位怪毛病人爲鄰的朋友，是何感受，就不得而知了。

黃潮如，浙江軍訓教官孫家良，每點其名呼之爲「紅燒肉」，同學亦皆叫「紅燒肉」。傳說湖南陷匪時，被當局誤斃。中國社會不講犯忌諱的話，逢年過節，張貼有「童言婦語」、「百無禁忌」，非無由也。

・文匯樓主・

古籍中所含的道家思想（下）

◁張起鈞▷

曾經中有關道方面的例子還很多，我們僅從這所舉的幾個例子中，已可以看出當時政治家對于柔道的強調，猶其該書中屢次談到「柔遠能邇」，更可見這句話在當時非常流行，幾乎成爲政治上的格言了。

（二）易經

易經是中國最古的一部談天人之道的哲學著作，儒家曾把它奉爲羣經之首。雖然它的原始面目本是卜巫之書，但孔子讀易韋編三絕，可以想見它哲學價值。雖然易經是儒家的聖典，但它的內容中，有關道家思想的成份，卻俯拾即得，我們試舉幾個例子如左：

①乾卦：「終日乾乾，反復，道也」。

②乾卦：「亢龍有悔，盈不可久也」。

③坤卦：「柔順利貞，君子攸行」。

④坤卦：「臣弑其君，子弑其父，非一朝一夕之故，其所由來者漸矣，由辯之不早辯也」。

⑤泰卦：「彖曰：『無往不復，天地際也』。」

⑥謙卦：「彖曰：『謙亨，天道下濟而光明，地道卑而上行，天道虧盈而益謙，地道變盈而流謙，鬼神害盈而福謙，人道惡盈而好謙』。」

⑦豫卦：「天地以順動，故日月不過而四時不忒，聖人以順動，則刑罰清而民服，豫之時義大矣哉」！

⑧豐卦：「日中則昃，月盈則食，天地盈虛，與時消息，而況于人乎！況于鬼神乎」！

⑨節卦：「天地節而四時成，節以制度，不傷財，不害民」。

⑩濟卦：「既濟，君子以思患而豫防之」。

從以上所舉的例子中，我們可以看出易經的思想和道家的思想相差很微，事實上，易經的原理，與其說偏于儒家，毋寧說是偏于道家。

因爲道家喜談天人之際，而儒家，尤其是先秦的儒家，都不談天道。可是易經卻由天道及於人事，這正是道家的思想路子，所以後代許多道家們卻把易經和老子並列。魏伯陽的參同便是如此。在這裏我們固然不必去考證易經是否屬於道家的經典，但從它內容中充滿道家思想這點看來，卻使我們更能斷定在孔子以前，已有道家思想的存在。

（三）詩經

詩經是中國最古的一部文學作品，文字是情感的表現，生活的寫眞，所以孔子認爲：「詩三百，一言以蔽之曰思無邪」，而詩經也就被儒家奉爲寶典。

詩三百篇中，固很多是桑間濮上的情詩。然而也有不少的是感而發；其中有的感於社會紛亂，作不平之鳴，有的感於政治動盪，作坎坷之嘆。由於當時的環境很複雜，所以他們情感的反應也不一致。有的具儒家的抱負；有的卻富道家的超逸。現在我們把那些含有道家意識的詩篇簡列幾首如下：

①北門：「出自北門，憂心殷殷，終窶且貧，莫知我艱。已焉哉！天實爲之，謂之何哉！王事適我，政事一埤益我，我入自外，室人交徧讁。我已焉哉！天實爲之，謂之我哉！王事敦我，政事一埤遺我，我入自外，室人交徧摧我，已焉哉！天實爲之，謂之何哉」！

②十畝之間：「十畝之間兮，桑者閑閑兮，行，與子還兮。十畝之外兮，桑者泄泄兮，行，與子逝兮」。

③衡門：「衡門之下，可以棲，之洋洋，可以樂飢。豈其食魚，必河之方（魚旁）？豈其取妻，必齊之姜？豈其食魚，必河鯉之？豈其取妻，必宋之子」？

④隰有長（竹頭）楚：「隰有長（竹頭）楚，猗儺其枝，夭之沃沃，樂子之無知。隰有長（竹頭）楚，猗儺其華。夭之沃沃，樂子之無家。隰有長（竹頭）楚，猗儺其實，夭之沃沃，樂子之無室」。

從以上四首詩分析起來，「北門」的作者，雖厭倦勞形的案牘，卻有順天安命的情懷；「十畝之間」的作者，羨慕田園之樂，而有隱遁之想；「衡門」的作者，不羨榮華高貴，而有意於安貧樂道。「隰有長（竹頭）楚」的作者，歌頌無知，以求逍遙之樂。可見這些作者的心境都是充滿了道家的情調。

（四）論語：

論語一書是孔門弟子記載孔子言行的一本對話錄，當然是儒家最正統的經典。後代的學者都一致公認這本書的內容最爲純粹，然而其中也有不少帶有道家思想的色彩，我們試舉幾例來看：

①衛靈公：「子曰：無爲而治者，其舜也與；夫何爲哉！恭已正南面而已矣」！

②衛靈公：「子曰：君子矜而不爭，羣而不黨」。

③衛靈公：「子曰：「君子哉！蘧伯玉，邦有道則仕；邦無道，則可卷而懷之」

④泰伯：「以能問於不能，以多問於寡，有若無，實若虛，巍巍乎，舜禹之有天下也，而不與焉」。

⑤爲政：「子曰：君子不器」。

⑥泰伯：「民可使由之，不可使知之」。

⑦子罕：「吾有知乎哉？無知也，有鄙夫問於我，空空如也」。

⑧子罕：「子絕四：毋意，毋必，毋固，毋我」。

⑨子罕：「子在川上曰：逝者如斯夫，不舍晝夜」。

⑩先進：「子曰：回也，其庶乎，屢空」。

⑪顏淵：「子曰：聽訟，吾猶人也，必也使無訟乎」！

⑫顏淵：「季康子患盜，問於孔子，孔子對曰：苟子之不欲，雖賞之不竊」。

⑬陽貨：「子曰：『予欲無言』，子貢曰：子如不言，則小子何述焉」？子曰：「天何言哉！四時行焉，百物生焉，天何言哉」！

在這些例子中，所謂「無爲」、「不爭」、「不器」、「無知」、「屢空」、「無訟」、「不欲」、「無言」等，不僅含有道家的意識，而且都是道家常用的術語，卻出現在孔子的言論中。可見即使是儒家的先師，也帶有幾分道家的色彩。

不過在這裡，我們必須認清一點，雖然前面我們從書經、易經、詩經和論語四書中，尋出了許多含有道家思想的例子，但這只是告訴我們在老子以前的古籍中，已有道家思想的源索，而並不能證明這些帶有道家思想色彩的人，就是成色十足的道家人物。孔子便是最顯明的例子，他的言論中雖然偶而帶有道家的色彩，但這只是前人思想的遺蛮，在他們的思想中不自禁的反映出來能了。

朱熹論讀書

・陳宗敏・

朱熹是一個成功的讀書人，他的學問淵博而穩實，得自他的好學，他曾說：「資敏不學乃大不敏，有聖人之資，必好學，必下問，若就自家杜撰，更不學更不問，便已是凡下了，聖人之所以爲聖也，只是好學下問，舜自耕稼陶漁以至于帝，無非取諸人以爲善，孔子說禮吾聞諸老冉（耳旁），這也是學於老冉，为知得這一事。」所以他一生的治學精神與方法，可以從他論讀書的許多話看出來，這些話直到今日，仍然可以有益於青年人的借鑑，現在將它歸納畧述如下：

①立志：「立志不定，如何讀書。」、「心不定故見理不得，今且要讀書，須先定其心，使之如止水，如明鏡，暗鏡如何照物？」這是讀書的首要原則，和孔孟教人要尚志，要做君子儒的話相同。這一個大原則一經確立，生死以之，任何艱辛挫折皆不能動搖，更不論外物之引誘。

②虛心：「易曰：君子以虛受人。書曰：惟學遜志，舊有某人來問事，畧不虛心，一味氣盈色滿，當面與他說，他全不聽得。」不能虛心也是爲學的一大毛病，青年人最怕的是好自以爲是，不肯用虛心接受別人的意見，不肯用虛心去思考問題。

③平實：「某嘗謂人之讀書寧失之拙，不可失之巧，寧失之低，不可失之高。」「讀書須是徧布周滿，某嘗以爲寧詳毋畧，寧下毋高，寧拙毋巧，寧近毋遠。」志大的人常常好高騖遠，反而不切實，所以朱熹又說：「今之學者，只有兩般，不是玄空高妙，便是廣淺外馳。」豈止朱熹的時代如此，任何一個時代的讀書人也有很多好炫奇、不務實的。朱熹教人爲學要平實，更教人教學也要平實。他說：「今之談經者往往有四者之病，本卑也而抗之使高，本淺也而鑿之使深，本近也而推之使遠，本明也而必使至於晦，此今日談經之大患也。」因此他又說：「經書有不可解處，只得闕，若一向去解，便有不通而謬處。」、「說過理不要大驚小怪。」這種平實的精神，就是一種知之爲知之，不知爲不知的學問上之誠實。

④純一：「讀書須純一，如看一般未了，又要般涉，都不濟事。某向時讀書，方其讀上句則不知有下句，讀上章則不知有下章，讀中庸祗讀中庸，讀論語則祗讀論語，一日祗看一二章，將諸家說看合與不合，凡讀書則冷淡無味處，尤當著力推攷。」這也就是說讀書不可貪多，看一書時，便應專心純一的去看，方能收益。「今日學者不長進，只是心不在焉，嘗記少年時在同安夜聞鐘鼓聲，聽其一聲未絕而此心已自走作，因此警懼，乃知爲學須是專心致志。」這幾句話可算是他在讀書生活中親自體會的實際經驗。

⑤致疑：朱熹訓門人說：「諸公所以讀書無長進，緣不會疑，某雖看至沒緊要底物事，亦須致疑，纔疑便須理會得徹頭。」但是他却又說：「學者講學多是不疑其所當疑，而疑其所不當疑。不疑其所當疑，故眼前合理會處多蹉過，疑其所不當疑，故枉費了工夫。」懷疑的態度在讀書求學過程中有很大的價值，但是必須疑其所當疑，纔有價值，否則不僅是枉費工夫，而且危險。

⑥思考：思考兩字，朱熹稱之爲思量、窮究、玩味、理會、通貫、精熟。關於這些，他也說得不少：「爲學讀書，須是耐煩細意去理會，切不可粗心。」「讀書只要將理會得處反覆又看。」「讀書著意玩味，方見得義理從文字中迸出。」「讀書通貫後義理自出。」「歐公言作文有三處思量，枕上路上廁上，他只是做文字尚如此，況求道乎？今人對冊子時便思量，冊子不在心便不在，如此濟得甚事？」「某舊年思量義理未透，直是不能睡，初看子夏先傳後倦一章，凡三四夜，窮究到明，徹夜聞杜鵑聲。」「某嘗說看文字須似法家深刻，方窮究得盡，某直是下得工夫。」「學者只知觀書，都不知有四邊方始有味。」「須是一棒一條痕，一摑一掌血，看人文字要當如此，豈可忽畧。」「讀書須是成誦方精熟，今所以記不得說不下，心下若存若亡，皆是不精不熟之患。」

由上引述，我們清清楚楚的看出朱熹的讀書精神，他的廣博精深的成就一點也不是偶然的。他的一生，以學問爲志業，志向高遠，但脚步穩健；眼光敏銳，但超乎平實。他自論爲學工夫說：「以至敏之才，而做至鈍底工夫。」他老老實實的告訴我們，他的學問成就是從勤奮切實中而來的，「某不敢自昧，實以銖累寸積而得之。」時至今日，讀書仍然沒有偷機取巧的捷徑，朱熹這些話，還照舊有供青年人做參攷的價值。

雷震與「自由中國」

當年內幕誰知道　一番往事話從頭

王曰叟

（一五）

「自由中國」的第一卷，第一期創刊號是于民國三十八年十一月二十日在台北出版的，社址是：金山街一巷二號就是雷震的公館，那時還是薄薄的一本，連封面才有二十四頁（即十二張），內容極爲稀鬆，除了刊首的「自由中國的宗旨」和「發刊辭」外，連翻譯和文藝一共只有短短的六篇文章。計爲：胡適的：「民主與極權的衝突」，傅斯年的：「自由與平等」，雷震的：「獨裁、殘暴、違背人性的共產黨」，殷海光的：「思想自由與自由思想」，沈晦的：「從赤色家庭解放出來」，和一篇翻譯文章「一個俄國空軍上校初到美國」。

其他問題，後面自有交待。有一點，爲了行文方便，我們要在此處提一提的，就是那篇「從赤色家庭解放出來」。此文內容敍述周恩來的弟婦，高郵馬順儀女士爲了共匪殘暴滅絕人性，鬥死她的老父馬倩卿，因而不避權勢，鄙棄富貴，逃出赤色家庭，反共來台，故事有血有肉，悽慘動人，作者沈晦，便是高明教授的筆名（高氏亦爲高郵人，與馬家爲世交，故能知之極清楚）。其後高先生又寫過一篇：「身份證的秘密」，此在高氏雖爲遊戲之筆，（高氏係應副總編輯張起鈞氏之請而寫者），但却開創了反共文藝之先河，這是值得一提的。

閒言亦敍過，再就問題分析的角度來談。凡是知道內情的拿過這創刊號一看，就會感到驚奇詫異。原來選出負責的人氏怎麼全不沾邊，張、崔、毛、王各位沒有一個人有文章，並且連名字也未出現，編輯欄寫的是「自由中國編輯委員會主編」，這就好像與那些位教授一點關係都沒有。但在另外一端，却赫然大書特書著發行人是胡適：這一事實不僅與事的授教們，事前毫不知悉，就是胡適本人也一樣是睡在鼓裏，可是就一個不知內情的讀者來講，却要信而不疑，不會想到有什麼問題，因爲刊首的「自由中國的宗旨」是胡適寫的，揭出了辦此刊物的旨趣，並且還有一篇與此宗旨相配合之極有分量的文章「民主與極權的衝突」，若不是胡適自己担任發行人，那裏會有這兩篇東西，讀者諸君果眞有此想法時，那就證實雷震的手段高明了，他就是要拿這篇東西，來騙使大家眞個相信胡適是發行人，因而以自抬身價，至於這兩篇東西的原委是怎麼一回事呢。老叟可以用八個字道盡底蘊，那便是「移花接木，買空賣空」，詳情限於篇幅，容老叟下回分解。

巨變歷險記！

北平景色

（四二）　胡慶蓉

在天津淪陷之後，在林彪到處找丁議員之際，丁議員已經脫離魔掌來到北平了。

廿八小時的徒步，是够丁議員累的。特別在林彪猛攻天津不眠不休之後。沿途冰天雪地，寒風凜冽，一不小心，就會跌倒地上。跌倒了，爬起來，還是走。又跌倒，又爬起。還是走。他又把抵抗的希望寄托在傅作義身上，他又把希望放在北平。

在他看，北平太重要了。北平為歷代的故都，民國以還，前十六年，北平還是中國的首都。十六年後，國民政府建都南京，但北平的重要並沒有削減。不入虎穴，焉得虎子。北平可以躲開，但北平的重要，誰也不能消除。共匪就看中了這點，於東北得手之後，就移師關內，包圍天津，威脅北平，其包圍天津，可以說是一種手段，其目的還是在北平。所謂醉翁之意不在酒。天津得手之後，其必進一步圖謀北平，也在丁議員意料之中。他還是知其不可為而為之。擒賊擒王，必是共產的戰畧政策。

林彪為得到丁議員，除派員常川駐守他的公館外，並在天津各車站派員切實檢查，但他却不知丁議員出如脫兎，在鬼不知神不知之中，混在難民中，一溜烟跑到北平去也！

當他加速跑到北平之際，他不禁大吃一驚，怎麼傅作義在唱空城計，城門大開。城門看不見守城的士兵，城門外的工事，城門裡的工事，也看都不見士兵，士兵那裡去了呢？丁議員隻身進北平，誰也不曉得！他對於北平的這種情況，感到非常失望。他從西直門進去，西直是通頤和園的大門。從這裡進去，丁議員絲毫沒遇見阻碍。進了西直門，看看也是人稀少得很，簡直可以說沒有人，連警察都不見了！警察又那裏了呢？又為什麼去呢？當然電車也不見行駛。就連人力車也不見了。這又那裏去了呢？這又為什麼不見了呢？丁議員還是步行、步行、步行……走行西四牌樓、西單牌樓、西長安街、中山公園門前、天安門前，也還是靜悄悄的。從天安門南行，繞過大前門，望望東火車站，車也都停在那裡，但還是看不見人！人為什麼都不見了呢？丁議員又走，又向前走，穿過近陽門的牌樓，面前的前門大道，旁邊的大柵欄，煤市街，鮮魚口，仍然是一樣，給人感到奇怪……！

暴雨欲來風滿樓，這怪奇的平靜，一定有什麼大的變化。這簡直是空城計，是不是傅作義開門揖盜？是不是匪軍就要進來？丁議員在疲憊之餘，需要喝口水，需要吃點東西，但沒有辦法，所有的生意也都停頓了，也都關門了。最後，他還是步行到東單牌門，轉而到趙堂子胡同，到他自己的家裡。他實在太累了，他就倒了下來……

生活漫談

蓮藕補血、止血、清血

・馬騰雲・

蓮藕以京杭兩地出產著名，廣州泮塘產亦佳，所含澱粉質特多，煮熟「鬆粉甘香」，生食爽脆清甜，製為「藕粉」，有特異的「藕香」。蓮藕的澱粉及炭水化合物，對人體營養是最適宜，藕是蓮的粗根，含有蛋白質，澱粉，蔗糖，葡萄糖，脂肪。灰份及維生素C等，還含有天冬鹼和豐富的「柔（革旁）質」，柔質有「收歛止血」作用，對各種出血，慢性下痢，婦人帶下等有很好的治療作用，（柔質不只鮮藕含有，就蓮葉，蓮梗，花蕊，蓮子衣等皆有。）本草謂，藕生用能凉血，散瘀，熟用能補心益胃，為清凉解熱藥。患貧血而常發虛熱的人，可用蓮藕燉瘦肉食用。一位中年婦人患貧血，面部浮腫，心跳痰多，常流白帶，每日用蓮藕燉淨瘦猪肉，而加入一些陳皮，十數日現象轉好，面部浮腫亦退，心跳漸復正常；其後不用陳皮，加入一些白芥子，飲十次八次，吐痰大量減少，帶下竟癒。其後又不用白芥子，加入二兩淮藥及紅棗五倆，經常飲用，身體很快康復。有胃病的人食用蓮藕，只飲其湯，不可食藕，因為澱粉質多，食後有「飽滿」現象。用生藕搗汁飲（如沒有胃病而消化健全者可食生藕），功能解酒及藥毒，嗜酒的人易患風濕酒濕，關節疼痛等症。飲鮮藕汁，可以預防，因藕汁有清血功之效。年老或體弱的酒客們，可將蓮藕蒸熟（勿蒸太久）然後榨汁飲亦可，鮮藕汁能散暑熱，解著毒，對咯血，吐血，鼻出血均很有效，若嘔血太多，飲兩三碗生藕汁仍未止者，最好每一次以一大碗起碼，加入三份之一的「童便」。因藕的「柔質」能「收歛止血」。小童常生瘡癤，或屬胎毒的皮膚疾患，或因血熱而皮膚紅腫，可常榨鮮藕汁飲用。面部常生暗瘡，亦宜用「鮮藕汁」。熟用轉為補血補氣，故血行暢旺的人，飲煮熟蓮藕湯後，會感到皮膚發癢，有時還會喉痛，宜分別清楚。「蓮子」健脾，能加强心力，增進消化，止洩瀉，治遺精，患慢性腸炎，及神經衰弱的人，蓮子可用為補助療養藥物，蓮梗及葉，可為收歛藥用，對於慢性腸炎，痢疾，腸出血者有益，蓮子紅皮者為洞庭湖產，叫作湘蓮，煮時易熟，白皮者產自福建名叫建蓮，不容易熟，其成份畧同，沒有甚麼偏差。（完）

催眠術研究　四五

鮑紹洲

五十二、對睡眠者之催眠法

已經在睡眠中亦可催眠，使眠睡者不致醒覺。而轉移於催眠的一種方法。這種方法是用心力從頭部至胸部間，用不觸身體的下撫法，下撫約十次左右，且暗示道：「不可醒覺甚好眠」，「更好眠」，「雖然睡眠，亦能聽我的話」。如此反覆暗示。一面用撫下法徐徐撫身體，最後用强力撫之。當被術人未醒覺而催眠時，施術人靜舉其手而暗示道：「此手舉起不可動。」如被術人的手不下墜即已催眠，如果下放則為睡眠而非催眠。如舉手不動，命其下放則下，命舉手則舉，這即是已經被催眠了。這種方法的對相，是曾經為催眠狀態者，乃更為容易。即先暗示道：「今晚當君睡眠時，我為你施行催眠術，你自感應於暗示催眠」。於是等待被術人睡眠後力可施行催眠。如此行之便更催眠。或者先向被術人預約今夜催眠，到行催眠的時候，以手觸其身體而醒覺，則乘其一覺之一剎那間暗示道：「現在為你催眠，請順就此睡眠吧！」以此種情形催眠，則更勝於無約定的催眠。如果遇到感性甚低的對相，施行了種種催眠仍無效果者，當可行用約行催眠法。但這種催眠法，非甚為熟練者不為功。有曾經數次下撫即醒者往往有之。若因撫下而醒者，此時是由睡眠而醒覺。施術人可於此一剎那間施以誘導的暗示，此為至易。如有熟眠者，可撫搖之，或高聲暗示之亦不醒時，可用紙轉條穿入鼻孔中，自然醒覺。施術人即此在一剎那間用誘導催眠之暗示，亦可催眠。

這一代

艱苦的大姊

黃若琪

常言道：「父母最疼老公。」不幸，我却是家中的老大，下面尚有三個淘氣異常的弟妹，於是我這個「大姊」雖做了，這邊是老二的聲音：「大姊！幫我縫縫扣子！」那邊又是老公叫著：「大姊！我的制服不見了！」唉！一起床，就連個喘氣的空閒也沒有，誰教我是老大呢？

由於父母經營一個小小的豆漿攤子，成天忙碌不堪，於是家務自然落在我身上，因而從初一起，我就學得一手好菜了。沒課時，我也去幫忙照顧攤子，在這以前，我總覺得「一個堂堂的大學生，竟得端東西給別人吃，多失面子！」於是，剛經營這個小攤子，我根本不願走近一步，父母雖然忙得無法分身，也不敢教我去幫忙，後來，我自己看不過去，遂鼓起最大勇氣走近去幫忙，久而久之，也就習慣了，並且深深體會到我以往的想法實在不對，同視古今名人，有多少不是從苦難中起來的？我在攤子上，認識了不少人，有可愛的小女孩，她們若看不到我，就問媽媽說：「大姊姊今天怎麼沒來？」等到我第二天去時，她們又爭著告訴我昨天上學時發生了什麼事，等等，等等……，眞可愛啊！還有好多伯伯，每次來吃豆漿，總要問這問那的，大大稱讚一番，眞是慚愧啊！總之，我在攤子上學到了該如何待人、處事，脾氣也改變了不少。

我的個性屬於「內向」，不喜歡嘻嘻哈哈的，寧願躺在草地靜靜的看書，所以朋友不多，但俗語說得好：「交友滿天下，知心半個無。」朋友何在乎多，只要有一、兩個志同道合的朋友就夠了，所以，我並不遺憾。在看過的書中，我最欣賞流浪者自傳、塊肉餘述、約翰克利斯朵夫，他們都是描寫主角如何和環境中奮鬥的故事，尤以約翰克利斯朵夫，他命運的惡劣相信無人可比，可是他却那麼不屈不撓，終於成功。每次，我遇有不如意事，我就想：這點困難和克利斯朵夫比起來，還差得遠呢！於是我不再氣餒了。

我選定了「教育」這行工作，我要盡心去做好它，但願不誤人子弟。同時，我不願在這繁華的台北工作，台北是一個容易令人墮落的地方，我要到南部或東部安靜的鄉下，心平氣和的教書，安安靜靜的度過此生。

海國秋涼（二七）

・文自粹・

海內風塵諸弟隔
天涯涕零一身遙

到第三侵曉四時，廣州灣已隱隱在望，用無線電拍報去，也無復音。大家因為在舟困頓已久，今一見自己管屬陸地，非常高興，原想將登陸艇靠岸，全體上去。後來鑒於虎門之失，大家一再斟酌。還是先派幾只橡皮艇上岸去察看情形再定。主席吩咐先下四只橡皮航，帶二排人，每艇有一人司指揮，同人為廳長毛松年、陳昌丘，總經理杜梅和和瘦鵑。關上原掛着青天白日旗，現在降落了，掛起了紅星旗，大家已知危險，趕快回駛。岸上已開到共匪部隊，向橡皮艇掃射。橡皮艇上警衛隊只好一邊應戰，一邊退却，毛廳長、杜總經理和瘦鵑三人指揮的艇都已安然返回，陳昌丘廳長指揮的艇被俘。後來我們到了海南島，陳廳長才得間逃回。

廣州灣既不能停，廣東省已無地可守，只有命令登陸艇向海南島進發。由廣州灣去海南島有二條路可駛，一條路沿着陸地，過北溝坑，七極島，外羅，比較近；但要經木欄頭，這是有名的危險大旋渦，過得去一日半可到。另一條路要出大海面，走香港海南航線，比較平安；但太遠，船上淡水飲料怕已不夠維持。只有冒險經過木欄頭，總算也平安渡過了，一日半到了海口。陳伯南長官處先已拍了無線電報去，也未接復；或者海上風候太差，亦未可知。但時至今日，只有大家捐棄夙嫌，一心救國救省。余主任長官因公由島飛港到重慶去。薛主席登陸，和陳長官商量好，在島設立省府辦事處，成立造幣廠，吩咐海口分行招致技工，用銀磚製成銀洋。費了一星期的試驗，用新模型鑄出的銀洋和從前中央銀行鑄出的一樣，薛主席知道這時軍心思安，零用不濟，如無硬幣，已不足以資鼓舞。一聽說已可出品了，電囑瘦鵑在廠監造，并先送幾十個來看看。海南島有一種蒲草，可編成草袋，也很堅韌，大都是出門帶硬幣用的。我於午夜二時送去，主席和隨員還在客廳裡往復走着。等我取出新幣，大家反復和舊幣比看，十分正確。後來有人拿來叮叮噹噹一敲，舊幣響音清越，新幣暗啞。主席大不高興，電問技師，究竟是什麼原因？限二天內研究解決。我又趕回造幣廠，技師們正在愁眉苦臉的做成分覆檢，到第二天發覺新幣銀液似已給人滲入劣質錫料。秘密追查，才知是立場不穩的工人兩個人商量攪的鬼，他當然希望造幣不成；雖造成而品質低劣，駐軍信心動搖，匪徒就可造作謠言，配合軍事解放海南了。還好試驗的時候發覺，這兩個工人交去槍斃，還趁此查出有二位職員，也受過共匪宣傳蠱惑，防衛司令部拘究。第三天就將新幣造成了，不但比得上龍洋和　國父紀念幣，經仔細分析，新幣成分還高了些，以後用到市場，作價常常超出舊幣，為百分之一百十五至二十。軍心士氣，安定下來了。到農曆年前，主席又叫瘦鵑飛到香港向分行提來六十萬港幣，十萬美鈔，這樣部隊和公務人員，雖在客中，還是過了一個相當熱烈的年節。

自由報

中華民國內政部登記證內警台報字第〇三一一號
中華民國行政院新聞局登記證局版台誌字第三二三號
中華郵政台字第一二八二號執照登記爲第一類新聞紙

（第九六三期）

（半週刊每星期三、六出版）
每份港幣壹角・台灣零售價新台幣貳元
社長李運鵬・督印黃行灝
社址：香港九龍彌敦道593—601號
廖創興銀行大廈八樓五座
LIU CHONG HING BUILDING
7th FLOOR FLAT 5
593—601 NATHAN ROAD,.
KOWLOON, H.K.
TEL：K303831
電報掛號：7191
承印：景星印刷公司
地址：嘉咸街廿九號地下
台灣總管理處：台北市大同街119號
台灣區直接訂戶　台郵劃撥戶五〇五六號張萬有（自由報會計室）
電話：七一四〇三三、五五五三九五
台灣分社：台北市西寧南路110號二樓
電話：三三〇三四六，台郵劃撥戶九二五二樓

調整稅官待遇能防貪污並加强稽征嗎？（下）

陳天式

爲什麼政府提高或調整稅務人員的待遇尚不能交換得稅務人員的忠誠和廉介呢？難道稅務人員都不是人類，都已表盡了作爲人的天良嗎？非也！稅務人員也是人生父母所養，凡一般人所具有的本於良知良能的品性，稅務人員也一定是具有的，何況稅務人員也都曾受過教育，而且其中還有秉持最高尚之情操，最純潔之理想者，作爲對國家，領袖和政府之願該有所貢獻與出力報効和盡忠職守，稅務人員也是絕不自外於一般公民或一般公務人員的，今天稅務人員之所以貪污不法並且而破壞國家的庶政和風紀，原因之形成是非常複雜的，而且還是不能由稅務人員本身來負完全責任的，如果因爲政府率先調整了稅務人員的待遇之所謂「不概與情」，就把所有的罪過都嚮之於稅務人員，這就顯然有失公平了，不是眞正的輿論了！如香港二月廿二日的九三四號「自由報」的「稅務員加薪難獲各方同情」宏文之的表示：「茲據有識人士作透闢之見解稱：司法官前有司法津貼，固可使多數廉潔法官，稍資補助。但不肖者仍貪瀆如故，因在目前社會道德墜落下，絕非千數百元新台幣，所能饜其物慾而止其貪念。但稅務人員中固非無清白自持者，但難與法官並擬。」

平日習見高下稅吏，節令受酬，託求受報，絕不營營苟苟，藉勢要挾，一如自然，財貨俱到，情禮兼備，損法無污，瀆職無玷，十年游稅，靡不儼然殷實。側聞就台北區而論，每一豪華飯店，每一高級色情娛樂場所，而在開創之始，能先一試爲快者，悉爲上列人物所佔也。其不肖之徒，隨便收點「小紅包」也在五千元之數，日積月緊，洋洋大觀，受者納者，心安理得，天衣無縫，撿舉又奈何？稅改會之所擬，起碼四千元至萬元以上待遇，就能達成發廉戢貪，豈非癡人說夢？欲求稅政之徹底改革，勢當由另一權力機關，訓練青年幹部，於稅政機關內分設監察組織，有如軍中之現行監察制度，或可有起死回生之望，藉此以獻執政黨十全大會參考。」這說明了貪污不法的破壞國家的庶政和風紀，其實任與罪過是不止稅務人員的，最少還該有司法官！也更說明了貪污不法的破壞國家的庶政和風紀，目前社會道德的墜落是要負其全責的！

「節令受酬」或「託求受報」，既是「絕不營營苟苟，藉勢要挾，一如自然」，則「受者納者」，都「心安理得」了，而且「損法無污，瀆職無玷」，在一個走歐美民主法治路線的政治體制之範圍中，如果能夠不留證據，便是「天衣無縫」了，相激相泊之後，就成了一種普遍的生活意識形態，除非聖賢，任誰也將無法超脫此之形態，何況稅務人員還是「要進天堂比駱駝過針孔還難」的人，要共責他們不該貪污，不能貪污，這在情理上是顯然說不通的！

雖則如此，但作爲稅務人員之貪污不法的破壞國家的庶政和風紀的原因，除了上面可分析的，尚有許多非常複雜者在。如目前國家經濟的初期資本主義形式與農業文化變向工業競爭之畸形發展，日本軍閥給台灣所遺留的海島生存心理的「笑貧不笑娼」，北伐以後「政治黨代」的北京政府之貪污腐化的劣根之死灰復燃等等，都是最優良引發和誘導！而最重要的，則是最近數年之中的財稅領導人物之過份無能及一意孤行於違背領袖訓示，放棄國家「毋忘在莒」的時代性要求，遠離「國傳統文化倫理之規範，因此愈演愈烈，稅務稽征之敗壞便到了不可收拾的程度，而必須政府用提高或調整待遇來交換稅務人員的忠誠與廉介，這眞是說來痛心了！自然，最近數年之中，財稅領導人物在文字或宣傳的鼓吹上，也的確做了不少激濁揚清工作，如所謂特優人員推薦，用人惟賢及用人惟才辦法，輪調及督察制度，懲戒貪鄙不法人員之類，似乎都很有聲有色，原不必政府用提高或調整待遇來交換，稅務人員早就忠誠廉介了！但究其實，則完全不是這麼一回事。特優人員推薦云云，只是一個蒙混　領袖的騙局，蓋此種特優人員，在被推薦之後，尋即以不法受懲聞；用人惟賢惟才辦法，那更是一片胡話，蓋今日稅務人員之任用，考績、獎懲、移調，以「紅包」之有無多少來決定已成了公開秘密，甚至在稅務人員訓練機構之中，有公開訓示新進人員謂「攷取了稅務人員比中了愛國獎券還要好得多」的說法，而所謂督察懲戒不法一則不過是辦辦可幹事，使知「有辦法」者「損法無污，瀆職無玷」而已！如此這般，「高下稅吏」便成了一個貪污集團，腐蝕國家討毛反共基業根本的罪惡淵藪！於是，有背景的稅務人員就一定要貪污了，貪污了之後可以優級升官，可以「每一豪華飯店，每一高級色情娛樂場所，而在開創之始，能先試爲快」；沒有背景的稅務人員，更非貪污不可，而且必須貪污，才可以維持自己的生存。此中辛酸，說來令人髮指！非局中人而有天良有勇氣者，必不敢對之有所揭舉！此所以稅務人員之貪污不法的破壞國家的庶政和風紀的原因甚爲複雜也！

基於上述，可見把增加稅務人員的待遇作爲「賦稅改革的一個必要的先決條件」並視之爲「成敗的關鍵」之所謂專家，是沒有什麼意思的！而民意或一般輿論的反對單獨或優先增加稅務人員的待遇也是不曾擊中要害的，倒是贊成增加的人的意見還有一些可取。只是贊成增加的人的意見在本質上似乎也是有問題的，這就是與「增加稅務人員的待遇」相並行的「加强稅務人員的整飭和管理了」。關於這，前引「稅務」旬刊的社論所主張的「合理而科學化的加强管理辦法，綜合各方面消息透露，不外不列三點：第一、是在薪給之中扣發二成，俟退休時一次給付，如果違法亂紀，中途斥退，則不能辦理退休，亦即喪失該二成儲蓄之一次給付權利，由於月積年累的結果，其數字必甚可觀，對稅務工作人員當能產生本公守法謹愼工作的誘因，違法亂紀之意念亦將隨之減少；其次，由稅務人員自動申報其既有財產，若干年後運用淨值法推算，以瞭解其有無不法所得行爲；第三，利用電腦控制稅務資料的副產品，用以致察務稅工作人員的工作情形。」這三者，從書面上研究起來，自然是很理想的，但如我們前面之所引列，再加上最近輿論的有關批判，却似乎頗多牽涉，不一定就行得通，何況儲蓄之一次給付，既不是現實的，而且也不及貪贓枉法收入之可觀，要貪贓枉法，在現實心理的支配下，誰還在乎這些！特別是第三點，如果電腦所控制的資料，其原始來源就不正確，「致察務稅工作人員的工作情形」，便將流於形式了！足見這樣的整飭和管理在中華民國也不一定辦得通！因此，同一社論又補充了兩點辦法說：「第一，加强督察功能」；然後，「第二，事務性質的工作應成立統一專責單位集中處理。」前者上面已經有所討論，如目前之所表現，不會發生實效；後者的中心，理由是「爲加强稅務行政的效率，節減首長精力」，這更是不明瞭發展中的稅務行政的見解，因爲今日的所謂稅務行政首長，他們的精力，已經完全用到打麻將，捧紅舞女，捧紅歌星，做生意，軋頭寸，然后又轉而爲應對上級及輿論或民意代表對本身荒急之掙扎，根本就不會眞正發揮過對稅務工作的效能來，很兼之他們之得此「首長」，又是自「有辦法」中來，而非對　領袖，國家，政府及工作之努力與能力之表現及完全之忠勤而來，他們也未必有稅務行政的精力呢！加上所謂「事業性質的工作」，早已或爲主計單位「助紂爲惡」的破壞國家權益的「禁地」，用不着所謂「首長」去耗費所謂「精力」呢！

於是，包括了賦改會主張的稅務旬刊社論的「加强稅務人員的整飭和管理」的意見，祇必須更有一番補充與加强了。前引「自由報」的「稅務員加薪難獲各方同情」所表示的：「欲求稅政之徹底改革，當由另一權力機關，訓練青年幹部，於稅政機關內分設監察組織，有如軍中之現行監察制度，或可有起死回生之望」，或者是可以採行的。但由另一有權力機關分設監察組織於稅務機關之內，這不祇是大賤視稅務人員，太不相信稅務人員，而且也不合國家體制，何況軍中的現行監察制度也不是如此的。兼之，早就該是「另一權力機關」分設在「稅務機關內」的「監察組織」之「獨立主計」，如前面所研究的，現在如何了呢？還不是流瀣一氣，與稅務機關的主管以利害關係相勾結，而破壞國家權益了事！所以如何「加强稅務人員的整飭和管理」，問題還是應該從內部着手，人可以說是第一個最先決因素，這是應該絕對遵從　領袖在「何謂科學的羣衆時代」中的指示的，應該澈底改稅務機關有（一）充實幹部，（二）健全組織，（三）格守紀律的，然後再配上國軍部隊現在所發行的四大公開辦法，起用人才，發現人才，建立法治化的人事制度，把貪污腐化及無能而靠所謂「關係」和「有辦法」的份子絕對趕出稅務機關之外，并用北伐時代的嚴格整肅把他們加以整肅，更將他們的不法所得依法完全歸入國庫，以絕覬覦蠻倣。因此，則所謂「加强稅務人員的整飭和管理」或者還會有一些效果，否則的話，一切的一切，都不過是紙上文章，「癡人說夢」而已，不能發生任何實際作用的！（下轉第三版）

昨日與明日

遏止稅吏之威福

夏商

「革新政治」，「利民便民」，滌蕩貪歛，掃除爲民詬病之政風；這可以說當局已苦口婆心，三令五申，不知下過多少公文，令各級機關遵行，以新人之耳目。但是仍有少數機構公務人員，仍我行我素，視若罔聞。最爲人所詬病者，當推各級「稅吏」，其次爲人人皆知者。對於此兩種公務人員之腐敗政風，不僅是聞，而且是身受其害，躬親領教。

老百姓申請小本經營，或者軍人退役謀生，乃是國家憲法所賦人民之生存權利。可是凡只要涉及工商行業通稅吏一關者，總得「紅包過關」，否則麻煩徒增，損害不小。如一件工商登記執照之申請，如「關節不通」，休想過關，不是這不對，就是那不合，使你丈二和尚，摸不着頭腦，走頭無門，不知如何是好。如果以「紅包」爲先鋒，保君過關斬將，通行無限。

一個稅吏之善作威福之職權有多大？外人可以說莫測高深。據筆者親自領教，一個稅吏在一個轄區，可爲所欲爲，今天查這，明日查那。如稅吏在餐館請客，可以白吃白喝。筆者一個朋友的朋友請客，本躬逢其吃，原來料到竟是白吃，因爲那位朋友的朋友身爲「稅吏」故也！我想其他任何生意，不送紅包，麻煩滋彰不勝其擾，不僅過年過節要送賄賂，平日光臨商店，就得變相勒索，買東西欠帳，否則作象徵似的付錢，表示孝敬，如店東不識相者，下次請瞧顏色。以後貴店可當心查帳，不是說漏稅、逃稅，就是說商品不合規定，或者所報不實。執照上面登記未列入之商品不得買賣。總之稅吏如找麻煩挑剔，雖免沒有問題。如果稅吏一本職責，公平公正執行職務，爲國庫多增稅收，實無可厚非；可是稅吏找麻煩之目的却志不在公，而在私囊；此不但國家蒙受損失，擾民苛民，喪失人心，影響反共國策，實莫此爲甚！當局苦心孤詣，任令摧毀殆盡矣！

近聞當局以提高稅吏待遇而杜絕其貪，實爲揚湯止沸之措施，相信未得其效，反遭其弊，試問提高待遇就可以阻竭其貪世間絕此理！公務人員待遇應力求公平，何獨厚此薄彼，徒增大多數公務人員之不平之鳴。愚以此種舉措，實非智者之慮，應從長計議，要提高待遇，所有公務員應一律平等，以免影響整個行政機構之公務效率，不知我執事當局計及此否？

自由談

蕭記「臨時演員」

彰化大同實業股份有限公司代表人蕭柏煬，五月十九日在台中台灣日報，刊登大幅廣告，對監察委員陶百川攻擊很烈，筆劍唇槍，惡言相加，看情形監察院不放手的話蕭亦不肯罷休。

據說又有立法委員和高級財官攪涉在內，還有某羽扇綸巾專家從中設計指揮若定。有錢的人膽本來就大，再有這批「虎將」以壯聲勢，即是頭砍掉祇有碗大的疤，實在的說也沒有甚麼可怕的，何況監委們都是一批長袖羅漢。

而參予大同這筆退稅沖稅生意的「臨時演員」包括貴族官員與士大夫們，祇知本身有力量，有靠山就胡作非爲，而忽略了社會受公意統制，遠勝過法律。羣衆的道德判斷，才是人民生命財產的眞正保障。隨着社會的進展，早取代了武力地位。越文明先進的國家，表現出的越眞切，這是今日國民的常識。

大同公司這批「臨時演員」如果裝的還是滿腦子漿糊，仍憧憬着呼風喚雨或指鹿爲馬的一套，影响治安機關，從事除「良」安暴，變「正」爲邪有所恃而無恐，這種想法不能說未落已久，最少亦漸第雲烟，比被商利用作「臨時演員」還蠢，簡直蠢到不可收拾。

討毛救國的精神力量，就靠國內外（包括最高司令台——台灣在內）七億人民公意所趨，亦就是我們能打回大陸最佳的保證，難道有比民意更偉大的力量嗎？行政院對這次事件的處理，明快而果斷，可謂洽到好處。照常理大同公司案，本沒有這樣簡單，牠會使三名法官身繫囹圄，首席檢察官調職及高院院長被糾彈，未料最後事實與理想竟然相反，蹊蹺在此，癥結在此，監察院的指標在此。人民的注意力在此。

這批蕭記所雇的「臨時演員」現在應該覺悟了，如何善其後，望好自爲之，萬不可再用小錯掩護中錯，或用中錯掩護大錯。照中國人的傳統，天下很多事，便宜占不得，有便宜之貪心，即有不便宜之大怖，善哉斯言。貪妄者戒。

馬五先生

「假出口眞退稅」再起波瀾
濫用職權干涉審判
監察院彈劾孫德耕

（本報記者張健生台北航訊）監察院在廿四小時內，對彰化大同公司假出口冲退貨物稅獄罰鍰強制執行撤銷案，分別提出「調查報告」，「糾正案」與「彈劾案」，還在監察院的行政效率上可以說：前無往例。

台灣高等法院院長孫德耕，被監察委員陶百川等三人控以「濫用職權，曲解法令，阻撓執行，妨害裁判，爲商人圖謀不法利益，罔恤國庫横遭損失，以知法執法之人而抗法違法」，經段克昌委員等九人審查成立而提案彈劾。

彈劾案證明台灣高等法院院長孫德耕濫用行政權力干涉審判，此爲行政干涉司法的鐵證。孫德耕先生因時遇而任台灣高等法院院長，此間法界人士譏爲「檢來的院長」，給司法界留下多釆多姿的一頁而終，實屬難能之事。

王鎭等受賄案 迄今仍記憶猶在

話說彰化大同實業股份有限公司負責人蕭柏舟、蕭柏煌等於五十一年發生假出口眞退稅一案，乃於五十二年二月十八日會以新台幣二百萬元交與朱逸民，轉交給司法行政院調查局職員王琪代爲向台北地院檢察官王鎭，及事案小組副組長莫照活動，因此轟動國內外，而檢察官王鎭等因而被法院判刑。當時，台灣高等法院首席檢察官夏惟上因「處理王鎭、王琪、莫照、朱逸民、蕭柏煌等涉嫌勾串瀆職案，顯有違誤。」被監察委員陶百川等於五十二年五月廿四日提案「糾舉」。

殊料，六年後之今天，台灣高等法院院長孫德耕亦因處理大同公司案而被陶百川委員等提案彈劾，則大同公司實爲不祥之物！這是閒話，暫且不表。

彰化大同公司五十一年以假出口眞退稅被破獲後，其負責人蕭柏煌妄圖脫卸刑責，曾以新台幣二百萬元鉅款，分向台北地檢處檢察官王鎭等人行賄，俱經偵破分別判處徒刑。該公司冲退及逃漏貨物稅之犯行既臻明確，彰化縣稅捐處奉命於五十二年十月移送台中地方法院處罰，經台中高分院最終裁定處罰及追繳新台幣二千三百四十二萬七千五百零一元，該案正由台中地方法院強制執行時，五十六年十二月五日，台灣高等法院根據孫德耕院長之親批，突以原裁定「未盡妥適」爲理由，令飭台中地方法院函請彰化縣稅捐處撤銷強制執行。彰化縣稅捐處據以請示財政廳及財政部，旋即奉令同意撤銷。另有其他十四家同一犯行之廠商，亦援例倖免罰鍰新台幣五千萬餘元。

該案係監察院審計部所屬台灣省審計處職員吳國仁、陳章一循例抽查彰化縣稅捐處之財務時發現，爲大同實業公司之逃稅處罰，早經法院裁定；鐵案如山，何得擅予撤銷，當經層報審計部核辦，並請監察院注意。經監察院財政、司法兩委員會聯席會議推派陶百川、金越光、王文光、張一中、吳大宇委員等五人進行調查。

調查報告分爲三部份：關於台中地方法院部份，關於台灣高等法院部份，關於財政廳及財政部部份。

台中地方法院部份：彰化縣稅捐處對大同實業公司冲退稅獄罰鍰部份，於五十二年十月九日以彰化三字第四四七二八號罰鍰案件審查書移送台中地院裁罰，由推事徐煥宗承辦。五十三年三月廿五日，台中地院推事徐煥宗之刑事裁定書，其主文爲：「大同實業公司，虛報出口冒冲退稅捐，處罰鍰新台幣一千五百一十萬零二千九百三十二元正，並追補貨物本稅新台幣一百五十一萬零二百九十三元正，又追繳貨價新台幣七百五十六萬八千三百六十八元五角正（合計二千四百一十八萬一千五百九十三元五角），均限於接收本裁定書十日內繳納，否則，強制執行。」該刑事裁定書右上角註：「即繕印依法定期間送達勿誤。」並在該註旁邊加圈十五個，以示此爲重要之最速件。經庭長劉叔範蓋章後送呈院長朱士烈判行，但因朱士烈院長拒不批准，以致該裁定未能繕印及送達。

一件公文兩種處理 前拒後催希奇古怪

事隔一年四月又十二日，即五十四年八月六日，原裁定推事徐煥宗因病請辭，經庭長劉錫琰轉呈院長朱士烈核示，這同朱士烈院長不但不拒絕，而且立即批：「交劉庭長辦理。本案延遲已久，希速進行。」劉錫琰庭長於接辦後僅僅半個月，即五十四年八月廿三日裁定不罰，同一天，朱士烈院長即予判行，一天也沒有遲延，其行政效率之迅速，與前述押了一年四個月又十二日而不批准之態度相異，誠如語云，司馬昭之心路人皆知。朱士烈院長判行後之四十八小時內，司法行政部已決定調升朱士烈院長爲台中高分院首席檢察官，並於同年八月廿五日下達派令。

監察院調查報告對朱士烈院長曾痛加指責，謂：「查法院組織第九十條規定：「本章各條（關於司法行政之監督）之規定，不影響於審判權之行使。」此謂法官對於審理之案件有「依據法律獨立審判不受任何干涉」（憲法第八十條）之權，法院首長自當恪遵毋違。故朱士烈院長對徐煥宗推事依法制作之裁定不予判行，且既不向劉庭長說明其拒絕之理由，復不取得徐推事之同意而在事實上廢棄其裁定，顯屬不合」云。

彰化縣稅捐處接獲台中地院五十四年八月廿三日刑庭劉錫琰庭長裁定不罰之刑事裁定後，即於同年九月十四日提起抗告，經台中高分院刑一庭審判長推事鄭紅、推事王瑤、劉叔範於五十五年一月十日以五十四年度財抗字第四七五號刑事裁定處罰新台幣合計二千三百四十萬七千五百零一元，較台中地院刑庭推事徐煥宗之刑事裁定處罰新台幣減少七十五萬四千零九十二元五角。並即發交台中地院財務執行處執行。大同實業公司代表人蕭柏舟提出再抗告，並聲請更正原裁定，經台中高分院予以駁回。

拍賣的前一天 忽令暫緩執行

台灣高等法院部份：台中地院財務執行處推事李同孝遵照台中高分院刑一庭處罰大同實業公司之裁定，於五十五年三月三日將該公司動產及不動產予以查封，並定同年六月十六日上午十一時在彰化縣社頭鄉社頭村社斗路三十號之一公開拍賣，就在公開拍賣的前一天，彰化縣稅捐處函請台中地院「暫緩執行」，拍賣的當天，該稅捐處代理人李塔向執行拍賣推事李同孝說明並請准予暫緩執行，於是拍賣遂臨時中止。

台灣高等法院五十六年十二月五日以五六文正（二）字第三一七五三號令飭台中地院參照申一紡織廠之案例，函台彰化縣稅捐處撤銷強制執行。此項命令，台中地院於同月十八日接到，承辦推事李同孝奉令後頗感困惑，乃於同月二十日簽：「先呈院長核閱示遵。」李慶鶴於二十一日批：「李推事簽辦」。李同孝推事於廿二日即簽：「爲職受理大同實業公司違反貨物稅條例執行一案，前經對該公司不動產等物予以查封鑑價並辦理查封登記，暨正擬定期拍賣中，茲奉台灣高等法院五十六年十二月十五日抄發司法行政部五十四年三月九日令希參致依法辦理具報等因。查該案係經台中高分院裁定處罰確定，令發執行，雖高院原令認裁定不無可議之處，惟該裁定業經確定，執行法院似難遽予撤銷強制執行，並據彰化縣稅捐處函催繼續執行前來，擬先具呈台中高分院請將對於裁定如何處理，以及應否強制執行之處，指令飭遵。」經庭長劉錫琰蓋章後轉呈李慶鶴院長，李院長於同年月廿六日在原簽批：「轉呈」。但二十八日上午已爲台灣高等法院所悉，經其書記官長柴啓宸以長途電話阻止其請示，並催促其速辦。李慶鶴院長乃即撤回其待發之公文，並在原簽上又批：「暫緩轉呈（由財務法庭）函彰化縣稅捐處。」

彰化縣稅捐處接到台中地院財務法庭上項函件後，據以呈報省財政廳核示。此時，台灣高等法院復於五十七年三月十四日令催台中地院，經台中地院轉催彰化縣稅捐處。該稅捐處乃於五十七年八月廿九日函復台中地院：「經奉令核示：由彰化稅捐處函復台中地院同意撤銷強制執行：……等因到處，敬請貴院准予辦理撤銷強制執行，並予啓封。」台中地院五十七年九月五日將先後查封大同實業公司之動產及不動產全部啓封，並將發還被處分人，並將辦理情形呈報台灣高院鑒核。同案其他業經法院裁罰之八家及尚未裁罰之六家，亦均由財政廳通令免罰，已繳罰鍰並予退回。依照審計部估計之資料，此十五家之免罰總數約爲新台幣五千萬元。

終審及確定之裁判 依法不得再審
汲汲圖謀救濟令人不解

監察院調查報告批評台灣高院謂：台中高分院處罰大同實業公司之裁定，乃係終審及確定之裁定，依法不得再審或非常上訴，執法機關惟有強制執行，稅法如此規定，高院自應知之。乃高院在尚未研究該裁定究竟有無錯誤之前，即汲汲爲大同實業公司圖謀救濟方法，例如高院於五十五年四月卅日抄發蕭柏舟呈請救濟之副本令飭台中高分院「於文到七日內研議具報。」七日未滿，高院又於同年五月八日檢發蕭柏舟續呈台中高分院「希即查明依法妥速辦理具報。」迨台中高分院呈覆原裁定並無錯誤後，高院乃轉而請示司法行政部如何予以救濟。五十六年六月十六日及同月廿九日高院呈部之兩呈，即爲救濟大同實業公司而呈部請示者。

司法行政部五十六年七月六日令覆高院：「所呈該案如何救濟，當以原裁定錯誤爲前提，究應如何救濟，希逕行調卷審核，擬議具報。」七月十三日，高院令調台中高分院案卷加以研核。奉派研簽該案卷者爲庭長陳秦謙、張祥麟，其同月二十七日簽呈中之結論謂：「惟原裁定引用法條及其闡述理由是否有誤？」建議呈部審核，高院乃以速件請示司法行政部。同年九月廿三日，部令覆高院：「該院台中分院承辦大同實業股份有限公司違反貨稅條例案件所爲確定裁定有無錯誤，以及如有錯誤應予救濟時，均應由該院逕行審核處理。」經孫德耕院長批交陳、張二庭長審核擬議。

陳秦謙及張祥麟二庭長簽呈中除引述大同實業公司請求救濟之內容外，並「擬令飭台中地院逕與彰化縣稅捐處洽商辦理」。經高院孫德耕院長五十六年十月二十三日批：

一、本件台中分院之裁定，未盡妥適。

二、但財政部對於「貨物稅法第十五條第一項所稱之退稅貨物，而依同法第十八條第一項第十款，予以處罰」之意見，認爲可予處罰。按退稅貨物與免稅貨物，性質不盡相同，退稅貨物以已納貨稅爲前提，貨物稅法並無退稅與免稅相提並論，則依憲法第八條前一項：「非依法院依法定程序不得審問處罰」之規定，似有可議。

三、本件可將上項意見再呈司法行政部轉呈行政院核示，以便遵辦。

司法行政部五十六年十一月卅日令覆高院：「事關裁判上法律見解及執行問題，應由該院依法妥愼處理，無庸請示行政院。」孫德耕院長於同年十二月五日乃批：「一、錄前次（九月廿三日）所奉部令。二、再叙本院呈復意見。三、再叙此次部令。四、希參照五十四年部令辦理。」高院於五十六年十二月十五日令飭台中地院商請彰化縣稅捐處撤銷大同實業公司罰鍰之強制執行。

監察委員陶百川等於彈劾理由中，對高院孫德耕院長之橫加干涉，竟以行政命令停止強制執行，顯屬濫用職權。蓋「原裁定既未被認爲錯誤，則依照司法行政部之命，高院自不應侈言救濟。」

就執行言，倘大同實業公司對執行如有異議，應向台中地院財務執行處提出，若不服其裁定，可向台中高分院抗告。乃高院竟以命令飭令執行法院——台中地院停止執行，並飭令商彰化稅捐處撤銷強制執行，其橫加干涉，寧非可驚！

楊參事之意見 是非黑白分明

監察委員陶百川等之彈劾孫德耕院長理由書，曾引述司法行政部首席參事楊建華之簽呈，抨擊孫院長非是。楊參事提出之意見有謂：

一、按財務執行事件有二，一爲不經法院裁定之滯納案件，一爲經法院裁定之罰鍰案件。前者由稅捐機關撤回執行，固無不可。既經法院裁定確定，則涉及法院之裁判效力問題，任其撤銷，則等於以行政行爲在事實上否定法院裁判之効力，法理上似値攷慮。

二、或謂法院之執行，係適用強制執行法，稅捐機關居於債權人之地位，自可撤回執行。但查罰鍰之本質，爲行政罰，係以納稅義務人違反行政法上之行爲不行爲義務所加之處罰，故以刑事裁定爲之，與一般民事法保護私人權利者不同，雖用強制執行之程序，但不能變更其行政罰本質，刑事裁定確定處罰，似不能再由移送機關撤回，其理由與檢察官起訴移送刑庭判決確定，不能再由檢察官決定不予執行相同。

三、若謂財務罰鍰裁定確定，並無再審等救濟之途，如有錯誤不予補救，亦非平允之道。無論此乃立法問題或推事責任問題，而裁定是否錯誤，見仁見智，除法律另有規定外，似不宜由審判以外之機關認定。如由本部（司法行政部）認定，則以後續有援例，請求不予執行，不無增加處理困難。若由原送之稅捐認定則無異賦與稅捐機關審核法院裁判之權，實質上影響裁判之效力。出爾反爾（原由其移送），尤其餘事。」

司法行政部即係依此法理，拒絕刑事司長等引用申一紡織公司案例以救濟大同實業公司之結論。乃高院對台中地院之命令仍飭照申一紡織公司案例辦理，其離奇乖張，殊可驚異！

監察委員段克昌、陳慶華、楊貽達、劉延濤、李正樂、陳嵐峯、楊宗培、田欲樸、黃光軒等九人，同意提彈劾案之委員陶百川、金越光、張一中等三人的意見，認高院孫德耕院長令飭台中地院停止強制執行，濫用職權，曲解法令，阻撓執政，妨害裁判，爲商人圖謀不法利益，咎無可恕，特依監察法予以彈劾。

關於財政廳及財政部有關人員處理大同實業公司案之經過，將另行報導。

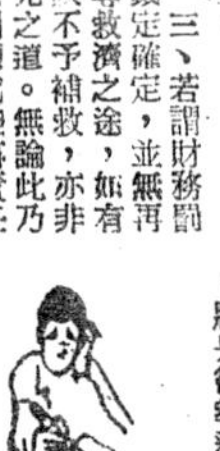

文匯樓剳記

青年黨排名起波瀾

「當此之時，捨吾輩青年奮起而以血肉與黑暗勢力相搏戰，則中華民國之前途，又安有光明之望哉」，見中國青年黨建黨宣言。

中國青年黨的青年，已奮戰到老年，中華民國的前途不僅未因青年黨的相搏戰而感到光明，相反的由於該黨明爭暗鬥，帶給人的印象幾乎是不可救藥，最近幾天爲了一點排名問題，波瀾再起，使人太失望了。

謙遜是中外古今公認的一種美德，外國人的格言：「謙遜能使凡人彷如天使，驕傲使天使淪爲魔鬼。」青年黨在大團結前爲了排名，要捨棄謙遜變傳一統年齡爲序，問題就從這裏發生，不用年齡當然用筆劃，用筆劃乃左舜生、李璜、余家菊、陳啓天，換句話，就是余家菊要和陳啓天換換位子，陳雖海量，苦笑難免。不過余家菊也很民主，他贊成筆劃多的在前，那就是說：陳、余、李、左。左舜生排在尾上固不太合適，陳啓天也不能這樣做，祇此一點爭執不能解決，外間的批評都跟着來了。

爲排名，自己帶給自己的煩惱，乃自己懲罰自己的一種「愚行」。因煩惱是心理破壞的利器，煩惱亦是人類中一種「病態」，青年黨代表大會還未召開，已經被「愚行」和「病態」困擾，還能談得上對國家前途光明有貢獻嗎？如果說排名是黨爭的必然性，萬世師表的孔老先生主張「君子不黨」又是對的了。

蔣總統很久以前叮囑左舜生將青年黨趕快團結起來，意義深長。凡懂得和關心國事者，都能體會到，這是復國的前奏曲，左舜生也很急，樓主曾以「左舜生隔海掌風」爲題，說的很多，祇可惜青年黨會寫文章的人太多，疑爲別人都是在寫文章，就像一個講謊話的，所謂「講謊話並不可怕，而是講謊話的人，將別人的話都當作是謊話，那眞可怕極了。」這一個邏輯如果適用於青年黨，那眞是年齡不會製造聖人，它只會製造老人了。

青年黨的宗旨未錯，對外力爭中華民國之獨立與自由，對內實現全民政治爲信條，目標的遠大，可是幾個姓氏的排名都在斤斤計較，即是說的都是眞方，誰又能相信沒有假藥呢？有一位中國青年黨中央執行委員對以筆劃爲序，發表意見說：「筆劃少的是丁副官，他不能列在張大帥的前邊。」陳啓天列首席，左舜生陪末座，兩個人可能都有謙遜雅量，但事實上很難這樣做，別說青年黨是在野的第一大黨，就是國際間做貿易也都有一個國際規格，例白糖的甜度是九九．九等，二十世紀七十年代，究竟不是兩百年前，美國西部紅番酋長時期了。青年黨如果祇知爲排名而爭吵，忽略了爲自由而拔劍，那將是金聖歎批王倫的話：「醜」！

・文匯樓主・

政治垃圾現形記（六）

第四回　好色騙婚，異域遍散假訃。忘恩負義，平生儘多陰謀。

李磐

前回敘述顧昌達慢妻寵妾而貽禍終身的事實，可謂敗於色也。然「食色，性也」，孔聖人亦不諱言，男人好色并不足怪，要在好之有道，不使醜聲四播，也就無傷大雅。例如顧昌達的日本士官學校硯友胡士惠，即在海外幹出過騙婚的行爲，雖然手段卑劣，令人齒冷，却未受到女人的禍害，影響前程，以視顧昌達，高明多了。

話說胡士惠生長於三楚間某省的一個農村裏，自幼束髮受書，資質亦頗聰穎，冠年肄業省城舊制中學時，便由父母之命，媒妁之言，娶下一名黃臉婆，生育兒女了。適逢辛亥革命爆發，各省響應，胡士惠在省城亦投入革命行列中，以相貌不壞，爲某省某都督賞識，初在都督府作副官，繼又担任衛士隊隊長，號稱得力。迨民國建立，南北統一後，某都督以胡士惠青年英俊，認爲可造之才，斥公帑保送他到日本學習軍旅之事。先入「成城學校」，畢業後投考士官學校及第，受訓一年半，正式結業了，而國內政局丕變，袁世凱仇視革命黨人，某都督不安於位，宜告去職。胡士惠感覺前路茫茫，回國來投閒無所，幸而留學的官費名額未被取消，他即決意深造，再進日本陸軍大學經理科，改習軍需課業。

經理科等於一般職業學校的課程，輕鬆多了。但學生制服還是跟其他各種兵科的學員一樣，當時日本盛行軍國主義，軍人地位高貴，穿着陸大制服的人，走到外面到處受人注目欽羨。胡士惠這時年紀不過三十來歲，課餘多暇，隨時身穿陸大制服，跟本國留學生來往交際，也參加學生們的集團活動，意氣煥發，精神抖擻，乘機認識了一位本國的女學生，她姓古，是南方人，年方及笄，明眸皓齒，娟秀動人，邂逅見了胡士惠後，彼此表示好感，她暗想胡氏將來回到國內，必然成爲領兵開府的軍政大員無疑，因而虛榮心爲之大發，對胡氏特別垂青，胡亦對她傾倒愛慕，拼命追求，終於兩情繾綣，論及婚事。但女方認爲胡士惠年逾而立，家中必有髮妻，深恐淪爲妾媵，而彼此省籍不同，無從查考，心裏狐疑莫決，對結婚問題諸多顧慮，不願輕許。胡士惠情急智生，乃即就發百份「喪妻」的訃聞，遍散於中國留學生，內容是：「喪門不幸，先室某氏某名，痛於中華民國某年某月某日，病逝原籍，士惠留學異邦，不及歸理後事，尤深傷感，特此訃告，敬祈矜察。」他首先即以掛號郵件，把訃文分別寄給古女士及其同宿舍的中國女生，廣爲傳播，另外更密函國內友人，從本省電報局拍一封明電致日本東京胡士惠云：「賢嫂喪葬事宜已告竣，希釋念。」士惠連忙將原電送給古女士查閱，以資證明，女方亦深信不疑，對胡氏的感情更進一層了，實則他在家鄉的黃臉婆壯健如常呢！

雷震與「自由中國」

當年內幕誰知道　一番往事話從頭

王曰叟

（一六）

首先且說「自由中國的宗旨」那篇。這也就是後來「自由中國」反對修改出版法，而每期用個小方塊，刊於卷首的那篇。這篇東西究竟是不是胡適先生寫的呢？一點也不錯，千眞萬確是胡氏自己寫的，不過却與這「自由中國」雜誌風馬牛不相及而已。爲了說明方便起見，我們且把原文照錄於后：

「我們在今天，眼看見共產黨的武力踏到的地方，立刻就罩了一層十分嚴密的鐵幕。在那鐵幕底下，報紙完全沒有新聞，言論完全失去自由，其他的人民基本自由更無法存在，這是古代專制帝王不敢行的最澈底的愚民政治，這正是共產主義有計劃的鐵幕恐怖。我們實在不能坐視這種可怕的鐵幕普遍到全中國。因此我們發起這個結合，作爲「自由中國」運動的一個起點。

我們的宗旨，就是我們想要做的工作。有這些：

第一：我們要向全國國民宣傳自由與民主的眞實價值，並且要督促政府（各級的政府），切實改革政治經濟，努力建立自由民主的社會。

第二、我們要支持並督促政府用種種力量抵抗共產黨鐵幕之下剝奪一切自由的極權政治，不讓他擴張他的勢力範圍。

第三、我們要盡我們的努力援助淪陷區域的同胞，幫助他們早日恢復自由。

第四、我們最後的目標是要整個中華民國成爲自由的中國」。

讀者諸君看過這原文後，是否發覺有些不知所云的地方。在二十年後的今天，尤其經老叟這一暗示，應該會發現了問題之所在吧，此刻先請諸君想想，下次老叟再作解答，請千萬不可要罵老叟賣關子。我們姑作一次猜謎遊戲，不是也很好玩嗎？

一生艱苦奮鬥的陳辭修（上）

・馬五先生・

古今來，凡屬能夠創造事業，担當國家大任的英雄豪傑之士，總是出身寒微，飽經憂患，有如孟子所說：「苦其心志，勞其筋骨，困乏其體軀，行拂亂其所爲，動心忍性，增益其所不能」，纔得成功的。幾曾見鐘鳴鼎食之家的公子哥兒，席豐履厚之流的紈袴子弟，而能在政治社會上大有作爲呢？準此原則以觀察當代人物，已故副總統兼行政院長陳辭修先生，足以當之無愧也。

陳辭公原籍浙江青田縣，家在明朝開國元勛劉伯溫讀書處——石門洞——的附近。他父親陳式文是一位秀才，家境貧寒，與同邑秀才季秉鈞（現在台灣作律師的季灝之父），交稱莫逆。秉鈞生長於縣城中，家貲饒裕，亦擅交際應酬，民國初年充任青田縣立高等小學校長，陳辭公則在該校讀書，未幾，季秉鈞升任縣視學官（即今之教育科長），他向縣府保荐陳式文接任校長職務，陳家從此亦由鄉村移到城內，季陳兩秀才的私交更趨篤實而濃厚了。

陳辭公高小畢業後，希望升學，陳老太爺亦同意，怎奈家境清寒，而青田縣此時尚缺乏中等學校，須負笈去杭州纔行，然旅費與學費又大成問題。於是，陳老太爺和老友季秉鈞洽商，擬邀約親朋若干人，以「打會」方式，籌集現洋二百元，作辭公升學之需，秉鈞個人就担負了六十元，纔告如數湊齊的。陳辭公帶着這二百元現金前往杭州，投考「浙江體育學校」及第，肄業一年後，學費又成問題，陳老太爺只得四處張羅，勉强應付。暑假後，陳辭公由青田坐船經溫州赴省城時，有位在北京政府充當末秩官吏的青田人杜志遠亦同船北上，沿途辭公對這位鄉前輩執禮甚恭，照顧備至，杜志遠覺得這個後生之輩知禮明義，頗爲嘉許，到達杭州臨別時，乃將自己在北京的通訊地址告知陳辭公，說是將來如有甚末困難，可寫信通知，當量力協助之。

繼而陳辭公在杭州體育學校以學費不繼，沒法攻讀了，曾函告北京的鄉前輩杜志遠訴述實情，杜氏即匯來大洋十元作旅費，囑辭公北上燕京，另謀出路。（未完）

滄海拾遺（五）

・赤松子・

老不收飽暖思淫慾　女秘書特別開快車

政府遷到重慶後，空襲日烈，參政會開會日少，不倒翁飽食終日無所用心，于是老登徒子淫興大發，想找一位女書記來發洩獸慾，去找胡子嬰介紹一位女書記，胡問他，請來派什麼用場？是眞當女書記，還是作候補太太？不倒翁冷笑道：今年我已在「耳順」以上，不久就是不踰矩之年，當此國難當前，那裡還有那種興致，子嬰，你不要拿我開玩笑了。胡子嬰也微笑道：潤老，這件事在我們新人物眼中，到不算一回事，潤老，雖然年高德劭，快近古稀之年，可是外國醫生說「人生七十才算開始」，只要精力彌滿，應付得過，你看西南這些大軍閥，討上一打太太的，並不算十分稀奇的事。你雖然早已兒孫滿堂，可都不在身邊，確是需要人招呼，如你眞是只請一個書記，只要文理精通，字迹端正，至于人的外表，無論十麻九怪，或者五官不正，年齡大點，都沒多大關係，如說找一位女士暫作書記，將來還要作黃太太，那總要她五官端正，眉目清秀，口齒聰明，年齡不要太大才行。因爲潤老你雖然頭禿鬢白，兩鬢如霜，還是眉清目秀，只像三十左右的人。說得不倒翁哈哈大笑道：子嬰你眞會開玩笑，難怪乃器一刻都離不開你啊！好，好，這事情拜託你罷。遂向胡子嬰打拱作揖道，只好找一個暫時書記罷。不倒翁去後，胡子嬰想道，萬不料這個老登徒子，平時滿口仁義道德，才是齊宣王一流人物，你想學乃器，你知道乃器雖然是印度小白臉，可是如狼似虎，能征善戰，并且腰纏美金，像你這種不中用的老傢伙，連我都不感興趣，你還想找年青女孩子嗎？我想女孩子稍有半點兒辦法，怎麼會當你又窮又老的一個書生的後補太太，除非你浦東鄉下的窮女孩，剛到重慶來的。好了，前天我劉清揚家碰見一位女孩子，說是要找事，聽她口音，很像浦東鄉下人，要是浦東，那就對了。當天晚上，胡子嬰就去找劉清揚，告訴不倒翁要找候補太太的經過，劉清揚把話沒聽完，就笑起來了，說道，怎麼搞的，前幾天聽說基督將軍也大講戀愛，眞是「飽暖思淫慾」這句話沒有說錯。胡子嬰道，我前天看見你那裏一位文秀女孩子，說是要找事，不知找着沒有？劉清揚道，沒有找着，也不能去做候補太太。胡子嬰道：清揚你成全這件好事罷，將來我們要利用他的地方還多呢。清揚聽了點頭道，這女孩叫蕭素秋約二十歲，聽說是浦東人，我勸她到延安去，她說怕陝西的狼，你看可笑不可笑，現刻不在，晚上或許來，來了我同她一道來找你好了。

調整稅官待遇能防貪污並加强稽征嗎？

（上接第一版頭條）

自然，從內部着手以「科學的羣衆時代」的方式來「加强稅務人員的整飭和管理」有人是會有理由來反對的，這就是一般所謂稅務人員的素質太差，受過了大學教育和得過博士學位的人太少，沒有能力來從內部着手整飭和管理。但這種說法却是不十分眞實的。

領袖在「十九世紀以來亞洲的形勢和我們愛國建國的要道」中說：「我們教育制度，太不現代化了，所以大學中很有學問的教授，有的教書教了好幾十年了，因爲他沒有機會出去考察求新，所以他今日用的講義，還是當初那一本一字不易的講義，領導新知識、新學術的教授，尚且如此，其他還用多說嗎？」

大學的很有學問的教授不過如此，則受大學教育對於從內部着手以「加强稅務人員的整飭和管理」是沒有什麼關的，何況最近這些年來，財務機關的領導作風還是「汰良留劣」，并盡量打擊有良知有能力有操守的知識份子的，稅務人員的待遇既低，名譽又臭，而且如果是沒有人事背景和「有辦法」的，前途更是一片黯淡，所以許多參加了高等或特等考試稅務人員考試及格的大學畢業生，都不來就任稅務人員了！指望用提高或調整待遇以維持稅務人員的素質而使之得以「加强稅務人員的整飭和管理」，不過等於「緣木求魚」，是不大有可能的！倒是從內部着手，運用「科學的羣衆時代」的羣衆力量，把四大公開推展開來，讓有良心、有能力，并忠於　領袖和國家的人才出頭，使貪污無能因整肅而絕跡，再配合上待遇的調整或提高，以實現賦改會所期望的多項賦稅改革目標，這一定是不會有什麼困難的！何況政府已明白表示決定要調整稅務人員的待遇了，如果在輿論的反對中把它停止了，其後果一定不堪設想！還是一方面調整，一方面督促稅務機關激濁揚清，則事半而功倍將必不難於預期的。

（完）

海國秋涼（二八）

·文自粹·

過了元宵不久，一天晚上，大家還在唱唱鬧鬧，沒有睡覺，忽然防衛司令部有緊急電話，請主席去商量。已近午夜一時，原來是哨兵發現對面白沙港，西冷燈樓角，東照博，密密的小船像螞蟻般，正向海口這邊過來，船上還有燈。經會商決定，立即加派隊伍，展開警戒。從高處用播音機喊話：不許這些船夜裏開過來。但他們不聽，還是一閣閣地過來。到離岸三十丈許，已可看得出，前面大都是艇戶漁民，他們叫着，不堪共匪迫害，要過來求平安。他們如果是少數一、二十隻船，夜裡偷偷地駛來，我們還可相信得過。像這樣幾千隻船一齊來，一定是共匪陰謀，他們以漁民爲人海，匪軍就潛伏到艇戶後面，想一鼓登陸。但我們實在不願意老百姓多受犧牲，於是再喊話，叫他們分散，一部分在東邊的，到浦前集中；一部分在西邊的，到海口港集中。候駐軍檢查後，再行入港。他們不聽，一窩蜂鬧烘烘地擁過來，我們只好開槍，但還喊話：「是良善百姓，趕快入水，分別游到浦前，聽候結集救濟。否則機槍射殺不論！」這樣有三分之一的人下水去了，空船給風散開，後面果然是匪軍，既然顯露了面目，他們也拿出槍掃射，還有小炮。我們趕快開炮，並放下登陸艇、橡皮艇去包圍匪船。除了當場死傷落水之外，還活捉了一百三十多個匪兵，經審問清楚，一律槍斃，並將匪兵的屍體由海上再漂到對面去。眞正打漁的艇戶，經浦前結集，發給衣物和救濟金，願意留在海南島謀生的，發給身份證明分配果鄉安置。也有家屬仍在徐聞、海東，給匪軍捉來充炮灰的，准他們分別回去。

這樣一來，倒眞正平靜了一個時期，匪兵再也不敢過海來騷擾了。

海南島地廣人稀，物產豐富，米和木材都可供外銷。島上居民到海外經商的亦多，所以民間大都富裕。不過也有土共，此剿彼竄，像保亭、樂安、三沙幾縣間，一大片深山，充滿了密密的原始森林。要澈底肅清匪孽，就非有大量兵力包圍，和嚴密的地方自治組織，來配合不可。

五月間，海南島爲了戰略關係，奉命撤退來台。薛主席叫瘦鵑仍回香港分行原任。瘦鵑看才奮所辦的幸福樂場很有出息，可以周濟很多人生活。銀行幾位老前輩叫瘦鵑不妨在九龍辦一所規模比較小的游樂場，氣氛須比較易於吸引一般中下層階級的。因爲九龍雖然住區遼闊，但享樂的程度比較香港要差些。他們辦了九龍樂場，裡面也有幾十處攤位，和一所戲院，演電影，有時也表演歌舞。用簡便的建築，省錢得多，土地是私人的，年付租金，也不貴，統數才用二十來萬元，百貨攤位定金收來差不多夠應付了。門票便宜，每人八角，孩童半免。每月除了用人、稅金、應酬雜支外，頗有贏餘。可惜附近漸漸都建了高樓大廈，地主看見建築高級住宅出售出租的，都賺了錢，堅決要收回改建。違章建築材料拆了不值錢，而攤位定金非退還不可，結果倒賠累了幾萬元。

這一代

有·家·歸·不·得
——終生難忘的鬥爭暴政——

尹美韶

我的童年大部分是在故鄉中山度過的，現在她已遠去了，故鄉也更遠了。多年以來，我常常想起兒時，想起故鄉，更想到歸去的渺茫，我發急流淚，汗和熱血一齊湧上身來。我後悔沒有在我離開故鄉以前，撫摩過每一棵草木，踏遍每一寸的土地，而我走的時候，竟是那樣毫無留戀的。如今卻是無可奈可的，只有藉片片斷斷的回憶與等待，來安慰此時一顆無處安放的心。

我在故鄉曾經有過一段恬靜和愉快的童年，同樣亦留給我許多可怕和慘痛的回憶。我的記憶力能夠追溯到四五歲的時候，我的父親是個歸僑，早年家境還是很好，自他去世以後，大哥的任意揮霍，使家庭漸走上沒落之路，最後只剩下十餘畝薄田。

我是家庭中的唯一女兒，又是最小，我有五個哥哥，但是和他們年齡差得太遠，我最小的哥哥，也和我相隔六歲，他們也很愛我，我並不孤獨，遺憾的是沒有一個姊妹，所以有時，甚至到現在，也難免有寂寞之感。

我從小就不肯乖乖的呆在家裡，只要他們一不注意我，我就往外面跑，這點實在影響到我對於女孩子做的事，沒有一件學得好，而男孩子喜愛的卻樣樣精通。我記得，村頭那個小小的中山公園，是我小時常常去的地方，夏日的早上，太陽剛升起來，我和小同伴來到公園捉迷藏，撲蝴蝶，倦了我就躺在地上，用枯葉編成的床褥，傾聽無數的小鳥在樹上唱着最曲，跟着是比鳥聲更響亮更熱烈的是蟬聲了；我躺着，仰望着透過樹頂射來的朝陽，在中山先生的半身銅像上，發出燦爛的金光。直到中山先生的銅像不知何故的被人移走，我就很少再到公園去。跟着我和哥哥一起到鄉校唸幼稚園了。

其實，我只唸過兩三個月幼稚園罷了，原來鄉下迷信，母親聽說第二個年頭入學不好，趁快先替我開學。在我入學以前，母親見我太愛在外面跑，就常常嚇我說大人會拐小孩子的：那些在路上拿着小鈴的算命先生，及敲着一枝大竹筒的賣藥人，在人不留意時，也是拐帶小孩子，所以我一直都很怕老人，那個印象對我上幼稚園的時候影響很大，曾鬧出許多笑話，三個月的幼稚園沒有安心地上過。我記得最清楚，有一個雨天的中午，快要放學了，我們在課室裡都很留心聽講，課室外面站着幾個來接他們孩子的家長，在無意中，我發覺靠近玻璃窗旁邊，站着一個老太婆，我看到她的時候，她也在望我，我急忙把頭轉過去，當我過了一會兒再偷偷望她時，她還是盯着我，我立刻着慌，心裏指她一定是拐帶我的，她的樣子醜陋得很，草帽子戴得很低，我越想越害怕，四處都看不到母親來接我，忽然哇一聲哭起來，老師莫名其妙，沒有辦法，只好帶我到教室去找哥哥。有一次我又不肯上課，那是一節剪貼手工的課，我又哭着臉去找哥哥，哥哥帶我回家，母親好言相勸，給我吃過一些點心，就帶我返學校，我們剛走出巷口，那時學校也正放學了。由於我每次哭的時候都去找哥哥，他隔座的同學一見我來，就叫我做「哭星」，我那時雖小，但對這個稱號，至今難忘。

當我們還未被共匪封爲「地主」以前，我有一個兄長很喜歡養鷄，他買了許多的白力康，澳洲種的黑鷄等好幾種出名的品種，在後園養了許多，我們每日都合力料理牠的。有一個難忘的早上，家裡的氣氛，非常緊張，我不知道是什麼緣故，跟着母親就叫我陪四哥去找一個父親生前的好友，我也不知道是什麼事，當我們回來時，剛從後門回到家，只聽人聲嘈雜，非常熱鬧，又有這麼多的人，他們一見到我們就罵：「還有兩個小地主」，快把他們拉出去。」把我們拉到屋前，那時還屬於我們的荔枝園，我看到家人全部都在那裏，大哥母親沒精打彩，大家坐在地上，再看我們的屋子，幾近有半村的人，像螞蟻一樣的忙碌，將我家裡的東西全部搬走，我們從上午十點多一直坐着看他們，強盜一般的搬，直到下午差不多四點，我們都空着肚子，我最難忘的是，我當時又喝又餓，但又不敢出聲，後來住在隔幾間屋的蕭大嫂，拿了一盤生蕃薯，在人不覺的時候掉給我們，到現在，事已隔十多年了，這盤蕃薯的恩惠最難忘。下午四時過後，搬的人也少了，屋裡的東西又搬空了，我雖然[illegible]於這些東西不是很留戀。當我看到最後他們連鷄也捉去，[illegible]那裏嘰嘰咯咯[illegible]，那時候我不知爲什麼，心好像正被人[illegible]一樣地痛。

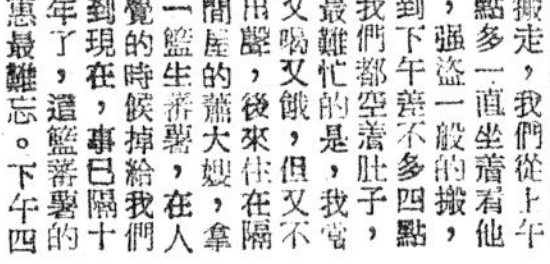

生活漫談

白果去面疱除黑氣

馬騰雲

白果樹的壽年特別高，禹王會諸侯於塗山，山的巔峯有白果樹一株，可能因鰥居的關係，從未開結實，爲那一朝代所植無法考據，照該地懷遠縣誌載其被雷擊的次數來說，應當是明朝中葉所植，這棵樹迄仍健在，附近地域的人，謂白果樹木屑，可治胸部痛，可能是雷擊木生出一種化學作用，服者每驗，著者於抗戰勝利後偕京中友人數位重遊塗山，由地面到山峯約十五華里，見到白果樹別來無恙，祇塗山中途高約數丈的石婆婆被飛機撞毀了。

白果又名銀杏，以其形似小杏而核色白也，高至數丈，一枝結子數十百個，核作二角爲雌，三稜爲雄，大六七分，中有白色之仁，經霜乃熟爛，去肉取核爲果，其仁嫩時綠色，久則發黃，其樹宜雌雄同種，兩兩相對，乃能結實，其成分含多量肪及蛋白。斂肺定痰喘，濇收止帶濁，因其能制止陰道黏膜之分泌，並有殺虫之功用，作袪痰藥，用淡鹽湯送下，久服自效。

白果奇怪的，雖屬一物，而生熟攸分，不可不弄清楚，如生食則降痰解酒消食殺虫，搗碎而鼻敷外用，則去皰鼾氣灰油膩，並能殺死虫虱，其力銳氣勝，能使痰垢悉除，並非偶然，其熟食竟不相同，多食令人氣壅，臚脹昏悶也。銀杏之治喘，乃治喘之哮者，因胸中之痰隨氣上升，黏結于喉咽之間，氣出入不利，與痰相擊成聲，此痰得之鹹酸太過，此果經霜乃熟，稟收降之氣獨多，故能遂凝滯之痰。

民國二十五年，漢口交通銀行高級行員某君，患肺病到三期，醫院主治之外籍院長醫師，勸其回家鄉，盡量享受，一世尚有三月可戀，行員含悲乘輪船回籍，船上遇一位老人，相談之下，授以油浸鮮白果，可療此頑疾，行員遵囑辦理，果收奇效，事隔一年，竟恢復健康，與常人沒有甚麼分別，興奮的情況下，到武漢去旅行，並去拜訪這位院長醫師，時間恰在晚飯後，院長見面驚慌萬狀，首先堅詢明這位還有三個月必死的病人是人是鬼，後經婉轉告以醫病經過。洋院長仍不置信，在這種情況下，演變成爲轟動社會的花邊新聞。

低調集

稅吏可誅

陳修辭一生廉潔可風，國人皆知。在抗戰期中，身爲戰區司令長官，其對於軍需人員貪污曾有兩句名言曰：「幹軍需一年以上，槍斃不冤枉」！在大陸時期，軍需吃缺尅扣之風熾，故辭公有此名言，其手令槍斃之軍需官特多，其直系之十八軍軍需官皆爲之喪膽。

其實時事推移，而今卻轉變了，只有「幹稅吏一年，槍斃不冤枉」！今日稅吏之貪斂，更千百倍於往昔，普通一個小小吏稅，轄區最少有幾條路街，商店最少五百間受其威福。平日商店爲怕麻煩。「紅包免災」不算，過年過節，工商登記勒索，尤爲可觀。碰見店東只說：「貴店規模不少」一句，你就心中明白了，明白「紅包大吉」之道，保君順利，否則「煩」矣！低調曰：「爲稅吏一年，槍斃不問」！

（匡謬）

催眠術研究（六四）

五十三、藥石催眠法

鮑紹洲

借用藥石的作用而使人催眠，即用藥物的效力，而變化其生理的機能，使人陷於催眠狀態。再以施術人催眠的暗示。這種催眠法，是施之於感受性鈍者，或者受外科手術的時候，限於醫生而後行之。如果不是醫師，則違反醫師法。此法又爲外科施術時，使被術人感覺不痛而用之。如醫師用藥石催眠時，必先與被術人的親人商議，獲得其承諾委託，並請其親人親見爲要。迷藥中，以「哥羅羅苛命」之吸入爲最有效。吸「哥羅羅苛命」後，而加以暗示道：「將欲眠」，「四面的聲音已遂漸聽不到了」，「更深眠」。如是反覆念之，自能令其催眠。

另外有用催眠藥代替迷藥的催眠藥則不必商於被術人的親人便可。催眠劑中以「至路苛拿路」、「臭素拿多命」、「抱水姑羅隙路」、「磨路施尼」、「姑羅叨頓」等，爲最普遍之用。這些藥品，最初只取其一種服用之，數量須視被術人身體的強弱及性質而定，先服少許，不效則增加少許。先令被術人仰臥於床，合閉雙目，施術人用下撫法，而且暗示道：「將要眠，更深感」，反覆道之，則藥品與暗示的作用，必致於催眠。

這種催眠法的原理，是用藥品而生一種化學的作用，而又成生理之變化，而以之以關於心理的言語之暗示，而令被術人之感應之，則施術人與被術人成立精神聯合之關係，而致催眠。

（完）

御廚談藪

香椿拌猪腦

▲林泉隱▼

香椿芽二兩，猪腦兩個。

將香椿芽用滾水略燙，幾秒鐘即取出切成碎段備用，猪腦去筋及血絲皮，洗乾淨，用水煮滾撈出，加炒鹽，紹酒，好醬油，小磨麻油，葱花，蒜花，然後將香椿芽與猪腦合拌，人多的話加一兩塊嫩豆腐，或鷄蛋製的皮蛋，味美逾常。

這是明代開國大將軍常遇春夫婦常吃的菜，還有涼拌甜菜芽（俗稱甜菜頭）（安徽懷遠野菜）常最嗜食，其製作與涼拌香椿芽略同，祇另加芥末，辣醬，相傳朱元璋在未帝時，常請遇春大嫂製作此菜下酒，（見懷遠縣誌）常遇春夫人因妒乃夫婦情篤難免，竟觸怒帝慎賜死。

自由報

中華民國內政部內警台報字第○三一號
中華民國僑務委員會登記證僑新字第三二三號
中國郵政台字第一二八二號執照登記爲第一類新聞紙

（第九六四期）

（版出大、三期星每刊週半）
每份港幣壹角・台灣零售價新台幣式元
督印黃行鶯・鵬運李長社
社址：香港九龍彌敦道593—601號
廖創興銀行大厦八樓五座
LIU CHONG HING BUILDING
7th FLOOR FLAT 5
593—601 NATHAN ROAD,
KOWLOON, H.K.
TEL：K303831
電報掛號：7191
承印：景星印刷公司
地址：嘉咸街廿九號地下
台灣總管理處：台北市大同街119號
台灣區直接訂戶　台郵劃撥戶
第五〇五六號張萬有（自由報會計室）
電話：七一四〇三三、五五五三九五
台灣分社：台北市西寧南路110號二樓
電話：三三〇三四六，台郵劃撥戶九二五二號

從基隆中學的血案說起（上）

陳光棣

基隆中學發生殺師血案以後頗引起社會人士的熱心討論；學者專家們固係各抒卓論痛陳時弊。而眞外行假內行之流，也照例的說些事後有先見之明的廢話；一說是兇學生惡性重大，二謂被害老師缺乏愛心。關于第一點說了實在等于沒說，至於第二點雖然跡近武斷，而且使讀者容易對該遇難老師有「死之無斷」的錯覺。難怪當年鄭板橋在搖頭嘆氣之餘，大喊「難得糊塗」了。

先說學生殺老師，雖是駭人聽聞，但只應視爲偶發事件，和幾年前發生的兒子勒死老子的事件同樣偶然，我們絕不可因爲某女士謀殺了親夫，而所有的丈夫們便惶惶不可終日，這樣一來，豈非庸人自擾？

這次基隆中學的血案，當然是教育問題，但絕非單純的兇殺問題，根本之圖，應該先探討青少年們所屬的時代背景和心理狀態。乃至家庭教育等。

無可否認的，中年人的一代和青少年的一代，存在着思想及觀念上的分歧，科學越進步，生活方式的變化幅度越大，兩代之間難以相互瞭解，這現象中外皆然，不足爲怪，原因是兩代之間所生長的時代背景大不相同。

生於憂患和長於安樂

三十年代的青少年，也就是現在的中年人，大體說來都是生於憂患，在苦難的風暴中長大成人的，曾經歷軍閥混戰的禍亂，日軍鐵蹄的凌辱，共匪魔掌的迫害，物價波動的侵襲，眞所謂飽嘗烽火，流亡，艱困，衣食不周之苦。因之生活充滿了緊張情緒和戰鬥意識，在坎坷的人生旅途上，忍受着一切苦難爭取生存和進步，自然沒有時間理會內心的衝突，也沒有閒暇不滿現狀，更無餘力反抗社會，最要緊的是因爲內逢國賊，外遭強敵，縮短了兩代之間乃至個人與社會的距離。

時至今日，侷促台灣一隅，眨眼之間，竟然已經去掉了一個世紀的五分之一，中年人孤臣孽子殷切懷念大陸的沉痛心情，是現代青少年們不曾體會也無法體會的，因爲他們得天獨厚，生於安樂，兩代命運不同，環境迥異。青少年們所看是一片歌舞昇平的太平景象，所接觸的是日新月異的物質文明，所迎接的是科學進步和生活方式的急速變化，所感受的衣食無虞，安居樂業，加之個人安全享到最好的保障，個人自由得到充份的尊敬，在予取予求舒服生活的孕育下，小伙子們非但很難想到這些不勞而獲的享受，在在都是祖父輩父親輩共同努力的血汗成果，而且對于我們目前共同努力的大目標（反攻大陸）也很容易忽視，忽視還不打緊，最危險的是青少年們反而感到對國家對社會無事可作，以爲自己充沛的活力，豐富的情感，沸騰的熱血缺乏用武之地，也沒有得到家庭，學校，社會應有的重視，乃一方面感到空虛，迷失，一方面又感到孤單，寂寞，眞是所謂當局者迷，在福不知福了。只是在福不知福還無關緊要，如果再加上青少年原始的反抗性，問題就變得複雜了。說起來每一代對上一代多少總會反抗，這本是正常；自然的現象。但反抗的眞義，是要識別，要選擇；反抗的目的，是爲了內心的寧靜，而不是永無休止的叛變。但青少年由于反抗性作祟，却很容易發生觀念上的錯覺，普遍現象是認爲父母不合時代，感到社會不合潮流，討厭學校規矩太多，埋怨老師管教太嚴，總之是人人不順眼，樣樣不稱心，于是青少年便出現了兩種典型：

一是品學兼備，循規蹈矩，但落落寡合，離羣索居。二是自己選擇個人生活態度和生活方式，不外反抗道德規律，社會執嚴，習俗禮儀，團體綱紀等等所謂權威。一方面用懷疑困惑的態度，誤解人生，一方面又有着無[illegible]盡的欲望，欲望是永遠得不到滿足的，因而便感覺到家庭社會都對他不起，于是以和社會爲難，和上一代作對爲發洩情緒的方式，久而久之，便形成問題學生，總之每一個以自我爲目標的人，必然感到可怕的空虛，也能引起其他的乖張反應。

至於絕大部份智慧較高的青少年，不管是處於憂患或安樂的環境中，總是一樣的有理想，有抱負，對人生充滿信心，對人羣充滿友愛，熱情洋溢，心情寧靜，態度積極，勇往直前。但這一類型不在我們討論的範圍之內。

青少年嚮往非法自由

其次是青少年們嚮往過多的自由。這裡所謂的自由，不是政治學上所講的自由，也不是法則的自由，而是模糊的直覺的概念，也就是充滿了個人主義，主觀主義的自由，比如喜歡睡懶覺的學生，認爲早晨起來非升旗不可，便是沒有自由。經常逃課的學生，認爲老師上課點名也是沒有自由。不用功讀書的學生，以爲考試制度是妨害自由。考試成績壞，得不到好分數也沒有自由。半夜三更不睡覺，別人不許他學狗叫，也以爲是沒有自由等等。

須知人的一生，就有不少原始的不自由，一個人是被投到社會的一個生命，他生在張三家或是生在李四家，自己就沒有自由；生爲男性或生爲女性也沒有自由；生在窮家或富家固然沒有自由；而不幸生在强盜之家也不過只有認倒霉的自由；發育的身材高低當然沒有自由；生的容貌美醜更沒有自由。結婚以後，然但沒有想生兒子就生兒子的自由；到了社會以後還沒有隨便就能升官發財的自由；不特不領護照不經簽證沒有到外國去旅行的自由；甚至到頭來連不去殯儀館代糕的自由都沒有，你愛信不信！

再就是法則性的自由，社會越進步，組織越嚴密，個人自由便越受到限制，比如大家都靠右邊去，你就沒有靠左邊去的自由。公共環境要保持清潔，誰也沒有隨地吐痰和隨地小便的自由。大家都衣冠齊整，你就沒有一絲不掛的自由等等。概個人是社會的一份子，必須犧牲個人一部份自由，才能維護團體的自由。青少年們對于自由缺乏眞正的認識，而只有模糊的概念，又希望使模糊的概念變成事實，自然就精神不健康，意識患貧血了。

最近三十年來，是社會變化最大，進步最快的時期。人、事、物改變之速，使人難於想象，這情形對人的心理自然有很大影響。最顯著的是個人的生活失去準繩，老輩的人所立的規矩失去效力，古聖先賢的教訓也不能發生作用。因之舊社會所賴以維繫的東西，爲舊倫理，舊道德，舊制度，舊觀念，舊禮俗，舊綱紀都不再受到遵循和重視，而西方社會的道德，如責任，榮譽，公德，互助，合作，愛國等基本爲人條件，又不能馬上養成，舊的失去時效，新的還沒有建立，這是道德的眞空時代，也是由農業社會進入工業社會必有的一段過程，更是社會轉型期中必有的現象，君不聞：洋鬼子們都在大嚷「兩代彷徨，各自無主」嗎？

教子成人和望子成龍

科學進步和生活方式的急速變化，的確容易使人徬徨。由于徬徨，便產生了觀念上的偏差，最顯著的例證，就是家長們都直着項子望子成龍，而忽略了耳提面命的教子成人。這一代的家長們，以三十年代的青少年爲最多，是嘗遍離合悲歡酸甜苦辣的一羣也是少年子弟江湖老，紅粉佳人白了頭的一羣，回憶前塵往事，非但悵惘辛酸，而且還有壯志未酬的痛楚，眞是別有一番滋味在心頭。爲了彌補這心理缺陷，便縱容兒女，盡其能使兒女們能過着隨心所欲的生活，其次是望子成龍，光大門楣，以誇耀鄉里。父母望子成龍自無可厚非，但如在望子成龍的一霎那，先想想自己是不是「龍」則更爲妥當；假如自己是「龍」，當然最好不過，假如自己不是「龍」的話，則應再想想自己究竟是怎麼個查（石旁）口沒有「成」爲「龍」？原因何在？之後再想想自己的兒女有沒有「成龍」的基本條件，基本條件是什麼？就是要先「成人」，這是在程序上不能超越的。倘若不先努力使兒女先「成人」，便想叫兒女一步登天的「成龍」，請恕我直說：那簡是意想天開。

說到這裡：先引一則笑話，且說法國在第二次世界大戰之後，變成了三等國家，法國人自然感到無窮盡的屈辱和出奇的窩囊。因此父執輩們便癡人說夢的希望子侄輩都能成爲拿破崙。（戴高樂之以八十歲高齡還扮小丑，就是這種心理作祟），以重振法國的聲威。某法國人見其兒子不知長進，乃罵曰：「你這小子太沒出息，拿破崙在你這年紀，已經作了砲兵隊長」！（未完）

昨日與明日

輿論站在陶百川這一邊

夏商

一案涉三院

台灣彰化大同公司於民國五十一年以假出口冲退及逃漏鉅額貨物稅，其經理人蕭柏煌於案發後企圖脫卸刑責，曾以新台幣二百萬元向台北地檢處警務處及調查人員行賄，俱經偵破分別判徒刑（台北地檢處檢察官王鎮即被判徒刑五年），該項冲退及逃漏貨物稅之犯法，既經明確，於是彰化縣稅捐處奉命於五十二年十月移送台中地院處罰，於五十三年三月經刑庭裁決，依大同實業公司逃漏稅款十倍處罰，幾經波折，於五十五年始交台中地院財務法庭執行，正執行期間，台灣高等法院以命令飭令台中地院停止執行，同時財政部根據財政廳的簽呈，也同意撤銷原處罰。這樣一來，致使國庫損失了二千多萬元。因而，監察院一方面彈劾台灣高等法院院長孫德耕：「濫用職權，曲解法令，阻撓執行，妨害裁判，爲商人圖謀不法利益，罔顧國庫橫遭損失，以知法執法而玩法違法，自係責任特重，咎無可恕」，另方，向行政院提出糾正案。這樣一案涉三院，在我國政治史上是很少見的。

一則震驚社會廣告

監察院彈劾孫德耕案是於五月十五日審查通過的。在同月十九日台中出版的台灣日報就出現了巨幅廣告，是大同公司負責人蕭柏煌刊登的對監委陶百川處理彈劾案大肆責難，廣告中並刊出他向台北地方法院自訴狀，控告陶百川，圖利國庫，並限制其出境。於是，不僅引起監委們的反感，也震驚了社會人士，輿論界也有了反應，都以爲蕭柏煌把彈劾孫德耕案歸咎於陶百川委員，是十萬分錯誤的，因彈劾案主體是監察院，並非任何監委的個人行爲。監察委員個人因執行監察官吏職權而遭人控告，眞是豈有此理。那樣巨大篇幅廣告，得花多少錢？可見蕭某的財富。同時據法學權威人士表示：這幅廣告的內容，非法律知識淵博精深，不能出此，也可見蕭某爲人大有苗頭。輿論界和社會一般人士，顯然都站在監委陶百川這一邊，我們在海外出版的自由報，也站在陶委員這一邊。我們絕對擁護高風亮節，藎心國事的監察委員們，認眞執行監委的職務，讓不肖官吏都知有所警惕，不敢貪汚枉法。

政院的明智之舉

五月廿三日台北各報都刊載一項消息：行政院於日前函覆監察院說：對於彰化大同公司假出口眞退稅的糾正案，行政院已令飭財政部及司法行政部，即依監察法第廿五條之規定照糾正案辦理，並分別將辦理情形於文到一個月內具報。政院此舉，可謂明智，如此可使不法商人不致逍遙法外。在此，我們也願建議幾件事：

一、蕭的廣告稿，究係何人捉刀，應請有關機關查明。

二、台灣省財政廳和財政部爲何改變態度前後不一致，個中有無別情，也應請有關機關澈查。

三、對執行公務之人，無端控告，是否構成阻撓公務罪嫌，應否反訴？尤其是蕭某以往行爲，尤應注意。如果社會變成一個，玩法、違法的世界，豈不天下大亂。

自由談

人才與氣骨

胡林翼有言：「古今成大事業之人，以人才爲根本；古今之人才，以氣骨爲根本」，旨哉言乎！

所謂「氣骨」，是指個人的品格與節操。凡屬可以担當大任的眞正人才，除却卓識睿智而外，必有如顧亭林所說「博學於文，行己有恥」的風格。出處行藏，決不隨便，非其人不事，非其位不居，把個人的利害得失，看得很輕，一是皆以施展抱負，福國利民爲本。遇事謇謇諤諤，尊崇理性，不因循敷衍，不阿諛逢迎，夫是之謂「氣骨」。

嘯觀史乘紀錄，凡是能夠創造事業的人，決非患得患失，如脂如韋的官僚主義者，而具有「天命不足畏，祖宗不足法，人言不足恤」的摩頂放踵以利天下的勇氣。在國家動亂之秋，沒有這類的人才出任艱鉅，那就休想克奏撥亂反正之功。滿清中葉的洪楊革命運動，控制了中原大半河山，清祚不絕如縷，若不是曾胡左彭這般講究氣骨的書生，負弩前驅，行其心之所安，愛親覺羅的王朝，不等到辛亥武昌起義之役，早已垮台了。曾胡等人在政治上原屬閒散之士，而且是素被另眼看待的異端漢人，滿帝於局勢危時，雖然起用他們，如不能推心置腹，加以信任，他們亦就無從創造中興之業，殆可斷言。

官僚主義者却無所謂「氣骨」，謂祇知揣摩上峯的意旨，貌示忠順，討取歡心，而以邀寵固位爲急務，滿口國計民生之詞，滿懷富貴利慾之想，對事唯唯諾諾，對人嘻嘻哈哈，既無事業心，即沒有責任感。他們日常實行兩項工作守則：「開會爲服務之本，請示爲負責之本」，表面庶政叢脞，實際尸位素餐，他們的本質是奴才，當然不知「氣骨」爲何物。如果視這類官僚主義者爲人才，而期待他們創造撥亂反正，復興國家的大事業，豈可得乎？

人才隨時隨地皆有，就看用人者是否具有鑑別人才與奴才智慧，以及信任人才的魄力？國家治亂興亡之道，基於是也。

馬五先生

憲政體制．不容破壞
蕭柏煌向法院控訴陶百川
威脅監察權行使政壇轟動

（本報記者張健生台北通訊）彰化大同實業股份有限公司代表人蕭柏煌五月十九日在台中一家報紙刊登大幅廣告，對監察院調查該公司假出口沖退貨物稅罰鍰強制執行之撤銷案的糾正案與彈劾案，有所「質疑」，並認監察委員陶百川有洩漏或交付關於中華民國國防部以外應秘密之文書、消息罪，以及觸犯行政院不應征收而征收貨物稅罰鍰之圖利、瀆職罪，向台北地方法院提起自訴。因而轟動政界與社會。

這則廣告內容及其主張，計有：

一、大同實業股份有限公司（以下簡稱大同實業公司）進口之尼龍絲原料，於進口時已繳納貨物稅，有完稅證照。台中高分院科處罰鍰係「明顯錯誤」。

二、不得上訴於第三審之「確定裁定裁判上之法律見解是否錯誤及應否補救，其職權屬於上級機關如台灣高等法院或司法行政部。」質言之，台灣高等法院孫德耕院長對錯誤之裁判有權決定「應補救」嗎？

三、監察院之糾正與彈劾案，是否有「教唆」他人犯刑法第一二九條瀆職罪之嫌疑？

由於這則廣告內容涉及到「法官依據法律獨立審判，不受任何干涉」與「監察權行使」的憲政體制問題，所以筆者不得不站在維護憲政體制不容任何人破壞的立場，作公正客觀而嚴肅的表示。

假出口真退稅案

多少官員受累 因此身敗名裂

大同實業公司有無假出口沖退貨物稅的事實？這是必須澄清的。倘此一事實不弄清楚，其他都是枝枝節節的問題。

據經濟部大同實業公司卷載：蕭柏舟為該公司董事長兼總經理，蕭柏煌任該公司經理（詳五十年十一月九日該公司提出於建設廳之申報書）。五十二年二月初，省警務處據報商人有假出口不法情事，由該處經濟課、刑事課、刑警大隊等單位組織專案小組，進行偵查；經海關總稅務司署及台北關之協助，查得大同實業公司及永源油廠曾於五十一年十二月一日自基隆港出口尼龍絲兩萬餘公斤及黃豆四百噸，海關所存艙單與船公司存者內容不同，海關艙單載有該貨出口紀錄，但船公司艙單則無出口記載，基隆港棧埠管理處亦無搬運紀錄。經專案小組傳訊有關驗貨及報關人員，發現確有勾串虛報出口情事。嗣經擴大調查，台北關復發現利成功貿易行等五家有虛報尼龍絲、尼龍襪出口情事。台南關發現與南纖維公司等六家，虛報出口尼龍襪二十五批。

台灣高檢處當時令飭高雄地檢處將台南關移送偵查之各案，併移台北地方法院檢察官熊家會偵查，不法廠商計有大同實業公司等十三家，另有利成功貿易行九家，涉嫌人犯十人，虛報出口貨物計黃豆油四百噸，尼龍絲及尼龍製品十三萬六千九百餘公斤，漂白細布四萬六千公斤，冲退稅捐總額一千五百餘萬元，各廠商向海關人員及報關行交付賄款計達六百餘萬元，台北關部份於五十二年五月十四日偵查終結，被告人二十四人，分別以偽造文書、瀆職、侵佔、恐嚇、違反總動員法、藏匿人犯等罪提起公訴。但蕭柏舟等五人（容後詳述）予不起訴處分，台南關部份於同年六月五日偵結，提起公訴者二十人，不起訴者十三人。未起訴之海關人員白慶國等十二人，則由海關總稅司署予以申誡或降級之懲戒處分。

蕭氏昆仲神通廣大
在紅包攻勢下
果然財能通神

五十二年二月間，即警務處專案小組偵辦退稅案期間，大同實業公司董事長兼總經理蕭柏舟，經理蕭柏煌勾串商人朱逸民、調查局專員王琪、台北地檢處檢察官王鎮、警務處刑警大隊組長莫　，計劃以兩次假出口真退稅所得之新台幣三百七十萬元，賄買有關人員希圖脫罪。

同年二月十八日晚，朱逸民收大同實業公司經理蕭柏煌妻蕭秀梅及該公司董事長兼總經理蕭柏舟送其新台幣二百萬元，朱逸民當晚除留下新台幣二十萬元外，即轉交王琪代為活動，案經刑警大隊偵破，同年三月二十三日晚傳訊王琪，並羈押於台北地院看守所。朱逸民則羈押於刑警大隊看守所，翌（二十四）日，檢察官熊家會前往偵訊。同月二十八，台北地檢處首席楊鳴鋒簽報，經高檢處檢察官施深淼於同月三十一日前往刑警大隊偵訊莫，並羈押於台北地院看守所，是日，王鎮亦自行投案。有關人員均經法院判刑確定在案，本案被告亦服滿刑期而出獄。

至於王鎮被刑求一案，經其妻同道媛向監察院請願後，五十二年四月二十七日由調查假出口退稅案之監察委員陶百川，及已故委員衛欄共同辦理。同年五月七日，委員陶百川等提出調查報告，由院交內政、國防、司法委員會同月卅日聯席會議通過糾正案，移送行政院切實改善，糾正案深感法院及司法警察機關處理人民因犯罪嫌疑，被羈押訊問及移送協助偵查事項，仍多於法不合。

此外，監察委員陶百川等提案分別糾舉高檢處首席檢察官夏惟上；糾舉治安人員鄉仲平、何仲強對王鎮施用戒具，造成傷害，應負凌虐罪責。

至於大同實業公司董事長兼總經理蕭柏舟涉嫌虛報出口尼龍絲部份，經台北地檢處檢察官熊家會偵結，於五十二年五月十日予以不起訴處分，經監察委員陶百川、申欲樸等提案彈劾，並由委員余俊賢等十一人審查成立，同年七月十三日移送公務員懲戒會經該會決議：「被付懲戒人熊家會，因偵辦大同實業公司董事長兼總經理蕭柏舟涉嫌虛報出口退稅舞弊案，草率庇縱案件，經監察院移付懲戒，本會議決：熊家會休職期間六月。」之懲戒處分。

處分不起訴 未免太草率
檢察官受到懲戒

據監察院彈劾案及公務員懲戒委員會議決書記載：大同實業公司董事長兼總經理蕭柏舟涉嫌虛報出口部份，據台灣省警務處移送書載稱：「本案被告蕭柏舟，係大同公司董事長，雖據供稱對該公司虛報出口一節，事先並不知情；惟渠又稱：董事長對外代表公司，對內監督管理一切，而該公司出口申報書負責人，亦係由蕭柏舟具名申請。經核五十一年十一月二十九日出口申報書所蓋印章，與其到案應訊時隨身攜帶蓋於偵訊筆錄上之印章，完全相符，足見其對虛報出口，顯有同謀。」但台北地方法院檢察官熊家會則對蕭柏舟予以不起訴處分。其理由據不起訴書稱：「上開情節訊據被告蕭柏舟矢口否認參與其事，且辯稱渠担任彰化縣議會副議長，公私事務甚忙，對於公司業務無暇過問，一切均委由胞弟亦即該公司經理蕭柏煌負責，因手足情股，平日均深信不疑。該公司所有出口文件，均未經其核閱副行，原件俱在，可以覆按。至於出口申報書所用印章，並非其所有，係該公司台北營業所所刻，與其所有者雖頗相似，但一經細察，即可辨明不同。偵查中復將該二印章蓋於同一紙上，請求比對。經查大同實業公司雖係公司組織，而其股東則為蕭氏家族，該蕭柏舟住所地址係在彰化，復在當地担任民意代表，則所辦公司業務委由其弟負責等情，尚堪予以採信。何況大同公司虛報出口之其他被告徐志剛、徐正甫、顧如標等，在警方專案小組及偵查中雖訊問數十次之多，均無一語涉及該被告（蕭柏舟），則此事係蕭柏煌所為，當係不爭之事實。蕭柏舟既無行為之分担，自不能遽以刑責相繩，至於該二印章雖極相似，惟仔細比對，則並不相同，是其罪嫌顯屬不足。應依刑事訴訟法第二三一條第十款（即修正後之新法第二五二條第十款犯罪嫌疑不足者）處分不起訴。」

該官文書並記載：經監察院向經濟部調閱大同實業公司登記卷宗，查得蕭柏舟一向兼任該公司董事長兼總經理，並非僅為董事長。五十年十一月九日該公司對建設廳之申報書尚稱：「選任蕭柏舟為總經理，蕭柏煌為經理。」故蕭柏舟在警務處親供「對內監督管理一切」，其罪嫌自甚重大，故警務處將其移送法辦。乃台北地院檢察官熊家會僅憑蕭柏舟之一紙申辯書，既不傳案親加訊問，並不稍加調查，即對圖章之是否相同，亦不加以鑑定，且其作為重要證物之蓋有蕭柏舟陰文圖章之大同實業公司出口申報單，竟自台北地檢處證物卷中不翼而飛，而熊檢察官乃竟認為蕭柏舟並無罪嫌，予以不起訴處分。

為求交保減罪
一出手二百萬
王鎮、王琪一齊拖下水

大同實業公司五十一年十二月一日假出口伸縮尼龍兩批，計重二萬五千四百餘斤；「兩批退稅新台幣三百七十萬元。」案經專案小組五十二年二月間偵破，並於同月十七日下午三時傳訊該公司董事長兼總經理蕭柏舟到案應訊，專案小組偵訊完畢，檢察官熊家會始到專案小組決定責付保外候訊。

因為蕭柏舟於五十年二月廿一日，當選彰化縣第五屆議會副議長，任期三年，至五十三年二月廿一日屆滿。假出口真退稅案發生於蕭柏舟副議長任內，故熊檢察官辯稱：「蕭柏舟係彰化縣副議長，正值開會期間，依據台灣省縣市議會組織規程第十九條（現行法第四十一條）規定，自不應予以羈押。」

但該規程條文規定：「縣市議會議員，除現行犯外，在開會期內非經縣市議會之許可，不得逮捕或拘禁」。此所謂開會期內，自係專指縣市議會大會之開會期間而言。彰化縣議會自同年二月六日起，直至四月一日止，即專案小組於二月十七日傳訊蕭柏舟時，彰化縣議會非開會期間，自不適用該組織規程第十九條的規定。因此，公懲會懲戒熊家會休職六個月。而蕭柏舟亦因行賄案判刑一年。

此間有一家報紙說五十二年二月間，「蕭柏煌為了請求交保，託友人朱逸民向台北地檢處及省刑警大隊活動，找到好友調查局專員王琪及台北地檢處幫忙，條件是以新台幣二百萬元，僅僅請求交保，不包括開脫罪責」云。這則消息與事實有出入。

據朱逸民在警務處供稱：「因為蕭柏舟曾對我說，如有朋友可以幫忙，多少錢都沒有關係。」蕭柏舟於五十二年二月十七日到專案小組應訊後檢察官熊家會決定責付保外候訊之翌日，即同月十八日以新台幣二百萬元交朱逸民，祇是要求朱幫忙（在法律範圍以內從輕處分，至於具體的情形，並未講到，我（朱逸民自稱）亦不好過問。王琪說此數額並不包括地檢處方面在內。」

五十二年六月十三日，台北地院刑庭審理蕭柏舟、蕭柏煌、朱逸民等行賄案，審判長何秉仁問朱逸民：「先講好一百五十萬元，還是先講好三百七十萬元」？

被告朱逸民答：「先向王鎮、王琪講好。王鎮說：「分開活動，現在先講刑警大隊，然後法院也要活動」。王琪、王鎮說：「光專案小組要一百八十萬元」。我又一再向蕭柏煌說：「我們另向法院還要活動，是否須要？」蕭柏煌說要，他問：要多少錢？我問：退稅若干？蕭柏煌說：約五百萬元。我問：「二批退稅若干」？蕭柏煌說約三百七十萬元。我說就拿此款活動好了。蕭柏煌說好。」

此一事實，說明蕭柏舟、蕭柏煌意圖以二百萬元活動假出口真退稅專案小組對其刑責從輕處分，非為交保事宜。

惡意誹謗監院
破壞憲政體制

大同實業公司假出口伸縮尼龍兩批計重二萬五千四百餘公斤的經過：按出口貨物裝船，輪船出口結關，應由輪船公司具出口艙單一二四份，送呈海關業務課出口股核對無訛後，其第一聯留存業務課出口股核發出口證明。第三聯送海關稽查課結關。第三、第四聯退還輪船公司及貨主收執，四份內容應完全相同。殊料該公司五十一年十二月一日假出口伸縮尼龍二萬餘公斤，其呈送台北關業務課出口股之四份庫單，由海關留存之第一第二兩聯皆載明列貨物，而第三第四之兩聯，均未載上列貨物。台北關稅務員李章富、出口股主任王思埭均未發覺而發給出口證明書。該公司持出口證明書向經辦機關退稅三百七十萬元。

不但如此，大同實業公司假出口報單、報單所附之裝貨單均未經船上大副在貨單上簽收。因此，監委陶百川提案糾舉台北關人員周樂書等十五人，主張加重其行政處分。

筆者不厭其詳將大同實業公司假出口真退稅的違法經過情形，加以說明。旨在使讀者瞭解，倘若一個為非作歹而不尊守法律的人，而能獲得法律的保護，甚至追遂法外而利用法院來誹謗他人為能事，試想，我們的民主法治制度，已經到了什麼樣的程度？

大同實業公司假出口真退稅案，分為三個階段。第一階段是五十一年十二月間，該公司等十三家假出口冲退稅捐總額一千五百餘萬元，各廠商向海關人員及報關行交付之賄款計達新台幣六百餘萬元。案發後，台北關海關人員被提起公訴者二十四人，另二十一人受懲戒處分。有關廠商負責人亦分別提起公訴而處刑在案。監察委員陶百川等分別提出：「調查『假出口真退稅』報告摘要」；「為出口退稅舞弊案列舉事證提出糾正，送請行政院切實注意改善案」；以及「糾舉財政部台北關周樂書等貪贓枉法案」。

惟自第二階段起，監察委員陶百川等提案彈劾台北地院檢察官熊家會偵辦大同實業公司董事長兼總經理蕭柏舟涉嫌出口退稅舞弊案草率庇縱，殊屬不合案。並因蕭柏舟、蕭柏煌託朱逸民向王鎮等行賄，旋因王鎮訴稱被警綁刑求致傷案，亦由陶百川委員提出調查報告，糾舉高檢處夏惟上首席處理王鎮、朱逸民、蕭柏煌等涉嫌勾串瀆職案，顯有違誤：及糾舉警綁鄉仲平等對王鎮施用刑具造成傷害案。並對王鎮刑求一案，深感法院及司法警察機關處理人民因犯罪嫌疑之偵查事項，仍多於法不合，提案糾正，送行政院切實改善。

蕭柏舟在行賄中處有期徒刑一年，因其未到案服刑而被台北地院五十三年三月間通緝，直到五十五年十月間始由專業人員逮捕歸案，僅坐牢三個月，到五十六年元月間，因其判刑一年確定之判決經高院准予再審並准予停止羈押，再審判刑六月，易科罰金結案。足見其神通廣大。

第三階段即是今年五月間，監察委員陶百川之該公司假出口退稅罰鍰強制執行撤銷調查報告、彈劾孫德耕院長、糾正行政院應恢復強制執行。由於陶百川委員對政府處理大同實業公司假出口真退稅一案，自始至終，不讓其追遂法外而追縱到底，故該公司蕭氏兄弟乃採取報復手段，其向台北地院自訴陶委員觸犯刑章是假的，實際上意圖誹謗陶百川委員個人，因為蕭柏煌的自訴案內容不屬於自訴範圍，故有人懷疑該公司代表蕭柏煌如非惡意誹謗監察院便有破壞憲政體制之嫌。

喬治桑外傳　五二
張大萬

雅麗絲拿了一瓶白蘭地，兩隻專喝白蘭地的高腳廣口玻璃杯。洋人喝酒很考究，白蘭地只能倒四分之一杯，喝完再倒，據說是可以用雙手捧着酒杯，用鼻子欣賞白蘭地的芳冽酒氣。喬治桑是醉心西化的人，一飲一喙都不肯馬虎。

「李小姐妳不喝酒？」在雅麗絲替古有方斟酒時古有方問。

「白蘭地太兇了，尤其是中午我還要辦公，不敢喝。我喝一杯葡萄酒陪古先生好了。」雅麗絲說完，自己斟滿了一杯法國葡萄酒。

主客三人，兩男一女入座以後，每人面前有一碟沙拉，生菜下酒。喬治桑用叉叉了兩三塊洋芋，放在咀裡細細咀嚼着。然後，端起酒杯敬古有方。

「奇而死（歡樂的洋文，專為敬酒），」

「奇而死，」

喬治桑最注重西洋餐桌儀節，幸虧古有方不是土包子，還能招架得住。

雷震與「自由中國」

當年內幕誰知道　一番往事話從頭

王曰叟

（一七）

這篇「自由中國的宗旨」，經過老叟提醒後，明眼的讀者，一定會感到處處都是問題，尤其這「宗旨」的前文一段，簡直是句句話都與這自由中國「雜誌」文不對題，粗粗一看，也還像煞有介事，再一細想，卻是莫名其妙，不知所云。只看前面一半的話，就好像我們都不知道共黨的罪行暴政，也沒有反共的決心，而有勞胡先生來說服我們奮起反共一樣；加之後面的第二條：「我們要支持並督促政府：……」云云者，更好像政府也沒有堅定反共立場，而有待我們來督促。這些話不僅在今日我們看了不能理解，就是在三十八年十一月，自由中國雜誌創刊時，也是無的放矢，全屬廢話，以胡適先生一代大師，何以在這樣一個重要刊物創刊時，標宗明義的文章，竟寫出這種不通的妙文，恐怕要引起讀者們懷疑吧！緊接着下文又說：「我們實在不能坐視這種可怕的鐵幕『普遍到全中國』」，這又好像大陸還未完全淪陷的語氣，而事實上，「自由中國」創刊時，大陸的局勢早已土崩瓦解，而毛共政權，已經開張多時了。還有最不通的是下面一句：「因此我們發起這個結合」。「結合」的意思（至少在此處）是人與人的組織，而雜誌則是一個發表文章的園地，兩者相去甚遠，不能混同，胡先生一代大手筆，能夠不通到把一個雜誌稱為「這一結合」麼，顯然不會的吧。

那麼到底是怎麼回事呢？讓老叟來揭穿謎底吧，這一「宗旨」，確實是胡先生親自寫的。不過卻不是為這自由中國「雜誌」寫的，自由中國雜誌是三十八年六月在台灣倡辦，十一月出刊，而胡先生寫這個「宗旨」，卻是三十八年二月在上海的船上，那時　蔣總統已經引退，大局如山崩一樣的垮下來，江南雖有半壁，但人心惶惶，朝不保夕，跟着就要淪於魔掌，而以後的局面更不敢想像。天下興亡，匹夫有責，　蔣總統若在，還有倚靠，所謂有山靠山者是，現在　蔣總統又已引退，還有誰來支撐危局，領導反共，於是才迫使這些手無寸鐵的書生，不能不奮起，盡其對國家社會的天職，根據當時大家對國事的看法，可說是「大勢已去」的四字，可以蔽之。正唯在這種沉痛的心情下，所以胡先生才說：「我們實在不能坐視這種可怕的鐵幕普遍到中國」，有一省還未淪陷，我們便支持和督促這一省來作反共的奮鬥，有兩省、三省，便支持這兩省、三省，而所以在宗旨的第一條中，督促政府，並特別註明：「各級政府」，原委即在此，眞是心情沉痛到極點。而還有更沉痛而不忍說的，就是：假如不幸，中國竟瀕全部淪於魔掌，那我們就發動「自由中國運動」，海內海外，四面八方，與共黨週旋到底，為了未雨綢繆，預作發動「自由中國運動」的準備，我們勢必要把所有的仁人志士組織起來，而有一個結合，因此胡先生才在前言中，說：「因此我們發起這個結合」，這個「結合」，雖是擬議中的東西，後來並未成立，但在原意則是指「自由中國運動」的一種發動機構，所以胡先生在「結合」兩字下面，緊接着就說：「作為自由中國運動的一個起點」，不過大家當時為雜誌的聲光所鎖攝，只看到雜誌的名字「自由中國」而忽略了「運動」兩字而已，這就是雷震的手法高明之處了，不過錯覺只會發生一次，再看就會明白，因此後來，雷氏為了抗議出版法，而把這「宗旨」刊出時，就索性將「前言」略去，試問還真會露馬腳，這就是雷氏更高明的手法。

一生艱苦奮鬥的陳辭修（下）

・馬五先生・

辭公如約到達京滬，住在蘇浙會館，杜志遠雖然到處設法，想替也謀一啖飯之地，終未如願。適保定軍校第八期招生，因為軍校讀書係官費，杜氏即勸辭公投考入學，這樣就奠定了辭公一生的事業基礎。

辭公畢業保定軍校後，回到杭州謀事，此時浙江省長夏超正在組織全省保安隊，需要軍事幹部，辭公經人介紹向夏超投効，希望做個排長。詎夏氏面晤辭公時，見他身材矮小，頭部有塊小疤，認為沒有雄壯的軍人氣質，未予錄用。辭公經過這次刺激，革命思想油然滋生，適廣州黃埔軍校成立，校長是奉化　蔣公，乃決計南走粵，入黃埔軍校担任區隊長，他以夏超說他缺乏雄赳赳的軍人氣質，乃經常穿着馬靴，戎裝不改，且抖擻精神，挺胸昂步，示人以勇武之象。

越民國十四年　蔣公統領黃埔軍校學生團，討伐東江陳炯明叛軍之役，陳辭公受任營長，於進攻惠州戰役中，甚著戰功，深為統帥所賞識。叛軍敉平後，黨軍編組成師，以嚴重担任師長職務，辭公升任團長，地位蒸蒸日上矣。否料團部的特務長某，竟將公帑三千元捲逃失踪了，辭公深凜職責，計無所出，乃乞援於在上海經營銀錢業的同鄉人趙志堯，趙將團部被捲失的公款，如數墊還，使辭公的前程不受頓挫。所以，辭公後來帶兵若干年，管軍需的一定要用青田人，原因就在防止再有捲逃公款情事發生，他對趙志堯之終始信任，另眼看待，亦有感恩不忘的意念存。這是人生的義德，未可厚非的。

陳辭公在黨軍作團長時，師長嚴重對他很器重；他在黃埔軍校作區隊長時，軍校教育長鄧演達對他亦很信任。後來他在政治上飛黃騰達，位極人臣，然對嚴鄧二人始終推崇傾服。鄧以反動案被囚南京之際，辭公担任十八師師長在江西剿匪，聞訊，不避嫌疑，率同全軍將領向當局力保，表示其對朋友的道義精神。他對杜志遠和季子鈞的後人亦殷切照顧，報答舊時的恩情。這些行誼，以視併世一般大人先生之專講現實利害，把朋友和幹部當作爛草鞋，有利用之必要時，即表示親信重視，沒有了利用價值，便棄諸道旁不屑一顧的作風，其賢愚高下為何如也。

當民國卅七年冬間，國共和談破裂，前線國軍節節失敗，中央政府轉移廣州之秋，若干在過去曾經出將入相的所謂黨國要人，大多數不是變節投共，便是挈其子女玉帛遠走異域，度其寓公生活。此時陳辭公住在台灣養痾，很可以置理亂於不聞。但他怵目國勢安危，禍至無日，毅然以孱弱之身「受命於危難之際」，担任東南軍政長官兼台灣省主席，揭示「反共至上，民生第一」兩大方針，作治軍臨民的準則。當時在大陸上未曾變節的國軍將領，紛紛率其餘衆投入台灣，有的僅擁番號和少數幕僚而已。辭公不顧一切，規定凡是入台的部隊必先繳械，然後登陸聽候重新改編，原有的各個軍部番號一律撤消——這些軍部每月照例向政府領取現大洋兩萬元經費，經辭公撤消的軍部番號，計有一百多個，替國庫節省了鉅額的不必要之浪費，因此亦開罪了許多的舊同事、同學和僚屬，似此苦幹硬幹的精神和魄力，環顧當代的黨國要人，究有幾個呢？至於他在台灣的政績，衆所周知，毋庸贅矣。

假使辭公當年不降志屈節，與貧窮奮鬥，因而博得鄉前輩杜志遠的賞識，他從能畢業於杭州體育學校，充其量不過在中小學當一名體育教員而已。假使他願受夏超以貌取人的挫折，即意志頹唐，罔知奮發，而向各方軍閥乞取微職末秩，隨俗浮沉，結果必與草木同腐，殁沒無聞。他從千錘百鍊的艱困生活中，立志向上，甘苦備嘗，終能創進錦繡前程，締造宏偉的事業，成為歷史人物，夫豈偶然？除却個人的堅強氣質外，家教的薰陶，環境的磨鍊，讀書的心得，都有關係。近代中國名將劉銘傳有言：「名士不妨茅屋小，英雄總是布衣多」，觀乎陳辭公的史蹟，信有徵也。（完）

為什麼要整理中國文字？（上）

周燕謀

我們無論從歷史的演進，文化的發展，以及文字本身的演變來看，世界上無論何種文字，都曾經發生過不少的問題。

中國文字演變到近代，近六十年來，曾經發生過四五次「改革」「整理」文字的問題。自「切音」運動，「簡字」運動，「注音字母」運動，以及「國語羅馬字」運動等；來台之後，也曾經由羅家倫氏提出「簡字體」的主張，在十幾年前，展開一場熱烈的筆戰。因為時代環境的關係，持保守態度的人士，持有「保守」的最佳武器，使得主張漢字簡化的人士難以招架，結果只有甘敗下風。

現在事隔十多年，埋藏在許多人心底想提出的問題，如今又提出了。但是由於問題重大，而且非一般人所能輕易提出意見的問題，所以對於此問題，多持審慎態度。作成正式意見發表於報端的，只見於「中副」林語堂先生等三四篇而已。關於此問題，筆者感覺如鯁在喉，想一吐為快，因此不顧淺陋，作一次「野人獻曝」，作拋一塊磚頭，是否有當，尚希望高明指正。

整理文字固然是一種舊調，我們認為只要是好的有意義的舊調，不妨來一次「舊調重彈」。但是我們必須要以輕鬆平和的心情來談談此問題。對中國文字的整理問題，作一次重新的估價，心平氣和的討論，以求善求真的誠意來商権，如此方能獲致公平的結論。

首先我們對「文字整理」的觀念問題，必須首先有一種正確的觀念。認識文字的功能。中國文字雖有「藝術」性，但中文的功能卻不是藝術，而是文化進步的功能，教育的功能，以及傳播的功能……。少數書法家、藝術家喜歡好古，有愛好「藝術文字」的雅興，他們可以去書篆字、隸書，以及金石鐘鼎，此與中國文字的功能，以及中文所負的使命無關。喜歡做詩、寫八股、作個文的典雅之士，也可以任意去大下功夫，此與我們做白話文講國語無關。（未完）

文滙樓劄記

丁治盤輕忽新聞界

國民黨人與新聞界有分不開的關係，幾十年前的名報人，率多變成政府要員，乃無可否認的事實，國父孫中山先生就是一位最偉大的主筆。

民國三十六年，丁治盤將軍任青島警備司令，聲勢顯赫，威鎮魯東，兼其本身能文允武，就地又有王耀武撐腰，中樞得顧祝同（墨三）等支持，江湖術語眞是「時來風送滕王閣」，青島幸祇被做過租界，如果和外國毘連的話，一個地方官很容易做張作霖、盛世才、龍雲、李宗仁之輩。

這是從丁治盤斷然查封民言報的手法中出看，無故不准報紙出刊，下令逮捕總編輯和採訪主任。這一連串的處置，在新聞界看來，當然是粗魯、幼稚和缺乏現代腦筋，因連想到張大帥的親信是褚玉樸，褚玉樸的參謀長是丁治盤，既已經受了革命洗禮，怎麼還會做出這樣胡鬧的事呢？又兼民言報是黨營事業，在老百姓的心目中，叫作「窩裡反」。

槍桿與筆桿作戰，最後勝利永遠是筆桿的，這是古今中外不移的公式。張大帥槍斃了名記者邵飄萍，結果，在民間的印象，最壞的人，相反的張有甚多可取之處。第一、非常孝，第二、重義氣，第三、自己未讀書，非常尊重讀書人。這些優點，則被史家抹煞，邵飄萍呢？也不是如報業史上寫的那麼好，他的「驕」在新聞界是出了名的，他和段執政（即國務總理）（祺瑞），對面燒烟（鴉片）第一口照例由邵先吃，其餘可以推想，邵和張大帥談話的態度，幾和三國演義禰衡打鼓罵曹情形差不多，一個擁有十幾萬雄兵的統帥，怎麼能夠受得了呢？

不過民言報與邵的「驕」氣截然兩途，民言報祇是分析共軍駐紮情形，及我軍佈置而有所進言，未料想丁治盤給他扣上一項洩露國防機密的大帽子，民言報當然要吃了一點眼前虧，待次日京滬報紙作不平鳴時，丁發慌了，一家銷數最大的權威報，對丁治盤的大膽作風，予以無情的抨擊，題目：「打倒丁治盤」，內容謂聯合國剛成立，正在重視新聞自由之際，東方發生兩件不幸的事：一是國民日報（香港）被停刊一個月；一是民言報被盤據青島的軍閥無故勒令停刊，前者是英國殖民地……後者講的就很難聽了，還有其他各報，紛紛響應，當然對丁都沒有好話，丁治盤那裡受得了，祇好自認倒霉，悄悄收兵，這也是筆桿戰勝槍桿無數次勝利中的一次。

直到劉安琪將軍榮膺新命，警備青島，青島報紙要「歡迎劉安琪檢討丁治盤」，雖未做的太使人難堪，但事實上也就夠瞧的了，丁治盤於到江蘇履新前，特別青島新聞界，未料新聞界一個不到，這可能是丁治盤將軍永難忘懷的一頁，丁治盤在江蘇省主席任內，叮囑各廳處要特別重視報人，新聞界別為公共關係之首，有些科秘自己的酬應沒有方法報銷時，單子上招待記者吃飯，沒有不核銷的，丁治盤已非普通軍閥，所謂：「人誰無過，過而能改，善莫大焉」，後來丁治盤為政的作風，從寬恕人的過失，就由自己的榮譽態度看來，有感讀書人究竟是讀書書人。

・文滙樓主・

政治垃圾現形記（七）

李磐

第四回　好色騙婚，異域遍散假計。忘恩負義，平生儘多陰謀。

胡士惠玩弄假計劃的作用既已生效，心情自然興奮，打鐵趁熱，急求與古女士成婚，女方原在一職業學校讀書，及早出嫁亦無所謂。於是，胡士惠擇期邀約了男女雙方的親友十餘人，在東京神田區的中華料理館宴會，宣佈與古女士舉行文明結婚禮，他只準備了一本精緻的册頁，請來賓逐一簽名於其中，作為婚禮紀念，不另寫結婚證書，這項作風即比顧昌遠老練而細緻。

未幾，胡士惠已在陸大經理科畢業了。他攜同古女士回到上海小住，卻不敢逕返家鄉，免露馬腳。他得悉舊上司某都督在廣州孫大元帥府服務，地位崇高，某都督的同省舊部呂昭漢領兵一師駐在粵境，胡士惠亦相識，乃投奔廣州，參加革命行列。某都督以胡士惠學成歸來而服膺三民主義，獻身革命陣營，覺得自己當年栽培胡氏的用心頗有收穫，因而對胡特加愛護，視為忠實幹部，介紹他到呂昭漢軍中担任高級參謀，隨時代表呂師長向外活動，憑着日本陸軍大學畢業生的頭銜，一般人皆另眼看待，認為他是後起之秀的軍事人才，卻不知道他原係學習軍需業務的。

到民國十四年廣州國民政府統一軍政軍令，準備北伐，把原有各項軍隊改編為「國民革命軍」，軍中設置黨代表，權力與軍事首長相等。呂昭漢所部擴充為一軍，管轄三個師，胡士惠被任為該軍的黨代表，地位更顯要了。迨民十五年北伐，呂昭漢率軍由大庾嶺趨江西，胡士惠隨軍出發，對軍事時有獻替可否，但呂昭漢對胡頗生猜忌，意不相親，使他深感英雄無用武之地，不時函陳總上司某都督訴述一切，某都督即電革命軍總司令，保證胡士惠忠實可靠，才是大用，請委派他作師長，俾圖報答。總司令亦即照准，令飭呂昭漢所部的某師，交由胡士惠領作戰，呂雖遵令辦理，卻以破舊的槍械裝備胡師。胡氏又密電某都督陳情，某都督再乞革命軍總部發給胡部新槍械，且對呂昭漢人加訓責，說他不忠黨愛國，自誤誤人，而胡士惠的聲譽即大增了。

滄海拾遺（六）

．赤松子．

話中有話　打動芳心
半推半就　成其好事

到了晚上，果然這位蕭小姐又到劉清揚家來問消息，劉清揚就告訴她，說是不倒翁要找一個女書記，蕭小姐聽見不倒翁三個字，大吃一驚道，是不是浦東那位黃炎培？劉清揚點頭道，正是。蕭小姐道，哦，那是我祖父的朋友，從前很有錢，我們那一鄉的田地，都叫他買去，他請一位女書記，究竟幹些什麼事？劉清揚道，他現在是一位參政員，不會有很多的事，聽說他是一個人，要找一位小姐，還得替他料理家務。蕭小姐道，這個人人老心不老，從前在上海，聽我祖父說，他的姘頭很多，很多女子想他介紹職業，都得對他奉獻身體，他要什麼料理家務，我不想去。劉清揚笑着勸她道，其實沒有什麼關係，聽說西安洛陽很多商人，公務員的太太，爲到界首去跑單帮，常常偽裝別人的家眷，你現在先找着一個吃飯的地方，離得他還是一參政員，和你家裡又有點兒關係，他會幹出那種沒天良的事嗎？你如願意，我立刻同你去找胡子嬰，明天就可去上班。蕭小姐被他勸了一陣，心裡一動，只要馬上解決生活問題，難道他那老傢伙，眞敢不要天良嗎？一念及此，也就表示願意去試，劉清揚立刻帶同蕭小姐去見胡子嬰，胡子嬰正要陪章乃器去參加一個晚會，約他明早再來。

第二天早上，蕭小姐去找胡子嬰，胡子嬰立刻陪她去見不倒翁，不倒翁見胡子嬰帶同一位女孩子，知道必有好消息，立刻陪着笑臉，讓她們兩位坐，又自己去泡茶，先由胡子嬰介紹，這是黃參政員，這位是蕭小姐，黃先生要請一位女書記，蕭小姐剛出學堂，非常純潔，有什麼事，黃先生請照顧，我還要到婦女會去，說完告辭而去。不倒翁陪着老狐狸的笑臉，問蕭小姐道，小姐名叫什麼，何方人氏，今年貴庚幾何，蕭小姐道，名素秋，今年二十歲，家住浦東，世以耕讀爲業，畢校到渝，現在剛剛畢業，並無家人親戚。不倒翁聽見浦東人，問她和浦東蕭秋恕先生，有無關係？蕭小姐道，秋恕先生正是我的祖父。不倒翁笑道，好了，原來是世交，你如願意，就睡在書房裡，書記事務，並不太多，不過家中事務，也望你幫忙。我也是一個人在這裏，非常寂寞，你如願意游山玩水，或看電影，我都可以陪你去。蕭小姐聽了這老傢伙話中有話，晚上就去請教胡子嬰，並把不倒翁的態度和說話，通通告訴胡子嬰，並請教道，胡先生，我看這老傢伙十九對我不懷好意，你看如何應付呢？胡子嬰笑道，男的找女的，什麼書記或者秘書，都不過是暫時名義，從前我還不是當過乃器的秘書，後來他竟然向我求婚了，你想怎麼辦呢？女孩子終究是要嫁人的，只是好好應付，不至十分吃虧就是，你如不棄，我不妨作你一名顧問，你如將來遇着什麼難題，不妨來此商量就是。蕭小姐聽了，非常滿意，只好同到黃家，暫時工作，不在話下。那知只隔了一天，這不倒翁藉口邀請蕭小姐去遊南溫泉，而就運用技倆，造成結婚之實了，眞可謂是「特別快車」——

這一代雜感

．賴正妹．

未得之物往往對人們有極大之誘惑力，而既得之物却又不以爲奇，不覩爲珍貴，此之所以致人們之欲望永遠無滿足之時，虛榮心之爲祟也，因之寧爲物役而不知養性。人爲物役，安可稱爲萬物之靈？物也者，所以養性也，非以性養物也。然而今之惑者多以性養物，人爲錦衣裕食，高官厚祿而卑躬屈膝，焉有晉詩人陶潛之「不爲五斗米折腰」之清風亮節？古之人發憤而成仁，慷慨而爲義，仁至義盡，可謂義薄雲天。而今之人寡廉鮮恥，貪圖一時之榮貴，只要有其利在，即使將遭鐵窗風味，亦在所不辭，悲哉斯徒輩，良知爲物欲所蔽，善端爲惡性所浸蝕，夫富與貴，孰人不欲，即使三歲之童亦知金錢之妙用，然如孔子所言「萬鍾不辨禮義而受之，萬鍾於我何加焉？」又曰「富與貴，人之所欲也，不以其道得之，不處也；貧與賤人之所惡也，不以其道得之，不去也」。又曰「君子固窮，小人窮斯濫矣」。孔子之飯疏食飲水，曲肱而枕之，視富貴如浮雲，其淡泊，超脫酒之精神，正是吾人所當效法者也。吾嘗思之，人欲其生活得快樂，唯有泯除物欲，革除非分之妄想，滿足現實，安於現實，始能安分，始能不踰越。然而吾之所謂安於現實，並非因循苟且，不求進步之開倒車式的代稱，相反地，是要以最大之努力爭取工作之代價，以勞心勞力所換來的權利才是吾人享受之範圍也。不應得之財物，雖一土一介亦不苟取，販夫走卒當須如此，爲國者爲百姓之公僕者更當如是。苟能如此則必家齊國治而天下平。然今日庸庸衆生，你詐我虞非己之財物，勢利端智，不惜以卑劣手段襲爲己有。因之爲官者必爲貪官，爲吏者亦必爲汚吏。「上有好者，下必甚焉」。即使僅有微不足道之惡勢力者，亦作威作福，對於非分之財亦絞盡腦汁，因之，上上下下蔚成一種難以根治之風氣。小者數十萬，大者則百萬千萬甚或上億萬，然而尋根究底，無非是一個「慾」字所形成。小則爲害自己，使人終日栖栖皇皇坐立不安，只思生財之道，非分之妄想，思而不得，則人之惡念於此生焉。小則自害其身，大則害民害國，其害之大可想而知也。

教育之功，除灌輸知識爲其特定目標而外，應以變化氣質爲第一要義。陶冶品性與啓發智慧應雙管齊下，而前者甚於後者。人固不能不學無術，與其智而用私，不若愚而用公。人之生固非全爲公，然又豈可以私欲爲務？枵腹而從公講公，聖賢有所不能盡也，況吾人乎？教育雖非萬能，然終有裨益世道人心，但此須視教育之態度而定，苟其專以片段之死知識如填鴨，而忽略品格之陶冶及靈性之啓發，勢必將有王道第二（按：王道者數年前搶刼犯，係一大學生）。吾人之社會，若僅灌輸知識，則教育程度越高者，將於社會更多之危害矣。蓋以其智足爲惡，此老氏所以有「智慧出有大僞」之歎，而教育應以品德爲重之故也。今之言教育改革者，以及主持教育大計者，寧可忽視此點哉！

滄園秋涼（二九）

．文自梓．

永夜角聲悲自語
中天月色好誰看

廣東省銀行後來給共匪刼收，分行也另派了人。瘦鵑因卅八年在廣州負責接待中央遷粵辦公的關係，承幾位院長都看得起。他分別寫信去報告，都承覆信來邀。左公還親筆作函，並吩咐總務科代辦了瘦鵑等的入台證，所以就攜眷來台，很幸運做了左公的部屬。行前還和才會見過面。那時才會入逢喜事精神爽，每天有固定的時間運動游泳，體健夠標準了：身高一六二公分，體重七十二公斤，腰圍三十六。雖已結了婚，女朋友還有兩三個。嘉玉也來到香港，聽說才會已原諒他，又成了幸福樂場的常主客。瘦鵑並且把一個親密的女友介紹給他，想必相交很投契，入鮑魚之肆，不覺其臭，反覺其味如蘭了。

左公眞是了不起的淸官，一般老百姓也把他當作包文正。實在時代不同，體制各異。若說主持的機構，包公當時只是開封府尹，相當于現在台北市長，不過專理司法。而左公是黨國耆碩，萃一國之精英，振聾起聵，廉正官常，較之包文正當年所負的責任重大得多了。

有一天，一老太婆帶着二十歲小後生來院裡要請見左公，普通這類賓客的事都是瘦鵑替他辦理，而且辦得使賓客相當滿意的。但那鄉下老太婆蠻不講理，她說不到左公面前，她不說話；瘦鵑報告了左公，又請張秘書長代爲款待，還是不說。左公只好放下公文，親自延見，問她有什麼機密大事？她由小後生——孫子替她譯述：「她是台中東勢鎮鄉間人，有個孫女已讀畢東勢中學，生得十分齊整。三天前忽患腹痛，送到東勢陳內科，說是腹膜炎，要開刀；轉到李外科，沒有來得及開刀就死了。由東勢殯儀社收殮。她因平素很愛這孫女，想不到年靑靑一天就死了，蓋棺前特爲由鄉裡趕去看，兒、媳也都在。那知道取下蓋面白布，孫女眼睛、耳朵、口角都流了血，這是反常的事。她想：一定是孫女爲人謀害，遭了橫死。爲雪沉冤，趕到東勢警察局和台中地方法院檢察官駐東勢辦公處，都說：陳內科、李外科都具過切結，證明病情，沒有歹人謀害的證據，無法處理。她只有跑着遙遠的路，趕到台北來，請求左公青天大老爺，務必替她申冤。」左公說：「這事屬司法，必須由當地警檢機關處理。」向老太婆勸解了很久，老太婆負氣不走。左公只好自掏腰包，叫瘦鵑買了三張車票，送她回去，並再去訪問當地警察局和檢察官辦公處，是否可以再事偵查。

催眠術研究 四七

．鮑紹洲

五十四、甲卯催眠法

這種催眠法，是催眠多數人的催眠法。可集數人一起催眠時適用。方法也有幾種。

（一）可集數人的被術者在一室中，施術人可在其挑選曾經接受過催眠或感受性强的人，先行催眠，施術方法，以簡單的言語催眠法，以使其感受於種種的暗示，而使其他的被術者看，然後漸漸施之於其他感受性低者。如此，其他鈍於感受者，一見敏於感受的人容易催眠，也自然有一種啓示作用。但對於感受性較低的人，不得已合併各種催眠法而用之，例如感受性稍低者，先行語言法及撫下法，其感性更低者，除語言撫下二法之外，更用快感法、指眼法、按掌法等。如此，感受性再低的人，亦很少不催眠的。

（二）使被術者集中一室之內，或坐椅上，或坐或臥，隨其所好而定位姿，各授一催眠球，要被術人細眼凝視，同時心算自己呼吸。施術先對敏感者先催眠，低聲暗示道：「閉起你的眼睛」，其他循序施行暗示，併可行撫下法。

（三）施術人用一顆催眠球，令各被術人同時注視，施術俟其可乘之機，即暗示：「一齊閉目催眠」，然後施行撫下法，再加以誘導催眠的暗示，使其催眠。

（四）集十五人在一室，或坐或立，令被術人彼此相互握手而閉雙眼，暗示道：「將要眠」、「將要眠，反復思念」，如此則敏於感受者已成催眠，而感受性低者因爲攙着其手，而感到一種異樣的感受，由此可使鈍於感受的人，終於被其誘導入眠了。但施術人必須對各個被術人實行語言催眠法、指眼法、快感法。

御廚談藪

鷄汁炸雙冬

雙冬者，冬菇，冬筍，鷄汁炸雙冬者，用鷄湯烹調冬菇與冬筍，鹽，葱，酒，上好醬油，白糖調味同煮，煮到可口時，取出去汁備用。

然後以花生油，最好是小磨油，置鍋內待沸，不要太烈的火，將冬菇冬筍過油炸八成熟，即可起鍋，略加道地的白胡椒粉，香菜，辣椒絲或紅蕃茄絲油菜面，配成。色香味三者俱全，四川湖南口味，煮時別放糖加辣椒。山東河南人加蒜，安徽人南部與上海口味同。北部若山東河南人。總之手藝者，手上的藝術，不必拘泥於同一格式。（林泉隱）

自由報

中華民國內政部登記證內警台報字第〇三一號
中華民國僑務委員會登記證僑新字第三二三號
中華郵政台字第一二八二號執照登記為第一類新聞紙

（第九六五期）

（半週刊每星期三、六出版）
每份港幣壹角・台灣零售價新台幣弍元
社長李運鵬・督印黃行竄
社址：香港九龍彌敦道593—601號
廖創興銀行大厦八樓五座
LIU CHONG HING BUILDING
7th FLOOR FLAT 5
593—601 NATHAN ROAD,
KOWLOON, H.K.
TEL：K303831
電報掛號：7191
承印：景星印刷公司
地址：嘉咸街廿九號地下
台灣總管理處：台北市大同街119號
台灣區直接訂戶　台郵劃撥戶
第五〇五六號張萬有（自由報會計室）
電話：七一四〇三三、五五五三九五
台灣分社：台北市西寧南路110號二樓
電話：三三〇三四六，台郵劃撥戶九二五二樓

從基隆中學的血案說起（下）

陳光棣

子抗議道：「拿破侖在你這年歲，已經作了法國皇帝」！這雖是笑話，但却有眞理存焉，人人都成為拿破侖自屬絕不可能，而假如所有的法國人都成為拿破侖，豈不大傷腦筋；咱們到那裡去徵集部屬呢？

先把拿破侖的問題擺在一邊，還是先談談如何教子成人的課題。世界上的父母教育兒女，大概很少有人拿着現代心理學或兒童心理學一類的書作參考的；（滑稽書在發黄炎子孫身上，能發生多大作用，當無確切定論），絕大部份是憑直覺和主觀；也有少數家庭還保存一些舊傳統。總之，教育兒女務須配合時代，俾青少年們日後能適應社會，服務人羣。茲不揣冒昧，畧述淺見，以向讀者先生女士們請教。

要孩子們多作點家事

我們不要總把自己的兒女當成孩子去疼愛，要明瞭青少年們眨眼之間就變成了別人的丈夫或妻子；父親和母親。他們很快的就要成家立業，面對現實。所以要老實告訴他們，要想將來有好日子過，今天就要苦一點，要想將來有更好的日子過，則今天就必須更苦一點。要他們在實際生活裡去體會人生的眞義，最要緊的是不要養成孩子們的依賴性，處處縱容，事事遷就固屬不可，而父母親樣樣代勞尤為大忌。要孩子們保持獨立性，養成責任感是最重要。他們是家庭中的一員，就應該在家裡多作些事情（絕不會就誤念書的）；假如一個十幾歲的男孩子連地都不會掃，或是一個女孩子炒鷄蛋先往鍋裡放蛋後倒油的話，即使他們能把書念的不錯，不會有了不起的成就。課餘之暇，多作點家事，可以養成服務的好習慣，更可以消耗一些過剩的精力，苦悶的情緒也可以由勤勞得到發洩。一個熱心工作的人，非但愛護團體，也絕不會再有侵犯別人的衝動，更不會好勇鬥狠的表現英雄氣概，因為他們的情緒都發揮在工作上了。青少年如一味的養尊處優，而竟至養成油瓶倒了都不肯扶一扶的情性，你能希望他們將來在事業上能有什麼大成就嗎？謂余不信，就請買幾本世界名（偉）人傳記看看，那一個成大器的人，不是從艱苦的工作中長成的呢？因為工作可以養成奮鬥精神，戰鬥意識，最要緊的是工作總能逼着人去運用腦筋。

父親應多和兒女相處

工業社會的普遍現象，是家裏看不到父親，有的家庭更看不到母親。父親把全部時間都支配在事業，交際，奔走和娛樂上，很少有時間和兒女們相處，對於兒女的學業，品德，交友，性向等知道的太少，自然也就無從鼓勵他們，注意他們，誘導他們，幫助他們。如此父親們非但疏忽了教導兒女的責任也失去了應有的權威，同時青少年們在家裏會感到缺乏安全和親密的氣氛；有了困難不得解決，有了問題沒人商討，有了意見沒有爭辯，有了煩悶也沒人化解，在精神上便有無所依歸之苦。父親總不在家，也感到沒有反抗的對象，青年人有反抗的衝動，如這反抗意識在家裡由于反抗父親的意見，觀念，傳統，理想而得到滿足，他們就會減少對社會，對權威的反抗情緒，這一點是很重要的。

父親和兒女疏遠，兩代之間，不容易互相瞭解，也會引起互不信賴，如此則心靈培育，人格陶冶，更無從講起了。假如母親再是職業婦女則問題更要檢討（見拙作「綜論當前婦女工作問題」一文——載于本報九〇七期）；倘不幸父親既不常在家，而母親再是賭徒的話，則府上一定是「問題青年養成所」無疑了！父母親們應該儘可能的多和兒女相處，以增加雙方的瞭解，從而縮短兩代之間的距離。

不要為兒女選擇科系

有些父母對於兒女受教育的觀念，是趕熱門，重功利（教育的目的不只是有利可圖），這一窩風的現象，不知道糟蹋了多少人才。比如某甲的兒子喜歡藝術，當然該投考藝術以發展天才，可是家長却要他投考電機系，為什麼？因為親戚朋友的孩子都要考中組或正在就讀工學院咱們若念藝術系，豈不大失體面？某乙的女兒喜歡文學，自然以研讀文學課程為宜，而家長偏偏要她讀理學院，為什麼？因為學物理化學的出路比較好。兒女們礙于父母的壓力，個人的自尊，就只好犧牲個人的興趣和意願，一進入高中便需勉為其難的去偏重事倍功本的學科了，待到一且發現徒勞無功的時候，那心情的沉重，精神的沮喪，足使一個有抱負的青少年喪失了所有的自信心。

須知社會越進步，分工越仔細，只要你學有專長，便能立足社會，尤其在行行出狀元的今天，只要堅毅奮發，定可出人頭地。

假如一定强迫着兒女去讀不喜歡的學科，非但是不智之舉，而且青少年在重壓力之下，很容易變成問題學生。

愛護兒女要尊師重道

尊師重道是中國的優良傳統，我們上一輩的人，對老師都是必恭必敬的，青少年們從小耳濡目染對老師也是惟命是從的。那個年月，家長一聲「告訴老師」！便有無比的阻嚇作用。相同的情形，各家的庭訓也是相當嚴格的，應對進退，決不能馬虎，所以家長們也就頗具權威，老師要請一句「請你家長來」，也有相當的鎮攝功效。現在家長們大多數忽畧了家庭教育，非但捨不得教兒女們灑掃庭廚，乃至最起碼的應對禮貌都揚棄了，這不是洋風，因為在西洋都還很考究這一套，這算什麼風呢？就姑且稱之為歪風吧。一些家長們的想法是；只要自己的孩子將理化念的好，就是好孩子，就是家庭的主宰，什麼「應對」，什麼「禮貌」，那東西又不能在聯考拿分數，也不能當飯吃，管它幹什麼？須知禮貌關乎青少年的教養和氣質，一個目無尊長，目中無人的青年必定跋扈狂妄，容易把原始的反抗傾向變成叛逆傾向，這不是很可怕嗎？因家長觀念不清，非但容易造成社會問題，而且也貽害了自己兒女前程。

最可怕的是家長們領着頭看不起老師，影響的兒女們也不要敬老師，一旦學生不尊敬老師，那什麼諄諄教悔，什麼愛的教育，便一概失去了效用。人的心理是輕視某個人，必也不重視他的意見。

家長們看不起老師的例證太多了。比如：每逢教師節，國校老師照例要交給小朋友一個紅封套，而很多家長們一看到這種封套，便橫眉立目，惡言惡語，為了區區的幾塊台幣，恨不得把老師拉來打一頓才解胸頭怒火，他們從來沒想到這種惡劣表現，對小朋友的心理產生多大影響和傷害。何況老師辛辛苦苦的教導自己的孩子，一年一度的節日，還不該對老師表示點敬意嗎？

——以下轉刊第四版——

昨日與明日

美國鴿派反華

公陶

美國的鴿派，反華運動已到顛峯，尤其愛德華、甘迺迪之輩，窮兇惡極，令人是可忍孰不可忍。狗口固是吐不出象牙，行動上硬要拉中共進入聯合國，和力主美軍撤離台灣，及早討論與中共建交等。

包括現任國務卿羅傑斯在內，幾個月前判斷毛共的九全大會，將變更其堅強反美政策，認九全大會後，可能步向比較民主的道路，未料事實與理想竟完全相反。鴿派也好，鷹派也好，羅傑斯也好，所得到的結論是：一、中共的外交政治由槍桿一肩挑起。二、毛澤東的個人權力加大，對黨的控制較前更强。三、埋葬「美帝」與打倒「蘇修」列入今後施政中心課題。

政治家應具百年大計的眼力，羅傑斯在幾月前都看不到幾個月後的事，我們對反共的領導國，實寄予甚大的隱憂。愛德華、甘迺迪在中國人心目中屬小搗亂型的人物，習慣上這種人多出自兇宅、或家門不幸。美國人的想法如何就不得而知了。

俄國反毛運動

毛澤東所發動的「反新沙皇」運動，由叫囂漸趨向行動，因之俄國方面掀起的反毛示威運動，亦到了頂點，綜合各方報導：

一、俄毛邊境守軍不斷衝突互擊，俄報普遍刊出俄軍被毛殘殺照片。二、反毛示威在全俄各地澎湃展開報章雜誌對毛澤東指名抨擊。三、發動「志願軍」開赴前線。四，把衝突事件眞相通知歐美及日本國家等。五、停閉駐北京大使館。六、召開華沙公約國家會議，組織部隊制壓毛共的蠻橫無理。七、俄國繼續向黑龍江珍寶島「源源進軍」，包括裝甲部隊，空軍。八、毛共駐俄大使館汽車，在莫斯科市區被羣衆摧毀並刼走廿幾包外交文件資料。

看情形，俄國和毛共的外交關係，面臨着紙裡包不住火的攤牌階段，華沙公約國都在計劃組織部隊對付毛共，未悉亞洲國家怎麼打算，尤其日本為了蠅頭微利，不惜向毛共忍辱貿易，拉拉扯扯，莫非在想，接受毛澤東的「洗腦」。

毛共反俄經緯

毛共的聲討俄國「修正主義」和「新沙皇」，從黑龍江到海南島，從帕米爾高原到八千里路沿海據說有四億人參予這次的好戲演出，俄毛邊境一度進入熱戰，互相殺戮，但雙方都不承認是禍首，俄共向毛共提出强硬抗議，毛共亦向俄共提出强硬抗議。

毘鄰國家發生邊境糾紛，且釀成戰爭，必然是談判不成，才會大打出手，俄毛間外交的假面具既已撕破，就事論事雖有轉圜餘地，尤其是毛共的「人民日報」和「解放日報」、「紅旗報」，跟在後邊加油燒火，例如「打倒新沙皇」及不惜反「蘇修」及「美帝」兩面作戰，這種兩面樹敵的外交政策。截至目前為止，三年來一直在狗咬狗，鬼打鬼。且不斷的進入高潮。從未間息。

站在「討毛救國」立場，面對着這些有利情勢，眞是出自上帝的傑作，再配以七億中國人民渴望自由的心聲，復國工作顯然露出曙光。

我們應當反誰

毛共不惜反「蘇修」反「美帝」兩面作戰，美國祇有大腹賈但缺乏政治家，面臨着的政治便宜而不敢撿，相反的多年來所得到的一點越南成果正食之無味，棄之可惜。

俄共是以檢便宜起家，但檢不到，因他要從華沙公約國家組織軍隊對付毛澤東，這叫作「猶不顧他人之身」的搞法，被毛澤東看穿，毛亦才敢將俄國看成為一個大二百五。

但在是我們應當是反誰，討毛是為了救國；救國必須討毛，這一大原則當然不會變更，換句話就是反毛澤東。但在外交上這個時候有用武之地了，當不與共黨政權並存阻檔其加入聯合國，這是我們的基本嚴正態度，萬不能視為外交重點，因守勢外交不失敗的很少。

一、國與國間沒有永久的仇恨，也無永久的朋友，俄毛之間瞬夕萬變，我們應當趕快拓展外交第二戰場，加派眞實能幹大員縱橫其間。二、說服日本勿貪蠅頭微利，中華民國復國後，予日本東北無限制的便利，但附有條件，日本移民必須行動支持我們的復國運動，三、發動或領導組織「亞洲八國聯軍」以中日韓越為骨幹共同保衛亞洲安全，提出軍事經濟預算，要求美國政府全力支持。倘美國財閥缺之遠見善財難捨，亦正是俄國心頭據處，俗語說：「此處不留人，自有留人處」，臘燭須點才能發光。四、中華民國復國後的建設物資貿易可與美簽定專約，且歡迎各國向美看齊，支援我們反攻大陸，願政治家們三思我言！

自由談

理性與權力

人類的支配慾是永遠不會滿足的，尤其是居於管理衆人之事的執政當局，經常要運用統治權力處理庶政，有意無意的容易濫用權力，漫無限制，因而發生「權力中毒」的毛病。古今來許多暴厲恣睢的統治人物，如古代的君主專制，現代的法西斯主義和共產主義者，即其明證。

避免權力中毒的抗毒素不外兩種：一為理性作用，一是制衡作用。前者基於統治人物的高度智慧，自動的知所節制，或勉强而行之，如漢文帝要嚴辦一個盜竊太廟禮器的小偷，廷尉——今之最高檢察署長——張釋之力言其不可，文帝即斂容答曰：「廷尉之言是也。」這便是理性作用。假使文帝一怒之下，硬要殺掉那一小偷，亦沒有人敢說不對的。最近法國總統戴高樂把他的政治改革計劃付諸人民投票，事前他聲明若不得選民通過，就辭去總統職位，結果多數人民不同意他的改革計畫，他馬上宣告去職。如果戴高樂不履行諾言，照樣地幹下去，法國人民亦未必非推翻他的政權不可，但他毅然決然實行下野，就是尊重理性的表示。後者是以國家的大經大法，對行政元首的政治權力加以限制，俾得適從，否則便是違憲，即要受到民意機關的糾彈，發生政潮，馴致引起變亂，這在本質上亦係理性關係。所以，制衡作用對統治階級而言，是被動的硬性規定，沒有通融餘地，如現代的民主憲政國家皆然。

有了理性與制衡作用，政治上自然而然就有眞正的是非，也有公允的賞罰，統治人物即不致發生權力中毒的毛病，而不顧一切的為所欲為，民主政治的優越性，即在乎此。

共產政權是最無理性，更不受制衡的超極權主義，却自命為世界上眞正的民主政治，表面上玩弄若干名詞，好話說盡，實際則壞事做絕，統治階級的權力中毒極其深沉而頑固，無可救藥。人類的理性乃先天所賦與，不能泯滅的，共產政權之終必消失於人間，可斷言也。

馬弓先生

假出口眞退稅案掀起風波的始末

（續上期）

政府爲鼓勵加工外銷並減輕廠商負担，規定進口原料應繳之稅款，可由金融機關或殷實廠商代爲保證，暫緩繳納，俟成品出口時予以沖銷。大同實業公司進口尼龍絲原料時，應繳之所有稅捐即依外銷品退還稅捐辦法之規定，准予記賬至基隆提貨。同辦法並規定於一定限期內加工外銷，向海關辦理沖銷退核稅捐手續，如未能在限期內加工外銷，一經海關通知保證人，保證人應負代爲清償所有應納稅捐及滯納費，並放棄先訴抗辯權。

五十一年十二月一日，該公司申請出口伸縮尼龍絲兩萬餘公斤，憑運至基隆裝船運出外銷後之翌日起，六個月內檢附原料繳稅憑證及經出口地之基隆海關簽章證明出口證件，向財政部或經辦機關申請退稅。惟該公司並未將伸縮尼龍絲裝船出口，即取得基隆海關出口證明書申請退稅，而尼龍絲與其製品流入黑市，成爲非法內銷，所得價欵既不登記賬，亦不開統一發票，逃漏稅捐甚鉅，此爲該公司蕭柏煌五十二年二月間在刑警大隊所供認逃稅之情形。今蕭柏煌之廣告中竟否認上開事實，誠怪論也。

大同實業公司之伸縮尼龍絲係加工「運銷國外者」，貨物稅條例第十四條規定爲「免徵貨物稅」；同條例第十五條規定爲「退還原納貨物稅」。該尼龍及其製品未「運銷國外」而在國內「私自銷售漏稅」者，國家應依貨物稅條例第十八條規定「沒入其貨物，並處比照所漏稅額二倍至十倍之罰鍰」的處罰。而罰鍰處罰，貨物稅條例規定應由法院裁定。

觀此可知，凡是「運銷國外者」之貨物，法律認爲退稅貨物與免稅貨物，其性質並非不儘相同。該公司對逃漏關稅之罰金二百十五萬餘元，未有異議而照繳，其冒退稅捐亦已追繳，並辯退稅貨物與免稅貨物之性質類似。

按照法院組織法第十八條規定：「高等法院置院長一人，由簡任推事兼任，綜理全院行政事務，並監督所屬行政事務。」同法第八十七條第三款規定：「高等法院院長，監督該法院及所屬下級法院及其分院」。高等法院院長之監督權，依同法第八十八條規定：「對於被監督之人員得爲左列處分：一、關於職務上之事項，得發命令使之注意。二、有廢弛職務，侵越權限或行止不檢者，加以警告。」若情節較重或經警告不悛者，監督長官應依同法第八十九條規定「得依公務員懲戒法辦理」。前述第八十七條至第八十九條的規定，屬於司法行政之監督，是故同法第九十條規定：「本章各條之規定，不影响於審判權之行使」。此項規定，使法官對於審理之案件，有「依據法律獨立審判不受任何干涉」之權，而憲法第八十條規定得因此而發揚，法院首長自當恪遵毋違。孫德耕先生身爲台灣高等法院院長，當然不能諉爲不諳悉法院組織法有關「司法行政之監督」權的規定；亦不能諉爲不熟悉中華民國憲法第八十條「法官依據法律審判不受任何干涉」之強制規定；更不能諉爲不知最高法院判例之「職務上之監督權，固應屬於上級司法行政長官，而糾正執行衙門之裁斷，則爲上級審判衙門職權範圍內之事。當事人對於執行衙門之裁斷有所不服，仍應按照通常上訴程序辦理。」（六抗一五五）既明憲法、法院組織法及判例有不得干涉審判之規定，而竟以身試法，其目的安在？其動機爲何？

台灣高等法院對大同實業公司可以說「義至仁盡」、「無微不至」，其微妙之處無法言傳。例如：該院於五十五年四月三十日抄發蕭柏舟呈請救濟之副本令飭台中高分院「於文到七日內研議具報」，七日未滿，該院又於五月八日檢發蕭柏舟續呈令飭台中高分院「希即查明依法妥速辦理」具報。該院復於同年十月七日，裁定蕭柏舟判刑一年之確定判決准予再審。該院於五十六年元月間復又裁定蕭柏舟申請准予停止羈押。蕭柏舟所隨判刑一年之確定判決經再審後而祗判處有期徒刑六個月；該院於同年六月十六日、廿九日之兩呈，即爲救濟大同實業公司而呈司法行政部請示者。同年十二月十五日，該院以五十六文正（二）字第三一七五三號令飭台中地方法院函請彰化縣稅捐處撤銷大同實業公司之強制執行。五十七年三月十四日，該院復又令催台中地院。該高院如此侵權，視法律不知爲何物！還不應糾彈？

中華民國憲法規定監察院爲國家監察機關，其行使監察權時，得向行政院、司法院、考試院及其各部會調閱有關文件，倘中央及地方公務人員、司法人員、考試人員有失職或違法情事，得提出糾舉案或彈劾案移送公務員懲戒會懲戒，如涉及刑事，應移送最高檢察署。而糾彈案件之提出，係監察委員獨立行使之職權，而糾正案須經委員會之審查及決議，始得提出移送行政院、司法院、考試院及其有關部會，促其注意改善。此爲監察法及監察法施行細則有關條文所明定，任何稍有常識者都應知道。

監察委員陶百川對台灣高院之諸多不法之干涉審判，於今年初接獲請願案後，即積極展開調查行動，先後向高院、財政部、財政廳、台中地院、彰化稅捐處等單位調閱有關文件，除高院、財政廳未將有關案卷送監察院外，其他三機關之案卷經查閱後，發現其中有不當之處，因此，依法批送院長提請司法、財政委員會於今年三月十二日舉行聯席會議推派陶百川、金越光、王文光、張一中、吳大宇等五人調查。

蕭柏煌在廣告中依據大華晚報今年三月十二日之新聞報導，抨擊陶百川委員「對大華晚報記者宣洩案件內容，未向有關機關詢問前，遽行認爲『高等法院和財政廳在處理這件事的過程中，均有失職之嫌』。」事實上，陶委員之調查行動已如前述，同時各委員會和監察院院會討論提案，與監察委員輪派調查案件之程序，前者須經公開討論而後始由委員會議或院會決定是否成立專案調查小組，後者係由值日委員決定是否批派委員調查，因此之故，前者是按照監察院會議程序進行，後者是監察委員個人行使職權。

按照規定，當事人對監察院之調查報告、糾彈案件認爲有不當之處，可申請覆查而予以救濟；倘當事人對行使監察權者公然誹謗，由監察院或有關委員會依法處理之。

總統昭示國人，中華民國憲法爲反共的唯一武器。本此昭示，維護憲政體制係中華民國每一個國民應有之義務與權利。憲法規定法官依據法律獨立審判不受任何干涉；監察權的行使亦不容破壞。假如監察權之行使都受到所謂「教唆」與「圖利」的非法言論攻訐，則各級法院審理民刑訴訟事件之獨立審判，隨時都有被當事人攻訐爲「教唆」與「圖利」之可能，果爾，豈不天下大亂，還有什麼民主法治可言！爲維護憲政體制，我們要求政府對破壞憲政體制的言論，其動機，其目的，應該嚴究。

（完）

蕭柏煌控陶百川自訴案 經法院裁定不受理

（本報台北通信）彰北大同實業公司代表人蕭柏煌於今年五月十七日向台北地方法院提出刑事自訴，自訴監察委員陶百川，在其調查大同實業公司漏稅罰鍰被撤回執行案件時，違反監察法第二十六條第三項規定，於民國五十八年三月十二日對大華晚報記者發表談話，宣洩案件內容，並認台灣高等法院及財政廳處理本案經過均有失職之嫌，顯已觸犯刑法第一三二條第一項罪責，而監察委員陶百川明知強制執行法並無案經聲請撤回強制執行後，復可聲請強制執行之法條，竟於監察院開會時提案請求恢復上開執行，其動機縱非圖利他人（使舉發人獲得獎金），而確屬圖利國庫，亦顯有教唆他人犯刑法第一二九條瀆職罪嫌，雖現時該監察委員陶百川教唆他人犯刑法第一二九條瀆職罪尚在未遂階段，但依刑法第一二九條第三項之規定，仍應負教唆未遂之刑事責任。

該自訴案件經台北地方法院受理輪由刑一庭推事盧仁發審理，於五月二十四日判決「本件自訴不受理」。其理由：按犯罪之被害人得提起自訴，刑事訴訟法第三一九條固有明文，惟所謂犯罪之被害人，係指因犯罪而直接被害之人，必其人之法益由於犯罪行爲，直接所加害始足當之，若須待乎他人之另一行爲而其人始受損害者，既非因犯罪直接所受之損害，不得提起自訴（參看最高法院二十六年渝上字第八九三號判例）。又不得提起自訴而提起者，應諭知不受理之判決，爲刑事訴訟法第三三四條所明定。

本件被訴人陶百川雖就稅務機關撤回自訴人大同實業公司之漏稅罰鍰執行案件，依法行使監察權，提案促請恢復執行；惟其提案，仍須經有關委員會（即監察院司法、財政兩委員會於五月十四日通過）之審查決議，始得由監察院提出糾正案。質言之，尚須待乎他人之另一行爲以爲斷，據此以論，自訴人大同實業公司並非監察委員陶百川提案促請恢復執行其罰鍰案件之直接被害人，況監察委員陶百川提案又係依憲法之規定，行使監察權，揆諸上開說明，自訴人大同實業公司不得提起本件自訴。至自訴意旨另指監察委員陶百川於本年三月十二日在其調查前開案件時，曾對大華晚報記者發表談話，宣洩案件內容，謂台灣高等法院及財政廳處理經過有失職之嫌，認監察委員陶百川應負刑法第一三二條第一項刑責云云，所稱縱令屬實，自訴人大同實業公司究未因此受任何損害，依法尤不得提起本件自訴，爰爲不受理之判決，以符規定。

本報記者按：自行憲迄今，監察委員因行使監察權而被訴觸犯刑章者，當以監察委員陶百川爲第一人。

報壇點將

張季鸞——大公報

·辛文彬·

民國五年張季鸞任職上海新聞報駐北京通信員，在未任斯職前，坐監獄甚久，張氏早年豪語，未坐牢的記者，好像花房中的花，一遇外間寒熱，隨時凋謝，這大概是報人的起碼信條。

民國二年胡政之在上海辦大共和報，張季鸞担任翻譯，民國五年就職新聞報通信，民國八年又回上海，自辦中華新報。張季鸞署名張一葦，每天寫綜合報導及時論各一篇，歷五年在上海打不開局面，報紙日銷不及千份，中華新報關門後，民國十三年冬，張失業北上，此時胡政之亦先張到北京，朝夕過從，十五年秋天，兩位接辦大公報，從此平步青雲，一日千里，使大公報變成爲輿論權威，但中華民國第一家大報，究爲大公報或者益世報，誰亦難肯定，就「辯說，益世超過大公，以正統論大公也不如益世，奇怪的大公老一輩同業，於今皆故，報紙又投共，益世獨留于斌先生又做了樞機主教，益世之復刊，莫非上帝的意思。

蔣經國特使訪泰國 造成八大良好影响

滇緬泰邊區盛傳我將反攻

（本報駐曼谷通信員秦文報導）中華民國國防部長蔣經國訪泰之行，顯有不可思議的良好影响，泰國某學者分析：（不願透露名字）一、幫助泰國對中國共產黨有更深瞭解。二、倫敦泰晤士報說：中泰兩國政府已達成一項交換情報的特殊協定。三、對三百五十萬華僑心理影响甚大，尤其矯正搖擺份子的思想，發生很大作用。四、泰緬滇邊境謠言紛起，有謂短期內對滇省有軍事行動，共幹們常交頭接耳，互詢消息。五、左傾文化人又慢慢向右邊移動，及牽扯關係。六、表面上民主自由中間靠左的僑領們，由於蔣特使的訪泰，迫使他們不得不向右邊靠一靠，共黨統戰部事前雖曾加緊防範，但泰國究竟不是自己土地，指揮控制難以自如。七、蔣特使對復國工作的堅定表示，對爭取僑心內向工作有無比收獲。八、僑社亦貢獻不少寶貴意見由蔣特使攜回祖國。

喬治桑外傳

五三

張大萬

雅麗絲與古有方、喬治桑互敬，喝了幾口酒以後，下女端上一個很雅緻的大磁缸，揭開蓋子赫然是一隻又肥又大的老母鷄，黃油油的湯，上面浮着幾片多菇，幾片火腿。

雅麗絲用大調羹替古有方、喬治桑分鷄湯。

「還是雲南氣鍋鷄，中菜西吃，有方兄不要見笑。」喬治桑向古有方介紹鷄湯。

「好極了，老實說眞正的西菜我並不愛吃。」古有方閒接對氣鍋鷄贊賞。

喬治桑與古有方都是勞心的人，東西吃得不多，每人喝了一小碗鷄湯，吃了一兩片多菇和火腿。雅麗絲亦復如此。所以一隻老母鷄持型保態，絲毫未動。

鷄湯喝過，喬治桑[illegible]於是半强迫地，繼着古有方喝了第一杯酒。自有雅麗絲在旁替他們斟上第二杯。

此時，下女端了兩盤牛排出來，是腰圓型的大盤子，一大塊牛排躺在盤子裏發出滋滋的響音，表示它剛離火不久。放在喬治桑面前的牛排，比較紅嫩一點。放在古有方面前的比較蒼黑一點。這自然是生熟不同之故。

「博士，你能吃得下？我可不能，半份就够了。」古有方是細緻典雅的中國紳士，無法與美國西部小伙子相比。

「吃不完剩下好了。」喬治桑面帶微笑。

「那不是糟塌了？」

「不會的，我用的下女雖不吃牛肉，我養的吉美却是最愛吃牛肉的。」喬治桑正在白刀子進紅刀子出切牛排。

「吉美？」古有方帶着疑惑的眼色。他想桑家主人叫喬治，女秘書叫雅麗絲，怎麼又鑽出一個吉美來？

「是博士養的一隻德國警犬，才買回來不到一星期。還沒有喂熟，所以鎖在後院裏。」雅麗絲代喬治桑答復。

（未完）

雷震與「自由中國」（一八）

當年內幕誰知道　一番往事話從頭

王曰叟

看了老叟前面的說明，可知胡適先生這篇宗旨，並不如自由中國雜誌創刊號的「給讀者的報告」中所說：「是胡適先生遠自海外寄來的」，而是早在胡先生要出國赴美時的手筆。只有明白這個眞象；才能看懂「宗旨」中的話。

文字之謎雖解，連帶的疑問，勢必又會產生。敏銳的讀者一定會感到，既然是爲「自由中國運動」寫的，那又怎麼會到了雷震之手，而登在自由中國雜誌上了呢？再者自由中國運動乃是一件大事，爲這個「運動」寫的宗旨，理應是一篇堂而皇之的大文，甚或是一個隆重的典章，怎麼却只是這樣寥寥數語，簡單四條。還有既然說是「因此我們發起這個結合」，何以始終未見發起，甚至胡先生本人還都跑到美國去呢。

讀者如有這些疑問，那就只怪老叟筆禿沮笨，前文會交代淸楚了，因此只有下面再來補報一番，藉贖前愆，還請讀者勿嫌老叟囉嗦，因爲上了年紀的人講話，總是有些顚三倒四的啊，（李長社，大概總不會嫌老叟囉嗦，若不囉嗦，那有這麼多的廢話給他貴報，補白啊！——一笑）

原來這「宗旨」，並不是一個正式文件，甚至連草案都不是，並且就寫作的情形來說，不過是篇臨時隨筆，而並非有計劃的寫作。

胡先生一向是個風頭十足的忙人，此番從圍城中南下，雖是避難，仍然戶限爲穿，賓客盈門。尤其胡先生又客氣週到，談笑風生，所以就更忙的不可開交，直到去國前夕，上了船，簇擁成羣的客人才散去，而安靜下來，和幾位知己的朋友，叮嚀囑咐一番，叮嚀囑咐中的一件要事，自然便是以備萬一的「自由中國運動」了。胡先生當時便把構想的作法，簡單的叮囑了一番，接着就順手拿枝鉛筆在張白報紙上將要點寫了幾句，以作將來萬一推動這一運動時的參考。顧名思義原是提示性的，列舉性的，而並非縝密的決定。其所以還像篇東西者，那是因爲胡先生出口成章，動筆就有格局，若在一般人來寫時，恐怕就只是一張片斷的便條而已了。這張原始文件，（一張陳舊褪了色的白紙）後來在台集議創辦刊物時，由張佛泉先生交給雷震，原意只是當作文獻保管，以作必要時的參考而已。沒想後來，竟當作這自由中國「雜誌」的宗旨發表了。

至於那「結合」爲何始終未結合，以及胡先生又爲何遠走美國，以老叟的笨筆，絕非三言兩語所能說淸，而李社長現正在等着要稿，只好留待下回再報告罷。

政治垃圾現形記（八）

李槃

第四回　好色騙婚，異域遍散假訃。忘恩負義，平生儘多陰謀。

既而革命軍攻下南京，正式成立中央政府，然汪精衛和唐生智、程潛等人，夥同共產黨在武漢亦以「國府」名義，發號施令，與南京相對立，革命軍內部發生了鬩牆之爭，最高統帥爲着革命利益，不願箕豆相煎，乃通電宣告辭職出國。這時呂昭漢全軍駐紮江南各重要市鎭，抱着乘機觀變的心情。此時南京新設「軍事委員會」，由程潛、李宗仁、白崇禧等主持其事，繼續揮軍北伐，以白崇禧爲前敵總指揮，白氏打到山東臨城後，電令呂昭漢全軍渡江沿津浦路北上增援，而呂意存觀望，遲遲其行，白氏由前線趕回南京，指呂昭漢違抗軍令，即予拘捕訊究，而尙未定讞，而辭職去國的革命軍最高統帥，接受黨政軍各方人士的要求，由外洋回到國內準備復職了。胡士惠與呂昭漢之間，相處素不融洽，呂被捕時，白崇禧就心呂的部隊或有問題，曾向胡士惠詢商，胡力保無事，聲言願受白氏領導，白平日巳賞識胡的才幹，是時見胡氏誠懇效忠，乃特加拔擢，深資倚畀。他猜疑最高統帥復職後，可能宥饒呂昭漢，連夜急忙請軍委會常委李宗仁下令，將呂秘密執行死刑，既未宣佈罪狀，亦無正式判詞，全軍交胡士惠統領，戍守原有防地，並派胡兼任江南防衛司令，聲勢頗爲愃赫，胡亦深感知遇，力效馳驅，成爲「桂系」的心膂之士了。

不久，革命軍最高統帥入京復職，一切維持現狀，以全力進行北伐工作，很快就戡了平津一帶，而關外的奉軍亦由張學良領銜通電，擁護國民政府，全國乃告統一，革命軍最高統帥的威望日益崇隆了。

爲什麼要整理中國文字？（中）

周燕謀

其次整理文字，或「省筆字」，並不是共匪的創作，也不是共匪專有的特權。中國自黃帝以後，曾經歷次整理、倉頡、史籀之整理，李斯於「言語異聲，文字異形」之極端混亂之情況下，釐定「書同文」之空前局面。許愼作「說文解字」，一改倉頡、爰歷、凡將、訓纂諸篇之舊例，「分別部居」、「不相雜厠」、「據形系聯」、「共理相貫」。如此一來，始將浩瀚無涯之文字海，條理分明，明其本義，範以定形，永絕僞誤日滋之患。許愼整理文字之功遺益後世者甚大。計整理重文一千一百六十三字。使人明白某字爲某字之古文，某字爲某字的或體，某字爲某字之正篆，某字爲某字之省文，某字爲某字的俗體。說文解字共收正篆九千三百五十三，重文有一千一百六十三字，平均每八字就有一重文。

到了淸代，王筠又將許愼的「說文解字」加以整理，成「說文釋例異部重文」一篇，收重文四百四十三，異增的字八十三，共計五百二十六字。朱駿聲氏「說文通識定聲」，正式訂正爲重文者，一百三十組，各列爲正篆者四十組，計七十二組，每組二者計算，共三百四十四字。王、朱二氏之合，爲八百七十字。王、朱二氏共同重加研究，在八百七十字中，又認爲非重文者百零六字，尙餘重文爲七百六十四字。連同許愼所收的重文，共計一千九百二十七字，平均每四點八字中就有一個重文。

由此，我們足以知道，中文之整理，是時代的使命，也是當代知識份子的責任。我們不能說「整理」文字，就是摧毀中國文化，就是和共匪唱對台，共匪的「文革」之目的，是進一步拉丁化，那才是摧毀中國文化，摧毀固有文化，我們整理中國文字，是基於愛護中國文字，希望中國文字能夠永遠存在，成爲世界上最完美的文字。如果任其繁蕪雜亂，不特不足以發揮文字的功能，更阻礙中國文化的進步，有失愛護中國文字之道。

我們今天認爲古文字是國粹，須知再過一千年之後，我們今天整理的文字豈不是「國粹」嗎？「粹」是精美的，而不是繁蕪的；繁蕪的重文，不統一不科學的省筆字，加以科學化的整理規則，也就是將來的國粹。我們今天希望的中國文字，是進步的，是科學的；今天整理的文字是復興的，不是復古的；是加強文字的功能，不是繁蕪的；是歷史時代的使命，不是歷史和時代的陳蹟。根據　總統的訓示，整理中國文字，正是符合「新、速、實、簡」的要求和旨趣。

現在談到中國文字爲什麼應該整理，那些地方應該整理？據筆者極淺陋的看法，有三大部份應該刻不容緩的規劃統一廢棄。一是中國文字的重文，二是省筆字，三是同義通段的字與辭。下面先談重文該不該廢棄問題。

中國文字不僅重文太多，同音字也不少，這是義符文字特有的現象。如下面的十三個字：「司事寺，史氏祠，十時失事，是事實。」

又如下面五十九個字：「石室詩史施氏，嗜獅，誓食十獅十氏時時適市觀獅。氏適市時，適十適市。氏恃矢勢，便是十獅逝世，氏始食是十獅。食時，始識是十獅，實十石獅。試釋是事。」兩個極端的例子雖然不容易拼在一起，但類似的錯誤和笑話，却會在我們日常生活中隨時發生。又如數目字用口說的「四」和「十」，可以說隨時會碰到，很難分別淸楚，每每碰到這兩個數目字，尤其是生意買賣，非要加上手勢來幫助不可。有一次筆者喝一杯椰子水，我聽說一杯四塊，等我喝了給錢的時候，她用手食指交十一比說「十塊」。另外一位先生喝了之後說：「哎呀！大上其當」。萬一身邊沒帶夠錢的話，那眞令人難堪呢！這是有關同音字的笑話。

到現在爲止，中國字的重文字究竟還有多少？我們深深覺得很遺憾，這一項文字整理工作至今還沒人做。我們現在能夠知其梗概的，是從中文字的總數和常用字數中來求得一點輪廓。中國文字總數究竟有多少？中國字書最多字是「集韻」，有五萬三千五百二十五字，康熙字典四萬二千一百七十四字，中華大字典四萬八千九百〇八字。可知我們中國字總數有五萬多字，但是，我們根據文字學家的調查統計。我們最常用字只有四千〇七十六，而其中尙包括同字異體四百七十三字，同字異音八十七字，除掉這兩項數字，最常用的本字只有三千五百一十六字。

次常用字總計是一千二百四十九字，除同字異體五十八、同字異音九十六字。除掉二項數字，只有一千〇九十五字。常用字與次常用字之合，爲五千三百二十七字，除去其中的同字異體，同字異音的七百一十四字，我們最常用和次常用字一共加起來，只有四千零六十一字。這五千三百二十五字之中，就有七百十四個字是廢字，我們中國字的總數有五萬多，而所能常用的字只有四千多字，足見其中的重文字同字異體，同字異音的尙大得驚人，這些重文字，同字異體字，同字異音字，就是本字的贅累，混在其間。（未完）

文匯樓別記

丁作韶博士的坦誠

巴黎大學法學博士丁作韶，曾做過天津益世報主筆，亦中國有名的政論家，名學人，曼谷世界日報專欄作家胡麗蓉女士近著連載的：「巨變歷險記」大部份都是描述丁作韶博士的「孤忠」和「文章報國」一些寶貴意見。

談到名學人，就會給人一點書呆或「五穀不分」的印象，丁博士的外貌亦未例外，長得雖然很精幹，筆如劍，唇若槍，表現出的仍未脫「大志若愚」風範，可是他並不愚，他的腦子逾越常人是毫無疑問的，三十八年他從大陸撤退，潛入中緬邊境景棟（景棟近泰國、寮國、緬甸交界，濱於湄公河的三角洲，原是中國的屬土，明到淸朝都接受中國的封號）他主張在這個地區建立邊區反共基地，他認爲滇邊土地肥沃，人烟稀少，能夠接應逃出難民與散落部隊，實行兵農政策養活三幾十萬人，大有可爲，李彌將軍就是丁博士請去的，後來未搞好的因素很多，主要的還是美國政上了緬甸政府的當，緬甸則上了毛澤東的當，丁博士上了救國熱忱的當，白白的在緬甸坐了一年零兩個月的監牢，那時樓主正在泰國，所經營的幾家報紙，皆全力支持丁博士的政見，即所謂：「人不離土，槍不離手」，於今看來，丁博士的主張是正確的，一個有思想的人，他的痛苦就是比人早知道幾年或幾十年的事。發明科學管理的泰洛，由窮而潦倒致死，死後二十年，「科學管理」才被後人奉若聖典，就是最好的例證。

丁作韶博士的坦誠，坦誠到甚麼程度，說來人都不會相信，那時他在廣西林桂執行律務，被選爲廣西省律師公會會長，應中央政治學校俞頌華邀請，担任特約講師，四川的士包子們謂「中央政校」即是「翰林院」這大概是因　蔣總統兼校長的關係，又是官辦文學校最高學府，不過話又說回，中央政校雖不是封建意識的「翰林院」，但能到該校講演教學的，非第一流報人，很少能跨入龍門，于右任、戴季陶、吳稚暉、陳布雷、張道藩、蕭同茲、張季鸞、葉楚傖、程滄波、潘公展、馬星野、劉光炎、羅剛、董顯光、劉振東、俞頌華、胡鍵等輪流値講就是最好的說明。

時間是民國二十九年，地址：重慶小溫泉中央政治學校，丁博士的講題是：「文章的寫作與佈局」，那時的學員，今天都是部長級的官員了，如陳裕淸、沈錡、李荊蓀、劉成幹、周培敬等數十人皆在台，他開頭就指出，寫文章別當作在寫文章，思路就不會受到困[illegible]坯，塑成型後再慢慢修飾，否則搞成文不對題。其次是「千古文章一大抄」，剛學寫文章的人，都是你抄我的，我抄你的，一如小孩子才會走路，必須扶着椅子、沙發、牆壁，或靠大人牽着手走路一樣，待會走路後，你叫他扶他也不扶了，[illegible]那一定是條筆下。[illegible]戰時成名的軍事理論家[illegible]論，有論沒有理，[illegible]、法文、英文、名[illegible]，竟然變成兵學權威，[illegible]校講學，這大概是[illegible]說不清了。

・文匯樓主・

滄海拾遺（七）

・赤松子・

想結婚答應三條件　驗鬍子大動歪腦筋

後來回到重慶，蕭素秋立刻去訪胡子嬰並報告一切，胡笑道，原來你已經做了黃太太了，你應該請客啊。說着，劉清揚來了，見蕭素秋便問道，不倒翁對你有什麼要求沒有？蕭素秋臉紅一紅，只是呆笑。胡子嬰道，她已經是黃太太了。劉清揚微笑道，你們眞是速戰速決，不過男人沒有好人，這老傢伙對女人，尤其不講交情，你總得加倍注意才好，不然，便白白犧牲了。蕭素秋急道，我們的天，生米已煮成熟飯，怎麼辦？胡子嬰道，你去要求他舉行結婚，並提出三條件作保證：第一結婚前要拿出一萬美金，第二要剃掉鬍子，第三不准他單獨離開重慶。他如不答應，你就告他強姦。蕭素秋聽了，回去後，立刻向不倒翁提出，不倒翁聽了，大驚道，小乖乖，你怎麼也會這一套，是不是胡大姐指導你的？蕭作作怒道，你太糊塗，難道我一個高中畢業生，連這點都不知道嗎？不倒翁又道，小乖乖，一萬美金不是小數，要是短期內籌不到，怎麼辦？蕭素秋放下臉道，那只有請你到客堂去睡，那一天把美金籌到了，再准你上床。不倒翁太息道，你未免太狠了。蕭素秋道，難道一個青年女子，就被你老傢伙白白蹂躪了不成。不倒翁退回書房，想了半天，果然想出一個辦法。

不倒翁最近知道章乃器利用上海銀行頭寸，發了一筆驚人的大財，就去找他借一萬美金，那知章是著名猶太，立刻婉言拒絕，並勸他道，我看你只有去找周恩來或許還有點兒辦法，因爲幾天前他和我談過，說是有什麼要事找你。不倒翁急問道，什麼要事？章說，不知道，大概是要你組黨。不倒翁聽見組黨，立刻心花怒放，知道可以借此勒索。晚上就到曾家巖去找周恩來，一進門去，周恩來笑着歡迎道，潤老有何見教？黃道，找你幫忙，周恩來道，我也正要找你，因爲看來戰事結束，不會超過三年，國民黨是不會無條件開放政權，我們需要多扶植民主人士，我看遷川工廠一般大亨，都是你的老朋友，何不把他們組織起來。不倒翁也笑道，周先生，我久有此意，就是困于經濟，無從着手。

絲瓜清熱痰去骨火

・馬騰雲・

生活漫談

絲瓜又名布瓜、蠻瓜、葫蘆科，一年生草本，我國各省均產，以廣東及浙江一帶產量最多，一般人又稱勝瓜，寒涼不可多食，其實絲瓜雖確有寒涼性，但不是很嚴重，不過各人吃絲瓜都喜歡半生熟食，取其爽口而綠色好看，這樣的食作，對胃腸可能有點不適宜，因爲絲瓜所含的植物粘液及木膠甚多，未煮熟時，對胃腸會有一些刺激，如果「寒底」的人有時會覺得反胃。絲瓜的性質本來是很和平的，既不太寒也不太熱，總要煮熟它來吃，對人體才有益。因爲絲瓜含有「皂素」，故它是有去熱痰的作用，除含有植物粘液、木膠之外，還有脂肪、蛋白質，及維生素CB等，它的種子所含脂肪竟達百分之四十一強，蛋白質亦不少，

我們如果吃絲瓜時，連核吃更好。天熱口乾鼻燥，牙齦發痛，鼻膜出血，曬完日光之後，面赤腦脹，小便短赤，不妨用絲瓜斤許，加入生薑數片，耐火燉之，加入一些豬魚肉類更佳，飲後自能生津止渴，全身感到舒適；患高血壓病者最適宜。花縣北部的「客家」鄉村，鄉人每用絲瓜燉豆腐作爲助乳劑，產後婦人，乳汁分泌過少，不足供給小兒食用時，就採用兩三個絲瓜，切開加入一些老薑，起鑊炒透，白豆也炒過，最好還加入一個魚頭，或一截魚尾，一同耐火煎湯飲之，乳汁自然大量分泌。貧苦人家，就用絲瓜燉豆腐也行，肉類常常錢不到的。如果肺熱痰多，口氣發臭，眼紅鼻焦，咳起時胸痛背痛，此屬于肺熱結痰，簡單的治療方法，可用絲瓜二三斤一段段切斷，加入一些陳皮，耐火燉之，乘熱狂飲一頓，能收清熱止痛去痰之效。但必須認清楚是肺熱，假如是肺寒多痰則不適宜了。絲瓜雖含有很好的營養份，因它有多少寒性，不受得寒的人都是少吃爲宜，若要吃一定要煮到爛熟，及防止它的粘液及膠質影響胃部，絲瓜的果實到了熟時，果肉內生強韌之纖維如網狀，這就是「絲瓜絡」，爲清涼和血，通經解毒藥，凡受濕而起，或是由于小便不通，大便秘結而起的骨節疼痛，周身軟痺，而屬于熱性的病症，絲瓜絡也有很好的治療功能。用絲瓜絡煅灰全性，最好用長老的絲瓜，已老到不可吃，在摘下時將原個即在新瓦器上煅灰，使成焦炭狀，爲末存貯備用，遇到痔瘡流血，或小孩頸部結有痰火核，用開水或白粥送服有效。

海角秋涼（三〇）

・文自粹・

老太婆拉着孫子才和瘦鵑一道回到東勢。東勢人士聽說左公派了秘書送老太婆回來，替她申冤，大家瘋動來迓，恰好一位本省籍監察委員陳先生，也經過東勢，一見瘦鵑，很奇怪他怎麼到了這鄉僻山鎮，瘦鵑告訴左公的意思。陳委員和瘦鵑於是約同警察局長、檢察官、陳內科、李外科兩醫院院長、老太婆和她兒、媳等，再去覆勘。屍身用冰塊鎖住，還沒有變壞，白布一掀，果然七孔流血。這時遠旁觀的民衆也都太息稱奇。幾位負責人商量一陣，只有電台中地院，再派法醫來場，趁夜詳細覆驗。病人嘔吐之物，前已化驗，可證明腹膜炎不誤。奇怪的是下部流血，處女膜有新破損跡，一面送驗精液，一面扣押先後從事人員，逐一偵詢，到夜深才得出結果，原來是化裝師二人中的一人，犯了褻瀆行爲，激起地方民衆公憤，如果不是警察在場，很可能當夜就會給義憤的羣衆拖出去毆死的。於是將人犯拘送法辦；爲屍身重行灌沐，更衣入殮，果然七孔流血停止了。這是十年前轟動中部的一件大事。老太婆還特備了香案三牲，恭送感謝瘦鵑回到台北左公處；左公也只是犒賞了錢，將禮品退回了事。後來，她孫子到北部服兵役，還代老太婆拜望左公一趟。

瘦鵑因承左公看重，工作愈來愈忙，香港的朋友很久沒有來往了。嘉玉因爲左公替他安置了工礦銀行監察人，有宿舍可住，監察人工作並不多，所以還常來走動，聊天。才蕾的幸福樂場，聽說已易了主。才蕾有相當積蓄，不知已轉業何處？有人說他到西貢，也有人說是新加坡。因爲東南亞這十多年來，工商業勃興，很多人去做進出口貿易，更有遠見的人就去擴興紡織、水泥、鋼鐵等新工業。不過才蕾的名字還不大聽到當地人士提起，報章也少報道，想必還沒有十分重大的成就。那知道才蕾自四十二年即已來台，並已遭遇到挫折重重。一直到伍嘉玉命案發生後，隱隱約約的集中注意他；直至警方將他由香港遞解到台，經過公開審訊以後，瘦鵑才找個星期日，特別向看守所長申請，單獨會見才蕾，和他作了一兩個鐘頭的談話，才明悉了大概。

才蕾因爲台灣自總統復行視事，局面日見穩定，盟國已公認台灣是遠東抵禦匪共最堅強的堡壘。四十二年一月，中央宣佈台省實行耕者有其田，這時實現三民主義是一大保證。港九和匪共僅一水之隔，幸福樂場是辦了香港小姐的選舉，固然出了很大風頭，也賺了一大筆鈔票，但也添了很多意想不到的誤會。尤其是商場上的風波，你許我們經營，你爭我奪。不如趁此機會將樂場頂給別人經營，自己到台灣開拓一個新局面，無論新工業或觀光旅行社，都有其需要。所以他請一位王姓朋友在台代辦入台證，並租妥廈門街四十八巷四十號之三一所大房子，就於四十二年十月初來台。他想還可參加雙十節的慶典。那知他一住進新屋不久，又遭遇到十年前在重慶一樣的噩運，說是有人檢舉了他在港走私等罪行和來台的陰謀，他就被安頓在綠島管訓，整整六年。這六年，大事很多，有一萬四千名反共義士來台，第二屆總統的當選就職，中美共同防禦條約的簽訂，一江山的退卻，台灣省府的遷建中興新村，金門炮戰大捷，總統對共匪翻然來歸了六項自由三大保證，又碰到台灣六十年來最大的颱風巨災，許多輕犯都赦減了，參加救災重建工作。負責考核管訓的機關終於明白才蕾並不是什麼危害國家的企圖，將他釋放了。

從基隆中學的血案說起

（上接第一版頭條）

這個社會也眞怪，每年一到了教師節，報紙上在熱心報導黃色新聞之餘，居然也能很熱心的指摘「敬師金」一番，結論是「哼！這些老師竟會要錢」！這種助長歪風的伎倆，實在有乖倫常，當他們提筆爲文時可曾想想！當年他的老師如果只會要錢，他們今天憑着什麼提着筆桿賺錢呢？其爲害社會人心之大眞莫過于此。從事文化工作者總應該倡導尊師重道的美德，這不也是復興中國文化的方式之一嗎？

上面舉的例子只是怪現象之一而已，至於有的家長動的到學校打老師，似校長者，則認爲是有辦法，以能對付無拳無勇的教師而洋洋自得，殊不知這樣作是在殘害自己兒女的性靈，是在給自己兒女一種最好的無法無天的示範。十年之前，我在某私校訪友，看到一位女家長對訓導主任大發雌威之後再享以鍋貼，據說如今她的寶貝兒子正在服刑。追本溯源，誰負其咎？

有的家長對國校老師採取「高壓」政策，對中學教師則採取「懷柔」政策，這懷柔政策也有深淺之分，即只尊敬一部份老師，尊敬那一部份呢？自然是教數理化的，見面便打拱作揖，卑恭屈節，作一見如故狀！同時看不起教文史的老師，不幸遇見這種老師就換上另一幅尊容！會馬上裝出皮笑肉不笑的拒絕往來狀。國文程度之日益低落，這也是原因之一。孔夫子誕辰的冷冷清清和耶和華誕辰的火火辣辣，均良有以也！

家長們另一種偏差，是不和老師合作。學生逃學，缺考，家長越俎代庖，家長代請病假；老師責備學生不好，作業，家長偽說自己的孩子天下第一；老師留下罰了孩子，家長會找老師算賬。在這種家教的薰陶之下，孩子不變成太保太妹，恐怕是託天之福。假如不幸而變成問題少年，可也不足爲奇，是誰之過歟？學校？老師？家庭？

基隆中學的血案發生之後，我們對被害的教師同情，對行兇的學生惋惜。該校辦理不善只是兇案的原因之一，其他因素，我們局外人也不敢臆測，往者已矣，來者可追，我們爲人父母者，如能負起教育子女的責任，足可彌補其他方面的缺點。（完）

這一代　自畫像

鄭鳳娥

個子高高的，眼睛大大的，不長不短的臉上，經常帶着微笑，雖然這一笑，未必是最美麗的，但至少是相當可愛的了。滿面春風，正象徵着我對人生，世界美好一面的賞玩，和詠贊，對世界缺陷的一面，我往往用善意的幽默來應對。世界對我何往而不快呢？白上衣，黑裙子，朝氣蓬勃，充滿着活力，走起路來，其快如風，有人說，眞有運動家的風度，這些都是別人印象中的我。

雖然，在外表上，頗爲樂觀、好動，但這也不是絕對的可靠。因爲，有時候靜默下來，我的心眞是難以捉摸，說多怪僻就有多怪僻，說多神秘就有多神秘，多重的個性，就連我本身尚難了解，何況是別人？

每當處於熱鬧的場合裡，我的心却反而空虛，且寂寞得可怕，彷彿沙漠中孤身的旅客。我不願在喧鬧之地迷失我自己，這時，我離開了羣體，欣賞着他們，却另有一番風趣。尤其是在月白風清的夜裏，常凝視着明月遐想，一時萬千思緒，對景難排，眞有「相思無由寄」之概。望着樹影在月下婆娑起舞，想起了詩仙李白對月邀影狂舞之豪放，思古幽情不禁油然而生；偷聽鳥語呢喃，落葉輕嘆！實與我心有戚戚焉，此時萬籟俱寂，前無古人，後無來者，念天地之悠悠，愴然而淚下了。這是我的孤僻神秘處。因此凡是校外有什麼熱鬧的場面，均難尋覓我的芳蹤。

我愛寫詩，不拘新詩，舊詩，思緒有如泉湧，對景難排之際，便執筆舖紙，寫下幾句，寫到得意處，吟誦不已，心花怒放，手舞足蹈，有時對文詞的斟酌，絞盡腦汁，猶難成章，常爲之終日悶悶不樂，更添愁緒。

我也愛畫畫，但僅止於塗鴉的地步；寫詩之餘，更渴望把大自然的美景，在畫筆下，留下清新的回憶。假日，遊山玩水，畫具隨身攜帶，欣賞大自然的美景，並欲描繪它幾筆，不但可以怡情養性，且可憑添生活情趣。至於畫的工拙，又何必計較？正好像我的人生並不必一定值得人家讚美，但只要我自己適意就好了，因爲那是我自己的人生呀！

自由報

（第九六六期）

（半週刊每星期三、六出版）
每份港幣壹角・台灣零售價新台幣弍元
社長李運鵬・督印黃行齋
社址：香港九龍彌敦道593—601號廖創興銀行大厦八樓五座
LIU CHONG HING BUILDING
7th FLOOR FLAT 5
593—601 NATHAN ROAD,
KOWLOON, H.K.
TEL: K303831
電報掛號：7191
承印：景星印刷公司
地址：嘉咸街廿九號地下
台灣總管理處：台北市大同街119號
台灣區直接訂戶　台郵劃撥戶第五〇五六號張萬有（自由報會計室）
電話：七一四〇三三・五五五三九五
台灣分社：台北市西寧南路110號二樓
電話：三三〇三四六・台郵劃撥戶九二五二

違反國父遺教・缺乏史地常識

中國語文月刊兩篇論文有六種缺失

・仲望旌・

中國語文月刊第二十四卷第二期（五十八年二月出版），登載了龍湘萍先生的「國（民）中（學）地理教科書中有關國語文的重大錯誤」，（以下簡稱龍文）和張席珍先生的「私說偏見能編入教科書嗎？」（以下簡稱張文）。這兩篇論文分別對國民中學地理教科書第一冊（以下簡稱本書）中的下列課文，提出批評。此段課文的標題是「中國的政治統一是以統一文化和書同文爲基礎；東南沿海各省方言較多，但人數少，對政治統一，並無影響，主要因全國人民讀一種文字（中文）所寫的書，思想也就相同了。」本書編輯要旨第十條載明「本書如有未盡妥善之處，請各校教師隨時提出改進意見，以供修訂時之參考」。足證各方提出改進意見受到歡迎。惟龍張兩君所提的上述批評，包含下列六種缺失，實有加以批判的必要。又該月刊「本刊編輯部啓事」（以下簡稱啓事）支持這兩篇論文的意見，也表現出六種缺失的一部份，自應附帶述及。

一、違反國父遺教

國父曾極力讚揚中國有「同一言語文字」：

「就中國的民族說，總數是四萬萬人，當中參雜的不過是幾百萬蒙古人，百多萬滿洲人，幾百萬西藏人，百幾十萬回教之突厥人，外來的總數不過一千萬人。所以就大多數，四萬萬中國人，可以說完全是漢人。同一血統，同一言語文字，同一宗教，同一風俗習慣，完全是一個民族。」（民族主義第一講）

在這一段遺教裡，國父不但認爲漢族有「同一文字」，意即「書同文」，而且有「同一言語」，意即「語言統一」。前者係對邊疆民族如西藏人、突厥人（他們人數很少）以及苗人、僮人等而言，後者係對東南沿海各省方言區而言。這一帶雖有較多方言，但講每種方言的人比較少，「所以就大多數」而言，可勿予考慮。國父直接認定漢族有「同一言語」。何況東南沿海各省會講方言，同時會講普通話（國語）的人也很多，國父便是代表之一，二十年來的台灣此種人與年俱增。

國父自己是「粵語方言區」的人，認定中國有「同一語言」，自是十分正確，十分客觀。

本書上述課文大致與國父遺教符合，卻承認方言的存在，反證龍張兩君的批評違了國父遺教。

二、缺乏中國史地常識

「東南沿海各省方言較多，對我國政治統一並無影響」，這一句裡的「東南沿海各省」六字，應加特別注意。

秦始皇滅六國、統一中國以後，中國的歷史發展，有「分久必合，合久必分」的循環。決定中國政治「分」與「合」的關鍵性戰爭，大多發生在黃河中下游的官話方言區（依周法高先生分類，此方言與標準國語十分接近，東北和內蒙「據漢人占人口十分九」也是官話方言區），其次是長江中下游的準官話方言（與標準國語接近：四川、雲南、貴州三省和廣西北部，也是準官話方言區）。江南武進（常州）東南的呂城，則爲吳語方言區之西界。簡言之，歷代的內戰主要爲官話方言區與準官話方言區的內戰。

至於「東南沿海各省」原是中國方言較多的區域，不但位置偏僻，且各個方言區並不能形成「一個」政治單位，因而與上述關鍵性戰爭，關係並不密切。這些史地事實證明上述課文並非錯誤，完全正確。

一千幾百萬海外僑胞大都講閩粵方言，他們擁護積極推行標準國語的中華民國。其中港澳的四百萬僑胞大多數講廣東話，雖與講廣東話的廣東省接壤，二十年來全力擁護並不通行廣東話的中華民國——以金門、馬祖、台灣、澎湖爲反攻基地。此一事實足以證明方言與政治統一和民族團結，沒有絕對相關性。因而「方言這道「牆」正是情意交通的障礙」這句話（張文，張君此言可代表所謂「國語專家」的意見。）的正確性根本被否定了。

三、不必要的謾罵

學術研究以理性和事實爲根據，無須謾罵。龍張兩君和「本刊編輯部」盡情謾罵，實在是不必要。爲了節省篇幅，祇列舉下列謾罵原文：「蓄意歪曲史實」，「主編人沙學浚先生犯了無可辯解的重大錯誤」。（啓事）

「他（指沙先生）這種武斷專橫的論調。」（龍文）「一項荒謬的課文」，「（沙先生）蓄意分化割裂，荒謬不當」，「另外一項荒謬的部分」，「實在非常荒謬」，「到了如何謬誤的程度」，「非常矛盾錯誤」，「尤其是荒謬之極」，「荒謬錯誤」。（以上張文）

四、罵錯對象

張文：「這次新編的地理課本，正是由沙先生執筆」，這是事實。按執筆人（國民中學英語課本稱爲主筆）的責任是草擬課文原稿。

依國立編譯館規定，各科課文原稿完成後，必須提交各科教科用書編審委員會審查、修訂、通過，內容是否適當，並不由執筆人一人負責。張龍兩君及「本刊編輯部」集中力量謾罵執筆人沙學浚先生一人，顯然是罵錯了對象。

五、違反事實的指責

龍張兩君說沙學浚先生「藐視國語」。「在極力打擊國語。他反對國語這樣賣力」，「重文輕語」（以上龍文）；「暗含着不贊成提倡國語推行國語的意識在內」，「厭惡國語」（以上張文）。

上述的指責剛剛與事實相反。沙先生非常重視國語。五十六年冬季，他曾在中央日報發表數篇論文，積極主張全國國民和全球僑胞應努力學習標準國語，並鼓勵小學生閱讀「國語日報」，龍張兩君如果不信，可以查閱中央日報。

六、錯誤和欠妥的詞句

龍張兩文中錯誤和欠妥的詞句相當多，爲了節省篇幅，祇各舉兩句爲例證：「但是他（指沙先生）在（國中地理第一冊）第四面的人口統計表，「東南各省的人口僅次於中部和北部地方」（龍文）。「東南各省」是錯誤的，原文是「南部地方」。「主編人沙學浚先生……」（啓事及龍文）也是錯誤的，應改爲「主編者國立編譯館」。這八個字印在本書封底內頁第四行，十分清楚。主編者並不是沙先生。

沙先生「不遺餘力的想把國語和國文分家」（龍文）。「分家」二字十分欠妥，一因絕不會有人有這種動機和這種力量，二因「國語」和「國文」性質本來不同，現行國民學校國語課本第七冊第一課「橋」，國語課本第一冊第十課「國語與國文」，均有很要的說明，爲了節省篇幅，恕不抄錄原文。

拿破崙說：「語言是糟粕，文字是精華」，足證國語和國文很不同。

趙友培先生是中國語文月刊的發行人，也說過：「我們一用文字把所說的國語寫下來，就由語而文，假如仍稱爲語，未免名實不符」。（趙友培先生：國語文教育與文化復興，五十六年十月廿五日中央日報）

「總之語和文的距離越接近，民衆與民衆，軍人與老百姓就越是團結，國家一定愈來愈富強。如今沙教授把語和文的距離拉遠，無異於從中妨碍團結，阻撓國家富強進步」。（龍文）在這段引言裡，前一句和後一句也不符事實，因爲沙先生（或任何人）都不會有拉遠語和文之間距離的動機和能力。事實上沙先生既提倡國文，又重視國語，其目的即在於增進民族團結，促進國家富強進步。

自由談

民國初年，武人橫行，紀綱蕩然，一般官吏的俸給亦常常積欠，北京各部署的公職人員，積欠薪俸至一年以上，「災官」一名詞宣騰於社會。但官吏肆行貪污的情形尚不多覯，集體貪污更不敢想像。尤其是司法與教育界人士，大家多潔身自好，表現清高風格，而北洋軍閥對法界與教育界人士亦另眼看待，頗示尊重。

迨民國十六年後的國民政府時代，轉移社會風氣，完成時代使命，政治更見清明，職掌司法，教育事業的官員或校長們從未聞有個別納賄受賄，或集體貪污分贓情事，貪官汚吏雖然亦有，但司法和教育界倘然湼而不淄，有如蓮花之出污泥而不染也。

時至今日賄賂公行，司空見慣，毫不稀奇。教育行政官吏利用職權，公然營私舞弊，巧立名目以索取儌來之物者，所在多有，甚至任命或調動一個中小學校長，亦有「紅包」作用，而小學教員實行懸性補習以扒錢的歪風，更係舉世周知之事。至於校長利用代辦學生課本服裝的機會，濫收費用以肥私，或藉「家長會」名義，伸取非份之錢財等情況，大家見怪不怪，視爲不成文的習慣法了！

思往事

素以尊嚴清高著稱的司法與教育界人士，亦墮落到這步田地，這表示政治的根基已經腐爛潰敗了，國脈爲之斷散，民德因而澆漓，自難怪社會上隨時發生令人駭聽的兇險殘暴行爲，子殺其父者有之，學生殺老師者有之，而謀殺親夫，毒斃情人慘劇，更是家常便飯，無足驚異了。

「國家之敗，由官邪也，官之失德，賄賂彰也」。政治上的貪污風氣如不能消弭，寖假而形成集體貪污，官官相衛的惡劣現象，國家前途必無幸理，否則民國十六年前的軍閥政府即不應該崩潰消失了。我決不承認官吏貪污完全是由於待遇菲薄之說，理由不必談，即如法官王鍾李石樑之納賄犯，如若干高級行政官吏之貪取高雄青果合作社的苞苴和金碗金盤等等，他們真是出於薪俸微薄，家中啼飢號寒而然的嗎？

思往事，愁如織，念未來，空懸切，舊日時艱，不知廟堂之上的袞袞諸公，作何感想？

票據八股觸目驚心

歐陽鑫

昨日與明日

台北北市票據交換所本年六月五日公告：

一、查本所各交換行庫局社甲存戶對於一年內連續開發存款不足支票退票達三次者照章予以拒絕往來處分檢同退票紀錄移送法院法辦有案。二、除由原往來行庫局社催繳該戶原領未用剩餘空白支票外特將上項拒絕往來戶名稱暨負責人姓名、住址，公告於後敬希各界人士注意幸勿再行接受其所開發之支票以免連累而遭損失。三、持此公告。

根據上列票據八股，祇台北一地就有上百家的經濟信用頭被砍掉了，能繳罰款的固有，事實上坐牢的佔多，從這批名單上審查殷實工商界人士又佔多數，如中榮製藥廠股份有限公司等，再加以其他廿餘市縣，這一個可怕的事實，政府如果不設法解決，聽任發展下去，後果將不堪想像。詳細請參閱五十八年二月一日本報論文「票據法應立即廢止！」。

法律之前人人平等

如果政府果下定決心維持票據法威信，應當法律之前人人平等，請先將部長級的官員，中央民意代表，和甚多特殊份子如地方議官之類，違反票據通緝犯，先行逮捕歸案服刑，老百姓的心理既平，反抗情緒自減。搞民主政治，選票第一，否則都是空中樓閣。高玉樹把握了執政黨這一弱點，敢單槍匹馬作戰且可制勝，道理在此。可惜輿論不能自由知道毛病而不敢講，造成空前大錯。

不過話又說回來，如果將中央民意代表違反票據通緝犯個個歸案究辦的話，祇就數字來說，又是一個轟動世界的大新聞。本報之主張「票據法應立即廢止」觀點也在此。

經國先生早注意了

票據法的誕生，據說陳副總統是催生婆，得到立法院過半數的支持。其實票據法並未離開刑法內已定條款所迴異者，政府加罰三成而已，筆者是時甫返祖國，曾分函陳副總統與蔣經國先生，力諫此法不當，實行時，得特別慎重，副總統未理會，當然對信的口味感到不適，經國先生曾函覆，已交專家研究。（原件尚可查考）。

文匯樓主於五十八年五月廿四在自由報發表「查良鏞任重道遠」一文針對現實說的很對：「據非正式統計，台灣省犯罪類別是很畸形的，竊盜佔過半數，其次是違犯票據法，再其次是烟毒，但違犯票據通緝犯最多，且皆工商界中上層生產人士，照港台各報統計，祇票據通緝犯就有十萬左右，而大半在台北，這一可怕的事實，凡關心國事的朋友，孰不對這些問題，懷着高度警惕呢？一個通緝犯影響到五張選票的話，（包話父母妻子兒女至親好友）高玉樹的當選和周百鍊的落選，就是一個最良好的例子，由於選票不能步入正常，在政治上是多麼嚴重的一個問題，此一刑事上的救濟政策如何厘定、行政上如何措施、赦免通緝犯或修改票據法，皆爲解決債務問題辦法之一，週前 蔣總統在一次重要會議上，對台北馬路修、補、挖的情形都非常清楚，以證明司法上的很多問題不會比修馬路的事情小，無法隱瞞他老人家的。

東南亞若干國家，年來不斷的實施大赦。似可借作參考。大赦在法律上，是元首代表國家行使的大權，由司法部呈准總統，不必根據議會或外間任何請求，待請求而辦理大赦或減刑，都是權力下移，自開惡例，所以爭取主動，是政治上的絕招。 蔣總統是一位外嚴而內寬的政治家，凡事皆有其卓越觀點，相信早已體會到這些。影響選舉的通緝犯，不能不予注意，更不能不解決。」

三十年前 蔣總統在重慶小溫泉，向中央政治學校高考部畢業生訓話，「國家的制刑，不在懲惡，而在勸善」希望立法諸公本此嘉言，趕快設法挽救。

更正：

五月二十四日，本報第九六〇期第一版「中華文化的特質」一文作者「褚柏思」，誤植爲「褚相思」，特此更正，並致歉意。

國大憲研會建議
建立專業制度 推行社會福利

（本報台北訊）國民大會憲政研討委員會第十一次綜合會議，就現階段社會福利事業制度，提出綜合檢討意見，並認社會福利執行機構未與業務之演進相配合；社會福利工作缺乏專業化工作人員，故無法建立專業制度；由於社會福利立法過於遲緩而影響工作效率巨鉅。

綜合檢討意見指出：社會福利係社會進步的動力。凡是向着人類幸福方面演進，使社會關係更加和諧，就是社會進步，而「社會福利」係有組織有系統的社會服務，專為協助個人或團體獲得生活與健康上的滿足，並力求私人與社會間關係之圓滿，使個人得以充份發展其才能，促進其本身之福利，使與社會的需求互相融和，可說是一種使社會上大多數人的利益互相調適，人與人之隔閡逐漸減少，大家過着更平等更幸福更安全生活的一種主要措施，在這種安全幸福的生活中，人類的智慧更易發揮，人類精神與物質環境必更加改善，故須確認社會福利是社會進步的動力。政府發展經濟的目的在提高人類幸福，因此促進生產，繁榮經濟，同時要注意到消費方面的分配在工業化過程中所佔的重要性，如分配不能社會化，往往會在表面的繁榮裡潛伏着社會危機，同時，惟有在享受大衆化的相互利益觀念上，才能眞正發揮人類的潛能，加速生產。

我國對社會福利工作已逐漸開展，但因缺乏立法依據，或雖有立法而未能適時修正，致無法適應時代需求，而嚴重影響社會福利工作之推行。例如兒童福利為社會福利中的主要部門，且自抗戰開始，已有兒童福利措施，但至今尚無兒童福利立法。再如國民就業工作，在工業社會中負有調節人力供需的功能，但就業安全立法，雖經有關單位早已擬訂草案，但仍未送請立法院審議。其他如社會救濟法，係民國三十二年訂頒，比起現代各國的「公共救助」已屬落後，沒有給被救濟人以確切保障，內政部雖於十餘年前草擬「社會救助法」，但迄今未見下文，政府遷台近二十年來，除四十七年七月二十一日立法院通過勞工保障條例，並於去年修正一次，及四十六年訂頒「興建國民住宅貸款條例」外，其舊法久未修正，新法尚未提出，究其原因為：有關部門，對社會立法過於小心。各單位本位主義太重，為了本身的些微權益，而阻撓立法進行。我國社會部門缺乏專門研究機構，對社會立法，無法專責積極促成。

現在社會福利業務與日俱增，但由於社會福利的立法不完備，對執行機構缺乏保障，故業務雖逐漸擴大，但爭取擴充編制，至感不易，因人員不足，業務之推動亦難如理想。況社會福利工作係專業化工作，必須由專業人員充任始克有成，現歐美各國規定社會工作人員，必須取得社會工作碩士學位，經考察品能家世符合規定者，由中央發給社會工作證書，始有資格從事社會工作，此足證社會工作之專業性。我國目前環境，固屬無法向他們看齊，但起碼應以受過社會工作專業訓練為先決條件。但我國公務員以考試及格為優先條件，而考試院舉辦的高普考，對社會行政科，錄取者不多，故無法建立專業制度。

該綜合檢討對建立一文化就業輔導機構問題亦有所批評。目前我國就業輔導工作，在中央名義上雖由內政部主管，但另有行政院青年就業輔導委員會，負責青年就業輔導；行政院國軍退除役官兵輔導委員會，負責退除役官兵就業輔導，缺乏統一指導機構，在地方有省就業輔導中心及縣市就業輔導所，此二種機構之分工配合，亦感不足，且中央與地方對青年就業輔導權責如何劃分？亦缺明文規定，每易予人以重複浪費之感。（完）

弒師兇犯周振隆 判徒刑十五年
建立尊師重道正確觀念 社會一致認為當務之急

（本報台北通訊）五月七日，台灣省立基隆中學高二學生周振隆在課堂上用利斧砍死導師江新同先生，基隆地院已於同月廿四日宣判，兇手周振隆處徒刑十五年，周聞判無言同押，其父表示他的兇子弒師滅倫，大逆不道，為正視聽，不打算上訴企圖減刑。最後兇否上訴，那是周府的家庭問題，社會上不必替古人担憂。

這一驚心動魄的慘案發生後，各階層人士都在痛切注意，表現在學生本身的，發起以「尊師重道運動」。全省各校紛紛響應，足證有良知的好學生究屬多數。追源溯始，還是當局領導不善的責任居多。所謂尊師重道，是一個基本觀念問題，是我們的教育當局，就無正確觀念，致使芸芸衆生無所適從。例如一年一度的教師節。（九月二十八日孔子誕辰紀念日）總要鬧一次，敬師金問題。台灣近年有一種最壞的歪風。那便是遇到任何問題，一窩風不負責任的亂嚷一陣，蜀諺有云「一犬吠日，百犬吠聲。」敬師金每年總要鬧一次，只要有人嚷，當局也跟着嚷起來，下命令，發新聞，表明事先我們不知道，事後我們已經制止了，以後民意代表們千萬不能再質詢，即令有人提出，又何患無辭以對呢。這一無聊舉動，十足表現自比警察，把校長教師當作問題人物，但沒有想到，影響所及，眞是不可估計，這只是衆所周知的一端而已，類此事實不勝枚舉。

我們以為，敬師金沒有理由一定廢掉。家長們除了繳納學費，是不是就與學校教師之間的關係一切了斷？不過方式問題，是值得研究，過去由教師在課堂上向學生直接收取，本身就有些不敬。當局為甚麼不設法變換方式，起碼不使教師經手，其法甚多，只是當局肯不肯負責與用心而已。

尊師重道，先決條件當然是師有道，才值得尊重。師之有道無道，權衡之責在當局。當局對教師的看法，還沒有弄正確，怎能談教育建設呢？學生們所發起的運動，只能表示其心意。當局若不敢正觀念，採取行動，淘汰少數聲名狼藉的校長，尊重堪為人師表的人格和地位，好壞不分一律對待，視之為傭工，招之使來，揮之即去，教育云乎哉？

×××

瀛海紀年（八）
陳果老無欲則剛

林公偉

吳興陳果夫先生以四十年八月二十五日病逝台北，出殯之日，同志故舊自極樂殯儀館至新莊道上者逾十萬人。陳氏到台以病來兼領院部，而動人哀感如此，誠合衢同所未見也。

果老為英士先烈之長姪，自民二次革命，民四肇和軍艦起義，即參與機要。北伐清黨，本黨能不為共黨篡竊者，果老昆仲之力為多。民廿二出任江蘇省政府主席，四年之間，民康物阜，從政人員無不廉勤從公，而閭閻道不拾遺，夜不閉戶，迄今來台蘇省父老猶有追懷當時盛况者。

筆者於果老逝前二月光景，有緣就榻畔長談。時大陸撤守不久，甚多社會知名人士為一時利祿之誘，陷身匪窟，不能自拔。果老因談及治蘇時之困難重重，唯一憑藉者，則不貪非義之財，所謂無欲則剛，及應時既久，外間稔知，遂無再有以困擾者，故四年間得無負中央及領袖之期望。

果老舉禁烟一事為例。吾國自鴉片戰爭以來，已一百餘年，勞民傷財相習，自種、運、售、吸。社會上甚多特權藉以徵歛，甚多嘍囉藉以為黑色生活。果老奉命主蘇為民國二十二年十月十二日，當日即奉委員長自南昌總部來電，切盼蘇省禁政有成。果老到蘇，民政廳長辜仁發，財政廳長趙棣華，一再來請示，希望禁政方針早日確定。甚至有人願意為省府籌巨款，其胸中鬼主意不問可知。果老先叫民廳派員實施考察各省禁政成果，越月歸報，實無一可稱為徹底禁絕者。果老決定：（一）江蘇決不寓徵於禁，即蘇省政費決不靠禁烟罰款。（二）從學校、黨部、司法、衞生、公安、民政各方面配合進行，鄭重決定自廿三年四月開始，為期四年，徹底禁絕。——禁種、禁運、禁售、禁吸。

自民初以來，蘇省即有二三劣紳，專享運烟專利者，初則對蘇政多方詆毀，命其嘍囉於各地設館者勾結地方勢力，陰與禁政為敵。及歷時數月，省府方針不稍動搖，運售者送法究辦，初吸者送戒烟所勒戒。果老并特別請衞生人員、國術家教烟民强身之術，藉以達成徹戒之目的。上述向享運烟專利的劣紳，亦親赴戒烟所受戒，嗣并願奉派為禁烟委員，云藉此以湔滌夙穢。其徒屬在各縣設專館者，劣紳亦勸令及早改業。以蘇省府既決心不要錢，我亦無辦法可保護各位幫助各位了。省內禁政以外。

外商輪船，亦有久以包運為利者，果老囑水上警察隊先搜得現貨，再循外交途徑正言規勸，外商亦覺包運毒品為羞，次第禁絕。

果老估計當時江蘇烟民四十萬人，每人每年吸毒六十元，合計漏巵為二千四百萬元。蘇省另一利民巨政為導淮入海，但導淮入海工程所費財一千二百萬元，連同各縣義務勞動代工，亦止二千萬元。以禁烟一年人民之得益，即可支付導淮入海工程費用而有餘。禁烟之利，就經濟觀點已若此，若就民力國運千百年計，則更不勝計矣。

果老引經哲所戒：『無欲則剛』，以赴大事，信然！

喬治桑外傳　五四

張大萬

「我隔壁住的一家美僑，上個月被小偷光顧。我又很少在家，朋友勸我養一條狗看看門。」喬治桑補充說明。

「談到狗，中西文化觀點是不同的。我在古書上常看見屠狗字樣，英雄豪傑不得意時隱於屠沽，賣香肉為生，似乎並不稀奇。外國人則認為狗是人類的朋友，吃狗肉簡直是野蠻行為。」古有方很健談，似乎是飽學之士。

「我個人意見，古今時代不同，既然西洋人認為吃狗肉是野蠻行為，還是以不吃為宜。好萊塢電影明星伊麗莎白泰勒最喜歡狗。有一次她到英國，為了避免海港檢疫的麻煩，特地租了一隻遊艇，安置她帶去的四隻愛犬。每週租金兩千五百美金。這種闊氣眞吓壞人。」喬治桑提出伊麗莎白寵愛走狗的新聞以助談興。

「我還是贊成中庸之道，我既不同意目前台灣鼠竊狗偷用農藥毒殺名種犬來打牙祭，更不敢想像伊麗莎白跡近瘋狂的舉動。」古有方未去過歐美，還帶有中國文化傳統思想。

「有方兄你說的不錯，吉美在我家比上不足，比下有餘，我能每頓餵牠牛肉、狗餅乾已經不錯了。哈，哈。」喬治桑說完又向古有方敬酒。

「今晚有日本人請你吃飯？」古有方換了話題。

「是牛與鐘牛董事長的日本朋友，他們想辦藥廠，希望我參加。其實，我對西藥是外行，而且也不準備在台灣久住。」喬治桑不說自己想換上去，却說人家要拉他，這種拐彎吹牛的方法，老於江湖的人大概都會。

「台灣人力、電力便宜，做藥廠是賺錢的生意。他們又不希望你担任藥劑師，內行外行我看沒有甚麼關係。」古有方認為製藥生意不壞。

「我也是這樣想。牛與鐘與我相處還不錯，他要幫忙，不便拒人於千里之外。」喬治桑言之成理。

「聽說日本人最愛上酒家，今晚大概又是酒家一番了。」

「不，他們在新開的宮本武藏請我。聽說每人都帶女伴去，所以，晚上我想請雅麗絲陪我去週旋一下。」

「古先生，你知道我的日本話很蹩脚，博士要叫我去，不敢不從命，其實，我是最不會應酬的。」雅麗絲聽喬治桑談起她，說了幾句話。

「李小姐出將入相是博士的得力助手，妳眞太謙虛了。」古有方很懂女人愛帶高帽子的心理。

「這倒是眞的，我的事很煩雜，若沒有她幫忙，一切『沒法度』。」喬治桑對雅麗絲游揚備至。

「博士總是在別人面前誇獎我，我不過替博士打打雜，甚麼能力也沒有。」雅麗絲說完，用叉子叉了一塊生菜放在嘴裏細嚼，發出細微的咯支咯支聲音。

「强將手下無弱兵，李小姐能替博士做事，能力差博士肯用妳？」古有方對喬治桑、雅麗絲均加捧場。

這一頓飯，賓主交談甚歡，一直吃到兩點鐘才散。古有方知道喬治桑有午睡習慣，遂興辭告別。

喬治桑送走古有方以後，他要休息一下，吩咐雅麗絲在四點鐘叫醒他。（未完）

假出口眞退稅案 蕭某佔盡上風
有恃無恐，耐人尋味

（本報台北通訊）監察委員陶百川等彈劾台灣高等法院院長孫德耕，是近年糾彈高級官吏所僅見，其受重視，自在意中。不想，該案公布後，高潮迭起，孫德耕首先發難，當天應記者之請發表談話辯誣。而引發本案的大同實業公司代表人蕭柏煌除在某報刊登啓事大放厥辭，又向台北地方法院控告陶百川在調查該公司漏稅罰鍰被拘同執行時，涉嫌違反監察法圖利國庫教唆他人犯刑法瀆職罪嫌，監察院也荒了手脚，召開座談會，急謀對策，一時劍拔弩張，大有山雨欲來之勢。按陶案五月二十四日業經刑庭推事盧仁發裁定不受理，細閱裁定理由，蕭某拖刀之計，可以休矣，縱然上訴，諒高院亦不會多事，而為斷言。

論者曰：「孫德耕不必發表談話，徒增紛擾，應循法定程序向公務員懲戒委員會申辯。語云『為人不作負心事，半夜不怕鬼叫門』。蕭某原案佔盡上風，盲人契（口旁）餃子，自己心裏有數。明明色厲內荏，偏又故作鎮靜，製造刺激，唯恐天下不亂。陶百川憤世嫉俗，監察院視之為明星委員，陶亦受寵若驚，衝動來時，輒有神來之筆。」

也有人認為（一）孫德耕發表談話，不免書生之見，既非老吏，左右又無參謀，竟蛇添足，反而多餘。（二）新聞記者及各報新聞，除了執行間，不難推測，孫德耕執行顯然是財政稅務機關在主動，而彈劾案事對孫德耕一人，其中有何內情，令人費解。新聞界眞是官作技巧，暗示微妙關係，保持超然立場，這是進步可喜現象。（三）陶百川的天眞比寧可贊成陶百川的超那些鄉愿們，我們於「修養」那是陶委員個人問題，別人是愛莫能助的。（四）蕭某之控陶，當然是藉氣用事的成份。看似有恃無恐，耐人尋味。

雷震與「自由中國」

當年內幕誰知道　一番往事話從頭

王曰叟

（一九）

旣然要「發起這個結合」，何以始終又未發起呢？這固然是由於事後時局演變的關係，但基本的還是出自學人的氣質所使然。須知書生們的意態與革命家、實行家大不相同，要是一幫革命家們，有此決定，那就馬上起來組織聯絡，建立「結合」；即令爾後時局演變，不一定結合的必要，那也先結合了再說。但在書呆子們便不同了，大凡一個眞正學而有得的人，對於爲學以外的事，多半都是「半推半就」，「得過且過」。除了迫的不得已外，很少能下斷然的決心。這在好的一方，因是恬淡不爭，壞的方面，就是秀才造反三年不成了。舉個例來說吧，譬如「總統」這種名位，在搞政治的人看來，不論有無實權，都先作一任再說，而在胡適這般書生，却好似請客吃飯一樣的輕鬆。

蔣總統曾經兩次推薦胡適作總統。第二次的情形老叟不知道，在大陸上那次的經過，我却聽胡先生親自談過。那是有次傅作義請胡先生和田耕莘樞機主教吃飯；老叟也在座，地點是西什庫教堂，席間傅作義問胡先生道：「外邊都說　蔣總統提名先生當總統，到底有沒有這件事？」胡先生答道：「確有其事！我並且答應了，不過我當時便向　蔣先生說……一個政黨執政二十年，到最後選舉總統，選一個黨外的人，這在歷史上不可能的事，我不相信能成爲事實……您可以這樣作作看，一遇到障碍馬上就收回，千萬不要看作是一個承諾，……當時對外的文書都已擬好，法文的且已發出……這時許多人聽說　蔣先生自己不競選，便紛紛起而準備競選總統，使得局面不能控制，於是才取消前議，而由　蔣先生親自出馬競選……」。

這是一個多麼大的事，而胡先生就像講他人的故事一樣，而這種恬淡的胸懷，就正反映出書生們作事的情調。因此雖是決定要「發起這個結合」，却抱着得過且過的心情，要挨到事態最嚴重、最惡劣時再說——雖則並不希望有這最惡劣的一日。後來大陸眞個全部淪陷了，但是沒想到在不幸中之萬幸，還有陳誠開府台灣，支撑反共的局面，試問還那用的着這些手無寸鐵如書呆們來「下海」（借用京戲術語），所以也就樂得一天挨一天了。這是說的「自由中國」創辦前後的話，等到後來，　蔣總統復職，一切納入正軌，那就更根本無此結合的必要了。

那末，胡先生又爲什麼在時局艱危的時候，抽身就走。須知胡適之所以爲胡適，在能藉其聲望發揮號召和呼籲的作用，而並無助於守土護民，何況他非黨非政，旣沒有留守的責司，又無從插足戡亂，何必一定株守國內？假如時局眞要發展到最惡劣的地步，胡氏陷於毛共之手，我們可以像想得到，共黨將會如何的利用他的聲望，來招謠撞騙，要猴把戲，那時胡先生才是欲哭無淚，啼笑皆非呢？影響胡先生個人的聲望事小，關乎民心士氣之事大，胡先生豈肯出此？反之胡先生若在國外，必要時倒能在國際呼籲申訴，甚至乞援求助，與國內的反共工作相呼應，縱不能有哭秦庭的效果，但其有助於「自由中國運動」則可斷言，有一個人能在彼岸呼號報信，總比大家都落在水裡掙扎好，道理至爲明顯，因此在　蔣總統旣已下野之後，胡先生便只有及時抽身去國了。而其去國心情之沉痛，是可以想得到的。許多不明事理的人，却栽誣胡氏，說是逃走。其實胡氏有什麼可逃的，他要是肯出賣靈魂，向北平靠攏，那有的是富貴可享（至少暫時會有，並且要比郭沫若輩好），總比他那在紐約的生活要好得多吧。事後局勢穩定，不再有在外聲援呼應的必要，而應邀返國，許多「只有自己這樣才算愛國」的人士又指責他，有禍躲開，有福來享，甚至還想打擊他，眞是太不明大義了。胡先生功過並存，雖下定論，其可指責之處自多，但是却絕不在這一點啊！

爲什麼要整理中國文字？（下）

周燕謀

兩三千年來，不知耗費了多少中國人的心血和時間，以前的人只是讀書識字，以爲修身齊家治國平天下的人生大事，而窮其一生精力在文字堆中漫翻，仍然把文字弄不透澈；而今天的學子所學習的學科之多，如果再加上這些文字的贅累，無疑是白白浪費了許多寶貴的精力和時間。這豈不是國人一大贅累嗎？

中國字的複詞，由於重文，同字異體，同字異音之多，而複詞也就變成「複字辭」了。我們隨便拈出幾條來看吧！如嗚呼又作烏乎，又作烏虖，又作於呼，又作惡呼，又作歍獻，又作烏，又作於戲，又作於乎等十個同意的複詞。

如長驅，又作長丘（馬旁），又作長毆。

崑崙，又作混淪，又作昆（山旁）侖（山旁），又作昆侖，又作昆侖（山旁）。

宴安，又作晏安，又作燕安，又作女（日頭）安。

女功，又作女紅，又作女工。

光輝，又作光煇，又作光暉。

逸民，又作佚民，又作軼民。

妖言，又作夭（言旁）言，又作　言，又作幽

幽爽，又作幽昏（日旁），又作幽昏。

秋千，又作鞦韆，又作鞦千。

茫然，又作芒然，又作忙然。

勾欄，又作勾闌，又作拘欄，又作鉤欄、勾闌。

歡欣，又作讙欣，又作懽欣，又作欣。

如果詳細復按，眞是舉不勝舉。這是重重複複的贅字混雜其間，確是害人不淺，我們還不應該整理嗎？這些贅累豈是「國粹」？

談到「省筆字」，有人則稱「簡體字」。此一正名問題，愚意以爲以用「省筆字」爲宜。在文字書中說「某爲某之省，」即是「省筆字」或「簡筆字」。

由於共匪推行「簡體字」運動，因此我們就不敢提出此一問題來，因爲持反對意見的人，握有最佳的攻擊武器，所以主張簡筆字的人只有慘敗。但是，我們該明白共匪推行「簡體字」的運動，只是手段之一，而不是目的；共匪的目的在消滅中國文字。而我們科學化的整理、規劃、統一現行及古有省筆字目的是在保存國粹，不是保存「國渣」，是加强中文的功能，爲往聖繼絕學，爲萬世開太平。

據我們的考察，現行許多的省筆字都是古有的，而並不是共匪的創作，而且共匪的目的是毀滅，以拉丁化代之；而我們則是在於整理實用爲已足。因此，我們可以放心來整理規劃，抬起頭來樂幹。

我們研究中國文字體形的演變，大流是由繁而簡，有少數字體是由簡而繁，其原因是新字增加而來。在此姑舉幾個省筆字爲例：

車爲輿之省，夕爲夜之省，巨爲鉅之省，嗇爲穡之省，　爲異之省，　爲號之省，平爲　之省，沈爲湛之省，拊爲撫之省，彬爲　之省，原爲源之省，妖爲夭（言旁）之省，累爲纍之省，弃爲　之省，尊爲樽之省，　爲廟之省，雁爲鴈之省，月爲肉之省，粥爲鬻之省，昭爲照之省，　爲魏之省，蚌爲賓（虫旁）之省，　爲坤之省。其他太多了，如細加考察，恐怕有幾千字的省筆字。足見我們的文字，有許多字都是省筆字。古人寫省筆字而今成爲「國粹」，難道說我們今天整理「省筆字」就是「國粹」的罪人嗎？試想：我們還有什麼理由反對寫「省筆字」呢！所以愚見以爲科學的來整理規劃統一「省筆字」是今日復興中華文化的一大端。爲了不給工廠手民增加麻煩，許多奇癖怪字，我都不敢舉例。古人的省筆字傳到如今，我們已經不知道它是省筆字了，因此，我們知道一個事實，文字的形體是越久越簡，就是由繁而簡，這是文字的大趨向；不能說應用省筆字就是破壞文字，不要「國粹」。須知要能長久保持實用功能的文字才是「國粹」，重燕的同義字。同義異體字，同義異音字乃是「國渣」，我們整理文字，就是要淨化文字，要揚棄死文字，增長文字的功能，這才是保存國粹之道。

關於此問題，已經到了刻不容緩的成熟階段。希望有關當局及時着手整理。

一、研究整理廢棄「重文」，以義明筆省者爲本字。

二、恢復古代省筆字，規劃現行的省筆字而採用之。

三、研究如何克服同音字的困擾。關於這一點，只要徹底推行國語運動，說標準國語、寫白話文，利用四聲，把單音辭變爲複音辭，利用助名辭等等，都足以克服同音字的困擾。

四、統一編印「常用字典」，訂爲標準字典。

五、訂正中文字典，修訂字典體例，更正字典錯誤。

六、更正中文印字體，凡印刷廠銅模錯字之錯字，一律加以統一更正。

七、編印中國文字通俗用書：如「中國文字淺說」、「中國文字講話」、「正字錯字對照表」。

八、研究整理之後，明令公佈施行，然後根據標準字來更正典籍中的通段字和重文字，以後就不怕讀不通古籍了。

整理中國文字的功用，實在太大了，最顯著的有下列各點：

一、加强文字本身的功能。

二、節省千秋萬世後代子孫的精力。

三、節省人力與物力。

四、有助於發展科學，提高傳播功能。

五、促進全國語文之統一，增進民族感情。

六、提高教學功效與讀書興趣。

七、提高國文程度。

以上這幾點不過是顯而易見的大端，其他不著不顯的無形價值，眞是無法計算，實可說是千秋萬世之宏業。區區管見如此，尚希高明不吝金玉爲幸！（完）

街坊幽默大師非林語堂

文滙樓劄記

幽默大師林語堂，是世人咸知的名學者，今天談的是台灣街坊幽默大師周老大人，其幽默幾可向林語堂看齊，但事實則爲留美歸來學生易犯毛病，一段事實。

周老大人一生克勤克儉，在台北累積了一甲多菜園，由於地價飛漲，前幾年就變成爲千萬富翁，但自己雖未再種菜，可是周在鬧區仍賣洋桃水、愛玉冰，這是台灣省人的樸實，也是最値得效法的。賣切片西瓜能成大王，五毫冰水起家能興建大厦非無由也。可惜此一善良風氣，培植的人少，破壞的人多，一般都感到非常可惜。

周老大人的唯一獨生子周木旺（本名非旺）從美國學成歸來，看到自己父親打赤脚賣洋桃冰，簡直不成體統，看到自己的母親養豬收飯館垃圾桶更有傷大雅，又嫌家庭環境完全跟不上時代，周木旺終於忍耐不下去，向父母攤牌了。首先用英文單字喊出父親，周老大人疑爲兒子講國語也無謂，乃告訴兒子說：爸爸過幾天有一點點感冒，並未「發熱」，周木旺這時才恍然自己父親對英文一竅不通，乃改用台灣話說：

「今日科學已進步到核子時代，你們還在賣洋桃冰、愛玉冰和養豬，簡直不成話，如果密司毛明年從美國來看我，叫我有甚麼臉再見人，老實告訴你們，今日美國的科學進步，將一條豬趕到高速製作機前，幾分鐘後就變成香腸罐頭，周木旺繼着又說：「美國的月亮確比中國圓，美國遍地都是錢，爸爸媽媽你不會相信，美國的自來水都有維他命……」

周老大人雖未讀過書，俗語說：「凡創千金之業者皆非常人也」。何況現已經是千萬富翁，像周老大人這樣環境的人，當然很多可用車載，可用斗量，但周對自己的兒子一些話，頗難入耳，尤其月亮比中國的圓，堅不能置信，亦不能忍了。乃向他兒子發問道：

「美國最進步的是甚麼」？周木旺：說「已經告訴你了，將一條肥豬趕到高速製作機前，電鈕一按，幾分鐘後，就變成香腸罐頭了。恐怕你老人家不僅未看過，聽都未聽過吧！」周老大人說：「那有甚麼稀奇？」周木旺問：「難道台灣也有這種高速製作機嗎？」周老大人說：「美國將一條肥豬趕到高速製作機前，電鈕一按，幾分鐘後就變成香腸是嗎？」周木旺答：「不僅變成香腸，且可能裝成罐頭。」周老大人這時現出怒容罵道：「幹你娘，老子祇一根香腸，不按電鈕，可裝進機器，出來的是一條肥豬，比美國還進步，你知道嗎？」好話不出門，壞話傳千里，一根香腸裝進機器，出來的是一條肥豬的民間幽默，不脛而走，很快傳開，不過話又話回來，一些到美國洗盤子、洗碗，做苦工摘橘子的朋友們，一旦回國洋氣十足，也確實討人嫌，樓主就遇過到很多這種貨色，後來與朋友們從事心理研究，率多是在外國流浪幾年，一無所學的自悲感，電影紅星李麗華，英文單字記的相當多，據說：很多留美碩士、學士，趕不上李麗華英文，大有人在，果如此，何時得

·文滙樓主·

政治垃圾現形記（九）

李桀

第四回　好色騙婚，異域過散假計。忘恩負義，平生儘多陰謀。

旋李宗仁、白崇禧在武漢又發生異動，中樞迅予討平，桂系勢力爲之崩潰，胡士惠原被視爲桂系的親信幹部，此時眼見靠山已倒，心裏大起恐慌，情急智生，即將最高統帥的語錄搞出若干則，寫成標語式的紙條，張貼於自己的公廁牆壁間，又以小楷書寫同樣語錄置於辦公桌的玻璃板內，每逢統帥駕臨成區巡視之際，胡氏必恭迎至司令部休憩，使統帥看到那些琳瑯滿目的語錄，認爲他并非如外間所說的桂系份子，所謂「可欺以其方也」。胡的第一步詭計雖得售，但自信尚不可靠，詎時來運轉，富貴逼人，恰有某顯貴與大腹賈們，從長江上游偷運大量私貨到江南牟利，消息傳至當地警察局，屆時派遣武裝警士赴江邊迎候運輸私貨的輪船，擬加搜查，依法沒收充公，可獲鉅額獎金。胡士惠洞悉內情，認定這是立功邀寵的大好機會，即指派麾下的部隊一連，馳往江干，禁止警士搜查江輪，雙方劍拔弩張，實行開火，驚動當地社會人士出來調停，警局纔知道這批私貨的來龍去脈，無法沒收的，祗好悄悄收隊而歸，讓胡士惠的軍士們保護私貨登陸，百無禁忌。胡士惠立下了這項大功，當然博得顯貴要人的讚許，在政治上給他保鏢說項，官位不愁動搖了。（未完）

青年學人李紹盛新著　國際問題論叢出版

（本報訊）中國文化學院教師李紹盛繼「政治思想與制度論叢」後，又出版「國際問題論叢」，精選論文十六篇，全書十五萬言，內容包括國際組織、國際關係及近代外交史，對歐、美、非、亞等州區域安全制度均有精闢析論，提供政治外交學界一部良好參考書籍，大專同學最佳讀物。

滄海拾遺

不倒翁賣身投靠 五千金三個香吻（八）

赤松子

周驚問道，組黨不用什麼錢，就需要有限的錢，難道潤老還籌不到。不倒翁道，周先生聽我道來，要在十五年以前，我的黨，早組織起來，現在一切經濟機構，都控制在政府手中，我的老本，早已用光了，如今眞要組黨，至少需要兩三萬美金。周恩來聽見要美金，就笑道，潤老，那裡會要那些錢呢？不倒翁道，和工商界人士往來，浪費最大，如要組黨，至少非先要一萬美金不行。周恩來後來躊躇一會兒道，好罷，你先去立個計劃，一萬美金，雖困難，還可商量。不倒翁道，不只計劃早已有了，名稱都已有了。周問道，什麼名稱？黃道，自由民主建國同盟，周道，太長了，不如用民主建國會，不倒翁只要美金到手，立刻對周的名稱，予以贊成，周答應三天以後，先付半數，催他積極準備。不倒翁立刻回家，對蕭素秋要求同床，蕭問美金？不倒翁答以三天以後。蕭笑道，那嗎，你還是客廳裏再睡三天，不然，你太不了解女人的身價。不倒翁受此刺激，只好跪下向蕭哀求，蕭仍置之不理，不倒翁只得在客廳裡過了三夜的獨身生活。白天去找章乃器，請他起一個章程和宣言，到了三天，黃同章去找周恩來，周對章起草宣言和章程，大致滿意，並交章五千元美金的旅行支票，黃見了支票，立刻恭維周頗有大政治家風度，周也笑笑，表示接受，不倒翁得支票後，先告辭回家，見了素秋，素秋問美金何在？不倒翁要素秋先接三個熱吻，才肯拿支票給她，素秋再不拒絕讓他接吻，不倒翁吻了三次以後才把支票拿出來，向蕭素秋獻捷，蕭一見支票，雖是高興，可因爲只有五千，追問其他五千，何時再付？不倒翁答以一週以後。蕭表示將信將疑道，他的八路軍的鴉片嗎啡，從上海賣到東南亞，那裏一萬美金，還要分期付款？不倒翁道，蕭兌不易，只要答應拿出就得了。蕭要求定期結婚，不倒翁說須讓民主建國會議成立以後，不然，恐怕周恩來知道了，不肯付那五千美金，不久，民主建國會在重慶宣告成立，會員盡是顏耀秋、吳羹梅、胡西園、莊茂如、胡厥文、章乃器、楊衛玉等，再加上四川的胡子昂等人，于是不倒翁再向周索討五千美金，周只付兩千，（有人說被章乃器吃了三千）也就馬虎了事。

至于結婚那一天，不倒翁請了兩桌人，大概就是章乃器和顏耀秋一般人等，那一天，不倒翁也把鬍鬚子剃了。

這一代 潮

楊燕瓊

這幾天總是細雨綿綿，落個不停，眞是使人煩悶得很。夢萍邀我到愛國戲院看×××，這樣的天氣出門實在受罪，故我婉絕夢萍她們的好意邀請，這難的邂逅，不過一瞬眼的光景，便寂寞寧靜。她們都走光，我反而覺得安舒心暢，本來的我是個沈默寡言的人，看着零亂的皮箱，何不順與整理整理。我先把皮箱裏的衣物全倒出來，以便整理，什麼東西落在地上，我下意識的俯頭目視，啊！原來是我所喜愛粉紅色的貝殼，我仔細地拾起來，還好沒有碰壞，說起這個貝殼實在有紀念性，夢萍三番四次向我要，我都沒有給她，好幾次她生着氣說我小氣，其實我那是小家氣的人，它實在有一個紀念的來源，我能告訴她嗎？不能，我不能食言，否則，我太對不起尋夢人。

去年夏天，我與夢萍、波等慫恿之下，參加救國團所主辦夏令營，我們的營地便是金山青年團地，那裡環境優美，三面臨山，唯獨北面有天然海水浴場，空氣流暢，便人心曠神怡，這是我有生以來所見最美的天然風景區，早晨我們三五成羣的看日出，斜陽西下我們忙着游泳，晚霞我徘徊散步於沙灘，深聽着海潮浪濤之聲，多富有詩意的生活。

孤靜愛獨是我的天性，我時時獨自溜離隊伍，單自徘徊於海灘。夢萍與波不知向我提出多少次抗議，尤其是波深深的愛護着我，他不厭其煩向我們解釋海潮之危險，他把海潮比譬一個喜怒無常之女人，偶使我啼笑皆非，我很任性，他總是讓步。

慢慢的他發覺到我愛上海潮，同時來欣賞海潮不只是我，還有一個人——一個男人，他總愛站在我後邊，我下意識的發覺到他在偷偷看我，有時我回過頭來，他就迅速的避開，起初我有點害怕，不知他是怎麼的一回事，想不再單獨的來此，但又禁不住海潮的迷惑，經過幾次單獨相處，我再不害怕他，我欣賞我的，他看他的。

夏令營明天便要解散，我連晚會都不參加，借故又溜到海灘，我對海潮深深的留戀。雖然短短的兩個星期的光景，但我們已變爲老朋友，今晚是最後的一個晚上，而海潮也特別大，我漫步走到沙岸邊，潮浪衝進沙岸，看！好美麗的貝殼啊！拾起來留個紀念吧！我正伸手去拾時，一個大高海潮迎頭蓋過來，這次完了，什麼都完了，連喊救聲也來不及叫，不知什麼時候我好像被人抱着，不會是波吧！「醒醒！小姐！小姐！」還是低沉陌生的聲音，我微微張開眼，「啊！你……」。這個陌生的男人，「小姐，您沒有事吧！」「哦！沒有。謝謝您，先生。」我知道這條小命是他救回來的。「這是天意，您不要謝，您太像她了，尤其是背影。」他痴痴正視我。「誰？」「我的女朋友，敏敏。」「敏敏。」「嗯，敏敏！」「她在那裏？」「她被海潮捲去了，再也不會回來。」他流淚，大男人流淚我還是第一次見。我們沈默一會兒。「海風是很涼的，回去吧！免得感冒。」「先生，您貴姓？」「不要問。」他看我盼望的神色有點不忍。「如果您眞要知道，您就叫我尋夢人吧！記住，以後再不要單獨看海潮，我沒有第二次救您的機會，海潮是無情的，您的朋友很愛護您，不要再任性，被愛是幸福的，回去吧！」他回頭要走，又猶疑回過頭來深深地看着我，「您答應我今晚之事，不要向他人言及。」我點點頭，他笑了，張開的白白牙齒笑，他如此的離去。只留下孤獨的我，我從來沒有感覺到如此的孤單，海潮還是瘋狂的叫着。

「討厭的海潮再見吧。「我手裡緊握着那貝殼分不出是悲，或是恐的複雜情緒。「小燕！」「小燕！」遠遠傳來波與夢萍高喊聲音，回去吧！被愛是幸福的。（完）

催眠術研究（四八）

鮑紹洲

五十五、狗和貓的催眠法

狗、貓爲高等動物，善曉人意，如遊戲、尋物，警犬之搜索人犯等，都可以施教而行。因此狗、貓均可催眠，乃成不可爭的事實。

對於狗和貓的催眠，方法相同。所以以下專說貓即可。不必多浪費筆墨。

對貓的催眠法：先將貓捉住頸而提起，經過五六分鐘後，慢慢放臥桌上，以右手輕輕壓牠頭的上部，左手則壓其腰部，使牠不得任意動作；然後再以右手指頭，輕輕揉摩貓的眼睛及面部。到幾分鐘後，兩手漸漸放開貓身，則貓不稍動顫，到此態狀，貓已被催眠了。是否爲催眠狀態，可以下法試驗：可在貓的耳邊鼓掌或大聲呼喊，而貓不知覺者，即入催眠態狀，反之即非催眠狀態。

另一催眠法：用兩手提貓前足，面向施術人，使貓兩眼注視施術人，施術人心念必催眠，必催眠………然後慢慢使貓橫臥於桌上，後然放手，便入催眠狀態。

又一法：以兩手捉住貓的頭部與臀部，高舉頭上，兩三回上下震動，然後放臥桌上，利用氣合術大聲一喝，貓便成爲一種不動姿勢。又以手輕輕壓貓眼，心中凝精力而默思其貓更深眠………。至於要牠醒覺的方法，則凝其精神力思其必醒，而後以指頭觸其腰部，貓便醒覺。

動物催眠法，照一般原則，貓與狗則大的容易催眠，小貓小狗則較難於催眠。貓、狗中，以慣於近人者又較於催眠，與於喜歡人撫抱的貓、狗，亦較易催眠。如野貓、野狗則較難以催眠。

海國秋涼（三一）

・文自梓・

回到台北，看望了舊日上海工商界的朋友，在歐根記營造廠暫時安頓下來。後來香港查理夫人來台同居公園路十八號，他除了做營造工以外，別的地方他一步也不想去，唯恐碰到香港來的舊人，對他一事無成，徒貽人恥笑。查理夫人見他無雄心壯志，五個月也就走了。一直到五十一年陽明山會議，有幾位香港來的朋友，查問起他，才沒有辦法出來應接。但倒因此結識了幾位熱心工業建設的僑領，幾經商量，覺得在台灣建立一所新的塑膠工廠，還是很有需要。才耆也就和香港舊賦友田小姐同居於安東街三一三巷一號，由田小姐幫同招呼有志與辦事業的朋友。田小姐丰度翩翩，交際手段亦高明，就由衡陽路開設塑膠公司門市部，大事裝修。工廠開設的地點、資產、設備，大致都已商定，五十二年春，撤聞又給嘉玉破壞了。嘉玉讓人警告僑領，說才耆數度犯法，爲政府長期拘囚，當然僑領最怕惹麻煩，因此自然不屑和才耆合作，田小姐也分別去了。

才耆很傷心，而且覺得每條路都給人掘斷了，再等下去也無希望。還入聯合新村單身公寓四〇二號。準備分頭結束經手業務。聽說嘉玉初秋來了台北，就叫人通知嘉玉還他二十年前去重慶借去的港幣，他計劃以一部份付清台灣朋友的往來，還包括票據罰金，因爲塑膠廠不辦，籌備費用不得不賠還；支票退了依法又得付票額三分之一左右的罰金。一部分留作回港後的用途。嘉玉還沒有肯定的答復他。新愁舊怨，積到一處，就發生了十條通當面要索的事件，釀成慘案。以後的演變，正如報上所發表，他逃避到外埠，承一個商界老友的幫助，藉着漁船逃到香港。想不到殺人犯是國際所共注意的，依然解了回來，接受法律的審判。

才耆在看守所候審期間，香港方面老友也有很熱心的，尤其是患難中受過他關照的，像楊明麗小姐等，都具狀高院刑庭，樂爲作證。但是先後和他同居的婦人們，卻未聞有如何義舉。倒是和他分開很久，帶着兒子出去謀生，一面教養兒子的，現在兒子已經中學畢業，服了兵役，一聽到才耆由港引渡來台的消息，就遠遠的從花蓮來看望。帶了大批食用品，才耆接見之後，眞是悲喜交集。悲的是多少年來待人處事都沒有得當，尤其一再爲密友所陷害。喜的是自己沒有如何看顧他的兒子，卻在這身處囹圄，鐵索郎鐺的時候，並不以有父犯罪爲難堪，遠遠地一再跑來看他。他回想五十年來，眞像一夢。最大的錯處，是用刀子來解決糾紛；這眞是無可補救的大錯。賬沒有能解決，嘉玉是不及見了；眞正痛苦的還是自己。

看守所的窗簷，點滴地流着纏綿的夜雨，二十支光電燈泡又高掛在天花板上，光線更暗淡了。這所歷五、六十年的日式舊監所，來來往往，不知已經歷了多少人，反映着多少辛酸史！

半年前有一位文居士在聯合餐廳遇到，曾寫給他一首宋人絕句，因爲喜歡牠，背熟了；難道是爲今日預作讖悔麼？

「濯錦江邊憶舊遊，
纏頭百萬醉青樓。
而今莫索梅花笑，
古驛燈前各自愁。」

五十六年抗戰勝利三十週年紀念，台北

（全篇完）

美國政黨的組織及其與人民的關係

・李紹盛・

美國的兩大政黨——民主黨與共和黨——都擁有全國性的組織，其最重要的任務是籌措經費，延聘工作人員及吸收黨員，並指導黨在進行初選及大選時的各項活動，其能否獲勝的關鍵，仍在健全而有效的組織。

這兩個政黨都擁有十五萬以上的男女，專職從事黨務工作；另外尚有成千成萬的義務志願工作者，從旁襄助他們。

民主黨與共和黨在全美各地的組織不同之處雖多，但其形態是大致相同的，其特點就是一種金字塔形的組織，從個人及地方委員會，直達全國性的組織。金字塔的每一層次，在其所控制的地域內，都負有各項選舉的絕對責任。

美國政黨的活動，除了某些財務及競選活動，都不受聯邦法律的限制；這些活動，多半根據各州的法律及其本身的黨章行事。

政黨組織的基層單位是選區或投票區；此乃兩黨眞正實力的泉源，此就是所謂「草根」階層。在此項鄰里的基礎上，一個政黨的成敗得失，多靠直接接觸選民的黨政工作人員，及監督人員的親切握手，非正式討論及說服能力。

美國現有十七萬五千多個選區或投票區。各政黨在每個選區都設有一位選區指導員或黨務委員，他們都是各該區居民選舉而產生的，這些選區指導員或黨委，都是選民和黨組織間的直接聯繫者。

一位成功的選區幹事，必須孜孜不倦的工作，結識選民，代有困難的選民向當地政府陳情請願，指導選民如何進行登記選舉權，贊助政治性社交活動及討論會。總之，要使他們對的友朋近鄰有所助。他這樣做是希望民都能支持他的政，並投該黨候選人票。

美國各大城市的選區負責人，是以「地區」委員會的組織方式，來代表他們的區域。每個「地區」是一個大都市的重要分區。（上）

中華民國內政部內警台報字第〇三一一號
中華民國郵政管理局登記證台誌字第三〇二三號
中華郵政台字第一二八二號執照登記爲第一類新聞紙

自由報

（第九六七期）

（半週刊每星期三、六出版）
每份港幣壹角・台灣零售價新台幣式元
督印黃行翼・社長李運鵬
社址：香港九龍彌敦道593—601號廖創興銀行大厦八樓五座
LIU CHONG HING BUILDING
7th FLOOR FLAT 5
593—601 NATHAN ROAD,
KOWLOON, H.K.
TEL: K303831
電報掛號：7191
承印：景星印刷公司
地址：嘉咸街廿九號地下
台灣總管理處：台北市大同街119號
台灣區直接訂戶　台郵劃撥戶
第五〇五六號張萬有（自由報會計室）
電話：七一四〇三三、五五五三九五
台灣分社：台北市西寧南路110號二樓
電話：三三〇三四六，台郵劃撥戶九二五二號

本報二十週年重要啓事：

一、本年六月廿六日爲本報創刊二十週年紀念，同人等緬懷往事，軫念來茲，擬發行特刊藉資紀念。敬希惠予支持，賜讚鴻文，以光篇幅，毋任感禱。

二、本報二十週年紀念包括香港總社暨全球各地分社辦事處，不舉行任何儀式，不收受任何餽贈，包括現金花籃器皿屏幛等。

三、承賜鴻文及特刊廣告，海外請於本月底前寄香港本社，台灣區請本月二十日前寄台北承德路七號香港自由報收爲荷。

論報酬、德業、正義、及社會組織的一封信

・周德偉・

你說：在外國工作，常有被剝削之感，精神不痛快。這是自有人類社會以來未能解決的老問題。這就是說，物質報酬不與德業相當。你試想：誰人的報酬曾與德業相當？聖哲如孔子、孟子、墨子，蘇格拉底，伯拉圖，亞里士多德，康德乃至無數哲人的報酬，能比擬當時之將相否？即在今日，傑出的學人的報酬能比擬電影明星、商賈市儈否。我的百萬言的著作，代表一生的努力，亦有功世道人心，每本定價只有百元台幣，尚找不到買主，而張大千的畫，一張就是幾萬美元，韓瑞鑑家的德業超過我麼？一肚皮草料，豬就照濁，被我教訓得體無完膚的人，可以入任政務大員，而蹇諤匪躬之士，致無立錐之地，難道是合乎正義麼？

自古以來就有人提出這個問題，德的倫理學，經濟學上曾討論公平價格，公平工資，公平利息，公平地租等問題，無一能獲致結論，現在只討論平衡的問題了，如平衡的利息，平衡的工資，平衡的物價是也。學經濟的人，學哲學的人能知其故乎。十九世紀以來，急進人士及社會主義者公開提議改革社會，主張報酬與德業相符，以爲改革的綱領，一時頗能鼓動視聽，激起羣衆的熱情。但這是一個大問題，且爲歷久不決的問題，應加檢討，且與每人安身立命之大戀有關。試思報酬如符合德業，必引起幾個根本問題。第一，德業必是可以經人辨認的或可被度的。第二誰有資格能力，誰能勝任評定別人之德業。關於第一問題，德業與價值不同，德業乃一主觀修養問題，別人無從辨認。淺而言之，不同的人士提供同樣的服務或產品，每人所費的辛勞、才能、學問可能大有不同，誰能辨之？亦何從辨之？有人的成功出於機緣的湊合根本無德業可言；有人畢生從事研究，徒招致失敗，其德業甚大，根本得不到報酬。深而言之，誰能評定孔子、孟子及大哲人的學問，而定其報酬？甚至誰能評定我的學問道德而定一公平的報酬？關於第二點，即誰司評定的問題。如勉強欲使報酬符於德業，則決非政府機關，委員會或社會任何組織所能勝任，蓋彼等常爲至昏、至愚、至私之人，加以挾持成見及利害關係，流弊將不可勝言。且欲評定一人之德業，必須精確知其人之全部學問、道德，毅力、人望，及過事留心之注意力以及是否盡其最善，運用了可用之機會，一切一切，評定者均所不知，或所知不及其一二。情況既如此，何從評定？此就一人之德業言已如此複雜，如就各種不同之努力或職業，予以評斷，何從得一公認之尺度以資量度，以資比較？更爲無從解決之問題。自由社會亦曾發展了若干制度，使人之德業或業績受上級評定，如政府及公共機構，大公司組織之人事升進及考績，均曾做到公道或符於正義乎，此非其評定者必有偏私，蓋因彼等面臨一無從正確解決之問題也。小部分的情形如此，擴大至全社會，如何能獲致公道及正義。縱令主張改革之企圖獲得若干成功，其效果仍待考驗。第一、在此一境地下，任何人之每一行動，心求見知於評定之人士，人之行動，必須遷就評定者所規定或所期待如何作如何之義務。自己的主張，自己的意志全失其功用，人無復有精神及行動之自由矣！第二、評定如不符個人之德業是否容忍每人有抗議之權，如此將招致無邊無盡之紛擾，必促致制度之迅速瓦解。如不許抗議，則爲一武斷流行之社會，去公道及正義愈遠，今日之共產社會即其類也。第三、那個眞有德業修養者，願受所知不全之別人評詁。宗教處理此問題，勸人安命受苦；以待進入天堂，或謂一切現存的境地，均是前生修來，今生不好，可修來生，這些都是廢話。中國儒家處理此問題最好：即將德業問題與謀生問題完全分解。眞正的德業修養，不計外界之榮辱，身外之物不值一顧，故樂天知命，故君子憂道不憂貧，故顏子安貧樂道，故達則兼善天下，窮則獨善其身，此一修養反爲治化之另一更高源泉。人生原有多種境界，道德學問境界，不必混入經濟境界，等是齊觀。中國聖哲只垂戒在位者提倡德義以示風範，決未提倡報酬符於德業的普偏制度——適用於社會體的制度。因其不能施之於凡人，亦不可能執行有效也。二千年前的西方哲人亦論到此問題。亞里士多德分正義爲兩類（一）分配的正義，（二）相互替代的正義。第一類即報酬符於德業的正義，彼亦認此爲不可能。而主張第二類正義，即人有不作此則作彼之自由。

現在進而討論現代社會制度。人一進入社會，即彼此對待，彼此處於相互需要的地位，每人均提供勞務或產品於社會。我所獲之報酬，以社會對我之勞務或產品的評價爲準，通過供求相互適應的原理，形成一市場價值，我亦只能有權要求此一價值。同時我獲得別人之勞務，我只付與市場價值，即已盡其公道，即已符於正義。別人亦無權說：「我較別人費力特多請多付一點」。人人相待均據此原則，故各方均能相安，同時每人均有一份決定力量，而不操縱於一人或少數人。在此一制度下，每人從事何種職業，提供何種產物，事先已有市價爲其指標，一切行動均出於志願，故自己獨負其責。自己亦只能就市場價值內，主張其權利，而不能要求多得一份。故現社會較以運行其功能者乃價值，非德業。即每人資以謀生之工具乃價值非德業。在此社會內人人有行動及就業之自由。此并非謂德業并不重要，德業決不能以物質報酬來衡量，德業乃一更高問題，不應混入資生之工具內。人之德業如須得別人，且必然爲能力較低之人所評定則德業毫無價值矣（此指道德價值而言）據價值以爲酬者乃適應一切人孜孜爲生之制度也，在此制度內，人能獨立，人能自由，而自由社會之最大優點，此一制度并非任何人士之發明，乃據人性之天然傾向而長成。廿年前所學未竟其用，尚有牢騷，今則認爲：我修德不求見知於人，人亦無從知道我」

我至今沒有召你回來的意思，因爲在外，可以鍛鍊獨立精神及自由精神，至於完全脫離被剝削之感，在任何社會下均無可能。如果一舉一動均須遵成規定的義務，將更成痛苦，如果國家有需要，你確實能有貢獻，我隨時可以召你回來。

我對於現代制度并非完全滿意，但設計一種天衣無縫的美備制度，必超出人力範圍以外。共產主義只帶來極權政制人人無自由。我對於將來的發展其信念如次：人類的境地尚待改善，改善之道有待於社會的一般財富的增進。生而入於富裕繁榮的社會不憑任何德業享受之環境便利，公益事業，從而生活標準爲貧困社會所不知，此即外部經濟之效也。百年前的帝王沒有享受沙發，收音機，汽車及現代健康衞生設備。我想，待一般人之生活改進後，或發財之機會不復能引人入勝時，必有更多人士作高尙的追求。歷史上靜態社會內，繼長期安定及富裕之後必有文學，美術及精神事業的發展，動態社會內，更可作如此期待。但一般人生活境地之改善，有待於生產及發展。分割主義決不能解決問題，且召致更大之紛擾，阻滯可能之進步。

此函乃提供一種人生觀，此中可以安身立命，希注意。

昨日與明日

仍在「維新」？

出國狂

曾有一次有人提出了這樣一個問題：中國現在仍處於「維新」階段嗎？這是一句警語，也可說是一句諷語。中國須要維新，本身就是一個大恥辱，而自清末康梁維新其間經民國的五四運動以迄今日還在維新，實在使身爲這時代的青年引爲無上羞愧，也使得這一代即將接棒的「士」人有著進退失據的尷尬。「現代青年的抱負是什麼」這一問題已爲有抱負，有理想的莘莘學子所深思急慮。但大部份跟著時代走的「時髦」主義者，卻只想着留學生的「甘」而諱言其「苦」，於是乃一窩蜂地追逐便捷，因而造成了現在社會心理上的壓力，每個人都如此想——因爲優秀者才出國，而我如果想要成爲優秀者就必須要出國。

眞的，半個世紀的戰亂，半個世紀的流離顛沛，半個世紀來物質文明的誘惑，已把我們甚至我們的父母皆塑成爲現實的典型，我們的父母渴望房子，渴望美味的三餐，渴望有麻將、有電視的夜，渴望足以炫耀的兒女，我們已厭倦風雨，他們已是懼長期等待兒孫繞膝淒涼。而我們自己呢？我們厭棄平凡無名，不能忍受別人對於回國留學生的諂媚巴結，絕大多數的青年人已不再有明天，我們不再具有原始的熱情，我們不想知生，更不願知死，我們只有期望成績單上的分數是否「漂亮」得夠去申請出國獎學金，大家爭相跳越「托福」，攀爬熱門的科系。女孩子呢，拼命地要讀大學爲的是好找一個「可靠」的留學生成家；男孩子呢，沒命地要出國爲的是要娶一個「像樣」的妻子。無論是上一輩或這一輩的人都急於貼一本相簿，在那些辛酸之中看到一些以草坪爲背景，以新車新房爲背景或是以美國各名勝爲背景的照片，難倒說這些是我們青年的指標？是我們青年人的要務吧？這一切有似十分理智，實則無比庸俗的念頭像蠶吐絲一般一層層地包裹著我們那本已夠狹窄的心，跳不出也衝不出這層層桎梏，時代的輪子壓扁了我們，我們已失去了自己。

眞正的青年

眞正的青年人我們已經許久沒有看見了，背負時代流血的已經不復可尋，背負理想流淚的已成陳迹，連背負責任流汗的都已成爲十分難得。我們的教育只給我們知識而不給我們智慧，我們的長輩只給我們道路而不給我們方向，我們迷失，彷徨憂鬱，然而這是誰的造因？

自由談

政治人物的分類

吾湘革命黨長老譚人鳳，素以剛正鯁直著稱，爲儕輩所敬憚，黃克強宋教仁等常常願受他的責難教訓，亦甘之如飴，試閱讀章太炎所撰譚氏墓銘，即知其爲人的風格矣。譚在生時，對一般政治人物說出兩句可圈可點的評語：「有些人是死了沒有埋，有些人是埋了沒有死」。

前者把那些專以作官爲目的的官僚份子，他們既無事業心，亦沒有正義感，更不知廉恥爲何物。昕夕念茲在茲的事兒，只是如何依附權貴，鑽取官爵，如何逢迎上司，邀寵固位，三日無官則皇皇如也，患得患失，無所不爲，滿口澹泊明志，滿懷利慾熏心。談到服務精神，日唯孜孜汲汲於權利之爭，絕無絲毫責任觀念，而以開會爲服務之本，批示爲負責之本，整人爲快樂之本，貪墨爲從政之本。這類官僚主義者，對國家和人民不徒無益，而又害之，可謂雖生猶死，實係死了沒有埋的行屍走肉而已。

後者指那些置個人安危禍福於不顧，一是皆以救國救民爲本，不惜摩頂放踵以爲人類謀幸福的志士仁人。他們有毅然不可奪志的抱負，有凜然不能侵犯的節操，遇事勇於負責，對人肝胆相照，讓利不先，赴義恐後，不遷怒，不貳過，知恥尙賢，天下爲公。這樣的人物，雖死猶生，浩氣長存，這不是埋了沒有死的英雄豪傑之士嗎？

在海清河宴的昇平之世，政治上縱有官僚份子混迹於其間，對政務發生腐蝕作用，亦尙有補救淘汰的餘暇，不致貽誤大局。若值國家動亂不安，危急存亡之秋，而官僚主義者滿佈要津，綜持大計，其後果將不堪設想。明末崇禎帝憤於流寇猖獗，國難嚴重，曾詰責當朝的三公九卿之輩，毫無戡亂的良策提供採擇，而宰相周延儒答謂：臣等祇負「票擬」之責——即日常公文處理——軍國大計，非所預聞。乃使思宗發出「君非亡國之君，臣盡亡國之臣」的悲憤語言，而明祚斬矣。這是官僚份子禍國殃民的顯著例證，足資後世殷鑑也。

馬五先生

學生捉鈇子的形形色色

台北學風面臨不可收拾

太妹最危險 家長須特別注意
女兒已應召 父母尚五里霧中

台北新聞信

（本報通信員柳一權台北消息）台北的學風，面臨着不可收拾的境界，茶館、酒店、咖啡座、旅館，大中學生出出進進，已成習慣，男女學生捉鈇子的把戲，愈來愈多，千奇百怪到了頂端。

學生們的家長，尤其女生們的家長，要特別注意，一羣男女太保學生，進入黃色咖啡館後，他們的注意力就是期待鈇子們的來臨，甚麼叫作鈇子，一、肥頭大耳面貌俗氣找尋異性刺激的商人或達官。二、年紀大小則無固定標準，一般的說綱是四五十歲以上的人，老鈇子更是小太保們爭取的目標，因爲他們的口袋比較鬆。三、王老五型的人物，一經涉足，牛拖不出。四、有幾個錢的貪官汚吏。

鈇子與女孩子雖眉來眼去，究很難撮合，經過咖啡館侍者及男同學的關係湊攏，變成爲臨時愛人，鈇子們的一些噁心動作，自非女孩子們所歡迎，女孩子受到的委屈，當然得從男孩子身上去補償，男女之間就是這樣亂了營。有一位立法委員×××和高級警官×××的女公子，變成爲且且而伐之犧牲品，父母雖然亦以嚴厲的手法糾正，可是已演變到不是糾正的問題了。

小姑娘大肚皮 多麼使人可怕

錢一劍先生在描寫男女太保問題時說：

有虎在堂，丈夫所受的威脅，祇不過吵吵鬧鬧而已，母老虎持雞毛帚追趕丈夫，或擰耳朵斥罵的，除演戲聊以當做笑料外，親友中究竟少見，即是有的話也半開玩笑性質，今天這裡提出一個比「有虎在堂」嚴重到若干倍的問題，那就是「家有太妹」。

太保闖禍於外，太妹呢？闖禍不僅在外，而且能將禍帶回到家裡來困擾，這就是說，太妹多了一個懷孕問題，打胎與避孕在台灣雖很方便，可是一個女孩子在中學或大學正在讀書階段裡，由嘔來吐去到腹大挺挺，究竟是一件殺風景的事，在未出嫁，就鬧得像一隻爛橘子樣，怎麼向未來的丈夫辦交代？又將父母的臉面擺放在何處？不過話又說回，現在讀國民學校不少十歲以上的女孩子和男孩子們說起話來，一些「客氣一點」「臘月生是嗎」？（指「凍」手「凍」脚）「請我客麼」這些酒女和舞女的口頭語，不知幾時傳到學校去，多麼使人可怕。

在台灣的黃色咖啡館、大小舞廳、音樂茶室、及各式各樣的旅館裡，隨時隨地可以碰到太妹們嘻嘻哈哈出出進進，其中有很多是富家小姐，乃至於達官貴人的千金，記者非辦黃色報紙，祇就事論事，概不舉出人與有系統的事實，不過這些太妹們不會幹出甚麼好事，是無可置疑的，某一貴族太妹，生得相當漂亮，她很傷心的向人表示，我一生最高願望就是要快樂，要趕快找一個我所要愛的對象，最怕聽到人講「天妒紅顏」，像這樣一個背着危險的信號，去爲太妹，做父母的人都有責任的，因之我們應想到，幾年前香港一位太妹，在飢不擇食的環境下，嫁給一個外國人，後來釀成了一場無可挽救轟動社會的大悲劇，談起來大家還能記得，就是安諸德殺妻後，自己也跳樓自殺的新聞。

一失足千古恨 爲父母須當心

民航公司高雄供應處美籍技工安諸德，曾在香港與一個黃太妹結識，在熱戀得太速、冷得太快情況下，把黃留在香港，按月寄點生活費用供黃開支，後來安又結識該處打字員徐小姐，進而同居，黃聽說了，一度要求來台，被置之不理，後由其姐代爲申請入台，黃來到台灣後，安就蓄意殺害，一天自駕私家轎車，載妻駛往陽明山同遊，車行迅速，中途無故緊急剎車，撞落黃的四顆門牙，血跡斑斑，慘不忍睹，行至硫礦附近，過一向右彎的道路，峭壁數丈，安將黃從車門推出，幸被路旁一石擋住，落在地上，安見黃未死，又開車駛向黃的身上壓過，企圖將她輾死。這時黃一面狂呼救命，一面轉身躲避，右臂終被壓傷。礦工三人聞聲，奔來援救及陽明山警察聞訊趕到，將安諸德扣留，送警務處辦理。一天下午，安諸德獲准外出治病，由一警務組長陪同，前往長安西路徐外科醫院，安乘陪同人員算賬付款之時脫身，逃至承德路，强行進入公賣局烟廠後門，登四十英尺高安全樓梯，跳下自殺，屍體伏在地上，一雙鞋子分別落在屍體兩旁。「太」字號的人物們看過這條新聞後，有甚麼感想？

喬治桑外傳

五五　張大萬

「妳也可以休息一下，晚上精神可以好一點。」喬治桑臨進房時向雅麗絲說。

「我不需要休息，我沒有午睡習慣。下午可能還有你的電話，沒有人接也不好。」雅麗絲一邊收拾餐桌，一邊說。

喬治桑到底年齡大了幾歲，中午喝了幾杯酒，脫了衣服上床不一會工夫便沉沉入睡。

雅麗絲將杯盤收拾到廚房裡，自有下女洗刷，她一個人靜靜地坐在沙發中織毛線背心。這時整個屋子裏一點聲音都沒有，只剩下一具落地大鐘的嗒的嗒地走着。

大約三點鐘不到，電話鈴響了起來。

「哈囉。」

「哈囉。」雅麗絲一聽話筒聲音立刻便知道是誰打來的。

「你爲什麼這時候打電話來？有什麼事？」

「今天下午我休假，想請妳吃飯、看電影、跳舞。」

「不行，我今晚另有約會。」

「什麼約會？乾脆回掉算了。」

「是『包死』業務上的應酬，我不去不行。」

「妳替他做事，又不是花瓶，過去妳是從來不和他一起應酬的，現在怎麼也應酬起來了？」話筒裡傳來酸溜溜地味道。

「你講話乾淨點，什麼花瓶不花瓶的。我有我的自由，你管不着。」雅麗絲的聲音大了起來。說完以後，很不禮貌地掛斷電話。

打電話來的是雅麗絲的男友之一——鮑勃梁。鮑勃梁是某洋行的一個高級職員，與雅麗絲相識已有三年之久。鮑勃梁三十出頭尚未結婚，本來雅麗絲對他的印象很好，後來聽說鮑勃梁時常到酒家舞廳去玩，雅麗絲覺得自己應該與他保持一個距離。對鮑勃梁的態度趨於冷淡。現在在台灣，情形恰與西德相反，西德是陰盛陽衰，台灣是男多女少。在西德男女交朋友，女的百般遷就男的。在台灣男女交朋友，男的便處處要受折磨苦雨戀春風了。不過，眞正有錢的男人自又當別論。

雅麗絲掛斷了電話，又繼續打毛線，但手法比剛才要重得多，顯然是滿肚子不高興。女人打毛線最易消磨時間。她抬頭一看大鐘正好是四點鐘，接着噹、噹、噹、噹連響了四下。雅麗絲放下了毛線，走進房裡看見喬治桑側身向床裡，睡意正濃，發出輕微的鼾聲。她走上前去，用兩隻手指輕輕推他的肩膀。

「四點鐘了，可以起來了。」

太妹誤入陷阱 歸納有六原因

婚姻是人生中的一件大事，不能以偶而爲之，和一時的高興，用太妹太任性的作風去決定的，更不能把中國人玩厭了，再換換洋口味，這和若干歐美白種人玩膩了，想嘗嘗有色人種的滋味同屬一種不可饒恕的錯誤。記者所看到的，不同的民族結婚，很少有好下場的，假定有例外那是很特殊的情形。

台北有若干太妹的陷阱，一經跌入，很難脫身，幾乎與應召女郎沒有甚麼區別，祇是在情調上稍有出入而已，她們爲甚麼要這樣做呢？歸納起來有下列的因素：（一）受同學同鄉朋輩中的太保所引誘或威脅而失足。（二）太妹們本身同流合污，也就是大家在一塊和爛泥。（三）不滿意家庭環境賭到父玩母賭，沒有家庭溫暖，而出此下策。（四）在家庭過份嬌生慣養物極必反。（五）無適當對象，尋求臨時刺激，感官上去找快樂。（六）暗中有黑社會人物設計操縱，將一批一批太妹視作爲自己的獵物，幹這行職業的人，在台灣相當多。

建議國有財產局 出售國有土地 分期付欵簡則 希望有所改進

讀者投書

財政部國有財產局鈞鑒：

一、窃民等均係租用或佔用國有房地之現住人，爲響應政府實施土地政策起見，曾向台北區辦事處辦理房地申購手續中或擬辦理申購手續之際，發見鈞局所定出售國有房地之簡則，對申請人立場頗多困難，且影響鈞局出售國有房地，擬請將現行簡則之規定予以放寬，實爲公私兩便，茲將管見分陳於後。

（一）按現行國有房地出售辦法規定，出售價由鈞局地價評議委員會另行評定，並非依公告地價爲標準，且所評定之地價均超過公告地百分之十至五十以上，以有彈性評價規定難免發生非議。又台北市出售公有土地係按公告地價之七拆，同爲行政院所屬機關，其售價不一，似有抬高地價之嫌，致申購人無力負担，放棄申購，影響國有房地之出售，擬請依照公告地價出售，以符國策，而免非語。

（二）台北市之地價，自實施都市地權平均以來漲價之幅度甚鉅，更兼政府每年公告地價增高調整實驚人，故申購人對此龐大數字實感無力負担，縱能以血汗之積蓄申請分期付款，但現行分期付款辦法亦不合申請人之要求。按現行分期付款辦法，申請人須繳三分之一價款，同時辦理抵押權設定登記，以充未繳價款三分之二担保抵押，殘欠三分之二價款，分爲三個月一期以三年爲限，並加收百分之十價金，價款未繳清前不得在地上建築房屋。查申購人爲求安居計，不顧地價之高昂，及已往向前承租人預讓時所付之權利金並繳納規定違約之損失，申請分期付款，但投入鉅款尚須三年後始能獲得使用權，已不能得到實惠又損失權利金與違約金，除大享頓積居奇者外，實非貧民所能及也，因此放棄申購而繼續租用者大有人在，則難免影響債權人享有優先受償權，按抵押權設定登記債尚欠三分之二未繳價款，已有優先受償權，自無求償困難之虞，已無禁止申購人使用之餘地，故擬請依照下列放寬以符實際：（甲）分期付款期間縮短爲一年，分爲三期繳納，即第一期先繳全部價款百分之五十，並辦理抵押權設定登記，同時發給土地使用權證明書，第二繳款於訂約日超六個月內繳殘欠之二分之一，第三期訂約日超一年內繳清全部價款，同時撤銷抵押權設定登記，但欠繳三分之二價款如一次繳清時，按提前繳款日數酌量減少加收之價款。（乙）申購人未繳清價款則不得將土地上建物出售，一經查覺視爲違約，解除買賣契約並沒收已繳價款。（丙）售價均按公告地價，以免重估之麻煩，而免生枝節。

二、按國家立法是保障人民權益，爲人民謀福利，古有云「善爲國者馭民如父母愛子，如兄長愛弟，見其飢寒則爲之憂，見其勞苦則爲之悲，賞罰如加己身，賦斂如取己物」，凡政皆使人民心悅誠服，充分合作，用時不揣冒昧披陳管見如上，而敬請俯念民艱，予以採納，以蘇民悃，而裕國帑，曷勝企禱。

具呈人劉友蓮等八人同叩

高雄市公共車船管理處招標公告

一、標的座落：本市鹽埕區光榮街七九號（本市鹽埕區光復段二小段12 1，12 11兩筆。）

二、標售底價：新台幣四、六六〇、五六二、五〇元

三、保證金：新台幣二〇〇、〇〇〇元（限本市銀行劃線本票）

四、領取標單圖說：自公告日起至開標前一日每日辦公時間內向總務課領取

五、開標日期：六月卅日上午十時

六、其他注意事項詳投標須知，投標單背面說明及本處門前公告

七、特此公告。

處長 殷銘春

雷震與「自由中國」（二〇）

當年內幕誰知道　一番往事話從頭

王曰叟

話扯的太遠了，需要綜述一下以醒眉目。

我們在第十五回，分析「自由中國」創刊號的內容，並說明扣上胡適當發行人的安排。雷震的設計是拿兩篇東西，作障眼法，一個是「自由中國的宗旨」，一個是「民主與極權的衝突」那篇大文。我們第十六回起直到第十九回，都是分析和介紹前者，現在便應該輪到後者——那篇大文章了。

「民主與極權的衝突」，不僅是這期的主文，並且無疑的還是「自由中國」一篇打泡的文章。在「自由中國」之「給讀者的報告」中，只含含糊糊的提到原文是用英文寫的而已，連是誰譯的末提，好像是胡先生自己提籌譯出交給「自由中國」發表的一樣，殊不知道這篇文章又是一個買空賣空的傑作。

這篇文章（中文的）原是在民國三十七年三月一日，登載在張起鈞主辦的「正論」雜誌「新三張」上的，原來的題目是「民主與反民主的觀念體系的衝突」，在題目下有一段編者按語是：「本文為作者旅美時所作，但在今日却有其全新的意義。因交本刊（按：指「正論」）發表。二月一日（按：時為民國三十七年）作者發表的『國際形勢裡的兩個問題』一文，與本篇有表裏相應的趣旨，讀者可一併參看」。這一按語並無希罕之處，而在文章盡處有個註脚，却將文章的出處，以及譯者的姓氏全盤托出，使我們明瞭胡氏寫此文的背景，和真象，註脚是這樣寫的：

「本文係作者一九四一年（按：即民國二十九年，下距『自由中國』雜誌發刊時，已有九年）七月在美國米西根大學之講演稿。（：按雷氏在其「給讀者的報告」中，故意改為「是胡先生應美國政治學會特約發表的」以增加其身份。不確）全文曾載於The Annals of the American Academy of Political and Social Science Vol. 218，茲由張萬里先生譯出發表。原題為『觀念系統的衝突』(The Conflict of Ideolgies)經作者改為本題（按：即改為『民主與反民主的觀念體系的衝突』也）」。

註中的張萬里先生，先後在國立西北大學、國立女子師範學院、國立湖北師範學院執教。彼時是在北平市政府任副市長張伯瑾的西文秘書，學識博雅，所以張起鈞拿着胡先生這篇文章，請他翻譯。翻譯時曾遭遇一個困難，即是Ideology一字的譯法。這個字左傾人士都譯作「意識形態」，但若將「意識形態」這一辭彙用在胡適的文章中，就未免有點不倫不類了，因此張起鈞與張萬里二人商量着譯為「觀念系統」，後來胡先生就着這個譯法，把系統兩字，改為「體系」，而又在上面加上「民主與反民主的」以求清晰。其中往返經過都是張起鈞教授經手的，所以胡先生一直誤以為是張起鈞翻譯的。此於胡先生第一次返國在「自由中國」茶會中的談話，可以證明。

「自由中國」創辦時，張起鈞教授覺得這篇文章的旨趣，正是當時大家要說的話，因此建議轉載。衆皆贊成，於是張氏就在行囊中將所帶的那本「正論新三號」拿給雷震備用，後來雷氏就把這篇文章前面的「Ideology一字的用法」、「民主政治沒有準備」、「宣傳的任務」三大段，共有四千多字，刪去，而另換了個題目，一字不改的刊出，那就是「民主與極權的衝突」這篇文章了。假如不是老叟掀起這塊底牌，一般人怎麼會想到「自由中國」創刊號的頭條主文，竟是一篇九年前寫的老文，而且是刪節後重刊的呢！

美國政黨的組織及其與人民的關係（中）

·李紹盛·

在有些城市裡，這些「地區」構成市議員選區的基礎。一個「地區」可能是由數選區組成。「地區」委員會在一位「地區」主席的領導下，担任各選區幹事之間的協調工作。

各「地區」主席共同組成黨的市委員會，市委員會的執行長就是黨在該市的領袖。在各大都市中，擁有高度組織的政黨機構，其市政黨組往往發揮很大的權力。

市委員會經常指揮其本黨在當地的整個選舉活動，籌措並向各「地區」分配經費，從而下達到各選區，委員會還附設一個用以分發競選印刷品的總部。市領導組織通常對於當地競選市府官員及州議會議席的候選人名單，都有決定之權。

在鄉村地區以及許多城市區，當地最有力的政黨組織是郡委員會；此項委員會是由村鎮及城市代表所組成，皆由各該地黨員投票產生。這些委員會各設有主席一人，可由委員會委員選舉產生，也可由黨代表大會幹事或黨員產生。

郡委員會主席及委員會本身的工作，通常是指揮黨在當地的競選活動，遴選行將競選郡政府官員及州議會議席，並為組織所支持的候選人，負責分配黨的經費，策劃各項集會及當地宣傳工作等。

各州的黨的最高權力，係集中於各該州委員會或各該州中央委員會及其主席之手。各州委員會通常都是依法成立的，其規模的大小，很不一致。

各州委員會每屆總統之大選年，都與全國委員會合作進行競選活動；當國會議員進行選舉時，則與那些國會委員會取得合作。

此外，各州委員會委員的產生方式，因各州法律的不同而互異，有的州以各郡委員會的主席聯合組成，有的州由州黨代表會選出，亦有由黨的各種候選人及當選人舉行聯席會議推定。委員的職責在籌措經費，有時也對競選某些地方官吏的候選人負責提名的工作，有時則負責準備黨在各該州的政綱，並在有些州中負責選出參加全國提名大會的州代表團。美國政黨中，很少以指揮或命令的方式來傳達黨的權威，但州委員會掌握着許多政治機會，使地方基礎幹部，自動要法迎合他們的意思，所以他們都是州政黨中擁有權勢的人士，對黨的幹部有相當的支配力量。

一個州委員會通常自行選出其主席，他是黨在該州進行競選活動的主要指導人。委員會主席往往與本黨的該州州長或選自該州的美國參議員，在黨內同樣負有領導責任，然而由於缺乏統一領導，政黨領導自相傾軋，使黨缺少一致的立場，並影響到政府決策也顯得舉棋不定。

雖然兩黨的大部份實力及活力集中在各州及地方組織，它們也有全國性的組織，藉以進行總統及國會議員的競選活動，大體說來，兩黨全國性的組織是由許多州政黨組織聯合組成的。

黨的全國最高機構是全國代表大會，其主要工作是每隔四年提名候選人，以競選總統暨副總統，全國代表大會也要起草全國政綱，以對該黨方針政策作廣泛的說明！這相當於一次全國性的競選大會，以展開候選人的提名工作，它也是該黨的統治機構，控制黨的人事大權。

全國委員會及全國委員會主席，是全國代表大會的兩大手臂，負有全國性組織的領導責任，並保持這屆與下屆全國代表大會的連貫性。

每一政黨的全國委員會，是由各州及各地區黨員各兩人——男女各一聯合組成。共和黨全國委員會，還包括那些在上次大選中共和黨候選人獲勝的各州黨委員主席在內。各州選出的全國委員會是經名單，形式上尚須黨代表大會通過，但黨代表大會從未否決州所提出的人選。

全國委員會是總統大選年最活躍的機構；它決定全國代表大會召開的時間及地點，並從事種種必要的安排。

就理論言，全國委員會主席是由全國委員會選舉產生的。實際上，他是緊接着全國代表大會的開幕之後，由黨所提名的總統候選人所指派。

全國委員會主席担任候選人積極競選活動的總幹事，他必須是一位高級職業政治家；在競選期間，他除了是總統候選人外，是最忙碌的一位。

如果競選得勝，全國委員會主席往往會被任命為新總統內閣的郵務總長，以資酬謝。主席之下分設各種委員會，委員均由黨內富有經驗的幹部遴選。

競選失敗的候選人的總幹事，通常都自請辭職，全國委員會就指派一位新的主席，一直工作至下屆全國代表大會召開為止。（未完）

文滙樓別記

自由人三日刊，創始於韓戰爆發後，由海外華僑社會、各黨各派人士，當社會賢達共同經營，為民主自由思想而奮鬥，旋以原創辦人多數離港，乃於民國四十六年停刊，而本報同人繼踵前修，廣續出版，舉凡編輯方針，與言論宗旨，苟與自由人一脈相承。

自由人階段，作者有張君勱（民社黨領袖）、伍憲子、蔣勻田（民社黨領袖人物）。左舜生、李璜（青年黨領袖人物）。王雲五、張六師、唐君毅（社會賢達）。程滄波、許孝炎、陳克文、雷嘯岑（國民黨員）。當時的言論，正如國歌上說的：「吾爾多士，為民前鋒」，有時亦偏激，雖屬文人論政，各同人尚能忠於職業自由，台灣發行最高峯到五千餘份，祗是在業務上，入不敷出，經濟始終未獲平衡，加上生活指數與日俱增，凡百事業，大者包括政府，小者一個家庭，經濟一旦發生問題，成功屬偶然，垮是必然的，自由人拖到民國四十六年，一紙啟事宣告停刊。雖未說明理由，政治因素固不可免，主要還是經濟因素。

自由報與自由人的關係，儼若運動場上的接力賽，自由人和自由報除了汗衫、背心號碼有別，大體上還是這邦人，例如：「痛君夢」的作者岳騫，「自由談」的馬五先生等，香港政府認為繼自由人後，自由報大部份的作者，仍皆有政治理想，而無政治行動的自由主義者，猶其雷嘯岑「知其不可為而為之，為而不有。」的精神，一股蠻子脾氣，值得欽道和效法的，請准登記，大膽開張，自由報言論方針是：「本民主自由原則，而以維護中華民族的生存發展為前提，但對於本國的庶政得失，知無不言，言無不盡……」一直到民國五十六年，自由報再度改組，我們名之曰自由報第三階段。

自由報風格四大構想

第三階段，就是現階段，自由報的風格：一、大作家寫小文章，小報紙談大問題。二要使自由報成為報紙中的報紙，自由報成為言論中的言論。三、使自由報成為學人園士的園地，使自由報成為民主自由的櫥窗。四、以偵實見聞，關事實擷結做新聞，指弊病所在。這是學新聞做新聞，卅年職業報人李運鵬對自由報的構想。

自由報的風格和明朗的做法，經過甚多學人研究宣佈後，名言讜論。雪片飛來。錢穆（國學大師）、顧翊羣（政論家）、吳經熊（哲學家）、沙學浚（地理學家）、熊式一（文學家）、何浩若（經濟學家）、劉光炎（報學家）、蔣勻田（政論家、民社黨領袖人物）、劉振東（政論家）、張夢九、關德辛（青年黨一派領袖人物）、丁作韶（法學家）、溫麟（報人、政大教授）、陳適子（中國文化學教授）、雷嘯岑（政論家、前本報社長）、張超鈞（前華盛頓大學、夏威夷大學哲學教授），皆有連載交本報發表，經常或偶然而在本報發表文章作者，計有：曾約農（前湖南克強大學校長）、高亞偉（台大教授）、伍振鷟（師大教授）、徐復觀、張翰書（東海教授）、林語堂（幽默大師）、徐百川、程滄波、馬空羣、潘公展、張維翰）皆政論家）、胡傳厚（報人）、李洛九（報人）等百餘作者對自由報皆以文章支持，一年之間台灣區的發行，從一七〇〇份直線上升到七千幾百份，於最短期內可突破萬份進口紀錄，海外各地普遍激增，飲水思源，皆作者之功，僑報內銷，受到祖國讀者這樣的熱烈歡迎，在業報史上亦是一件值得歌頌的盛事，因僑報在祖國，或祖國報紙在國外，還沒有七千份紀錄，嗣外可證明，祗要報紙講真理、有內容，不一定要唱反調、造謠言、或標新立異相號召，自由報的報紙淨化，穩扎穩打，在正常中求進步，就是一個最好的例子，東南亞及歐美各地華僑之喜歡訂閱香港自由報，因自由報另一特點，高水準與對祖國的消息比較多，因我們的口號，有太陽的地方就有中國人，有中國人的地方就有自由報，自由報海內外讀者亦作如是觀。

·文滙樓主·

政治垃圾現形記（九）

第四回　好色騙婚，異域遍散假計。忘恩負義，平生儘多陰謀。

李樂

胡士惠自從以武力保護某顯貴販運私貨，又以詭計捉捕「西南政委會」要員，鑄錄解赴南京獻俘後，深受上峯獎許信任，視為忠貞有為的心膂之寄，政治地位奕告重要，隨時參預廟堂密勿，出入豪門鉅宅，游說奔競，不遺餘力，未到兩年的工夫，以一個在軍事上沒有絲毫戰功，在黨務上毫無勞績，在政治上從未涉足仕途的碌碌之輩，居然鴻運來臨，一躍而成為封疆大吏，綜攬一省的黨政權力，聲勢煊赫，不可一世了！

他在封圻開府的期間，標榜着「用人必疑，疑人乃用」的人生哲學，因而他驅使人才的作風亦別開生面，可謂前無古人，後無來者。他常常邀約各方面向他推介，以及一般懇藉親戚故舊之誼而自薦以求事的人士，同時聚集會客廳內，自己高踞上位，教那些「聽鼓」人物，或坐或立，大擺慮（手勢）述心裡的志願和抱負，讓他察言觀色，資為任用的尺度。在這種奇特的環境中，凡是面皮不厚，胆子不大的人，祗有叔（足旁）踏不安，難於啓齒，更害怕立言失態，自誤前程，稍有氣節者且引為恥辱而望望然去之。曾有一個穿二尺半服裝出身的落伍軍人，躬逢其盛，以在座的羣士皆默然不作聲，乃在客廳內高視闊步地自言自語道：「像我這種人才，政府如果不用，眞是豈有此理！」胡士惠以主席之尊答謂：「你有甚末本領呢？」那軍人言道：「我文能執筆寫公牘，武能開槍作戰，可謂文武兼資之士」。胡士惠大為激賞，即任為轄區內的行政督察專員兼保安司令，據說，後來此人的政績是一場糊塗，貽誤地方，最後撤職了事。

胡士惠素有「寡人之疾」，政位地位既高，更不愁沒有稱意的異性願充下陳。他在「省主席」任內，納了一名知識婦女作「第二夫人」（實際是第三號了），說是替他的哥哥兼祧——詭稱哥哥沒有兒子——名之為「兩頭大」。但那位在日本以假計誘騙娶的夫人提出條件，新來的「兩頭大」夫人不得對外以「胡主席」太太名義，從事交際應酬。有一次，胡士惠在自己公館內舉行宴會，參加者盡係黨政軍各方面的人士，且携同家眷赴宴，胡主席的夫人認為是本宅舉行的盛筵，她亦應該出席，而大夫人以有約在先，堅不許可，胡士惠說好說歹，竭力協調亦不行，三口子在樓上爭吵了半天。

瀛海秋萍（九）

葉楚傖酒中之賢

林公偉

天若不愛酒，
酒星不在天；
地若不愛酒，
地應無酒泉。
天地既愛酒，
愛酒不愧天。
已聞清若聖，
復聞濁如賢。
聖賢既已飲，何必求神仙！
三盃通大道，一斗合自然。
但得酒中趣，勿爲醒者傳。」
——李白

「看花應在半開候，飲酒貴在微醺時。」能夠保持微醺，而處事不亂，神明長駐，還可以稱得上酒中之賢。從民十九年至抗戰開始，我和葉楚傖先生常在丁家橋中央黨部碰到。誠如一般同志所傳，他辦公桌上茶盃裏經常倒的是酒，一面淺斟低酌，一面批閱公文，或和僚屬商量公務，很少看到他酩酊，以致處事零亂的。可惜那時沒有保溫盃，南京入秋後早晚也很涼，他把紹興酒溫過後先裝入熱水瓶，飲時由熱水瓶傾出，攜動傾倒，味道不免受到影響了。

楚傖先生從少勤於文事，難得做有恆的戶外運動，長日薄醉，中年後兩頰總是淡紅，鼻準巨厚，色深如玫瑰，大概是酒浸入肺，無戶外運動不得表散的原因，和有些焦思勞神的人鼻頭焦紫的又不同。

楚傖先生少入南社，以詩詞勵國人[illegible]與，偶與革命同志呼燈市樓，縱談天下事，豪爽如幽燕俠客。但寫兒女情長的說部，却又極細膩，極香豔。所以胡樸安先生說他：「以貌求之，不愧楚傖（傖夫俗子）；以文求之，不愧小鳳（筆名）！」

楚傖先生民六辦民國日報，常在窮鄉，甚至典質夫人釵飾以應印刷之費。後來迭任黨政要職，勳績宏拔，始終書生本色，無一點富貴驕人氣。南社柳亞子、邵力子輩，老年不惜屈膝事匪，愧對楚傖先生於泉下矣。

楚傖先生很愛他公子北平，北平豪邁，亦一如其尊人少壯時。抗戰初起，北平奉派去豫南，策動地方抗敵自衛工作，頗著勞績。其夫人袁女士，亦相助爲理，有巾幗男兒風。那時我正在軍委會和這部門工作有關連，楚傖先生常常深宵親以電話相詢，煦煦長者，轉眼三十餘年，那份親情厚意，似乎還留餘響於我耳際。

丁作韶傳作義勤政殿晤談（四三）

胡慶蓉

巨變歷險記！

丁博士在作北平的巡禮後，對於北平局勢之嚴重，深深的感覺到。目前的一片靜寂，可能就是大變化的前夕。在絕望之中，丁博士並不放棄希望，他就馬不停蹄的同華北剿匪司令傅作義約期會談。出乎意料的，傅作義的答覆是滿意的。他說他很早就想同丁博士見面談談，前以因在天津，沒有辦法，現既然來到北平，再好沒有，盼即來中南海勤政殿晤談，並再三的表示，越快越好，越早越好，能就來更好。這是中華民國三十八年一月十七的下三點鐘，也就是天津淪陷後第二天。這正合丁博士的意思。他遂即前往勤政殿與傅作義見面。

勤政殿是在中南海，在新華門裡邊，光緒皇帝被囚的瀛台對面，居仁堂的前面，看來是民國以後新加的，建築的式樣與舊的不同。舊的稱殿的地方，如太和殿，規模都大得很。勤政殿，有殿之名，無殿之實。外表倒是同別的房子一樣，牆都是紅的，但並不像太和殿，自成一個局面，而是附屬在另一個房子上面，且靠近通道，與瀛台相對。瀛台面着新華門。新華門在天安門之旁，也是民國以後蓋的。進新華門到勤政殿，很有一段路，一直沿着「海」（中南海）走，沿着路走。對面只看見瀛台，彷彿一個小小的孤島。房子都在右手邊。這個時候，新華門裡，同新華門外一樣，依然不見人影——到處是靜悄悄的……

趕到勤政殿，快四點半了。同傅作義在等的，還有一位焦實齋先生。焦先生是舊蕩平先生辦的民國大學的教務長，人同他的名字一樣，非常實在，絕不虛偽。在沒同傅談以前，丁博士先同焦談。焦老實告訴丁博士：北平大勢已去，是沒法挽回的了。萬事齊備，但看共軍進城了。在這個時候，傅作義還要同丁作韶見面談談，司馬昭之心，路人皆知。還有什麼可談的呢？

說也奇怪，傅談的非常多，好像胸有無數塊壘似的。他竭力聲明開門揖盜，非出自他本願。他說：他雖有華北剿匪總司令的頭銜，他沒有力量。特別華北的而幾乎整個爲共產黨所佔。政府方面所佔的不過點與線而已。實則，政府佔的僅不過點而耳，線都沒有了，線也被共黨佔了。在這種情形之下，中央應如何多多的供給錢，多多的派部隊來？但事實上並非如此，中央既沒有來錢，以孤軍來守孤城，那能守得好、守得久？傳言，在那時能把平津的部隊撤退到南邊，對於中央，傅作義的名位不能保障。傅作義不能反共，也不能反別的，要中央拿錢來，他說：中央既不拿錢，也不拿人，他既無錢，也沒人，只好與共黨講和。他說：他想不出有更好的辦法。

這一代早市的巡禮

范姜淑貞

不知從那時起，沒事或是心情鬱悶時，總愛去市場走幾圈。我想，大概是那年的母親節，爲了買幾朵康乃馨給走上癮的。

可是市場也不是每個地方都讓我喜歡的。比如賣肉的舖子，簡直令人望而生畏。奇怪的是，賣肉的舖子通常都在陰暗無陽光的地方，甚且點上燈泡，搖幌的燈光，血紅的肉，加上蓋滿藍色的大印，有多恐怖就有多恐怖。大概血腥氣太濃，陰氣太重，所以賣肉的舖子都深藏在一起。我通常由市場的外圍逛起。這裡，上面蓋着白色的塑膠板，光幌幌的陽光就從塑膠板上透進來。照得那些蔬果更豔麗，人們臉上更浮上一層喜悅的紅光。

我不喜歡看大攤位，喜歡看小巧的攤位。小小攤子，堆滿了整齊的菜蔬，白的蘿蔔，紅的胡蘿蔔、菠菜、芥菜等等，都潔淨清鮮，有的上面還帶了一點點黃色的泥土，晶瑩的露珠，更令我想到他們，早上被辛勤的農夫拔起，坐上顛動的車子，經過許多田野風光後，被帶來此，怪不得那麼疲倦地都安靜的臥在那裏。此外水果舖、雞蛋舖也都是令我歡喜的地方，富有最自然的色彩。不過最好看也最令人喜歡的算是賣花的攤位了。大大小小的水桶，盛滿各色的花朵，有用綠葉遮護着的，有用細薄白紙護着的，這裡，我能捉住季節的影子。聞到春天的芳香，觸到夏的火熱，感到秋的淒涼，冬的蕭瑟。

我以最緩慢的步調，一面瀏覽衆物，一面看熙攘的人羣。有些主婦，一副若有所思的樣子，大概在爲錢包與家人的健康在衡量，該買些什麼，有些帶了滿意的神態，大概買到所要買的了，也有愁眉不展的，不知在担心着什麼，喜怒哀樂各種表情都有。

市場裡，有無窮永新的東西讓你目不暇接，看着忙碌的人羣，觸目鮮翠的蔬果，你的思想根本不可能停留在你自己的身上，鬱悶不驅而散。而且在忙碌的人羣，鮮翠的果蔬中，似乎可以看到少許生活的意義，即是一切爲生命而活下去。這就是生活。

生活漫談

海蜇能治女人閉經

海蜇爲腔腸動物之一種，相近於無鱗魚類，其皮甚薄，本身沒有什麼味，所謂海蜇的味鹹，乃是醃製的關係。因爲海蜇本身是沒有甚麼味的，故很少人用海蜇單純作菜，只可作爲菜的配料而已。雖以蜇是一種不容易消化的東西，幸而蜇本身軟滑，若能切得滿細，對胃腸亦沒有甚麼妨害。本草謂海蜇有祛風、消痰、去積、治頭風痞塊、擦無名腫毒的功能。依據近人的分析，蜇的營養成份：水份七七點五，蛋白質十二點九，無機鹽一二點○，含水炭素二點六。在食用上也很適宜，食時，總要切得幼細些爲好，胃腸有消化不良，或大便常常滑瀉，則不宜多食。但夏去秋來，亞熱帶氣候變幻無常，倘能影響食慾，倘能在飯菜中增加一小碟海蜇，也是改進胃口的一種方法。又根據前人的記載，謂海蜇可以治婦人勞損、積血帶下、小兒丹毒，並能治湯火傷。某醫藥雜誌刊出，見人用以治皮膚病，如皮膚患紅腫癢痛，搔破皮膚則流出有粘質的膠液，而且皮膚一搔則破，破則痛中仍癢，此種皮膚病，乃血液受了風熱毒而成，可用海蜇擦洗乾淨，切細，待水滾先加入一些冰糖於滾水中，然後將海蜇加入，一滾可食，可收清風涼血之功，皮膚病會很快痊癒。小兒生熱痱小瘡，腺包痛，不防用海蜇煮水給他冲涼，可使小兒安適。至於食用海蜇時，有一點須要留心的，倘吃飽了肉類，尤其是狗肉，而感到胃部脹滿時，切勿吃海蜇，因爲蜇有使肉類發脹的特性，若胃部因吃肉太多而滯，再吃上海蜇則增加了肉留的發，對胃腸就有損害了。

海蜇在子女方面，如婦女閉經，面色青枯，形同殭屍終年臥病，甚而咳嗽或吐血的情狀發生，這種情形，可用海蜇煎水服用，有很好的治療效果了。又如婦人在四十五歲後，即經期將停止的時候，倘身體不甚健康的女人，抑鬱的暗病特多，同時，在生理上，這種年紀的婦女，性慾時別旺盛，可是她雖然性慾旺盛，事後又抵受不住，故引致整年整月頭部都有病，經期更無定時，這是生理的影響與及健康上的不健全所形成，此種情形，也可以用海蜇來煮水飲，常常服用，身心自感舒暢，抑鬱暗病，亦自減少。

·馬騰雲·

催眠術研究（四九）

鮑紹洲

五十六、竺鼠與兔的催眠法

天竺鼠多爲醫學上試驗之用，牠的形狀多類似兔與鼠之間，但比之於兔較小，毛色有白有黑，間亦有檢黃色。鼠與兔的催眠法相同。下面只講兔亦包括了鼠。

對兔的催眠法，先提起兔的後頭，兩分鐘後，將兔放於桌上橫臥，用左手二指輕壓其眉毛間，大指與中指則按其耳後，右手輕撫其腹胸，及撫摩牠的眼睛。如此行之，容易催眠。如果遇到驚懼而不安的，就是抗力大，施術人不要懼怕牠驚動，如果驚怕就失其效果，至令其抗拒之力消失後，便可催眠。

催眠鼠類，初學的人，最好先擇天竺鼠來試驗。爲什麼呢？因爲天竺鼠爲動物中最溫和者，人雖如何強制之，牠亦不至咬傷人，故學者必取比較溫和的動物而試驗之，方不至於灰心失望。

中華民國內政部內警台誌字第○三一號
中華民國僑務委員會登記證僑新字第三二三號
中國郵政台字第一二八二號執照登記爲第一類新聞紙

自由報

（第八六九期）

（版出六、三期星逢每刊週半）
每份港幣壹角・台灣零售價新台幣弍元
督印黃行寬・社長李運鵬
社址：香港九龍彌敦道593—601號
廖創興銀行大厦八樓五座
LIU CHONG HING BUILDING
7th FLOOR FLAT 5
593—601 NATHAN ROAD,
KOWLOON, H.K.
TEL：K303831
電報掛號：7191
承印：曇星印刷公司
地址：嘉咸街廿九號地下
台灣總管理處：台北市大同街119號
台灣區直接訂戶　台郵劃撥戶
第五○五六號張萬有（自由報會計室）
電話：七一四○三三、五五五三九五
台灣分社：台北市西寧南路110號二樓
電話：三三○三四六，台郵劃撥戶九二五二樓

本報二十週年重要啓事：

一、本年六月廿六日爲本報創刊二十週年紀念，同人等緬懷往事，緣念來茲，擬發行特刊藉資紀念。敬希惠予支持，賜撰鴻文，以光篇幅，毋任感禱。
二、本報二十週年紀念包括香港總社暨全球各地分社辦事處，不舉行任何儀式，不收受任何餽贈，包括現金花籃器皿聯幛等。
三、承賜鴻文及特刊廣告，海外請於本月底前寄香港本社，台灣區請本月二十日前寄台北承德路七號香港自由報收爲荷。

「巨筆」是傳統國文教育之成果
兼論國民小學加重注音符號學習之害

・沙學浚・

五十八年五月六日中央日報副刊載有君默先生著『巨筆』一文，內容十分精審，特附錄於後：

『自清末　國父倡導革命，思想界大放異彩，政論人才輩出，蔚爲一時之盛。

首先可以大書特書的，是同盟會的民報，一九○五年十一月創刊於東京，一共出了廿六期，至一九一○年爲止。民報的發刊詞，是　國父的大手筆，首次揭櫫民族、民權及民生三大主義，號召天下，新辭新義，史所未有。

民報的作者，都是當時的俊彥。胡漢民、朱執信、馬君武、宋教仁、張繼、黃季剛、蘇曼殊、廖仲愷等，無不筆大如椽，力當萬鈞。

那時上海還有一家蘇報，吳稚暉、章太炎都是主將，鼓吹革命，勢不可遏，清廷爲之震怖，乃下令緝捕。吳稚老聞風走避海外。章太炎慢了一步，被捕入獄。忽然來了一位青年，挺身而出，仗義自認罪狀，代章坐牢，結果判刑兩年，於民前十一年死於獄中，年僅廿一歲，他便是「青年之神」鄒容。文章風格，卓然入聖，曾著「革命軍」一書，銷數竟達百萬份之巨。

吳稚暉的文章，犀利幽默，微言大義，隨心議論，而入骨三分，別具一種格調。他爲了人道，不乘人力車，他不吸烟，不喝酒，不賭錢，反對奢侈，一生不穿漂亮衣服，爲實踐「各盡所能，各取所需」的理想，有一個時期，每月應拿的二百元薪水，只領一百元。爲人風格，和他的文章，如出一轍。

戴季陶亦是不可一世的政論家，筆名「天仇」，在「五四運動」前後所主持的「星期評論」，很顯示了號召的威力。葉楚傖的文章，一如其人，高逸而清麗，讀之如飲佳釀。他在夏天喜歡赤了膊，寫文章，面前總是放着一瓶酒，一包花生米，以助文思。陳布雷之文，其純粹有如璞玉，飽學而謙遜，淡於名利，但責任感特重，令人嘆服。

民國初年，國父爲加強對外宣傳，曾在上海創辦「英文滬報」，以馳譽國際的外交家陳友仁爲社長，李才爲總編輯。據說到後來全社只有兩個人，李才眞是一位怪傑，獨自住在社裡，狹小的房間，甚至沒有桌椅，沒有用具，每頓飯以兩片麵包一杯咖啡充飢，一樣的把報辦得有聲有色，負起國際宣傳的責任。由於這批政論家的腦汁、丹心與巨筆，才創造了一個新型的時代與國家。』

巨筆的特點是，都有卓越的思想，高超的見識，豐富的學問，同時是「筆大如椽力當萬鈞」、「文章風格卓然入聖」、「文筆犀利幽默」、「文章高逸而清麗」等。須知如果沒有優美絕倫的文章，絕難表達卓越的思想、高超的見識、豐富的學問。

這些巨筆都是中國傳統教育培養出來的，都是中國傳統國文教育成功之證明。數千年來，無數巨筆對於中華文化的發揚光大能有極多的貢獻，自應歸功於優良的傳統國文教育。

近世小學國語教學，根本不注重識字：二年級讀完四冊現行國語課本，祇習得七三四生字，四年級讀完八冊國語課本，祇習得一七七四生字，由於識字太少，故國文基礎十分薄弱；又由於過份注重說話而不注重作文，學生作文能力自然很差，其結果是國文（包括作文）教學澈底失敗。

國父及其他巨筆，不論天資如何優越，如果生於今日，自須進國民學校求學熟讀、背誦文字與內容均不佳的現行國語課本。一、由於識字太少，故不能博覽羣書，以豐富知識、擴大視野，發展思想而成爲飽學之士。二、由於不重視作文訓練及學問、見識、思想的比較貧乏，一旦執筆爲文，不克文思泉湧，取精用宏，當然不能成爲巨筆。不能培養巨筆是最近世國語教育澈底失敗的自然結果，言念及此，感慨萬千。

巨筆之嚴重缺乏亦見之於今日新聞界，陽畏壘（陳布雷先生主持上海時事新報筆政時之筆名，陳先生二十年前逝世）張季鸞（上海、重慶大公報之主持人，抗戰期間逝世）諸先生今竟後繼無人。國內及海外報紙都感到能寫優美社評之人亦不易得。這種種足以證明中華文學連帶至於文化已非常衰落，所以　總統蔣公要提倡復興。要復興中華文化，首應培養國家經常需要的巨筆，而培養巨筆之道是恢復傳統國文（小學國語科首應正名爲國文科，這一點竟被若干人有意解釋爲反對提倡標準國語教學，實是大錯特錯）教學的教材與教法，但須加以改進。

注音符號對於教學國音，確較昔時的反切爲優，照加採用，這是改進之一端；但不應過份加重。現行國語課本，低年級四冊全部課文加注音符號，中年級四冊課文及生字加注音符號，高年級四冊課文及生字均不加注音符號，甚爲妥善，並無改變的必要。去（五十七）年元月教育部公佈的國民小學暫行課程標準，關於注音符號中年級四冊課本改爲全部課文加注音符號，和低年級四冊相同，高年級四冊課本改爲生字加注音符號。這樣過份加重注音符號的學習，不但浪費學童的學習時間和精力，而且大大削弱學童學習國字的成效。這是喧賓奪主，這是重本輕末，其結果是學生國文程度更加低落，敬請全國教師、家長、羣起反對，學習，必將貽害於兒童。

培養巨筆的教學包括幼稚園和小學低年級兩階段，必須從識字入手，並規定四年級讀完時以識得三、四千常用字爲目標。低年級教材，須以發揚中華文化爲主要目標，並用三言四言韻文（這是中國文字最有價值的特點之一）撰寫，而使熟讀背誦；中高級須熟讀背誦發揚中華文化的精美文言文，包括淺易的詩與詞，同時廣泛閱讀包括貓叫狗跳等教材的白話文課外讀物，但不背誦，這有助於增加常識及練習講標準國語。（請參閱拙著「小學國文科改造芻議」，載香港自由報第九二四期五十八年十一月十五日，及學粹雜誌第十卷第四期，國文科正名專號下集，五十七年六月十五）

上述國文科教材與教法的採用，是培養巨筆的基本，也是復興中華文化的基本。李政道、楊振寧諸位自然科學家可由外國培養，巨筆無法由外國培養，必須由本國培養，過去如此，今後永遠如此。

昨日與明日

越「臨時革命政府」

北平電台在一項全國性新聞廣播中說，中共已經正式承認越共在越南一處不爲人知地點所建立的臨時政府。

這項廣播又說，周恩來「總理」邀請「民族解放陣線」駐北平代表團團長阮文廣，宣布這項決定，並祝賀「臨時革命政府」。

中共是在包括蘇俄在內的十六個共黨國家之後，成爲第十七個承認「民族解放陣線」政府的「國家」。見東京十五日合衆國際電。

我們對北越「臨時革命政府」的成立，並未感到突然，故無任何新的刺激，我國政府也未作甚麼表示，證明對「臨時革命政府」事件，讀者閱標冷淡，此項消息雖由周恩來宣佈，對南越與其他國家並未感到太意外，莫非所見略同。

讀書面談話有感

中國立法院外交委員會謝仁釗就越共成立「臨時革命政府」一事發表書面談話說：「近日越共在巴黎和談中，突然宣告成立臨時革命政府，強迫國際間承認共產侵略之果實，要在多年爲自由民主艱苦奮鬥之越南合法政府之外，再來一個共產式之所謂革命政府，來公開赤化越南，不但有意擾亂阻碍和談，而且公然侵犯日內瓦會議劃分南北越互不侵犯之協定，同時破壞東南亞公約保障越南三邦之政治獨立與主權完整。」由中央社發出電訊。

就謝仁釗這篇談話內容，很像一張油印函件，又像是教科書式的文章，今日可以用，明日可以用，後天仍可以用。謝仁釗既職司國民外交，我們希望打出的招數還能新鮮一點。

越南應走的道路

越南各大都市，在共產黨砲擊破壞殘殺後，悲慘戰慄，不忍目睹。

國家富強，無倖至者，越南自獨立後，二十年來已由泄泄沓沓之政府，散散漫漫之國民，躋進爲戰鬥新與近代國家，就東南亞十餘國家作一比較，越南儼然領先，此乃無可否認的一項事實。

今後越南應走的道路，不管美軍撤退與否？越南單獨亦得作戰，中華民國爲七億人口的國家，台灣與散居各地華僑，合攏不及四千萬人，但我們從未這樣想法，祗視七億人民和我們一樣心理，所渴望的是消滅共產，步向民主自由康樂生活。越南的環境比我們單純，祗有戰沒有和，彷徨於兩者之間必敗。因我們想和，而彼已早下決心，「對政敵寬容，就是對自己殘忍」，筆者讀中華民國駐越南公使歐陽中庸一篇通訊中可以充份證明越南當前一應走的道路——打下去。

・公陶・

自由談

古今奇聞

中華民國監察院最近彈劾台灣高等法院院長孫德耕，指其濫用職權，撤消所屬地方法院對一個商業公司非法漏稅案的強制執行的裁定，列舉事證，確鑿可據。不料該公司竟向法院控告提起彈劾案的監察委員陶百川以誹謗罪，且在報紙上刊登大幅廣告，攻訐監察委員。這眞是胆大妄爲，目無法紀的駭人聽聞之事！

監察御史在君主專制時代，亦有「風聞」言事的職權，且可以糾舉帝王的缺失，百無禁忌。民主國家的民意代表如立監委員，即使言之無物，託於傳聞，亦不負法律責任，憲法上明文規定，誰也不能否認的。這次監察院對高等法院主持人的彈章，證據明確，理由充足，被彈劾的人尚未敢反唇相稽，而有關本案的商家，竟敢胡行妄爲，公然對提出彈章的監察委員無理取鬧。怪事處處有，唯有台灣多，我不知該商民何所恃而狂悖如此？

據說，台北地方法院對該商民的狂妄告訴已予駁復不理，而該商民依然纏訟不休，再行上訴。這是故意搗亂，對國家的法制大開玩笑，此風若讓其狂扇下去，天下即非大亂不可，將來立監委員勢必隨時吃官司，無法執行職務了！我不知政府袞袞諸公作何感想，是以看熱鬧的心情聽其自然呢；抑以整飭紀綱，尊崇法制的精神，嚴加制裁？

不錯，行政院已令飭主管機關對該商家漏稅案，依照法院的原判決強制執行。但該案當法院裁定時，司法行政部與財政部曾有「免予執行」的指示，這也就是該商民援爲控告監察委員的理由所在。究竟司法與財政兩部爲甚未對法院的判決，乃以行政命令變更之？這纔是本案的癥結所在，應該切實查究，方足以明是非，彰公道，且爲改革政風的嚆矢，豈可存而不論乎？

商民控告監委的罪名是「圖利國庫」，好傢伙！民意代表圖利國庫亦有罪了，這是古今奇談。當然的邏輯，民意代表即須勾結商人，圖損國家利益，纔可告無罪，寧非言語道斷的說法嗎？

這椿公案關係國家治亂前途甚鉅，我們且拭目以觀其後能！

馮子先生

台灣郵務有整理必要
郵局頃來函從頭說起
說來條條是道確否尚待求證

一、貴報本年四月十六日第四版刊載杜負翁先生「台灣郵務有整頓的必要」一文，承指示郵政設施事項茲分別釋陳如後：

（一）關於郵政人員服務態度一節，查本局對於各級員工服務態度向極重視，經常並有嚴格考核，窗口人員對公衆服務態度如有欠妥，請指示時間地點，本局當查明予以糾正或議處。

（二）關於印刷品重量起算單位，查郵局對印刷品重量資費之核計，民國卅七年七月廿一日所訂者初重重量為一五〇公克，至卅七年十一月十九日放寬為二五〇公克，施行迄今並未變動，更無由三百公克改為二百五十公克之事實。至於劃撥儲金起首手續費收取標準，係按平信郵資釐訂，目前為新台幣一元，上項手續費自五十四年九月十六日起實行迄今並未增加。又所有有關資費之調整均係經由規定程序公佈實施。

（三）各地郵局星期日及例假日儲匯營業時間均為上午九時至十二時，行之有年，目前迄無變更。至於平常日則係自上午八時至下午五時，原文所稱自九時開始營業似屬誤會。

（四）關於香港寄台函掛通知收件人到局親自領取一節，查掛函內件多係封寄有價證券或其他重要文件，該項自國外寄來之郵件如因封裝欠妥，時有收件人提出查詢，郵局為愼重起見於收到掛號郵件遇有封口破損或其他可疑情形有時通知收件人到局領取，以便當面拆閱，證明責任，而利追查。作者杜負翁先生既因往返領取不便，已飭新店郵局嗣後直接投送。

（五）交寄報值掛號郵件，若信封牢固，內件不至外露，自可用寄件人自備信封交寄，惟如封裝欠妥或內件易於察覺，郵局均勸請寄件人改用郵局製備之報值信封裝寄，是項信封係針對事實需要而製備，係一種便利公衆加強服務之措施，其較自備或其他購用者當屬妥善，但非必須使用局製者不可。

（六）印刷品資費較信函為低，按章不得夾寄通信文字。為便於查驗，不可固封，否則應按信函類納費。

（七）郵局發行郵票，均視業務需要訂定適合納付各種郵資之面值。上年印行之郵票其有全套六枚者，總面值亦未超逾新台幣十八元，其中最高面值八元者之一種，係應貼用國際航空信函之需要，所述內夾數十元一枚郵票，並非事實。又關於郵票之發售除集郵窗口以整套發售者外，一般窗口均可零售。

（八）國際人權郵票圖案係以自由火炬為主題，此項題材乃聯合國組織所設計，提供各會員國共同採用，以資普遍。至國際水文年紀念郵票圖案，係表示以水之循環為主旨，按水之循環為水文科學研究之中心，而維持水循環之動力，則為太陽，故其畫面除太陽外尚有不同色彩之雨點及雲層，該項圖案涵義已在郵政總局印發之集郵報導中予以說明。

二、為使 貴報讀者明瞭真相，特函請查照惠賜披露為荷。

局長簡爾康

中醫務院官司
王德溥打輸了
控告覃勤等偽造文書案
台中地檢處予不起訴處分

（本報記者劍馨台北消息）前內政部長並曾任中國醫藥學院董事會第三屆董事長現執行律師業務的王德溥先生，控告該學院董事會第一屆董事長覃勤、董事陳固等偽造文書嫌疑案件，業經台北地方法院檢察官郭成挺偵查終結，以五十八年偵第九八五號予以不起訴處分。

王德溥不服台中地方法院檢察官所判不起訴處分，向台灣高等法院台中分院檢察官聲請再議，亦經該台中高分院首席檢察官朱士烈詳加審核的結果，認為該案屬於告發案件，王德溥無聲請再議之權，而駁回其聲請，該案至此告一段落。

據告訴人王德溥訴稱：覃勤為私立中國醫藥學院董事會第一屆董事長，陳固為董事，於民國四十九年間，於向台中地方法院為中國醫藥學院董事會財團法人設立登記聲請時，其所呈法人登記聲請書所附之證明文件中，由覃勤等共同具名偽造捐助證明書，計證明覃勤本人捐款二百五十萬元（新台幣以下同），陳固本人捐款二十四萬八千元，陳[illegible]捐款九十萬元，[illegible]、趙無聘、[illegible]各捐款十萬元，並捷條紙作成捐助證明六份附卷，以為日後冒充中國醫藥學院捐助人，肆行其非法活動之張本。同時又偽造「私立中國醫藥學院籌備委員會墊款人姓名及所墊付金額（與上列捐款同）」亦附卷，以圖日後向學院藉詞付還墊款，為詐欺取財之張本，並於民國五十六年七月間，互相勾結偽造「私立中國醫藥學院董事會財團法人捐助章程」，聲請台中地方法院准予備案等情。

王德溥的告訴理由

王德溥的告訴理由有二點：

一、詳查創校案及賬目，並無任何如前開各人捐款之記載，且覃勤本人在中國醫藥學院第一屆董事會第一次會議報告：未奉政府核准募捐，並未收集捐款，所有籌辦經費，均係抵押墊借而來，並有其親筆致劉航琛函備提收取學生捐款，並自承經手所開支經費，尚無法報銷者若干，若干係典借，絕無一語涉及其本人或他人曾有款捐獻學院，即陳固，經告訴人（王德溥）函請提出捐款證據，亦不能提出，且登報再不敢以捐助人自稱，是其創校費用，係先向外界籌借，迨學院獲准備案招生後，始以其向第一期學生募捐之款項，及所收學雜各費，逐漸清償無疑，至學生捐款抵付創校經費之經過，劉航琛先生可以質證。

二、偽造之私立中國醫藥學院董事會財團法人捐助章程規定，創辦人得遴聘歷屆全體董事組成各屆董事會，並將所聘董事隨時解聘，另聘他人補足任期，更規定創辦人及捐助人之繼承人為該財團法人當然監督及改進學院教育之責，創辦人並得指定其繼承人執行職務，其該捐助章程，如果有效，則中國醫藥學院勢將成為覃勤等之私產，且萬世一系，均由其子孫承繼控制，此項捐助章程，事先未經教育部審查驗印，均與規定不合，以後由告訴人（王德溥）依據教育法令，于五十五年八月以第三屆董事會辦理財團法人變更登記，檢同財產清冊，及捐助章程，呈請教育部令准驗印後，于五十六年三月向台中地方法院聲請變更登記，于五十四年四月八日，法院公告准予登記有案，而覃勤補送之捐助章程登記日期在後，應屬無效云云。

台中地檢處一一予駁斥

台中地方法院檢察官不起訴處分書對告訴人王德溥所提控訴之事實與理由，俱一一加以駁斥。不起訴處分書謂：經訊覃勤、陳固等，均極端否認有偽造文書之事實，據其一致辯稱：籌募之款，悉充購買土地，建築校舍，以及內部設備等，所有收支均記載有賬，由劉學泉經管等語。該不起訴處分書又謂：查中國醫藥學院籌備會分設三組，劉學泉確担任籌募一組，管理財務，有董事會紀錄可稽，劉學泉逝世後，雖一切賬目未獲蒐集詳確，但覃勤等于聲請財團法人登記所附之私立中國醫藥學院財產目錄，除一切動產未計入外，其總值已達四百五十餘萬元，此款來源，既無其他證明，當屬覃勤等所捐獻。再參以私立學校規程之規定，私人擬設立學校，應由創辦人擬具設校計劃，開具各必要事項，申請教育行政官署審定，有關創設學校經費之來源，及其概要，即為重要事項之一，俟獲核准，再籌組董事會，報請立案，于呈請立案時，經費之來源，及經費預算表，暨財產目錄，又為不可或缺之必要事項，如該中醫學院，毫無經濟基礎，其自設而至立案，試問教育行政當局，從何審定，又從何准許立案？

至告訴人王德溥所稱創校費用，係先向外界籌借而來，俟學院獲准備案招生後，始以其向第一學期學生募捐之款，及所收學雜各費逐漸清償。台中地院檢察官郭成挺指前述情事，不惟毫無證據足資認定，且查該學院四十七年學生約三百十名，每名學雜費一千六百六十元（合計五十一萬四千六百元）；四十八年學生二百卅二名，每名所收學雜費與上同（合計三十八萬五千一百二十元）；四十九年學生約三百名左右，每名學雜費一千七百四十元（合計五十二萬二千元），每學期之收入僅敷維持學校經常費二個月之用，其他均靠借貸維持，根本說不到還債，業據該學校會計賈治中陳述明確，有案可查，足可採信。而學生捐款捐者為有限圖書儀器，但據證人劉航琛在台北地方法院檢察官偵查中結證，僅收捐款四百餘元，足證明是時學生捐款，及所收之學雜費，不可能移充清償巨大之外債，況告訴人王德溥亦自承校地經其破土興建，原屬覃勤、陳固二人所有，凡聲請法人變更登記，告訴人王德溥為董事長，對中國醫藥學院原財產總額為四百五十七萬一千九百五十九元一角三分亦無異議，依上所述，顯難以空言指摘附案之捐助證明，係屬偽造。再查捐助章程，依民法第六十條規定：「設立財團者應訂明捐助章程」。同條第二項：「捐助章程應訂明法人目的及所捐財產」。同法第六十二條規定：「財團之組織及其管理方法，由捐助人以捐助章程定之。捐助章程所定組織不完全，或重要之管理方法不具備者，法院得因利害關係人之聲請為必要之處分」。同法第六十三條規定：「為維持財團之目的，或保存其財產，法院得因捐助人董事，或利害關係人之聲請，變更其組織」。同法第六十四條規定：「財團董事有違反捐助章程時，法院得因利害關係人之聲請，宣告其行為為無效。」按照上列民法規定，捐助章程為財團法人登記之要件，必須為捐助人所定立，其一切均以捐助人之意見為依歸，或利害關係人覃勤等為設立中國醫藥學院之捐助人，其所訂立之捐助章程，除有民法第卅六條之規定「法人之目的或其行為，有違反法律規定，公共秩序，或善良風俗者，法院得因主管官署，檢察官，或利害關係人之請求，宣告解散」，則覃勤陳固以自己作成之文書，其內容縱有未臻完備，亦根本不發生偽造問題。

告訴人王德溥所稱：其于聲請變更時所附之捐助章程，經教育部驗印，合乎規定一節。該法院檢察官曾加以反駁謂：姑不論該項章程在呈請時是否有其法令根據，須經教育部驗印，惟遍查變更登記全卷，除聲請增加財產外，亦無附送是項章程，登記之文件，且告訴人王德溥係中國醫藥學院第三屆董事會董事長，並非捐助人，亦無製作捐助章程之權（源）限，遑論登記日期之先後。如准其登記，無異作覃勤等私人之財產，有悖財團法人登記之原則云云。殊不知設立私立學院之財產，本屬私人捐助，于辦理財團法人登記後，為財團法人所有，即任何人不得侵害，其捐助人亦不得例外，即捐款之目的，完全在于興學，且取得行政與司法之監督與保障，與私有財產有別，自不待言，告訴人王德溥以此指責，非有理由。

法界人士謂：名律師對自己的所謂權益，並無「法」保障，遑論保障其他當事人之權益乎！（完）

翁明昌韜光養晦

（本報記者筱雲台北消息）台北嘉新水泥公司翁明昌於去年十一月初旬，因違反公司法被台北地檢處提起公訴，翁明昌看大事不好，很快的走為上着。

翁住在香港很久，香港雖然是冒險家的樂園，一個成了李候的商人去冒險不大容易，像政府官員周游五顛黃金吃完為止，變把戲的人最怕被觀衆盯着瞧，翁是聰明人，一次在「聰明人咖啡館」飲茶，有人提醒他說：「以錢為本位的社會，不把錢帶來是很難要的。」勸他找社會賢達某老帮忙，保證可以過關。再經過某律師奔走，果然照准，翁明昌返台後，各方說法不一，一說韜光養晦，閉門思過，另說不鳴則已一飛沖天，外間姑妄言之，記者姑妄錄之。

喬治桑外傳　五六

張大萬

「嗯，嗯。四點了，再過十五分叫我。」喬治桑最喜歡，還是他的老習慣，在床上賴十分鐘、二十分鐘都是好的。

雅麗絲退出房來，沏了半杯龍井，準備喬治桑起身後再加開水。這也是喬治桑的老習慣，午睡醒來一定要喝一杯熱茶，據說有祛悶開胃之效。

大約過了十分鐘，喬治桑穿了一襲絲質睡袍，走出房來。

「現在還不到四點一刻，怎麼你便起來了？」雅麗絲立刻停止織毛線的工作。

「妳叫醒了我，我只是迷糊一忽兒，再起床精神可以好一點。」

喬治桑說罷伸了一下懶腰。

喬治桑坐進沙發裡，架起雙腿，隨手在茶几上取了一支駱駝牌香烟，點燃啣在口裡。自有雅麗絲替他送上一杯熱騰騰的龍井茶。

「有沒有人打電話給我？」

「沒有。」

「今天天氣好像很熱，晚上出去要換衣服了。」喬治桑在自言自語。

在平劇「鳳還巢」中，丑角朱千歲出門有行衣，拜壽有壽衣，科打諢（言勞）以博觀衆一笑。外國時髦的男士，穿着也非常考究，旅行有旅行裝，宴會有宴會服，至於參加雞尾酒會，打高爾夫球，打獵種種打扮，亦不相同。喬治桑是受歐風美雨薰陶的人，對於服飾向來一點也不苟馬虎。在衣櫥裏，他的各色西裝大約有三四十套，領帶百餘條，襪子數十雙，皮鞋十餘對，袖鈕也有十幾副。每次出門都要先仔細裝備齊整才動身。

「台灣有一點很好，宴會穿衣服比較隨便，你的衣服很多，天氣冷暖有甚麼問題。」雅麗絲對於穿着好像還不及喬治桑考究。

「話不是這樣說，穿着是一個人的儀表，絕不能隨便。」喬治桑悠悠地噴了一口烟。

「雅麗絲，日本菜妳吃不吃得慣？」

（二一）

由上文看來，不知胡適與這「自由中國」雜誌並無關聯，「發行人」的名義乃是硬套上去的，甚至就是胡先生的文章也是故佈疑兵而已，並非是為這雜誌而寫的，若從一個惡劣的角度來看，縱說是冒充招搖，也不為過，那末胡先生為什麼不鄭重提出抗議來反對呢？難道胡先生海外還不知道此事嗎？胡先生既不會贊成承認，但也不會鬧到出來正式否認。至少以胡先生的個性是不會如此作的。原來胡先生深諳江湖上所謂：「許充不許瞞」的原則，現在既有人頂着自己的名號，為自己（指胡先生）的宗旨而奮鬥，那自然樂得聽之，又何必出來反對，而雷震也就是看穿了這點，所以才敢這樣「耍」。

雷震與「自由中國」

當年內幕誰知道　一番往事話從頭

王曰叟

這「自由中國」雜誌不僅所謂發行人胡適與之無關，就是當初選出的幾位負責人，實際上也是毫無關聯，創辦出刊，固是毫不知悉，而出版後的經營、編裁也是站在門外並未參與，經理業務固是，王聿修早已去港不必談了。編輯方面除了毛子水以「好好先生」的身份按期參加外，其他人們都已歸於化外，而實際協助雷先生辦理這雜誌的乃是雷的留日同學羅鴻詔，以及夏道平等各位先生，他們都與北來的教授們，毫無關係。

內部的人事既與教授們脫節，稿子的來源自然也就大不相同，假如是那批教授們負責拉稿、主持編務，所拉的稿子，勢必要以學者教授們為主，而無從拉到（甚至也不會去拉）搞政治的人的稿子，現在雷震既然自己出馬主持，便恰相反了；諺語說：「方以類聚，物以羣分」，由於行業的不同，他認識的教授學者，究竟有限，而跟政治上的人物則極熟悉，尤其在政治協商會議時，更是與各方面的政治人物保持接觸，而這些人物便成了雷氏拉稿對象；例如：蔣勻田、陳啓天……等便常常有文章發表，所以傅斯年才說：「雷儆寰這個雜誌『政協』味兒很濃厚啊！」

儘管這個雜誌以實權早已轉移，而把教授們甩在一邊，而教授們仍然一致支持雷氏，那便是因為言論的立場，仍然是這些教授們的立場：「反共」和「擁護政府」了。

談到這裡大家也許會要問，既然「自由中國」的立論也是擁護政府的，何以後來會變成與政府那樣針鋒相對，勢不相能呢？那就是以後演變的促成了，個中曲折底蘊，容老叟慢慢道來。

美國政黨的組織及其與人民的關係（下）

・李紹盛・

（三）

美國政黨的存在，是為了促進人民的廣大利益，而非為少數人謀利益的工具；政黨提供了一種組織，使美國人民能藉以控制政府的一切活動。

美國的政權，最後是歸於人民所有的。人民選舉高級公職官員，以推行地方、各州及聯邦各級政府的政務。這項選舉程序需要有組織的團體，採取行動，始能見效，而政黨則正可提供這種組織。

美國的政治制度，是與民主、共和兩大政黨的活動，息息相關的。而這兩大政黨的歷史則可遠溯到一七八九年美國建國的初期。它們在多年前即已形成目前的政黨形式；民主黨在一八二八年組成，共和黨於一八六〇年始初具規模。

隨着兩大政黨的演進，許多小黨也先後成立，設法要在美國的政壇上獲得一席之地。但是，它們却因得不到人民的廣泛支持，均告消聲匿跡。

美國人民致力於兩黨制度的傳統，在基本上是切合實際的。因為兩個強有力政黨的存在，可在一切選舉中使彼此互相競爭，從而防範任何一黨的濫用權力。美國人民寧願選擇兩個強有力的政黨，而反對軟弱無力的多黨制，其原因是兩者皆可隨時取代對方，而有效地積極地担負起政府的領導責任。

美國的兩黨制度，一如今日的情形，是一黨執政，另一黨在野。執政黨的各項措施在於竭力設法保持政權，而反對黨則對執政黨的作為時加制衡批評，並使大多數的選民相信它對此項工作更能勝任愉快。

美國兩大政黨的力量，來自廣大的各階層；因此，它們盡量設法避免社會階級或思想的色彩，而以適合一般大衆的觀念與政策為其號召的基礎。

兩黨並無一成不變的理想、教條、主義或社會目標。所以兩者在社會立場或思想論據方面，並無重大的差異。政治上的權宜之計，往往會成為兩黨的指導因素。

兩黨有時也接受某種運動，但也只在大多數的選民對此加以接受後，始有可能。它們從未嘗試要將某種運動或思想，强加之於選民的身上。

兩黨之間固存有一些可資識別的政治歧異，但曾執政黨將其應用於特定問題上時，這種歧異就會沖淡。兩黨會多次改變其對某些問題的個別立場，以迎合選民的新思潮。

這是兩黨所以能持續久遠的一個秘訣。這也足以說明它們何以能吸收許多原屬小黨所提的建議；這也是它們所以能強化其對選民的號召力，及促使各小黨角逐者趨於失敗的原因。

美國的兩黨制度，並不排除其他政黨參加各項選舉活動，這可由去年總統競選期間有許多「第三黨」（如前阿拉巴馬州州長華萊斯組織的「獨立黨」）參加活動的事，獲得證明。這種制度祇是在實際的需要上，獲得選民的認可後，將國家的政權集中於民主、共和兩黨而已。

現代美國任何一個成功的政黨，較以往更須重要的一個特點，是其適應多變環境的能力；尤其現在選民的政黨的關係，正在發生明顯的轉變。

美國人的生活，在過去三十年間所遭受的至鉅經濟與社會變革，已使投票選舉發生新的形態。固有的忠誠及對黨自動服從的觀念，已變得不大重要；種族、宗教及地域性的團體力量，也已日趨薄弱。

結果是不願隸屬任何黨派的美國人，正與日俱增。他們自稱「獨立份子」，介於民主、共和兩黨的忠誠支持者之間，聲勢浩大；他們的意向隨兩黨候選人的個人聲望及政見而變更，對選舉有決定性的左右力量。

從最新的民意測驗統計文字顯示，美國選民中有百分之三十一是獨立份子，百分之四十二自稱民主黨人，百分之二十七自稱共和黨人。

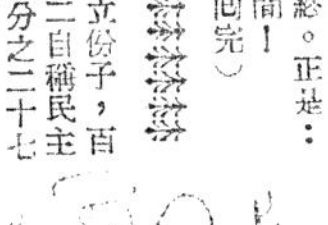

共和黨人一向被稱為「保守份子」，而民主黨人則被稱為「自由份子」，這項區別非但含糊不清，並對「獨立份子」來說也沒多大的意義。因為他們所關懷的是特殊問題？而非政治哲學。

一個政黨的主要功用，自然是贏取選舉；為達此目的，美國的兩大政黨不斷使黨的提名民主化，選擇最受選民擁戴的候選人，並經常在爭取獨立份子的支持。各黨均設法使獨立選民相信，該黨較他黨更能提供優秀的候選人和良好的政治服務。

在美國的政治制度中，紛爭與抨擊是與生俱來的，並為保持民主程序的健全所必須。隨著每次大選日趨迫近，這些紛爭與抨擊更會趨於高潮。（完）

文匯樓劄記

吳佩孚的新聞政策

文匯樓主

秀才將軍吳佩孚說：「理中國之事，異於治小國，徹底欲廓清積弊，談何容易，竭澤而漁之治法，必招致摔敗，此中國之大戒，故宜着眼於大處以定其綱，取法於所謂北辰正其位，則衆星拱之之大德也。」

北洋軍閥，可能沒有新的頭腦，不知控制新聞的方法，祇知道報館如果硬批評就硬封報館，記者如果不識相亂罵人，就殺記者，不知造成了多少冤獄，一代報人張季鸞，被軍閥提帽子關了很久，即軍閥加害記者最好的例證。

民國十四年冬，五省聯運總司令孫傳芳，將張作霖的關外奉軍逐出江蘇安徽，通電並差遣專使擁護吳佩孚出山，當時吳駐紮湖南岳陽，被請到漢口主持討伐段祺瑞任務，吳在未起草討段通電前，先厘定新聞政策，認軍閥們封報館殺記者乃不可饒恕罪行，新聞自由即是政府耳目，沒有一個人願將自己的耳朶塞住眼睛蒙起的。得到中外新聞界不少的贊美。

吳佩孚的新聞處，設在福昌旅社，統一軍事消息發佈，由汪崇屏、費覺天兩位分主其事，譯員是羅碧天，外國及外埠各報館通訊社，需要消息，均由該處供應，不過吳佩孚接觸記者的機會不多，有關軍事政治上的談話，統由新聞處發佈，其情形很像今日各院部發言人。

漢口某報記者，祇識其前敵總指揮[illegible]等，將趙[illegible]太太的事揭露，趙派密查訪記者逮捕，新聞界還不知道，吳佩孚先知道，立即命趙釋放，告訴趙榮華說：「我們討伐段祺瑞，凡是段下邊的短處，我們一件都不可犯，否則我們的好和敵人的壞怎樣辨別呢？」

漢口某報有一次將軍事消息發錯了，其報館負責人認為大禍將臨，正籌思補救之際，新聞處費覺天突然光臨，携了一封更正函遞交這位報館負責人說：「貴報某項消息，與係由手民排錯，敬請賜予更正，以便明日附更正報紙呈閱大帥」（吳部屬對吳佩孚統稱大帥）。

這件事發生後，竟有人建議，於大帥府設置新聞檢查處，被吳否定了，他認為除軍事新聞錯誤時須糾正外，其餘各項新聞皆無管制必要，他說報紙辦得好就有讀者，辦不好銷路必少，讀者們已經代政府檢查了，何必再畫蛇添足呢？」

吳佩孚這套理論，與香港政府新聞政策頗多吻合，採取不管制，除非有何不軌行動，對批評政治得失，聽由批評。香港黃色報紙銷路不暢，因報紙有七十餘家，讀者有充份選擇餘地。日本前東亞同文書院院長根津一評：「就報章雜誌報導研究，吳佩孚將軍人格之高超，蘊蓄之雄大，實乃救世濟時之大材，尤其是繼由中國傳統之孔孟學術，以期攝理一切，更其卓越識見。」吳佩孚逝世後，國民政府於民國二十八年十二月九日明令褒揚，並追贈陸軍一級上將，是資證明其英風亮節，中外同欽一般。

政治垃圾現形記（十）

李桀

第四回　好色騙婚，異域遍散假計。忘恩負義，平生儘多陰謀。

胡士惠主持某省政務時，他那位舊長官雍恕人某都督，適在該省某縣休養，閒暇無事，督同當地士紳和縣長，建造公園、馬路，開辦電燈廠，經費大部份由民間籌措，縣府的公帑亦撥用了大洋乙千元，該縣長以為這是用於地方建設事業，且係某都督所倡導的新政，自可向省府報銷。詎料「胡主席」大謂不然，批駁不准，指令該縣長云：「事前未經呈請本府核准，礙難報銷，仰向督促該縣長撥款之人（暗指某都督），如數索還，否則唯該縣長是問！」地方人士聞訊深感驚詫，即負責籌還之，免使縣長為難。繼而某都督亦得悉此事，頗示憤怒，認為胡士惠有意掃他的顏面，忘恩負義，眞不是人！然胡士惠的用心，乃藉此表示他和失意的某都督毫無關係，以防影響自己的政治生命。捧紅踏黑原係作官秘訣，胡士惠就是用這套方法起家的，當然深通此中三昧，運用自如。

有一次胡氏請客，客人到齊了，亦不見主人出，大家感覺有些蹊蹺。旋由來賓中比較親近胡士惠夫婦的女客，到樓上查看究竟，得悉詳情，即由胡氏和兩位太太皆拉到樓下來一起聚餐。胡士惠故作鎮靜，言談自若，那位太太却始終扳着面孔，一語不發，弄得舉座為之不歡，很勉強吃過飯就一哄而散。這幕宴客爭風吃醋的喜劇，登時傳遍九城，成為人們的一大笑料。

胡士惠雖不學而有術，在政治上蜚黃騰達二十年，直到大陸淪陷前夕，他纔悄然去職，携同大量財富，遁迹海隅觀變，一面投資經營工商事業，實行仕而優則商。當時台灣局勢甚危，美國當局聲稱「台灣陷落在即」，明令撤僑，胡士惠認為中華民國政府已無前途了，決計避赴美國作寓公。可是缺乏旅行護照，又不便向台灣的本國政府申請，乃託人在曼谷以重價購買了一張前往美國的外交官員護照，準備遠走高飛。詎料他所購得的護照是別人偽造的，經曼谷美國使館通知海關當地政府嚴加查究，即將胡士惠拘捕收押，聽候處分，胡氏遭此意外打擊，無可如何，幾經央託親友營救，耗費不貲，纔得恢復自由。有人笑他聰明一世，懵鈍一時，不知效法同時在海隅作寓公的某特任官之所為，改用葡萄牙人的姓名，向澳門政府價購葡國護照，先赴葡京，再轉去美國，即萬無一失了。

胡士惠在東南亞各地寄居了十餘年後，他擁有的財富，由於經營工商業每告虧蝕之故，所餘無幾了。他深感前路茫茫，雄心早已消失，從此行蹤詭秘，不知所終。正是：耗盡心機求富貴，空留笑柄在人間！

（本回完）

仇潤集

談孫德耕案

錢一劍

假出口貨退稅，波瀾再起，監察院有感孫德耕院長濫用職權，干涉審判，已提出彈劾等情。

事情的發展和其結果如何？雖不能預知，就全案與孫德耕日常操行來研究，似屬被動，所謂代人受過，亦其量成為職務上的過失，尚不致構成刑責。因之猶想起另一位乾淨法官史延程，亦曾受到降級改叙處分，事雖查枉，但史自己不得不承認錯了。

一個純讀書人，而沒有政治派系，能担任這麼久的重要職務，已非常人。大哲學家蘇格勒第所指的法官有四項守則：一、謙恭的聽取，二、機智的答覆。三、冷靜的思考，四、公正的判決。孫德耕院長日常言行頗多符合，其乾淨亦為一般人所公認。

為孫德耕院長遺憾者，這次大同實業公司退稅案，受一商人影響，未能拿出自己的意志，而作草率裁決，小溝翻船太不值得，且非常窩囊，目前監察院的糾彈案，倘就此告一段落，可望大事化小，小事化了。否則就變成多事之秋了，因本案的重點不在孫德耕，所謂案外有案，因裡有因是也。

生活漫談

胡蘿蔔能補血健胃

胡蘿蔔，俗稱黃蘿蔔，一年生草本，我國各地皆產，成份含精油，胡蘿蔔色素，脂肪，蛋白質，失水成糖，維生素A、B、C，蘋果酸，粘液汁，膽鹼等。

胡蘿蔔的價值，比不上一般蔬菜，北方人有時當作雜糧充飢，民間小兒出痲疹，每用胡蘿蔔、馬蹄、芫荽等混合煮水給他飲，謂能清除痲毒，使之透達而無後患。胡蘿蔔有微妙的發汗作用，並不如一般發汗劑用之則大汗淋漓；胡蘿蔔的發汗是輕微而持續的，飲後只覺得微微汗出，帶有粘性的汗液，不斷的排洩出來，「病毒」就隨之而疏解；不會遺留於體內，亦無發汗過多之弊。故痲疹初發期，用它是適宜的。胡蘿蔔雖然有好幾種，有橘色亦有黃色，有種是紫色的，普通是金紅色而長形的，但內心都是金黃色，氣味成份皆一樣。

它含有揮發油及液體生物鹼，對藥用最有效。對人體的營養，實有很好的價值。本草謂胡蘿蔔能下氣補中，利胸膈胃腸，令人開胃，有益無損。依據食用的經驗談，胡蘿蔔對人體很有利，它對胃的消理有特殊的作用，它入到胃後，能把胃裡妨礙消化的膠質及粘液質分解消除，以免妨礙胃腸的消化及吸收機能。如口臭的舌苔，則舌苔必厚，這樣會影響到食物不知味，如把舌苔清除，味覺自能恢復，胃腸裏的惡液質及膠質，妨礙消化及吸收，情形也是一樣。故能使胃腸消化正常，吸收正常，這正是對人體的「最大價值」，至含有豐富營養素問題，尚屬次之。胡蘿蔔能鬆弛人體的胸腹神經，患脹滿及消化不良者，食之自覺舒適。它對膀胱也很有利，如小便或多或少的不正常情狀，胡蘿蔔能調整之，它有利尿及補血作用而無傷於腎，小便困難或面部常生面皰者，可常用胡蘿蔔佐膳或生食，會收到很好的治療效果。須知道，胡蘿蔔是有補血功能的，因它除含有上面所述營養素外，還含有很微量的「砒質」，砒質能補血，且其含量對人體並無妨礙，是以胡蘿蔔不是涼的，而是屬於溫性的，如多量作爲蔬食，有時會感燥火情狀，血行暢旺的人多吃則有點不適宜。有些運動家謂常常生食胡蘿蔔可以補氣，其實不是補氣，而是把胃腸的消化機能調整，則運動時體力沒有阻礙。如遇到火傷，可將胡蘿蔔汁塗之，能消炎止痛。

・馬騰雲・

洛陽古今談

洛陽親友如相向，一片冰心在玉壺

・賈星源・

歷史名都洛陽，爲周公所營建，初名洛邑，東都。戰國時更名洛陽，因在洛水之陽，故名。漢代改洛爲佳（各旁）；降至曹魏，復改爲洛。故城在今治東北，毗連偃師，尚有遺蹟可尋，歷年掘出故物甚多，台灣現存的熹平石經，即係其中之一。今治爲一府城規模，建於清初，週圍九里十三步，遠不如原來都城之[illegible]偉而壯觀。

洛陽處於中土，經濟富厚，四方輻輳，便於號令海內，制御華夏，古人云：「看（山旁）函有帝皇之宅，河洛爲王者之里。」溯自東周而降，歷東漢，曹魏，西晉，北魏，隋，唐，以及五代的後梁，後唐，先後九朝，無論其爲時之長久，短暫，咸各曾建都於洛陽。所謂「九朝都會。」蓋有由來矣！相傳有一九朝都會歌，洛下人士，多能道出，其歌曰：

周公營洛平王遷，東漢光武魏曹沿，
西晉司馬北元魏，隋有煬帝唐昭宣，
五代後梁與後唐，九朝都會不虛傳。

此歌不知出自何代，何人手筆，短短四十二字，總括了千年建都沿革，虛實互用，先後貫注，堪稱佳作。筆者籍隸洛陽，隻身海外，彈指念載，每誦此歌，正自有山河之異，豈能無今昔之感！

迄於民國二十年春，日本野心軍閥，爲欲實現其侵占我大陸迷夢，逞凶施虐，進犯淞滬，旋又泊艦下關，竟向南京射炮，威脅首都；我當局爲策中樞安全計，國民政府於是一度遷至洛陽；定名「行都。」由此看來，即稱作十朝都會，亦自諦當而允宜。

美哉河洛，有山有水，而且相靠很近，例如：著名的伊闕龍門山，距城僅僅十華里，邙山洛水，更是近臨城池，所謂「背邙面洛。」其間勝景有八。一曰邙山晚眺，二曰洛浦秋風，三曰天津曉月，四曰金谷春晴，五曰龍門山色，六曰關林翠柏，七曰銅駝暮雨，八曰馬寺鐘聲。這些勝景，彌習彌佳，往往使人流連忘返。其他什麼名花似錦，什麼牡丹甲天下，眞是舉不勝舉。

書載北魏太和年間，洛陽佛刹林立，建築得飛殿而美麗。唐代貞觀，開元之間，公卿貴戚開館列第於東都者，號千有餘邸，別墅名園，觸目皆是。其他朝代，亦自有富麗堂皇之建築。但洛陽自古爲兵家必爭之地，戰端一起，首先受害，兵連禍結，面目全非，華屋大廈，樓台亭榭，或廢爲圻墟，或化爲灰燼。「永嘉之亂，洛中饑荒，懷帝遺八觀市，珠玉金錢，闔委市中，而無粟麥；袁宏表云：田畝由是圻墟，都市化爲珠玉。」嗚呼！世事滄桑，興亡一瞬，向之所謂九朝都會者，祇是供人憑弔而已。

我想，而今勝利在望，收復中原，爲期不遠，返回故鄉洛陽，重整古都勝地，自可計日而待，到那時候，再則細[illegible]班固東都賦云：「然後增周舊，修洛邑，扇巍巍，顯翼翼，光漢京于諸夏，總八方而爲之極。」不亦快哉！

附錄舊作洛陽八景小詩並乞方家指正：

邙山晚眺
長阜綿延景象殊，北邙蕭索夕陽孤。王侯將相纍纍塚，亂草荒烟望似無。

洛浦秋風
河畔青青草漸摧，悲秋思古此徘徊。綠波蕩漾芙蓉冷，不見翩翩洛神來。

天津曉月
洛水東流王氣銷，曉風殘月上浮橋。（天津橋亦名浮橋）八方包舉多興建，艷說隋唐兩盛朝。

金谷春晴
曲澗清泉景色幽，名園韻事亦千秋。芳林雨後春風暖，花落猶如人墜樓。

龍門山色
闕門不與衆山同，鑿嶺通流大禹功。伊水滔滔雙闕在，最危險處見奇峯。

關林翠柏
廟貌巍峩萬古崇，森森翠柏想遺風。英雄何必論成敗，義氣長存自有功。

銅駝暮雨
瀟瀟暮雨洛城中，長望銅駝愁更濃。陌上少年渾不解，感懷荊棘古今同。

馬寺鐘聲
白馬馱經盛事傳，而今古寺却蕭然。鴻臚遺響沈沈久，祇有鐘聲到耳邊。

少年維特之煩惱

王秋瓊

歌德所描寫的少年維特之煩惱，正是在戀愛中的每個少年所遭遇到的煩惱；因而有人受了本書的影響而輕生殉情。這後果並非歌德寫「少年維特之煩惱」時所能想像得到的。歌德寫「少年維特之煩惱」時年僅廿四歲。這本書中所描寫的，一半是他自身的愛情體驗，一半是他友人因失戀而自殺的事實。書中女主角夏綠蒂，是當時威茲勒帝國審判官享利布夫的女兒，年僅十九歲。因母親亡故，他遂以長姐的責任助父持家，撫育十個弟妹。歌德在參加一個舞會的途中，認識了夏綠蒂，兩人一見鍾情，但夏綠蒂已訂婚，未婚夫凱斯納是漢納維爾大使館的秘書，同時也是歌德的好友。因此，歌德的愛情受了道德的壓迫而煩惱；那種煩惱的痛苦，使歌德想到唯有自殺才能解脫。但歌德並未自殺，三個月後，他發覺夏綠蒂愛凱斯納更甚於愛他。又後來他的同學耶路沙冷與其友人之妻相戀，乃因事發而托辭旅行，借了凱斯納的手槍自殺。耶路沙冷之死，給歌德一個啓示，於是他想到要做「少年維特的煩惱」。

人，除非是灰心絕望到了盡頭而自殺，人總是擺脫苦悶，解除煩惱，向前邁進。於是我們的生命力就想覓出一條紆迴曲折的道路；或者如同在敵陣受包圍的勇士，想出生入死，浴血作戰，而備嘗悲壯慘烈的滋味。所以人便知道生的趣味，想要以奮鬥去創造更崇高、更完美、更自由的人生。

歌德作「少年維特之煩惱」主要在於解脫被道德觀念壓抑在心中的苦悶與煩惱、這就是所謂他在感情上的苦悶和煩惱，獲得移植性的解脫。人的價值在於有著「理智」，但到了熱情橫溢，便會衝破了人性的界限。少年維特有澎湃的熱情，但他並沒有讓熱情衝破了他人性的界限；他明著的理智，卻能拘阻著他情欲的衝動。他深愛夏綠蒂，卻始終沒有破壞夏綠蒂與阿爾伯特婚約的企圖，也沒有破壞他們二人相愛的意念，他只希求在夏綠蒂的心中佔有第一個位置；結果，他失望了，他只有因煩惱而走上自殺之途了。他對於夏綠蒂，曾極力去維持一種精神上的戀，然而，他秉有人性中夾雜的獸性，于是在夢寐中他仍有矛盾的現象。第二部十月十九日寫着：「啊空虛啊，我感到我心裏常有這麼可怕的空虛！有時，我的確這樣想：我如能把她拖來貼在我心上一次！」只要一次，那麼這可怕的空虛必能填滿。」這就是理性與獸性的鬥爭，互不[illegible]讓所形成的煩惱、因此他自殺了。

一部作品，必須是一種至情至性的自然表達；並非有所爲而爲，因此，我認爲「少年維持的煩惱」是一種眞實的藝術作品，如決堤之水，必然一直流洩到水平時才會休止；水之本身就不會想到他會產生禍患的結果。同時，人人都有道德觀念，所以維持有堅強的道德感。這也是人性的自然表現。

更正小啟

五月三十一日第九六二期第四版「艱苦的大姊」作者王美惠，誤刊爲黃若琪，謹此更正。

御廚談藪

沾醬夏令菜

▲林泉隱▼

將蔴油入花椒爆兩三滾，然後加上好醬油，糖，食醋，芥末，麻醬，蒜頭，薑汁，豆瓣醬，以黑芝麻炒熟研粉，隨時加入，更妙不可言，這就是沾醬的和成。

蔬菜中白菜，豆芽，水芹，蕃茄，芥菜，茄子，菠菜，胡蘿蔔，筍子，黃瓜，用滾水略滾，再用冷水漂着，食時用筷子沾醬爽脆可口。葷菜白切羊肉，白切牛肉，白切豬肉，白切腰花白切雞，白切鴨，最便宜的是白切牛肚，牛百葉，羊百葉，沾醬食之，別有風味。昆明小西門一家白切肉館，即因此門庭若市。相傳吳三桂嗜食此味。

瀛海秋聲（十）

方子樵正心著筆

林公偉

新春方子樵覺[illegible]先生，北伐中迭主總政治部及中央訓練部，致力黨政甚久，爲人亦藹然仁者，平居甚少疾言厲色。勝利後與萬午植先生分主鄂省黨政，其時地方善後，民意代表選舉等等，甚費周章，方萬二公又各忠於其本身職位，不免爲公而爭。監察委員某君嘗集二公姓名爲聯曰：

「萬方多難；子午一冲。」上額爲「採樵去也！」

兩公皆爲莞爾。萬先生來台營主革命實踐研究院務，以積勞退休。方先生初滯港九，四十六年來台，不久即告溘逝，同志惜之。

猶憶民國三十一年後，筆者於戰陣間傷肺，中西醫治無效，遂息影新橋華嚴寺習禪。新橋距市區二十公里，有城市山林之致，自康熙年間設立道場，三百年來，代有高僧。余廿七年初至陪都，過寺有詩投主持家鏡上人。至是上人已退休，承邀留寺，共度靜生涯。方子樵先生時亦結寺東，偕小兒女督課其間，堅邀住其幽齋，先後一閱月，未假藥石，全由精神治療，積痾卒痊，在當時誠爲一異蹟。

方先生自己立一課表，集元、明史籍數十種，整理批疏，成明太祖開國史三十卷。師孔聖春秋之旨，一字之褒，一字之貶，皆斟酌三日，務求至當。稍有缺失，走二十里外訪大圖書館增補之。每日撰述，不拘行數，但求無過。余少時讀資治通鑑，徒誦辭章，記其概要，至是深感著述者之用心，微言大義，不敢囫圇吞棗矣。

寺故多松，鬱鬱直冲霄漢。以是鵲鳥羣集；白羽蒼松，爲新橋一名勝。方先生書齋外亦多松，夏日炎光少駐，未晚而有涼颸。先生作課甚勤，批疏常至午夜。據告：某夕作常遇春傳，已掩卷已，乃窗外似有人影幢幢，初以兒女撲螢爲戲，戒其貪玩過久，恐爲山風感冒，乃久久無聲；開窗起視，有盔甲神高及簷際，俯首作觀書狀，亟禮拜肅坐，重取常開平王傳讀之，殆於藍玉涼國公一事串及微詞，有失風人之旨，標籤重酌，及畢鏡成恍聞空際贊嘆聲。明祖開國，距今已六百年，而神明不昧，誠不可稍一疏忽，致辱及前賢也！

中華民國內政部內版台報字第〇三一號
中華民國僑務委員會登記證台僑新字第三二三號
中國郵政台字第一二八二號執照登記為第一類新聞紙

自由報

（第九六九期）

（半週刊每星期三、六出版）
每份售港幣壹角，台灣零售價新台幣式元
社長李運鵬・督印黃行寶
社址：香港九龍彌敦道593—601號
廖創興銀行大廈八樓五座
LIU CHONG HING BUILDING
7th FLOOR FLAT 5
593—601 NATHAN ROAD,
KOWLOON, H.K.
TEL: K303831
電報掛號：7192
承印：景星印刷公司
地址：嘉咸街廿九號地下
台灣總管理處：台北市大同街119號
台灣區直接訂戶　台郵劃撥戶
第五〇五六號張有萬（自由報台辦室）
電話：五九三五五五、三三〇四一七
台灣分社：台北市西寧南路110號二樓
電話：三三〇三四六，台郵劃撥戶九二五二號

自由人與自由報
——本報廿週年紀念詞——

雷嘯岑

當民國三十八九年之交，毛共暴力席捲中國大陸時，許多反共非共的中國人，由於壤地相接的關係，皆以香港為逋逃藪。那時候，海隅這塊外國殖民地，對於大陸來客，毫無禁制，不像今日之界限森嚴，難以自由進出，源源逃難到海隅的華人群衆，以知識份子為最多，而台灣局勢尚未穩定，美國政府且曾聲言「台灣陷落在即」，明令撤僑。因此，進入了香港的華籍人士，相率小住為佳，只有極少數的達官富賈，唯恐禍至無日，攜其子女玉帛，遠走高飛，溜往歐美去了。

知識份子的唯一特徵，就是好談政治，妄以天下為己任，而美國國務院的巡迴大使吉塞浦，又在香港鼓吹中國人搞「第三勢力」以與毛共抗衡，進而跟共黨妥協合作，推翻中華民國政府。職是之故，中國知識份子在海隅乃盛行「座談會」的活動，呼朋引類，三五成群，翕然參加各色各樣的座談會，其中有的是基於不滿現實的政治思想，企圖糾合同志親友，創造新局面以從事反共救國運動，有的是在乘機博得美國巡迴大使吉塞浦的贊許，乞取一些美援作政治資本，兼以奠立個人的生活基礎，俾免凍餒之餘，然對台灣抱持失望乃至於攻訐的心情，幷無二致。維時國民黨中央第六組主任唐乃建（縱），由台灣到香港公幹，便中約集了旅港國民黨、青年黨、民社黨以及無黨派的若干人士談話，他以極謙遜的詞色，鼓勵大家注意文化工作，對共黨進行思想鬥爭，區區亦在敬陪末座之列。唐先生離港後，我們照樣地每星期舉行座談會一次，談來談去，決定創辦一張小型報紙，以闡揚民主自由思想與理論為職志，報紙的發起人共為十四名，各黨各派和社會賢達都有，以國民黨人佔多數，經費自籌，不接受美援，亦不仰賴本國的官方支持，經過一段時期，分途籌募到港幣一萬七千元，報紙即於一九五〇年韓戰前夕開始出版，定名為「自由人」，每星期發行兩次，每次一張，十四位發起人的眞姓名亦刊載報紙上，各人寫的文章，須署眞姓名表示負責，但各人的主張不必相同，祇要不違悖民主自由原則，亦不背叛中華民國，就百無禁忌，暢所欲言，確實表現了民主法治精神，而大家精誠合作，毫無隔閡，更沒有爭奪領導權的怪象發生。我在某次的例行座談會中，曾笑語在座的左舜生、伍憲子、金侯城諸先生曰：像咱們這種作風，若一旦組織聯合政府，必然可以把國家弄上軌道，締成眞正的民主政治。他們頷首笑應之。

「自由人」刊行了八年，由於原有的十四位發起人，多數已陸續離開了香港，只剩下左舜生和區區等三數人，寫作的基本部隊減少，而經費又極困難，乃決定自動停刊，各地的讀者紛紛來信詢問「自由人」為何停刊？表示無限惋惜之意，我們未予答復，但我個人對「自由人」之停刊原不贊同，惟於衆議，祇好默爾而息。我們湖南人的個性，就賦有騾子性質，遇事又抱有「老子不信邪」的蠻幹勁兒，內心裏受着各方讀者來函的鼓勵，總想把「自由人」復活起來。未幾，我辭去工作了十年的「香港時報」總主筆職務，眞正成為自由人了。搞實際政治幷不感興趣，經營工商業沒有資本，也不是這塊料，閉門却掃作寓公更無此資格，怎樣纔可以心安理得的消耗自身的剩餘精力，藉以排遣有涯之生，不致蛻化為時代垃圾人物呢？唯一方法便是兜着文章報國的書生志願，照梓辦報，但決不辦官報，因為官報有兩項痼疾沒法醫治，一是報館必然變成衙門，無從發展，二是報紙言論一定八股化，新聞制藝化，我自信缺乏這種本領也。

於是，我決計本着斷鰲足以立四極，積蘆灰以塞紅海的傻勁，實行恢復「自由人」，為反共救國而奮鬥。登記與開辦費用，都是承朋友的美意，解囊相助的，報社仍是「自由人」原址，每月租金由我支應，報的名字本來決定不變，嗣有朋友以遠大的想法，勸我把「人」字改為「報」字，理由是將來不妨改成日報一大張，以與香港的大報相頡頏，如果有朝一日，中華民國政府回到了大陸，「自由報」自然順理成章地移赴上海南京等大都市繼續出版，不須另費官式的法定手續了。另有台灣友人亦謂：台灣一般讀者，對過去的「自由人」，口頭上皆稱「自由報」，為迎合台灣讀者的習慣稱呼，儘可改名自由報。我採納各方朋友的意見，乃把報名更易了一字，然編輯方針和言論宗旨，一仍舊貫，絲毫無異。

然而世事每有意料所不及的情況產生。我以「自由人」原始發起人之一的關係，恢復自由報後，因為原在「自由人」寫文章的作家，僅有左舜生先生偶爾惠賜大作，此外若干在「自由報」撰稿的，都屬新加入的儁將，加之以我是個臉上烙了印的國民黨員。於是乎，海外讀者以自由報的言論不像「自由人」那末敢於說話，懷疑自由報是國民黨的宣傳別動隊，而台灣有些國民黨人—我不敢高攀他們，呼為同志—瞧着我經常強調民主自由的理論，而對現實政治每多批評，又錫我以「反政府派」—的美名！這證明處在擾亂世的人，立身行己必須一面倒，所謂不偏不倚，超於象外以追求眞是非的意識形態，絕對不合時宜的。讀近人章太炎「革命道德說」有曰：「智識愈進，權位愈申，則離於道德也愈遠。今日與藝士通人居，必不如與學究居之樂也；與學究居，必不如與丁壯有職業者居，必不如與兒童無職業者居之樂也。」諒哉斯言，信有徵也。實則我以一個具有四十多年黨齡的國民黨門神式黨員，從無背叛黨國的言行紀錄，為人自有本末，我行我素，毀譽固無介容心。唯良心未死，熱血猶存，見着不平的事項和邪惡的人物，不覺血性披蕩，而以「老子不信邪」的勇氣，口誅筆伐，求心所安而已。

從自由人到自由報，一脈相承，性質無改，到如今已歷二十個年頭了。廿年的時間不算長，但亦不為短，我個人始終身歷其境，躬預其役，在這段時期中，不知嘗到了若干酸甜苦辣的滋味，我甘之如飴，認為這「平生最有意義有代價的生活史迹，永矢弗諼。更有一點使我感到光榮的情形，即我在台灣作游客時，常於公衆場所中，有人向我呼喚道：「馬先生幾時來的？」這因為我在自由人和自由報寫「自由談」專欄，筆名是「馬五先生」，寫了二十年的結果，一般人只知道我叫「馬五先生」，却不明白「雷嘯岑」是誰？有一次我在台北參加朋友的宴會時，聽到坐在主人旁邊的一位女士輕聲言道：「看馬五先生的文章很有火氣，我以為是個青年人，却原來是老頭子啊！」我為之大笑不已。這便是在本報寫作了二十年的代價，值得驕傲自慰的。我若在政治上連續作官二十年，人們對我的印象，一定是三個字：老官僚！走到任何場合，人們皆投以鄙視的眼光，豈不嗚乎哀哉！即此可知本報出版二十年來，尚未為社會人士所鄙視，頗有紀念的價值也。

香港自由報二十週年紀念

發揚光大　歷久彌新

張羣敬題

香港自由報創刊廿週年

讜論興邦

張寶樹

[illegible]

香港自由報社

陶希聖

六月十二日

香港自由報廿周年紀念

自彊不息

謝冠生

香港自由報

同心報國

黃國書題

香港自由報廿週年紀念

功同史乘　誦在輿人　廿年耕耘　闡謬崇真

錢思亮敬題

自由報創刊廿週年紀念

周天固

「自由」是人類精神生活中不可一日或缺的「維生素」。它比「日光」、「空氣」、「水」還要重要！沒有「自由」，便失去生活的目的；沒有「自由」，便失去生命的意義。

總統蔣公說過：「生活的目的，在增進人類全體的生活；生命的意義，在創造宇宙繼起的生命。」上項遺訓所示吾人應行「增進」之全體生活為何？無他，是自由之生活價值；所示吾人應行創造之繼起生命為何？無他，是自由之生命意義。

人之所為人，所以異於禽獸者，即是本乎人性的需要—居仁由義，以遂其生。西洋名言有云：「不自由，毋寧死」，可見自由之可貴；而於失去自由時，尤覺自由之無價。

自由報創刊於中國大陸陷入鐵幕、人民失去自由生活之後，尚能在自由天地的香港發行，得以鼓吹自由思想，發抒自由言論，作自由之呼喚，為自由而奮鬥，二十年來，叠聞遐邇，識者同欽！尤以針對大陸極權統治與其專制壓迫之黑暗行徑，口誅筆伐，隨時揭發其暴行，此對自由正義之伸張，貢獻不少！

李運鵬先生近年接主社政，更能伸張正義，摧彼詖邪！對於我國內建設成就多所報導，有助海外僑胞對國內各項建設進步實況增加了解匪淺。

韓昌黎云：「莫為之前，雖美不彰；莫為之後，雖盛弗傳。」自由報本其過去之成就，定必繼續努力，以達創刊之目的。將來果能成為我海外僑胞精神食糧中的「維生素」，則其所滋養之民族生命力的發揮，不亦更為偉大？茲值自由報創刊二十週年，謹述祈望之忱，以申祝賀之意。

不要褻瀆了神聖報壇

柳一權

不論是玩政治的，做生意的，想出國的，為了要順利達成自己的夢想，無不以辦報為可靠的手段之一。另外還有一種人，實際上，並無以上的那些目的，也不過僅僅為了一點點興趣，就居然附庸風雅，儼然以報人自居，這不免給人以莫名其妙的感覺，實則說穿來也無甚希奇，支撐這點點興趣的無非幾箇錢而已！他們先天上就擁有這種優越的力量，似乎人世間的事，有了錢則無事不可為，於是乎他們就一變而為報紙的主人了。雖然社會不乏貨眞價實的職業報人，他們不僅沒有一家屬於自己的報紙，也沒有一家合乎理想適於自己工作的報館，現實生活既然如此的冷酷無情，不管是怎樣一個鐵錚錚漢子，除非忍心割愛這份工作，否則就只有向現實低頭了；為甚麼別人有鉛字，有機器，還有一紙登記證，而你卻沒有呢？這是鐵的事實，報人之有自己的鉛字機器，等於戰士們之有自己的機槍大砲，做了報人恰恰沒有這些東西，豈不成了解除武器的士兵，因此之攷，報人也不免成了工具，不得不與鉛字機器同列，為掌握報館所有權的主人所奴役了。

誰都知道：辦報是一種令人肅然起敬的大事，報人更是一種令人心響往之的職業，有了這一門神聖職業的新聞從業員，在偉大的意義之下執行着如此偉大的任務，決不是僅有幾箇錢就幹得了的，如果，他們的觀念不正確，人格不健全，經驗不豐富，精力不充沛，就不顧一切的來魚目混珠，假充字號，我敢斷言，到頭來，必然是自食其果。

事實上，在今天做一個報人，辦一張報紙，何嘗像他們想像的那麼容易，有抱負，有理想，這是先決條件，一般無知無識與一知半解的人，也居然有些勇氣來幹這箇非蝕本不可的生意，無非由於一種不正確的觀念，產生了一套不正當的想法和作法，因而在不知不覺中有了於下幾項錯誤；他們以為報紙是：

打開寶庫之門的金鑰匙，
摘取功名果實的上天梯，
一塊炫耀鄉里的金字招牌，
一筆穩賺不蝕的投機生意，
一種娛樂自己的消閒工具，
一個維護個人貪慾的武器，

這帮人打算盤，用心機，大致由於這幾箇因素，以這麼一套不健全的想法和作法，所湊合而成的一份報紙，就不看內容，即知其一無可取，在這箇令人窒息的氣氛中，只是苦了一批眞正的報人，熬心血，絞腦汁，不僅一無所就，甚至適得其反，內心所感受的痛楚，豈是外界所能體會於萬一的，如果有人以我所指出的「神聖職業」一語，涵義不免尙嫌籠統，一定要我再作一箇比較詳盡的說明，這雖然是一箇問題，但我不願徵白卷，我個人以為要擔當這門神聖的職業，至少應該符合下面四箇條件：

一、專門業務專門人才

儘管許多人對這門職業發生興趣，但興趣兩箇字不能代表認識，毫無認識，僅憑了一點興趣就一鼓作氣的來幹，保證是不會成功的，許多年青的人很願意走進報社任一個職務，以為做一個編輯，記者，或是發行員，廣告員，都是輕而易舉的，事實他們對於辦報是一無所知，對於一張報的好壞更無能力分辨得清楚，只看到一些地方報，學校報，不費吹灰之力，說辦就容易辦起來，這樣對他就發生了一箇錯覺，誤認為這箇工作只要有興趣，有資本，說幹就幹，就可以依樣葫芦的辦一張起來，其實，這種想法，是錯到了十萬八千里，不論做任何一件事，特別是做一件與商業性的事業相類似的事，都需要先有興趣與資本，這固然成了一種常理，可是對於新聞事業就不同，光有興趣與資本，沒有很熟練的技術，決不會把這一較為複雜的業務處理好，因為這一業務中的許多部門都是屬於專門性質的，一定要先從基本階段學習而入手，學習完成以後，更需要有一段較長的工作時間，然後才可以窺其門徑，至於要如何才能夠「深入堂奧」，經驗的積累與時間的熬練，是必不可缺少的工作過程，一個編輯，記者，發行員，廣告員的能手，非期諸三年五載，是不會有多大成就的，我覺得一間好報館，應該儘量採用練習生制度，實施以相當時期的嚴格訓練，萬不可「揠苗助長」把一個略有經驗甚或根本沒有經驗的人，勉強推出來濫竽充數，這是一箇絕對專門性的工作，要有較長時期的素養，才可以養成與工作相適應的專門技能，我覺得一間報社自社長以至工廠技工，任何一個部門的工作者，都應當學有專長，才可以勝任而愉快。

又有人雖然充分認識了報社業務非專才莫辦，但對於主持人則以為不一定是專家也可以勝任，其實，這錯得更大，「主持人」，顧名思義，是總攬報社各部門工作的總負責人，假使他完全外行，或者一知半解，更或他僅懂得一兩箇部門，對其他部門卻一無所知，「隔行如隔山」，這份報紙沒有任何一箇理由可以辦得像樣的，我常常與一些外行朋友在一間報社同事，看到他不受人勸導而自以為是的荒唐措施，即知這間報社的命運早已註定了，我認為如果一些外行人主持報社而不至發生危險的話，就必須具一箇條件，那就是先在觀念上打好基礎，並對內行人待之以誠，敬之以禮，推心置腹，信任有加，事尚有可為，而最危險的，也是最不可救藥的，自己明明外行，硬要充內行，別人向他貢獻合理的意見，非但不予以誠懇的接受，反而自以為是，倒行逆施，這在集中許多專門人才的一個集團內，是不值識者一笑的，一位剛愎自用唯我獨尊的主持人，能夠做官吏或大事，卻不能辦一張報，我奉勸外行人，甚麼事都可以做，只是不必辦報，即令對新聞事業有最高的興趣，處誠帮助別人或委託一些有專門知識的人去駕輕車就熟路，一定比自己盲目的幹要好得多。

二、一份精神一份事業

新聞工作者是一群精神勞動者，持久與進步是需要有充分精神的，質言之，就是一分精神，一分事業，要辦一張像樣的報，苦不足怕，窮不足怕，最可怕的是精神渙散，或是沒有精神，倘使這箇寶貝完全失掉了，縱有大批人才，大量金錢，也無濟於事，本來這箇說法很抽象，究竟甚麼是「精神」，似非三言兩語說得完的，或是一箇兩箇譬喻形容得盡，但我仍願試作於下的說明：

（下轉四版）

自由報創刊二十週年
反共產
爭自由
陳裕清敬賀

自由報創刊廿週年紀念
讜論匡時
高信敬題

理想的報人與報人的報紙

程曉華

一、建立沉默的檢查

報業發展到今天，確已成了人類一種主要的生活資源，不僅走在法律之前，為社會鋪就了一條通往理想社會的軌道，而且，還使得這個現實社會生活的內容更為豐富而飽滿，就其精神價值來說，報紙超越法律太多了。

做一個現代國家的人民，決不能一天不接觸報紙，只要一看世界幾個進步國家報業的發展情形就知道了。這些國家的人民讀報者的比率之高，不僅豐富了全體人民的生活，也提高了社會道德的標準，例如，據聯合國最近出版的「一九六五年統計年鑑」裡指出，在該年度中，每千個英國人平均有五百二十三份報紙，為世界之冠，其次是瑞典，每千人有五百〇五份，第三名是日本，每千人有四百三十九份，美國每千人三百十四份，（美國實際讀報人數不比英國少，每年花費購買新聞性雜誌的達十四億美元），歐美人士閱報興趣之高，好像成了一種嗜好，每天固然在早餐桌上預先擺好報紙，還有些人尚未起床，枕頭旁邊就擺着報紙，可知他們對報紙的重視，決不在牛奶麵包之下，因此，報紙對於人類所發生的影響之大，也就無從加以估計了。

事實上，報紙給與人類的影響及其受到的愛戴，并非由於僥倖所獲得，一個新聞從業員要能做到盡職盡責，豈是易事？學識與人格的健全不可偏廢，有了良好的修養，還要有嚴肅的工作態度，無論何時何地，只要一提起筆來，就得鄭重考慮所寫的東西，是否有背於公眾利益，或是受到小我所驅策，萬萬不可由於興之所至，就一時衝動胡亂發為新聞式評論，儘管一字一語之微，其製造罪惡的力量，實有如火山之噴發，堤防之決口，對社會人類很可能釀成一場大災害，利與害有如此其顯著，凡我抱有理想的報人，究以何種態度臨此大事，是不能不小心謹慎而論及之的！

須知：辦報是在做着代替法律的神聖事業，如開始就不會具備有遠大的抱負與嚴肅的態度，即令這報紙的內容花費了巨大的氣力，在價值上還是要大打折扣的，我國有一句古語：「戰戰兢兢，如臨深淵，如履薄冰」，倘使每一位報人都能抱有此種態度，其成就乃可預卜。

一份報紙的為善為惡，雖與每一位從業員都有關係，從整體的力量而言，這種關係究屬有限，如果這份報紙是一個老板或少數幾個大股東出資經營，他們就直接間接成了報紙的擁有者和控制者，這些先生們的思想，學識與品格，對報紙的為善為惡就具有決定性的影響，至於社內一般被雇傭的工作者，縱有抱負與作為，因為要看別人眼色而行事，往往一場辛苦，化為烏有，最理想的辦法，報紙的所有權屬於全體同人，每個人儘可以發揮其理想，絲毫不受個人或少數人的慾念與衝動所支配，才能使這張報的經營政策循正軌前進，而不至被導入歧途。總之，一個報人有理想，給社會以無比的幸福，反之，報人沒有理想，等於失去羅盤的舵手，會使一艘大船在茫茫大海上迷失方向，我以為一個報人品格的有無，實際上就是理想的有無，有品格就有理想，有理想就有抱負，因此之故，對世界、人類、社會、國家自然也就有了遠大的打算，決不會斤斤計較一時之需，個人之利，縱然在辦報的技術上差一點，最低限度也不會背叛大多數人的利益，報紙的作法就是報紙權威的由來，不能有一套健全的作法吸引讀者，取信讀者，權威又從何而獲得？至於如何做一個理想報人，辦一張理想報紙，必須對自己服務所在的工作崗位，認眞的做一個良心看守人，建立起自我沉默檢查的責任，時時刻刻注意到報紙經營政策是否有了偏差？報紙是否在濫用權威？或為個人或少數人作工具？像這樣要隨時嚴密的看守，檢查，而且應深深理解到不負責任的評論與報導，固然有了報紙的權力做護符，法律責任可能逃避，道德與良心的責任則不能逃避，要使報人有理想，報紙的經營政策不背棄理想，凡我報人就應自動自發的沉默的「檢查自己」、「看守良心」。

二、報紙應屬於報人

上面說過，我是極端反對報紙為個人或少數人所有的，故主張報老闆們，對自己主辦的這家報紙所有權的看法是否屬於個人還是屬於公眾，必須有個正確的抉擇，以報紙對於公眾的關係來說，應該是公眾事業，社會事業，僅僅屬於個人或少數人是不合理的，美國赫斯特系報紙，擁有七家晨報，十家晚報，兩家週報，一家通訊社，斯克里浦斯．霍華德系報紙，擁有報紙十九家，一人佔有一家報舘已經要不得，現在這麼多報舘，屬於一個人或一個系統，更是要不得，因為，這一類的報紙，只能代表個人或少數人的利益，與絕大多數人的利益是全不相干的，報紙要走上正常發展的途徑，唯一可行之道，就是採取企業化的公司組織，報紙的精神財產歸之於社會，所有權則屬於全體同人，報紙能夠獲得全體工作者的協力，與廣大社會的支持，這份事業是沒有辦不好的。

我并不反對報紙牟利，報業是商業，牟利是不可避免的，不過，最正確的牟利是手段而不是目的，有了錢，就可以做更多有益於公眾的事，而不是獨佔利潤作為個人的享受，從前有些賺了錢的老闆們，非但不注意公眾利益，甚至對勞心勞力的同人利益也漠然不顧，這是有悖於現代企業精神的，從前上海申報老闆史量才，由一清寒學生一躍而為報界鉅子，擁有一家銷數最大賺錢最多的報紙，但他賺來的錢，完全花費在自己身上，其個人的享受，大可媲美歐美的富豪，花園別墅不止一處，漂亮的姨太太先後有過五六人，可謂享盡人生之樂，可是，同他打過天下，共過患難的陳景韓（申報是用他的筆撐起來的），還是依然故我，一貧如洗，這還不算，大約陳景韓的窮酸相，令他討厭，最後竟被史量才有計劃排擠而悄然出走，所謂「狡兔死，走狗烹」，發現於政治場合不算新鮮，居然出現於提倡公理正義，維護公衆利益的報社裡，實在令人驚詫不已！其實，這有何足怪，一個只知為個人貪圖享受的報老闆，根本就沒有第二個人的存在，報社又那裡會有前途，何況申報賺錢，純係發廣告財，這與商人牟利毫無不同之處，一個充滿了銅臭的腦袋，它會有國家民族的觀念嗎？抗戰以前，上海申報成了學閥、政治、陰謀家、野心家藏垢納污的庇護所，鼓動風潮，左右輿論，無不由來於此，迄抗戰發動，他索性舉全報社投日偽，賣身投靠，為虎作倀，神聖報壇被這樣一個下流報棍所玷污，當然是做不出好事的！

報業，是一個成本多，消耗大的現代事業，平日只知鑽書堆的窮書生，很少有足夠的力量去單獨經營，因此這項事業，就很容易落在純以賺錢為目的者的手上，在商業道德極度低落的社會，商人們只要能夠賺錢，是不大肯擇手段的，偷工減料，還要作過份的宣傳，在商業行為上更是司空見慣，他們對純粹的商品如此，對大大不同於商品的報紙也是如此，其動機本就不純正，等到賺了錢，在他們眼睛裡既認為是「合法的利潤」，尋歡作樂也好，作其他用途也好，完全是他們自己的事，是無人能加以干涉的，然而，事實上，他們却不會瞭解這種「利潤」不同於純商品的利潤，全是由一般精神勞動者勞心苦思絞腦汁，熬心血而來，如果這筆利潤不用於包括精神勞働者在內的公眾利益之上，說得不客氣一點，這個樣子的老闆階級是應該打倒的。三十年來，我參加過不少的報舘，作過伙計，也作過副手，具有這種臉嘴的報老闆，在我的腦子裡仍保留着清晰的印象，因為他們辦報不外三個目的，一、為滿足政治上的某種慾求，二、希望增加與維護自己的財富，三、貪圖個人的享受。你不要以為他們經營的這間報舘，每天也在依樣葫蘆繼續不斷的出報，可是，報社的設備，報紙的內容，國家的需要，同人的福利，根本就不把這些事放在心上，我們眼見老闆政治地位提高了，銀行存款增加了，新車出籠了，新廈落成了，當他們趾高氣揚的時候，報社同人却一天比一天窮，報紙內容一天比一天壞，同人的心灰意冷，恰恰與老闆的志得意滿，成為一個非常鮮明的對照，報界常常流行一句幽默語，即是「窮了報舘，富了老闆」，這短短八個字，含有太多的怨憤，太多的眼淚！如果我們要希望這個情形能加以改善，惟有全力提倡「報人辦報」。

三、所謂「權威」與「風趣」

讀者們天天接觸報紙，不但對報紙發生了感情，而且對報紙有些迷信起來，他們看到報紙上所刊載的新聞與評論，不管是頌揚或抨擊，就直覺的以為這是代表眞理，好像凡被頌揚者，其聲譽馬上會被高舉起來，凡遭受抨擊者，就一下被打入十八層地獄，報社派出去的訪員，不論是政治場合，國際舞台，或是被人認為機密的場所，訪員可以不受拘束，任意所之，生活之風趣，行動之洒脫，實在令人羨煞！此外，還有更令人心嚮往之者，好幾位大名鼎鼎的政治人物，一打聽他們來歷，大都出身於記者，由此足見這門職業，不僅有權威、很風趣，很可能的一個筋斗跳上政治舞台，一夜之間變成風雲人物，如此等類的情形，一落在富於幻想的青年人腦子裡，很快的構成了一個多彩的夢，使他們長日長時沉溺在似眞似幻的想像中，久久而不褪色。

其實，青年人所迷信的只是一層水面上的浮油，雖有彩色，只要用嘴輕輕的一吹就要消散了，在我們這一批身歷其境的人看來，比別人所想像的不但差得太遠，而且某些地方是相反的，做新聞記者有權威、風趣、很容易一下跳上政治舞台，這都是事實，但這只看到了光彩煥然的一面，如果翻轉那一面就不對了，我現在不妨提醒大家的，全世界的報紙多如過江之鯽，究有幾家最有權威？新聞記者觸目皆是，一變而為顯赫人物究有幾人？「長江後浪推前浪」，立足報壇到老不衰的又有幾人？李白說：「天地者萬物之逆旅」，一點不錯，我們回想一下，眼見報社一家一家的開了門，又一家一家的關了門，不過二十易寒暑，一批新記者接替了老記者，一度活躍一時的老記者，早已無影無踪，他們都到何處去了？至於由記者出身的政治人物，究其實不過是鳳毛麟角，乃為一罕有之物，他們之所以受人注意，無非為其顯赫的地位所吸引，實際上等於買馬票，中特獎的雖有其人，究竟太少太少，因此，我們對新聞記者這門職業不免感到困惑起來，不然的話，為什麼固守崗位堅持到底的是這樣少？既然這麼多人離開了新聞界，為什麼出人頭地者又是這樣少？說起來，并不是洩氣，老實言之，這項工作并不如想像中那麼寫意，那麼容易，比方得恰當一點，等於一個伶人，在舞台上穿紅著綠，氣象萬千，只要去與他們實際生活相接觸，又不免於大失所望！過去還有很多人喜歡稱新聞記者為「無冕之王」，受之者恍惚自己儼然是一派王者氣象，如果我們願意把這句話再深一層的研究一下，很可能會吃一驚，因為發覺到這個稱呼非但不是榮譽，還包含有太多的刻薄與諷刺，先不說它的用意何在，只要從字義上解釋就明白了，要做帝王，一定要有王冕，做了王而無冕，自然不成為王了，還有何榮譽權威之可言，我們倘不以此為侮，還要躊躇滿志，自命不凡，委實愚不可及！姑且退一步說，做了新聞記者，即令多少還有點榮譽與權威的話，不過人世間的事，有得亦有失，甚至得小而失大，權威與榮譽固然握在掌心，羅網與冷箭亦安排在四週，只要在一千次的小心謹慎裡，偶然暴露一次不檢點，不但身敗名裂，前功盡棄，而你工作的這間報社，其聲譽也會隨着一落千丈，實則人人有言論自由，人人有名譽保障，越出軌道之外的自由，暫時損害了別人，到頭來還是損害了自己，法律之前人人平等，新聞記者沒有特權，豈能獨享軌道之外的「自由」，應知報紙今日所記載的新聞，也就是明日的歷史，作為一個新聞記者，負有秉筆作史的任務，這個任務是如何崇高而神聖，謹言慎行猶恐有失，一點也大意不得，任性不得，記者有記者的骨氣與道德，保有高潔的操守者，決不作眞理的叛徒，正義的賊，一張報正如一面鏡子，社會所呈現的形形色色，好與壞，醜與惡，在這面鏡子之前，必使原形畢露，無所遁逃！做一個報人，經營一份報紙，像一個虔誠的教徒，以敬禮聖像的態度來愛護這面鏡子，必須「時時勤拂拭，不使有塵埃」，而報人的內心，也如同鏡面一樣的晶瑩澄澈，纖塵不染，一定要有作法上的明朗，人格上的明朗，倘能做到此一步，庶幾可以立言於當世，示信於社會，宋太祖是我國歷史上的賢君，他最成功的作法，就是他儘可能的祖誠眞摯，毫無穩晦，他升登寶座，把平日視為禁地的宮殿門戶全數洞開，這無非使每一個臣民，不但可以觀察他的面顏，還可以洞究他的內心，含義之深，用意之遠，為千秋後世留下一段難得的佳話。

總括一句，辦報是為人不是為我，當然只有義務而無權利，職責的沉重，任務的神聖，既不是一件要威風的事，也不是一個好玩的事，我個人高興青年人踴躍來幹新聞記者，却不高興他們把這個「夢」虛構得太美麗，欺騙了自己事小，損害了社會事大，事先不觀察清楚，不考慮清楚，等到失望了，就悔之無及了。

經營廿載繼續前修　以文化報導自由

香港自由報創刊二十週年紀念特刊　魏景蒙敬題

努力奮鬥繼往開來以同砥石節比霜梅詞嚴義正守約專真健行不息歲月常新

香港自由報廿週年紀念　馬[illegible]題

自由報創刊二十週年紀念

讜論匡時

陳樸生賀

自由人三日刊二十週年紀念

鼓吹民主　闡揚自由　正義既張　詖邪不售　經始踵繼　廿載忽周　日新又新　風行寰球

蔣復璁敬題

不要褻瀆神聖報壇

（上接二版）

一、通常總容易聽到人家說，某人有精神，某人沒有精神，譬如睡眠不足，營養不良，過度疲勞，與乎過份受到生活的壓力等等，都會影響到工作的遲緩與停頓，特別像我們這一批執筆用腦的人，沒有充沛精神的支持，一個標題，一篇文章，決無法做到盡善盡美，提起筆來精神恍惚，昏昏思睡，思想既不能完全集中，腦子又如何能如意運用，在這箇情形之下勉強湊合而成的一張報，其內容之糟，就可思之過半，比如說，做這項工作沒有精神等於火爐中沒有炭，要爐中火光熊熊，那就必須先賦予報人以優越環境與安定生活。

二、凡一箇報紙的舉辦者，其先決條件是要有思想與理想，假使他對國家、社會與世界人類，根本沒有深切認識與關切，一箇完整的基本觀念又從何而確立，如果由這樣一個莫名其妙的人來領導這項神聖事業，是沒有不損害國家、社會與世界人類的，至於無謂消耗金錢與人力還在其次，在如此環境中的工作者，尤其是執筆用腦的工作者，當然有思想有理想，而健全的思想與理想是從高深學問與人格修養中提鍊出來的，一位優秀的知識份子來從事這份工作，決不是單單為了糊口，最大的目的，便是希望報社成為「精神」寄託之所在，說得更透澈一點，就是需要這一張報紙能夠與他的理想相契合，如果這箇希望消滅了，等於精神的寄託落了空，縱然有優美的物質環境與寧謐安定的生活，但因精神不能滿足，會使工作熱誠化為烏有，河況，今天不少的報社根本談不上有較好的工作環境與最低的生活條件，不論從近看，從遠看，一定硬要別人強打精神把工作做好，是絕不可能的。

事實上，這是精神事業，多用一分精神就多有一分收穫，這種精神因素從何而產生，產生以後如何去保持，報社主持者是應該加以深思熟慮的。

三、學術團體研究機構

宇宙無限，生命有限，以有限的生命去瞭解無限的宇宙，任你如何殫精竭力，也決無可能。而且，宇宙間的萬事萬物，縱有超人的智慧，也無法樣樣都能探求其究竟，追索其來源，可是，辦份報紙，卻不能不向這箇遙遠的目標邁進，儘管有如「夸父追日，愈追愈遠」，然而，就不能因此而不去追，一位忠實於新聞事業的工作者，應有窮其極限的抱負，追求眞理的雄心，那怕是一草一木，一點一滴之微，其中也可能包含了有如宇宙之奧妙，叔本華有一句名言：「一粒沙中見世界，一朵野花裏見天」，自然以有限的文字與篇幅，豈能作到十分完滿的境地，可是，既下決心辦了一張報紙，又非設法爭取最高價值不為功，作一箇報人，倘僅忠實作到「報」與「導」兩箇字，不能算盡了責任，一定要在學術上有所建樹，縱然不是萬能博士，但不可不有萬能博士的雄圖，古語云：「一事不知，儒者之恥」，今天我們更應該說：「一事不知，報人之恥」，儘知了還不夠，必須具有探源索奧的研究精神，不管是科學的、哲學的、政治的、軍事的，把每一種知識研究所得，再利用報紙廣泛的貫輸到讀者。

而且，做了一個報人，不管你願意不願意，從每天各式各樣的消息中連帶所發生大大小小的問題，會一箇接一箇碰着你的神經，要使這些成串的問題馬上就可以獲得解答，就要看你在平常所儲備的學問之鑰，在頃刻之間，有不有一下打開這些問題之門的力量，像世界以名記者出身的兩位學人馬克吐溫與威爾斯，淵博如海的學問，犀利如劍的筆鋒，讀其文，敬佩到他們幾乎是無所不知，我們中國最早的兩位記者，一位作「春秋」的孔子，一位作「史記」的司馬遷，因為先有了淵博的學識，然後才有銳利的眼光，一旦執筆為文，自然會震鑠古今，傳之數千年而不朽，我輩報人雖然不能人人都作到如馬克吐溫與威爾斯，孔子與司馬遷，但他們發憤求知、認眞立言，忠實記事的精神，非得去衷心效法不可的，所以說，一間報紙就是一箇學術團體，研究機構，我們的生活與工作寄託於斯，我們探求眞理，研討學術亦寄託於斯，明乎此，這張報紙才眞正為讀者所需要的了。

四、培養人格積累經驗

我在前面說過，一個合格的報人，非期諸三年五載不為功，以時間的因素來說，工作得越長越好，這裏有一箇很恰當的比喻，在古書中不是有所謂「煉丹」與「煉劍」的傳說嗎？煉成一粒金丹，一把寶劍，一定要經過相當期間的「火候」，「火候」一到，大功告成，我輩報人，要工作到甚麼時候才算到了「火候」，這句話很難說，不過，肯努力的與智慧較高的人往往得之較易，不過努力與聰明還是有分野的，西哲有一則不朽的格言：

「百分之一得諸神來，
百分九十九得諸汗下！」

即知得之於聰慧是那麼少，得之於苦幹又那麼多，萬事如此，幹報亦然，現在僅就經驗與人格兩方面來說：

先談經驗，本來一個人的學問，一得之於書本，二得之於經驗，書本是前人的經驗，再加上自己的經驗，便成了學問，如果要做一個編輯或記者，最好的辦法，只有腳踏實地去做，不休不息的去做，比那些坐四年六年的新聞學院，與乎只知紙上談兵的空談者，所得的要多，聰慧者固然可以幫助經驗之獲得，倘使不肯下力去做，踏實去做，聰慧靠不住，書本也靠不住，如果每天敷衍塞責，只是在如何應付上用功夫，時間一天天的過去，所得到的東西全是浮面的，譬如做編輯，不從事理論的研究，不肯與工廠打成一片，不肯通盤瞭解整箇報社的實況，不肯把全世界的報紙作比較，更不願在細微處精益求精，縱然老死案前，仍然妙手空空一無所獲！我看到一些天資較笨的人，初學編輯，進步之慢，有如老牛拖車，他們之間，也有少數辛勤的工作者，孜孜不倦，努力學習日子一久，也會成為應付裕如的中駟之材，倘不此之圖，反而輕看這事太容易，太簡單，以為憑了自己的聰慧，短時間就會做得像樣，不願多耗氣力去工作與艱辛的去追求，時光流轉即令編輯上十年八年，還不是入寶山又空手而歸，任你是決意把事做得好無奈腦子裏裝的太少，也不過只是在浮面上轉來轉去，仍然接觸不到問題的核心罷了！

其次談到人格的修養方面，我又看到許多從事這門工作的青年朋友，他們因為工作地位而享受到受人重視的方便，捨棄了正當的學術鑽研之路，不是進入花街柳巷，榮樓酒舍，就是滲入是非之門，打入名利之場，前者糜爛個人生活，忽略報社工作，為害也不算小，而後者對人類社會的危害，更是不可以道里計，因此，我深深感覺到，要培養一個理想的新聞工作者，他願意為積累自己的經驗而辛勤不息，必先從培養其完美的人格與健全的思想來做起，使他們認識」這項工作的影響力，與世界人類的幸福與災禍之關聯性，縱然發生了錯誤，也決不會錯得很遠，他們既瞭然於要在好的方面造福人類，報紙確實是一件最理想的工具，而操持這項工具的人一定要有優美善良的德性，自不待言，所以，做一個合格的報人，培養人格與積累經驗是必需雙管齊下自是要一番艱苦的工夫，因此，我要在最後總結一句：「不要褻瀆了神聖報壇」！

香港自由報廿周年特刊
振鐸遒人
趙　琛敬賀

香港自由報創刊廿週年紀念
寰宇風行
馬樹禮

自由報，我為你歌頌，
你是求眞理愛自由之鬥士，
你已獲得大衆讚美，你已享有社會導師盛譽：
今後，願你為喚起愛好自由的人齊為解救失去自由關在共產鐵幕的大陸同胞作更積極的奮鬥！
更願你為引導在共產恐怖黑暗社會中之人皆躍起為推翻共產暴政作更大之努力！
陶　鎔　敬祝

香港自由報社二十週年紀念
人之所貴莫如自由廿年奮鬪
名震環球有惡必伐有眞必求
不為威屈不為利困為民喉舌
敵愾同仇鼓吹復國功業炳彪
韓中石敬賀

香港自由報廿週年紀念
為民喉舌　倡導自由
發揚文化　鼓舞華儔
奮鬪廿載　敵愾同仇
河山光復　砥柱中流
蔣肇周敬題

中華民國內政部登記證內版台報字第○三一號
中華民國僑務委員會登記證僑新字第三二三號
中華郵政台字第一二八二號執照登記爲第一類新聞紙

自由報

（第九七○期）

（半週刊每星期三、六出版）
每份港幣壹角・台灣零售價新台幣式元
社長李運鵬・督印黃行霸
社址：香港九龍彌敦道593—601號
廖創興銀行大厦八樓五座
LIU CHONG HING BUILDING
7th FLOOR FLAT 5
593—601 NATHAN ROAD,
KOWLOON, H.K.
TEL：K303831
電報掛號：7191
承印：景星印刷公司
地址：嘉咸街廿九號地下
台灣總管理處：台北市大同街119號
台灣區直接訂戶　台郵劃撥戶
第五○五六號張萬有（自由報會計室）
電話：七一四○三三、五五五三九五
台灣分社：台北市西寧南路110號二樓
電話：三三○三四六，台郵劃撥戶九二五二號

香港自由報廿周年紀念

一紙風行

嚴家淦

自由談

談電影問題

十年前，我在西德各大都市如波恩，富朗克佛，科隆等處旅行時，常常觀看電影，放映的片子多半都是美英諸國的產品，但劇中人的語言，全係使用德國話。當時曾將此事就敎於新聞機構，據說這是西德政府提出來的交換條件，唯一理由認定外國影片在德境放映，觀衆十之九皆爲德人，外商們既然賺取德國人民的金錢，就應該爲德國經濟利益服點務。乃規定英美影片輸入德國後，必須另行配備德國語言，纔准演出。因此亦使德國若干知識份子得到一種翻譯的職業，消除一部分人士的失業恐慌，附帶的又可以保持一些民族自尊心。我認爲這辦法很合理，回到香港後，在「香港時報」發表游記，特別提起這樁事，希望咱們政府有所取法焉。

然而時至今日，歐美出產的電影片大量在台灣放映，劇中人的語言原封不動，還是英語，本國大多數的觀衆皆莫名其妙，却未聞取鑑西德政府的方法，予以改革。不特此也，台灣報紙上且刊載所謂「電影英語」的專欄，表示全盤西化主義的時髦作風，甚至本國出產的影片也要劃蛇添足，加以英文說明，不亦怪哉！

我們隨時高呼「復興中國文化」，寧非天經地義的應有措施嗎？台灣幷非外國的租界，有如二十多年前的上海然，爲甚麼要讓外國語文跟華語華文並駕齊驅，而使炎黃子孫趍於不知所出的洋化境界呢？國人爲着求智或職業關係而學習外國語文，那是另一面事，不能混爲一談的。

我盼望政府當局，不但對於外國影片之放映，應效法西德之所爲，速予改革，即對於本國出產的影片而在國內放映場，亦一律不得附以英文字幕，以免徒增醜態，而於無形之中斲喪民族自尊心。其始也簡，將畢也鉅，過去那種次殖民地的意識形態如不徹底剷除，就不必高談復興中國文化問題，否則廢話一堆，適所以自我諷刺耳！

馬已先生

海濶天空的一縷煤煙

司馬霜

一、解題

趙友培先生近作「海濶天空」，刊於「文壇」（五十八年五月號），並另印「抽印本」，分寄各有關方面的人士，藉以鼓吹自己，炫耀自己，並替自己洗刷。他爲什麼用「海濶天空」作題目呢？他的意思是說自己有「海濶天空的胸襟」！他說他自己：

「寫完此文，眼前突現海濶天空的景象：縈繞在心頭的憂樂得失榮辱乃至生死，都如清風掃去的浮雲。……」

表示他的胸懷是如此的廣濶，如此的無牽無掛，一切都無動於衷的極有修養的樣子他這樣縱情的向自己臉上擦粉，竟不料塗得太多太厚。把自己變成舊戲上的大白臉了。

他在這篇文章中寫了十節自吹自擂的話之後，怎麼「眼前突現海濶天空的景象」了呢？因爲他已將「紅帽子」送給批評他的人，他深知把他人扣上「紅帽子」的結果是什麼！到那時，從政治方面解決了批評他的人，他焉得不喜？焉得不「突現海濶天空的景象」？請看，他是怎樣向他人頭上扣「紅帽子」的！他說：

「我深感：已往中國作家往往缺少海濶天空的胸襟，缺少互助合作的熱忱。來台以後，好不容易有一片自由乾淨；而當前文藝政策，正待積極實施，爲土，好不容易獲得各方面對文藝的重視什麼有些人不作正面的貢獻，儘作反面的破壞呢？這是有識之士深以爲憂的。

「我是素來反對文人相輕，主張文人相敬的。但相敬必以其道，這就需要有共同的基本目標。我不僅希望有知友，有戰友，我更渴望有諍友。凡是愛護我而指正我缺點的人，我都樂意虛心接受他的敎益。卽令是誤解我的人，只要不懷惡意，不抱私心，一日當面說開之後，我願意先和他握手。只有一件事我決不妥協，對於有意或無意爲共匪作精神幫兇，企圖破壞我們文藝陣營、阻碍我們文藝政策的人，我要拆穿他的偽裝，揭開他的假面，縱然把一切的誹謗誣蔑和惡毒的打擊加於我一身，我也要戰鬥到底！」

這些話，便是對批評他的人而發的，一個自稱有「海濶天空的胸襟」的人，他竟會這樣毫不費力的向他人頭上扣「紅帽子」！略有人氣者是萬萬想不到的！難道批判他庇護文化漢奸，而他與文化漢奸深相勾結，影響民心士氣，至大且鉅。嚴厲批評，是一種愛國家愛民族的仁人志士的行爲！怎麼可以戴上「爲共匪作精神幫兇」的紅帽子？又因他的胡搞，引起批評他的「不學」和「不通」。怎麼可以戴上「企圖破壞我們文藝陣營，阻碍我們文藝政策的黑帽子？

這樣的小人行徑，這樣的陰毒心腸，那裡是「海濶天空」？眞是「一縷煤煙」，想污染天空，毒害人群！

二、趙友培的自畫像

趙友培先生在「作品」第六期上，發表了一篇「從何說起」的文章，是他看到「現代」和「陽明」兩雜誌，相繼休刊，正是他求之不得的事，也是他曾經大聲疾呼要叫關門的雜誌（參看「中華雜誌」六卷二號徐復觀先生投書），他怎麼能不喜形於色，遂將此種情形，喻爲「塵埃落地」，是他勝利了！於是，批評他庇護文化漢奸的人，便是：

「眞相不明，別人用敵意和謠言來捏造事實。」

「塵埃未落，別人用猜疑和揣測來代替判斷。」

「別人感情衝動，不分青紅皂白，用譖語和惡聲來導燃火藥。」

「別人無理取鬧，肆意謾罵，胡扯歪纏，用卑劣手段來冒充批評。—

「別人另有企圖，挖空了心思，用挑撥和誣蔑來造成圍攻態勢。」

上面這些話，趙友培先生把自己赤裸裸的暴露出來，是一個惡毒的謾罵人的人。

一個庇護文化漢奸的人，竟如此的兇狠，如果沒有人批判，那還有是非？那還有天理？不久，「作品」上有陳文華先生的「我看趙友培的從何說起」，「文化旗」上有許逖先生的「從何說起—答趙友培先生」。都是針對趙友培先生的「從何說起」，作了極有力的批判。並且，都肯定的指出：

一、趙友培先生庇護文化漢奸。

二、趙友培先生曾說封閉中華等四雜誌。

至五十八年五月，「文壇」雜誌上，刊出趙友培先生的「海濶天空」，雖未特別註明，令人一看，便知是對陳、許兩篇文章的答覆。文中極力想寫出自己的功勳和對學術文藝有研究，結果，仍然露出害人的狐狸尾巴。至此，趙友培先生的自畫像業已完成，便是不亂扣紅帽子，就不能保持他自封的「語文專家」的名銜。不依附權勢，就不能保持他文藝的權威。這是就大體上說的，至於一鼻一眼的分析，容在下面敍述。

他在這一篇「未註明答覆」的文章裡，對於庇護文化漢奸的問題，沒有辯解，是陳許兩位先生的文章，指證有力，無法閃避，只有默認。這當然要在他的自畫像上先記一筆。

三、關於封閉雜誌的講話

趙友培先生在這篇文章中說：「我自己又是中國語文月刊發行人，所有雜誌，都是我的司業。我對某些雜誌的作風不贊成，雖投誣攀一節，純屬謊言。茲將大概略述于後：

「是日會議時，第一首先將中國詩經研究會理監事會通過，爲文化漢奸梁容若獲獎案告全國學術界人士書宣讀並發表談話，指摘中山學術基金董事會」，卽有宋膺、趙友培、易國瑞等三先生爲之護航。

「宋膺措辭平和，略謂：『知過能改，善莫大焉，對梁容若應予寬容。』」

趙友培則慷慨激昂，紅着脖子說：『現在台灣有中華、陽明、學園、現代等雜誌，亂罵人，顯有匪諜從中操縱，政府應把他們關門，風氣全被他們弄壞了！』

（轉第三版）

昨日與明日

本報半年前消息

民國五十七年十二月七日，本報第二版，台北新聞信，本報通訊員柳一權台北消息，謂國民黨十全大會於明春揭幕，戰鬥內閣將應運而生，蔣經國先生組閣，黃杰長國防部陳大慶任台灣省政府主席，陳立夫主持中華文化復興運動委員會等事經過半年零十九天政府的人事發展，百分之九十與本報當時的消息都吻合，這和美國國務卿羅傑斯前十天不曉得毛澤東九全會後十天內的事截然兩途，一個搞政治的人，最起碼條件要能和普通記者差不多，否則就會變成爲一團糟了。

新閣的時代使命

蔣經國先生的卓越能力，與早年在國外奮鬥史實，及肯幹的精神，筆者知道的較多，故爲文時能表現出樂觀情緒道理在此。

這次入主新閣，講穿了非常簡單，就是肩荷復國任務，完成時代使命，由於創業維艱，而任又重道又遠，這還無所謂，問題在和當年北伐環境一樣，一切得從頭做起，且祗准成功，不能失敗。

復國任務的要點

毛澤東統治七億人口，又有上千萬的陸軍和核子彈等對政治外行的人，聽到都會不寒而慄，但懂得政治的人想法就不同了。

今日社會是受公意統制的，群衆道德判斷，才是人民生命財產的眞正保障。跟着社會的進步，早取代了堅甲利器武力地位。越文明越進步的國家，表現出的越眞切，這是今日國民起碼常識，匪幫與我，涇渭分明，十二年前筆者在曼谷「中國時報」指出：蔣總統在那裡，那裡就是中華民國的司令台，七億人民公意所趨，乃無可否認的事實，復國的藍圖在此，重建大陸的保證在此，繼漢唐盛業造成歷史上三不朽在此。

蔣先生須注意者

復國任務未達成前必須注意事項：對國內，「人民重於官員」，「經濟重於政治」。對國際，「外交重於內政」，「小國重於大國」，（大國與小國在聯合國票權則一，聯合弱小民於共同奮鬥，國父遺敎早有指示）對敵人，「埋伏重於暴破」，「政治重於軍事」。學人們咸認蔣經國先生有此魄力和耐心，謹以至誠祝望成功。

蘇清波案來龍去脈

對蘇清波案的看法

（本報記者張健生特稿）台北縣長蘇清波假借權力而圖利本身及其太太與他人，被公務員懲戒委員會議決休職十個月的懲戒處分。此項議決書已於六月十七日呈報司法院，轉送政府行政機關執行。民選縣市長被公務員懲戒委員會議決撤職者有：台中市前任市長張啟仲與高雄縣前任縣長余登發等人，但議決休職十個月者當以蘇清波爲第一人。

此間輿論界認爲公務員懲戒委員會處理得不夠有力，並指責台北地方法院檢察官進行偵查蘇清波涉嫌瀆職「圖利」罪一案，竟然認爲證據不足，而予以不起訴處分結案，如此偵查，「豈能沒有感慨！」並批評監察院已故監委張廣志調查「蘇案」，「竟然草草結案，存查了事。」因而引起此間人士所注視。大家所重視的是「蘇清波圖利案」，對民主法治爲一大考驗；也是政府有無決心整飭貪官汚吏的試金石。

蘇清波圖利案，較張啟仲和余登發的案子「重大」，而僅處分「休職」，較張、余二人之「撤職」處分爲輕，故輿論界對公務員懲戒委員會議決處分蘇清波休職十個月的懲戒公正性，感到「懷疑」。殊不知「休職」處分得來不易。由於蘇清波的八面玲瓏，有人爲其「奔走」「協調」，甚至使移送機關幾乎「丟臉」。如非一二「政要」堅持民主與法治的原則，恐怕公務員懲戒委員會之「休職」處分，也可能「胎死腹中」。

至於監察院調查蘇清波圖利案先後有三位委員，前兩次都已「存查」了。最後調查的一位委員是楊宗培，近日內可能提出調查報告，他對外傳蘇案存查一節，感到困擾，事實上，他是去年輪派調查，與前兩次「存查案」不相干。據說：他調查檢察官不起訴部份，有無枉法情事。

閒話已表，言歸正傳。

原始的檢舉人

原檢舉書部份：本案係由台北市民李柏明具名向台灣省政府檢舉被付懲戒人台北縣長蘇清波，處理台北縣農會所有座落台北市華山倉庫紹興北街三十九號土地一批，計五百二十四坪，爲蘇清波縣長太太經營之台北運輸倉儲公司按公告地價取得。本案土地按當時地價每坪爲一萬六千元，目前已漲到每坪二萬五千元，轉手之間，漁利達千萬元之鉅，無論圖利自己或圖利他人，事實昭然，顯然違法。又蘇縣長則另在五十七年度預算項下，借名撥款六十萬元，補助農會之損失，假公濟私，莫此爲甚，請迅即派員調查，並予有效懲處等語。

台灣省政府調查報告部份：嗣經台灣省政府派員徹查，據說係前任省府專門委員現任彰化縣政府主秘李豐之所調查，其調查報告略似：

一、台北縣農會於五十五年十二月二十七日第六屆第六次理事會決議出售價格，建地按申報價（按該地號內建地公告價最高每坪五千九百五十元，申報價最高四千八百元）；路地按公告地價一半（該地號路地公告價最高者五千九百五十元）。

五十六年一月二十七日，該農會呈報台北縣政府，請准與台北運輸倉儲公司議價。其所持理由：(1)出租房屋均爲木造，土地八筆計五二四坪，因地價稅負擔過重，房地租金收入，不足負擔修繕費及房捐。(2)擬售房地分別租與機關團體，依照規定處理，似有困難。(3)現租人之一台北運輸倉儲公司擬以議價方式承購，所有糾紛由其處理。

農簽種種

二、該縣農會呈報縣政府後，經建設局同年元月廿八日簽呈：「……處分財產，依照台灣省各級農會財產管理規程第六條「農會購置營造或處分財產，其價值在一萬元以上者，以公開招標爲原則，但經主管官署之核准者，得以比價方式爲之。比價及驗收應呈請主管官署派員監視」之規定，應不得以議價方式處理……」。惟案仍經蘇縣長於同日批示：「……本案該會既爲籌建辦公大樓經費，且經會員代表大會及理事會通過，予以處分，並據呈如依規定程序辦理，有所困難，本府爲顧及該會收回該房地之困難及地價稅負擔過重各節之實情，在不損害該會處分財產收入之原則下，[illegible]月三十日，該農會即呈請縣政府派員監視。五十六年二月[illegible]日，台北縣政府派[illegible]輔導課長楊德壽監視，議價成立，其主要內容計有：(1)土地買賣須繳增值稅，依照規定應由賣主（台北縣農會）負擔，但本案之處分爲[illegible]圖，悉數應繳增值稅，均歸買主（台北運輸倉儲公司）負責繳納。(2)出售土地總計五二四坪，分筆議定地價（低於公告地價，略高於申報地價），以新台幣二百三十七萬六千零三十二元六角定價。）記者按：平均每坪售價四千五百三十四元四角）(3)地上建築物附帶交與買主（台北運輸倉儲公司）處理。上開議價結果呈報縣政府後，蘇縣長即於五十六年三月九日批准。

三、查台北運輸倉儲公司資本總額爲新台幣三百萬元，其董事長一職原由蘇清波擔任。五十三年六月二日，蘇君就任台北縣第五屆民選縣長後，乃改推蘇縣長太太王吹繼任，（而蘇縣長太太王吹與台北縣農會總幹事王以文係同胞姐弟）並由蘇君將其五十萬元股金中之三十萬元讓與其妻王吹，蘇君仍持有股金二十萬元（佔總額之六．七％）。惟加計其妻現有股金一百八十萬元，合計夫婦二人共有股金二百萬元，佔該公司資本總額三分之二。

四、該縣政府農會輔導課長楊德壽奉派監視議價，自有其相當之權責，乃該員事前既無評價之有效參考資料，事後亦無其他意見之簽報，僅憑調查時口頭說：「我確有意見表示，這樣處理不大對……」，惟並無文字可稽，實嫌未能盡其職責，等語。

省府轉送懲戒

台灣省政府根據前項調查報告，以本案有無圖利自己或圖利他人之刑責部份，既經台北地方法院檢察官以罪嫌不足，處分不起訴；該省政府仍以台北縣長蘇清波應負行政上疏失之咎，乃將調查報告，檢察官不起訴處分書於五十七年七月間函請公務員懲戒委員會予以論究其行政責任。

台北縣長蘇清波申辯部份：據蘇君第一次申辯：「台北縣農會在急切情勢下，如不將該房地出售，既無法清理債務，減輕負擔，並籌建辦公大樓，籌措週轉金，展開會務。若分開標售，又因租戶不能同時遷讓空屋，無人願意承購，徒延時日，乃參照縣有房屋出售辦法第二條第二款第三目：「出租房屋及其他基地，均屬縣有者，讓售與承租（借）人通知限期繳款承購，逾期即予標售」之規定，及台北縣農會五十五年六月間出售三重初中用地，暨雙溪鄉農會出售雙溪中學用地，均係以議價方式成交之往例，基於行政裁量權作用，核示在不損害該會處分財產收入之原則下，准以議價出售，對於如何議價，價格多寡，應售何人等等，並未作任何指示，似無不合。」

按照蘇君申辯係參照縣有房屋出售辦法第二條第二款第三目規定而核准云云。此一申辯理由爲同案被付懲戒人台北縣政府建設局農會輔導課長楊德壽之申辯予以駁斥：其理由謂「台北縣農會係一種人民團體，其一切規定均由中央或省頒佈有關規定或一般行政命令，以資遵行。蓋農會之財產處分，當亦以台灣省各級農會財產管理規程，爲其法令依據，與政府公產處理自有不同，不適用政府之審計、會計等法令規定。」一語道破蘇君之巧辯。

蘇清波的答辯

蘇君於補充申辯指省府調查報告之分析「與案情不符」，分爲三方面申辯。

一、台北縣農會方面：該農會五十五年十一月間會通知所有承租戶於年底交還，未採其他途徑進行一節：查台北運輸倉儲公司於五十四年十月八日即曾函向台北縣農會請求承購該地，復於五十五年九月六日再函申購，而其他租戶迄無向該會有表示申購。該地租戶共有四戶之多，僅有台北運輸倉儲公司向其申請承購，其他三租戶在該農會五十五年十一月間通知於年底交還前，既未向該會申購，事後亦未依該會通知交還，更未表示申購，因之使其標售點交發生問題，即此顯屬處理困難，且台北運輸倉儲公司對該農會承諾自願負擔其他三租戶遷出等所有糾紛責任之優惠條件，在此情形之下，自惟有與該公司議價買賣，何能謂爲獨厚待台北運輸倉儲公司？亦不能謂爲所持議價理由不足。

該縣農會出售本案土地座落台北市東橋段廿九號，位於台北市中正路紹興北街卅九號爲內街裡面之地，其價值自不能與中正路沿線緣土地相提並論，且土地地段包括範圍較大，尤其都市中常有同地段土地緊沿鬧區通衢大道土地之價值，必高於較偏僻街道內之土地。五十五年十一月八日國有財產局公告標售同段土地五千餘坪之地址，係位於北市中正路一六七六、一六八二號（醫務處對面），而該農會出售之本案土地，則在中正路紹興北街裡面，就其位置兩相北較，優劣自見，則其價值自有差異，都市中土地，常因其位置環境之不同，雖咫尺之差，而其價值懸殊者，上述國有財產局標售之土地與縣農會出售之本案土地，既不屬於相同位置，自不能以其售價相較。縣農會出售之本案土地與有租賃關係達十餘年之久台北運輸倉儲公司，尚包括路地及增值稅概由承購之該公司負擔，合計每坪亦高達五千二百餘元（公告最高價每坪五千九百五十元），且須負任。

台北縣政府於縣農會出售本案土地之同年（五六年）七月間香港暴亂台北市地價波動期間，曾以議價出售位於台北市中正路（潘陽路）邊同地段縣有土地與毫無租賃關係之國民黨中央六組，其售價亦僅六千零四十餘元，衡諸上述種種實情，本案土地之議價，不能謂爲偏低。

二、蘇清波縣長方面：台北縣政府建設局所簽「不得以議價進行」，經查並無法令依據。而省農林廳五十一年一月廿四日農組字第一三一五號函所規定各節，亦無明文規定不得議價，縣府爲農會之主管官署，本於輔導農會之立場，鑑於該縣農會之實際困難，其首長基於行政自由裁量權（本報記者按：所謂自由裁量亦有限制，非任何行政官署逾越法規之外；逾越法規外之行減，仍屬違法行爲。），准其所請，依法並無不妥。

最後難免休職

本案之處理原無不當，純爲檢舉人李柏明任某報台北縣駐縣記者時，因其撰發新聞不當，經報該報社予以解聘，該檢舉人李柏明係利用縣長選舉期間，企圖打擊申辯人（蘇清波）乃爲挾怨報復，經本案調查人向其講查時，該檢舉人李柏明並無提出具體資料證明申辯人蘇清波對本案之處理有違法失職之處。因而亦可足知申辯人對本案之處理，並無違法失職。

三台北縣政府建設局農會輔導課長楊德壽部份：略。

公務員懲戒委員會依職權調查之結果，分別論究如次：

關於蘇清波部份：台北縣農會因籌建辦公大樓，經費無着及週轉金不足，且出租房地租金不敷繳納地價稅等原因，歷經該會會員代表大會及理事會之決議，處分該會不須使用之房地，尚屬不無理由。惟該會以依照規定程序辦理，似有困難，而呈請該縣政府擬以議價方式出售與租用該會是項房地之台北運輸倉儲公司一案，既經該縣政府建設局簽呈：「依照台灣省各級農會財產管理規程第六條規定「以公開招標爲原則，但經主管官署之核准者，得以比價方式爲之」。應不得以議價方式處理」等語。乃該員仍批准以議價方式處理，對於該會所稱：「依照規定程序辦理，似有困難。」究竟有何困難，未加詳察，遽予批准，顯有違失。

雖據該員（蘇清波）申辯，基於行政裁量權，及該縣農會五十六年六月間出售三重初中用地，暨雙溪鄉農會出售雙溪中學用地，均係以議價方式成交之往例，而予以批准，似無不合等語。惟所援之往例，係學校用地，於理自不得以招標或比價方式爲之，而本案所議價之對象爲普通商業公司，且承租該項房地者，尚有台北糧食事務所及四健飼料公司等共四單位，究非學校用地僅有一個對象者可相比擬。該員（蘇清波）申辯呈附之台灣省政府農林廳函，係出售三芝中學之學校用地，自不得援爲本案之依據。

抑有進者，承購該項房地之台北運輸倉儲公司，原由該員任董事長，繼任董事長者，則爲其妻王吹。且該員（蘇清波）夫婦二人合計股金佔該公司資本總額三分之二。是則該員（蘇清波）與該公司利害關係之密切，至爲明顯。按諸公務員服務法第十七條之規定：「公務員執行職務時遇有涉及本身或其家族之利害事件，應行迴避。」及同法第六條之規定：「公務員不得假借權力以圖本身或他人之利益。」縱因身居縣長，職責所在，勢難迴避，亦應依法辦理。乃該員（蘇清波）竟不顧建設局之簽呈，擅自批准，顯有圖利本身或他人之嫌。按諸上開事實，違失之咎，殊非尋常。又民選縣市長係比照簡任官支薪，並非政府任命之簡任官，自不必經過監察院審查。且公務員懲戒委員會歷年受理台灣省政府直接移請懲戒之民選縣市長案件，已達三十餘起之多。本案自不能獨異，申辯殊難盡信。

按：農會法及台灣省各級農會暫行辦法規定「農會爲法人」；「農會之主管機關在縣市爲縣市政府」。台北縣長蘇清波爲該縣農會之主管，竟違反公務員服務法第十七條、第六條、第十三條之禁止規定。例如蘇縣長以主管身分執行職務時，凡涉及本身或家族（縣長太太）之利害事件，應行迴避而不迴避；蘇縣長不但未依法迴避，而且假借職務上的機會，以主管的身分，直接圖利本身及其太太與他人；蘇清波縣長利用職務上的權力而爲營利事業，不僅爲法所不許，且公務員服務法第十三條第三項第四項明文規定應先予撤職，並依刑法第一三一條之圖利罪處斷。由於蘇清波「神通廣大」，僅僅受到「休職」十個月的懲戒處分，焉能爲謂爲「適法」？

瀛海秘辛（十五）

林公偉

現代語

『四十二年如夢覺
春風吹淚過昭陵』

這是宋人悼仁宗的遺愛。我每逢寒夜霜辰，闔眼不寐，常常想到幼時數學老師黃先生。

黃先生距吾家只五里，距吾們學校不到一里。那年秋夜，我們寄宿校內的學生，用功些的還在燈下做功課，忽然聽到從大門外起，有啾啾的嘯聲，或長或短，一路從大路進來，當然大門二門早已下鍵，但嘯聲不爲門所阻，過我們樓下，又向後院。住在斜對面房間的華君，是三年級第一名同學，他首先說：『這聲音很奇怪，不像鳥獸，也不像從傳所謂鬼叫。』大家爲之心驚肉跳，大約半小時後嘯聲由後院教室、宿舍，仍轉回樓下，大門消失。

第二天早上，黃先生家人來報，先生以急性腸炎，昨夜逝世，我們計算時刻，嘯聲到校，正是他斷氣後半小時至一小時餘。斷氣後，神智應已消失，但是他愛護學校，愛護學生，死後還如此眷戀，宿舍教室一一臨視才去，全校爲之悲悼。

過後幾天才又知道，校中有一頑劣學生因爲是校長親戚，家中又有錢，常常候間自修舍監點名後，假名如廁，就從廚房小門逃出聚賭或豪飲，買通廚伕，半夜後興盡才偷偷回來。那夜他偷偷回校，從廚房轉入宿舍夾道，適逢嘯聲由對面教室過來，他酒後大言，『誰也嚇不了我，那知嘯聲到他立處附近，一陣浪風刮面，好像給人摑了幾巴掌，又痛又驚，當夜睡後就發寒熱，第二天面部紅腫，像長出了半個頭，他不放聲張，推說瘧疾，請校長派轎把他抬回家去療養，病了一個多月，才回校來。從此他倒不敢夜間再偷出去賭博了。

良師教人，不但在生前，而且在死後，更引人銘感了。

雷震與「自由中國」
——當年內幕誰知道一番往事話從頭——

王曰叟

再如對「自由中國」本身來說，當局所採的對策是什麼，我們不知道，但是就實際上的許多行動來論，非僅是「既不能令又不受命」，簡直是「毀之適所以譽之」。原來辦報紙辦雜誌就好似小孩撒嬌一樣。最好是希望你[illegible]他，萬一不哄，罵罵也是好的，最怕的是你不理他沒反應。試問幾會看到小孩子一個人在空屋裡撒潑。當局給予「自由中國」許多「小兒科」的干擾，對雷震而言，正如撒嬌的小孩獲得了反應，不僅使得他愈辦愈起勁，並且還把「自由中國」的身價捧得高漲十倍，直上青雲。

有一次雷震和老叟訴苦，訴說他的雜誌如何受到困擾，如何處處感到壓迫……我說：「算了罷，大家都是內行。政府如不這麼『捧』你，你雜誌的聲望能這麼高。假如我要是政府的主管當局，我會把你活活制死。」雷氏發着會心的微笑，不言語了。

最笨的一次是「自由中國」出 總統祝壽專號的時候。這一期標明的是 總統祝壽專號，而內容則指槐說柳，極盡其冷嘲熱諷之能事，這時當局如寬大為懷，盡可置之不理，請想想 蔣總統的德望功勛豈是這一個小小雜誌所能誣蔑的。假如怕影響民心士氣，那就以侮辱元首論罪，斷然封閉或沒收誰敢道個不字。但主其事者不此之圖，却把市面上的那期雜誌，全都收買這一下雷震機會來了，馬上再版登報發售。再收買，就再印，於是一直二版，三版，四版，宣傳得響徹雲霄。許多本來不看「自由中國」的，這時也千方百計的搜索一本來看看。而那些幼稚膚淺，心地却又不大善良的國際「友人」，就更高估雷氏價值，以為是奇貨可居了。

我們借箸代籌，替當局打算打算，這究竟是捧雷震還是打擊雷震？技術實在是太拙劣了。但是這種拙劣的作風，今天仍然在繼續，不過表現的方式不同而已，例如 蔣總統提倡復興中國文化，站在宣傳的立場，當然就要培植支持闡揚中國文化的雜誌。一則可收激濁揚清之效，使社會聞風而起，以利國策之推行。再則不僅可以發動民力為政府效命，而收事半功倍之效。並且正因為是民間之力，才表現人民擁護政府，政府代表民意。——一舉數得，妙用無比。那知當局並未措意於此，反之却誠如去年三月，本報王邦雄先生大文所指出的：提倡中國文化的三大雜誌，「民主評論」、「新天地」、「人生」，恰恰就在 蔣總統提出復興中國文化的口號後，相繼倒閉和停頓，這簡直是對國策的諷刺。這時當局再籌措十倍於支持三大雜誌的資金來自己辦雜誌，表示響應 蔣總統的號召，提倡中國文化。這就好像放着原野的新鮮空氣不用，却去實驗室自製氧氣一樣，不僅成本高昂，並且也絕不會有新鮮空氣那樣美好而實用。提倡中國文化，必須要靠一般對中國文化有研究、有熱枕的人士不可，而作官辦黨的人則縱令竭盡心力，也不過落得個印刷精良，編排新穎而已。至於中心要旨，往往不值識者一笑。（當然，外行是看不出的）。——試問這是多麼拙劣的宣傳技術啊。今天的局面比較小，自製氧氣，還可對付一陣，一旦要是收復大陸，那種大的場面，若是不用民力，而全要自己傻幹，那還怎麼行。老叟雖不能博古通今，明於治亂，但對於黃老君人南面之術，還略知一二，謹將芻蕘之見，順便表述，以供採擇。賢明的當局，想不會認為我是瞎說亂議吧。

大學文摘

魯屯道夫全民族戰爭論序

蔣百里

著書難，譯書難，可是讀書也不易。序文的價值，就在使讀書的人得到一種讀的方法。因為凡著一本書對於環境的情感，和時代的趨勢，不是著者自身所能說明，若果讀者單看書裏的理論和事實，是不容易了解，而且容易發生誤會。

算來已經有二十八年了，我在德國軍隊中同伯盧麥將軍的姪子在一起，從演習地回家，兩人騎在馬上談天說地，我忽然問他『你看我將來在軍事上，可以做什麼官？』他對我笑着說：『我有一個位置給你，就是軍事內閣長。』（即本書中所謂德皇旁之軍事秘書長）我說：『我難道不配做參謀總長？』他說：『不是這麼說的，我們德國參謀部要選擇一個有癖性的，或有點瘋子氣的人做參謀總長。』我說：『那可怪了，不過陸軍部長呢？』他說：『參謀總長是公的，陸軍部長是母的，我們青年軍人不想當陸軍部長，因為他是陸軍的母親，要有點女性的人，纔幹的好，鞋子也要管，帽子也要管，吃的，穿的，住的又要省錢，又要好看，又要實用。所以俄國擅長軍事行政的苦落伯脫金去當總司令，牝雞司晨，結果失敗了。但是專制皇帝多喜歡用這種女性呵？（當時日俄戰爭，德國軍人資為談助，而對於德皇之用小毛奇有些不平，）參謀總長的性質同陸軍部長不同，不要他注意周到，要他在作戰上看出一個最大要點，而用強硬的性格，不顧一切的把住他。因為不顧一切，所以一方面看來是英雄，一方面看來是瘋子。軍事內閣長是專管人事。要是有癖性的人去幹，一定會結黨會不公平。要是有女性的人去幹，就只會看見人家的壞處，這樣不好，那樣不好，鬧得大家不高興。我是恭維你人格圓滿，不是說你沒有本領呵？』

「把住要點不顧一切，」可以解釋大戰時破壞比利時中立的作戰計劃。細針密縷，各方敷衍，可以解釋自馬恩河戰役後至凡爾敦攻擊為止之弗爾根海（他是由陸軍部長轉到參謀總長的）的一段不澈底的作戰經過。所以，我那位德國夥伴的話，確實有他的真理。

魯氏是參謀本部出身的一個參謀總長材料，他是有癖性的，所以當時很受各派的攻擊，後來在希特拉政治活動中又失敗了。他的「全體性戰爭，」就說一切都以戰爭為本；翻轉來說，正是他「把住要點不顧一切」性格的反應。德國戰爭失敗的原因，人家都說軍人太偏了。在魯氏說，正是因為偏得不徹底。如果偏得徹底，則不是偏而是正的了。所以我們讀這本書，不可批評他偏，而要領取他偏得徹底的意義。

書中有幾點是因為人家攻擊他，他自己辯護，所以有些過火。如同克勞塞維茲氏下戰爭的定義，謂「戰爭是政略的延長，」政客們就用此話說軍人應該聽政治家的話，且舉俾士麥以為政治家統御軍人成功之證。魯氏却說：「政治應包含於軍事之中。」其實政治與軍事之不應分立，是千古不變的原理，而是否政治家應該指揮軍人，抑或軍人應該執掌政治，是要看當時政治家與軍人本領如何而後定。戰爭是藝術，真正名將是一種藝術家，他的特性是「獨到」是「偏」，所以需要一種藝術的保護者。如威廉之於毛奇，克雷孟梭之於福煦，是一種形式；非列德之為傳統皇帝，拿破崙之為革命首領，又是一種形式。魯氏因他人借克氏之說攻擊他，他却說克氏的理論已成過去，這是矯枉過正，誰都知道克氏學說是百年以前的。他又批評史萊芬的計劃不適用，也是犯這個毛病。魯氏又有說不出的苦衷，就是對於威廉二世，他不好意思批評皇帝，其實政治與軍事之不調和，及平時擬軍計劃（魯氏的）戰時作戰計劃（史萊芬的）所以不能實行之故，都是這位平時大言不慚，戰時一籌莫展的皇帝的責任。不好意思說東家，所以把店夥一個一個的罵。讀者應當觀過知仁，不要責他蠻橫，要原諒他的忠厚。

以上所談不過書中末節，還不能說到本書根本精神。這本書的根本好處，在對於未來的戰爭性質，有明切的了解，對於已往的失敗原因。有深刻的經驗。他的好處，我可以綜括的給他一句話，叫「民族的第二反省」。

當一個民族吃了大虧之後，天然的會發生一種重新估計運動。但是革新運動的人物，大都在當時失敗過程中不會負過相當責任。羣眾本來是情感的，所以這時候只知道清算過去，因為破壞一切理論很容易成立，却不能指導未來；因為改造社會的實際不是靠理論，而是靠行動。民族第一次反省的過程，總是這樣，所以真正的成功，必在第二省時代。這個時期大約總在二十年左右，所以法國七十年大敗之後，他的真正國防力是到八十八年纔成立的。大戰後的德國第一反省，是社會民主黨時代，所以到現在纔有這第二反省的呼聲。普魯士軍官，從小鍛練身體，壽命很長，所以在第二反省時代，還能得到當年身負重責的老人，本其實際經驗，發為革新運動之指導。這在德國民族看來，真是活寶。

未來戰爭到底是怎樣呢？如果我舉德、俄、日、義等國的議論來證明，人家又要說：「軍人蠻橫」迷信獨裁，再不然又做了人民戰線的敵人，破壞和平，罪該萬死。

我如今一字不易，將世界上號為第一等愛好和平的國家美國人說的話，來證明一下，布羅肯比爾中校說：「如果用毒氣來殺人還不夠刻毒，化學戰不以殺人為目的，而以減少敵人抵抗力，增加敵人後方負擔，為最高原則。美國化學戰部隊所用的藥劑雖有多種，主要者為糜爛毒液。該毒液有些回香香味，色暗紅，不易揮發，較氣體易於保存，便於運輸。地上動物着此液，即能傳染。中此毒者，若立刻進入病院，療治得法，數月後可以全愈。蓋此毒液之效能，不在致敵人於立死，乃驅敵人入醫院，既不能戰鬥以為吾害，又不能工作以助國家，反加重其後方負擔。且此人若不急進醫院，則其衣履身體所到之處，皆有散佈此毒汁之可能，吾人飛機，砲彈所不到之處，敵人可代為散佈毒液。據現在所知，歐洲各國所製的防毒面具，對此毒液無用處，因此毒非藉呼吸而發也。此種防禦服裝，美國業已造成，惟全身不通空氣，故不能久用，且為價甚昂：且此毒液之野存性，在最乾燥之天氣中，尚可達六時以上，若天氣潮濕可達數日。其比重較水量為重，故可用飛機由空中灑射，決無因風向關係，而害及使用者之危險性。且其揮發性極低，比重較大，化學成分極穩定，故用普通解毒法毫無效力」云云，這是以威爾遜十四條和平主義國家的辦法，不殺人比殺人還要兇些。所以未來的戰爭不是「軍隊打仗」而是「國民拼命；」不是一定短時間內的彼此衝突，而是長時間永久的彼此競走。

就既往的親身經驗而說，則此書第四章一字一珠最為精粹，這是化了無數的金錢與生命，所換來的將來軍事教育方針。如同世人談到軍紀，總以為就指兵卒能機械服從，而言，——技術的習慣與體力之支持——（註：技術的習慣就是中國所說的藝高則膽大之意）決不是區區集團教練所能養成。而有待乎最高深的精神指導。軍紀所要求於兵卒者，在性格強硬，並不是柔軟的服從。達爾文說得好。軍紀者，在上下之信任，不是服從就算了。

我希望讀這本書的朋友們，切實的一想，世界的火，已經燒起來了——逃是逃不了的——不過三四年罷。

文滙樓劄記

老鼠形成凶兆

野史上說，張繡的嬸嬸鄒氏，看到老鼠交配，而放棄守節，失身於曹操，鄒後來被張繡殺了。鼠日伏夜出，其交配被人看到，亦嘖嘖怪事。

「寡婦門前是非多」尤其鄒氏生得國色天香，其本身就是一把火，恰遇到玩火的朋友，看官不相信的話，有台詞為證。「戰宛城」中鄒氏看到曹操謂：「這人兒好一個異表形像，使俏眼覷奴家，如蝶穿芳。我有心與此人暗地來往，但願得我與他，同枕鴛鴦」在這種情形下單獨指責曹操，是不公平的，今日社會甚多時代女性，一心傾向財與勢，大概都是受鄒氏騷動感召使然。

另一件有關老鼠預兆凶事的記錄，民國二十二年，湖北省政府主席兼軍事委員會武漢行營主任楊永泰，是政學系中領袖之一，翻雲覆雨，奇招迭出，與熊式輝相伯仲，隔省呼應，都是一手遮幾省的朋友。某天楊到漢口去回拜英國領事，於早餐後，囑其夫人於箱篋中取避彈衣，夫人找不到鑰匙，楊因電話約好時間，且認為此去小坐即返，武昌到漢口上下碼頭，皆有武裝戒備，應當沒有甚麼問題，自己從衣櫥中取出大衣，右手剛插入裏袖口，大衣左右口袋各跳出老鼠一隻，楊氏夫婦為之愕然，仍上車出門，專輪渡江，到江漢關碼頭登岸時，行至中途，竟為刺客暗算，胸部連中兩槍，未幾氣絕。

還有一件老鼠真實故事，湖南中華時報副社長黃潮如，於民國卅七年春，在飯廳發現老鼠交配，後該報主筆張展，饒迪華，社長李運鵬及樓主接踵而至，爭相觀奇，見母鼠在前，公鼠在後，一邊跑一邊交，母鼠無何異象，衹公鼠生殖器若紅豆，點到算數。雄鼠交後自舐母鼠續跑不息，雄鼠復追再交，如是者百餘次始畢，大家看後，也祇是認為巧遇和多一常識而已。

未料次年秋，湖南淪陷，張展以代理社長身份，將中華時報出版到卅八年中秋節，自崇禧率文武百官已偷偷開蹓，中華時報仍站在執政黨立場，對匪口誅筆伐態度不變。這一段可歌可泣犧牲史實，替中國報業史寫下新頁，湖南省黨部主任委員張炯說：「中華時報替湖南人留了正氣」蔣伏生將軍在湖南未陷匪前，大聲疾呼，「我們湖南新聞界應當向中華時報看齊」，結果張展被共匪就地「正法」，槍斃在銀行街中華大廈前，黃潮如因與省田糧處長黃甲友善，被我們自己誤斃，饒迪華要岳母損人口，李運鵬九死一生，沿東半球轉了一個大圈圈，僅以身免而已，樓主雙親喪弟，多年努力已成熟事業毀於一旦，這種家敗人亡的命運逢之，遠不如死，但宗教又規定，自殺是犯罪的。

歷史上政治家們率多討厭樟頭鼠目的人，非無由也，就樓主經驗樟頭鼠目的人很少幹出好事，日常生活老鼠摻入，都會形成凶兆，其餘可以推想了。

文滙樓主

（接第一版）

「弟即發言痛斥，略謂：「在場都是文化人，紅帽子豈可亂扣。……」

「接着，易國瑞又起來響應，作蟬噪，他說：「我堅決反對中華、陽明等雜誌，亂罵人，對趙友培的意見絕對支持，這些雜誌必有匪諜，我要求大會通過建立正確的文藝路線，不許此歪風滋長。」」

「弟聽此言，怒髮冲冠，痛加申斥，聲色俱厲的說：「台灣的民主自由，即所以有別於共匪之專制獨裁，照你們有表示我的看法的自由；但無論如何也不願意自毀立場，如中華雜誌所刊徐某投書，說我要封別人的雜誌。這個謠言，原是從去年舉行文化團體負責人春節聯誼會之後造出來的。我非常感謝老友張鐵君兄，別人告訴他，我要封他的『學園』，他絕對不信；但也有人誤信，這也要怪我平日交遊太疏，自信過甚，而事後又未及時函請胡秋原兄更正。在今年同樣性質的春節聯誼會上，已由中央第五組負責人公開說明，把這件事澄清。去年出席的人，今年也大部分到場，大家有耳共聽，真偽立辨。事後，並有正式復函給我。這個謠言應該到這裡為止。」此事，在去年為何南史先生所傳出，「中華雜誌」上的「投書」，亦明明寫着「詩人何南史先生起立，予以痛斥」等語，既然趙友培先生一再否認，不能不向何南史先生詢問當時的詳情，以作大家評斷的資料。頃接何南史先生五十八年六月四日大函云：

「聞趙友培先生先後在『作品』及『文壇』上，對彼于五十七年十二月五日，在中山堂舉行之全國學術性人民團體負責人會議之發言，認為係徐復觀教的意思是要文化獨裁了！大會決不可採納此意，我堅決反對，我與中華等雜誌，絕無關係，全是站在公平的立場來說話的，你易國瑞在國外，因鑑球世運弄了不少笑話，丟了我湖南的人，尚敢在此大肆讕言嗎？亂戴雜誌紅帽子嗎？我要求他出去……』正在大發言中（最後弟發言達一點二十分），詹純鑑主席忽令人送來一帋上說：『易國瑞先生已離開會場了，請何先生息怒……』旋即散會。

巨變歷險記——天壇闢飛機場

胡慶蓉

北平傅作義與丁作韶雖有三次的晤談，但並沒有改變投降交城的意思，只不過是發發他對南京的牢騷，舒散舒散他胸中的不平之氣，找找安慰而已。實際上，北平已在層層被包圍之下——已到了要拔出腿來已經不可能的地步。現在回想起來，中央撤退華北的部隊，是有他的道理的。局勢已經到了無可挽回的地步，縱令不撤華北的部隊——也與大局無益，且徒增實力之損失而已。

北平的城門一直大開着，街道上一直在靜悄悄的，這種密雲不雨的狀態，益增全體市民的擔心。誰也不敢出來，誰也不願出來。傅作義的部隊那裡去了呢？共產黨的部隊怎樣也不見了呢？什麼時候共軍進城？就成了大家心目中共同的問題。看樣子是不久的事了。

對於要離開北平的中央反共之士，還儘量予以便利，這不能不感謝傅作義。北平以外，四面八方的交通都被共軍切斷，北平的反共之士，如何逃出去，成了各方面關心的問題。古人有天羅地網，插翅難飛之說，北平現在的情形，實彷彿似之。南京對於北平反共人士的安全也擔心起來。對於國寶，如去世的胡適之先生，梅貽琦先生，蔣夢麟先生，在想盡方法打救。北平市議會的許議長，劉象山秘書，也在被注意之內。丁作韶天津歸來，一方面同傅作義多所接觸，另一方面同胡先生，梅先生，蔣先生也不斷會面。他們都勸丁作韶不必再自苦乃爾，華北是不可救藥的了。對傅作義，他們都抱着同情的態度，原諒的態度，不應該苛責，也不能苛責。華北今日之局勢，非一朝一夕之故，種因已久了，太久了。從南京建都，就沒有切實的注意，更沒有切實的下工夫，敷敷衍衍，一直敷衍到現在，共產黨蠶食鯨吞，雙管齊下，現在只有北平一點了，取北平，眞是探囊取物，手到擒來，傅作義固不能抵擋了，還有誰來抵擋？丁作韶現在在北平也是四顧茫茫，抓不住傅作義，又去抓誰呢？把抵抗的重擔，擱在誰身上呢？他也不能不作脫逃之計。

於此不能不感謝傅作義的幫助。他假如不放反共之士，反共之士，一個也出不來。在天壇闢飛機場，在東長安街闢飛機場，這實在是了不起的計劃。現在直升機盛行，不覺得怎樣，但如何回想到民國三十八年年初還沒有直升機的時代，闢飛機場，用飛機載運反共志士脫離險境，那就太了不起了！特別是在共產軍隊圍城之下，怎樣去建築呢？外邊的鎗砲射程，可以達到飛機場，闢了飛機場有什麼用？在什麼地方闢飛機場，也都是問題。無論如何，坐飛機脫險，已經是大家認為是最有希望的了。作萬一之計，反共人士都寄望在這新闢的飛機場上。

我看自由報

王爾晉

我閱讀了一個時間的自由報，我發現它有兩種特長：

一、是社論好，它的社論執筆人看法也夠深入，內容也尚深沉。因為能深入和深沉，所以尚有學術意味。人們處事作人，寫文章最怕的是淺薄，淺薄則叫囂，叫囂必瞧不起人。人家外國人在科學上已經深沉到探入海底，高明到滲透到天空，至少我們處事作人寫文章應該深入一點，深沉一點。我們引以為自豪的就是有我們先聖先賢對處世作人寫文章已深透了幾百代，但我們對處世作人，寫文章能向後代深透多少呢？人若看事能透過幾層去看，便能深刻，看事深刻態度必深沉。這種深刻的看法和深沉的態度乃從學術修養得來，此中微妙難為俗人道也。

二、是新聞報導冷靜客觀。我很少發現自由報報導有專向人歌功頌德者，它完全講事實講效果。這對政府政令推行少數人士舞弊之赫阻，確有其幫助的。它不注重簡短消息發佈，而注重事實的前因後果，對讀者有個交代。有些簡短消息使人看了為之一驚，如說某人貪污，某團體鬧糾紛，但再看即無下文，始終在人腦子裡存個問號。新聞報報導講事實講效果，然後才能稱之存王爾晉為完整的新聞。

我希望自由報能擴充一大張，多刊載學者專家的言論，多刊載地方新聞。再闢一文藝園地，千萬別形成小圈子使人厭惡憎恨，只看文章好不好，不看人對我好不好，今天確需這樣的一份報，使愛好學術愛好文藝者有發洩，寄苦悶於文章，散不平之氣於報章，這確對社會病態有一種消痰化氣的作用。

御廚談藪

蓮蓉粽子

這種點心也不是每家都備來奉客的，市上點心店，製的較多，但皆無御膳房考究。蓮蓉粽子要製得好吃，首先是在蓮蓉純正，其次就是糯米軟滑與否。我們大家都吃過梘水粽了，梘水粽是爽滑的，但作蓮蓉粽却不能製成梘水粽那樣，要將爽改為軟，配起心裏的蓮蓉才好吃。並且蓮蓉也不妨多放一點糖，吃起來就不致感到梘水粽的部份之糖了。

這裏我附帶說一下，把蓮子製成蓮蓉，工夫是頗多的，所以有些廚師都是親自動手，不去買「行貨」，大凡多做結婚禮餅的都兼將蓮蓉、豆沙這兩種類餡供應行家的，要是我們製少數來自食的，可取此捷徑，否則就得自己製作。

材料：湘蓮半斤，圓粒大糯米兩斤，梘水二兩。另備竹葉水草。

製法：糯米浸水，浸透後以梘水撈勻，竹葉洗淨，四塊鋪在案板上，先將糯米一撮放在葉中，加上蓮蓉，再以米蓋在蓮蓉上，竹葉四面摺起，包作長方形，水草縛之，兩小時。

滄海拾遺

戴洋人餓死舂申（三）

赤松子

戴洋人自從和兩位太太分手以後，生活到也非常簡單，每天除了在青年會工作以外，專在各風景區遊行，如老君洞、玄壇廟、花崖等地，常有他的足迹，尤其常愛到老君洞去，因為他認為以他的大才，決不會在小小四川有什麼發展，遂決計到上海，於是一面先寫信到英租界各機關去，如像會審公堂，工部局、字林西報等各洋友處謀事，結果字林西報有一位叫史密斯的官封的是總編輯，和戴洋人的太太，在倫敦是鄰居，他知道戴洋人是一個倫敦某中學畢業，也就承認約他做一名記者。戴洋人得了這個消息，立刻出賣傢具等物，預備買船東下，可是在這個準備期間，時間拖到兩個月以上，因為戴洋人各種定價，都比新的還高，所以無人過問，於是戴洋人每天常到各地走走，有時求神問卜，總想找一個生財之道，以便撈一票，來做到上海的路費。

有一天，聽見老君洞吃茶的兩個人，來自邊區，是兩位金礦從業員，一個高而瘦，一個矮而胖，他們把松潘淘金，說得天花亂墜，他們說，每天能掏一二兩金子，是很尋常的事，有時運氣好，一天可以淘出十兩八兩，甚至於十兩，都說不定。戴洋人聽了，才知道四川境內，也有金山，並不是新大陸專有，他在倫敦時，常看見卓別林演的淘金影片，覺得發財也不過一轉眼的事，遂向兩人問道，你們說的淘金事業，究竟在那裡，現在情形怎樣，我是否也可以參加。其中矮而胖的那人答道，淘金事業，是靠運氣，也需要相當資本。戴洋人問道資本至少需多少？那位矮子答道，千兩不多，五百兩不少，朋友，有意同我們去玩嗎？這到是一件很有意思的事。戴洋人聽了，微微的笑問道，我現在全部財產，不過一千元，還得變賣以後。矮子遂進而問他的身世，究竟家在那裡，姓甚名誰，幹的那種職業，還有家屬沒有？戴洋人也知道和洋太太離婚，是他戴家三代人的恥辱，於是把他隱藏了一半，只說他是現任青年會幹事。其實這兩位吃茶的，並不眞正淘金的人，他們不過是從事販賣鴉片的走私商人，他們看戴洋人以一位現任的幹事，還想發財，料定此人不是一位大傻瓜，便是一個特別財迷的二毛子，就決心從他下手，便問他的東西放在什麼地方，託什麼人去賣？還表示他們可以替他想辦法。戴洋人見他倆如此誠懇，不疑有他，立刻約他到家中看貨。他們自然欣然前往，到了戴家，戴洋人指給他們，先看客廳，一個鐘，戴洋人說是從英國買來的，要賣兩百元，兩人一聽，大大搖頭道，難怪你說你的東西，兩三個月賣不出去，我們的估計，整個客廳的貨物，通通不過二三百元，加上臥室廚房一切東西，也不過賣個三百元。戴洋人本想拍賣得個兩千元的東西，如今照他兩人評價，至多不過五百元，心裡已經冷了半截。矮子見戴洋人不肯做聲，知道是因為他們評價過低，但是想到常言說的，「見猪不整三分罪」，遂決心要把這位洋人吃掉，決不再留一點兒骨頭，先由矮子勸洋人道，你是想靠舊東西發財，還是想到松潘去。矮子道，你不嫌五百元數目太少，只要你有三分運氣，加以我們七分人事，也許你這五百元，半年內可以變成五萬十萬，也不一定，如你一定想把你這舊東西，賣夠兩千元，我相信十年也做不到，因為你的東西，通通是舊的，要是新的，也許五千一萬，都有買主，舊的就是五百元，我們還要去托人想辦法。戴洋人被他倆說心中無主，只得勉強答應了。

這兩位走私的，本是川西區著名土匪，高而瘦的綽號九尾狐，矮而胖的綽號四眼狗，他們在川西十幾縣黑社會中，都是頂頂有名的人物，他倆得了戴洋人同意，就去找一個賴麻子，這也是一位成渝道上有名人物，這幾年，他的主要業務，是替李師爺放印子，大約放一千元，一月後要收到一百五十—二百元的利息，還要貴重抵押品，可是付給李師爺的，只有一半，他倆託了賴麻子，賴麻子知道李師爺新近才討了一位小太太，房間裡的東西還沒十分製齊，就去勸他說是戴洋人的東西，只要一千五百元，小太太起初反對，後來賴麻子再三勸李師爺，李師爺只出一千二百元，賴麻子一算，可以吃五百元，也就勉強答應，李師爺本來還要去看貨，小太太認為不必，只要他開張清單，便可付款。賴麻子去報告九尾狐和四眼狗，就說李師爺無論如何，只肯出七百元，九尾狐和四眼狗，心想每人只分得二百元，是不十分富裕，但是勉強夠用，也就答應了，去找戴洋人要清單，說明李師爺只出四百元，戴洋人聽見四百元，本想不賣，無奈想到要是運用這四百元，到松潘去挖金子，也許發個十萬二十萬不足，一念及此也就答應了。

九尾狐和四眼狗拿到清單，就去找賴麻子，等了一會，賴麻子才回來，要他倆在他家稍候，就去找李師爺，拿到一千二百元，先將五百元，裝進荷包，再去交款，還要找他們要佣金，他們倆笑道，朋友，識相點，這次你說七百元，我們並沒有和你爭過價錢，就是說你就賣二千元，也是你的運氣，現在只這七百元，我們還能向戴洋人要一元分嗎？像他那種可憐的洋人，他就是請我們喝兩碗茶，我們也只有領受，麻子你不必大開口了。說完，他們就拿住七百元，先分了四百元，各將二百元裝在荷包裡，然後去找戴洋人，硬要找他借一百元，戴洋人本想不借，無奈，想及「淘金」的大事，要靠他們，只得忍氣吞聲，一口氣忍愛了。

那知九尾狐見洋人還有三百元，就再開口道，戴洋人，我們倆和賴麻子，這次賣東西，也和你費了不少的神，你不請我們去吃大菜，難道較場口一帶小吃也不肯破費個一二十元嗎？戴洋人被他倆糾纏不過，只得預備三十元，陪他們去走一趟，吃得醉醺醺的回家去了。

九尾狐和四眼狗到了小客棧，就商量如何處置戴洋人，九尾狐主張把他騙到灌縣，隨便在一個荒地上，就解決了他，將他分屍，然後丟在都江堰裡餵魚，簡直是神不知鬼不覺的事。四眼狗認為這樣未免小題大做，因為洋人身上通通只有三百元，把他弄死也罷，不弄死也罷，總之每人不過只分得一百五十元，不如就在重慶城內，隨便找一個私娼家，預備一副假牌假骰，用把他灌醉，還愁他那三百元會飛了不成。九尾狐一想，也覺得四眼狗說得頭頭是道，就照他的計劃定下，並問他道，私娼以那一家較好？，四眼狗道，陝西街一個巷子裡，有一家私娼叫李萍卿，是從成都下來的，從前在成都時，名滿一時，聽說周禿子（孝懷）樊老二（孔周）—都叫她陪過酒，如今雖是年過三十，到還風流瀟洒，比一般私娼來得高明，我前天在她家玩了一夜，房間却是像一間大小姐的繡房，由我去告訴她，寫一個日子約洋人同去，只消一瓶黃酒，就可把他灌醉，無論麻雀也罷，卜克也罷，只消四個鐘頭，還愁他那三百元，不到你我荷包不成。九尾狐聽了連連點頭道，就照這樣幹罷！

生活漫談

蘋果助消化防腸炎

馬騰雲

在台灣吃蘋果，和在日本吃香蕉，物雖美價不廉，富人以價錢高為貴，窮人祇好節省一點，經過蘋果攤多看幾眼，或者少吃一點，但蘋果的藥用功能仍值一談。

有些人的胃腸不健全，少食錯一點東西，或多食一點東西，就要「肚疴」，所謂「疴」就是水還水，渣還渣的之類，這樣的情狀，中醫名之為「滯下」，疴時並無痛苦，兒童最易患染。又有很多人，常常會「疴濕熱」，每日三五次，瀉前腹痛，但一二日自己就會痊癒，不必請醫吃藥。醫生對這種病，認為是脾虛體弱，猛用溫補，不僅沒有效果，反能使病加深。春夏尤多見此種病症，此乃屬於腸炎，雖係輕微慢性，因他有了「間發性」的基礎，也不能不予注意，應該設法預防，否則流行性感冒或霍亂發生的時候，素有這種「滯下」或「疴濕熱」習慣的人，就可能容易發病。「滯下」對小兒的體力傷害最嚴重，一般人認為他的消化失靈，於是把消化藥給他吃，須知消化藥用得太多，牠的「消導」作用，能使胃腸的消化更弱，溫度更失平衡，「滯下」的情況更頻頻發生。處理滯下的基本方法，先要防止腸炎，腸炎由於溫度失平衡而起，故對「熱」的問題要作基本的預防。對預防腸炎，蘋果有很好功能，有「滯下」或「疴濕熱」壞習慣的成年人，飯後吃一個不大不小的蘋果，小兒吃半個。倘身體太弱，則不宜日日吃，祇要隔日吃一次；最好還是用來熬湯，飲或作菜吃，對體弱的人相當適宜。熬湯則最好用一個蘋果，一兩條猪橫脷，或加入幾片淮山藥，功用更妙，蘋果還可以作為一般瓜類煮食，燉炒皆宜，這樣的吃法，對兒童比較安全，不時吃這種菜，「滯下」和「疴濕熱」的情況就沒有了。蘋果又有利痰的作用，如果有積熱」肺有爆火的咳，吐痰困難，胸膈苦悶，多吃蘋果，則吐痰便利，大便暢通。當蘋果季節便宜的時候可多買切片晒乾，以備平常食用。蘋果雖然有好多種，但其功效大致略同，成份也沒有大偏差，故熬湯或作菜，可買最便宜的一種。果實中所含的酸質，尤其是蘋果酸，有很好的退炎效能，它還有很豐富的糖類，如葡萄糖、果糖、蔗糖等，此外還含有脂肪、黏液質、及維他命A、B、C等，可作滋養強壯劑，對於消化不良，大便燥結，血液不清，皮膚發炎及皮膚癢，常吃蘋果也有卓效。不過正患着「滯下」或「疴濕熱」時，不要吃鮮蘋果為宜，用以熬湯食飯為最有利，又因患糖尿病而常常多飲茶水的人，用鮮果或熬水代茶，能有利於病者。

黨國之志陳果夫先生，在重慶時謂窮人買不起蘋果和雪梨的人，用蘋果雪梨皮熬湯與鮮果同功，但此法用之今日則不甚適宜了，因為青果商為了防腐果皮都施以化學藥劑，用以熬湯用中毒危險，用蘋果與雪梨削去爛的部份熬湯則與鮮果無易，順便介紹。

中華民國五十八年七月二日 THE FREE NEWS 星期三 第一版

自由報

中華民國內政部登記證內版報字第〇三一號
中華民國僑務委員會登記證僑新字第三二三號
中華郵政台字第一二八二號執照登記爲第一類新聞紙

（第九七一期）

（小週刊每星期三、六出版）
每份港幣壹角・台灣零售價新台幣貳元
社長李運鵬・督印黃行藍
社址：香港九龍彌敦道593—601號
廖創興銀行大廈八樓五座
LIU CHONG HING BUILDING
7th FLOOR FLAT 5
593—601 NATHAN ROAD,
KOWLOON, H.K.
TEL: K303831
電報掛號：7191
承印：泉星印刷公司
地址：嘉咸街廿九號地下
台灣總管理處：台北市大同街119號
台灣區直接訂戶 台郵劃撥戶
帳號五〇五六號張萬有（自由報會計室）
電話：七一四〇三三、五五五三九五
台灣分社：台北市西寧南路110號二樓
電話：三三〇三四六，台郵劃撥戶九二五二號

五四運動的本質是甚麼？

與「民主」「科學」何關？與白話文運動何關？與中共羣醜又何關？

周公言

今天看到九五八期馬五先生的「不能變更歷史」一文，對於「五、四」運動作了非常正確的辨正，不禁引起無限的感慨！

馬五先生說：

「『五、四』運動的起因很單純，就是一般青年學生爲了齊『巴黎和會』對中國問題不作正義公道的處理，而曲從日本帝國主義的要求，竊佔我們山東領土不交還，大家指摘當時的外交官員曹汝霖，陸宗輿，章宗祥等親日賣國，羣起反對，而有北平趙家樓火燒曹宅之舉，繼以全國各界的應援，把曹陸章等三人免官職，風潮纔告靜息。……可見這原是純粹的愛國運動、與所謂新文化問題不相干。」

『可是，近人談「五、四」運動，多與新文化運動扯在一起，認爲中國現代的科學與民主思潮，是導源於「五、四」運動，好像認定沒有「五、四」之役，中國的科學與民主思潮就無從產生似的，這眞是擬於不倫，有乖信史。』

有人把「五、四」運動與文學革命拉上關係，所以他又說：『我不否認胡適，陳獨秀等人提倡新文學創作之功績，但不承認這和「五、四」之役有甚末關連。』

馬五先生曾親自參加「五、四」運動的行列，他的耳聞目見，當然與道聽途說不同。作者當時雖不在北平，但看過親與其事者的日記，看過新青年雜誌，看過胡適對於白話文運動的報告，看過很多與「五、四」運動有關的文章，知道「五、四」運動的本質是甚麼？知道它與民主科學有無關係？知道它與白話文運動有無關係？亦知道它與中共暴徒有無關係？有人認爲「五、四」運動的基本精神爲「科學」與「民主」。而和者如響。我認爲這是值得討論的問題，如果談「五、四」運動能完全丟掉民國八年五月四日的學生請願事情不談，或則還可以東湊西拼，胡說亂道，如果不能丟掉的話，那就輪不到「科學」與「民主」了。試問民國八年五月四日的當時或前夕，那一個參加請願的學生腦筋中會想到了「科學」與「民主」，又那一個會想到爲「科學」與「民主」而請願呢？反過來說，那一個請願學生腦筋中沒有想到要反對帝國主義者的國際分贓會議呢？又那一個沒有想到要反對巴黎和約簽字呢？那一個沒有想到打倒誤國的軍閥和賣國的外交人員呢？所以著者認爲就「五、四」運動的本質是學生救亡運動，是青年羣衆的愛國運動，是民族解放運動，是反帝反軍閥反賣國賊的運動。

按「民主」與「科學」不是民國八年五月四日請願學生所喊的口號，乃是民國八年一月十五日，陳獨秀在他主辦的新青年雜誌六卷一號所發表『本誌罪案之答辯書』中所講到的兩個名詞。又按該集誌發行于民國四年九月十五日，到了民國八年一月十五日，已經發行卅冊了。據陳獨秀在該答辯書中自稱：「本誌已過三年……社會上却大驚小怪，八面非難……」所以該答辯書又稱：「本誌同仁本來無罪，只因爲擁護那德莫克拉西和賽因斯兩位先生，才犯了這幾條滔天的大罪。」

其實，當時，人家攻擊「新青年」，多半是因他們破壞孔教，破壞禮法，破壞貞節，破壞宗教，破壞舊倫理，破壞舊藝術，破壞舊文學，……不是怪他們提倡「民主」與「科學」。

陳獨秀該答辯書說：『要擁護那德先生，便不得不反對孔教、禮法、貞節、舊倫理、舊政治。要擁護那賽先生，便不得不反對舊藝術，舊宗教。要擁護德先生，又要擁護賽先生，便不得不反對國粹和舊文學。』（新青年六卷一號）

據我個人觀察，要提倡科學不一定要反對舊藝術與舊宗教，因爲曾、左、李曾提倡科學，並沒有如此做。又歐美科學雖然發達，而宗教仍然存在。愛因斯坦還說：『無宗教的科學是瞎子，無科學的宗教是跛子。』提倡民主亦不一定要反對孔教，禮法，貞操，舊倫理，因爲「民報」鼓吹民主革命並沒有如此做。又西洋各國實行民主制度，以往亦沒有如此做。反之，梁啓超，中山先生都認爲孔孟學說中含有民主思想。又中山先生國父說欲圖國家長治久安，便要恢復固有道德。於此可見陳獨秀之目的在破壞舊的一切，所謂「民主」與「科學」，不過拿來作當箭牌而已。姑無論就「民主」與「科學」言，就反對舊文化與舊倫理言，都是「新青年」的主張和作風，都與「五、四」愛國運動的本身沒有甚麼關係。誠如馬五先生所說「五、四」運動爲純粹的愛國運動，與所謂新文化問題不相干。

亦有人以白話文運動作爲「五、四」運動的重要內容，這更是參加「五、四」運動的請願青年所未夢想到的。其實，白話文運動，只是「五、四」運動的過路客，適逢其時，正如王勃在滕王閣序中所說：「……路出名區，……躬逢盛筵」罷了。

按胡適提倡白話文，乃一件偶然間的事件，他雖然于民國六年，一月一日在新青年雜誌二卷五號發表文學改革芻議。又陳獨秀在「新青年」固然做了不少的文章響應白話文運動，如二卷六號的文學革命論。但都與「五、四」運動之本身無關，「五、四」運動的請願學生根本未提這個問題。所以馬五先生說：『我不否認胡適、陳獨秀等人提倡新文學創作之功績，但不承認這和「五、四」之役有甚麼關係。』

蔣總統講「三民主義的本質」時指出民族主義的本質是「倫理」，民權主義的本質是「民主」，民生主義的本質是「科學」。

又提倡中華文化復興運動時，指出「倫理」「民主」「科學」是中華文化的基礎。亦許多有人說「五、四」運動只講「民主」「科學」，今日提倡中華文化復興運動又增加了「倫理」。其實，嚴格一點說，「民主」「科學」與「五、四」運動的本身無關，而「倫理」倒與「五、四」運動的發生密切關係。但你稱「五、四」運動爲愛國運動或救亡運動，總離不了救國道德……倫理。

「五、四」運動與中國共產黨有無關係呢？這更值得研究。

民國九年（一九二〇）五月陳獨秀等在上海組織馬克思主義研究會。民國十年七月，中國共產黨在上海正式成立，陳獨秀被推爲委員長（一說爲總書記）。如果年月不能倒置的話，「五、四」運動與中國共黨無關。奇怪的是，今日大陸共匪對於「五、四」運動，倒大捧特捧，好像說「五、四」運動是他們的「傑作」，但是不知人間復有羞恥！

中國人以往有所謂「螟蛉有子，蜾蠃負之」之說，中山先生曾在知難行易學說中指出，這是與事實不符，與現代科學相背的。如今，共匪竟說民國八年的「螟蛉」是民國十年（或九年）的「蜾（蠃）」的親生子，豈不是滑天下之大稽嗎？

「五、四」運動的本質明明是民族主義者的反帝，反軍閥反賣國賊運動，與三民主義（尤其是民族，民權主義）關係密切。後來領導人物如北大學生段錫朋，羅家倫等，後來都做中國國民黨要人；至於北大校長蔡元培先生更是中國國民黨的中堅份子，誰都知道。但中國國民黨從來沒有把「五、四」運動看作自己的革命事業而加以宣揚。這或許是誤會到「五、四」運動是左傾運動，「五、四」運動是白話運動的由來吧？

「五、四」運動迄今已經五十歲了！古語云：「行年五十，當知四十九年之非」。今年「五、四」運動五十歲了，我們應予「正名」：「五、四」運動的本質，是民族運動，是愛國運動，是反帝反軍閥反賣國賊運動，是救國道德（倫理）表現到最高的運動；不是「民主」與「科學」運動，不是左傾運動，亦不是白話文運動，更不是共匪造的運動。

昨日與明日

筆掃千軍不能忽略

中華民國半個世紀有一位最偉大的主筆，即國父孫中山先生。民報的發刊詞就出自他的大手筆，揭櫫民族，民權，民生三大主義，革命思潮普及於社會，顯現出筆掃千軍的眞實力量。

民報的作者計有胡漢民，朱執信，馬君武，宋教仁，張繼，黃季剛，吳稚暉，章太炎，汪精衞，廖仲愷，戴天仇（季陶），葉楚傖，于右任等，民報不但沒有稿費，事實上能寫者寫稿，有錢者還得出錢，大家不是對寫稿有興趣，而是有一個共同目標，即推翻滿清，建立中華。

國父孫中山先生所領導的國民革命，嚴格的說，眞實力量就是報紙，集甚多文人的構思，對滿清腐敗政治作無情和重點轟擊，竟將兩百八十年的鐵統江山能徹底摧毀，言之非艱，行之維艱。

元首重視報紙言論

國民革命北伐完成後，國府主席蔣公電知全國各報云：

「自國民革命軍統一全國，中央求治至急，人民望治尤殷，大之欲躋中國於自由平等之域，小之求使民衆咸得安居樂業，格於環境變故迭起，訓政既已開始，軍事雖告結束，雖爲革命進程中必經階段，而身受黨國付託之重，不能爲人民早日解除痛苦，內疚神明，外慚清議，固不忍稍有曠逸，更何敢閉塞聰明，歲月易逝，民國十八年將終，欲收除舊佈新之效，宜宏集思廣益之規，各報館爲正當言論機關，即爲實民意之表現，於國事宜具灼見，應抒讜論，凡黨務、政治、軍事、財政、經濟、外交、司法諸端，均望於十九年一月一日起，以眞確之見聞，作翔實之貢獻，其癥結所在，能確見事實癥結，非攻訐新人者，亦請盡情批評，並將關於上述各項之言論及紀事，務希同時交郵寄下，凡屬嘉言，咸當拜納。」

前者國父親自辦報號召學人報人鼓吹革命，全力，且親自經常寫社論。後者元首則歸納全國兩千六百餘家報紙，參入革命陣營，因有這樣的賢明措施和高遠的胸懷，將世界一等強國——日本，打到無條件投降，非偶然也。

討毛救國面臨考驗

討毛救國的目標已然確定，有情形又回到抗戰初期，蔣委員長指示的老路，「政治重於軍事，宣傳重於作戰」政治重於軍事，容另論之，宣傳重於作戰這一點，太值得研究了。

根據執政黨主管新聞工作最高單位，日前邀集各報負責人，協商限制報紙篇幅及增辦新報等問題，得到的結論是，民國六十年七月起，報紙不再限制篇幅；而報禁是否到時開放，已引起各方面大關切。台灣一千三百萬人，日報晚報共廿幾家，台北一地官報就佔半數；本港人口四百萬，日報晚報計七十幾家，從這個角度強烈對比，台灣報禁，似乎不能不開。報紙增加篇幅要拖到民國六十年，可能是[illegible]未便遷就。因討毛救國照當前的國際環境，我們必須做到政治號召，心戰領先，並非指放縱[illegible]，[illegible]，才能形成一股總力量，[illegible]，一旦報禁開放，人民共策的結果，[illegible]上陣之日，也就是[illegible]，中國必在蔣總統[illegible]復興，[illegible]。前車可鑑，而報禁開放[illegible]討毛救國的進一步大的關聯。

・歐陽鑫・

自由談

知人善任

劉邦以劣勢兵力與項羽逐鹿中原，爭霸江山，結果獲得勝利，坐上了帝王高位。史家分析劉邦成功的主要原因，是知人善任，而又豁達大度。這觀察是正確的。

可是，「知人善任」的工夫却不簡單，沒有高度的智慧與恢閎的心胸，談何容易！此古人所以有「知人則哲，惟帝其難」的箴言也。知人善任必須具有兩項條件，一是鑑別人才的卓識，知道對方的優點和缺點所在，用其所長而避其所短。如國父孫公在生時，凡屬興兵作戰之役，每以李烈鈞爲前敵統帥，戰事一經結束，即命李氏作參謀總長，而決不教他練兵，蓋深知李氏乃豪邁倜儻的革命人物，不長於整訓軍旅事宜也。二是以天下爲公的精神，拔擢賢俊羣才，不問親仇，一例看待，明是非，別功過，嚴賞罰，使智勇辯力之士，人人思奮，有以自見。

既能知人，而又善任矣，即須讓他發抒所長，勇於負責，却不宜稍存猜忌防範之心，多所箝制，譬如騎馬然，善騎者縱轡馳騁得宜，驥騄見效。從政的人，決沒有不想建功立業，而存心要犯上作亂，專幹壞事的，古今來之所以有許多亂臣賊子出現，基本上乃由於統治人物不能知人而善任之所致也。能夠善任人才的，其處事必公，對人必誠，看看中國歷史上治亂的紀錄，即瞭然矣。吾國近代著名的草澤英雄樊鍾秀，殺人越貨，無所不爲，但他率衆投入國父孫公麾下後，恪遵法度，前後判若兩人了。

知人的要訣，首在重視品格。宋太祖趙匡胤倉促受禪接帝位，未有禪文，時翰林承旨陶穀在旁，即出懷中預撰的文告進之曰，已準備矣！太祖由是鄙薄其爲人。曹彬爲周世宗典酒，太祖以軍事點檢（今之陸軍總司令），密向曹乞酒，曹謂此帝王所有，不敢相與，另酤酒以贈之。太祖稱帝後，語羣吏曰：「不敢負其主者，獨曹彬耳」。由是委以心腹，信任不疑（以上見司馬光所撰涑水記聞）。假使他觀陶穀爲忠貞幹部，而以曹彬爲可懸之徒，趙家天下馬上就要大亂的。

知人善任關係國家治亂與亡前途甚大，史證昭彰，可不知所取鑑乎？

馬五先生

徐子明丁治磐等九學者 指出國語課本嚴重缺點

建議政府改組國語科編審委會

本報台北通訊：中國文字學會五十八年會員大會，通過徐子明、梁寒操、丁治磐、李宏基、李漁叔、李文齋、邱有珍、汪新民、任培道等九人所提請政府正視新編國語課本之嚴重缺點，改組國民小學國語科編審委員會，另編一套發揚中華文化之優良課本，為復興中華文化奠立堅固基礎案。決議交由下屆理事會建議政府辦理。

該案提出的理由：

在九年國民教育籌備期間，政府一再宣稱新編國民中小學教科書，將根據 總統蔣公之訓示，決予精編精印。精印較易，祇須準備精美紙張，交由優良印刷廠用精美油墨印刷即可達到目的。新編課本，每種誠然是精印，無人能予否認。

精編殊不易。每種課本是否都是精編，大成問題。精印而非精編的課本，是「金玉其外，敗絮其中」，不但浪費人工紙張和油墨，而且要誤人子弟。

新編小學國語課本雖是精印，卻非精編，令人十分失望。迄今已出版的三冊：首冊及第一、第二兩冊，有種種缺點，其中大部份和現行國語課本相同，小部份為新編國語課本所獨有。以下祇列舉兩種缺點，並加以說明。

一、課本內容與文字方面的缺點

國語首冊，以注音為主，以國文為副。

第九課，課文四句：「這是人、這是牛、人會拍手、牛不會拍手」。這在文字方面，也許說得過去，但在知識方面，則犯了重大的錯誤，因為牛沒有手，只有「蹄」，怎樣拍蹄？人獸不分，「手」「蹄」並舉，給數百萬小學生一種錯誤的觀念，是這一課的嚴重缺點。

第十四課，課文四句：「這是桌子，這是椅子，拿出書來，放在桌子上頭」。「這「上頭」的「頭」」，實際指桌子的「面」，應改為「改在桌子上面」或「放在桌子上」。

第十五課，課文四句：「打開書，合上書……」。這「打開書」的「打」，顯然是「翻」開的意思，為何不用「翻」而用「打」，實在令人費解。

國語第一冊

第二課，我的學校，課文四句，第一句是「我的學校大」，強調「學校大」是不好的，因為中型小型小學兒童讀之，會感到不愉快。

少數教育很發達的國家常在人口稀少的偏僻區域，為了教育極少數的學童，（有時全校學童不過二、三十人），開設只有一位教師、一間教室的極小學校。這些學童都因學校小而感到幸運和滿意。

第七課，牽牛花，課文九句，其中有一句是「……牽牛花起得多麼早……」「起」指起身。牽牛花起身嗎？怎樣起身早？

國語第二冊

第四課，幫老師做事，課文：『老師說：「誰來幫我發本子？」同學們都舉起手來。老師叫超方英英和我，對大家說：「今天先請這兩位小朋友幫我。」我好高興啊！我會幫老師做事了。』課文的第一句「誰來幫我發本子」之前，如果加上「各位小朋友」五字，便較為適合。最後兩句，只提「我好高興啊」，不提「我和方英英都很高興」，本課課文前言不對後語，首尾不相貫通。

第九課，山上，課文十句，其中有「那邊山上也發出回音真是好聽啊。回音是否好聽，很難說，但「也」字可刪。

第十二課，小花貓，課文：「有一天，我家來了一隻小花貓。小花貓，找不到媽媽，咪咪叫。……」課文中的「媽媽」，自然是小花貓的媽媽，若是在「媽媽」之前加上「他的」兩字，文意就會十分明顯。否則有些小朋友可能誤為王小美的媽媽，因為文首一句是「王小美說：」。

第十三課，兒童節，課文十二句，其中有「同學們都來了。開會的時候，有的唱歌……」，按文意，「開會」指「同樂會」而言，並非指一般「開會」，因此「開會的時候」如改為「[illegible]即開同學會」，意義才夠明確。

第十八課，小馬長大了，課文八句：「老馬生了一隻小馬，老馬很愛他。小馬長大了，什麼事也不會做，整天跟小猪，在泥土裡打滾兒。老馬心裏想，這樣下去可不行。」本課課文不但不合常理，而且也缺乏常識。就馬與猪的關係說，世界上產馬的地方都很少產猪；尤其「回教世界」，因回教徒視猪為不清潔的動物，故不養猪。我國的蒙古、新疆地區產馬，但很少養猪。我國主要養猪地區同時是水稻產區，水牛多，產馬很少。台灣的台中縣后里鄉有養馬場，這是唯一的。

本課將馬與猪弄在一起，說他們「在泥土裡打滾兒」，這真是天大的笑話。國民小學一年級國語課本，正通行於台灣、澎湖、金門、馬祖等地方，這裏的兒童根本不易看到馬。本課教材內容，顯然犯了缺乏事實根據的毛病。

很嚴重的缺點是有關小馬的故事，一連有三課之多，即第十八課小馬長大了，第十九課（小馬）學跑路與第二十課（小馬）學拉車。第十九課「老馬請了一個黑狗來，教小馬跑路」，第二十課「老馬又請了一隻黃牛來，教小馬拉車」「老馬又請了一頭山羊來，教小馬爬山」。這些都是幼稚、惡劣、令人發笑的怪事。把這種毫無價值、不合理性的課文，令天真活潑的兒童閱讀、背誦，實在是太不應該。

第二十七課，美麗的虹，課文八句，其中有「彎彎的虹，像一座橋。」「橋」之上如加「拱」字，台灣地區以金門、馬祖的學童較易理解，因為一提「橋」字，他們只能想到屏東大橋、西螺大橋、中興大橋、台北大橋等平橋。我國有悠久的歷史，偉大的文化，浩如烟海的文獻，欲從其中選取一點一滴，作為小學國語課本的教材，俯拾即是，而且一定精美。但是新編國語課本不此之圖，偏欲選取牛馬猪羊為教材，既與人民生活無關，又多缺乏事實根據，令人有莫名其妙之感。

二、注音符號過份加多是新缺點

國語課本（編輯要旨）第五條規定：「本書自第一冊至第八冊，課文全部加注注音符號；第九冊至第十二冊，於生字旁加注注音符號。」這種規定根據國民小學暫行課程標準國語科部份有關注音符號的規定。

按現行國語課本，祇第一冊至第四冊課文全部加注注音符號，第五冊至第八冊於生字旁加注注音符號。至於高小國語第一冊至第四冊（即國民小學第九冊至第十二冊）生字旁並不加注注音符號，祇在極少課的練習裡有「用注音符號注出下列名詞的讀法」的這一項。高小國語課本四冊，各有二十四課，練習中有注音符號一項，第一冊只三次，第二冊只四次，第三冊只兩次，第四冊只一次，足證其重要性很低，事實上，根本不需要。

小學一年級前十週專教說話和注音符號，以後有四年教學注音符號，時間足夠學好國音，故不須加多注音符號的學習。

吳立甫近在中國語文月刊一四四期（第二四卷第六期）發表「中學應加強注音符號的教學」，主張中學生還要學習注音符號，實是大錯特錯。小學高年級已經停止學習注音符號，中學生自不需要繼續學習。學生國文程度普遍驚人的低落主要由於近世小學四年級國語教學，學生識字太少：二年級讀完，只學得七三四個生字，四年級讀完，只學得一七七四個生字，以致國文基礎非常薄弱。不注重識字（識字是國文的基礎）而加多注音符號學習，是本末倒置。

新編國語課本過份加多注音符號，徒然浪費學童以及教師的寶貴時間和精力，應予防止。

提案人建議辦法：消除第一種缺點的根本辦法是呈請政府改組「國立編譯館國民小學國語科教科用書編審委員會」，尤其負責執筆的「編輯小組」，並責成改組後的該會編撰一套發揚中華文化的優良國語課本。

消除第二種缺點的根本辦法，是呈請政府修改國民小學課程標準中有關注音符號的部份；應維持現行國語課本注音符號的規定，絕對不予增加。

中國文字學會大會 討論簡筆字問題

決推員起草宣言表明態度

（本報記者公孫熊台北消息）中國文字學會，於六月八日舉行第十四屆大會，首由梁寒操主持開幕典禮並致詞，旋由李文齋報告會務，分由熊公哲、林尹主席，進行專題報告，暨討論提案。選舉理監事。

經大會通過重要提案：（一）增強實力，吸收優秀知識青年為新會員。（二）加強中國文字教育，定期舉行專題講演。（三）擴展會務，分在國內外重要城市設立中國文字學會分會。（四）何應欽先生在十全大會建議整理簡筆字，本會應採取何種態度案。

於理由中謂：本會成立之初，其宗旨為維護中國文化及中國文字，故力斥羅家倫之簡體字，而博得社會人士之同情。此次何應欽先生建議整理簡筆字，與簡體字似有相互關係。本會應採何種態度，以貫徹本會之宗旨，請予公決案。原提案人林尹並加說明：何應欽先生在國民黨中央評議委員會議所提「為建議由教育部會同中央研究院，切實研究整理簡筆字，以適應當前之教學實用以及光復大陸之文教實施案」。承經 蔣總裁指示：「本案至為重要，教育部等有關單位應約集專家學者，組成專案小組，運用科學方法，審慎詳加研究。」嗣經中常會四月二十八日對何案決議：「本案擬連同李評議委員煜瀛所提意見，送行政院從政主管同志遵照 總裁指示，詳加研究辦理。」深恐有人移花接木，誤何案已至實行階段，實在應遵照「審慎詳加研究」。

會議討論時發言者極表熱烈，有主張交付下屆理事會研究辦理者，有主張由大會推定起草宣言表明態度者，經付表決，多數通過後議。當經推定宣言起草人為：梁寒操、沙學浚、林尹、顧翊羣、熊公哲、李漁叔、江應龍、任培道、汪學文等九人，並推梁寒操為召集人。會議於選舉理監事投票後結束。

喬治桑外傳

（五七）　張大萬

「反正是應酬，無所謂，真正說起來，我最不喜歡吃日本菜。」

「我也是，這樣，我們早一點出去飲茶，吃點廣東點心打底子，免得晚上吃不飽。」

「何必又花錢，等一會我做一份三明治給你，不是一樣可以打底子？」雅麗絲小算盤似乎很精。

「這能花幾個錢，好久沒吃叉燒飽、鷄飽、馬拉糕了，聽說新來的一家九龍粵菜館東西還不壞，我們何不去試試？」

「好吧，既然你要去，我就陪你去。」雅麗絲表示同意。接着說，「吃過點心要不要再回來？」

「我想不必再回家了，吃過點心，在街上逛逛，再去宮本武藏，妳看如何？」

雅麗絲回到房裡換衣服，因為不打算再回來，所以換的是一身赴宴的衣服。只見她穿一襲米黃薄呢旗袍，配上同質料的嵌肩，旗袍、嵌肩都鑲有七彩的花邊。嵌肩上戴有一枚綠珠，鑲成的梅花別針，淡黃色的高跟鞋，手裡拿一個純由珠子穿成的小手提包。嫻淑高雅，好一個淑女型態。

喬治桑穿一套深灰薄呢西服，繫一條深藍帶白點的素色蝴蝶結，黑皮鞋，風度翩翩，不愧是風流老少年。

「妳為甚麼不戴鑽戒？」喬治桑對絲雅麗上下打量。

「我不喜歡打扮得珠光寶氣，反而顯得俗氣。」

喬治桑點了點頭，說：「果死狗（洋語走罷之意）。」

九龍粵菜館仍然保留着一般廣東菜館的傳統，佈置簡單樸素，一望是重吃不重看的館子。喬治桑、雅麗絲入座以後，茶房拿上了茶牌，並用茶壺替客人倒上兩杯紅茶。

「飲茶。」喬治桑用廣東話告訴茶房。

這家粵菜館在下午飲茶時間，有三五個穿制服的女侍端着各式粵式點心，穿梭往來不息，給客人取食。等到算帳時，按碟子計數。

喬治桑點了叉燒飽、春捲、馬拉糕、豉汁排骨、荷葉糯米飯。他的食量大，每樣吃得津津有味，雅麗絲則只吃了一點馬拉糕。

「嗯，東西不錯，這家館子開得出來。」喬治桑是老吃客的口吻。

蕭柏煌神通廣大 判刑三年官司 年半緩刑了事

（本報記者台北航訊）大同實業公司董事長兼總經理蕭柏舟於五十一年十二月一日虛報出口退稅舞弊案，經省警務處專案小組於五十二年二月初偵破後，該蕭柏舟為圖減輕罪刑，同月十八日託朱逸民以新台幣二百萬元向王琪、王鎮、莫照等公務員行賄，因行賄案件為台灣高院五十二年九月九日處有期徒刑確定在案。

但事隔三年又二月二十六日，蕭柏舟聲請再審經台灣高院刑七庭審判長推事張祥麟、推事王明、徐幼祚於五十五年十二月五日裁定准予開始再審。

台灣高院刑七庭的刑事裁定准蕭柏舟行賄案件再審的理由如下：

「本件聲請再審人即受判決人蕭柏舟前因行賄案件，經本院判處罪刑確定在案，茲以五十二年九月四日本院審判期日，聲請人因病具狀聲請展期審理，並附具彰化縣立員林醫院五十二年九月三日出具之診斷書，載明聲請人患急性腸炎，須要安靜住醫院，辯護劉旺才律師亦曾到庭聲明請求另行定期審理，聲請人因急病住醫院有審判筆錄可稽，並請人於審判期日，並非無正當理由，原確定判決依刑事訴訟法第三六三條（即現行刑事訴訟法第三七一條）不待陳述，逕行判決，未予聲請人以最後陳述之機會，以致含冤莫辯，此項違法事實，業經最高法院檢察長提起非常上訴，並經最高法院於五十五年八月四日刑事判決，關於本院蕭柏舟訴訟程序違背法令部份撤銷在案，檢附五十五年度台非字第〇一三七號判決書影本一件，執為再審之理由，經核尚屬非虛。本院前審既漏未審酌及此，予聲請人以最後陳述辯論之機會，使聲請人不能折服，自應准予開始再審，以資救濟，本件聲請再審非無理由，爰依刑事訴訟法第四二八條第一項（即現行刑事訴訟法第四三五條）裁定如主文。」

本件開始再審，司法大廈的人士認為此一裁定，係枉法裁定，因而竊竊私議。又如大同實業公司蕭柏舟行賄案原確定判決有期徒刑一年，再審結果，改判有期徒刑六月，併處罰金。該公司經理柏煌（係蕭柏舟胞弟）行賄案等第一審法院判決有期徒刑五年，上訴高院改判刑三年，蕭柏煌不服上訴最高法院經第一次發回，台灣高院更審改判兩年，蕭柏煌仍不服上訴最高法院第二次發回，台灣高院三度改判有期徒刑一年六個月，蕭柏煌仍不服上訴最高法院第三次發回，台灣高院雖維持一年半的原判，但緩刑而不執行，結果是蕭柏煌一天的牢也沒有坐。台灣高院對蕭氏真可謂「仁至義盡」。

這兩件案子，曾經有人口頭向監察院檢舉，其發展如何？頗為此間人士所重視與注意。

雷震與「自由中國」

當年內幕誰知道　一番往事話從頭

王曰叟

（二二）

爲了澈底明瞭這一演變的底蘊，應該先從雷震接辦這一雜誌的心情談起——當然這一心情不過是老叟從旁的揣測，雷氏心情眞是如此，誰也不知。

遠在本文第一回中，老叟即指出以雷氏的地位和懷抱，絕不屑於辦一個小雜誌，而其所以把這個雜誌搶過去辦，乃以爲這是將來「自由中國運動」的司令台。不論以後局面壞到什麼地步，拿到這個雜誌，他自己總有個東要好耍，不致兩手空空，一無憑藉，再往如意方面想，說不定也許會出現一場「胡適作老板，雷震當經理」的舞台鬧劇呢？這並非純是非非之想，在當時那種天翻地覆的局面下，誰又敢說沒有這種可能出現。警覺聰明的雷震，便押的是這個寶了。

那知雜誌還未出刊，而局勢就已穩定，構想中的「自由中國運動」隨之烟消霧散，不再有人提起，雜誌是十一月二十日出刊的，剛剛出了一百天整，也就是三十九年的三月一日，蔣總統復職了，於是局勢完全改觀，就反共的陣營來講，當然是再好沒有的事了，但夾在中間的雷震，可就苦了，想像中可以發揮無限作用的「自由中國」，這時完全落空，而眞成了一個不折不扣的小雜誌了。並且騎虎難下，還不能不硬着頭皮辦下去。早知如此，雷氏又何必多此一舉。

不過，雷氏是能幹人，「自由中國」沒有大用，小用還是有的，拿着這個雜誌來「以文會友」，也一樣可以產生聯絡政學兩界知名人士，而造成自己的政治資本。這一作法正是當年雷氏在政協時代的拿手好戲，今日再作馮婦，又何不可。假如要這樣一廂情願的作下去，雷氏本人自然身價大增，入閣有望。至少雷氏會在政府與學人之間，建造一座好橋樑，使各方面同受其益。但不幸由於機緣的不巧，竟向相反的方面發展。這實在政治藝術的失敗。而這一失敗，雷氏和政府都要負其責任。

女詞人李清照

・吳錦雲・

李清照（一〇八四——？）一個宋代的女文學家，建立她的聲名在她所作的「漱玉詞」上，她的詩，四六雜文都不見得好，如果說在她的詞外還應該有好的文學作品，那便是她的自叙傳金石錄後序。這篇是極眞率的叙述，令人讀時爲她生出許多悵惘的同情。更給人以方便的，便是她這篇文可以幫助人對於她的詞有更深的了解。我從她的藝術特點，又從她的詞和金石錄後序上看出她的性格。

先說她的性格，我覺得她是能從痛苦中體會到快樂的，她是有積極性的，雖然在她的詞裏一大半說的是哀傷的話，但我却從哀傷的話中看出她對於她的愛人的戀慕，只要她的愛人遠別歸來，這哀傷便立刻化爲喜悅，可見她的哀傷並非質地如此，只是偶然的現象，再明白地說，她的詞中找不出一句消極的話，只是祈求的戀愛，而沒有拒絕人間快樂的表現。況且，像她這樣性情豪爽的人，那會有愁悶？像她這樣幸福，能得着趙明德，文學上的同志，做她終身的伴侶，更那會有深灰的色彩表現在她的詞裏呢？我所見到的她的性格是如此，今且將她的作品來證明，她和她的愛人可以說是患難的伴侶，他們都是愛讀書的，趙先家貧時連當衣服都要買書來看，後來她丈夫做官，書便買得愈多，他們倆便終日坐在歸來堂裡看書，共同校勘，一直要弄到深夜方罷。像他們這樣的結合，眞是令人妒忌而且羨慕，他們愛情的熱度也就可以推想而知了，在她的詞中，大半是戀詩，因丈夫遠出連頭都懶得梳了，眞如詩經上說，「自伯之東，首如飛蓬」啊！我們看，她的詞中有三處說到她懶得梳頭：閨情云：「起來慵自梳頭；」春暮云：「髻子傷春慵更梳。」春晚云：「日晚倦梳頭。」

至於她性情的豪爽，我們從她自敘傳裡也可以看到，以一個身體孱弱的女子，竟能隻身奔波，到處爲家，眞可佩服！她自丈夫死後，到處避難，時而到剡，時而到杭，以及台、睦、過越、黃巖、章安：都不以爲苦。從她的詞又知道她愛飲酒的：春情云，「扶頭酒醒，別是滋味；」「沈醉不知歸路；」酒興之二云，「濃睡不消殘酒；」九日云，「東籬把酒黃昏後；」春暮云，「愁濃酒惱？」離情云，「酒意詩情誰與共；」鷓鴣天云，「酒闌更喜團茶苦；」漁家傲云，「莫辭醉；」玉樓春云，「要來小酌便來休；」慶清朝慢云，「金尊倒」。

她曾作過詞論，對於蘇、黃等詞人，都加了譏評，她說：「柳屯田永，變舊聲作新聲，出樂章集，大得聲稱於世，雖協音律，而詞語塵下，又有張子野、宋子京兄弟、沈唐、元絳、晁次膺輩繼出，雖時時有妙語，而破碎何足名家。至晏元獻、歐陽永叔、蘇子瞻、學際天人，所爲小歌詞，直如酌蠡水於大海，然皆句讀不葺之詩耳。又往往不協音律。……王介甫、曾子固文章似西漢，若作小歌詞，則人必絕倒，不可讀也。乃知詞別是一家，知之者少，後晏叔原、賀方回、黃魯直出，始能知之。而晏苦無鋪叙，賀苦少典重，秦少游專主情致而少故實，黃即尚故實而多疵病。譬如良玉有瑕，價自減半矣。」她這段批評，雖未能盡値，但以詞的傳統性格和詞的正宗的立場看來，她這些話是自有理由的了。她是以白描的手法，平淺的字句，表現歡樂或是哀苦的情感，而達到清空靈妙的境界。她自己精通音律，又是最瞭解艱苦，因此發出可貴的批評。她重視音律，鍛鍊字句，在風格上，她是要屬於秦周這一個範圍的，但她有秦觀的細微婉約，却無他的淺露，有周邦彥的工力，却沒有他那種詳贍的鋪叙，和露骨的雕琢，換言之，她的詞富于性情與生命的表現，在這一點，她接近李後主與晏幾道。因此她個人生活境遇的變化，在她作品中反映出來明顯的情調。她的生活，可分爲新婚的幸福；別離的輕愁，和寡居流浪的悲苦的三個階段的。她的作品，也現出這三階段的風格。第一期是熱情浪漫活潑天眞。第二期是纏綿婉轉，失去前期的香艷，而入於傷感。第三期的是嚴肅與淒苦，而入於深沉的憂鬱，造成她在藝術上最高成就。

「晚來一陣風兼雨，洗盡炎光，理罷笙簧，却對菱花淡淡粧。絳綃縷薄冰肌瑩，雪膩酥香，笑語檀郎，今夜紗櫥枕簟涼。」（采桑子）

「繡幕芙蓉一笑開，斜偎寶鴨襯香腮，眼波才動被人猜。一面風情深有韻，半箋嬌恨寄幽懷。月移花影約重來。」（浣溪沙）

「淚濕羅衣脂粉滿，四疊陽關，唱到千千遍。人道山長山又斷，瀟瀟微雨聞孤館。惜別傷離方寸亂，忘了臨行，酒盞深和淺。好把音書憑過雁，東萊不似蓬萊遠。」（蝶戀花）

「薄霧濃雲愁永晝，瑞腦噴金獸。佳節又重陽，玉枕紗廚，半夜涼初透。東籬把酒黃昏後，有暗香盈袖，莫道不消魂，簾捲西風，人比黃花瘦。」（醉花陰）

「風住塵香花已盡，日晚倦梳頭。物是人非事事休。欲語淚先流。聞說雙溪春尚好，也擬汎輕舟，又恐雙溪舴艋舟，載不動許多愁。」（武陵春）

「尋尋覓覓，冷冷清清，淒淒慘慘戚戚。乍暖還寒時候，最難將息。三杯兩盞淡酒，怎敵他晚來風急。雁過也，正傷心，却是舊相識。滿地黃花堆積。憔悴損如今有誰堪摘，守着窗兒，獨自怎生得黑。梧桐更兼細雨，到黃昏點點滴滴。這次第，怎一個愁字了得。」（聲聲慢）

現在再說她的藝術特點。岑嘉州善寫沙場，陶淵明善寫菊花，李清照却善用一「誰」字。好的詞總是婉委一曲折的，而誰字正是一個轉折的字，所以她極愛用這個字了。她的詞也更加柔婉了。她用這字的地位也不大變，大都是放在前半闋倒數第三句上。例如：

「紅藕香殘玉簟秋，輕解羅裳，獨上蘭舟。雲中「誰」寄錦書來？雁字回時，月滿西樓。」——一剪梅

「夢斷漏悄，愁濃酒惱，寶枕生寒，翠屏向曉。門外「誰」掃殘紅？夜來風——」春暮

「帝里春晚，重門深院，草綠階前，暮天雁斷，樓上遠信「誰」傳？恨綿綿！——」春暮之二

「暖雨和風初破凍，柳眼梅腮，已覺春心動。酒意詩情「誰」與共？淚融殘粉花鈿重——」離情

「庭院深深深幾許，雲窗霧閣春遲，爲「誰」憔悴損芳姿？夜來清夢好，應是發南枝——」臨江仙

此外她的詞中我最愛：「昨夜雨疏風驟，濃睡不消殘酒。試問捲簾人，却道：「海棠依舊！」知否，知否，應是綠肥紅瘦？」在這樣短的一首詞裡，便能寫出一件故事，秋情一的十四疊字，有八字「淒淒慘慘戚戚」都是雙聲，宛如雨聲，我也極喜愛。春暮之三

極嫵媚，也是她眞的表現。又如夢令直是白話：

「誰伴明窗獨坐？我共影兒兩個，燈盡欲眠時，影也把人拋躱。無那，無那！好個淒涼的我！」

最後，我還要一提她的改嫁問題，前人說她在丈夫死後的晚年，改嫁張汝舟的事。於是許多衛道先生的僞善者認爲是李清照的私人道德的缺點。到了近代有俞理英、陸心源、李慈銘諸人對她的考證，加以詳細的證明這件事完全是假的。本來一個女人死了丈夫，同另一男人結婚，這是光明正大的合理行爲，對於她一點沒有羞恥，於她的人品和藝術價值絕無半點影響。如果本無其事，而人定要虛設一件事陷害她，那就不得不加以辯護了。（完）

文滙樓別記

陶希聖扮演魯仲連

青年黨的團結工作，形成爲演戲的人不急，看戲的急，尤其爲排名之爭，眞如莎士比亞劇中的：「老年人是第二次的兒童」。

本報文匯樓別記於六月四日以「青年黨排名起波瀾」爲題，對該黨的團結經緯，利害得失，知無不言，言無不盡，文字之間容或有開罪人的地方，可是，我們立論的動機是坦誠而善良的，所謂「望之也切，責之也殷」，青年黨有兩位飽學高齡長者看到這篇文章後說：「總統蔣公如果看到自由報『青年黨排名起波瀾』一文，可能會很生氣，國事到這個地步，爲了排名的先後都不肯讓一步，還成話嗎？兩位長者又很肯定的接着說：「但從今天起，青年黨的僵局打開了，青年黨的團結有望了」，青年黨的台柱之一，學人王嵐僧謂：「文匯樓主筆調太尖刻了一點。」——前東海大學校長曾約農。大法官黃亮、政論家爾錫慧、醫學博士林谷晉（在美執業）。師大文學院長沙學浚、政論家梁與操、文學家熊式一、老子權威張起鈞、中興大學教授郭垣等，都是經常讚讚文匯樓的看法。

言歸正傳，中央評議委員陶希聖先生，久不出馬協調各黨派糾紛，於日昨，根據香港自由報文匯樓別記：「青年黨排名起波瀾」所指各點，坦誠而直率的寫一封信給余家菊，並電話陳啓天，說明調處意見，大意歸納：

一、中國青年黨排名平常仍以年齡爲序，即左舜生、陳啓天、李璜、余家菊。

二、中國青年黨對外以筆劃爲序，即左舜生、李璜、余家菊、陳啓天。

三、中國青年黨代表大會選舉後，以值班爲先。

扯了很久的青年黨排名問題，就此可望告一段落。左舜生和李璜的姍姍來遲，證明其中還有許多不成爲問題的問題。陶希聖學驗兩豐，縱橫有術，這次毅然介入協調不管是奉有上命，或出自三黃關係，（陶希聖、陳啓天、余家菊，都是湖北省黃坡縣人）出手就看出招數，實在不平凡。但青年黨的團結工作，排名祇是序幕，任重，道又遠，後面當然還有好戲，各方有關學習政治行情者的看法，扮演魯仲連角色非陶莫屬，不過調處黨爭，陶亦確爲斷輪老手。俗語：「人無十全樹無九枝」，友黨人士亦有怕陶的，樓主因業務關係，接觸的人還要多，他們認爲有甚多招數，常使人受不了，其實是見仁見智，所謂越幫越忙者，因自己黨的本身不健全，又怎能怪陶先生呢？

這次，陶希聖帶來的腹稿，很切實而且公正，以年齡爲序固由左舜生帶頭，以筆劃爲序仍爲左舜生帶頭，左舜生是名學人，做青年黨的黨揆，一般的看法都認爲順理成章，因他有高雅的風度，象徵着豐富的涵養。中國青年黨在台灣的黨員，林林總總計有五萬人以上，人多口雜自古皆然，有一次當樓主稱讚左家四爹（湖南人對左尊稱四爹），往日的過關斬將時，一位資深的青年黨員哼出蘇東坡的詩：「橫看成嶺側成峯，遠近高低各不同，不識廬山眞面目，只緣身在此山中。」絃外之音，山是靜物，遠近高低，橫看側看都難得其眞，有人比看山困難，人的眞假虛實，隱現多方，又怎能判斷一個人絕對的好，或絕對不好呢？

・文匯樓主・

瀛海叙舊

（十一）

現代語怪（上）

林公偉

「十年生死兩茫茫，不思量，自難忘，千里孤墳，無處話淒涼。縱使相逢應不識，塵滿面，鬢如霜！」——東坡詞

科學的進展，已使人類知識的領域，遠過於曩昔。但仍有無從實證者，在未得解答前，歐美均稱其爲靈學。

十年前，一個春雨黃昏，友人在陽明山上襄助訓練工作以吉普車下山回家，剛過半山，那時文化學院還未招生，雨天遊客寥落。駕駛員忽然眼前一亮，有位着紅毛衫外加紅雨披的女郎，正在熱切招手，希望搭車。駕駛員報告後，隨將車靠路邊，友人只好坐到後廂，讓前廂座位給這位不相識的女客。駕駛員年方少壯，頗以得鄰座爲幸，大獻殷勤，及女客在中山北路美爾廉門口下車，替她披上雨衣，還一再詢問住址，女客告以離此不遠，無勞相送，留一個電話號碼四〇〇八八給他。駕駛員送友人回家後，過兩天恰好星期日休假，他赴理髮店整容後，就在美爾廉附近找一個公共電話亭，給女客電話。對方問他找那一房間，他不悉；問女主姓名，他又不悉，他自覺靦覥。幸好對方倒很客氣，請他不妨自己登門，就在南京東路一段××號。

他高高興興地按號找去，原來是某某殯儀館，心頭一驚。但既已到此，倒要一窮根柢。入內細訪女櫬停靈處，果然案上供的照片，正是那天搭車的芳容，駕駛不禁悽惑，購了香燭，虔誠拜了幾拜，館中天天有死者親屬祭弔，自然無人來問訊。

駕駛回去後大病了幾個月，友人詢悉原委，乾脆送他到機車部隊受訓，大概陽氣盛，居然漸漸病好了。

丁作韶傅作義勸政殿晤談

巨變歷險記！

（四四）　　胡慶春

民國三十八年一月十七日下午，丁作韶與傅作義在北平勤政殿的第一度的晤談，並沒有產生什麼效果，但對於當前的情況有進一步的了解。傅作義在竭力的表明沒有力量足以與共黨對抗。他打開地圖給丁作韶看，華北云云，華北還剩下什麼？過去除了「面」被共黨佔去，但「線」和點總還有一些。但天津被圍後，僅餘的線也沒有了。天津淪落後，「點」也沒有了，有之，那就只有北平了！過去林彪的部隊在包圍天津，現在可轉過來包圍北平。原來他已經沒有辦法突出重圍，現在那裡有辦法。管下，大有楚霸王困守垓下，四面楚歌之感。言下不勝唏噓！

傅作義說：天津與北平唇齒相依，他怎能不知道，天津被包圍之後：他不是不想援助，不是不想解天津之圍，豈奈已無以自保，更那裏有力量去援助天津，眼看着天津被包圍，眼看着天津淪落，其內心之焦灼，真難以言宣。

在天津沒有陷落之前，傅作義對於前途，還存有希望。迨天津陷落，這點希望又幻滅了。在天津被包圍的時候，北平雖無力去應援，但總可以自保，北平所感受的壓力不太重，迨天津陷落，林彪全部的壓力都放在北平身上，北平更無以突破重圍了。

對於天津的英勇抵抗，對於五代表的奔走勞碌，傅作義表面很大的慰勞，很大的激賞，連說：「不易！不易！」

對於繼續抵抗，在天津陷落之後，傅作義已失掉信心。他說：「北平已成了孤島」。這個孤立的局面，怎樣能打。這是當前的問題。在傅作義看，只有一個方法，那就是中央派大軍前來。但他又說：「已有的，他都已經撤了，怎敢再希望他再派兵來。戰吧？傅作義說：「這與大局無益了，而與北平百姓有損，至於古代建築，歷史文化之毀滅，尤為不可補償之損失」。

丁作韶在會談中間隨時勸導傅作義仍以大局為重，在中央領導之下，繼續抵抗。傅作義不說不抵抗，但實際上就是不抵抗。北門城門大開，意義表現的已經夠清楚了。

丁作韶同傅作義會談不止一次，還有第二次。這是在卅八年一月的二十日。到了這個時候，傅作義不再抵抗的情形已經萬分清楚。現在傅作義的丁作，是在搬家，準備歡迎共產黨從進來。一進中南海，就看見從勤政殿向外邊搬東西。除了搬家的車輛，整個的北平還是關門指揚的狀態中。現在就是等着共產黨進來了。共產黨進不進來？什麼時候進來？如何進來？進來以後怎樣？……就成了大家心目中的問題。傅作義以華北剿匪總司令，以華北王，落到現在的這步田地，其處境也夠慘的了。北平不久又就換朝了，能無今昔之感……

這一代青年人的苦悶（上）

──「又見棕櫚，又見棕櫚」讀後感──

・汪慧雙・

一個人活在世界上，總是不斷地在追求着他所想要得到的東西：學識、事業、幸福、名利、以及無數的理想和夢幻的實現。但是，有的得到了，有的却一無所獲，然而，無論要想獲得什麼，都是要以別的代價來交換的；在某一方面有所得，定會在另一方面有所失。這就是我們無法使這個世界成為十全十美的地方。

這一代的青年人，所最嚮往的目標是什麼？出國，到太平洋彼岸的金元國度裡去留學、深造，明知那是要以很大的代價為交換，即使是要忍受那無窮無盡的孤寂，也還是要去。這是一個很現實的問題，在於梨華的「又見棕櫚，又見棕櫚」一書中，主男年天磊對於自己為何要出國？又為何遲遲不回台灣的心理，有過這樣的剖析：「當時自己出國的目的是什麼呢？還是沒有目的，口因為大家畢了業都出國，出國就成了一種時髦？」「許多人問過他同樣的問題：『你怎麼不回台灣去？』可是問過他最多次的還是他自己。為什麼？沒有任何理由，唯一的，最不能叫人諒解，但也許最能使人了解的一個答案，就是：『大家都不回去，我也不。』就像好多年之前，他曾私下問過他自己為什麼他要出國？而他的答案是『大家都出國了，我也去。』一樣的簡單而又不簡單。還有一點就是他連自己不敢也不願承認的：「虛榮。因為出國及留在國外一樣的是件令人──至少在台灣的人──羨慕的事，而『令人羨慕』是最能滿足自己的虛榮心。即使要付出很大的代價，守住很深的寂寞都願意。」這幾段話對於當今在台灣的人，不論男女、青年、家長，都覺得不管學的是什麼，唯一的希望是留美的心理，做了很適切的註腳。

當今青年所處的時代，誠然是個苦悶的時代。一般青年，不甘侷促在這狹小的生活範圍中，都想掙扎出這平凡的生活模子，出去看看廣大的世界，於是有能力的人出國了，出不去的，就只有苦悶地繼續掙扎，仍企望着能脫離這個圈子；但是出去了的人，比沒有出去的人更苦悶，剛去時，學業、前途兩茫茫，經過了幾番奮鬥，隱忍了多少痛苦和辛酸，終於學有所成，開始在異域他鄉建立自己的事業。然而根據「又見棕櫚」書中天磊的說法：他們是「沒有根的一代」，這種「沒有根」的感覺，是在事業上沒有根的感覺，大陸淪陷，台灣局面太小，美國又不是自己國家，做了番事業，除名利之外，別無所得。

「在美國時，參加美國人的宴會或是和幾個美國朋友一起玩，他總覺他自己是陌生人，局外人，不屬於他們的國家、他們的團體、以及他們的歡笑的圈外人」。於是「在國外的寂寞，『無根』的寂寞中，祖國已不是個整體的實質，而是一個抽象的，想起來的時候心裏充滿着哀傷又喜歡的鄉思的一種凌空的夢境。」由於祖國已變成了一個沒有實質而僅有回憶的夢境，正如天磊所說的，那些留在美國沒有根的人「更習慣了生活中帶那麼一點懷鄉的思念」和抱着不時回國的「快樂希望」。他的比沒有出成國的人更煩惱：

「那是一種達到目的之後，發現完全不是那麼回事的幻滅的煩惱。也許那些同儕們在心理羨慕他的衣錦榮歸，他的博士及他的成就；可是誰能猜測到這些是支付了他全部的青春活力去換來，而活力與夢想支付出去之後，雖然換來了這些只能給與安全而不能給與快樂的榮耀，而他所感覺到的只是一個空字呢？」在美國時，想回國是一個快樂的希望，希望回到有親人的地方，回到自己成長起來的地方，然而，一旦回來之後，也覺得不是那麼回事，「最苦的，回來之後，覺得自己仍是一個容人，並不屬於這個地方。」這是天磊對他的老師邱尚峯先生所說的話，話中含有多少苦悶！這雖道不是苦悶的「一代嗎？

「又見棕櫚」一書的主題，在說明中國留學生在美國的生活情形，及他們在精神上的空虛、寂寞和苦悶。這是一則不太溫馨而又充分象徵時代苦悶的愛戀故事。敘述一個留美學生年天磊去國十年，得到了他出國時所希望得的一切：學成、業就，以及由通信建立起感情的女友意珊。如今衣錦榮歸，在親人的愛護關注中，他不時回想起在美國獨自奮鬥時的痛苦經驗，學成業就後的依然空虛、寂寞；回想到他的初戀──大學時代與眉立的戀愛，出國後，眉立他嫁，而他在更強更深的失意、寂寞中，與意珊通信，她的信給了他一種生活的目的，一種前看的希望；但是千里外的感情，並不能慰藉，補於精神生活上的空虛。那一段愛戀事件也就結束了。天磊拿到博士學位，回台灣後，又面臨着女友意珊和老師邱尚峯兩人對他提出要求以後，他自己應作的抉擇。意珊希望和他一起去美國，而邱先生希望他留下來做些事。他自己也想留下來一段時期，也有這種意願；但意珊的一份突變，幾年的通訊所培養下來的感情，最後還是經他妹妹天美的鼓勵，決意留下來，同時爭取意珊對他的諒解。（未完）

催眠術研究（五）

鮑紹洲

五十七、選擇催眠法的注意

催眠術漫談已經寫了五十幾種，以上都是對人的催眠方法。現在應該談到催眠方法的選擇及其注意的各點，然後再繼續談對動物的催眠術。

催眠的種類數十種之多，其中何種為適宜，應該注意些什麼，這是催眠術上最重要的。諺云：「因人說法」而催眠也一樣，因其人之不同，方法也各異。性有好惡，有好酒而惡餌的，有好餌而惡酒的，有好西餐而不喜歡中餐的，有喜中餐而惡西餐的。故催眠法也因人而有宜與不宜。有獻辣椒於客而客喜的，所以有客必捧出辣椒，以為客人都喜歡辣椒，這就是不因人而異。如以催眠的撫下法與語言法各併用之，即收大效，但此法未必人人有效；所以不能夠固執一端而用之，應有所變通。但在未施術之前，考慮此人應施什麼方法為宜，所以選擇便因是而生。選定的方法有三，茲舉例如下：

（一）依被術人身體的強弱而定：身體虛弱，務用心理的催眠法，而生理的催眠必須避免，以使被術人安靜而徐徐催眠。身體強壯的人，心理的催眠固應施行，而生理中急劇催眠亦必須強施之。例如身體柔弱的人，施以算息法、觀念法、或下撫法與語言法之類，不用強觸即可。如施於身體強健的人，而行強壓法、或硬撇法，最為適合，而無妨害其身心。因為身體強健而能禦抗。（一一）

腦充血與失眠症

生活漫談

馬騰雲

嗜酒的人容易患腦充血，肥胖的人容易患腦充血。嗜酒的人下酒要吃好菜，肥胖的因素也是起自吃得好，雞鴨魚肉，山珍海味，所得的營養，又都是脂肪和生血的成份佔多，脂肪多餘了自然肥胖，血多餘了，壓力會增高，血壓高時血管漸滿，因血管滿自然變硬才能防止破裂，血管到了既滿又硬的程度，一旦遇到刺激，使血的壓力再增高，就難免不裂開，尤其腦血管最容易出毛病。

試統計，苦力和窮人中，得腦充血的比較少，有人說這是上帝的公平，富人的驕奢淫逸，腦滿腸肥，由高血壓，糖脂病，失眠症，中風，腎虧等病魔，陪伴富人度日子；窮人的滋補沒有，營養不足，根本就不可能得上列的一些毛病，否則富人估盡了便宜，窮人吃盡了虧，舊時有「無私乃天道，不役是人倫」，我們欲防止高血壓，糖尿病，失眠症，中風腎虧等病，最好的藥劑就是粗菜淡飯向窮人看齊。

在台灣患失眠症的人特別多，我們稱它為「時代病」，這種時代病並非富人專利，窮人照得不誤，很多文人，公務員患失眠症的人也相當多，西醫診失眠採用鎮靜劑，而鎮靜劑一般的說都含醉成份，著者於民國三十五年內曾患此症，經正式醫生指導，服安眠藥，由一粒到四粒，平常服八粒就可以將人帶到旅途終點站，四粒與八粒，只五十步笑百步而已，後經至友楊幹才將軍傳授精神療法，經試用果驗，益信「三人行必有吾師」的話，有其不可抹滅的至理。

第一：吃晚飯後步行一華里，入睡前溫水洗腳。自己將手足多按摩。第二：睡前吃一小杯高粱酒，及食易於消化的點心少許。第三：睡眠時寧可以受涼，不要受熱，不在腦子裏檢討事情，不胡思亂想，這三點做到而行，人人能做，關於「三千步」曾國藩有「飯後三千步」的習慣，可能是一華里，第二點入睡前吃點心可促進血液集中胃部，使還在腦子裡的血液減少，就容易入睡，小小的酒可以催眠，第三俄國人發明的睡眠法，涼快就是催眠方法之一，我們看到鄉間老農常在柳蔭下涼風徐徐，呼呼入睡，很符合涼爽催眠的道理。

真正的因病不能安眠需要延醫診斷，楊幹才將軍介紹的精神療法，頗有參考價值，患失眠症的朋友，不妨試試，惟安眠藥少用為宜，寫到這裡順便介紹一兩種與睡眠有關的中藥，用淡竹葉十公分煎茶常飲可療失眠，胡桃仁為補和滋強壯藥，其成份含有鉀、錳、鐵，及磷酸鈣有健腦作用，另外用茯苓十公分煎汁當茶飲用，也有鎮靜及催眠，中藥的長處，藥性王道，也無習慣性。

自由報

中華民國內政部登記證內警台報字第○三一一號
中華民國僑務委員會登記證僑台報字第二二三號
中國郵政台字第一二八二號執照登記爲第一類新聞紙

（第九七二期）

（半週刊每星期三、六出版）
每份港幣壹角，台灣零售價新台幣貳元
社長李運鵬・督印黃行奮
社址：香港九龍彌敦道593—601號
廖創興銀行大廈八樓五座
LIU CHONG HING BUILDING
7th FLOOR FLAT 5
593—601 NATHAN ROAD,
KOWLOON, H.K.
TEL: K303831
電報掛號：7191
承印：景星印刷公司
地址：嘉咸街廿九號地下
台灣總管理處：台北市大同街119號
台灣區直接訂戶　台郵劃撥戶
第五○五六號張萬有（自由報會計室）
電話：七一四○三三、五五五三九五
台灣分社：台北市西寧南路110號二樓
電話：三三○三四六，台郵劃撥戶九二五二號

海闊天空的一縷煤烟（中）

司馬霜

「以上事實昭在，何容狡辯？趙友培我懷疑他是個中性人，男子大丈夫應有個担當的氣概，要殺頭從容的上法場，黑與白是不可混淆的，女子亦有貞信的行爲，胡說八道是不行的！所以我假定他是一個中性人！」

我很審慎的閱讀何南史先生的這封信，再看看趙友培先生的「從何說起」，以及這篇「海闊天空」的扣紅帽子的作風，完全一致，再想想趙友培先生當時忿恨「中華」、「陽明」等雜誌的嚴厲批評文化漢奸，曾在有關方面多方運用封閉（停刊一年也好）的情形，史紫忱先生曾有多項證據，其中有一項還是從有關方面主管人處聽到的。又饒之趙友培先生的爲文和講話，多以依附權勢爲得計的品質，何南史先生親身經歷又親筆寫出的事實，是可信的，他再狡辯和再運用人事關係取得「正式復函」，亦屬於事後的掩飾！須知在當時，經過何南史先生長時間辯論的事情，當然印象極爲深刻！正如陳文華先生所說的：「趙友培先生連這種鐵一般的事實都敢否認，還有什麼事情不能否認？」我想，趙友培先生如果稍有一點讀書人的良心，便可以休矣，不必狡辯了！

四、「一片丹心」怎麼置於文化漢奸的懷抱？

趙友培先生說：「我雖滿頭白髮，猶有一片丹心……在這個大時代中，個人算不了什麼，只有國家民族的安危存亡不能不問。」看看這些話，好像趙友培先生也是一個愛國份子了！但爲什麼庇護文化漢奸梁容若呢？

從我手頭的資料中，可以知道他們有如下的關係：

①當民國五十一年八、九月間，趙友培先生爲初中聯考國文命題：「假如電影院像教室一樣」，被萬人唾罵，被報紙出專刊痛斥的時候，梁容若首先響應趙友培先生的命題是對的，並且還撰寫一篇「假如電影院像教室一樣」，發表在聯合報副刊上，後又爲趙友培先生發行的「中國語文」月刊，作爲「範文選例之一」而轉載。

②文化漢奸得獎案發生後趙滋蕃先生在中副發表「評文學十家傳」，趙友培先生內親劉中和先生撰寫反駁的文章由中副發表，趙友培先生運用關係令中副不再發表此類文章。正面庇護文化漢奸。

③梁容若出版「大度山雜話」，大事宣揚漢奸理論合理化的時候，趙友培先生也認爲文化漢奸要勝利了，才趕着在「作品」第六期上發表「從何說起」，標明「塵埃落地」而爲文化漢奸梁容若助勢。

④文化漢奸梁容若見到趙友培先生的「從何說起」，在台中市馬上翻印，到處散發，以表示他和趙友培先生是一體的。

文化漢奸梁容若這樣的依附趙友培先生，藉以宣揚漢奸理論合理化，趙友培先生報以不顧一切的庇護，他們兩個的關係，除了上面所列舉的屬於趙一體的活動外，究竟還有什麼特別的關係和活動，也不必深究了。只是趙友培先生自詡「只有國家民族的安危存亡不能不問」。爲什麼贊成、鼓勵文化漢奸？而與文化漢奸結合在一起，試問置國家民族於何地？趙友培先生又自詡「猶有一片丹心」，證之他的所作所爲，是他自己把「一片丹心」置於文化漢奸的懷抱，試問：這樣的「一片丹心」會變成什麼樣子？

五、關於「倖進」的問題

趙友培先生說：「我從三十八年五月一直做到四十四年七月，早在師院就做了六年以上副教授，加上中央，政校二年就做了八年副教授，才升任教授。我對這件事不但不介意，而且引爲自慰，因爲我是一步一步踏入學術界的，沒有　等，沒有倖進。」

本來，他自己說他的經歷，可以不必注意，但他特別炫耀他的進入學術界，沒有倖進，則不得不注意！因爲學術界都認爲他是倖進的！試想「趙友培賴以升任教授之著作『鑰匙字研究』一書，錯誤之多，堪稱儒林之冠。」許逖先生爲證明這個「語文專家」是「不通專家」，特別撰寫「評語文專家趙友培的『鑰匙字之研究』」，發表於「陽明」第二十八期，其內容的綱要爲：「一、書名不通……二、不通文學……三、不通辭語……四、不懂注音符號……五、亂用英文……六、矛盾百出……七、文句不通……八、其它……」文長一萬數千字，不便徵引，可閱讀原文，便知道許逖先生批評的正確。因爲許逖先生的這篇評論發表之後，在台灣的文字學權威和眞正懂得語文的幾位先生，也都認爲凡所指摘的錯誤，都是應當提出的。所以說，趙友培先生的「鑰匙字研究」是一本「錯誤百出」、「極端不通」，爲學術界，所不齒的書。

趙友培先生以這樣的著作，能升任教授，能通過教授升等審議，其中定有隱情。這不是「倖進」是什麼？

六、關於語譯正氣歌

趙友培先生說：「三十八年冬天，時局黯淡……我首先想譯文天祥的正氣歌，因爲有上述的時代背景，我才能更深切地體驗到它是血淚凝成的『人間至文』。而我屢次朗誦譯文時，在精神上皆能與原作者溝通，有很好的效果。翻譯文學作品本來很難，譯詩更難，這是一種再創作，而非逐字逐句對譯。……最近，我重刊二十年前譯文（見青年活頁文選第十八期），是優是劣，讀者自有公論（參看中國語文月刊二十三卷一期賀亭先生對趙譯「正氣歌」的分析一文）……」

一個知識份子最重要的，是有學術良心，能在眞理之前，認識自己，凡作主張，正確固好，如有錯誤，便要勇於改過。所謂「過而能改，善莫大焉」，就是鼓勵人們改過的意思。乃有趙友培先生者，將文天祥的正氣歌翻譯的一塌糊塗，「荒唐幼稚，眞可謂遠出常情之外」。有人批評他，指出他的錯誤，而且是公認的錯誤，他還要在自己發行的刊物上，找人替他吹噓！並且舉出他翻譯「正氣歌」，是在三十八年冬天，由於時局逆轉，才體驗到它是「人間的至文」，加以翻譯。好像舉出時代背景，便可原諒他的錯誤一樣。這種不承認錯誤，這種狡辯，實在不値識者一笑！他究竟怎樣的錯誤，許逖先生曾說「綜觀趙譯，無一句無一字不錯，由此證明文言文對他來說，的確是希臘文。雖然我們知道，他是『抱定必死的決心動手譯正氣歌的。』（見趙著文藝論衡頁五三）他是想把「古人的詩句，從我的肺腑中流出，化爲現代的語言。」可是我們無法不肯定這種『譯作』是藐瀆的文字遊戲，它不僅對正氣歌是汚衊，而且也是中國知識界的羞辱。」現在，僅舉出「正氣歌」第一句，和趙友培先生翻譯，「是優是劣」請「讀者」一「公論」：

正氣歌：「天地有正氣，雜然賦流形；」

趙譯：「浩然的正氣，充實了宇宙的生命」。

逖案：「『流形』出易乾卦彖傳的『品物流形』，其意是乾道由雲行雨施的創生作用，而使衆物得流布成形，文山實以此爲根據，而認爲天地間所具有的正氣，多樣地賦予萬物以形象。他的本意是把創造萬物之氣稱爲正氣，河嶽星辰及人皆此正氣所造。此正氣的價值，須由人而顯，所以創造了人而人特能顯爲浩然之氣。趙……等對中國這套傳統的哲學觀點，一無所知那是不足深責的，但在文字上總要敷衍得下去。趙譯對於『天地』，『有』，『流形』等字樣，視而不睹，另外多出『浩然』、『宇宙』、『生命』等字樣。並將賦字未之前開的譯爲『充實』，事實上前兩句詩的下文明明有『於人曰浩然』句，意謂正氣賦於人時人可顯爲浩然，而賦於河嶽日星時，則並未說它能顯爲浩然。令趙不管三七二十一，統統『浩然』之。雖然頗費苦心，却正是眼大妄高。……」（未完）

昨日與明日

教育歧途

（編者按：本文作者王美惠現就讀師大，剖劃自己從小學到大學的學校生活所經過的酸辛，有給教育當局參考價值。）

今天國民知識、道德水準的低落爲大家所公認，而這一切都應歸咎於教育的失敗。在升學主義抬頭的今天，教育者一心只想把知識灌輸到學生的腦子裡，不管他們能否吸收，於是塡鴨式的教學成爲一貫方針，對於道德、處世做人根本不屑一談，尤其惡補更使人痛心。（政府雖明令不准惡補，但不准是一回事，事實又是一回事。）

摧殘學童

小學五年級起，每天早出晚歸，國語、算術裝滿小腦袋，回家還得在孤燈下寫一張又一張的試題，日復一日，終於配上了一付小眼鏡，吃著一瓶又一瓶的補藥，胖胖的神色不見了，有的是滿臉的菜色，等到熬出了頭，已變成少年老成，多麼地可悲！到初中稍有一段美好日子，跟著接二連三的復習考又來了，沉重的大書包，令人不勝負荷，在車上、桌上、床上一分一秒也不肯放過，盡是啃書本，沒有輕鬆的一天。進入高中，功課更重，加上校方爲了爭取高的升學率，又是埋頭瀾讀的一連串「烤」試，寶貴的青春時代，喪失殆盡。當今教育就是如此，這種教法？實在使人懷疑，徒然使教育程度更低落。可是當政者卻不聞不問。

教師不檢

「錢」眞是萬惡之源，它使人墮落，使人喪失廉恥，教師們賣命的惡補就是爲了「它」。每月搜括來的補習費爲數可觀，但卻有甚多不良的教師將「它」花在吃喝嫖賭上，教師上舞廳、進黃色咖啡館，酒家已不足爲奇。有些老師硬逼學生回家拿補習費，而爲人父母的只得把菜錢拿出，以解決子女的困擾。又有強迫學生買用不着的參考書，只因爲他可居中獲利，還有向學生推銷蜂蜜，雜誌的事，更有一位寶貝老師居然按交補習費的遲速排座位，遲交者只得坐最旁邊最後面的「特別座」！這一切、一切，顯示了教育的失敗，教師們可曾想到他們已在學生腦中灌輸了「錢」的毒素？我想今天社會上有那麼多的搶劫、貪汚，教師能說沒有責任嗎？

光明之路

綜觀今日的學校教育實在太糟，教育者的罪惡不小，然而其中亦不乏優良教師，不久前即有「好老師幫助學生成功」的新聞，我認爲對於優良教師應表彰，使人效法，對於行爲不檢的教師應永遠革除其爲人師表，在上者應樹立楷模，勿爲人情所縛，認眞執行，澄淸教育界的汚穢，如此方能有重見光明的日子。

王美惠

自由談

台灣最近發生的「剝蕉」案，鬧得轟轟烈烈，轟動中外視聽。我們因爲本案已移送法院究處，在偵查期間，是是非非皆不便有所置喙，以保持法曹行使職權的獨立精神。現在法院對於本案的起訴書公佈出來了，我們讀完之後，不妨略述一些觀感。

揭發本案的原始資料，就是高雄市青果運銷合作社廿週年成立紀念時，分別以金盤、金碗、金杯致送於各方有關人士！——特別是政府官員方面佔多數，認爲還有利用職務機會收受賄賂的貪汚嫌疑，非查究不可。現看法院的起訴書中，對於接受金質紀念品的官員和社團幹部人士，有的視爲貪汚瀆職行爲，有的認爲不構成貪瀆罪嫌，實令人發生迷惘心情，難以索解。

不平的觀感

問題的焦點在合作社致送紀念品是否觸犯賄賂罪？如果是的，那就不管他接受了五十兩的金盤、金碗也罷，接受了一兩或五錢的金杯也罷，厥罪唯均，無所軒輊，大官小吏一例究問，不能厚彼薄此，更不應捨豺狼而問狐狸。如果認爲社團普遍地對外致送廿週年成立紀念品，乃與一般爲着特定目的而問有關人士致送「紅包」的苞苴行爲有別，可在免究之列，則無論大官小吏皆屬無罪，庶幾符合情理法，表示公允。至於有些涉及利用職務機會而向青果合作社索取報酬的官吏，除却金盤金碗而外，證據孔多，似不必再加羅織，亦復罪無可逭了。

所以，我們覺得法曹對於接受金質紀念品這項行爲的認定上顯然有所歧異，在法律上頗滋疑問，若循此觀點以追究下去，豈得謂不？不特此也，那些因接受了輕微紀念品而被偵查訊問的官員，縱然不起訴，但其名譽亦已深受損害，而有些接受了更重量之金質紀念品的達官顯宦，却逍遙法外，無損毫毛，尤屬大大的不平之事，民衆的眼睛雪亮，絕對掩飾不住的！

法者，天下之平也，物不得其平則鳴，何況乎人。我們對於「剝蕉」案抱着不平的觀感者，如是而已。

馬五先生

美蘇與毛共核子戰爭的蠡測（上）

·高格·

提要： 本年三月初自蘇俄與毛共在烏蘇里江之珍寶島上發生邊界武裝衝突以還，先是美國五角大廈於三月十一日發表聲明，謂「美國具有強大核子戰力，足可完全摧毀中共政權。」接着蘇俄於三月二十日，亦借「衛報」向毛共提出嚴重警告，謂「將用核子武器報復」。

茲先摘錄外電報導此一消息之原文如次：

①（中央社華盛頓三月十一日合衆國際電）一位著名的美國太空科學家今天說，如果北平一旦向美國發動核子攻擊，美國所擁有之核子能力，可以完全摧毀中共。

赫茲費德博士告訴衆議院外交委員會的國家安全政策及科學發展小組委員會說：『我們擁有可以完全毀滅中共的核子力量。』

赫茲費德曾于一九六五年至一九六七年間，担任美國國防部高深研究計劃局的局長。

今天在衆議院的這個小組委員會內，有議員問到：赫茲費德是否認爲中共可能以突然向美國發動攻擊的手法，掀起蘇俄和美國之間的核子戰爭。赫茲費德表示，這種情形不太可能會發生，因爲中共如此作爲，對它本身未必有好處。而美國也不會在查明攻擊來源之前，不分靑紅皂白地向蘇俄發動攻擊。

②（中央社莫斯科三月十九日合衆國際電）蘇俄今晚警告中共：『我們人民半世紀以來，手裏一直在握着槍械。』

蘇俄政府機關報「消息報」說：『我們已清楚了解東風帶給我們的東西：火藥味，及火燄的烟氣。』

該報評論員阿特洛夫談及最近與中共邊界衝突時寫道：『現在我們已不能再作旁觀者，至少我們應用憤怒的言[illegible]，憤怒的筆，撻伐中共。』他又說：『我們軍人的外衣，只有鐮刀和鐵鎚，而無槍的標誌，但我們的人民半世紀以來，手裡一直握着槍械。』

③（中央社倫敦三月二十日美聯電）「衛報」今天報導，莫斯科已向中共提出警告，如果發生嚴重的邊境衝突，它將作核子報復。

「衛報」共黨問題專家左除撰寫的一篇文章說，這項威脅是由莫斯科對中國大陸的廣播中宣佈的。

這篇文章說，莫斯科廣播電台曾譏諷毛澤東對蘇俄的軍事野心。……

在第一則報導中，顯示了美國的核子實力，足以摧毀毛共政權；在第二第三則報導中，則顯示了俄毛的決裂實情，及俄帝具有對毛共作核子報復的腹案。

然則，美蘇與毛共的核子戰備，其各別之實況如何？同時，是否眞如彼等所宣稱：一旦事態嚴重，眞的會用核子武器以從事作戰？這兩大問題，可以說是世人所深切關心的。爰特依據若干資料，寫成茲篇，以饗海內外讀者。

一、毛共的軍備及其核子試爆實況

（一）毛共的軍備

一九六八年毛共的國防預算爲七十五億美元，佔全年國民生產毛額的百分之十。三軍總人數爲兩百七十萬人。

毛共陸軍爲兩百五十萬人（另有預備役兩百五十萬人），區分爲四十個野戰軍，每軍轄三個步兵師。約有一百一十個步兵師及機化步兵師，四個裝甲師及一個空降師。所使用之武器則有各型步兵用輕武器，一五二糎及二○三糎火砲、一六○糎、六○糎、六二糎、一二二糎口徑迫擊砲、九○糎火箭發射器。T三五、T三四中型戰車，T五四、T五九重戰車，及各型裝甲車輛。

毛共的海軍人員爲十三萬六千人（內包括一萬五千海軍航空隊及兩萬八千陸戰隊）。海軍航空隊有以陸上爲基地的飛機五百架（無艦載飛機）。艦艇則有四艘驅逐艦，十一艘砲艦，三十四艘傳統動力潛艇，三艘傳統動力飛彈潛艇（由大連造船廠完工），二十八艘驅潛艦，一百五十八艘摩托巡邏艇，八十一艘江河砲艇，十九艘掃雷艇，六十艘登陸艦及四百三十艘輔助艦艇。

毛共空軍的兵力爲十萬人，已局部能自製各式飛機，然因燃料及零件的短缺，及其後勤問題，其實力仍不堪一擊。目前空軍共有飛機兩千五百架。其中包括：米格二十一有三十五架，一百架米格十九，五百架米格十七，一千架米格十五，三百架伊留申廿八輕噴射轟炸機，三百架TU2式轟炸機，十四架TU4式重轟炸機，LA9、LA11各一百五十架，三百架伊留申十二、十四、TU70運輸機，兩百架各型教練機，MI－1，MI－4直昇機，雅克十一、十八、十二教練機，及少數TU16噴射重轟炸機。所使用之飛彈則有SA－2型。

近年來毛共曾軍援北越、埃及、巴基斯坦、東埔寨等國。毛共的國防工業已可製造各式重武器，如飛機、戰車等。

除正規部隊外，有公安部隊二十五萬人。毛共的兵役法爲強制法，規定及齡男性必須在陸軍中服役三年，空軍四年，海軍五年。

（二）毛共曾作八次核子爆試

美國總統詹森於一九六四年十月十八日毛共第一次核試後說：「中共取得核子能力，對於其人民是一件浪費又殘酷的事情。中共如想以其一點起碼的核子力量，來和決心限制中共野心的國家那種強大核子武器，論斤較兩，將愚弄不了任何人。」

去年十二月十七日，毛共在新疆舉行了一次大氣層核子試爆，美國原子能委員會指稱，這是毛共第八次核子試爆，而毛共公開宣佈的，這却是第七次。

就人類遭受核子威脅的情況來說，去（五十七）年由於在聯合國主持下，簽訂了一「禁止核子武器擴散條約」，雖然這一條約的弱點很多，但總算在核子急驟競爭之下，爲世界帶來了一線和諧的遠景。不幸的，這一年中法國在南太平洋曾一連串舉行核試，毛共在年盡歲暮時，又插上一足。

毛共第八次的核試，是在鬨鬨鬥爭下的產品，要說明這一問題，還須追溯到第六次及第七核子試爆。

民國五十六年六月十七日，毛共舉行第六次核試。也就是氫彈首次試爆成功，這一成就，使歐美人士大爲震驚。毛共自五十三年十月十六日舉行第一次核試，到氫彈試爆，爲時僅兩年八個月，遠較美、俄、英三國所用的時間爲短，當時法國尚未能試爆氫彈（參閱附表），世界輿論在驚駭中，有意無意地給了毛共不少鼓勵，而毛共自己也就得意忘形，大吹大擂。

附表：由核爆到氫彈試爆時間概見表

區分	首次核爆時間	首次氫彈試爆時間	由核爆至氫彈試爆經過時間
美國	一九四五、七、十六	一九五二、一一、一	七年三個月又十六天
蘇俄	一九四九、八、二九	一九五三、八、一二	三年十一個月又十四天
英國	一九五二、一○、三	一九五七、五、十五	四年七個月又十二天
法國	一九六○、二、一三	一九六八、八、二四	八年六個月又十一天
毛共	一九六四、一○、一六	一九六七、六、一七	兩年八個月又一天

蔣副院長履新之後 政院人事仍有局部變動

青年黨爲入閣已展開爭奪戰 高玉樹與民社黨都是新問題

（本報通訊員柳一耀台北消息）政府新閣組成後，爲國內外注意的下一步棋，有人說除了外交部長魏道明立法行政部長查良鑑，係經　蔣總統嚴肅決定不致有何更動；僑務委員會長高信，亦因卓著勞績而予連任外；閣內政部長及政務委員等，尚待蔣副院長履新後才能作決定。

中國青年黨大團結成功，必有人入閣，目前青年黨內部爲此已開始爭奪戰，所謂「當仁不讓」是也，青年黨有人入閣，中國民社黨袖手旁觀又是一件不可能的事，再加上高玉樹調職的風風雨雨，都是新閣躊躇攷慮問題。

蔣經國先生主政，新贛南是第一階段，政通人和，生氣蓬勃，目前我們視之爲第二階段，第三階段的任務，是肩荷復國重負，完成時代使命、一切都得朝這目標着眼，國內外咸希望蔣氏施出鐵腕，不要爲應付人事而感到困擾。抗戰時的口號雖舊，其意仍新：「國家至上，民族至上」；「意志集中，力量集中」。下必太遠就瑾璟，祇有成功可代表健群。

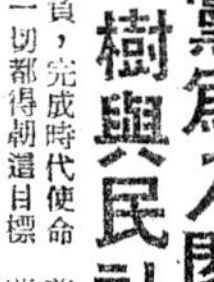

喬治桑外傳　五八

張大萬

「我吃廣東點心都差不多，分不出好壞。」雅麗絲端起茶杯喝了一口紅茶。

「妳有沒有去過香港？」喬治桑在吃了幾色點心以後，點起一支香烟。

「我小時候去過，已經沒有甚麼印象了。你問這話有甚麼意思？」

「香港飲茶的風氣最盛，早年發一併吃，倒有點像美國方式。」喬治桑對任何事都要聯想到美國。

「中國各地風俗習慣不同，你跑的地方多，自然所見也廣。」雅麗絲總是順着喬治桑的話題說，這也是喬治桑喜歡雅麗絲的原因之一。

「我前次到香港，某僑領要請我吃飯，我認爲一定是請我吃一桌酒席，到時原來是請我吃茶，兩人所費還不到二十元港幣。廣派作風與海派不大相同。」喬治桑很健談，與他在一起不愁寂寞。

「這不是太寒酸？僑領請客這樣少氣派？」雅麗絲表示她的看法。

「這不是寒酸，正是廣東人的樸實處。海派人只知道大吃大喝，講究排場，結果是自討苦吃。上海幫在香港做生意做不過廣東幫，在台灣做不過山東幫，是吃苦精神不及人家而非算盤打不過人家。」喬治桑帶雅麗絲吃一頓廣東點心，也說出一番道理來，確實與衆不同。

雅麗絲聽了喬治桑的話，頻頻頷首。過了一會工夫，她向喬治桑道：「我有一句話，不知應不應該向你請教。」

「嘖嘖，妳怎麼忽然這樣客氣起來，我們是自家人，談話不拘形式，何必用請教二字。」喬治桑說完，將烟灰彈在烟灰碟裡。

「我替你做事已經一年多了，從來沒有打過一封寄往外國的商業信。你似乎一天到晚都在忙交際應酬。有時我的朋友問我，妳的『包死』是做甚麼的？我實在很難回答。」

「噢，我們既然已經是朋友了，我可以將我的實況告訴妳。我是美國拉斯維加一家夜總會的股東，每年結帳一次。這家夜總會營業收入不壞，我每年分得的紅利，夠我個人的開銷而有餘。我年紀大了，樂得逍遙自在。眞正創辦事業，到底是很費精神的。雅麗絲，妳說對不對？」喬治桑是老江湖，因爲對雅麗絲有好感，只好約略翻出自己的底牌。

拉斯維加是美國出名的賭城，紙醉金迷是美國有閒階級的渡假勝地。喬治桑是老白相人，在該處與人合營夜總會，亦非意外之事。

雅麗絲雖未去過美國，她亦耳聞拉斯維加是怎樣的一個地方。她聽了喬治桑的自白，沉默半晌，竟不知怎樣插咀。喬治桑是一個老水晶猴子，何等敏感，立刻接着說：

「在美國，社會一般觀念與中國不同。只要能賺錢，行業並無貴賤之分。不過，我告訴妳的話，還是要請妳代守秘密。有人問妳，我是幹甚麼的，妳只告訴他，我是留美華僑便行了，用不着多說。」

「這可請你放心，我是向來不多話的。」雅麗絲說完，用筷子夾了一個蝦餃放在嘴裡很文雅的嚼着。

「就觀光我觀光，拉斯維加確實是一個值得逛遊的地方，但若不把錢花光。」喬治桑便告訴她所投資的地方說了一下。

「中國人總比較保守一點，我們學美國學不出這一點，美國也無法學我們。」雅麗絲說：「我也認爲中國人的調保守，也是應該的。」

「很對，文化與民族是有不可分割關係的。」喬治桑居然對雅麗絲的話發生共鳴。

「還要吃點甚麼？」喬治桑很懂得與小姐們吃飯，子點菜最多，必顯出氣派。

「點心，點心，點到心爲止，晚上不是還要請日本人吃飯嗎？總得留點胃口吃日本菜呀。」雅麗絲說時，風姿嫣然，滿面高興的神氣。女人情緒最難捉摸，這話一點不假。

（未完）

瀛海叢談（二十）

現代語怪（中）

林公偉

也已十年了，這事在監察院員工中想來記憶猶新。

那時于院長健康尚好，每日一早就到院處理公務。有一早，傳達說有中部台籍某老太太帶她孫兒求見，說有極大冤枉求援。于院長樂於接見平民，但話言不通，或恐當事人鄉音過甚，先請秘書長代見，這老太太非要面見不言，院長只好請幾位懂得台灣話的僚佐，趨延見。那老太太先牽孫兒叩拜，再說明原委，原來她最心愛的孫女，畢業中部某女中的，不幸上月急病，送東勢幾家醫院急救無效，就近殯殮，寄靈所中。那知等她祖母三天後，從鄉間趕來東勢，爲她主葬，看她目猶未瞑，而七孔有血滴。老祖母叫兒孫[illegible]請醫院大夫來，脈搏實已早停，但血滴未止，問殯殮所，也得不出一個緣故。

老祖母一生禮佛，心想孫女兒一定遭受奇枉，遂不即埋葬，請警察機關[illegible]究。警察機關就治療以至殯殮經手人員逐一偵詢，大家都具結無他。但血滴[illegible]，老太太聽說于院長爲今之包公，遂趕來台北。于院長也不[illegible]，一面[illegible]了車票，送她[illegible]，一面[illegible]商之台中法院[illegible]發覺是女在[illegible]，並捕化裝[illegible]殮，眼睛[illegible]下士之日，[illegible]萬人。老太太[illegible]監察院向于院長[illegible]

（二三）

雷震要負責任，自是天經地義的事，何以說政府方面，也要負責呢？——這是春秋責備賢者的話了。

俗說：「宰相肚裏能撐船」；又道是：「寬裕溫柔足以有容也」。執政者，不僅要能「小德川流，大德敦化」，並且要能發動和利用衆人的力量和智慧，甚至要能「使貪、使詐」，那才是帝王的威略。

雷震，我們要罵他，至多只能說他是「機會主義者」，是政客而已，要說「造反」，他還沒有那個「種」。他之所以搶着辦「自由中國」，如前所說，乃是要押「自由中國運動」的寶。這一寶押輸了之後，饒是啞子吃黃蓮，有苦說不出來。因此，只好將計就計，把雜誌當作資本，來在政治上撈取一點功名，不要說是弄到部長自會躊躇滿志，就是　蔣總統能隔兩三個月召見一次，垂詢垂詢文化界的情形，那雷氏也就高興的笑不動了。但不幸政府中策劃的人未能如此安排，反而却從吹毛求疵的觀點來處理問題，於是便日漸隔閡，距離愈來愈遠，而趨於極端了。

雷震與『自由中國』

當年內幕誰知道　一番往事話從頭

王曰叟

辦雜誌，若全是喊萬歲，還有誰看？因此自不免有些說長說短，指是評非的地方，假如當局能夠因勢利導！甚至是一笑處之，那也就算了。在台灣這種嚴警覺的防衛下，還能有什麼問題。所謂「見怪不怪，其怪自敗」是。但是當局在大陸上吃多了這種苦頭，在驚弓之鳥的心情下，不僅對反調的言論特別敏感，估價過高，並且視爲洪水猛獸，而以敵對的態度來看待，這一發展實是雷氏始料所不及。雷氏的目的，本是想賣弄賣弄，而在黨政方面能夠扮演一個重要的角色。那知賣弄的結果，竟被劃在圈子外面了。這就像一個撒嬌的孩子，本是希望媽媽拉過去，摟着懷裏，親兩下，那知媽媽全然沒有幽默感，撒嬌的結果，却換來一頓打屁股，這在孩子固然是挨了一頓冤枉打，而大人也不能不負把事態弄僵的責任，有經驗的媽媽是不會這樣作。

正如撒嬌的孩子，在挨打之後，索性撒起潑來；雷震在受到敵視之後，也就由失望而怨恨，索性質個唱起反調來，愈唱反調，愈引起對付，愈是對付，雷氏也就愈不示弱。雷氏無論如何，總是一個很能幹的人，他自有他的一套，豈是容易對付的。因此便想到用黨紀來制裁，而開除雷氏的國民黨黨籍。殊不知不開除，還有黨的關係在維繫，開除了那就索性拉下臉來，敵我分明的幹起火來。這時本失去理智，再加上國際上某種暗示的力量，於是便挺而走險，竟想聯絡台小撮取行動，試問當局如何能容你在這反共的基地上採取「行動」，因此也就只有出之於查封逮捕之一途了。這一不幸的結局，固是雷氏變更初衷倒行逆施的苦果；然而春秋責備賢者，當局又怎能不負導演失敗的責任。

這一代青年人的苦悶（下）

—「又見棕櫚，又見棕櫚」讀後感—

．汪慧叟．

在這本小說中，有三種時間的同時存在：過去，現在和未來，我們更感到未來的日子所包含的希望和成份。天磊在台灣才停留了兩個月；他的過去不斷在追思中出現，即使是最痛苦的經驗也變成了夢境似的享當，一種苦中帶甜的回憶，但未來更長的歲月，爲自己，爲國家，如何有利的去支使他們，他自己也不知道。天磊憶想過去，不特充分享受現在，因爲他對將來沒有把握。

牟天磊，這個故事的主人翁，根據作者的刻劃，我們可以看出他是一位飽經世故而又帶着點憂鬱滄桑味道的青年。「美國的生活與美國的寂寞，使他在廿幾歲時就體驗到了哀樂中年的心情。」這是一份多麼蒼老的心境！「獨身的留學生，有的寂寞鍛辛成長成熟而變得堅強，有的變得麻木，有的在寂寞中萎謝，像天磊一樣。」由此我們可體驗到艱苦的環境能鍛鍊一個人，也能使一個人消沉。「成熟，是經過各種各樣對生活的失望。」「天美問他：『除了學到了對女人的禮節和抽烟，還在美國學到了什麼？』『學到了不做夢。』」「在美國過一年，人老了十年。」「我歸於沒有失敗也沒有成功，既沒有家，也沒有一個人，也無法失掉我自己的那一種我是一個島，島上都是沙，每顆沙都是寂寞。」這些都是天磊所說的話，其中有多少無奈，多少辛酸，多少沈痛，多少不快樂，更包含了多少透視人生的哲理！「世界在平安地的熟睡時，他却覺地醒着，走過人間最寂寞的掙扎的路。」寫盡了在深深的寂寞，他對生活的憤怒與絕望，但他仍要掙扎着行去，他有他的寂寞，任何親人所不能解救的寂寞，但他在寂寞中，更能回味一生變度和自己親人靈犀相通可寶貴的片刻（天磊常想到佳莉、天美、眉眉），體驗人生的價值。「爲什麼讀了那麼多年書，走了那麼多路，而心理儘是煩悶，儘是恐慌，儘是空虛呢？」還不又表示出「沒有根的一代」的悲哀嗎？

依照作者的叙述，天磊也有軟弱的一面，遇事猶疑不決，優柔寡斷，提不起，放不下。回到台灣以後，他的內心常起强烈的衝突：是再去美國的呢？還是先在台灣待一陣子再說？若再回美國，他會帶着意珊一起離開，而得到一位好妻子；若是留下來，短時間內不離開，則他勢必會失去意珊。意珊要求他帶她去美國，邱先生要求他留下來，做點自己想做而有意義的事，這是他面臨抉擇的時候，內心幾次三番的衝突，心意幾次三番的改變，當他最後因邱尚峯的意外之死而決意留下來完成他生前的心願時，他幾乎失去了意珊。事實上最懂得天磊個性而一直以直言良友姿態出現的是天美，開始她覺得哥哥和意珊並不太相配，但最後還是給他打氣，鼓勵他把意珊帶回來。

陳意珊，故事中的女主角，天磊的女友。是個比較世俗的女子，她對生命的企求，一心要往美國跑的打算，並不因她的淺薄而失去了我們的同情。意珊是個嬌生慣養的女孩，沒有經過風浪，所以總有一份純真，有時是近乎幼稚的想法。她長得不難看，又正充滿了青春的氣息，總覺得人人都該捧她，愛護她。照天美的說法，像意珊這樣嬌的女孩，是需要一個比較有力量，有衝勁的男人做丈夫的，像以前的天磊那樣。而現在的天磊，又需要一個解事的，經歷過人世的風霜的，有點力量的女孩子配他；意珊絕不是那樣的，所以他認爲他們不相配。天磊要意珊了解他在美國時寂寞的心情，意珊直率的回答：「你說透不出氣，我才覺得快悶得發炸了。我想去看看外面的世界。」天磊是過來人，故對意珊的處境已不大能同情。意珊和天磊的衝突，表示了兩種不同時間觀點作依據的人生價值之不和諧，被過去佔住了的天磊不再能了解，同情意珊的未來的那種憧憬，他覺得她俗、幼稚；同樣的，她覺得他消沈，缺少了青年的活力。

天磊的老師邱尚峯先生，他是典型的淡泊名利的學者，待人誠懇，誨人不倦，情願在台北清苦而不願去史丹福大學教中文的清高，很高興天磊留下來，起勁的和他談創辦文藝雜誌的計劃。但在他被撞死前給天磊的信上寫：「除了爲了雜誌，我還有個自私的原因沒有向你說，我很寂寞，有時候很悶很苦，連武俠都救不了我。你決定留下來，我的高興，一半固然爲你，一半還是爲我自己。」他寂寞，却不頹喪，他用豁達隱藏他的寂寞，他有積極的生命力，有要做點有意義的事的欲望。邱尚峯始終不曾結婚，但他曾經十分欣賞過天磊同班的一個女同學，[illegible]珊，一個十分風趣而無深度，十分聰明而毫無智慧的女孩。由這一點，我們可以透視人都是平凡的，都有俗庸的一面，連邱尚峯如此一個清高而名士派的學者，都不能免於此，何況他人！

此外，本書在對於愛情和婚姻也有獨到的見解。在天磊和意珊的故事中，我們得到一些人生更尖銳的觀察：愛情不再是雙方一見傾心，意氣相投，要滿足飢渴想望的過程，愛情也是雙方意志的角力賽，在美的吸引，性的需要，生活經濟的顧慮的種種實際考慮以外，每人還想保持自己的志趣和理想而不斷考察對方的談判。而婚姻，也可以是爲了逃避寂寞而結婚，大學生時代的那種充滿了愛情的婚姻，[illegible]和大學時代裏其他的夢想一樣，統統留在大學裡了。」

「又見棕櫚，又見棕櫚」是本發人深省的小說，明確的主題，告訴了我們留學的生活，剖析了這一代青年的苦悶心理，糾正了一般人對美國的錯誤觀念。從作者寫這部書的動機和主題來看，與哈代寫「還鄉記」的動機和主題相似，「還鄉記」也是「述一個青年懷着巴黎的世界，到了了那裡，體驗了各種不美好的一面，帶着遺憾回到故鄉，結識了故鄉一女子，也是一心嚮往着巴黎，只要能去，即使受苦也願意。其動機告訴讀者，任何事物，任何地方，都有好壞兩面，一般人都只會謂好的一面，而忽略壞的一面。當你眞正自己踏了進去，看到了它的眞實性，你才悵然而悟到先前把它太美化了。（完）

序縱橫家研究

．馮書耕．

顧君念先，英年俊發，與余共事垂十餘年，斤（日旁）夕相聚，暇輒見其手持一編，孜孜忘倦。往歲成三國人物述評，人皆稱之，今又以所撰縱橫家研究，獲中國學術著作獎助委員會優良著作獎。雋才達識，不同凡猥，可以概見矣。夫戰國，一縱橫之世也，爲縱橫之說者非一，而其書多不傳，傳者咸爲僞。然其爲說，具見於戰國策；戰國策者，乃縱橫家言之淵藪；而治縱橫家言者，所不能外焉者也。戰國之亂極矣！爲縱橫之說者，實爲使之；故世之論者，多以其爲不足道，當引以爲世戒。而蘇明允則曰：「吾取其術，不取其心」。以其設心雖不規，其術固有可取者。今顧君本之，更進而剛發其意，以爲苟去其爲私利之私，易之以仁愛之懷，用其術以施之救國救民，則縱橫家言，亦是備世之急。硯蘇氏之說，益詳贍而蓋致，洵遠論也。或疑縱橫之術，陰謀詭詐，非正失守，就使去私易公，亦難期以福國利民？余謂術固有正詭之分，其爲福爲禍，不得以是定之。紀曉嵐有言：「當嚴嵩擅權，楊、沈諸公，喋血碎首，而不能爭者；藍道行竊用其術，從容談笑，以制其死命。論者不甚以爲非，惡嵩故也；其力亦大矣！」是知事固有非正道直行所能爭者，有時詭術足以勝之。苟其設心爲國去殘，君子固不以其術之不出於正而非之也，世之責戰國游士，敗人之國者，謂其挾陰謀詭詐之術，而不知則不挾陰謀詭詐之術，惟縱利是求，以濟其私，亦足以敗人之國而有餘。是則陰謀詭詐之術不足畏；所可畏者，乃其逢合取容，以固勢位，人慾瀾決之不可過抑也。不然，世固多嘉謨良法，爲人假之以濟其私者，其爲禍之烈，與游說之士，營私禍國，曷嘗有異？果誰能定其術之孰正孰詭？孰爲有利無害？孰爲有害而無利乎？故心乎爲公，術雖詭譎之正可也；心乎爲私，術雖正，謂之詭可也。余爲是言，人必有以爲果若是，則所謂術者，可皆謂之正，亦可皆謂之詭；則正之與詭，不必區分爲二；將毋淆亂觀聽，使人無所適從乎？是又當分別論之，豈得一概而相量？大抵所謂正道者，居恒不易，宜於處常；所謂詭術者，不定其方，宜於適變。居恒經也；不定權也。惟權可以濟經之窮；亦惟權，可收非常之功；然行之最難；苟用違其當，其爲禍亦最烈。故往聖昔賢，多道其常；而罕言其變。以諸子言：儒家之道常也，經也；縱橫之術，變也，權也。權之爲用，宜於兵謀，交聘，折衝樽俎，若施之體國經野，爲政臨民，則悶矣。嘗讀賈生過秦，其論秦之敗亡，而歸結之曰：「仁義不施，攻守勢異。」是言秦之得天下也，以雜謀；其失天下也，仁義不施。仁義者，常道也，經也；權謀者，詭術也，權也。譬之醫師藥石偏結，慈悲毒者，必以庫解之。奈自孝公以後，患瘍毒深矣！及至始皇、二世，不知以庫解之，繁法峻刑，暴虐重禍，宜其一夫作難，而七廟隳，身死人手，爲天下笑，非不幸也，用違其當也。是知縱橫之術，有其偏，亦有其所嗇，宜於適變，而不宜於處常亦明矣。豈怪世之言縱橫家者，謂其得行其術，則亡其身；諸侯用之，則滅其國。不究其用心之公私，而惟迹其爲術之正詭；亦思自戰國以來，亡身滅國，雖接踵繼者，豈皆行縱橫之術而然耶？令其本而責其末，則古今學術，未見有全用而無偏者；見其偏而斥棄之，以爲不足道；則百家之說，無一可取，不獨縱橫家言而已！余謂顧君是書，寓其持議平恕，而有補於世用；因推演其義，略陳固陋。傳世之讀是書者，知道術之正，一視其用心之公私爲斷；而悚然於營私背公，皆足以亡身滅國，而鮮克幸免也，斯善矣！

政治垃圾現形記（十一）

李棨

第五回　天生佞質，媚術偏能惑主　慣擺官架，醜態到處凌人

話說官場本如戲場，一切大小官員盡是些優孟衣冠之流，口裡說爲民服務，公爾忘私，心裏祇在作官牟利，濫逞威福。不過，有的人廉恥尚未喪盡，表面上裝扮成正人君子的模樣，太過於丟醜失格的事體，不便肆無忌憚而已。若論本質，亦係五十步與百步之間，所以，同樣是官僚份子，因表演手法各有不同，世人對於他們的評價即不一致。前回，敘述顧昌達胡士惠兩位軍人的作官技倆，高下有別，有如戲台上的小丑，令人一見即知，[illegible]的官僚主義表現，[illegible]能夠把官僚主義表現爲[illegible]，却非文人莫屬，王繼祖便是其中的佼佼者。

王氏生長在北方的書香人家，先天的體格魁梧，亦有口辯之才，他在中學畢業後，適逢第一次世界大戰發生，我國政府亦對德宣戰，與英法站在一邊，但沒法出兵遠赴歐洲參戰，只招募了十幾萬名華工，送往法國服務，這些工人於戰事結束後，仍居留法國謀生，而法國社會上由於壯丁在戰爭中傷亡甚多，深感勞工缺乏。因此之故，法國有幾位久居法國的人士乃提倡「勤工儉學」運動，鼓勵中國的知識青年們在法國從事半工半讀。當時響應者紛起，王繼祖即爲其中之一，現在許多知名的共產黨徒如周恩來、陳毅、李富春、蔡暢等都是「勤工儉學」的會員，李璜等在法國創立中國青年黨，亦在那時候，中國的留法學生，十九皆係勤工儉學生，加上原有的華工，大家互相攻擊鬥爭，政治人物的活動，在留學生中[illegible]。王繼祖愛參加組織，既屬半工半讀，又因出身於派林立，[illegible]國民黨領導人的賞識，回國後，依然爲國民黨的旅法黨務工作。到民國十七年國民政府統一全國，在中央黨部擔任總幹事，實行其留法學生的工作，[illegible]地位蒸蒸日上。[illegible]

戴洋人餓死春申（一）

赤松子

滄海拾遺

戴洋人是一個標準四川小白臉，中等身材，矮矮的個子，胖胖的臉龐；體重約六十五公斤左右。雖生于錦官城外，但和戴季陶並不是一家，他的身世，沒有人能詳細知道，大約是一個私生子，在清末被一個英國牧師收養，帶回倫敦，曾受中等教育，英語雖有一點兒四川土音，但流麗的程度，卻和美國人不差什麼。

清末，他帶了一位英國太太，回到上海，以人地生疏，謀生不易，後來夫婦回到四川，先在重慶青年會任一名幹事，並兼英文教員，加以洋太太也担任一點英文鐘點教員，每月收入約在三百元以上，當時的生活，可以算得豪華，四川老百姓見他住的是公館，用了兩個聽差，每天西裝畢挺，出門還有一位高鼻子太太作伴，到也十分羨慕。有一位趙老太婆和戴洋人住在隔壁，有時借故和他接近，見他洋太太幾年沒得生育，勸他取一位「小星」，起初戴洋人聽不進去，後來看見朋友家裡，有的有二三小孩，生得白胖白胖，見人就笑，也覺得小孩不是可厭的東西，就慢慢和趙老太婆開始商量，一天他去找她問道，你從前勸我討一個小太太，本來不孝有三，無後為大，這是中國人的大道理。以我來說，生活不成問題，這位大英帝國的太太，是不會再生育了。可是我今天已經差不多百分之九十的英國人，這個資格是很不容易，如非我三代會積不少陰功，怎麼會取得這個資格，如今再取一個小太太，必先和這位洋太太商量，因為她和我都是多年的基督徒，基督徒是不許取兩個太太的，這到也沒多大關係，不過我要通知她，私自幹了，將來被她知道了，請出英國領事來幫忙，那我這位英國人太沒有面子了，我所顧慮的在此。老太婆聽了冷笑道，我看你這個人，未免不大中用，洋太太又不懂中國話，你和她另租一個小房子，每月給她生活費百元，只要多收兩三個學生就夠了，有什麼了不起的，真是說起來，你還是洋學生，連這點膽子都沒有。話說戴洋子聽了這一席話，果然有點動心，就拜托她去找一位十七八歲的小姑娘，一星期後，就開始組織第二家庭。從此以後，戴洋人白天就到小公館去，騙那位洋太太，就說是另外教了三個家庭補習的學生，洋太太問他收的學費到那裏去了？他說是替朋友幫忙。洋太太也就被他騙住一二年了，那知洩漏洋人的機密，還是從這位老太婆起。原來趙老太婆幹這一手，以為一次可以得紅包兩千三千，那知戴洋人一錢如命，一次只送她兩百元。老太婆心有不甘，隨時向他告貸，起初戴洋人還給她三十五十，後來，減到十元五元，竟至不給。老太婆就掉了方法，轉找他的小太太，起初是十元、二十元，後來也關到一元不借。趙老太婆就向洋太太告密，這時洋太太也懂了幾句中國話。老太婆就把他們兩人合照的小照片，偷了一張去送給洋太太，洋太太一看，就給了老太婆五十元。等洋人回來，她也不動聲色，問她丈夫道，你每天究竟到什麼地方去補習，我也想去看看我的學生，因為昨天他們已經來過了，並送了我一張照片，我覺從他們非常可愛。戴洋人聽了，心中萬分焦急，知道西洋鏡快拆穿了，立刻要看她的照片，你想洋太太怎麼會拿出來。

到了晚上，戴洋人要求和洋太太一道上床，被她用手推下床去三次，並申斥道，從前我看你是一個標準基督徒，以為你對于誡等，都是身體力行，如今看見你，簡直是魔鬼一樣，你再和我同宿，也許我的清白，再受了你的汚點，將來還不能上天堂，你趕快去自找歸宿吧。可憐戴洋人只得去和男聽差擠了一床，在床上胡思亂想，想道他太太明天一定要對付他，要是鬧到英領事館，不只丟了大面子，從此還要喪失洋人資格，那個直從此在中國無法再混下去。想到這一點，立刻去向他太太請罪，跪在床前。那知他太太見他這種舉動，不惟不加憐惜，反痛罵道，你這賤骨頭，你認為下跪可以免罪嗎？明天再和你算賬。說完，翻身過去，大睡起來，可憐洋人竟在床前跪了一夜。

天將亮了，他太太起來，略一梳洗，就拉他到小公館去，走進門去，他的小太太正在理床，戴洋人把她和洋太太介紹道，這就是王太太，她的兒子上學去。小太太招呼洋太太坐，洋太太坐下，便從懷中從容將那張小照取出，拿在手上，叫戴洋人看，這是不是王太太的小照？戴洋人一見是小照，知道犯了彌天大罪，深怕她提議離婚回國，叫他丟掉洋人身份，今後在中國，不便大有活動，便立刻向洋太太跪下，接連叩了三個頭道，好太太，請你饒恕我這一次吧。洋夫人罵道，我把你這哈吧狗，幸而鼻子還沒有高，皮膚還是黃色，你就敢這樣侮辱我嗎？你知道我和你結婚的痛苦嗎？婚前和我的父母商量，他們沒得一個贊成，說我和黃種人結婚，把大英帝國的面子通通丟完了，結婚以後，我最要好的同學沒得一個和我往來，在任何公開場合，沒有一個人理我，這些都是你看見的，我以為你見我受過這種深刻痛苦，起碼是白頭偕老，絕無問題，那知你回到四川，就變了，你叫我怎麼辦？只有今天下午到英領事館去，如船方便，明天就走。戴洋人見她說得這樣乾脆，知道再說也無益，不過想起他的前途將要失掉洋人的身份，不免痛哭一場。

這位洋太太到了領事館，找到英領事館，要面會英領事，英領事聽說是一個普通女子，就叫秘書代見，問她有何要求，洋太太就把她從英國和戴洋人結婚的經過，以及這次離婚的原因，說了一遍。那知那位秘書，竟沉着臉冷笑道，誰叫你看輕你自己的身份，你不知道大英帝國的版圖，普及于地球上任何日光照臨之地嗎？世界主人翁的代表，就是大英帝國的人民嗎？以你這種身份，不論英倫三島，可以任意選擇，就是地球上任何白種人，不愁嫁不到一個標準的如意郎君，怎麼會嫁上一個落後區的黃面孔的私生子呢？

丁作韶傳作義勤政殿晤談（四五）

胡慶蓉

巨變歷險記！

奇怪，傅作義——華北剿匪總司令很喜歡同丁作韶談；他們已經有了兩次的談話，但又邀丁作韶作三次的晤談。前兩次談話，在勤政殿，鄭重之重之的，大有坐而論道的樣子，如今第三次就不然了。第三次非常輕鬆，地點改在瀛臺。

瀛臺與勤政殿只一橋之隔，就這一橋之隔，在昔日光緒皇帝，就有咫尺天涯之嘆。李後主會作詞，光緒皇帝不會，否則的話，他也或許留給後人很多可歌可泣的綺麗詞句，什麼大江東去，什麼天上人間。以大環境來說，傅作義此時的處境，與當日光緒皇光的處境，並無二致。傅作義此時的心境，與光緒皇帝的心境，也沒什麼不同。茫茫大海（海實際並不大，但心理上：……）怎樣能飛渡？這確切是個大問題。前無古人，後無來者，這是說一個人的卓越。現在應變成前無援兵，後無援兵，「今日不雨，明日不雨」，如何支持下去？這確切是問題。

傅作義同丁作韶搬出張睢陽的故事。張睢陽守睢陽（即今之河南商邱），可謂壯烈已極，到最後，把愛妾殺了，以愛妾的肉饗官兵，千載之下，猶令人聞之鼻酸，但傅作義說：這與大局何補？傅很奇怪張睢陽守了這麼許久，守了這麼久，為什麼上邊不發兵前來援助？丁作韶也同傅作義談史可法守揚州的故事。但還是說：這與大局何補？

在傅看，華北，自從天津失守，已守無可守，退無可退，就是效張睢陽、史可法，也是與大局無補。他同丁作韶走着談着，穿過了光緒皇帝的臥室，到瀛臺邊上。這好像是在夜間，是在月光之下，瀛台一直保持着他們的古香古色，並沒有裝置電燈。但在月光之下，令人感觸特多。前面的水，像鏡子一般的平，四面八方靜悄悄的，靜得令人發慌！這是不是暴風雨就要到來？……

傳說：國民政府始終沒把重心放在北平，放在北方，放在華北，這是政府最大的失策。殊不知北方、華北、北平，居中國的上游，這些地方萬一不保，其他的各部份，能不能保，實在很值得研究。段祺瑞說過，一部中國歷史，都是從北打到南，沒有從南打到北。此次國民政府北伐，好像是從南打到北了，其實不然，將來國民政府會吃虧的。共產黨懂得這個道理，循着歷史的路線，由北向南，大有成功的希望。

傅作義有抵抗的心，但沒有勝利的信心。他怎麼說，都是為他自己解脫，給他心中找安慰，眼看大勢已去，眼看自己被困在孤立的北平，傅已經沒有繼續困守的勇氣，更沒有抵抗的勇氣。丁作韶無論怎樣的勸勉，已經是回天乏術了！……

我為什麼不出國

這一代

·張粵華·

三年級還混混噩噩的同學們，一升到四年級，突然清醒和積極起來，男同學服兵役還可以緩衝一年，所以不慌不忙；女同學則面臨出國、出閣、就業的十字路口。著實有一陣子徬徨。也許我們都是所謂的時代青年，不得不順著時代的潮流——出國熱潮。班上有一半女同學決定出國，但是卻很少有明確目標的人，有的是哥哥、姐姐在美國，所以她也要去；有的是未婚夫在美國，不得不去；吳伯母說得更坦白：「女孩子出國就是找丈夫，好的男孩子都出去了，在台灣，你們找不到好對象啊。」真的嗎？

我不出國，沒有什麼冠冕堂皇的理由（如上所述）使我需要出國。大學四年，由于不好學和天資差（我常覺得唸哲學是需要一些天份的），我自忖沒學到什麼，所以成不敢到外國去丟中國人的臉，尤其我的中國哲學的分數，常使我自慚不已，此其一也。其二、「父母在不遠遊」，我僅有寡母一人，更不敢遠遊，何況美國遠在大洋之外，歸期又係一未定之數？我常向母親打趣說：「你讓我出國，過一年半載就可以在報端登上一則：小女某某在美結婚啓事，豈不榮焉？」母親反問我說：「你覺得這就是光榮嗎？書唸到那裏去了！」還有一點不是理由的理由：我以為婚姻的美滿要靠男女雙方的努力與和諧，不見得外國的夫婦都是神仙眷侶，更反對在台灣就是沒出息的人；如果要我為找對象而出國，我寧願獨自逍遙一輩子。

我不敢否認自己也是徬徨的年輕人，在大家都迷失的潮流中，更不敢自鳴清高，但是我們花費了父母及國家無數的金錢和心血後，就一走了之，而祇為了一些可笑的理由，甚至毫無意義的理由？

茭筍除煩熱清酒患

生活漫談

·馬腾雲·

一位居留上海長時間的人說：冬天的時候，上海也相當冷，抵受不了寒氣的侵襲，有些貧苦的人，每每吞食一硫一以禦寒冷，有些人還燒酒送服硫磺，因為服用硫磺後，能急速增加體內的溫度，如此則身體不致戰慄震動，兩手才能工作。可是吞吃得硫磺太多，到了在夏天濕氣旺盛的季節，硫磺毒發作了，每年因此而死亡者，人數亦不少。有謂吃得硫磺多，到天暖，生吃蘿蔔可以解之，但不如吃「茭筍」解硫磺之毒，有效。吃過硫磺的人，他們自己明白，必多吃茭筍，有時還生吃，生吃的效力更佳。他又說：該處有一些婦女，尤其以花界中人，為保持面貌嫩滑晳秀，常常吃「適量」的「信石」製劑，因為信石雖然有毒，如吃得適量則可以補血，但吃得時間長了，體內難免中毒，因此也能死亡，故吃信石劑的人，也常吃茭筍。茭筍亦能解體內的信石毒。是以茭筍除作蔬菜食用之外，還有很好的解藥石毒功能。茭筍（俗名膠筍），為水草類之多年生草本，高者數尺，葉細長而尖，形狀有點像甘蔗的尾部，新去長葉，頭如小竹筍，鄉人每原個蒸熟，配合醬油或醬料，食法簡便，任何食法皆適宜。它所含的營養成份為水份四三．七，蛋白質〇．六，無機鹽類〇．二，粗纖維質〇．四，含水炭素一〇．三。本草謂能消熱，止渴，除目黃，利大小便，止熱痢。但其性寒而滑，胃腸有寒滯，貧血及體溫不足的人不可多吃，患胃痛及遺精者，亦當戒之。茭筍還可以解酒毒，據一位名醫說：他有一位朋友，深愛杯中物，十年如一日，無酒則不快，其後病起來，全身浮腫，醫治多時無效，雖然個個醫生都說他是酒患，但沒有一個醫得好他，偶然在一個場合裏，有人介紹他用茭筍來清除酒毒，酒毒清除，浮腫然後搓除。但好酒之人，泡製茭筍必須加燒酒，還是用燒酒作引路去清除酒毒的「以毒攻毒方法」，乃教他用茭筍五六斤一次，燒酒三四斤，其餘加入多量的清水，燉五六小時後，取汁乘熱飲之，飲後可能有幾回下瀉，連飲數次，必有效果。他乃如法泡製，飲後果然大瀉，但瀉得身體輕鬆，於是隔兩三日一次，浮腫漸消，多年酒患，用茭筍竟能治癒。

自由報

中華民國內政部登記證內警台報字第〇三一號
中華民國僑務委員會登記證台僑新字第三二三號
中國郵政台字第一二八二號執照登記為第一類新聞紙

（第九七三期）

（半週刊每星期三、六出版）
每份港幣壹角・台灣零售價新台幣弍元
社長李運鵬・督印黃行舊
社址：香港九龍彌敦道593—601號
廖創興銀行大廈八樓五座
LIU CHONG HING BUILDING
7th FLOOR FLAT 5
593—601 NATHAN ROAD,
KOWLOON, H.K.
TEL：K303831
電報掛號：7191
承印：景星印刷公司
地址：[illegible]街廿九號地下
台灣總管理處：台北市大同街119號
台灣區直接訂戶　台郵劃撥戶
第五〇五六號戴萬有（自由報台計室）
電話：七一四〇三三・五五五三九五
台灣分社：台北市西寧南路110號二樓
電話：三三〇三四六，台郵劃撥戶九二五二號

海闊天空的一縷煤烟（下）

司馬霜

上面不過，僅舉「正氣歌」第一句，並附許遜之批評，趙譯之謬誤，立可判明。其餘的謬誤及不通之處，可參看「由語譯正氣歌看所謂國語專家梁容與趙友培的國文程度」（許遜著，刊於「陽明」第三〇期。）此處不再贅述。

趙友培先生在「海闊天空」裏辯說：「翻譯文學作品本來很難，譯詩更難，這是一種再創作，而非逐字句對譯。」他根本不了解文山所用典故的意義，甚至不了解文山所用文字的意義，怎麼能翻譯呢？又怎麼能稱為「譯」呢？我將趙譯「正氣歌」看完之後，得一結論，就是除了許遜先生批評的「無一句無一字不錯」之外，依趙友培先生的辯解，他這篇「語譯正氣歌」根本與「正氣歌」是兩回事，是他的「再創作」，便是不能稱爲「譯」，用十二萬分寬容的說法是，只可說是很拙劣的「正氣歌」的讀後感。二十年來，他翻印又翻印，朗誦又朗誦，亦只具有「一縷煤烟」的作用，他要污染「正氣歌」，要污染知識青年而已。

七、關於作文命題「假如電影院像教室一樣」

趙友培先生說：「關於作文命題『假如電影院像教室一樣』，近來又有人在翻舊賬。讀者如有興趣，請閱中國語文月刊第十一卷第三期『作文命題研究專號』，那裡早已有正確的答案。」他這一段話，是說那個被萬人唾駡的「作文命題」，他在「中國語文」月刊上，已有一個專號，替他文過飾非，到現在，他竟然還能說：「那裡早已有正確的答案」，這樣的「臉厚心黑」，在文化界中，確難找到幾個！

那個「作文命題專號」出版之後，在趙友培先生說，「已有正確的答案」。可惜，在文化界，則認爲是「站不住腳的辯解」，（自立晚報五十一年八月十四、十五），「專號越來越悲哀」（民族晚報五十一年八月廿七日第五及六版全版。）還有中央日報副刊上茹茵先生的「認錯」，直斥「有人文過飾非，有人將錯就錯」。還有徐復觀先生在徵信新聞上發表的「台灣的語文教育問題」，是分析被萬人唾駡的作文命題「假如電影院像教室一樣」，最有力量的文章！

一時輿論大譁，都是針對趙友培先生及其發行的中國語文月刊，加以痛切指責的！

這時，趙友培先生及其發行的中國語文月刊，方知衆怒難犯，方知邪不勝正，遂不敢再繼續狡辯！誰知，到現在，他竟說……「早已有正確的答案」！在他的心裡，還有什麼是非？還有什麼眞理？稱之爲「一縷煤烟」，實在是當之而無愧！

八、「糾正乖張的文化『特權』觀念」

這個小標題，是「自立晚報」五十一年八月廿一日，一篇批評趙友培先生的文章之題目，在這裡，我特別借來，以便增加對這「一縷煤烟」污染性的進一步了解！

趙友培先生說：「我很清楚：政治可憑人關係，學術研究必須下眞工夫。」表示他對「學術研究」「下眞工夫」了！這也是他間接答覆說他「不學」、「不通」的話。

可是，細考究起來，趙友培先生的所說與所行，剛剛相反。現在舉例說明如下：

首先，就從他這一篇「海闊天空」的文章說吧，看他是怎麼敘述「人事關係」的？

①「無意中碰到劉白如兄和他的夫人，他勸我到省立師範學院教書……於是我打電報向道藩先生請示，很快收回電，贊成我接受師院的職務。」

②「道藩先生當選立法院長之初，曾約我幫忙。……」

③「……謝然之先生主持的新生報。有一次馮放民兄從謝冰瑩先生寓所出來看我。他說：『謝社長要請冰瑩先生主編新生副刊，她堅辭不幹，推薦你；你能不能幫忙？』……」

按：「歷史的可貴，在它留下了眞實的紀錄。」（趙友培先生語），但是，敘述的人是否爲了「圖利自己」而有不「眞實的紀錄」呢？尤其藉以抬高敘述者地位的話，使不能不以懷疑的態度，加以考證。幸而他所敘及的人都還健在，當然可以詢問。我轉託了好幾個人，才問到了眞實的情形。那便是，趙友培先生所敘述的是不正確的。當時，馮放民先生主持「新生副刊」之外的七個週刊，他那有時間編七個週刊呢？他的辦法是每一個週刊，找一個人編輯，他總其成。當時，是找謝冰瑩先生編「兒童週刊」，並非「新生副刊」。趙友培先生的這一段敘述，主題既錯，其餘的生動描寫，便也都成了廢話。）

④「這一年夏天，文協主辦暑期青年文藝研討會……本組講座張曉峯先生深表讚同……」

⑤「四十一年夏天，台灣省民政所主辦山地歌舞講習會，楊肇嘉廳長請我參加輔導工作。……初次演出，在省警務處大禮堂舉行。道藩先生和中央第四組沈昌煥主任，皆親臨指導，深表讚許。……」

⑥「四十年十二月到四十[illegible]年一日，我應台灣省教育廳廳長劉白如兄之邀，有機會和王壽康、何容兩位教授環島輔導國語文教育……」

⑦「協助推行國軍新文藝運動，……那時蔣經國先生，任總政治部主任，我們提出的計劃是經他批准。」

⑧「而國軍文藝大會的召開，……創始策劃之功，應首推王化行將軍。我個人，只是被他熱情所感，協助推動軍中文藝工作的一份子而已。」

⑨「……對軍中作了十次以上專題講演，和開了幾次文藝座談會；那是蔣孝余先生主持總政治部時特別替我安排的。……」

趙友培先生的「人事關係」如何？來頭不小吧！

第二、中央社台北十七日電：「趙友培教授是張道藩先生的知友。在張先生『消沉』或『興奮』時，他常找趙友培來……」（新生報五十七年六月十八日刊）這種關係，非同小可。

第三、趙友培先生任教師大，並未專心從事研究工作，而是利用人事關係，向黨、政、軍、社會四方面發展，其兼職如次：

①黨的方面：以文藝運動者的身份列席黨的中央委員全體會議，及「十全大會」。另有什麼職務，不詳。

②政的方面：

甲、國家安全會議國家建設委員會文化委員會委員，在其名字之下，還註有文藝組聯絡人。（月支六百元）

乙、教育部國立編譯館國民小學國語科編委會委員兼編輯。（編輯費很高）

③軍的方面：國軍文藝輔導委員會委員，兼三軍金像獎評審委員（有評審費），在此之前，爲「革新文藝」編輯委員會召集人（月支五百元）。

④社會方面：中山學術文化基金董事會文藝創作獎助審議委員會審議委員（支審議費數千元）。

上面所列之職務，係彰明較著者，已證明其專在搞人事關係；其他備有什麼職務和名義，也不必一一查考了。

第四、趙友培先生依附着張道藩先生，在搞人事關係方面，得心應手，因之「特權」觀念特別強烈，他除了在「海闊天空」自述性的文章裡有十足的表現之外，還有一篇「爲北市聯考國文試題敬答讀者」。他在這一篇文章中，表示自己的態度道：

「我對各報這次的新聞和有關評論，大致都已看到。本刊（指「中國語文」）這一期有幾篇文章，你看過之後就可知道我們對這件事的看法了。我在中央服務很久，現在還是中央級民意代表之一。中央日報不要說沒有錯誤，即令有不對的地方，我也要直接到中央有關機關去講話，不[illegible]對外批評它；這是我做人做事應有的道理。」（「中國語文」十一卷三期）

我看到這一段話之後，覺得趙友培先生的文化「特權」觀念很強，儼然以文化「總管」的姿態說話，顯得十二萬分的乖張！當時增效祥先生在「自立晚報」發表的「糾正乖張的文化『特權』觀念」，深得我心，特引錄於後：

「這段文字作者之下，好像是趙先生「做人做事」忠厚，但細一玩味其「語意」，却發現其中含有一種極錯誤的觀念。如果這種觀念經我們的『語文專家』大事推廣，全自由中國的文人，都在『做人做事』上採取這種『道理』，我相信大家一定都拋掉筆桿，去玩互相『指控』，互相『傾軋』的把戲了。所以，我認爲這種觀念非常可怕，也非常可卑。」

——以下[illegible]——

自由談

轉移政黨風氣

一個黨有健全革命人格，則黨爲國人所信賴，失健全的革命人格，則黨爲國人所厭棄；黨員有崇高氣節廉恥之黨員，則黨必健全；黨員有違背檢驗點之黨員，則黨必倒已……此乃當年最高領袖　蔣總裁諄諄必深有所感，乃而予言之。蔣經國先生既榮膺新命，如何轉移黨內風氣，我們認爲乃復國政治第一課。

社會以常人佔絕大多數，上智與下愚較少，常人的言行，與其生活有密切關係，即所謂「衣食足而後禮義興」。本報除建議「人民重於官員」外，更建議「經濟重於政治」，着眼點在此。台灣當前的安全繁榮得來非易，再能倡導崇尚氣節廉恥、社會風氣自可轉移。

這其中有一最大的弱點，要黨紀去約束的，即甚多從政黨員，「失去健全的革命人格。」由於貪贓枉法，有些變成爲資本家或革命對象了。業已繩之以法的不談，未移法辦事實由貪污起家的，應當歡迎黨員舉發才對，雖不能用「清算」字眼，功過是非仍得分明，否則就等於藏污納垢和鼓勵不貪污的黨員，趕快去貪污。

國民革命果實，是以無數志士鮮血換來，辛亥革命之義在此，北伐統一之義在此，對日抗戰之義在此，今天討手救國之義又在此。

爲了珍重革命果實，凡被國人厭棄的黨員，和欲誘黨向腐敗路上走的黨員，首先應凍結其革命活動，凍結其革命活動雖屬一種精神制裁，同志避之，親友遠之，服務單位譏諷之，遠較開除黨籍有效，但要公平合理，院部長立監委一視同人才行得通，否則又變成爲衆矢法通緝犯，白白的犧牲各地若干選票那又糟了。

昨日與明日

整飭稅務風紀

新雨

稅務風紀之敗壞，由來已久，積重難返，而稅務人員之勾結商人，藉以索取賄賂，更是司空見慣。由於現行稅制，在法令上頗多漏洞，因之使稅務人員得以利用法令之間隙，使商人達到逃稅之目的。近年來財稅主管當局雖曾痛下決心，整飭稅務風紀，而違反稅務風紀案件，仍屢見不鮮，因廠商與稅務人員互相勾結，兩蒙其利，而爲局外人不易發現，未被檢舉而無法調查，必更可觀。財稅主管當局何以不能追根究底，而採取有效措施，誠屬使人大惑不解。

敗壞到此地步

敗壞到此地步，認爲稅務人員待遇太低爲重要之因素，必須提高待遇，使其足以養廉。爲提高待遇，對奉公守法，潔身自愛之稅務人員，固可發生鼓勵作用。但對貪污成習，玩法之稅務人員，仍然無法發生作用。返顧稅務處成立之際，而以提高稅務人員待遇號召，而加發稽征津貼，較之一般公教人員之待遇爲優厚，然自稅務處成立以來，稅務人員貪贓之風，未嘗稍戢。由此可見調整稅務人員待遇，絕不能與紅包相稱。爲要徹底整飭稅務風紀，必須注意兩個基本問題：

①稅務人員之膽大妄爲，必恃其人事背景，財稅主管當局應提出勇氣，作深入之調查，而予嚴厲懲處，徹底清除此依靠背景之稅務人員，否則稅務風紀，將永無改善之日，未知當局有此勇氣否？

②稅務人員之質素太差，依據稅務處之統計，截至五十八年六月底止，全省三千八百餘名稅務人員中，大學畢業者僅一六七人，屬於職業學校及中學程度者達二千六百餘人，而小學畢業者亦佔三百餘人，以此繁重之稽征工作，賦諸教育水準較低之稅務人員，試問其能對嚴肅之職責，盡得深刻之認識嗎？

廢止統一發票

政府爲[illegible]征廠商之稅捐，於是實施統一發票制度，作爲課稅之資料。但自實施以來，由於稅務人員利用以背援廠商，藉以達到賄賂之目的，或勾結廠商逃漏稅捐，使國家蒙受大之損失，以是弊端層出不窮，迭經各方指責，而財稅主管既不謀求改進，亦不順應民情，而予廢止，長使此不良制度存在，導致稅務風氣之日趨敗壞，誠屬使人費解。

依據報載，此次經法院判處徒刑之十二名稅務人員，即係廠商爲逃避追究其逃稅，而賄賂稅務人員將統一發票之報核聯抽出，予以隱匿或廢棄，使逃稅資料無從稽考，此種釜底抽薪，從根拔除之手法，實在駭人聽聞。如果此一制度，不予廢止，能保稅務人員不會如法泡製嗎？

至於利用統一發票作買賣者，前者有虛設行號，出售統一發票，而達到逃漏稅捐之目的。而今有商人領得大量統一發票，高價賣與公司行號，漏稅達三千萬元。據報載高雄市嘉新企業行向該市稅捐處領取統一發票，以收據聯開立高額數字交給買受人，（據報載最低的爲八千元，最高額達兩萬元），而在存根聯開立低數字，（據報載最低的爲二十元，最高額僅三百元）報繳營業稅，試問企業行買賣金額如是之微，何以稅務人員未作追查，而竟爲[illegible]查獲，其眞糊塗乎！糊塗乎！

美蘇與毛共核子戰爭的蠡測（中）

·高格·

（續上期）民國五十六年十二月二十四日，毛共舉行「第七次核試」，世界輿論激起了一片詬責聲。但毛共却始終噤口不言，到二十五日的晚上，毛共北平電台評論員僅把前六次核試重複地吹噓了一番，而對第七次核試一語不提，當時世界人士對毛共這一種反常態的措施，不免揣測紛紛。

事實畢竟是不可掩飾的，失敗就是失敗，毛共第七次核試，因引火不當，使人員及設備均遭受重大的損傷。這次失敗，究竟是為了技術原因？或政治原因？最可能的，是兩種原因俱在——由政治因素影響到技術因素，再由技術失敗牽連到政治問題。

毛共第七次核子試爆，是毛共發展核子武器過程中的一記當頭棒。在這以前，尚未發現其在核子武器技術上的嚴重挫折，自民國五十五年推行「文化大革命」帶來的破壞，不少人士推測，不至於波及其核子基地的工作。例如：五十六年十二月二十六日，美聯社華盛頓電：「華府人士相信，中共『文化革命』的動亂，絕不准滲入核子發展計劃，或阻擾核子科學家的工作。中共科學家一直不受好戰『紅衛兵』的干擾或攻擊。」

毛共自第七次核試發生慘劇後，不僅在核子技術上遭受了沉重的打擊，同時亦掀起了政治風暴。「紅衛兵」衝進了核子基地，打亂了工作程序，亦打散了科學與技術人員的工作精神，世界人士也漸漸認清了毛共的真正弱點。五十七年九月三日美聯社華盛頓電：「美國政府聽得情報，推進毛澤東『文化革命』的份子，曾經對核子及飛彈科學家與主持人加以困擾。由於中共將發展洲際導向飛彈列為最優先的一種武器，因此，長久以來，美國當局認為那些傑出的專家們是不會受到批鬥的。」

美國關特研究所主任研究員，中共軍事問題專家雪艾女士，於同年九月十六日在日本東京發表演說，她說「中共的核子發展，最初認為與『文化革命』無關而順利進行，但自一九六七年年底以來，此種想法必須更改，那就是由於『文化革命』的發生，而使中共核子武器發展，顯著遲緩。」

當然，幫助世界人士認清毛共真面目的，並不是空洞的言詞，而是鐵的事實。由下面這些已公開的報導中，可以看出其在第七次與第八次試爆間的一年中，對核子武器工作方面的鬥爭與挫敗：

①五十七年二月十四日，美聯社東京電：中國大陸向被認為置身「文化革命」壓力之外的科學家們，已被正式指責為革命及研究採取「冷漠態度」。

②同年三月十六日，美聯社香港電：中共儲存及試爆核子武器的新疆省軍區司令王恩茂，可能已遭到整肅，於廣州發行的「紅旗飄飄報」說，一件記載王恩茂罪狀的文件，已提送中共「中央委員會」。

③同年五月三十一日，中央社台北電：共匪新聞廣播於三十日透露，匪最近在青海地區試驗所謂「驅雲防雹火箭」時，發生爆炸慘劇，造成傷亡。

④同年六月二十一日，美聯社香港電：據五月二十日毛共「紅旗公報」中透露：毛共「總理」周恩來於五月二日警告新疆「紅衛兵」說，他們如果繼續在核子兵工廠所在地的西北省份從事暴行的話，將被視為反革命份子。

⑤同年六月二十七日，中央社台北電：據莫斯科電台今天在華語廣播中說，負責發展核子武器及火箭的頭目聶榮臻，最近又遭到北平「紅衛兵」大字報的攻擊。

⑥同年八月二日，中央社香港路透電：「紅旗公報」報導說：「中國科學院原子能研究所所長」錢三強已遭整肅，中共指控他「走資本主義路線，是一名秘密間諜」。

⑦同年八月十五日，中央社香港合衆國際電：「中學紅衛兵」透露，負責中共核子飛彈發展計劃的頭目聶榮臻，已被指控為不服從北平的命令，為毛澤東與林彪「暗殺政治陷阱」。九月五日美聯社東京電繼續證明，對聶榮臻的指控，是毛澤東共酋的甥女所提出。

⑧同年八月十六日，中央社香港電：共匪「紅衛兵」揚言摧毀匪核子設施，並傷害核子科學家們，毛匪已派匪軍保護核子和飛彈科學家，免受紅衛兵的傷害。

⑨同年九月七日，美聯社香港電：據北平發行的「紅衛兵科學通訊」報導，中共已將五名高級科學家以「謀叛」及「為蘇俄作間諜活動」的罪名，而加以整肅，逮捕，並予以監禁。這五人以王淦昌為首，次為華羅庚、錢三強、裴麗生、杜潤生。

⑩同年十月十一日，中央社華盛頓電：據專欄作家克勞里指證，中共已將錢三強、王淦昌、華羅庚等，以「為蘇俄担任間諜」的罪名被捕入獄。

⑪同年十月二十九日，美聯社香港電：中共於九月間試驗中程飛彈，飛彈在發射台即行爆炸，造成重大傷亡，中共頭目聶榮臻及另外四名科學家，均遭受指責，並可能在高階層進行整肅。已使當時的詹森總統下令，在全美各地建造「哨兵」式反彈道飛彈防禦系統。

二、美國核子戰備發展之趨勢

美國新任總統尼克遜，在競選時所發表的政見，其在國防上，對於今後的美國國防武力，其發展的方面，與美國的基本國防政策，是沒有甚麼出入的。因為俄帝在積極加強軍備，例如在東歐方面，入侵捷克，威脅南斯拉夫和羅馬尼亞，增加東歐駐軍；在地中海和印度洋發展勢力，並積極援助中東阿拉伯聯合共和國狂人納瑟，擾亂中東和平。美國為了對付這些威脅，勢必保持絕對優勢！一九六八——一九六九年度的美國國防預算，就經詹森總統提出，計達七百億美元以上，已由國會通過，付諸實施；尼克遜出任美國三十七屆總統，當然只有加強國防武力，就不會作其他想的了。如以亞洲來說，尼克遜總統就是主張促進亞洲國家的區域性組織的，俾能增強亞洲地區反共的力量，即其一個明證。

美國由於越戰的消耗經驗，美國陸、海、空軍的裝備發展，除了一面支持越戰的進行外，一面還要有充實和更新的計劃；又除了保持既有的優勢國防武力外，尚要加強其優勢的國際武力。卸任國防部長麥納馬拉，在其發表的「回憶錄」「安全的真諦」一書中，就曾公開表示，美國的核子武力勝過俄帝。這是在核子武力預算過程中，美國雖然投擲的核子武力預算龐大，但帶來的安全，就是維護自由和平的嚇阻力量。

（一）核子武器方面

美國現在擁有核子彈頭，既然勝過俄帝；但是，美國的國防當局，又如何運用其優勢的核子彈實力呢？

當前正在進行的反飛彈系統，是「稀薄式」的：對外聲稱專為對付毛共的飛彈攻擊而建立，實際上，則是專為對付俄帝的飛彈攻擊第一步反飛彈網際計劃，此乃基於「冷戰」的名詞運用而已，因為毛共的飛彈是脆弱的，是不會成為美國反擊的對象。美國的這種「稀薄式」的反飛彈的反彈，一種是裝備核子彈頭——「斯巴達」三節飛彈，能將任何高度的來襲飛彈擊毀於四〇〇哩之外；另外一種是裝配一般彈頭，稱之為「彈簧」的飛彈，攔截的距離為十五——二十五哩。

美國的反飛彈計劃，總名稱為「哨兵」反飛彈系統，第一步以五〇億美元預算，先行完成「稀薄式」的反飛彈系統；進而第二步以四〇〇億美元的預算，再進一步發展「濃厚式」的反飛彈系統。在「濃厚式」的反飛彈系統完成後，美國對付可能的俄帝飛彈攻擊，將萬無一失，高枕無憂了。

美國除了要建立高枕無憂的「哨兵」反飛彈系統外，又將以七十億美元製造最新型的戰略攻擊飛彈。根據美國國防部已經批准的計劃，正在服役中六〇〇枚「義勇兵一號」飛彈全部和「義勇兵二號」飛彈的一部份，都將由「義勇兵三號」飛彈取代之。義勇兵三號飛彈的製造，共需預算四十五億美元，為其飛彈更新計劃總費。另外裝備在三十一艘核子動力潛艇上的北極星飛彈，也將由另一種最新式的戰略飛彈「海神飛彈」取而代之。「義勇兵三號」和「海神」這兩種戰略性飛彈，全係多彈頭的飛彈，射程六三〇〇哩，已經正在試驗階段。另又以一〇億美元預算，製造「長矛戰術」飛彈，長二〇呎，可以使用普通彈頭和核子彈頭，射程六〇哩，每枚造價二十五萬美元。這種戰術性飛彈是陸軍計劃在備戰中，取代「小約翰」和「軍士」等型式的戰術飛彈的。

（二）陸軍方面

美國的陸軍發展方面，是以機動性大為主；陸軍騎兵的建立，就是一例。由於美國陸軍騎兵師在越南戰場上的優異表現，陸軍方面，將以目前具有的直昇機九、〇〇〇架，和小型固定機翼的觀測偵察機增加到一倍——一八、〇〇〇架。增加的九、〇〇〇架直昇機等，大部份為「空中起重機」的最新式直昇機了，此項計劃的完成，計需四五〇——一〇〇〇億美元，則美國陸軍所有的單位，便都具有空中機動的作戰能力。

美國對於北大西洋公約組織，是主要的支持者，加強北大西洋公約組織的兵力，又是美國呼籲的目標。為何美國又減少北大西洋公約組織的地面陸軍部隊？此乃因為美國的國防當局，有一項「世界救火隊」的裝備計劃，美國防部以四十五億美元，購製C—5A型空運機，此乃是最新發展成功的一種噴射運輸機，裝載量大！每架能載全付武裝士兵七〇〇名，於數小時內，可以達到任何地區應變支援；又並不需要很完善的跑道，即算是平地，也可起降。美國防部已訂購了五十八架，先成立三個中隊，然後最低的目標，為六個中隊。

美國陸軍地面裝甲部隊，將以二〇億美元預算，更新裝備。將製造最新式的MBT—70型戰車，重五〇噸，具有一項特別的液壓系統，駕駛員可以隨意調整戰車本身的高度，速度比目前任何戰車為快——這項革命性的新型戰車製造，係由美國和西德軍事機械專家合作設計，每輛造價七十五——一〇〇萬美元；陸軍當局計劃自一九七三年開始生產，以取代美國陸軍現在使用的M—48型巴頓式和M—60型作曼式戰車。

（三）海軍方面

由於俄帝在海上的潛艇數目多過世界上任何軍事大國，據估計，俄帝現有普通潛艇三三〇艘和核子潛艇五〇艘——其中四十三艘攜帶着彈導飛彈（約每艘攜帶三顆飛彈）；但是，俄帝的潛艇建造目標為一、二〇〇艘。目前又正在訓練海底活動的各類科學技術人員五〇、〇〇〇名？再加以俄帝的大型捕鯨漁船在各處海洋游遊，戰時每艘船都可以充作一艘潛艇的供應船。故美國的海軍發展方面，也有幾項重大措施：

(1)「一級」核子攻擊潛艇之建立，海軍根據一種攻擊敵人潛艇而特別設計的核子動力潛艇，預算是一二〇億美元，建造六〇艘「一級」核子攻擊潛艇。目前美國海軍已有核子攻擊潛艇三十五艘，其中九艘不是「一級」的；因此需要再建造三十四艘。現在美國共計裝有四十一艘核子動力潛艇，攜帶北極星飛彈；其中的三〇艘經常在俄帝和毛共的海岸外進行為期六〇天的巡邏，裝備有氫彈的彈頭十六枚飛彈，射程達着二、八〇〇哩的共黨心臟地帶；一旦熱戰發生，便可發射。

(2)增強航空母艦力量。美國海軍計劃建造四艘核子動力的航空母艦，每艘造價六億美元；目前在越戰中服役的「勇往」號核子航空母艦，便係計劃中之一艘。第二艘為「尼米茲」號，正在建造中。其他兩艘，亦將在兩年內開始建造。海軍當局，計劃在四艘核子航空母艦參加服役後，再又建造十一艘，以便將另外十一艘普通航空母艦，全數換新；共需預算六十六億美元。（未完）

立法委員們喋喋咕咕
不滿意劉大中的招數
認為對國情不清楚難臻理想

（本報記者劍歐台北通訊）賦稅改革委員會主任委員劉大中，不受立法委員們的歡迎。有些立委公開質詢，有些立委並撰文加以評論——其人、其事。

六月十二日，立法院財政委員會舉行第十次全體委員會議。立法委員劉全忠於質詢關務時說：關稅修正，應由財政經手，而不可由賦稅改革委員會辦理，因為劉大中先生對我國國情可能不很清楚，關稅改革，難臻理想。

立法委員艾時於今年年初質詢：「劉主委以賦稅改革委員會主委的立場，為了加強其征收，而要提高稅務人員待遇，這是本位主義，而沒有顧到整個政府的俸給法。」

立法委員徐漢豪於其六月份發行的「現代國家」雜誌上，撰文「論賦稅改革會所做的兩件大事——加稅與稽征津貼」，還將文章並將艾時委員等六十餘人，及徐自己的質詢一併公布，對劉大中先生有較嚴的指責。

留美經濟學家劉大中，應政府之延聘，主持我國賦稅改革事宜，故國人對賦稅改革會之設，寄予很大的希望，可是賦改會自去年四月成立迄今一年多以來，由於做法不良，使國人大為失望。

徐文指出：在這一年中，賦改會做了兩件事：一是修改所得稅法，把低所得者的所得稅增加了一倍。二件就是增加稅務人員的稽征津貼。應先顧到人民的生活，收入多的人，應該叫他多出錢，收入少的應少出錢，才是公平合理，現在原來低所得的稅率是百分之三，賦改會竟一下子增加為百分之六，一般中小收入的人，大都是公教人員或小店員，在納稅人中約有百分之九十七的人，每年淨所得在一元以上十萬元以下，這些人可說是真正支持綜合所得稅的人，而且他們的所得稅，大都由機關按月扣繳，很少逃漏，大概劉大中先生看中了這一點，所以特別加重他們的稅率，有人以美國的所得稅率比較，認為百分之六並不算高，其實說這話的人，根本不了解中國的國情。徐文抨擊劉大中對每一個中小收入者都有入不敷出之苦是體會不到的，……這一點是政府的稅源，可是有沒有顧慮過人民的生活？徐委員表示一個「懷疑」。「相反的，劉大中先生，對於大的逃漏，不用一點辦法」，竟拿[illegible]……立法委員徐漢豪撰「賦稅怎樣改革」一文加以評述。徐委員的坦白：他是學經濟學和計劃經濟的，對於財政學還不能專門，不像財政部俞部長在立法院所說，把劉先生說成是一個財政經濟專家，更是世界上數一數二的財政經濟學專家。我們以為賦稅是屬於財政學範疇，與經濟學總有一個距離，劉大中先生以一個經濟學家來担任賦稅改革的規劃，是不是應該同國內來多住些時，先把國內的賦稅制度、稽征辦法等弄清楚再……切有關章則，請立法院對症下藥，請問劉先生你到後來過幾次？對於國內稅務情形去了解過嗎？是否已經完全明瞭？……豈不是更超然些？……單獨增加稅務人員津貼，根本沒有超然，完全本位主義。劉先生說：「在接受這個使命以前，心裏有一個希望，可以達到。」我知道這個希望[illegible]……劉先生所要達到的希望……製造矛盾，不是希望……分化團結，不是希望……共匪創造……機會！」

喬治桑外傳　九五

張大萬

「妳對……」……到底是客……飯，吃得太……；日本菜我只吃……和烤鴨……「我……以。」「雅麗……刻附和。「烤鰻魚的味道也還可[illegible]……適到，大塚、野田……次，第一次請我吃……現失禮。我會在的……「沙蓮米」生魚片……的鮑沒有胃口。」……點了一道日本菜。……不壞。」喬治桑立……

喬治桑與雅麗絲既非情侶也非賊友，他們的談話亦僅如上述。時間到五點鐘，喬治桑提議去逛一逛拍賣行，雅麗絲立即同意。世界上的女人幾乎沒有一個不喜歡逛百貨公司的，即使不買東西，看看也過癮。如喬治桑者，可謂摸透婦女心理者矣。

喬治桑在拍賣行買了一隻袋於斗，給雅麗絲買了一隻鱷魚皮包。付錢，寫下地址叫拍賣行派人明天一早送到喬治桑家裡。

僱車到宮本武藏與雅麗絲。這是一家純日本號的日本料理店，一進大門就看到一張橫匾「日本武士」彩色畫像。樓下是小吃部，樓上才是房間部。自有女侍走到……喬治桑、雅麗絲……樓梯邊……下的鞋子。他們……倒有點像朝聖的回教徒，他們變成了赤足大仙……有深紅色地毯，走在上面，但樓梯鋪……軟綿綿地，反而比穿鞋子更舒服。

（二四）

上話的話，是所謂責之以大義了，其實即合純粹從技術的觀點來看，當局對雷氏「自由中國」的對策，也欠妥當，舉一件事來說吧：當初「自由中國」創辦時，曾有兩位青年參加實際的工作。一位叫金承藝、一位叫馬之驌（馬勞）。前者是張佛泉先生在北大的學生，後者是張起鈞先生在華北學院的學生，這兩位在北平是積極反共的。那時北京大學全為共黨職業學生所把持，他們劫持學生，操縱教授，氣燄萬丈，那個敢攖逆鱗。這是獨有少數來自民間，目睹共黨殘暴，身受共黨禍害的學生，本於良心正義，而與左傾份子抗辯鬥爭，其中最積極的一個就是金君，他有時公然無忌的，親自把反駁左派的言論，張貼在北大民主牆上，還佇觀許久，然後從容離去，在那種氣氛下，倒可算是趙子龍混身是胆了。這是說金君，至於馬君之與左傾學生鬥爭對抗，據聞還與政府是有聯繫的。他們正因為積極反共，才萬里迢迢辛苦來到台灣，這時不但他鄉遇故，碰到自己老師，並且還要辦反共的雜誌。試問該是如何的興奮

雷震與「自由中國」

當年內幕誰知道　一番往事話從頭

王曰叟

，於是憑着一股青年熱忱，拍拍胸脯，參加效勞，給老師們跑腿，其中因為金、馬兩君最為積極熱誠，於是乃由張佛泉、張起鈞兩位教授推薦他們兩位實際參加籌備工作。因此當其他同學們都各找工作，各謀生涯之際，這兩位卻不計報酬待遇、不計名義前程、而按到雷家去上班了。

各位讀者！金、馬兩位這樣熱誠是為的什麼呢？是為的從事反共工作（而非反政府），為的是追隨自己的老師（而非追隨雷震）。但那知時移事易、情景全非，他們是參加了，他們的老師卻撤退了。真是使他們啼笑皆非。好在所作的總是反共工作，老師不在，也不必像小孩離不開娘似的，非走不可，何況一個青年，隻身來台，舉目無親，找個工作又談何容易，因此就作下去了。

那知漸漸的感到氣氛不對，而意識到不能再作下去了，於是四處去找工作，不料所到之處，一聽說是在「自由中國」工作，紛紛敬謝不敏，不敢延攬，隨你天大本事，莫想找個安身噉飯之處。那便只有在雷氏的卵翼下混了。後來金君總算幸運，承一位英國教授西門華先生邀往澳洲墨爾缽恩大學去教中文，算是「身脫此難」，現在成為教授，而倒霉的馬君便只有株守到最後，陪着雷震被捕了。

像金、馬這樣兩位積極反共的「青年」（當時自是青年），試問政府是否應該爭取，甚至從純技術的觀點，還可把他們當為耳目，作影響雷震的工作，怎麼竟爾不分皂白，一齊劃在雷營。這要與韓信毀蕭，瓦解項羽的智囊相比較，豈非有點太笨了嗎。

滄海拾遺

戴洋人餓死春申（二）

赤松子

像戴洋人這種人，不要說在英倫社會上，不會出人頭地，就在這個廣大落後區中，也不會受人尊敬，你聽說過中國曾有一個州縣以上的官吏，是私生子出身嗎？我在中國混了二、三十年，從來沒聽過這種事。再說多妻一事，是中國人的習慣，也是一種嗜好，不說中等以上人家，就是高等聽差中，討一兩個太太，都是很尋常的事，那有我們英國人家庭那種整齊呢，就是爵士們，大臣們，資本家們，不過多一兩位女秘書或情婦，如說正式取兩個太太，那除非太陽要從西方出來。可是這位洋太太，挨了這一頓罵一句話也說不出來，自知理屈，只得抱頭大哭一頓。

那知這位秘書，更用無情的面孔，高聲問道，小姐，你究竟有什麼事請你快說，這是大英帝國領事館，要認真辦事的，不像中國衙門內，聊天，看小說，會朋友，打牌，抽烟等，無所不為的。你既離了婚，準備回倫敦，究竟還帶有多少錢！洋太太道，只有一百五六十元。秘書更聳肩冷笑道，還差兩三倍，不過不太要緊，領事館可以替你代墊，將來通知倫敦外部，會派人到你家去取的。話說洋太太辦好護照，立刻準備起程，後來回到英倫，嫁了一位中等商人，不在話下。

可憐戴洋人自英國太太去後，生活馬上發生問題。因為戴洋人是家無恒產，而徒知享受的人，他回國後的收入，十分之三，是靠青年會薪水，十分之七，是靠學費，可是從前學生之多，並不是因為他的英文好，而是在四川學生眼光看來，外國月亮比中國的又圓又亮，因為有一位高鼻子太太作廣告，別家補習班，每點鐘只收兩元，去的人並不踴躍，至於戴洋人的學費，比別人高兩倍，學生還是源源而來，因此戴洋人兩口子，經常吃着不盡，如今這位洋太太走了，于是各補習班都說戴洋人的英文發音，不是倫敦國語，雜的有很多蘇格蘭土腔，一般學生聽了這個宣傳，相當相信，認為他的發音不確，而且收費又貴，于是學生今天走一個，明天走兩個，四五天內，就走了一打多人，不到三個月，幾班學生，通通走光了。

原來戴洋人這位小太太，本是一個菜販的小姐，只讀過一二年小學，她從前肯嫁他，是見戴洋人過的高等華人生活，如今見他的洋大太走後，馬上生活就要陷于絕境，一念前途，自知無大希望，加以從前趙老太婆，又來每天挑唆，勸她趁早改嫁，說戴洋人脾氣既不好，洋派還是十足，你看結髮夫人都走了，何況你，他早晚是要丟掉你逃走的，不如趁你年輕，還是早打主意。前天有一位李師爺，在各縣衙門管賬多年，聽說在都郵街的舖房，都有十多間，因為年過四十，還沒有兒子，託我替他物色一位小姐，無論嫁過人沒有，他都不管，他師奶奶也非常賢慧，你如願意，就請兩位街坊，擺一桌喜酒，就去當二奶奶去，你覺得怎樣？小太太道，多年來你都和我媽媽是一樣，難道我還不相信你，是年紀未免太大一點，你覺得怎樣？老太婆滿臉陪笑，趕快答道，不，不，李師爺雖然年過四十，看起來只像二十多歲人，並且脾氣非常之好，見了總是笑嘻嘻的。小太太見老太婆說得天花亂墜，心中已有九成願意。就說道，你請我再和我的媽媽商量一下。老太婆臨走又再吩咐道，事不宜遲，要快就在這月內，因為李師爺非常着急，你要決定了，就快照一張四寸像片。小太太道，那是自然。

趙老太婆回去，不到半個鐘頭，李師爺來了，進門大叫道，我的大娘，你怎麼搞的，已快三個月了，再過幾天，就要過中秋了，天上月亮都要團圓了，你怎麼叫我一個人，還是每天陪着老太婆，過那種陰慘淒涼的生活呢？老太婆見是財神到了，趕快陪着笑臉讓坐，並去泡茶，李師爺笑道，不要客氣了，我們談談罷，你說那事究竟怎樣？還有點兒希望沒有？老太婆未開口，先就笑得彎着腰道，你老人家的福氣，怎麼會說到沒得希望。不過你老人家是一位有身份的人，那些亂七八糟的女孩子，怎麼敢和你亂介紹，如今有一位小太太，不是別人，就是戴洋人的那位小寶貝兒，不提到戴洋人，還則罷了，提起了戴洋人，把李師爺大吃一驚，估着兩眼像牛卵子一般大叫道，哦，原來是他，他的洋太太不是才走不久，怎麼小太太又要出嫁呢，你不要拿我老實人開玩笑吧。老太婆也笑道，且慢，聽我道來，你不要看他是一個二毛子，他花起錢來比真的洋人還凶，我看見很多洋人，他們每月賺一個三百元，至多只用二百五，可是這位二毛子，兩口子每月賺三百元，每月到要花出四百元來，說到這個小傢伙，花錢比洋太太還要凶，如今洋太太一走，洋人的學生，也都走光了，聽人說這幾天洋人正在計議賣家具，預備路費到上海去，你說他的小寶貝不嫁人怎麼辦呢？李師爺呵呵大笑道，既是這種機會，你怎麼還不「快馬加鞭」呢，從前我說你把事情做成了，送你一件大綢衫子，你要是快做成，再送一隻火腿，一仿紹酒，再加送大洋二百元，總望你快點說。老太婆聽了，笑得合不攏嘴起來，慢慢道，事情並不這樣簡單，這個小寶貝，是個好吃的，我去一次，總要給她買一兩元點心，還要陪她媽媽打點小牌，贏了還好，輸了，又得拿出兩三元來，你不是不知道，快到了，現在家裏一點兒準備都沒有，甚至少一切開消，還得二十元，才能出門去看小寶貝一次。

序生活漫談四集

文匯樓主

文匯樓別記

生活漫談一集（係徵信新聞報連載），生活漫談二集（係中央日報連載），生活漫談三集（係民族晚報、中國晚報、新天地連載），生活漫談四集（係中華日報南北版連載）。生活漫談，台北報紙登出後，香港報紙轉載，台灣各大報又有將香港報作回籠式轉載，或被抄出投登，總之生活漫談一般都很注意就是了。

生活漫談作者馬騰雲，已與本報約定「今後文章在本報獨家發表」，凡已在徵信報、中央報、中華報、民族、中國晚報等馬騰雲讀者，欲繼續讀馬氏文章者，可請看訂自由報。

生活漫談四集的內容，率多為台北中華日報、台南中華日報連載，循甚多讀者們要求，循接生活漫談三集繼續出版，現正排印中。

是集約五十幾篇，於漫談中講食療，風趣中說營養，分析肉類、菜蔬、水果、藥物中的藥用價值，全書都能使讀者受用，工業社會裏，時間就是金錢，幫閒文學的時代漸成過去，學以致用，一如箭不能虛發，今日搞筆耕的人，照道理都會瞭解這些。

廿年來，馬騰雲先生致力於中醫中藥研究，抽絲剝繭，稍有心得，有感當局倡導的中華文化復興運動，正是大家要講而未講出的，要做而未做到的，此一運動乃知識界共同心聲，不過我們覺得除注意復興外，革新更不能忽略，所謂：「苟日新、日日新、又日新」，要建立科學重於傳統，今人超過古人新觀點，新認識才對，將中華文化復興運動邁向新里程新目標，使不致重蹈新舊八股的覆轍。

復興與革新，從表面上看，是兩條路，實際乃一個目標，如果硬將今日文化拉回到古代，固不可能，祇倡導復興而忽略了革新，固屬一種偏差，由於近年的科學高度發展，證明了月裏既無嫦娥，吳剛也從未伐桂，擺在眼面前，應興應革的艱巨任務，才是時代給我們的神聖考驗，馬氏自稱「僅以文化復興運動一員無名小卒」，彼之竭盡心血，貢獻所知，甚為難得，並望社會先進們帶領、指導。倘因各方之鼓勵，而使中醫中藥研究工作獲得寸進，樓主亦會感有餘榮焉。

政治垃圾現形記（十二）

李槃

第五回　天生佞質，媚術偏能惑主　慣擺官架，醜態到處凌人

王耀祖從此決計投入政治舞台，他以「黨權高於一切」的黨務幹部人士，要作官，自然比一般人容易多了。第一步要求黨部某要人推薦他到軍事委員會的黨政處担任高級職務，隨着軍事委員長在淪陷地區指導黨政事宜，藉「軍法部勒」的權力，遇事很少阻礙，亦就易於表現成績。而深得上峯稱許，迨對日抗戰之役作，他則任為大本營政治部副部長了。可是，他認為「政治部」乃係戰時機構，不算正印官，心裡感覺不滿足，於是，進行第二步的活動計劃。他對於中樞的政情十分瞭解，認定當時在用人行政上最具潛力的是文武兼資，出將入相的某顯要，但念自己的關係路不夠，必須設法親近纔行，每逢某顯要對所屬或公衆訓話時，必到場陪聽，而且坐在台前第一排的位置上，持着小型記事本，作筆記狀，使某顯要目擊其情。事後根據訓話的要旨，從中外名人的傳記語錄中，摘出一段與某顯要語意相符的話，加上幾句恭維之詞，用宣紙楷書作呈文，註「職王耀祖敬呈」字樣，表示對某顯要的訓話特別注意，研究有得。這種「米湯經」最足以投合現代政治上一般要人的胃口，果有意想不到的效力，不久，王耀祖則經某顯要的舉薦，升任為中樞行政院某部的部長了。

王耀祖費盡心機，絞盡腦汁纔達到作正印官的願望，而且平步青雲，一躍而為特任官，一方面躊躇滿志，私幸祖宗有德，一方面又唯恐或失，不能久居顯位。他對於行政事業原係莫名其妙的，每天除却照例到部畫諾，向着僚屬大擺其官架，大彈其官腔而外，就是奔走權貴之門，以期邀寵固位。他瞭着當時居於「親君」地位而又深得信任的政界要人，以陳布雷首屈一指，乃重施故智，對陳氏特別巴結。對日抗戰時期，最高當局侍從室每週召集中樞行政大員，舉行會報一次，研討各項應與應革的內政問題，某次會報由陳布雷主席，談到經濟改革計劃，侍從室特務組（專管共黨情報）負責人徐佛觀中述其改革經濟政策的意見後，王耀祖以部長氣派，駁斥徐氏之說，認為毫無是處。最後主席綜合各員意見，發抒結論，中有「本人認為徐同志的意見亦有可採的地方」一語，王耀祖聞之，登時起立發言道：「主席的指示極正確，剛纔我所說的話，因自己考慮未週，又未聽到主席的明智指示，實在錯誤之至，應予撤消，不必紀錄」。在座的人相顧默然，覺得，投以鄙薄的眼光而已。

依洞集

清掃政治垃圾

·朱公陶·

本報上期的昨日與明日，特別提出：「人民重於官員」、「經濟重於政治」，今借低調集園地，再談幾句人民重於官員的事

順公意不失敗，逆公意必無成，這是林肯從政治事的守則。公意者就是人民的意見，逆公意就是反對人民的意見。林肯經過六十年的失敗，一舉成功而與世界歷史並垂不朽，我想這些話，不會是欺人之談，否則林肯不成其為林肯矣。

今日台灣有一項公意，就是政治垃圾必須清掃，而清掃政治垃圾，尤須先從行政院作起點比如政務委員中，有一種豬康泡圖先豬肚子型的學者，攬擁派系，興風浪，鑽黨勢，壓人民的傢伙，不可不除，還有一種貪揣摩的，閱歷過深，逢迎自熟，已成為精的鄉愿之輩，不可不除。第三種人，是表面上道貌岸然，實則男盜女娼，見乎小節，闇識大體，舉步惟恐傷蟻，入廚能够解牛，自認放下屠刀就能成佛的人，不可不除。

統治一個大國家，像廚子烹調一條小魚，問題先將鍋洗乾淨與否呢？還是就以髒鍋烹調，明乎此，則非洗鍋不可，洗鍋就是清掃政治垃圾，清掃政治垃圾即為順人民公意，此一邏輯，當不會錯。

我對「輪迴說」的一點成見

·毛忠民·

所謂輪迴說，便是主張個體的靈魂永動不滅，能夠由一肉體移居於另一肉體，而其肉體是人或是動物，可以不必過問，令人感到奇怪的是：古代的民族，絕大多數都有着輪迴的思想，其中以埃及、印度最爲發達，在歐洲希臘人亦相信輪迴之說，其代表人物有泰利斯與畢達哥拉斯，畢氏曾說：「凡是人死後，其靈魂當各隨其生前之業，而棲宿於他界，善者超昇於天，庸者轉生爲人，惡者墮落而爲動物。」故畢闢哥拉斯之徒，[illegible]期間，不食動物及卵，柏拉圖對話錄篇中曾言及，人的知識是由於生前種種的回憶，此顯然與輪迴說相符，然而根據史家的研究，認爲希臘之輪迴思想傳自埃及，埃及人深信靈魂不滅，人生後，其魂須從水陸空諸動物體，巡行一周，經過三千年巡行完畢，然後復歸人體，故埃及人保存木乃伊，實爲對靈魂復蘇之信仰，而非轉生之意。

釋迦歸納印度上古傳統宗教的輪迴之說，而建立三世因果，六道輪迴的生命現象論，他用歸納的方法，並列生命的種類，大體約分爲六道：即所謂天道，阿修羅道，人道，畜生道，餓鬼道，地獄道的六類，一切衆生，由於思想與行爲善惡程度的多寡不同，而互自淪爲六道當中的生命現象，人能爲善而升天，亦能爲惡而變爲畜生，餓鬼，甚或至于墮入地獄，而所謂的三世，是指時間的過去、現在、未來，有過去的因，累積而成現在的果，由現在的因，累積而成未來的果，未來與過去，又如循環般的無盡，故所謂輪迴，便是指的周旋輪轉的意義，于是便建立一個三世因果，六道輪迴的學說體系。

在我看來，輪迴在古時之所以能够風行于全世界絕大多數民族，主要的是源于人類原始的道德觀，以反對來世或人類終向的膚淺的探求，古時的民族沒有法律條文來約束人民的行爲，也沒有這種必要；因爲民風淳樸，而此淳樸的民風則建立在「善有善報，惡有惡報」的先天道德因果觀念的基礎上，即如易經上所說的：「積善之家，必有餘慶，積惡之家，必有餘殃」，以及「善不積，不足以成名，惡不積，不足以滅身」。然而有些善者，在其有生之年，不但沒有善報反而受盡非難，惡者卻享盡了榮華富貴，人們爲了不使維繫社會的道德觀崩潰，唯有將善惡之報應期待于來世，于是輪迴之說建立了起來。

由于思想與時代的進步，輪迴說逐漸爲更完善更進步的人生觀所取代，如今除存于極少數的幾個古老的宗教裡，印度教爲其代表者，這些古老的宗教，至今猶保存着輪迴說，實令人費解，依我的淺見，人因生前善惡之業，而互倫于天道，人道，畜牲道或至於地獄道，但是依據吾人的經驗，此乃不可思議之理，就以吾人倫爲「人道」者而論，吾人顯然是前世的惡業，不能升入「天道」，而淪爲人道受苦，但是吾人爲何對前世沒有一點兒知覺呢？再者畜牲顯然沒有靈魂，牠無法辨別善惡，沒有理性，沒有思想，也無法創造和發明，牠的一切舉動純常爲一種慣性和本能，故人若淪爲畜牲道的話，就失去了惡報的本質了，因爲很本不知道自己是在受苦，有些動物每天除了吃、喝、睡外，無憂無慮，在人看來，與其說是受苦，勿容說是一種幸福。所以我認爲輪迴說僅屬成爲歷史名詞，而不當存於現今的宗教人生觀內。

催眠術研究　五一

·鮑紹洲·

五十八、選擇催眠法的注意

（二）因被術人催眠感性的高低，而後選定催眠法者。感受性高的，即用簡單的催眠亦可見效。例如喝棒法、合氣法、一瞬法、電話法之類，簡單之方法，亦足以催眠，但感受性低的人，應當施甲子法催眠方可。

（三）因被術人的性質而後可以選定者：催眠性感高低之外，又有各別的性質，如快感法、接掌法之類，必須接觸被術人的身體而後可。又如用心力法、結指法之類，完全不接觸身體，也更適合的。

先用前述的第一、二、三而試之，以觀察被術之如何催眠，及適合與否，而又辨別何者屬於心理的，何者最簡單，或用何種方法可接觸身體，這些都必在未施術之前，先行確定。現在爲求易於學習起見，茲將其系統列於左，俾便記憶實施。

（1）簡單法與複雜法：催眠法有簡單與複雜之別：如合氣、喝棒法，這是屬於簡單之類；如甲子法、甲丑法，這是屬於複雜的。

（2）早急與遲徐法：催眠法有速成與徐就之別，如飛叱法、强激法是速成者，語言法、利用法，是屬於徐而就者。

（3）固筋法與弛筋法：催眠法中，又有時被術人的筋肉强而固之者，或張而軟之者，如折指法、强壓法，則是屬於前者；如忘肉法、注集法乃屬於後者。又有硬軟法，是屬於前後二者的。

（4）强觸法與無觸法：催眠法中「將被術人的身體强觸的，或有稍觸的，如撫下法是屬强觸的；按摩法是屬於前者；心力法、結指法是屬於後者。

（5）注集法與放散法：催眠法中將被術人的注意於一物的方法，或者不會集注於一物，而使被術人寬閒無碍心理的方法，如集注法、算息法，則屬於前者。如忘肉法、語言法（是不令其注意物）等，則屬於後。

（二）

多想到別人

·陳宗敏·

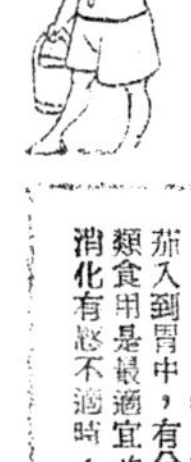

莫泊桑有一篇短篇小說，去年七月間有人把它翻譯在「徵信新聞」副刊上。這篇短篇小說，題曰「回顧」，只寫一位老太太和一位老神父在小火爐旁的一番談話，這些談話，就是神父回顧他自己爲什麼會放棄俗世的生活，而從事于傳道和服務世人的工作，其中有幾句話說：

「我不再想到我自己，那麼我所經歷的事物會減去我的緊張。」

「你知道恐懼和痛苦一直扭絞我的心靈，是的，但我已經把自己的事情升發到同情和憐憫裏去的時候，那還有什麼不可以忍受的？」

這幾句話說得很好，如果我們永遠只顧到自己，我們便必然的時時爲自己的得失恐懼痛苦，爲自己的遭遇就憂煩惱。但是一旦我們放寬自己，不太執着自己，那必然的也將會減少這些無謂的煩惱、恐懼和痛苦，而使自己的生命過得更愉快。

杜甫有一首詩「茅屋被秋風所破歌」，這首詩本來是寫他的茅屋被秋風吹破，蓋屋的茅草都被風飄走，一些頑童又抱着茅草逃去，老杜趕着他們，又追不上，只好喘着氣，歸時眠。這樣的一首詩，很有可能寫成怨天尤人，甚至於痛罵頑童的詩，可是杜甫的這首詩，却忘掉了自己的不好的遭受，忘掉了自己的潦倒和痛苦，他傾向像莫泊桑所說的「把自己的事情，升發到同情和憐憫裡去。」他不再爲自己的茅屋被風吹破所痛苦與煩惱，他反而如此寫着：

「安得廣廈千萬間，大庇天下寒士俱歡顏，風雨不動安如山，嗚呼何時眼前突兀見此屋，吾廬獨破受凍死亦足。」

有了這樣的胸襟，自己的遭遇便不會覺得太難過了，「那還有什麼不可以忍受的呢？」人若遇到不如意的事，擴大自己的心胸，不單看自己，更看芸芸衆生，便會產生一種慈愛的心情，杜甫的被稱爲詩聖，也許正不止於他詩之聖吧？

海闊天空的一縷煤烟

（上接第一版頭條）

接着，他又說：「趙先生的『特權』觀念，實在有些怕人。……『語文專家』的本份工作是語文『專家』銜頭之得，也是由於語文，與趙先生『我在中央服務很久，現在還是中央級民意代表之一』，有什麼關聯？如果說趙先生的『專家』資格是因此而來，那我將無話可說，否則，那就是不近理的觀念，也就是想要用『特權』來烘托他『專家』的地方！我很同意自立晚報『語文專家可以休矣』那篇社論，其中兩句話非常重要，就是『「語文專家」並不是「御賜」的，也不是自封的。』這話聽是一般性的，並非專就趙先生而言。因爲近些年來，那種非驢非馬的『專家』太多了。動不動就用『中央』嚇人！好像他就是『中央』，或者：『我是代表中央的』。這不但有損於個人的人格，……對於『中央』，也是一大侮辱。但是，具有這種『特權』觀念的人，把『代表中央』習以爲常，往往不就是非上去立論，動不動『要直接到中央有關機關去講話』。這是什麼意思呢？難道一到『中央有關機關』，那『假如電影院像教室一樣』就會變得合理，變得通順，變得合乎邏輯，合乎『語意學』的原了嗎？我絕對相信，我們的『中央有關機關』決不會和所謂『專家』一樣乖[illegible]，强不是以爲是，也決不會一聽了所謂『專家』的『講話』或『小報告』，就用政治力量來支持所謂『專家』胡搞。那種乖張的想法和措施，如果出之於下層社會，或流氓，都不足驚奇；如果出之於搞文化運動、搞語文運動、搞文藝運動的所謂『專家』如趙友培先生者，那就不僅値得驚奇，而且驚奇得非凡。」

知道了趙友培先生這種特性和品質之後，對於他的『封閉中華等雜誌』的『謬話』，應該相信何南史先生的話！

九、結論

趙友培先生所自我期許的，是「海闊天空」！他的所言所行，是一『一縷煤烟』！

這『一縷煤烟』，要想污染『海闊天空』！

實際上，是他污染了他自己，污染了文化運，污染了文藝運動，污染了『中國語文』！也污染了『當前文藝政策』！

這種污染，是極端有害的！因爲他挾帶着文化漢奸以俱來！

五十八年六月十五日深夜

（完）

生活漫談

番茄柔血管．助消化

馬腾雲

蕃茄有點像紅柿，是以有些人稱它爲「西紅柿」，它的顏色令人歡悅，英國人又叫它造「愛的蘋果」。本世紀初期，蕃茄才被人發覺爲對人體有益的食品，其後劍橋大學經過實驗研究的結果，發現蕃茄含有多量的維生素C，比橙子還有益，有利於貧血病者。蕃茄所含營養成份爲水份百分之九四，蛋白質二點二，含水炭素二點九，其他還有磷、鉀、果酸，及維生素A、B、C等，尤以維生素C爲最多。蕃茄入到胃中，有分解[illegible]肪的作用，配入肉類食用是最適宜的，食得肉類太多，胃部消化有些不適時，可食一些蕃茄以助消化。蕃茄所含多量維生素C，對人體很有利，因爲維生素C，在人體的結縮組織中，佔有一種很重要的形成成份，如果維生素C供應不足的話，結縮組織便容易損破，須知結縮組織多集中在軟骨，血管壁，韌帶，和骨的基層部份，結縮組織給予這個機構以很大的動力和伸縮自如的作用，尤其是血管壁，定要擴張或收縮自如，才能常保持有彈性的動力。故缺乏維生素C，這幾個部份間接就要受到影響了。但我們不要以爲蕃茄的維生素C豐富，對人體有益，就多食或狂食蕃茄，應知道蕃茄的性質是「甘寒」的，以澱粉質爲營養主力的中國人，對他的受納是有限度的，如食得過量的話，就要「痾濕熱」，因爲他的「寒」會傷害我們的腸胃。且它的質滑而利，多食更能「動風」，是以有泄瀉腹痛之疾患者，似不宜多食之，至於熱性病的大便困難，或腸胃管液質枯涸，大便結硬和彈子，食之可以潤腸利大便。又如食肉過多，發生口渴口臭，食管及胃部欠缺水液，胸膈熱悶，喉頭發炎，也可以食蕃茄、或以蕃茄作水菓食，有很好的治療作用。假如腰脚部份常常感到拘攣，似乎週身欠缺靈活，骨節筋絡，動之歷歷有聲，大有「全身機構似乎鬆弛」的感覺，這與欠缺維生素C有關，要多食一些含有維生素C的食品，尤其是蕃茄之類。在藥用上，蕃茄還可用於「跌打刀傷」，凡因跌打受傷而腫痛，或是恐內部積瘀，可用蕃茄搾汁，加入一些薑汁，煮熱飲之，如身體壯實者，鮮飲亦無妨；倘身體素弱的人，混入一些燒酒更安全而效速。因爲蕃茄對於散瘀血，理傷腫頗有效驗。

自由報

中華民國內政部登記證內警台報字第〇三一號
中華民國僑務委員會登記證僑新字第三二三號
中華郵政台字第一二八二號執照登記爲第一類新聞紙

（第九七四期）

（半週刊每星期三、六出版）
每份港幣壹角・台灣零售價新台幣弍元
社長李運鵬・督印黃行寶
社址：香港九龍彌敦道593—601號廖創興銀行大廈八樓五座
LIU CHONG HING BUILDING
7th FLOOR FLAT 5
593—601 NATHAN ROAD,
KOWLOON, H.K.
TEL: K303831
電報掛號：7191
承印：景星印刷公司
地址：嘉咸街廿九號地下
台灣總管理處：台北市大同街119號
台灣區直接訂戶，台郵劃撥戶第五〇五六號張萬有（自由報會計處）
電話：七一四〇三三・五五五三九五
台灣分社：台北市西寧南路110號二樓
電話：三三〇三四六，台郵劃撥戶九二五二號

自由之眞諦與中文之「義」字

梁寒操

（一）

自由博愛平等、三者，已成爲今日人類世界之共同道德標準。如以智仁勇三達德之心理加以分析，則博愛契乎仁，平等契乎智，自由契乎勇，而實以自由爲基本，因個體之自由不立，羣體之平等、博愛，無由領悟與實踐。一切道德皆無由建立也。今者欣逢自由報廿週年紀念，吾人在舉世擾攘紛亂之中，彌覺自由之需要與可貴，同時更感於舉世對自由眞諦之誤解，可能爲造成擾攘紛亂世局原因之一，因願以自由眞諦爲題，以抒所見並祝爲自由而奮鬥二十年之自由報，致其佩慰之意。

（二）

自由之義理，本爲道德之基本準則，屬於人類生來享有之權利，個人之自由，而推於國家民族世界之自由便成爲不可搖動之基本人權矣。

自由既如是其重要，但究竟自由之含義爲如何？其份際又應如何？在舉世尊重自由，爭取自由，選擇自由之今日，吾人又不可不加以深察也。

自由含義，應有思想與行爲之分，更因有別於思想行爲而異其份際。余嘗就此義，試撰爲聯語曰：「從思想中另闢天地，在道義上謹守藩籬」，又曰「天人之際觀平等，道義之中樂自由」。其意認爲吾人在思想上，應有充分之自由，以開拓思想領域，創造新天地。但在行爲上則應遵道義作準則，以用中補偏，有利無害，否則有如羅蘭夫人慨歎：「自由！自由！天下多少罪惡假汝名以行」。便失却自由之眞諦，以自由於己者，反不自由於人，則自由云云，適得其反，倘自由眞諦被人誤解，而見諸思想行爲，則天下焉有不亂之理？

（三）

自由在思想方面之份際，其關係是本於自發，自願，自主，自在，不受外在之壓迫，否則便不成爲自由，但如何方稱爲思想自由？又如何自知其爲思想自由，則並非發自個人一時之衝動與一時之妄念，而必須依據一個人同此心，心同此理之標準。此一標準便是「義」。「義」者，事之宜，即爲其所當爲，亦即「無適也，無莫也，義之與比」之意，因爲能做到爲所當爲，便是理得心安，便是自由自在，因爲並非勉強或被動被迫而爲，所以是自發自願，由於自由自在，心安理得，其思想所及，必然遠大公正，磊落光明，而於宇宙人生之眞理，多所發現或發明。所以古往今來，大思想家，大發明家，偉大人物，幾無不是得力於思想自由而來，所謂百花齊放，百鳥爭鳴，便是思想自由一個象徵，所以在思想方面，自由之份際，是應該廣大，壯闊，不應對思想上有所箝制，而事實上亦不可能箝制，此始爲思想自由之眞諦。

（四）

至於自由在行爲方面之關係，其份際是屬於相因、相合、相生、相成，不由個人之隨便放縱。否則妨害他人之自由，而變成自由之障礙。故如何始算獲得個人行爲自由，進而保障社會國家自由，則自應以保障個體自由而不妨害羣體自由爲界限，現在社會之各種禮制法律，即由於人類想規範個人行爲自由之限度，保障社會秩序之安寧而起，其是否得當，則尚待人類不斷之研究與努力。人類惟有對道與義有正確認識，才可以導正自由，更可以納正行爲於自由。使自由眞諦，獲得更圓滿之發揮與運用。現在社會正廣泛提倡自律運動，即是本於道義而發爲自我行爲之約束，使行爲自由獲得最高度適當之保障，此種導正行爲自由之份際，表面似屬限制，而實際則爲保障，是自由在思想上與行爲上，雖然份際有界限，如有不同，其爲保障自由則一。而二者均以道義爲依歸。故余常以「義」字解釋自由，謂義即自由。從中國人造字考察，義字上面是「羊」，下面是我，羊是象徵「善」「美」。我是表示自己，合「羊」與「我」而成「義」字，乃表示人當「擇善」。人對是非善惡美醜問題，必應由自己判斷選擇，即父母師長也不能迫我必從。近代西方所講思想信仰自由，基督教聖經中所記，「你如識眞理，眞理即給你自由」，都爲「自由」二字之眞諦也。誠不「由義」，無以了澈自由之眞諦，更無從發揮自由之大用。

如何高舉自由之大旗，一面摧毀馬列史毛的邪說，一面矯正姑息分子的謬見以救己救人救世，正是我今日的神聖任務。一息尚存，何能少懈。

昨日與明日

原子彈與中東影響

以色列與阿拉伯國家間衝突日趨激烈，中東情勢正爲世人所迫切關注時，西德記者盧斯特忽傳出消息，謂以色列已完成了五枚十公噸級威力的原子彈，成爲世界上第六個核子國家。此一消息雖當即爲以色列官方所否認，但其可能性與影響，却是値得世人重視的。

以色列與阿拉伯各國的敵對情勢，可自下列各點，看出其近來正在日趨緊張與嚴重中，大批俄國武器運送給埃及，外電報導：蘇俄已恢復相當數量的武器運送給埃及，其中包括最新的超音速噴射機。這項武器的運送，是在經過數月的間歇後恢復的。另一方面，這也是對美國正以幽靈式飛機援助以色列的一項反應。按：美國也在對約旦提供武器援助。

以色列與埃及的砲兵，近日幾乎都是在隔著蘇彝士運河進行相互砲擊。以色列的機羣，並曾襲擊約旦境內及其他地區的阿拉伯游擊隊基地。如五月七日，雙方砲戰就歷時十一小時之久。

領導人物公開挑戰：

以色列總理梅爾夫人曾公開說：在阿拉伯各國準備與以色列共同生存之前，中東將無和平可言。而納塞亦謂埃及將自造核子武器，以對付及報復以色列製成核子武器之陰謀。

關於以色列發展原子武器的傳說，多年來已不斷有所報導，但由於未作試爆，始終不能獲得證實。此次記者報導的原文是。中央社「蒙得斐」八日合衆國際電：「蒙得斐日報」今天在其早版中報導說，以色列已製造完成五枚二萬噸威力的原子彈，同時第六枚即將完成。這項將使以色列成爲世界上第六個核子武力國家的新發展，是由「蒙得斐日報」特派員盧斯特所報導。盧斯特是派駐蒙得斐的記者，但他也有很多外國線民，包括西德境內的許多人。

要說明的是，核子科學家們早就表示，除了已擁有核子武器的國家外，另外十個國家已具備有製造核子武器的條件，只要他們肯花錢製造，短期內即可完成，而以色列和西德，加拿大，更被列於此少數兩三國之內。據此可知，以色列可能於短期內完成原子彈製造。而且就基本情勢來看，以色列如以製造核子武器來強化其防務，亦屬情理之常。

中東當前危機所在

與以色列爲敵的阿拉伯各國，過去在對以國作戰中，二十年來凡三戰三敗。在兵敗如山倒時，阿拉伯人忍辱停戰，但稍隔一些時日，則又磨拳擦掌，矢志報復。他們始終不承認以色列的存在，總認爲最後要消滅對方，政府當權者明知再戰仍無勝利的把握，但在民情激憤之下，也不得不作出不妥協的姿態，而且不時以若干行動來作表現。抑有進者，還是阿拉伯各國不能控制的恐怖份子，他們被阿拉伯人視爲民族英雄，千方百計找機會對以色人民和財產，乃至飛行國外的民航機作毀滅性之攻擊。恐怖份子的構想，是在打一種長期消耗戰。因爲以色列地方不大，人口只有兩百多萬，其四鄰的阿拉伯國家人口與面積，都比他多幾十倍，若長期消耗下去，以色列勢將萎縮甚至被完全消滅。以色列的對付辦法，則是強力的報復，這些報復行動，的確也使若干阿拉伯國家不歡迎恐怖份子，而恐怖份子則又利用憤激的民情，以打擊政府，如最近的黎巴嫩，就曾發生此類情事。恐怖與報復行動，交相刺激，其結果，就很可能引發第四次以阿間的大戰。這是中東當前的危機所在。

核子戰對以阿影響

在阿拉伯人不肯媾和，而以恐怖活動作長期消耗的情勢下，地狹人少，受強鄰環伺的以色列，要長久維持其以寡擊衆的國力，勢將走向發展核子武器的途徑不可，我們就情理推斷，以色列之擁有原子彈，將只是時間遲早的問題。因之，我們現在要注意的問題，假如以色列製成了原子武器，其對中東的影響與後果如何？我們的推斷是：第一，以國如製成原子彈，將備用作對阿拉伯國家的嚇阻性武器；他是不肯用，也不敢用的。第二，埃及則已揚言：如果以色列製造原子彈；埃及也將自己製造。如果納塞手裡握有原子彈，他很可能以之投向以色列的。不過，自埃及的技術，人力、財力等方面觀察，都還不夠製造原子彈的條件。納塞也只是虛誇一下而已。第三，蘇俄不會直接以核子武器援助阿拉伯國家，但將表示置阿拉伯國家於其核子武器的保護之下，藉以嚇阻以色列。

基於以上的推斷，我們可以想到：假如以色列製成了核子武器，中東以阿僵持對峙的情形，仍將難以緩和或改變。唯一的變動，可能是阿拉伯國家將因而完全投向蘇俄的懷抱。就整個自由世界的利益觀察，我們認爲這才是眞正的危機所在。願民主國家的軍政首長們，對此可能的影響，預作有效對策加以防制。

・高格・

自由談

毛共宣稱蘇俄勾結「美帝」以對付中共，俄共亦指說毛共勾結美國以對付蘇聯。這叫做狗咬狗，自出醜！

說美國想勾結蘇俄以圍堵毛共，并非完全撒謊。自從俄毛這兩個所謂「兄弟之邦」反目以來，美國當局即千方百計地要跟俄共妥協，而希望俄毛間的裂痕擴大，這有許多事實可資考證的。至於說美毛勾結以對付俄共，那就是共產黨徒一貫的宣傳技倆，令人難以置信也。

略談世界大勢

世界形勢的趨向表現得很顯明，美俄兩個強權國家，因爲害怕之核子大戰，故彼此皆強調和平，諱言戰爭。美國企圖藉民主自由的政治理想和實際生活，以抵共產極權主義之擴張，認爲可收事半功倍之效。蘇俄則利用資本主義社會貧富懸殊，內部矛盾叢生，階級對立，到處潛伏着「第五縱隊」的情況，認爲實現世界革命的方略，殆以漸進蠶食爲上乘，過去二十年的冷戰，勝利完全是屬於蘇俄方面今後自以照樣進行爲上上之策。

憑客觀的尺度以衡量美俄雙方現有的鬥爭策略，美方必然失敗無疑，試看美國內部動亂不歇，左傾勢力日見膨脹的情形，則思過半矣。其他的自由國家，凡是接受美援較多的，共黨或其「第五縱隊」的力量則暗長潛滋，生生不息，否則人民的反美情緒亦相應發展。這證明美國反共的冷戰手段并不高明，遜俄遠矣。

祇要「國家」的界限存在，全球的資源不能爲全人類共有共享，人種與膚色的歧視觀念不消除，所謂「永久和平」之說，乃是騙人的謊話三千。誰若能夠搶先在太空建立了基地，世界戰爭之神即冉冉降臨，不成問題。我們處在這樣的世界局勢中，個人的禍福倒無所謂，自己國家的出路如何，却係十分嚴重之事，像目前「人爲刀俎，我爲魚肉」的狀況，非努力設法改進不可，不知謀國者亦措意及此否耶？

馮□先生

談台灣九年國民教育

饒衍浩

台灣地區的教育問題，可說積弊已深，言之痛心！當抗戰勝利，光復的初期，主其事的人，確係本行人在那裡辦教育。後來被某些學閥侵入，爲造成一種勢力，準備政治資本，於是只重量不重質，盲目發展，汲引親故，廣布心腹，有些人當是作官，紛紛鑽營，教育的神聖使命，根本就不懂，也無心理會。自從這批爲作官而來的人混跡其間，很快變成了烏烟瘴氣，黑漆一團。貽羞杏壇千奇百怪的笑料，層出不窮。許多頗知自愛而又想識貨的校長，也只搖頭，徒呼負負。所謂積重難返，責之現在教育當局，自非持平之論。

然而實施九年國民教育，承辦單位的主管們，倘以國家民族的前途爲重，培養反攻力量，仰體　領袖的眞意所在，以臨淵履冰的情操，努力向善，辦得好應該毫無問題。

蓋天下事最使人爲難的莫過於無米之炊，巧婦尚且不能，何況不是巧婦。想作一件事，既缺經費，又無人才，要求成績，無異緣木求魚。這次九年國民敎育則不然，原是奉行　總統命令而實施，所需經費，早已寬籌。以言人才，目前在台灣是全國人才薈萃之所，老少咸宜，小大由之。有了足夠的經費，又有各等備用的人才，任何事都可以辦得好。九年國民教育但又何能例外。自去年實施以後，無可諱言，有心人士，早就搖頭，實在不敢恭維。台北市自去年七月升格院轄市，處處表現與台灣省分庭抗禮，各行其是。我們也只好話分兩頭，原則上指出幾點：

台灣省的國民教育，由六年延長到九年，好像在十五年以前就有人想幹，並曾指定新竹、高雄兩地試辦免試升入初中，不料爲某學閥弄了一點小手段，遂致有始無終，後來　總統提及，又有人說經費難籌，仍然擱置。

總統深謀遠慮，爲提高國民教育程度，掃除文盲！抑止惡補。增進兒童健康，毅然發布命令，限期實施。行政當局，不再推托，也就雷厲風行，果然如期開學了。

金錢問題，運用之妙，存乎一心，局外人無法確知其究竟，自不便盲人摸象，人云亦云，亂加批評。

——以下轉刊第二版

談台灣九年國民教育

（上接第一版）

只就用人而言，還是有目共睹的，主管方面，爲了運用方便，把從前公布實行已久的校長任用辦法廢止了，重訂一套新的校長任用單行法，增加種種限制，外帶考試，就這樣使得許多位曾任完全中學單位主管，學識經驗在學生心目中已經樹立了信仰，條件都已俱備的輕輕刷下來，望洋興歎，沉海底。相反地有的人連遷數校解聘，到處最不受歡迎的劣等教員，一躍而榮膺新命，受訓完畢堂而皇之的跨上校長寶座。地方首長是民選的，眼看校長的任用爲上級所控制，本身權利被剝奪，同時又有了藉口，於心不甘，有的採取甘地主義，消極抵制，校地停撥，新建教室停工也活該，上級急求事功，也覺虧理，只好俯首談判，委曲求全，幸得上吐下瀉，豈不雅觀。凡事欲蓋彌彰，直正於輿論深藏民心，萬不可自我陶醉，自以爲不會聽到有人批評，便以爲神不知，鬼不覺輿論翕然了。

辦教育要拿出正當辦法，持之有恆。不急躁，只怕巧。古訓有云：「十年樹木，百年樹人。」足證教育事業，求不得急功。事業要由人來辦，好的開始，成功一半，選派校長一定要愼重，堅守爲事擇人的原則，用人唯才，不可放交情，嚴格說來，道德尤重於學識，作校長或是當教員，要言行一致，身體力行，能以身言教，方始發揮教育的誨。昔如某，一位校長，平素聲名狼藉，若上主席台大放厥詞，任他說得天花亂墜，好話說多，反感愈深，不會發生教育作用的。沒有品學兼優令人欽佩的好校長，又那能聘請到好教員？自由中國教育行政首長，從上至下，吳兆棠曾是一位値得人們懷念的，用身是教育哲學博士，作起事來，公私分明，不要錢、不弄權，學問道德，當之無愧。可惜此公天壽不永，在職不滿兩年，一病不起，這是國家的不幸！像他那樣爲人，倘若甫猶仙先生在世，殺之聊齋，一定說他，從不誤人子弟，死後不會入地獄，到陰間至少是位城隍老爺。

其次，關于台北市，前面說過，正巧去年七月升格院轄市，教育局也公布一套校長任用單行法，限制年齡在四十五歲以下，現任本市中等學校教務、訓導主任、師範大學或其他大學教育系畢業者爲必要條件，光明正大，甚讚甚讚。最後校長名單發表用來，有人已經四十九歲了，除總務、教體育的都有，任職其他外縣市的鄉黨鄰居，也貢金禮聘，屈居下□。所訂辦法云云，被訂定的人親手撕毀，渾然有際，總是不能否認吧！從前在北平聽平劇，有個長華老闆在西花亭表演打嘴巴，只見其雙美動作，不聞其聲，適値而已！教育局這一巴掌，値値是聲容並茂，有聲有色，只可惜所得到的是倒好。幸而我們的民意代表們對教育問題！有人眞不懂，有懂的人要做好好先生，大家都不談，當局也就私還得計了。聽說他也知道外間議論紛紜，於己不利，口口聲聲說是自己作不得主。果如所言，我們誠懇奉勸高市長，官已經作的夠大了，珍惜前途，趁有爲之年，多作些爲市民甘棠遺愛的工作，人過留名，雁過留聲，「人生幾何」一生機會難再。要爲建設大台北市創下宏規，多修築幾條馬路，多裝些自來水管，並通下水道，這些市民需要，也是你的本行，外行的還是少管爲妙。同時更希望劉局長，要誠懇樸實爲民服務，勿爲巧宦，要作好官，成爲一位眞正教育家。武訓先生不僅沒有讀過大學，之無都不識，更不懂玩弄技巧，行乞興學，只是一個「誠」字。朝廷官祿賞馬褂，死後立祠，歷史也被他佔了一頁，現在黃馬褂是無人官賜了，歷史依然有人寫。不想作官，也應回家作安善良民，要作官就在正史上爭地位。否則留遺好史，公私均是糟糕之至。（完）

台灣省議員郭雨新指責
政治風氣敗壞賄賂公行
建議主管家族財產詳細登記
於觸犯貪污罪時使容易調查

今日之政治風氣，誠如黃主席所提出施政總報告中指出「姦僞相存，變詐相用」。並且認爲政治風氣足以影響社會風氣，而官常不飭，更是敗壞社會風氣之重要原因。黃主席能如是坦誠檢討當前風氣，則負責地方政治之各級官員，應該具「知恥」、「知病」，而下「求新」、「求行」之決心，以竭盡振衰起疲之責任。

當前政治風氣之敗壞，有目共覩者，如趨炎附勢、賄賂公行。乘機取巧、徇私枉法、貽害善良。在生活方面，如公然聚賭、奢侈靡爛、行爲不檢，所謂「上有好者，下必甚焉」似此政風，安能作爲人民之措模，本席認爲時至今日，欲挽頹廢之政治風氣、消除敗類，特提芻蕘之見，以供採擇：

一、爲避免政府官員貪贓枉法，巧取豪奪，對於主管官員應將其己身及家族之財產，詳細登記，連同戶籍謄本，交由主辦人事單位負責調查、保管。

不得仍如以往惡習
獄中享受優裕生活

二、對於犯貪污罪者，除按「戡亂時期懲治貪污條例」嚴懲外，應沒收其全部財產。於判決後，必須送服勞役，不得仍如以往惡習，在獄中享受優裕生活。

三、金融機關之員工、或其他知情之士，如能將貪贓枉法官員之秘密之存款或產業，向有關機關提出密報者，除應予保密外，並給優厚之獎勵，如有主管人員知情不報者，則以勾結貪污論處。

政府如果決心刷新吏治，即應勸求民隱，剷除貪污，一旦告發，即將違法殃民之貪官污吏，依法嚴懲，毋稍瞻徇，絕不庇護，以免養癰貽患，其經判決有案，即宣示永不敘用，亦不得再任公職，以除害馬而平民忿。

當前社會，竊盜、流氓、不良少年等，到處爲非作歹，逞事行兇，恫嚇勒索，無所不爲，已威脅大多數善良人民之安全，構成嚴重之治安問題，警政當局雖不斷加強取締，決心徹底取締，力量之獨厭，而風氣之一日橫行，反而日甚一日，甚有石流之海

莠民敗類到處騷擾
由於法院量刑太輕

今日莠良敗類，目無法紀，到處騷擾，無所忌憚，於法院量刑輕微，以致雖發生嚇阻作用，而治安機關之破案不高，永不破案者，莫不使人扼心疾首，政府治安當局追查其根源與背景，如有徇私庇護者，即予嚴懲不貸。

近聞報載，司法行政部爲加強竊盜案件之處理，而訂定「辦理竊盜案件注意事項」，是明刑弼教，消弭盜風之有效辦法。惟取締黑社會幫派組織，管制遊蕩非法之徒，則有待警政當局採取嚴峻措施，未悉處長有何具體而有效之措施。

三、警察爲民衆之褓姆，職司除暴安良，維護社會治安。但地方警察人員置體盡之職司於不顧，而各地發生警民間之糾紛，時有所聞，本席認爲警察與人民之間，於處理案件時，縱使人民有態度不佳，或行動粗野，警察應本平心靜氣，好言勸導，其公處理。絕不可輕舉妄動，而導致警民糾紛，斯愛民保民之道。

警察毆傷漁民
糾紛非常複雜
取締觀光客不合法

現在本席舉宜蘭縣龜山警民糾紛爲例，當地主管警員因處理民間糾紛，竟大打威風，將漁民毆打重傷，甚至亂行放槍，其行爲已失去警務人員應有之態度。□□□民與□□□□□，在宜蘭縣□□□中，復爲□□□□□□□，殊不知是何居心□□□□□□，本案既經被害人□□依法向宜蘭地檢處按鈴申告，而司法部份當依司法機關公正處理外，在行政責任部份，警政主管當局應派員□查，而依法究辦，斯能平抑民怨。

四、發展觀光事業□□□□□□，政府爲□□□□□□，自是正當措施，然而在取締之方面，不無商榷之處。今日在台灣的觀光事業，是不可否認之事實，但是在發展觀光事業中，因觀光客而涉及於觀光旅客，無異是一種一面爭於管乎？事實値得警政與觀光主管會商解決之問題。

假使我國人民到其他國家觀光，遊客女郎陪伴，如果該國警察半夜闖門，而抓去訊問，錄其口供，或在報上宣染事實，試問其有顏回國乎？相信是一無顏見江東父老矣。

最近警察主管當局爲樹立社會風氣取締之必要措施，而積極掃蕩黃色，這是盡在一己之責，亦是我們所應支付者，但爲觀光事業前途，我們仍避免擾及外來觀光旅客之安寧。縱使違警法有此規定，亦應致慮修改，未審（言旁）處長高見爲何？

司法部長查良鑑
綜談國劇應改良

（本報通信員柳一權台北消息）法學權威查良鑑部長，應本報評論委員羅漢請觀音邀宴時，其中主人之一的輔仁大學國文系主任王靜芝（國劇專家）與查部長談及國劇時，查是有招數的名學人，提出歷代湘部曲書所未注意的問題，就是國劇的作者，習慣上喜歡侮辱法界的人；比如「蘇三起解」中的法警崇公道說：「在這監獄裏……我，法院王法法，出了城就沒有……」幾乎涉及到官衙的非，就沒有一句好話，技倆最欠教育意義，這一點希望國劇編者能夠加以改善，王靜芝教授亦認爲查部長的意見非常寶貴，允予注意。一權也在大學教新聞學，又系列爲自由報通信員，很光榮的參加羅漢行列，雖查部長後提出國劇改進意見：一、國劇中除縣令趙廉外，所有七品官幾都是小丑化裝，不對的。二、小丑的台詞可自由調動，比法律上的自由心證還危險，照大清律法官判了案，永遠都有責任，現在就不同了。某文前方第×職區長官公署的官戲太員等，小丑一樣也就是哈哈一做官不問大小，只要肚裏有點墨一摘得司令長官、大員胡關，被招待中央派去。三、一權響應查部長所提出的寶貴意見了。國劇改良已到刻不容緩的階段，例公原告（就是法警）說：一大堂不補高粱，二堂不補黃豆，（意思就是第一法庭不補高粱，第二法庭不補黃豆），錢不出在嫁人身上嗎？在中國劇選的上面，有這樣多麼不雅的台詞。亦有建議，曾與王靜芝教授討論到如何改進中國劇，自會收到良好效果。

喬治桑外傳（六）

張大萬

大塚、野田定的是特別間，地上舖的是最精細塌塌米，鑲有彩色的緞子滾條。一張圓桌子，與普通餐桌並無二致，只是桌子腳特別矮。一個穿和服的女人，面向房裡跪着，滿臉濃厚的脂粉，正在替客人倒茶、拿烟，還未開席。吃飯的時候，當然也是由她侍候。

野山與貴妃坐的地位臉朝房外，一眼看到喬治桑，立刻站起來，用英文說，「歡迎，歡迎，桑博士。」大塚也跟着站了起來，他旁邊的一位小姐，喬治桑看出不是上次在別墅的那一個，但却生得異常妖嬈，梳着埃及女皇克里奧派屈拉的頭髮。穿着一付很別緻的耳環，搖呀搖的。一套連身的紫紅色晚裝，沿着頸子，袖口都鑲着黑珠子與耳環相同的東西。喬治桑是何等眼力，一看就知此女非酒非舞，而是台北的新產物——觀光高級應召女郎。

「這位是密斯李。」喬治桑向大塚、野田介紹。大塚、野田，以雙手扶膝連連躬向雅麗絲問好。禮貌倒很週到。

喬治桑與貴妃是舊識，彼此微笑點頭打了招呼。

「這位是烏山小姐。」大塚向喬治桑介紹。

「我叫烏蘭，烏鴉的烏，蘭花的蘭。」烏蘭一口京片子（口旁），聲音很迷人，就是果帶夏（口旁）嗲，但有些男人認爲這是最性感的。

喬治桑初次見烏蘭難免上下打量她一下。這才看清楚她帶的耳環是黑絲線成的蜘蛛網案，衣服上也是。喬治桑心中暗忖，黑蜘蛛又名黑寡婦，這妞兒可能是不勝要命之至。好在大塚有武士長相，大概是有神風特攻隊的不怕死精神。

「牛董事長爲甚麼還沒有來？」喬治桑問大塚、野山。

「哦，烏小姐便是牛董事長的先頭部隊，他因爲公司開會，要晚一點才能來。」野田說中國話說得比大塚好，所以搶着回答。

大塚、野田都是日本式，一屁股坐在自己的腳後跟上，腰部挺直。剩下的男女包括喬治桑在內，全都斜斜，却都是自由式坐法。

這還是飯前喝茶的時候，大塚、野田彬彬有禮，儼然是君子風度。

喬治桑與大塚、野田談談說說，不一會兒工夫，牛與鐘來也。他還是滿面紅光，滿口金光閃閃的老樣子。他一進門，大家都想站起來，他用雙手作勢，請大家安坐勿動，一面嘰哩咕嚕不知說些甚麼，引得大塚、野田大笑。大概是日式幽默，喬治桑莫名其妙。牛與鐘也能日本式坐法。坐定以後，又進來了一位，並非娉娉嬝嬝的妞兒，却是西裝畢挺的一位中年紳士。

「海（口旁），華德。」烏蘭首先向他招呼。

喬治桑何等精靈，一聽就知道來者非別，乃大名鼎鼎之裘白璣也。

牛與鐘只向喬治桑介紹，可見兩位日本客早已會過。

「久仰，久仰，我是裘紹孔。」

喬治桑向裘白璣通報他的姓名。

「牛董事長已一再向我提起老兄，可惜以前沒有機會見面。」裘白璣言下大有相見恨晚之意。

雅麗絲李是淑女型，在這場合態度比較矜持。輕面帶微笑，是西式禮上禮貌。

第一道菜，豆腐，上面放着像菊花的東西。是用很精緻的細磁小碗盛來的，每一碗有一把小銀匙兒，完全是吃冰淇淋的排場。雅麗絲用小銀匙兒吃了兩口，除了豆腐味，確吃不出有其他妙處。

喝的酒仍和上次一樣，是拿破崙白蘭地。

豆腐吃罷，是蚵利（口旁）燉蛋，其特別處，便是將蛋做在蚵利殼之內。然後是烤鰻鰣，白煮鷄腿蝦，大龍蝦，炸大蝦，與一般日本菜一樣。但各色菜肴裝璜倒是很講蘊的，別的不提，每盤都插上有彩色紙花兒。

雷震與自由中國

當年內幕誰知道　一番往事話從頭

王曰叟

（二五）

由於雙方的「政治藝術」沒有弄好，雷氏主持的「自由中國」便一天一天的走向極端，起先對政府的批評，還是理智的，後來便日漸失去理智，而流於謾罵。對也罵、錯也罵，總之政府是一無是處。罵人不要緊，而後來竟然發展到了行動。據傳說是受到國外力量的支持暗示，要聯絡地方人士組織反對黨，謀不利於政府，這當然不是政府所能容忍的了。於是就採取行動，將雷氏逮捕，而「自由中國」雜誌也就隨之關門大吉。這一雜誌是爲了支持政府，從事反共而創辦，沒想到經過十年的演變，竟以攻擊政府，間接幫助共黨而告結束，眞是令人不勝感慨系之。

雷震的被捕，是民國四十九年九月。那時老叟正浪遊海外，作客英倫。深知國外的輿論反映極爲惡劣，尤其是在英國某些人士肆意渲染下，更對我們政府有極爲不利的批評。但是在深知內情的却往往有不同的看法。例如倫敦大學的教授西門華先生（按：現任澳洲墨爾鉢恩大學東方系主任）就認爲此事早在意料之中，他說：「空罵一罵，怕不要緊的。政府有六十萬大軍，怕你罵？可是進而要組織地方人士來反對，那就不是當局所能容忍的了，何況又是在此反共鬥爭白熱化的時候。」

最稱持平之論，要算張起鈞教授的話了。那時張氏路過雅典，駐希臘的大使溫源甯先生和張氏談起此事，張氏說：「這自然是件非常遺憾的事，尤其我忝爲「自由中國」的發起人，萬無贊成逮捕雷震之理。但就我們中國傳統的作人道理來說，雷氏似乎有點太過份了。雷氏果眞那樣熱心民主自由，何不到北平、上海去講講；而其今天所以還能大講特講，當然是國民政府給他的這種自由。質言之也就是在蔣總統保護下所享受到的自由。（假如沒有　蔣總統及其政權的力量，台灣縱不早被「解放」，至少也是受「託管」了。這是不容否認的客觀事實）而現在却利用這種自由，去肆意攻擊政府，未免有點太那個了。何況這個雜誌發起時的旨趣，本是支持政府從事反共的。雷氏個人縱有什麼私恩私怨，不愉快的事，似乎也不應該以「末」害「本」，顛倒原有的立場。何致於作一百八十度的改變呢？這就是對原始發起的朋友，也算不忠實了。」

張教授這段話，正是有關人士所共具的心聲，不過大家都未說出而已。因此那些發起人士，雖不贊同逮捕雷氏，封閉雜誌，但在雷氏既已被捕，雜誌既已倒閉之後，也未表示什麼意見。別人或者還可說是投鼠忌器，有所顧慮，但胡適先生總扛的住吧。而他對營救雷氏也未熱心，甚至當時宣傳得如火如荼的「胡適探監」，也竟歸畫餅，其底蘊就在此了。

綜計「自由中國」雜誌自民國三十八年十一月發刊，到四十八年九月停刊，共計十年又十個月，而這十年的是非功過，就如春夢一般的逝去，今天只留下一段往事，供我們憑弔懷念而已，若套一句杜牧的詩，則正是：「千年一覺台灣夢、贏得論壇薄倖名」。

戴洋人餓死春中（三）

赤松子

李師爺趁她話未說完，便摸出二十元，放在桌上，說道，好了，你就快去走一趟罷。老太婆笑道，將來聘金，恐怕不會少下一千元呢。李師爺道，那都好辦。

滄海拾遺

常言說得好，「有錢好辦事。」老太婆在李師爺重金獎勵之下，進行甚快，不到中秋，已經舉行了「洞房花燭」的大典，回頭再說戴洋人的近狀。

四眼狗去通知了李萍卿，然後同九尾狐、賴麻子一道去約戴洋人，先由四眼狗說道，我們不久就要起身，可是從此進入山區生活，未免過於枯燥，不如在起身前先找一個地方痛快娛樂一番，現在此地有一位著名私娼，原是成都貨色，從前周禿子、姚老二，都和她做過朋友，我們各人就在她家裡娛樂一番，我們來叉八圈麻雀，誰輸了誰掌東道。戴洋人本想不去，無奈遇了李萍卿，已快半年，戴洋人，不免有點心花怒放，就問四眼狗道，一天下來，一共要花多少錢。四眼狗道，這都是面子事，要不講面子，頂多賞個二十元，也可了事，不過我們是做不出來的，但是至多有一百元，也夠面子了。何況付錢的，不見得是你，也不見得是我，總是那個運氣不好的。並且李萍卿這人來頭很大，她也死要面子，我們四個人去了，只要談得好，說不定一個錢不要，也不一定。戴洋人聽了這一席話，知道結果並不一定要他掏空荷包，也就放心大膽的去了。

某天，戴洋人和他們三人到了李家，雖是小院，頗爲清潔，院中擺了幾盆蘭竹，廳內壁上，掛有張船山的對聯，王宮爾的墨龍，繆姑太太的花卉，戴洋人雖不十分能欣賞這些寶貝，但看來覺得也不討厭，後來四人分別入座後，由四眼狗介紹李萍卿和戴洋人見面，李萍卿對戴洋人離婚一事，也會聽人談起過，就對他笑問道，怎麼你這樣年青的一位洋學生，連太太都伺候不好，竟會玩成一個「孤家寡人」，聽說洋人是最會招呼太太的，你怎麼連這套工夫，都沒有學會呢？說得戴洋人苦笑了一陣，抬着一雙眼淚，幾乎要一點一點滴下來。四眼狗催着李萍卿擺牌桌，李萍卿連叫大娘們準備，不到五分鐘，一切準備妥當，他們打的是「三娘教子」，就是李萍卿陪着四眼狗、九尾狐、戴洋人四個人共坐一桌，有時賴麻子和四眼狗掉換，不到五圈，戴洋人三百元已經輸得清光，這時戴洋人知道上了當，不只金子挖不成，連上海的路費也輸光了，他就要求不打了，李萍卿見這模樣，知道戴洋人今天坐了轎子，也動了幾分惻隱之心，後來吃了晚飯，九尾狐、四眼狗等三人要走，問戴洋人怎麼辦？殊不知在吃飯當時，李萍卿用脚鈎了戴洋人一下，又向他遞了一個眼色，戴洋人此刻也是福至心靈，知道李萍卿對他總不免有點什麼意思，就表示要在李家坐一下，他們三人就先走了。

他們去後，李萍卿，就問戴洋人道，你怎麼會同這些人一道玩，戴洋人就把他在老君洞和四眼狗等人相遇，他們約他淘金的經過談了一遍。李萍卿還沒聽完，大叫道，你這個該死的書獃子，好了，如今一切都完了，你一個人在道一個「笑貧不娼」的重慶，怎麼玩呢？戴洋人才詳細說他本是一個英國留學生，他的朋友，都是上海英租界的高等洋人，只消兩百元路費，事情是不成問題的，李小姐如肯幫忙，他就二世三世都忘記不了你老人家。李萍卿笑道，兩三百元不成問題，只要你還能記得我這一位朋友，你到上海後，事情成功，能兌個兩三百元給我，讓我也到上海去玩一趟，這到是一件很有意思的事，說完，就叫王大娘拿二百元來，送給戴洋人，戴洋人見了二百元，心裡的高興，是不可以言語形容的，再三向李萍卿道謝，並說道至遲三個月內准可兌五百元來，接你大姐到上海去玩。李萍卿聽了，也非常高興，叫道，老弟，你怎不親我一下，就要走了嗎？難怪你的洋太太，結婚多年，都會跑掉。戴洋人聽了，只得將李萍卿抱住，接了一個長吻，又預備要走。李萍卿道，你不陪我在床上玩玩嗎？單身漢慌些什麼。本來戴洋人離婚九個月來，好似關房裏堆的乾柴，如今見了李萍卿，有如乾柴碰烈火，本想放肆一番，無奈囊空如洗，怎敢不裝好人，如今竟遇着李萍卿加以再三挑逗，也就情不自禁，道，我今天實在太疲乏了，要談不妨脫了衣服，在床上細談，你覺得如何？李萍卿笑道，那有什麼不可以。于是戴洋人爲李萍卿卸去外衣，李萍卿爲戴洋人解開領帶，脫下上裝，李萍卿道，且慢，我們還是先在後面洗一個澡罷，戴洋人道，這是當然。于是李萍卿脫完衣服，先下水去，戴洋人也脫光了，再跳下去，兩人先在水裏表演了一套向日本風俗看齊的鴛鴦浴，李萍卿用盡平生本事，戴洋人大叫道，乖乖，我不想到上海去了，我只願同你這樣一生下去。李萍卿笑道，沒有你的洋太太工夫好罷？戴洋人道，那裡的話，洋太太工夫大大不行，這也是我們要離婚的一個重要原因。

于樞機與益世報

文匯樓主

文匯樓別記

香港自由報六月十一日，淬文彬寫「報壇點滴」有謂：「中華民國第一家大報，究爲大公報或者益世報，誰亦難肯定，就言路說，益世報超過大公報，以正統論大公也不如益世。奇怪的大公報老一輩同業，於今皆已作古，大公報又投共，益世報獨留于斌先生。現在又做了樞機主教，益世報的復刊，莫非上帝的意思。」

文匯樓別記於五十八年四月二十三日，以「樞機主教于斌先生」爲題，刻劃于樞機的四句話：「大富無產、大貴無爵、至德不變、至理不移」。把于斌樞機一生寫盡了，于斌對國家民族的貢獻，對宗教本身的宣揚，都竭盡心血，臻於至善，帶給國人的印象，于斌的思想是救世的，于斌的事業是人類的，樓主的話不會有人投反對票吧。

天津益世報將在香港復刊，關于樞機對益世報的構想：

（1）發揚人類優美傳統。
（2）反對共黨極權暴政。
（3）爭取民主闡揚民德。
（4）建設現代國家，復興中國文化。

益世報創刊於民國元年，當時報名叫「廣益錄」，乃益世報的前身，民國四年，正式改名爲「益世報」，轟動了整個華北，也震驚了全國教會，民國五年北平益世報創刊，直到民國二十六年，在雷鳴遠神父主持下，宣揚眞理，維護正義，打擊各形各式的帝國主義，衛護中華民族人民獨立主權，益世報發揮了無比的力量。

民國廿七年十月，雷鳴遠神父應最高領袖　蔣委員長電召到漢口，成立戰地服務團，當在未到漢口前，樓主重病住宜昌基督教會醫院，由朋友宋守仁等寫信告訴他：「益世報有位記者（指樓主）民國廿四年因功而由雷神父贈給他的大照片，歷經艱險仍隨身攜帶，因病危渴望能見到雷神父……」雷神父果由前方趕到醫院太平間探望，惜已昏迷不醒，但對樓主有很大的幫助，醫院裡由美國、比國、中國醫生會診，要替樓主注射安全針的計劃放棄了，因雷鳴遠等反對這樣做，他說教會醫院更不該有這樣的想法，未斷氣前更不該入太平間，主要召他的話，他一定會去的，何必要你們用針來送呢？

言歸正傳，同年十一月雷鳴遠神父到了重慶，與于斌主教計劃益世報復刊的事，雷與于斌不是「天下英雄惟使君與操」，但兩個人的思想都是人類的，事業同屬社會的，于斌對雷鳴遠爲中國教會鬥爭的史實，幾永難忘懷。雷、于相處既深知之也切，經過幾次的研究，決定益世報同年十二月八日在于主教主持下，於昆明復刊，後遷重慶出版，抗戰勝利後，西安、北平、天津、南京、上海，六大城市相繼出版，可謂益世報的全盛時期。

外間對于樞機的看法：有三件與歷史共垂不朽的事業，期待他完成和拓展的，前文已叙及，茲再重複一次：

一、將輔仁大學辦成爲昔日北京大學
二、于斌本身爲學人、政論家，必須於最短期內，把幾億人口，難以忘記的天津益世報提快復刊，領導輿論促進復國。
三、整理中國天主教會，務使錯雜的思想必須掃除。

走筆至此，引用雷鳴遠神父當年給樓主私函中的一句話，作爲本文結束，「宗教是一種控制人心的至上道德。」樓主亦補讀：「益世報爲宣揚教義與道德最有力的武器。」

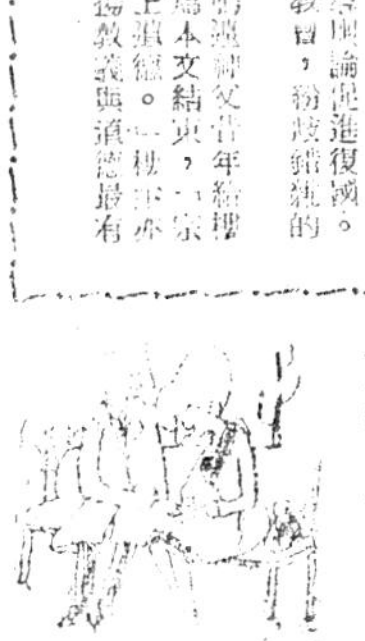

政治垃圾現形記（十三）

李犁

第五回　天生佞質，媚術偏能惑主　慣擺官架，醜態到處凌人

凡是對上諂媚的，對下或平輩必然驕傲，這是政治人物一般的定律，而以王纘祖表現得更突出。

王纘祖的舊友南京中央大學教授黃源機，於對日抗戰之役發作後，即投身政治界，從事行政工作，隨同中樞展轉播遷到川黔一帶。民國卅二年春間，黃氏因公到重慶述職，這時王纘祖正在部長任內。重慶自來水公司總經理黃麟乾，與黃源機係多年老友，亦知道他和王纘祖是熟人，乃在私邸設宴招待源機，說明只請「王部長」和中大教授柳詒徵兩人作陪。源機認爲這是舊雨重逢，暢話別後的好機會，按時提早赴約，坐在客廳內等候部長駕到。未幾，王纘祖偕一挾着公文皮夾的隨從走進黃宅庭苑中了，黃源機當見了，急起身搶步趨前招呼道：「纘祖兄，久違了！」不料王氏報以白眼，掉頭不顧，昂然進入廳內，跟主人握手寒暄。黃源機碰了一鼻子灰，深感詫異，繼而領悟到王纘祖素以官僚架子著稱，此時自己是個地方行政人員，「王部長」乃不屑與小官作朋友了。果然王纘祖與黃氏終席亦未交一語，黃氏閉着一肚子的悶氣，匆匆具辭回到旅店，逢人訴述王纘祖擺臭官僚架子，斥其不認舊交，無聊已極。聞者皆掩口葫蘆而答曰：「這原是王部長的一貫作風，何怪之有呢？」從此以後，黃源機再也不屑跟王纘祖往來了。

對日抗戰勝利，政府復員還都後，迅即頒佈憲法，實施憲政，全國進行各種選舉，而以國大代表的選舉糾紛最多。王纘祖是主持選政的主管官，身當其衝，大家向他找麻煩，提要求，甚至有些人在首都抬着棺材游行示威，有些人攜帶行李闖進王部長的辦公室住下，鬧得王纘祖心慌意亂，患得患失，大有不可終日之勢。黃源機亦係提名當選的民意代表，因政府依然「政協」約束，要安插在野各黨派所推出之候選而未當選的名額，教黃氏等數十人退讓，仍按月領取國大代表待遇，但不報到參加正式會議而已。黃等不肯奉命，曾推舉代表四人，找王纘祖辦交涉，質問他爲何不發給當選證書？黃氏係四位代表之一，當四代表走入「王部長」辦公室苑中時，王氏從玻璃窗裡看到了，急忙走出來，大聲呼喚着黃氏道：「源機兄，多年不見了，您還是老樣子，一點亦沒有變，眞是了不起，老朋友之中，以您最強健啦！」一面說，一面緊握着黃氏的手，那種親切誠懇的態度，跟當年在重慶相見時那副驕傲自人的醜相，前後判若兩人。此時他害怕黃源機將要跟他過不去，所以低聲下氣，前倨後恭，爲的是要保持官位。黃氏雖然對王纘祖表面敷衍，但也瞧不起王部長一下，當王說出「您還是老樣子」這句話後，黃氏急抽言道：「是的，我還是四年前在重慶自來水公司跟部長見面時的老樣子」，王氏佯爲不知，假笑如故，毫不改色，官僚咀臉的表現，可說是達到了爐火純青的境界。

丁作韶沒有飛出去（四五）

巨變歷險記！

胡慶蓉

關飛機場，有兩個：一在天壇，一在東長安街。

天壇是前清天子祭天的所在。天壇也是北平有名的建築物之一。前清時代，北平的房子是不准蓋樓的，一律平房。皇宮首先，就是平房，在平房若築在高台子上，也有很高的。像午門、天安門、大前門都是，但比之天壇，還是小巫見大巫。天壇可能比他們都高。天壇也是在築的台子上。他恐怕是最高的。從天津坐火車到北平，從北平坐火車到天津，都會望見天壇。天壇最大的建築物是祈年殿，他農產的那幾棵大柱子，可稱高聳雲霄，想必是幾個人摟不過。那時代沒有起重機，怎樣運到北平的，實在是一個謎。頂上深藍色的瓦，更令人感到此殿廟穆，如上帝在焉。

天壇在大門前之南，在天橋之南，四週非常平曠，關飛機場，沒有問題。但大家在担心共產黨打飛機，會不會傷損到天壇這偉大的建築？這，誰又能保呢？也就是這個道理，有很多人反對在天壇關飛機場，飛機場在天壇，在共軍射程之內，是沒辦法阻他不來打的。在東長關機場，這或者要距離共軍的射程遠點，這共軍或者射不到。其實，這也是以五十步笑百步，掩耳盜鈴的想法，就讓人想吧！在東長安街也關了一個機場。東長安街長得很，從西單牌樓到東單牌樓，都是東長安街，建築飛機場的一段——是單牌樓下邊的一段，頭上的一段，東交民巷的旁邊，王府井大街，北平飯店的前面。前者不遠，就是皇宮，誰又能保飛機來了，共軍不打槍過來？誰又能保打槍不影響到皇宮？但不管如何，東長安的飛機場也開闢了。

在密雲不雨的狀態之下，胡適之、梅貽琦、蔣夢麟諸國寶是飛出來了，飛到南京脫險了。但丁作韶沒有能飛出去。在決定起飛的那一天，是民國卅八年一月廿幾吧？傅作義派人通知，請於早十時到達天壇機場。同行的，還有北平市議會許議長……等等。丁作韶披上他的蠔絨皮大衣，提一個小箱子，就告別他的家人，前往北京飯店一樓是第幾個房間找許議長，許議長也早有準備的樣子。不料，正在準備前往天壇機場乘機南飛之際，各方面的電話就紛紛的來了，說共軍已經派人把天壇的飛機場佔了，請許議長及丁作韶另作打算，這實在是晴天霹靂，一時許議長、丁作韶非常難過，相顧無言。但走，還是要走的。在丁作韶，他自己認為非走不可，但怎樣走法？就大成問題。第一個目標是南京，第二個目標是上海。從北平到南京，從北平到上海，可就不簡單了。趕緊又去訪劉泉山（今之考試委員），又回到趙家樓家中，再作道理。

慣壞了的幺女兒

這一代

·李文淑·

民國三十八年的春天，我出生在一個風光明媚，山明水秀的小村子——雙溪。那裡的居民都是躬耕而食，人人自食其力，家家豐衣足食，安居樂業。我家三面環山，一面臨水。因此我時常和小朋友們成群結隊地到小河中游泳，戲水或划船，玩累了就坐在大樹底下乘風納涼，談天說笑到了黃昏時，大家又一齊爬上小山坡採菓子吃，或者在山坡上作遊戲，或者模仿泰山之呼嘯，盡情地玩樂，都不願回家，直到媽媽來催我回家吃飯，才依依不捨離去。

在我八歲的那年，我們搬到台北來，剛來時覺得人地生疏，又離開了整天嬉戲的伴侶，因此總是悶悶不樂。一到了假期時，我一定要跑回鄉下去看一看那幾張可愛的小面孔，見了他們有如魚得水之感，寂寞的心情已雲消霧散了。這時已是龍歸大海，鳥入林，我恢復了平時頑皮蛋搞的英雄本色，痛痛快快地玩了一整天，到了晚上才戀戀不捨地踏上歸途。

我不但貪玩，而且又貪吃，小時候因為身體不好，時常生病，體形又瘦又小，誰見了都會心疼的，況且家裡只有我一個女孩子，又是排行老么，爸媽平時最寵我的，因此都把好的東西留給我，漸漸養成了我愛吃的習慣，因此我的牙齒最不好，很多牙都鑲上金的，銀的，所以哥哥說我將為最富有的人，所有的不動產包括金銀銅鐵錫，樣樣都很齊全，足夠開間五金行了。

我的感情很脆弱，遇到可喜的事足以令我高興的發狂，記得考上初中時，放榜的那天，我高興的又跳又叫，把拖鞋跳斷了。可是碰上傷心的事，也會令我傷心落淚，甚至茶飯不想。

有一次不知何處來了一隻野貓把我的心愛的小鳥咬死了，我哭了好久，以後每想起這件事，總是要傷心半天。

我很任性，小時候哥哥的東西我都要據為己有，哥哥認為我年紀小，處處忍讓，不和我計較，因此只要是我喜歡的事，我就不顧慮到別人，而照著自己的意思去做，所以大家都說我是專制的小霸王。

好勝心強，往往使人吃虧，愈是逞強，愈易遭受挫折。而我一向是好勝好強，不肯居於人之下，無論做何事，總想高人一籌，絕不落後於人。因此有時候遇到自己能力所不及的，也要硬充英雄好漢，而勉強去做，結果是一敗塗地，不知浪費了多少時間與精力。

無恒亦是我的大毛病，無論做什麼事，不能有始有終，常常虎頭蛇尾，半途而廢，以致前功盡棄。無恒是成功的絆腳石，今後做事情務須持之以恒，努力不懈，始終將絆腳石化為墊腳石，事情才能順利。

我打算繼續研究學問，在學業上繼續的學習，今日學海浩瀚，何況處於今日科學文明的新時代，學無止境，如果不繼續研究充實自己，就易於落伍。無止境的學問，只有在目前所學到的，就自滿了，如大海中的小水滴，怎能就此自滿呢？唯有勿固步自封，勿自暴自棄，而精益求精，方能蒸蒸日上，否則就是以管窺天，以蠡測海，此無異於井底之蛙。

催眠術研究 五二

五十九、選擇催眠法的注意

鮑紹洲

選擇催眠法，雖然已經如上所分，但並對被術人而言，何人適於某法，何者不適於某法，並不一定一問便知，所以必須先作試探。大致初行催眠法者，而不知被術人之性，以自己的認定而施其所適的方法者，以先觀其反應的結果，然後再選擇其所適合的催眠法。例如先試以簡單的催眠法，而不能催眠時，則可施以複雜法，而其感應與否，便可得而知、試探的催眠法，大致如左：

試靜坐法者有之，試固筋法者有之，試弛筋法者有之，試強觸法者有之，試無觸法者有之，試集德法者有之。何去何從，應當視其效驗而後取捨。如果已就不可亂行他法。如若不然，再行其他方法，必須求已後可。

在試驗時，每次以一種方法為限，始終行一種方法。試行催眠後，問其反應。如被術人感覺心神鎮定，[illegible]心者，即催眠術不效的反應。如果不效，便施與前相反的催眠法而試之。種種變化，然後始得收其完全的效果。

如對於初次被催眠的人，宜將此種道理事先說明，使被術人安於施術人的所為。如果不驗，可試以他法，施術宜有毅力，以持久為要。

筆者從事催眠之術已經十年有餘，至今更覺遼遠之感，越究越深，深不可測，即一言一動之微，亦非三思而後行不可。施術人並非徒勤學於形式，而並須具精神之修養不可。（三）

觀光與題詠刻石（一）

·骨端甫·

觀光二字，早見於易經，它說：「觀國之光，利用賓於王。」居近得位，明習國儀之義也。今天稱觀光，觀一國之文物制度為觀光。這個文物制度，包羅甚廣。所謂文物，就是一個國家的禮樂典華，李白詩有「胡野盛文物，衣冠何翁絕」之句，這是一種概括的說明。所謂制度，就是一個國家之政治、經濟、教育等部門的律令規章所表現出來的具體形式。總括言之，你要他人來觀光上國，那末，凡是你的一切設施表現，政治作為，民情風俗，和社會的，自然的種種……人家都要廣泛地參觀，給予一個良好而深刻廣泛印象。

今天朝野所倡談的觀光事業，卻不免偏於自然環境和建設設施等物質部門，而不曾注意到精神方面的發揮表現。譬如說我們到一個國家去，眼底所接觸，都是道路不修，村落無識，田野不闢，商店蕭條，這又何等[illegible]結果面。所發[illegible]方面[illegible]，好於方面[illegible]之，就[illegible]統的文化精神上[illegible]光的人們以高度[illegible]良感受。以前中國有[illegible]

厚安先生「風景與對聯」一文發表，又勾起我這一「觀光與題詠」的聯想。他說：「台灣風景，有些地方，的確很美，但看起來，總覺得與大陸有些不同。初不解其理，後來在一偶然機會，頓然領悟。原來大陸上的風景區，總有名人題詠，令人諷詠之餘，爲之低徊撫抑，不能自已。此間所以缺乏這種題詠，所以觀賞之後，悠然無味。」他列舉無錫龍頭渚的項王廟，杭州的西冷印社，金陵的莫愁湖與勝棋樓等處的名聯以後，仍歸結到台灣的風景區，雖年來多有興建，但缺題聯之增華，而獨於楹聯題詠，悉付闕如，即偶有之，亦俗爛難留。最末則企望心留意之方。我讀此文，頗具同感。前面所謂觀光事業者，企圖補救的觀光的人們，以高度的優良感受，就是這種傳統的文化精神作品。

厚安先生所提出的楹聯題詠，就包括在文藝部門。像楹聯、詩歌、散文、書法、繪畫、和雕刻等文學藝術作品，都可在觀光區域中表現出來。觀光有廣狹之義。以廣義言，就是前面所謂一國的文物制度，都包括在內。易疏觀卦，正義曰：「觀者，王者道德之美而可觀也，故謂之觀。」「王者之可觀者莫盛乎宗廟，宗廟之可觀者莫盛於祭盟。」且云：「大觀在上，順而巽，中正以觀天下」，「四時不忒，天之所以爲觀也；神道設教，聖人之所以觀也。」這種意義是多麼地偉大。觀的主要目的就是要有以示人，而為人所仰慕，這纔算達到觀光事業的最理想，這得人仰[illegible]想決定不[illegible]方面的[illegible]是極高[illegible]

生活漫談

茯實功能益腎補精

·馬騰雲

中國歷朝代藥典，茯實皆被列為強壯濇精要藥，因藥物影響人民健康，故文明國家皆有「藥典」之頒佈，以規定藥物之標準。藥物之被收入藥典者，稱之為法藥品，不在藥典內者稱之為非法藥品，我國政府於民國十九年頒佈第一版「中華藥典」，共收茯實等四三二種，藥典內按個別藥品，敘述理化性狀，純度檢查，鑑定方法等，茯實一名雞頭，其苞形類似雞頭，故名，凡澤水中處恒有之，乃生于暖地沼澤之水草，葉頗大，直徑五六寸至二三尺不等，其花日開夜萎，實狀如烏喙大一寸許，迨成熟則為三寸許之球實，果肉中包藏種子，少則八粒，多則二十粒，為圓形狀，外皮呈淡黑色，乾則變灰白色，中有仁，烈日曬裂取出，亦可舂取粉用。補脾治淡濁，并益腎治遺精，及早瀉，為強壯濇精要藥，治思慮色慾過度損傷，夢遺滑精。茯實粥，雞頭實三合，煮熟去殼，粳米一合，煮粥日日空腹食之，能益精氣，強意志，明耳目，補腎濇。茯實甘平，固精耐飢渴，治二便不禁，健強腰膝，止崩淋帶濁，必須蒸煮極熟，放為細嚼，使津液流通，[illegible]

原料之一，吃[illegible]

氣，吃[illegible]

[illegible]

新二十五經

馬騰雲　錢一釗　合著

每本六元售完為止

郵票代現十足通用

正經裡沒有二十五經，二十五經[illegible]是鶴立雞群，乃是[illegible]猶如人咬狗變成新聞一樣，[illegible]經的本意。

太保、太妹寫成保經、太妹經，[illegible]、喝、嫖、賭寫成[illegible]經，更[illegible]在當及妒嫉尚嫌不足，又不[illegible]夫婦或新舊人之間，指東劃[illegible]吹牛亂彈，可謂不禮貌到頂[illegible]

新二十五經裡的風月經，[illegible]性的或摘自一代完人吳稚暉[illegible]演醫漢藥等背貨資料，這和[illegible]但是諷刺腐敗政治的一部著作，[illegible]文學佳作，野心家最欣賞齊天[illegible]家」一股豪氣。街坊俗人讀西[illegible]大鬧天空，豬八戒高家莊招親，[illegible]誕。

總之，新二十五經當作[illegible]讀者見仁見智問題，姑無論[illegible]的指教批評，這部遊戲之作，[illegible]有一點點小用，那就是我們最[illegible]

新二十五經原定價新台幣十二元，現為[illegible]折優待，每本售新台幣六元，郵票（五角、一元、二元均可）十足通用，函購地址台北忠孝[illegible]，如用郵政劃撥仍寄第五〇五號張寬有（自由報會計室）。

中華民國內政部登記內版台報字第〇三一號
中華民國僑務委員會登記證僑新字第三二三號
中華郵政台字第一二八二號執照登記爲第一類新聞紙

自由報

（第五七九期）
（半週刊每星期三、六出版）
每份港幣壹角・台灣零售價新台幣貳元
社長李運鵬・督印黃奮行
社址：香港九龍彌敦道593—601號
廖創興銀行大廈八樓五座
LIU CHONG HING BUILDING
7th FLOOR FLAT 5
593—601 NATHAN ROAD,
KOWLOON, H.K.
TEL: K303831
電報掛號：7191
承印：景星印刷公司
地址：嘉咸街廿九號地下
台灣總管理處：台北市大同街119號
台灣區直接訂戶　台郵劃撥戶
第五〇五六號張萬有（自由報會計室）
電話：七一四〇三三、五五五三九五
台灣分社：台北市西寧南路110號二樓
電話：三三〇三四六，台郵劃撥戶九二五二號

簡體字評議（上）

余迺永

近簡體字又復囂塵上，吾人於評其得失之先，宜就形，音、義諸點，瞭解我國文字之特性，是否若一般人所謂之難寫難讀與難記。

（一）中國文字特性

漢字之特點爲每字皆有其獨特之形式，即「格式道」（Cestal）。周先庚氏云：「漢字每字有每字個性，每字之結構，組織，皆像一小小建築，有平衡，對稱及和諧。字與字間之辨認，因之非常標準，不易模糊，較諸西洋文字，每字由多個大同小異字母組成，乘又橫列成一平線，字與字間之個性，完整性或格式道均極少」。（測驗二卷一期：美人判斷漢字位置之分析。）故學習漢字，對一字之認識，具易獲抓手」（Meata Lasp）。心理學者以爲對一物之辨認，乃爲先獲其物之「囫圇現象」，次方爲分析後之「部份形象」，漢字因有格式道之特性，故最易把握其「囫圇現象」，西洋文字即適好相反。然則漢字簡化後，字與字之相互關係與其個體特性之保留，徹底破壞，容後詳議。

字音方面，單音節（Monosyllable）尾，音消失爲漢字特點，更無西洋文附加之「接頭語」（Prefix）及接尾語（Suffix）之寫法。是以漢字「形聲字」於象形，指事，會意，形聲轉注，假借等於六書中，最佔多數，亦以因形聲字多，子母相生：漢字乃有其一貫之系統，讀之不致無所適從，宋人王觀國學字林類編中：「盧者，母也，加金則爲鑪，加火則爲爐，加瓦則爲甗，加黑則爲黸，凡省文者，省其所加之偏旁，但用字母，則衆義該矣」。亦如田者，字母也，或爲畋獵之畋，或爲田佃之佃，若用省文，惟以田字該之，他皆類此。」雖其說就義立論，然漢字爲形，音、義聯結（Bond）者，故義如此，聲亦如此。許慎云：「形聲相益」，如說文：「劦同力也。」段註云：「同力者，龢也。」劦爲孳乳之字，衍爲劦、勰、協，如：「勰，同心之龢也。」「 同思之龢也。」「協同衆之龢也。」劦、勰、協、從一系子母相生，聲同則行爲相同，可見許氏時，從某字得聲之字，皆讀某字母之聲，至隋唐定反切，同衍某聲之字，讀音因以歧異，且以烟遠而音讀訛變，然於雙聲，疊韻陰陽通轉中，仍不難求之，故漢字衍形而兼衍聲，構成形，音，義三者密切之聯結，能充份利用聯想及刺激感官，此祇乃衍聲符號之西洋文字，學習自較易，以說文而言，五百四十部首即爲語根」，亦即「字母」，從部字類，有條不紊。若以破壞字母及文字孳乳法則之簡體代替整個聲符系統之漢字，行文必諸強記。如此各自成體不自系列之寫法，寧收文字實用之效乎？

梁啓超先生擬有說明漢字形，音，義之要素兩則：一、凡形聲之字，不惟有形有義，則其聲亦有義，質言之，則凡形聲字，什九皆兼會意也。二、凡轉注假借字，其遞嬗孳乳，皆用雙聲，試舉戔字：戔，小也，此以聲函義者也。絲縷之小者爲綫，竹簡之小者爲箋，木簡之小者爲牋。農器及貨幣之小者爲錢；價值之小者爲賤；竹木散材之小者爲棧（見周禮註），鐘之小者爲棧（見爾雅釋樂），酒器之小者爲盞，爲琖，爲醆。水之小者爲淺，水之揚沫爲濺，小巧之言爲諓（見鹽鐵論及越語註），物不堅密爲俴（見管子參思篇），小飲爲餞，輕踏爲踐，薄削爲剗，傷毀所餘之小部爲殘。

右凡戔聲之字凡十有七，而皆含小意，故由衆多象形字所變之漢字，復由字母引申其義，孳乳其形，轉化其音，乃成今有若繁雜而實貫條理之漢字。是祇知形，音、義任一方者，即餘莫非立辨，若變而爲簡體字，形既易淆，且聲符一失，音復難明，其義更無論矣。

（二）從文字構成看簡體字

一、文字之構成方法

現在最早之文字資料，當推光緒末年於河南省安陽縣小屯村北出土之甲骨文字，七十年來，號稱十萬片甲骨中，據董彥堂先生統計，殷代貞卜所用文字，不會在三千以上。致歷代字書，三國七千餘，說文一萬零五百□字，至清康熙字典所收增凡四萬七千零二十一字。

中國文字之增加，唐蘭中國文字學一書曾以爲新文字之發生，乃根於事實之需要，交通之發達與文化之進步而增進無數之新語言及文字。故甲骨文之祇有象形，指事，會意，及小數形聲之圖畫文字及引申（中國語言，因音節短，語言數量有限，是以引申義其用最廣）假借（改借之用法極普遍，惟甲文中用字尚未固定之法，行文使用之同音字，文義已不足表達，明智者乃利用舊有合體文字，計數文字，聲化文字之法創造新字。

形聲字產生後，除少數圖畫文字遺留外，文字系統由形聲字取代。演化之法，不外孳乳，轉注及鍾益字。許慎云：「其後形聲相益，即謂之字，字者，言孳乳而增多也」。如水少爲「淺」，貝少爲「賤」，大抵音同則義同，當以古聲韻爲探求依據。故無論引申或假借所得之語言，皆可孳乳衆多新字。

「轉注者，建類一首，同意相授，考老是也。」轉注字以意符爲主，與孳乳之形聲字以聲符爲主相反，老字與「□」、「□」、「□」、「至」等字，本非同一語言，然因意同，故加偏旁作「耆」、「考」、「耆」、「□」諸字。「□」可强釋爲「草也」，決不能反訓「□」爲「□也」，因「□」爲專名，孳乳字所不能轉注者。

由於文非一手，歲遠綿長，孳乳，轉注做字外，尚有例外之文，此即鍾益字，所以補原字音義之不足而產生，如「蜀」像吐絲蠶形，後加虫作「蜀」，又加虫作「蠋」。凡後起形聲字皆增之形，不需之形，「渠」字已從木，寫作「榘」，「鳳皇寫作「鳳凰」，鳳字叢從鳳字而出。

王筠說文釋例云：「字有不須偏旁而義已足者，則其偏旁爲後人遞加也，其加偏旁而義遂異者，是謂分別文，其加偏旁而義仍不變者，是謂「累增字」分別文即轉注字。

文字由甲文之三千字，不斷演化，如手分成大又（左右）二字，子分成孑孓二字等明引申，假借及形聲字發達後之孳乳，轉注及鍾益等之做字方法下，文字於是累增不已。然而文字之無論增繁與好簡，皆循時代之要求而生，非越晚之文越簡也。如「□」字可從玉從貝作「寶」、「暴」之作「曝」及前舉之「蜀」字例，均以文字之使用日廣，義晦不足以明而生。甲文福字作「□」或「□」現寫成「福」除去手旁「步」甲文作「□」或從行作「□」亦除行旁作成今之「步」字。是字體之增削，皆按自然而淘汰，非隨意增減若簡體字之祇重形體任意省略就書，而忽畧文字之應用者也。

陸德明經典釋文云：「豈必飛禽即須安鳥，水族便應著魚，蟲族要作虫旁，草類皆從兩屮也」。

時代越晚，文字孳乳越多，然一代有一代之文字，此廢彼興，如「花」、「菓」、「她」、「們」之俗字，原字文義既晦，自由其取代，故日用字數，始終四、五千而已。字典收字雖凡四、五萬之數，乃因撰書者收羅古字，廢字俗字，誤字及杜撰文字而成。

猶吾人論註時，徵旁證博引，爲使用者不過一二而耳，餘皆裁剪，但列一說，是字雖五萬，而絕非暗熟全文始能書寫者也。以說文一萬餘字爲例，用者亦不過十之五六，然何竟尚有多餘之字，而反不斷創製新字耶？是知文字與時代興廢用不同而興變餘下者，乃被列入字書，無關使用，故絕無全四萬餘字始能爲文之理。致近輒有謂『常人喜用奇僻怪字如「□」之「□」，「法」之「□」乃絕不當者』。實爲劃蛇添足之論：蓋除日用之字外，常人絕無懂於此等鄭深字體之寫法，又何由能用哉。對一牙牙學語之嬰孩；而斥其不能作妖言惑衆，危害社會，同乎無稽。且凡事必有極端，而部份特例又治海一粟，斷不得因以惱懸整個文字系統而亟換以簡體字，一之故，廢食至死誠愚不可及。

二、簡體字違反文字變革之通則

簡體字之構成方法，由於祇重字體筆劃減省，故構成中國文字整個系統特點之形符與聲符，皆被徹底破壞，使用時祇能求諸對一系列不相串連之符號。强背死記，實將聲符文字退化至記號文字上，試將簡體字分明歸納以明其害。（未完）

自由談

一窩風的空話

□□先生

「聞道革新論，無人不贊成。官員紛響應，會議開不停；計劃多如蝟，宣傳夠認眞；一窩風過後，效果等於零！」

這是下走有感於中華民國政治風氣而胡謅的一首打油詩，句雖不工，却不失其爲寫實之作。何以見得呢？

三年前，蔣總統訓示文武百官，政治上要做到「新，速，實，簡」的績效，大家表示奉命唯謹，力求實現。於是乎，會議開之不歇，計劃應有儘有，頗見劍及屨及，行尚而往有功之氣象。然而時至今日，官府的一切措施，有以異乎三年前的實質嗎？依然是「舊，緩，虛，繁」，我行我素，且有變本加厲之勢，別的不遑枚舉，祗就行政效率與貪汚風氣而言：法規手續之無謂繁瑣周折如故也，權責混淆諉卸，大家不肯負責如故也，一般政象之泄泄沓沓如故也。至於紅包主義之盛行，有目共賞，有口皆碑，只看報紙經常刊載官吏非法貪汚的新聞，即可概見矣。這還是已經發現的貪贓行爲，若夫未被公開檢舉出來的貪官汚吏，不知凡幾，有人舉證告訴我，如今衙門裏收發文件，亦非「紅包」不行了！

吾思之，吾重思之，政治革新之所以徒託空言，是由於官員之虛應故事；官員之所以萎靡不振，是由於行政上未能實行分層負責；分層負責之所以不能實現，是由於一切政治措施之不能制度化；行政制度之所以成爲具文，是由於領導上發生了偏差；尋根究底，乃是朝野上下缺乏法治精神和舊觀念作祟。因此之故，欲求革新政治的實效，首須厲行分層負責制度，不稍假借，上級下級機關，不要瑣瑣碎碎的常算零帳，到了一定期限即算總帳，讓親躬負責，循名覈實，信賞必罰，虛僞不齒。這樣纔足以樹之風聲，提起一般官員敢於負責的勇氣，人人相信只要做出一分成績，即有一分代價，用不着找人事關係，走小圈子路線，也不愁沒有發展機會了。此乃老生常談，誰也能知能言的，就是明知故昧，事到臨頭，舊觀念未去，老毛病復發，前言不顧後語而亂來一氣，這種痼疾若不滌除，政治即永無革新之望也。

昨日與明日

從徐復觀啓事談起

六月三十日的中央日報第一版，刊載了徐復觀先生的一則啓事：「本人爲維護民族之榮譽，及學術與大學之尊嚴，年來曾參加反文化漢奸，及反學術詐欺之行列，以求良知良能之所安。今日接吳德耀校長通知，以本人上述行爲『影響校風』，强迫退休，求仁得仁，實符私願。一俟此間作一了結，即移居台北，閉門著書，謹此奉告關心我的朋友。五八、六、廿六謹啓。」

由這段啓事看來，很明顯的，徐先生的退休，並非出於自願。而這强迫也不是爲了年齡……等自然的原因，而是爲了所謂「影響校風」。什麼影響校風了呢，當然不是徐先生行爲不檢，或思想有問題，老實說乃是爲了徐先生愛發議論，愛打筆戰，這使我們不勝感慨，而爲士林悲。

校風與士氣

東海大學是私立大學，他有權聘請任何他所喜歡的教授，也有權不聘請任何他所不喜歡的教授。例如他可以不要學貫中西士林一致推重的曾約農作校長，而另請國內外均不見經傳的（至少在彼時）吳先生，那是他的權利，外人無權過問；同時我們也知道按照某些董事會的想法，作教員的就是上課下課，埋頭讀書；校內校外之事都不可過問，以使學校寧靜，貼服，而無蔡元培之才德與抱負的人都可順利掌握校政而無誤，殊不知教授固是學校的一員，同時也是社會的一分子，教授須治經課徒，盡其對學校的責任，但同時還有其對社會的責任。若是有學識有智慧的大學教授都不可說話，那麼天下事還交付給誰去研究討論，這在西方的民主社會固是如此，在中國的傳統士風，更是要修身齊家治國平天下。所謂「天下興亡，匹夫有責」自漢朝的太學，直到近代的北京大學，士子們無不對社會政治，有極大的熱忱。正由於這種熱忱，才使得別的民族一一亡去，而中國却五千年一貫强大至今。姑以近事來論，若無這種熱忱，試問「北伐」和「抗戰」還能想像麼。

不勝遺憾

二十年來，徐先生的文章不知開罪了多少人，而其文章的內容，也有許多極待商榷之處，即如本文的作者，便對徐先生的許多文章都難苟同，但是有一個事實是我們不能抹殺的即：徐先生雖喜爲文攻擊人，但均是據理指責，而非無理漫罵，更非如近來某些人士之專務揭人陰私，以圖敲詐，尤其最值得稱述的，徐先生攻擊的事項，雖不能說沒有恩怨的牽連，但其攻擊的動機，則全是出於公理公義，而非爲了個人以圖謀。這是大家公認的事實。那也就是說徐先生不失爲公正敢言之士了。在一個民主的社會中，我們不應該培養這麼幾個人嗎？至少也要點綴點綴呀，但是今天許多冒充博士，偷抄文章，行爲不檢，甚至有漢奸嫌疑的教授，都未强迫退休，而獨徐先生以强迫退休聞，總不免令人感到遺憾吧！

・成公・

台省議員蕭錫齡開砲
主張先放領特權土地
對征收工業用地亦強烈指責

（台北消息）推行耕者有其田政策之檢討，省議員蕭錫齡曾提質詢謂：政府爲實施土地改革，先而實施三七五減租條例，繼之推行耕者有其田政策，是國父遺教，實現民生主義的崇高理想，但是耕者有其田政策實施以後，到現在已經十餘年了。我們檢討其成果，利弊互見，爲政主管當局理應洞察入微，針對時事變遷，謀求改進。事實不然，好像政策推行之後，即置之不聞不問，此亦爲管理衆人之事，所應有做法嗎？

近聞政府將繼續辦理耕者有其田政策，而以原由地主所保留之土地爲放領的對象，實在使人疑惑。本席認爲耕者有其田政策實施後，地主的犧牲已經很大，如果所保留之土地，亦要放領出去，亦可認爲是政府德政嗎？假使政府要貫徹耕者有其田政策，即台糖公司所擁有的農地四萬餘公頃，應該率先辦理放領，絕不可因特權，而予保留，不然何以能使人心服嗎？

再就實施耕者有其田條例，加以研討，其中不切實際之規定甚多，諸如農民應納地價中請提前繳納之規定，由於本省經濟之不斷發展，土地隨之漲價，承領農民於提前繳納之後，轉手之間，即獲暴利，不僅與國父遺教平均地權之宗旨，背道而馳，仍然造成貧富不均的現象。此種情形難道主管當局亦認若無睹嗎？何以不就時事之變遷，即合實際而修改法令，以資防止，實屬使人費解。

本席認爲承領農戶所承領的土地，如果放棄耕作，必須由政府收回，另行辦理放領，或予依法出售，即以漲價歸公。同時補償原地主所受之損失，不然何以使收服民心。今天是由於政府要繼續辦理耕者有其田政策，所以特別提出質疑，未悉主管當局是否針對實際，作深入的研討，修改有關法令，請說明。

征收工業用地之檢討，政府爲繁榮經濟，而協助解決工業用地，這是配合國家發展工業之政策，但是民營工業所需用地之征收，理應依合法之程序辦理，然而近年來，由於有利用職權，不擇手段，強制征收土地，圖利他人之情事發生，如五十三年徵收台纖廠之用地，鬧得滿城風雨。因彰化縣政府辦理區段征收，違背法令，近經監察院提案予以糾正。

至於省政府核准華成工業公司征收民有土地，施設程序，並於未依法定程序辦理，而至認識數字。因此本席對此有所質疑，請指教！

一、對於劃入工業用地範圍之私有土地，如與辦工業者需用爲編爲工業用地區域內，政府是否應依土地法之規定辦理區段征收。在未訂定區段征收計劃，重新分等整理劃分，僅憑與辦工業者之申請，可否准許征收？

二、政府主辦人員明知獎勵投資條例第卅六條之法意，而濫用職權，曲解法令，與辦工業者，達到征收的目的，然後以其現有工廠用地高價出售圖利，使土地所有權人遭受損失，明有勾結行爲，主管當局是否應派員調查。

三、該土地法第二百卅一條之規定，需用土地人應俟補償地價及其他補償費發給完竣後，方得進入被征收之土地，如是在未獲合理解決以前，即強制侵入工作，政府是否應該制止，以維護土地所有權人的權益。

師生戀愛究否有乖倫常
專科學府鬧出緋色事件
顏幼洲嚇恫女家長同歸於盡
懲忿窒慾學規業已蕩然無存

本報記者公孫熊台北消息：自基隆省立高中發生弑師風案後，全台各地學校曾掀起尊師運動潮。也曾喊出：「一日爲師，終身爲父」的古老的傳統口號，而且也強調着仍不可磨滅的舊有觀念所信奉的「天、地、君、親、師」應爲家戶之神主，人倫所秉，理有固然。記者於偶一聚談中涉及師道與倫理，指出於今間有之「師生戀愛」實有乖倫常，不無自毀師尊之弊。坐中曾有不以爲然者，且認此已爲時代所許，姑且聽之，固無暇以理辯耳。頃據台灣兩家後起日報，爭說獨家揭載，某大專學府，有婦之師，曉戀女生，陷溺情網，公然以「同歸於盡」之威脅信件，欲制女方家長之阻碍，竟置古訓「懲忿窒慾」之學規於不顧，迨至鬧進官裡，自毀「斯文」暴露「衣冠禽獸」於不惜，茲資錄實況於下：

據悉治安調查透露：顏幼洲年四十六歲，山東曲阜人，自稱「復聖公」後裔，畢業於北平中國大學，但無文憑。三十八年二月來台後，即首任大甲中學教員兼事務主任，同時三十九年也任草屯中學教員兼註冊組長，二校均屬台中縣，相距數十公里，却能身兼兩校教職，聞者驚奇。四十六年八月至四十九年十一月任某部專員，傳說因採購出了紕漏而去職。四十九年十月至五十一年九月任私立銘傳女子商專講師兼課務主任，以後晉升爲教授兼公共關係室主任，以至迄今。同時在五十一年十月間任基隆海事專校講師兼課外活動組主任。五十三年海專升等爲海洋學院隨升副教授，並在師範專科兼副教授迄今。顏某於女子商專夜間部教授近代史課時，認識學生陳××，該生個性內向，顏某愛其姿色，遇機則與談話，並誘稱有力助轉日間部，以投陳女所好，每獻殷勤，除花言巧語外並動以金錢迷惑少女心。此後日約電影院、咖啡館，兼用機車載遊郊區名勝。不知不覺，陳女也就「吾愛吾師」了。甚至發生曖昧關係。

當在去年七、八月間陳女家長以顏某既有妻室，且已討了媳婦。極端表示反對，禁止彼此來往。陳女既已不能與顏某結合，又受其誘脅無法離開，欲以自殺來解脫，而向「生命線」求救，經「生命線」醫師開導後，幸未堅持自殺。女方家長係屬公務人員，父爲某機關單位主管，獲知詳情，爲顧雙方顏面，乃一面自尋顏某談判，希望顏某能以「師生之愛」來愛護此一純潔少女，詎顏某悉不接受，反而從中挑撥、教唆、離間其家庭感情，勢非霸佔此一情人不可。另一面則央請屬於顏某之長輩某一國大代表及某一機關科長出面勸阻，爲顧全家庭幸福，爲維護教育清譽，勸導顏某切不可再如此下去。但顏某執迷不悟，非但不予接受，反揚言誰過問此事，就與誰斷絕往來。女方家長無奈，乃向教育部陳情，懇求救助並予懲處。據說教育部對此似未採取適當處置。倒是銘傳商專方面，乃令陳生休學，並將顏某停聘。但顏某仍在海洋學院以及師專繼任副教授席位。報章同時載稱：顏某曾兩次在海洋學院引誘女生，鬧出桃色事件，被其妻吵鬧到校。

女方家長以接顏某恫嚇信件，業於七月二日報請台北市警察局保護。顏幼洲給女生父親信函大意云：「希望能懂得『家醜不可外揚』的道理，如經外人插手，非徒無益，反而有害，我一直不肯遽下狠手的原因，就是爲保持大家的顏面，如果你醫病亂投藥，吃反了胃口，我們同歸於盡。責任是由你負的：……」。此函公開後，顏某遂向報界表示：「他與陳女的事情，是屬於個人的私事，不料陳家故意製造兒女私情高潮，使他增加困擾良多。因爲陳毓麟給他打擊，使他名譽受到嚴重損害，所以他也要給陳家顏色。指出陳家去年七月因大女兒小產，他曾借給陳家五千元急用，迄今未還。去年八月陳家找出一位吳姓人士，一再向他施以威嚇，他才寫了一封信給陳家，所說『同歸於盡』的話，祇是在不得已的情形下說出來的，並無恐嚇作用存在。不料陳家竟將此信公開，感到意外。」顏某又表示：「他是一負責任的人」，「在教育界的飯，已吃不成了」，「希望報紙少載他與陳小姐的事。」據悉，陳女家長向教育部陳情書中，指出顏幼洲曾將私人財務憑據交與其女陳瓊瑛保管，作爲愛情保證，該「憑據爲私立銘傳女子商專校長包德明向顏幼洲借用新台幣十萬元。亦即前述顏某勸以金錢迷惑少女心的事實一斑。

又據報載女方家長除已公開顏某恫嚇信外，並將顏某給陳女之狂戀情書，亦已揭佈。總結上項報導，男女主角，均屬行爲責任人。女方雖在學，實年已二十三歲，惟男方已有配偶，傳聞顏某之妻已提出五十萬元作爲離婚條件，但爲顏某所否認。所謂「妨害家庭」責任，法定係告訴乃論，外人亦無可如何。因此顏某滿不在乎的說：「像我與陳小姐的這種情形很多。」且廣泛舉例，以應答問。據諸前次台北市中華商場某一密醫兼學府講師，因觸上督察向黃色進軍搜捕下，該某涉嫌色狼，檢證屬實，被判外島感訓。又教育名流督蕩平，昨年因某一身兼數校之大專教師，移花接木，借用督氏之名於公證結婚之後，大發婚宴請柬，督氏甚爲不值，遂次於中央日報啓事否認。論者謂督氏實爲某君之鄉前輩，雖然交往過淺，但爲維護後進，亦何妨放過。據悉其內情者云：「督氏所不值某君者，不在此也。」由此可知，「爲人師表」云何哉？今顏幼洲以教授之身份，覺爲一己之濫施情愛，不惜採用流氓鑽估女色而遂出以「同歸於盡」之醜劣恫嚇手段，難道法律上都找不出[illegible]？教育部亦不知有約束教員之規則嗎？無怪陳女的母親，欲哭無淚，無語問蒼天！

徐復觀先生被迫退休
已引起教授普遍不滿
東海大學受美戰不求勝影响
辦學不求好紅牌教授難立足

（本報通信員柳一鶚台北消息）政論家徐復觀教授，自被東海大學強迫退休後，已引起教授界的普遍不滿和憤怒，徐復觀接到各地的慰問信如雪片飛來，可資證明東海大學校長吳德耀的措施失當，造成自由中國大學園圃難以彌補的遺憾。

不願透露姓氏的某權威教授說，吳德耀本身連正教授資格都沒有，僅憑管理教會錢財的一位洋人後台……原指責的事很難聽（從略）做這份大學校長，當然不會幹出甚麼好事，以中西飽學之士素受國人推崇的曾約農先生都會被擠走，其餘一切可以推想。

香港新聞界某有份量報人表示，徐復觀先生是自由中國名作家之一，他的作品，代表眞理和正義，極受讀者歡迎，尤其能掌握青年心理趨向，一百大學教授有十個八個能寫文章的，而能博得讀者喝彩的，十個中間也祇一兩個而已，奇怪的是東海大學排擠出去的都是受學生擁戴的好教授，如督實等，大概這種辦學不求好，只求是受了「美國戰不求勝」的心理影響。

東海大學某教授謂，吳德耀校長原規定大學演講要用英文，後被人反對，才從在中國的大學演講要用英文，以此可知開國各大學演講莫非要用拉丁文才成呢！和本報連載的喬治桑外傳變成學生的都會小說戲劇原屬[illegible]多，而事實竟[illegible]階級的大學校長，[illegible]怪有人建議東海大學開設買辦學系，學生必[illegible]。

徐復觀被迫退休是否合理，各方均注意教育當局的嚴正態度，如果校方不合理，教育當局又默認了，大學不良風氣將從此開始。徐復觀的無人出處地，「野鶴無糧天地寬」，老虎陷便到甚麼地方都吃肉，虎陷狗園別也就在此。

喬治桑外傳　一六
張大萬

有人說日本菜除味以外，色香可稱二絕，洵非虛語。

有華德醫生之稱的裘白瓊，舉杯先敬喬治桑、雅麗絲，沾唇即止。其次是野田、貴妃。

「乾杯，乾杯。」野田這一關不像喬治桑易過。乾杯兩字出自野田之口，裘白瓊有非乾不可之勢。

「我的量不行，你乾杯我隨意好不好？」裘白瓊想討價還價。

野田不再和他噜囌，乾了一杯。他的女伴貴妃，淺淺喝了一口，被野田將她喝剩的酒搶過來也一飲而盡。同時還將空杯向裘白瓊照了一下，以表示絕無欺騙之意。

裘白瓊再無退縮餘地，只好皺起眉頭像飲鴆似的喝了一杯。放下杯子，立刻在什錦水菓盤取了一片鳳梨放在嘴裏。

大塚大約等了四五秒鐘，見裘白瓊沒有動靜，立刻發動攻勢，舉杯向裘說：「乾杯，乾杯。」大塚表情嚴肅，這一壓力似乎比野田更大。裘白瓊見此情勢，只好捨命陪君子，又再喝了一杯。

烏龜在旁，用三隻纖玉指端起杯子，也喝乾了一杯，面不紅，氣不喘。喬治桑看在眼裡，知道烏龜是海量。

裘白瓊兩杯酒下肚，立刻面紅耳赤，額上沁出汗珠。向牛興鐘告饒：「我們喝可口可樂吧，酒再不能喝了。」

「不行，不行，裘生（日本話先生）敬酒，必須有始有終。」野田欄加干涉。

「[illegible]這杯酒我來代喝。」烏龜拔刀相助。

「好，好，我與烏龜小（家）喝一杯。」牛興鐘表示同意。他的國語發音不好，小姐使人聽起來像小家。

大塚，野田愛喝猛酒，一連乾了十幾杯酒，浪蕩也就表現出來了。

大塚伸手在烏龜大腿上摸了一把，咀裏幾哩咕嚕，又翹起拇指，表示讚美。

「大塚先生稱讚烏小家的腿部最美。」牛興鐘向合座翻譯。「他說，女人的腿和馬一樣，馬的腿長不好，跑不快的。」

「有好馬沒有好騎師，就是千里駒也只有白臉。」烏龜語驚四座，使雅麗絲側目而視。

「我看見烏小姐的耳環，衣服的花邊，我想起我在香港買春季香檳馬票的故事。」喬治桑開始扯談了。「我買的一匹馬，名叫『黑寡婦』，烏小姐說得不錯，好馬要有好騎師才能相得益彰。」

喬治桑在大塚、野田和裘白瓊鬧酒的時候，說了他在香港買中香檳馬票的故事。中彩的是一匹名叫「黑寡婦」的雌馬。

（未完）

綜談國劇復興（一）

王方曙

一、引言

國劇是我們固有的大衆化藝術，在清末到民初一段時間內，至於極盛；對傳播文化，敎人忠孝節義，也發生過不小的作用。由客觀觀點來說，國劇可以說是成熟，相當完美的戲劇。但近幾十年來，國劇卻逐漸衰落。這並不是由於國劇本身的退化，而是由於時代的進展，觀衆思想的與前不同，以及演出環境、成本、演員訓練、宣傳技術種種問題，以致有今天的現象。於是在此期間，有許多位有見識的國劇專家們，提出國劇改良的意見；於是也有許多劇團，切實的對國劇加以改良，有如不飲場，少用檢場的人上場等等多項目，不必在此多述。雖然如此，國劇的衰落現象，並未因此而好轉，目前國劇幾乎全憑軍中劇團來維持；在票房方面，也不比前幾年好。如果長此以往，任國劇的自然趨向，恐怕若干年以後，有如今日的崑曲，近於無人聞問了！

筆者自幼住在北平，正當國劇極盛時期，愛好國劇，也曾業餘研究國劇，因此對國劇有深厚的感情。今天眼見和我感情極深的一種藝術，日趨沒落，自感有責任盡一己努力，提出一個復興國劇的方案。何況我們正在作一個文化復興運動，國劇總也該算此運動中的一小環，於是此時也正是提出此一方案的一個機會。

筆者爲了提此方案曾約了三位專家，先作一座談。我們約的三位是前國立藝專國劇科主任，現政工幹校影劇系教授張大夏先生，發生名票馮著唐先生，和我相信是國劇[illegible]欣賞家的張起鈞教授。這三位先生，不僅對國劇有深入的研究，且有高深的學術修養。所以都有極高明的見解，在我們聚談四小時之間，大致意見是一致的。其中有一小部分，大夏兄與我的意見稍有不同之處。著唐兄和起鈞兄倒是與我的意見大多是不謀而合的。在這裏筆者鄭重聲明，下面寫出的方案，並不是三票對一票的決議案，而是我個人先有一不成熟的腹稿，向三位求敎以後，得到啟示，而再用個人的意見，整理出來，向社會宣佈的。所有這裏的是非，全由筆者個人負責，其中有與大夏兄平日言論不盡相同之處，那都是筆者自己的意見，大夏兄自不負前後言論不符的的責任。至於大夏兄給我的意見極多，著唐兄與起鈞兄給我的高見也同樣的多；因此使我原有的不能成熟的腹稿，能夠不致胎死腹中，而正式的產生出後面的方案，我在此案鄭重的向三位致謝。

二、復興國劇的幾個原則

復興，是振衰起廢。我在這裏强調復興不是改革。不過爲了振衰起廢，倒不能不有所興革。我願意在此大聲疾呼，時代是不停的往前走的，保持不動的事物，便是落後的。但宇宙間一切事物的基本是永遠不變的。所以我們可以說，把握不變的基本原則。尋求必變的狀貌，追上時代，是我們的任務。談國劇的復興，我願意先確定幾項原則：

論進德修業之要道

·劉英柏·

孤燈課讀倍含辛，望爾修身爲萬民，
勤儉家風慈母訓，他年富貴莫忘貧。

讀者以爲上面這一首詩是才高八斗，學貫五車的男士所作的嗎？不是。是一個女人所作，這個女人不是別人，乃是宋仁宗時爲宰相（等於現在民主國家的國務卿、行政院長）的寇準之母的手筆。

寇準幾歲的時候，正如我們讀「三字經」裡面「如囊螢」，「如映雪」的讀書苦境，（螢，是我們現在俗話所說的亮火蟲。映，當照字解釋，古時有一個姓車的小孩，和一個名叫孫康的小孩，他們很好學，但是家裡很窮，無錢買油來點燈，就用亮火蟲和反映雪來讀書，雖在更深人靜，還不肯廢學。）

寇準的母親，是書香門第，詩禮人家的千金小姐，與寇準的父親成婚不久，家道中落，父親即離塵世。寡母孤兒，竭盡人事滄桑悲涼苦況。當寇準需要吃奶的時候，其母營養不足，亦無奶給寇準吃。幸好在她要好的親友兼鄰居關係的劉媽，身體健碩，奶水較豐，除了一部分給自己的孩子吃外，勻了一部份給寇準這一個小娃娃吃。不多幾年，寇準到了讀書時代，寇母督敎很嚴，夜間雖然無錢買油點燈，但爲了兒子的學業，常到深山中去採拾一些松樹油（又名松脂，或松子油）來與兒子作點燈之用。後來寇母患病，自己知道無生存希望，故悲悲切切將後事託與知友劉媽，要劉媽照顧寇準如己出，到臨終前夕交了一個紙包與劉媽，並說：「這孩子長大，如果做了大官，有不進德、不修業，甚至有誤國害民之事的話，你可將紙包交他拆開……。」這位賢德的母親，如諸葛亮預授「錦囊計」一。

劉媽受了知音——寇母託付，劉媽細心照顧將寇準培植成人，不但學業成功，事業也大大成功，前途青雲直上，官拜大宋朝的宰相要職，說得上「白屋出公卿」。

寇宰相上任後的華誕，當然是一件大大的喜事，所以他事先就命人到很遠地方去採購最名貴的陳列品如珍珠、珊瑚等，拿現在的新台幣來折算，不知要若干萬。但當這些貴重物品運回來的時候，被傭人不慎打碎了。眼看着大好的日子已經來到，補救的辦法當然很難，如被主人——寇宰相知道了，認爲不吉兆，砍頭之禍，也許難免。當此生死關頭，這個傭人想起了劉媽，遂上前求救，劉媽知道了這件事，心中當然無法平靜，急急忙忙上前查問根由，這時，被擺好在壽堂中的大蠟燭，由於暖壽前一晚便通宵達旦地燃點着，燭淚流在地上的臘油，滑跌了一交，引致老淚縱橫，劉媽慌慌張張，感慨萬千！

寇準向來視劉媽如生母，照狀立即上前攙扶，並說：「你老人家今天爲何珠淚滾滾呢？是我有失檢地方使你老人家不安嗎？」說罷，即向劉媽叩頭，劉媽吐了一口氣，向寇準說：「我看這壽堂佈置得富麗堂皇，紅蠟高燒了一整夜，就想起你媽當年爲你讀書上山採松子油照明的事，因而流淚，這個紙包是你媽留下的，今天交給你：……」寇準聽了劉媽之言，馬上通知滿朝文武百官，停止祝壽舉動。寇準對那些破碎的寶貝陳列品，當然更是不聞一問——也不敢發問了。這一件事情流傳到後世，被戲劇家編爲劇本，名叫「罷宴」。前些年聽說當局明令不准演，當有仁智之見不同，筆者不明本事之底細，未便置評。

寇母預授「錦囊計」，與岳母與岳飛刺「精忠報國」之舉，初無二致。劉媽「撫孤」爲國家培植人才，最後感動寇準「罷宴」，是義母亦爲忠賢。寇準當時雖欲大張筵席享受一番，但聽了劉媽之言，採取「罷宴」行動，不失爲明智之人。再仔細推想前詩，就是我中華民族的古道家風，倫理道德精神的發揚，合乎中華文化復興的要旨。寇母要兒子「修身爲萬民」，是愛國家愛人民的表現，叫兒子「富貴莫忘貧」，就是不忘根本，合乎孫中山先生首行民生主義，均富安和的要義。這一段故事對進德修業，包羅意義很深而且廣，富有敎育意義，也可作達官貴人，或者是祗想陞官發財，造大官不造大事的人參考借鑑。更可作送金錢金碗，或金盤金碗的壞傢伙們當頭棒喝。同時希望人們要在品德上，學問上求進步，增益其所不能。

國步艱難，反攻爲首要，欲達成復國任務，全國軍民都要誠心誠意的進德修業爲是！（轉進修週刊）

美蘇與毛共核子戰爭的蠡測（下）

·高格·

（四）新式驅逐艦之建造。美國海軍當局爲了要逐步淘汰逾齡的驅逐艦，已決定先行建造下列四艘更大，速度更快和裝備更新式的驅逐艦：

一、DX型護航驅逐艦一艘：將裝備反潛和防空飛彈。

（2）DXG型飛彈驅逐艦一艘。

（3）DXGN型飛彈驅逐艦一艘。

（4）DLGN型飛彈驅逐艦一艘：此乃將成爲世界上體積最大，威力最强的驅逐艦。

以上驅逐艦完成後，美國海軍當局又要再建造：一艘DXG型艦，二艘DXN型艦，五艘DX型艦。全部建艦預算爲三十億金元。

（四）快速後勤支援艦之建造。美國海軍有一項列爲優先的造艦計劃，是要建造一支快速後勤支援隊，命名爲「前進海上倉庫」。經常遊弋於可能發生的公海上，藉以儲各類補給品待命支援，共需預算十億金元。此種艦隻，載重四萬噸，巡航時速二十四哩，艦倉內完全密氣設備。艦上備有直升機和兩棲車輛，供裝載補給品登陸之用。

（五）兩棲攻擊艦之建造。美國海軍將計劃先行建造五艘兩棲攻擊艦，預算爲十億金元。這類兩棲攻擊艦，艦長八〇〇呎，寬一〇六呎，時速二〇浬，航程一〇、〇〇〇浬。能儎一個營內的戰鬥部隊，包括其重裝備和補給，運抵任何灘頭登頭。並且又可作補給倉庫和駁船之用。

（四）空軍方面

美國空軍在越戰場用的「F—111」型噴射戰鬥轟炸機，發現在結構上，尙有缺點，目前正在作進一步的試驗。如最後試驗成功的話，而被採用，美國空軍最少要訂購四五〇架。另外海軍也要訂購三〇〇架，共需預算六十億金元。若再加以研究發展中已經支出費用的二〇億金元，則共需國防預算八十億金元了。

美國空軍自一九六一年以來，已經購置的F—4式噴射戰鬥機，係一種全天候的戰鬥機，目前已經在越戰中使用。美國空軍當局已經購置了三、〇〇〇餘架，每架造價費二五〇萬金元。根據美國國防部的計劃，如果F—111式機種的生產取消的話，美國空、海軍在兩年內再以七十四億金元預算，添購此型飛機，在未來的幾年當中，F—4型噴射戰鬥機仍將是美國空、海軍主要作戰機種。

以上是美國的國防武力發展趨勢，將在本年中逐步實施。其主要着眼，是更新裝備，充實戰力。尼克遜總統一再强調的，是美國要保持軍事優勢。

（五）美國在亞洲的軍力

現在美國的軍隊，確是史上無匹的最强軍隊，這是不必再有疑問的。別的有海陸空三軍，美國則有海、陸（海軍陸戰隊）、陸、空四軍，兵力合計三百四十六萬人。內容如下：陸軍、一百五十二萬。海軍、七十六萬二千。海軍陸戰隊、二十九萬[illegible]。空軍、八十九萬七千人（以上根據一九六八年度美預算案所顯示）。美國一方面在歐洲增兵，這是爲了越戰之故（目前的越南[illegible]）[illegible]

[illegible]越的二萬八千美空軍在內。在越美軍不過是第一線，亞洲其他地方，還有[illegible]支援部隊，其配備狀況如下：①夏威夷—太平洋方面軍司令部，[illegible]

[illegible]⑤菲律賓—空軍二萬人，海軍一萬人，共計三萬人。⑥關島—B五二型機約五十架，海軍第十五潛水艇隊（內包括北極星飛彈潛艇）[illegible]

[illegible]

（未完待續）

政治垃圾現形記（十四）

李樂

第六回　天資合到佞倖傳　醜態允冠官僚羣

憲政實施不久，國內動亂不已，戰事連綿，政局危殆，王繼祖亦去職了。未幾，大陸淪陷，政府遷移台灣，王氏隨其故主來顯要在台出任要職，儼然風雲人物，旋又超任最高決策機關的秘書長。他於接事之日，照例召集各門部的幹部人員訓話，而以極謙遜的詞色對衆聲言：「兄弟才疏學淺，經驗亦缺乏，今後希望同仁隨時隨事，互相商量處理，不要客氣。本機構並非衙門，應該表現革命黨人的作風，樹之楷模」。他這席話，大家聽得十分滿意，認爲王秘書長不愧爲革命黨的領導人物，民主風度太可愛了！詎料經過十來天之後，他用秘書處名義通知各單位云：「奉秘書長諭：嗣後本機構同仁非有秘書長傳喚，或事前經過核許者，不得自由出進秘書長辦公室，以維秩序。」這樣一來，大家纔知道王繼祖的官派十足，名不虛傳，他在接任之日的說詞，完全是騙人的鬼話，因而大家的工作情緒很低落，誰也不願意賣力氣。王氏作了相當時期的秘書長，[illegible]毫無，當局爲着某種重要的關係，把王氏調爲外交官，担任某國大使去者。

王氏出國作大使不久，有一位原任最高決策機構某組組長，屬於王氏部下的陳君，亦奉命爲駐歐洲某國使節，陳君赴任時，道經王繼祖駐在國的首都，當然趨謁王大使暢敍一番，王氏老氣橫秋，擺出老長官的架子，言談之間多所訓誨，陳君只有領受。越年，陳大使調升爲本國外交部長，回國時仍然經過王氏駐節的某國首都，可是，王繼祖另換了面目，當陳氏飛機到達某國首都的機場時，[illegible]在機場恭迎如儀，見着陳氏，[illegible]鞠躬，[illegible]誠惶誠恐的[illegible]，有人說，送給他一個[illegible]——標準官僚，但王氏我行我素，毫無所謂。

王繼祖由辦黨務到從政，[illegible]並無建樹可言，[illegible]

[illegible]、行己有恥」爲士大夫[illegible]，然王繼祖之爲人[illegible]不可一世，中原陸沉之禍，豈偶然耶？正是：

天資合列佞倖傳　醜態允冠官僚羣

巨變歷險記！

共軍進北平（四六）

胡慶蓉

丁博士與傅作義雖有幾度的晤談，但並不能打銷傅作義靠攏的意思，事實上也已到了無可如何的地步。傅作義的不抵抗，還有他特別的理由。即北平乃中國的故都，人民的生命財產，固應盡保護之責，而文化古物更有保存的必要。假若抵抗的話，難免不傷及。

提起北平的文物，那才眞是中國的國粹，中國的國寶。就佈局來看，北平的都市計劃，有他特別的風格。核心是皇宮，是紫禁城，內有內城，外有外城。紫禁城，內城外城，層層的包圍，都是四四方方的。街道，一條一條的，與紫禁城平行。街道的兩旁是一條一條的胡同。房屋排列在街道胡同之旁，非常整齊，門有門樓，院有院落，每一個院子，普通是四個房子構成，故有四合院之稱。牆都是磚砌成，磚都是青磚。青磚抹縫，顏色歷久不變。牌樓之多，在中國少見，在外國沒有。著名的有西四牌樓，西單牌樓，東四牌樓，東單牌樓，簡稱東四，西四，西單，東單。介於北海中南海間的玉帶橋，他兩頭的兩個牌樓，王府井大街頭上，跨東長街的牌樓，也很著名。此次修飛機場，破壞市容甚大，飛機場修好，但並沒怎樣使用，旋又恢復了。

特別在皇宮的建築方面，北平有他獨特的風格。若是講建築的話，北平有他的建築學，爲全球所欽佩，太和殿，保和殿居中，前邊是九道門，是端門、午門、天安門、大前門、新定門，後邊有後門，有鼓樓，有得勝門。備極莊嚴，非常美麗。泱泱大國之風，在建築上也表現得非常得體。雕樑畫棟，雕刻也都非常好。他如飲食方面，大館子，小館子，各省的，各地的，也無不應有盡有，西餐非常吃香，整個北平，好像只有兩三家，最大最馳名的，當然是前門外的擷英，其次是崇文門裏的一家。

不可否認的，國民政府建都南京，給北平帶來了很大的失望。古代文物，雖有故宮博物院來保存，但逐年喪失，到了共軍包圍北平，所餘已無幾矣。銅駝荊棘，雜草叢生，滿目荒冷，令人淚下！所幸天安門外的銅獅子，華表，頤和園門前的銅獅子，還沒被人移走。獅子栩栩如生，華表上的麒麟，並簡直想要飛上天的神情。因爲怕他眞的飛了，所以有鐵絲縛住他的鼻子。傅作義藉口保衛中國文化不抵抗共軍進來，自然也有他相當的道理。但這恐怕是藉詞，骨子裏還是因爲沒有力量了，事實上已不能抵抗，即令抵抗，把北平整個毀滅了，也與事無補。北平又一度得到保護，不能不引爲幸事。共軍進北平，是在民國三十八年一月廿二日，距離天津陷落僅一週。

觀光與題詠刻石（二）

·晉端·

最後觀舞象、舞大武、舞韶箾，稱讚「美哉」者十，稱讚「思深哉」，「廣哉」，「至矣哉」者各一，都有最適當的感受批評，到舞韶箾則曰：「德至矣哉！大矣！如天之無不幬也，如地之無不載也，雖有盛德，無以加矣，觀止矣，若有他樂，吾不敢觀？」像這種樂舞，可以說收到觀光的最高效用。從狹義來說，樂舞包括在文藝當中，我這個題詠刻石，也是文藝的一部份。在觀光事業中，非常重要。

大陸上每一個省區，都有名山，有名山就有廟宇；都有名園，有名園就有樓台亭閣；都有名勝古蹟，有名勝古蹟就是中國文化之表現與蘊藏。這些地方最多的就是楹聯和詩歌題詠，刻在竹木金石之間，畫棟雕梁，相映成趣，這些在歷史、在文學、在藝術上都有非常可貴的價值。本來是很平常的風物，一經題聯詠讚，遂韻味無窮。

以攬勝言之，譬如老殘遊記上所寫的大明湖和它楹柱上那副對聯：「四面荷花三面柳，一城山色半城湖。」這境界多麼的好。歷下亭在大明湖爲全湖之勝，裏面也有一幅對聯云：「風雨送新涼，看一派柳浪竹烟，空翠染成摩詰畫；湖山開晚霽，愛十里紅情綠意，冷香飛上浣花詩。」寫景寫靈俱體，「染成」「飛上」，更妙趣無窮。金陵藩署舊有聯云：「大江東去，浪淘盡千古英雄，小樓外青山，山外白雲，何處是唐宮漢闕；小苑春回，鶯喚起一庭風月，看池邊綠樹，樹邊紅雨，此中有舜日堯天。」此聯境界空闊無邊，胸襟高華遠大，懷古頌今，都恰到好處，令人有蒼茫生動之感。非大手筆無此精神。又薛慰農題秦淮楊氏停驄節水閣聯云：「六朝金粉，十里笙歌，裙履昔年，最難忘北海豪情，西園雅集；幾曲清波，一簾風月，樓台依舊好，且消受東山絲竹，南部烟花。」寫出一片太平景象，說得風流瀟灑，酣暢無邊，今當渡海逃秦，讀之令人尚有餘慕。成都望江樓楊宗蔚聯云：「漢水接蒼茫，看滾滾江濤，流不盡雲影天光，萬里朝宗東入海；錦城通咫尺，聽紛紛絲管，送來些鳥聲花氣，四時佳興此登樓。」上聯寫江濤雲影，下聯寫花鳥絲竹，都興會淋漓，讀來令人衡謳三百。以上這些攬勝作品，在大陸俯拾即是，刻畫河山風物，雖未曾實際觀光，也啓發人無限愛慕之情了。

以懷人言之，譬如薛濤井在成都東門外望江樓畔，康明府聯云：「古井冷斜陽，問幾樹枇杷，何處是校書門巷？長江橫曲檻，倚一樓風月，要平分工部祠堂。」唐朝韋皋作西川節度使的時候，薛濤洪度，是一個女校書，名位功勳，相距天壤，但是今天知道韋皋的究有幾人？僅這一樓風月，就要平分工部祠堂，西川節度使更何用說？但還幾個枇杷，要來尋校書門巷，懷人之情可想。當着今天這個離亂時代，無怪乎台灣大衆對影星凌波的瘋狂；香港人民對影后林黛的悼念，還是多麼苦悶的心情？附近的武侯祠實在是昭烈廟，碑上寫有聯著一詩云：「門額大書昭烈廟，世人都道武侯祠，由來名位輸勳業，丞相功高百代思。」負翁聯話對這聯的批評說：「世人輕名位，重勳業，一語道破，便成妙諦，不覺低徊久之。」但是在這種亂離世道來看薛濤、韋皋，則世人不但輕名位，連勳業都鄙棄了。諸葛武侯在我們中國的民間社會，無分智愚賢不肖對他都是非常崇拜的。從成都武侯祠這幾幅對聯可以看出來，「已知天下三分鼎，猶將人謀出六師。」「日月同懸出師表，風雲常護定軍山」，其推崇最大的，還是算：「義膽忠肝，六經以來二表，託孤寄命，三代而後一人。」這一聯了。南陽臥龍崗武侯祠一聯，更別饒新趣，味濃信，聯云：「樹垂二千年，問魏闕吳宮安在；人在三代下，比商伊周品如何？」上聯以詰問語氣出之、下聯以商量口吻出之，意義與趣味都無窮盡，負翁謂：「此聯云：「不啻示人以正義，公道永在天壤間，包含之意義豐富而積極，不似「漢寢唐陵無麥飯」詩句，僅爲消極之慨歎也，乃作者祇以兩短語寫之，全文僅二十四字，之妙，造自然，耐人尋味，以文字技巧言，經濟極矣。此二十四字，幾乎前無古人，後無來者之作，抑亦奇矣。」中國人對孔子，對屈原，對陶淵明，對杜甫，對文天祥、岳武穆、史可法等都非常崇敬，凡是觀光所在之地，都有他們的廟宇祠堂，裡面都有許多對聯題詠，讀了都令人發生無限的低徊嚮往之情，精神上得到極大的感受與啓示。其他弔古之作，詠物之作，批評之作，更多至不勝列舉。有了這些作品，非但給人物河山增加許多輝光，對觀光的人可說是一種極大的享受。中華民族的文化深厚，就在這些地方，台灣海外孤懸，對此却很缺乏，非常遺憾！（未完）

冬菇功能醫頭風

生活漫談

馬騰雲

冬菇，蘑菇，草菇，香菌（俗名香信），都是「香菇」族類，牠們的系統很複雜，品種很多，顏色亦有多種，生長各有不同，有毒無毒，大小不一。至於平常一般人所食用者，多爲上列數種。蘑菇產量少而價高，不是普通人家所能食，大衆認爲最普通，而又喜愛者則爲「冬菇」，大概香菌科各種菌類植物，多含有維生素A及B二，蛋白質和糖質等。成熟的香菌（菇類），含有多量的「麥角固醇」，據科學實驗的證明，這種物質，經太陽紫外線照射，可變爲維生素D。故食「菇類」可以補助體內維生素D的消耗，又可預防軟骨病，也可以治貧血。本篇則偏重於冬菇，因它最普通而大家最常食，有病無病食之，都沒有副作用。它所含的營養成份：水份一〇、三，蛋白質一六、二，無機鹽類三、六，粗纖維質七、四，含水炭素六二、〇，而蘑菇所含的成份則更好，它含有水份一一、三，蛋白質三八、〇，脂肪一、五，無機鹽類一七、三，粗纖維質七、四，含水炭素二四、五，是以牠們的營養成份都很高。冬菇在藥用上似無甚麼顯明的記載，民間雖有用以助痘疹的透發，但有些人又謂凡病痘疹者不宜多食。著者對於冬菇在藥用上的價值，曾查過幾部醫書，其中謂：冬菇煮酒食之，可治婦女頭風，就是男人的頭部常有疼痛，食之也有功用。民國三十年著者在第九戰區韶關內，主持某大報，在韶關工作，有一位同仁，終年頭部不適，醫生說他患了頭風，但醫藥無效。其後有一位雜貨小販，介紹他用冬菇煮酒食用，並囑言食十次八次頭風頭痛可有痊癒的希望，這位同仁試之，效果奇佳，後竟康復。廣東北部一帶的士人，凡有頭痛病（不是外感的頭痛），必以鮮菇燉粥食用，認爲是一種有效的治療劑，因該地是出鮮菇的地域，常採用鮮菇烹食。乾的冬菇效力當然亦不差，新聞界有很多人用以治頭痛，均著功效。又聞用冬菇熬飯可以止夜尿，加入薑汁同熬可以治風疾，方法簡單，食時有味，在熬製飯粥前先將冬菇浸透，切碎，以油鹽和勻，加薑汁亦可，待飯滾時，將冬菇放在飯面上，飯熟，撈勻食之，其味香美而不膩滯，多夜尿者，不妨試用。

台灣冬菇價錢甚貴，用草菇代替也有同功之妙，惟力量較弱，可以多食，冬菇與草菇價錢則相差甚遠；蘑菇俗稱口蘑，「口」指的是華北產皮毛的張家口，台灣當然不易食到，以草菇代冬菇乃克難辦法，非醫藥常道也，附帶聲明。

戴洋人餓死春申（四）

滄海拾遺

上海樂不思蜀矣！

赤松子

戴洋人與李萍卿兩人玩玩說說，說說玩玩，李萍卿把四川「五台秘本」變了幾套，戴洋人也把倫敦新花樣變了幾套，兩人玩得來如魚得水，不知不覺，天已亮了，兩人才睡了一覺，不覺醒來已是一點半鐘。李萍卿又親自弄點點心給他吃了，然後分手，兩人依依不捨，李萍卿約他在起身前，一定要再來玩個兩三次，戴洋人出去打聽船期，知道三天以後，就有一隻輪船，直放上海，戴洋人花了八十元，訂了一個艙位，又去和李萍卿玩了兩晝夜，到了上船前夕，李萍卿在都益處叫了八個名菜，還了三壺仿紹，爲戴洋人餞行；這晚兩人又盡情歡樂了一夜，並送他一張四寸小照，以作紀念。戴洋人坐船，從重慶到上海，不過走了十天。

到上海後，住進了一品香旅館，從前戴洋人從英倫回上海時，也是住的一品香，如今想起從前情形，不免太息一番，第二天到吉林西報，去找史密斯，那知道史密斯說，因爲他來遲了，優差已被別人站了，現在只剩了一個幫辦文案和助理編輯，前者月薪五百元，但條件是要在英國大學畢業，並且熟悉英國法律和大清法律例，後者則只限在英國中學以上學校畢業，能講流利英語，及能寫英文記事的，月薪只有二百元。戴洋人的資格，只合乎後者。戴洋人起初覺得比重慶的錢賺得少，頗不願就。史密斯勸他暫就，將來巡捕房翻譯出缺，他可兼任，那個收入是沒有限制的，戴洋人也就答應了。

光陰似箭，歲月如流，戴洋人在上海小住，轉眼也就是三四個月了。每天下班後，就是在黃浦公園坐，週末常在虹口猶太酒吧間跳舞，把重慶的情人——李萍卿，早已置諸腦後。

李萍卿曾來過六次信，戴洋人從不拆閱，原封扯碎，放在字簍中，因爲此刻戴洋人的心中眼中，自命是「超級高等華人」，他認爲上海的買辦及一切洋奴，已經算是高等華人，他如今站在管理高等華人的地位，面色雖黃，鼻子雖矮，可是身份是和大英帝國臣民，沒有十分區別的，怎可隨便和那些受統治人民往來呢。他這次一氣在上海住了幾個月，從不和中國人往來，也沒有說過一句中國話，怎麼可以同李萍卿的信，以自貶身價呢。雖然李萍卿曾送過他二百元，他認爲不過是殖民地人民對于統治者的奉敬，又何必念念不忘呢。並且他在重慶曾遇着九尾狐、四眼狗勸他淘金的一幕，如今他對于上海幾百萬中國人，都看作九尾狐、四眼狗一樣，因此仿效同胞們的心理，比英國人還利害。半年以後，他兼任了巡捕房翻譯，他的威風，比印度巡捕、英國捕頭還要利害，他遇着中國人犯案，不問事由，先叫印度巡捕毒打一頓，然後叫灌自來水，叫他先拿出一千元紅包，再問他的事由，許多人因拿不出錢來，死在自來水龍頭下的十常八九，當時戴洋人曾有「矮子閻羅」的綽號。

自由報

中華民國內政部內版台報字第〇三一號
中華郵政登記第一二八二號執照登記爲第一類新聞紙類

（第九七六期）

（半週刊每星期三、六出版）
每份港幣壹角・台灣零售價新台幣貳元
社長李運鵬・督印黃行奮
社址：香港九龍彌敦道593—601號
廖創興銀行大厦八樓五座
LIU CHONG HING BUILDING
7th FLOOR FLAT 5
593—601 NATHAN ROAD,
KOWLOON, H.K.
TEL: K303831
電報掛號：7191
承印：長星印刷公司
地址：嘉咸街廿九號地下
台灣總管理處：台北市大同街119號
台灣區直接訂戶　台郵劃撥戶
第五〇五六號張萬有（自由報會計室）
電話：七一四〇三三、五五五三九五
台灣分社：台北市西寧南路110號二樓
電話：三三〇三四六，台郵劃撥戶九二五二號

簡體字評議（中）

余適永

（甲）義符部首之訛亂：如

A、同一義符而演爲歧異寫法：如「書」寫成「 」、「畫」寫成「 」、「劃」寫成「划」，不獨形義相訛，且易與它字相混。又如同一省體，本字不省而作偏旁時又省至不能辨認者。如「奚」之簡體亦作「奚」，從「鷄」之旁欲寫作「鷄」。

不同義符而演成同一寫法：如「邊」寫作「 」，「歷」寫作「 」，「傷」寫作「傷」；又「衛」之作「 」與「節」之作「 」；「雖」之作「 」與「華」之作「 」及「尋」之作「尋」與「盤」之作「 」，「掃」之作「 」之類。至「師」之寫「 」，「臨」之寫「臨」，「歸」之寫「 」，集，臣，諸相異偏旁一體，說文：「建類一首，同意相受」之意義矣。

（乙）聲符因省體混淆：

A、不同聲符而寫法混同者：

如形聲字「還」，「環」寫作之「還」「 」；「壞」、「懷」寫作之「 」、「 」，本字之音既失，而不同音符之寫法復相混；又如「壞」寫作之「 」與「運」寫作之「 」、「際」寫作之「 」與「標」寫作之「 」等，音濫體混，例，不勝枚舉。

B、相同聲符而寫法相異者：

如「陽」之作「 」、「楊」之作「 」與「傷」之作「 」，同一「易」字聲符，却訛爲數異之寫法。聲既盡失，義更難明。形聲相益，有條不紊之文字，乃代之以死文字矣。

（丙）聲符與義符相混亂：以偏旁簡寫作「又」者爲例：漢省作「 」，故「漢」之「 」旁亦省作「漢」；惟「對」之偏旁「 」亦省作「又」爲「對」；「鷄」字奚聲之符亦寫成「又」作「鷄」；「勸」、「觀」兩字雀聲之旁亦作「又」寫成「勸」、「觀」、「戲」字「 」旁亦省爲「又」作「戲」；樹中之豈亦省爲「又」作「 」；集、、奚、、、諸義符與聲省爲一「又」字；形聲全訛，部首紊亂，音讀不明，中國文字「形聲相益」「建類一首，同意相授」之格式盡（Gestalt）特性盡毀，因圖表以明其弊：

美——雖
對——對
奚——鷄
勸——勸
戲——戲
樹——樹

字體簡化後，不獨本體意義含混，且有

A、義符聲音缺滅至不能成文者：如「習」作「 」，「藝」作「 」、「團」作「 」、「陽」作「 」、「陰」作「 」、「舊」作「 」，「專」作「 」……，皆不可辨認。

B、祇存其聲而義盡失者：如「開」作「 」、「錄」作「 」、「補」作「 」、「讓」作「 」、「親」作「 」、「認」作「 」……。

C、與另字相混者：如「寧」省之「 」與「 」字混；「節」省之「誇」與「夸」字淆；又「劃」作「划」與「 」字，「徵」作之「征」與「征」字混，「鬆」寫作之「松」與「 」字，混淆比比皆是，至若「 」可兼爲「廣」、「虜」、「隊」之省體，分別部類之體盡訛，結果每字除本字外，尚須强記另一寫法，因便反繁，既失中國文字之完美特性，復不及拉丁拼音文字之方便，實從聲符文字回到記號文字之文化倒退。

綱括所謂簡體字之構成，不外省旁如「師」爲「 」，「歸」爲「 」等然數部同一寫法，或同部異寫，乏諸縱貫。致但存其聲者，如「階」之爲「 」與「價」之爲「 」等，聲符字體不同，而用字反一，雖求諸檃栝，又豈能用哉。近有謂「俗簡」之字如「爐」作「 」、「竈」作「灶」等可用，即簡體字如「燈」之「 」、「還」之「還」等即無不可用之理；殊不知俗字簡體乃由前行草數百年習慣之書法與祇重筆劃，不計形體意義者不同。至謂可復古之本字，此亦不知文字演革者也，蓋年代烟遠，字義轉晦，即必更有一新文以代之，不斷淘汰，若驟復古字，豈皆人人通曉訓詁始能行文乎。且文字雖日增不已，而淘汰所剩，日用者不過四五千而耳；今削減常用之字而復以古文，不獨行文見拙，若依文字演革之迹而論，即今日所減，明日復加，有以應時代之需也。

（三）從文字應用上 看簡體字之能否施行

文者，所以積累前人經驗，拓展後人智慧之具也，必求明暢通讚。若文字不足，字義即含混不明，兼之文字越簡，與它字之相訛越易，是以文字乃有應日用之需不斷孳乳也。中國地員幅廣，文字孳乳非一時，蓋區非一地，則同一字形，或可偶耳相合，用表不同言語，是同形異字之所難免也。故分別部類，推陳鋪益乃極自然之事，茲舉說文同形異字數則以證：

A、同形而異音義者：

說文丨部云：「丨，上下通也。引而上行讀若囟，引而下行讀若退。」二文實同用一文，皆從所在而知也。

B、同形而異音義者：

說文足部云：「足，人之足也，在體下從口止」。（即玉切三部）。又疋部云：「 ，足也，上象腓腸，下從止」。（所 切，五部。）是足之與疋異聲同形同義也。

C同形而同音異義者：

說文匕部云：「匕、相與比敘；從反人。匕亦所以用比取飯，一名柶。」實則比敘之匕與匕 之匕蓋爲兩字，柶匕之匕實爲飯卓，同形而相訛耳。

同形異字既相淆如此之易，故後世皆部則偏旁以明其指同形相異之字尚有踪跡可尋也。今簡體字但求筆劃之減省，忽視文字累增之演革，即構成如「徵」之省作「征」，定與原東征代之「征」義相混；又「 」本象對剌高屋之形，合簡體字之「广」，或得釋爲「廣」，爲「虜」，爲「 」，文義不可復識。兼以字義含混行之詞謬，義更難明，試舉簡體字詞義之訛亂者數端以明；

①詞義之含混：

A普通名詞：如今後之「後」簡體亦作「后」。說文：「后、繼體君也。」又借爲王之配偶，古以音假，亦通後。後世爲分清其義，專用「後，遲也，從彳幺夂，及幺文者後也」。之後字：會簡體字廢「後」復用「后」字，故設爲「今后」一詞，即難釋爲今之后或今之皇后。兩詞之義，相去極遠。

B專有名詞：「漾之簡體作「洋」，以漾水與洋水分之，即漾水，源出陝西寧縣北嶓冢山，漢水上源。洋水即源出陝西西鄉縣南境。昔漾水寫成洋水，二地不分，方志郵驛同被混淆，故簡體字必無可行之理。

中國語除少數如咖啡，葡萄爲雙音節外，特點爲單音節語，與文字之固定爲一單音節者配合，是以事物俱須複詞表達。簡體字由於字義與他字含混，構成複詞結句，文意不通，影響中國文化之害甚劇。

荀子正名云：「單足以喻即單，單不足以喻則兼」。兼則複詞，又「以通稱隨定形不可窮極者也。」如「好」者，物之通稱，「牛」者，物之定形，以通稱隨定形而爲「好牛」，設複言「好馬」，「好人」即復連於「人」、「馬」，故「好」通無方也。中國語以音節短，語言變數有限，因循複合語發展，文字引申義其用極廣，又如「人」本總萬物之「靈」，可作「衆人」、「別人」、「人民」及「人道」諸釋義。語言不多而含義無窮，唐以後幾無語不復，常用不過五千之字蘊構詞不下數百萬條，應用通廣，無可估計。根乎中國語文此一特殊關係，故簡體字，不獨形體訛謬，無法辨認，其構成詞謬之紊亂，殆禍中國文化之大，欲非爲始作踊者所能慮及者也。試舉「寧」之省「宁」與「宁」本字所生詞 之訛亂以證：寧可釋爲：

（一）願詞、
（二）安也。
（三）處家持喪服也。
（四）何也豈也。
（五）猶可也。
（六）女婦歸省也。
（七）乃也。
（八）娃也。
（九）馨、如此也。
（十）助語詞。

宁可釋爲：

（一）貯也。
（二）佇也
（三）門屏之間謂之宁也。若（未完）

自由談

預言中之預言

美國有一著名的預言家狄克遜夫人，過去預言印度有戰爭災難，美國甘迺迪總統遇刺等事情，皆已實驗了。最近她又預言一九七〇年東南亞地區的人民將罹浩刦，喪失生命不少，一九七八年世界將有大動亂，地球上的人類要消滅一大半云云。

她所說東南亞人民的刼數，是顯而易見的。因爲美國現時不顧一切的急於要從越南撤退，而越南之不能抗禦越共侵襲，乃意料中事，毛共在東南亞的潛勢力，今後祇有增加，決不會減退的。因此之故，東南亞地區的共禍必然日趨嚴重，局部戰爭沛綿不絕，生命的大量喪失，實爲勢所必至也。

至於一九七八年的世界大動亂之說，世人很容易涉想到美俄兩大强權國家發生核子戰爭，我却認爲未必其然。美國是眞正的民主國家，政府當局如若不得到人民的同意，絕不能隨便對外作戰的，必須挨了別國的重大打擊，如珍珠港事變之類，政府纔有動員自衛的權力。但蘇俄在未來的短期間，決無突襲美國之必要，因而美俄戰爭的可能性就不大，何況美國現階段的對外策略，是要聯合蘇俄以夾擊毛共，更希望俄共與毛共間的裂痕日益擴大，構成不兩立的形勢，而美國則高枕無憂矣。若夫國際正義公道，乃至於自由與奴役生活之不能坐視等說詞，美國人口裡如此云云，心裡却當作唔介事啊！

一九七八年的人類刼數如不能逃，很可能是俄共於忍無可忍，實逼處此的情勢下，對毛共實施軍事報復，而以核子武器摧毀毛共的軍事力量，先把中國的東北各地區以及新疆省予以佔領，毛共若以游擊戰術作持久對抗之計，幾顆原子彈就解決了。這樣的結果，中國大陸上的六七億人口，勢必消滅大半無疑，而狄克遜夫人的預言亦就兌現了！」

西方各國連同蘇俄，有一項共同的心理，那就怕中國强大，我們千萬不要相信西方政治人物那套口蜜而腹劍的鬼話，這是我的預言！

馬五先生

昨日與明日

開美國人的教訓

八年前，我國某哲學教授在華盛頓大學講學賦歸，文學院院長韓氏爲他舉行一次隆重的「肥泰」餞行，並邀有甚多學人作陪，其中有一位已退休的哲學系主任八十老人柯瑞教授，在閒談中論及我國若干問題，緊對我國的政治略有微詞，某教授當仁不讓據理力辯說：「我不是政府官員，也不是國民黨員，因此我很客觀的同你談這個問題，請教，你認爲中國政治癥結何在？柯說：「太不民主」某教授聽後毫不客氣的指責柯氏：「你是一位可敬的教授，不是普通人，怎麼可以說出這種無知的話呢，我教過政治學，教過政治思想史，從拍拉圖到拉斯基兩千五百年，請問政治學可曾有一個結論，那種政體是最好的政體，民主政治雖是你們近代所喜歡的政體，但並非是政治學的結論，實行民主政治由於「時」與「地」「人」皆有影響作用，無拘泥於同一形式的必要，你怎麼曉得中國的政治不民主呢？昔日中國正在大敵當前，作生死存亡鬥爭之際，就像火燒房屋，你們不僅不設法先撲滅火燄，相反的，乘人之危、逼迫我們整理沙發乃至於盤碟盃碗工作，捨本就末而導致中國失去整個大陸、美國本身亦自食惡果。」這位老教授柯瑞被教訓得啞口無言。

美國人天眞可愛

美國這個新與國家的可愛，是無可否認的事實，但對政治這一行則很膚淺，膚淺得像個天眞的大孩子，亞洲幾位反共產比較成功的人物，如韓國的李承晚。越南的吳廷琰、泰國的鑾披汶和乃砲是耶曖等，都是美國比肩作戰的戰友，後來皆因爲不能實行美國式的民主而被政變殺害或推倒了，好奇的美國人並未造出甚麼奇跡，本報曾以「美國的糊塗戰」爲題，描寫美國的戰爭，越打越糊塗，糊塗到戰不求勝，莫非求敗，眞是無語問蒼天。

用哲理看共產黨

某哲學教授不僅指出民主政治不是政治學的結論，他更說明「中國政治異於歐美任何國家，竭澤而漁固不可，民主自由得適當，用暴力則必招致挫敗。」幾千年歷史中，事實上見到昇平之治，也不過數十年小康局面，亡國慘禍至有兩次，以證明某教授的話，有其歷史根據。

某教授又說：「我們目前的神聖任務就是要從毛澤東的手裡，奪回國家政權、老子說：「反者道之動也」「物極必反」馬克斯是否抄襲老子思想未敢妄斷，但馬克斯主義的精華則謂，「凡一件事發展到頂點，即被其自己含有之否定所否定。」根據共產集團「聖經」的道理，毛澤東的風狂發展已至其極，亦將快被自己含有之否所否定了。」

・歐陽鑫・

全面改革萬象更新
蔣副院長施政重點
強化戰鬥內閣推行朝野節約
力求親民便民用人選賢與能

本報記者黃尙賢台北消息：自行政院局部改組後，由蔣經國先生出任副院長，不惟財政、經濟、金融而有構成一體之會報，直接由蔣氏主持召集，則今後之財經政策，固將有新的改善，以充裕國力，其主要端在「民生與國防的合一」而蔣新之「計劃經濟」亦必可使「資本國家化，享受大衆化」，尤能強化戰鬥內閣形成總動員之總體體系於一元，創開反攻復國之新的局面，國人僉信蔣氏必能將其念年整軍經武之正確經驗發揚光大於政治改革之全面，由於行政院最近明定政治革新之十項具體要求，以期澈底刷新政風，提高行政效率，並於命令規定：各部會對此項措施的執行情形，應於本年九月十五日舉行第一次總檢討會，着將檢討結果，報呈政院，勢在必行，閃耀着新生革命朝氣。其一：貫澈求新、求行、求本之精神，革除保守、因循、徒重形式等。二：激勵軍公教人員淬勵奮發，堅苦負責之精神，革除偏私、推諉、牽制、延拓、躲閃、敷衍懸習等。三：力矯舖張浪費不良風氣，崇尙儉樸推行戰時生活，①厲行機關團體宴會節約。②加強管制公務汽車。③推行公務人員婚喪節約。④推行民間祭典節約。四：實施行政三聯制，厲行績效比較，規定行政院研究發展考核委員會，應行辦理事項多端。五：力求親民便民，簡化人民申請案件之處理，責成研究發展考核委員會，具體規定實行。六：加強研究發展，設立專門研究單位，聘請學者或委託學術機關，從事專門學術研究與建議。各機關研究確有成效之人員，應予獎勵，提升職務，或資送國內外學術機關深造。七：提高威信與效能，加強保障人民權利，維護社會秩序之功能。責成司法機關與司法人員全面展開改革，信賞必罰。八：普及法律知識，養成全國國民守法重紀之習慣，責成關係機關編印法學書刊，普及發行傳播。並由教育部、內政部利用廣播電視、報紙、大衆傳播事業，推進法律常識教育，俾養成守法重紀之習慣。九：加強政策政令宣導，並重視輿論。責成各級新聞機關加強新聞發布，供應新聞資料。對民衆正確批評和建議，各機關應迅即採納改進。十：加強各機關間之協調聯繫，及彼此觀摩借鏡，力求協調配合。上列十項貫澈實施政治革新要求，亦即行政院貫澈十全大會中心議案「政治革新要項」。前定各項具體可行之方案共計五項目：（一）刷新政風。（二）厲行法治。（三）健全機構。（四）改進人事。（五）加強研究發展。經訂定十項要求，已通令全國執行。

此外行政院在健全人事方面，亦極審愼，就教育部政務次長人選上，台北某兩報，即曾露已內定某某出任，因其既往聲名欠孚，不特輿論表示冷落，甚有私相庇蔭，不逕而馳，以致胎死腹中。尤其在台灣省政府改組方面，原任主席黃杰鑑以治理七年之總績而膺選國防部長，以陸軍總司令陳大慶繼長省政，亦洽孚衆望。尤將省社會處長傅雲調換，而以執政黨中央第五組副主任邱創煥接長，因邱氏襄助黨務社運有年，對政府社政之推行，其有利民居之國民住宅善改，實施以來，弊多於利，反映資料，據悉五組極爲豐富，人民企望邱氏發揮魄力，予以普遍澈底查察，針對積弊，大刀闊斧，改絃更張，挽救頹敗，恢宏民生建設首要之國民住宅與建政策，消滅官商勾結，切實福惠人民。此在省政之革新中公認爲最重要之一環也。

行政院超速接受糾正
立委們認爲引起物議
糾正非權力機關不一定接受
假出口眞退稅德不孤必有鄰

（本報記者顧碧天台北消息）立委何景寮、冷彭、莫萱元等十八人向政院提出質詢，關於行政院接受監察院之糾正，恢復對彰化大同公司罰鍰案之執行一事，本席等以該案業已恢復進入法院執行程序，事成過去，不必再論。惟以案關破壞憲法第八條，刑法第一條，以及恐誤用憲法第五十七條，第九十七條。除有本院何委員蓋民於六月十七日提出質詢外，更不少法學家、教授，在報章雜誌發表評論，憤憤然，深恐由於本案之原裁定，造成危害國法之厲階，則國家法治前途，何堪設想！

原本案係「假出口眞退稅」曾被判罪執行兩年，並由政府追回退稅款及課處罰鍰共一千五百萬之後，被控以違反貨物稅條例罪於台中地方法院。法院以無退稅貨物漏稅之處罰明文，故不予處罰。原告抗告台中高分院，分院裁罰超常例十倍。該公司以原裁罰一則於法無明文爲據，二則未予申辯爲違背程序，一再聲請更正，兩年始被駁回，乃轉向司法行政部陳訴，請求援照申一公司前例救濟。以上尊情是否屬實？

如前項所舉之事實無差錯，則台中高分院之裁定，發生第一個嚴重之錯誤，在剝奪被告審級申辯權利，違反憲法處罰人民的程序。從憲法第八條「人民……非由法院依法定程序，不得審問處罰。非依法定程序之……處罰，得拒絕之。」的意旨爲論斷，原裁定應爲無效。因爲案既詭反審理程序，當作案尙未經審理論之。一二審違反審理程序案被廢除發還之例甚多。倘認原裁定爲有效，則是法院可作否定憲法之判決，問題太嚴重了！

一查刑法第一條「行爲之處罰，以行爲時有法律規定者爲限。」台中地方法院處理本案以無退稅貨物漏稅之處罰明文，故不予處罰。台中高分院之裁罰不舉以有明文爲據，且未有說明處罰理由。台中高分院開創了法無明文亦可處罰之成例。此例一開，則刑法第一條自必隨而毀滅。其毁滅刑法第一條爲事已非甚小，置全國人於法無明文規定下皆可被罰之險地，事太大了！

高等法院對高分院之審判有事後指正其錯誤之監督權。此權非任何機關所能剝奪。高等法院既指正原裁定爲「未盡妥適」，「應予救濟」之錯誤，而又有申一公司裁罰錯誤獲得救濟之前例，若不同予救濟，無論就法律上與政治上之理說，皆非公平。

按憲法第九十七條「監察院……得提出糾正案，移送行政院及其有關部會，促其注意改善。」糾正案並非一種權力被糾正之機關一定接受。是否接受糾正之前提，在自行檢討被糾正事件究竟有無錯誤須要改善？今行政院既接受糾正，即是承認前此同意撤銷執行爲錯誤。亦即是承認法院裁判適法與否之認定權不在法院而在監察院。

按憲法五十七條規定行政院關於行政上之措施係對立法院負責，不是對監察院負責。行政院對糾正案之來，應詳加研究。以本案所關國法與國庫俱非小節，自應留待向立法院作施政報告時提出，俾立法院有所表示方合體制。要若不然，先送請大法官解釋所關法的問題，然後作是否接受糾正之決定，尙不失爲對國法之尊重。

由於行政院以趕快接受執行糾正案爲得宜，實出情表。

執行糾正案之超速出乎常情，引起社會與各機關之物議：①謂表面似二千多萬之國庫收益，實則非是。因該公司財產早被債權人中信局控制，拍賣不値多少，爲行政院所清楚。若眞爲國庫不管一切，又何必當初同意撤銷執行？②謂就監察院調查報告書所指責財廳財部的語氣看，彈劾是不可能免的。復見張監委一中爲陶監委百川被訴案發表談話有何「不過先彈劾孫德耕」。這個「先」字，嚇怕行政院要負責做到，趕快執行糾正案與趕快使地院裁定陶委員被訴案不受理。果然兩樣都趕快。還在何委員蓋民質詢書亦有提到。我們認爲這是一種猜度的議言，不過這種議言最足以損害行政院政聲，必須顧之。

立法委員大聲疾呼
國家之敗由官邪也
政風一旦敗壞國家焉能持久
珍惜已結果實重視貪污條例

（本報通信員柳一權台北消息）立法委員趙石溪、梁肅戎爲行政院是否有澄清吏治嚴懲貪污革新政治決心。提出質詢查左傳云：『國家之敗，由官邪也，官之失德，寵賂彰也。』爲公務員者，代表國家執行公務，允宜盡忠職守，廉潔奉公，服務人羣。若貪蠹成風，竟瀆職守，威福妄作，剝民膏脂，其禍國殃民，莫此爲甚。自古迄今，不論任何國家，若其政風敗壞，貪污腐化，而其政府又不加整飭，任其蔓延擴展，馴至肆無忌憚，賄賂公行，其不論國家於危亡者，未之有也。

政府播遷以還，勵精圖治，政績斐然。惟貪污舞弊案件，層出不窮，不但影響民心士氣，且將動搖國本。立院同仁爲謀遏止貪風，曾於民國五十二年七月間，由委員一百十二人提案制定『戡亂時期貪污治罪條例』，爲刑法之特別法，經全院一致通過，請由總統明令公佈施行。以期對於貪墨枉法之徒，使用嚴刑峻法，以昭炯戒，而儆效尤。俾求澄清吏治，挽救危機，用心良苦，曾爲國人所共譽。

『戡亂時期貪污治罪條例』所定罪刑範圍，計列舉十數項，較諸刑法所定，大爲擴張。而第六條第四款規定：『對於非主管或監督之事務，利用職權機會或身分圖利者，處五年以上有期徒刑，得併科三萬元以下罰金。』此項規定，係在防止假藉任何非法之理由方式，就其主管監督，或非主管監督之事務，利用職權機會或身分圖利。蓋公務員在職務上，因圖利而犯罪，散見該條例各條者頗多，如賄賂罪，圖利而犯之徵收罪，或抑留剋扣罪，上侵佔罪等均是。公務員直接或間接圖利，若合於該條之特別要件，應構成各該條所定之罪，而不適用上述第六條第四款所定之罪處罰。若其犯罪不合於各該條之規定者，則第六條第四款，自當有其適用。蓋本條款所定範圍甚廣，實有概括的補充的規定之性質，以免法網疎漏，對犯罪者有所寬縱，法意甚明。故公務員不法收受商民金錢，或其他不正利益，如不合於受賄罪特別要件，則必觸犯圖利罪，立法原意極爲明晰，條文規定亦至爲明確，實不容任意曲解故爲寬縱也。

司法機關職司國家刑罰權之行使，對於貪污瀆職犯罪之懲處，責無旁貸。而司法行政部基于監督權之行使，自應飭令所屬嚴格執行。惟自貪污罪條例公佈實施以來，法院偵審不力，對於國家交付之任務，未能徹底執行。輒使貪蠹之徒，逍遙法外。似此情形，法律已失其嚇阻作用，等於具文。近年來貪蠹之風，愈形熾烈，此乃衆所周知之事實，絕非危言聳聽。即以高雄青果合作社舞弊案而論，該案公布起訴書及不起訴處分書後，社會困惑，輿論譁然。蓋該案就同一事實對其涉嫌被告，一部分起訴，而一部分則爲不起訴處分。而其內容理由，則彼此分歧，互相矛盾。查金杯，金碗，及金果盤等，其品質相同，而證據價値竟不相同。起訴書中認定其爲賄賂之罪證，認係被告觸犯戡亂時期貪污治罪條例第五條第三款之罪嫌，則將來可能判處無期徒刑或七年以上有期徒刑並得併科五萬元以下罰金，而另在不起訴處分書中，則認爲該項金器，係屬餽贈之『紀念品』，因而對被告爲不起訴處分。有罪無罪之間，相差何啻天壤？而不起訴處分書中認稱『收受餽贈[illegible]，然與職[illegible]無涉，即[illegible]關係，而[illegible]感情作用[illegible]，又以公[illegible]式爲之，[illegible]賂』云云，[illegible]準果能成[illegible]賄賂公行[illegible]，則將天[illegible]有是理乎[illegible]

郵局的集郵服務

集郵爲現代最高尙最經濟的癖好，不但幫助您增進地理、歷史、政治、經濟和各種科學知識，並使您於不知不覺中養成整齊、合理的節約儲蓄的良好生活習慣，如購買郵票寄贈國外親友，介紹我國固有文化，及最近進步實況，更受歡迎。

郵局提供集郵服務，目的在便利公衆購集各種集郵票品，如新發行的郵票、明信片、印有郵票花紋的信封、郵簡，以及蓋有發行首日郵戳、紀念郵戳之信封或明信片等。

國外方面：

郵政總局集郵中心歡迎國外公衆直接來函訂購集郵票品，辦法要點如下：

（一）所有票品均按面值照台灣銀行公佈之外匯比率折收外幣。若干主要外幣之現行匯率爲：

美金每元兌合新台幣四〇·〇〇元
英鎊每鎊兌新台幣九六·〇〇元
港幣每元兌新台幣六·六〇元
叻幣每元兌新台幣一三·〇六元
法郎每個兌新台幣八·一〇元

（二）美金、英鎊或港幣之國際郵政匯票、銀行匯票、旅行支票、個人支票或現鈔等，凡台灣銀行可予收兌者均可接受。但任何郵票不能代款。

（三）訂購之票品以水陸掛號郵件寄還時，郵費由郵政總局負担；如必需航空寄遞，則請預付全部郵費。

（四）向集郵中心立帳，預存美金五元或相當之其他外幣。亦可預約訂購，辦法與國內同。

免費供應集郵資料：

國內外集郵公衆如需集郵報導（分中、英文二種），函售辦法或集郵票品一覽表者，請函中華民國，台北市，郵政總局集郵中心（Philatelic Department, Directorate General of Posts, Taipei, Taiwan, Republic of Chian）洽取，不收任何費用。

喬治桑外傳　二六

張大萬

「鳥小姐戴的耳環，衣上的花邊都是蜘蛛型，還種蜘蛛又名「黑寡婦」。她有一種奇怪的習性，不知鳥小姐知不知道？」喬治桑吃了一塊炸大蝦，但並沒有忘記吃烏鵬豆腐。

「怎麼不知道，牠和雄蜘蛛做愛以後，必定吃雄蜘蛛。還有什麼稀奇，桑先生是海派，大概總懂得吃得死脫罷。不過，桑先生你不必怕我，我這個「黑寡婦」是不會要人命的。你不信可以問繆德。」鳥鵬說完，喝了一大口拿破崙。

「妳和桑先生談話，怎麼扯上了我？」有華德醫生之稱的[illegible]白瓊[illegible]地，輕輕的說[illegible]

「哎呀，，在座各位只有你能替我作證呀。不過，今晚以後，又多一個大塚先生作證了。大命，你說是不是？」大命是用英文來灌大塚米湯的。大塚聽不懂國語，只聽見鳥鵬叫他[illegible]得直點頭，同時發出日本人慣有的「海伊、海伊」之聲。

綜談國劇復興（二）

王方曙

（1）復興國劇，是要將國劇的聲勢再振起來，使國劇成為一種有生命的，活的，社會上需要的綜合藝術。相反的，復興國劇並非要保存國劇，不是像博物館的保存古物。

（2）國劇是國劇，不論如何興革，不可以變成國劇以外的東西。不可成為話劇，不可成為電影，更不可成為雜耍歌舞團甚至於馬戲魔術。我們永遠是道地的國劇。

（3）國劇有它特有的意象形態。國劇是「有聲皆歌，無動不舞」的歌舞劇，這些都是國劇的特質，我們應該盡量發揮。

（4）在不破壞固有的美點之外，應該吸收可能吸收的新美點。戲劇是領導觀衆的，我們的內容一定要走在觀衆的前面。國劇的形態雖舊，但內可以永遠日新又新。我們不是必須改革，而是必須進步！

（5）國劇不是寫實的，所以演古代的故事才會協調。因為我們不作演現代故事的嘗試。

（6）戲劇是大衆欣賞的東西，我們不能不爭取大衆的欣賞，吸收新的觀衆。但不可因此使風格降低；更不可改變了原有美好的本質。

以上六條原則，有的看來相當的保守，有的看來似乎有除舊更新之意。但筆者既無保守之心，也無大翻大改之心，祗是實事求是，希望保存本質，追求進步。我們所討論的是「是」或「非」；不是畢談「新」或「舊」。我們終歸只有一個原則：「是者取之，非者失之，不論新舊。」希望各位國劇專家和從業先生們，不反對這個看法。

三、復興國劇的方法和理論

凡是一件事情，要談興革，當然要有理論，要確定原則。但最重要的還是方法，如果沒有方法，只是坐而談，不起而行，使收不到效果。所以在這一段的大題目上，我將方法放在前面，理論放在後面。

其實方法是根據理論來的，但為了避免讀者看了大套的理論而頭痛，我們主要說方法，而再扼要的說些理論根據。這一節是全部文字的重心，分目較細，次第說來，也難免稍嫌費辭。但戲劇為綜合藝術，內容繁複，絕非三言五語所能談完，敬希愛好和關心國劇人士，稍費時間讀過以後，加以指教。

1、關於劇本方面

一部劇本，是一個戲全部表現的根本，無論這個戲的骨幹，血肉、精神、靈魂，都出之於劇本。有了好劇本，演員會演出好戲；劇本不好，會使好演員演不出好戲。這是人所共知的事。所以，今天談國劇復興的方法，首先談劇本問題。

既然要復興，自然是因為有衰敝的現象，才要復興；譬如一生病之人，身體衰弱，才要復元強壯。因之，我們也應有「醫之攻疾」的態度，找出病源，對症下藥；尤其不可諱疾忌醫，自以為十分健康，不肯診察，最後吃虧的還是自己。我們在談方法這一節裡，一定要全部把握這種態度，不僅談劇本如此，談其他部分也如此，這樣我們才會醫好病痛。但我們固有的，好處也更多，好處也都要強調。發揚好的，治療病的，創造好的，我想是不錯誤的！

六藝辨正

吳文蔚

立法委員穆超，對國民中學歷史課本第一冊四十四頁中「孔子與六藝」段內所說：「孔子返魯以後，專心著述，詩、書、禮、樂、易、春秋，經過他的刪訂，編次或解釋，這便是所謂「六藝」」，認為是一項貽笑大方，不可饒恕的錯誤。他曾建議行政院，應即將六藝定義，確為「禮、樂、射、御、書、數」，以明其正，這是值得重視的一件事，但國立編譯館表示對該歷史課本的出處，係根據的漢書藝文誌，認為並無錯誤，此事曾引起穆委員的再度質詢，表示未能滿意，由此證明此事之關係重大，實屬非同小可了。

同時在台中出版的台灣日報，也曾以「不及格的課本」，發表評論說：「六藝是什麼？是孔子的教育方法，即以「禮、樂、射、御、書、數」六個科目教學生，此說見於周禮地官保氏，其由來甚古，所以一般都知道得很清楚。

然而國中歷史課本第一冊四十四頁中，卻把孔子的六藝說成：「詩、書、禮、樂、易、春秋」，是不是錯了呢？未必是，因為此說見於漢書藝文誌，並非沒有根據的，不過這方面的六藝又稱六經，可見完全屬於著述。

國立編譯館歷史課本而不能兩說並取，僅取後者一說，由此可見其工作態度不嚴謹，採用資料不周延，如果拿這來考編譯館編書的成績，至多只能給五十分，無論如何也及格不了的，以不及格的課本教學生，豈不等於誤人子弟！台灣日報這段評論，真可說是替穆委員大大的出了一口氣！

六藝者，禮、樂、射、御、書、數也，見周禮。

六藝：易、禮、樂、詩、書、春秋，古之儒者，博學乎六藝之文故六藝亦稱六經。漢武帝紀贊，「表章六經」謂：六經：易經、書經、詩經、春秋、禮記、樂記之稱也。但樂記焚於秦火，今已不傳。

國學問答三百題第一章經之部二頁有：何謂六經？易、書、詩、禮、樂、春秋為六經。

國學問答一千題一九頁載明：六藝是什麼？一般以禮、樂、射、御、書、數為六藝。

六經和六藝有何分別？史記和漢書稱六經為六藝，舉其法者為藝；舉其書者為經。

國學常識一頁載第五章經部亦載稱：六經的名稱，首先曾在「莊子」中發現，「莊子」及「禮記經解篇」，皆以詩、書、禮、樂、春秋、易，為六經，漢書藝文誌稱為六藝，但因「樂經散失」，只有樂記一篇，併入六經中。

歷史小辭典所載較為明顯，謂：六藝：周禮古文說周代貴族學校——國學的教材，就是禮、樂、御、書、數，其教官為保氏，這與台灣日報評論所據相符。比較可靠。

六經：易、詩、書、禮、樂、春秋的本稱。

國中歷史課本第一冊四十四頁所說：「孔子返魯以後，專心著述，詩、書、禮、樂、易、春秋；經過他的刪訂，編次或解釋；這便是所謂「六藝」」的六藝，並沒有錯，只是這個六藝，和「禮、樂、射、御、書、數」的六藝，太含混了。如果中國歷史第一冊四十四頁中所說的六藝段，能在「這便是所謂六藝」句下，加上「亦稱六經」四個字，那就不是有含混之嫌了。同時人也不會把這個「六藝」，誤認成那個六藝了。果能這樣，我想穆委員也不會提出那樣嚴重的質詢了。

國中歷史課本像這種含混不清之錯，不獨在歷史第一冊中為然，即第二冊中亦有類似之處。如國中歷史第二冊一二面中第十章第三節五代十國，五代：後梁、後唐、後晉、後漢、後周，分段說明，極為明顯，讓學者一看便知，可謂恰到好處了。

惟「十國」段就不然了，茲將全文照錄於左，以請教諸賢達共鑑：

「「十國」，與五代並列的諸國，除興亡太驟的小邦不計外，前後興起凡十國，和後梁同時的，有劉隱的南漢，高季荊南，錢鏐的吳越，馬殷的楚，楊行密的吳，王審知的閩，和王建的前蜀。後唐繼起，諸國如故，惟前蜀為唐所滅；然孟知祥已續據其地，後來便成為後蜀。後晉時，李昪篡吳建南唐，王氏的閩地又為吳越所分。後漢時，劉崇便據河東稱帝為北漢；楚也為南唐所併。終周之世，七國併列，直待趙匡胤建立宋朝，纔被削平，重歸統一」。像此段敘述的這樣含混與艱深，別說是國民中學的學生聽了不會收很大的效果，就是請大學歷史學系的準學士來聽，恐怕也感到刺耳難懂而搖頭不置吧！難怪穆委員在質詢中那樣堅持了。如果編輯諸君，當執筆寫文時，能在這一段之前，先把十國名稱列舉出來，然後再加以敘述經過，那有的人就會另有不同的態度了。這一段，不惟聽者難懂，而講的人在面對學生解說時，實在感覺着難以啟口。以現在剛出大學的一般新老師教歷史，他們對於這史的經驗本來甚淺，再使他們教這種課本在課堂對學生表演，真可以說是難為了老師，編譯諸公編此歷史不知所據何書，我想在大陸時有一種線裝書名叫「鑑略妥註」，是一種五言詩體，旁有小字解述內容，自盤古以至明清，淺顯詳明，可謂一本歷史好書，此書用在大中學校，可以說是無不適宜，倘若能據此書編寫歷史教本，那也是再好不過的一種範本，現在台灣各書店編印古書的很多，惟獨此書不見行於市面，筆者頗感懷疑，很多古書都能流於台灣，難道此書就會絕版了麼？（筆者很多次都想公開報上徵求此書），但一直拖到現在尚未執筆，現在順便拜托自由報編者先生，代為在香港徵求此書，如有發現，不論價錢貴賤，筆者都願認購一冊）。

研究學問，要有勇於認錯的態度與心懷，接受批評，改正錯誤。

閻伯川先生有段名言，可資借鑑：他說：「為人最怕有了錯不認錯，不改錯，還要諱錯，飾錯，執錯。錯是損，諱錯是蓄損，飾錯是增損，執錯是固損；諱錯是毒損，飾錯是名損，執錯是身損。人生處人處事，最好不錯，有錯趕緊認錯改錯，萬不敢諱錯飾錯，更不敢執錯，執錯就是錯到底，損到頭。」報紙上常載有教育當局決心要把國民中學辦好的消息，我希望全體國民人人都有認錯改錯的精神，勇敢的負起這個責任。」

雷震與自由中國

當年內幕誰知道　一番往事話從頭

王曰史

（二六）

俗話說：「有老王，嫌老王；沒有老王，想老王」。「自由中國」主辦的時候，大家並沒有覺得怎麼樣，甚至有一部份人士，非常討厭它，可是一旦突然關門之後，大家又感覺到一片文化空虛，覺得在自由中國的國土，缺少一個有份量的雜誌。具有此種感覺的，包括許多黨政在朝的人士。

經過一年多的落寞與醞釀，終於先後出現了一對姊妹刊物，「新時代」，和「新天地」。我們說姊妹刊者，一則是在名稱上看來好像一對（其英文譯名，一為"New Age"一為"New World"也同樣是一對），雖則是偶合（詳后）；二則他們發起的動機：據老叟所知，縱不是承襲「自由中國」，至少也都是填補「自由中國」的空虛的，三則他們的主編人全是當年「自由中國」的原始主編人……正因為有這些近似的地方：所以社會上習把他們看成姊妹刊物，雖則他們的立場和精神大不一樣。

「新時代」雜誌是民國五十年元月十五日創刊出版問世的，上距「自由中國」的停刊是一年又四個月。這如所週知，這一雜誌是由黨政當局發動，並由國民黨黨營事業「正中書局」支持的。但為了象徵其為「自由中國」的代替者——也可說是為了接引「自由中國」的讀者群——而推選毛子水教授為主編人，並由毛子水教授署名撰發刊詞，而毛先生就正是當年「自由中國」原始推舉的編輯，並且是始終和「自由中國」保持聯繫的一人。這雜誌由於是當局所支持的，所以實力相當雄厚，在當時乃是以豪華的姿態問世，（包括稿費）到今天已經出了八年半了。一切情況俱在眼前，用不着老叟多贅。

至於另一個刊物，「新天地」，則是張起鈞教授所主編，社址：設在張氏的家裡，溫州街九十巷七號（後來張氏因搬家，社址乃改在一二三號）。這刊物雖是五十一年三月一日創刊，（恰在胡適先生逝後四天），但其淵源則很遠，張氏當年是「自由中國」的發起人，並被推舉為副總編輯。其所以為「副」者乃因張氏年輕，其他三人都是他的老師。至於就辦雜誌而言，則是張氏最有經驗，並且是在北平主辦「正論」雜誌的，因此在雷震的自由中國變了質以後，就不斷的有人敦勸張氏挺身而出，糾合當年「自由中國」的原始發起人們，來另辦一個雜誌，以申本意。但張氏始終謙遜辭謝，不敢受命，一則不願與「自由中國」打對台，二則台灣辦雜誌的條件，還不能和當年大陸上的情形比，辦起來不是件容易的事，三則張氏家住台中，也勢必無法守就在台北辦。……因此談來談去，也就不了之了。後來「自由中國」停刊後，張氏從美國華盛頓大學講學回來，家也搬到台北，許多考慮的問題均已不存在，於是事乃起而創辦這「新天地」，試問是誰說服張氏，使張氏鼓起勇氣來辦的呢？不是別人，那就是張氏的好友，本報的社長李蓮鵬。

美蘇與毛共核子戰爭的臆測（續）

·高格·

三、蘇俄核子戰備及其戰略重點

俄帝是把核子武器及化學武器，全部歸屬於「大量破壞武器」這個專有名詞裏面，也是用於和美國相同的部隊。

（一）團級部隊：尚未裝備任何核子和化學武器。

（二）師級部隊：

①BM十三及BM十四型火箭一個營：轄有十八具放射架，射程自七到十公里。（可以放射普通的化學彈藥）。

②師炮兵營一個：內三個地對地非導彈道火箭放射架，裝於履帶自走車架上。射程二十至六十公里。（可以放射普通、化學、原子等三種彈藥。）還有三具BM二〇四管火箭放射架，射程十八公里（彈藥同前。）

③俄帝現無軍級單位。

④集團軍轄A或B型地對地電導彈道飛彈一個旅：具有九個放射架，射程：A型者一百四十公里，B型者二百四十公里。（可以放射普通、化學和核子彈藥。）

（五）方面軍：

（俄帝方面軍，乃陸、空兩軍聯合組成，約轄陸軍軍團五至六個，空軍軍團一個，計一千架各種戰術飛機）

⑴轄兩A或B型地對地電導彈飛彈旅兩個。

②氣墊動力的地對地電導飛彈團一個，放射架由拖車拖運，但放射時須放射地上，射程五百公里。（能放普、化、核三種彈藥。）

（六）總預備隊

①BM二十四型十二管聯裝火箭若干羣，每羣有放射架十八具，射程十公里。（可以發射三種彈藥，但以核子彈藥為主。）

②六管火箭若干羣，射程二十五公里。（發射彈藥同右）

③二〇三公厘加農炮若干羣，射程三十公里。（可發射三種彈藥。）

此外，也像美國一樣，有中距離彈道飛彈和洲際飛彈等。還有中型或重型戰略轟炸機。

俄帝與民主國家為敵，其戰略之重點，現階段是放在「北約」，其次纔是毛共。

去年四月，蘇俄中央政治局（CPSU）中央委員會所作成的決策案中，包括一項對當前國際形勢的研判分析。我們自下述觀點，不難看出其戰略之指向如何。它指出：「西方列強想以一種正面攻擊方式摧毀社會主義的美夢雖已幻滅，但卻更婉轉狡猾的手法朝着此一目標而努力。」

（未完待續）

巨變歷險記！

共軍進北平，是從西山方面，頤和方面，通過西直門，而西牌樓，西單牌樓，西長安街，東長安街，經天安門前，轉前門大街，到天壇結束。

共軍進來仍然是靜悄悄，沒有歡呼，沒有口號，沒有呼聲，沒有喊聲。北平的市民，依然家家閉戶，沒有人站出來，也沒有歡呼，沒有口號，沒有叫聲，沒有喊聲，只是從門縫裏向外看，但見各種兵，各種車，一隊接着一隊，一輛接着一輛，在眼前通過，好像是看不完似的！是不是就是那幾隊就是那幾輛？走過去是他們？走過來還是他們？從早到晚在走，從早到晚走不完。這是什麼意思？是不是在向市民誇耀他的雄厚。

無論如何，共軍進北平，表示中國共產黨佔領了北平，像明末李闖王進北京一樣？是不是也像李闖王佔領了幾天，又倉皇逃竄，這要看我國民政府有沒有力量把他趕出去。這是後話，看將來的事實吧！

博士那裏去？（四七）

胡慶蕃

對丁博士來說，目前的局面，是一個非常危險的局面。共軍進了北平，如同共軍進了天津，除了離開的一條路，再沒有別的道路了。說時遲，那時快，他就在共軍進北平的那一天，早早的離開了。他認爲在大家都注意共軍進城的當日離開，是最好的時候。事實上，在知悉共軍進北平的日子，他就早作決定了。

丁博士從天津回到北平，一時就成了新聞上風頭甚健的人物，他的言行舉止，各報競相揭載。當然裏邊有很多不正確的。他的住所，東城趙堂子胡同趙家樓，一時成爲各方面注目之地，前來接談的，門限爲穿。這趙家樓，原來就是有名的地方。五四運動時候，北京學生反對袁世凱同日本訂的廿一條賣國條欵，曹汝霖、章宗祥爲虎作倀，遭學生毒打，曹汝霖的房子也被燒了，這房子也在趙家樓。故趙家樓甚爲馳名。抗戰前後，冀察政務委員會委員長王揖唐，也住在這個附近，趙家樓有個廣場，可以停很多的汽車。院子裡邊，有很大的大樹，老房子新佈置，倒也高大寬敞，燃着塊煤，非常溫暖。

就在丁博士決定離開的那一天早上，很早很早，有名的哲學家，也就是當時代理清華大學校長的馮友蘭先生來訪。他同以前的北京師範大學的校長徐旭生先生。同北京大學的哲學教授傅銅（佩青）先生，都是馳名的哲學家、教育家。因爲馮友蘭同丁博士都是河南，博士就請馮先生吸稀飯吃饅頭，共進早餐，他們吃着談着。馮先生道貌岸然，鬍子很像去世的于右老，但比較黑而且亮，他說話也像右老，但口有點吃，期期然，但少而中肯，有足多者。他也得到了共軍就要進城的消息，來勸博士離開，情殊可感。

（未完）

偶然這一代

龔禾錦

一八一二年序曲中那磅礴的大炮聲，吵得我心裡發燥，我咬緊麥管狠狠的吸了幾口，盈，這死了頭，說好一點半在這見見面，現在已一點四十五分了，說什麼這裡音樂好、情調美，適於談心，有什麼稀奇，音樂沒有一曲是合我胃口的，燈光又暗，只有她那種文縐縐充滿酸腐氣的人才會選上這地方，要不是想聽聽她心底的話，現在我不是舒舒服服的躺在家裏，欣賞白光那磁性而略帶沙啞歌聲？咦、旁邊那一對在幹什麼？鼻子對着鼻子，我的媽啊！還是趕快出去透透氣吧！盈大概是存心整我，讓我在這裏受這種汚濁氣，衝出了××的大門，我兩手往口袋一插，深深吸了一口氣。

哦！多麼可愛的陽光，我眨了眨眼睛，剛從那昏暗的咖啡廳出來，一下子適應不了這份耀眼的光芒。陽光照在水溶溶的路上，閃閃發亮，像灑落了一街的碎玻璃，迎面而來的是一羣神采飛揚的女孩子，突然心裏的怒氣又發長起來，這麼可愛的下午，卻在那不見陽光的地方空擲了，就爲了等她，眞氣人！

十五路車站又是條大長龍，看樣子又得罰站了。旁邊揚起一個男人的聲音：「小姐，請問現在幾點鐘？」我掉頭看看，一個高高，白晰的男孩子，長得倒還不錯，抬抬手，二點零五分，眞是無聊得緊。拍拍口袋「麥克，麥克」，這聲音聽起來還悅耳的，對了，這裡還有一塊泡泡糖哩，嚼一嚼吧！「嗨，小姐，你不覺得在公共場合吹泡泡糖太不雅觀了嗎？」又是旁邊那個大男孩，「對你有何妨礙嗎？」「那倒沒有，我是爲你好啊！女孩子該有個端莊樣子，像你——」「哼，像我怎麼樣，」「多謝你操心，我又不嫁給你。」十五路車來了，我往前衝，今天眞是有鬼，竟碰到這種神經病。

隨著車子的顛簸搖幌，左右都是人牆，一股汗臭，師裏到了，老天，那麼多人要上車，擠，擠，擠，你們都下地獄去吧！啊！我的腳？」「對不起，小姐，」又是那個傢伙，「你長眼睛沒有！」「這麼凶，生氣對小姐可不是好事啊。」「你——混帳，下車，下車！」刷的一聲，車子又揚長而去，那個男孩還在車裡向我揮手哩，倒楣透了，今天。

家，靜悄悄的，把身子往沙發裡一摔，開電唱機，讓歌聲溢滿全室，旋！旋！旋！啊，我欲眠。「鈴！鈴！」該死的電話，早不來晚不來，偏在這節骨眼上。「鈴！」「鈴！」「鈴！鈴！」「誰啊！這裏是陳家。」「若藍，我是輕盈啊！晚上來我家好嗎？」「好哇，你這小鬼，正想找你算帳哩，下午可把我整慘了！」「眞對不起，可是媽媽說哥哥今天回來，要我在家幫忙，晚上一定要來喔，你不是一直想着我哥哥嗎？」「是，遵命，小姐！」

月色如洗，我安步當車，慢慢走著。穿上這種大裙子眞不舒服，可是媽媽說：「你也不小了，該學著做個小姐樣子。」硬要我穿上，唉！恨不生爲男身，多逍遙自在。走著走著，鬱盈家已在望了，一向安靜祥和的家，今天竟然燈火輝煌，笑語喧嘩，有什麼大事嗎？我按了按電鈴，大門開了，「你！」「我和他同時喊了出來，「若藍，是你嗎？」鬱盈出來了，「讓我來介紹一下，這是我哥哥，今天剛從南部回來。哥哥，這就是我常跟你提起的陳若藍小姐，我最要好的朋友，咦！你們怎麼了？」

他？輕盈的哥哥，那個好管閒事，踩我一腳的男孩子。

（未完）

滄海拾遺

戴洋人餓死春申（五）

赤松子

轉瞬過了三年，史密斯因事回國，向戴洋人借一千鎊，戴洋人只答應二百鎊，史密斯不受，並囑英總巡設計陷害戴洋人，于是總英巡向人民報告，其原文大意：

「戴翻譯行爲不檢，屢向人民勒索，實爲本捕房莫大恥辱，現經本捕房查出若干事例，其有未經發覺事件，准人民提證檢舉，以憑法辦。」在這佈告貼出前，捕房已將戴洋人免職，並叫印度阿三先打五十毒棍，再灌自來水，叫他先拿出一千鎊來，可憐戴洋人受刑不過，只得將貪污欵子吐了一部出來。殊料該佈告貼出後，不到一星期，揭發戴洋人罪狀的，約有萬餘張，于是戴洋人的罪狀是：「革職永不敘用，財產一律充公。」從此戴洋人的生活，眞正成了問題，因爲戴洋人始終不和中國人往來，而唯一的冰山，也從此撳倒了。

但是每一個人都有「求生的欲望」，戴洋人自也不能例外。于是戴洋人的行蹤，只有每天到各旅館[illegible]到也有百家以上的旅館[illegible]四五人不等[illegible]五十元，不過[illegible]，過了一年，[illegible]得變更戰略，每到夕陽西下，常常站在三馬路惠樂里附近，或在戲館遊藝場附近，每聽見有四川人口音[illegible]愈少，忽然向李洋鄉告貸，那知李洋鄉[illegible]已經嫁作商人婦去了。

戴洋人正在進退維谷之際，忽然染了溫症，一病睡了三個月，不但醫藥無着，就是茶水也沒進口，在臥榻上，被[illegible]，把戴洋人埋在[illegible]

觀光與題詠刻石（四）

・宵端甫・

大陸還有一種特殊的發現，就是在古蹟名勝之區，喜歡摩崖刻石，紀事銘功，爲歷史文化增加無窮意義，也是觀光事業上所不可以少的一環。宋劍心金石學對石刻云：「漢代各種石刻畫象，人物鳥獸，宮室器具，無不俱備，別有作風，循流而下，以至魏齊造象，種類繁多，雕刻精絕。關此可知古世紀時中國雕刻藝術之成績，及其與印度希臘藝術之關係。更下如唐昭陵石馬，宋嚴羅漢，明碧雲刻梅，清圓明雕柱等，比較研究，不啻一部美術變遷史矣。」又云：「綜計金石之刻，據吳式芬古錄所載，自三代迄元，都一萬八千餘種。書法名家，據厲鶚同書學彙編錄歷代著書之人，上自蒼頡，下迄明季，共一千五十四人。有清一代，尤爲繁富，尤不在此數。」可見石刻文化，在大陸爲重要。台灣碑多，摩崖甚少，有史料價值，而無藝術精神，只有寺廟文化，在觀光事業上尚有特殊意義，大別之，可分爲書畫、建築、陶瓷、雕塑四大類，台南縣志稿卷六文化志會專篇述之，殊有見解。我常致慨於日本是摩仿最強的國家，也是最喜歡附庸風雅的民族，書道、茶道、以及園林藝事，可是都是他們學我們中國，佔據台灣五十一年，除了建設一些俗不可耐的神社而外，文化藝術，一無所有，顯得非常俗氣，看到一些日製的器物，更顯得非常小氣。今天我們政府遷台以來，十餘年間，內而政治，外而國交，以及軍事、建設、文教等等各方面之適合於述德、銘功、紀事、箴言，而可以刻石立者正自不少；何況今天侈談觀光事業，題詠刻石，更刻不容緩。

（未完）

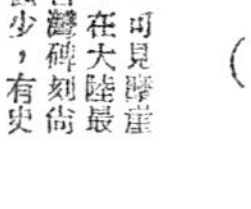

生活漫談

麥牙糖調整人體內臟

用糯米飯加入麥芽，可使之「糖化」而成「飴糖」；用其他含有多量澱粉的物品，如大麥、小麥、栗、玉蜀黍、糯米等加入麥芽亦可製成，但以糯米製成品爲佳。飴糖（即麥芽糖）在我國[illegible]麥精魚肝油[illegible]大錢，就是[illegible]很好的溫補作用，含麥芽糖及炭水化合物約百分之八十九以上，還有蛋白質及少量的酸份。他的主要原料，就是糯米和麥芽，蓋糯米有補中益氣之功，而麥芽所含之維生素B、C甚多，其他還有脂肪、卵磷脂、蔗糖等，無怪[illegible]東西製成的飴糖，對人體有這樣的補益了。麥芽糖爲平常一般食品，能緩和及調整人體內臟不足的功能，凡是[illegible]

[illegible]

前清名臣李鴻章最喜食其家鄉安徽合肥」麥芽糖，且勸別人多食，謂「有百利無一弊」[illegible]

自由報

中華民國內政部登記證內警台誌字第〇三一號
中華民國僑務委員會登記證僑新字第三二三號
中國郵政台字第一二八二號執照登記為第一類新聞紙

（第九七七期）

（半週刊逢星期三、六出版）
每份港幣壹角，台灣零售價新台幣弍元
社長李運鵬・督印黃行□
社址：香港九龍彌敦道593—601號
廖創興銀行大廈八樓五座
LIU CHONG HING BUILDING
7th FLOOR FLAT 5
593—601 NATHAN ROAD,
KOWLOON, H.K.
TEL: K303831
電報掛號：7191
承印：景星印刷公司
地址：鴻威街廿九號地下
台灣總管理處：台北市大同街119號
台灣區直接訂戶　台郵劃撥戶
第五〇五六號萬有（自由報會計室）
電話：七一四〇三三、五五五三九五
台灣分社：台北市西寧南路110號二樓
電話：三三〇三四六，台郵劃撥戶九二二五二號

簡體字評議（下）

余迺永

「寧」省作「宁」與「宁」之形體既混而含義悉異，若結爲複詞，若「宁藏」，或「宁立」，被誤成「寧藏」、「寧立」；甚或訓「寧」之詞，如「寧願」、「成寧」，「歸寧」，「寧氏」等，因簡體而謬稱爲「宁願」，「成宁」，「歸宁」，「宁氏」等詞，其義風馬牛不相及也。

簡體字構成詞謀紊亂，不能用諸典章訓讀，若以之行文，篇章皆盡不可讀；且削減常用字類，行文不敷，必強爲音詁通轉之法，是以每字必兼數義，部首紊亂，音節含混，雖片紙尺字，尚不知所云，常人更無法措置矣。如此退化聲符文字爲記號文字爲文，必形澀晦。古代文字孳乳未足，故商盤周誥，詰屈聱牙，即是理也。文字一削，文化定淪沒落。說簡體字除破壞文字本體結構外，尚有與另字相混而做成詞謀之訛亂乎。設明令頒行，用諸一切公私函件，即今日之章句，必以一新訓詁之，漢以後至清末之文，又以一訓詁法考之，三代之文，又更一訓詁之法，始能徵明其義。滕蕤頂障，且凡事必變本加厲，今之簡體字雖簡化漢字十之三四，然已盡失中國文字之優秀格式道（Gestalt）特性，退化爲數千各自分立之記號文字；孳乳轉注之法遺亡，日久中文全易爲簡數字之時，中文已變爲另一形式之方塊字，非漢字之本來面目耳。中國文化之滅，不待多言。思之誠不寒而慄。

（四）簡體字之不可行，與其變通辦法：

簡體字既有：

①破壞文字音韻與相互關係之特性。

②違反文字應用孳乳之序。

③混淆章句含義，泯滅中國文化，

三大缺點皆所以陷中國文化於絕地，是簡體字必不可行，已無疑義。且撇諸文字特性與合混章句不言，單道字體之更革：現存最早之契刻文字，除方名族姓外，大率皆趨簡易方正，蓋以刀刻爲難也。其後文字應用日廣，自周金文，至簡書至李斯集六國異字統之以爲小篆，形聲相益，孳乳轉注而字體漸繁，無應劇務，因用隸人之省，是爲隸書，相傳乃下杜人程邈所作。書體至隸，爲古今文體斷代□，後漢靈帝建初時（西元七六——八三）。上谷王次仲作楷書，字體與隸已相去無遠，用筆之法，妙臻極緻而耳。行書亦於桓靈時，潁川劉德昇君嗣作。草書即分章草與今草二類。說文云：「漢興有草書。」原以吾書只謂，草勢起於漢時，解散隸法，用以赴急」。章草傳爲漢齊相杜操始變隸法。章草、楷書同用於隸，皆爲一體之兩變，後東晉王逸少及弟洽，變章草爲今草，韻媚宛約，大行於世，章草遂絕矣。

大抵各書之變，皆古有師源，然後董理於一人而成者。是知字體自契刻文字而篆至隸，一正書之以爲楷書。

書體至楷已臻定形。蓋楷體不害字義不獨清楚條暢，及充分發揮中國文字之型式美，然其能屹立千數百載，尚不爲行草所取代者，推其主因，欲爲印刷術之發明，楷體普遍帶入民間。現臚列印刷術發明與楷書被遴時代相若以證。

印刷術發明最早之資料有：

①後唐馮贄雲仙散錄：「□國逸錄曰：「玄奘（西元五九九——六六四）以回鋒紙印普賢像，施於四衆，每歲五馱有餘」。玄奘於唐太宗貞觀三年（西元六二九）由陸路經今新疆赴印，十九年仍由陸路回中土。且初印之作，唐代傳習已久，玄奘循施佛像，極有可信。

②明邵經邦弘簡錄：「唐太宗（六二九——六四九）后長孫氏，洛陽人……遂崩，年三十六，上爲之慟。及官司上其所撰女則十篇，採古婦女善事……帝覽而嘉歎……以后此書足垂後代，令梓行之。」

③唐劉知幾（六六〇——七二一）史通：「初太宗以梁，陳及齊周隋氏，並未有書，仍命學士分修……合爲五代紀傳；太宗崩後，刊勒始成，其篇第雖編入隋書，其實別行，呼爲五代史志。」

梓行，刊勒皆指西元七世紀前中國已有雕版印刷，更於八世紀前傳至日本，今仍有（西元七六〇——七七〇）間刊行之百萬塔陀羅尼刊本。故知非中國印刷術昌明以後必不能傳至日本。故中國印刷術可上溯西元六世紀末魏晉南北朝時，正值楷體書法成長，印刷書籍使用楷書刊行，楷書乃得因印刷術之發明，及本身之優點將中國文化普遍帶至民間，傳寫經生，刊勒銘石，莫非以楷書行之，取代篆隸等貴族階級書體，至今不變。

今設以簡體字取代楷書，用之日常寫便簡尚可，用之重印古籍，即簡體字之蕪雜，絕不足以取代楷書，而未須訓詁之新，易以簡體，必復費一番詁釋轉拆始能理解，是文化復興聲中，自設之障阻也。文字每一遷革，本義斷喪無算。古謂三代之文，義晦不可董理，然其時學術未行，印刷未興，典冊皆王官世守，是文字雖每因不同之政治環境日變，惟其時書籍輾轉傳寫，而抄錄者，又必諳熟新舊書體始行之者，文字因之譯寫，困擾未深。至其時去古尚不爲遠，義理復能就一二碩學通儒，詮詁其革，禍害亦無如是之大。及楷書因印刷術發達而普遍深入民間，中國文字因之以定形爲最完善優美之中國文字。若驟改之，即日用便簡尚須明文字遷革始能行使，此簡體字不足取代楷書，而楷書能取代篆隸，歷久長傳之理也。更求乎經濟專業而論，簡體字印行無補於印刷程序之速，蓋字粒銅模之繁省與否，於其無涉也。舉國印刷業因之而盡改鑄兆銅模，然則經濟之損失，亦爲一嚴重問題。人譏以　總統切實要求科學現代化求新、求速、求實、求簡、之論，斷章取義以謂「保存國粹於精神上，而非形式上，陡使「國粹」具有時代精神，始能名符其實」。試問「國粹」日漸泯滅不振之如今日，吾人保存其體式尚且未及，猶能求諸精神之形而上學乎？類向不習者，初即導以簽墨之術，盡糊紙塗鴉矣，寧有精神存哉？彼等日斷斷於專注國粹於精神，即國學哲理道德人生之宏揚不及之如今日，何不倡發之而必執以簡省一點數劃之字體，以謂可傳國粹於精神也。

文字爲文化之基，一國之興亡，有賴諸文化；是文字一滅，有甚於洪水猛獸，必遭亡國絕種之禍，宜深慮而深思之。致若必強謂簡體字始能應進步國家之需，即簡以行，草書法，行諸日用書簡可矣。民國二十五年印行之標準草書千字文，爲于右任先生博採歷代名家草法，就易識，易寫，穩確，美麗四則，分別取捨，以便日用書寫之具。并於中小學中使學生兼習行草書法，即內可存中國文化於世界，外所以應時代潮流之需也。外文「字頭」、「字尾」及常用字亦存簡寫法，然用則印刷書籍，爲求文義明確，必正楷刊行，絕無簡寫之理。蓋印刷書刊，無論於字體繁簡，印刷速度則一；且以簡體字刊行典籍，即數十年後，曾幾人能辨今之楷體者成？秦篆漢隸，至唐已莫可認，而其文化尚可因楷書以存也。篆隸今之存者，祇碑誌而耳，餘悉易以楷法；是數百千年書籍之詁詁，又豈爲簡體字所能易梓者乎？必因之而盡滅中國文化者也。故應欽先生倡整簡字以應日用之議殊可採行，設易印書刊，即未敢苟同也。矯枉過正之士，以中國文字之多，目爲「國渣」，彼實不知文字之遷革，餘字已爲日用淘汰耳，是簡化字體不獨無裨於中國文化而實有害之也，絕無通曉四萬餘字始能行文之理，故以此點爲推翻文字之由，豈非無聊之論哉？至動謂以人好用僻字，苦累年稚學生，然則尚欲知何處小學用此奇僻選字爲本也。常閱之書報更在所少睹，非有刊物故作僻字難人者，至文字學者，即簡體字行，何須鑽研古文字例，惟此絕非供常人之閱讀者，何多作杞人之憂乎。又云：「」之「裸」、「䴉」之「盆」，皆可通用，則簡體字無不可通之理，彼又豈知俗字乃前人不斷經營之累增改革，而簡體字即任意改做，祇求節省筆劃書寫之目的，不計文化後果之不同乎？是以每字不相貫連部別紊亂，兼之因簡化後例減常用字彙，名詞猶難表達，與其說「大廈」爲多層人居屋宇，不若存一「廈」字更爲便落，吾人何不從文句應用力求簡便，而計較文字一點半撇之速度耶？因取以行草爲日用變通之法外，復提一徹底改善文字與帶動文化復興之議，一言以蔽之，此乃推行淺近文言也。舉一約會之便條爲例：

立人大哥：今日上午九點鐘，我到達大哥家中問候沒有看見大哥，心中很是覺得不快樂，故現在留下這張便條給大哥，請大哥見到後，請馬上到小弟家中，一同商討很重要的事情。

淺近文言釋寫如下：

立人兄：弟晨至訪未遇，悵甚，現留一字，見後，請至舍下一聚，有要事奉商。

平心而論淺近文言，不獨明達暢順，無嚕囌煩燥之弊，更較既害文意又僅杯水車薪無濟於事之簡體字，實乃徹底解決日用文字繁重之釜底抽薪法。若是，方爲　總統倡導「速、快、簡」之道，存「國粹」於文字結句之神，非惟計較片面之削□字形而已耳。

（完）

運鵬先生社長道席

接奉
台函藉悉
貴報創刊已過廿載
艱辛奮鬥遐邇風行
作自由之呼聲爲民
衆之喉舌南天引企
無任欽遲敬佈賀忱
順頌
撰祉　李國鼎敬啟

昨日與明日

敬謝盟友「關切」

來自美國的消息，華府國務院對於我海上突擊隊最近在閩江口擊毀毛共艦艇一事，深表關切云云。

這所謂「關切」乃係一種外交詞令，實際就是不贊成我軍有此突擊行動也。根據美國當局的高「見」，在美國沒有對毛共作戰以前，咱們祇能從事口舌反共，卻不可採取行動，咱們政府祇該傾全力固守台灣一隅，聽候「偉大的盟邦」美國擺佈，否則便會連累盟邦，損害她的利益，且有拖她下水的危險？

記得曾任美國國務長官的馬歇爾元帥在生時說過：美國不妨跟俄共集團爲戰五十年。這就是美國領導自由世界的中心策略所在，不管民主共和兩黨誰個當政，此項策略是不變的——除非俄共先動手，用洲際飛彈放射到美國本土去，捱幾個大都市，但這是不可能的。

職是之故，美國對於亞洲各個鄰近中共區域，直接受共禍的友邦如中華民國和南韓，唯恐其跟毛共發生軍事衝突，以致禍延美國，平日對於中韓兩國雖說給予軍事援助，但其作用僅止於防衛而已，一切戰略物資，管制嚴密，等於掌握在美軍手中。所以我軍突擊隊在閩江口小試其技，并不成其爲戰役，而華府當局即慍然表示「關切」，認爲嚴重事件，充分顯示着數咱們舍已從人，專爲盟邦利益服務的心思，毫不含糊。

照美國這種所謂領導自由世界反共的策略，一切需受共禍的國家，只好自固吾圉，偏安苟活，但使美國的剩餘物資得到銷路，美國的工商業者有剩餘的樂園，於願足矣，這叫作「人爲刀俎，我爲魚肉」，豈能長　忍受下去嗎？

「犧者專之賊也」，咱們所需求於盟邦的只是軍援物資，而「偉大的盟邦」卻不贊成我們有軍事反共的行動，根本就喪失了軍援的意義，何必領受這種空人情呢？爲今之計，唯有自動聲明廢止「中美軍事互助協定」——至少亦須修改——不復俯仰由人，別求自力更生之道，以免「偉大的盟邦」隨時對我們勞神「關切」，憂心忡忡，不亦宜乎！

・何如・

自由談

去年台中市長張啟仲，因爲非法移用了台幣四萬元捐助費，被言官糾彈而受到撤職處分。世人認爲這是整飭紀綱，革新庶政的嚆矢，雖不免矯枉過正之嫌，亦足以振奮人心，裨益治道。

今年台北縣長蘇清波利用職權，將價值千萬元以上的農地，非法售於其妻子所主持的社團之手，經監察機關檢舉糾劾後，僅予以停職十個月的懲戒。前何嚴厲？後何寬容？咱們老百姓看來，實在莫測高深，難以索解。

吾爲此懼！

法者天下之平也。它好像一種天秤，任何物體放在天秤上以衡量之，輕重適如其份，不爽一厘，所謂「法律之前，人人平等」是也。法律的運用能夠不偏不倚，公正無私，便足以樹立威信，使人民由衷的觀法律具有神聖不可侵犯性，世道人心自然趨於純良，社會□□相維安定，而政府求治之道，必卜事半功倍，不成問題。

就台中市長的「捐圖」案和台北縣長的「農地」案而言，前者只是違法而尚未涉及營私舞弊，後者則顯然利用職權機會，圖利自身。這在法律責任上的輕重關係，殆屬不成比例。然而，觸犯了違法行爲的市長竟然受懲撤職，而構成貪污罪行的縣長，卻悠然從輕發落，僅予短期停職了事。不知公務員懲戒會諸公，究竟是根據何項法律觀點而作此奇特的裁定呢？執法機關本身□然法律的神聖不可侵犯性，畸重畸輕，任意出入，寧非自毀信譽嗎？

時人對於「公懲會」的決議即屬最後定讞問題，認爲不無缺失，應有救濟之策，以彰公道。如今又有上述兩項莫名其妙的懲戒方法出現，影響所及，將使一般公務員藐視法律的尊嚴，大不必法，小不必聯，而以路逕氣，走邪路爲服務的原則，法治云乎哉，人治而已矣，吾爲此懼！

馮子先生

第二版　星期三　自由報　中華民國五十八年七月廿三日

台省議會建議公賣局
應設廠自製香烟濾咀
王紹育（士勞）批准母舅表親等專利
數字驚人議會請求政府澈查

有關台灣公賣局，獨家壟斷香烟濾咀新聞，本報在半年前，即有報導，內經台灣省議會指出來龍去脈，原來是王紹育的母舅李祖謙合組中美聯合實業公司，生產濾咀供應公賣局，茲摘錄七月十一日經濟報消息如後，其他各報消息從略，以證明並非香港自由報與王紹育先生有何過不去。

（經濟日報務峯十日電）台省議會今天通過該會香菸濾咀問題專案小組調查報告，建議省府派員澈查特惠責令公賣局自行設廠製造香菸濾咀，並抑制專利產品，受特權壟斷，專案報請中央取消捲菸濾咀進口之限制，以資制衡。

專案小組於省議會四屆一次大會時，由郭雨新議員提議成立，省議會推派黃占岸、白世維、蕭錫齡、呂安德、湯慶松等議員負責進行調查。

調查報告指出，美國賽倫尼斯公司駐遠東經理雷岱，前曾邀公賣局合作產製香菸濾咀，由該公司提供原料及製造方法，產品悉供公賣局用於製造濾咀香菸，但公賣局並未答應，其後，雷岱等與前公賣局長王紹育之母舅李祖謙合組中美聯合實業公司，生產濾咀供應公賣局，王紹育却予批准，當時，李祖謙係中美公司董事長，王紹育之表親李石虎，則爲現任該公司經理，可見王前局長任內，有庇護近親之嫌。

調查報告提供兩點意見：

一、公賣局於五十三年六月起至五十七年七月止，先後以議價方式向中美及富泰公司（由中美公司籌組的一公司）採購捲菸濾咀四十六億五千三百萬支，總價達三億三千一百卅四萬餘元，數字龐大且屬獨佔，顯有特惠之嫌，應請政府派員澈查。

二、捲菸濾咀專利權，依照專利法規定，固應有所保障，惟在台灣壟斷市場，賺取鉅利，使國家蒙大損失，値得商榷，應請省府責令公賣局迅速與美商或其他國外廠商轉讓製造專利權，由該局自行設廠製造，並請中央取消濾咀進口之限制，分向國外標購，以與特權之壟斷制衡。

專案小組於省議會

愛蘭娜臨別鳴謝函

運鵬社長先生：我自到台來，以謬承各方熱格愛護，自　蔣總統　蔣夫人以次，衆多政府首長、學界大師、實業巨子、社會名流。無不對我恩深似海，情重如山。

我自去年年底到台灣，原祇想多住三數星期欣賞一下中國春節的雅興，多了解一點中國社會的民俗，不料承陽明山中國文化學院的不棄，邀我孟都中山學院同它結爲姊妹學院，並留我在文化學院担任臨時而短期的教學，一直教到六月二十日，才在課程上告一段落，兹定於七月六日首途離台經聖保羅等地返烏。（因爲接受劉大使田會長的邀請，到利瑪、巴拉圭、聖保羅各訪問三數日。）台灣一住就是半年，在經冬至夏、經春節以至端陽不算短的時光中，我沉浸在中國文化的深淵，優游含泳過來有如一日。

當我初下松山機場，踏上自由中國土地的時候，我曾告訴在機場的記者先生們說：我來台灣，不是遊歷，而是回到我精神領域上的老家，我要認識我的老家，拜見我的家長，會晤我的家人，果然，六個月時間已使我得償所願，我深深地體認到，我這個老家是朝氣蓬勃，家長們是偉大而慈祥，値此別離前夕，依依之情，誠有如離烏來台時拜辭雙親之際。

雖然，依依之情永在，留戀終須一別，爲着工作，我必須返回南美，爲着宣揚三民主義文化，爲着開展反共大業，我更須回去烏國及其鄰邦的這一辛開中去加强奮鬥。別了，再會吧！預期再會的地點是在南京，那正是你們光復大陸慶功盛宴的時候。基於此種實際體察及衷心信念，務

我首先要感激　蔣總統　蔣夫人對我的垂愛與獎勵，深謝行政院新聞局長魏局長邱副局長邀請來台訪問，來台後並派曾茂川先生給我週詳照顧。至於教育院文化局王局長的殷懃招待。局中趙處長佛重先生、局員亦即我的師兄朱柏超先生對我的關顧，（朱先生畢業於北平華北大學，竊師侍華大校長多年。我此次在台週見師兄師姊甚多。）均使我銘感不忘。

我謝謝許多長輩先進、青年好友、以及許多報紙、雜誌、通訊社、及電視記者先生們的多方指教和愛護。

我敬謝中國國民黨中央黨部暨各院、各部會首長、及學界名流、以及文化學術及人民團體給我的招待。更承曾寶蓀曾約農兩先生贈送他們傳家之寶，（佩玉）爲獎勵象徵。以及衆多的先進、良友團體交相贈予精美書畫、書籍、詩詞、或其他紀念品，均令內心感奮。更値得爲我奮鬥史寫上光榮一頁的，則是中國國民黨中央黨部張秘書長、秦、謝、薛三副秘書長，第一組陳主任、第三組馬主任爲我主持加盟入黨。此事前後並承馬主任及夫人多方招待參加僑宴，這對身爲海外同志應有所認識，增進殊多。

我敬謝張其昀先生代表中國文化學院與我孟都中山學院簽訂契約，結爲姊妹學院。並留我在文化學院担任短期教學。我敬謝馬壽華先生代表中國書法學會與我孟都中山學院簽訂合作契約，結爲姊妹學院。敬謝沈映冬先生組織詩會舉行歡迎酬唱。敬謝楊一峯先生聘我爲健康長壽會名譽理事。敬謝韓振聲先生聘我爲太極學術研究會名譽理事。敬謝文字學會諸公以我具老會員資格，聘我爲名譽理事。敬謝郎靜山先生聘我爲中國攝影學會國際影展駐烏拉圭、阿根廷兩國代表。敬謝梁在平先生在身體不適時，義務教我以中華國樂——古箏，並以古箏相贈。

我特別感謝通信教我已經十年的梁寒操先生，承他自動發起，熱誠主持，爲我孟都中山學院籌募基金。敬謝考試院孫院長、立法院黃院長、司法院謝院長、監察院李院長聯名宴請台北金融經濟界巨子，爲我中山學院募集基金。我敬謝急公好義諸公贊襄義舉，踴躍輸將。（惠助諸公芳名在此未能一一列舉，俟收到捐款實數後，即當專函一一申謝）。

我敬謝黨政文化界諸先進，自動發起爲我中山學院向此間書畫大師徵求書畫，各方惠贈佳品達二百餘件之多。我敬謝各團體（二十餘個單位）諸先生在炎天著熱下，公事百忙中，爲我舉行惜別會，並書畫展覽，殷殷致詞，策勵備至。

此外，以家人子女眞情待我的如顧季高先生及夫人、陳翔冰先生及夫人、賈華昌先生及夫人、馬樹禮先生及夫人、黃季陸先生及夫人、任培道先生及其令姪先志先生及夫人。不嫌我在他們家中長期居留的打擾。使我眞實感覺「賓至如歸」。高誼隆情，均極感人。

我敬愛中國。我熱愛中國文化。我敬我崇我黨領袖。我篤信三民主義。我感受親友的人情。我有說不盡的話要說。但是我要去了。我想說。我要將中國一切優良的傳統文化帶到南美洲去。我去了。我和諸位家長我親友分離了。我的身體和諸位分離了。但是我的精神仍然和諸位在一塊。——永遠在一塊。我去了，我還會再來的。再見吧！諸位家長和親友，再見吧！我們在大陸再見！在南京見！諸位敬愛的長輩、先進、老師、兄弟姊妹們：別了！暫別了！暫別了！兒女心情，握別恐難忍淚，未便一一踵辭，聊撰此文敬申謝忱。順祝

貴體康强！

事業日臻輝煌！

指日光復大陸！！

依洞集

慰徐復觀教授

易儔

徐復觀是一位資深的教授，他在東海大學執教多年，深得該校學生愛戴。現在不知何故，竟被該校校長吳德耀强迫退休，徐復觀已在近日中央日報刊登啓事，立刻引起台北輿論界的注重。

徐復觀爲甚麼會被强迫退休？理由安在？我們不願妄加揣測，我們所關切的是目前台灣各大學國文程度普遍低落，文人思想趨於模糊，在此情況下，徐復觀無疑是一位適合當前迫切需要的師資。當然，如所週知的，徐復觀是很有個性的，過去他寫的文章機鋒銳利難免有忤及他人之處。但這正表明他追求眞理，擇善固執的中國讀書人氣質。如脂如韋，也許已形成今日官場的風氣，可是此一碼尺畢竟不宜適用於學術界。

師者所以傳道受業解惑也。由徐復觀教授被迫退休一事，我們不知道現在的教育目的所傳的「道」是什麼？莘莘學子所發生之「惑」也無由得解。「康白度」精神注入最高學府，只能造成唯唯聽命的白領階級，與復興中華文化的精神豈非大相背謬耶？

徐復觀被强迫退休，與他個人無損，而是東海大學，甚至整個教育界的損失！

香港自由報廿周年紀念

組緯文章　自由民主　守義持平　風行寰宇

曾約農

自由報創刊二十週年紀念

珠璣倡文運
宏開自由章
念年啟羣智
一卷走萬張
長篇妙排比
讜論發綱常
笳奏中興曲
修名萬里彰

劉季洪敬賀

喬治桑外傳（六四）

張大萬

雅麗絲第一次參加這種近乎遠彈場合，看到烏蘭粗線條作風，實在不敢領教。她的一雙腳，坐在榻榻米過久，有點麻痺。……哎喲，這該死的，怎麼有人在勾自己的脚？她不敢聲張，連忙縮回自己的脚，她知道勾她的不是野田便是蒙白吻。過去，有人告訴她，美國人十個有九個西門慶，現代上流社會的中國人和日本人也差不多了。

野田酒量比大塚還大，喝的也最多。他喝乾一杯拿破崙白蘭地，不吃菜，却吃了一根香蕉。用水菓下酒，倒是中國古風。「雙柑斗酒聽黃鸝」有詩爲證。正因爲日本人愛吃香蕉，台灣香蕉出口也就能爭取大量的外匯。蕉商、蕉官上下其手，吃喝玩樂全都在香蕉上面，結果金盤金杯搞出紕漏，正像衣冠楚楚的紳士，不愼踩在香蕉皮上跌了筋斗再爬不起來。這是題外話，按過不表。

野田用一大段香蕉塞在咀裡，吃相不雅，這且不說。他從懷裏掏出兩隻日本磁杯來。從表面看，是兩隻白磁杯，沒有甚麼名堂，一隻白磁杯外面畫有彩油的戴牛的日本武士，一隻畫的是古裝日本美女。

他將兩隻杯子放在面前，用生硬的國語說，「不倒酒，普通，普通。倒了酒，大大的好。」說完他斟滿了兩杯酒。大家爛攏一看，武士杯底赫然是一個一絲不掛的男模特兒。美女杯是曲線玲瓏的女模特兒。

（未完）

台北新聞信

教科書變成圓仔湯
書店吃得腦滿腸肥
商場惡霸作風應當嚴辦
望教育部編譯館能改善

（本報通信員柳一權台北消息）蔣總統於百忙中曾到國立編譯館巡視，及查詢教科書編印情況，以證明總統之高瞻遠矚，對培養下一代工作的注意，學術界聞之都感到興奮和崇敬。

總統對台北馬路今天挖明天掘的花樣，亦瞭如指掌，在某次重要會議中都指出過，可惜若干主管機構被利沖昏了腦子，比如台北剛剛修好的復興南路，從中正路到仁愛路之間，大家從泥沼中才躍進到柏油馬路，正在稱贊高玉樹市長的德政，突然又開始挖了，三丈一個坑，兩丈一個洞，儼然有進入戰時現象，當然還是台北瓦斯公司，自來水廠，電力公司，建設局各顯權力。

台灣教科書的編印，簡直糟透了，國家這樣大的問題輕描淡寫的交給台灣書店壟斷，然後發給印刷廠轉手再轉手，有時可轉到五六道手，經手就有三分肥，這還無所謂，有若干家大書店坐吃圓仔湯，圓仔湯者就是甚麼都不要做錢送到門上來，且列爲正式商業收益，這種商場惡霸的搞法，據說是抓到教育部、編譯館貪汚官員的痛脚，你如果不給我吃，馬上可以捏的使你受不了，我們顧到書店一點面子，未赤裸裸的全部搬出。

站在老百姓的立場，貪官奸商要錢都無所謂，祇要把事情做好，最近聯合國教科書機構派了一位工作人員到台灣來，佐木（譯音）是日本教育界小有聲望的人員，有人問他對台灣教科書的印象，他說還未弄清楚，可以說很有禮貌。

台灣教科書的編印，比記者小時讀的書好得多，不到國外去看看，一直在台灣看台灣的教科書也很勉强過得去，如果將東南亞國家的教科書搜集作一比較，我們得趕快改善，否則眞的跟不時代了。由於總統已注意到這些問題，可揣測這其有很多應興應革的事，新聞紙本爲政府的耳目，不報導的太露骨了，匪報常轉載離間，祇管怎麼樣，僑報旣與祖國風雨同舟，祗好相忍爲國，但希望執政黨蔣副院長戰鬥內閣組成之際，普遍改革，萬象更新，將政治垃圾貪官汚吏作有效而澈底的剷除。

綜談國劇復興（三）

王方曙

我們的劇本，好處很多，如闡揚忠孝節義；如獎善懲惡；如表現歷史傳統；如發思古之幽情；如有感人的劇情；有動人的表演；有美好的歌和舞；有驚人的技術表演，種種方面，不必在細數。也只因國劇有許多好處，所以才能盛行一時，得大多數人的欣賞。但時至今日，這些好處雖然仍舊存在，而在另一方面，由於新興的電影和話劇的比照，國劇也露出某些缺點。因此，欣賞大衆，大多數趨向於新興的電影和話劇，而對我們認爲很值得欣賞的國劇反而漸趨冷淡。於是，我們談復興便首先要在劇本上打主意了。

關於劇本方面的問題，我分兩項來說：一是創作劇本，一是修改劇本。

甲、創作劇本：要創作新的劇本，以排演新的國劇，從而張大國劇聲勢，吸收新的觀衆。創作新的劇本，應注意的項目如下：

A、要有明確而正大的主題；或有陶冶性情的作用；或有輕鬆的作用；或有感動的作用；或有教育功能；或解釋某一人生問題，或其他問題。總之，一個劇本總要有一個眞善美的表現，而且要是一個現代人肯接受的故事。不要祇顧大衆只可以「聽」這種戲。今天大家都看慣了扣人心弦的劇情，自然對無劇情的戲劇感到無味。因之像這類的戲，今天便也很少演唱了。相反的，類似獨唱會的戲的玉堂春，却是極好的戲，它由犯人狎中，倒敘出劇情，一面敘述，一面發展，眞是最有戲劇性的戲。所以今天還是演之不衰。但像玉堂春這樣的戲，絕不可加頭加尾嫖院起團圓止。只可演會審一段，連起解也不要，才眞正是一齣好戲。

如失空斬，頗有戲劇性，城樓一場應

該是一個毫無作用，毫無深度的敘述；也不要竟是一個腐朽不能適應現代觀念的故事。現代觀衆欣賞能力漸高，完全娛樂性質的要熱鬧，或者像馬義救主，莫成替死之類的故事，已經引不起戲劇欣賞者的興趣。關於這些，已是老生常談，我們祇應該列爲首要，但不必多說。

B、要有戲劇性；這一點雖然也是老生常談之類，但在國劇中，我們却要多加注意。因爲過去已有的許多劇中，可以說有不少的忽略戲劇性，而祇是一平淡的敘述。或者雖有戲劇性，而竟未能把握而損失許多戲劇的力量。也確有實有戲劇性，而致破壞了的。比如女起解，有價值有戲劇性，無味的敘述。從前有些人也能變好這齣戲平淡，是爲了唱腔和崇公道的台詞。到今天那種唱腔已覺無味，劇情既毫無意義，淡而無動人之處，已很少人再唱這齣戲了。又平類此的很多，如六月雪的探監。祭江、祭塔、托兆碰碑、烏盆記等等，都類似獨唱會，而無何劇情之可言。在從前的社會中，坐在戲院裡喝茶吸烟嗑瓜子、聊天、閉着眼睛悄着眼睛緊張。而插入兩個老軍的取笑態度，將緊張完全失去。

「白石老人」自述讀後（上）

·余國樑·

若米，石田中的麥，從苦難中成長，却都結成堅實的果。台東懸崖上的蘭花，不是更挺拔、更香、更秀嗎？雖然是犁牛之子，但是騂日角，山川之神還是不會捨棄牠的。俗話說：「萬丈高樓從地起，英雄不論出身低。」成功之門只是努力的人而開，它並不管你的富貴貧賤！

「樸實無華，而且充滿了作者的鄉土氣味，」這是羅家倫先生讀完本書的評語。的確，作者不掩飾，不玩弄筆墨，以誠摯的心情，說質樸的事實，那能使人不感動；因爲最動人的文學是最眞誠的文學啊！

本書大部分是由白石老人口述，他的門人張次溪筆記。後面一小部分是白石老人自己寫的。書中沒有一字不是由衷之言——字裏行間，讀者時時刻刻都可以感受到那股由肺腑流出來的眞情。不僅如此，從苦難奮鬥到成功，以及那種文人所特別具有的傲骨，對于我更有莫大的鼓舞和啓示！

齊白石是湖南湘潭人，清同治二年（西元一八六三年）出生，民國四十六年（西元一九五七年）死於舊都北平。活了將近一個世紀——九十五歲。外傳他九十七歲，是因爲白石相信道士的說法：「丁丑年辰戌相冲，宜用瞞天過海法。」所以七十五歲那年，他就自己加了兩歲，口稱七十七歲了。

白石出生時，他一家五口人，只靠著一畝田過活。「不能夠管飽」，他「祖父和父親，只好去找零工活作」。所以他小時候就得挑水、種菜、掃地、打雜，還要上山砍柴。後來他下田扶犁沒有力氣，出外幹粗工也被師傅送回來。但是白石家裏窮迫異常，父親也勞累不堪。所以，有一次他母親忍不住對白石說：「阿芝呀！我恨不得你們哥兒快快長大了，身長七尺，能夠幫助父親糊得住一家人的嘴啊！」那年白石才十三歲。家裏沒米又沒柴，怎麼辦呢？總不能天天喝西北風呀！只好挑芋頭，挖野菜，用乾牛糞煨著吃……。灶內常久不用，灶內居然生了青蛙！困苦的情形，實在令人不忍設想！

白石雖然窮，但是志却不窮。因此，他上山砍柴帶書，撿糞也牛角掛書。所以他雖然上學不到一年，但是「常常趁放牛之便，繞道……溫讀……居然把一部論語……對付著讀完了。」有一次師傅說：大器作不如小器作，小器作需要聰明才智才可以學，不是一般人可以學習。白石聽了，「心裡很不服氣，我想：『他們能學，難道我就學不成！』因此我就決心去學了。」芥子園畫譜買不起，「我就向主顧家借了來，……在晚上收工回家的時候，用松油柴火燈爲一幅一幅的勾影。足足畫了半年……鉤成了十六本。」自己沒根底，就到處向人請教，效法「蘇老泉，二十七，始發憤，讀書籍。」的精神，日夜苦讀。三十四歲時，爲了向人請教，人家看他是牧童、木匠出身，便鄙薄他，要他喝很色、又臭又辣的潮水，想不到白石竟志堅強，毫不猶豫地一飲而盡。所以他能出人頭地，「雕蟲錦繡不是」。啊，成功絕對不是偶然的！凱旋門那裡是玫瑰花織成的呢？那是血和淚的結晶品啊！成功的果實是那斑斑的傷痕所孕育出來的啊！

白石老人會做了一首「往事示兒輩」的詩：「村書無角宿緣邊，廿七年華始有師，燈盞無油何害事，自燒松火讀唐詩。」雖然讀書的志趣畢竟克服了惡劣環境的困難，但是窮人讀書所花的代價是特別大的，所以他題畫菜詩說：「充肚者勝半年糧，得志者勿忘其香。」窮人家的苦滋味，只有窮人自己明白，不是豪門貴族所能想像得到的。

一位英國經理給白，曾批評我國第一位留學生容閎說：「容某雖貧，傲骨殊稜稜。天下貧骨之與傲骨，乃往往常相件而不相離也。」事實上，人是不能沒有傲骨的，他必須堅持自己的理想和情操，他不拍馬，不哈腰，不然他便是一個軟骨動物，毫無人品可言。但是傲骨和傲氣是兩回事，人必須有傲骨，但是却不能有絲毫的傲氣！我們這位畫壇怪傑，便是如此。

白石四十歲時，他的朋友夏午詒請他教姬人姚無雙畫畫。那時張仲颺勸他走臬台（樊樊山）的門路，白石反而勸他懸崖勒馬。（未完）

雷震與自由中國（二七）

當年內幕誰知道　一番往事話從頭

王曰叟

「天上一頭鳥，地上一條虫」。萬物似乎都有其自然的生存之道。這一對繼起的刊物，新時代資力雄厚，無虞匱乏，執事人也都支領待遇，頗具事業規模。而「新天地」則是一些赤手空拳的學人湊錢來辦的。最初只是找了三十幾位學人敎授們，每人每月出資台幣一百元，簡直有點跡近打秋風，且並從開始，錢就沒有收齊過，這要說給美國人聽，恐怕會認爲是在說夢話。事實上就是在這種「信不信由你」的情況下辦起來，並博得國際的聲譽。

正因爲是大家湊錢來辦，因此纍積了很多的人才，所謂「有人此有土，有土此有財」，有了「人」，還有辦不了的事麼？但怎見得有人才呢？可舉一事爲證，這一雜誌創辦之始，劉紹唐提議起名「新境界」，張起鈞氏認爲這個雜誌應以作到領導美國人爲理想，而不可拾廿迺廸這種淺人的牙慧，因而主張再想想，後來幾經推敲，大家一致決定採用「新天地」（按：可見此名之採用，乃是由劉氏所提「新境界」一辭發展而來，與「新時代」以及『新聞天地』等刊物之名毫無關聯）。當時作此決定，是在李適先敎授家，還說明，劉、李兩君都是「新天地」的原始發起人了。劉、李兩君是何許人呢？李敎授就是幾年來協助毛子水敎授主持「新時代」的實際負責人，而劉紹唐先生則是台灣辦的最成功的雜誌，「傳記文學」的主辦人。幾個重要雜誌的人事，都由「新天地」一家分化而出，那還不算人才鼎盛嗎。

不僅內部人才多，同時在稿件方面，也博得無數海內外學人的支持與惠稿，就拿第一期來說吧，發刊詞是張起鈞所寫的一篇很有份量的文章，文藝兩篇：一篇葉曼（現時在澳洲），一篇孟瑤，生活講座的老馬，就是今天馳名智島的馬騰褒，講超級心理戰術的東方傑，就是讀者諸君最欣賞的文匯樓主之另一筆名，至於主文，則除了張起鈞寫的「黑暗中看光明」表示同人對時局的看法，而置於頭條外，最主要的有兩篇大名鼎鼎的名家鴻文，一是國學大師錢穆先生的「前期淸儒思想之新天地」，另一則是今天的樞機主敎于斌先生的「哲學旨趣與中國哲人的精神」（按：輔仁大學在台復校是先辦哲學研究所，而這一篇，就是于氏在哲學研究所開學典禮的校長致辭，經張起鈞氏建議整理後交「新天地」發表）……

新天地之最受世人稱許的，還在其祥和的態度及其能維持原始發起創辦「自由中國」時，的自由精神。其發刊詞中說：「……我們虔誠尊守自由討論的原則……一刊惠稿只要夠水準，有理致，我們一律歡迎，正反不同的主張，參差互異的見解，我們一樣尊重，一併刊登……」。這還都是老生常談，而最使人傳頌的乃是其一年後的社論：「新天地一年」說的：「……因此有朋友笑我們沒有立場……殊不知道『沒有立場』便正是我們的『立場』（老叟按：那便是在維持自由討論的精神）。我們辦這刊物，就好比是搭台來請大家唱戲，我們希望以這磚瓦之台，引出金玉的歌聲」。正因爲這種自由的精神（有異於獨斷固執），祥和的態度（有異於罵人吵架），而贏得了海內外學人的惠稿與讚許，甚至還有不懂中文的美國學者寄來英文文稿請譯成中文刊登「新天地」，以表示對「新天地」的敬意，如麻省理工學院的哲學敎授施錫恩，新墨西哥大學的哲學系主任貝……等。

就在辦到第六年的時候，也就是民國五十六年的年底，新天地還般朋友，以李運鵬爲首，接辦了香港的自由報。自由報脫胎於自由人，自由人是當年大陸淪陷後，一批反共的自由份子，逃到香港所創辦的；正與三十八年夏天一批反共的自由學人，在台創辦「自由中國」的旨趣精神相契合，所不同的只是一個在港，一個在台，一方的人物政治意味較濃，一方面的人物學術氣重而已。現在李運鵬氏一方策動創辦了「新天地」，一方又接辦了自由報。從大的來龍去脈觀看，正是使這兩大主流融洽於一起。而就那遠紹「自由中國」原始精神的「新天地」來說，也算有了寄託。由於「新天地」始終是一種業餘姿態，大家的人力、財力、無法分散，因此在李運鵬於五十七年元月十三日，接辦自由報，正式復刊後兩個月，也就是五七年三月，大家決定將「新天地」暫停，以便全力充實自由報。

中國傳統的小說戲劇，往往都是以大團圓結局，老叟上了年紀的人，自然很難免俗，例外。因此這個長篇的報導，也就住筆於這大團圓。

（全文完）

和談一段辛酸史

文匯樓劄記

文匯樓主

民國三十八年一月二十一日，是中華民國歷史上最暗淡的一天，那些「保家、保產、保妻、保子」的政府大員，和李宗仁、白崇禧、閻錫山，匯成一條逆流，馮玉祥未死的話當然同流，脅迫蔣總統下野，向毛澤東求和，這些人大體上都是退一步想：「苟全性命於亂世」，講實話，李、白經營廣西一省則有餘，中國如果像山西那麼大，閻錫山應付裕如自在意料，可惜中國是三十幾省合攏成的一個大國，非有卓越領導能力的人，很難荷這擔重負，袁世凱等就是一面鏡子，頗如郁達夫的詩句：「中原代有英雄出，各苦生民數十年」，大陸七億人民陷於水深火熱，就是鐵的事實。

當蔣總統爲國忍讓，決定引退將要離開南京的時候，美國前駐華大使司徒雷登，徵詢過中國通如萊德等私人意見，一致認爲中國甚多官員不識大體，脅迫蔣總統下野，怎能解決問題呢？且會影響民心及反共士氣，軍事就此完了。當時蔣總統表現很寧靜，除決然引退外，沒有絲毫灰心和頹喪的成份，回到奉化溪口，從事研究失敗的因素和復國大計。

一般鬧鑒的政客，有形無形對國共和談都表示充份樂觀，四月初旬張治中被推爲和談代表，張在未飛平前去溪口報告蔣總統，蔣總統說明「和爲貴」，認爲希望甚大，蔣總統對毛共的招數則瞭如指掌，所謂「和談」絲毫不感興趣，待張治中到了奉化，蔣總統亦絕口不提，祇蔣經國先生將和談不會成功的理由告訴了張治中。張回到南京偕邵力子等去北平，就不復再返了。

中國當時的大勢果被司徒雷登等不幸言中「中國甚多官員不識大體，昧於私圖，脅迫蔣總統下野，並不能解決中國問題，相反的會影響民心士氣，反共軍事就此完了。」大陸眞的就此完了，「所謂「和談」是毛共的兵力還未佈署好，他們的進攻力量既已準備，還有甚麼好談的呢？」這是蔣總統告訴李宗仁的話，這種料事如神的判斷，李宗仁不僅不相信，且認爲蔣總統馬上到外國去，毛共一定會讓步的。蔣總統目睹毛共玩弄國民黨老同志於掌上，內心的沉痛可以推想，和看到李、白這窩囊一棻，斯可忍孰不可忍，乃提筆親覆李宗仁一封信，「要我出國是辦不到的，因爲不是軍閥，要求我不問政事這是可答應的。」中國不能一日無蔣總統爲國際間共同看法，泰國民主黨總裁德欽巴盛說：「蔣總統是反共政治領袖中的領袖。」（一九五一年，時樓主正任德欽巴盛最高顧問，）此仰光僑領何景同、王輝華皆略知之。泰國一強人乃炮，乃炮推崇蔣總統到無以復加，一九五五年樓主任以乃炮爲首的曼谷四家報社的總負責人。被譽爲泰國的福開森，後來聽到台灣胡適、蔣夢麟等上演「四進士」，蔣總統有培植陳辭公代勞之意，凡眞知灼見之士，多持反對意見，幸未成事實。中國和美國一樣，到處都是半瓶醋的政客，遇到有昇官發財的機會，就乘勢亂喊亂嚷，亂挑撥，再配合「五叢不分」的書呆子，美國和中國國運都是這樣搞壞的，本報力主張清掃政治垃圾道理在此

巨變歷險記！

就在共軍開進北平的這一天，民國三十八年一月二十二日，丁博士逃出北平。倒不如說共軍開進北平的前夕，丁博士就離開了。

北平密雲不雨的樣子，令人感到毛髮悚然，在共軍開進北平的前夕，整個的北平，一片沉寂，簡直像颶風快要到了的樣子，什麼動靜都沒有，原來就稀稀落落的幾個行人，都忙着趕回家，躲在家裡。

丁博士不容於天津，當然也不容於北平，在同傅作義四次晤談之後，時局的嚴重，他已深深的瞭解。總統蔣公要下野的消息，遍傳

離開北平前夕（四八）

胡慶蓉

南北，大家都以為，在此千鈞一髮之際，危岌存亡之秋，正需要蔣公這一木來支大廈。他如何可以去？他不應該去，而他又非去不可，南京內部分裂，益增平津共諜當局的氣燄。南京的求和代表也有呼之欲出的樣子。這更長敵人的氣燄。

丁博士又把他的希望寄托在東南，寄托在台灣。鐵要趁熱打，共產的戰略，很明顯的是速戰速決，乘勢推展，在東北得手之後，又緊接着拿天津，天津得手之後，又緊接着拿北平，北平之後，可能是大江以南，可能是南京、上海、四川、雲南、廣東、福建……

在離開北平之前，丁博士曾到東交民巷靠近王府井大街的廢墟上去找拆字先生拆字。這先生素有鐵咀之稱，據人云拆的非常準確。人到疑難的時候往往會找拆字先生，但拆字先生也有他的一套。是不是從察言觀色，看出拆字人的心理，對於他的疑難，往往會有很肯切的答覆。當時丁博士拿的是一個什麼字，他現在也忘記了。但鐵咀的答案，他現在還記得很清楚。鐵咀問丁博士：你動不動？丁博士故作鎮靜，他說：北平這樣好，而且居住有年，為什麼要動呢？不動！不動！絕對不動！……鐵咀聽罷這話，眼睜得大大的，把字向桌上用力的一拍，氣冲冲的說：你要動，要動，絕對要動，非動不可，否則大難就在眼前，這不但止是牢獄之災，這簡直是殺身之禍！……你不但要動，而且要快，愈快愈好，最好馬上！……這對於丁博士的心理，已洞若觀火。接着他又說：閣下乃一有心人士，關係國家大局，假若要動，我看是一定先往東南而後西南，又回到東南。最後他又說：信不信由你，還是快走為妙，在廿年後的今天，丁博士對於鐵咀的拆字，還欽佩非常，他完全看對了。

丁博士離開北平，同他離開天津一樣，決定非常快，行動非常迅速。他除了他的妻而外，他什麼人也沒有告訴。他什麼東西也沒帶，就只隨身的一件螺絨皮大衣，內藏美金十元，坐火車溜往天津。

觀光與題詠刻石（五）

·骨端甫·

我這次撰文，都提到此事，以為沒有文獻就沒有歷史，沒有歷史就沒有文化，沒有歷史文化也就沒有台灣，往事歷歷，可以考證。我們總是常常誇耀，先人給我們遺留下很多的國寶，試問我們今天向後人的遺留，而值得後人向他人誇耀的又是什麼東西呢？所以我認為台灣今天對文化事業，也就是觀光事業，應該作的有兩件事情，一曰存舊，二曰開新。凡是考古、攝圖、著述等工作，屬於存舊的一面；以現代之文化，刻石摩崖，宏藏山之業，以遺後人，屬於開新的一面。我在「從陶壽但硯銘碑誌之講刻傳習再談中國石刻文化」一文中，曾提出具體意見，以存舊言，不但板橋林家花園需要整修，就是霧峯的萊園，以及台南區過去的花園都需要提倡整修了；不但台北的龍山寺、孔子廟需要整修，就是全台灣有名的寺廟，如北港的天后宮等，其他地方的媽祖廟等都需要整修了。以開新言，譬如于右老書橫貫公路的羅裕老碑，賈煜老書阿里山的神木頌，以及台北圓山五百完人塚各種碑文、聯語、題刻，已為海外美麗山河之摩崖刻石開其先路了。這次拿到美洲去展出的文物，拿來和金石學上所著錄的比較，那就非常的少。今天政府十年來在台灣有這麼多的建設，未嘗不可以 國父孫中山先生、蔣總統、于院長，以及許多學者名流的書法，石刻在碑上，崖上，以照耀海外山河。譬如大貝湖，石門水庫等風景區的開闢，都是開新裏面的課題，應該為觀光事業普遍發展。總之吳稚老之篆書，趙夷老之分書，王二孫之鍾鼎，以及張北溥之繪事，以及南百工技藝之可能上石者，都提倡攀刻在日月潭、阿里山、獅頭山、陽明山，與橫貫公路每一懸崖峭壁之上，供世界各國人士之觀賞。從這些開新的努力中，對民族文化就可以收到無形的宣傳與開發的效果。

以上所謂題詠刻石，如前所述，在台灣並不是沒有，而是太少，太鄙俗難耐，抑或僅屬史事資料，而不能激盪觀光者的心靈，所以對觀光事業並沒有幫助。就是有價值的也是少數。譬如台灣同胞崇拜的中心人物，應該是三個人之一鄭成功，二是吳鳳，三劉銘傳。吳鳳的遺跡，在嘉義市有三，近人錢西樵題聯都可誦。一為吳鳳紀念堂，在嘉義國華街，內懸巨幅遺像，朱衣紅巾，白馬彪然。聯云：「一死感山胞，盡翻青史無前例；八方瞻廟貌，猶說朱衣有舊模。」一為吳鳳廟，在中埔區，即阿里山忠王廟，聯云：「一死泯番漢鴻溝，流血凝成人類愛；捐身千秋稀有雁行齊軌」。余亦題阿里山忠王廟五律四首，一云：「歲月偵無祭，入頭四八年；仁恩雖沒齒，浩氣却如天；鋤強法更[illegible]；圖騰惟義萬事付[illegible]」。二云：「一[illegible]家夜，兒孫泣阻難；婦忍老命，求得萬民安；嶺冷鷄啼曉，衣朱自髮冠；羣生還夢夢，血已月凝樂」。三云：「阿里山頭月，輝滄未死魂；鑑光騰碧海，廟貌壯山村；血寫千秋範，名垂萬代尊；龍神停祀日，浩氣滿乾坤」。四云：「飲簡輸頭日，仁心貫碧霄；闔番齊哭踊，千載儀吟謠；大道誰能會，孤懷白孔昭；揮毫題廟壁，庭樹尚蕭蕭」。這些詩都是發自內心和崇拜而寫出來的作品，對吳鳳的精神，可以說是搔到癢處。一為吳鳳墓，距廟甚近，聯云：「伏屍一人，流血五步；傳名萬古，遺愛千秋。」其他尚有陳茂如聯云：「孔曰成仁，孟曰取義；生為烈士，死為神明。」說了這些聯語，吳鳳精神人格的崇高偉大，自然令人油然敬愛之心，但是聯語詩歌，還不止此數。北門諷誦英泰弔吳鳳詩云：「[illegible]軒昂氣尚存，仁烈千古足堪尊，一輪阿里山頭月，來照先生未死魂」。這首絕句，讀來多麼地感動人，如果刻在阿里山忠王廟，那是多麼地好。台南延平郡鄭成功祠，聯和詩詞很多，最出色的是沈葆楨一聯：「開萬古得未曾有之奇，洪荒留此山川，作遺民世界；極一生無可如何之遇，缺憾還諸天地，是創格完人。」

美與蘇毛共核子戰爭的測蠡（續）

·高格·

（續九七六期）一種破壞社會主義，和共產民主運動的陰謀，在政治與思想鬥爭中，已深深引起各方矚目。西方國家的參謀人員，為適應現階段的狀況需要，正在的策劃一種新的軍事戰略觀念而努力工作中。

「蘇俄處於此一情勢下，對於一九六七年十一月北約會議中，決定接受美國建議的『彈性反應』作為此一侵略集團的戰略，不得不慎重考慮。……」

至於對毛共的戰略，表面雖是做作着「鬧彆扭」、「罵陣」、「為敵」……，但於赤化世界的總目標上，仍是「為友」的。

四、美蘇雙方核子優勢比較

由於面對來自蘇俄日益增長的威脅，美國開始投入億兆美元於一項嶄新而威力更強大的洲際飛彈的製造中。

在不久的將來，美國將有一種只需一枚飛彈，即能攜帶十枚核子彈頭的飛彈；這種飛彈中，並將裝有引誘和其他幫助突破的儀器，以及並有極精確的高度精密導向系統的裝置。

美國計劃家的目標，是要始終保持美國核子領先優勢；五角大厦要使美國的戰略兵工廠——絕對在量數上有無限的摧毀力——以抵銷蘇俄可能決定建立的飛彈防衛系統。

美國的計劃是：無論蘇俄建立何種核子武力，美國的洲際飛彈武力，必將保持在一次的報復還擊中，能殺死一億蘇俄人的目標。

在未來的幾年中，美國對此一計劃之初步費用，至少化費一百億美元，并將視蘇俄的行動，還可以化費更多。

此一攻勢武器加強生產的結果，在三年之內，美國的洲際飛彈彈頭，將從以前的一千七百零十枚增至七千五百枚——也許更多。

但美國在大量增加核子彈頭時，并不同時增產飛彈，這就是美國最近完成的一種成就——軍事家所稱的「瑪夫」或「多彈頭獨立重入飛車」。

飛彈專家表示，裝置的核子彈頭上能使其獨立運轉去攻擊敵人個別目標的電門，將裝於美國許多數以千計的洲際飛彈上；他們并報告稱，它將能使美國摧毀蘇俄目標的能力，較目前增強五倍，也能使美國突破比今日蘇俄更密集五倍的飛彈防衛系統。

儘管如此，但不滿美國政府戰略政策的批評仍所不免；他們關切蘇俄增產飛彈和米格噸的比率，并批評美國僅製造較小型的彈頭，而且又不增產飛彈數量。

美國以前核子飛彈的存量包括義勇兵一型和二型的飛彈一千枚；以潛艇為基地的北極星飛彈六百五十六枚；擎天神液體舊式飛彈五十四枚，此型飛彈將受淘汰，總共美國有一千七百零十枚。

蘇俄有以陸地為基地的飛彈四百枚，以潛艇為基地的一百三十枚，但蘇俄之武力，正迅速在日益地增長，估計蘇俄至去年夏季，其陸地之飛彈，至少增至五百枚，其總數將繼續高昇。

（未完）

人體的構成與日需營養

生活漫談

人的身體究竟拿甚麼原料構造起來的？當然不外乎水、蛋白質、脂肪、炭水化合物，又稱含水炭素，和礦物質等五種，我們把五種物質再進一步分析這五種物質分配的成份，詳細加以統計，就可瞭解平日為甚麼要吸取那些各種不同的物質了。

正常的人體裏，含有六塊肥皂的脂肪（三國時的董卓和唐代的楊玉環例外）兩百二十根火柴的磷，一茶杯石灰，七錢到一兩的硫磺，一根大洋釘的鐵，四兩食鹽，二兩多糖，這就是人體所含的成份，人很像一部常年不停的機器，因機器不停，所以每天都得吸收機器所需要的物質，我們將這些物質作一個原則性的舉例，早飯食粥食麵，或者豆漿燒餅油條，或者牛奶麵包，雞蛋一個，鹹菜一種，炒菜一種，中飯米飯或麵食、魚、肉、雞、鴨，任擇一種，蔬菜一到兩種（以入時為宜，過了時的菜總是差勁），涼拌菜一種，以生菜為原則，晚飯或者麵食，豆類的炒菜一種，蔬菜兩種（一為莖菜，一為葉菜），蔬菜一種，飯後吃一種生果，每天吃甜品點心一種。

以上的例是中等人家一般性的，至於烹調的方法，隨各人的口味習慣，不必硬性規定，比如上海人炒菜喜歡用糖，四川、湖南人嗜吃辣椒，山東、河南人愛吃大葱大蒜，浙江人喜吃魚鮮及糟菜，廣東、廣西人將蛇、貓、狗、狸視作珍品，台灣高山族的人有吃生鹹肉的習慣，人既然隨遇而安，吃呢只要自己喜歡，我們平常看印度人很髒，印度人看我們乃至於歐美人都污穢得很，到過印度的人，多能瞭解，能明白這個道理，等於生活圈無形擴大了。

一日三餐，連同水果、點心所得的熱量及營養素，熱量二二〇〇到二四〇〇卡，蛋白質是隨體重決定的，每公斤體重需一、三至一、五克，糖類四〇〇至五〇〇克，脂肪四〇至五〇克，鈣〇、六八至〇、七克，磷一至一、三二克，鐵〇、〇一二至〇、〇一五克，維生素A二〇〇〇至五〇〇〇國際單位，維生素B三〇〇至五〇〇國際單位（或一、五克），奶黃素二、七克，菸鹼酸醯胺一八克，維生素C三〇〇至一五〇〇國際單位，維生素D四〇〇至八〇〇國際單位。

奇怪的上面這些每日吸收到我們人體的營養數字，人確很少注意去統計與研究，相反的一個煤球爐一日一夜燒多少煤？或一個電爐每小時用多少電？或者是一天吃多少米，買多年錢菜？確弄得清清楚楚，這話值不知從何說起？

·馬騰雲·

自由報

中華民國內政部登記證內警台報字第〇三一號
中華民國僑務委員會登記證台僑新字第三二三號
中國郵政登記第一一八二號執照登記為第一類新聞紙

（第九七八期）

（半週刊每星期三、六出版）
每份港幣壹角・台灣零售價新台幣弍元
社長李運鵬・督印黃行籌
社址：香港九龍彌敦道593—601號
廖創興銀行大厦八樓五座
LIU CHONG HING BUILDING
7th FLOOR FLAT 5
593—601 NATHAN ROAD,
KOWLOON, H.K.
TEL：K303831
電報掛號：7191
承印：景星印刷公司
地址：嘉咸街廿九號地下
台灣總管理處：台北市大同街119號
台灣區直接訂戶　台郵劃撥戶
第五〇五六號張萬有（自由報會計室）
電話：七一四〇三三、五五五三九五
台灣分社：台北市西寧南路110號二樓
電話：三三〇三四六，台郵劃撥戶九二五二

致教育部長鍾皎光公開信

柳蔭

部長先生勛席！企盼已久的教育行政易長，也是望治心切，早即盛傳閻振興必不久於其位的教育部，週至遺々行政院局部改組而易人。先生即榮膺特命繼任為全國教育行政首長了。先生雖已從事教育工作數十年，在政治上還是清白之身，素無恩怨。如能把握立場，公正處事，勿要巧以自敝，勿弄權以取辱，以超然胸懷服務國家，作歷史上大教育家，這是全國矚望的。殷鑑不遠，幸祈慎之！

（一）端正觀念　認清責任

我們今天奮鬥的目標，要反攻大陸，消滅毛共。無疑反攻要靠人力，國民肯為國犧牲，端賴教育政策之是否成功。所以我們要特別關切教育問題。

我國教育，民國以前，完全是私塾教讀，滿清的禮部僅循例制掌經理學務貢舉之事，看似無事，實則國家亦有其一成不變的政策，那時的讀書人不管你是怎樣讀法，總跳不過科舉一關。而制藝——八股——又有嚴格規定，不能逾出「忠君報國」的範疇。民國以來的教育部，科舉是早已廢止了，集中力量，興辦學校，「忠君報國」四字是不准再提了，但真正的教育宗旨是什麼？恐怕給人的印象很模糊。留學生喊「全盤西化」，老成持重的喊：「中學為體，西學為用。」這三方面拚命發展，主旨方面，并沒把穩。到國父大聲疾呼我國固有文化，國家不統一，理論終歸是理論。北伐成功，定都南京，內亂未已，外患頻仍，中樞又不暇及此。抗戰時期，中樞雖已注意，所謂積重難返，又值戰時，成效亦渺。

今日國家社會令人氣短的各種現象，是不是應該歸咎於教育政策，史家自有公論。過去的首長們，好像只為作部長而來，談不上對教育有切合國情的理想，並且有抱負立志把國家弄好。其中雖也有少數幾位，有心想幹，又受環境限制，力不從心，糊裡糊塗被某些人把持盤據了這些年，某巨公於抗戰首都，在重慶一次重要集會上，痛斥「從前有軍閥，現在又有了學閥，」曾慨乎言之，但亦未言出法（辦法）隨，有所改進。一直紛紛擾擾過了將近六十年。

今次政府特任先生出長教育部，顯示政府下定最大決心，破除一切起用了新人，用新人，就要行新政。我們衷心期望部長先生重估教育意義，釐定切合國情簡易可行之法。使各級教育行政人員有一致正確的觀念，切實遵行。各級學校的教師們，自大專至小學，愈是最受歡迎的好教師，愈是最不願多管閒事，隨便行政當局怎麼辦，只要認真肯幹，他們總是一字不苟的認真教學生。

自從官僚政客插足教育界，無時無刻不是擺出一副官僚臉孔，自知是外行，惟恐被人看不起，見了屬下視為奴隸，哼哼，唧唧，顯然不可侵犯，如果請示大政方針，也不過科學，科學，體育，體育而已！倘蒙派為主管，示惠之不足，簡直是恩澤浩蕩，受之者，應該感激涕零；對一般教師則視為寇仇，因為教師們往往對不合理或是不洽輿情的事，常好發為批評，所以當局為最恨這些人。如果有人出辦法不用教員照舊可以辦教育，此人必成無價瓌寶，競相重金禮聘，

基隆校師案發生，教育廳長居然表示：教師忽略「愛的教育」。分析慘案之由，一二三四所作結論，好像一切後果應由教師負責。一時輿論大譁。各地發起尊師運動，其實教育當局應當深思，從小學起種病已深，家長們當子女的面痛罵老師如何，如何，教師們吵著敬師金問題，皇皇聽令，措詞之嚴，儼若當年剿匪司令頒布「除暴安良」布告的口吻，更是火上加油助長家長學生氣燄無理取鬧，陽明山管理局也在那裡口口聲言調查並將嚴辦，令人笑熱他們自己真不知職司何事嗎？教育當局為甚麼不挺身而出，引古證今，義正詞嚴說明敬師是中華民族固有的美德，於今又是提倡復興中華文化，敬師又何能偏廢，逕當辦法自可指示，「民可使由之；不可使知之」這總是負責政治家起碼應有的態度。人云亦云，一味遷就群眾的心理，那是官僚！政客敷衍其實的勾當，如此為官，可能做得政通人和，但歷史不會寬恕你的。又如，禁止謝師宴，各校都由畢業生自辦，當局為提倡節約，亦宜申明應重意義，不重形式，作金錢比賽，形成浪費，反失其意義，指點原則讓校長監督辦理，又豈能因噎廢食，致令「師道失存，」試問今天有資格下令禁止的官員們，當年你們的父兄可當不准你們敬師，謝師。甚且鼓勵你們殺師？辱師嗎？

（二）子帥以正　孰敢不正

從事教育工作的人，也是普通人，人就不能無錯，俗話說：「一母生百般。」良莠不齊，非僅教育界所獨有。一件事故發生，應派公正賢能之士（督學水準一定夠），查明其人，其事，果然劣跡昭彰，立予調整，何必官腔一打，洪洞縣裡就全無好人。真正胡作非為的人，并不見得受到處分，粉飾太平，反受庇護！如此處事，何能使人服氣？學校人事，當然是首重校長，慎選認定之後，就應全力支持，比方，他要解聘一位悞人子弟的教員，呈文送到，萬萬不可批示「仰該校自行酌情處理可也。」另再偷偷用電話或口頭暗中指示：「此類案件，勿再請示。」推得一乾二淨，對部下不肯負一星點的責任，怎樣期望屬下幹出好成績？古人特重「以身言教」，辦教育必須言行一致，身體力行。孔子說：「未聞枉己而正人者也」，主持一國的教育，應該虛懷若谷，謹言慎行，以身作則，使國人知所景從。倘若一心聲色犬馬，利慾薰心，其行徑又卑鄙無恥，對屬員板起面孔，要求教師個個都是「萬世師表」，不准學生玩乒乓球，偷竊鄰居的小鳥與同學共餐，豈非緣木求魚。孔子說：「其身正，不令而行，其身不正，雖令不從」。又對季康子說：「子帥以正，孰敢不正」。先生「為人師表」者已經數十年，最好是保持書生本色，領導為教育界服務建設國家，萬勿學那些俗人擺作威福，反被人輕蔑，須知今天當部長，就如同開會當主席，散會之後，又何殊於他人。我們歷史上成功的教育家那一位不是書生，巧宦不可能成為教育家。百年樹人，足證教育不可求急功，但應目標正確，持之以恆。所以我們希望先生不必學前人急求表現。

（三）重視小學國校　從根救起

檢討我們過去教育，如果說是失敗的，并不冤枉好人，那就要從根救起，根在那裡，當然應從國民小學著手！新聞報導中先生七月一日就職典禮：「一向就認為最具實力，也被某些人奉若神明的政務委員陳雪屏親臨監交，對閻前部長照例說些捧場話，對先生勗以「平易近人，堅守原則，」依我們的心情，但願這次的評語具有權威代表性。惟不知所謂原則是不是 國家至上，民族至上」的最高超然原則？先生就職談話聲明五點：（一）繼續實施九年國民教育。（二）充實高等教育，加強科學研究。（三）發展專科職業教育。（四）倫理教育與生活教育之加強實施。（五）注重師範教育改善教師待遇。對國民教育只說到「檢討改進，克服困難，更具成效。」倫理教育則「各級學校均應特別注意」云云。我們認為一切原則都是對的，只是對國民教育的懇切和指示均嫌不夠，倫理教育與生活教育應該特別規定國民小學如何實施。過去我們主管教育的官員們，到小學視察的，只有縣市教育科的督學們，科長都不屑一顧。近年台灣縣市長實行民選，他們為選票，偶然去小學參加畢業典禮，文不對題說些不相干廢話，校政教學根本無人過問，實在不注意國小教育了。小學階段如不把孩子們教育成好學生，到中學而大專再對已養成的壞習慣一一改正，那就徒勞無功了。我們的國民道德，降落到甚麼程度，大家心裡都很明白。欲求改進，只有期之於下一代國小學生。一言生活教育，日常生活在都市裡與人接觸最多的，就拿搭乘公共汽車來說吧，秩序最壞是在國校附近，學生放學紛紛搭車回家的時候，老師家長都不在跟前，爭競擠車，各逞其能，那種亂勁，真是目不忍睹。數年前大同中學門前，倒車壓死台生，就是被同學擠倒在輪下造成的慘案。教育部似可通令全國，特別對國民學校，責以榮譽感，請教師輪流監督學生排隊上車，無論汽車火車，都要嚴守秩序，並隨時叮嚀學生。上學搭車來校時同學互相監視，六年小學畢業，已經習以為常，到初中由同學互選隊長自行約束，教師只是巡察巡察就夠了。到高中大專就更容易推行了，可說事半而功倍。老朽搭乘公車，時常遇到有人讓坐，一面自嘆老朽殘年得此，受不勝惶恐，同時又覺得我們的下一代不是沒有自發自動的公德心，倘若有人因勢利導稍加提倡，一定立竿見影，斐然可觀。以老朽所親見，車上讓坐的多半是高中或大專的學生。如在國校階段就開始加以訓練，務必使之習慣成自然，以此為例，推而廣之，繼續指示的生活教育，一一實施，不是很容易就有實效嗎？改善社會風氣，增進國民道德，以成年人領導兒童，不易見效，若是訓練國校學生影響成人，成功斷乎容易又是永久的。比方仍以搭公車為例，國校學生排隊候車，成年人誰還敢自討沒趣，破壞秩序，搶前爭先。照目前情形，成年人排隊候車隊，忽然夠來一批學生亂擠亂叫，成年人制止破秩序，當然沒有用。

——以下轉第三版

昨日與明日

太極拳與紅包

文奎

人們厭惡辦公之官「打太極拳」。實際上，打拳之官，苦衷滿腹，情勢所迫，不得不打也。

其理至明：打太極拳之人，蓋自打太極拳之國。打太極拳之國，從禮俗，到法制，無一不崇尚「磨、挺、挨」的功夫。慢慢磨，總會磨出頭緒；耐心挺，總會挺出道路；細細挨，總會挨出結果來。禮俗與法制，逼得你我都相信非打太極拳不足以應付情勢，所以打太極拳並不是新聞，不打才是新聞哩！

太極拳是紅包的開路先鋒——先打拳，而後始足以講條件。最近報載，兩三個縣市政府的科員因積壓公文數年之久，多達一兩百件，分別遭受記過或申誡的處分，還不算驚人的新聞；人們閱報之後，根本無動於衷。假如報載某縣某科員處理公文隨到隨辦，人們便會嘖嘖稱奇，列入「好人好事」或「新政典範」了。

由此可見，好人太少，而好事更不常有。所以自古迄今，良吏難為；偶有一二，便稱是珍貴，載諸史籍了。

檢察處扯歪理

台灣高雄地方法院檢察處，九日呈請上級轉向國家安全會議提出建議，據稱監察院對「司法官之認事用法，並無提出其是否適當的「審認權」；所以主張監院今後不要過問法官處理案件的當否。否則，則係「干涉司法權」，「司法威信」便不易維持。

那麼，誰來監察司法官辦案的違法濫權失職呢？據高雄地檢處說，一審若有違誤，自有其上級二審有權「審認」救濟。該處雖承認監院有彈劾權，但不認其有「審認權」。

這真是一大怪論怪事。憲法第九十九條明定監察權同樣可施之於司法、考試兩院及其所屬機構；既可行使彈劾權，自然包含審認權在內。若沒有審認權，則怎能加以彈劾呢？

高雄地檢處一面承認監院對法官「固有其彈劾權」，但又建議否定其審認權；這好有一比：學生對老師說：「你雖有獎懲權，但無審認權，所以你不能管我，管我就是干涉我的人權」！

法官不懂憲法，胡扯歪理，難怪「司法威信」一敗塗地了。

自由談

限制留學生出國

台灣的中華民國教育部，最近對於本國出洋留學生訂了兩項限制辦法，一是未經過考試及格者，不得出洋留學，二是暫行禁止留學生前往日本讀書。這種禁制令實在莫名其妙。

凡是領取公費出國留學的青年子弟，必須經過考試認為及格乃可，這是義所應爾，而且業已實施了幾十年的老政策，還待重申禁令嗎？若夫自費出國留學，原係個人的讀書自由權利，他既不耗費政府一文錢，為甚末要橫加限制呢？如果用意是在防制學歷不足的知識青年隨便出洋留學，對國家沒有裨益，那末，過去若干在中學尚未畢業的青年男女，假藉「朝聖」的名義，走到美國去作留學生的，政府何以又置之不問？

至於禁止青年子弟赴日本讀書的理由，據說是因為日本各大學學生近來常鬧風潮，思想左傾，深恐吾國青年子弟感受傳染，趨向不正確的思想路線。這無異於自認本國的教育作用完全失敗，孰為為之，孰令致之，從教育行政首長起，以及各最高學府的負責人，應該先受處分，皆難逃「誤人子弟」之咎。主管教育的行政人員昧於自己的過失，而貿然阻遏青年求智之路，何其不思之甚，而顢頇乃爾呢！

無可諱言，我國的留學政策是失敗了的，但其所以失敗之由，并不在留學生品類複雜，智識水準太低，而在政府對於留學生的輔導和任使太失策了。即如近年來號召留學生學成後，歸國服務一事，說來似乎名正言順，振振有詞。究其實際，一個具有高深的科學技能的留學生，教他回國來服務時，既無學術進修的環境，又缺乏施展其所學的設備，唯一的出路就是作官，不啻是毀棄科學人才！例如過去的留學生翁文灝，原係對地質學很有成就的，他主持北平的地質研究所，蜚聲國際，一旦被政府徵辟從政後，毫無是處，却把他素所擅長的科學事業弄垮了，這對國家不是一大損失嗎？現在政府亦常數一些在外國肄習理工之類的留學生出來作官，而且一步登天，驟膺高位，論其成績，莫不一塌糊塗，此即對留學生輔導和任使之失策所在，與自由中國留學毫無關係也。

王先生

瑞三煤礦爆炸朝野震動
礦主未能改善設備所致
總統指責主管未能善盡職守
婦聯會專人前往慰死傷家屬

本報記者顧碧天台北消息：台北縣瑞芳鎮猴同（石笏）地方之瑞三煤礦，忽於七月七日上午九時三十分左右，突在坑裏發生爆炸災變，造成先後死亡礦工三十四名，另有五十三名，受輕重傷者。現雖在基隆各醫院救治中，尚有生命危險者多人，爆炸當時現場礦工共達一百二十人，僅有三十三人倖免於難。為本省二十五年來礦場最大一次災變。據專家指出：爆炸原因不外①瓦斯爆炸。②煤塵爆炸。③煤氣突出。④自然發火。惟尚在調查研判中，原因責任尚難確定。在一般的認定根據十多年來的煤礦爆炸造成傷亡統計數字，其責任悉屬礦主，由於安全設備不好，所以造成傷亡慘案。該礦為出身猴同小工頭勤苦操持而至發跡為現今之瑞三煤礦公司揭全台臉辣斯之煤業鉅子李建興所經營。礦中現有工人一千六百五十人，月產煤炭約一萬八千餘噸，為本省產煤量最大煤礦之一。因李建興擁有數家煤礦董事長，故稱瑞三公司為「瑞三本礦」。照理說來，該礦之安全設備，即使難符國際標準，但或亦不致過份簡陋。無如今竟發生鉅大慘變災禍，造成八十餘名礦工傷亡慘劇。中央社報導：據受傷礦工說：工礦檢查單位只命令礦主如何改善礦內安全設備，但沒有派員實地監督，容易使礦主陽奉陰違。而且檢查次數太少，一年只有一次。自勞保制度實行後，賠償的責任由場主移到勞保局負担，以致礦主對於花錢改善安全設備都不熱心。又說：目前各煤礦都是實行包工制度，工頭又關心多賺工資，也就是要煤工儘量挖煤，愈多愈好。至於安全問題，工頭總是站在礦主一邊，都不熱心，一方面也是因為工頭都缺乏安全常識，而不求甚解。此為劫後工人之慘痛呼籲，關係機關暨礦主，應當切實注意。

事變發生之次日。蔣總統於主持國父紀念月會，監誓新任政府首長外交大使就職宣誓時，特以瑞三煤礦災變傷亡礦工八十餘名為例，指出此一事件實由主管機關對於一般工場礦場安全督導管理，未能善盡職責所致，因有造次指示改進，而至今仍有如此重大災害發生，表示非常遺憾！總統更於隔日主持國家安全會議時，復對於如何改善礦工生活，確保礦工安全，曾特別指示行政院應即提出具體辦法，迅付實施。蔣夫人曾派婦聯會副總幹事呂錦花，携帶撫慰金赴猴同現場探問慰問死傷工人家屬，中央第五組主任梁永章親赴邨慰，省主席陳大慶派警務處長羅揚鞭慰問及督辦善後，大陸救災總會秘書長方治代表贈金，並願長期濟助，其他主管機關以及勞保局、縣政府等均派專員到場分贈卹金金救濟。基隆、瑞芳鎮地方成立了博愛小組，代收各界捐款，撫慰傷亡。足證瑞三煤礦此次災變，震動朝野、且為一致關懷。亦舉國上下對勞工災患之注意不遺餘力。

據瑞三煤礦常務監察李建和所發行之大衆日報對事變揭載：「近年來，各地礦場不斷發生災變，造成礦工傷亡，如經礦檢責任，負有工礦安全檢查的台灣省工礦安全檢查委員會，似乎難辭其咎！尤其是工檢會平時對礦場安全檢查與督導管理，更見疏忽良多。在上月三十日的省議會中，議員們猛烈攻擊省工檢會主任委員傅雲主持下的工檢會，平時擾民有餘，其工作則毫無表現，例如平溪鄉鴻福煤礦發生坑道坍塌，有數名女工慘死坑內，依法令規定，礦場禁用女性礦工入坑工作，由此可見工檢會於監督管理，是如何的疏忽職責。

據該會五十六年調查資料指出，全省三九一所煤礦中，有三七一所通風設備不良，其中保安管理不善的二四四所，坑道保安不良的一五一所，這些安全不合格的煤礦，試問工檢會有沒有督導加以改善措施。據工檢會七日發表的說明，瑞三煤礦平日對保安工作特別注意，通風系統良好，並認為瑞三煤礦的災變如果不是安全設備良好，其災變將更為嚴重。……」綜觀該報所載，工檢會對瑞三此次災變之調查報告，多屬於有利礦主之一方。與中央社報導劫後工人所發出之沉痛指責該礦對工檢會安全措施指示，陽奉陰違，而工檢會之檢查亦年僅一次之說，大相逕庭。此中是非誠難究詰。然尸位素餐七年之省社會處長傅雲，雖已去職，面對總統之昭示：「此一事件實由主管機關對於一般工廠礦場安全督導管理，未能善盡職責所致：……。」更當如何表示引咎自裁，若關係機關方面對其亦應有所追究，以維紀綱。

據七月十一日晚報載稱：「瑞三煤礦一千六百餘位礦工，十日接礦方通知，決定今日復工開採，深表不滿，咸認公司過分自私，只顧自身利益，企圖迅挽損失，卻輕視礦工生命安全。死者已矣，傷者待救，生還者餘悸未定！公司當局卻通知勞方到發禍現場達四千餘公尺坑底開採，未免罔顧人道，視人命如兒戲。礦工們說：公司方面之所以不顧他們的生命安全，對坑內安全尚未消弭清除之前，就斷然通知復工，主要是為挽救礦方銷路商業聲譽，以免這次慘案發生後，造成更大的損失。勞方並指出，省建設廳長柯丁選，十日曾對各報談話：「目前瑞三煤礦坑內熱度仍然很高，現正由保安人員監視，以防止再度發生煤塵及爆炸」，而公司當局竟不遵從，枉顧人道，故一致表示抗議。論者謂：李建興、李建和是仲昆係寒微起家，造成礦閥，形成豪門，地方權勢，政治上既有中央銀行常董，省議員成了不倒翁，煤礦臉辣斯還不算，營利保險公司，指南交通公司佔民營突出，也有日新電影院，更有大明日報，「口誅」「筆伐」，交征其利，新興事業，應有盡有，所缺者祇是棺材店尚未兼營耳。富而須仁，物極必反，至當適可而止。

台北十五信蔡水勝
開人頭支票被拘捕
蔡水勝張祥傳親筆簽字蓋章
曾騙李運鵬等一百五十萬元

（本報通信員柳一瞬台北消息）台北市第十五信用合作社理事主席蔡水勝，近因開人頭支票，邀由平日死黨多人組成詐欺集團，因分贓不均被內部重要人員舉發，治安機關既獲人證物證，乃將蔡水勝拘捕，業已移送台北地檢處偵辦。

蔡水勝於民國五十年，曾夥同張祥傳以台北公論報一半股權賣給泰國歸僑，前曼谷世界報業股份有限公司總經理李運鵬等，言明價款為新台幣兩百萬元，簽約後當場先付現金一百五十萬元，由蔡水勝張祥傳親筆簽字蓋章收款，未料款收到始終不履行義務，扯扯拉拉推推拖拖，被蔡水勝巧奪天工，未徵得李運鵬同意，在自己所主持之第十五信用合作社，為公論報開出一本支票，完全由其外甥黃添令親筆使用，但又加蓋社長圖章，報館發行廣告收入控制不放，盡入私囊，填支票即找李運鵬負責，李計投入新台幣達四百萬元，其中有五十萬元，諸多散投們辛辛苦苦吃粉筆灰的錢，在蔡水勝、張祥傳合作情況下，出通政府官吏，將公論報賣給李運鵬的一半股權再賣一次，雖非仙人跳，也屬下流詐欺行為。蔡水勝、張祥傳對運用政黨維護私益，皆學有專長，且驚言衙門向南開的，有理無錢免進來，這並非蔡張二位豪語，已被法院查封的公論報登記證，在金錢萬能下都有方法偷天換日，變不合法為合法，在除「良」安暴扶「弱」擊正的社會風氣下，老百姓的眼睛是雪亮的，海內外一線希望就是將司院長施出鐵腕來改造這倘可挽救於萬一的可怕社會。

執政黨裡少數受過蔡水勝、張祥傳好處的人，現漸漸明白一個國家，一個社會不能沒有道理，否則那太可怕了。蔡水勝等林林總總在二十年內詐到新台幣達數千萬元，前後被害人正設法委託有正義感的律師開始登記債權，採取法律有效行動。

喬治桑外傳　五六
張大萬

烏關手快，一把將武士杯搶到手中一飲而盡。隨即斟滿了一杯給貴妃。大塚在旁樂得直拍毛手。

雅麗絲這時輕輕問喬治桑，「杯子裏是甚麼玩意？」

「牛乾（英語裸體人像）。」喬治桑用英文回答，聲細如蚊。

武士杯由烏關開始傳飲，美女杯則由野田開始。野田一飲而盡，故意伸出舌頭，舐了舐杯底。然後斟滿了遞給大塚。其次是裘白瓊，再次是治桑喬。喬治桑在未喝前，端給雅麗絲看了一下。喝乾後傳給牛與鐘。

武士杯貴妃喝完，傳給雅麗絲，雅麗絲啜了一小口便放下杯子。

「不，不。」野田一面搖頭，一面用英語表示他對雅麗絲淺嘗即止的作風不同意。

「我實在不會喝酒。」雅麗絲勉強裝出笑臉，用的也是英語。

「妳不喝酒，我會丟臉，請，」野田說的是破碎英語。

「讓我代她喝好不好？」喬治桑見此情形，不得不挺身而出。

「哈夫，哈夫。」野田表示同意，但要雅麗絲和喬治桑各喝一半。

雅麗絲無奈，重又端起酒杯喝了一口，其實還是不到一半，喬治桑接過一口喝乾。

「你倆今晚是首先喝交杯酒的一對。」烏關向喬治桑打趣。雅麗絲只好默然，她知道今晚遇見了潑貨，沉默是最好的辦法。

野田從上裝口袋裡摸出手帕，很仔細地將兩隻杯子擦乾，又掏出一只塑膠盒子將杯子裝好。可見他是如何重視這兩隻杯子。

牛董事長是海量，無論怎樣喝都不在乎。他看見宴會已近尾聲，便向大塚、野田嘰咕了一陣。大塚、野田好比頑爪，聽見老牛說法，不住點頭。

「我們換一個地方喝酒，你問問你的小姐去不去？」牛與鐘低聲告訴喬治桑。喬治桑何等精靈，知道下一個地方，帶雅麗絲去不方便。但又不能不徵求雅麗絲的意見。

「妳去不去？」喬治桑問雅麗絲，音調溫柔已極。

「我事先說過的。我不去了，讓我先回家。」

「要不要我送妳？」

「不要了，我想現在走。」雅麗絲說完，站了起來。忽然覺得兩腿麻木，一時竟無法移動。她用雙手摩擦兩腿，倒像三堂會審的蘇三。

「是不是腳麻了？」喬治桑邊說，邊用手想替她按摩。雅麗絲很敏捷地讓開。

「我送李小姐到樓下再回來。」喬治桑向在座諸人打招呼，兩位日本客人和牛與鐘都沒有強留。

在宮本武藏大門口，喬治桑替雅麗絲僱了一輛計程車。

「妳先回家，我敷衍他們一下，不會太晚回來。」喬治桑在關車門時說了一句話。

「包死，你盡興玩一玩好了，我現在不想回家，去看一個朋友。」雅麗絲說完，關上車門，絕塵而去。

喬治桑送走雅麗絲，上樓回到房間，還沒有坐定，烏關首先向他發難。

「桑博士，你真有勇氣，送走你的甜心，跟我們在一起亂搞。你不怕她吃醋？」烏關拿了一支好長好長的銀煙咀，噴了一口煙，十足的交際花功架。

喬治桑笑了笑什麼話也沒有說。

「她是桑博士的女秘書，並非甜心。」牛與鐘在旁替喬治桑解釋。

「我知道美國人用女秘書，文武一把抓，桑博士心裏有數。說真的，桑博士很有中年人魅力，要是當他的女秘書，他不追求我，我也會追求他。」烏關這次單刀直入，拿老油條當豆腐吃。

（未完）

台灣銀行亂投資
省議員們講閒話

（台北消息）省議員蕭錫齡對各該公營事業所轉投資的單位，提出幾點質疑：

一、台灣銀行所投資各單位中，除工礦、農林、唐榮公司雖未分配股息紅利，但係基於政策上需要，而予轉投資者外，其對中央電影公司之借款轉投資三千萬元，既非生產事業，亦非農工礦事業，是否屬於該行之投資範圍？

二、台灣合會儲蓄公司之轉投資事業，有中國化學、電力、紙業、工礦、農林及硫酸亞（錏）公司，其投資額雖僅一百卅九萬餘元。該公司雖未納入金融系統，但其經營為金融業務，依銀行法第五章儲蓄銀行，其經營業務中並無投資之規定，如是該公司之再投資是否合法？

三、鐵路局係公用之交通事業，其投資於工礦、農林及保險公司，與本身業務有何關係，而必須由鐵路局投資，亦屬使入無法瞭解。

四、航業公司及農工企業公司，其本身之經營已經困難重重，何以尚有餘力再投資於其他事業單位，更屬使人費解。

假出口眞退稅！
蕭錫齡不平鳴？

依據何種法令強制執行大同實業公司之稅務違章案件，省議員蕭錫齡提出質詢，稅徵機關對於稅務違章案件之處理，不論案情之大小，均須經過法院之裁定，始得處罰。但大同實業公司的稅務違章案件，經初審裁定免罰後，復經台灣高等法院台中分院於二審時，裁定處罰，嗣經高等法院審查結果，認為高分院之裁定錯誤，並經報奉司法行政部核示後，令台中地方法院函請彰化縣稅捐稽征處查照辦理。最後經財政廳同意高等法院對本案裁定所持之見解，令由該縣稅捐稽征處撤銷前聲請強制執行，並經執行法院依照強制執行法第十六條規定撤銷強制執行處分，已使原執行名義，合法消滅。

頃閱報載，財政廳以行政命令變更法院依法之處分，而令該縣稅捐稽征處於聲請撤銷前強制執行，經執行法院撤銷強制執行處分後，復聲請強制執行。但是遍查強制執行法全部條文，均無此項明文之規定。在大法官會議尚未統一解釋台灣高等法院根據庭長會議謂法無處罰明文，而認定原確定裁定錯誤，顯予救濟屬於錯誤前，及大法官會議尚未就強制執行法第十六條另為解釋前，不論任何機關或個人，均無法律上的權源，再聲請強制執行或再予以強制執行。如是以行政命令恢復執行，其與變更法院依法之處分何異？

事態演變至此地步，其涉及大同實業公司之權益事小，關乎憲法法律之存廢以及妨害司法權、行政權之行使事大。因此請教財政主管當局對於未經由大法官會議統一解釋，即以行政命令，責由地方稅捐稽征機關恢復強制執行，究係依據何種法令？是否顧及後果？

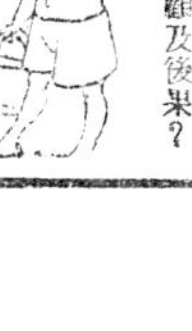

綜談國劇復興（四）

王方曙

這樣的例子太多，我們在這裏談創作新劇本，並不想檢討舊劇本，不過提出一二例子，作為參考而已。我們希望新劇本的創作，能把握戲劇性，必要有戲劇中必須有的「緊張」、「懸疑」、「驚奇」、「滿意」。要找到「衝突」的所在，發揮衝突的力量；尋求「矛盾」的所在，由矛盾間發揮戲劇性。

有人也許懷疑，以為國劇是歌舞劇，不可能造成這種情形。其實不然。歌舞是形式，戲劇所有的內容總是一樣。國劇中如「羣英會」，如「韓玉娘」，大致都已作到此一地步，尤其是韓玉娘，所表現的矛盾，極為有力。國劇雖是歌舞的形式，仍是表現智慧劇情的戲劇，不是專以歌舞為主，能以劇情穿插的。當然，國劇包括的有些是[illegible]的，也有不少歌舞為主的戲，如小放牛，如貴妃醉酒，如若干武戲，例子很多。（武戲可以說是一種兵器舞的戲劇）但這些不佔國劇中最重要地位，佔最要地位的仍是以劇情為主的大戲。即使我們願意注意歌舞，但是更要注意劇情。有動人的戲劇性的劇情，才能算是戲劇，假如純是歌舞，那麼國劇便成為歌舞劇了。國劇的最大好處就是在戲劇中融會歌舞，而能相合為一。千萬不要誤會，以為國劇主要成分只有歌舞，那使更容易走向岔路了。

C、劇情的發展方式：國劇的劇情發展，按理說應該很順利。因為國劇有獨白，可以獨自陳述；有旁白，可以面對他人而個人表示心聲；又有對白，又有唱。可以說在敘述劇情方面，無利；又因舞台利用的靈活，換場的如意，劇情發展應該得心應手。但是事實上國劇對劇情的發展，往往遲緩迂迴，大費周張。大都說起來，這類毛病都犯在好鋪張而不顧主線，在沒有戲的地方，又唱又作；到了有戲的地方，仍不過是又唱又作。因此主線無力，重點不清。劇情發展不夠有力。如四進士一戲，是很好的有劇情的大戲。但就犯此弊病。如柳林寫狀一場，主要是要楊素貞遇到毛朋，毛朋替他寫狀。那麼楊素貞被賣的戲應盡量剪短，甚至用唱場，用唱詞唱出或用說白說出都可。但卻佔下很多時間。毛朋，給楊素貞寫狀，既詳說一遍狀子內容，及楊素貞見了宋士杰卻又把毛朋的台詞，同樣的說一遍，這是毫無用處的鋪張。類此者很多，如田倫作惡已道出信的內容一次。宋士杰偷拆信，又唱了一次或有人說，田倫是小生，應該有些戲給他；宋士杰是主角，更得有點唱功。這雖於理可通，但於戲有害。宋士杰一場是非唱不可。但田倫則可以省略。

（未完）

「白石老人」自述讀後（下）

・余國樑・

樊樊山要排著白石入宮當個六品官，他也婉辭了。後來夏又要替他捐個縣丞，白石說：「那簡直是受罪。」他一生不客求，不苟取也不苟予。所以賓愷南勸他遊歷日本，說：一定可以致富，他卻說：「飢則有米，寒則有煤，無須多金，反為藝累也！」淡漠名利，知足常樂，做皆高風，耿介率坦，無怪乎他年高壽長！

白石是個不忘本的人，他尤其忘不了尊師重道的傳統精神。他是中國某一類型讀書人的典範。他不忍揚棄自古以來，農村中所保有的尊道。

周之美死後，他說：「當初我跟師傅學藝的時候，師傅對我如子，把他雕花絕技，全套教給了我。出師以後，雖常常去看他……去哭了一場，又做了一篇大墓誌去追悼他，總我這一點微薄的意思，怎能報答我師傅當初待我的恩情呢？」這絕不是一班人的參加送葬追悼可比。白石五十二歲時，胡沁園死了，「我聽了，心裏頭頓時像小刀子亂扎似的，說不出有多大痛苦。他老人家不但是我恩師，也可以說是我生平第一知己，我今日略有成就，飲水思源，都是出於他老人家的栽培，一別千古，我怎能抑制得住滿腔的悲思呢？我參酌舊稿，畫了二十多幅畫，都是他老人家生前賞識過的，我親自動手裱好，裝在親自糊紮的紙箱內，在他靈前焚化，同時又做了七言絕詩十四首，又做了一篇祭文，一幅輓聯……。」哀感之情，何其痛絕啊！反觀今日的師道不振，不禁令人撫案三嘆！

白石老人雖然「向來是不求藻飾，自主性靈，尤其反對摹擬窠臼」，但這並不是說他一味地反古。相反地，他是傾力學習，然後才能匠心獨運，別出心裁。試看他描摹芥子園畫譜，不是描了半年才描完嗎？然後，「先學宋明諸家，摹工筆，清湘（大滌子、釋石濤）、瓢（黃慎）、青藤（徐文長），得其神髓。晚乃獨出匠心，用大筆，潑墨淋漓，氣韻雄渾。」只是他能擇善固執，有個性而已。所以他說：「吾畫不為宗派拘束，無心沽名，自娛而已。人欲罵之，我未聽也。」又說：「總而言之，要我行我道。下筆要有我法，雖不得人歡譽，亦可得人詆罵，自不凡庸。」他刻印也是本著這個原則。結果他名震中外，享譽了四分之三個世紀，成為一種光耀四射的藝壇巨星。所以我們不必妄自菲薄，一味媚外，捨近求遠，認為外國的月亮總比中國圓。只要我們能不泥於古，而能知古、用古，進而創新，自然會有成就。須知文藝是反映時代，表現社會的，諾貝爾文學獎得主──日本的川端康便是一個最好的說明。如果一味崇洋，一味反古，這個根基也不穩，就想在空中樓閣，結果就只有成為四不像了──下三流，牛角尖的文藝作品。

我幼年的環境，不比白石好多少，但是我也從惡劣的環境中站起來了。今天忝列大學生之林，可以說比白石不知幸運了多少倍。讀了「白石老人自述」，我得到了許多啟示和激勵，也多了一個奮鬥的榜樣！

一拿起本書，我就深深地被它吸引住了。我彷彿又回到那苦難的環境中去，但是已經不是怯懦頹靡，而有着一股無形的、巨力的鼓舞力量。我的心胸在急速地起伏著，我的熱血在沸騰！啊，多麼奇妙的力量！「我要效法他！」我在心裏喊著。激動的熱淚奪眶欲出！是的，只有過來人才能領會那到底是怎麼回事。

（完）

准政次官運未通

文匯樓主

准政次是個人才，亦確有幾手，有人說，台灣教育界的壞風氣，大部份起自教育廳長××那一階段，流弊所及，像決了堤的洪水，不過這話也很難講，樓主敢斷言其本人絕對不會公開要錢。

論者則謂，貪污行為，兩人對面尚嫌不密，怎麼會留下證據。又有人說一些未了的案件，都像呆賬懸擱，其實官場和銀行一樣，銀行能有呆賬，官場就可以有呆案，在政治未上軌道的國家，這種情形實在的說算不了甚麼。

文匯樓別記

中國吃教育飯的人，應當向兩位教育家看齊，這兩位教育家，一是孔子、一是孟子，孔老先生就是最喜歡談錢和女人的人，例如：「生財有大道，食之者寡生者衆，則財恒足矣」！又說：「富貴可求也，雖執鞭之士吾亦為之」，以至聖先師萬世師表之尊，祇要能發財，替人趕馬車都幹，做一個教育廳長，即是順手撈幾個，又有甚麼了不起呢？何況還未摸過，講到孟老先生，人情就更通達了，他說：「得意不可再往」，意思就是不合法的錢，貪一次就得洗手，祇要能記取「不可再往」，自然不會有甚麼亂子。

至於女人，孔、孟兩長者都談的很多，尤其孔夫子不但喜歡談，而且以最惡毒的口氣罵，影響婦女社會地位垂兩千幾百年，孟夫子見齊宣時王，亦是錢與女人不絕於口。一省的教育廳長，如果有玩女人的事而被人攻擊，那祇是土包子們，少見多怪，不懂得生活藝術而已，不過有時也很嚴重，安徽省教育廳長楊廉，從立到重慶的路上玩了很多女人，結果被槍斃了，那是楊廉忘記了「得意不可再往。」另一因素就是夫婦之間的問題未能擺平，法律上叫作告訴乃論，換句話就是楊的家庭不合作，俗語：「兩人一條心，黃土變成金」。工業社會像楊廉太太那樣蠢的人，於今恐怕不太多了。

扯了半天的古人和往事，還未談「准政次官運未能亨通」的事，起初是陳副總統一手培植，祇台灣這一階段，由大學校長，而教育廳長，險些做了教育部長，如果真的當到教育部長，那比安徽巢縣伙頭軍出身的馮玉祥還要過癮，講實話，准政次是有招數的，祇以這一年出國考察，沿途的報告，那篇像名書家思索下的工筆，現在的部長中還很少有人拿得出，把戲雖人人會變，各有巧妙不同。不過話又說回來，××做任何一部的部長都舉雙手贊成，但對他做教育部長、或教育廳長、教大學校長且表示存疑，末了，特別聲明，並非其不學無術，相反的，他有學有術，可惜學的不是辦教育，而純熟的政治技術又不合乎教育界需行，可能是這次官運未能亨通的癥結所在。

致教育部長鍾皎光公開信

（上接第一版）

只好也跟著亂起來，遊嚷遊擱，亂作一團，這種情形不是很明顯嗎？有搭車經驗的朋友，都會相信不是誇張吧！不從國校學生做起，是不會有效的。

總統前此提示環境衛生問題，一時全國上下巡行、觀察風起雲湧，訓話、指示；但聽不到具體可行的實施辦法。台南縣長劉博文忽然想起「小先生」制來，召集幾位國小校長談話，要求他們回校後宣佈各生回家要幫忙父母做事，各自清掃家院內外整潔，每週請各班導師實地考核，比較優劣列入操行分數。學生一聽要給分數，高年級的踴自動手，低年級的體力不夠，也就纏住父母趕快、趕快，唯恐老師到來，看見髒亂扣了分數。試行數週，其效大著，於是着教育科擬定辦法，實行「小先生」制，推行環境衛生，通令各縣各鄉鎮一體遵行，省府觀察亦認為全省可行。這是經過試驗，確實有效的事例，監交人既學先生堅守原則，老朽也就不揣簡（言勞）陋，談些原則，敬告鍾部長先生以超然立場，抬起頭來，高瞻遠矚，把握原則，堅定不移的勇往直前。政府支持，全國上下都支持部長先生的公正立場，魯哀公問孔子：「何為則民服？」孔子說：「舉直錯諸枉，則民服；舉枉錯諸直，則民不服！」

（五）尊賢容衆 勿存成見

教育部長一個老衙門，積弊是免不了的，須知大小衙門無例外，人[illegible]之聽，是是非非，須將取巧，中外古今一理，作一位首長，就該領導的問題，絕不是[illegible]就了劣根性，一定要嚴厲對待，始能[illegible]作，對任何人不存成見，自然能發揮出各人的能力。對甲不合作，對乙未必也是不合作，以前不積極的人，今後未必不積極。[illegible]人只宜用明鏡，[illegible]其所短，取其所長，[illegible]顯微鏡分析，不值無一人可用，只怕[illegible]一位可交、可處的人。孔子說：「尊賢容衆，嘉善而矜不能。」仲弓為季氏[illegible]任之前，問政於夫子？孔子對他說：「先有司，赦小過，舉賢才。」仲弓又問：「焉知賢才而舉之？」曰：「舉爾所知，爾所不知，人其舍諸。」這些古人留下來的至[illegible]，不知鍾部長以為然否？有人痛[illegible]，要把傳統[illegible]，不一定都是壞的[illegible]科學家不發達嗎？日本的科學列強[illegible]主，他們是尊重傳統的[illegible]沒有好研[illegible]非啊！這就需要部長先生的原則了，[illegible]的什麼，倒不是首要問題。

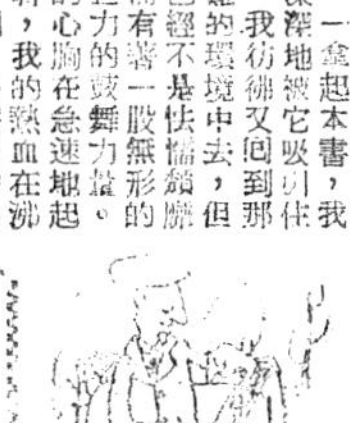

巨變歷險記！

共軍開進北平前夕（四九）

胡慶蓉

在共軍開進北平的前夕，中央發行的金圓券，等於有行無市，到不如說已經達到毫無價值的地步，無論便宜到怎樣的地步，都沒有人要了。一大把的金圓券，買不到一碗麵，拿着上路，怎樣生活，金子、銀子吃香，但丁博士並沒有金子、銀子。北平的金店是很多的，前門外一帶，多爲金店薈萃之區，但在共軍開進北平的前夕，也停止買賣了。整個的市場，入於停頓狀態，丁博士只帶走他的一張十塊美金，怕人家搜索出來，還是縫在衣服裡邊的。

平津的交通恢復，在北平買票，還可以用金圓券，南從天津來，已經改用人民幣了。因爲共軍就要進城的消息，言之確鑿，從表面上看，也使大家確信不移，很多都準備逃出北平，北平東站的情形，十分紊亂，十分擁擠，丁博士到了東站，即忙跑到車裡，混在群衆中間，原來車是分等級的，分頭等、二等、三等，現在的車，等級不分了。票一律普通票，坐的是一律普通車。普通的票，儘量的在賣，要走的人也儘量的在賣。但究竟車的容量是有限的，在快要開的時候，車裡邊固然空無立錐，隙無可入，成了人累人的狀態，兩旁放行李的地方，也都躺滿了人，而且還成了頂好的坐位。櫈子下邊，也躺滿了人。好像但求能離開，一切在所不顧。人的面部表情是驚恐的，慌張的，沉悶的，淒涼的。誰也不同誰講話，誰也不願意講話。實際上又有什麼可講的呢？面面相覷，皆在不言中。很多是垂頭喪氣，怕人家問，怕人家查。

丁博士去東站，是坐他自己的拼斗車，當時北平的交通工具，主要還是人力車，即人拉的東洋車，車下邊裝的有鈴，踏起來噹噹響，怪神氣似的。拉洋車的，有街上的，有私家僱的。街上的，當然老弱不齊，私家僱的，一般都是年富力強的小夥子，他們跑起來，眞是了不起，眞好像插了翅膀似的，行走如飛，風馳電掣，在光滑的馬路上，可以賽汽車，也並不是吹牛的話。拼斗車，是當時最進步的，這是眞正的三輪，即腳踏車旁再加一個輪，掛一個斗，人坐在裏面，像蹬腳踏車的蹬法。這比人拉的快多了。而且還比較人道。北平城很大，從東城到西城，往往距離很遠，非人力所能負荷，有拼斗車就沒問題了。汽車北平也有，但究竟少而又少。一般都是坐電車，在北平，電車倒很普遍，從東單到西單，從東四到西四，從東站到前門大街，到天橋，到處都有電車可乘。但在北平被包圍的期間，在共軍要進來以前，則完全入於停頓狀態。

天下沒有不散的筵席，但曲終人散，能無今昔之感！丁博士終於離開了故都北平。

觀光與題詠刻石（六）

·胥端甫·

負籍稱此聯謨實無誤，是的評，是確論，石刻猶存，書法古茂蒼勁，頗何道州，罕推雙絕。除聯語外，就是詩，連雅堂有春日謁延平郡王祠，延平郡王祠古梅歌。尤其是後一首古梅歌，以賦樂岩之筆，寫古梅蟠屈之氣，與滄海如海之神，將鄭成功的精神，活畫紙上，如果刊刻在延平郡王祠前面，不但使今天觀光的人讀了，發生無限的感召作用，就是千載以下的人讀之，也當眉飛色舞啊！我也有謁延平郡王祠放歌七古一首，後面結段云：「我來空抱古傷枝，存魂頓使心凄楚，鎮官城外梢[illegible]，豁大名直到今；誰上虯挺精忠柯，南枝不向關山北；英[illegible]同當一枝斜，歲歲開花柳枳薔薔楢南國。誰他滄海變桑田，看他人奔挑在偷側；笑他巢鳥[illegible]任殘賊，直使遊者，弔者詠者尙想民族正氣磅礴乾坤窄。劉復因人史例多，且看今日猶太復國容何惡？三台莫道成贅島，寸土尺疆都汗血。吁嗟乎，腸百結，鬱鎖祠前寫英烈；南望王師歲歲更，天山健兒肝膽裂」。我這一首放歌，好不好是另一問題，而的確是我眞感情的流露。劉銘傳有功台灣，千秋共仰，今天連紀念堂都沒有，更談不上刻石題詠，這是多麼遺憾的事情？

台灣是我們中華民族之汗與血造成，也是我們海外山河之最堪紀念者。除以上三人而外，應該建立祠堂，以崇祀典，鼓勵來茲者尙多，如抗荷殉國者，在台南應有郭懷一祠堂，臣死忠，婦死節者，於台南桂子山應有寧靖王五妃祠堂。至於抗清抗日之英雄烈士，一方面入忠烈祠，一方面更應於其所在地立祠建廟以紀念之；如朱一貴在羅漢門起事，應在羅漢門建立朱一貴祠堂，彰化一縣，抗清抗日都有其人，如林爽之、吳湯興、吳彭年、賴懶雲等，都應分別在彰化縣建立祠堂。簡大獅抗日於竹子湖山中，應在今天的陽明山建立簡大獅祠堂，這些都是流血的人物；還有流汗而關土闢疆的人物，如宜蘭的吳沙、台北的賴章等等，都應在所在地分別爲之建立祠堂，以表崇德報功之意。國語展禽說：「夫聖王之制祀也，法施於民則祀之，以死勤事則祀之，以勞定國則祀之，能禦大災則祀之，能扞大患則祀之。」中華民族精神的建立，就靠這種懷制祀以爲國典的作爲。今天要復興中國文化，首先就要鼓勵培養民族精神，而鼓勵培養民族精神於觀光事業之中，還是最正確的辦法。嘉義雲林間有草嶺，四十年五月，七十五軍工兵隊在此修築公路，是月十三日起，霪雨連綿，十八日晨，堤潰決，山洪暴發，如萬馬奔騰，官兵七十四人皆罹難，明公鎮瑞曾輓之，陳誠副總統聯云：「刊木作康衢，開濟不忘艱巨業；懷小排濁浪，精誠終資太平基。」劉健羣委員聯云：「奮身於執戈環甲之餘，熱血一腔，拓路方期平坦坦；招魂於浪詞波澄之後，寒潭千丈英靈終古戰蛟龍」。有這些聯語，既可慰英靈於地下，更可激忠義于人間，觀光的人看了，當發出許多感召作用，這也就是以死勤事的故事了。最近我到碧潭空軍公墓參觀一次，紀念碑高聳入雲，堂皇闊大，却沒有一首詩，一付聯語，只有一個一個的小石碑，刻着死者的姓名，一排排地陳列着，這有什麼意思呢？野柳殉難的林添楨義士，最近已爲他立了豐碑，也是缺乏題詠刻石，跑去遊覽，結果還是索然寡味歸來。就如陽明山的花期，每年千千萬萬的人爭擁上山，究竟花有多少？遊山的人下山以後，究竟收穫如何？

觀光事業，如前所述，觀國之光，觀國是如何的廣闊？題詠刻石，實在是最小的部門，但是他的意義和精神，却比任何部門都要重大，無論在觀光上，文化上，文獻上都有她的價值存在。卑安先生所企望的補救之方，我想應該由觀光事業委員會和社會人士兩方面負責着手。屬于觀光委員會的，凡是觀光地區，如橫貫公路、陽明山、石門水庫、大貝湖等處，作有計劃之題詠刻石，美觀大方，無論是楹聯、詩歌、散文、書法、繪畫、雕刻，都要選其最高作品，特別是楹聯、詩歌、遊記三項，應該廣爲徵求，在觀光年刊上發表，以收取精用宏之效。所謂楹聯、詩歌、遊記，及其有紀念性之文字，都是以某一觀光地區的實際內容題材而撰寫之，確實富有某種精神，表現某種意義，發揮某種情感者爲限，像錢西樵爲防空節題聯云：「守土在防空，望斷鄉關，猛獸洪濤方肆虐；保民亟合節，軍屯海島，臥薪嘗膽待收京。」就富有反枚復國的精神；像撰輓草嶺潭罹難官兵聯云：「胼手胝足，效愚公移山，欲爲蒸民平水土；暴雨洪濤，挾精衛填海，猶將猛士作波臣。」就表現有爲同胞犧牲的意義，像撰輓台南士學院講師朱振雲女士，以冤憤難伸，自沈於台中日月潭聯云：

台灣街頭甘蔗水

生活漫談

馬騰雲

甘蔗汁有名「天生腹脈湯」，如西瓜之名「天生白虎湯」，用此種食品，可以代作方劑應用。甘蔗所含水份及糖份都非常豐富，尤其是盛產白糖的——台灣，甘蔗的剩餘價值，更富充份發揮，甘蔗所含維生素C的數量亦多，潤燥止渴，光澤皮膚，爲很好的滋養藥，尤其秋冬天不時飲用鮮搾的蔗汁，可以潤燥除熱痰，防止喉頭發炎。時屆秋令，風高氣爽，空氣中的水份減少，人體內臟感受上，自然發生一種燥澀現象，如血液虧損，體溫不足的人，這種天氣時候，會能影響到渾身不舒適，其如胸腑脹滿，胸骨背每感到刺痛，眼如冒火，頭頸脊悶強急不舒，痰吐困難，神經緊張，性情暴燥等，這與受到燥潤的天氣有絕對關係，常飲鮮蔗汁可以治療。蔗汁以中節下節搾取者爲佳，飲用時必要飲其鮮汁方能收到清燥氣潤五臟之效，市上所售的蔗汁，商人志在搾取多量的汁液，減輕成本，必將蔗梢水份多不太甜的部份摻入，然後搾之，此種蔗汁，功效不大，平常人飲之則無所謂，若作爲藥用，有點差勁。鮮搾的蔗汁，臨時搾取臨時飲，貨值價實，雙方無欺，有胃病或女人過了經期，可將它蒸爲溫熱，但不能滾得太久，若得久則傷害了它的維生素C，滾得太久的蔗汁，蔗的水份減少，則起有滋補作用，所以有很多老油條配製出的蔗汁，飲用得多了，反而會影響喉頭發痛。鮮蔗汁之所以能「復脈」，純在利用它的清涼之力，以促進「脾」的造血機能。脾臟每因燥的關係，機能分泌會發生障碍，於是直接對血有了問題，人體則病變多端，蔗汁能生津潤燥，大補脾陰，對脾機能因「燥」而發生的障碍，形響了血的循環，蔗汁確有很好的調整作用。「天生腹脈湯」可能亦因此而得名，廣東人最懂得此道。若天下痢，紅多白少，腹中覺得冷凍鬱結，可用鮮蔗搾汁，溫熱給他飲，（若仍有外感寒熱存在者不能用）。下痢自然輕快，冷痛亦減少。有因治病時用得燥熱之劑太多，病體似乎沒有什麼，只是日見乾枯，皮膚面色全無生氣，骨瘦如柴，飲食減少，病後似乎無法復原，這與體內欠缺甘潤之品有關，因燥熱之劑，能影響體液的增長，常飲蔗汁，能使健康早復。平常人，喝用鮮蔗，可增強體力，及清除積滯，比飲用化學飲料高明得多了。

美蘇與毛共核子戰爭的蠡測（續）

·高格·

（續九七七期）據情報分析顯示，蘇俄對多彈頭飛彈計劃，也已核准列入優先發展。這也是可能之事；即蘇俄將來只需要一枚飛彈——比美國攜帶更大火力之飛彈——將許多米格噸的核子彈頭分投在華盛頓、巴爾的摩爾、費城、紐約及波士頓等美國的大都市。但美國的官員認爲，無論蘇俄如何計劃，最近美國的發展，將能確保美國擁有破壞力的阻赫武力，足夠摧毀蘇俄——如果後者敢於發動一次核子大戰。

義勇兵三型飛彈，將較目前美國擁有一千枚義勇兵一型和二型兩種飛彈更大，威力更強。據估計，至一九六九年，美國將擁有第一批此型飛彈六百枚，該型飛彈的射程爲六千三百英里，問世後，將佈防於美國的北部和中部以取代初型義勇兵飛彈。該型飛彈能攜帶三枚核子彈頭，每一彈頭上，均裝配有獨立的導向系統，以指揮彈頭去攻擊目標。

此外，飛彈中並有假彈；此等假彈頭，即分離飛行擾亂敵人雷達，飛彈並散發出金屬碎片作掩護及發射出電子反射，以阻止敵人的探測。

美國爲確保義勇兵六三型洲際飛彈能突破任何蘇俄飛彈防衛系統起見，已批准四百億美元，用於增強其載重能力，以便攜帶更多突破儀器。事實上，此一撥款是繼已經化費數億美元後所核發者。總之，美國義勇兵三型計劃，在未來的幾年，勢將化費數十億美元之鉅。

當第一批六百枚義勇兵三型取代初型義勇兵飛彈後，美國陸地的飛彈總數如下：

（一）義勇兵三型飛彈六百枚，每枚有核子彈頭三枚，共計一千八百枚。

（二）義勇兵二型飛彈四百枚（每枚彈頭一枚）共四百枚。

總共有陸地爲基地的核子彈頭二千二百枚，但目前僅一千枚。

海神型飛彈：此型飛彈是北極星飛彈的改良型，生產後將取代目前美國四十一艘核子潛艇中的三十三艘北極星潛艇上的北極星飛彈。此型飛彈其重量將倍於北極星飛彈，長三呎，但較北極星粗大甚多。僅需將現行核子潛艇上之飛彈發射管略加修改，即可適用，但現行之火力控制及計算系統必需更換。現已受命發展此型飛彈，其費用爲卅三億美元，預計於一九七一年及一九七二年裝配潛艇使用。其主要改進處，是海神型飛彈，據稱每枚能携帶十枚分離的核子彈頭。

當三十一艘北極星飛彈潛艇換裝成海神型飛彈後，則以潛艇爲基地的核子彈頭數目，將提高到如下的數量：

（一）三十一艘海神潛艇，每艇携帶十六枚海「神」飛彈，每枚核子彈頭，共計將爲四千九百。

（二）十艘北極星潛艇，每艇十六枚飛彈，每枚飛彈一枚彈頭，合計一百六十枚。總計共有五千一百二十枚核子彈頭，但目前僅有六百五十六枚。

更進一步展望將來，美國正加緊研究至少三種洲際飛彈，以確保美國未來無論在攻勢及防衛系統兩方面，均保持領先優勢。

「史拉脫X」，是未來新的一代長程飛彈的名稱；也許，此型飛彈將在一九七〇年代後期出現。五角大廈正計劃一種較今日飛彈截重量大六——七倍的巨大飛彈。未來的「史拉脫X」型飛彈，不僅較義勇兵三型能携帶更多的核子彈頭，而且有新型的地下發射基地，具有更強的保護設體。

美國在未來的三年中，將化十億美元發展「史拉脫X」型飛彈。一旦批准生產此型飛彈數百枚，則此一計劃費用，就將增至一百億美元。

美國對於如何將陸地爲基地的飛彈，予以疏散的方法也正研究中，以免成爲蘇俄偷襲之弱點。數年前，五角大廈打消了以鐵路裝運義勇兵型飛彈的構想，但權威人士表示，由於技術的突飛猛進，此項構想現已變爲可能。

總括來說：在核子武器存量的比較上，美國似乎優於蘇俄。同時，無論是在美國或蘇俄，關於特種武器即核子及化學武器的配合研究，如同從前諸兵種配合，都是由師級開始。

美國對戰略核子武器的製造，在數量上似乎比蘇俄佔優勢，但在戰術核子武器方面則雙方互相伯仲，也可以說，互有短長。

至於使用信條方面，美、俄兩國各階層都在強調核子武器的威力。尤其是美國五角大廈幾乎是傾致力核子戰爭或核子威脅的戰爭。莫斯科則主張在戰術級單位內混合使用「大量破壞武器」和裝甲兵；並以後者擴張前者所獲之戰果，至於其他兵種則僅作輔助之用。蘇俄的這種觀念，在附庸國的軍隊裡當然有點不同，一方面是量的減縮，另方面是火箭飛彈等武器，常被撤去核子彈頭。

那麼我們試問核子武器是不是未來的主要武器呢？答案是肯定的。除擁有核子武器者，至少有十個國家正在設法保有它，或者更進一步說，他們是正在想自己製造它；據資料顯示：有能力製造核彈的國家，也至少有四個之多。

假設我們想如果美、俄及毛共發生衝突，就很快的形成核子大戰，那是錯誤的。但有時候也可能被迫使用。譬如說，爲了拯救有被消滅威脅的大部隊或阻遏具有危險性的侵入者，都可以使它們不得已而使用核子武力。

（未完）

中華民國內政部登記證內警台報字第〇三一號
中華民國僑務委員會登記證僑新字第三二三號
中華郵政台字第一二八二號執照登記爲第一類新聞紙

自由報

（第九七九期）

（半週刊每星期三、六出版）
每份港幣壹角・台灣零售價新台幣弍元
社長李運鵬・督印黃行齋
社址：香港九龍彌敦道593—601號
廖創興銀行大厦八樓五座
LIU CHONG HING BUILDING
7th FLOOR FLAT 5
593—601 NATHAN ROAD,
KOWLOON, H.K.
TEL：K303831
電報掛號：7191
承印：慶星印刷公司
地址：嘉咸街廿九號地下
台灣總管理處：台北市大同街119號
台灣區直接訂戶　台郵劃撥戶
第五〇五六號張萬有（自由報會計室）
電話：七一四〇三三、五五五三九五
台灣分社：台北市西寧南路110號二樓
電話：三三〇三四六，台郵劃撥戶九二五二號

美俄的冷戰與越南問題

李棨

以前，尼克森以卸任美國副總統身份，漫遊莫斯科，俄共頭目皆不屑與之接觸，尼氏雖欲與蘇俄外長葛羅米科一晤，亦嘗到閉門羹。沮喪之餘，擬赴波蘭一行，而駐莫斯科的波蘭使館拒不簽證。尼氏深感刺激，乃試往羅馬尼亞訪問，該國駐莫斯科使館慨然應允，尼氏到達羅馬尼亞首都時，該國總統且親臨機場歡迎，禮遇有加。這便是尼克森入主白宮後，亟亟於重訪羅馬尼亞之所以然。俄共頭目爲之醋勁大發，一面聲明展緩定期訪問羅國之行，一面教唆所謂「華沙公約」聯軍，開向羅國邊境示威，同時又派遣艦隊訪問古巴。在在表示着跟美國「扯靶子」的冷戰劇化動作，猶是爭雄，互不相下。

明乎此，即知美俄這兩大強權國家，決無永久和平共處之可能，儘管雙方當局人物，侈言維護和平，隨時發出親善詞令，白宮與克里姆林宮且裝設着直接通話的熱線，以期消弭誤會，這都是所謂「犧牲未到最後關頭，決不輕言犧牲」的表面作用。俄共在核武器的發展競賽中沒有優勢把握以前，是不敢翻臉，美國若不受到敵方的武力襲擊，是不願翻臉，艾森豪之所謂「原子僵局」，倘在持續階段中，幾時有一方能在太空設立軍事基地，雙方的和平面具就要揭破的！

嘯觀國際現勢，衡量未來發展，蘇俄仍然佔着上風，因爲美國尚有第二號死敵——毛共政權——存在着，讓它從容發展原核子武力後，美國便處於一比二劣勢狀態中了！美國憑着天眞的樸素思想，以爲俄共與毛共終有火拼之日，不妨靜坐山門看虎鬥，博得不勞而獲的大利，結果必將大吃其虧，縱能自衛自救，亦有事倍功半之苦。加之以美援所到的自由地區，共產黨的勢力即在美式民主生活培育之下，暗長潛滋，由無而成有，由有而成爲強壯勢力，一致視美國爲不共戴天的仇敵，這纔是美國的致命傷，而自由人類所引爲慄慄危懼的大患所在。

越南總統阮文紹最近發表聲明，允許越共參加全國選舉。這種妥協性的歧見，無疑是阮氏在威克島與美總統尼克森會商的結果，越共之必不就範，乃意料中事，阮氏不過藉此對美國有所交代而已。

二次大戰後，美國政府對越南問題，可謂六神無主，莫名其妙。當年法國決定退出越南，與英國狼狽爲奸，召開所謂「日內瓦會議」，邀約毛共參預其役，美國表示不贊同，却由國務卿杜勒斯以觀察員身份簽字於日內瓦協定中，而聲稱爲「痛苦的決定」，這已經是外強中乾，太不像話了。

既而艾森豪政府爲着挽回面子，以念就保障越南的獨立安全，創立「東南亞公約」，說甚要保障越南的獨立安全，然實際乃係具文。所謂東南亞公約國每次集會時，連「反共」的官詞亦不敢說一句，唯恐激怒了毛共和越共。這是美國對越南問題的第一次丟醜失格，無形之中助長了共黨的侵略野心。

中越共看透了美國對東南亞虛聲恫嚇的作風，公然視日內瓦協定與東南亞公約若無物，對越南實行軍事侵略，美國甘迺迪政府毅然出兵討伐越共，表示履行東南亞公約的義務，甘迺迪總統[illegible]堅決聲明決不許越共侵佔南越土地，意態甚爲積極。

迨詹遜入主白宮，仍遵循原定政策，陸續增兵到越南作戰，可是，竟聲言「不求勝利」，既要打仗，又說不求勝，寧非突梯滑稽的行爲嗎？甚於「不求勝」的策略，美國對越戰的措施，便如百萬富翁跟「爛仔」賭博然，把袋裏的錢慢慢地掏出來下注，被對方「陰乾」了！以致國內反戰之聲大起，詹遜總統弄得焦頭爛額，無可爲計，民主黨的政權亦因此崩潰。這是美國越南問題第二次丟醜失格，增強了共黨的侵略氣燄。

美國渴望藉「巴黎和談」與越共妥協休戰，不惜一再讓步，但越共自始即以「巴黎和談」爲宣傳工具，依然使用「爛仔」賭博的手段，教美國既不能下大注，又不能罷然休手認輸。尼克森總統接受了民主黨政府的包袱，放不下，亦提不起，祇好勸說越南政府當局在避免「聯合政府」的形式方法之下，跟越共和平共存。大概尼氏在威克島與阮文紹會談時，曾作了某種承諾，阮氏纔有認允越共參加全國選舉的聲明，使尼克森總統少受國內一般姑息份子的攻擊，阮氏亦知道越共不會就範的。這是美國對越南問題第三丟醜失格，越共不妥協的心理更堅定了。

巴黎和談之決無結果，顯而易見，美國把美軍陸續撤出越南，亦爲勢在必行者。越南問題依然原封未動，唯一希望就是越南軍隊在美國的物力援助之下，能夠表現「自固吾圉」的本領。即令如願以償，越南問題還是未解決，越共有毛共作背景，它隨時有大舉進攻之可能，美國在越南消耗了鉅量的人力，財力，物力，對越南乃至整個東南亞地區的安全，沒有絲毫作用，早知今日，何必當初呢！

自由談

革新庶政的要着

政府當局最近基於執政黨十全大會的決議，主張全面革新，大力推行，允屬切中時弊，甚孚民望。

全面革新的涵義有兩點：一爲改革政治上因循偷惰的惡習，旨在興利除弊，整飭紀綱；二爲轉換社會上驕奢淫逸的頹風，發揚朝氣生新的作用。此二者有其共同的大前提，即須管理衆人之事的達官貴人，以身作則，樹之楷模，毫無假借，信賞必罰，庶幾不憚，庶足以表率羣倫，化民成俗。昔人謂「風俗之厚薄，繫乎一二人心之所嚮而已」，確係深中肯綮之言。尤其是關於改革社會風氣問題，更需要鐘鳴鼎食的名公鉅卿，實行身教主義，乃有上行下效的功用可期，而貼標語，喊口號，訂計劃，搞宣傳，皆不預焉。

政風之良窳，在乎親賢遠佞，明辨功過是非。唐太宗李世民聽得侍從之臣宇文士及阿諛的言談，即謂「魏徵常勸我遠佞人，固不悉誰爲佞者，今得之矣！」他這寥寥數語，其功效勝過訓詞百篇，命令萬道也。商鞅徙木立信，示人民以政府言出法隨的決心，亦比撰擬一大堆革新計劃，頒訂難以枚舉的節約規則，更有實際效用。舉一反三，其他思過半矣。

假使政治人物不能居敬存誠，於日常生活中實行革新示範，遠其在我，而喋喋然責他人以革新之義，結果是「以言教者訟」，徒亂人意罷了。例如對日抗戰時期，政府號召青年從軍，一般達官貴人莫不噤然響應，激勵民衆踴躍奉行，但他們自己的青年子弟却居於例外。如今常聞政治人物號召留學生必須回國服務，振振有詞，實則在國外學業完畢而不歸國的留學生，十之七八皆是達官貴人的子弟。教導別人實行節約生活，而自己日用飲食的消費奢侈，超過其俸祿收入的數量十百倍。似此射自瀆而厚責於人的官僚心理，若不首先改革，昭大信於社會，則所謂全面革新云云，依然是宣傳詞令，不會有絲毫成績的！

陶五先生

高地檢處提建議 監察權不得干涉司法權

對彰化大同公司罰鍰案 主委呼籲維護憲法尊嚴

本報記者道倘書台北消息：關於彰化大同公司漏稅罰鍰撤銷執行案，曾導致公私紛爭。商人端豁煌曾何高等法院自監委陶百川，洩露調查內容，妨害信譽，並涉嫌圖利他人。並曾登報啓事，大張撻伐，控訴陶百川違法，經過情況，詳載六月七日本報。七月七日方被高院宣判駁回，事隔二日，高雄地方法院檢察處，忽正式呈請上級轉呈國家安全會議建議，要求監察權不干涉司法權。並稱：「近年來，監察委員每以各級法院司法官辦理民刑案件，違法失職爲詞，任意進行調查，並以認事用法不當爲理由，隨便提案彈劾，公諸報端，甚至司法官依法所爲之辯證，亦横加人身攻擊。」

監察院十日院會通過王冠雜、郭學禮、張岫嵐等委員提出一項緊急臨時動議，以監察院是否有如高雄地檢處所稱，監察權干涉司法權之情形，以作適當之檢討和澄清。

發言委員張一中、王文光、張岫嵐等均認爲：法律見解不同確有可能，但不是任何人都可以解釋法律。高雄地檢處之建議，似在支持彰化大同公司案，立委何景寮等人的諒法，其出發點有欠客觀。討論歸納：僉認此事非可等閒視之，但高雄地檢處未經任何接觸，即向上級建議，且又未將事實是否認清，即將部分內容公開，指監院不應干涉司法，以共維法治似有不當。當經決議推派委員王冠雜、王文光、郭學禮三人進行調查，監察院查案是否守住本分，而高雄地檢處建議所指究以何事爲主。

高雄地檢處獲悉上情後，檢察官集議熱烈討論，該處是否有義務提供監委調查所需資料。經一致認定，無此義務，或答復建議案所列事實證據，如果必須提供資料或答復有關事實內容，亦必須透過法院上級機關，否則拒絕監委的調查或查之答復，以保持檢察處之立場。

但據報載原提案二名檢察官，已開始搜集監察權干涉司法權之資料，以備需要。

據稱：該處準備提建議案，已醞釀了一年多。當一年半以前，監察院因許光丸打撈民事糾紛，彈劾高雄地院院長趙執中，民庭庭長欽禮，推事黃崇玄時，部分推檢即與聯名建議維護司法官權益之意念。當時該民事糾紛案倘在二審階段，一審判決是否有誤，尚難定論，且法律見解，「仁」「智」不同。即使一審判決有誤，倘有二審三審可資補救。而且在審立審判制度下，推事判決不受任何干涉，彈劾案却以法院院長監督不週加以彈劾，更使推檢不能心服。半年前，檢察官當明華因偵辦澎湖看守所案，復遭彈劾，形成建議主因。而孫德耕院長最近之遭彈劾，是否爲建議案之導火線，就不得而知了。

正當彰化大同公司罰鍰案，尚在餘波激盪中，而立法委員何盡民復於七月十二日爲政府處理該案，提出再質詢，強調：對於違憲枉法裁判案，必須追究責任，維護法治尊嚴。何委員說：「政院接受監院之糾正案，縱使商人受枉判之害，爲事甚小，但使國家法律受枉判之害，則爲事太大，本席寧死以抗到底」。並指出該案裁判有違憲法第八條，刑法第一條之規定，裁罰既屬錯誤必須援例救濟，以符合法治不離民主精神。如果政院認爲原裁罰無違憲枉法錯誤，也不必援例救濟，則政院對於中央及省之主管財政機關，前次同意撤銷該案的執行；放棄國庫收益，又何以不移付懲戒。最後指出：政院對於法院判確定案，可執行可不執行，乃係行政上從權達變之事。但對於違憲枉法裁決案，必須追究責任，因之政院既經宣佈執行監察院糾正案，可謂自便不事變更，但對於立法院質詢案所指原裁定係違憲枉法，豈可不明令查究？二者並行絕不衝突。應儘早作一明白答復。

昨日與明日

爲馬來華僑撐腰

聖僕

馬來亞是一個多種族的國家，種族糾紛與對立由來已久，巫人（即馬來本土人）之不自量力的，馬來亞人口總共一千萬，其中華人約佔四百萬，華人約佔三百七十萬，印度人與巴基斯坦人約佔一百萬，巫人之仇視華人，越搞越不成話，馬政府公務員起先是三對一，就是巫人三名，華人祇准一名，現在變成九對一的比例了。還有就是商店牌照，規定若干種不准華人申請，泰國鑾披文時代也有這樣的法律，規定三種泰人保留職業，一踏三輪車，二理髮，三綠燈戶（娼妓），何以未演成糾紛呢？因華僑吃飯的路很多，從不爭取這三種行業，馬政府因扼住華僑喉管，才會引起這次的普遍暴亂，已經死亡的有一百六十七名，受傷的三百卅一名，被捕的有四千餘名。

本報欲忠告馬來亞執政當局的，「野火燒不盡，春風吹又生」這次暴亂的後果，馬來亞政府要負完全責任，同時籲請注意也是共諜歡迎的全馬打鬥場面。

馬長治久安之道

馬來亞欲長治久安，必須尋求各種族的和諧共處之道，首先尚消除「一家獨霸千家怨」的思想，尤其巫人極端份子的「馬來至上」等主張，根本要不得，日爾曼民族，大和民族所受的教訓前車未遠，四百萬巫人何必再蹈覆轍。

筆者曾居馬來，請巫人吃飯，全家光臨來了就吃，吃了就走，很少說一聲謝謝。外縣的土人，餓了到樹上找東西吃，倦了進入茅棚睡覺，丈夫快死時，妻子會走開用手抓飯是普遍習慣，就這種水準與日爾曼民族，大和民族就不能比較，遑想以本身四百萬並非優秀民族，而用不公平的暴劣方式欺悔另六百萬人，怎麼可能呢？

我們尋眞理正義

經濟重於一切，爲現代國家所公認，華人在東南亞國家佔優裕經濟地位，非一朝一夕之功，有了經濟地位，自然想在政治上亦佔一席，乃人之恒情，馬來亞忘了華人參政是不應該的。

泰國是東南亞唯一獨立進步國家，但歡迎華人參政，華僑王察能死時，全國下半旗誌哀即其一例。還有英人皮博代美逝世時，國會爲之休會半日，以誌哀悼，這在馬來亞人看來簡直胡鬧。

最後奉勸拉曼，拉昔克等執政領袖，應與馬華公會開誠合作，同時馬華公會的民勞不齊亦應當自我檢討，華人也不應該因選舉勝利氣燄萬丈。我們是賣報的，專講公道話，自由報的論調如果不合馬來口味，我們願意立即割掉這個市場，但尋求眞理正義態度，始終不變。

糾正案竟被拒提會 監察權行使受阻撓

陳大榕指責王敦政弄權 違背誠實謹慎行政責任

（本報記者台北航訊）監察委員陳大榕所提糾正案，監察院內政委員會秘書王敦政竟拒不提出，剝奪陳委員之提案權，並妨礙其監察權之行使，因而陳委員於監察院本年七月十二日召開第一一一八次會議時，提案檢討並送請內政委員會提出覆議。該秘書之不法行爲，顯有違背「誠實」「謹慎」之行政責任。

本案之發生，據陳大榕委員提案指出：「查監察院各委員會組織法第五條規定：『委員會討論事項如左：一、監察院會議交議事項。二、委員提議事項。三、其他委員會移送與本委員有關之事項。四、院長交議事項。』是則委員之提議及院長之交議事項，均應在委員會會議討論之列，自不得拒不提出，法意顯明，無可置疑。

「乃內政委員會於本年六月廿一日召開第三〇一次會議時，竟對其簽報院長核轉過會之有關彰化縣政府辦理農民洪丁山所耕溪湖鎮四塊厝段巫厝小段五七〇之一地號公有耕地放領，涉嫌違誤之糾正案，拒不提出，而反將附件中調查專員牛若萍之調查報告列案討論，並經決議『將調查報告函行政院處理見復』。內政委員所持之理由，係認爲必先有調查報告，然後才能有糾正案，故須先討論調查報告。此一見解與處理程序、於法似均有未合。

「查職員無提議之權，而將其報告提付討論，委員有提議之權，院長有交議之權，則反將其所提及交議之糾正案，留中不發，未免輕重倒置。且批辦委員依據調查報告內容，已決定提案糾正，事涉委員會職權，故爾簽報院長移送審議，實無待委員會再作是否提出糾正案之決定，至該糾正案可否成立，自應以多數委員意見爲依歸，提案委員固無堅持其主張之餘地，然亦應通知其赴會說明，以供委員抉擇之參致，乃事前毫無所知，致無表達意思之機會。

「況本案經過頗爲複雜，調查報告，相當冗長，條理亦欠明晰，而糾正案幾經修訂，文字理由，均較簡要，即以之送請行政院處理，亦較妥善，乃竟被扣而不發，至使在會委員於短時間內，無從明瞭其內容，而作適當之處理，殊爲遺憾！」

陳大榕委員於院會討論本案時，曾加以說明。他說：「本案之內情，係根據自耕農洪丁山於五十七年九月間，我與楊繼先委員巡察彰化縣政府時，當面之呈訴，爰該洪丁山從日據時期起，即與洪曉共同耕種該縣溪湖鎮四塊厝巫厝小段五七〇之一地號公有耕地，洪丁山且在其分耕之四分七厘餘耕地內建有房屋居住，並有當地農田水利會册籍及耕地四鄰莊傳和等可資證明，然在名義上則爲洪曉承耕承領，此一事實，主辦放領人員未能查明，已屬失誤。迨洪曉自民國四十年起，分期十年繳納地價期間，該縣政府於民國四十四年至五十年春令每年舉辦放領農戶之檢查，承辦檢查人員又未能善盡職責，切實查明予以更正，仍使洪曉得以個人名義分期繳清地價，取得該耕地全部所有權，進而轉賣他人，迫使洪丁山將二十餘年所耕種之地交付他人，致令全家生活，失所憑依，陷於絕境，實屬違反憲法第一四三條『土地之分配，應扶植自行使用人』之原則，喪失國家扶植自耕農實施公地放領之重大意義。本案行政責任部份，業經台灣省政府令飭彰化縣政府查明承辦人員從嚴議處，而對有關事實補救部份，則仍無具體指示，因之監察院指派專員牛若萍專案調查具報，經批辦委員（陳大榕）決定提案糾正，並草擬案文，簽報院長核轉內政委員會審議，此本案經過之大略情形。」

陳大榕委員認爲：「事關農民生活之保障，與國家土地政策之施行，不容予以忽視，且當此院務研謀改進之際，對於監察權之行使，自應加強靈活運用，應能配合全面政治之革新，絕不宜多所限制，自增困擾。」

防止流弊發生 院令應訂細則

糾正案毋須有調查報告 應逕列議事日程中討論

當監察院院會討論此一提案時，極爲踴躍。張一中委員認爲：發生這種現象的原因，係時間久而疏忽法律規定所致。委員會之提案，應以院長交議事項或委員提議事項而討論，或通過糾正案，爲法所許。至於各委員會召集委員會議決定：必須有調查報告而後才能提糾正案。此項決議，否定法律規定委員有提議之權，自不得視爲合法，況調查報告係敍述事實，而糾彈案件不一定根據調查報告提出，而各委員會召集委員聯席會議，原名座談會，非法定會議，是以不得法外限制委員提議或提案之權，爲防止流弊發生，院會應制訂細則，俾有所依據。

監察委員袁晴暉認爲：委員提出之糾正案，應列入委員會議事日程「討論事項」，予以討論，如果委員提出之糾正案而不列入有關委員會議程予以討論，如此處理，應予檢討。

葉時修委員指出：糾舉案彈劾案均無須先提出調查報告並經通過而後始可提糾彈案的規定，爲什麼糾正案一定要先提出調查報告呢？調查報告是給委員看的，作爲討論糾正案的依據，故非主題，而糾正案才是主題。而召集委員聯席會議無權決定糾正案必須先通過調查報告，此一程序問題，應由法規委員會研究。

陳志明委員說：根據監察院處務規程規定「經各委員會決議提糾正案者，得由各委員會召集人指定各該委員會職員撰擬案文，經各該委員會決議提出之。」依此規定，則委員們，自今之後，可以不提糾正案了。這是不對的。

王文光委員辯駁內政委員會應承認錯誤。委員依法提出之糾正案未列案討論，無權提案之職員調查報告竟列案討論，並決議把調查報告送行政院處理見復，究有何法律依據？王委員主張：如果調查報告未送行政院，則內政委員會應迅速開會討論糾正案。

本案之所以發生，誠如余俊賢委員所說，內政委員會召集人沒有錯，委員會沒有錯，錯在內政委員會王敦政秘書未將陳大榕委員之糾正案列入議程討論，故內政委員會委員並不知道有糾正案。最後，院會決定，本案交內政委員會處理，而提糾正案之程序交法規委員會研究。

受王宗樂案影響 劉眞放洋歸來 未能當上政次

（本報記者公孫熊台北消息）自行政院局部改組後，教育部政務次長一職，某日報、晚報曾先後登載，已內定由前省教育廳長劉眞出任，並指出劉眞此次放洋攷察教育，即係當局早以預爲安排，認爲人選適當。結果，教育部政次一職，落在孫宕越身上，並非劉眞。晚報復載，劉眞以現任政大教育研究所長兼國家安全會議國家建設委員會教育組副召集人，責任繁重，未使出任新職，祇好向教育部長鍾皎光取得諒解作罷。據悉，報載消息，頗有出入，當鍾皎光被發表爲教育部長時，曾有某政要，向鍾氏推薦劉眞，經鍾部長請示上峯後，並未邀准。故報章改載如何如何，藉便解說了事。

在社會一般批評，劉眞前在教育廳長任內，所作所爲，實則毀多於譽，近因基隆省中弑師案發生後，身負校長責任的王宗樂即係劉眞所遣「任人不當」之事跡，且對劉此次未能遂謀教部政次亦頗有關連，輿論不可不畏也。

據政治評論七月十日刊載，漫談一則稱：「監察院教育委員會糾正教育廳說：基隆省中弑師案發生前，該校教員宋明康曾向黃杰主席檢舉校長王宗樂違法失職，經黃杰交教育廳查處，該廳並不重視，只令該校中復了事。及弑師案發生，乃該校長十多年辦學不力之結果，自應負其責任，而應停職查辦，而教育廳竟曲予迴護，調充祠樂，顯屬措施不當。現在事實上各省中校長多有靠山，長校已久，根深蒂固，無異教育界中的小學閥，需要有魄力的廳長，才能大刀闊斧，予以整頓。再另據法學權威人士談：宋明康係具名負責，親身面向黃主席提出控告，所控十一條罪嫌，例如僞刻教育廳大印，濫收學費，吞沒實驗費，收取書商回扣，僞造報銷等等，逐列實證，不難查確，均涉嚴重刑責。若查出虛構，亦應反坐誣告，何管弑師案已由法律定讞，而王宗樂之被控案，究能如此了結嗎？」

喬治桑外傳 六

張大萬

「烏小姐不要拿我開玩笑了，像我這樣老，那會有人要？」喬治桑第二次坐定，拿出香烟盒，抽出一支香烟在烟盒上篤了幾下，剛含上咀，已有那個穿和服的女侍替他點火。

「你老？你才不老呢。瞧你連一根白頭髮都沒有嘛！」烏關瞟了喬治桑一下，臉上帶着神秘的笑容。

「頭髮黑不是秘密，所謂近朱者赤，近墨者黑，即是此理。哈、哈。」喬治桑說話很文雅，分明是在暗示他的頭髮是染的。

「這有什麼關係，現在假胸、假臀的女人多的是。愛美本來是人類的天性，桑博士你說是不是？不過，我覺得中年人有點白頭髮，倒是很羅曼蒂克的。」烏關很健談，現在只聽她一個人喋喋不休。

「烏小姐，妳不要老是贊美我。我覺得妳的身材倒是很標準。」喬治桑知道女人心理，樂得奉承烏關幾句。

（未完）

徵購民地轉手再賣 顯是一種投機事業

省議員郭雨新亦如是觀 立委張子揚等均表反對

（本報通訊員柳一權台北消息）立法院委員張子揚在立法院會中說：聽到許多位委員主張刪除土地法第九條條文的意見，認爲很有理由，這一條的主要用意是將老百姓的土地，用區段徵收的方式徵收過來，整理劃分之後再行出賣，徵收老百姓的土地是一件大事，其他法律都慎重規定，不輕於辦理，而本條規定整理劃分之後又賣出去，很明顯的是一種土地投機事業，究竟是怎樣整理？整理到什麼程度？怎樣劃分？怎樣出賣？都沒有詳細規定。而整理劃分出賣的政策，就萬萬要不得，如果這樣通過，將會發生很大的流弊，而且對觀光事業之發展受影響。對於主管觀光事業的機關，也是一件難於處理的事，所以本席認爲這一條應該刪除，不應使它存在。

第八條爲了發展觀光設施，徵收私有土地是必要的，所以已有規定。但是不能徵收之後，整理劃分再出賣，這就完全成了土地買賣事業了，政策上不能這樣規定；爲了發展觀光事業，更不能這樣規定。一旦發生流弊，對觀光事業的前途，影響是很大的。尤其在聽了朱委員如松、趙委員石溪、郭委員登敖所說的刪除的理由以後，更覺得我們不應當在政策上製造流弊，影響我們的新興事業。

立法委員周紹成聽了各位對第九條所發表的意見以後，綜計多數意見是主張第九條有訂定之必要；但也有不少是主張刪除的。主張刪除的理由，認爲發展觀光事業需要徵收土地時，可以依土地法的規定辦理。他認爲修正案還是有毛病，不完善，尤其關於徵收土地，整理以後再賣給人民，更容易發生流弊。但如將之刪去也有缺點，因爲觀光事業主管機關很多，如都依照土地法實施區段征收的話，則未免太濫了。「觀光事業主管機關對於劃定爲風景特定區範圍內之私有土地，得報請行政院依土地法之規定施行區段徵收。」他認爲修正案的特點有二：

第一、無論是中央、省、市、縣轄各級觀光事業而徵收土地，一定要報請行政院核准，如此，才可以限制各觀光事業主管機關不能任意依土地法徵收土地；此外，還可以減少徵收情形。

第二、主張刪除本條的同仁，認爲可依土地法辦理，但在土地法中，並未規定爲發展觀光事業可以徵收土地；若有本條的規定，明示爲發展觀光事業，則可以依土地法實施區段征收。

（本報通信員柳一權台北消息）台灣省議員郭雨新，對政府徵購民間土地轉手再賣，認爲非常不妥，且易生流弊，他認爲很多比較公正的立法委員都主張慎重，是正確的，發展觀光事業要徵購民間私有土地而再轉手賣給民間，須查中華民國土地法尚無此項條文。

綜談國劇復興（四）

王方曙

等宋士杰替他道出，便乾淨多了。探母是齣大戲，坐宮的四猜，在戲的開始，慢慢發展，也還可以。但到了公主赴銀安盜令，延輝唱了「扭轉頭來叫小番」的激揝的快板以後，劇情已趨緊張。觀衆在急等着如何盜令，而太后上場却又是倒板大慢板，和坐宮的公主重複，而又弛緩得使人不耐。這齣戲唱習慣了，多以爲完全沒有問題，但若請一位沒看過這齣的懂戲劇的人，第一次來看這齣戲，問題却是很多。祇由劇情發展上來看，大體也犯對每個角色都給了表演機會的病，便不免手法不甚經濟。變成了演員表演大會，而放棄了戲的緊湊。總之，一個戲的劇情發展，要依劇情的本身，不要因人設事，探母在戲的結構上可算好戲，尚且如此，其他更不勝舉。因此，我們新創作的劇本要注意到場子的剪接，劇情發展的順暢，人物時間要用得經濟。把握住劇情的主線，以最明快的手法，最經濟的手法，發展下去。主要的情節，動人的部分，要設大場戲，大場戲應盡量細膩，演得淋漓盡致；其次中場，其次小場，以輔助大場是戲的主，是花朶；中場小場是枝葉，扶襯花朶；另有一種過場戲，只是不得不有，越簡明越好，是花樹枝條連接之處而已。抓住了主線和場次，有力的發展下去，製造出起伏激蕩的情緒，製造出高潮，製造出頂點，然後再作適宜的解決，滿意的結束，這樣的戲自然會引起觀衆的共鳴，何況我們有那麼好的戲劇形式！

劇本的題材

關於劇本的題材，應該是我們創造新的能吸收新觀衆的最重要因素。以往的許多劇本，不是題材不夠好，而是難於合現代觀衆的口味。現代觀衆固爲看戲太多了，包括電影話劇，甚至包括看小說所得的想像在內，因此有很多豐富的戲劇認識，並不是在舞台上作幾個特殊表演或唱幾句唱腔就能應付過去。劇本的內容一定要有新的觀念，和戲劇性的內容。現在我祇能大致提出下列幾個原則性的提議。

1、有意義的歷史題材；歷史題材在國劇中用得很多，但許多戲雖有意義，而戲劇性造不出來。又或有些戲劇性，而毫無哲學在內，如羣英會，但爲一謀詐之局而已，可以說是一情節劇，所以也不是上乘的戲劇。像失空斬便表現出諸葛亮爲國家鞠躬盡瘁，但並沒全部作到應有的戲劇性，否則將是一齣極好的戲。若四郎探母，則有戲劇性，而含義極壞。

（未完）

一縷煤烟更正啟事

本報第九七〇期「海闊天空的一縷煤烟」第三節，被手民誤植數處，特將該節重刊於後，並請讀者原諒。

三、關於封閉雜誌的講話

趙友培先生在這篇文章中說：「我自己又是中國語文月刊發行人，所有雜誌，都是我的同業。我對某些雜誌的作風不贊成，雖有表示我的看法與自由；但無論如何也不願意自毀立場，如中華雜誌所刊徐某投書，說我要封別人的雜誌。這個謠言，原是從去年舉行文化團體負責人春節聯誼會之後造出來的。我非常感謝老友張鐵君兄，別人告訴他，我要封他的『學園』，他絕對不信；但也有人誤信，這也要怪我平日交遊太疏，自信過甚，而事後又未及時函請胡秋原兄更正。在今年同樣性質的春節聯誼會上，已交由中央第五組負責人公開說明，把這件事澄清。去年出席的人，今年也大部分到場，大家有耳共聽，眞僞立辨。事後，並有正式復函給我。這個謠言應該到這裡爲止。」此事，在去年爲何南史先生所傳出，「中華雜誌」上的「投書」，亦明明寫着「詩人何南史先生起立，予以痛斥」等語，既然趙友培先生一再否認，不能不向何南史先生詢問當時的詳情，以作大家評斷的資料。頃接何南史先生五十八年六月四日大函云：

「聞趙友培先生先後在『作品』及『文壇』上，對彼於五十七年十二月五日，在中山堂舉行之全國學術性人民團體負責人會議之發言，認爲係徐復觀教授誣衊一節，純屬謊言。茲將大概畧述於後：

「是日會議時，弟首先將中國詩經研究會理監事會通過，爲文化漢奸梁容若獲獎案告全國學術界人士書宣讀並發表談話，指摘中山堂學術基金董事會。當即有宋膺、趙友培、易國瑞三先生爲之護航。

「宋膺措辭平和，畧謂：『知過能改，善莫大焉，對梁容若應予寬容。』

趙友培則慷慨激昂，紅着脖子說：『現在台灣有中華、陽明、學園、現代等雜誌，亂罵人，顯有匪諜從中操縱，政府應把他們關門，風氣全被他們弄壞了！』

「弟即發言痛斥，畧謂：『在場都是文化人，紅帽子豈可亂扣。……』

「接着，易國瑞又起來響應，作蟬噪，他說：『我堅決反對中華、陽明等雜誌，亂罵人，對趙友培的意見絕對支持，這些雜誌必有匪諜，我要求大會通過建立正確的文藝路線，不許此歪風滋長。』

「弟聽此言，怒髮冲冠，痛加申斥，聲色俱厲的說：『台灣的民主自由，即所以有別於共匪之專制獨裁了！大會決不可採納此意，我堅決反對，我與中華等雜誌，絕無關係，全是站在公平的立場來說話的，你易國瑞在國外，因籃球批選弄了不少笑話，丟了我湖南的人，倘敢在此大肆謠言嗎？？亂戴雜誌紅帽子嗎？我要求他出去……』正在大發言中（最後弟發言達一點二十分）齊純鑑主席紹令人送來一紙上說：『易國瑞先生已離開會場』，請何先生息怒……』旋即散會。」

黃少谷——和平日報

·辛文彬·

和平日報是掃蕩報改組而成，這是大家都知道的，掃蕩報武漢出版時直到遷入桂林發行期，都是掃蕩報的全盛時期，掃蕩報的戰事消息特別豐富，尤其在戰時，一般人非看不可。

南京和平日報，是全國和平日報的總樞紐，院長爲黃少谷先生，黃雖然做過行政院副院長、外交部長、宣傳部長、現任國家安全會議秘書長，嚴格的說乃報人典型，名報人和政治家從不講一句使人過不去的話，還有辦官報很少未出過亂子的，祇有黃少谷不僅未出過亂子，連新聞標題都非常適合口味，今天辦官報，都得向黃少谷先生看齊。黃先生筆下亦很流暢，腦子轉的又快，當年中央日報陸鏗寫新聞出了毛病，表現出黃的靈活運用和處理手法，祇可以意會難以言傳，筆者由衷佩服。

報壇點將

文滙樓別記

台灣師範大學教育學院院長田培林，夜間部主任侯璠，訓導長李寶和，教授伍振鷟、張春興、張起鈞等，函師大離校校友云：

「各位離校，前後多年，母校師長們，眼看着你們嚴守崗位，爲作育人才而努力，眞是不勝欣慰。

現在我們向各位推介一份傑出而有教育意義的報紙，就是三日刊的香港「自由報」。該報前身本爲「自由人」，但去年春由一些學者教授接辦以來，却完全脫胎換骨，以新姿態出現。我們所以特別推介該報，理由有三：

1、該報內容非常純淨：因其創辦主旨，在於爲民喉舌，移風易俗，故所論述，皆針對當前社會各種問題，而無黃黑灰色及生意經之不正常色彩。

2、該報立場非常嚴正：該報對於各報的輿論，有一種再批評的作用，其態度是建設的，而不是破壞的。如上次關於小學國語科應正名爲國文科之意見，該報始終支持母校文學院沙院長之主張，甚至上書總統，披瀝陳辭。這種仗義執言的精神，實爲他報所罕見。

3、該報作者皆一流之選：唯有學者辦報，才有學者投稿。故該報執筆者皆爲當代第一流之學人，如錢穆、熊式一、吳經熊、顧翊羣、沙學浚等，數十名學人均經常撰文發表。

由於以上三個理由，我們希望各位能把這份報紙帶給你們的學校，你們的學生。讓我們的下一代能受到健全的社會教育，受到一流學人的指導。」

師大在全省各縣市服務的畢業生，率多熱烈響應，也證明台灣師範大學教育的成功，我們除了感謝田培林先生等及教授外，對孫亢曾校長暨全校教授均表示誠摯謝意。

另有一千份贈閱報紙，係本報同人開出名單本港、日、韓及東南亞、歐美、中東非洲等地佔四百份，台灣區佔六百份，

從一封推介本報說起

一千份報紙由香港送到讀者手裡，包括紙張印刷和航郵，每月須三千五百港幣，自由報是一張文人論政純學人辦的讀物，既不接受美援，又未向政府索取津貼，只靠以報養報，自給自足，每個月結算總有一筆赤字困擾，於無可奈何之中，今春決定將贈報一律加收郵費，涓滴之微，以成江河之大，台灣區每月每戶收新台幣十元，海外各地封套上多少郵票，就請各贈戶購萬國郵票直寄香港，報紙仍爲贈送。台灣區贈戶有一半響應，一半似在觀望，後研究原因可能是對郵政劃撥，感到麻煩，現決定贈戶報可以郵代現，一元、二元、二元五角、五元、十元，十足通用，希望各贈戶自動直寄台北忠孝路三段二十一巷二弄二號自由報連絡中心，如仍不蒙理會，祇好忍痛割愛，樓主先生與馬五先生同，最討厭管柴、米、油、鹽一些事務工作，因贈戶報多爲高級知識領導階層，或在本報寫稿作者，與普通訂戶截然兩途，換句話說就是少一份贈戶報，即等於減少一分報紙力量，今特向各贈戶提出呼籲，請賜予支持，這張二十年來眞正爲人民講話的亞洲唯一政論性華文報，凡香港、台灣學人，未讀自由報的幾乎很少，樓主曾善意批評青年黨排名問題，未及十天，英美及東南亞各地紛紛反應，傳李璜先生在美讀自由報後，立電台北該黨，表示願陪末座。表現出政黨領袖高雅風範。

·文滙樓主·

似詞集

好可笑也

孟路

暑假來臨，給教育、警察和新聞機關帶來了很大的麻煩：大家一窩蜂地討論怎樣防止暑假學生犯罪，研究怎樣把這個暑假平平安安渡過去。也許是由於太緊張的緣故，看那些表現，彷彿大家以「防盜」或「緝盜」的心理，拿對敵作戰的情緒，來面對這個問題。

這就叫人十分納罕。學生們是「人」，他們是從我們這社會、這教育、這家長所「培養」出來的「人」，怎麼一到暑假，大家便相率惶惶不安，如臨大敵，把他們當洪水猛獸看待？

如果他們眞那麼令人恐怖，則其危險性決不止於暑假期間才可怕。如果眞是暑假期間作有效的措施，則平素也不會把學生們「培養」成這個樣子，更應該早就拿出有效辦法來消除這危險性；由此可見，這社會與這些如臨大敵的人們，才眞是問題人物。至於問題學生，其爲數倒沒有社會問題人物多。

「平時不燒香，急來抱佛脚」。緊張的人們，好可笑也！

共軍進北平後？

巨變歷險記！

（○）　胡慶蓉

共軍終於進北平了。

原來宣傳巳久的，現在終於實現了。

原來共軍就停留在北平的四週，老說進來，但總沒進來，是因爲他們在準備。

共軍原來是一羣叫化子，衣服沒衣服，裝備沒裝備。共軍也是烏合之衆，講的是打游擊，德國式的訓練、日本式的訓練、美國式的訓練都是沒有的。但他們畢竟是獲勝了，他們的獲勝，他們也不知道爲什麼？他們的獲勝，並不是他們有什麼能，乃時勢使然。我們這邊去，也們自然可以將中國大陸席捲而來。

李闖王怎樣進北京的，我們不知其詳，共軍進北京，我們會親眼目睹。實際上，北平的人，親眼目睹的並不多，也可以說很少很少。大家都認爲共軍的進北平，不啻是大禍的臨頭，如喪考妣的在家中痛哭流涕，在家中心神不安，彷彿待罪的人犯，待宰的羔羊。

整個的北平，在極端恐怖的氣氛之下，共軍雖然進來了，並沒有人去看，很少人去看。但共軍的進來，是有準備的。據說在他們進來之前，有一段很長的時間在訓練。北平不同鄉村，北平乃中國文化的中心，中國千百年的故都，拿鄉下的一套進北平，是不合適的。在未進北平之前，先要對北平有一個瞭解。

特別在服裝方面，也不能像在鄉下，也要穿得整齊，穿得乾淨。訓練需要一個時間，治裝需要一個時間，共軍之遲遲進北平，其原因在此。共軍進北平的那一天，北平成了一個哭喪的城，沒有人民的隊伍在街道兩旁，沒有人民的歡呼，他過他的，儘他過，過，過，但總過不完，總在過，好像他所有的都拿出來了。有人說，他並沒多少，只是過了又回來，回來又過，所以總像過不完似的，總像在過。共軍進城，當時參加的，恐怕只有陸軍。槍炮舊的很多，但新的也不少。還新的，從那裡來的？從蘇聯方面，自然沒有問題，但也有從美國的。共軍通過北平的大街，可能像劉姥姥進到了大觀園，到處都感到新奇，但沒有劉姥姥那樣的幽默。共軍，進北平的，可能都是受過訓練的，個個面部都沒有表情，只向前看，只管進、進、進、進……北平簡直像個死城，大家的心情是難以言宣的，但又奈之何的。

所有參加進北平的共軍，土氣雖然還是很土氣，但個個都乾乾淨淨的了。共軍來自民間，土氣自然土氣。他們的土氣，自然非一時的訓練所能改變的。但土氣雖然還土氣，外面的服裝確實是換了，個個倒是乾乾淨淨。毫無表情的在通過北平，通過，通過，通過……。一天都在通過。究竟有多少人參加這一次的遊行，誰也不知道。

觀光與題詠刻石（七）

・胥端甫・

「駕小艇獨泛寒潭，顧茫茫夜色，痛斷柔腸，惟有輕生離濁世；偕諸昆同遭赤禍，看滾滾洪濤，望穿秋水，問誰渡海雪沉冤。」就發揮有代替死者抒寫沉冤莫白的感情。如果分成攬勝、懷人、弔古、詠物、警世等種類去徵求，我想定有非常豐富的收穫。關於社會人士者，這又要分成個人和公衆兩類：譬如私人的園亭、墓地，以及有紀念性之物事，而刊刻詩聯者，這就歸諸個人類；譬如各種公園、祠廟、紀念堂、中山堂，以及海、陸、空軍的殉難所、和紀念墓園，而分類選刻各家佳構，以供人讚誦者，這就歸諸公衆類。其他都市的商店、公廨、交通線上的橋樑亭柱，都可懸刻楹聯，而商號名稱，更求雅趣，都可表現我們民族文化的優美。譬如四川成都的商店，有「不醉無歸小酒家」、有「歸去來」、有「味腴」種種美好的名稱，都富有雅人深致。今天推行復興中國文化運動，不但在觀光地區提倡題詠刻石方面，更應廣泛地向社會兩類普遍倡導推行，蔚成風氣，這纔是復興文化的實際作爲。

橫貫公路是台灣觀光的中心地區，但是我去遊了一次回來，卻一無所得。連修建橫貫公路的紀念碑都沒有，站在梨山行館一望，只能說四大皆空。而這空裡面差堪自豪的自然是羣山的巍峨，烟雲的飄渺，但是人與文化的點綴卻概付闕如，較之大陸名勝之區，就大爲遜色。我爲了潤飾山河，對橫貫公路卻作詩聯不少。天文台「餘不是觀閣主」爲了「使一般未及往遊者獲讀後，於該橫貫公路之名勝風景，了然胸次，聊當臥遊」，曾分別加以評介，惟僅錄一二，雖窺全豹，茲特列引如次：

一、太魯閣云：「從茫茫綠浪之中，矗起萬壑千巖，衡量山經：則長江失其汪洋，匡廬失其奇險，巫峽失其幽深。幾千年霧鎖雲封，渾然淋漓眞宰；向煙煙烟霧以外，招來神工鬼斧，盡年禹績：似費胥爲之效力，九丁爲之驅馳，共工爲之役使。數萬人幽鑿險鑿，完成坦蕩康莊。」按閣在橫貫公路東段入峽谷之口，從此至關原一帶，沿途海拔遂漸升高到二千六百餘公尺，險峻幽深，奇麗無比。長春祠、燕子口、靳珩橋等名勝均在其附近爲修路員工殉職之所也。二、長春祠云：「崎嶇世路藍天備，逢逢傳社鼓之音，萬古長春人宛在；浩蕩雲程拼血肉，冉冉下桂旂之影，九歌作湘燕飛來。」按祠內供奉工程師與殉職榮民之神靈，平均每公里要死二人，傷殘還不在內，骨碎魂勞，無任崇敬。（未完）

御廚談藪

干炸麻雀腿

麻雀腿上肉，和欲飲觀音瓶中水，千年瓦上霜一樣罕難，因麻雀腿上根本沒有肉，我們今天做干炸麻雀腿，是一般最名貴下酒菜，以證明當年皇室享受，沒有做不到的事。

用火麻結成粗約燈草樣的線，滾過洗淨，晒干備用，麻雀胸前肉切成泥，和以最上豆粉，以麻雀蛋當水調和胸肉豆粉，然後用火麻線沾糊留小磨麻油中炸成黃色，吃干的署加椒鹽與五香粉，吃糖醋的，外加糖醋鹵，但均須有蒜米蒜花，這是一道文雅的菜。細嚼嘖味，程滄波先生雖喜歡研究吃，但他是吃大魚大肉的朋友，這類偏峯菜難獲欣賞，寧波人稱廚師爲「飯烏龜」是很有道理的。

▲林泉隱▼

美蘇與毛共核子戰爭的預測（續）

・高格・

五、結論—唯有中國反攻才可消除核子武力浩刧。

（續九七八期）第二次世界大戰，是因爲美國在日本的長崎廣島，投擲了兩顆原子彈，才結束了同盟國與軸心國之間的戰爭局面。美國也就因擁有原子武器，使唯我獨尊的稱霸於天下。不過好景不長；四年後的蘇俄，也由於原子試爆成功；十九年後，毛共也試爆核子武器，使核子武器由獨佔局面，一變而進入了分享時代。世界局勢也因此演變成互爭核子與飛彈優勢的對立緊張局面。

現在核子武器貯存最多的美、蘇兩國，縱然有足夠一舉消滅對方的潛力，但仍然不敢貿然下手突擊。因爲按動發射核子飛彈的電鈕，雖可能在極短時間內，獲得勝利，但本身也必創傷深重，奄在一息，此因被動的防禦的一方，祇要在雷達網上發現情況，勢必傾全力加以報復，而主動攻擊的一方，此時也僅能在時間上佔點便宜。這樣的互攻互殺，在本質上就已注定了「兩敗俱傷」的結局。如果這時再被其他強國乘虛而入，那就真的只好坐以待斃了！所以第三次世界大戰，由韓戰揭開序幕，直至越戰爆發，仍僅局限於某一地區。蘇俄之所以未動用核子武器，毛共之所以僅以核武器作恫嚇，是因爲它知道，能掌握各傀儡政權，從而以政變方式擴大自己的勢力，進而囊括其資源，要比丟原子彈更合算，更容易達到侵略的目的。所以至今的戰爭在形式與實質上，還是限於傳統的戰術運用。核子武器的可怕，美蘇與毛共三方的政策設計人，早已洞悉。所以甘迺迪總統才要與克里姆林宮設立熱線電話，而科錫金的簽訂禁止核子擴散條約，其因也在於此。

核子武器的可怕已如前述，不過發展核子武器，能嚴重到危害世界絕大多數人類，必須具備必要條件，否則最多也祇能自保不受侵略。目前，美蘇等強國固然具備強大的核子毀滅力量，但令人可怖的，是數十年後的毛共僞政權，不但地大物傳，資源豐富，並挾有佔全世界核子原料（鈾）五分之三的礦藏。如今大陸在其暴政統治下，寧願老百姓不穿褲子，也要拼命的搜刮榨取，優先發展核子武器，在世局安定狀態下，利用美、蘇緩衝的空隙，將來很可能後來居上，成爲最多核子武器的擁有者。局勢果眞不幸演變至此，世界人類的浩刧，則慘不忍言了。

美國的故總統甘迺迪，有先知之明，當獲悉毛共致力發展核子武器時，便深爲憂慮，主要的是他認爲毛共的黷武本性，一旦握有核子武器，等於老虎添翼。可惜美國人中自命爲中國通的費正清、傅爾布萊特之流，竟異想天開的想把與毛共間的和解建築在它下一代的身上，認爲毛共多加入國際集會，使自然會致變觀念，終而與世界各國和平相處。根本忽略了共產黨徒的紅色聖經，出發點就是仇恨，他們並早已將這仇恨的思想強化到百年大計的教育上，拼命灌輸下一代的盲目仇外思想。如此，一旦等到毛酋的下一代掌權，恐怕還要「青出於藍」的更行排外仇外了。已經有「先入爲主」的成見，想化解其怨懟，就是有機會給以再教育，引導納入正軌，也不是短期可以收效的。

匪俄邊境衝突，目前尚不能演變成正式宣戰的局面，因蘇俄如果向中國大陸進軍，甚至動用優勢核子武器，必然會失去對東歐附庸國家的控制力，它不會不警惕於過去匈牙利的反奴運動，捷克的自由化事件，以至國內分子國的獨立問題。所以就是它能夠勝算穩操，也不敢輕舉妄動，寧願將夢想寄托在毛共與美國間可能發生的軍事衝突上，自己好坐漁人之利。美國面對匪俄挑釁，也是左右爲難，已經有「聯毛制俄」與「聯俄制毛」的二種主張，能否行得通，自己也沒有把握，既怕聯俄使俄共勢力更爲膨脹，不堪收拾；也怕聯毛被毛匪玩弄出賣。因此樂得先冷眼旁觀靜以待變。

綜觀美、蘇二國與毛共之間的關係，已由於目前的各有利害、各有打算，而搞得極爲紛歧複雜，充滿了糾纏不清的矛盾。在未來的美、蘇高階會議上，毛共問題將必爲討論的重點之一。毛共也深恐美、蘇達成協議，使自己陷於兩面作戰的危險，所以才先發制人的大喊大嚷：「蘇修勾結美帝在圍攻中國大陸」，逼使美、蘇合謀有所顧忌，樂得藉此機會在邊界製造緊張，轉移羣衆目標，收拾所謂「文化大革命」以來的渙散局面。

所以從國際情勢來分析，毛共與美、蘇無和解可能，未來的高階會談，對毛共問題就是能產生一些禁止售予戰略物資等老套，甚至決定摧毀其核子設備等（毛共已有預防），均非高明之策。不在根本上解決問題，終必使毛共坐大。一旦爆發三方面核子大戰，飛彈滿天飛，飛到超過使用極限，震斷地球軸心，也不無可能。我們以爲最好的辦法，應該是援助中華民國反攻。不要美軍像在韓、越戰似的死人，祇要它給予充份的後勤支援即可。由於毛共反俄不遺餘力，如今俄帝一定正在悔不當初，它很可能從此不再過問毛共的死活，甚至樂於見到它的被推翻。由中華民國消滅毛共，歐亞兩洲乃至全球人類，才可獲得永久和平。

我們確信當前是我們揮軍北上的最佳時機，不僅由於毛共喪失了蘇俄的後合勢力，更由於「文革」以來，共黨內部分裂，民間反毛聲勢空前壯大。只要我們採取行動，必然收到事半功倍之效。（完）

自由報

（第九八〇期）

（半週刊每星期三、六出版）
每份港幣壹角・台灣零售價新台幣弍元
社長李運鵬・督印黃行靈
社址：香港九龍彌敦道593—601號
廖創興銀行大廈八樓五座
LIU CHONG HING BUILDING
7th FLOOR FLAT 5
593—601 NATHAN ROAD,
KOWLOON, H.K.
TEL: K303831
電報掛號：7191
承印：秋星印刷公司
地址：嘉咸街廿九號地下
台灣總管理處：台北市大同街119號
台灣區直接訂戶　台郵劃撥戶
第五〇五六號張萬有（自由報會計室）
電話：七一四〇三三、五五五三九五
台灣分社：台北市西寧南路110號二樓
電話：三三〇三四六，台郵劃撥戶九二五二號

兵不血刃的「超級心理戰術」

東方傑

什麼叫做「超級心理戰術」，超級心理戰術者是用心理學，傳心術，催眠術混合組成的一種心理作戰技術，這種作戰技術，功效特別强烈，暫姑名作，「超級心理戰術」。

超級心理戰術，等於政治作戰中的核子武器。核子爆炸，是一種能看得見的科學競賽。「超級心理戰術」是一種攻心戰術，他的功能生根在人的心田，乃不易看到的武器，沒有辦法預防的武器，一旦在人的心田中生了根，拔不出也割不掉。中國有「生於其心，害於其政，發於其政，害於其事，聖人復起，必從吾言矣」的名言，美國杜克大學教授雷克曾說；「超級心理戰術它的攻力遠超過氫彈。」心理作戰的重要性，既然這樣偉大，我們的注意力，早應當集中於此，可是今日心戰技術與四十年前並未有兩樣，這是值得檢討的。

傳心術的存在，不管是先進的美國，或崇拜唯物論的蘇俄，都公開承認，且證明了能收到心電電波的儀器，根據甚多實證，心電可以互達。我國所稱的「心心相印」也就是這個道理，我們試舉幾個例子來說明。

比如男女間在戀愛時，普通友誼的過程中，各人雖未道出心事，但心事却常隱隱約約出現在對方心坎中，基於這種隱約的發展，漸第道出心裡的事情，又譬喻當我們與父母妻子兄弟兒女久別的時候，每逢過年過節，總有一種不安的情緒，乃至於心驚肉跳，面耳俱熱，這乃是對方的心電不斷向自己呼號所引起，古有；「每逢佳節倍思親」以證明「傳心」不自今日起；還有就是求神祈禱，欲得到某一項願望，誠心誠意，腦子裡默禱所求的對象，這時的心電必然傳給對方受了電波的感動，不期而然的生出反應，這種反應被有神派稱作「誠則靈」或「有求必應」，其實就是傳心術的存在，中國有「精誠所致，金石爲開」的話，這些話能够一代一代的相傳，必有其可傳的因素。又常見到治安機關跟蹤一個重要疑犯時，主管常派有經驗的工作人員去担任，因爲有經驗的人，很少會被對方發現，不被對方發現的原因，就是他能駕輕就熟，稍稍注意即可，因之心電的電波很微弱，可使對方於不知不覺之中，而能從容達成其任務。講到這裡，有件事，值得順便一提，即「唯心」「唯物」兩派學者，各執已見，互爭短長，其實心物性質雖異，但爲互待而存的，心物實則是相關連的，單獨崇尚於唯心或者唯物，無疑的都是一種偏差，比如我們的身體是由物質所組成，而心靈生作用於其上，以表示心物是一致的，故心物有密不可分的關係，再進一步說，心物相關的事以爲例；比如我們的身體健康與否，必影響到精神好壞，而精神上的變動，又必然形容於外貌，喜的時候笑，悲的時候哭，羞的時候面部發紅，恐怖的時候身上出冷汗，或手顫腳動，這些還是心對物的間接影響，心物更直接有關連的，乃神經系統的中樞是腦髓，腦髓多的人，智慧必發達，或者平常專用四肢不用腦筋的朋友，其腦髓必隨其習慣跟之後退或者減少，曾國藩所說；「腦力愈用愈出」確有其至理。人類如此，其他動物莫不皆然。基於此事實，唯心和唯物，是很難劃出一定鴻溝的。現在我們繼續討論有關傳心術的問題，傳心的秘訣，是需不斷不斷的講，反復的講，所謂黑的要講成白的。

我國舊小說的「孟姜女」「梁山伯與祝英台」等書的作家們，可能都是對傳心術有研究的人，比如孟姜女的傾訴，正月裡怎麼樣，二月裡怎麼樣，三月，四月，五月直到十二月，很合乎傳心術原則的。「梁山伯與祝英台」的台詞，也是反復的埋怨，因之能將劇情本身的悲哀，感染到觀衆，觀衆們由同情劇中人的遭遇，而流出同情的眼淚。聽說毛共所施的「思想改造」就是以傳心術爲重要依據，他們的方法，是用心理影響到生理，在施術的過程中，起碼要四個月，例如；法軍曾在越南對共匪作戰時，奠邊府的守將卡斯脫里，因戰敗被共匪俘擄，經過四個月的「洗腦」和「思想改造」，後被釋放回到法國，巴黎軍方爲他舉行盛大的歡迎會，請這守將即席報告共匪泯滅人性的殘酷事實，但未料他上了台，大說其共匪的好話，這就是他的腦子，受了傳心術影響，腦神經的白色纖維，受了外來的破壞，傳導作用發生問題，腦神經的灰色細胞，同樣受了刺激，中樞作用失了靈，剩下了小腦在活動，一如做夢的情形相彷彿，使他在一定的環境中，就會講出那些不三不四的話來，而事後去問他，他竟全然陷於不知，破壞腦神經纖維和細胞的方法很多，現在再舉若干實例來加以說明：

世界著名的生理學家曾將一個小孩的眼睛，用布蒙起來，使他坐在那裡受術，拿小孩心裡喜歡的動物給他，並溫和的告訴說；這是小貓，這是小狗，這是小白兎，另一時間拿小狗給他時，突加以强烈的爆炸聲，小孩子立即會將小狗推開，大哭起來。第二，第三天繼續實驗，不用爆炸聲，小孩子祗要一摸到有毛的東西，就會懼怕的哭起來，這是因爲爆炸聲向小孩子腦神經攻擊，將其腦神經纖維細胞作局部破壞，心理上受到大的影響，當時小孩子被蒙住眼睛分辨不出是什麼東西，於是摸到有毛的東西，就會哭起來。

傳心術之能在「超級心理戰術」中，佔有鼎足之一的份量，其功用之大，可以推想，傳心術運用的原則，就是不斷的講，雖然是假的，乃至於欺騙謊詐，也得當成眞話，昔日中國有一位學者，諷刺史達林時說：「吹並不可怕，乃吹久了，自己也信以爲眞，最可怕了」。比如民國三十八年，中國大陸淪陷後，毛共叫囂，要與美國談判，當時美國報紙大加諷刺，美國政府發言人也認爲這簡直是不可思議的事，但由於毛共天天講，不斷的講，用各種各式的方法講，後來美國竟與毛共舉行大使階談判，不知不覺上了毛共的當，這就是利用傳心術的必然結果，這種叫囂，不僅毛共自己信以爲眞，且使對方也不把他當成吹牛來看，其實這些話還未講到盡頭，我們認爲，匪幫吹久了自己信以爲眞還不可怕，可怕的是將別人的科學進步，也當作是吹，那麼人類趨向於毀滅性的第三次大戰，就非爆發不可了。

「超級心理戰術」的組成，另一重要因素就是催眠術，簡單的說，即利用人爲的方法，使人睡眠，即所謂之催眠術。催眠術在現代醫學上的價值，漸爲人所熟知，用睡眠的療法可治胃病十二指腸潰瘍，可治經久不癒的創傷和潰瘍，可治神經病及精神病，可治神經衰弱症，可治眼科宿病，可治慢性痢疾，可治跌打損傷。筆者曾目睹一位催眠術家表演過，他使一位患肺病的人進入睡眠狀態，並指揮其做出各種各樣的動作，等到病人醒來之後，問他經過情形，病人竟完全不知道有這回事。

催眠的本態，是由於什麼原因而成立的呢？這個問題在歐美方面，存在著許多論說，現在我們不妨摘要概括的一談：（一）神經病專家認睡眠的時候，高級皮質中樞的細胞活動暫行停止。這種停止作用，係由於樹枝狀突起收縮，而致引起神經單位之間的接觸結果。（二）大腦貧血學說：霍魏爾（一八九七年）認血管運動中樞的疲勞，引起末梢血管，尤其是皮膚血管的擴張和大腦血流的減少，乃生睡眠現象。（三）皮隆氏認爲有一種腦組織所產生的物質具有引起睡眠的作用，他把這種物質稱爲催眠素。他曾將一條在睡眠中被殺死的狗的腦脊髓液，注射到另一動物的體內，照樣能引起睡眠狀態。（四）克雷特曼氏，他認爲睡眠乃是由於腦皮質的不活動性所引起，使肌肉緊張力的神經肌機轉的疲勞，是致眠的重要因素。（五）睡眠中樞說：用電流刺激下視丘，或者該部發生病變的時候，即引起睡眠。巴夫洛夫對於睡眠的理論：「睡眠乃大腦半球皮質某一點所發生的內抑制，向全部大腦皮質擴散，因而引起睡眠。」我們根據上列各家的說法，運想到當我們看見好吃的東西時，口裡就會分泌唾液。還有就是同坐的人有打呵欠時，會引起我們的呵欠或睡眠，這一種新的刺激和舊的反應聯繫攏來，無疑的形成催眠術因子之一。催眠術能使人成熟睡眠，可以完全恢復大腦細胞的勞動能力。至於對已經受到損害細胞，睡眠更能發揮它的治療作用，促進他們早日恢復常態。

催眠術其所以能構成「超級心理戰術」，乃是用一種精神方法，導人於睡眠狀態之中。還有一種特殊的電氣催眠，爲俄國列文卓夫教授等發明，但這種催眠，祗能用作臨牀治療，而無法用於「超級心理戰術」。英美有若干專家將小兒按照不同的季節，穿上適宜的衣服，放到戶外陰涼的空氣中，使小兒可得酣暢的睡眠，這種所謂新鮮空氣催眠法，也只適用於醫療，無法用於超級心理戰術。「超級心理戰術」裡所採用的催眠術，是精神的，而不是物質的。「超級心理戰術」所需的催眠術是綜合性的，因人因地因時而易的，匪區的報紙，省與省間不准流通，國與國間販賣報紙，查出要判死刑。這些都是基於他們自己「超級心理戰術」上的需要，換句話說，就是共毛係施術者，毛共以外的人，統統劃爲受術者，在受術的過程中，毛共自己都全以爲眞，何況是受術的人呢？

——以下轉刊第二版——

自由談

台灣報載：高雄地方法院檢察處對中樞監察委員調查訴訟案件，認爲干涉了審判權，表示抗議，且謂已蒐集資料，成立專案小組，要跟監察院講講道理，似乎受有多少委屈的樣兒。繼而法院方面又發表聲明，謂檢察處只是向「國家安全會議」的調查人員，提出上述報告，幷無搜集資料，究問是非的事實云云。我們不管孰是孰非，本着輿論職責，未宜熟視無所容心，默爾而息，因爲這是關係國家的紀綱問題也。

庸人自擾

監察委員有考察庶政得失，繩愆糾謬的權責，他們的調查工作範圍，幷不限於司法界，亦非對一切訴訟事件都要調查的，調查的作用只在明瞭事實，決不能左右法官的意旨，妨害法院的獨立審判權，這是常識。身爲法官者，祇要執法公正廉明，無懈可擊，所謂「爲人不作虧心事，半夜那怕鬼敲門」，他儘管調查，我秉公裁判，夫何憂何懼之有？不特是不怕別人調查，且可以公諸社會大衆，了無愧怍。今乃認監察委員之調查爲干涉審判權，而向「國家安全會議」提出申訴，是何用意耶？難道希望「國家安全會議」制止監察委員行使職權不成！庸人自擾，莫辭失態之咎。

高雄法院檢察處這項申訴書，是一種機密文件，報紙何以能够把全文披露出來？若非法院自行洩漏，即係接收這項機密文件的高級機關未能保密，二者必居其一，非徹究不可。亂世人心澆漓，乖氣充溢，人人抹煞理性，泯滅良知，而以爭鷄蟲得失，尋瑕背嫌怨爲能事，以致正氣消沉，是非混淆，形成「封閉的社會狀態」，此爲國家前途的一大隱憂。法院原是專講是非，主持正義公道的所在，然其言行乃如此，怎不教人聞之太息悲觀，見之怵目驚心，而有「棟折榱崩，僑將壓焉」之感呢！

馮五先生

昨日與明日

對李國鼎部長進一言

空前的變動

新任財政部長李國鼎先生在接任財長後，將部內人事大量變動。主任秘書、賦稅署長、國庫署長都換了新人，錢幣司長據說也已經辭職照准。主任秘書應當隨主官共進退，至於賦稅署長等官員，乃是事務官，照例是不受主官易位影響的。歷任財長：從來沒有像李部長這樣有氣魄，如此大量更動人事，而賦稅署署長的更動，引起署內人事的糾紛，更開財政部有史以來的紀錄。因爲新任署長的底缺，是該部賦稅署的專門委員，現在突然連升三級（處長，副署長和署長）部屬突然變爲長官，所以，原來的高級人員四位處長，一位副署長便不能不一齊求去了，處長以下人員心理與情緒也極端不安。部內外無不視爲這是財政部空前的變動。

事務官應受保障

我國文官制度將政務官和事務官分開。事務官是要受保障的。我國頒有公務員任用法、服務法、退休法、俸給法、考績法、懲戒法，行之已久。對於公務員的任用，升遷、考核和懲戒，都應依法辦理。對於他們的去留，更要特別慎重。尤其中央各部會高級和中級官吏大都隨政府由大陸遷台，具有二，三十年爲國勤勞的歷史，以公務員待遇之如此菲薄，仍能安於其位，不能不謂爲忠貞之士。又何況辦理財稅業務，需要專家熟手。科學講分工，稅務更專門。讀完財政學ABC，不一定會辦稅。懂所得稅的，不一定熟悉貨物稅的業務；精悉貨物稅的，更不一定懂土地稅。讓這些熟手都走路，豈不會影響徵稅業務。據悉：財政部公文，百分之四十都是分到賦稅署，其他十多個單位才佔百分之六十。財政部重要職責就是徵稅，賦稅署業務既如是重要，對其人事安排，豈可草率兒戲。我們也不明白，專門委員連升三級是否經過公務員升等考試？依據那樣法規？

守法第一

李國鼎部長在經濟部長任內的建樹，的確使人欽佩，雖然講演太多，台灣輿論界多稱爲明星部長，似亦無傷大雅。說老實話，我們倒願作李部長一個益友和諫友。李部長的才華幹勁和淸廉之風，在目前財經人物中，尙不多見，站在輿論界一份子，我們萬分希望：李部長大展鴻猷，爲國謀利，爲民造福，不過，作大事，不能專憑幹勁，構想和直覺，必須瞭解內情，熟思遠慮，而國之重臣必須以「守法」爲第一，如果不依法度，不講制度，便是自亂章法，毀壞根基，勢將流弊無窮，將來可能有「悔之晚矣」的一天。

・曹松・

中央公職人員增選補選
選舉總事務所成立
北市議員選舉定期十一月舉行
兩次選舉競選資格均規定綦嚴

（本報記者黃尙賢台北消息）中央公職人員增補選舉總事務所定於七月十七日成立，選舉委員會由國家安全會議國家建設委員會主任委員周至柔担任主任委員，總副幹事分由內政部民政司長高應篤，鄒辦居伯均担任。依照初步統計，國大代表將增補十五至十六名，立委增選十一名，監委增選二名。執政黨已決定，對於中央級民意代表及台北市議員兩種選舉，黨員不能兩項同時競選，只能登記一項提名。如兩項登記，則提名均不予攷慮。訂八月中旬開始登記，日期十天，凡不經登記提名而競選之黨員，將予黨紀處分。執政黨提名將不予滿額。以期吸引社會有才能之士參加競選，共同致力民主政治。對於候選人資格，除應符合「中央公職人員增補選辦法」規定外，並要求品德、學識、年輕、聲望、熱心等條件，以提高國會素質，注入國會活力。將於十月公布提名結果。

台北市第一屆市議員選舉，政府已決定在十一月十五日舉行，執政黨台北市黨部，業於七月十四日起至二十三日止，辦理黨員候選人登記，要求原則以年在五十五歲以下，具有大專以上程度者，優先攷慮，操守良好無不良紀錄者，能力卓越富於服務精神者，有良好社會關係及經濟基礎者。務期遴到好人出頭，提高議員素質。依據台北市公職人員選舉罷免規程規定，市議員依據現有人口數一百六十三萬七千六百零八人，則第一屆市議員應選出四十八人。台北市臨時市議會現有議員六十三人中，有資格參加競選的只二十九人，預料能遴選者，至多不超過二十人。據社會調查，有意參加角逐者，約三百人左右，其間婦女約佔十分之一，友黨約有七人。以學歷計，大專畢業者約有半數以上，其中執政黨籍者約一百人左右。

現有議員中，有爲資格問題，費煞苦心者，例如周細貽曾遠涉重洋到日本自治大學唸書，證件如能及時取得，尚能趕上登記。另有一些已取得大學、高中畢業證書者，卻未敢貿然往銓敘部參加檢覈登記，因見市臨時議員許炳南，涉嫌僞造日本某高中畢業證書，被治安機關傳訊取得筆錄後，將移送地檢處偵訊，有如前市議員宋霖康僞造證件之情況。此外現任議長張祥傳近確取得日本特許大學頒贈榮譽政治學博士證書，正趕向銓敘部辦理檢覈登記中，準備參加競選，企望將來仍登議長寶座。現任副議長陳少耀却未搞證件名堂，因其有中興巴士總經理席位可爲。持有博士學位的人，是不是可以獲得檢覈合格證書呢？據專家指出：博士學位與學士學位不同，學士是指取得大學畢業資格者，而博士學位可以頒贈，係代表在某一學問方面，有了特殊成就之榮譽，不能據以證明其已唸完初中、高中、大學、乃至研究所，除非他另有其他證件，正因此，那些自稱已有博士證書的人，不得不仍心存觀望。再許炳南原係景美區選出的縣議員，曾任台北縣副議長，隨景美區併入台北市作了聘任臨時議員，早已打算於競選成功後，問鼎副議長寶座。假如僞造證件是實，議員選不成，還得坐牢呢。

發展高職教育
緩和升學競爭
潘振球在省議會提報告

（本報記者公孫能台北消息）台灣省教育廳長潘振球於七月十四日在省議會提出工作報告說，本省實施九年國民教育後，高級中等學校發展方向，已決定衡酌實際情形，着重於發展高級職業教育，特別優先發展工職及水產職校。預定工職與其他職業之比例，五年後由目前的百分之廿四點七六，增至百分之卅一點五，十年後增至百分之四十。適當發展水產職校，將由目前的百分之三點七三，增至五年後百分之五，以及十年後百分之八。預期今後高中與高職發展的比例，五年後將由六比四改變爲五比五，十年後改變爲四比六。並已規劃中央試辦「實用高級技藝學校」，使生產事業機關共負培養基層實用人材之責。

本省教育工作，五六年來無論「質」與「量」均有進展，但若干新問題必須克服，可能解決途徑：①今後每年約二十二萬名國中畢業生，及爲數頗鉅的高中高職畢業生，如何安排，將是最大困擾，如不徹底解決，各級教育內容雖期充實，教育目標雖期達成，全面教育革新工作亦將受不利影響。②緩和升學競爭之有效途徑，一爲發展多種類型之高職及專校，一爲打通國中及高中高職畢業生就業，在職進修，而繼續升造之路。③高級實用技藝學校與二年制技藝專科，如能妥加規劃，擴工商界切實合作，必有良好發展。④教育風氣好壞，首須教師自尊自重，有所不爲。但教師生活，待遇之改善及社會對教師之態度，均待解決。⑤使教育適應省民及青少年學生之需要，作全面適切規劃，以利國家建設與民族前途，使此社會轉型時期，教育發揮指導社會，推動時代功能。

省議員涂麗生遂針對潘廳長所報告之改革教育風氣主張而特予質詢說，近年因各校迪續發生兇案，因素固多，而校長一身綜理校務，負有全責，其人選是否適當，關係重大，因此，他建議欲改善教育風氣，應先從校長身上着手，除嚴格加以攷核外，並作全面性的處理。

涂議員指出，校長如果選擇品學兼優，溫良敦厚，不攬權勢，禮遇老師者，必能使學風優良，聲譽卓著，不會發生逆倫弒師案。但今日隨着部份校長人選不當，官僚十足，經常奔走於權勢之門，不能專心辦學，甚至於拉攏有權勢之家長，優遇其子弟，致賞罰不明，是非不清，試問如何能創醇厚的學風。更使人瑕挺者，名利心重，操守不良，拿回扣，受紅包，以學校爲宮殿，儼然自任爲土皇帝，視老師爲部下，公然指責老師，師道蕩然，怎能使老師敬重，因此，優良老師紛紛求去。沒有好的師資，那來好的學生，如此治校無方，成績低劣，人緣不佳，問題叢生的校長，希望教育廳嚴予攷核，作適當之處理，或給予調職。

他表示，監察院對教育廳處理省立基隆中學弒師案糾正曰：「基隆省中學弒師之動機，實受台中一中學生殺傷教官案之直接影響至鉅」，如教育廳能在殺傷教官案發生時，嚴加追究，以期明實明確，當可發生警誡作用，使各校長有所警惕，益勵職守。但教育廳因循敷衍，不作適當之處理，不但殺風相互做尤，而且校長以爲有恃無恐，教師羣情惶惑，敗壞之學風，無法消弭，其後果相當嚴重。

爲此，他提出下列二點，要求潘廳長答覆：

一、省立台中一中學生殺傷教官，爲何校長未調職，而基隆省中校長却被調職？厚此薄彼，未知有何原因？

二、基中弒師案發生後，將校長調爲視察，是否適當？該校校長既領導無方，怎能視察各級學校業務？因其自身多缺失，何以督導他人？調職是懲罰，抑或明降暗升？

潘廳長對上述問題，因時間關係未作答覆。

兵不血刃的「超級心理戰術」

（上接第一版）催眠術之滲入「超級心理戰術」，最要緊的是暗示作用要明瞭，無論欲達成那一種任務，暗示上不能有絲毫曖昧，否則很難獲得成功。例如我們欲到匪區裏爭取職業學生，施術者心中須先有成見，使職業學生受到暗示，毋庸諱言，照樣可拿到大學裡的方帽子文憑，和滿足其種種慾望，否則就難以收到預期的效果，還有就是暗示要肯定，不能夠用「閣下棄暗投明後，可能會受到禮遇」，如果這樣的話，必失去受術者信心，施術者無疑的會步向失敗。還有催眠作用唯一的秘訣，就是要把握受術者的幻覺與錯覺，試看往日若干青年受毛共利用的，就像服了「迷魂藥」，這「迷魂藥」就是心理催眠作用，青年受術後，於不知不覺中跟着他們跑，做着他們的同路人。有的直到人生旅途終點站，仍未覺悟，可惜我們從前的有關部門，却未注意到這些，不能不引爲遺憾！

心理學之成爲近代歐美各大學中的熱門課，從第二次大戰起已進入高潮，民主與極權兩大集團的鬥爭過程中，更往熟的運用著。民主國度心理作戰所走的路線，歸納起來研究，未離開佛芳亦爾的理論，即「人類的心理是向上的，好奇的，興盛的，樂意傳播最快最有趣的消息。」比如狗咬人不會被人注意，人咬狗就會構成新聞，也可以說這就是民主集團心理作戰的基本原則。我們以爲這個樣的心理作戰，太單調，太差勁，假定說：「兵不厭詐」的話是對的，我們得趕快改進，趕快補充。要向蘇俄所推行的心理學，催眠術，傳心術，連想術所混合成的「超心戰」迎頭趕上。不能以當前的小康局面爲滿足，筆者於十年前和唐縱先生，鄭介民先生討論到這個問題時，兩位亦認筆者的意見相當寶貴，筆者雖曾應函邀作環島講學，但究人微，所以言亦輕，直到目前筆者想法一貫，勿忽略「超級心理戰術」，因超級心理戰術可以兵不血刃而獲致勝利，以寡擊衆的戰爭，更非推行「超級心理戰術」不可。

（完）

最後結論

依洞集　　孟路

「行爲科學」正在急速研究發展，它將使人類更能臻於安全和有理的生活。而且由於神經心理學的新發現，可使人們心理病態納於新醫治療的控制範圍；人們不必多愁善感，不必輕率殘殺，不必辯爭得面紅耳赤——甚至最後訴諸權威。

我們的老祖宗，像西方先哲一樣，曾經着手追究「人」的行爲問題。可惜後世只懂得抱住了那一點點研究的成果，視作「萬世顛撲不破」的結論，不肯繼續發展。例如有人說：「月球是嫦娥之宮」，大家便守住此說而一直混下來幾千年。足證我們這個民族頂喜好下「最後結論」。剛到海邊，就說他已「遍歷汪洋大海」了。殊不知世上根本沒有「最後結論」。請注意攷驗一下，凡是愛下最後結論的人，定是虛誕浮誇而永不進取的人。這種人一多起來，社會就無可救藥了。

喬治桑外傳

七六　　張大萬

「標準？不見得吧，不過我全身都是貨眞價實的，經得起……考驗。」烏鬍說到經得起的時候，沉思片刻才說出考驗二字。

大塚聽不大懂國語，只在旁哄開叫傻笑，像個楞小子。

烏鬍與喬治桑談談說說，消磨時間，使不勝酒量的人如裘白瓊、貴妃等少喝酒，也算一大德政。

吃中餐吃到甜菜，吃西餐吃到咖啡，算是尾聲。只有吃日本菜吃到那裡是那裏。野田會了賬，宴會遂戛然而止。次一節目由牛與鍾長與裘白瓊安排。也和上次一樣，大塚、野田、貴妃、喬治桑、牛與鍾長一行男女六人，分乘兩部汽車，開到一處找樂子的地方。

這是一家外表像高級公寓的地方，由裘白瓊上前先按鈴，五個男女魚貫而入。喬治桑一看，長方型套房，四邊放有雙人沙發。桌上擺有八雙碗筷。與一般上等人家請客的場面並無異樣。

六人先散坐在客廳的沙發裏，由一個女侍端來六杯若茶。在她到裘白瓊面前時，與裘白瓊耳語幾句。聲音很輕，誰也聽不見。裘白瓊再如法炮製同牛與鍾耳語幾句。

「多索。」牛與鍾延客入座。

看官切莫誤會，「有茶生而淌常下者」，一生直打多索（兩字口旁）之多索，而是日語「請」的意思。

大塚與烏鬍坐一邊，野田與貴妃坐一邊，喬治桑獨佔一方，裘白瓊挨着牛與鍾坐一邊。女侍先端上一個什錦大拼盤，開了一瓶啤酒每人倒了一杯。這時電唱機播出夏威夷音樂，從內室裡扭出四個穿草裙的女郎。除了草裙外却是眞正上空裝。扭了一會，然後索性連草裙也卸掉了，變成赤條條來去無牽掛。

「火辣」舞停止，四個光身妞兒，上前來替客人倒酒、夾菜。與酒家女服務完全一樣。

坐在喬治桑旁邊的，屬於辣中型，經驗似乎尚未完全成熟。過去喬治桑在美國曾到過有上空裝女侍的酒吧喝過酒，上空加下空還是第一次。他雖然帶有幾分好奇心，但總覺得還是美國的酒吧情調好一點。露上空已達暴露極點，過此反覺惡形惡狀了。

在這場吃喝中，大塚、野田興緻最濃。其次是烏鬍，她反而是毛手毛腳地忙個不停。裘白瓊很斯文。喬治桑、牛與鍾很有柳下惠的一套功夫，不能不說是受中華文化薰陶之故。

裸女陪酒在台灣屢遭警方取締，可是收效不大。蓋花錢觀光的大爺多如過江之鯽，都喜歡這個調調兒也。

六位男女客人，再加上四個維納斯式的酒女，鬧到十一點多鐘，席終人散。喬治桑因爲是單人獨騎，只好告退。無疑的，大塚、野田與烏鬍、貴妃又去上演神女會襄王了。至於牛與鍾和裘白瓊是否隨侍在側，喬治桑也懶得過問。

喬治桑回到家門口，步履有點輕飄飄地，帶着微醺的酒意。按了門鈴，應門的却是下女阿花。

「李小姐有沒有回來？」喬治桑問。

「還沒有。」阿花的回答異常簡短。

喬治桑一聽雅麗絲還沒有回家，未免感到掃興。匆匆回到自己臥房，換上睡衣、拖鞋，重又回到客廳悶悶獨坐。

阿花替喬治桑泡了一杯龍井茶，又替喬治桑點燃了雪茄，然後退下。

此時已過午夜十二點，電視節目已完，「百無聊賴」是喬治桑心境最恰當的形容。

喬治桑心中念念不忘的雅麗絲，現正依偎在高大，黝黑，生得極帥的一個三十歲左右男人臂彎裡。地點是郊區銀龍夜總會。音樂台上正奏出極爲纏綿的勃羅斯舞曲。

「鮑伯，你不要摟得我太緊，我無法呼吸了。」雅麗絲嬌喘細細，如怨如訴。

「……」對方并不答話，手臂絲毫沒有放鬆。

與雅麗絲約會的男人，名叫羅蔔蔡。羅蔔是洋名，而鮑伯則是羅蔔的暱（女旁）稱。羅蔔蔡在一家英商洋行船務部當經理，每月薪水在一萬台幣以上，另外還有外快。羅蔔蔡母親是美國人，父親是華僑，一看就知道他是混血種。他本是具有中西文化的結晶。

（未完）

綜談國劇復興（五）

王方曙

四郎一回令，則全面造成反面的惡影響。四郎不忠、不孝、不仁、不義，有失教育義旨，完全是滿清時候討好慈禧太后的媚主戲，而忘掉了民族意識。目前雖改了一個尾巴，說四郎去作情報工作，但大家已看慣舊本子，已無法改變觀念，其實探母一戲只演到見娘，就算劇終。便是好戲，可惜目前已很難改正了。因此，我們選擇題材，必要注意題材的意識，和戲劇性的有無。比如有一齣戲我們始終沒有劇本，像張巡守睢陽的事。這一歷史題材，壯烈不減史可法，而戲劇性尤過之。這是一悲劇，或許目前大家不喜歡，但歡樂的東西在歷史上也很多，復國故事，平亂故事，都有，不妨編造些戲劇性，加強戲劇的力量，便都是好題材。甚至張巡的故事加上尾巴，平了安史之亂，而歸功於張巡，也就很完滿，不致於造成消極的意義，這完全看編劇人的技。由此可見，國劇的題材，在歷史中可以大量採取，僅有取之不盡的感覺，惟需好的編劇技功而已。

2、有意義的民間故事；民間故事也是新劇本創造的一個重要來源，小說和傳說都可以採取，惟也要有意義。以往如紅拂傳，原著但寫唐太宗之受天命為天子，而涉於一點頌聖。紅拂傳實是一傳奇故事，如多設一些「驚奇」的情節，使能有戲劇效果，而移動原作，表現出安定天下的意義，就更好了。像寶蓮燈，表現矛盾，劇情實為上乘。但到了高潮，忽然說出沈香是神仙所生，而故事只有犧牲秋兒，全劇急轉直下的結果，索然無味」。像這種上乘題材，居然沒有處理好，而全部失敗，病在捨不得神仙故事。其實只要肯將這些話去掉，使王桂英在同情沈香無母的情形下，竟捨親兒，豈非「劇力萬鈞」！最後還可以在秦燦的已打死秋兒之時，表現出人性的善的一面，免去秋兒一死，又多麼更有意義？何必，劈山救母，實在荒唐萬分的！所以好的題材很多，而處理的方法是很重要的，往往一個平凡的故事，能處理得好，會有意義有戲劇性。一個好的故事沒處理好，便是寶蓮燈那樣的故事，成為沒意義，而在高潮的時候失敗下來。因此我們在民間故事方面，只要會處理，也有許多好材料給我們。在民間故事可以表現忠孝仁愛信義和平的故事實多，決不會感到無題材可取的。

倫理哲學講話之一　夫婦之道（一）

陳遜子

文前小言

本文係應國民黨中央月刊編輯人□君之請而作。蕭君為本人中興大學之學生。嘗約請本人撰文時，本人以授課極忙，無暇執筆，再四推辭。渠以限期將迫，又以電話力辭不寫，囑另請高明。蕭生復堅其請。以師弟情誼，既尚辭之未獲，乃忍苦以從事。卒夜以繼日，如限完成。蕭生將稿取去，即付編排。印成校樣，送余親校。蕭忽來告，須延至次期刊出，歷時三月，迄未來取校樣。昨閱報載中央月刊目錄「夫婦之道」一文作者為另一人。蕭生亦不使前來說明，余忝為師，夫復何言？而該刊不禮無信，悖謬若此，尚何倡導復興中華文化之可言？爰將此文發表，以就教於邦人君子之前，並請與該刊該文相較，則優劣賢愚之別，當不難獲致公正之裁判也。

一、夫婦之道的重要

夫婦之道樂。夫婦之道苦。善講夫婦之道則樂。不善講夫婦之道則苦。夫婦之道，是大道，而非小道，這一道關係人類社會的進化，和世界的安危禍福。因為這世界是男女共有的世界，男女各佔一半。男女結合而成夫婦，纔有種族的繁衍，社會的進化。男女相愛以道，結合以道，相處以道，世界就能安和、幸福。不以其道，則危亂叢生，禍患無窮，這是理之所有，事之必然。中庸：「君子之道，造端乎夫婦，及其至也，察乎天地」。君子由夫婦之道開始講求起，推極言之，便可明察天地萬物之道。而化民成俗之法，修己治人之理，盡在其中。易經序卦云：「有天地然後有萬物，有萬物然後有男女，有男女然後有夫婦，有夫婦然後有父子，有父子然後有君臣」。我中華文化，最重倫理道德。故三綱五常之教，特為注重。夫婦居三綱之一，亦為五常之一。根據易經說法，無夫婦，就無父子、就無君臣。那麼，三綱就不能成立。無父子，何來兄弟？五倫便去其四。僅有朋友一倫，還成甚麼世界？夫婦一倫，名為三綱五常之一，實居三綱五常之首。其在日常道德生活行為中的重要性是不言而喻的了。

二、夫婦之道的傳統

中華文化復興運動，最重傳統文化，敵謀以傳統思想，敵謀有以發揚光大之。一以擊破「紅衛兵」毀滅我傳統文化思想的陰謀。一以求民族和國家的復興。故追溯夫婦之道的傳統，以振興我倫常道德，實為必要。我國數千年來夫婦之道傳統，除了祇有一小部分不合今日世界潮流和現代化生活方式而外，絕大部分，是有其傳統的優點和值得發揚光大的地方。其優良傳統，何在？從總的方面說，我國是數千年禮義之邦，對於禮義特別重視。尤其對於男女防嫌甚嚴。男女結合而成夫婦，自始至終，無不處處約之以禮，一是「非禮勿視，非禮勿聽，非禮勿言，非禮勿動」，男女在選擇婚姻的對象時，講究「門當戶對」，「家世清白」。這是說「愛情是有條件的」，與西人所說「愛情是無條件的」，絕對相反。「擇妻以德不以色」，「嫁女求佳婿」，「娶媳求淑女」，「淑女君子之配」，成為社會最普遍的婚姻標準」。這與西人「重色不重德」，只求外表漂亮，而忽略其內在的德性之美，截然不同。而在結合時，尤能重視人性的尊嚴，和人格道德的神聖，以極其隆重的「六禮告成」而結合，為夫婦，且一經結合，矢志不二，此情不渝。海枯石爛，此與西人一生中結婚離婚數次者，迥異。平居夫婦相處，不惟相敬如賓，而雙方平等相待，絕無男女不平等的觀念。此在西人近代始如此，而我數千年來即是如此。所以要說到女權運動，我國早已為之，而無待女子之爭取。豈非我國文化進步，獨先於西洋文化數千年之明證乎？我們首先看儀禮對夫婦的解釋：「夫婦，一體也」。禮記曰：「夫尊於朝，妻貴於室」。爾雅釋名曰：「夫妻匹敵之義也」。說苑曰：「夫，扶也，以道扶接者也。婦，服也。以禮屈服也。婦字從女持帚，灑掃也」。以禮問而得之妻，言齊也。禮記曰：「與夫敵體」。禮記曰：「共牢而食，合卺同尊卑以親之也」。將「妻」解釋為「齊」，「齊等言也」。即與「夫」平等之義，這是何等優良的傳統。其次，我們再看列女傳所說的「夫婦之道」：「夫婦之道，參配陰陽，通達神明。夫不賢則無以御婦，婦不賢則無以事夫。夫不御婦，則威儀廢。婦不事夫，則禮儀亡」。這是說夫婦之好，終身不離陰陽交泰之道。夫須善盡夫道，婦須善盡婦道。這樣纔能夫婦永好，終身不會仳離。曹大家（班昭）曰：「女子之事夫也，纚笄而朝，則有君臣之嚴，沃盥饋食，則有父子之敬。報反而行，則有兄弟之道。受期必誠，則有朋友之信。言行無玷，則有理家之度」。

傳記春秋

衡陽曾靜濤先生

萬驪

先師曾公靜濤之喪，值抗戰方勝，余承乏邑中黨務，栗六不可終夕，致未躬詣靈堂、一申哭奠之私，迄今二十有三年，猶耿然在抱也！哲嗣國章君與余為患難交，同客海嶠，見必話公之行誼風範，嘗數數為余言：「知先君者莫如子，子其為我表先君墓，俾他日還鄉，勒石以垂永久，可乎？」竊念德業不修、師恩未報，重以國章孝思不匱之誠，烏敢以不文辭。

公為衡陽□□曾氏，稱望族，詩禮傳家，代有□德，逮裕後公，娶羅太夫人，□□持事，益多善行，其於教宗睦族，救鄰孤寡，獎掖後學，重修族譜，皆其卓卓者！生子四，公其季，名□□、諱懇、號靜濤，幼穎異，知□□，與群兒戲，和藹無間，蓋天賦仁厚，不恃崖岸也。稍長，入私塾，誦四書五經，日十行下，雖未經師講解，要能領其大意。適晚清□□先生以名進士主講南路優級師範學堂，道德文章，冠冕士林，聞風景從者極衆，至尊之為「南學津梁」，公與□□先生為兒弟行，乃負笈從游，攻博物學系，舉凡動植礦物暨生理，莫不精研入微，每際實習，輒若（竹頭）笠草履，出入深山窮谷，幾忘其身。而神與自然界相契合，天趣盎然，視入世功名富貴，猶塵滓如也。□則窮究宋明理學，嘗謂張子「民胞物與」之義，極能與博物學相啟發，而於周子「光風霽月」之氣象，更不禁欣然嚮往，每與農耆先生上下議論，稱入室弟子。故平生襟懷磊落，笑容可掬，與世無爭，亦無忤，而慨然以化民成俗，樂育英才為己任，蓋綽然有周子之遺風焉。

衡陽為禮教文物之邦，自廢科舉，興學校，結社講論，蔚為風氣。公學有專長，兼擅辭令，把臂登壇，莘莘學子，如坐春風，樂而忘倦！每寒暑假臨，爭先禮聘者，如省立第三男女師範、省立第五六中學、省立第三職校暨私立各中學，幾致應接不暇。公往來任課，日無餘晷，人以公宜稍節勞，而公弗恤也！嗣後，雖有專職，仍兼課如故，蓋數十年如一日。民國十年，任衡陽西湖中學校長，余忝列門牆，仰荷薰陶，課餘，恒趨謁家常，旬旬（女旁）然若父子兄弟之親。（上）

毛健吾與大剛報

文匯樓主

文匯樓別記

大剛報創刊於湖北信陽，發跡於湖南衡陽，勝利後分在漢口、南京出版。大剛報和大公報一樣，因國民黨替牠了行蹤，大公報拿到三十萬美元，大剛報亦拿到十八萬美元，有了這筆補助，報當然好辦得多了。

事實與理想往往相反，除了大公報胡霖、張季鸞船空的較穩外，大公報的二流角色如王芸生、王文彬等多人，均紛紛爭取「前進」，再加上共黨報紙雜誌對大的捧，捧得這批傢伙，自以為真的「前進」了，最後大公全軍覆沒，很少尊的一律接受勞動改造，有人親眼看到王文彬（大編輯）每天早晨要劈一百斤乾柴，王芸生不僅勞動改造，還要受新聞署長范長江很多侮辱，（按：王任大公報總編輯時，范做外勤記者）。

現在我們談毛健吾。毛的苦幹硬幹是出了名的，他做過第一戰區長官部黨政處長，祇是書未讀好，因之苦不出道理，硬不出名堂，又兼「有虎在堂」，其實亦無所謂，民間有：「上者怕妻，中者爲妻，下者打妻」，問題在夫人並不識字而且干政，毛健吾的同鄉觀點又很濃，大剛報重要的職務，多屬吉安人士。別值得一提的，毛的內弟鄒海光（天生白痴）主管出納，毛的夫人鄒佩文女士，確有天長，她說鄒海光當出納「船底不漏針」，肉爛仍在鍋裏」，業務經理彭某（毛的表姪）每天包汚五百份報，被總經理當場查出，舉出人證、物證，雖以抵賴，毛健吾對這件事的處理感到辣手，出人意料之外，他寫了一張「陣亡將士之靈位」要貪汚的表姪，跪在陣亡將士靈前悔過，這種移轉全社注意目標的做法，可謂風馬牛，大剛報有幾根筆很健，後來跑到左邊去了。上面是湖南全盛時代大剛報的內幕。

大剛報到了漢口、南京，又拿到十八萬美金的補助，照道理可以發揚光大，但問題更多了，祇以四年之間，三換社長，亂到甚麼程度，可以推想，從河南和湖南來的班底，大部份留在漢口，由劉人熙帶負責主持，大剛報有個特色，技工最大，技工反對誰，誰就倒下來，這是劉人熙的傑作，也是毛健吾的武器，後來直接反對劉人熙，劉全家於漢口危急時，本已離開虎口，又被技工截回去，這種作繭自縛的搞法，劉自己也未想到。

南京大剛報的失敗，有很多因素；毛健吾看到大勢不好，把黃金、美鈔帶了很多遠去遊遊世界，後來還大唱反調，剩餘價值搾完後，才回大陸接受勞動改造，在南京下關碼頭替共產黨要人擦汽車，歷兩年餘，毛的夫人則在下關替回兵補襪子，俗稱「縫窮」，這亦是命運註定，民國卅年，毛鄒佩文在衡陽找郭泗海摸骨論相，郭說：「將來是一個縫窮婦」，毛太太氣得七竅生烟，率領很多技工將郭的相館，打得落花流水，縫窮婦竟被郭不幸言中，亦嘖嘖怪事。

南京大剛報幾位社長和重要人員很多都在台灣，因大剛報後來表現得太丟人，太雜亂，大家不願意談起，本文寫的是「毛健吾與大剛報」，也就此停筆。

橄欖助消化退喉炎

生活漫談

·馬騰雲

青橄欖，又名青果，諫果，裝落喬木，中國原產，台灣產量漸多，它的汁液可以助消化，退喉炎，舒肝氣，解毒；但他的渣滓，則有礙消化，傷害腸胃。果實含有蛋白質百分之一，脂肪約爲百分點六，其他還有酸素等。有生津，止渴，清咽，解毒的功效，可用爲清涼性收斂劑。既能退炎，又治各種咽喉炎，又能制止喉頭粘膜之分泌，故可用於咳嗽痰多的病症。青橄欖之味酸苦澁而帶甘，爲一種別有風趣的果品，我國廣東、廣西、福建、台灣等省皆有出產，聽說西藏出產的最爲珍貴。皮色有青有黃，廣州市郊與芳村花地一帶所出產的青橄欖，味道特別爽脆甘[illegible]，爲其他地區所生產的橄欖所不及。[illegible]東[illegible]

欖，是南國有名的果品。腸胃消化有問題的人，飯後不妨多吃幾個橄欖，消化[illegible]下，對胃病者有很好的輔助治療作用。橄欖還可以舒肝氣，凡肝氣鬱滯，兩脇時常脹痛，口有苦異的臭氣，腸部時感脹滿發痛，不時放屁，此與肝氣積滯有關，女人患此病的人特別多，不妨常吃橄欖的果汁，或將它煮水，對這種病有調整功用。茲記兩則關於橄欖汁煮水以治癒「氣痛」症的實例，可證橄欖在藥用上亦有其特殊效驗。有一鄉婦，患氣痛症已三四年，每一發作，則嘔吐隨之，兩脇抽搐，不能將腰骨伸直，面部滿佈青筋，屢用醫藥，無法痊癒，此病原起於抑鬱，因該婦於病發前數年，兒子病死，可能因傷感過度，此後則染有此症，初期每一發作，還可用清肝理氣之劑，病亦暫可告痊，進一步用此種藥劑不只沒有效，但一服有理氣性質的藥，明必[illegible]止，時發時止，病人的[illegible]日差。後來用多量的橄欖搗汁，與精神療法，而隔水燉熟，慢慢飲用，數次之後，病體減輕，婦人的「氣痛」，果然用橄欖汁就治好了。第二個實例，就是橄欖汁煮水治癒「氣痛」症。一個女工，工作數十年，多做廚房及洗熨工作，其後染上一種痛症，每一發痛，則肚脹作嘔，頭昏眼花，不能起床，患病多年，無法治癒，後來一位醫生調她工作時嗅得煤炭氣太多，致肝臟受了毒患生此病，囑用橄欖數十個一次煮水飲，從此病亦痊癒。由此可見，青橄欖對於肝氣的治療，確有它的獨到之處。用它的汁，或常食青橄欖以解酒亦有良好的效驗。上海冠生園出品的各種橄欖風行海內外，賺到的錢相當可觀，後來南京馬玉山糖果食品公司亦賺了不少橄欖錢，蘇州張祥豐蜜餞行本來是向冠生園急起直追，未料青出於藍勝於藍，沿京滬、津浦鐵路沿線各省市的食品店，幾乎都變成張祥豐的分銷處了，特爲補誌，供作本省一窩蜂的工商業人士參攷。

觀光與題詠刻石（八）

·胥端甫·

三、靳珩橋云：「忠烈邁王尊，九折坂雜詞遺體，更愧王陽，萬世留芳，以死勤事；大勳留馬祖，太魯閣捨身建設，何殊馬服，九垓傳檄，用血銘功。」按靳珩工程師河北人，爲橫貫公路工程師殉職之第一人。殘骸碧血，榮耀山河，此橋所以紀念之。四、天祥云：「浩氣滿乾坤，天留汗漫晴嵐，遙照阿里烟雲，南湖積雪。更溶溶玉鏡淘波，堪懸日月，祥啓風流家逕衣冠來萬國；龍湖瑞，曾教靳珩殉職，羅裕抒忠。且煌煌延平創格，要憑肝膽復中華。」天祥原名大北投，文山溫泉原名深水溫泉，星斗羅列，氣象開張，計劃開爲天祥風景區，亦盛事也。五、豁然亭云：「迷惘幾經春，到此豁然，聖域賢關由我去；鴻濛纔革面，殊堪莞爾，山光雲影排天來」。按亭在綠[illegible]韶東五公里，登亭仰望，可將曲迴陡降，如神龍一條在萬山中翻騰穿越之公路，盡收眼底。六、合歡埡山一云：「山以合歡名，東北西三面開張，玉嶔銀雕，合歡世界；地因人傑著，退除役齊頭並進，幽鎚險鑿，人傑精神」。合歡埡口二云：「隧洞兩箇乾坤，雲霧迷濛，暗無日天；酷似中原父老，宛轉人間地獄；三年歸九符雲路，艷陽高照，輝生瀛海；且看炎黃兒女，逍遙於海外仙源」。按埡口海拔二千五百公尺，爲橫貫公路之最高點，隆冬積雪，一片雲海，極爲壯觀。七、梨山云：「海外此爲尊，四顧蒼茫，東痛扶桑，西懷花土耳，北望崑崙，南瞻菲律，五千年衣冠上國，今竟成虎窟狼巢，前不見古人，獨愴然而泣下；中原徒灑淚，重叉夜度；春披黃石，夏賞梨花，冬誦陰符，秋吟楚賦，億萬里錦繡山河，皆頻來歐風美雨，後不見來者，徒摧挫以腸迴」。梨山行館一云：「梨花淡白，楊柳深青，迎來歐美人豪，玉宇瓊樓開境界；山月清輝，海濤澎湃，陶鑄炎黃兒女，南張北溥寫山河」。梨山行館二云：「願沛上雲程，隨打開利鎖名韁，到此一榻雲眠，瀰濡聖學；鴻濛開境界，莫辜負海雲山月，頂好三年燕息，重整乾坤。」「山行館三云：「梨花肝膽共冰心，證景莫辭春去也，且看仙潛潛巍巍，放懷天下；山月乾坤斂玉鏡，照人無寐夜何其，儘容我茫茫空闊，望眼神州」。按梨山正是橫貫公路之三岔口與中心，海拔二千四百公尺，風景極佳，建有梨山行館。八、霧社忠烈坊云：「霧鎖兩溪行，聽流嗚咽，想當年抑強抗暴，斷脰穿腸，是犧牲碧血長埋，永留漢土；社稷三月暮，都傾向第除，看此日落頁雲橫，泉湖湧滾，更顯得豐坊前路，氣壯能高」。按霧社爲橫貫公路供應線之重點，海拔一千一百公尺，山有連頁，溪谷清幽，坊爲紀念抗日山胞，故云。九、八仙山云：「朗吟飛過太平洋，息屆澄酒，踏水穿雲，細數塵埃涼，袖底青蛇光熠熠；一枕醒餘海海夢，論道題詩，撥雲觀月，莫怪山燈明滅，眼中人事總悠悠」。按谷關至達見一段公路即爲八仙山麓而行，古木參天，怒峯絕頁，風光明媚，十、谷關云：「綠野溪玉自天來，聽商商流水，[illegible]，嚴領，淡山間一脈溫泉，明月清風鑑然界，綠塞佳人臨客到，看鳥囂囂翠緲，禪情齊林木，更雲外幾行白雁，紅樓野館是仙都」。按谷關爲橫貫公路西段重點，大甲溪懸延其下，爲遊觀避暑勝地，佳木葱蘢，風景清絕。十一、羅裕碑一云：「[illegible]長吉，命短汪波，天開挺拜戕生，照眼紅霞傷老父。碑蒼松羅，魂歸湘水，我竟無緣識宵，浮天綠浪哭斯人」。羅裕碑二云：「于右老書傳，副總統題碑，金石永留榮，夜黑風高，海外勳名人第一；大工程捐軀，小發明專利，死生原不忝，淵鑑獄氣，兩間奇氣歲雙三」。按羅山程師係羅敦偉先生之長公子也。四十六年六月，因在羅東修橋工程殞命，于右老書以紀念之。以上除聯語外，還有橫貫公路二十四景詩十四首，不再贅錄。餘不是觀主以爲太魯閣一聯，氣勢奔湊，蔚成壯觀。梨山行館三聯，空靈濟遠，若有不沾人間烟火氣者，長春祠一聯，氣雄壯中寓清淑之氣，感慨外有浩邈之音。天祥嵌字一聯之上比寫景，嚴如身容靈闊間，極喜誦之。合歡埡口二聯，他說：「吾友有來從大陸者，讀『酷似中原父老，宛轉在人間地獄』，及『且看炎黃兒女，逍遙於海外仙源』等句，作出兩種不同感想。慈北望中原，猶豁怖於人間地獄之可慘，而南瞻台島，又意想於海外仙源之不可接也。靳珩橋聯，出語悲壯，而又極工；豁然亭聯，出語悠閒，而又纏耩，寫情寫景，都各如其分，爲橫貫公路諸名勝生色不少。這些評語，實在是愧不敢當。我之所以列引出來，只是作我撰文之一種實踐；如果能引起一般人的興趣，也可說是一種倡導。更特別本着拋磚引玉的誠心，企望大家都能爲發展觀光事業，而寓復興中國文化之推行，那尤其是馨香禱祝的了。

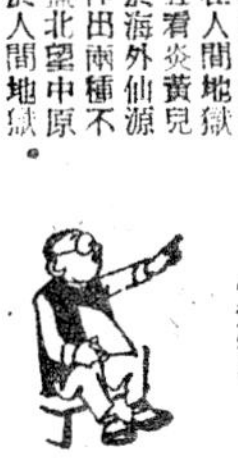

（未完）

鱷魚潭邊的故事（一）

桃花潭水深千尺

趙陀

商業能將整個人類連繫並互相依賴，女人與社會比商業的形式更加重要，她不僅使人與人間互相依賴，整個人類生命的延續，一半的責任落在女人身上，上帝開始造人，據說是用泥土捏的，人造成功後，人的出生要人去造了，泥土除了可以埋葬人外，再捏不出人來。

這風塵的世界裡，女人既然佔有一半統治權，問題就多起來了，猶其在在這三十里洋場的——香港：一個女人不……一個漂亮的女人，都有其不成爲秘密的秘密，這就是本篇故事的由來。

克琳姓蘇，是一位生長在上海的小姐，到北平讀書，十八歲隨父母避難到了香港，在香港整整挨過了八個年頭，照上海人的習慣，女孩子從十八歲起，有十足的優裕擇偶條件，以後一年減少一條，就是說到了二十八歲的時候，各項優裕條件等於全部消失，但蘇克琳很例外，雖然她的剩餘價值已經不多，可是，當她出現在一個交際場台時，她的魔力，常能吸引着在座的男人們躊躇不寧，乃至於祇是想千方百計得到她；女人呢？則竭盡心血的希望着自己的對象和她「保持距離，以策安全」，不過話又說回來，她的一副造型，固出自上帝的偏愛，但一手好書與書法，流利的外國語言，乃出自後天，的確付出過相當大的代價。

時間是一九五六年的冬夜，她伏在自己的寫字桌上，全神練習着毛筆字，寫的是：

「爾儂我儂，忒煞情多，情多處熱似火，把一塊泥捻一個你，塑一個我，將咱兩個一齊打破，用水調和，再捻一個你，再塑一個我，我泥中有你，你泥中有我，我與你生同一個衾，死同一個槨。」

克琳的父親蘇霍寶，恰站在旁邊，看完後用矯正的口氣說：「趙孟頫是個亡國大夫，趙的夫人管仲姬，乃狼虎之年的醋罈子，寫出這種不倫不類的詞，竟被蘇霍寶的掌上明珠欣賞，管仲姬如果地下有知，應當向克琳的爸爸行三鞠躬禮。」蘇霍寶順順自己的幾根仁丹鬍，裂露出它下兩排黃黑的牙齒，喝了一口濃茶，接住又說：

「蘇霍寶的小姐，選富的話，應當擇中國植物油大王的小開馬繼元，擇貴呢？會做一代英雄牛主席的大媳婦，任念佩這小子，在蘇霍寶的心目中，只不過是個空心湯團，做做陪選而已，這年頭十人有九皆可殺，百無一用是書生，搖九社會最近對我們父女，風風雨雨，中傷的話很多，所以我才打出書呆子這張牌，冲淡與情給蘇府的壓力。」

克琳這時很驚異而嚴肅的向蘇霍寶發問：

「爸爸，難道任念佩又屬婚禮上的樣品嗎？」

蘇霍寶嗯了一聲，又喝了一口濃茶，順手燃起一根加力克香烟，面向著天花板吐出連環式的烟圈，繼續很自然的接着說：

「克琳，有關男女間的事，你媽媽的觀點比較正確，自己無情而能表達有情，自己無慾，而能殉人之慾，這些行爲雖悖乎常理，就唯物論的觀點說是正確的，你媽能在軍閥時代，風靡京滬，顛倒衆生，是很有道理的，」蘇霍寶又噴了一口濃茶，深深的吸一口烟很起勁而有力的接着再說：

「蘇府詩書門第，無人不知，爸爸雖屬不第秀才，但究竟是讀線裝書的，一生非禮不言，且討厭人談錢的事，但有個原則，不談錢同顯土人常行，自己確不能沒有錢，否則，豈不是變成上海小癟三了嗎？」

克琳這時感到很厭賦似的說：「爸爸，這些話我都聽過了，有的講過幾十次以上。」

（未完）

于右任與李根源

命相與夢話

錢一釗

大智若愚的于右任，當國民政府監察院長凡四十年，沒有換過招牌，這不能以馬馬虎虎論之。從右老，外似而內智，外怯而內勇，外弱而內強，追隨　國父與　蔣總統前後凡五十餘年，非有超羣絕倫之才，絕對不能獲　國父的賞識和　總統的信任，民國卅二年右老住在重慶歌樂山時，筆者在右老寓邸作客，另和幾位客人是中央執行委員鄧力子（鄧昆）、兩湖監察使苗培成、及路透社記者梁想人等，炎暑酷熱，汗流挾背，右老赤膊披着一條大濕毛巾靠在太師椅中閉着眼皮，似已入睡，當陸鏗到書房來取右老名片時，右老賦道：「大聲（陸鏗的號）別亂來，名片不可隨便拿的」，這證明右老在睡眠時，都是清醒的。政學系的領袖李根源（印泉）大氣磅礴是智多謀，筆者曾與有緣識話，暢論古今治亂，有子治世之能臣的感覺，應老撒長髭，搖羽扇儼然若諸葛武侯搬上銀幕。一代學人戴季陶先生，由報人躋入顯達任考試院長，凡數十年；其智慧顯於靈魂之窗，其正直與大義凜然都表現在鼻直豐滿的通天鼻上，下筆千言自然成文，係新聞界後輩所欽道，在並世諸鉅公中，被譽爲夫子，不是沒有理由的。

自由報
中華民國內政部登記證內版台誌字第○三一號
中華民國僑務委員會登記證僑新字第三三號
中華郵政台字第一二八二號執照登記爲第一類新聞紙
（第一八九期）
（半週刊每星期三、六出版）
每份港幣壹角・台灣零售價新台幣弍元
社長李運鵬・督印黃行竄
社址：香港九龍彌敦道593—601號
廖創興銀行大廈八樓五座
LIU CHONG HING BUILDING
7th FLOOR FLAT 5
593—601 NATHAN ROAD,
KOWLOON, H.K.
TEL: K303831
電報掛號：7191
承印：景星印刷公司
地址：嘉咸街廿九號地下
台灣總管理處：台北市大同街119號
台灣區直接訂戶　台郵劃撥戶
帳號爲有（自由報會計室）五〇五六號
電話：七一四〇三三、五五五三九五
台灣分社：台北市西寧南路110號二樓
電話：三三〇三四六，台郵劃撥戶九二五二號

師道！師道！師道！

白水

一個國家只要教育和司法還沒有徹底崩潰，那末這個國家還是充滿了希望。因爲教育教人明辨是非，分別善惡，使人知道，何者當爲，何者不當爲；司法可以除暴安良，伸善懲惡，使人曉得，什麼事敢作，什麼事不敢作。有了良好的教育和司法，社會上才能有明確的是非標準，才能有大家共信共行的公理。否則，公說公有理，婆說婆有理，此亦一是非，彼亦一是非，人人各自爲是，各說各理，到頭來，有理沒處伸，有理沒處講，無可奈何，只有動刀動槍，像野獸一樣用蠻力來解決一切，社會上的兇殺風氣便是這樣形成的。近年來，一些居廟堂重任的大人先生，發明了一劑萬靈丹，不管發生了什麼滔天罪案，只要輕輕地念上這麼一句咒語：「這是農業社會過渡到工業社會的必然現象」。便把本身的干係推得一乾二淨，這種萬金油作風虎虎（口旁），三十年前的鄉下土包子，也許還可以發生一點效用，無如今天大衆傳播工具這樣進步，外國月亮已不是少數特權階級的秘密，土包子也知道工業社會是個啥樣子，倘若工業社會眞是這樣無效率、無組織、無法紀、無是非、無善惡、無公道、恃強凌弱、衆暴寡、貪贓枉法，淫盜紛殺，那誰還敢發展工業。

近二十年來，自由中國的教育在量的發展上，是足可睥睨東南亞的，在校學生總數佔全國總人口的百分之二六。八三，平均每四個人中就有一個多在校學生。全國幾乎沒有一個文盲，自從去年實施九年國民義務教育以後，將來每一個國民起碼都可以拿出一張國中畢業文憑，在全世界普遍燃燒着學潮野火的今天，唯有自由中國仍然紋風不驚，這都是　蔣總統的賢明領導和全國教師辛勤工作的成果，也是反共復國的最佳憑證。誰料當這棵經無數愛國人士用血汗所培植出來的大樹正在欣欣向榮的時候，一些僞裝成園丁的蛀虫却正在腐蝕着它，倘若誰敢拆穿他的西洋景，說不定他還會豬八戒倒打一耙，連外國人都說我們的教育如何如何進步，你小子還來掏糞坑，未免不識大體，太不合作了。無如血淋淋的事實擺在眼前，只要翻開近五年來的報紙一看：老師打死學生，學生殺老師，老師殺校長，校長酗酒打人、賭博偸牌，強姦學生太太，誘姦下女，開空頭支票，設局詐騙。學生之間，互相砍殺，甚至教育部高級官員也大打出手，整個教育界，滿眼盡是秋風掃落葉，暴風摧嫩苗，全沒有一絲春風化雨的景象。

今天教育界最大的死結便是「文憑主義」，只重衣裝不重人和只看文憑不重才德，完全是一樣的心理，可是前者常被人罵做狗眼看人低，後者却被尊爲制度化。誰也不能否認學校教育的功能，但是誰也不敢保險學校教育萬能，四年大學教育，對學習自然科學的人，也許可能得到一點門徑，學到一點基本原理原則，但對學文史等社會科學的人，在大學二千小時的課堂中，連一點皮毛都摸不全。至于辦事能力，應世經驗，更非大學中所能學到的課目。縱令一個人一生中從事各種工作的知識技能，在大學中統統都學夠了。但他還是不能永遠抱着一本皇曆來應付以後無窮的歲月。因爲時代日新月異，人類所需要的知識技能也必須與時俱進，活到老，學到老，學習的時間並不限於學生時代，學習的場所並不限於學校，可是我們　人事制度，把這些一筆抹煞。永遠只盯着一張文憑。因之一個人只要弄到一張文憑之後，便可掮着這塊招牌　一輩子。在明清最重科名的時代，做官從政，自然以兩榜出身爲正途。但著書講學却要靠品德學問，一些講學的大儒多不是科第中人。今天却不同了。教育當局在人事法令之外另訂法令，變本加厲地推行文憑主義，而且還把法律不溯既往的原則都推翻了。教育廳硬性規定小學教員要付什麼文憑，中學教員要什麼文憑，大學教授要什麼文憑，教育局長要什麼文憑，一絲都不能馬虎，倘若孔子復生，連作小學教員的資格却沒有，更不說中學大學了。萬世師表竟然沒有一張文憑，若根據教育總任免教育局長的辦法推論，大概孔子萬世師表的頭銜也保不住了。教育界的當權人物還有一個時髦響亮的口號，各科教員一律要本科的，在他們的心目中，學校中只要有教數學的，教物理的，教國文的……就夠了。什麼人來教做人，便非他們所欲知了。　總統高瞻遠矚，毅然下令普遍推行九年國民教育，寬籌經費，賦予全權，這眞是賢明偉大的劃時代創舉，可是底下的人是怎樣來推行的呢？有目共睹，不說也能，教育廳悍然廢止了校長任用辦法，另訂了一套甄選制度，眞正做到了只認文憑不認人的最高境地，只要能拿出法定是文憑和服務證件的人都可以登記，至于品德，只憑教育廳官員，看上一眼，問上兩句，便够了。結果有些非常不堪的人物，居然也走馬上任去做校長了。最近教育廳又在製訂教育局長和省立高中高職校長任用辦法，一句話，還是在文憑上打圈子。一個大字不識的暴發戶總喜歡千方百計地討一個大學畢業的太太來補償他的自卑感，有些主管特別喜歡任用有響亮文憑的部屬，也是同一心理。上有好者，下必有甚焉矣。儒林外史中馬二先生說：『舉業二字，是從古及今人人必要做的，就如孔子生在春秋時候，那時用言揚行舉做官，故孔子只講得個「言寡尤，行寡悔，祿在其中矣」，這便是孔子的舉業，講到戰國時，以遊說做官，所以孟子歷說齊梁，這便是孟子的舉業；到漢朝用「賢良方正」開科，所以公孫弘、董仲舒舉賢良方正，這便是漢人的舉業；到唐朝用詩賦取士，他們若讀孔孟的話，就沒有官做了，所以唐人都會做幾句詩，這便是唐人的舉業；到宋朝又好了，都用的是些理學的人做官，所以稱朱就要講理學，這便是宋人的舉業；到了本朝用文章取士，這是極好的法則，就是夫子在而今，也要念文章，做舉業，斷不講那「言寡尤，行寡悔」的話，何也？就日日講究「言寡尤，行寡悔。」那個給你官做？孔子的道也就不行了。』學校好比工廠，社會尤如顧客，顧客需要什麼貨色，工廠就供應什麼成品。今天以文憑用人，有文憑路路通，無文憑，路路不通。孔子倘若生在今日，他也無法著述講學了。淸華大學有一位學有專長的教師還參加教育部商中畢業生資格考試，這不就是明證嗎？今天父母送孩子進學校，希望能得到文憑，學生入學讀書是爲了文憑，學校教學生希望他們能升入更高級學校，弄到更大的文憑。今天所謂好學校，那一個不是因爲升學率高，所謂名教員，那一個不是因爲輔導升學有方。那一個教師還敢忽視升學專在學生的品德學　上下功夫。既令眞有這麼一個傻瓜蛋，早就被解聘了。領袖大聲疾呼，倡導生活教育，品德教育，民族精神教育，技能教育，教育當局口頭上却在大力推行升學教育，文憑教育，爲求知識學問而讀書，是一件樂事，爲應付考試而讀書，則是一種酷刑。今天的學生就是被這種酷刑逼急了，才殺人或自殺　要想使學校不是一個文憑製造工廠，首先就要由教育界打倒文憑主義。

一個團體，倘若不講理，沒是非，那末這個團體怎麼也搞不好。台灣教育界今天出現了這個毛病。二十年來經某幾位廳長別有用心的安插和佈置，校長中充滿了強藩，教職員中也多得是悍卒，到了今天，主管當局，只有一味敷衍的份兒，誠如監察院糾正文中所說：「各校長之升遷調補，是非不分，賞罰不明。」教育當局何嘗不知道好壞，內心中何嘗沒有個是非。只是善善而不能用，惡惡而不敢去。大華晚報社論說：「教育廳長對於他所不滿意的校長，除掉惋惜之外，却不敢使其去職。」豈止不敢使其去職，就是惜惡，也只能擺在內心深處，表面上還得嘉獎一番。例如基隆中學王校長，經該校教員宋明康當着全體學生面前，向黃主席檢舉其違法失職十一大獄。黃主席交教育廳處理，直到血案發生，教育廳根本沒有去查過。又如板橋中學血案，一個死了，一個被處死刑，一個仍然坐在校長的位子上；再如轟動一時的彰化中學校長翁某誘姦學生太太案，黃主席在議會中信誓且且地宣布「永不錄用」，教育　却只予停職處分，風聞翁某去年尚營求復職，要不是黃主席仍然在任，說不定翁某又作校長了。還有南部某省中校長經人檢舉收回　，調查機關正在着手調查，教育廳却將該校長調升中部更著名的省中，後來該校長任上又發生了學生殺教官案，也未聽到有什麼適當的處分。有些司法界及監察院的人士，常奇怪教育界爲什麼好講話，殊不知行政上沒有是非，自然只有乞靈司法了。近五年來台灣教育界的幾件大案：阿猴殺校長案，桃園殺校長案，板橋殺校長案，彰化中學毀容案；南坎中學打死學生案，台中一中殺教官案，基隆中學殺師案，嘉義南×國中校長誘姦校工案……那一件教育廳事先沒得到報告，那一件事先曾作過適當的處理。部屬之間發生了問　，負有督責大權的長官不去秉公處理，那些自以爲冤究的人，既不能直，不是自殺，就是殺人。教育當局也知一味包庇縱容非法部屬不是辦法，又不敢拼着紗帽去開罪強藩。無奈只有把刀口轉向那些無背景而眞正想作事的部屬。有些沒有人事背景的校長，只要雞毛蒜皮的一點小事被人檢舉，或被報章披露，教育當局那種拿着雞毛當令箭的作風，眞是嚇人。尤其一些和廳長只有一通私誼的校長科長，簡直就成了「打孩子出氣」的對象。教育當局抱定了濁善其身的主張，對有來頭的校長、科長、股長，胡作匪爲，絕不制裁，對眞正想作事的校長也絕不支持，所謂行政監督，根本是不存在的，功必不賞，過也未必罰，有靠山的大撈一筆，沒背景的，敷衍塞責，誰也不願認眞作事。

教育的成敗，教育風氣的轉移，最重要的關鍵還是教師。楊繼盛以待罪之身，謫戍臨洮，只有幾個月，王守仁以欽差要犯發配龍場驛，還不到五年，至到今天，甘肅、貴州兩省的人民還沐浴着他們的遺澤。孔子也不過只是一位教師，試想歷史上還有那個人對後世的影響能比得上孔子。教書本來就是一種清苦的工作，號稱金元王國的美國，小學教師的待遇還不如清道夫，中國就更不用說了。不過在中國過去，　國文雖然貧苦，却很清高，人們崇敬的五大對象，除了天地君親之外，就是師。

（以下轉入第四版）

自由談

政治家與政客

政治家與政客，大不相同。

大致講來，政治家令人欽佩，政客則令人討厭，甚至令人咒罵和唾棄。其中的關鍵就在：政治家出發點是「公」，而政客出發點是「私」。政治家有主張，有風格、有骨氣、有節操、明是非、知禮義，祗知有國家民族，不顧本身利害得失。所以，他們光明磊落，爲了實現偉大的抱負，不惜身家性命，但絕不向暴力、邪惡低頭，像　國父孫中山先生便是這樣一個偉大的政治家。

政客就差勁多了。他們既少國家民族的意識，更根本不談是非，不分公私。他們所注意的祗是權勢，官位和金錢，爲了「官」，什麼缺德的事都可以幹得出來。如果和他們談骨氣、講節操，無異是向婊子講貞節。他們陰私揣摩，由於逢迎，外面笑臉，肚裏藏刀，惟一的目的就是「圖利自己」，必要時連親爸爸也可以犧牲，更何顧於國家民族！

蓋大國的治法與小國異，據我們的體驗，不外由文章經國之大道，發展科學，搞好經濟，以配合倫理建設傳統政治，敬父老即所以尊君，君者年高德劭，其言可爲衆人之意見，與父老約法三章而取天下之漢高祖實爲中國政治家之楷模，從政治事者，其注意及之。

蔣總統正號召政治革新，我們希望：要多培養政治家，客們還是讓他們滾蛋吧！

鴻玉先生

昨日與明日

寄往台北報未到

東漢

五十八年七月十九日，即九七六期本報截至二十一日台北尚未見報，當夜掛長途電話本港查詢，此間告以如期交寄，凡有憑單，因之引起幾點疑竇。

一、可能被中華航空公司誤運到其他國家去了。二、被檢查機關沒收，但這個可能性很少，過去雖有被銷毀及每月都有被扣留記錄，就執行技術言，與本報還是合作的，即所謂心平氣和解決問題。三、本港有一二不明事理之徒，因對某個人有挾嫌，常遷怒本報，經常有小報告寄到台，從事找麻煩，這些人都是混飯吃的，在港地生作中還談不上，李梨先生寫：「一、治垃圾現形記」對象也就是這一伙。

不過截至二十一日二十三點三十分，本稿發排時止，寄往台北報紙尚未查出失落原因。

報紙的時代使命

反共抗戰先驅靠報紙，討毛救國先驅靠報紙，中國當前的政治革新，仍然靠報紙，自由報就是報紙中的一員。

中國自抗戰勝利後，全世界經濟潮流迫使每一個進步國家的經濟都走向工業化，科學化，政治則走向民主化，社會化，國父孫中山先生說：「民生主義就是共產主義」高瞻遠矚，早有明訓。報紙的時代使命無疑義的朝着這個目標發展，我們這般學人和報人，浪跡南北株守待勢，其想像亦不外兩句話：轉移社會風氣，發揚時代使命。

向讀者再致歉意

不管報紙被中華航空公司誤運到別的區域，或在港遺失，本報已準備補印補寄，除到航空公司交涉查詢外，謹向台灣區讀者再致歉意。

祇台灣一地，快到萬份訂戶，一份報平均有卅讀者每期就有卅萬張嘴巴，跟着報紙講話，古語：「路上行人口如碑」，自由報的讀者衆多高水準，也就是自由報能形成季候的重大因素。

我們這份報，其所以立規矩不唱反調，感覺到一張報，祇要內容好，不愁沒有讀者，如果爲羣衆講話，而受到誤扣，就　務說不會受絲毫影響，乃至於越扣留，銷路會越暢！這是最普通的心理常識。

最後我們感謝台灣有關方面給予我們的指導和支持。

孫德耕被監察院彈劾案 洋洋洒洒提申辯書

強調「奉命辦理」達十四次之多 陶百川等引經據典再加以駁斥

（本報記者張健生台北通信）台灣高等法院院長孫德耕因濫用職權而圖利他人，經監察委員陶百川等三人提案並經監察院審查通過彈劾案之後，此間司法界人士、民意代表、與論界的評論，有兩大主流，一派以刑法第一條之「行爲之處罰，以行爲時之法律有明文規定者爲限。」的規定；及政府依據何種法令而再強制執行，並主張送請大法官會議解釋。一派則以孫院長撤銷確定裁定之命令有何「法」的根據，且有監察權的行使與獨立審判制度不容破壞的評論。前者由於認事不慎，其結論也是假的。有識之士，莫不搖頭嘆息。

司法行政部長查良鑑，對本報六月廿一日第九六八期「自由談」，馬五先生所撰「古今奇聞」一文，極爲重視。據查部長語本報記者：外傳司法行政部有「免予執行」的指示，這是沒有根據的傳聞。蓋司法行政部對台灣高等法院處理該案，迄今根本無「免予執行」的指示。

監察院亦謂，「司法行政部對孫德耕所請示之法律見解，及救濟方法，並未表示同意，自更未予核准」。

唯台灣高等法院遞院長孫德耕向公務員懲戒委員會提出之「申辯書」事實部份強調係「奉命辦理」或「遵奉上級命令辦理」者達十四處之多。於是外界不明眞相者，如省議員蕭某於六月間，在省議會財政審查會質詢謂：「高等法院呈報奉司法行政部核示後，令台中地院函詢彰化縣稅捐處查照辦理」云。

而立法委員何蓋民於質詢中亦有「高等法院奉轉司法行政部令……」云云，這位由「中華海員」選出的立委，數年前，因「茶室風波」而揚名國內外。近年來一向很少質詢，此次質詢，亦有「奉命」之認定；其「認事」之草率，經驗告訴我們，不足大驚小怪。外間希望司法行政部對「奉令」或指示免予執行的傳說，發表聲明澄清，俾免以訛傳訛。

台灣高等法院院長孫德耕申辯書強調兩點：奉命辦理、退稅與免稅是否相同及退稅可否比照免稅處罰之法律見解問題。監察院對孫君申辯書之審閱意見，加以抨擊。

陷民不依法條 怎不令人寒心

不過，孫德耕申辯書理由部份，曾把立法委員黃玉明於五十六年十月廿六日第四十會期第二次會議之書面質詢列爲證據，對抗監察院彈劾案。因而使人回憶此一公案之所以發生。由於申辯書理由未全文摘錄該質詢，實美中不足。該質詢分六段論斷，孫所引論證者爲第三段，題爲「有關司法風紀是好是壞之事例檢討」，共列舉事例數則，第一則事例係歌頌孫爲「包青天」。第二則事例爲彰化大同實業公司「發言」。原質詢謂：「二、屬審判方面的事例——民國五十四年台中高分院辦理彰化大同公司罰鍰案，在程序上與實體上均犯明顯的錯誤。且明知該公司正在掙扎圖存，而竟施以出乎常例之十倍處罰。據不足爲憑之傳說：因該公司不允送五萬紅包所使然。後來公司一再聲請更正，債權人中信局亦一再函請復知是否更正？而法院拖兩年半之久，始用「案經確定」之程序駁回。該公司轉向司法行政部，請求援中一公司等前例，予以行政救濟。聞部交高分院由庭長會核簽復：謂案屬錯誤無疑。部交民刑兩司會簽意見：爲必須援例救濟。當案在台中分院駁回之前十天，因聞外間嘖有煩言，謂監察院將提嚴重之彈劾，乃爲顧全司法威信，與愛護劉院長之聲譽，曾函告且面勸劉院長對本案勿再施壓。因而得悉案拖延兩年半不辦的原委，在推事、審判長、院長意見不同所致。最後是承辦推事不得不放棄其更正的意見而裁定駁回。從此案推想民間一般的訴訟，可能受了不少的冤屈。復就其知錯而不更正的觀念爲論，是祇知執法的權威，而不惜害民於底，能不令百姓寒心！他們亦有說：雖明知案是辦錯，無奈找不出可更正的明顯法條，即是陷民可不依法條，救民則必須依明顯的法條，怎能不令百姓寒心！再者，以對于有工業地位之該公司及政府機關之中信局一再請復之案，尚可積壓兩年半不辦，對百姓小民之請求案又如何？彰化大同公司無辜被查封倒（閉）之損失慘重，殊堪同情！乃認爲最足以敗壞司法風紀之辦案，莫過于此。」

爲民表率之「讜論」，放諸四海皆準嗎？此項質詢，史家自有公論。所謂部令「免予執行」之說，由來久矣。

然而事實告訴我們，彰化大同實業公司經理蕭柏煌意圖爲自己不法之所有，僞造文書，以詐術使人之物交付而被高院判處刑者，以及該公司總經理蕭柏舟聲請再審經高院裁定准予再審之刑事裁定，暨孫院長指派庭長參加本案研究者，俱爲台灣高等法院刑七庭審判推事張祥麟等所承辦，此項巧合於法並無不合，但亦無法不使人生疑！

四減雖變成緩刑 犯罪事實仍在 漏稅仍是漏稅

彰化大同實業公司爲逃稅「世家」，以逃稅起家而發財，在當地，爲衆所週知的事實。故難怪監察院委員們的怒吼！該公司進口尼龍絲，按貨物稅條例第一條、第四條規定，應繳納貨物稅。而貨物稅條例並無明文規定尼龍絲爲免稅貨物。但規定尼龍絲在進口加工外銷前業已繳稅者，則出口後准予退稅。該公司在尼龍進口時已向海關繳納一部份現款，餘數記帳担保，後乃以詐術騙取政府領回現款並冲銷担保，而將其一部份原料及加工品在國內市場私下出售，逃漏鉅額貨物稅條例第十八條第一項第十四款與同條第二項規定，並處所漏稅額二倍至十倍之罰鍰，其觸犯刑事部份，依刑法處斷。

此項明文，載諸貨物稅條文，而論者則以法無處罰之明文加以推斷，固不值一駁。況「案發後，該公司經理蕭柏煌經台北地院判處徒刑四年，後雖經上訴及數次更審結果，高院先將其減爲三年，再減二年，三減一年半，四減爲緩刑，然亦不能否認其犯罪事實。該公司朦騙退稅之目的即爲漏稅，後又將其成品漏稅銷售，犯意顯著，犯行明確。」乃孫德耕竟辯稱：「縱令其朦請退稅，似不發生漏稅問題。」云云。由此可見，孫德耕爲彰化大同實業公司如此「巧飾強辯」，無怪該公司更肆無忌憚，變本加厲，去年春方因逃漏所得稅被處鉅額罰金，同年十月又被調查局查獲漏稅營業額兩億元之鉅。」

據法院卷載：彰化縣稅捐稽征處五十二年十月九日以彰化三字第四四七二八號罰鍰案審查書之移送裁罰理由有所謂：「比照免稅規定予以處罰。然而彰化縣稅捐稽征處此項理由，未爲台中高分院所採。該台中高分院依當時有效之刑事訴訟法第二九二條（現修改爲第三百條）規定，變更移送書所引應用之法條，其處罰彰化大同實業公司二千三百餘萬元之裁定，所引法條於刑法外，並未引用貨物稅條例第十八條第一項第十款條文作裁定之依據，並未「比照免稅規定」予以處罰，而係根據貨物稅條例第十八條第一項第十四款與該條第二項以及第十九條第一項第二款等規定，予以裁定。

按貨物稅條例第十八條第一項第十四款之條文：「國外輸入之應課貨物稅貨物，於進口時，未依規定報請完稅或免稅者。」同條第二項規定：「前項漏稅貨物，如已出售不能沒入者，除依法處罰，並追繳貨價外，仍責令補稅。凡私製貨物稅貨物，除依本條規定沒入其貨件外，其供私製用之機器用具及原料，並得沒入之。」此外，「並處比照所漏稅額二倍至十倍之罰鍰，其觸犯刑事那份，應依刑法處斷。」

該條例第十九條第一項第二款規定：「凡產製採鍊運儲銷售及代客買賣應稅貨物之公司廠號、行棧、商人及貨物持有人，有未遵規定報告或報告不實者，處一千元以下之罰鍰。」

監察委員陶百川、金越光、張一中等對孫德耕申辯書之審閱意見謂：「高等法院撤銷原裁定執行之命令，對原裁定上引法條之批評，有『未盡妥適』四字，而對於與原裁定毫無關連之第十八條第一項第十款：『將免稅貨物私自出售漏稅者』則斤斤爭辯，此次孫員申辯書，尚對『比照免稅規定，予以處罰』作重點之攻擊。故可謂『孫員此項申辯，無的放矢。』」

台中高分院裁定未採移送書理由，曾有說明。其原文謂：「況本案之處罰，乃以其非免稅之貨物而有漏稅之行爲始予處罰，原審（按：指台中地院）謂非免稅貨物不予處罰，立論允有矛盾。再查法院審理財務案件，以移送書敘明之事實爲範圍，即爲適法，至於適用何項法律，法院固有之職權，不受移送書之拘束。原審（按：指台中地院）竟以移送條文與事實不合爲免罰之理由，亦屬不合。」

迫切圖利他人 可謂至矣盡矣

監察委員陶百川等之審閱意見，指台灣高等法院院長孫德耕有圖利之瀆職罪嫌。其原文謂：「孫員爲大同圖謀不法利益，撤銷確定裁定之執行，計向司法行政部六上呈文，對台中高分院六下命令，對台中地方法院先令撤銷強制執行，繼以電話阻其請示，後因逼不及待，又令催辦。而其理由僅爲『未盡妥適』。孫員圖利大同之殷勤及迫切，可謂至矣盡矣，如非濫用職權，則確定裁定之執行，何致撤銷！大同已繳之一部份罰鍰何能發還！其被封之財產何能啓封！」

孫德耕「爲大同謀救濟，據辯係奉命辦理，實則司法行政部對孫員所請示之法律見解及救濟方法並未表示同意，自更未予批准。孫員雖在五十六年六月二十九日呈司法行政部文中明知及承認『經核蕭柏舟所請援（中一紡織公司案）例救濟一節，已非本院職權範圍』。」同時，「孫員於同年七月一日以文正一字文呈部，謂據大同公司蕭柏舟請援中一案予以救濟。」「意在希望司法行政部以命令行之。」孫德耕「在申辯書中亦承認：『司法行政部在令本院（一切）文內固未指明仿照申一紡織公司之例辦理』。但又辯謂該部刑事司會議曾認爲可援申一案辦理。但孫員應知參事室則持相反之意見，謂經法院裁定確定之財務罰鍰案件，不宜由審判以外之機關認可將其強制執行，並指出如由該部認定，則以後繼有援例請求不予執行，自將增加處理困難。該部乃依參事室所簽意見，廢棄刑事司所擬文，於五十六年十一月三十日令高等法院：「事關裁判上法律見解及執行問題，應由該院依法妥慎處理」。對其請求援申一案例，仍隻字不提。」

何況「申一案例本身亦大有問題。故台灣省財政廳曾於五十四年十一月二十二日以財稅一字第七七四六四號令斥台北市稅捐稽征處曾謂：申一案之裁定，業已確定，依司法院第三六八五及四〇〇六號解釋，確定之裁定，既不能更正，亦無救濟之途。該處遂引用司法行政部五十四年一月二十三日台函民字第三六三號函復台灣省政府（按：原函見孫員申辯書附件）之公函，請求撤回，殊有未合，應迅向法院撤銷申請，仍依法執行具報。台北市稅捐稽征處於五十四年十一月三十日以北市稽法乙字第一三〇號函台北地方法院請求撤銷申請。台北地方法院於五十四年十二月十八日以財執雅字第〇四五〇二四號復謂：申一案前往請求撤回，已呈報高等法院結案。」

按司法行政部五十四年三月九日台（五四）令民字第一三五九號令高等法院：「據原呈所稱，該申一紡織股份有限公司既係自行發覺計算錯誤，予以更正補稅，其無逃稅企圖，自極明顯，即無裁罰之可言，核與首揭司法院解釋所示一應繳司法賦稅已經豁免或停征之情形相當，准予類推適用，准由該院令知台北地院先暫緩執行，亦函詢台北稅捐稽征處經其同意，予以撤銷強制執行。」凡此美名，俱爲藉行政監督之名而行干涉確定裁定之實，此種非法行爲，監察院應依法調查並追究其刑責或行政責任。

並未妨礙執行 其奈誰能相信

台北市稅捐稽征處請求撤銷申請，恢復強制執行，而台北地方法院竟函復申一案已呈報高等法院結案，此種結案，究有何「法」爲依據？監察委員陶百川等三人於審閱意見謂：「此後如何，卷無記載，想成懸案。」云云，顯屬未盡監察委員職責。雖免不令選民感到失望。

該審閱意見謂：「本案原裁定早經確定，大同對執行如有異議，自應向執行法院（台中地院）爲之，而乃逕呈司法行政部控告經辦推事，迨高等法院奉命查明推事等並無枉法瀆職情事，大同對此亦無異議，但仍向高等法院請求救濟。此時該院依法即應予以批駁，至多亦僅能諭知其向執行法院申訴，向管轄法院提起異議之訴，而孫員竟自行辦理，包括自作解釋及自下命令，此項做法殊越法治常軌，較申一案之處理尤爲不合。」

而孫德耕「申辯書」尚謂：『自非別出見解』，『台中高分院對抗』，『亦未阻撓執行』，並未妨害裁判良知，其誰能信！如有」

孫德耕「申辯書」末段稱：『高等法院命令：「於末段僅曰『希參致辦理具報』」，顯未濫用職權，妨害裁判。至於執行與否，衡量之權，在於財稅機關，本院不過提示案例，希台中地院以參致法辦理，既非曲解其法令，亦未阻撓執行』。然，孫員之援用申一案例，既以皇命行之，且飭以執行法院『遵守』『辦理具報』，係『參照』而非『參致』辦理，故以該命令而論，孫員之目的，自爲必須依照申一案撤銷原裁定之強制執行。如果孫員並無此意，則何必發此命令？既已發此命令，自必求其貫澈。於是乃有柴書記官長之電阻請示，以及三月十四日之令催辦理具報，此心彰彰甚明，卷是俱在，[illegible]

[illegible]懲戒處分，頗爲大家所重視。

喬治桑外傳（六八）

張大萬

有美國人的佻達（人旁）輕狂，又有中國人的含蓄凝重，因此，成爲台北社交際圈中羣雌追逐的理想對象。

某一民航公司的飛機師，追求雅麗絲多年，雅麗絲始終是若即若離的態度。雅麗絲心中的白馬王子是羅葛蔡。俗語說，男追女隔重山，女追男隔層紙。但對羅葛蔡則不然，因羅葛蔡是衆矢之的，雅麗絲雖有良好的條件，要想俘獲羅葛蔡，却不簡單。

一曲舞罷，雅麗絲面色微紅，額上微有汗珠，她打開粉盒，在面上撲了一層粉。

「我也不瞞妳，陶樂絲黛、蓓蒂葛、裘麗楊都對我不錯，但我覺得她們都不是好主婦。我對妳的印象與她們不同，妳對我呢？」羅葛蔡隔着枱子伸過手來握住雅麗絲的手，目光透出無限深情。

「我不知道，你自已去想好了。」大凡女人對男人直率的問題，答復是否定的或含糊的便是肯定的表示，初涉情場者不可不知。

（未完）

綜談國劇復興（六）

王方曙

3、自己創造的故事：除由歷史和民間故事取材外，還可以自己創造故事。自己創造故事當然比用已有故事難些，但也有容易之處，那就是不受拘束。既然自己創造了，便可以隨心所欲，造出多采多姿的戲，我們最好能脫出舊套，創造新的，不要在女扮男裝，落難團圓之類。我們要抓住每一戲的風格，使它在表現上放出異彩；使它由於內容的豐富，題材的新穎，劇情發展的動人，而感到這已不是曾經有見過的一套，而是從所未見的奇妙好景。但千萬不可變成不是國劇，而要能把握住國劇的形態。我想這應該是自己創造題材的原則。這種事實的造成，並不是難。民國初年梅蘭芳排演新戲，大家看見了從未看見過的天女散花，霸王別姬等等古裝戲，都以為前所未見。在受大家驚奇讚美感歎之餘，梅氏又繼續排出西施洛神太真外傳。當時的服裝和唱腔，從前是沒有的，但觀眾不以為脫離國劇，這是一個很鮮明的例子。但尚小雲後來演出摩登伽女便沒有成功，因尚小雲穿上西式女裝，又跳西式舞，不倫不類，大家只覺怪僻而已，所以此戲後來只演幾次，而終至不能再演了。這便是離開國劇形態的結果。也是我們堅守國劇永遠要像國劇的道理。

乙、修改劇本：談到修改劇本實在比創造劇本為難，因為創造劇本是提出一個新本子，觀眾既然沒看見過，也就容易接受了。而修改劇本是把舊有的改變，這劇本觀眾早已看過，忽然改變，便覺突然，而不易接受。所以這項工作如果真的要作，卻要特別慎重。但為了復興國劇，也有一嘗試的必要，現在分述如下：

1、劇情的改動

有些劇本，在主幹上確實不壞，但其中情節，往往發生嚴重問題，如前面說過的寶蓮燈，便是如此，四郎探母也是如此。我們假如想要舊有的劇本，演出沒有毛病，就必須捨得下手，將有毛病的劇情，加以改動。這種改動，有時可以天衣無縫，如探母，改成回去作情報工作，只要別家一場戲的唱詞有所改變也就可以了。最後也不必一定再加開打，留下一個尾巴給觀眾想像，倒也還好一些。像寶蓮燈，將聖母送紅燈改掉，以沉香為前妻所生，缺少母愛，感動了桂英，而犧牲己子。最後不要打堂，讓觀眾自己想像秋兒的結局，也是一辦法，或者最末場在千鈞一髮，秋兒將被打死之際，令燦終被感動，而免秋兒一死，兩家和好，亦是一法。不過後來的要改得多些，老觀眾也許看來不順眼，如實行緩和主義，以第一種方法為妥當些。若此類者極多，以此類推。

2、技巧方面的改動：

這一種有關情節表現及發展程序，表現衝突力量的技術上的修正，在國劇中類此者極多。如探母四猜，都猜不到，然後二人出去玩耍，要延輝作出思念之表情，公主使一猜而中，本是可以。惟延輝何以在玩耍之時，必作此態，一些老觀眾只能承認，而不能解釋。如果在玩耍之際，公主有所問，然後延輝再作思念之態，則公主之了解便不勉強。再如公主已去盜令，延輝唱過「叫小番」以後，劇情趨於緊張，太后之唱大慢板實為破壞劇情，若改原板便好些，若一句之板即轉二六再轉快板便更好些。這段的詞句亦太疏鬆，應說些兩國交戰，慎宜防諜，吩咐左右，違者重刑之類，以加強公主盜令之危機，即可加強盜令之緊張氣氛。公主盜令應為公主最好之戲，不可如此輕易，應先利用阿哥不成功，再利用其他方法，又不成功，使觀眾擔心着急緊張，然後又利用阿哥，甚至可將阿哥摔在地上，乘大家救阿哥慌亂之際，公主盜了令箭，則這場戲便極為生動，像此種應該有戲之處，許多老劇本往往忽略了產生戲的情節，而只注意了唱工，或以為點到就好，因此技巧不夠。而就是應繁處未能繁，應簡處未能簡，而致損失之處。若楊宗保之上場，又唱了大段，在延輝將達宋營之際，截斷了劇情。其實只為一段小生唱工而已。此處楊宗保不必唱許多，可以倒板上，唱原板二句，轉快板，唱詞敘出自己身份任務，緊密戒備，就足夠了。這一場在本質上是一過場戲，太長了便喧賓奪主，破壞了整個劇情。六郎的上場倒是滿對的。太君的唱詞太過重複，對延輝的尊於延輝在坐宮時唱的，實為不妥，太君此時正該敘十五年思子之情，對沙灘會往事少敘之兩句即可，此種處在對劇中為最常見之弊病，往往一齣戲中，重複唱詞好幾次，甚至都是由一人唱出。有的人以為這是在表現唱腔的但對整個戲的進行不合適，專門為時表現唱腔，仍不是完美的。我們以往稍稍缺乏一些基本之理論，多注重在唱作的表演，以致使一個完整的戲，變成枝枝節節的表演節目，因之失去了戲劇的本質，而或成為雜耍性質的戲，這是要極端注意的。

文匯樓別記

辜鴻銘有虎在堂

文匯樓主

辜鴻銘直到老，仍留着長辮，對女人異小腳之美與可貴，常在外文報紙，著論讚揚，其居處堂前懸：「天、地、君、親、師」大中堂，其人之頑固如斯，乃我國文壇上一寶。

辜在北京大學外文系教英國詩，授課時非常嚴肅，班上不准有女性，惟辜本人則畏妻如虎。辜喜歡到北京天橋聽女落子，常被妻耳提面命使人難堪。閒中教訓，喋喋不休直到深夜，以致當晚導至肺炎發作。

辜鴻銘夫人是湖南人，如夫人係日本小姐，外國朋友問辜中國一個男人可娶幾個太太，一個太太可否嫁幾個丈夫？辜謂不可，其比諭很妙：「一個茶壺配幾個茶杯是很正常的，以一個茶杯配幾個茶壺怎麼可以呢？」這一個幽默的答詞，不逕而走，幾乎傳遍歐美社會，不知者誤為胡適的幽默，其實是辜的一個茶壺兩個茶杯的經驗說。

照辜鴻銘對「有虎在堂」的解釋：「我的夫人籍貫湖南，我常將湖南人比作為中國的蘇格蘭人，中國其他省份謂湖南人有騾子皮氣，我的夫人因為是湖南人，故有極堅強之責任感，為欲盡其責任，從丈夫到孩子，計十六口人之大家，維持非易，我由於對夫人敬佩，而我的許多朋友，都譏笑我是最怕太太的人」。

其實辜鴻銘祗是怕太太中的一員，還談不上「最」，唐代首相房玄齡，太宗賜美女，屢辭不敢受，帝召房妻曰：「寧不妒而生，抑寧妒而死？」言罷賜酒一杯，（實則是醋）房妻一舉而盡，無所留難，帝曰：「我都畏見，何況玄齡」。明朝一位開國大將軍常遇春，朱洪武半個天下是他打出來的，有萬夫不當之勇，明太祖賜以美女，常不敢受，太祖問是甚麼原因，常說：「貧賤之交不可忘，糟糠之妻不下堂。」另一位民族英雄戚繼光，亦是以怕太太著稱，他在百萬雄師裏，威風凜凜，獨見到太太時骨就軟化了，有一天他在想，可能是「戎裝」與「微服」有連帶關係，當戚武裝起來去見太太時，她祗問了一聲：「武裝何為？」戚繼光趕快趨前施禮說：「敬請夫人校閱軍旅」。就中國歷史上怕太太的人物來說，辜鴻銘還未上段，因辜還敢娶如夫人，例：房玄齡、常遇春、戚繼光等，皇帝御賜美女都不敢受。辜對夫人的敬佩，實在不算是怕，但辜自己則直認不諱，「吾畏吾妻，乃遠過於畏吳佩孚大帥，率全軍而至也。」

有關畏妻的綽號「母老虎」、「河東獅」、「母夜叉」名詞的由來，容另文敘述，辜鴻銘為當代大文學家、語言學家，能教英國詩者，近一世紀，中國並無幾人，在台灣對英國文學有研究者，要推葉公超先生了。

倫理哲學講話之一
夫婦之道（二）

陳遂子

這是說：夫婦之道，包括了君臣之義，父子之親，男女之別，兄弟之愛，朋友之信，兼有五倫之行」。女誡曰：「女有四行，一曰婦德，二曰婦言，三曰婦容，四曰婦功。幽閒貞靜，守節整齊，行已有恥，動靜有法，是謂婦德」，內訓篇曰：「貞靜幽閒，端莊誠一，女子之德性也。孝敬之明，慈和柔順，德性備矣」。又曰：「是故女德有常，不踰貞信。婦德有常，不踰孝敬，貞信孝敬，而人則之。詩曰：其儀不忒，正是四國，此之謂也」。這些都是偏重在對婦道的要求。引證這些古訓的意義，在於獲得一些參攷，以端正目前因西化影響而形成的不良風氣。也並不是要我們違反潮流，無視於新女性的婦道，更絕不是復古，要我們再回到古老的傳統中去。祇是說：我們可以在傳統文化，傳統禮俗中，吸收若干既不違背時代而有救於現狀價值的經驗教訓而已。至於規範夫道的，古人也有「相敬如賓」，「相待以禮」之訓。又曰：「夫之道，在敬身以帥其婦，婦之道，在敬身以承其夫」。這是說：夫婦之道，端在互敬。敬中自然有愛，但愛中亦須有敬。就是要愛之以道，愛的有節制，不是汎濫情感，縱恣媒黷無度。以致侮慢怨離，不可收拾。這些都是我國幾千年來夫婦之道的傳統，而應特別重視的。

三、夫婦婚前戀愛之道

這課所說的夫婦，是指婚前尚未結合的男女雙方而言。男女在婚前先談戀愛，戀愛成熟便結婚。即所謂「自由戀愛」、「自由結婚」。這是目前全世界各國普遍流行的婚姻方式。也是為一般青年男女趨之若鶩的時髦風尚。但是，這方式，在中國傳統文化思想傳統風俗習慣說來，卻並非如此。這完全基於東西文化觀點不同，禮俗各異的緣故。兩者各有其優劣利弊，我們姑置不論。中國人並非不講戀愛，也並非沒有戀愛而結婚的男女，但卻要求一切合乎正道。要交之以道，接之以禮。要發乎情，止乎禮義。絕不能淫猥苟且，草率從事。因此我們主張男女在婚前要有正確的戀愛和婚姻觀，纔能發展成為正確的婚姻。若是一味崇洋，效西人之所為。

傳記叢刊

衡陽曾靜濤先生

萬驥

而同學有貧困者，公必預為之謀，俾遂所學，偶有過，諄導私室，不使彰聞；有善，則宏揚公庭，多方延譽，其感人之深，常多退而私泣！西湖為衡陽名勝之一，湖中荷葉田田，當夏秋之交，蓮花盛開，碧波掩映，清香四溢，遊人如醉！宋儒鄭向故宅在湖旁西禪古寺：設帳授徒，其甥，即濂溪先生也。少時從舅讀，相傳作愛蓮說於此，故湖中有愛蓮亭以紀其事。 公乃為一新亭宇，並改塑周子遺像，藉供瞻仰，復於校前築望湖樓，以攬全勝， 公不時偕諸生登樓遠眺，環繞如畫，浴沂鼓瑟之樂，寧能過之！農聲先生在滬聞之，為題匾額，並撰聯語云：「狂簡齊思吾黨士；湖山又報故園春。」書法遒勁，詞意深長，允為湖山增色。

民國十五年，本黨出師北伐，公早隸中國國民黨黨籍，爰聯絡教育界人士，力促駐軍唐生智首先響應，故兵不血刃，而師次湖南，衡陽因號革命第二策源地。大軍旋下武漢，遍南京，而共產黨徒利用後方空虛，乘機活躍，一時青年，受其蠱惑，舉國狂走，馴致滅倫常，肆燒殺，公叔（心腳）焉憂之，歸咎教育，而引以自責！首都清黨後，湖南繼有五月馬日政變，公力主懲治首惡，對從者施以感化，故一面請求政府矜憫愚頑，一面規勸父老務率子弟，踴躍自首，因之全活者不知其數，而地方治安，亦賴以保障焉。何芸樵氏主湘，對黨內同志，好惡不一，致形成甲乙派爭，流為黨鬨衝突，流風所播，衡陽亦難倖免，公以彼此率多門下士，竭其精誠，委婉疏導，所以團結人心，保持元氣者，厥功最大。

私立道南中學，為 公與邑紳萬鴻銘、蕭福濟諸先生所創辦，歷史悠久，校譽榮隆，公曾兩任校長：一在民國十六年，道南遭共產黨徒蹂躪後，幾至不可收拾，乃且晉[illegible]維，首為學籍之理，除莠草，培嘉苗，而校風以肅；次為三民主義教育之推行，距淫辭，息邪說，而正統思想以立；更為擴建校舍，增加班次，俾成為革命青年之搖籃。一在民國二十七年，道南發生學潮，復竭兩年之心力，而納諸正軌。民國二十年，湘省教育廳長朱經農氏，慕 公賢，延為衡陽縣教育局長，在職六年，建樹尤多，綜其犖犖大者：一曰整理教育產款：蓋衡陽縣教育經費，多為先賢所捐集，年久敝生，因慎擇經理人選，使董其事，備歷艱困，卒達涓滴歸公，並保障其獨立。二曰實行分區設學：劃全縣為十七學區，每區設縣立高小一所，並加強學務委員會之組織，負責推廣義務教育及民眾補習教育，用是文盲銳減，奠立地方自治之初基。三曰擴大鄉村師範：衡陽原有鄉村師範，位居嶽屏，與西湖對峙，向為講學之地，惟學生額少，不足應普及教育之需， 公為之擴大規模，廣招英年，認真陶冶，畢業後，分發任用，人無棄材，於是全縣鄉村教育，蒸蒸日上，致與江浙相媲美。四曰編輯鄉土教材：李東陽謂衡之人質直而尚義，先賢如王船山、彭剛直輩，更以民族氣節相高， 公則延聘專家，就傳統之美德，彙編成書，免費供應兒童閱讀，俾激勵志氣，而期諸遠大。五曰推廣社會教育：衡陽以偏處湘南，社會教育，遠遜通都大邑，舉凡國劇電影話劇歌舞等，果能開風氣，輔教化， 公必樂為倡導，並從改良地方土劇著手，使民間有正常娛樂。同時，興建衡陽圖書館，搜羅古今圖書，廣訂外埠雜誌報章，公開閱覽，藉以啓發民智，而提高地方文化水準。六曰營建教育廳舍：衡陽縣教育局原址湫隘，不適辦公之用，教育會、圖書館更乏定處， 公乃將與之毗連之模範小學他遷，合其址營建教育局、教育會、圖書館，莊嚴雄偉，鼎足相峙，復於其間隙地，闢美育園，遍蒔四時花竹果木之屬，不惜胼手胝足，培育灌溉，以為縣人遊憩之所。九一八國難作，又於園側築國恥紀念亭，亭中懸巨鐘，晨昏扣擊，響徹全城，發人深省！七曰選賢任能： 公不論置身教育行政或學校當局，選賢任能，為其一貫之主旨，絕無私人門戶派系之見，故為多士所歸心，而衡陽教育，在國家多難之秋，更見發達。論者以衡陽自有教育局以來，其成績之顯著，無有出 公右者，非虛詞也。惟 公在努力興革中，亦有豪強故為之梗，公雖飲人以和，然決不曲徇，其剛方內斂，概可知矣。（中）

巨變歷險記！

共軍進北平後？

五一一　胡慶蓉

共軍進北平，雖然事前沒有訓練，但臨陣磨槍，還是有很多地方鬧笑話。

是不是由於自己不懂少動手不動手的原則，共軍進北平只是象徵性的。我說象徵性，只不過表示中國共產黨已經佔領北平的意思，進北平的共軍，並沒有在北平停留，更沒有駐紮在北平城，他們這門進去那門出來，那門進去這門出來，出來進去，進去出來，進進出出，出出進進，其結果還是駐紮城外，並沒有駐紮在城裏。我說是象徵性的，只不過是亮亮相，表示「軍容」之盛，嚇虎（口旁）嚇虎老百性而已。事實上，共軍「軍容」盛不盛，是沒人去看的，很少人去看。

共軍進北平，佔領了北平以後，對於北平的一切，並沒有什麼變更。北平仍然是非常寂寞，非常荒涼，人還是存有戒心，不敢出門。但你不出門，他還是會找到你們上來，作所謂家庭訪問。丁作韶的家，列爲特別戶口，共方的人員，政工一類的常到丁作韶的家，作訪問。丁作韶是走出去了，但丁夫人並沒能走出去，她還是守着那座大房子過日子，共產的政工人員常常去訪問，勸她寫信叫丁作韶回來，說中國人民政府是寬大的。他們一來訪問，就是一坐半天，他們也不叫你拿烟，也不叫你倒茶，就是坐下同你談，打聽丁作韶的一切消息，調查丁作韶的過去，從丁作韶出生問到丁作韶現在，每問一，都問得異常仔細，問東問西問南問北，無所不問，你急他們不急，你燥他們不燥，最後總是問丁作韶那裡去了呢？你能去信給他嗎？你能勸他回來嗎？這樣一天到晚的問，等於輪番轟炸，一個人也夠累的，也夠疲勞的。因爲不堪其擾，丁夫人最後步丁作韶的後塵，設法弄個路條，逃到香港。這是後話。

共軍進北平，笑話百出。尤其共軍的接收大員，常常在鬧笑話。比方電風扇，他們是沒見過的，怎樣開法？怎樣關法？轉動起來的情形，轉動當時的聲音，他們毫無所知，毫無所聞。往往把這風扇的聲音，當作飛機的聲音，以爲什麼飛機來了，趕快逃到床底下。早上勤務兵來找，心知有異，到處的找，最後總算找到了，原來藏在床下……

又比方新式設備的衛生間，自來水抽水馬桶，土包子共產官員，也是沒有見過的，他們以爲可以淘米，就把米倒進去，等到看米不見了，自己又氣起來，將馬桶砸碎。

又比方大鏡子，共產土包子又那裡見過，原來他托着槍，他忘記了，忽然看見對面有人托着槍走向他，他以爲是敵人來了，趕緊就是一刺刀，稀哩花啦，大鏡子也就破了！……

桃花潭水深千尺

鱷魚潭邊的故事（二）

趙陀

「嗯！克琳，忠言總是逆耳的，就馬小開、牛少爺、任書呆子三個人的情形來說，任的條件最佳，和你通信那麼久，總是口嚼春風，望梅焉能止渴。」

「爸爸，你錯了，任念佩學有專長，又是一個誠摯的青年。他來信下月初旬去日本，經香港時逗留一週，女兒和爸爸可以盡量設法去觀察瞭解，再決定一切，馬繼元是花花公子，牛少湘乃情場聖手，最近和黛琳電影明星打得大熱，這是港九社會人士所共知的事實。」

蘇霍寶[illegible]中顯得遲疑，困惑意不安似的說：「下月初六，牛主席夫人要和未來的新媳婦見面，陪客的名單是爸爸開出的，有錢董事長，萬綱經理，荷行長，及你羊伯伯，訂婚時還請大紳士周老太爺福證，訂婚後金巴利道一幢洋房先過戶，在港九居住是一個大問題，寸土寸金，誰能否認，宋朝蘇東坡的詩：「無肉令人瘦，無竹令人俗。」如果這位家門生在現代，住在香港的話，一定會寫出「無錢令人死，無屋令人哭。」好孩子，你說是嗎？」

克琳呆了幾分鐘，未再答話，屋子裡的空氣，很快的變得不協調，蘇霍寶背着手，搖二幌三，在屋內度着方步，電話鈴連續地在響，但父女倆都未順手去問一聲，最後還是蘇霍寶將電話聽筒拿起來，未予答話就擱在桌子上，克琳的眼眶濕了，鼓起勇氣，向蘇霍寶氣忿的說：

「即是葛蘊洪總督下手令，將金巴利道整條街過戶給女兒，我也不會和牛少爺訂婚，繡花枕頭，胸無點墨，除了會吃會喝會嫖賭外，找不出他半點長處，結婚是男女兩個人的事，不須要向死去多年的甚麼主席看齊，爸爸，您去年向女兒提出第三次保證，再不會做出影响女兒名譽的醜惡荒唐事件，訂婚的日期都擺代擇好，女兒完全陷於不知，不算荒唐，算甚麼？這次哀求爸爸恕女兒不孝，堅決反對和牛少爺訂婚，更嚴厲拒絕甚麼「日本水鳥式」國際間「雅爾達式」的訂婚，這種跡近詐欺行爲是犯罪的。」

蘇霍寶雖惱羞但怒不出，祇能忍耐住？皮笑肉不笑的問：「如果和馬小開訂婚呢？」

「亦堅決反對到底。」

觀光與題詠刻石（九）

·胥端甫·

我總覺得，我們國民政府雖然播遷海隅，但是還需要表現我們是一個泱泱大國的風度，氣韻，和魄力，換言之，就是整個大陸文化，都應該移植到台灣這個海島來，然台灣是一個海島，也就可代表我們整個中華民國。總之一句，我們今天在觀光事業部門中，對於種種設施，應該有三個時代作用：過去時代要存儲，現在要開新，將來留遺產。都是民族文化之積極表現，以充實觀光的豐富內容。同時也收到復興中國文化之實效。我們在海外能夠瀟灑了山河，將來就可給我們的炎黃子孫，又遺留下豐富的遺產。否則，反攻返回大陸，可不是一張白紙留在台灣？這種交白卷的事情，一個國民學校的小學生都不忍爲，而我們能夠爲嗎？這幾年來，在發展台灣觀光事業的呼聲裏面，的確作到的還是觀光旅館，觀光食堂等等方面，真如雨後春筍，但是，如果實際走到觀光區域中去望望，我們固不能說「空空如也」。總覺得還是「興趣索然」，激動不起我們心靈上任何感受。我這篇文的題目雖小，可是感懷萬端，企望很大。再坦白地說，題詠刻石就是爲我們的子孫寫歷史，就是爲我們的版圖留證據，不管他一個中國，兩個中國等謬論，而我們今天在台灣就要表現出我們中國的傳統文化來，敬希高明，有以教正。（完）

生活漫談

失眠、食療、補腦。

馬騰雲

失眠是一件非常痛苦的事，刑求犯人時，用一種披勞審訊方法，不讓被審的人睡眠，被審的人因受不了不眠的痛苦，而承認自己不願承認的事，失眠雖沒有人向其刑求，但不能睡眠的痛苦，有時會導致自殺，以證明失眠對人體的嚴重性。

根據醫家們的實驗，失眠而死較失食而死爲快，長期失眠，能使大腦皮質之組織變化，及血中出現毒素等，我們在病時，更需要充足之睡眠，以謀身心均能休息，而幫助體力增強，使所患的病能及早痊癒。

導致失眠的因素，由於工業社會的進展，使事業關係日漸複雜，成敗得失，趨劇烈競爭而加速變化，患得患失的朋友，每晚輾轉反側，難以入睡，後來變成習慣，即所謂之失眠症，而患這種失眠症的人，多半發生在中上層社會，苦力和農民患失眠症的比較少，失眠症可以說是一種時代病，另一種失眠是因身體有別的病，如痛、癢、酸、麻等不快的感覺，而致失眠，還有因戀情幻覺幻想，也能使人失眠，所謂「窗前花弄影，疑是玉人來」。

西醫對失眠症，大多靠催眠藥，其作用在抑制視丘內之睡眠中樞，使感覺能力減少，困倦而易入睡，睡眠之調節中樞既在視丘，這個部門的病變或損傷，也會影响睡眠，中醫認爲用催眠藥使人睡眠，與西醫外科所用之麻醉藥相似，所不同的，用藥的輕重，當然這些看法，也有其部份理由，不過中醫對失眠症的醫療，沒有西醫那樣迅速見現，可是中醫對失眠症的診斷，是多方面的，時代性的失眠，戀情引起的失眠，是採「心病還得心藥醫」，換句話就是藥物治療沒有甚麼藥物特效，

但用食療方法，對各種失眠症頗有幫助，此項王道的食療，值得向讀者們介紹，就是多吃胡桃和洋葱，胡桃可用油炸，糖製及炒菜的配料，中國的大江南北，糕餅店製糕餅，多採用胡桃，如五仁月餅、桃片糕、八寶菜、椒鹽桃仁、蜜桃仁等，因胡桃仁，裡含有蛋白質、脂肪、糖類、灰份、鐵、錳、磷酸鈣、及鐵，維生素A、C、E等，爲有效的補腦緩和安眠劑，假如說海參壯陽，淡菜滋陰，都是因像形而研究出來，那麼胡桃酷似人腦縮小，巧得很，胡桃恰爲補腦重要藥物，滋養強壯，兼有鎮靜收斂之功，多吃洋葱，它能醒腦，對腦的清寧很有幫助，西洋人和日本人，都喜歡吃洋葱，葱的成份含有蘋果酸、磷酸鈣、蛋白質、脂肪、無機鹽、纖維、含水炭素等，故能通暢經絡、活血、治傷寒、預防流行性感冒，失眠的人能常吃洋葱是有益的，不過葱的性質帶熱性，常感燥熱和患有瘧性便祕的人，不宜常吃葱，如果有胃熱腸燥，津液缺乏，可多食洋葱。

命相與夢話

五短非富即貴

錢一釗

人之一生有內觀，也有外觀，內含難知，外觀易見，故知人論世，率多注意外觀，也就是所謂第一印象，這種第一印象的良好與惡劣，在觀察者的心理上，每起決定性作用。我們這一段專談身材矮小的人，身材矮多因頭頸短與腿短，但照相法上說，上長下短，平地青雲，四肢都能夠短所謂五短，即構成了大貴相，如能再配以「儼然之威儀仰之儀」，面貌、風度、色神、舉止、都能協調，位極人臣，斷然無疑，近代政治人物中如陳副總統辭修先生，陳布雷先生（前軍事委員會秘書長），鄭彥棻先生（總統府副秘書長），法學權威張知本，胡宗南先生（前西北軍政長官），沈怡先生（現任巴西大使），郭驥先生（中央黨部副秘書長），冷欣先生（前南京區受降官），賴璉先生（前西北聯合大學校長），程滄波先生（前中央日報社長），曹健修先生（現台北地院院長），大文學家熊式一先生，關外王張作霖，欲做皇帝的袁世凱等皆屬五短型，詳細請閱二十五經。

師道！師道！師道！

（上接第一版頭條）

一般家長，無論官做得如何大，對兒子的老師卻不敢怠慢，始終要待以西席賓客之禮。在學生心目中，更是一日爲師，終身爲父。連皇帝都不敢怠慢老師，社會把教師捧上了希聖希賢的位子，作教師的自然也就不好意思拆爛污了。過去不管社會風氣如何壞，子曰行異的人總算大多數還能保持清白。今天可不同了。教師和公務員并稱公教人員，由西席一變而爲僱傭。政府爲了體恤教師，讓教師和公務員一樣可以享受保險、互助、退休等福利，但是教員的職員是由校長一年一年地聘任，倘若聘約期滿，下年度不再續聘，一切便成泡影。例如北部某縣市有位任教二十九年半的教員，再過半年就可申請退休了，就在這緊要關頭，原任教學校未再聘，別的學校也沒有人願意請一個教員來辦退休。結果二十九年半便算白幹了。又如中部某中學有位教師於七月廿八日因病住院，到了七月三十一日，聘約期滿未再續聘，只有活活等死，免費醫療待遇一絲也不能享受，白繳了二十年的保險費，政府爲教師籌措了許多福利，但是教師能否享受，政府和教師做不了主，只有校長一個人可以任意決定。爲了彌補這個缺點，在劉光雲廳長任內，曾規定教員初聘一年，續聘二年，再聘就永無限期，只行了一年，就被校長們反掉了。現在全省中學教師的聘期都是一年，也就是說教師們每年都要面臨一次失業的恐怖。幸而過去教育廳還有一個補充規定，校長停聘教員，必須別舉具體事實，報廳核備。

然，去年教育廳答覆新竹縣政府的請示時說：「校長與教員純係聘約關係，[illegible]

[illegible]更把老師們罵得一文不值，學生耳濡目染，自然把老師也就不當一回事了。因爲教育界「除良安暴」的措施，一些潔身自好之士多紛紛引退，就是苟延殘喘，也發生不了什麼作用，唯有七強五霸，驕兵悍卒，本着鬼怕惡人的信念，在學校中的確也給校長們製造了不少麻煩。師道云乎哉？予欲無言。（完）

御廚談藪

炸鷄與拌鷄

林泉隱

溜炸鷄：將鷄切成小方塊，先在醬油和糖裡浸一小時；再放在沸油鍋裡炸之。稍息取出瀝乾，去鍋裏餘油，再放在鍋裡，加糖、葱、醬油；炒幾下後，沃入豆粉調醋；再攪幾下，就可以起鍋。

白切鷄：鍋子裡溜進一大碗水，煮沸，將洗淨的整個的鷄，放在鍋裡，猛火燒半小時拿出。辨別鷄肉的直纖縫切開，大約寬一寸，長半寸，用麻醬油蘸着吃，元氣盎然。

拌鷄絲：將熟鷄切成細絲，選柔嫩的筍的細絲作拌，就用白鷄湯調和之，味極鮮美。或者用醬油，芥末，蒜尾，椒鹽，醋拌來吃，也很好。

炒鷄絲：把鷄胸的肉切成絲，用豆粉拌勻。鍋子裏先放豬油燒熱，然後將鷄絲倒下去；趕快用鏟刀連連攪炒，隨即拿白醬油倒進，還放少許的葱，再攪炒十幾下，就熟了。如果加筍絲，豆芽菜等一同炒，應當在加醬油時候加進。

自由報

中華民國內政部登記證內版台報字第〇三一號
中華民國僑務委員會登記證台僑港字第二三號
中國郵政台字第一二八二號執照登記爲第一類新聞紙

（第九八二期）

（半週刊每星期三、六出版）
每份港幣壹角・台灣零售價新台幣弍元
社長李運鵬・督印黃行蠧
社址：香港九龍彌敦道593—601號
廖創興銀行大廈八樓五座
LIU CHONG HING BUILDING
7th FLOOR FLAT 5
593—601 NATHAN ROAD,
KOWLOON, H.K.
TEL: K303831
電報掛號：7191
承印：景星印刷公司
地址：嘉咸街廿九號地下
台灣總管理處：台北市大同街119號
台灣區直接訂戶　台郵劃撥戶
第五〇五六號張萬有（自由報會計室）
電話：七一四〇三三、五五五三九五
台灣分社：台北市西寧南路110號二樓
電話：三三〇三四六，台郵劃撥戶九二五二號

台灣交通上幾個問題

郭雨新

交通決定土地價值，爲不移定理。而本省之交通建設，由於着重於西部，以致東部資源之開發，受到莫大之阻力。目前本省北部與東部之交通，僅靠蘇花公路，其運輸量實微不足道。加之每年颱風季節，發生坍方，而無法通車者幾佔四個月。姑不論交通被阻，在經濟上所受之損失。以維護及災害保養經費而言之逐年均有增加，去（五十七）年付上之修護費達一千一百八十萬元，誠屬財政上之大包袱。何不急謀開闢蘇花鐵路？而長使政府消耗財力。

蘇花鐵路之開闢，乃開發東部之先驅。按本省東部，僅花東兩縣其面積佔全省總面積達四分之一，而所有人口僅六十萬，地廣人稀，由於交通不便之故也。而東部地區不僅礦產豐富　林產物尤多，於開闢後，積極從事開發，在經濟上之受益，其非淺鮮。就發展觀光事業而言，由於花蓮有太魯閣，天祥等觀光地區，加之火車行駛於蘭陽平原縱目太平洋，蔚爲奇觀，更有誘致觀光旅客之興趣。按興築蘇化鐵路之經費。依據初步估計，僅需十餘億元，返觀本省西部，爲疏導鐵路運輸，而開闢七堵調車場達四億餘元，舖裝彰化、台南間雙軌鐵路亦在積極進行，何以漠視本省東部，形成東瘠西腴，半身不遂。

筆者認爲開闢蘇花鐵路，不僅對本省政治、經濟均有莫大裨益，而在軍事上亦具重要之地位，假使當前經費籌措困難，是否可以分期進行，爲配合海島經濟發展，疏導基高兩港航運，開闢新國際港，是當前之急務。台灣省議會爲促進開闢新國際港之計劃，而組織專案小組搜集有關資料，提供政府參考。惟所提出之結論，似以重建台中港爲最先，而以淡水港次之、蘇澳港再次之。筆者認爲在此時此地，要求發展海島經濟，莫不以開闢淡水港爲最適當，況可迎接世界船運之趨勢，以建港規劃而言，淡水建港經專家研究，於完成後之能量達一千二百萬公噸，興建期間約爲十五年，動工後可以開放使用期間爲六年，需經費六億元。而重建台中港，據初步研究，全年吞吐量僅六百萬噸，其建港規劃預定分三期施工，十五年完成，始可使用，而所需經費達三十四億元。依目前政府財力及經濟效益觀之，熟輕熟重，至爲明顯。本席認爲仍應以淡水建港爲最優先。

就建港之優點與缺點而言：淡水建港雖較偏於北部，但其優點有：①鄰近台北地區，且所經地區平坦，利於配合築港。②淡水河整治後，可利用發展內河航運。③闢港後填築之新生地及淡水河兩岸土地，可爲建廠。④基隆港能量飽和後，能配合進出口貨運。⑤適應北部地區，發展工業之需要。且屬天然海灣，巖石海岸，無漂沙之慮。而台中港之重建，雖有位處基隆、高雄兩港之中間，可節省內陸運輸費用。但其缺點有：①建港費用，雖與淡水相若，惟動工後至可開放使用之經費大於淡水港。②季節風強，漂沙又大，影響船舶出入之操縱及裝卸作業。③漂沙量之防止不易，將來航道船渠之維持費至鉅。依此情形觀之，寧有捨天然條件之良港，重建挾沙迴游之台中港乎？交通事業，對於發展經濟：一爲配合經濟發展。一爲領導經濟開發。本省交通建設，由於偏於保守，以致不能適應當前經濟成長之要求。而本省北部爲工業集中地區，工業製品之輸出，工業原料及半成品之輸入，其所佔總輸出入之比例至大，且基隆港已無擴充餘地，其能量於六十一年將告飽和，規劃中之淡水港於第一期工程完成後，即可担任吞吐任務。依據港埠專家在規劃新港時，亦多以時效爲重點。試問今日開闢新港埠，其屬應急乎？抑係處常乎？

蘇澳港位於宜蘭縣蘇澳鎮東南二公里許，乃本省東北部之天然良好港灣，東臨太平洋，西南北三面環山，半島突出，可容萬噸級以下輪船出入深水水域。現有鐵路直達港口，公路北通台北、基隆，南達花蓮、台東等地，交通稱便。且該港距離本省北部經濟中心僅一百公里。溯自民國五十四年間即着手興建小型商港，預定於五十九年可供千噸級商船停泊。

依據蘇澳興建小型商港之計劃，於第一期工程完成之後，第二期工程，則六千噸級之商船，亦可自由出入停泊。惟闢第一期工程，由於指派非工程人員爲主管，以致預定於五十八年六月底，應完成之碼頭、護岸、港灣疏浚，且有尚未施工。似此遙遙無期，安望能促進港灣建設？其屬港局用人不當乎？抑以之有所牽制乎？

本省木材加工工業極其發展前途，惟本省木材則因蓄積量貧乏，如欲大規模發展木材工業，勢須大量進口外材，然而基、高兩港現已擁擠不堪，不勝木材增加進口之負荷，花蓮港則因偏處一隅，港區附近皆爲高山沙礫之地，實無貯木之利。而蘇澳港不僅交通方便，抑且地勢平坦，面積廣闊，是最適宜之木材專用港。前經台灣省政府報請交通部開闢蘇澳爲木材港，未悉何時始能核定？

根據調查統計，基隆港最高吞吐量僅能容納七百四十萬噸，而五十七年已達六百五十萬噸，如是基隆港之吞吐量將於本年底達到飽和點，爲應當前經濟發展之趨勢，何以不將蘇澳開闢爲輔助港？以減輕基、高兩港之負荷乎？

政府投資興建橋樑，採取征收過橋費辦法，使資金得以循環運用，不僅符合「取之於民，用之於民」之原則，且可不斷從事交通建設，以配合經濟發展之需要。是爲至當之措施。

中興大橋征收過橋費，有以建橋經費業已收足，而提議停征。爲顧全大局以及地方利益着想。筆者認爲停征中興大橋之收費，此非其時，理由：

近聞中興大橋之橋墩，已發生下陷，如果停征過橋費，則每年所需維護費用，由於當前財政狀況，勢將迫使政府繼續征收過橋費，似此情形，豈可貿然停征乎？

本省北部地區，毗鄰於台北市之市鎮，若以建設與台北市相較，竟有天壤之別。省府曾經研討三重市永和鎮建設方案，雖屬盡善盡美，終受財源所限而一籌莫展，爲促進此一建設方案之實現，亦當繼續征收中興大橋過橋費，以資挹注。

目前台北近郊有待興築橋樑者尚多，如能在淡水河及基隆河上多建幾座橋樑，不但爲台北市民謀福利，而爲本省北部地區之省民謀福利，尤應繼續征收過橋費，而以專款補助地方建設，其何樂而不爲乎？

最後筆者認爲停征中興大橋過橋費，勢必使行駛橫跨於淡水河上之華江大橋、台北大橋之車輛，繞道中興大橋進入台北市，而造成台北市西門一帶交通之嚴重問題。復以車輛過度集中於中興大橋，其壽命是否將受影響？誠屬令人担憂。交通主管當局是否有慮及此乎？

昨日與明日

人類破天荒的壯舉

美國載人登陸月球的「太陽神十一號」，已完成戡天縮地的偉大工作，成功地回到地球來了！這是人類有史以來的破天荒壯舉，應該讚頌歡呼的。

太陽神十一號載人飛船，經過科學家和技工人才五萬名（中國人亦有幾百名在內）耗費了美金二百四十億元，纔實現預定計劃，使全人類爲之驚震而愉快，認爲得未曾有！

蘇俄瞧着眼紅，趕忙放射一枚無人的太空船進入月球從事探測，卻指說美國載人探月的壯舉爲「殘忍」，這是吃不到葡萄就說葡萄酸的，醜態可掬也。

觀念不要弄錯了

世人不要以爲美國財力雄厚，富甲全球，乃能完成載人登陸月球的偉大事業，那就是大錯特錯。基本條件是要有那麼多的科技人才，有使幾萬名科技專家從事研究，設計、製造的充份設備和生活環境。否則縱有一千億美元，也搞不成一枚載人探月的太陽神十一號啊！

約在一百年前，中國與日本皆怵於西方國家之堅甲利兵，勢不可當，相率變法圖強。可是，日本人派遣學習專家赴歐美留學，研求堅甲利兵之所由來，取法乎上，從基本上用工夫，學以致用，而吾國卻以拿錢購買歐美的堅甲利器爲能事，對於科技人才的培養，漠不關心，偶有少數科技專家在外國學成回來，政府亦屏棄不用；若用，則致他們去作官，根本就是摧毀科技人才，貽患於今。時至今日，見有許多華籍的科技專家在外國工作，即大呼「留學生歸國服務」的空口號。請問咱們憑着現有的科學基礎和工業設備，與夫政治環境等等，如果留在外國的科技人才都回來，你教他幹甚麼？別的且不談，咱們現有的一些高等數理出版物，即盡係過了時代的陳腐作品，有甚末資格發展太空事業呢？我們那股不務實際的虛驕觀念，歷一百年而原封未動，眞是時代悲劇！

亡羊補牢之計

今後的世界是科學競爭世界，一個國家如不積極培養科學人才，決無獨立自由之可能——最好亦得俯仰於强國的「核子傘」庇護之下，過着不自主的生活。唯有及早警覺，自力更生，盡其力之所及，創進科學基礎，發展近代化的科技設備，而以優裕生活給科學家以用武之餘地——尤其不宜敎眞正的科技人才從政作官。若謂任用許多科技專家教育部長或其他的甚末行政首長，即是發展科學，還不啻是見駝以爲馬腫背的愚昧思想，豈乎可呢！

・何如・

自由談

主持台灣省教育行政的官員，最近發表高見，要使各級學校教師提前退休。換言之，公務人員法定的退休年齡是六十五歲，教書先生即須早日「解韈歸田」。如果這便是所謂政治革新的措施，我要掩卷太息，認爲咄咄怪事！

作官的人兒不妨及時休致，一以防制政治上構成因循腐敗的風氣，一以發揚新陳代謝作用，理有固然。唯有學府的教師，好似生薑一樣，愈老愈辣，除非是精力衰憊，神智不清了，否則執教到八十歲，對學術上的貢獻更大。我在外國（日本）大學讀書時期，幾位有名的教師無一不是鬚髮皤白的老年人，學生們對他必恭必敬地尊奉不違。例如教我們政治學的浮田和民，大山郁夫二位先生，前者年過七十，後者不到四十歲，但在學生大衆的觀感中，對浮田的信仰超過大山遠矣。學問是累積起來的，與年齡成正比例，年紀輕的人要他作官從政，或許比年事較高的多有幹勁，談學問就不是那末回事啦！所以，在歐美各國乃至於日本，從來就未聞有強迫

徒亂人意

學校教師退休之事，更不必說提早休致的調調兒——除非他自動倦勤。

任何一項在外國創行的制度，輸入到中國來即大大的變質，利未見而弊害叢生了。如行政官署之所謂「常務次長」，原係效法英國的。還是事務官，決不隨其行政首長進退，但須從考試而來，積資遞升，久於其任，不到退休年齡，或有失職之處，便是鐵飯碗。我們的常務次長一職，實爲多設的冗官，其來也并非從舊有的事務官員中，爲事擇人，量材器使；其去也甚於人事派系因素，沒有法制可尋。如今這股華而不失的歪風，在學習外國退休制度的口實之下，要流行到講學的學苑中了，能不令人怵目驚心乎！談到行政人員的退休，（也應該以精力是否勝任爲主，而不宜毫無所擇地一例看待，否則有些七十歲的官員何以又未勒令致仕呢？

政治上需要變，卻不能亂，求變的方法必須切合實際，而不應專務表面工作，徒亂人意，這是我的看法。

愚己先生

立法委員今做好事　嚴格取締僞藥製售

最重條欵可處無期處刑　法律既定歪風盼能稍假

（本報通信員范光耀來自國會消息）立法委員吳延環等四十六人爲修正刑法增僞造藥品罪一章以便取締僞藥提案理由中說：僞藥不僅戕害國民生命，且影響國際信譽，爲害之大，盡人皆知，現在台灣僞藥工廠遍全省，設備及成品值數億，所製僞藥達三百餘種，包裝之精，令人難辨，這樣爲害卻無適當法律予以制裁，爲此擬案如下：

辦法：在刑法第十五章僞造文書印文罪後增僞造藥品罪一章，作爲第十六章內增第二百二十一至二百二十六共六條，現行法第十六章改爲第十七章，第二百二十一條改爲第二百二十七條，以下例推，其條文如下第十六章僞造藥品罪第二百二十一條：意圖營利以僞造，變造，仿造或他法，製造不合格之藥品者，處三年以上十年以下有期徒刑。得併科五千元以下罰金。第二百二十二條；意圖謀利，販賣前條藥品或已失時效或已變質之藥品者，得併科三千元以下罰金，總批發人加重其刑至二分之一。第二百二十三條；凡製造或販賣藥品之仿單，標籤，或包裝未刊載廠名，品名，成份，用量，用法，效能，製造年月日，有效日期，許可證字號，或其刊載與許可證不符者，視同僞藥，分別處以前二條之刑。第二百二十四條：意圖供製作不合規格藥品之用，而製造，交付或收受各項器械原料者，處五年以下有期徒刑，得併科一千元以下罰金。第二百二十五條；犯第二百二十一條至二百二十三條之罪致服藥人受傷害者，處三年以下有期徒刑，因而致重傷者，處三年以上十年以下有期徒刑。或致死者，處無期徒刑或七年以上有期徒刑。第二百二十六條：犯本章各條之罪者，其器械，工具，原料，成品，不問屬於犯人與否，一律沒收。

金錢萬能歛金錢萬惡歛
淩雲寺花和尚出醜
民政廳插一脚　到如今洗不清
未受戒做和尚　僧生子皆新聞

（本報通信員范光耀來自國會消息）台北縣五股鄉觀音山淩雲寺年輕住持僧，忽然下落不明，據說是爲了與女信徒感情糾紛，引起附近信徒羣情憤怒。

這所聞名北部的寺廟，目前財產有一億多元新台幣，住持釋聖定，今年三十一歲，南投人，埔里高中肄業，五年前尚是一未受戒的小沙彌，但其雄心萬丈，爲了爭奪該寺主持，僧不惜與師父唯妙和尚脫離「師徒」關係，將法名「顯定」改爲「聖定」。

師徒之情斷絕後，又與其師叔竹妙發生鬥毆，迭次涉訟公堂，後來終於神通廣大，如願以償的幹上了該寺住持。

五十三年二月七日，該寺前任住持覺淨和和尚圓寂，爲了住持位爭奪，「僧選」的釋玄妙與「官派」的釋聖定形成了雙包案，爲此當事和尚釋竹妙曾大鬧中興新村，指責其師兄和護聖定，迫得民政廳長陳錫卿，不得不向台北縣府宣佈已非淩雲寺信徒，藉以置身事非圈外，後經數年纏訟，並鬧進省議會、監察院，至五十五年九月，該寺信徒大會在北市中華體育協進會舉行投票（僧侶都沒有參加，僅聖定與管妙二人參加），選出七位淩雲寺財團法人董事，董事會聘任董事之一的沙彌聖定（尚未受戒）爲該廟住持。

聖定最近忽然不知去向，徒弟們也都不知道，據一位接近聖定的廿一歲少女說，去年聖定送她去台北市待產，告訴她將往指南宮暫住些時，她於今年三月產下一女，迄今未曾他面，目前她煩惱的是找不到他，使她成了未出嫁的媽媽。

據鄉公所戶籍上記載，聖定已由觀音山十三鄰內叢廿號，遷至台中市南區士德里十三鄰大慶街二段八十五巷十五弄七號去了，據說還去新地也住有一位兩個孩子的媽媽，是否如此，目前尚未確知。

該寺無「監院」設置，聖定出走後，雖然是跑了和尚跑不了廟，但已是羣龍無首。據鄉公所五十三年調查該寺財產，房屋尚未在內，僅土地一項遍及新竹橫山、桃園中壢、參洲五股、竹竿湖一帶，五十三年的時價估計二千七百萬元，再加上房屋當值上億。此一龐大財產，由於住持出走，是否引起一場糾紛，該寺信徒至爲關注。

聖地一片清涼
花僧造孽非淺
董正之籲政府拿辦法

（本報通信員范光耀來自國會消息）立法委員董正之爲台北縣觀音山淩雲寺由於官派住持，致生意外，提出質詢。查台北縣觀音山淩雲寺，夙爲台省名剎，今爲觀光勝地，不幸，前於五十三年五月，台省府民政廳明令鋪進雄（聖定）代理住持，進駐該寺，中國佛教會當以聖定未曾受戒，與寺廟住持規則不合，曾呈請內政部糾正在案。惟惜政府未加注意，茲悉該僞裝僧人之官派住持，終於年載以前，發生桃色糾紛，潛携寺款出走，以致清淨梵刹，毀於人事措施。台省民衆，信佛居多，宗教情操，素極濃厚，觀其拜拜熱忱，自可想見一斑，抑且民俗寄骨寺廟，按節祭祀；遇有各種災異，延僧祈禱；以是台省寺廟構成信仰中心，信衆關切，情理之常，奈何政府漠視佛教，不重教規，竟爾官派住持，致毀清淨道場，淩雲古刹，頓顯荒涼；該寺四衆，倍感悽愴，政府究應如何補救。

台灣一二三事
歸國學人重視科學新聞
（本報駐台記者呂孝佛）

今年參加暑期講習的回國學人，經記者一一訪問後，皆表示全民科學的重要性，他們呼籲政府與輿論界應正視此一問題的嚴重性。因爲現代科學一日千里，倘不及時努力，勢將落後很多。一位不願透露姓名的太空科學權威告訴記者，美國銷路最廣的一流大報紐約時報，便有專門採訪科學的記者，其中一位名記者即因在二次大戰末期推測美國已有原子彈，按當時此是極機密之事，旋爲政府當局徵召調往原子基地工作，等原子彈投下廣島結束二次大戰後，紐約時報曾以整欄一版交其撰寫原子彈製造的全盤經過情形，使該報銷路激增，於是聲名大噪，由此可見科學新聞報導之重要。

他們說：今後國內報紙宜多介紹科學新知，使科學普及化，如此民智水準提高，將有助於國家科學發展。

從上述可知，報紙代表民衆趨向，換言之，民衆科學水準提高後，自然會選擇適合他們胃口的報紙了。

台北文教記者杯葛鍾皎光

台北幾家報紙的文教記者在報導教育部所屬國際文教處的欠省郵資三千元新聞後，引起鍾皎光部長不滿。按此事因留學生放榜後，文教處居然無三千元現款付郵資及時寄出該項證件，致使許多辦理出國手續的留學生感到十分着急，他們紛紛商各報主持公道，於是文教記者分別前往採訪，加以教育部方面態度欠佳，故造成此一風波。

英文中國郵報增薪風波

最近台北英文中國郵報爲增薪事，鬧得老闆與記者不和，該報總編輯至記者，每人採用的一週方式，輪流上班直到老闆加薪爲止。

其實該報待遇並不遜於國內幾家大報，但由於物價漸漲，無形中使原有之薪水不敷日常生活需要，老闆方面也有苦衷，如何張增價以及廣告客戶的問題，亦十分頭疼。如何能使雙方皆大歡喜，最好的辦法，就是財務公開、雙方諒解、並增進彼此福利。相信開誠布公和同舟共濟的精神，是爲上策，而報社之立足尤須靠員工一致努力團結，這樣報社的前途必是樂觀的。

眞出口假退稅大同案
民主與法治兩受損失
八十歲老同志立院內發肝火
不爲奸商講話不避奸官見疑

（本報通信員范光耀來自國會消息）立法委員何叢民爲政府處理彰化大同公司罰鍰案之質詢再質詢，關於政府處理彰化大同實業公司罰鍰案，四次反覆，七年拖延，引起四院職權問題，損失民主法治尊嚴，曾經本席於上（六）月十七日提出質詢。復有立法何委員景寮等十人相繼爲本案關係國法問題，提出質詢。兩次質詢案之要旨，皆在指出本處罰案之裁定，一則違背憲法第八條「人民……非由法院依法定程序，不得審問處罰。非依法定程序之……處罰，得拒絕之。」二則違背刑法第一條「行爲之處罰以行爲時有法律明文規定爲限。」三則裁罰既屬錯誤必須援例救濟，以符合法治不離民主之精神。原裁罰確定案不是違背憲法第五條規定法的程序嗎？不是違背刑法第一條規定法的明文嗎？又能謂縱使裁罰錯誤，不必援例救濟嗎？假定行政院不能作若是之答復，則對於原裁罰違法之責任，可以不追究，任成錯誤嗎？又假如行政院能作若是之答復，即是認定原裁罰本無違憲枉法之錯誤，或者縱屬裁罰錯誤，亦不必援例救濟。則又請教行政院對於中央省主管財政機關前此同意撤銷本罰鍰案之執行，放棄國庫收益，可以不付懲戒嗎？本席認爲政府對於法院裁判確定案，可執行可不執行，乃係行政上從權達變之事。但對於違憲枉法裁判案，必須追究責任，乃係法律上天經地義之事。因之，行政院既經宣佈執行監察院糾正案，可聽自便不事變更，但對於我們立法院質詢案所指原裁定爲違憲枉法，豈可不明令查究？二者並行絕不衝突。方能明責任而辨是非，以示公平，爲民主法治之根本。本席上次之質詢書有說：「固不爲奸商講話，亦不避奸官見疑，乃維國護法頂天立地之行。」所以對行政院執行糾正案，縱使商人財產受枉判之害，爲事甚小。本席可不追問，若使國家法律受枉判之害，爲事太大了，本席是八十歲之國民黨黨員，誓死反抗到底。懇請迅賜答復。

廢除免試出國　立委有異議

僑管教育當局主張全部廢除免試出國規定，但依然無法獲一般輿論贊同。立法院教育委員會幾位立委於七月廿六日表示，認爲並無全盤廢除免試之必要。並有人說現在高官厚祿的人士，大多子女全已出國的關係，故無人出來發表意見，然而人才外流游學不歸確是個問題，但不妨照有些讀者的建議，將僑生諸公的名單作一番戶口調查，定當可以了解其中緣故的。

大華晚報開天窗

在七月廿六日的大華晚報二版，忽然露一小空白，新聞圈內謂之：「開天窗」。引起不少人士猜測，其實該報並非有意如此作，祇是臨時抽出一小塊，準備第二、三次版補足。事實是否如外間所傳有某種原因，恐怕也祇有從該報的編輯部才能獲得正確答案。

陳主席拜會高玉樹

陳大慶就任台灣省主席，甚獲輿論界好評。最近他又親到台北拜會高玉樹，雙方晤談十分愉快。此一新聞發表後，引起有心人士關切。因爲台北市自升格爲院轄市後，傳與省市關係並非如此愉快，這是前任省主席現任國防部長的黃杰，曾對一次公共關係人員的集會時說的，素有『孩子牌氣』的黃杰，當時透露高玉樹爲人過於精明，與省府之間常有刁難不快之事。他認爲雙方應合作共爲建設台灣，爲三民主義模範區域的工作努力，不應彼此隔閡各自爲政，說得語重心長，極有見地。相信這次陳高的晤談會帶來更多的民衆福利。

喬治桑外傳（六九）
張大萬

蘿蕾絲是在[illegible]，只將雅麗絲的手握緊一下，以代替千言萬言。

第二支舞曲是慢華爾滋，蘿蕾絲又拉着雅麗絲下了舞池[illegible]說，跳華爾滋與跳勃羅斯不同，身體不能貼的太緊，但蘿蕾絲摟着雅麗絲的腰轉了兩個弧形的圈，便用他的臉貼雅麗絲的臉。雅麗絲半推半就地讓了一下，蘿蕾絲第二次貼上去，她便不再讓開了。

雅麗絲覺得這是她最喜愛的男人氣息，兩分鐘過後有如痴如醉的感覺。她知道自己的臉在發燒，心跳也加劇，她知道她已愛上了蘿蕾絲，她怕失去蘿蕾絲，她要設法[illegible]。

跳跳談談，時間過得很快，已過午夜一點鐘。蘿蕾絲又請她到二十四小時全天候營業的「甜心」餐廳聽宵夜。兩點以後，蘿蕾絲還不肯放手，要請她到他家裡聽唱片。雅麗絲一想，[illegible]只宜到此爲止，堅持要回家。蘿蕾絲只好答應送她回家。

蘿蕾絲有一輛紅色的米度斯汽車。他的駕駛術很精，能夠「一手駕駛」。所謂「一手駕駛」是美國玩家的術語，即一手駕駛汽車，一手摟着女伴纖腰之謂。

雅麗絲上車以後不久，[illegible]蘿蕾開車的方向不對。

「噯，你開到那裡去？」

「妳放心好了，我不會開妳下海。兜過圈子，再送妳回去行不行？」

在郊外一個僻靜的地方，蘿蕾停了車子。動作快如閃電，吻了雅麗絲。雅麗絲躲閃不及，忽然覺得天昏地暗。這是怎麼搞的？也不知過了多久，才重復看到迷濛的街燈，原來剛才是她閉上了眼睛。這是極度的[illegible]，只有沒有[illegible]汽車[illegible]陽台而已。

喬治桑在客廳裏抽了一支雪茄，[illegible]烟灰缸裡一大堆香烟屁股，喝了好幾杯茶，好不容易才聽到門口汽車聲。他一看掛鐘，已是午夜三點一刻。

下女阿花已經睡覺，他沒有等雅麗絲按門鈴，便跑去開門，他在門縫裏看到雅麗絲與蘿蕾絲臨別的一吻，心中未免有點酸溜溜地。雅麗絲看見開門的竟是她的「包死」，未免一驚，但隨即恢復了鎮靜。

「噢，眞對不起，要你來開門誠。」

雅麗絲精神抖擻，喬治桑的萎靡恰成強烈對照。

「我很早便回來，睡不着，[illegible]不是專爲等妳。」喬治桑的解[illegible]分明是顧[illegible]老闆的尊嚴。

喬治桑關上大門，又坐在客廳裡，雅麗絲則回到她的閨房換衣服。

過了一會，雅麗絲換了睡衣出來。

「你可以睡了，我要去洗個澡，也要休息了，明天早上還要起來，以免耽誤公事。」

「再陪我聊一會兒，明天你晚一點起床好了，我想也不會有甚麼事情。」

「哎呀，已經午夜三更了，你還要聊天，那豈不是要聊到天亮？」雅麗絲打了一個呵欠，用右手輕輕拍着嘴。

「聊半個鐘頭好了，妳吃過東西沒有？」喬治桑這一問，問得很滑稽，他似乎要替雅麗絲弄點什麼吃的。

「對了，『包死』，你想吃什麼，我來弄。我已經宵夜了，不餓。」

「妳不餓就好，我也不餓。」

「你爲什麼很早退出？那兩個日本客人興致很好，大概不會很快便散吧？」雅麗絲坐在沙發裡，右腿架在左腿上搖晃。

「日本人的玩法非常[illegible]，我只有適可而止。這也就是中華文化的中庸之道。」[illegible]

[illegible]男女之間，我認爲[illegible]玩樂就是了。[illegible]喜歡[illegible]玩，[illegible]喝酒的人也沒有[illegible]。」雅麗絲忽然有些[illegible]。

喬治桑大感意外，想不到雅麗絲還會[illegible]自己的假道學。

「我在大學讀過一年中國文學系，中國詩詞讀過幾首[illegible]，我不知道怎樣[illegible]？[illegible]中國[illegible]是很美的，[illegible]也做不出來的。」[illegible]

「好了，好了，讓我們換個話題談談，不要老是[illegible]。」

[illegible]興致沖天。「如果[illegible]不嫌[illegible]，[illegible]點咖啡來吃好不好？」[illegible]

[illegible]一支挺大的雪茄，銜在嘴裡，點上火，吸了一口，噴出一股烟霧。

傳記春秋

衡陽曾靜濤先生

萬驪

抗戰軍興，舉國奮起，公奔走呼號，協同地方黨政，從事宣傳、慰勞、救助、安撫及協清偵查、組織自衞武力諸大端，夙夜匪懈，以迄倭寇請降而後已！維時，衡陽西北兩鄉，原有義倉之設，蓋仿范文正公義田之成例，由慈善家捐田若干，以所入租穀，於農忙時無息貸放，至秋收歸還，不徒濟貧，抑以生產，公爲之確立制度，並就城內設處辦公，深爲兩鄉人士所稱頌！而衡陽西湖中學，時適停辦，公糾合校友，倡議恢復，仍任校長，雖望湖樓之風光依舊，而雙蓮亭則毀於兵火矣，與懷濂溪，有吾誰與歸之嘆！當倭寇陷衡陽，公還居鄉里，余曾間關往謁，公以領袖神明，必能旋乾轉坤，惟有堅定信念，以待光復相慰勉！孰知此爲余與公最後之訣別？囘首前塵，猶昨日事耳。戰亂既終，公爲西湖復員計，不俟鳩而入城，詎大兵之後，疫癘流行，竟受感染，而遽以不起！嗚呼！梁木其壞，哲人其萎，豈惟余之私慟已也！公生於民國前二十九年正月十二日，歿於民國三十四年九月初六日，享壽六十有四，葬城西五里亭，德配羅夫人，性行賢淑，勤儉持家，使公無內顧憂！公廉介不苟，俸入，嘗於城西學宮巷築室自居，顏曰「蓮園」，並親撰聯語云：「遠城市𠕇，近聖人居。」是可想見公之志事矣。民國十三年毀於洪水，兒敬之公助之重修，旋以子女求學費無出，乃售，從此以校爲家，而公灑如也。生女慧坤，畢業省立第三女子師範，任衡陽縣立小學教員，適譚善生，湍新疆提督譚公上遒裔孫也。慧坤有子祖陵。生男國章，名憲政，畢業北平民國大學法律系暨司法行政部法官訓練所，歷任中國國民黨衡陽市黨部書記長、市民日報社長、湖南私立含章中學訓導主任、嘉義地方法院推事、高雄地方法院檢察官，現任台南地方法院檢察官兼台南師範專科學校講師。國章元配萬，生子慶祖、慶宗，惜不幸早世。繼配王，生子慶功、女慶芬，均陷身大陸。再配黃，生女季芬。慶祖於父[illegible]台後，飽經險阻，始獲投奔自由，畢業陸軍軍官學校及通訊兵學校，任裝甲兵學校教官。婿於劉，生子繁祉，女淑娟、淑媛、淑玲，是公之後起者繼繼繩繩，其熾昌可預卜矣。夫爲善無不報，徵公之家世及其生平而益信。爰爲之銘曰：

溯彼龍田，山高水錦，鍾靈毓秀，氣象萬千，維我夫子，稟受於天，肫肫其仁，淵淵其淵，陶鎔經史，窮研自然，和樂處世，執經達權，淡泊明志，富貴雲烟，教澤廣被，桃李競妍，濂溪不作，風月誰傳！敬恭桑梓，興革百端，荷道匡俗，任能選賢，宏獎俊乂，矜憫愚頑，忠誠報國，主義奉拳，北伐抗戰，勤勞不宜，寇臨城下，信心不遷，愛戴元首，老而彌堅，禹甸重光，倡率復員，鞠躬盡瘁，無憾無怍，子孫象賢，允揚幽潛，衡嶽西[illegible]宅，慟失依歸，勒銘貞石，億萬斯年。

中華民國五十八年夏曆正月十二日，爲先師曾公靜濤八十有八冥誕，謹撰此文，藉申祝頌，義取乎實，不敢浮辭以獻，夫子有靈，其許我乎！

（下）

中華民國三十四年秋，先君靜濤公卒於衡陽龍田故里，初厝於先祖裕後公之墓側，次年春，遵遺命還葬衡陽城郊五里亭，樂卓待竣，而罷警猝至，憲政倉皇出走，迄茲二十餘年。宅麥未安，既興風木之悲，復感罔極之重，午夜思維，誠不知何以自處也！幸承國立編譯館萬編纂凝山先生篤於師門風誼，賜撰墓表，留爲他日還鄉勒石，用垂永久，更蒙總統府趙資政炎公頒書題額，一代法家，萬流仰宗，是皆彰潛德於未聞，而爲人子之深痛，爰恭印成册，祇爲傳家之寶，特述數語，藉示謝忱！倘荷海內賢達，暨鄉邦故交，錫以題詠，一俟先君九秩冥誕，敬爲刊布，俾崇紀念，尤爲孝之所禱祝也！

曾憲政謹述

中華民國五十八年五月

倫理哲學講話之一

夫婦之道（三）

陳邁子

或選色不選德，或一見鍾情，或朝秦暮楚，或急功近利，重現實而不重德義，勢必盲戀、亂愛。其結合自非「佳偶」而是「孽緣」。欲求婚姻幸福，豈非緣木求魚？何者爲正確的戀愛？應先就我國傳統的戀愛觀作一體認。基於我民數千年來歷史文化的孕育，和民族性、民族生活方式的涵濡，在重視人性的尊嚴和人格道德的高度要求之下，把男女間的愛，看得非常聖潔、高尙、含蓄而蘊藉。是潛在的而非暴露的，重靈而非重形。愛德而非愛色。在我國民間傳統的愛情趣事，以及著名的詩詞歌賦、小說戲劇中，隨處可以發現類此的例子。如漢末曹子建的洛神賦：「余情悅其淑兮，心振蕩而不怡。無良媒以接懽兮，託微波而通辭」。情懷表達，何等神韻？晚唐詩人李義山（言情聖手）的詩：「身無綵鳳雙飛翼，心有靈犀一點通」。「滄海月明珠有淚，藍田日暖玉生烟，此情可待成追憶，祇是當時已惘然」。便是很好的寫照。古人有云：「語對何如遙對，同堂未若各院。畢竟隔水間花，碍雲阻竹，方爲眞正對面。一至褰衣遽坐，便俗殺不可當矣」。這是何等傳神？何等境界？豈是那「朝夕斷守」、「卿卿我我」的情趣所可比擬？「似此星辰非昨夜，爲誰風露立中宵。纏綿絲盡抽殘繭，宛轉心傷剝後蕉」。「換我心爲你心，始知相憶深」。「相見爭如不見，有情還似無情」。「春心莫共花爭發，一寸相思一寸灰」。相思何等深刻？「春蠶到死絲方盡，蠟炬成灰淚始乾」？「曾經滄海難爲水」。「除卻巫山不是雲」。「兩情若是長久時，又豈在朝朝暮暮」。「若到江南趕上春，千萬和春住」。愛情何等專一？「相逢記得畫橋頭，花似精神柳似柔。莫謂無情即無語，春風傳意水傳愁」。眞是「閒愁萬種，無語怨東風」，「含情盡在不言中」了。

那像西人男女的愛，動不動「熱擁狂吻」「大喊大鬧」的，硬是「充份暴露」，致人「一覽無餘」，還有甚麼味道？

在以上的傳統中，我們可以接受一些甚麼呢？第一、男女心心相印，是深沉的理智的抉擇，而非出於一時情感的衝動。第二是「發乎情，止乎禮義」，戀愛並非濫愛。第三愛情發自雙方心靈深處，一經相愛，天長地久，此情無盡。絕不浮淺濫愛，變生旦夕。男女關係，能達此要求，纔是人之所以爲人的高尙文明的表現。那原始的、粗獷的文化所產生的愛情，我們豈可苟同？

最要不得，貽誤青年男女最深，爲害最大的是來自西洋的一句戀愛「定律」，說「愛情是無條件的」。我常常憤慨的駁斥此語：要是禽獸，就無條件。是人總有條件。因爲無條件，便可隨便苟且。有條件便不可如此了。目前青年男女一切錯愛濫愛，都以這一定律作掩護。因而其造成的戀愛悲劇和醜行，眞不知凡幾？孟子說：「人之所以異於禽獸者幾希」？是很值得我們警惕的。

至於男女在認識交友之初，便要想到彼此的條件，比如說：「性情是否相同？學識是否相當？身體容貌是否相配？家世門第是否相宜？前途事業是否相助？這些都應該出以理智的考慮，而不可純任感情爲之。」最後還有一提的是，假如有父母家長在堂，務須取得其同意並接受其指導。而不可自以爲已到法定年齡，父母家長管不着，率憑己意行事。關於這一點要講情講理，不能單講法。因爲我們的法律，而並非根據我國文化精神、歷史背景及社會禮俗習尚立法。父母將子女生養教育，一到法定年齡，竟無監護管教之權，直同路人。大有背於數千年來傳統的孝道和倫常的規範。這是違反國家慣例的不智之舉，我們絕不應以洋法自囿而摒我之傳統禮俗於不顧。（正因此情形，現已有若干法學著論，主張根據我國文化禮俗，務合國情徹底修改現行民法。）設如不經父母家長同意，竟爾戀愛成婚，便會造成終身的缺憾，影响婚後心理和精神不快，是無法獲致幸福美滿的夫婦生活的，這也是應該注意的一點。

四、夫婦結合之道

男女由戀愛而結合爲夫婦，曰：百年好合。曰：白頭偕老。死生與共，誓不分離。這究竟代表甚麼意義呢？第一、男女結婚，便是新生命、新生活的開始。第二、結兩性之歡愛，合男女爲一人。第三、建立家庭，擔當國家社會和世界人類的責任。第四、傳宗接代，上以承先，下以啓後。第五、生活、治學、事業、合作互助，相得益彰。正因爲結婚有如此許多的意義和莊嚴神聖的使命，所以在我國文化禮俗中，最重婚禮，亦爲六禮之一。婚禮[illegible]特爲繁重，[illegible]重視人性的尊嚴和道德的可貴，以示[illegible]而已。（未完）

文匯樓別記

張作霖原名張作相

文匯樓主

關外王張作霖原名張作相，吉林省督軍張作相原名叫張作霖，恐外間知者甚少。

清朝末葉，東三省（指吉林、奉天、黑龍江），清政府派趙爾巽出任總督，中心任務，爲消滅胡匪，趙以胡匪出沒無常，定下七分政治，三分軍事剿匪政策，果收奇效，來歸者日有數起，並擒獲一首領張作霖，其人爲粗線條，而在胡匪圈內地位相當高，呼風喚雨，名震東北。未幾又捕獲一名首領，名叫張作相，其人眉清目秀，溫文儒雅，趙爾巽感其投身綠林，甚爲可惜，乃思提拔張作相爲招撫官員，張作相直告趙爾巽其名望不如張作霖，恐辱使命。趙謂：此事很易解決，召在獄中羈押之張作霖，在趙前正式易名。張作相改名張作霖後欣然受命，胡匪聞作霖招撫，紛紛來歸，聲勢日益浩大，此爲張作霖發跡之開始。

張作霖素有濟囊，且敢作敢爲。受撫之後，由千總未幾而騎兵管帶，相當於營長。趙爾巽調四川總督，徐世昌（菊人）繼任東三省總督，張作霖[illegible]爲巡防營統領，宣統三年趙爾巽再回東三省總督，張作霖益獲寵信，張之幼女配趙之獨子天賜。

張作霖除敢作敢爲外，既忠又義，從禮遇張作相一點，可表明其心跡。民國成立，張作霖被編爲陸軍第二十七師師長，馮德麟爲陸軍第二十八師師長，（馮爲張作霖結拜兄弟，張爲馮大哥，馮德麟行二，張作霖居三），袁世凱稱帝，張任盛京將軍督理奉天省，馮被派幫辦軍務爲張部屬，心甚不平，拒就新職，且罵張老三好意思作馮二哥的上司。張親往拜謁，懇二哥屈就，說明這是北京的意見，三弟不敢以二哥爲部屬。馮指着張作霖說：「老三」，幫辦公署要與將軍府同樣組織，同樣職權，這是張辦不到的事，馮下令廿八師進駐瀋陽，張去拜會，馮不囘拜，張設宴爲馮洗塵，馮拒入席，張撥巨款，犒賞二十八師，馮絲毫不肯相讓，大有用武力一較長短之趨勢，馮德麟當着調人吳俊陞罵道：「張雨亭你今天不打死馮二哥，就是狗娘養的」。吳祗好將原話照轉，聽憑張處置。

張作霖換了便衣，親自到馮面前，撲通跪下說：「二哥，三弟請罪來了」。這一回合反使馮無法招架，急扶起張說：「身爲盛京大將軍，跪在地上成甚麼體統？」張接着又說：「將軍算個屁，仁義值千金，二哥要我幹就幹，二哥不要我幹，我立刻通電辭職」。這時馮德麟樂透了，接着說：「三弟飛黃騰達，等於在二哥臉上貼金，我不擁護你，誰擁護你呀！」喊了副官快準備驗將，本幫辦要伺候盛京大將軍八圈。張馮之間，化干戈爲玉帛，柔能克剛，又一佐證。張作霖一生遇到難題，都是關着門解決，外邊去張爲其大忌。

綜談國劇復興（七）

王方曙

像這種技術上的應改之處，幾乎多數的戲都有必要。探討本來在技巧上是好的了，但還有這些問題。有些更爲不妥的，當然更要精心修改，不再多舉例。惟此一工作，我在前面說過，比創作劇本爲難，因爲已有的東西，在老觀衆、老演員的心目中，早已生根，要打破這一關，變成新的，可能是事倍功半。所以我們最好的辦法是創作新的，等新的多了，觀衆和演員都已感受出舊的問題了，舊的便也好改了。甚至舊的便不出演也沒有什麼不可以。但話又說回來了。舊的裏面也頗有千錘百鍊，幾乎不能輕易動一字的，如玉堂春，拾玉鐲等。但多是獨幕式三四場的短戲。大致來說，戲稍大的多是問題多的。

3、唱詞的改動：

國劇唱詞有些很好，有些竟是不通之至。原因是在從前演員的程度較差，甚至有不識字的，致戲詞口傳心受，不知道原詞究竟是那些字句。以致漸漸以訛傳訛，錯誤百出。又有些詞句太俗氣。所謂太俗氣就是庸俗有失高尙。戲詞不怕通俗，使大家都懂是對的；但俗氣得像數來寶，便覺格調太低了。如「翻身下馬能行。」這類的詞句，如果沒聽過劇的人，第一次聽見這樣妙文，像「馬能行」之字豈不令人失笑？最早這類的詞句，只是爲了合轍[illegible]，便毫不作計較，隨便用上去，[illegible]了，甚至不感覺不對了。類此甚[illegible]熟悉國劇的人，都會有這種感想。也[illegible]詞句根本不通的；也有的像前段[illegible]次重複的；也有前後矛盾的：也[illegible]格律化的，聽起來索然無味，如「[illegible]人聽奴[illegible]。」細聽××說分明：[illegible]之類，實在是廢話，但許多戲裏[illegible]都是一樣。使人聽起來，想到這齣[illegible]詞便像那段詞。使人覺趣味減低。[illegible]我們可以專請有力的話寫上去，[illegible]用俗套？這都是戲中極大的損失，[illegible]

除此之外。劇詞中小毛病也[illegible]實極易改正，稍下功夫，都可改[illegible]戲詞的改正，不礙劇表面的形態[illegible]是最容易的一端。現在表演員稍[illegible]了，我想到這一點，是很容易接[illegible]

關於修改劇本方面，大致如[illegible]一，鉅的工作，卻需要極有魄力[illegible]辦理，否則是根本行不通的。

以上是關於劇本方面，我提[illegible]和改舊兩種辦法。劇本是一個戲[illegible]良好效果的基本，假如在這一步[illegible]首先有正確的認識，則復興國劇[illegible]好的開始。

（未完）

巨變歷險記！

共軍進北平後？（五二）

胡慶蓉

共軍進北平，後沒有立刻把他那清算鬥爭的一套搬出來表演，是很出人意料的。

於是種種揣測之詞，相繼產生。有的說，這是北平清無可清，鬥無可鬥的緣故。北平幾乎清一色是中國的所謂知識份子，士大夫階級，這些人入了民國以來，都窮下來了，在國民政府建都南京以前，政府在北平，常常鬧錢荒，常常拿不到薪水，實在夠慘的，真所謂屋漏又逢連夜雨，在國民政府建都南京以後，連做的事都沒有了，坐食山空，情形就更慘了，延至共軍進北平，已經在飢餓線上，還有什麼可以清的，可以鬥的。就是商界，因爲大家都窮，購買力十分薄弱，也常在不景氣中，就是清算鬥爭，恐也清不出什麼，鬥不出什麼？

又有的說，共軍進北平，所以沒發動清算鬥爭，是因爲毛澤東的關照使然。毛澤東是個老北平，並且一度作過北京大學圖書館的一個小小館員，照顧學生借書還書，他對於讀書人的苦況有深切的體認，老馬不吃自己房前的草，還是饒了他們吧！由於毛澤東的關照，北平才免於清算鬥爭。

也有的說，北平所以得免於清算鬥爭，乃由於匪共政策的結果。共軍進北平，也就是中國共產黨佔領了北平。他佔領了北平，志不在小。將以北平爲他的王朝首都，是一定不移的了。北平需要安定，需要秩序，假若清算鬥爭的這一套搬到北平來表演，北平的安定就要破壞，北平的秩序亦將不保。

還有個理由，那就是外交的理由了。共產黨既決定以北平爲他的首都，將來承認他的各國使節，必麕集於北平，若是實施清算鬥爭，那還成什麼樣子，爲維持外交的餘暇，還是以不清算鬥爭的佳。

不管怎樣的理由，北平，於共軍進城後，沒什麼變動，倒是事實。但由於共軍的進來，國民政府發行的紙幣，全歸於無用，這與清算鬥爭又有什麼不同。國民政府的紙幣，在北平各人手上的，等於是各人的財產，一旦經共軍的政府宣佈無效，禁止使用，這與清算鬥爭，又有什麼差別。共軍進了北平，強迫人民全用他的紙幣。這，在起初的時候，非常的紊亂，一來是名目繁多，那一種有效，那一種沒效，不容易分辨。就是什麼樣的都用，因爲數量有限，也難以應付。共產黨的紙幣，簡直不成樣子，因爲過去一直在鄉下在打游擊，那裡有印刷機，往往是鋼版寫寫，油印印印，也就算做紙幣了。這種紙幣是最易抹糊，是最容易爛的。拿到手裏不能用，北平人豈不又是一次被清算被鬥爭。但這種清算鬥爭，是間接的，大家不大感覺。北平，在共軍進城以後，依然一片寂寞，一片荒涼。

桃花潭三水深千尺

鱷魚潭邊的故事（三）

趙陀

蘇霍寶接着又問：「如果和任念佩訂婚呢？」一邊注視克琳的表情，一邊想聽聽克琳用甚麼方法轉這個急彎，未料到克琳毫不猶豫的說出：「任念佩我也不要了，是爸爸做主替女兒介紹的男友，就請爸爸替女兒回掉。」

「[illegible]，你這些話都是由衷之言嗎？」蘇霍寶在暗想任念佩用甚麼方法使克琳入了迷，一邊在思及應付馬小開和牛少爺逼婚的措施，這時克琳的媽媽顏芳突然從外間走進，未由他們父女分辯，迎頭就是：

「老東西，你一生未做過好事，女兒是我的，你憑甚麼不徵得我的同意，就代爲決定了婚期，外間誰不說蘇霍寶在賣女兒，港九都傳遍了，你整天躺在烟床上，自我陶醉。」

這時蘇霍寶經過顏芳一陣無情指責，只好嘻皮笑臉，但心情確很內疚的說：「好，好，我躺在烟床上自我陶醉，顏芳的鴉片像是早已戒除，我們兩老烏鴉站在豬背上，誰亦別說誰生的黑，克琳與牛少爺的婚事，雖由我代決定，克琳與馬小開的友誼，未到決裂階段，決不輕易決裂，反正訂婚在法律上，可以說沒有甚麼效力的。」

顏芳指着蘇霍寶說：「你爲甚麼這樣辭，一邊要克琳與牛少爺訂婚，一邊還得和馬小開藕斷絲聯。」

蘇霍寶毅然地說：「這是時代病，叫作兩頭馬車政策，對馬小開用經濟術語來形容，尚存有剩餘價值，比如任念佩這個人，爲父的即完全不予致慮，同時蘇霍寶與信洋教的人，勢不兩立。」說罷掉頭離開客廳，顏芳接住問克琳道：

「你和爸爸究竟在吵些甚麼？王媽將我從牌桌上喊回來，真倒霉，六圈麻將未和過，剛成清一色，單吊二筒，滿貫的牌未和不算，牌桌上還聽到一些閒言閒語。」

三、父女吵甚麼

「媽，起因是爸爸看我習字，寫管仲姬一首詞。」

「又是寫給英國朋友強生的是嗎？」

「不，我和他之間早已吹了，因爲他的女朋友上月來港，我發現這個人也不太誠實。」

「那一定是任念佩。」顏芳露出瞭解的微笑。

「媽，你覺得這個人怎麼樣？」顏芳在忖想澆冷水的做法會得到相反的效果，必須要順勢乘間向前摸索，而且最近發現任的條件並不太壞，乃和悅的說出：

「報紙登出任念佩下月初旬赴日本考察報業，香港文化界正籌備熱烈歡迎，看情形有點苗頭。」

「媽，是那一家報紙登出的。」

「各晚報都有，鬼丫頭一天到晚讚美主持奉主，報都不看，我看你呀！不是信教，簡直在吃洋教了。」

「媽，你又罵女兒了。」

「罵呀！我還要請你吃藤條。」

「媽，你才捨不得打我啦！」

「哼！你就把握着媽的弱點。」

「媽，講真的，要脅迫我和牛少爺訂婚的話，我有三條路可走。一、我不再和爸爸嚕囌。二、舊話重提進修道院。三、早赴天國。」

「鬼丫頭，爲甚麼這樣傻？媽在早年對男人的絕招，本無情而能表示有情，自己無愛而能使人之愛，多少達官貴人跌在媽的手裡。」

「媽，那是媽聰，上帝雖可以容忍媽聰，但不能永遠。」

顏芳對自己女兒的脾氣是瞭解的，思之即來的眼淚很快征服了克琳，克琳喊出：「媽，好媽媽。」

母女之間習慣性的勝利，永遠是屬於顏芳的，顏芳又以[illegible]情深的表情向克琳說：

「男人與女人多因誤會而結婚，結婚前我們必須要撈到一筆足夠的金錢，等到因瞭解而離異時，不會引起後悔或訴訟程序，絕對不替報館製造花邊新聞。」

「媽！你覺得將婚姻當成買賣是對的嗎？」

（未完）

生活漫談

伏天食羊最滋補

馬騰雲

人的進補，和餵牛馬加料、植物施肥，季節時間雖異，但其意義確畧同。牛馬在農忙前加料飼養，農忙時少病而有力；植物不施肥 則很難長大。最易見到的，如庭前月季花，不施肥所開出的花朵，一個月比一個小，顏色亦一個月不如一個月；施了肥則相反。所以，人到了該進補的時候，一定要進補；此一正確性，等於一加一是二。名醫學家謝觀門曾用生命短促的鼠類，繼續試驗二十七代之久，結果證明富有營養的飲食，可以延長壽命到百分之十。

湖南人吃羊肉，認伏羊最補，但必須來自養羊人家。因爲他們的羊係放牧在山野長大，羊吃了仙茅自然肥壯。仙茅又名婆羅門參：這種草裏所含的成份的素（革勞）質、脂肪、灰份、樹脂及澱粉等，爲一種興奮強壯藥，並能促進消化、振起食慾，對性機能的衰弱有卓效。羊在山上另食一種草是仙靈脾，又名淫羊藿。這種草裡含有淫羊藿素；淫羊藿功能強心力、堅筋骨、益精氣、治健忘，爲性神經壯健藥。

吃羊肉是一種高貴的間接和直接補療。後來，很多御醫都採用人參粉製成麵條飼鴨，再以鴨進補，可能也都是套用這個間接補療原理。本草謂羊肉溫中補虛、開胃增食、壯陽益腎，治五勞七傷，故有「人參補氣、羊肉補形」之說。中國陝西、甘肅、青海、新疆邊區的人，習慣嗜吃羊肉，因之身體都非常結實，是很有道理的。

羊肉的吃法很多。羊肉而沒有羊羶味，是製做羊肉的起碼條件，至於白切羊肉、紅燒羊肉、醬羊肉、蔥爆羊肉、悶（火勞）羊肉、清燉羊肉等，都離不開蔥、蒜、酒及胡椒粉做佐料。雲南昆明小西門一家館子的白切羊肉、長沙李和勝的羊湯，及抗戰前我駐德大使館的外交廚司吳昌齡的釀羊肉，其製作均臻於至善，食後永久留有餘味。羊肉的補力：若干與鹿類同，就價目來說，吃鹿就不如吃羊了。

命相與夢話

防止做惡夢

錢一釗

一般人都做過可怕的夢，被飛機炸彈炸傷，或者被殺，或者從容就刑，槍兵和劊子手猙獰的面孔，將做夢的驚醒，凡是做這樣沉重的惡夢，第二天常常感覺得非常疲倦，這就是因爲夢太刺激大腦，人整夜不得休息的關係，導致這種惡夢的原因，多爲消化不良，或者患有心臟病，絕對不會因夢到被殺，而真有兇險事故發生，著者曾作過好幾次夢的試驗，大體都合乎邏輯，例如餓着肚子睡覺，夜裡總是夢到大嚼一頓，盤子盛滿了雞鴨魚肉之類，接着打破盤子碟和碗，其實乃的達的達鐘聲，又因下雨將窗子都關上了，總是夢到路塌或者橋斷乃至車子撞山，關着窗睡眠，從來未造過這樣的夢；另外一事實，躺臥不舒服會影響造夢，手壓在胸部睡眠，因而影響心臟，可能夢到的都是被綑綁，或者死在道旁。孔老夫子說的「寢不屍」，大概就是教人別朝上挺的直直睡眠，因爲這樣睡，易造惡夢，貼在皮膚上的[illegible]，或者在房間裏有刺激性氣味，就可夢見失火，身體突然一動，會夢見跌入深坑，響聲和音樂或者在近處說話，可能夢見打仗，炮聲，機關槍聲，患感冒呼吸困難，最容易夢見狹窄的地方，或者人羣擁擠，會發出呼救的喊聲，或者起床和跳跑的動作，夢的因素不勝枚舉，尋夢不一定到指南宮，在家裏睡覺，照樣會造到各種各式的夢。詳細請閱二十五經。

御廚談藪

伏羊最滋補

紅燒羊肉 將羊肉切成大塊，放進鍋裡，加水蓋滿肉面，再加酒、蔥頭、茴香、辣椒，或刺眼胡桃等，以除去羶氣。等肉煮爛，除去辣椒片以及茴香等東西，剩下少許湯，再多加酒，醬油，冰糖炒，各種香料，煨透，務須使其味極濃厚，夏天吃格外適宜。湖南人所謂伏羊。

煨羊蹄 用羊蹄幾隻洗滌乾淨，燒爛去湯，加進酒、鹽、醬油、蔥頭、蔥頭、紅棗，以及鹽少許。等煨濃後，去蔥頭、紅棗，用蔥、椒、酒，滲入之。

羊肉羹 將熟羊肉切成碎丁，放在火腿湯或雞湯裡，再加進香菌丁、冬筍丁、酒、蔥花，以及鹽少許同煨。

白切羊肉 將肥羊肉剔去骨燒爛，加鹽、酒、山芋粉收湯，倒在磁盤中，使其凍結。臨吃的時候切成薄片，蘸醬油來吃的。

林泉隱

政治垃圾現形記（十五）

李槊

第七回　劉斐醴陵產，乃父擅岐黃術　桂軍出共諜，埋伏政府廿年

劉斐號維章，湖南醴陵人，乃父擅岐黃術，頗著醫譽於鄉黨。民五西南護國軍討袁之役，廣西陸榮廷部將譚浩明，曾率軍攻入湖南，佔領長沙，綜持湘省軍民兩政，權力等於都督。維時李宗仁、白崇禧任桂軍營長職務，入湘境駐防醴陵縣（與長沙接壤），常請劉父醫治所部官兵疾病，極有效驗，且不受酬，李白頗爲銘感，漸締深交，劉父語李白：有子名斐，年少器具聰穎氣質，他日願兩公推愛提攜，不勝企幸。李白慨然應諾，相期毋忘，既而譚浩明率部離湘，陸榮廷勢力遂漸膨脹，控制兩粵，軍隊日益擴張，李白的地位隨之上昇了。劉父常與李白通音問，重申前約，李白欣然邀其子劉斐赴桂省，初在軍中從事文書工作，以其資質慮敏，認爲可造之材，遣其投入軍事訓練機構，學習軍旅之事；繼命其担任軍中低級職務，成績殊不惡，遂予拔擢，位列軍官；旋即資送其赴日本士官學校留學，歸國後服務桂軍有年，遂成高級幹部，深爲李白所倚畀。這就是劉維章與桂軍的歷史關係，他是李白一手培植起來的「世家子」，宜其信任甚專，言聽計從也。

劉維章與李任仁和另一廣西人楊必聲之加入共黨，係由皖籍共幹朱蘊一介紹的，間有說是民國十九年，亦有說是民國廿三年者。溯自民十五年北伐以來，桂部長期馳騁於中原各省區，劉李于役軍中，因受共黨偏誘入夥，固不稀奇，他們都是桂軍的高級幹部，共黨交給他們的使命自然重大，他們的隱做方法亦就極其巧妙，使李白無從發覺。如老共黨冀朝鼎當年潛伏中央銀行甚久，曾經我政府特務機構檢證舉發其爲共諜，而孔祥熙竟明顯以生命財產担保冀某不是共黨份子。李白對於劉維章的信任庇護心情，視孔氏之左袒冀朝鼎爲尤甚，殆屬意料中事。

對日抗戰軍興，李白表示全力擁護中央，桂軍率先出境北上作戰，劉維章亦以李白推薦，官拜中樞最高統帥部參謀次長，職掌作戰計劃，參預密勿，他的共諜任務，從此乃得到儘量發揮的大好機會了。他到中央服務以後，直至大陸淪陷爲止，即未曾回到李白左右效勞過，爲的就是要揮發共諜的最大作用——由「點」擴張到「面」，而另以同志滲透桂軍，接替他的舊有使命。他對共軍最著的共諜殊勳，即爲援引共黨份子甘肅人韓練城担任軍職，積資升至四十六軍軍長，民國三十六年韓率軍在徐州一帶剿匪，全軍被敵人解決，獨韓氏隻身生還，時論譁然，以有劉維章在中樞從中掩護解說，韓氏不特不受處分，而白崇禧當時且大賦徐州行營主任薛岳指揮失當，犧牲了桂軍的實力。後來共黨佔領甘肅省時，韓練城赫然榮任該省「軍管會」副主任，白氏方悟過去自貽伊戚之非，然已噬臍莫及了。這不能不說是劉維章的共諜傑作之一吧！（上）

自由報

（第九八三期）

中國郵政台字第一二八二號執照登記爲第一類新聞紙
中華民國內政部登記證[illegible]

（半週刊每星期三、六出版）
每份港幣壹角・台灣零售價新台幣貳元
社長李運鵬・督印黃行龔
社址：香港九龍彌敦道593—601號
廖創興銀行大廈八樓五座
LIU CHONG HING BUILDING
7th FLOOR FLAT 5
593—601 NATHAN ROAD,
KOWLOON, H.K.
TEL：K303831
電報掛號：7191
承印：景星印刷公司
地址：嘉咸街廿九號地下
台灣總管理處：台北市大同街119號
台灣區直接訂戶　台郵劃撥戶
第五〇五六號蕭萬有（自由報會計室）
電話：七一四〇二三、五五五三九五
台灣分社：台北市西寧南路110號二樓
電話：三三〇三四六，台郵劃撥戶九二五二號

從小甘車禍談到「甘迺廸王朝」的幻滅

成公

就在舉世歡騰月球登陸的時候，美國又發生了一幕轟動朝野，傳遍全球的熱門新聞，那就是愛德華甘迺迪的車禍事件。就這件事的本身事說不過是一樁男女扯混不清的命案，任何國度，任何時代都是多不勝計的事，而其所以引起世人如此注意，則是因了愛德華在美國政壇的份量，和甘迺迪家連續遭遇的不幸。

甘氏勃興

甘家的暴起暴發，不僅在美國是史無前例，就是古今中外也罕有其匹，古代有無數冲齡即位身在强褓爲元首的。不過都那是由於血統繼承，分定無替。若是摻入了人爲選擇的因素，則絕不會有毫無憑藉寂寂無聞的人，可以入繼大統的而甘迺迪的當選總統，就創了這樣一個史無前例的奇蹟。約翰甘迺迪，在未參加競選前，不過是一個平凡的中年人而已，既無重要的事業，又無可述的政績，不過由於世家的優越條件，當選一名普普通通的參議員而已，當他當選爲民主黨候選人時，那時筆者正在美國，一位共和黨的老者歡欣的告訴筆者說，他們共和黨可以穩操勝算了，因爲對方恰好選出一個最容易擊敗的對手。可見甘迺迪彼時在美國一般人的心目中，是如何的陌生，如何的沒有份量。而競選的對手尼克森是追隨艾森豪八年副座而爲艾森豪刻意培植的總統繼承人，其聲望資歷，簡直懸殊到不能成比例，那知大選的結果，爆出冷門，當選的竟是這位不見經傳的甘迺迪，這眞創造了歷史上的奇蹟，恐怕只有習於接受商人廣告宣傳的美國選民，才會有這樣奇怪的選擇，任何稍深世故肯多想想的民族，都沒有勇氣來冒這個險吧——儘管甘迺迪也許會是一位偉大的總統——美國人民不僅有這個奇怪的選擇，並且對這位年青的總統簡直捧得如聖如神，氣勢之盛無可倫比，當時社會耳語盛傳：約翰甘迺迪作了八年總統後，再由甘家大將，也就是甘迺迪競選的幕後主持人，羅伯甘迺迪出馬接着競選總統，如此一直接着當下去，而建立一個甘迺迪王朝。這雖事無從證實，但從其[illegible]內事象觀察，充分可以顯露確有此一企圖。

王朝幻滅

天下事往往不能儘如人願，正在甘家好夢初圓，打着如意算盤時，沒想甘迺迪總統「一子」竟突然遇刺逝世，這意外的一着不備「一子錯、滿盤輸」，攪亂了甘家全部計劃！並且事起倉卒，簡直使甘家手忙脚亂，無從應付。約翰甘迺迪本是給羅伯甘迺迪舖路的，而這時羅伯，却眼看着血汗打來的天下，一文不名的，平白送給詹森，而詹森又正是他們不喜歡的，試問這如何能甘心。好容易熬到一九六八大選年，二甘正式出馬，以其雷霆萬鈞之勢奔向白宮之路，誓要滅此朝食，收復失地。那知正在滿堂紅的時候，不知那裡來的，又是一彈結束了生命，攤擱了大計，眼看着手下敗將尼克森走進了白宮，擠着大甘的太太，又帶着孩子嫁人，誰不曉染門庭也是使人憾恨萬千。這對甘家上下以孤孤育雛的精神，來培植小甘愛德華，剛剛走上了軌道，而又發生車禍的打擊，美國是個輕率多變的國家，誰也不知未來演變如何，但就目前講，這一打擊則是切斷了小甘走向白宮之路，結束了甘迺迪王朝的迷夢，人世悲劇，莫此爲甚，怎不令人唏噓感慨！

天道尚存

但從另外一個角度來看，却也使人產生不同之感想與論斷。首先從其本源說，甘氏之興起於老甘迺迪的暴富。我們縱不依照流俗之言，認係是不義之財，但至少與所謂「生財有大道」是有相當距離的，而老甘竟以這暴富之財，大展「鴻」圖，擬綸天下，妄使他的兒子打進白宮。這種作法原也未可厚非，自古「逆取順守」之例，殊非少數，何況有錢人能有這種想法圖謀的還很稀少難得。然而遺憾的是，甘家並未給我們以爲正義而奮鬥的印象，反之，事實使人感到的，却是「只爲目的不擇手段」。約翰甘迺迪則是當選了總統，却當選得不明不白，不僅有些票數的計算，頗有疑義，尼克森爲了顧全大體，免予究查。（尼克森這種公忠體國的精神，倘值可以媲美泰伯，令人至爲欽敬），甚至許多選票的爭取方式，也有極不美的傳言。（特別是對黑人的選票，這部是公開的秘密，人盡皆知——這選擇本是競選的技術，再就奮鬥的目標來說，那也就是說甘氏兄弟的言論，從約翰到羅伯到愛德華，無不是輕率立言故作高調，只要有利於爭取選票，一切都可主張。我們認其解釋是有事實根據的，例如約翰甘迺迪競選時爲倡放棄金馬及至作了總統後，並未在倡放棄。還可以有兩種解釋：一是在未入白宮前，不知實情，一是雖知實情，故作迎合媚世之論，這兩種解釋，雖有「不智」「不仁」之別，但其爲輕率則一，等而下之，到愛德華之主張承認中共以及許多諂世媚俗之論，迎合不良少年之論，更是不擇手段的作風了，問問良心，他何是對此問題有何灼知灼見，認爲非此不行嗎？這種精神若是發展下去那勢必一切都可犧牲，一切都不在乎，只要爭取得政權。

再退一步講甘家自己的人這樣作，還可說，而最莫名其妙，使人遺憾的就是吃甘家飯的「捧甘集團」。美國是民主社會，難道在今天還推行家族主義嗎。在老甘迺迪望子成龍，獻投情深，而想把兒子一個一個捧出來，還有可說，而這捧甘的人們何以竟然心甘情願的，大甘死了捧二甘，二甘死了又保愛德華呢？難道美國如此之大除了甘家就沒有人了嗎？還是在這二十世紀，居然還有「賣身爲奴」，甘爲家奴呢？竟令人百思不解，假如沒有這些人外來的打擊，而僅要捧着甘迺迪王朝的傳說發展下去，那麼一唱「甘家」一和「捧甘集團」，一主一奴的合作下，那不要等到愛德華，只要傳到羅伯，便勢必會有人假借民意擁護稱尊，縱不改變國體，爲帝爲王，也至少會修改憲法，總統改爲終身制了。這在西方歷史遠之有羅大維，近之有拿破崙都是前例。人類智慧品德的進步，原是很慢的，不要估計太高，否則在竟然天公不美，接二連三的出此大禍與打擊，使得人謀妄用，金元無能，而把甘氏王朝的幻夢消滅。就甘府說自是悲劇，但從正義的立場看，足見天道尚存；而就美國的前途論又安知非美國全國之福。因此我們不禁要爲美國賀，爲自由世界賀。

昨日與明日

由琉球問題談起

何如

琉球島原係吾國的藩屬，有悠久的歷史根據，乃不可爭的事實，過去日本以帝國主義的強力佔領而去，但所遭到二次大戰後成爲美國的佔領地，我們在簽訂中日和約時，對琉球問題存而不論，可謂失策也矣。

近年來美日兩國對琉球問題大談特談，我們漠然置之，而琉球人民却再三表示不願重歸日本統治。最近美國已公開聲明要將該地「交還」日本了，日政府當局亦宣稱以接收琉球爲交換美國在日設置軍事基地的條件，我們似不應依然噤若寒蟬，默認這種非正義的國際勾當。

日對台「潛在主權」

日本人自從脫去亡國現象的佔領生活後，即有人妄彈日本對台灣有潛在主權的調調兒。前幾天，日本外交部長愛知揆一對外宣稱：「美國與日本是東方自由國家的領導者」，言爲心聲，這表示日本人向外擴張的舊有野心并未消除，而美國半吊子的遠東新政策正在加急進行，且寄望於日本能替美國分担在亞洲的領導責任，因而期待韓國能與日本合作。所以，愛知揆一的話決非無故實的大言不慚。[illegible]假日本現行憲法一旦修改，可以重建軍備了，不特琉球她要據爲屬地，即對台灣亦心不能忘情。我們此刻對琉球問題始終無所表示，我認爲有些欠妥吧？

對實力暴力低頭

日本的工業基礎和科技潛能，在亞洲首屈一指，原係事實，她頗能以新面目和作風來領導亞洲自由國家，我們實深企望。可是，她那種偏狹而猖狂的民族性，很不容易脫胎換骨，自力更生。中日親善乃是兩國生存進步的唯一大道，我個人素不反對，然親善必係對等的。大多數的日本人，心理上并不承認二次大戰是我們打敗了他，依然蔑視我們，即對美國，內心深處仍是含着敵意的。他們只對實力（美國）和暴力（毛共）低頭，決無正義公道觀念存在。我們此時無論怎樣對他表示忍讓，亦難博得眞正的中日親善之效果，殆可斷言。謀國之道必須高瞻遠矚，遺大投艱，騖近利而忽遠略，吾未見其可也。

自由談

覺悟太遲了！

鳳五先生

美總統尼克遜在馬尼剌發表談話，認爲亞洲人能夠解決自己的問題，美國對於亞洲的和平總可以作有力的貢獻云云，這并非外交詞令，而係美國今後要改變遠東政策的一種預告。

事實很顯明，美國不擇手段在脫出越南戰場，但又害怕東南亞地區的若干自由國家，如菲律賓、印尼、印度、巴基斯坦、緬甸、逍遙這些受着共禍威脅的列國，大感失望，轉而接取親共的路線，結果將使美國貨品失去廣大市場，未免得不償失。所以他此次東來訪問上述這些國家的目的，就在安撫各國執政當局，申以經濟援助爲香餌。

專就美國的利益設想，尼克遜這項策略，原屬未可厚非，只可惜爲時太晚了。假使美國過去對中、韓、越南各國的反共鬥爭，若不是只憑着自己的尺度以衡量別人，指甲國政府不民主，說乙國政府是獨裁，一是皆以實行美式政治方程式爲支援的先決條件，否則千方百計地要把該國政府推翻，而給共黨以乘機竊奪之大好機會的話，則中國大陸可以不淪陷，而韓戰則不致僵持，越共更不致坐大，遑論今日這種局面了。

戰後二十年來，美國領導亞洲自由國家的作風，獨斷專斷，目空一切，不特軍事政治乃至於經濟措施，不讓接受美援的國家自由處理，即關於共黨方面的情報，亦不相信受援國家所提供的資料，剛愎自是，盛氣凌人，動則以停止美援相脅迫。今日亞洲共禍之蔓延猖獗，美國那種唯我主義的領導政策，是難辭其咎吧？

現時東南亞地區的共禍日亟，美國自身亦弄得焦頭爛額，急求退却，乃企望亞洲能夠解決自己的問題，早知今日，何必當初呢？吾國平劇「雙官誥」的台詞有云：「話倒是兩句好話，可惜說遲了。」我對於尼克遜總統的說法，頗有這種感想，謂予不信，請拭目以俟之。

蔣總統一再殷切矚望
中國青年黨團結經緯
繼排名之爭會程尤如過諸關
不選舉不討論不表決不發言

（本報通信員柳一欄台北消息）青年黨多年分裂，派系傾軋無時或已，等於是一把亂絲無法清理。要不是　總統一再向左舜生、陳啓天表示殷切矚望，則該黨的團結契機根本無由展現，此點，即該黨重要人士亦不否認。

遠在去年十月間，左舜生，陳啓天，余家菊聯名約請該黨各方面代表共十五人，進行團結商說。重要課題爲訂立黨章臨時條款，決定評執兩會制度。幾經波折，直到第四十三次商談會，始全部定案。

按照該黨傳統習慣，全代會之召集通知，必須在一月前發出，同時已決定之四召集人，照敘爵應爲左、陳、李、余。但余家菊因提出姓氏筆劃之議，引起所謂「排名之爭」，消息傳到美國李璜首先表示，願列第四，使「排名之爭」頓趨和緩。

青年黨全代會籌備工作雖進入緊鑼密鼓階段然而召集通知始終未能發發。使担任籌備工作重任之王飆偉大感苦惱。左舜生原訂七月九日飛台，台灣各報已發表消息，臨時忽又改期，更使該黨團結前途呈現一片悲觀。幸該黨熱心團結人士，與左舜生通長途電話，表示該黨渴望左來台之心情，左舜生遂決定改七月十六日飛台。

左舜生來台，似已胸有成竹，避免與陳啓天，余家菊接觸，直到十九日李璜到達，才有四召集人會談之舉。當天下午由四召集人在召集通知上簽字，協議是台前巷後，次序爲余家菊，陳啓天、左舜生、李璜。

該黨之全代會，在萬分倉卒下開幕，七月廿一日上午，南海的國立藝術館聚集三百餘位該黨代表，在接獲全會議程以後，羣情譁然，咸認照此議程，全代會將無法結束。因黨章臨時條款如不在大會討論通過則主席產生將無根據，而中央機構亦將變成空中樓閣。七月廿一開幕，廿二日休會一天。廿二日台北某晚報譏青年黨全代會係四不主義，即不選舉，不討論，不表決，不發言是也。

該黨重要幹部多人在廿一日晚往訪李璜、左舜生剖陳利害，決定議程改變。在廿三日復會時討論黨章。幾經討論，決定通過黨章臨時條款，推余家菊、陳啓天、左舜生、李璜爲四主席。中央黨部設幹事長一人，執行委員二十五人。開會時由幹事長主席，主席出席指導。

青年黨團結過程充滿戲劇性變化，現在總算完成。民主政治內重要之一環——協商、該黨可以說做到至矣盡矣。至於其他則似尚有待充實。該黨多年分裂有此表現已算不易，我們不願苛求。幹事長制在我國政黨尚係首創，是否有其運用之價值，關心政黨政治者自有極大之興趣以觀其效。

建設大台北首在行 宣言漂亮話等于零

責諸部屬何如求諸自己 寄望高玉樹勿錯過機會

（本報記者台北通信）台北市長高玉樹日前在市政年終業務檢討會上，向市府各級主管及有關與會八百餘人鄭重其事的「要求大家拿出勇氣，改變觀念，務須在今後一年內做到，行政革新，澈底便民，提高工作效率，提高負責精神。」全體一百六十萬市民莫不欣悉之餘，額手稱慶。漂亮的口號喊得簡單而有力，既非高調，實行起來自然容易。但求眞能言行一致，免爲畫餅充飢。行政院院長嚴家淦派政務委員陳雪屏代表蒞會致詞，僅只「促請儘快謀求有效辦法，解決台北市空氣及水源污染，和下水道不通暢兩項問題。陳委員這兩項要求（對高而言只好如此說）眞是平易近人，最最低調的爲政之道了。空氣水源的污染屬於專家範圍，非一般人所能懂得。而下水道排水不暢，市民們都是身受其苦。誠如陳委員所說：「一陣大雨，常使市區內積水成災，非僅影響市民健康，使財物受到損失，而且易使來台觀光國際旅客留下不良印象。」台北市民，每逢下雨，即一夕數驚，寢食不安。這樣迫切的兩個問題五六年了，還不能解決，侈言建設，豈非欺人之談。

狂傲自大特技 徒然令人惡心

台北市升格直轄市，經費充裕，事權統一（首長制）應該大有作爲，使市政建設突飛猛晉。但，市民所能見的，兩年來人事迄未走上軌道，一箇環境清潔處，一年多的長效才派定處長正式成立。其他各局處室等單位，迄仍紛紛擾擾，人事不能安定，何可責成建設進展無礙？自從脫離母體（省府）獨立門戶，即專心致力於樹立威，只逞快意，而忽視建設，表演了多次的狂傲自大的特技，非但無人稱讚其能，相反令人惡心不堪。老朽希望有生之年，欣見台北市果然建設成現代化都市，即使石門水庫不放水也不會鬧水災，不得不擲誠向高市長進一言。

高市長競選時，老朽曾在新公園政見發表會，親聆高論，人稱辯才無礙。老朽自然不便否定，辯才雖是民主政治資本之一。然而正確的定義應該是：「憑自己的眞品實學和服務熱誠爲老百姓工作，列舉事實條理分明，不被人誤會，不爲人曲解。」作到所謂得道多助。如果只會說，不會作，那是「天花亂墜」「賣弄嘴巴」。不是「辯才無礙。」的正確定義。

高市長在政見發表會上，申言要國家辦好，反攻大陸。選舉揭曉你是怎樣當選的市長，我想沒有任何人再比你自己更清楚。

既登市長寶座，即應依照政見會上自己所說，分層負責，逐步實施。荏苒數年，改制升格直轄市之後，又無限的擴大了職權，這樣理想的環境，眞是千載難逢，竟爾不肯作事，專在那裡搞人事，豈只令人費解而已也。一個人精神體力有限，顧此必然失彼，旣搞人事，即無心來搞建設，本報饒衍浩先生識九年國教一文讚揚高市長，多作本分的事，少管外行事。因此我想說兩個故事，提起張作霖當年雄霸東北，呼風喚雨，目中無人，國人都以「關東王」稱之，別看他是綠林出身的老粗，他確重視或提倡教育，曾敎奉天省督辦王永江籌備一所東北大學，對王說：「一切事交你了，多請幾位有學問的人，開學越快越好，用錢告訴我，不管多少，我寧可少養五萬兵，東北大學非辦好不可。」四月開始籌備七月就學，當時不大受軍閥政客重視的學者，卻樂意跑到東北享受最高禮遇去了，東北大學短期之內成爲全國一流大學之一，豈是偶然？又如韓復榘是一個婦孺皆知的軍閥，抗戰初期，以叛國罪名判處死刑，執行槍決。他自民國十九年以迄伏法，担任山東省政府主席，達七年之久，其作風跋扈驕橫，聞者喪胆。那時的教育廳長何思源，北伐時期担任過國民革命軍總司令部政治部副主任，當然是屬於中央派往地方的官吏，韓素以眼中釘待之，但對何所編列的教育經費從未積壓過分文，其部屬親友有謀教界任何職位的，輒面斥「那不是咱們幹的，你若想縣長或警察局長都可以商量。」所以今天有人撫拾所有軍閥官僚政客土匪流氓所有劣跡，一齊堆在韓復榘頭上，以資笑樂，若遇齊魯人士他們必引子貢的話說：「紂之不善，不如是之甚也。是以君子惡居下流，天下之惡皆歸焉。」韓復榘也有被人稱道的一章呢。

機會來要抓着 好好的幹一番

天下事，尤其是作官，絕沒有「舍我其誰？」的道理，有這樣思想的人，沒有他，別人一定幹得更好。歷史上遠者不必說，就以第二次世界大戰來說，邱吉爾挽救了大英帝國危亡，戴高樂再造第五共和法蘭國，他們的豐功偉蹟，舉世公認，然而他們二三子都曾在大展鴻圖，興高采烈的時候，被選民拖下台來了。高市長我們希望你成爲一位發揮才智所向有功的模範首任市長，不要作一個耍弄聰明的官僚，成功機會來了要抓住，輕輕放過，實在可惜啊！

高市長向幹部要求，「拿出勇氣」，「改變觀念」。其實在民衆們看來急需改變觀念的，不是別人，正是你高市長本人。因爲所有幹部都是聽你一人的號令。遇上背道而馳的事，別人不敢苟同，便硬說人家不合作，觀念不正確，有意搗亂，這是自私的偏見，不足爲訓。孔子曰：「其身正，不令而行，其身不正，雖令不從。」又說：「政者正也，子帥以正，孰敢不正！」總統說：「國家的一切事業，一切舉措，皆必以民衆爲基本，而幹部的一切工作，亦必須發揮其對國家，對人民的責任與榮譽感的服務精神爲第一義。」總統又說：「任何行政措施，都必須與民衆的利益爲依歸。」市民們也向你高市長要求，善體斯言乃是古今中外不易的至理。改變觀念，放棄成見，多爲市民打算，少爲自己打算！（柳成蔭）

諸葛亮狂想曲

（三三）　・劉玄・

不過話又說回來，其能在天庭逍遙，外受仙佛贊揚，內得劉皇叔暨關二將軍，張三爺禮遇。

就憑這點滿門忠烈，在天庭之間逍遙，外受仙佛贊揚，內得到皇叔及關二將軍等支持，並非偶然，不過天庭與下界同病，法律之前，並非人人平等，例司馬懿與曹孟德同爲欺陵殺戮孤兒寡婦，司馬懿則在煉獄服刑，曹孟德轉入陰府任淮水總管，經營淮河魚鱉蝦蟹種族改良。

司馬懿心狠手辣與曹孟德不相伯仲，曹在陰府尚能混一名七品官，司馬懿反在煉獄服刑，並在刑冊載明，日烙火印一次，於今體無完膚。後經調查曹操乃由其同宗曹國舅向包拯關說，曹操（安徽茶城）包拯（安徽定遠）扯到一點鄉誼，用曹操未殺一批向袁紹靠攏的人爲理由，由陽間的德結陰府的果，總之能在公事上可以過門，包拯也屬外嚴而內寬的典型，從規勸陳世美的台詞可以證明。

言歸正傳，彌恒經不起諸葛亮兩招，在天庭謀生不易，由衷的向諸葛表示說：「一切遵諸葛先生之命，雖赴湯蹈火在所不辭」，彌恒前倨而後恭，亦時代使然，諸葛亮目的旣達乃客氣一番拱手告辭。

晴空片雲，就是天庭的交通工具，沿途下望碧水翠山，奇花異草，人世間都天堂爲最高標的非無由也。

諸葛亮嗜深思，影響到陽壽祇享五十四歲，今在歸途仍作深思想到劉約翰說的話：「地球上由美國人發射的「土星五號」火箭，將於七月間載人登陸月球的「太陽神十一號」太空船，聽說火箭高達兩百廿市尺等情，射一次須紋銀兩億五千萬兩，折成美金約四億元，諸葛亮在想，人類不是政治動物乃最愚蠢之動物，蓋所有的人遲早都要到天堂上來的，何必這樣性急，這次下界準備奉勸這批神經上有毛病的人，也是重大任務之一，同時想到下界的共產制度非常可惡，公私不分，必善惡難辨，這個國家社會還成體統嗎？乃決定將馬克斯，列寧，史達林在煉獄照片帶幾張到下界去，給列寧的「同志」們看看。

喬治桑外傳（七）

張大萬

「燒咖啡有什麼麻煩，要不要再弄點什麼吃的？」雅麗絲說完站了起來。

「只要咖啡。」喬治桑的答話簡單明瞭。

雅麗絲並沒有到廚房裡去，就在接通坐室的餐廳裡，從酒櫥下面的櫃子裡拿出一把電咖啡壺，一罐咖啡，又從電冰箱裡拿出一瓶冷開水，然後，很熟練地將咖啡壺插頭插好，重又坐在原來的沙發上。

這一切過程所耗的時間極短，喬治桑的雪茄還未抽到一半。

「雅麗絲。」

「嗯。」

「我們分手後，妳到什麼地方去玩了？」喬治桑面帶笑容，表示他的這一問，完全是善意的。

「去跳舞了，怎樣？」

「是事前約定的？還是臨時？」

「是臨時約的。我和你們分手以後，一個悶得很，本想去看一場電影，但時間已過，所以便約朋友去跳舞。」

「是不是男朋友？」喬治桑將雪茄在烟灰缸裡克去一截烟灰。

「當然是男的，我怎會約女的去跳舞？」

「妳爲什麼不讓我陪妳去？」

「哎呀，你參加業務上的應酬，是正事。我怎敢將你拖走？」

雅麗絲言之有理，喬治桑一時倒無話可說。

氣氛忽然沉靜下來，咖啡壺發出低沉的，谷、谷、谷聲音。

「咖啡煮好了，讓我替你去倒一杯來。」

在雅麗絲去倒咖啡的時候，喬治桑看到她婀娜娉婷的身形，忽然想到不到兩小時以前所親眼看見的一幕，心裡覺得像被一石頭壓着不舒服。不知如何發洩。

「雅麗絲，不要放糖，不要放牛奶，替我加一杯白蘭地進去。」

「加白蘭地？你今晚喝了很多酒，怎麼還要喝白蘭地咖啡？」雅麗絲別轉頭來，臉上帶着疑惑的表情。

「妳不要多問，照我吩咐的做。」喬治桑竟端起「包死」的架子。

雅麗絲端來兩杯咖啡，她自己的一杯放了糖和牛奶，喬治桑的一杯烏黑像墨汁。

喬治桑喝了一口咖啡，藉着酒意問雅麗絲道：「我願意做妳的朋友，不願做妳的『包死』，妳明不明白我的意思？」

「我不明白，我是幫你做事拿薪水的，你當然是我的『包死』，我們的關係是雇主和雇員，而非朋友。」雅麗絲睜着一雙大眼睛，似乎眞是不懂。

「我不是這意思，我在台灣又沒有開公司，用的人只有妳一個。從今以後，你不必「包死」長，「包死」短的，也不必稱我爲「叟」，只叫我喬治桑好了。」（未完）

讀者投書

爲賺非法暴利 迫遷合法居民

面臨居無所的一批貧民 向社會公正人士求援手

台北市雙城街緊靠華國飯店的一批貧民住戶，最近因爲遷移補償問題，與華國飯店的老闆，以及前市議員廖鍾脈，發生了三角糾紛，這批貧民，深受惡勢力的壓迫，惶惶不可終日。

這批貧民住戶，座落在雙城街廿五巷八號一帶，其右邊與華國飯店爲鄰，土地面積約六千多坪，均爲民國三十七、八年間的建築，已列爲合法之住戶。

這塊土地產權，原是基隆煤礦業鉅子顏滄海所有，顏氏由於財產甚多，對這批貧民住戶原不介意。而前市議員廖鍾脈對該塊土地垂涎多年，多方設法，始將是項土地弄到手，於五十六年辦理過戶。廖某何以輕易能將是項土地過戶到手呢？蓋因廖某侍候顏氏左右多年之故也。

由於中山北路一帶觀光事業的日益發達，形成寸土尺金，而土地價格暴漲，華國飯店之倉庫、停車場等均不敷應用，國華飯店爲台北市第一流觀光飯店，故必須有停車場等之設備，遂不得不出以高價將是項土地買下，并於本年二月完成過戶。而廖某一夜之間完成暴發戶之心願。

華國飯店雖然購了這塊土地之所有權，可是地上權卻屬於這批合法居住之住民，如要這批住民遷移，依情、依理、依法均應予以適當之補償，這是華國飯店應設直接與這批住戶交涉，方是正當途徑，可是，事實上正與此相反。

今年五月初，律師朱宋文代表廖鍾脈突然以兩件通知這批住戶的負責人，約談解決補償問題，僅以每坪三千元代價作爲遷移補償費用，終因過於懸殊而無結果。

後於五月中，廖某又委託朱律師，將此糾紛呈請台北地方法院處理，而法官亦認爲每坪三千元太少，商以五千元計算，但此數字與住戶要求仍有距離，因此當庭未能解決，而事後廖某代理律師又突然將此案呈請地院撤回。

這批貧民住戶，三分之二係來自大陸的難胞，每日以做工爲生，其中有一戶陸老太太，已七十高齡，在台灣無兒無女，孤獨無依，日常生活已成問題，政府尚時予救濟，要拆掉她的房子，無異迫走入絕境。

從這事件看來，社會實在很不公平，這塊土地現値幾近兩百萬元，某不僅轉手之間發了一筆財富，且有操縱土地漲價之嫌，而且仗勢欺人，恐嚇手段，聘請律師以控告爲由，這是違法的，因爲這塊土地屬主旣是華國飯店，依法主權是華國，廖某和朱律師竟然越俎代庖，究竟其目的何在？

再者，華國飯店董事長蔡紹華氏，財力雄厚，爲國內頗負盛名之企業家，依照三民主義及現代社會理則，是對貧窮者的協助，而非對貧窮者的欺凌。這些道理，蔡氏當然不會不明白，而其間據說有里長黃阿茂及某建築權威，曾出面調解，亦因相差十幾萬而無法解決，其中或說因廖某從中作祟而未果，而以華國蔡氏之爲人，當不致做出爲富不仁之事。

據稱：廖鍾脈將於本屆台北市議員競選參加逐鹿，他這種欺凌貧民的惡劣作風，將來眞能爲貧民服務嗎？他要想當選眞乃天曉得也。（鮑不平）

文匯樓別記

再談「天留坊」薛節婦

那問人言來嘖嘖，須知天道自彰彰

民國五十八年三月八日（婦女節）本報第三版「文匯樓別記」刊出「啞烈士與啞節婦」敘述安徽懷遠殉國殉職的黃花崗七十二烈士中的程良烈士，與薛府一位節婦的故事。

這位節婦姓薛，世居懷遠西門崗，念歲結婚，姑逝翁存，卅歲喪夫，許賢且德，但寡婦門前是非多，條件稍好一點的話，中國代有西門慶，再加以王婆型的人推波助瀾，西門大爺追求，薛家寡婦不肯，閒話就從這兒發源，越傳越廣，「扒灰公」「扒灰媳」的穢語不徑而走，豆腐掉在灰土裡，始終洗不清了。翁媳之間也很快受到鄰里們的白眼，乃至於早上碰到這種人，都會被人吐一口漿，認為全天會倒霉。翁既無可如何，祇好任人笑駡，反正心裡乾乾淨淨，媳婦呢？縫紉養翁，代夫盡孝，認定祇要不做虧心事，半夜不怕鬼敲門，就是這樣經過了十幾個寒暑。北方的天氣很冷，冬天有時冷到滴水成冰，一年有好幾次要為乃翁暖腳，，這種所謂「官不打自招」的話，頗添些多花花絮絮……。

經過趙老翰林縣令偵察結果，某日發官了，認中國歷史上二十四孝中的「乳姑不怠」外，應再增加「孝媳暖翁」一條，壯事甫大白於父母官。很奇怪！西門崗於黃夜突然發生空前火災，數百家居民，包括堅固建築，悉被大火焚光，火勢蔓延了好幾條街，只留着正中幾十坪地即薛家茅屋和廣廳，絲毫未被燃及，甚多早到火場的人，目睹孝媳正暖翁腳時尚未醒。此一千古奇聞轟動了全城，遍傳大淮南北，「神奇」的保留，任何人難以解釋，事經地方官員實上奏到朝廷，經朝廷派欽差大臣調查屬實，後特頒「聖旨」將薛氏茅屋一塊神奇未燃地，定名為「天留坊」並御賜良田百畝，留作薛姓後裔建祠祭祀，用昭貞烈。

這篇文章刊出後，樓主接到很多讀者的信，都認為在這世風日下的社會，「孝」一層需特別提倡，其中祇有一位僑居美國讀者叫作張雅仁者，指出沒有科學根據，幾百間房屋中間留一棟茅屋未燒是不可能的，張雅仁的理由自己是學天文的，用望遠鏡觀察十年之久，從未看見過有神，樓主曾函覆問這位張君，用望遠鏡看過風沒有，風是甚麼形狀，如果望遠鏡無法看到風，不能說地球上沒有風的存在，後來張君就未再回信了。

其中有一位劉曉月先生，台灣有名書家，現服務中央黨部[illegible]，是安徽懷遠人，不僅稱讚這篇文章的真實性，且將民國初年建造「天留坊」經過，敘述甚詳，「天留坊」兩旁大石柱對聯，據從日記中抄出：

翁無子婦無夫，翁媳相依，只知夏靖冬溫，那問人言來嘖嘖。

風愈緊火愈烈，風火交加，獨留竹茅籬舍，須知天道自彰彰。

·文匯樓主·

倫理哲學講話之一

夫婦之道（三）

陳邁子

男女婚姻結合，而爲夫婦，而成家室。婚姻之義爲何？結合之道爲何？家室之義爲何？吾人首應就文化傳統，及禮俗風尙，作一了解。傳酌古今，通權達變，以合時代之用。釋名曰：「婚，昏時成禮也。姻，女因媒也」。白虎通曰：「婚者，謂昏時行禮，故曰婚；姻者，婦人因夫故曰姻」。古曰：「黃昏結合，故用昏時之『昏』」。古籍婚禮之「婚」字爲「昏」，蓋即此意，後代以無女不成婚，乃書爲「婚」。婚姻之傳統，重在媒證。所謂「三媒六證」。「明媒正娶」，方爲合禮（合理合法）。所以「父母之命，媒妁之言」，成爲流行最廣最久的一句話。「天下無媒不成婚」，也成爲顚撲不破的至理名言。凡不由此道成婚，皆爲淫奔、私奔之行，爲人所不齒，這是我國固有的禮俗。

曲禮曰：「男女非有行媒，不相知名。非受幣，不交不親」。孟子曰：「伐木如之何？匪斧不克。娶妻如之何？匪媒不得」。又說：「丈夫生而願爲之有室，女子生而願爲之有家。父母之心，人皆有之。不待父母之命，媒妁之言，鑽穴隙相窺，踰牆相從，則父母國人皆賤之」。孟子這一段話，對夫婦結合之道，說得最爲具體扼要。中國文化，因最重視人性的尊嚴與人格道德等人生精神價值之追求，認婚姻爲人生承先啓後的大事，故對於婚禮，特別規定的莊嚴隆重。即所謂「昏禮爲萬世之始」，「婚有六禮」是也。把男女結合之事，看得異常神聖尊貴，絕不稍有輕率。而典禮之繁重，禮節之詳明，尤爲絲毫不苟。曾子問孔子曰：「嫁女之家，三夜不息燭，思相離也。取婦之家，三日不舉樂，思嗣親也。三月而廟見，稱來婦也。擇日而祭於禰，成婦之義也」。這是講婚飾婚後之禮的。郊特牲曰：「夫昏禮，萬世之始也。取之異姓，所以附遠厚別也。一與之齊，終身不改。故夫死不嫁。男親迎，男先于女，剛柔之義也。男女有別，然後父子親。父子親，然後義生。義生然後禮作。禮作然後萬物安。婚親御授綏，親之也。出乎大門而先男帥女，女從男，夫婦之義由此始也」。何謂六禮？六禮如何進行？請看以下說明。禮儀：「婚有六禮。納采（將爲婚，必先媒通言，乃使人納其采擇之禮，用雁爲贄，取陰陽往來之義也。）問名（問名者，將歸，卜其吉凶。）納吉（卜于廟，得吉兆。復始往告，婚姻之事，于是定也。）納徵（納徵用元纁，不用雁。）請期（陽倡而陰和。期日宜由夫家卜，得吉日，乃使人往告之。）親迎。（男性迎女于女家之門。）安定胡氏曰：「親迎之禮近則迎于其國，遠則迎于其館。）此亦不可不知之傳統。還有一個有趣的傳統，就是夫婦結合的年齡和季節，在古禮中都有詳明的規定。家語魯哀公問孔子曰：「男子十六而精通，女子十四而化。是則可以生民矣。而禮必三十而有室，二十而嫁，豈不晚哉？孔子曰：夫禮，言其極，不是過也，男子二十而冠，有爲人父之端。女十五許嫁，有適人之道」。又曰：「霜降閉藏乎陰，而爲化育之始。故聖人因時合偶。霜降而婦功成，嫁娶者行焉。冰泮而農桑起，婚姻殺于此。」夏小正記曰：「二月娶妻之時也。」周官媒氏，仲春之月（二月），合會男女。王肅以爲秋冬嫁娶之時也。仲春期盡之時矣」。董仲舒曰：「聖人以男女當天地之陰陽，天之道向秋冬而陰氣來，向春夏而陰氣去。是故古之人霜降而迎女，冰泮而殺止，與陰俱近，與陽俱遠」。白虎通曰：「男子三十而娶，女子二十而嫁，何陽數奇陰數偶？男長女幼者何？陽道舒，陰道促。男三十而筋骨堅強，女二十肌膚充盛，任爲人母。合爲五十，應大衍之數，生萬物也」。關于結婚季節的規定，古人完全是配合農業生產的節令的。故因農業秋收冬藏，正休閒之時，宜行嫁娶。仲春二月，冰已解凍，正是農桑開始之時，男女工作皆忙，故宜停止嫁娶。現在時地已非昔比，社會性質不同，自可適時代潮流趨勢行事，不拘成法。不過總宜在工作或學業閒暇而經濟情況許可時爲之，猶似乎只爲人所共喻共守的原則了。還有關於婚姻選擇的條件，古人有幾項遺訓，也是極爲重要而應加以參酌的。司馬光：「凡議婚當先察婿與婦之性行及家法，勿苟慕富貴。婿苟賢矣，今雖貧賤，安知異日不富貴乎？苟爲不肖，今雖富貴，安知異日不貧賤乎。婦者，家所由盛衰也，苟慕一時之富貴而取之，彼挾富貴，未有不輕其夫，而傲其舅姑者，養成驕妬之性，異日爲患，庸有極乎。借使因婦財以致富，依婦勢以取貴，苟有丈夫之志氣者，能無愧乎」。又曰：「世俗貪鄙者，將娶婦，先問資裝之厚薄，將嫁女，先問聘財之多少，是乃且（馬旁）儈鬻奴賣婢之法，豈得謂之士大夫婚姻哉」。

（未完）

綜談國劇復興（八）

王方曙

4、劇本的題材

關於劇本的題材，應該是我們創造新的，能吸收新觀衆的最重要因素。以往的許多劇本，不是題材不夠好，而是難於合現代觀衆的口味。現代觀衆固爲看戲太多了，包括電影話劇，甚至包括看小說所得的想像在內，因此有很豐富的戲劇認識，並不是在舞台上作幾個特殊表演或唱幾句唱腔就能應付過去的。劇本的內容一定要有新的觀念，和戲劇性的內容。現在我祇能大致提出下列幾個原則性的提識。

1、有意義的歷史題材：歷史題材在國劇中用得很多，但許多戲雖有意義，而戲劇性造不出來。又或有些戲劇性，而毫無哲學在內，如羣英會，但爲一謀詐之局而已，可以說是一情節劇，所以也不是上乘的戲劇。像失空斬便表現出諸葛亮爲國家的鞠躬盡瘁，但並沒全部作到應有的戲劇性，否則將是一齣極好的戲。若四郎探母，則有戲劇性，而含義極壞，四郎一回令，則全面造成反面的惡影響。四郎不忠不孝不仁不義、有失教育義旨，完全是滿清時候討好慈禧太后的媚主戲，而忘掉了民族意識。目前雖改了一個尾巴，說四郎去作情報工作，但大家已看慣了舊本子，已無法改變觀念，其實探母一戲只演到見娘，就算劇終，便是好戲，可惜目前已很難改正了。因此，我們選擇題材，必要注意題材的意識，和戲劇性的有無。比如有一齣戲我們始終沒有劇本，像張巡守睢陽的事。這一歷史題材，壯烈不減史可法，而戲劇性尤過之。還是一悲劇，或許目前大家不喜歡，但歡樂的東西在歷史上也很多，復國故事，平亂故事，都有，不妨編造些戲劇性，加強戲劇的力量，便都是好題材。甚至張巡的故事加上尾巴，平了安史之亂，而歸功於張巡，也就很完整，不致於造成消極的意義，還完全看編劇人的技巧。由此可見，國劇的題材，在歷史中可以大量採取，頗有取之不盡的感覺，惟需好的編劇技巧而已。

2、有意義的民間故事：民間故事也是新劇本創造的一個重要來源，小說和傳說都可以採取，惟也要有意義。以往如紅拂傳，原著但寫唐太宗之受天命爲天子，而涉於一點題旨。紅拂傳實是一傳奇故事，如多設一些「驚奇」的情節，便更能有戲劇效果，而稍移動原作表現出安定天下的意義，就更好了。像寶蓮燈，表現矛盾，劇情實爲上乘。但到了高潮，忽然說出沈香是神仙所生，故而只有犧牲秋兒，全劇急轉直下的索然無味」。像這種上乘題材，居然沒有處理好，而全部失敗，病在捨不得神仙故事。其實當時只要肯將這些話去掉，使王桂英在同情沈香無母的情形下，竟捨親兒，豈非「劇力萬鈞」！最後還可以在秦燦的巴快打死秋兒之時，表現出人性的善一面，免去秋兒一死，又多麼更有意義？何必劈山救母？實在荒唐萬分！所以，好的題材很多，而處理的方法是很關重要的，往往一個平凡的故事，處理得好，會有意義，也有戲劇性。一個好的故事沒處理好，便是寶蓮燈那樣的，成爲沒意義，而在高潮的時候失敗下來。因此我們在民間故事方面，只要會處理，也有許多好材料給我們。在民間故事可以表現忠孝仁愛信義和平的故事很多，決不會感到無題材可取的。

政海風雲現形記（十六）

李槃

第七回　劉斐醴陵産，乃父擅岐黃術　桂軍出共謀，埋伏政府廿年

最可怪的乃是白氏素有「小諸葛」之綽號，既已經過韓練城這種慘痛的教訓，但于劉維章還是深信如故，三十八年春劉以我政府和談代表，北上投降秋歐王朝後，奉命南來進行策反工作，鑒居香港，是年秋間，李白在廣州籌維保衛大西南的軍事計劃時，白氏猶秘密邀劉維章漏夜潛至廣州，參預軍事秘密，這豈非令人不可思議的今之諸葛亮作風嗎？

對日抗戰結束後，白氏在中樞歷要職，劉仲容依然是白氏唯一的親信幹部，劉平日在白公館出進，不特可以自由穿堂入室，如須休息，且可以假寐於白氏的臥榻上，關係之密切，有如此者。民國卅七八年之交，徐蚌會戰時，我軍在皖境的一切行動（這時安徽省隸屬華中軍政長官統轄），共黨於事前即已洞悉其詳，如黃維、邱清泉兵團之半途淪沒，即其明證。若不是共諜劉維章與劉仲容從中作祟，何至於此呢？尤其安徽方面的軍情，關係整個戰局的勝敗之數，因爲此時我方的援軍，只靠華中軍政長官所屬各部了。嗣後鄂豫各省參議會的反戰通電，白崇禧對中樞陳述「三不可戰」的密電，乃至於華中軍政長官公署在武漢截留中央由四川運來的軍械米糧等事，我認爲都是劉仲容從旁慫恿煽動而然的。共諜唯恐天下不亂，而李白等人只想利用時機以攫取政權；相信自己必不致爲共黨所擊敗。白氏明知劉仲容是共黨份子，但予智自雄，以爲憑着自己的聲望才幹與實力，即共產黨人亦會佩服崇拜，不致隨便搗亂的。這就是白崇禧一敗塗地的基因，若說他故意縱容共黨倡亂誤國，卻非持平之論，否則他就不會到台灣來了。白氏當年在海南島決定離台灣之際，曾對左右說過幾句明心見性的話，他認爲「跟蔣總統相處縱然不得志，那是個人的榮辱問題，跟共黨鬥爭卻是一個生死問題了！」

共諜劉斐等平時以高度的隱蔽方法，潛伏桂軍統帥左右，洞悉軍政機密情事，再利用李白與中央的政治矛盾對立因素，施展一「政治瓦解敵人」的魔術；戰時即乘機將桂軍一切動靜，隨時隨地密報於共方。職是之故，共諜乃先使敵人陷於政治瓦解而不自覺，做最後總將廿萬桂軍毫不費力的全部解決，做得乾淨、又徹底，乾脆極了！據說毛澤東在北平初見劉斐時說道：「你的功勞最大！」實則劉仲容的勞績亦不在維章之下，假使他不把我們的「小諸葛」白將軍迷惑住，長江以南的軍事，共黨便不致那麼容易得手，即令我軍最後撤至湘粵桂邊境與共軍周旋，至少亦決不會發生二十萬能征慣戰的桂軍竟不戰而全體解甲被俘的怪現像。昔日劉邦與項羽爭天下，劉謂「吾寧鬥智不鬥力」，今日我國軍人既好玩政治，然又迷信武力，認爲政治只不過是槍桿上的附屬品而已。整個神州陸沉之禍，就從一念之差產生出來的，李白固然如此，其他的袞袞諸公又何嘗異乎是呢？吾[illegible]至此，頗不勝其「後人無暇自哀，又使後人復哀後人」的隱痛，能不悲哉！（下）

巨變歷險記！

共軍進北平後

（五三）

胡慶蓉

共軍進北平後，表面上也不能說沒有變動，那就是故宮的整修與北京飯店之擴建。

原來共軍之進北平，市民們都非常冷淡，是不是心存畏懼？或者認爲過不幾天又會走的，但從共方來看，恐怕不是這樣想法？共方進了北平，大有久據不去的樣子。從整修皇宮與擴建北京飯店，可以見之。請先談談整修皇宮。

我在上邊畧畧的說，北平的皇宮，是了不起的建築，也是中國人對外人可以驕傲的地方。這在台北陽明山中國文化學院，有一套圖片，在大成館還沒有蓋成的時候，曾同于楓機，在張董事長其昀領導之下，仔細的參觀過，但這套圖片，還是有限得很，離親至躬還遠得很。台灣電視劉震慰先生介紹的，也剛在開始。但雖然不過是一小小部份，但已可以感覺他的偉大，他的壯麗，他的莊嚴，無與倫比的規模，我參觀過法國的羅浮宮、凡爾賽宮楓丹白露宮，參觀過英國倫敦的皇宮，俄國莫科斯克林姆宮（有魔宮之稱），也參觀過日本的皇宮，韓國的皇宮，越南的皇宮，緬甸的皇宮，但都望塵莫及。

共軍進北平，以北平爲首都，要成立政權，從他整修北平的皇宮與擴建北京飯店，可以見之。天安門前的大廣場，遠勝過克姆林宮前的廣場，那高聳雲霄的天安門，是多麼神氣啊！黃色的瓦，好像永不褪色似的，在日光之下，反射出去，又是如何的燦爛啊！在上邊的人望下邊的人，特別渺小一點的，簡直像螞蟻一樣，天安門，向南，向正南，東長安街從前邊通過，天安門與大道之間，有一道護牆，牆上邊有一行很整齊的樹，葉子像我們台灣的鳳凰樹，但花是鮮紅的，像一束一束的絨線，紅白相間，紅白相接，紅並不紅，白則白得發亮。

護牆上邊有道橋。人在下邊向上望，有高不可攀之感！他給人的壓力是難以形容的！

但這莊嚴偉大的建築，眞是舉不勝舉，數不勝數，更難一一描述。共產政權看透了這可以唬虎（口旁）老百姓，遂不惜鉅資，予以整修。共匪入據北平以前！就已經有六七十年沒有整修皇宮了。

但這談何容易？無論怎樣偉大的建築，歷七八十年沒有修葺，都已經漸感不支了。皇宮的瓦，有些地方出牛草來了，冒出草來了，裡邊的樑柱，有些已經腐朽了，由於上邊負荷過重，不少有搖搖欲墜之勢！至於雕樑畫棟的顏色，不管顏色多麼好，漆多麼好，在幾十年的風吹雨打之下，也都普遍的褪落退色了。共軍進北平之前，筆者長於斯，學於斯，生活於斯，每年總有幾次逛故宮機會，每一次去，都增加悲傷，雖說還不到銅駝荊棘，但宮院的磚縫裏，也已經生出或甘出草了。共軍進北平，就看見他整修皇宮。很快的就看見皇宮四週的牆，原來就是已經是紅的，現在更紅了，特別是東長街一面，新華門兩邊的牆，一直到天安門兩邊的牆，耳目爲之一新。這好像是中國人的血！

四位名人失敗的共同原因

·赤松子·

會客不是一件小事，自身成功的人，其會客方式，必定是有章法的；反之會客章法太亂，很難望有成功。

以劉湘爲例，他是一個不學無術的人，對于世界大勢，也無十分眼光，但是他在川中羣雄割據時，地盤不過重隘壁山兩縣，可是他終以此爲基礎，竟至統一四川，就是他會客的章法，有和四川各軍閥不同的緣故。又以雲南爲例，在十五年代，龍雲與胡若愚同爲軍長，我都會過，後來四川劉文輝問我龍、胡優劣如何？我說，唐繼堯眞是死了，以後恐怕是龍家天下，胡若愚似乎是一位不足重輕的人。劉問，何以故？我說，從他們的會客章法看來，我去會龍時，正是下午五點，在他的軍部見面，他坐在辦公室桌上，背後立了四位馬弁，都是嚴正肅立，目不斜視，談了一個鐘頭，軍部鴉雀無聲。可是，後來我去會胡，在一旅館中見面，他一面和我談，一面看他的副官，幾個副官嬉笑吵鬧，鬧成一團，胡也不加制止。軍人要有威，像胡這樣軍長，如何能治軍呢。後來龍與三軍長交戰，三軍長潰不成軍，龍遂一舉佔領雲南十八年。至于清末民初大人物中，如袁世凱，在北洋大臣任內，凡拿介紹信去求見，一概不見，至于以條陳去的，如經放核，只要有內容，不須介紹。當時趙秉鈞是一個典史（未入流的官），從新疆回到天津，住在小客棧內，每日三餐不繼，棧費欠至半年以上，聽說袁氏注重新政，立刻找了新政的書報來看，不睡覺的揣摩，上了一個條陳，袁氏召見，是正五月端陽，趙秉鈞穿了一件空心羊皮襖，與袁氏談了三小時回到客棧，不敢進去，後來勉強進去，老板大叫一聲：「給趙大人道喜」。遞上一個軍機大信封，趙秉鈞拆開一看，原來是一封巡警總辦的委札，從此一帆風順，到民國元年，遂升至國務總理。現在將五十年來我親眼看見的四位名人因爲會客不講章法，同歸失敗的事，列述于左：

一、唐繼堯任雲南都督，時與蔡松坡共同討袁，年不滿三十，世稱護國英雄，後來在十五年都督、省長任中，先後失敗兩次，原因無他，就是爲會客。民國五年，唐氏以西南聯師，巡視四川，駐紮重慶，四川辦督熊克武晉謁，唐的總務處長李某（山東人）向熊索取紅包，熊作爲不知，李某遂向熊說道：聯師命令，凡文官晉見，須穿大禮服，武官晉見，須穿全副軍裝，否則不見。熊正着洋服，以爲可以免去軍禮，這一來，只得叫他的副官回家，拿軍裝來，見唐行了一次軍禮。可是熊氏爲人陰險，從此心存報復，及唐回雲南，熊克武遂挑撥顧品珍反唐，到九年，顧氏得熊克武資助，與朱德（共匪首領），共同打回雲南，唐氏因此在香港休息一年後。及回雲南，仍用李某爲總務處長，李某對于大官吏見唐，照常索取紅包，十四年，龍雲往見唐，李某照例也要紅包，龍大怒，並道：我是昆明鎮守使兼五軍軍長，聯師是我長官，怎麼見他，還需要紅包呢？先後往見十次，皆不得見，龍遂決心反唐，終致十五年政變。

二、賴心輝四川川北人，雲南講武堂畢業，學科術科，均列第一，但會客也是毫無章法。在四川內戰中，勇猛異常，川人以此得大砲綽號，可是官封到國民革命二十一軍軍長，但是後一次敗後，從此不能復起，其原因也是會客。傳片的是賴的一位副官長，他對于賴的客人失會，既不依先後排列次序，也不依官階大小，凡是客人見了他，必須打一個招呼，叫一聲副官長，並且衣冠必須華麗，他就把你名片列在前面，否則把你擺在後面，有一次張瀾去見他，因爲衣服既不華麗，也沒有叫他副官長，他就讓這位四川大老，在門房靜坐了兩小時，後來張瀾大吵大鬧，得賴軍長出來道歉，才算了事。又有一次，由南京派去的一位軍事高級代表，因爲他穿的是一件半新舊的中山裝，當然也沒有叫他副官長，他也讓這位高級軍事代表在門房坐了兩個鐘頭。

三、張××博士，是南方鼎鼎大名的博士，學貫中西，名滿國際，曾任大學校長，頗受學生歡迎，因爲對人誠懇的風度絕佳。勝利以後，在上海主持一著名經濟機構，每日賓客盈門，而博士對于每一客人入座以後，必讓其盡吐衷曲而去，于是一次座談，常至三四小時以上，但其他欲會而不得一談的客人，每日至數十人之多，于是朋友愈來愈少，以致事業受影響，一生奔走國事，可以說毫無成就，這也是可以說會客之累。

四、劉××西北實業界一著名大亨，早歲留學新大陸，治桑宏羊之學，回國後，頗得地方巨頭信任，抗戰時，兼四五十個經濟團體董事長，大陸淪陷，一敗塗地，不知者以爲劉氏運氣已盡，稍爲知道他的，以爲事先毫無佈置，其實大亨一生失敗，全由會客無章法之故。劉某會客，由他的秘書支配，卅八年，同政府流落在廣州，還有一個不大不小的職務，一天廣州市商會主席去訪他，被他的秘書把這位主席關在門外靜坐了三小時，後來主席聽見劉老板在內笑聲大作，才自動開門進去，這種章法，焉有不失敗之理。（完）

流行性腦炎的預防

生活漫談

馬騰雲

流行性腦炎，是夏末秋初發生的一種流行病，有時春天也流行，亦是一種很危險的傳染症，十五歲以下的孩子，最容易得這種病，這種病曾在關東、閩南流行過，並波及到台灣，它的病原，爲一種很毒的小蚊子所傳染，十個人中間有六個人可以抵抗得住這種蚊子的毒，不致因被叮會感染到腦炎，其中有三個被這種蚊子叮後往往會得病，得了這種流行性腦炎，多數突然之間發高燒，頭昏，眩暈，心跳，嘔吐，肺昏迷不醒，心情煩燥，頭部強直，亂說胡話，這種病一旦被感染，很快就會死亡，中醫稱作爲瘟病，傳染效率非常的高，湖南靖縣在抗戰前曾發生過這種流行性腦炎，得者不治很快死亡，全縣人口，死去三分之二，該縣交通閉塞，形成地大物博，人口稀少，對日抗戰期間傷兵殘廢者特別多，第九戰區司令長官薛岳將軍，報請軍事委員會蔣委員長核准成立榮譽區，各種各型的工農場，榮譽軍人若干萬在那成家立業，對鼓舞士氣，安定軍心，卓著勞績，第九戰區能打幾場驍譽國際的響亮仗，這方面關係很大，他們在靖縣榮譽區研究用流行性腦炎的病原，是一種神經性病毒，預防的方法簡單易行，效力甚偉。

用鮮荷葉一兩，冬瓜皮一兩，乾菊花兩錢，六一散六錢，把荷葉、冬瓜皮、乾菊花以十碗水煎汁，濾去藥渣，然後再沖六一散，代茶飲用，一個月吃十次，就是三天一次，年齡大的多喝，年小的可少喝一點，此方有清暑，解熱，利尿，止濕，通便，清導的功用，預防流行性腦炎及預防流行性腦脊髓骨炎。

還有一個更簡便的預防方法，用橄欖五個，白蘿蔔四兩，把白蘿蔔、橄欖放在鍋中，加水煮成一碗汁，分三次給小孩子喝，連服三到五天，此方能預防流行性腦脊髓膜炎。功能清熱、解毒、利便、清感管，這種流行性腦炎，又稱作乙型腦炎和腦膜炎，中醫學書裡叫作瘟病，所以此方預防有卓效。

荷葉裡含有荷蓮鹼（含於荷葉的輔及中）及維生素C，爲解毒藥，治菌類中毒，男子遺精或夜尿症，久下痢腸出血，用於慢性草藥。冬瓜皮功能利濕，消暑，和脾，利尿，內臟腸癰，食之有效，冬瓜子與冬瓜皮效用畧同，用冬瓜皮二十公分，白茅根二十公分，玉蜀黍蕊廿公分，赤小豆一百公分，用水八百公撮煎到三百公撮，治腎臟炎及全身浮腫，菊花含有腺素，膽鹼，水蘇鹼，維生素A及精油等，治神經性頭痛，血壓亢進，頭痛眩暈，清涼性鎮靜藥，又爲利眼藥，對結膜炎等有效，藥典記載菊花有消炎殺菌抗生效力，對急性化膿性炎有很顯著的效果，橄欖爲防止發炎，中醫用於咽喉等症，白蘿蔔的功能詳見藥典從畧。六一散爲中國幾千年來民間炎暑必服的一種藥茶，價廉效大，亦可謂是一種賤物中的殊品。

鱷魚潭邊的故事（四）

趙陀

桃花潭水深千尺

「乖孩子，你是媽的生命根蒂，媽媽不會使自己的女兒去吃別人虧的，不是媽媽將結婚看成爲買賣，而是想和媽媽買賣的人太多了，女人要適應環境，能考驗女人，識時務者爲俊傑，你能擺脫這個公式嗎？」

「媽，你覺得我應當如何去爭取任念佩？但我先得證明，女兒除任念佩外，不會和另一個男孩子談婚事的，媽，你能要使任念佩愛你的女兒，直到永遠。」

「你要使任念佩得不到你這個人，他的心將永遠屬於你，當你得到他人的時候，心就漸漸地失去。」

「媽，我要使他能得到我的人，因女兒的心早獻給他了。」蘇克琳的眞情洋溢，絕沒有保留的說出。

「俗語說：只有望得到得不到的東西，才是可貴的，媽在風塵混了卅年，對瞭解男人的經驗太多了，媽替成你愛任念佩，只是……」顏芳的話，還留半句。

「媽，我聽說，一生受女人困擾的男人，會導致身敗名裂，或毀滅事業，或阻礙了前程，我不忍見到我所愛的對象，走這條路，陷入愛的悲劇中。」

「你的意思，是要自己去演悲劇了，是嗎？」

「我生怕任念佩對我入了迷，最少我對他已陷於愛的泥沼中，難以自拔，他昨天給女兒的信……」

「昨天的信怎麼說：傻孩子是不是死呀！活呀！那些老套」。顏芳燃起一根香烟，注視着克琳。

「他從來不講那些，也不像其他男人，總是對女方講好聽或和一些奉承話，到現在爲止，他予我的都是良藥，雖有些苦，但除任念佩外，從沒有一個講眞話及眞能瞭解我的人。」克琳很肯定的同顏芳表示。

「信可以拿給媽看嗎？」

「媽，我怕。」

「你怕甚麼？」

「媽總是喜歡將女兒的事同牌友們談，尤其一些不三不四的烟友。」顏芳知道女兒所指的是三姨。

顏芳說：「蘇羅寶女兒的事，就是你三姨媽造的謠。哼！她在自掘着埋葬自己的墳墓。」

「媽怎麼會知道這消息從那裏來的。」

「鬼丫頭還瞞住我，牛少爺還說些甚麼？」

「沒有說甚麼？」

「孩子，你向我說眞話，媽會授你對任念佩的絕招。」顏芳認爲可以套出克琳的眞話。

「我一心一意喜歡他，熱戀他，既不是打鬥，何必用絕招呢？」克琳忽視顏芳的絕招。

顏芳深深的吸了一口烟，烟和話齊出，顯得關心女兒的笑容說：「爭芳鬥艷，奇招迭出的某紅星贏得了決定性的勝利，最近香港報上的娛樂版很多爲蘇拉安總絲在情場中失意的事，就是未把握住對方男人的心要緊一把、鬆一把的，乖孩子將來你要吃太天眞的虧。」

「媽，我要你授女兒絕招，但不要傷到任念佩。」

「鬼丫頭不害羞，對了，牛少爺究竟說些甚麼？」

次韻錢賓四先生海濱閒居漫成四首

·黃徵·

高懷詎肯宅安居，雅興悠然野鶴如；
著述等身窺孔孟，繫心舉範在詩書。

風雨藏山事業侵，十年魂夢到於今；
鵝湖白鹿商量地，自是孔顏至樂心。

香江一幟講堂開，新亞聲聞亦卓哉！
悟到伊川活潑話，鳶飛魚躍眼中來。

世人皆醉我獨醒，橫流激濁與揚清；
鄰桑三宿猶增戀，始信多情是佛情。

（錄拙著舫齋詩稿春草集作）

中華民國內政部登記證……號
中華郵政……
自由報
（第九八四期）
（半週刊每逢星期三、六出版）
每份港幣壹角・台灣售價新台幣弍元
社長李運鵬・督印黃行舊
社址：香港九龍彌敦道593—601號
廖創興銀行大廈八樓五座
LIU CHONG HING BUILDING
7th FLOOR FLAT 5
593—601 NATHAN ROAD,
KOWLOON, H.K.
TEL: K303831
電報掛號：7191
承印：…星印刷公司
地址：…成街廿九號地下
台灣總管理處：台北市大同街119號
台灣區直接訂戶　台郵劃撥戶
第五〇五六號張萬有（自由報台計室）
電話：七一四〇三三、五五五三九五
台灣分社：台北市西寧南路110號二樓
電話：三三〇三四六，台郵訊撥戶九二五二樓

談所謂「教師福利」

白水

老虎吃人，連骨頭帶肉一齊吞，人們并不覺得老虎可恨；蚊子咬人，頂多只吸一滴血，大家卻把它恨得要死，因為老虎長了一副吃人相，吸起人來彰明昭著，毫無掩飾。蚊子則不然，吸血就吸血好了，偏要假慈悲，編出一篇大道理，嗡嗡地嘮個不停。

這些年來，政府極力希望建成一個均富安和樂利的社會，一切措施都向福利政策邁進，這是時代潮流所趨，也是領導當局最賢明主張。各級機關主管，無不以為其僚屬謀福利來標榜，尤其與當七八月各中學校長撤風換位的時候，幾乎每一位新校長都在就職典禮中保證要為教職員謀福利，結果謀了些什麼福利？福利了什麼人？各學校的教職員心裡有數，不必在下來饒舌。

五年前，台灣省教育廳長上任時，曾要安定教師生活，為教師謀福利，當時的確贏了一個滿堂彩。可是前幾天教育廳再提出這個主張時，全省中學教師卻嗤之以鼻。不是不承情，而是不敢領教。隨便舉出兩件事，請看這些年來教育廳如何為教師謀福利？如何安定教師生活？

公教人員待遇的清苦，古今中外差不多都是一樣。教師因為沒有加班費、沒有慰勞出差，就更加清苦。尤其担任導師的，單是生活週記及大小楷每月就要批改六百多本，其他監督自習，領導掃除，辦理學生請假，家庭訪問，個別輔導，以及輔導各種課外活動，每月少說也要花費一百多小時，而導師的職務加給只有七十元，平均每小時的報酬只有新台幣七角。以前教育廳曾於規定高中導師的任課時數每週十二小時，超過十二小時就可報支鐘點費，為了這個法案，當時的廳長不惜以去就相爭。等到福利廳長上任，首先主動廢棄了這項福利，把導師的任課時數增加到有的多達十八小時，以往担任導師的倘若任課十八小時，就有六小時可報支鐘點費，每月可以多得六七百元的收入，新辦法實施後，便一文也沒有了，無形中等於減薪一半；教師們誰還願意再做導師。試行了一年，教育廳大概也覺得過火了，又重訂辦法，雖然把導師的任課時數減少了一點，但是除了國文一科外，其他各科仍然比以前多的多。教育廳還自鳴得意，大肆宣傳，說已減少了導師的任課時數，為導師謀了福利。譬如說，你平白無故拿走了我的七百元，後來又送回一百元，還要我來感謝你，但把全省教師都當作三歲小孩。今天教師的待遇仍然微薄到不足以維持最低限度生活的程度，但是和抗戰時比較，也許還稍微好一點。倘若和淪陷區比較，那簡直猶如天堂和地獄。教師們也體諒政府的艱難，勒緊褲帶，咬緊牙關。希望早日反攻大陸。但有些官員們不知存了什麼心腸，天天在那裡玩花樣，極盡[illegible]之能事。偏偏又在報紙上發佈新聞說，提高教師待遇，今天說加了這個費，明天說加了那個費，結果口惠而實不至，只聽樓梯響，不見人下來，徒然刺激了物價。因為教師無字號勇，人數又在十萬以上，一切不樂之捐，無不以教師學生為對象。就拿最傳頌的一人一元運動來說。一開始，教師們先捐一元，再由五元，為了對學生起帶頭作用，又拿出五十元一百元不等，在路上碰見募捐的學生，作老師的又得拿出十元二十元。這樣捐了不知多少次。事隔半年之後，教育廳又下令全省教師再硬性強捐一日所得，一個人捐三十餘元，十萬人要捐多少。這是提倡全民體育的盛事，身為教師的，誰敢說個「不」字。諸如此類在冠冕堂皇的大帽子下，教師們每年不知要捐出多少不樂之捐。主管官員們說，為了善風義，人家都捐十萬八萬，身為教師的，捐你三十元，你就亂叫，還配作教師嗎？殊不知教師的薪水，一毛錢都有它的維持生命的用途，你扣他一日所得，難道叫他全家這一天喝西北風不成。他的太太又不能在台灣書店買乾糧，你叫他怎麼活法？

中學教師的身份一直是個嚴重的問題，政府雖把教員和公務員一樣看待，也給予退休保險各種福利，但是教師的工作卻不能像公務員一樣受到法律的保障，中學教師的工作是由校長以一年為期聘任的，聘約期滿一切權利義務自然消失，下期續聘與否，完全決定於校長的自由意志，法院在判決新莊中學的案子時已創下了一個惡劣的判例。幸而教育廳以命令訂了許多限制，總還算他強拖了下去，前年教育廳在答復新竹縣政府的請示時，又把該廳以前所訂的辦法一筆勾銷，於是中學教師真正成為過了今天便沒有明天的打散工的，每位中學教師每年要面臨一次失業恐懼，任教越久的這種恐懼就越嚴重，因為失業的同時也喪失了退休、保險，互助等福利。又因為人事變動太大，校長教員之間的瞭解也就談不上，殺人的假釋犯也被請去當教員。板橋中學血案，要不是在校長解聘他一度認為得力幹部的謝明山，謝某怎麼會拿刀子呢？東石中學氣死校長案，朱校長不解聘洪某，也不會恐怖氣憤而死。教育界的[illegible]之戰，還不是飯碗問題在作祟。要不就取消教員的退休、保險、互助等待遇，要不就給予教師工作以法律保障，這些問題若不解決，將來告狀、打架、殺死人，氣死人的事還多着哩，蹲着瞧吧！

人是一種感情動物，對該行業中所有的從業員便都有了偏見。有人因為吃過騎摩托車者的虧，對所有騎摩托車的人內心深處便產生了歧見，倘若由他來作交通法庭的法官，相信凡是騎摩托車者到了他手下，多少說要吃點虧。任何行業中，有好人，也有壞人，教師也是人，當然中間也少不了敗類。有些人在做校長時，吃了教員的虧，一旦上一層樓，手執生殺大權，潛意識中便存了個報復的念頭，倘若不能克制，那就和小說上所描寫的因受了刺激而憎恨該刺激來源相關的一切人的變態心理完全一樣了。

看人家，想自己

成公

昨日與明日

登陸月球的成功，使人類的歷史向前邁進了一大步，這代表人類全體的成就，因此至二十一晚，太空人踏上月球時，舉世為之歡騰[illegible]。甚至有的國家放假誌慶，因為儘管國與國間，族與族間，還有思想衝突，但在這一點上，卻是全體一致的，是代表人類的整體的。因此太空旅行雖是美國一國發射的，分享其[illegible]卻是全世界。我們中國人[illegible]也不例外。

但是若分而論之，則我們[illegible]自問，與這登陸月球的壯舉，有何關係，有何貢獻，（雖有一二中國專家參與其事，但這專家也是美國培植成的），我們不但無法引以為榮，反之看看人家的成就，再看看自家科學落後的情況，寧不深深慚愧。「舜人也，予亦人也」。何以就這樣的不如人，這還不是一個逞強鬥氣的問題，而是關乎民族的榮辱，國家的生存的問題，至為嚴重，如何能不切實檢討。

「迎頭趕上」云乎

我們的科學落後，並不自今日始！而問題的嚴重以及亟待解決，也是有識之士多少年來，大聲疾呼的呼籲，國父孫中山先生，並指示我們要「迎頭趕上」，這原則是絕對正確的，事實如何呢，我們是否在做呢，不必細論；但是事實告訴我們的，今天我們的科學水準，較之國父呼籲迎頭趕上的時候，卻更落在西方之後了，雖則我們並不無若干微小的成就。

其所以致此者，問題不勝枚舉，抗戰之後，又繼之以戡亂，直至今日仍處於非常狀態，局勢不定又如何發展學術，這是不可諱言的事，不能責怪任何人，所謂「不可抗力」是。但在人力能左右的地方，我們也，可諱言的，大有許多「人謀不臧」的地方，最明顯的例如在學術機構中，許多落伍到連作學生資格都沒有了（按：自然科學是日新月異的，往往許多新學說新發明使老教授瞠目不知），而還把着地盤不放，當然也就既無力培育新人，主持新的研究，甚至也不願延攬新才，以彰自己之落伍，這是衆目所睹，大家公認的現象，用不着多說。

再就指導學術的政治方面來說：學術與政治原是一個「合而不同」的事，兩者不能勉強劃一，多少年來，由於事實的需要，政治對於學術的不重視，影響所及，主持其事者往往在政治方面有極高的份位而對學術卻是外行，或「半內行」，肯作事的，也不過作點表面文章，多點宣傳資料而已。不肯作事的，也更糟，等因奉此，亂喊一陣，那個能有真知灼見，為教育學術作百年大計，例如某部長任內，不是勞師動衆大舉召開第四次全國教育會議，又高倡劃時代的「空中學制」（人家太空登月，我們空中學制，也可引為「[illegible]相當」之題了？），但今天的結果在那裡呢？若照這樣主持教育學術，縱令全能的上帝，下令美國停止勝進，等我們來追，那也一萬年都追不上。

痛下決心

今天已不是高喊口號，或說幾句漂亮話，自己安慰安慰，陶醉陶醉的時候了。也不是只顧目前，等把政治局勢弄清楚，收復了大陸，然後再慢慢趕步的時候了。我們要上下齊心，共同努力，切實認真的從根本處作起。若再如此蹉跎下去，終有一日我們會淪為文化領域中之非洲森林裡的野人！

自由談

國民黨台灣省黨部最近為着增補選中央級民意代表的本黨提名候選人問題，通令全省黨員，就資望、德行、才能各項條件，舉其所知，陳述意見，俾便反映中樞參考抉擇，這纔是真正的民主作風，殊堪稱讚。

民主政治的真諦，就在一切有關國計民生的措施，或興利除弊的問題，皆能以大多數的意見為依歸，這所謂「大多數人」也者，即係社會羣衆與政黨黨員，亦即古先賢哲所訓的「吾從衆」之意，而為「得人者昌，失人者亡」之義蘊所在也。

一個政黨對於選舉提名問題，如果事前徵集大多數黨員的意見以決定人選，則每個黨員皆認為這是實現自己的主張，基於責任感，并不需要黨部的督促或黨紀的制約，亦必自動自發地竭力擁護本黨提名候選人，毫無疑問。倘使計不及此，但以上級命令行之，轉飭各個黨員唯命是從，則在黨員心理上，乃覺得自己祇有義務可盡，而無權利可言，離心力暗長潛滋，結果必難獲致預期的成績，過去台省各縣市長選舉情形，可資證明焉。

可喜的現象

不特此也，提名候選而不以大多數黨員的意志為準則，奔競鑽營之風即相應流行，而小圈子主義自無法消除，所謂精神團結之說，徒託空談而已。不團結即不會產生力量，大家離心離德，個人專尋小門路，而黨之為黨德為之蕩然矣！

實行民主政治的唯一要訣，即須由下而上，以說服代替命令，以公意代替私慾，黨部對黨員是如此，政府對民衆亦如此，過去即未有不成功者。準此以辦黨，黨部號召黨員的能力必然堅強，準此以施政，政府指揮民衆的威信必然崇高，這原係人人能知能言的，卑之無甚高論，就怕大家漠然不以為意。如今台灣省黨部注意及此，足見咱們的民主生活已邁進了一大步，從此奠定楷模，樹之風聲，使將來地方行政首長暨民意代表的選舉，皆毫無假藉地循此原則從事，蔚成完美的憲政之治，則台灣省黨部對民主建國前途，其功固不可沒也。

[illegible]五先生

十八載四分五裂　青年黨一朝團結

表面統一問題還很多　能否久長歷史會回答

「天馬茶室」事件　走上了分裂之路

（本報記者台北通訊）四分五裂達十八年之久的中國青年黨，終於今年七月間完成形式上的團結，表面上雖復歸統一，但實際上的問題還多得很呢！經驗法則與歷史告訴大家，團結很難長久。

中國青年黨能夠達成形式上的團結，並召開第十三屆全代會，一方面由於不遠萬里面歸的李璜之忍辱求全；一方面由於執政黨從旁協助所致。該黨之四分五裂，實係若干政客意圖一己之私造成：例如，雖其中極大多數均係正人君子，由於一、二人為非作歹，使整個青年黨都蒙上一層陰影。這些閒話，姑暫不談。

話說中國青年黨之分裂而後團結，團結而後再分裂之經過，實非三言兩語或一篇短文所能說清楚的。本報記者為使讀者明瞭青年黨為什麼分？為什麼合？分分合合鬧個不停，其真正癥結何在？這是大家所關注的，且聽記者慢慢的從頭道來。

自從該黨故主席曾琦四十年五月七日病逝於美京華盛頓後，僅僅二十八天後之同年六月四日，在台之青年黨人即發生所謂「六四天馬茶室事件」一組織中央黨部另樹一幟。因而青年黨由統一之局面分而為二；一大華派與新生派是也。大華一派以李不韙、李璜、劉泗英、朱文伯等為主；新生一派以陳啟天、余家菊為首。前者主張依民主程序而決定人事，依黨章而決定黨務；後者則主張以分贓式而決定人事，黨務與人事皆不受黨章限制。

——下轉第二版——

十八載四分五裂 青年黨一朝團結

表面統一問題還很多 能否久長歷史會回答

（上接第一版）換言之，大華一派主張民主法治，新生一派強調人治超越一切。下面是首次分裂的經過情形。

民國四十年十一月三日，李不黯等一百餘人，在台北市和平東路一段大華新村四號，召開中國青年黨第十二屆全國代表大會，出席代表計有：國大代表劉泗英、沈雲龍、王止峻、朱文伯等二十六人；立法委員林可璣、朱世龍、董微等六人；監察委員丁俊生、陳翰珍等七人，行政院政務委員王師曾以及行政院設計委員王嵐僧等十人，于復先、關德平、林劍秋等四十五人，區域代表十四人。大會籌備會由林可璣負責籌備工作。十一月三日至五日，舉行預備會議三天，同月六日至八日，始舉行正式會議。

該黨大華一派召開第十二屆全國代表大會故開預備會議三天，爲尊重莫德惠、王雲五、蔣匀田三先生之從中調停，期待團結談判之成功。自四十年六月四日發生「天馬茶室事件」以後，迄至同年十一月三日召開第十二全代會爲止，歷時五個月，計有：香港四常委之解決方案；莫德惠、王雲五、蔣匀田三先生之調解方案；中立黨員之建議方案，但未獲致協議而召開第十二屆全國代表大會。在正式會之第一次會議（四十年十一月六日）當天由劉泗英、王嵐僧提同莫德惠等三位先生所提面書調解方案三項，該方案未爲第十二屆大會所接受，並由大會函莫德惠等三位先生說明不能接受的理由。

莫德惠等之方案

大華派拒絕接受

莫德惠、王雲五、蔣匀田等三位先生所提調解方案三項，其內容如下：

第一項：原則。（一）設立主席團三人，行使黨章規定之職權。（二）中常會委員十九人，除在海外之五人外，由兩方（大華跟新生）就中立黨員推舉二人，餘由兩方（大華跟新生）各佔半數。（三）兩方（大華跟新生）中執委合併于中執會，但黨齡如有不合規定者改任爲評議員。（四）評議會與檢審會並存。評議會之職權，爲審議交議之黨務方針案，時局方針案，預算案，規程案等，並得提出建議案。其員額由二十五人至四十五人，如員額增加時，由主席團提交中常會通過之。（五）秘書長之人選，由主席團提名。（六）組織部長以中立黨員任之。（七）參加政府之人選，由主席團提名。

第二項：人選。主席團：李璜、左舜生、陳啓天。秘書長劉泗英。增設副秘書長一人，其人選由主席團決定。組織部長潘冉中，除原有副部長一人外，另增副部長一人，其人選由主席團決定。宣傳部長胡國偉。外務部長劉鵬九。參加政府之政務委員余家菊。中常委六人：陳啓天、余家菊、胡國偉、劉鵬九、胡阜賢、蔣偉之。

第三：中執委新選委員三十七人。

由大華新村召開的第十二屆全國代表大會對莫德惠等三位先生所提前述之三項方案，表示「礙難接受」。其理由：

（一）查各級政府之組織，向無主席團制之設置，中國青年黨黨章亦復如斯。

（二）依據青年黨黨章及慣例，主席僅有對內主持會議對外代表青年黨之權，其餘一切人事及重大問題，無不取決於會議，主席並無任何特權。現調解方案既云：「主席團三人行使黨章規定主席之職權」，而一面又定主席團有提名評議員，秘書長，及參加政府人選，並決定副秘書長、副部長之權，實超出青年黨黨章之外，並不合青年黨一貫之民主精神。

（三）評議會與檢審會並存，在原則上費考慮，在事實上亦窒礙難行。

（四）主席團雖定爲三人，李、左兩先生既已明白表示不來，實則陳啓天爲大權獨攬之主席，欲使青年黨全黨擁戴之爲獨裁領袖，實爲一不可思議之事。

（五）至於某也爲部長，某也任政委，某也爲中常委，某也爲中執委，皆爲陳啓天一廂情願之條件，若能照此辦理，即無異承認陳啓天之計劃完全成功，又何至遷延數月不得解決？且一切人選均由指定，實根本違反青年黨素來一貫之民主選舉原則。

此外：由李不黯領導召開第十二屆全代會於四十年十一月七日第四次大會中，經全體代表起立表示通過兩點決議文：「一、本大會對於天馬茶室之叛黨事件，異常痛心，經聽取上屆中常會代表林可璣同志專案報告，藉悉上屆中常會爲力謀團結，已不惜一再委曲求全，乃陳啓天、余家菊等終無悔過之心，上屆中常會始有處分之決議，本大會對於此項處分，除關於冷彭另有決議外，經一致議決予以同意，並對天馬茶室事件所產生之僞組織及其一切行動，本大會一致認爲非法。二、本大會認爲此次天馬茶室事件，冷彭事事挑撥離間同志感情，造謠中傷，無中生有，亦屬禍首之一，經大會一致決議予以永遠開除黨籍之處分。」

另：青年黨中央檢查委員會四十年九月二日致中央執行委員會台檢字第二十三號代電開：「陳啓天、余家菊應予開除黨籍」。

首腦部形成兩個

對台戲愈演愈烈

首次團結合作：青年黨於四十年間分裂，形成兩個中央黨部對峙之局。至四十三年春間成立中央聯席會議及聯合辦事處，試謀對外一致與對內協調。直到民國四十五年四月十六日，中國青年黨中央黨務委員會及中央常務委員會始正式宣告成立，此一象徵青年黨內部團結統一的機構，在台北市靜心樂園禮堂舉行成立大會時，該黨中央黨務委員及中央監察委員百餘人參加，並公推李不黯、左舜生、陳啓天、張子柱、李璜五人爲中央黨務委員會主席。另組織中央常務委員會，由中常委陳啓天等四十人組織之。

該中央黨務委員會係一臨時性的組織，按照雙方簽訂之「團結方案」規定，儘可能在兩年內召開全國代表大會，以謀進一步的團結，並促進黨務。該團結方案開宗明義：「我們認爲以團結達成統一，以統一鞏固團結的根本辦法，在舉行全國代表大會，重新修訂黨章建立制度。」團結方案第五條更明白規定。「儘可能於兩年以內召開全國代表大會。」

由於中央黨務會之組織及人選，係以安排方式產生，未經選舉程序，致爲該黨人士不滿，尤其與陳啓天携手合作對抗大華一派之冷彭、余家菊，竟另組「青年黨中央黨務整理委員會」，及黃鳳池等組織「青年黨中央護黨委員會」，與中央黨務委員會鼎足而立，於是分裂如故，糾紛益甚。未能達成眞正的團結。而中央黨務委員會既未依團結方案在兩年內召開全國代表大會，促進團結，即中全會亦不依規定召開，中常會亦不能合法舉行，主席輪値亦發生困難，黨務完全陷於癱瘓狀態。

主張大團結救黨

有所謂十項方案

青年黨籍之國大代表張希爲、立法委員李公權、監察委員劉永濟等三人，發起「中國青年黨籍中央民意代表座談會」，並分函該黨籍民意代表，其內容謂「本黨黨籍之立法委員、監察委員、國大代表，乃由本黨提名，而由各地選出，對國家說，固是民意代表，就本黨言，亦富有區域代表性。值此國難方殷，而全國大團結之局未成；吾人使命方重，而本黨尙處支離破碎悲境。同人等認爲對國是黨事，均有隨時交換意見必要。爰相約簽署，將來依姓氏筆劃爲序，編列名單，共同發起『中國青年黨籍中央民意代表座談會』，冀對國家有所貢獻，對本黨有所努力。時日不居，幸共起圖之。」

經簽署結果，參加共同爲「發起人」者，有丁俊生等六十三人之多，並訂於四十九年十一月六日假臨時省議會舉行座談會。因而有被黨中央黨委員郭紹宗、劉泗英、劉雅聲等七十九名跟中央監察委員方彥儒、趙鼎三等十七人，與黨員黃爾巒等一百十二人簽署向中央常務委員會提議於四十九年十二月二，即黨慶紀念日，召開中央黨務委員會全體委員會議，商討中央與地方改組及籌開全國代表大會等重要事宜。此項建議，雖未採納，但却埋下民國五十年召開臨時全國代表大會的導火線。

之後，又有「中國青年黨同志促進十項主張座談會」之「十項主張大團結救黨運動」。這十項主張如下。

（一）主張重建黨統，重整黨紀，恢復創黨精神。不參加黨內任何派系，不受人利用。

（二）主張發揚同志愛，同甘苦共患難，爲黨奮鬥。對於黨事之處理，主持公道，只問是非不問利害。

（三）主張依民主原則處理一切黨務，少數服從多數，多數尊重少數，只對事不對人。

（四）主張黨格高於一切，不爭權，不爭利，一切言論與行動，絕對不違背本（青年）黨宗旨，不破壞團結。

（五）主張大團結運動，不問過去恩怨，捐棄個人成見，力求中全會迅速召開，一切糾紛提交大會解決，並提早召開全代會，以求本（青年）黨重建。

（六）主張機構領導制度，反對獨斷獨行把持黨務的弱習。

（七）主張中央與地方分權制度，反對集中央與地方黨權於少數人的不良風氣。

（八）主張推行救黨運動，反對有利爭先，有害不負的鄉愿行爲，和遇事推延敷衍塞責的官僚作風。

（九）主張權利與義務平等，反對利用職權在黨內外安插私人，製造小圈子的自私作法。

（十）主張聯合忠黨愛國同志，抱定犧牲奮鬥精神，爲復興本（青年）黨而努力，任何犧牲在所不惜，奮鬥到底不達不休。

參加此一運動之簽署者計有在巴黎創黨人易卜安、胡國偉、黃日光以及劉泗英等一百餘人。因而於五十年春間產生所謂「非常時期全國代表大會發起人會議」，由此而演變爲民國五十年之召開「臨時全國代表大會」。

曾慕韓在美病逝

羣龍無首益癱瘋

中國青年黨五十年臨時全國代表大會召開之經過：據該黨有關文件記載：「青年黨主席曾慕韓於民國四十年五月在美病逝後，陳啓天先生等立即另立黨部，使具有三十年光榮歷史之青年黨，陷于分裂，全黨同志，于沉痛之餘，乃於四十五年四月成立團結之中央黨務委員，然此爲臨時性之組織……。」未幾，「而有黨務整理委員會及護黨委員會之產生」。「不得已，乃本黨事決於全體黨員公意之原則，有舉行非常時期全國代表大會之運動，熱心參加者包括（中央黨務委員會，中央黨務整理委員會及中央護黨委員會）三方面之絕大多數同志。卒因中央黨務委員會主席李不黯、左舜生、陳啓天、李璜、張子柱五先生於五十九年九月十七日提出召開臨時全國代表大會之四項辦法，分函徵求全體中委及其他幹部之意見商定後，並決定同年九月二十三日非常時期全代會開會，一致接受五主席所提出之辦法，即宣告開會。」

林可璣以全代會總幹事身份商得陳啓天、王師曾之同意，發表聲明，定於同年十一月二十日八在台北市舉行臨時全國代表大會。此即「臨全會」召開之「歷史」來由。所謂「四項辦法」：一、臨時全國代表大會由五主席名義召開之。大會一開幕後，五主席即以代表身份出席。二、除當然代表（歷屆中執監委）二五七名已依法產生外，其遴選代表及台籍地區代表，由五主席會同秘書長規定比例，擬出名單，交由籌備會幹事會研定後公佈之。三、恢復第十一屆全國代表大會所定之黨章，由此次全代會斟酌修改之。四、召開時間，爲求海外代表能來台北出席起見，應於開會前十五日通知香港代表。

冷戰接近白熱化

唇槍舌劍逞才能

殊料已決定召開之臨全會，由於人數之阻撓，使籌備工作人員困擾，大會有難以如期召開之勢。當時，該黨主席李不黯深感問題之嚴重性，尤其對內對外之信用必須維持，乃致電在香港之李璜征求意見，而李璜、左舜生之聯電主張：「請發通知，如期召開『臨時全國代表大會』，由林可璣以臨全會籌備會總幹事身份於民國五十年十月二十日發出開會通知。」但陳啓天因受少數人之挾制，欲推翻原議，張子柱在病中，不肯表示意見，林可璣之籌備工作陷於停頓，直至開會前夕，仍無開會地點。」李不黯「根據民主多數決之原則，仍以五人名義發出通知，如期開會，以昭大信。」

臨時全國代表大會於民國五十年十月廿八日如期開幕，出席代表一八一人，但出席代表爲謀求該黨內部意見之協調，以及等待海外代表出席，復決議停開兩週，延至同年十一月十一日繼續開會，到會者達二〇三人，並選舉大會主席團及中央黨部主席，選舉中央評議委員九十九人；修正黨章。大會閉幕後，大會成立中央評議委員會、中央執行委員會，並發行「現代國家」雜誌。

那些人反對臨全會呢？根據該黨胡阜賢、劉鵬九等署名散發之所謂：「爲反對非法召開『臨全會』之（書面）聲明」謂：「（五十年）十月廿七日下午六時，由台北市濟南路一段三號發出『限時專送』之通知，假用李不黯、左舜生、陳啓天、李璜、張子柱名，既未簽名蓋章，又未冠以主席之稱銜，僅蓋用一從未有此組織之『中國青年黨臨時全國代表大會秘書處』小方戳，竟宜於（同月）廿八日下午三時在寧波西街九七號舉行所謂『臨時全國代表大會』云云。」

「現在陳主席啓天、張子柱等對（五十年）十月廿七日之通知，已公開聲明否認，而左主席舜生、李主席璜又遠在海外，不明實際情形；李主席不黯年高養病，久未過問黨務，則上項所謂『臨全會』，於法於理，均有不合，益屬顯然。最近又有所謂『臨時秘書長』其人者，發出通知，聲稱等於十一月十一日繼續開會，其不惜製造破裂及別有企圖之用，更灼然可見。」

執政黨協助下

終于重見大團結

至五十三年二月間，復由王雲五、于斌、阮毅成三先生提出青年黨團結方案建議書六點意見後，該黨陳余兩派與臨全會派雖各推派代表五人進行商談。由此次之商談而產生了「中央聯合委員會」。參加者部份人士爲中央黨務委員會，部份人士爲中央黨務整理委員會。

五十五年間，原爲「臨全會」之蕭徽等多人，因故另組「中央革新團結委員會」，與臨全會相抗衡。同年十月十六日，蕭徽之革新團結委員會，復與張夢九之中央執行委員會，林繼敏之中央改造委員會共同簽約，成立「中國青年黨大團結聯合委員會」，蕭徽任該會秘書長。

至此，中國青年黨之派系林立，中央黨部之多，爲民國以來所未見。計有：大華新村中央黨部、新生南路中央黨部、中央黨部聯席會議、中央黨部聯合辦事處、中央黨務委員會、中央黨務整理委員會、中央護黨委員會、青年黨籍中央民意代表座談會、促進十項主張座談會、非常時期全國代表大會發起人會議、非常時期全代會、臨時全代會、中央執行會、中央改造會、中央革新團結委員會、中央大團結聯合委員會、中央護黨委員會等十七個中央組織，較之多黨的法國更盛。

該黨在派系林立，黨員各自爲政的環境下，能夠結束四分五裂的局面，達成形式的團結，已非易事，此應歸功於執政黨政府之協助，總統之關切，李、左兩人之道義精神的感召，始恢復統一之局面。

該黨此次代表大會，定名爲「中國青年黨第十二屆全國代表大會」，亦經過幕後協商並由大會通過而命名。該黨團結基礎是「黨章臨時條款」。如五位主席未經大會代表選舉而由協商並經李璜宣布不得討論之下而產生。如全代會代表亦是基於「政治理由」而由各派推出，如全體代表大會代表係當然中央評議委員之理由，亦復如此。而中央評議會五召集人潘再中、劉鵬九、丁俊生、冷彭、胡日翔等，亦是由五主席協商而提出，並且不許討論不許票選，換言之，該黨內部人事全由安排而產生，亦非黨章規定。

青年黨之內部如此不民主，原與非該黨人士無關。誠如李璜所說：在野黨內部「不容忍其（黨員）公開反對，而只要求（黨員）事事擁護，則這種在野黨有等於無，至多只能稱作『尾巴黨』，便根本失掉民主政治的作用，根本失其政黨政治意義了。」本報記者基於此而撰寫本篇通訊。（完）

文滙樓別記

章太炎譏諷伍朝樞

章太炎（炳麟），有國學大師之稱，章與外交家伍廷芳友善，後因章專事治學，伍廷芳則轉入政途，雖非利害交疏，最少朋友之間的剩餘價值互認爲不多了。

民國十一年，伍廷芳逝世，伍的公子朝樞去謁見章太炎，章迎頭就是「尊大人從今看到鬼，不再是新聞了」。伍廷芳生前雙目能見鬼，爲舉世所共知，詳見「鬼學日記」，當章詢及伍廷芳彌留前情況，朝樞說：「家父因孫中山先生蒙難，奔走營救，積勞成疾，一病不起，數日之間頭髮都急白了」。章太炎很自然的說：「你們伍家（伍子胥）專出頭髮一夜變白的事」。朝樞又向章報告伍廷芳遺囑火葬，朝樞說：「這在歐美與日本已很平常，但在中國社會，而不十分習慣」。章太炎笑謂：「水滸傳上的武大郎就是火葬的」。朝樞至此，斯可忍孰不可忍，乃拂袖而去，章太炎次日就送一輓聯謂：「一夜變髮相，難得東皋公定計；片時留骨殖，不用西門慶花錢」。可謂挖苦人到了頂點。

革命先烈陳英士先生姪子陳果夫，也與章太炎打過交道，章欠陳家一筆相當數目的錢，章不僅不想還，大有吃定了陳家的意味，陳果夫則非伍朝樞可比了，陳向章說明來意後，文打武鬥，悉聽尊便，章表示：「兵來將擋，水來土屯」。

次日上海公共租界裡一家報紙，登出對章太炎催告啓事，還未了償，章那裏受得了，託人向陳關說，清償債款了事，後有人問陳果夫，章一向是天不怕，地不怕的人物，這次怎麼會這樣容易就範呢？陳說：「我是採用店主與秦瓊賣馬的辦法，報紙一登，他就受不了。」

照章太炎對付晚輩伍朝樞的態度，憑點一點權勢和多讀了幾篇書，用作爲欺侮人的武器，眞是要不得、想不到強中仍有強中手，據說：章自被陳果夫打那一悶棍後，精神恍惚了好幾個月，逌想到諸葛亮三氣周公瑾、和舌戰羣儒、罵王朗，非小說家想其然也。事實上對方確受不了，別的都可以假裝，祇有死假不了，也無法挽回。

如果一個人能知道有利必然有害，有火一定有烟，是非恩仇自然減少，因寫刻薄的章太炎，連想到台北某政委，一年來，不斷的警告自由報不同的作者說：「你們都站開一點，黨裏快要修理自由報了，上次會某某就準備提出，自由報簡直不成玩意，某篇怎樣壞，某篇怎樣差勁，某篇簡直要不得……」由他自己的咀臉證明，自己就是自由報不折不扣的忠實讀者，能篇篇批評，必是篇篇熟讀的人，某政委的口氣，既代表黨的意見，又代表政的執行，樓主偶而機緣，遇到某高級有關人士，就此問題提出請教，他答覆的很妙：「這叫作『自我陶醉』。」且認爲十幾年前的自由人，由反調幾乎快到了反動，政府並未停止其進口或甚麼修理」。這張富有政論性，有二十多年歷史的自由報，香港政府及美國新聞處，期期譯成英文，列爲重要資料，更是海內外高級知識份子讀物，即是台灣不准進口，並不能使香港政府對這張報查封，自由報更將步向自由民主發揚光大，有甚麼作用呢？

．文匯樓主．

倫理哲學講話之一

夫婦之道（四）

陳邁子

世俗者流，選擇婚姻的條件，多從勢利金錢觀點出發，司馬溫公之言，不啻爲彼輩痛下鍼砭。胡安定曰：「嫁女必須勝吾家。勝吾家，則女之事人，必欽必戒。娶婦必須不若吾家。不若吾家，則婦之事舅姑，必執婦道」。這些都是頗含哲理的銘言，極富參考價值，吾人不可不知。最後，還要一提的是中國傳統的倫理哲學，特別重視夫婦結合之道。孔子編删詩經，以「關佳（且旁）」一詩，置于卷首爲第一章詩。後世賢哲，闡發其義曰：「關佳（且旁），后妃之德也。風之始也，所以風天下而正夫婦也」。又曰：「周南召南，正始之道，王化之基，是以關佳（且旁）樂得淑女，以配君子，憂在進賢，不淫其色。哀窈窕，思賢才，而無傷善之心焉。是關佳（且旁）之義也。基于此義，我們便不難認識中國文化之精神價值之偉大。西人自由戀愛，結婚，亦因重自由觀念而輕易離婚，故西人婚姻無長久感。西人由戀愛而結婚，是先有精神上的關係，婚後則情疏愛弛，而下降爲生理關係（由靈到形），故有「結婚爲愛情之墳墓」之語。我國婚姻關係，婚後由生理關係，漸漸昇高到精神關係（由形到靈）。愛情則愈久愈濃。

五、夫婦持家之道

結婚自然是要建立家庭。中國是幾千年的家族社會，家在中國的社會中，有無比的重要性。「國之本在家」，「家齊而國治」，家是組成國家的基本單位，也是組成社會的基本單位。大學曰：「所謂治國必先齊其家者，其家不可教而能教人者，無之。故君子不出家，而成教于國。孝者所以事君也。弟者，所以事長也。慈者，所以使衆也。」又說：「一家仁，一國興仁。一家讓，一國興讓。一人貪戾，一國作亂。其機如此。此謂一言僨事，一人定國。…是故君子有諸己而後求諸人，無諸己而後非諸人。所藏乎身不恕，而能喻諸人者，未之有也。故治國在齊其家。詩云：桃之夭夭，其葉秦秦（草頭）。之子于歸，宜其家人。宜其家人，而后可以教國人。詩云：宜兄宜弟。宜兄宜弟，而后可以教國人。詩云：其儀不忒，正是四國。其爲父子兄弟足法，而后民法之也。此謂治國在齊其家」。家是一個倫理的單位，亦即是一個文化的單位：民族的本質是倫理，倫理是我國文化的特點。

海角慶談薈

周佛海最好色（上）

諸葛文俟

政治人物因女人問題而敗壞聲名，影響事業，甚至釀成重大禍害者，古今來往往有之。我所認識的朋友中，即有幾個名人都是爲女色所累，終身無以自拔，而以周佛海爲首屈一指也。

佛海一生不沾染烟酒牌賭這類不良嗜好，惟好色成癖耳。他在對日抗戰期間，忽然跟汪精衛一道赴上海搞「和平運動」的原始動機，即係女人問題。蓋佛海平日自命爲經世之幹，熱中仕進，但以其沉緬女色之故，頗遭物議，最高當局殊不以爲然，有時且加訓誡，冀其悛悔自律焉。無如寡人有疾，本性難移，因此，他雖然久居君側，勞績不少，然在政治上頗不得意，最後曾任黨的中央宣傳部長，亦是代理名義，他抑鬱失望，乃挺而走險，別謀發展途徑了。他這種隱衷，非跟他相處甚久，無話不談的貧賤之交，是不容易瞭解的，後來他在汪政權之中，顯赫一時，權勢張揚，而那時鬧着桃色事件，家庭糾紛迭起，良有以也。所以，佛海若不是因女色關係使他在政治上失意，我敢說他就決不會走到汪政權的圈子裡。

「食色，性也」，男人愛好女色，本係常情，固不足怪，要在守份際，有節制而已。佛海之妻楊淑慧，原爲若洲旅滬富商之女，畢業于上海徐家滙「啓明女子學校」、民國十年中國共產黨創立時，周氏自日本回國參加。在上海識楊女士，互相愛慕，豈共白首（周在鄉間已娶婦），然楊父不之許，並禁其女與周往還，淑慧曾斷髮明志，非嫁周不可，父仍堅拒之，女乃于黑夜踰牆私奔，隨周赴日本渡其貧困生活。周肄業日本帝國大學，係官費學生，然以一名官費供應兩人生活之資，自甚拮据。而家裏一貧如洗，無從接濟。如是，楊氏每日提菜籃至日本屠宰市場，以日幣四角，購得豬蹄若干枚（日本人不食此物，作爲家畜飼料故賤價極廉。）歸而剔去皮毛，連同白米煮成一鍋濃粥性的飯菜雜會品，再投入鹽巴，可供一天食糧之需，如此情形，周楊尤稱恩愛夫妻，愛情應卜永固，而佛海對楊氏亦並無厭棄意念，唯遇及其他女人輒喜親近，幾乎不擇嫌姐，楊氏平日雖防範殊嚴，無奈周仍肆行「走私」不已，楊氏于憤怒之餘，每當着至親好友之前，大聲叱責其夫曰：「周佛海，你記不記得當年我每天爲你煮豬脚稀飯的事情呢？」周即低首無語，苦笑而已。

楊淑慧係烈性婦女，佛海除好色這項行爲外，舉凡治家理財，以及接待賓客等事務，皆唯婦命是從，顧楊氏對周之好色一事，防範特嚴，因此勃谿時起，笑話亦多，試舉一二例證，藉資談助焉。（上）

綜談國劇復興（九）

王濤曙

3、自己創造的故事：除由歷史和民間故事中取材外，還可以自己創造故事。自己創造故事當然比用已有的故事難些，但也有容易之處，那就是不受拘束。既然自己創造了，便可以隨心所欲，造出多采多姿的戲，我們最好能脫出窠臼，創造新的，不要在女扮男裝，落難團圓之類。我們要抓住每一戲的風格，使它在表現上放出異彩；使它由於內容的豐富，題材的新穎，劇情發展的動人而感到這已不是曾經看見過的一套，而是從所未見的奇妙好戲。但千萬不可變成不是國劇，而要能把握住國劇的形態。我想這應該是自己創造題材的原則。這種事實的造成，並不甚難。民國初年，梅蘭芳排演新戲，大家看見了從未看見過的天女散花、霸王別姬等等古裝戲，都以爲前所未見。在受大家驚奇讚美感歎之餘，梅氏又繼續推出西施洛神太眞外傳。當時的服裝和唱腔，從前是沒有的，但觀衆不以爲脫離國劇，這是一個很鮮明的例子。但尚小雲後來演出摩登伽女，便沒有成功，因尚小雲穿上西式女裝，又跳西式舞，不倫不類，大家只覺怪像而已，所以此戲後來只演幾次，而終至不能再演了。這便是離開國劇形態的結果。也是我們要堅守國劇永遠要像國劇的道理。

乙、修改劇本：談到修改劇本，實在比創造劇本爲難，因爲創造劇本，是提出一個新本子，觀衆既然沒有看見過，也就容易接受了。而修改劇本是把舊有的改變。這劇本觀衆早已看過，忽然改變，便覺突然，而不易接受。所以這項工作如果眞的要作：却要特別愼重。但爲了復興國劇，也有一嘗試的必要，現在分述如下：

1、劇情的改動

有些劇本，在主幹上雖實不壞，但其中情節，往往發生嚴重的問題，如前面說過的寶蓮燈，便是如此，四郎探母也是如此。我們假如想要舊有的劇本，演出沒有毛病，就必須捨得下手，將有毛病的劇情，加以改動。這種改動，有時可以天衣無縫，如探母，改寫回去作情報工作，只要別家一場戲的劇詞有所改變也就可以了。最後也不必一定再加開打，留下一個尾巴給觀衆想像，倒是更好一些。像寶蓮燈，將與送紅燈改掉，以沈香爲前妻所生，缺少母愛，感動王桂英，而犧牲己子。最後不要打堂，讓觀衆自己想像秋兒的結局，也是一辦法，或者最末場在千鈞一髮，秋兒將被打死之際，秦燦終被感動，而免秋兒一死，兩家和好，亦是一法。不過後來的要改得多些，老觀衆也有來不順眼，如實行穩和主義，以第一種方法爲妥當些。若此類者很多，以此類推。

政治垃圾現形記

張治中的咀臉（十七）

李桀

民國三十八年初春，張治中率領劉斐等八人，奉代總統李宗仁之命，赴北平與毛共集團談判和平時，一夕在「北京飯店」跟共酋周恩來、葉劍英等察議共軍應否立即渡越長江問題，周謂無論和談成功與否，共軍皆要過江的。他特別向着劉斐說道：「你是南京方面的參謀長，一定知道國軍佈署詳情的，我們不怕你明瞭我方的軍事計劃，長江南岸各重要據點的國軍人數和部署處，我們一概很清楚。」他即將江陰、蕪湖、南京各處的國軍防守實力逐一指出，如數家珍，又詢問張治中能否指揮京滬防衛總司令湯恩伯？劉、張兩人當時皆默然無語。這架車回寓之際（張等下榻六國飯店），張問劉剛才周恩來所述國軍防務內容確否？劉謂無訛。實則這就是劉氏早已諜報給共方的，當然確實。旋張自言：對湯恩伯尚可指揮的，但有蔣總統，湯必不會聽我的話；又謂國軍經過八年抗戰之後，非加整訓，難以振作了。

是年三月間，江蘇軍人李明揚亦曾受李代總統秘密委託，潛往蘇北晤共酋陳毅，勸他不要孟浪渡江，以至延長戰禍，塗炭生靈，陳謂江陰方面并不須要戰鬥則可和平佔取，僅用黃金大條幾十根就行了。唯蕪湖方面難免有一場惡戰而已。李氏回上海時，適與我偶然相會，老友無猜，乃將上述情形說出，且表示不擬向李代總統復命了。後來事實證明周陳兩酋對張治中、李明揚等所說的軍事情報，並非毫無故實之談。

張治中固屬趨炎附勢的小丑式人物，但他認定國軍非整訓不能作戰的說法，却是一貫的思想，有一項事實足資印證：當對日抗戰結束，美國特使馬歇爾到達重慶後，張對政治部所屬「掃蕩報」名稱，主張更改。那時候我也在掃蕩報寫社論，老友黃少谷担任該報社長，即商擬本報新名稱十幾個備採擇，張治中選定「和平日報」這一名詞。少谷曾笑謂：「如果改『和平日報』之後，國共兩軍大打特打起來，豈非一大諷刺嗎？」張曾正色而言曰：「你們不明瞭軍情，我是懂得的，國軍決不能繼續作戰了，至少要整訓三年才行，此刻非和平不可。」是即「和平日報」取「掃蕩報」名稱而代之的所以然，當時共黨予新華日報曾以「掃蕩和平乎？和平掃蕩乎？」的語句相譏刺。後來張治中由新疆回到南京，曾在國民黨中常會議席上强調和談之說，與中委谷正綱大起衝突，他所持的理由亦是這末一套。事後他在沈舉人巷私宅跟朋友談及這場爭論，却說是奉命從事和平運動的，古今來的奸佞僉壬，都慣用「挾天子以令諸侯」，藉以開執他人之口，俾得逞其奸謀，固不僅張治中爲然也。

巨變歷險記！

共軍進北平後（五四）

胡慶蓉

共軍進北平，除了皇宮的刷新，那就是北京飯店的擴建了。其他整頓市容，整頓頤和園，也正開始做。司馬昭之心路人皆知矣。

刷新皇宮，說來容易，做起來可不容易！第一，皇宮的範圍太大，包括的也太複雜，加上年久失修，破舊的地方太多，破壞的地方也太多，不是刷一下新一下就可以的，往往需要換料，那問題就更大了。共軍進北平，這工作一直在做，延續到三十八年十月一日，也就是偽府宣佈建立的日子。實際上，到三十八年十月一日，刷新皇宮的工作，也還沒有做完，以後還繼續的在做。劉震慰先生在電視上介紹的北平皇宮，剛在開始，剛介紹過太和殿、保和殿，但除了太和殿、保和殿，其他的殿還多得很，總不能在此一一列舉，但單從這兩大殿看，已可以看見北平宮殿是如何的壯麗偉大了！不知道觀眾是不是注意到劉先生介紹的，是共軍進北平前的宮殿，是年久失修的宮殿，經共軍刷新後的宮殿，那就大大不同了！刷新後的北平宮殿，成了中國共產黨對外宣佈的工具，由於北平宮殿的不得了了不得，更變成了中國共產黨的宣傳好工具。物質的偉大，襯托出共匪政權之「偉大」。共產主義宗唯物，求物質的偉大，以偉大其人，偉大其政權，並不足為奇，奇的倒是我們過去不注意利用，任其荒蕪，任其傾頹，以致錦繡河山，而今落於共匪之手，為共匪所運用。世界上的人，對於北平皇宮，對於北平，沒有不嘆觀止矣的。而今落於共軍之手，自然成了他的最好宣傳工具。

準備在他宣佈政權成立的那天，三十八年十月一日，招待外賓的地方，從共軍進北平的那天，也就早已在準備了。北平的飯店是很多的，有名的也不少，但無出北京飯店之右者！北京飯店很突出，類似的雖然也有，就比方六國飯店，但因為他在東交民巷，僻處一隅，那就遠不如北京飯店的位置。北京飯店位於東交民巷的對面，東長安街的邊上，王府井大街的轉角，與新華門（後改即民國以來的總統府）與天安門（後改即皇宮）與太廟並排，前面有很大的廣場，停放汽車非常方便。他當然沒有天安門高，但在建築物裡邊，可算是最高的了。那個時候，無觀光飯店之名，有觀光飯店之實，與今日台北的國賓、統一彷彿。但在建築方面，則與國賓、統一，大大不同。國賓、統一的建築，大則大矣，但失之俗，可能美國的調兒學得很像，但沒有中國的彩色。比方最低下的一層，國賓、統一都太矮，人進去，有不勝負荷之感，而北京飯店最下邊的一層最高，有最大的客廳，可容納一兩千人，新專成舍我校長與蕭宗讓結婚，就在這裏，丁作韶博士勝利歸來，也住過半年。原來兩部份，共軍進北平後，又加添一部，更令人覺得堂皇，招待外賓，非常合適，這也就成了偽府宣佈成立後的外交場所。

桃花潭水

鱷魚潭邊的故事（五）

趙陀

「牛告訴我，三姨媽在上海靶子路療養院爭奪女兒的事。」克琳的話像是說出一半。

「還講些甚麼？」顏芳追着向下問。

「媽，我不願意講下去，我祇有將一切交託在禱告中。」克琳無可奈何的作上列解答。

「在媽面前講話，就像你在媽的胸口插着一柄刀。」

「媽，你為甚麼一定逼女兒講我所不要講的事。」

「孩子，媽和你相依為命，有話不和媽說，不怕媽傷心嗎？」這時的顏芳面部起着變化似的。

「我求求媽別再追問下去。」

顏芳真的哭了，悲慟的氣氛籠罩着室內，像往日的傷感被克琳一下觸動了似的，克琳忙着為媽媽揩去面部的淚水，和不住的講些安慰的話，但顏芳的傷感是一回事，打破沙鍋問到底又是一回事，克琳想避開現實，扶着媽媽回到臥房，蘇翟寶正躺在床上叫烟簽的尖兒往返於燈火和左食指之間，由慢漸快，直到將半個小指大的鴉片裝上在烟斗上，呼呼大吸，吸得噴雲吐霧，異香撲鼻，一條暹羅貓和克琳養的波斯狗，都伏在烟床側邊，動亦不動，似在嗅着餘烟已成了癮，烟盤旁放着一封業已拆開了的信，信的封面清楚地是蘇克琳，貼着虎頭圖案馬來亞郵票，克琳佯作不知的說：

「媽，你快吹一口烟休息吧！媽，今晚催爸爸寫封信將任的事包掉，別再拖了。」克琳似期待顏芳的答話。

蘇翟寶亦佯作未聽見的模樣，將一口烟燒好遞在顏芳的口裏說：

「印度西北部的產品，確比雲士還好，酥鬆耐吸，燒起來柔滑自如，隨思所欲，」一邊替顏芳手扶着槍，一邊催促說：

「老太婆快點吸。」

在顏芳也雲霧齊噴時，蘇翟寶的話匣打開了，滔滔不絕的指向克琳：「克琳現在學壞了，人拖住不走，鬼喊時飛跑，嫌馬小開是繡花枕頭，說牛少爺吃喝嫖賭，一心一意迷住未見過面的任念佩；這個樣子發展下去，比氣象局懸的颶風紅球還危險。」

顏芳過足了癮，情緒亦漸恢復正常，指着蘇翟寶說：

「老東西，你為甚麼又偷看克琳的情書，我看你呀！被財迷到心竅，還不是想發現財路，下月六號和牛少爺訂婚的決定，克琳既決定進修道院了，看你怎麼辦？」

蘇翟寶驚異的問：「老太婆，連你亦反對。」

顏芳毅然的答覆：「我當然反對，繡花枕頭，胸無點墨，克琳快將牛少爺的詩拿給你爸看。」

蘇翟寶將詩句閱看完，突然之間咆哮如雷，拍床大叫說：「畜牲，簡直是畜牲，」當時克琳為甚麼不反抗，你為甚麼不向我講。難怪女兒說他祗懂得「玩」，我非到法院告他不可。」蘇翟寶氣得有點發喘。

（未完）

依洞集

增加稅官待遇

・杜負翁・

自稅務專家，劉大中博士，宣佈調整稅官待遇，既可增加稅收，又可遏止貪污，一舉兩得，錚錚有辭，關心稅務，閱茲高論，各有意見發表，國內外報紙、雜誌，爭相登載，負翁茲憶一事，足為增加待遇，不能防止貪污之鐵證，茲舉於後：

滿清季年，所設蠲捐，關卡如林，以查驗為辭，稍不遂其私慾，則百計留難、挑剔，於是行商、走販，不得不任其敲骨吸髓，成為滿清之世，絕大弊政，負翁歷將蠲捐故事，形諸筆墨，以為後世之戒，當其權衡霸道之時，滿清政府，曾經痛下絕心，大加改革，其法與今日劉大中博士高見，如出一轍，可見智謀之士，所見略同，巧妙處，以各局各卡，所收商民罰金，歸積一處，於每月底，核計總數，除應彌補公家額徵不足之數外，悉數以充各局各卡上下稽吏之獎金，如此，則公家可不費一錢，獎金稽吏，可實得惠，待遇既豐，則可養廉，政府稅收，亦因之而裕，蠲捐向有季節性，淡月、旺月之分，自行此制後，蠲捐稽吏，月薪一千文者，淡月可分三五十千，旺月可分二三百千，當時小學教員，月薪僅有六元或八元，化為錢，約在二十千文左右，準此以談，蠲捐稽吏，膨滿腸肥，饜飽宜不追求，豈知絕不然也，不僅敲詐如常，昔以三五元可能放行者，今非一二十元不可，蓋生活水準既高，其欲望亦隨之而漲，演變至此，一切皆成畫餅，負翁生於清末，以上所記，實所目睹，堪為鐵證，負翁更可指日為誓曰：

增加稅官待遇，如能防止貪污，負翁生前，請抉吾目。

增加稅官待遇，如能防止貪污，負翁生後，請鞭吾尸。

生活漫談

蓮子健脾兼養胃

馬騰雲

中秋節屆，蓮蓉月餅又大量上市，這個民間節令，拜神送節，皆以月餅為主題，最名貴的月餅，也屬於「蓮蓉」月餅。蓮蓉的製造原料，是以「蓮子」為主，配料就是糖和油或猪油。蓮子本來是一種「健脾」的食品，但經過多量的油糖以製成蓮蓉，便沒有健脾作用了，吃得太多，反能滯礙着消化系統，以至消化失靈，有胃病的人，會引起他的病發，小孩子且能引起「腸炎性下瀉」。是以蓮蓉雖然好食，純正的蓮蓉，入口香甜潤滑，仍不要多食為宜，"這就是水能載舟，也可覆舟的道理。我國所產的蓮子，以出產於湖南者為最佳，名為湘蓮；產於福建者亦佳，名為建蓮，南京、杭州、皖、贛、粵桂亦產蓮子，但產量難對外供應，故不出名。本草謂它的功用是補心益脾，治泄、固精強壯營養。它含有頗多的維生素C、荷爾蒙，水份則為四點八，蛋白質一五點九，脂肪二點八，糖（西勞）三十點二，甜菜糖（西勞）一點八，灰分三點九。其餘的礦物質還有鐵、錳、太（金旁）等。在藥用上，以之治脾虛下瀉，尤其是兒童「食傷脾胃」，胃腸消化力弱，因而常常下瀉，致體力衰弱，面黃骨瘦，飲食減少，小便金黃，腹部常痛者，可用原粒蓮子（連衣，勿去皮和心）一二兩，雲苓三四錢煮水飲用，有很好的治療效果。民間用蓮子作小兒健脾劑，已成為習慣，他們發覺小兒「大便不好」的時候，則用蓮子煮飯給小兒吃，亦有用以煮粥的。須知小兒的病，每由於胃腸不健全，因為小兒貪咀，未懂飲食衛生，很容易傷脾胃，於是不思飲食，甚或腸炎下瀉，故遇着小兒「大便不好」，而有了脾弱情形，給他吃用蓮子飯或粥，是很適宜的。但蓮子所產的熱量頗高，故外感未痊，或胃腸發熱而大便秘結者，食蓮子就不適宜了。蓮子可以治因「脾虛」而發生的大便下血症，用時必要連蓮衣並用，它的效力更佳，因蓮肉是帶有一點熱性的；但與有「清涼性」的蓮衣同用，及含有豐富維生素C的蓮薏，於是蓮肉的一點熱也沒有了，用起來的時候，有利而無害。新鮮的蓮子，即在蓮蓬採得而未晒乾者，更能清心養胃，鮮食可以治「噤口痢」，或日久未癒的「血痢」，患有此種病者，不妨日吃鮮蓮子二三十粒，對此頑疾，有很好的治療功能。

不可思議的科學世界。

・彭龍・

再過卅年就到廿一世紀，廿一世紀的人類科學將會有怎麼樣的進展；若拿研究的對象和範圍來看，廿一世紀的科學大致可分三方面：

一、研究每秒有卅萬公里的光速，而以光年為單位的宇宙。——這是極大的世界的科學。

二、研究以十萬萬分之一為單位的原子核。——極小的世界的科學。

三、研究人的內在世界的科學。

近代的遺傳學，已有了極大的發展與進步，不但可從人的細胞的染色體中分出男女的性別，而且還可從染色體的構造中分出人的好壞，科學界已造了很多試驗，把造過壞事的包括一九六六年在美國姦殺了八個菲律賓籍護士的史別在內的人的細胞拿出來研究，結果證明壞人的細胞的染色體和平常人不一樣。所以，將來只要檢查懷孕婦人的胎兒的染色體，則不好的不生，好的生，在未來不好的人也可以消滅。最近美國的科學界研究出來，蒙古痴的人的染色體也和平常人不一樣。孕婦的胎兒只要發現有蒙古痴的染色體的就不生了，蒙古痴者將來一樣可以消滅，檢查胎兒的電子顯微鏡大約廿年後就可以研究出來，到那時壞人蠢人都可受淘汰。至於研究關於人的知識與記憶這方面的人認為細胞中的核酸和記憶有關，最近歐洲已有大量的藥出售，這種藥可以幫助中年人和老年人增進記憶，他說一個細胞中的核酸受精以後可以造成那麼複雜結構的一個人，有人研究從這點看來，一個知識缺氧可以核酸所有的知識可寫成五百頁的書一千本，因此相信將來一個以科學的工作者有辦法可以造到把九年國民教育的知識造成一個氧，用核酸造外殼的東西，打進人體內，包括這知識的各部份，接受了這個人體，就等於接受了九年國民教育，同理只要大家打大學教育的針，大家都等於受了大學教育。

自由報創刊二十週年紀念

陳維賢

二十年來屢有成。自由旗鼓共崢嶸。

獨衛筆陣欽先進。創立報刊勵後生。

纖聚山巔長得壽。文傳海外共聞名。

蒸蒸社運南瀛繼。似月同圓萬里明。

×　×　×

自由美德吐芬芳。物綱年深見紋。

落紙成章陳錦繡。臨池滿幅起風雲。

宣揚國粹崇翰墨。啟發人心直見聞。

務喜玄香長保跡。謝家炬筆獨超羣。

御廚談藪

生煎飽

生煎飽是上海街頭巷尾最普通的點心，但御膳房有鍋貼及煎飽記載，香鮮可口，價廉物美，台北有幾家賣生煎飽的，大體上都未找到訣竅，有的簡直外行到不成話，用賣剩的飽子拿來煎，有的餡用韮菜大葱，他們不瞭解上海和浙江的朋友從不用韮菜做飽子餡的，武昌街有一家攤販製作的生煎飽，在台北來說，可能算上海生煎飽的正宗。

配料：猪肉肥瘦各半，最好一斤肉中加半斤猪皮凍，再加以蔥薑汁生抽，酒味精，酌加胡椒粉用以刺激味覺，煎的時候到八成熟的樣子，以葱花及芝蔴，不僅增加香味能刺激神經，促進消化液之分泌，預防消化器內寄生蟲之發生，有強力之滅菌作用，芝蔴是一種滑腸解毒劑，因此生煎飽雖然從火煎中取出來就吃，不會引起任何不良的副作用。

上海這地方的人，最會「動腦筋」，一種食物受到上千萬「動腦筋」人的歡迎自非偶然，可惜台灣社會對這種大衆化物美價廉的點心還未太注意，否則就是牛煎飽這一行業養活上萬的人，不會成問題的。

和麵與發酵見另章不重述，如果有失業在家束手無策的讀友們，只要籌備三百元資本，工作問題，立獲解決。

林泉隱

自由報

（第九八五期）

（半週刊每星期三、六出版）
每份港幣壹角，台灣售價新台幣弍元
社長李運鵬・督印黃行蜜
社址：香港九龍彌敦道593—601號
廖創興銀行大廈八樓五座
LIU CHONG HING BUILDING
7th FLOOR FLAT 5
593—601 NATHAN ROAD,
KOWLOON, H.K.
TEL: K303831
電報掛號：7191
承印：景星印刷公司
地址：嘉咸街廿九號地下
台灣購管理處：台北市大同街119號
台灣區直接訂戶　台郵劃撥戶
第五〇五六號張萬有（自由報台計室）
電話：七一四〇三三、五五五三九五
台灣分社：台北市西寧南路110號二樓
電話：三三〇三四六，台郵劃撥戶九二五二號

誰在教科書上揩油

白水

在車站專向野鷄汽車抽取佣金的叫做黃牛，在市場專向攤販勒索保護費的叫做流氓，「黃牛」「流氓」都是社會的敗類，為法律所不容，倘若被警察抓到，就要送往外島去管訓的。孩子們上學所用的教科書，有許多人堂而皇之地坐在那裏提成抽頭，沒有聽說他們該叫甚麼？

當政府遷台初期，因為人口不多，讀書風氣不盛，更加想買書的沒有錢，有錢的人不買書，比較有學術價值的書籍，銷路奇慘，各書店都不敢輕易嘗試，大衆把目光都盯在中學生的身上，教科書和升學指導成為出版界兩宗最大的生意。因為競爭者多，市場有限，各書局為了生存，不得不各顯神通。那時候各中學校多少還有點學校的樣子，教科書的選用，任課的老師多少還可以表示一點意見。各書局除了極力施展推銷術外，還得注意課本的內容，太不像樣的東西是無法立足的。當時各書局的推銷方式，不外派員到各地向校長教務主任和各科主要教師吃飯，向校長教務主任送禮，他們到台北時，書商負責招待吃住遊樂。所送的禮不過只是些衣食用品，招待也只限於住旅館，吃館子、洗澡、看電影，當時還沒有所謂「全套招待」，彼此還都保持着君子風度，後來中部有一位出版晉樂美術的蔣姓書商，覺得這種推銷方法，在書店方面花錢費時，而受者又不實惠，乃首創招待費折現辦法，直接和主持人接洽，（所謂主持人，或稱校長或是教務主任及任課老師因為當校長的并不是個個都要錢，也有些偽君子校長，表面不管，實際指示嘍囉，代表接受，這一問題，極其複雜，即使校長是眞正不要錢，書商也得把錢送給別人。有些自愛的校長，處此惡濁環境中，縱不受排擠，其內心痛苦，是難以想像的。）購是用一本書送多少現金，試行結果，果然利市百倍，一位楊姓推銷地圖的立刻跟進，各書店也羣起效尤。從此任課教師再沒有對課本表示意見的機會，課本的銷路不再依賴好的內容，而全視佣金的多寡。除了黨營的正中、國營的幼獅，省營的台灣書店外，家家書店都送佣金，連卸任縣長所辦的書店也不例外。　教科書佣金全成為學校主持人在法律之外不公開的大宗「應得收入」，尤其當那位把教育廳變成最有錢的機構的廳長任內，這種情形達到了最高潮。潘廳長和蔣主任秘書上台之初，曾揚言要糾正此一畸形現象。書店們為了生意，學校某些人為了財路，都大表不滿，一度傳單滿天飛，結果不了了之。直到去年實施九年國民教育，情況才急轉直下。

九年國民教育和標準課本，都不能算是新東西，早在張曉峯作教育部長時，就倡導初中免試升學和國、公、史、地四科標準課本。免試升學在高雄新竹試行了一年，終為學閥們所推翻。標準教科書因為大利所在，便被後任遵行不渝。那時候的標準課本由中學標準教科書編輯委員會編輯，台灣書店獨家發行，因為每年都有五萬到幾十萬册的固定銷路，印刷機一轉，鈔票就滾滾而來，歷任廳長一上任，都要安插「自己人」作台灣書店經理，別的事情可以商量，這件事絕對不能放鬆。某主席就曾因台灣書店經理問和教育廳長發生過不愉快。照說這種專營獨占的優利生意，由教育機關領導，多少應該注意一下品質，可是十幾年下來，錯的照舊錯，糟的更加糟，幸而價格還算公道。後來別家書店看得眼紅，運用各種關係，要求分一杯羹，於是由獨營改為十三家特權書局共營。到去年實施九年國民教育時，政府決定國中課本統一編印發行。當局的意思，無非希望內容精確，價格低廉，蔣總統尤其關注這個問題，曾於百忙中親筆校訂國中公民課本，領袖這種賢明負責的風度，在下者理應感激奮發，以期無負所託。熟料主管官員，旣欺且妄。請人編輯時，只知為親信找外快，對內容之錯誤荒謬，全不過問，發行措施，更為荒謬。書是由編輯委員會編的，印刷包給印刷廠承辦，資金由台灣銀行貸給，發售的對象和數量都是固定的，而且現金交易，絕不怕賒欠。不知道為什麼竟讓那些曾經在學生身上吸足油血的書商來坐地抽頭，坐享權利金。難道賣教科書是這些書店子孫萬代的註册專利？同時因為教育部抽取百分之十五所謂「編審費」，台灣書店抽取百分之五點八的發行費。書商們也就獅子大開口，你說他們要得沒道理，那末教育部對年銷二十六萬册以上的教科書每年抽取百分之十五，十年下來要賠多少？母豬不必笑烏鴉，隔山打兎，見者有份，混水摸魚，各憑本事，反正羊毛出在羊身上，活該學生家長倒霉。鐵證如山，怎麼也賴不掉。舉例來說：

書名	實施義務教育前價格（五十六年）	實施義務教育後價格（五十七年）
初一歷史	二元九角	九元三角
初一地理	四元九角	十四元三角
初一國文	四元二角	十一元九角
初一公民	三元一角	五元九角

同樣一本書，僅只換個封皮，價格一跳就是三倍多。難怪實施九年國民教育學生繳的費用反而比以前多，校長們眼睜睜地看着吃了多年的肥肉被上級從口裏搶去，學生的負担反而加重，由痛心而狠心，便在參考書上大撈一把，有些學校，中英文字典，中外史地地圖，以及其他五花八門的參考書，一列就是十幾種，名義上對上級說是自由選購，但是學生若拿自己買的同樣的書來呈驗，學校硬是不讓他註册，參考書的回扣比課本又優厚的多了。這也不能怪學校，書店可以坐享「權利金」，教育部可以抽百分之十五，台灣書店可以抽百分之五點八，學校為甚麼一定要弊絕風清祇許州官放火，不許百姓點燈，那是專制時代的陳跡，何況校長還不是百姓哩！君子之德風，小人之德草，草上之風必偃。上行下效，大家一窩風拼命要錢，只緣礙着上級，為什麼在國、公、史、地四科中，公民教科書漲的最少，聰明的讀者只要想一下就可以豁然大悟了。教育當局如果一秉至公，真心為國家前途著想，應該拿出良心來，糾正這種不合理現象。

昨日與明日

精簡組織不如親民

報載中國國民黨中央委員會，加緊研討精簡其組織機構，以配合當前的全面革新。

蔣總裁所示的：「新的組織，新的精神，新的方法」中央黨部做到了多少？是很值得研究的。筆者做學生的時候，因事去見葉楚傖，很快的可以見到，一般親切之情使人永留腦海，直到現在提到楚老，總想讚美他幾句。

其他各部亦都大同小異，當然也有少數官僚架子擺得十足的。事隔幾十年，還被人叫到臭，和指着脊樑罵。嚴格說是因果，也是應報。中央黨部的精簡，第一步應該做到親近人民，最忌衙門化，要照　蔣總裁指示的「新的行動，新的氣象」方面發展，否則都是講空話。

黨政人事能交流嗎？

執政黨最近有一個計劃，想使成黨政人事的交流，換句話說就是黨務工作人員調到政府機關服務，原在政府機關的官員，也可以調到黨部工作。

這一點，困難相當多，筆者辦報卅幾年，最怕各大學新聞系畢業生到報館實習，他們一來必使報館秩序大亂。就黨政人員互調服務來說，司法行政部佔全國公務員四分之一，要調多少黨員進去服務呢？各級法院不是審案，就是看守押解犯人，黨務人員能夠適應嗎？政府官員調到黨部，二組，六組皆有其基本秘密性，他們本組的人都不輕易調動。一四五組各有其事，事情都不是那麼簡單。張道藩當宣傳部長時，只幾天就想摘紗帽，

張寶樹秘書長是一個肯做事的人，為大家所公認。美國有順公意不失敗，逆公意必無成的格言。居官以耐煩為第一，輕舉妄動，為政最忌。　蔣總裁在重陽對記考人員指示的很多，基本尚在不妨一查。

輿論力量不可忽畧

稅務改革委員會，建議調整稅務人員待遇，此事已行政院通過，國家安全委員會核准，照道理應該沒有問題了。

可是輿論第一反對。國會第二反對。加薪事終於通不過而被迫取消，輿論力量之不可忽畧，又一次不折不扣的證明。張秘書長當前的急務，是如何轉移社會風氣，完成時代使命，才是執政黨的重心課題。

・歐陽鑫・

自由談

國語課本修正意見

鴻五先生

在台灣成立的中國文字學會，最近對於官方編訂的國語課本內容，提出若干語文上的修正意見，如所謂「桌子上頭」應改說「桌子上面」較為妥當合理等項，原係很正確的主張，値得虛心聽取的。可是，國立編譯館卻認為原有的語文并無可以訾議之處，引古證今，振振有詞，實則強辭奪理，殊失學人的風度。就語意學而言：所謂「桌子上頭」，當然不如說「桌子上面」之確切合乎邏輯，似此淺明的義理，誰都一目了然，詭辯何益呢？

若以各地方言為護符，認為有些地方說「上頭」，有些地方說「上面」，原屬無可軒輊，但亦要看用在甚末事物上，如係指述桌子的部位，則「上頭」於義欠通，「上面」纔是正確的解釋，其理彰彰明甚，雖搬出十三經、廿四史求辯護，也是無用的。住在北平的三河縣一帶的老媽子、洋車伕、以及賣「糖胡蘆」的小販等人，說的都是「京東」方言，把「我和你」的「和」字唸成「漢」字音，而咱們當年創造注音符號的專家之一，或許有在「京東」生長者，乃將「和」字音注為「漢」字音，使一般小學生讀「和平」為「漢平」，說「和氣」為「汗氣」，貽誤青年不淺。今之詮釋桌子「上面」為「上頭」而嘵嘵自以為是者，亦此類也。還有在台灣出版，而由官方編輯的一本「亞洲地理形勢概況」教科書，其中竟沒有中國這一亞洲大國在內，尤為荒謬絕倫，無可諒恕。

過去我國政府在大陸時期，各級學校的教科書，皆由幾家民營書局編訂發行，而附以「教育部審定」字樣，將百年樹人的教材假手商賈任意編纂，通人皆認為大大的失策。可是，過去商賈印行的教材，因為是以高薪聘請學者專家編撰的，遠較今日由官方編印發行的同樣課本為優良而適用，這是事實。別的事事物物，皆可[illegible]狡辯以自是，不惜抹煞眞理，欺天下人以無知。唯有學問之道，不能假借，不可胡扯，否則見譏通人尚屬小事，貽誤國家百年大計，關係甚為深鉅，謀國者豈可忽諸？

關切少年棒球隊員的前途

王邦雄

中華少年棒球隊，首度出國遠征，參加世界杯少年棒賽的太平洋區預賽，即分別以十六A比零，及三A比零的傑出表現，擊敗實力堅強的美國關島隊及日本代表隊，奪得了太平區的代表權，而將與世界各少年棒球勁旅，作一決雌雄的激戰，以問鼎世界杯的王座。

今全國各廣播機構及報章雜誌，正以最激動的聲調，最廣大的篇幅，競相報導此一令人興奮的大新聞。小球員返抵國內，盛大之歡迎行列，遊行市區萬人空巷，熱烈地向他們歡呼。只是我們關切的，不是如何籌足經費，如何募集款項，以便使這支一鳴驚人，揚威異域的少年棒球隊，能飛往美國，去爭取更輝煌的成績，更豐碩的戰果。我們相信，教育部及體協，必有足夠的能力，克服困難，使這隊勝過任何國民外交的壯大行列，順利成行；我們也願意熱切呼籲，工商界的人士，慨解義囊，共襄盛舉。以日本、曾連霸兩屆冠軍而今向我隊俯首稱臣的實力來說，中華少年棒球隊，奪得錦標，此番出師，事實上極有可能。於此，我們亦甚願與國人懷著同樣的心情，期待世界冠軍的榮銜到來。

但他們何一則以喜，一則以憂。喜的是這一羣少年的棒壇新星，今天能為國爭光，享譽人間「榮耀」，而他日是否也有一，他們「人老珠黃」「晚景淒涼」的時候。以他們的成就來說，一定付出無比的代價，始能至此。他們國小畢業，升入國中，當無問題。假如他們還不想「挾技自珍」「封刀歸隱」的話，那麼他們勢必考不上理想的高中，更不用說考上理想的大學了。他們一面傾其全力，為我們爭一口氣；可是，他們一面也逐步走入斷送前程的絕路上去。今天我們已為勝利的浪潮所淹沒，誰能想到這個極端現實的問題。他們倘屬不知變為何物的少年，又能保有青天白日滿地紅的國旗，在全球性的競賽場上飄揚，而我們如不能為他們的未來，給予安排一條適當的出路，請問吾人內心何安？以為教育當局，應該保障他們未來的升學問題，鼓勵他們繼續練習，以使長成以後，仍是代表國家的一支鋼鐵的隊伍。而要他們無升學就業之憂，這也是我們應有的心意，是他們應得的報償。

籌組中華民國議員團
立法院出現冷落場面
若干人唯我獨尊當仁不讓
排名問題亦爭得面紅耳赤

（本報記者尚儒台北消息）亞洲國會議員聯合會第五屆大會，經第四屆大會決定於我國舉行，將於十一月在台北召開。

據該會憲章所定宗旨：「本會宗旨為達成並維持完全自由與真實民主，以維護亞洲之永久和平及繁榮。為達成此項目標，本會⑴盡全力加強亞洲自由國家與愛好自由人民之團結，⑵在亞洲自由國家之間，促進經濟合作與文化技術之交流，以改進共同福祉，⑶討論一切對亞洲之和平安全有關事項（或可能有關事項），「並執行通過事項。」

五十四年日本、中華民國、韓國、菲律賓等國若干反共議員發起人會在東京召開，由日本自由民主黨重要反共國會議員岸信介、千葉三郎等主持，我國由國民大會憲政研究委員會副主任委員谷正綱、立法院副院長倪文亞、監察院前副院長李嗣璁三人前往參加，共促其成。

五年以來，已先後在日本、韓國、泰國、菲律賓舉行大會及理事會，均由谷正綱、倪文亞及現任監察院副院長張維翰代表出席。對於增進亞洲反共團結，增強自由國家聲勢，績效漸著，蔚為亞洲反共運動主流之一。

基於該會憲章第三條及第四條：「本會會員單位為贊成前記本會宗旨之各國議員團。」「任何國家議員團經出席大會之各會員單位（各國家議員團）通過後，得加入本會。」但我國歷年出席該會代表之產生，係由關係機關執政黨中央指派，且無議員團組織，本年第五屆大會，決定於我國舉行，為符合該會憲章規定，積極完成籌備業務，遂由國民大會、立法院、監察院各該黨部常務委員、暨國大憲研會副主委谷正綱、立法院長黃國書、監察院長李嗣璁、國大秘書長郭澄、光復大陸設計研究會秘書長郭驥等三十一人秉承中央意旨為發起人組成亞洲國會議員聯合會中華民國議員團籌備委員會，特於本年六月開始分向國民大會、立法院、監察院徵求團員。凡國大代表、立法委員、監察委員同仁，贊成亞洲國會議員聯合會憲章之宗旨，樂於遵守其規定，在本年七月底前，志願申請參加者，即為本團團員，以成立大會，並定八月間即將舉行。

該籌備會徵求團員函稱：「希各同仁踴躍參加，期以中央民意機構之協調合作，力謀亞洲團結反共事業之進一步開展，實不勝企禱之至」。

原函署名發起人者，除前列諸人外，尚有國大黨部常委葉秀峯、張秀合等十六人、立法院黨部常委李宗基、閻孟華等四人，監察院黨部常委鄧惠芳、段克昌等四人。

橫阻問題頗多
分析不外兩端

該籌備會雖已自七月一日開始徵求議員團員，據悉國民大會代表截至七月卅一日止報名參加者已有八百餘人，尚有六百餘代表並未參加，監察委員亦有七十餘人，問題單純，亦有少數尚未參加，似無反對逆流存在。立法院方面，約有六十多位委員參加，但據傳有人代為繳納入會年費每人七百廿元，因使許多裹足不前，並有二十人簽即退出，造成冷落場面，且橫阻問題頗多。

據分析不外各端：一、十餘年前「國際國會議員聯合會」邀請中華民國參加，立法院則以「唯我獨尊之一院制國會」單獨擬行應邀，監察院亦以「二院制國會職分」，當仁不讓，擬行並列應邀。而國民大會全國聯誼會，則以憲法第二十五條「國民大會依本憲法之規定，代表全國國民行使政權」。第二十七條：「國民大會之職權如左：一、選舉總統、副總統。二、罷免總統、副總統。三、修改憲法。四、複決立法院所提之憲法修正案。關於創制、複決兩權，除前項第三、第四兩款規定外，俟全國有半數之縣市曾經行使創制、複決兩項政權時，由國民大會制定辦法並行使之。」基此則更充分具有一院制國會之功能與職權，依以應為代表參加「國際國會議員聯合會」則「名正言順」，誰曰不宜」。因此國大、立監兩院三方面，各持法律理由，互爭不下，遂爭致政府主管機關咨請司法院依憲法條文予以解釋。旋經大法官會議解釋「國民大會」、「立法院」、「監察院」三者「相當於國會」。司法院解釋案公佈後，而「國際國會議員聯合會」，我國之參加則以失去機會作罷。

大法官會議解釋後，則引起部分立法委員堅持「國父」民初演說：「立法院即國會」之主張，而置國父最後決定遺教於不顧。因國父民國十三年講演五權憲法中所列之治國機關，國民大會居於政府之上，為唯一之政權機關，行政、立法、司法、考試、監察五院居於政府之下為治權機關。更於十三年手訂國民政府建國大綱，全文二十五條中，對國家政權治權劃分不僅較前憲法周詳，而且區別清楚。其第四條：「憲法頒布後，中央統治權，則歸國民大會行使之，即國民大會對於中央政府官員有選舉權、有罷免權，對於中央法律有創制權，有複決權」。依現行憲法比較觀之，國民大會仍為唯一之政權機關，仍居政府之上，立、監兩院仍居政府之下為治權機關，所不同者，兩院亦有政權若干，但立院之修憲案，仍須由國民大會複決。監察院之彈劾總統副總統，仍須向國民大會提出之。是我國現行憲法所採何多院制。

試引法學家韓駿傑之舉例為證：（一）土耳其於「國民會議」「共和國參議院」之上，設有「國民大會」為最高政權機關。（二）馬來西亞於「眾議院」「參議院」之上，設有統治者會議，行使治權並監督政權。（三）捷克於「國民議會」「社團議會」之上設有各政院與共和國總統，採取共同行動。（四）印尼多羅於「參議院」「眾議院」之外，設有立法委員，行使修憲法與決律之權力。（五）蘇丹於「眾議院」「參議院」之上，復由國會選出五人組織「最高委員會」為最高憲法機關，有統帥軍隊監督國會之權力。由此觀之，吾人認我國國會相當為多院制則可，絕不可以所謂「三頭馬車」目之。蓋「三頭馬車」之說，係蘇聯除謀顛覆聯合國之毒辣手段，曾主張聯合國應設置民主集團、共產集團、中立集團三方面之秘書長以行聯合國事務，雖遭否決，但有淺識者流，誤認我國民大會、立法院、監察院三者俱為國會，即以「三頭馬車」為「口頭禪」，竟出諸某些記者之筆，而散見於報章，有辱國體至大，吾人不可不為之辯正。

排名爭先恐後
缺乏民主風度

二、排名問題：依憲法體制所列次序，應為國民大會、立法院、監察院，但某些方面硬把這個法律順序，顛倒為立法院、監察院和國民大會，而且有些獨我自大的人，好像有不屑與國大並立之卑劣心理存在，涉及國大關係問題，總免不了「諷刺」或「偏激慣慨」，鑽着牛角尖，處處找縫隙，那裡能談到共體時艱，共謀國是？這是很不正常的，很缺乏民主風度，這在一般選民心裡，却是甚覺遺憾！

其餘的倒不忍再往下分析了，怎麼有人會這樣說：「根據憲法，立法院就是立法院，並沒有國會議員團的組織。」看樣子國會議員團的組織，已成不順利局勢，雖然立法院也有些識大體的委員認為：「對內儘可發表自己見解，但為了國家的體面，則不必太過認真，因為這個組織成立後，對內既可溝通三個單位的來往，對外也使國家「統一國會」的團體代表，因此成立並沒有壞處。

但在七月底之立法院開了五天的黨員大會，終於討論國會議員團組織時，仍有立委表示應顧及成立後之後果，雖然根據大法官解釋：國大、立監兩院，都有國會身份，但三者組成議員團則頗多考慮之處，因此決議：「仍由中央指派代表組成」，此項決議已作書面送呈執政黨中央。究竟立法院對三方國會議員團之組織，為何要顧及所謂後果呢？一言以蔽之：如屬自行參加為團員，組織中華民國國會議員團，則為澈底服從了大法官解釋三者俱有國會身分之成議，所存待機再請大法官重新解釋案，即行無形消釋了。論者謂：「此非堂堂國會議員之應有想法，而立法院能變為獨一制之國會，亦絕不可能，除非修改憲法，那是談何容易的事啊」！

重擬留學政策問題
鍾皎光首遭棘手
各報輿論反應不熱烈
雖經斡旋餘波猶盪漾

（本報特派員李儒台北航訊）新任教育部部長鍾皎光上台後，第一件事就是廢除免試重新擬定留學政策，據台灣各報輿論反應並不熱烈支持該項決定，均籲請教育當局慎重考慮，因為當初擬定免試政策時，事先是經過一番詳慮的，如今突然易張更張，一般有心深造人士恐不易適應。

自從吳大猷返國後發表留學政策觀感，他說倘若全部需要經過留學考試的話，如此反使通過考試的一流人才外流。短短數言一語道破，獲得輿論一致好評，詎料却促鍾皎光着急了，立即托中央四組陳裕清從中斡旋，把各報發行人、總編輯、採訪主任與文教記者邀集，剖切分析其中利害，盼今年不要再刊登有關留學之新聞，於是一場留學紛爭從此烟消雲散，但是餘波仍在盪漾之中。

諸葛亮狂想曲

（三四）

·劉玄·

萬般具備 缺少東風

諸葛亮為了動了凡念，確實勞動了大神不少大仙、小仙。目前他向劉約翰探聽成就的會話，又向張天師探聽會了[illegible]，至於三十六位門官，也一一打通關節，至於保鏢人，有關的大臣，自無問題，萬般具備，只缺少東風，復活這一節目了。

在〔解下界國情方面〕，諸葛亮約談的以美國天下莫強焉，又是自由世界的領導者，可是，美國是一個很難了解的國家。當年諸葛亮想助周郎進攻曹操的時候，他就曾用借箭的妙計騙取十萬枝箭（兩字王旁）。現在美國的原子彈、飛彈貯存量估世界第一，但美國却不敢與蘇聯硬碰。不僅此也，連越南小邦北越、北韓也能欺侮美國。

諸葛亮與富蘭克林羅斯福邱吉爾等談話都摘有要點。羅斯福對於生前上史達林老鬼的當，簽訂雅爾達條約不勝懊悔，認為溫和是大意失荊州。邱吉爾則對美國盟邦忽視他所擬訂的戰略，致形成今日東歐附庸不勝感慨，甘迺迪最遺憾的是生前不曾拿出決心解決古巴卡斯特羅政權。因此，諸葛亮的總結論是：透視美國執政當局生前未免糊塗，死後倒明白了。可惜，美國只相信蓋洛普民意測驗，不相信託夢，講這些亡魂托兆，豈非美國之福。唐詩有：可憐夜半虛前席，不問蒼生問鬼神，美國剛相反，若能不問蒼生問鬼神，反而有救！

至於李承晚、吳廷琰，與諸葛亮談到美國，莫不搖頭太息，欲言又止，似乎有無限的委屈，諸葛亮何等聰明，不必多問已經思過半矣。

諸葛亮決定行期以後，單單能同會有關方面安排的餞行酒就吃了不下七八桌。然後他約好徐光啟作見耶穌某將。見了耶穌，諸葛亮在胸前劃了十字，並趨前行吻足禮。耶穌一見諸葛亮以漢丞相之尊，這等謙卑更加喜歡。

「諸葛先生一切準備好了？幾時動身？」耶穌和顏悅色地問。

「是的一切都準備好了，現在想向基督請示復活的奧蹟。」諸葛亮鞠躬如也，態度十分恭謹，

「世界上的人類將來每一人都要復活的，也即是貴國所謂生死人、肉白骨之意，幸虧你死後是土葬，要是火葬便沒有辦法了。按照科學知識來說，一切生命發源於核（石旁）原子，核原子被毀滅的可能性是非常微小的。」耶穌侃侃而談，諸葛亮唯唯稱是。

喬治桑外傳

一七一

張大萬

喬治桑差不多十一點多鐘才起床，離下午二時約會已不足三小時。漱洗畢，照例是雅麗絲替他準備好早餐。喬治桑坐到餐桌上時，已經正午十二點了。

「雅麗絲，今天中午準備什麼吃的？時間不早，乾脆拿出來早午餐一起吃算了。」喬治桑一邊喝着橘汁。

「中午有燉排骨湯，炸子雞，還有一點素菜。」雅麗絲答。

「好，一起拿來。」

「吃飯還是吃麵包？」

「我有兩片土司就夠了，妳要吃飯，可以關照下女煮。」

不一會工夫，菜餚上桌，喬治桑與雅麗絲面對坐下來。雅麗絲替他，舀上一小盌排骨湯。

「我眞是一個懶虫，這麼晚才起來，眞不像話。」喬治桑帶有自責口吻。

「沒有事可以多睡一會有什麼關係，你今天有牌局，精神養足才會贏錢。」雅麗絲為喬治桑貪睡作解釋。

「對了，裘白瓊有沒有電話來？」

「十點多鐘來過一次電話，也請你禮兩點到他家。」

喬治桑點了點頭，沒有說話。他吃了一碗排骨湯，兩片烤麵包，一點蔬菜。吃完，還很客氣用「慢用」向雅麗絲打招呼。

雅麗絲一邊吃飯一邊在暗想：喬治桑一出去，她又空閒了，她眞希望能有一個約會，最好是心中的「他」。

「雅麗絲。」

「是的，少。」雅麗絲回頭一望，喬治桑正悠然點起一支香烟坐在沙發裡。

「你今天有沒有約會？」

「現在還沒有，有什麼事？」

「要不要跟我一塊上裘家去玩？」

「我不會打牌，我還是留在家裡。萬一有人打電話來或有什麼事，免得無人接頭。」雅麗絲雖推辭不去，卻說出一套理由。

文匯樓別記

談針灸醫師吳惠平

吳惠平醫師，近贈樓主醫書多本，都是鍼灸方面較多，原疑係台北不少中醫生皆半路出家，後翻翻看看，感覺吳惠平是有一套，眞如民間俗話：「凡白手而成千金之業者皆非常人」，以貌取人，失之又羽，用想像判斷一個人，也會陷於錯誤。

樓主讀過「鍼灸大全」，那是明代楊繼洲主編，巡按山西御史趙文炳患風痺與痿弱症，係楊繼洲治癒，還醫好了不少時人，醫學遍傳各地，後將其家傳「衛生鍼灸玄機秘要」一書爲刻出版，今名「鍼灸大全」，到了清朝，李月桂先生，以楊繼洲「鍼灸大全」舊版殘闕，增補甚多資料，以素問難經爲主，又有銅人像，繪圖立說，頗多新解。至此鍼灸之學可謂相當完整了，惟李議論過於冗繁，未能恰到好處爲憾。

醫林有一小故事，係指李月桂者，謂孔聖人做壽，朱熹担任賬房，某送「端硯一方」，例由朱驗收，未料朱熹在「端硯一方」上大作文章，註：「端者正也。硯磨墨之器也。一數之始，方圓之對」寫完呈夫子，夫子閱後批「嚕囌」，交回朱熹，朱閱後又註：「嚕囌麻煩之謂也」，再呈夫子，夫子慨然謂「太嚕囌」，朱熹又註解：「太作甚解」。李月桂「續鍼灸大全」內容相當富豐，如果說有毛病的話，就是太嚕囌。

吳惠平所著「風濕病」、「鍼灸基礎學」、「經絡生理學」、「中國鍼灸學」等，其研究人身之本能，法天地造化之奧秘，吳的微密精細處，與其自己一副南人北相，恰成強烈對比，其另一聰明，鍼灸實導源於中國，法國鍼灸界學術上，分爲兩派，一爲古典派，崇尚中國經絡學，一爲科學派，乃力求簡化，吳惠平既不強調古典，也不批評科學，祇將人身經脈，與陰維、陽維、陰蹻（足旁）、陽蹻（足旁）、衝、任、督、帶，及易爲醫學家忽略的奇經八脈，用極淺顯的道理，寫入其著作中，也就是表明自己是古典派，就吳著經絡學角度去看，似淵源於明李時珍「奇經八脈考」與「瀕湖脈學」。

最近樓主由山東孫培榮先生，用針灸治療頑癬，待痊癒後，擬評其經絡，這門學問，實在是中國的國粹，如果失傳，眞太可惜了。有很多人到日本去學針灸，這叫作瞎眼驢去找破口袋，亦崇洋媚外心理使然。但國際間針灸學會，各項活動，吳惠平慨解私囊替國家和鍼灸界爭榮譽，且一而再，再而三，詳見海內外各報，這種言之非艱行之維艱的義行，是值得歌頌的。

·文匯樓主·

倫理哲學講話之一

夫婦之道（五）

陳邁子

五倫中，父子有親，夫婦有別，長幼有序。由父子之愛，發而爲君臣有義。君（國家、領袖）所以比父，臣（官吏、人民）所以比子。長幼之序，即兄弟之愛。豈不是家族文化，全出于家庭倫理嗎？豈不是家庭這一單位，涵蓋倫理、文化一切意義嗎？總統著「中國之命運」一書中，對此曾有說明：「我們中國古來的倫理哲學，對於人類社會相維之道，有詳密精深的研究。社會的組織，雖在不斷的演進，而父子、夫婦、兄弟、朋友之道，上下尊卑，男女長幼之序，乃至鄰里相恤，疾病相助，實爲社會生活不變的常理」近代西人竟認爲家庭係根源于男女性之本能，夫婦之結合，無非爲滿足男女性的要求。故主張文明時代之家庭，可無「夫」無「婦」。此種僅重視經濟因素及兩性關係，而忽視夫婦倫常道德的家庭思想，實非中國家庭人文主義的思想和精神所能容納。由夫婦組成家庭，自有其永恒的價值存在。夫婦的家庭生活，目的在完成男女的道德生活，以中國的人文思想，倫理道德言之，斷不認爲經濟生活的變化，對道德精神有任何決定的力量。夫婦的結合不單在性生活的滿足，而其重大的價值，第一、在延續祖先父母之愛，以祖先、父母之心爲心，上以愛父母，下以愛兒孫。第二、夫婦因兩性相愛而結合，應發揮此種愛的精神，創造婚後的新生活、新生命。因而彼此照顧，體貼、諒解、互信、互助、同情、愛憐、感恩等道義觀念，不覺油然而生。故夫婦當以「相敬如賓」，一相待以「禮」爲規範，而使兩性生活，統於道德之正途。不應隨便結合，隨便離棄。這才是重視夫婦之道的態度。故理想的夫婦結合之道，除親愛相敬而外，要以忠恕爲心，禮義爲本。而中國夫婦多能不計對方之負心與否，端求己之無負於對方，此爲最高道德之表現。亦爲對人生宇宙之莊嚴精神與人性昇華進步爲神性聖性之表現。由夫婦結合而成之家庭，不僅爲倫理單位、文化單位，亦是經濟單位、政治單位、社會單位。夫婦營共同的生活，不僅收入相將、支出與共，而生育、教養子女、婚喪、吊祭、疾病、災害、燕享、社交、酬酢諸事，無不需要經濟的挹注。如何取之以道？如何用之以道？如何相見以誠？如何相尚以義？須循「德本財末」之教，彼此制約而權衡之，庶乎其可。至於家庭與政治的關係，更不容忽視。前言「家齊而後國治」，即可見二者關係的密切。中國家庭家族是解決政治問題、社會問題的基點，這可由中國文化的主流儒家思想說起。儒家哲理中心爲「仁」，仁者愛人，仁者無不愛。愛從親始，故應孝父母。孝爲仁的根據，我國古代提倡「以孝治天下」。孝治與今之民治，不惟並無矛盾衝突，且有相輔相成之益。因爲第一、民主政治必不反對親親仁民之義。第二、民主政治必不反對敬長之義。第三、民主政治必不反對返本之義。第四、民主政治必不反對感恩之義。而「親親」、「敬長」、「返本」、「感恩」都是孝的精華，亦是民主政治課題中應有之義。這一切都須由家庭、家族作起。（未完）

海粟廬談薈

周佛海最好色（下）

諸葛文侯

民國十七、八年間，周氏攜同家小在南京工作，卜居明故宮地段某一菜園傍之古老宅第中，四面空曠，別無人家，門前有古樹參差林立，距市街頗遠，市民傳說係鬼宅，無人敢問津，故租金極廉，周謂「我不怕鬼」，[illegible]就（人旁）居之。時周氏兒女均幼，以交通不便，上學困難，曾僱用一家庭女教師，亦寄宿周宅樓上，不久，周與女教師私通矣。一夕深更時分，周乘其妻正在睡夢中，潛赴樓上女教師室尋歡後，竟酣臥榻上未起，旣而楊淑慧忽醒，不見周，知其必在女教師房中，急起登樓，破門而入，大聲叫罵，周驚惶間，因電燈未開，誤將女教師之長褲穿着下樓，回到自己臥室內，楊氏躡足跟至，罵不絕口，周無詞以對，乖乖作惶恐狀，楊氏擧目望見周所着女教師褲子，爲之哭笑不得，大聲叱斥道：「看你這副鬼樣子，把女人褲子穿上，眞不要臉！」周俯視果然，適呼「有鬼」不置，楊謂「這不是死鬼，乃是活鬼呀！」不覺失笑，一幕趣劇才告結束。數日後，我赴周宅訪晤佛海時，彼曾將此段趣事合盤托出，並告以女教師已自動辭職去矣。

民國十九年秋間，中原大戰完結之後，陳調元（雪軒）在上海先施公司大旅館訂一長期房間，備友好隨時行樂，周佛海是座上客。一日晨間，周託詞公幹，由南京乘特快火車至滬，逕赴先施公司大旅館，方招一麗人喁喁談情中，楊淑慧亦手提一旅行袋接踵而至，叩門詢「佛海到來沒有？」她是由南京坐飛機趕來者，故與周同時到達。周聞其妻聲音，佛然飛步走出旅館，即在馬路上呼乘汽車赴北火車站，擬[illegible]回京，而楊氏亦僱車馳至，隨周同行，周忿甚，折往飛機場，楊氏亦步亦趨，跟踪追擊，周怒謂：「你要逼死人嗎？」夫婦二人有若捉迷藏然，追來追去，旋陳雪軒聞訊，囑「伴友」嚴惠如前來排解，幸未決裂。

佛海在汪政權時代，顯赫地位僅次於汪，然其好色之性不改，桃色糾紛時起，金雄白君於其所著「汪政權之開場與收場」一書中，紀述甚詳，茲不贅。周當年代表汪政權赴日本談判時，亦不減其癖好，眷戀一日本女子，且育一女兒，現年已逾二十，正在橫濱國立音樂學院肄業，名「金田和子」，面目酷似周，自幼即由周之日本好友岡田右次代爲撫育招呼，周當年曾語友人：「我太太拼命地防制我搞女人，那有甚末用呢？我在日本不但有外室，且生了小孩，她就始終不知道！」最近友人金雄白君游日本，曾請岡田介紹「和子」，證明其容貌確似佛海，但彼姝仍不知其爲炎黃血胤也。

佛海以心臟病勃發，瘐斃南京監獄之際，曾引起其他病痛，慘呼數日不息，醫言乃其好色關係所致，良堪慨歎。（完）

政治垃圾現形記

程潛投共眞象（十八）

李磐

前湖南省主席程潛，於民國卅八年夏初，共軍進攻上海最激烈之際，尚以親筆函件投送引退在台灣的蔣總裁，誓言「立不易方」，反共到底。旣而「華中軍政長官」白崇禧率大軍由武漢轉進至長沙，程氏竟夜避往寶慶，未幾即勾同長沙警備司令陳明仁，宣言投共了。世人多認爲程氏之變節，或由於桂軍威脅所致，其實非也。

民國卅七年冬，國軍於徐蚌大戰敗績後，程氏曾向中樞最高統帥建議改變戰略戰術以及指揮方法，未被採納，意頗怏怏，而湘省民黨舊幹部仇鰲等人，乃乘機倡導和平保境之說，聲稱擁戴程氏爲國民黨新領袖。與共黨試行劃江而治的和平談判，徐圖復興。程氏素性剛愎自大，聞斯議不免怦然動心，因而湖南首先宣佈停止徵兵徵糧，嚴禁金銀出口，長沙中央銀行分行奉總行令，裝運庫存銀元鉅萬赴滬，程氏派兵追至贛邊截回。

是時，湘人李明灝（與程同爲醴陵人）程星齡（程氏之侄，共黨份子）皆奉共黨使命，在長沙對程氏游說慫慂，程氏意志雖不免動搖，然猶躊躇觀望，未敢遽作叛國行動，蓋憚於白崇禧所領桂軍鎮守湘境，有所忌憚，防陷昔年在武漢被扣押之覆轍也。維時中央政府已撤至廣州，程氏表示辭職，行政院長閻錫山與程爲日本士官學校同期同學，且係「丈夫團」秘密組織的盟員關係（丈夫團乃當時中國留學士官學校諸生中的革命黨小組織，李烈鈞即其主幹人。）派員赴長沙徵求程氏意見，擬請他担任考試院長，程未表示拒絕。旋白崇禧保擧陳明仁繼任湘省主席，而所有省府委員廳長，乃至於秘書長，皆由白長官指派，陳明仁亦感到自己僅是個傀儡而已。李明灝等又從而煽動之，明仁原係不學無術的武夫，且與程李同爲醴陵人，氣味相投，對政局感覺大勢已去，更容易接受共黨的宣傳蠱惑了。

上述情況，是促成程潛背叛國家的潛在因素，而直接使程悍然投共的幕後策動人，卻別有所在焉。湘人章行嚴（士釗），原係李代總統宗仁派赴北平與毛共進行和談的代表之一，和議旣不成，章氏曾赴石家莊面晤毛酋澤東，聽取毛酋意旨而以長函致程氏，謂毛共並不欲消滅民黨勢力，若程氏能起而領導國民黨，保持湖南局面，毛共願予合作。且毛共標榜「新民主主義」，亦與三民主義相脗合。果若是，則今後中國的統治權力，豈非完全操諸湖南人之手嗎？毛程協力主持國事，不特湖南人揚眉吐氣，內戰亦從此永遠消弭，何幸如之？！程潛的領袖慾極強烈，然又缺乏政治知識，聞說毛共願意承認他是國民黨領袖，不覺大喜過望，一心以爲鴻鵠將至，乃決意實行叛國，以期過過領袖癮。殊不知這是共黨利用敵人弱點以及內部矛盾，施行瓦解敵人力量的一套魔術，只有一般愚昧驕妄，而利慾熏心的武夫如程潛之流，才莫名其妙地甘受其詐騙玩弄，猶懵然自以爲得計也。

巨變歷險記！

從北平到天津（五五）

胡慶蓉

話又說回來，又回到丁博士身上。

丁博士倉皇從北平搭了火車，前往天津。北平的警察是全國聞名的。民國以來，北平不知道變了多少變；但北平的警察總沒有變。此次共軍進來，當然是民國以來的巨變，但北平的警察仍然沒有變。北平裡裡外外的秩序仍然靠北平的警察來維持。北平的警察，所以為人稱道，不但是因為他們儀容好，服裝整齊，舉止言談，彬彬有禮，並且是因為他們充滿着人情味。對丁博士，東火車站的警察都滾瓜熟，去天津的車票，常常是他們給買給準備。這次去天津，還是他們給買的給準備的。開口「你老」，閉口「你老」！使聽到的人，都會感到很舒服。官海浮沉，你來我去，他們看過的有的是，他們都寄以無限的同情。此次對於丁博士亦然。在送丁博士上車的時候，咀裏總在不停的唸讀：你老，太累啦！太辛苦啦！為國家保存元氣，為市民請命，大家該是如何的感激！你走得好！走得很對；到了明天，該又是另一個朝代了！事實上，北平警察已得到新朝的命令，「要拘拿誰，要驅逐誰，我們都已曉得，但今天不執行，你老走得好」！

丁博士坐的這一次車，還是下午的一次，天差不多要黑了。車上的人都希望早些快到來，都希望沒有人攔他們，沒有人阻止他們，都希望平平安安能到他們的目的地。天津已在魔掌之下，北平快落到魔掌之中，是不是鄉村要比較好？即令是也有共產黨，但都是本鄉本土，是不是鬥爭要比較好些。各人都有一個打算，各人都在打算，但他們又那裡知道鄉間還遠不如北平。

在北平上車的時候，沒有檢查，讓你儘儘盆盆的擠，但一到天津，情形就大不相同了。看一個現象，就是旅客要一律的通過檢查。火車的每一個出口都有檢查。檢查的人，都是男女政工，年紀很輕，工作認真。往往一個人有很久的耽擱，從你上身一直摸到底，看有沒有攜帶武器，攜帶凶器，……

丁博士算很僥倖的通過去了……

丁博士沒有敢回到自己的家——陝西衖總鄰里十三號，沒有敢讓家裡人知道。他悄悄的溜到火車站附近一個傭人的家裡。這個傭人是他平日最忠實的傭人之一。他還有一個媽媽，一個太太，兩個小孩。家狹窄非常，但仍給丁博士勻出一個躺躺的地方。他們都知道共產黨到處找丁博士，在丁博士家裡，在車站，並且派有人等候。他們都怕留丁博士，萬一查到了，他們都吃不消。因為天色已晚，再沒有別處比這安全，丁博士還是勉強留宿一宵，決定明早離開。

北宋名將楊業（上）

海清

話說宋朝自太宗登基後，吳越獻土，北漢被平，統一了中國，完成太祖未竟的大志。當北漢負隅，宋兵攻陷太原時，漢主劉繼元已投降多時，還有一位漢將手執長槍，仍在激烈的從事巷戰，他殺的像血人一般，那條槍似一隻活龍，上下左右翻騰，宋兵都不能近他的身邊呢！一片吶喊勸降的聲音，雖震耳欲聾，這位漢將却絲毫無動于衷。

你知道這位漢將是誰？他就是北漢的名將，外人稱為楊無敵的楊繼業將軍，也就是後世婦孺皆知的楊公公。宋兵對他無奈，只得逼迫漢主劉繼元下了一道手諭，着他立時放下武器，束手就縛，楊業看到了手諭，遂擲槍于地，放聲大哭。當時即敵視他的宋兵，也無一不為感動，個個豎立姆指，說是「好漢子」。

宋兵把楊繼業帶至太宗行宮，太宗見繼業雖年過半百，但精神健碩，太宗忙下位親解其縛。繼業見其主劉繼元坐在一旁，不顧太宗，忙進前跪下，連稱「臣罪應萬死，致君父于此！」劉繼元羞的面色若白，急忙扶起楊繼業說：「楊將軍請起，現在天命有歸，你我君臣之分，從今日起，從此消滅，你對劉氏也盡了最後的一分努力。」遂拉着繼業同跪于太宗面前說：「求皇上萬歲，恕楊繼業愚昧，救他一死。」太宗大喜說：「朕在汴京，久聞繼業是一位忠臣良將，所以下令三軍，不准射將軍，今日一見，果然是不忘故主，不為勢屈的忠貞之士，此等人朕求之不得，何忍加害呢？」遂命劉繼元、楊繼業各回府整頓家容，預備隨師南下。

初任鄭州刺史

宋太宗辦妥了北漢善後，楊繼業一家，隨同劉繼元一族，統率三軍，回轉汴京。高唱凱歌之日，自免不了一番獻俘、祭廟、賞功的熱鬧，然後召見楊繼業，特別有加，任命他為鄭州刺史，對于他的兒子延朗（後改延昭）、延玉、延浦、延訓、延環、延貴、延彬等官爵有差，又命楊繼業更名楊業（因繼字犯宋諱），楊業帶領了七子，叩謝了聖恩。

原來太宗與楊業分了一座府第，坐落宮前街，甚是寬敞，楊業下朝，夫人佘氏，問知上朝情形，一家甚為欣喜，楊業安頓了家事，吩咐諸子盡心在朝供職，自己帶了少數隨從，去鄭州上任。

鄭州位于汴京以西，一百四十里路，為京師重要門戶，非皇帝親信之人，從不肯輕易給與此缺，楊業以新降之將，太宗即任是職，一般宋室老將，大多表示不滿，心懷忌刻。

楊業見太宗如此推恩信任，甚為感激，到任後，表心勵政愛民，對于士兵加緊訓練。但所部官兵們，追隨太宗太祖南征北討，自視甚高，知楊業是北漢降將，人人都有輕視心理。楊業全不放在意上，三個月舉行校閱全軍，將武藝低能的將校，大加淘汰，並不管他有靠山，就從部屬中，揀擇有本領者，一個個提陞，並未一個私人。這樣一來，全軍大悅。只是那被裁的將校，那有不懷恨于心呢？他們于是相約進京控告。

調陞雲州觀察使

太宗是一個聰睿的皇帝，鄭州近在咫尺，楊業一舉一動，他那有不知的道理，見楊業如此忠心王事，甚是喜悅。太宗知道楊業熟悉三晉地理，又深得民心，一年之後，就調陞楊業為雲州觀察使。

這個消息傳出，朝內外皆為驚訝，尤其那些戍邊的老將，他們以宋朝開國以來，用生入死，無役不與，才得掌握使節，未立寸功，一個北漢的降將，居然一躍而與他們並肩，心中着實不平，紛紛上章彈劾楊業。（未完）

生活漫談

枸杞清血散瘡毒

馬騰雲

枸杞葉解署，夏日用以滾湯甚為適宜，它含有甜菜鹼及胆鹼，有很好的祛熱作用。枝幹及根皮，能去骨熱消渴及涼血。滾枸杞湯時，將枝幹放入湯裡滾三十分鐘，然後下枸杞葉，其解熱效力更佳。枸杞根皮，中醫處方名「地骨皮」，據醫典載：能去肝腎虛熱，益精氣，治吐血，尿血，除頭痛。其子即中藥的「枸杞子」，含糖份及蛋白質，為強壯藥，可治消渴，有糖尿病者可以常食。惟枸杞的葉及根，如身體招了涼的人，少食為宜。中國民間對「枸杞子」幾乎一致愛好，認為它的補益功能是多方面的，燉肉燉雞時，慣得食補的人，多加入枸子。枸杞葉含葉綠素頗多，葉綠素有抗菌作用，功能清血，故枸杞葉有良好的效果，皮膚常常起紅點，痛癢不堪，破了則流出有粘性的液質，此種皮膚病最為頑固，而且影响人的情緒，可常常用枸杞葉滾湯飲用，有促進痊癒的功能，且可使急速把流出流質減少。小孩子若生熱痱瘡癤，用蜂蜜枸杞湯常飲，痱瘡很快減少，或用枸杞連枝幹熬水替孩子洗身，亦是治療熱痱瘡癤的好辦法。小便不利，大便秘結，周身骨節疼痛，雖多飲水小便亦不利，口鼻噴出的氣似有火熱，用枸杞葉滾湯，連食帶飲，小便利大便亦暢通，一切熱病現象自然消失，身體立感舒適。用枸杞葉治熱性腫瘡，亦是民間驗方，他們遇到熱毒大瘡，在未化膿前，則用枸杞葉十數両，用砂盤搗爛取汁，混入白糖，冲滾水飲，每能將瘡毒解除，若已化膿，則搗爛枸杞葉成枸杞汁，不加白糖，而用燒酒煮滾冲和，乘熱飲之，將之毒膿迅速排除，且無復發後患。至於已經化膿而未穿破者，一樣用燒酒冲服，一方面用枸杞葉搗碎敷在瘡的外面，化膿加速，穿破亦快，大可減少痛苦時間。患初期淋病（前尿道炎），搗碎枸杞葉，濾汁冲白開水飲用，亦有很好的治療效果。但必須屬於熱性的，「寒底」不適宜，用時務必留意。新鮮之枸杞子摘下而未晒乾的鮮果，治暗瘡很有效，青春發育期間，無論男女，面部每有暗瘡，可用鮮枸杞子於睡前敷在面上，久用根除，如果要快的話，鹿油和以消炎粉，為塗暗瘡的特效藥。

桃花潭水深千尺

鱸魚潭邊的故事（六）

趙陀

顏芳初亦未注意，聽到蘇雀寶要到法院告牛少爺，才發覺這首詩裏含的嚴重性，恐懼着在女兒身上眞的出了毛病，不得不急切的問：

「老東西你在發花顛瘋是嗎？」

「[illegible]！大概不正四柱歪，你這個老不正經，才會教出這樣的好女兒，人證物證具在，我非告他不可，非告他不可。」蘇雀寶面部現出青白色，喘得更烈些。

顏芳再度向蘇雀寶發問：

「你究竟發了甚麼瘋？」

「女兒做出這樣敗壞門風的醜行，你還裝聾作啞，若無其事，大概她也替你瞞作趙眼你之間的醜事。」

這時顏芳顯得很氣忿，指住蘇雀寶道：

「蘇雀寶你便像個『活寶』，我問你牛與克琳間，究竟出了甚麼事，弄得大驚小怪，四鄰難安。」

蘇雀寶將牛詩丟在顏芳面前說：

「有其母必有其女，簡直是有辱門第，賊不打自招，還有甚麼可分辯的，講呀！講呀！」

克琳在旁若有所悟的向顏芳陳述牛少爺詩的原文：

「午後雨大下，入晚又雨下，歸途雨大下，蘇府仍雨下。」我老早說過，牛少爺斗大的字，能認識好幾担未錯吧！將下雨的雨字，寫成斤兩的兩字，難怪爸爸生這大的氣。」

蘇府的疑雲，被克琳道破，蘇雀寶搖頭長嘆，顏芳冷哼了一聲，不期而然的啼笑皆非的又恢復到平靜。克琳轉到自己的臥室，王媽遵主婦之命，將任念佩的信送給小姐，說：

「太太叫送來的，這是任先生的信。」

「你告訴太太，小姐拒收這封信，並告訴老爺，今晚將致任的信寫好，明日能夠發出。」

王媽將信帶回交給太太時說：

「小姐拒收這封信，並囑將致任的信，明日發出。」

蘇雀寶的心目中，克琳是蘇府一棵搖錢樹，綠葉喬木，高及百丈，一切看在錢的份上，亦祗有忍耐，蘇雀寶向顏芳說：

「解鈴還是繫鈴人，待老夫施出絕招，鬼丫頭自然會就範。」蘇得意的向顏芳露出保證口氣。

「哼！老東西，又不是學新聞的這樣會吹，今晚到要考驗你的本領，看看你有甚麼招數。」

「老太婆等着好消息。」蘇雀寶的烟瘾既已過足，儼若人逢喜事精神爽似的，端着一杯瓜片茶，搖搖擺擺步入克琳的臥房，看到克琳正在整理任念佩的照片和信，蘇雀寶乘克琳的忙亂情緒中說：

「難怪我女兒喜歡任念佩，今天這封信，連爸爸的觀點都改變了。」克琳低着頭整理，並沒有甚麼表情的說：

「不，爸爸，我已下了決心，將這些照片和信，統統退掉。」語氣像斬釘斷鐵似的這樣表示。

「唉！這是蘇雀寶的女兒乾脆俐落，做爸爸的非常欣賞。」這些風涼話，直刺着克琳的心坎深處，克琳回說：

「爸爸，我很疲倦，有話明天再講吧！」

「女兒今晚竟下爸爸的逐客令。」蘇尷尬的表示。

「那就，女兒就疲倦。」說罷打了一個呵欠伸伸懶腰，像這個很知趣的走開，不過蘇吁嘀了一句：

「無不是的父母，爸爸即是有錯，也會原諒其錯。」

「爸爸別這樣去想。」

御廚談藪

鮑魚四吃

紅燒鮑魚　用罐頭鮑魚原汁，以水濾過（切勿先用水洗）上碟，再以蠔汁酒炒過，排好用清水燉爛，上碟時以上湯、蠔油和些豆粉淋上，風味甚佳。

鮑魚燉鴨　先把鮑魚用水浸過洗淨沙灰，後用蠔汁酒下鍋滾過取起，再以劏淨鴨一隻，用油煎好，起鍋加酒一大杯，和上湯滾水燉爛，再加鮑魚切片同鴨上碗，滋味濃厚，是一種滋補的食品。

鮑魚豬肚　以滾過洗淨之鮑魚切成厚片，用蠔汁酒炒過，豬肚洗淨再以鹽花反轉洗，再用水洗淨，然後連同鮑魚和水煮至極爛取起，豬肚切厚片，上碗時加些麻油，則清香滑口。

火腿會鮑絲　鮑魚洗淨切絲，用蠔汁酒炒過，再以冬菇切絲，用猪油煨透，同鮑魚和上湯煮稍後，再加叉燒絲、鴨肉絲同會，臨上碗加韭黃，火腿一物。按鮑魚一物，其實味均以我國產為佳，可惜我國漁業不發達，沿海出產者為佳，但產甚不豐，供不應求，價值昂貴。從前多購日產鮑魚，以其取價廉，但從前日人常偷越我國領海捕魚，他們的優良產品，其實也是國貨。

自由報

（第九八六期）

（半週刊每星期三、六出版）
每份港幣叁角，台灣零售價新台幣弍元
社長李運鵬・督印黃行蕃
社址：香港九龍彌敦道593—601號
廖創興銀行大厦八樓五座
LIU CHONG HING BUILDING
7th FLOOR FLAT 5
593—601 NATHAN ROAD,
KOWLOON, H.K.
TEL: K803831
電報掛號：7191
承印：長星印刷公司
地址：嘉咸街廿九號地下
台灣總管理處：台北市大同街119號

國際貨幣問題及其合作的方案

—布列敦森林會議二十五週年誌感之一—

・顧翊羣・

作者按：本年六月中旬接國際貨幣基金常務董事適什氏，與世界銀行常務董事馬查爾氏聯名來函，云基金與銀行定於七月廿五日舉行宴會，約集廿五年前在布列敦森林參加國際貨幣金融會議之各國代表重行聚首一堂，洄溯當年舊事，並詢本人能否前赴美京，參預此一聚會。當以路途遙遠此間諸務未便遽予放棄，復函謝其厚意，而聲明不克成行。

回憶廿五年前參加會議之人士中，任首席代表之我國孔庸之先生，美國摩根索先生，英國凱因斯勛爵，以及代表及專家等甚多人士，例如我國之蔣廷黻、李國欽、王元照，美國之懷德與文生，英國之羅勃遜荷蘭之勃魯因，巴西之山多士等先生均已先後謝世。即余本人雖於一九四六至六六年在基金服務廿年，然後退休來台休息，但苟此時重至布列敦森林勝地游覽，恐亦將有風光如故人物全非，而興丁令威歸遼之感矣。

承自由報主編先生之囑，對國際金融之演變加以論列。茲先自舊存文件中檢出廿四年前本人於參加布列敦森林會議後所撰之論文一篇（原文主要部份曾在抗戰時期載於中農民銀行所刊行之「國際貨幣論集」），其中所載會議中種種事件經過，均不載在當前任何公私文件之中。此一孤本彌屬可珍，足爲此後撰寫中國貨幣金融史者之參考，爰經整理，分爲數篇，請主編者將之在本報陸續發表。至於本人經過廿餘年來從事國際金融之工作以及研究觀察之後，所抱持主張已與撰者茲文時有適度之更變。容俟於短期間撰寫「國際金融之現狀與展望」一文時加以論列，並先略識數語權充介論云爾。

貨幣問題爲最複雜最困難之問題，因爲貨幣爲物，善用之可以爲人福，不善用之則可以爲人禍。貨幣之被誤用，尤以在戰爭時爲甚。自有貨幣以來，通貨膨脹即與戰爭相伴，過去羅馬之傾覆，以及宋元之易代，皆因貨幣制度混亂，無法整理，有以致之。人類既需互相交換物資與勞務，即不能不以貨幣爲媒介，雖社會主義國家曾謀不用貨幣而代以他物，結果終歸失敗。所以我們相信此後若干世紀內，國際間交換物資與勞務，仍不能不用貨幣以作清算工具。至於欲增進世界經濟福利，提高人類生活水準，尤須有安定的國際貨幣。

關於國際貨幣合作運動已經從十七世紀開始。在一八六五年有拉丁同盟，訂立巴黎條約，一八六七年在巴黎召開統一貨幣制度會議，一八七八與一八八一年美法先後召開國際複本位會議，一八九二年又在卜魯拾爾召開增加白銀用途會議，經過五次貨幣會議，結果金銀複本位制逐漸失勢，而金本位遂成爲世界最重要之貨幣本位制度。此項金本位制有所謂自動調節之功能，爲正統派經濟學者所稱道。第一次大戰之後，因爲戰事影響財政，不少國家滯留於紙本位制度，從此國際貨幣發生大變動。戰後各國之間無適當礎商，即圖安定，美國首先恢復金本位制，開始緊縮，同時其他國家仍用紙本位制，結果國際經濟失調，引起一九二〇年經濟恐慌，全世界都受影響。我國當時係用銀本位，一年之中匯價從每兩九先令跌至每兩二先令。國內經濟因之發生大變動。後來雖曾在比利時召開金本位制會議，以求解決，但事後各國均以本國利益爲前提，或採用緊縮辦法，或採用通貨減值辦法，彼此不能協調，始終得不到完滿結果。一九二九年美國有金融風潮，全世界均捲入經濟不景氣漩渦，經濟國家主義隨而興起。到了一九三三年，各國有鑑於貨幣鬥爭之弊害，在倫敦召開世界經濟會議，但因利害不一致，結果又告失敗。從此各國貨幣鬥爭更形激烈，武力經濟由此抬頭，卒召致第二次世界大戰，人類更感痛苦。

第二次世界大戰以來，英美有識之士，鑑於欲求人類永久和平，國際貨幣必須安定，祇各國應在戰事停止前採取適當有効的聯繫，戰後實施才有成功可能。所以在戰事未結束以前，美國即召開各種戰時會議，如一九四三年六月之糧食農業會議，同年十一月之善後救濟會議，一九四四年七月之國際貨幣會議，同年十月之國際航空會議及國際安全初步會議，以及最近在舊金山正式召開之國際安全會議，都是英美兩國對戰後世界經濟與和平之籌劃。自美國孤立主義沒落，國際主義大爲抬頭，世界各國合作前途頗爲光明。關於國際合作之重要項目，至少應包括以下幾種：（一）商業政策與關稅之協定，（二）貨幣協定，（三）國際借款與投資，（四）國際托辣斯之管理，（五）航空與航運之管理，（六）國際間關於勞工及農業等之方案。凡此重要項目，亟須解決，才能保障和平，增進人類幸福。

任何安定貨幣的方案，須以某種經濟哲學爲基礎，過去十九世紀的自動調節金本位，係以放任自由經濟爲其理論根據。今天我們需要的經濟哲學，即係近十餘年來英美經濟學者所提倡的「經濟擴張主義」（Economic Expansionism），也就是承認目前的經濟社會不是靜態社會，而是不斷向前進展的動態社會。我們要求社會進步，必須做到人民全部就業的地步，所謂全部就業，不是指奴隸經濟或管束經濟之下的全部就業，而是指自由經濟之下的全部就業，因爲在奴隸經濟或管束經濟之下實行全部就業比較容易，但在自由經濟之下實行則較難。譬如在奴隸經濟之下，醫師可被迫去從事農業，不顧他個人志願，結果雖得工作而効能減低，但在自由經濟之下，則應按照各人志趣，如學法律者仍做律師，學農者仍可務農，工作効率自然提高。因此計劃與執行特別困難，所以在自由經濟之下實行全部就業，須把公經濟和私經濟分別清楚，統籌錯劃，並藉貨幣政策之運用，以開發資源，提高國民生活水準，這就是所謂新經濟哲學。此種新經濟哲學，於遼遠的將來，或將與正統派及馬克斯學派等同遭放棄或修正，但在此後二三十年內恐將支配世上多數民主國家政治和經濟思想。國際貨幣方案即淵源於此種經濟哲學。

英國方案於一九四三年四月由凱因斯以專家資格提出，英國政府並以白皮書加以發表，美國經濟學家懷特所擬之美國方案，係同時由美國財政部長摩根索向聯合國提出，都是以經濟擴張主義爲出發點。惟英國方案色彩較濃，美國方案最初尚不十分接近而微傾向於純金本位制度，後來發表之專家計劃已大體接受此種主張。是項專家計劃一面求匯率安定，一面以有秩序的匯率調整適應物價與成本，其調節辦法與古典派不同，蓋因維持國內全部就業較維持對外匯率爲更重要之故。

英美計劃異同之點　英美兩計劃相同之點：（一）均以安定匯率爲前提。（二）設立集中機構，執行多邊清算，使各國對外收支盈虧，以盈濟虧，俾債務國得有時間從事內部調整，但英國計劃較有活動性，美國計劃初時缺乏活動性。（三）兩計劃均非爲戰後短期打算，而係久長之計，此其相同之點。至其相異之點：（一）英國方案主張不要基金，大家在清算所彼此記帳，以盈濟虧，美國方案則主張有基金，各國交付款項於基金委員會，於清算時入超國得以本國貨幣向基金購買外匯，以資清算。（二）英國方案主張清算所得收進黃金，但會員國不得提取黃金；美國方案則主張基金收進黃金，亦得付出黃金。（三）英國方案主張各會員國比額分擔應根據國際貿易；美國方案則主張比額根據各會員國之國民所得及對外收支以及存金等項。（四）至於融通資金，英國方案採用透支辦法，如會員國缺乏頭寸，可以透支；美國則主張採用買賣外幣辦法，以資週轉。（五）如英國方案，則債權國風險較重，根據紐約聯邦準備銀行副總裁威廉斯估算，在英國方案中債權國對債務國之短期墊款最高額可達三百至三百五十億美元。美國方案主張各國交款於基金，其總額不過八十八億美元，其中美國攤額不過二十七億五千萬美元，故債權國風險較輕。

除英美兩國所提出之方案外，尚有加拿大計劃，其內容與美國計劃相類似，僅略有修正之處。我國亦擬有方案，但未提出，然我若干意見均於專家討論時被接納。英美兩方案經過各國專家詳細研究修正，成爲聯合國專家計劃，於一九四四年四月發表，其要旨爲：（一）以美案爲主，並採納英加等各國意見。（二）不另設貨幣單位（兩國原草案中，英國的國際信用單位爲班柯，美國的貨幣單位爲尤尼塔）。（三）基金運用方法與舊案不同。（四）平價有伸縮性。（五）增加過渡時期之規定，俾戰後某一國家國際收支倘未能平衡時，可用變通方法，從戰時狀態過渡到安定狀態。（六）取消基金代會員國解凍便利。關於國際貨幣會議席上討論，即以聯合國專家計劃爲藍本。

此外美國於一九四三年十月發表國際復興與開發銀行計劃，其要旨係由各國擔任資金一百億美元，聯合保證各種建設性之國際投資，資本百分之二十由會員國交付銀行充直接貸款，百分之八十則充銀行自身或會員國公私企業所發證券之保證準備，俟有需要時銀行始通知會員國繳納。如某會員國需要資金，得向開發銀行借貸款，惟須提出借款計劃，並經技術委員會嚴格審查，認爲妥善，始能照借，或介紹其他會員國之私人銀團借款，而由銀行保證，所借資金，祇能在國外採購器材，不能在國內使用，銀行保證手續費爲百分之一至一．五。以上，爲國際復興及開發銀行計劃之大概。

昨日與明日

談便民問題

何如

蔣總統最近在黨政高級幹部人員的集會中訓話，指出所謂「便民」工作，不僅是一些黨政機構替民衆寫寫狀詞，即認爲已盡了「便民」的能事，貴在一般公務人員遇事給人民以便利，纔算名實相副。這洞悉民瘼的仁言德意，深中肯綮。因此，台灣各行政機關，近來盛倡「便民」之說，洋洋盈耳，吾聞其語，敢獻芻蕘之見。

我認爲眞正的便民工作，有積極和消極兩項要務。積極的是要簡化現有重叠繁複的法令規章，去蕪存精，執簡馭繁，使老百姓免去若干無謂的煩擾。例如人民創辦一項工商企業，必須填寫幾十張表報，奔走五六道衙門的現行法規，只是擾民困民而已，便民云胡哉？消極的是要一切行政官署實行職務分類以外，更須分層負責，改革「擬稿」「核簽」「會簽」「劃行」……這些官樣手續，而課其責任於主管單位。凡屬依法照辦或應辦事宜，主管單位可以逕行處理，呈報上級長官備查足矣。再則一般公務人員的舊觀念必須改變，從院部長以至於科員，皆以「人民公僕」自居，不濫用職權，作威作福；不藉故爲難，勒索民財；不推宕延擱，亂打官腔。加之以嚴切整飭各個衙門的收發胥吏，不許他們有任意積壓公文的毛病發生。香港政府各單位的公職人員，平日對民衆的服務態度有不好者，當局希望民衆予以檢舉，且在公廨內設置「意見箱」，歡迎人民告發。這樣纔算是眞正的便民作風，我們是否相形見拙呢？

假使政出多門的繁複法令不簡化，分層負責的制度不建立，擺作威福的官僚觀念不剷除，則所謂「便民」之說，始終是廢話一堆，空口宣傳罷了。結果是越宣傳就越增加民衆的憎懸心情，不如其已也！

政府是爲人民而存在的，這是民主政治的守則。咱們天天談民主憲政，然一般官吏却認定人民是爲政府而存在的。觀念上既南轅北轍，行爲上即充分表現着「你是民，我是主」的官僚氣象。這便是民主政治之神永遠不能在中國出現的根本原因，不知大家以爲如何？

自由談

無謂的外交詞令

美國當局近以不擇手段的方法，一面急於結束越戰，同時對毛共自作多情，表示妥協姑息的乞憐相，但唯恐因此而使東南亞地區的自由友邦感覺失望，另謀生存之道，對美國不復唯命是聽。於是乎，連續發表聲明：一謂亞洲地區的任何自由國家如受到核武器攻擊，美國決不坐視；二謂美國對華政策決不改變。這些話，是臺北人所謂「瞎扯淡」，我們湖南人叫做「扯卵談」，令人聽來祇覺得可嗤之至！

俄共與毛共鬥的世界革命策略，原係採取蠶食主義，而以實行傳統戰術的局部鬥爭爲主旨，根本沒有使用核武器的必要與可能。蘇俄的核武器只在對付美國而已，毛共雖從事於核子武器的製造，尚在幼稚階段，事實上它亦不需要以核子武器進攻亞洲的自由國家。美國這項聲明可謂無病呻吟，在俄共集團聽來誠爲無聊，發生不了嚇阻作用，在亞洲人就感覺其爲無的放矢，莫名其妙，更沒有安撫人心的效能。

至於所謂對華政策不變之說，咱們反共非共的中國人不特絕不感興趣，而且適得其反！因美國現行對華政策，只希望中華民國政府局促於台灣一隅，專爲美國的利益服務——替美國擔任西太平洋這個戰略據點——即不許對大陸上的毛共暴力實施反攻行動，也就是不許中國人推翻共產政權，拯救奴役生活。所以最近台灣的海上游擊隊在閩江口擊毀了幾隻毛共的船艇，而華府當局即大驚小怪，表示「關切」。這樣的對華政策若不變，咱們又何必從事反共救國運動呢？

我們昕夕希望美國的對華政策有所改變，如果害怕台灣的國軍採取反攻復國行動，致有拖美國下水的危險，那末，美國的第七艦隊儘可自由撤走，中國人決不挽留，成敗利鈍，唯力是視，美國置身事外可也。現在利用「中美安全互助協定」的條文，把中華民國政府反共救民的行動束縛住，祇由美國擺佈，而與中國人的利害恰恰相反。將來美國可以與毛共妥協，美商照樣在中國大陸上做生意，賺大錢，咱們中國人却被美國的政策害苦了！等到毛共最後以暴力攻打美帝一時——這是必然的結果——華府當局又教中國人併肩作戰，那時節，咱們便要用一句廣東話答道：「我冇咁得閒！」

王先生

美洲文化教育過去與現在（上）

·于歸·

于歸兄曾以一年半時間考察日、美、加、秘、墨、阿、智、馬、巴、玻、巴拿馬、瓜他等十餘國家，於年前十二月歸來，當以于還素之名，在本報發表「文事與國運」一文。茲將其八月五日在國民大會憲政研討委員會第六委員會，所報告考察美洲文化教育情形，刊諸本報，以饗讀者。

·洛九附識·

今日所報告者為考察美洲文化教育情形，題目係由本會指定，個人所見有限，是否能附合滿意，不無忐忑。下面茲將所見畧為申述，俾供本會研究文化教育之參致。

一、所謂美洲文化教育，係指南北亞美利加洲而言，本人不談及考察對象、時間，只談區域，其原因係本人出國考察之前有一構想，即偏重於美洲的古代文化，我們稱之為美洲固有文化，也就是本人目的在考察哥倫布發現新大陸以前的文化，史稱「先哥倫布文明」；我們中國人自從近代和西方接觸以來，大多偏重於歐美現代文明或古代的希臘羅馬。美洲的古老文化，並沒有惹起學術界的注意，對現代的土著文化，並沒有充分的瞭解，本席不是研究文化史的，也可以說毫無所知，因此，本席心目中的美洲文化，包括教育在內，是整體的，合混的，意識的，形態的，而不是科學的，現代的，或分析與綜合的，這樣籠統的報告，也許使對此一問題有研究的各位先生感到意外和失望。不過各位先生，在聽了我的報告之後，也可能認為我所使用的方法，仍然有一些綜合性，演繹，分析，歸納的方法在內。這必需先向各位做一說明。

關於文化問題

二、關於文化問題，範圍頗廣，學識最多，我想簡單的方法是對於既存的事物，以及現存的事物的總重是謂之文化，若從積極的意義來講，是一種德治主義，儒家一貫的內聖外王之道，佛教的「當下即是」皆可以稱之為文化，它本來是人類生活的編成績及其結晶，考古學家，歷史學家在探討過去，是往回走，並不含有教訓的意□在內，為一種純然的科學，藉歷史事項，以瞭解歷史的成因與結果，在儒家哲學中，文化的定義就是教育，兩者並不衝突，此不待詳加解釋。

現在有一種淺見，以為文化是廣汎的，但又指不出廣汎到甚麼程度，以為教育是文化之一，雖不用教育的目的，剝離的文心雕龍有謂「宇宙之內皆文」，原來文化是在以人為主體考察宇宙現象，教育家的目的是在發揮人類的潛能，以瞭解自然現象或文化成就的方法，使一個民族的生存繼續推演下去，我國人的淺見，是在教育文化發達，就是國家的強盛，兩者恒為正比，說到此地，就知道本席是非常淺薄的了。

三、我們中國是一個歷史悠久，文化高度發達的國家，本席考察美洲古代文化，不免有提高外國文化地位，和自己國家文化作一對照的嫌疑，是不是有喪失了或捨棄了自己國家文化主體的危險？這一點不必顧慮，比較文化優劣的觀念，在我國已經有五十年之久，新文化運動到今年正好五十年，他已經形成了我們的近代歷史，我們無法立即翻案，不過本人以為我們今天提倡傳統文化，做的就是翻案文章。這一代中國知識份子，被西方文化侵略的已經反省了，復興傳統文化，就是把我們好的文化恢復起來，建立主體以與西洋文化作一比較，這種比較有一條人的識門性，我們認識歷史，我們看不出中西文化在這一代青年人心目上所發生的衝突，如果我們只向西方文化盲目崇拜，我們的青年人又看到了我們和文化過分古老，甚至於認我們落後，我們何去何從呢？

美洲古代文化

四、我將考察美洲古代文化，心理上有一種渴望或幻想；我以為紐約摩天大廈如能代表科學文明，那麼這種文明不可能沒有她的歷史背景，不可能沒有她的心理因素，科學不是空中樓閣，登陸月球的只有兩個人，地球上有幾十萬人，幾千年，幾萬年的渴望才是他的基礎，一點一滴好的方面走的心理，才是一種文化，一個國家一個同胞向上的因素。

美洲現代文明，為甚麼這樣飛速的發展？這種心理上的因素、條件，我以為是宗教問題，我個人是研究美術和文學的，我請各位准許我說，我有一點點考古學，人類學的知識，在原始社會中藝術和宗教分不開，科學和藝術是一種東西，這些較早的文化史，可以追溯到人類的起源或早期的人類生活，宗教起源於恐怖，藝術起源於想像，文學起源於感恩；都是極原始的信仰或崇拜自然，孔夫子以陳俎豆為遊戲，就是宗教性心靈活動的模仿，中國歷史上帝王的祭山，是對於山嶽的崇拜，天、上帝是自然具體的徵，抽象化了的代表，中國人不崇拜偶像在漢代之前就以文字符號為崇拜的對象了，中國人沒有產生今日西方人的文化，是歷史性的，我們不可以菲薄自己，這純粹是人類的問題。

文化，她形成了人類的本質。她也不可能擺脫地緣的束縛，現在我們談到美洲文化，如以紐約來代表的話，我們只能說他們的地方好，有美洲的文化，必先有好的美洲，現在，我要說，美洲新大陸的固有文化是中國人的，各位的感想會是怎樣的呢？

中國人的世紀

五、關於這一問題除去我在國外發表的不算外，已在台北演講過幾次，各位聽到了我的話，是不是以為我在說夢話呢？我希望我的聲音很小，不要太大，免得好朋友們說我張狂，記得在耕莘文教院的一次演講時，有一位叫傲滿而溢的加拿大籍神父和我說：「于先生，我請問你，有人說二十世紀是中國人的，你的意見如何？」我當時為了顧忌到演講的地點，我只好說：「即使是這樣，最好也不要說出來：……」我那次演講的題目是「馬雅建築與中國文化」，在放映幻燈時，我報告了一點馬雅建築中屬於中國文化形態的東西。我只是用「類似」的口吻來講，我的反響如此，各位委員同仁們就可以知道，我們在此地任何態度，都會引起西方人的不同看法，我們復興中華文化，究竟要復興甚麼，就是非常明白的了。

（下期續完）

台灣大專落榜女生 申請香港清華就讀

熊式一表示願盡力協助

（本報記者張楚功香港消息）創辦在香港有六年歷史的清華書院，原由熊式一博士擔任校長，從本學期起改由張翰書教授出任校長，熊式一表示，他卸下校長職務後，將改任校監，並將前往歐美各著名大學商討學術合作，和人才交流事宜。

他說，東南亞各地的華僑，都已識破共產黨假面目，紛紛把子女送到香港，接受祖國傳統教育，為了針對這個需要，香港清華書院願意替各地青年代辦入港及居留求學的手續。

他聞台灣大專聯考落榜女生，有很多向清華書院申請，比照東南亞青年學生辦法，賜予進入大學機會，熊式一博士曾表示，在合乎政府法令原則下，凡能自辦出境手續者，該院可代為辦理入港及求學期間居留手續，該院設有中文、英文、音樂、會計、銀行、工商管理、經濟等七系，及航海、電腦兩個專修科。

有關去港及該院入校手續，可向台北和平東路一段龍泉街口正生書局查詢，當可得到正確答覆。

省議員建議陳大慶 採取措施提高農民生活水準

（本報通信員柳一權來自台中中興新村消息）省議員楊鵬松質詢省政時謂：陳主席上任，可謂得人，給台灣省民良好的印象。陳主席在就任當天下午，與新聞記者晤面時，發表施政方針第一句話就說與利必先除弊。這一句話，就是對台灣省政之弊端對症下藥的良方。社會風氣的敗壞，政風的不良，不管中央地方都一樣，紅包、回扣之風滿天飛，這個風氣不除什麼都做不好，人民的稅課血汗錢被分去一樣的，同時政府之德政也被隱蔽一部份，失去政府之威信，失去民心很大。

其次切實做到愛民便民及積極改善漁民生活之高見是很治切的，因記者先生沒有提到，所以陳主席也沒有談起農民生活的清苦，不用我們議員提起，據農林質詢時，李局長連春答覆蔡介雄議員說，每公頃每期的收入是三千六百多塊。每個月是六百多塊，一家人只收到六百塊。醫藥費、教育費、稅捐、喜慶等等都在內。工人有保險、漁民有保險、公教人員有保險，只有農民沒有。養豬也難做，人工不算、自己的甘藷不算、殘飯不算、豆餅飼料不算、豬仔成本不算，每百公斤毛豬只賣到二千塊錢左右。要養到一〇〇公斤毛豬最少要八個月。宰豬的商人，每頭要賺五〇〇塊以上。本期肥料換谷率雖有降低肥料還是貴，人工貴、生活費貴、教育費貴、課稅貴。很多人都說，稅務人員要提高待遇，公教人員要提高待遇，鐵路公路員工要提高待遇，為什麼農民都得不到提高到最低的生活呢？本席當過縣農會總幹事七年，很了解農民的生活，請陳主席考慮農民的生活，安慰農民的功勞。糧食安定，治安才能安定，工業才能發達，反攻大陸才能成功。

政風的敗壞，民意代表的作風也有關係，不管中央級、省級、縣級鄉鎮級民意代表都一樣，利用民意代表的身份做生意的人，對公教人員如何講話。請陳主席留心。

喬治桑外傳 七二

張大萬

「也好，等□吃完飯，我要發一封信到拉斯維加，等信寫好我再出去。」

雅麗絲吃完飯，拿來打字機，由喬治桑口述，她滴滴嗒嗒打起字來。英文信打好，喬治桑正在簽字時，電話鈴響起來。雅麗絲想去拿話筒，被喬治桑用手示意，他自己去接。

「喂，是桑博士嗎？」

「啊，白瓊兒，你好。」

「搭子已經來了，你是不是馬上可以來？」

「好，好，十五分鐘以內準到。」

「你知不知道地址。」

「我知道，敦化南路……」

「好，我們等你。」裘白瓊掛上了電話。

喬治桑聽完電話，跑進洗浴間，對鏡子梳了梳頭髮，換上一條領領結，顧影自憐，覺得自己仍然是風流倜儻，年少翩翩。

喬治桑臨出門時，告訴了雅麗絲裘家電話。

「有事打電話來。」喬治桑吩咐後，匆匆出門，坐上計程車直奔敦化南路。

裘白瓊住在敦化南路一幢高級公寓的三樓，喬治桑一口氣走上樓，略感氣喘。他在門口休息了幾秒鐘，才按門鈴。

應門的正是裘白瓊。

「歡迎歡迎，請進請進。」

喬治桑一進門便看到三位女客，正在嗑玫瑰瓜子。

「讓我來介紹，這位名票飲絲樓主，這位是名歌星金鳳凰小姐，這位是內人。」

「桑紹孔，桑紹孔，桑紹孔。」喬治桑用京片子報名三次。

「這位是頂頂大名的喬治桑博士。」裘白瓊介紹了客人洋名。

飲絲樓主四十左右年紀，穿一襲墨綠鏤紗旗袍，皮膚白皙，吊眼梢，生得雖不算美，但一望而知是旦角材料，上裝是很受看的。右手無名指戴了一隻鑽戒，有三克拉以上。左手中指戴一隻馬鞍翡翠戒指。指甲尖尖地塗著鮮紅的蔻丹。

金鳳凰穿的是金色迷你旗袍，眼睛抹有彩綠的眼膏，眼唇角上翹，特別像愛克森瑪，喬治桑未免多打量她一下。三位女性以她年紀最輕，看上去不會超過二十五歲。

裘太太也有四十左右，皮膚很黑，黑裏帶俏，雖然沒有化裝，但確實生得相當美。

「桑博士你誤卯了，快點上場罷。」飲絲樓主是名票，開口就有戲味。

一行男女得樓主之命，魚貫進入麻將間，揀好方位，下場的不是裘白瓊，却是裘太太。

「白瓊兒，你為甚麼不來？」喬治桑問。

「讓太太先玩，是應該的。太太的技術比我好。」裘白瓊在分籌碼，「有事弟子服其勞」這句話「弟子」改為「丈夫」更適合現代家庭的情況。

「裘太太下場才像一齣戲。」飲絲樓主冒出來一句分明是指「三娘教子」。

「三娘教子是我的拿手戲。」喬治桑不以為忤，反而自我調侃，贏得三位女客笑出了聲。

搬風的結果，喬治桑坐在飲絲樓主下手，金鳳凰則坐在他的下手。對面是裘太太。

么半對折馬將，每人發一萬元籌碼。喬治桑一想這真是衛生豆腐麻將，心情輕鬆愉快。

兩圈過後，說說笑笑，沒有甚麼輸贏。飲絲樓主首先哼了起來，乃是六月雪反二簧。喬治桑也算是一位行家，聽她哼兩句程味十足，不覺出神，隨便打出一張七萬。飲絲樓主唱詞忽然一變，「這張牌來得剛剛湊巧！」宛然定軍山老黃忠口吻。

喬治桑定睛一看，飲絲樓主手裡四張牌，六七七八萬，和出一副全帶七。面前吃出六七八索、六七八筒、七八九萬。還算好，沒有三數、斷么。但這副牌也夠數半天的。獨獨、四歸二、平平，三相逢加十四獎，全帶七，一萬和底，共二萬四千和。

（未完）

文滙樓別記

談補選民意代表

文滙樓主

民國三十六年全國實施大選，樓主著論反對選舉，力主張精神集中啓用卅萬關東軍及汪政府六十萬大軍合力剿共，這是毒蚊涎液可治毒蛇咬的方法，懂得醫理的人都能瞭解，待共黨消滅再還政於民，很多政要都支持我這套看法。

那時樓主住在南京洪武路介壽堂（係負責一個代表團晉京任務），旣反對選舉，自己當然不參加活動，從西南各地到南京活動競選的朋友，眞是如山陰道上，樓主的兩間房地板上天天保持二十名左右睡客，後來發現住在我的房間，都算一種資格，還是介壽堂的人告訴我，於今有少數立委神氣十足，這叫作前恭而後倨，競選的人雖良莠不齊，但有一點值得特別一提的，就是當時尚沒有貪污風氣，尤其國民黨辦理黨務的人，絕對不敢向人隨便要錢，一般都將這些優點歸功於蔣總裁卓越正確領導，選舉過程雖亦形形色色，大體上說沒有一個唱反調能得票選的。

那年，民社黨劃爲保留名額，凡某縣或某市劃歸青年黨、民社黨後，其他人或國民黨在該區域競選，就不准黨的禮讓，湖南某國代候選人（青年黨）從南京回鄉時發表談話：「我祇要自己投自己一票，也是我當選，毋庸爾等擁護」，後來，果然祇得到幾張家庭票，將選賢與能完全推翻了，眞是荒唐到極點。

行政院蔣副院長很久前就表示：「選賢與能」，選舉的法規，報紙常有公佈，這次台灣補選民意代表，除「選賢與能」外，品德亦非常要緊，必須使正派人，有學術的人，爲衆望的人能夠出來，老百姓的心理，我們分析過很多次了，已往的錯誤，藉選舉而出氣，以投票作報復，這一點必須特別防範；蔣副院長是政治革新中一張最可靠的王牌，在台灣開始競選前能向全省同胞發表一篇嚴正話，配以行動，就民心來說，有重大作用，搗亂、唱反調、鬧兒戲的，必須取締，否則就不如不選，俗語：「一個饅頭要蒸熟」。

老百姓平常討厭誰，誰平常最欺侮老百姓，政府比我們更清楚，本報不斷的建議「經濟重於政治，人民重於官員」，最近看到中央各項措施，似在向這方面發展，台灣參加競選的民意代表，凡老百姓平常反對的人，政府最好別作硬性支持，「正者正也」孔聖人早有明白解釋，政府一「偏」，百姓就「離」，普通老百姓反革命的沒有，眞革命的亦少，絕大多數是看革命的，所謂「旁觀者清」，選舉是旁觀者的最後抉擇，祝望台灣補選成功。

倫理哲學講話之一

夫婦之道（六）

陳遜子

而家庭、國家、天下的意識，在儒家政治哲學中，尤其是逐步推進的階梯。家道正，社會的重心方能建立，進而推及國家、天下，此即「家齊而後國治，國治而後天下平」的道理。而家齊、治國、平天下的意識，皆由仁心公心出發。以「天下爲公」之精神，爲「天下盡忠」，方能表現人文主義的家庭思想，實踐人文精神，由家庭思想、以達國家思想、天下思想之路。這豈不是家庭爲政治單位、社會單位的明證？總之，中國五倫之教，首重家庭倫常觀念。書經堯典：「克明俊德，以親九族。九族旣睦，平章百姓。百姓昭明，協和萬邦。黎民於變時雍」。這是說由家族之教，以成天下國家之治。而家庭爲政、經、文教的基本，夫婦又爲家庭構成的骨幹和中心。其地位的重要，自可想見。詩經「關雎」一詩，被認爲是：「成孝敬、厚人倫、美教化、移風俗……正始之道、王化之基」；其理也正在此。更可見夫婦持家的重要。

六、夫婦相處之道

（一）互愛

易曰：「王假有家，交相愛也」。這是說夫婦居家，端在互愛。又曰：「夫婦之道，不可以不久也。故愛之以恆」。男女旣結合爲夫婦，不可不講長久相處之道。而如何長久相處？就在「互愛」二字。詩曰：「窈窕淑女，琴瑟友之」。友者，親愛之意也。故夫婦不可以不相愛。又曰：「窈窕淑女，鐘鼓樂之」。鐘、鼓爲樂之大者，樂則和平之極也。夫婦相親相愛，白頭偕老。一生和平相處，不可勃谿時生，齟齬屢起，纔是夫婦之正道。「家和萬事興」，夫婦惟彼此互愛，纔能得和，這是自然之理。「女曰雞鳴，士曰昧旦」。「琴瑟在御，莫不靜好」。這種婚後的愛，其意義何等深厚？何等眞切？稽合伉儷詩曰：「余執百兩轡，之子詠采蘩。我儷聖善色，爾悅慈姑顏。[illegible]被雙絲絹，著以同功綿。夏搖比翼扇，冬臥[illegible]秕。食並根粒，渴飲一流泉。朝蒸同心羹，暮庖比目鮮。[illegible]用合歡[illegible]，受以連理盤。朝采同本芝，夕擬駢穗蓮。臨軒樹萱草，中庭植合歡。」此詩寫婚後生活，無一句不恩愛纏綿，無美不俗，這纔是中國文化所涵濡的夫婦之愛的傳統。還有一首寫寒士夫婦生活貧素之愛，尤能表現中國文化「淡中自有眞味」的極高尚的夫婦之愛。這詩是白居易的贈內詩：「生爲同室親，死爲同穴塵。他人尚相勉，而況我與君。黔婁固窮士，妻賢忘其貧。冀缺一農夫，妻敬儼如賓。陶潛不營生，翟氏自爨薪。梁鴻不肯仕，孟光甘布裙。君雖不讀書，此事耳亦聞。至使千載後，傳是何如人？人生未死間，不能忘其身。所須者飲食，不過飽與溫。蔬食足充飢，何必膏粱珍。繒絮足禦寒，何必錦繡文。君家有遺訓，清白傳子孫。我亦苦貧士，與君新結婚。庶得貧與素，偕老同欣欣」。此詩不惟充份表現中國讀書人「淡泊明志」的高懷，而安貧樂道，夫婦相愛相[illegible]的精神，尤足祇礪末俗，爲目前社會驕奢淫佚貪圖享受的生活洋化之夫婦戒。

夫婦間的互愛，惟有在婚後共同生活的歷程中始能適當表現出來，纔能體會到人生男女之愛的一種眞實而親切的意義。因爲在這愛中現實的生活，絕不同於婚前那種空虛的愛，純粹羅曼蒂克的愛，不着邊際，飄渺虛無之愛。夫婦由男女結合，男女間的共同生活，不能缺少愛的維繫。由互愛自然彼此體貼、溫存，纔可甘苦與共，憂樂與同，疾病患難相扶持。愛是一種偉大的力量，它可以產生克服困難和創造新生活、新生命的勇氣，也更是奔向共同前程的奮鬥的源泉。由夫婦間互愛而生互敬、互諒、互信、互助之心。上以愛親成孝，下以愛子成慈，便成功愛的家庭，其樂無窮。

綜談國劇復興（九）

王方曙

2、技巧方面的改動：

這一種有關情節表現及發展程序，表現衝突力量和技術上的修正，在國劇中類此者極多。如探母四猜，都猜不到，然後兩人出去玩耍，而延輝作出思念之表情，公主便一猜而中，本是可以。惟延輝何以在玩耍之時，必作此態，一些老觀衆都只能承認，而不解釋。如果在玩耍之際，公主有所問，然後延輝再作思念之態，則公主之了解便不勉強。再如公主已去盜令，延輝唱過「叫小番」以後，劇情趨於緊張，太后之唱大慢板實爲破壞劇情，若改原板便好些。這段的詞句亦太疏緩，應設些兩國交戰，愼宜防諜，吩咐右左，違者重判之類，以加強公主盜令之危機，即可加強盜令之緊張氣氛。應爲公主最好之戲，不可如此輕易，應先利用阿哥不成功，再利用其他方法，又不成功，便覺担心着急緊張，然後又利用阿哥，甚至可將阿哥摔在地上，乘大家救阿哥慌亂之際，公主盜取了令箭，則這場戲便極爲生動。像此種應該有戲之處，許多老劇本往往忽略了產生戲的情節，而只注意了唱工，或以爲點到就好，因此技巧不夠。這就是應緊處未能緊，應簡處未能簡，而致損失之處。若楊宗保之上場，又唱了大段，在延輝將達宋營之際，截斷了劇情。其實只爲一段小生唱工而已。此處楊宗保不必唱許多，可以倒板上，唱原板二句，轉快板，唱詞叙出自己身份任務，嚴密戒備，就足夠了。這一場在實上是一過場戲，太長了便喧賓奪主，破壞也整個劇情。六郎的上場倒是滿對的。太君的唱詞太過重複，對延輝的等於延輝在坐宮時唱的，實爲不妥，太君此時正該叙十五年思子之情，對沙灘會往事少叙兩句即可。此種處在國劇中最爲常見之弊病，往往一齣戲中，重複唱詞好幾次，甚至都是由一人唱出。有的人以爲這是在表現唱腔的，但對整個戲的進行不合適，專爲臨時表現唱腔，仍不是完美的。我們以往稍稍缺乏一些基本之理論，多注重在唱作的表演，以致使一個完整的戲，變成枝枝節節的表演節目，因之失去了戲劇的本質，而成爲雜耍性質的戲，這是要極端注意的。

像這種技術上的應改之處，幾乎多數的戲都有必要。探母本來在技巧上是好的了，但還有這些問題。有些更爲不妥的，當然更需精心修改，不再多舉例。惟此一工作，我在前面說過，比創作劇本爲難，因爲已有的東西，在老觀衆老演員的心目中，早已生根，要打破這一關，變成新的，可能是事倍功半。所以我們最好的辦法是創作新的，等新的多了，觀衆和演員都已感受出舊的問題了，舊的便也好改了。甚至舊的便不再演了也沒有什麼不可以。

但話又說回來了，舊的裡面也眞有千錘百鍊，幾乎不能輕易動一字的，如玉堂春、拾玉鐲等。但多是獨幕式三四場的短戲。大致來說，戲[illegible]，多是問題多的。

政治垃圾現形記（十九）

汪精衛最不民主

李槃

中國近代的政治名人中，表面上言論最漂亮，態度最和藹，容易博得別人好感的，殆以汪精衛爲第一人了。但事實上，他乃是個毫無民主法治思想的舊式政客，試舉數事，以明吾說。至於他當年跟共黨沆瀣一氣，危害國民革命，後來又通謀敵國，妨害對日抗戰等等行爲，皆不預焉。

民國廿二年汪在行政院長任內，監察委員劉侯武曾提案糾彈鐵道部長顧孟餘有瀆職情事案。原係很平常的問題，是是非非，一經依法澈查，即可水落石出，被糾彈的人亦可提出答辯，並不是有彈劾案就一定要受處分的。可是，汪氏竟在紀念週會上以憤激的詞色，大罵監察委員，諉托素具清望的顧部長，說是「本黨決不容許黨員如此胡鬧」，意在恐嚇劉侯武有被撤去委員職位之可能，因爲那時候的立監委員都是過通執政黨中央黨部後，由政府派任。而似此壓迫言官的專橫作風，即在君主專制時代，亦所罕見。顧氏是汪之私人小派系的親信份子，即不許監察委員有所糾彈，衡以汪氏平日的言論風采，不是判若兩人嗎？

民國廿三年，南京民生報揭載行政院政務處長彭學沛，利用職權機會，勒令包工建築行政院官舍的商人，替他建造私人住宅一棟，免費贈送，而將建築材料暨工價，一併列報於官舍預算之內。這種事情無論虛實，皆應交由法院偵查訊究才是。但汪氏竟濫用其政治權威，將該報實行封閉，拘囚主持人成舍我監禁四十天，且聲明永遠不許他再到南京辦報。這是根據總理遺教或者國家法令，所應採的對待輿論界的方法嗎？曾與北洋軍閥的行爲相伯仲耳。

同年上季，新疆主席金樹仁卸職南來，先赴廬山晉謁最高當局。再到南京分謁中樞各長官。詎金氏抵京之次日，即被汪院長以「擅自對外簽訂喪權辱國條約，及激起民族糾紛致釀成事變」的罪名加以拘捕，結果金氏並未受到處分，只是遭若干時日的牢囚之災而已。原因是汪的親戚褚民誼，於民國十七八年間，率領所謂「中法考察團」到新疆時，曾向金樹仁乞借旅費四千元，金氏給以支票，囑到北平某處兌現，然褚未能取得現款，銜恨在心；而汪氏於民國十九年在北平擴大會議時，亦曾派人游說金樹仁合流，被金氏婉言拒卻了。如是汪褚二人就利用權力，假公濟私，以報私怨。當時南京「[illegible]報」曾刊出社論，爲金氏作不平之鳴，汪見報大怒，嚴加追究，歸罪該文執筆者係中央通訊社總編輯[illegible]，汪又召見中央社負責人[illegible]大加申斥，認爲中央社的人不應該反對政府的措施。幸而不久汪氏即以調職下台了，否則[illegible]的中央社社長職務，亦有被汪撤換的可能。

綜觀上述事實，在國民政府治下，還有誰人敢用過這種摧殘言官輿論的惡行呢？

諸葛亮狂想曲（三四）

・劉玄・

諸葛肉身葬何方

「諸葛亮的肉身葬在何方？」耶穌問徐光啓。

「亮已派千里眼將軍察看，葬在南陽附近。」諸葛亮不等徐光啓回答，搶先報告基督。

「不知是否太遠，不方便？」諸葛亮問耶穌。

「諸葛先生此言差矣，自太空船看地球，只像一只呈現藍色的高爾夫球，自天庭去看就更小了。我命天神作法，不消五分鐘就能搬到天庭。」耶穌說[illegible]，向來不兜圈子，這也是西方文化精神的主流之一。

諸葛亮聽後大喜，即請示耶穌何時舉行復活儀式，耶穌告訴諸葛亮甚麼時候都行。諸葛亮性急便請耶穌立刻施法。

耶穌叫徐光啓取來一小瓶聖水，倒在諸葛亮的顱骨上面，先洗淨其靈魂。口中念念有詞，立刻便有一位容貌非凡的天神出現在耶穌身旁。混身發出耀眼的白光。耶穌又說了幾句話，諸葛亮根本聽不懂，天神向耶穌行了屈膝禮後，突然消失。

等天神去後，耶穌領諸葛亮進入教堂，命諸葛亮跪在祭壇面前。諸葛亮抬頭一看，上面站定耶穌十一門徒，長相奇偉，很像十八羅漢。

耶穌唸經以後向天禮拜，禮拜以後又唸經，大約過了半小時以後，天神重又出現，手中捧着一具骷髏。

諸葛亮看見骷髏，心中有異樣的感覺。他想：佛家認爲肉身是臭皮囊必須捨棄，現在我却要鑽入臭皮囊，眞是奇妙。

諸葛亮看見骷髏

又過了半小時，諸葛亮看見骷髏發出光芒，似乎是通了電，然後爆出火花。這大概就是生命火花吧？諸葛亮心裏如此想，嘴裏連哼一聲也不敢。

天神忽然走下祭壇，用手扶起諸葛亮，諸葛亮很久沒有這種感覺了，只有當年火攻葫蘆谷，他在觀戰時，大火炙得他週身發燙。現在也一樣。

巨變歷險記

從天津到滄州（五六）

胡慶蓉

丁博士能夠離開天津，現在想起來，很得力於他的那位老僕人。他不但給了丁博士住宿，還給他籌路費，還送他上車。

在天津，主僕的關係是很密切的。歷史上有不少的義僕，甚至為主人而犧牲的。在天津，僕人，與主人相依為命，簡直就等於家人。他對於你的日常生活，固然照顧備至，一旦到了你有急難的時候，他且會捨命相救。丁博士在天津的這位僕人，就是屬於這一類型的。

從天津下去，大江以北，除了青島，都已經在共軍佔領之下了。在共軍佔領下的地方，都非行使人民幣不可。在共軍剛進去的頭幾天，人民幣簡直看不得，是一些破碎不堪破舊不堪的小紙票票，在鄉下使用的，現在這幾百萬人口的大商埠，那如何能應付！到了丁博士再回到天津的時候，人民已有一百元一張的人民幣了！天津印刷機有的是，印人民幣，可說手到擒來，到丁博士再回到天津的時候，人民幣，一律新的，在在皆是。那位忠僕給丁博士籌劃了一千五百元人民幣，也就是大票十五張。這十五張的人民幣，給丁博士便利太多了。

因為北平出來，萬分倉卒，又因為要裝出不在乎的樣子，表示並沒逃走的意思，所以什麼都沒帶，但牙膏、牙刷、手巾等物，會屬必需，那義僕都給丁博士預備了。

上車的地方，不是天津總站，而是天津的一個小站。這個站的名子忘記了，但站的情形還記得。有北上的車，但並沒有南下的車。這是指賣票的車而言。天津濟南間，很久很久沒通車了。天津、濟南間，火車常常被共軍截斷，被共軍破壞，使交通陷於癱瘓。沒有票車，怎麼離下！那義僕有他的辦法。他同站上的人很熟，他大半夜在外邊，在同車站的人相聯繫，他很高興的回來說，有辦法了！有辦法了。他所謂辦法，就是坐不賣票的車，坐所謂敞車，坐所謂貨車南下。這車究竟能開到那裡？義僕也不知道，連車站上的人也不知道。車站的人只知道明早天不亮天快亮的時候，這車要開到。那麼很早很早就去等了。要在人家看不見的地方等。北風凜冽，幸好有那皮大衣，把皮領子扶起，臉已經看不大清楚了，再加上猴頭帽，裡邊是誰，更無人能辨認。

車了來了！車子來了！義僕指給丁博士。說時遲，那時快，不知道那裡來的神力，在車前進的中間，在車不停的前進中，丁博士面向後，看準了，握住扶手，一躍而上。他成功了！等回過頭來，望望義僕，義僕已經看不見了！南下的人，同離開北平時候，一樣的擁擠。大家都暴露在寒風裏，大家雖然挨凍，但一想起來離開虎口，也就心滿意足了。

這樣到了滄州。

北宋名將楊業（中）

海清

再說楊業接到聖旨，一面使人辦理交代，一面集合部隊訓話。鄭州官兵一年來見楊業賞罰分明，與士兵同甘共苦，經濟公開，如同家人父子一般，人人願隨他去雲州。楊業安慰了一番，將一年來薪俸所餘，盡數賞給士兵。臨行時官兵如依戀父母，人人流淚，依戀不捨。

楊業進京，覲見太宗，叩頭謝恩，啟奏說：「臣老邁無能，待罪鄭州，深感有負聖恩，何敢當邊疆一方重任。」太宗說：「你的才能，忠貞，朕所深悉，將軍此去，可以穩朕對雁門之憂。若有所需求，祇管說來，朕無不允准。」楊業回奏說：「臣子延玉頗知兵法，臣擬攜帶前往。」太宗說：「使得，你可與樞密院商議，酌量任用。」

楊業叩頭謝恩，將要下殿，太宗拿出兩個奏摺說：「楊將軍，這裏都是控告你的狀子，以及彈劾你的奏摺，你拿去自看，有則改之，無則加勉。」楊業接過這兩個奏摺，連連叩頭稱說：「萬歲聖德，臣該萬死！」太宗笑了笑說：「你下殿去罷！」

楊業這才惶恐的揣了兩個奏摺，下了金殿。回到府中，打開一看，見他們所奏的不過降將不可靠，一些空洞的言辭。楊業不覺放聲大哭，余夫人不知究竟，趕忙前來慰問：「到底因了何事？」楊業說：「我悔不當初，應該在太原自殺，如今落得人家說我，降將長，降將短，饒使我痛不欲生。」余夫人說：「劉氏宗社已毀，你奉命投誠，對天地鬼神皆無愧怍，這一般奸佞小人，完全出于私意忌妒，將軍祇管勤勞王事，以報今上的大恩，可以不必計較這許多。」楊業說：「移忠[illegible]可顧慮。」夫人說：「作忠臣不計後果。」楊業點頭稱是。遂協同夫人料理家務，並辦妥一切上任的手續，陛辭以後，帶領次子延玉及隨征人等，直奔雲州上任而去。

討伐契丹　担任先鋒

卻說宋太宗自平滅北漢以後，日夜不能忘情被「兒皇帝」石敬塘所斷送的燕雲十六州，要想恢復盛唐時故有的領宇。他養精蓄銳，準備屯糧，非止一日，到了雍熙三年，認為準備已夠，他決定傾動全國人馬，大舉討伐契丹。命元帥曹彬統帶二十餘萬大軍，出鎮定經保定直搗燕京，命潘美為主帥，楊業為先鋒，統十萬大軍出雁門直取雲中。單說潘美所統率的西路大軍，因有楊業作先鋒，他深明燕北地理形勢，所以軍行甚利，一連攻陷雲、應、環、朔四川，及至大軍進抵桑乾河，接到後方情報，說是曹彬大軍攻至涿州，中了敵人詭計，全軍潰敗，連日已退至鎮定。潘美急忙召集先鋒楊業，監軍王侁，統制官劉文裕等，開軍事會議，潘美告知東路失利情形，然後問諸將的意見。監軍王侁首先發言說：「我們這一路人馬，自出雁門以來，戰無不勝，攻無不取，正好趁敵人此方空虛，乘機而入；我們直搗居庸關，也可以進迫幽燕，使敵人回軍救援，東路軍必然整軍再進，兩路夾擊，一舉即殲滅契丹了。」潘美問楊業說：「楊將軍所見如何？」楊業說：「契后蕭氏（即俗傳之蕭銀宗）當政二三十年，非同一尋常婦女可比，此人奸狡多端，頗有成算，我軍出關以來，雖連克數城，均係敵人不戰自退，並未擊潰其主力，彼現東路報退鎮定，一時必不易再起，抽兵西指，必逾越太行，截斷我軍後路，我前方之敵，再回軍來攻，則我前後受敵，其危機將不堪設想，鄙意以為應即速全師而歸，元帥裁奪。」潘美說：「楊將軍之言是也。」遂下令回軍。

當時雲、應、環、朔四州之民，久陷異族，備受蹂躪，忽見宋軍，如重見天日。及聞班師兩歸，四州之民，無不扶老攜幼，啼泣相從，以致行軍頗為遲緩。不數日果接太宗的上諭，命潘美楊業即速班師，並命楊業負責保護義民回國，百姓們知道是上諭念他們，莫不歡呼萬歲。

被迫迎敵　不食而死

楊業接了上諭，督隊保護百姓，殿後前進。一日行至陳家谷，接得情報，說契丹蕭太后親領大軍越山而來。潘美又召集衆將會議，問應如何處置？楊業搶先發言說：「預計敵人行程，尚有半日餘暇，我軍連夜前進，全師而退，當可閃過敵人。」監軍王侁起而反對說：「君侯素號無敵，今見敵阻撓不戰，莫非有他志乎？」劉文裕也從旁譏諷，[illegible]主力應迎一戰。

（未完）

鴿蛋煎豆腐

御廚絕藝

·林泉隱·

鴿蛋十個，豆腐兩大塊，豆粉、[illegible]肉二兩，筍尖一兩，香菇三四枚，葱、薑、白胡椒粉。

豆腐切成小方塊，沾豆粉鴿蛋糊過油炸，炸到嫩黃為止，然後將豆腐置鍋中央，加入雞、鳥、葱花、瘦肉絲、筍絲、香菇絲、白胡椒粉、好醬油、紹酒，烈火數滾，即可起鍋，再外加紅鮮辣椒絲與香菜數條，色香味三者俱全，鴿蛋比雞蛋嫩黃。麻雀蛋又比鴿蛋好，蛋中以[illegible]蛋、火雞蛋最粗，蛇蛋、烏龜蛋次之，鵪鶉蛋最補，還可能是根據組織撩法的理論，湖南長沙人嗜食龜羊湯非無由也。但製作時太殘酷，勸人勿食。

台灣梨功能清肺熱

生活漫談

馬騰雲

梨的種類很多，我國出產的，有數十種以上，在南方來說，人們常稱讚的是天津梨，又名「鴨梨」，江蘇碭山梨，其糖份很豐富，所含酸份甚少，且有特異的香味，水多肉酥，跌落地面就會破碎。梨在春天開新葉而開白花，秋天結果，梨果含有水份八二、五，脂肪○、一，無機鹽○、二，含水炭素八、四，纖維質一、二。梨的含糖成份，各地出產者異有不同，品種優劣亦有差別，他的香味亦與品種有關。台灣近年來梨的產量增加，食用的人也漸多，是一種很好現象。李時珍謂梨能潤肺涼心，清痰降火，解瘡毒酒毒。熱者滋五臟之陰。凡臟腑燥結，體內積熱，每能影響體液不足，血液所含的水份失去平衡，甚者因而引致乾燥萎黃之病，尤其是「秋燥」之時，更易發生這種情況，不妨多吃鮮梨，以清理內臟的燥熱，對健康必有很好的補助。須知一個人的體內，常有為熱所傷而陷於不知，如身體受了風寒所侵而致病，醫者常用清風散寒藥以去病，可是清風散寒藥，多為或輕或重的溫熱劑，一個人的身體，受納各有不同，于是常有服藥之後，風寒之病雖去，而內熱潛伏，燥氣未消，由是體形日瘦，脾氣日常，若抵抗力薄弱的人，可能引致不良後果，這與溫熱的藥品，傷害了體液，影響了胃腸的吸收機能有關，應及時投以滋潤之品，使燥氣積熱清除，身體各部機能，自然恢復正常，健康乃有改進。雪梨對此種病者有良好的治療功能，但食用時，若干問題須要注意，倘平常身體壯健，又屬于「新」病，可生食或飲其鮮汁。若身體素弱，而又「久病」的人，則以燉熟乘熱食之為宜。雪梨又能解藥毒，清熱痰，除胃熱，如因服藥或辛燥太多，致肺胃為熱所傷，多飲鮮梨汁可收卓效。有病者初患寒熱，醫生以正法診治，寒熱雖去，忽感咳嗽，咽喉，痰塞喉間，呼吸喘促，咳時胸腹發痛，必須吐出如膠如粘的黃痰，才感舒服，面色灰黑，骨節常痛，這是因肺胃為辛燥的藥物所傷，多飲梨汁，藥痰自然清除！醫生命停止服用一切藥物，每天飲梨汁數杯，膠痰乃日漸減少，面部之黑色亦退，病很快痊癒。雖然是清燥涼潤的鮮果，但腹瀉、心臟弱、腎虧的人，仍以少食。台灣有一位江蘇學人袁樹珊老先生，謂九旬，健康如恆，就是平日最喜歡於飯後用水果和嗜食鮮梨的人。

鱷魚潭邊的故事（六）

趙陀

「嗯，好孩子。」蘇霍寶離開後，克琳在地板上讀到任念佩一頁信，這頁信寫的是：

今天我讀到『後宮佳麗三千人，三千寵愛在一身。』唐玄宗的慧眼獨到，以證明皇帝也對社會情有所鍾，不過楊貴妃對社會沒有甚麼貢獻，尤其甚影響到一部份俗人『不重生男重生女』的風氣而已。敬愛的琳，你的書和畫給我的直覺是藝術是生命短，尤其你在加爾各答演奏的成功，充分證明你對美化人生這方面，有着無比的貢獻，進而能創造美的世界，使崇拜你的人，都由衷傾服，曾有人問過英國大作家卡萊爾，如果兩者之間，必須犧牲其一的話，你願意犧牲印度呢？還是犧牲莎士比亞？卡萊爾毫不猶疑的說出，願犧牲一百個印度，也不願意犧牲一個莎士比亞，因莎氏是詩人中的領袖，智慧中的崇高者，假定有人問，我兩者之間必須犧牲其一的話，你願意犧牲事業呢？還是願意犧牲克琳……」

克琳讀完第二頁第三頁寫的甚麼全然不知道了，這時非常討厭自己的父親弄術，繞室徘徊，思索難安，欲進又止，欲止又進。不斷自言自語的喃喃的忖道：討厭，難怪外間都罵爸爸壞得很，腳不由衷的在移動，終於喊出：

「媽，不知怎麼回事，今晚睡不着，我想到馬路上去散散步。」語無倫次又像是在撒嬌的表示。

蘇霍寶首先答道：「克琳，這幾天心火上昇，須開幾味清涼藥，讓爸爸來看看就好了。」蘇霍寶譏諷着。

「爸，我不要和你談。」顏芳接住蘇霍寶的話說：

「鬼丫頭，這裏的幾篇信，還有任念佩在巴基斯坦的照，和熱帶艷麗的花瓣，拿回去看看就能睡着了，顏芳做了一個鬼臉，羞了一羞克琳，克琳抿抿嘴說：

「媽也壞了，幫助爸爸搞女兒的鬼，你們都欺負我，我不來了。」正欲離開房時。

蘇霍寶把握了這機會問克琳還：

「任念佩的信和照片，究竟退還是不退，爸爸是夜遊神，馬上要開始工作了，爸爸聽命於女兒，不算欺負了吧！」蘇霍寶顯出驕傲的口氣發問。

顏芳很果斷的接住說：「老東西今天我要把你退掉，你給我搞地出門，像楊爾梅檬去睡馬路，克琳快過來給媽媽看看，早一點去睡吧！明天日報如果有任念佩的消息，喊媽起來看。」說完輕輕順克琳的秀髮，吻吻克琳的額頭，象徵着蘇府最長一夜的結束。

蘇霍寶問顏芳說：「克琳的心正難挽回，勢必得向牛家攤牌，他們要索取那筆代經手借的債，簡直會逼出人命。」蘇霍寶鄭重的說出。

（未完）

中華民國內政部內版台警誌字第〇三一號
中華民國僑務委員會登記證僑新字第三三三號
中國郵政登記第一二八二號執照登記為第一類新聞紙

自由報

（第九八七期）

（半週刊每逢星期三、六出版）
每份港幣角·台灣零售價新台幣弍元
社長李運鵬·督印黃行鸞
社址：香港九龍彌敦道593—601號
廖創興銀行大廈八樓五座
LIU CHONG HING BUILDING
7th FLOOR FLAT 5
593—601 NATHAN ROAD,
KOWLOON, H.K.
TEL: K303831
電報掛號：7191
承印：景星印刷公司
地址：嘉咸街廿九號地下
台灣總管理處：台北市大同街119號
台灣區直接訂戶　台郵劃撥戶
第五〇五六號張萬有（自由報會計室）
電話：七一四〇三三、五五五三九五
台灣分社：台北市西寧南路110號二樓
電話：三三〇三四六，台郵劃撥戶九二五二號

國際貨幣問題及其合作的方案

——布列敦森林會議二十五週年誌感之二——

·顧翊羣·

布列敦森林國際貨幣會議，係於一九四四年在美國舉行。我國由孔庸之先生任首席代表，率領代表參加，本人亦忝列末座，躬與其盛。參加會議之國家，凡四十有四，是年七月一日。

四十四國代表齊集美國布列頓森林開會，該會設三個委員會，第一委員會討論基金問題，我國由蔣廷黻氏代表參加，第二委員會討論長期投資問題，我國由本人代表參加，第三委員會討論有關國際貨幣及其他問題，我國由李國欽氏代表參加。在開大會時，則由孔庸之氏任總代表。每一委員會下設若干分組委員會，由各代表及專家參加討論，分組委員會討論所得，報告委員會，後者通過後再提交大會通過，然後成爲國際協定。

第一個委員會開會時間最長，討論問題之重要者計有十件：

（一）基金攤額問題：從會員國之觀點而言，基金攤額愈多愈好，故各國均希望較預定額增加。討論及洽商之結果，美爲二十七億五千萬美元，英國爲十三億美元，蘇俄爲十二億美元。我國應攤額原爲六億美元，嗣減爲五億五千萬美元。法國四億五千萬美元。印度四億美元，其他國家共爲廿一億五千萬美元。基金總額共爲八十八億美元。我國應攤額減少，初曾提出保留，嗣爲謀大會之成功，表示合作精神起見，乃撤銷此項保留，於是若干其他曾提出保留之國家亦隨之撤銷。照章程規定，各國應繳黃金數目爲攤額百分之二十五，但黃金不足之國家，可繳該國政府淨執黃金與可兌黃金之外匯之十分之一。美國存金最多，應繳黃金額爲六億八千七百五十萬美元，其他國家約計共爲九億五千五百五十萬美元。我國應繳黃金額照百分之二十五計算，應爲一億三千七百五十萬美元，但因黃金短絀，可繳黃金與兌金外匯十分之一。即約八千萬至一億一千萬美元之間。故八十八億美元基金中，黃金總數不過約十六億五千萬美元，其餘大部份爲各國貨幣。

（二）基金管理問題：各國均願充任常務董事，以爭取管理基金之權，常務董事原定九人，嗣增爲十二人，除中英美蘇四強爲當然常務董事外，法國要求一席，共佔五席。中南美洲各國要求推選兩席，餘五席由其他國家推選。關於投票權，每國有基本票二百五十票，並照基金攤額每十萬元獲一票，所以美國有二七，七五〇票，佔總票數百分之二十八，英國有一三，二五〇票，佔總票數百分之十三、四，蘇聯有一二，二五〇票，佔總票數百分之十二、四，中國有五、七五〇票，佔總票數百分之五、八，總計九九，〇〇〇票，中英美蘇四國共計五九，〇〇〇票，佔過半數。

（三）凍結資金問題，關於凍結資金，英美方案原規定於戰後可由基金或清算所協助逐漸解凍，印度在會中更竭力主張，嗣因英國所欠各國之凍結戰債過多，截至一九四四年底止，約有三十億英磅，就中印度佔二十億英磅，如實行解凍，印度埃及等國可向中南美等國以該款大量採購物資，影響國際經濟平衡，故英美兩國反對，結果自方案中抽出，由有關國家自行商洽辦理。

（四）請購外幣數額：依照章程規定，會員國請購外幣數額，不得使基金所增購該國貨幣在過去十二個月內超過其攤額百分之廿五，又除特許者外，基金所執該國貨幣亦不得超過其攤額百分之二百。因此有人以爲我國攤額五億五千萬美元，請購外幣額最多不得超過十一億美元，實際上不免錯誤。蓋條文規定，謂基金無論何時不得「特有」（Holding）某國貨幣至百分之二百，而非謂在基金成立之後一國可以本國貨幣購買基金之外匯，達於攤額百分之二百。在基金成立之初，早已「持有」各國相當數量之貨幣，例如吾國攤額爲五億五千萬美元，其中假定黃金爲八千萬美元，則基金成立時已持有吾國貨幣等於美元四億七千萬元之數，今如欲基金所持有吾國貨幣，不超過攤額之二倍（十一億），則吾國祇能再購外匯六億三千萬美元，即祇能購相當於原有攤額數再加所用黃金攤額數而已。

（五）基金委員會何時開始工作，議定從今年五月一日起至今年年底止，如有認繳攤額國家總額滿百分之六十五，批准協定，即可通知基金委員會開始工作。

（六）匯率之決定：規定於基金通知開始交易時，則未淪陷之國家應於三十日內通知平價於基金委員會，以協定有効前六十日之匯率爲準。如不欲採用此平價須另定新平價，則須在九十日內通知基金委員會。如會員國本土被敵人佔領，得經協議延長至九十天以上，在延長期內，如須向基金委員會交易時，須與基金委員會另訂條件。譬如我國現仍與日本戰爭，無法決定匯率，在此情形之下，得採用變通辦法，協議延期，此予正在交戰國家以莫大便利。

各地國平價決定後，如因經濟根本失調，得與基金洽商而變更平價。如所增減之平價，不超過原訂平價百分之十者，則基金可無異議，如超過原訂平價百分之二十，則基金可於七十二小時內表示同意或不同意，如此種變動意在糾正基本的失調，或由於國內政治經濟政策之關係，則基金可表示同意。又爲適應整個世界經濟之變化起見，如有總攤額百分之十以上國家之同意，得普遍變更平價，以資調整。

（七）超額向基金購買外國貨幣之限制及本國貨幣之再購回：凡會員國向基金購買他國通貨超過其攤額者，則視所超過部份之大小及超過時間之長短，加徵累進性之手續費，亦相當於一種罰息。因基金之外匯有限，如祇有出無入，則外匯變成稀少，而黃金亦有用罄之虞，故須加以限制。此外會員國並須設法以黃金購回基金所持有本國之超額貨幣，其應購回之數額，則視超過額之大小及本國國內貨幣準備金增加之程度而定，大體言之，會員國每年須將所增加黃金之半數售予基金。惟本土被敵人侵佔之國家，在協定施行後五年內所新採之黃金，可不在此例。此予蘇聯等國以一種特惠，蓋蘇聯新產黃金甚多，在戰後復興時期，須藉此以作向外購買器材之用。

（八）資金長短期項目之爭辯：章程規定短期項目資金可以在國際間自由流通，長期項目則否。關於僑匯一項，若干國家認爲與契約關係，應列入長期項目，因此關係我國至大。我國代表據理力爭，認爲僑胞赴國外開發經濟，匯欵回國，接濟家用，此種贍食費，不僅爲商業上的契約，亦且爲道德上的契約，應作短期項目論，許多國家均認爲理由充份，予以贊同，其間俄國代表則著意破壞，慫恿英國貨幣專家羅伯遜教授起而反對，惟羅氏却謂：本人站在經濟學者立場，主張僑胞匯欵應列入短期項目，亦應列入長期項目，結果全場鼓掌。羅氏忠於學術之立場，可以證明，由此亦可見惟有智慧乃爲道德的評價標準，有智慧者，更容易伸張正義。

（九）過渡時期：在戰事結束後三年中，各國爲謀本國經濟財政之健全發展，仍可保留外匯管制，但滿三年後須每年報告一次，滿五年後如仍採取外匯管制辦法，基金委員會得決定不許其利用基金之資源。

（十）稀少貨幣之規定：如一國之出品繼續多於進口，以致其他各國不得不繼續向該國購買該國貨幣時，基金委員會得用黃金向該國購買其貨幣或向該國商借貨幣，如局勢仍無法變更時，基金委員會得宣告該國通貨爲稀少，並將所有該國貨幣按照合理辦法分配於其他國家。此後每國得採取適當手段，以減少對該國貨幣之需要。

第二個委員會討論長期投資問題，主要者計爲下列二點，其他各點大多通過。

（以下轉刊第四版）

昨日與明日

爲男孩子說話

張起鈞

台灣的教育界，久已呈顯陰盛陽衰的現象，走到大學裡，特別是到文學院一看，幾乎各系都是女多於男，再拿大學聯考的情形來說，考生列爲第一志願的台灣大學每年所招學生不過一千多名，而北一女一校即包辦四五百名之多。

今年聯考的結果，情形更是嚴重。榜貼出來後，竟然全是女生的天下，仍拿台大說，在文學院二百二十六名錄取新生中，男生只有十六名，師大乙組錄取三百六十三人中，男生只有七十五名，師大的歷史系和公民訓育系是規定男女生各取一半，否則恐怕只有十幾名了。再就大家所熟稱的榜首來說，除了甲組的榜首是男生外，其餘乙、丙、丁三組的榜首，全是女生，並且還都是北一女一個學校的。於是有人戲謔台灣大學應該改爲「國立台灣女子大學」，不過附帶的收幾個男生是了。

男生蒙垢

事態發展到這種地步，已經引起了嚴重的問題，不僅教育中發生許多不合理的現象，而對國家前途，也引起許多隱憂，因爲到今天爲止，儘管文化已經進步到登陸月球了，但社會仍是男子中心的社會，由於文化因素，體魄的因素，以及婚姻家庭的因素，國家的大樑還是要靠男子挑，男子還是社會中的主要幹部，現在考試的結果，優秀的大學，特別是培養社會領導人才的文史部門，全變成女子訓練所，而要挑大樑，擔任主要幹部的男子却無從受教培植，想想看，二十年後，國家還成什麼樣子。

因此這次放榜之後，不僅教育界感到問題嚴重，即連社會一般人士，也都引以爲憂，大家在沉痛之餘，最普遍的論調，即是責備男孩子不爭氣，不用功，遠在今年初政大校長劉季洪倡議男生保障名額時，即使男生受到許多指責，若干婦女刊物甚至以譏諷的態度，來笑落男生，例如中央日報的現代家庭版，即有此類文章。

不白之怨

那麼男孩子是否眞的這樣不爭氣，一如大家所指責的呢？——不是的，這眞是不白之寃。大家只注重到考試的公平，技術的改進，而從沒有人指出問題的癥結，乃是「目前考試的方法，宜於女生，而對男生不利」。假如要拿從前北京大學考試的方法來考，那顯然將是另一種結果。

原來目前的考試方法，第一是以課本爲限，而與博聞的多識無關，第二，即以課本而論，也是偏重死記，而「判斷」，「深刻」，無所施其技，第三是偏重零件式的「驗」，而無與於融會貫通——這幾個特徵，全對有才氣的男孩子不利，特別是在十八，九歲，生理變更心理煩燥的時期。反之女孩子，則在這個階段，只要不陷入戀愛糾紛，便都能拿着繡花的精神去死背。再加上女中的校長，幾乎無一不是拚命督導誓死力爭，結果便造成了目前的情況，因此要澈底解決這個問題，不是責備男孩子，反之是要改絃更張，另想合理考試方法，如何去辦，不是此一短文所能盡言。本報今後將要催請大家共同研究。

自由談

跟蘇俄作家共鳴

凡屬從事於文字寫作的人，讀了蘇俄作家庫茲涅佐夫在英倫發出的三篇聲明書後，沒有不由衷地表示同情共鳴，而不勝感慨系之的。

寫作文學如不能本諸良知，正諸和客觀事實而自由創作，要在一種「獨格碼」（dogma）的定律之下，以它的標語和命令爲題材，那根本就不是文藝作品，而是一項無機體的傳聲筒。這類傳聲筒如其能夠欺騙社會大衆的良知良能，相信它是眞理，還則能了。實際上大家心知肚明，認定那是極權政治生活中的猴子把戲，越看就越增反感。像咱們中國大陸上的人士，言必稱「毛語錄」，行必歌頌「毛澤東思想」，寫作必須讚揚正統的馬列主義那套玩藝，會使人信服嗎？內心深處沒有不蘊藏着一股憤懣情緒的，而這股憤懣之氣，便是摧毀極權暴政的定時炸彈。秦始皇焚書坑儒，以吏爲師的結果，被一名提罪的繇役揭竿而起，秦祚即告完蛋了！這是人類講求統制思想的開山老祖，慘痛的教訓如此，然後世的極權主義者，由於權力中毒之故，罔知鑑戒，殺轍相尋，而斤斤於思想統制，可謂癡如鹿豕也矣！

庫茲涅佐夫說：「我認爲現在馬克斯列寧教義，已經非常腐敗，僵化而且愚蠢。它已消失解除現代現會各種矛盾的能力，又開始與罪惡的社會性悲劇連結。」這眞是具有萬鈞之力的理智呼聲，全球幾十億的人類，皆認爲實獲我心，服膺不置也。他又告訴蘇俄共當局：「我爲了獲得離開蘇俄的許可而說謊，這事我追悔。這是被迫的，造成出賣亦不可以的狀態的，是你們本身。」此又證明不許人民有行路之自由的暴政，除却愚蠢無知外，沒有絲毫作用可言。

人類的思想只可以疏導而絕對不能統制，利用暴力以鉗制人類自由思想，殆無異於自尋死路，而速自身之敗亡而已。這原係淺近的政治哲理，怎奈古今中外的統治階級人物，盡是些不學的打手，懵然無知，而以共黨份子爲尤甚，寧不悲乎！

馬五先生

學風敗壞郭雨新嚴詞質詢
主張一日爲師終身爲父
應實施導師隨班一貫輔導制度

台灣省議員郭雨新就今日學風之敗壞引起社會震驚，提出質詢云：近來各學校連續發生駭人聽聞之事件，其不引致社會人士之震驚乎！先有台中一中學生，持刀追殺軍訓教官，繼之有基隆中學高中學生，手持利斧，將級任導師斬死，使舉國上下，正在推行文化復興運動中，莫不爲此而痛心。監察委員亦認爲教育當局，事前督導未週，事後而因循敷衍，提案糾正。

各級學校發生兇案，因素固多，而校長一身綜理校務，負有全責，爲一校領導中心。其人選是否適當，關係至大。如果人選適當，品學兼優，堪爲師生楷模，則其精神感召，可收潛移默化之功。縱有兇頑，亦可化乖戾爲祥和。試問教育主管當局對各級學校校長是否作深刻之考核，是否品學兼優，具有領導能力。但觀之以往之事實，對校長似乎曲予維護。查數年前板橋中學發生教師殺傷校長，刺死教導主任事件，僅予調職而已。若教育主管當局姑息放縱，養癰貽患乎！

至於師生間，經常發生問題，本席認爲在於師生之間缺乏瞭解，不能產生尊師重道之心，如能使之產生師生間具有「一日爲師，終身爲父」之尊敬心理，則師生交惡之情形，自可消彌於無形，而教育界之頹風，亦可因之而改善。欲求增進師生之瞭解，必須實施學生資料一貫移轉制度，如是可使各級學校就讀之新生，瞭解以往之品德、個性、學業成績，因材施教，自可收事半功倍之效，亦可使各級學校所記之資料，充分發揮功能。

爲促進師生之情感，何以不在各級學校，實施隨班一貫輔導制度。因現行之方法，各學校之老師，大多固守一個年級，師生相處之時間既短，何從建立情感，且每一年級易一導師，則因陌生，因隔閡隨之而生。本席認爲要求增進師生之感情，宜使師生之長久相處之機會，既可增進情感，復利施教。抑有進者，聞各級學校校長對高年級導師之職位有「待價而沽」之陋習，如屬事實，則教育風氣之腐化，其必然乎！

爲使今日頹廢之學風，變爲淳樸之風氣，未審（言旁）教育主管當局有何對策？

慎重督學遴選，樹立督學權威。教育廳爲加強教育視導，增進教育效能，而制訂視導計劃，實行督學責任制度。規定分區視導人員應駐區工作，負該區內教育成敗之連帶責任，用意至善。惟聞教育廳之督學，竟有在考期中，前往各學校視導教學之情形。甚至有預先通知行程，使各學校有所準備。其用意則使人費解。在考試期間前往視導，不僅學校須變更考試日期，更須預作安排。若無其他作用，即何必事先通知行期？

學風之良窳，悉賴督學之實地考察，如是督學之人選如不適當，則何以樹立督學之權威，更難發揮督學考核之實效。據聞教育廳督學之人選，係就鄉任校長或縣市教育科長調任，間有品學不足爲人示範者。如是難免發生敗壞督學之責，從之所致是非不分，賞罰不明，今日學風之敗壞，實非無因也，未審（言旁）廳長以爲然否？

學生成績低落
不知本身姓名
教育當局視而無覩乎

聯考取銷後國小教育是否懸樑與變質。自從實施九年國民教以後，由於國小升入國中，免經聯考，而使以往在國民學校惡性補習之現象，已告根絕，是政府賢明之措施。但聞國中一年級學生之測驗，不獨學生之成績低落，甚有學生本身之姓名，亦寫不清楚者。按國中一年級之學生，在國小雖未經惡性補習，然已受完國小之教育程度，當不致於連自己姓名亦不能書寫。由此可見國小教育情形之一般，而教育主管當局視而無覩乎？

今日國民小學發生此種現象，是否國小教師因待遇菲薄，既無惡補之額外收入，而不願多費時間、精神、心血以求達到學生應有之水準。在學校當局亦以所無聯效以表示其成績，更無升學率之高低，而受褒貶，於是放寬對教師及學生之約束，任由教師學生隨意講習所致乎？

本席認爲國民小學，是實施九年國民教育之基礎，如任其懸樑知變質，勢必無法達到九年國教預期之目的，因此對於國小之教育，未審（言旁）教育主管當局將如何加強督導？如何是否可以國中一年級學生之成績，作爲對國小教育之考核？

國中應實施分班教學。依前述情形，國小升入國中一年級學生，測驗結果，已顯示學生成績高低懸殊。就教學而言，應予依學生智能之高低，分班教學。但是國中一年級規定，學生不准留級，亦不准分班，唯有依據到國中之先後，分班上課。由於學生智能相差懸殊，教育之困難，概可想見。何以不實施入學編級測驗，而依智能及成績分班，成績較佳者，則循部頒課程標準教授之，成績低劣者，則實施特別教學，並適應其個性授以技藝訓練，而免就誤兒童之時間與效率。乃教育主管當局始終認爲一年級不能分班，殊屬使人費解？

輔導私立初中應有所明示。查自實施九年國民教育以來，私立中學之情形與過去之情況，顯然不同。在過去因聯考未能錄取之學生大部份進入私立中學，現在學生欲升學者，均可進入國中，於是私立學校無從招生，但若干私立學校不但設備完善，師資亦甚優良，如棄之不用，至爲可惜。雖聞有輔導辦理高中或高職之議，但迄未見明示。

本席認爲政府應繼續加以輔導，在缺少國中之處，選爲代用中學，其有國中之處，則分若干班國中學生，利用其設備、教師，代爲教育。至於私立中學是否依照部頒課程，而有專辦升學主義之教學，自可從嚴處分，而教育主管當局何以不明確指示，任其自生自滅乎？

避免國中惡補
高中應劃學區

爲避免國中惡性補習，高級中學應劃分學區。政府在未實施九年國民教育以前，由於學生之「爭讀明星學校」，因而形成「明星式」之學校，因其成績較高，如是其他學校內學生開拓時，成績稍遜一半，未審（言旁）教育主管當局高見如何？

在聯考分發時，雖認真教學，終因結果出力不討好，殊非公平辦學之道，如果高級中學亦能依照國中之情形，劃分學區，使每一學區之國中，分別投考於各該學區之高級中學，則入學考試之競爭可以緩和，更可預防國中惡性補習之再度發生。

教育局長任用資格之檢討。本省各縣市教育科，業經改制爲教育局，惟局長之任用標準，依省府委員會所通過之任用辦法，係由教育廳就具備合於規定資格之人員，經由遴選之，不無商榷之處，更恐引致物議。

教育百年大計
影响國家興衰

教育爲國家百年大計，教育之成敗，影響國家之興衰。近年來歐美及日本各國，均注重專業訓練，教育局長係一縣市之教育主管，其推行教育之良窳，影響地方教育之發展，至深且鉅！據聞某縣之教育科長，係私立大學經濟系畢業，因其不明教育之原理，僅靠經營學校栽培，結果不僅與縣長之意見不合，且爲全縣校長及教員所唾棄，其可不慎哉！

爲本省之教育前途着想，並避免物議，是否可將教育局長之任用標準第五條刪除。或改以應具備教育行政高考及格，而以甄選爲前提，未審（言旁）教育主管當局之高見如何？

國校教員轉任國中教員其服務年資不應予以折算。政府爲充實國中師資，於是鼓勵從事教育之青年，進入國中爲教員，以是經參加中學教試，取得資格者，則延聘爲國中之教員，此屬明智之舉，惟聞於延聘爲國中教員後，對其原任國校服務年資予以降級，據稱：係以在國校服務之年資，二年僅能折算一年，試問同在教育崗位服務，何以有如是之差別？況且此批人員均屬清寒子弟，經其苦學自修，而獲中學教員之資格，其志可嘉。如予差別待遇，則何以鼓勵從事教育青年向上之心，難免令人百思不得其解？

美洲文化教育過去與現在（下）

于斌

（續上期）我在此，無法作較爲專門的討論，打擾各位寶貴時間，我希望的只是一點點指責，一點點疑問，中國人果真到過美洲嗎？美洲的土著和中國同胞嗎？諸如此類的問題，須待學者們從不同角度予研討，在座各位中，有許多位是曾聽到過我上次報告的，也有的委員看過我對聯合報記者的談話，有一位委員先生告訴我，他一問題進，給我一些指教，又要中國人化五十年，他的這種高見，給我很大的啓示和鼓勵，我今天也特別期望在座的文化教育界先進，給我一些指教，我一再這樣表示，不是很重視這樣的堅持，已是少有二十年的時間，只是我們從沒有在這方面去想。

口測驗等待，鼓勵和研究。現在政府的鼓勵力量。諸如此類，牽涉的很擴，本年美洲考古學家在墨西哥集會，專題討論這個問題，香港新聞天地本年三月八日也有一項報導通信，其中也涉及到本席在國外時發表過的若干主張與推測，就做爲一個中國人而言，我可能是第一個發現美洲文化與中國有關係的，這話越講越不單純，我正在撰寫較爲正式的報告，我要從語言、宗教、觀念、地下發掘物、即陶器、金飾、以及現存遺蹟、建築、繪畫、服飾、習俗、制度等諸端，作較爲詳盡的分析並配合圖表，圖片一同發表，以喚起學術界的注意。遠政研討會，是國家的研究設計機構，我盼望在此問題上，給我以適當的支持。

（三）家庭、學校、社會都把青年人看成第二代成年人，站在年輕人這一面，政府並不採取法律的觀點。

美洲固有文化

六、我對於美洲固有文化的看法，可以分別做成以下這些題目，要有學術的努力和支持才能作進一步深入的研究。

（一）太平洋兩岸南起雷州半島，北上山東包括西伯利亞，阿留黎島、阿拉斯加、南下美國、墨西哥，迄於南美阿根廷，智利北部的廣大區域，是中國蒙古人種的文化區，或與中國人同形的文化區。

（二）美洲在殖民地時期前哥倫布到達以前的居住者是黃種人，是印地安人，是印度人，第一個歷史學家就根據哥倫布、亞美利哥的錯誤，以美洲爲亞洲的印度，印地安人是我們中國譯錯的。所謂「紅番」，「紅種人」者，是電影故事，不是事實。

（三）南美秘魯的印加人和墨西哥馬雅人的人種和文化是一種型的，同屬古種。與中國人西藏人，蒙古人在體形上，除了地緣影響多，並無分別。

（四）白令海峽問題，原來（新石器時期）是否爲陸地或冰河橋待研究，西方學者以爲這裡是美亞兩大洲的跳板，亞洲人遷移，移動時間甚早，我則以爲亞洲人到美洲去時間不會早於三千年，因爲中國航海術在秦漢之際就很發達了。

最近西方考古學家也反對白令海峽說，有人已經從非洲埃及乘蘆舟直航南美，

我的感想是：我國教育變質是禪宗打倒儒家制度的遺毒，儒家科舉制度，是以制度代替人的榮譽，有一點科學意義的道家已被儒家不言「怪力亂神」所排除，在文學上以感傷代替幻想，重實務求通用，有教無類，強調等級的教育，過分圓通了，去孔子因材施教，有教無類已經很遠，這有是近代民治運動，對於我們教育所加的破壞，我們何去何從呢？我們就在這種教育環境下產生思想和清醒，我們不能否定自己，更不能否定生存必然性，我們只有努力向上奮發的一途。

關於教育問題

七、最後是關於教育問題，在座的各位都是專家，我不敢恣意的介紹和批評，籠統地說：

（一）西方人的教育是在提高人的本質，故人性的發展在成長中超過一切，是順乎人性之自然（本質）的。

（二）在制度方面，以能配合培育人才爲目的，「化」的成分，可能比我們「教」的成份多。

美洲大陸的舊文化，已經產生了現代文明，我的攷察，是在找尋這種現代文明的母體，他是中國人的。這是怎樣的一種發現呢？

意義如何，就不是我所能判斷的了，我期待着各位委員先生的指教。（完）

喬治桑外傳

三七　張大萬

喬治桑出銑，付賬已畢，三位娘娘開起檢討會來。

「上家餵，下家放，」樓主道副牌和的頗過癮。」金鳳凰面帶微笑，牌品不錯。

「我沒有法子呀，好一付全帶二，大張子都不要，只好餵樓主了。」裘太太立刻聲明。

「我這張七萬打得稍欠考慮，只怪樓主的戲唱得太好了，我聽得出神，所以打錯了牌。」喬治桑倒很老實。

「哎呀，想不到洋博士還懂平劇。要想和大牌只有唱個不停了。」樓主也很湊趣。

「不行，不行，不許再唱了，再唱，我輸了錢不付。」裘太太撒出老多嬌。

「要唱大家唱。」金鳳凰也開了腔。果然，黃梅調開始了。好熱鬧。

裘白琅端了四杯咖啡進廳將間，將四杯咖啡一面兩杯放在兩個茶几上。

「裘太太，妳真福氣，妳看妳的先生多體貼。」金鳳凰笑眯眯地，頭一歪，兩隻大耳環直晃盪。

「我待他也不錯嘛，他在外面花天酒地，甚麼我也不管，回到家可一切聽我的。最重要的是不許跟我搶牌打。」裘太太說話時打出一張七萬，出銑喬治桑一副清龍，幸好牌不大，只不過五千和。裘太太很熟練地照數付了錢。

「是呀，你們眞是一對標準夫妻，相忍相讓再美滿也沒有了。」

金鳳凰拿起一支香烟，喬治桑連忙用打火機替她點上了火。

「太太，你打七索，要特別注意喬博士會要，他與七索是有關係的。」裘白琅在場外指示機宜。

「爲甚麼？」裘太太帶着懷疑的眼色。

「我知道，裘先生是開玩笑的，我不便說。」欣綠樓主露出神秘的笑容。

「他暗示我是條甲魚。白環，現在時代不同了，我的人生尚未開始呢，哈哈。」喬治桑最喜說笑，他不但不動氣，而且很會湊興。

「老弟，你不會超過五十歲吧。」欣綠樓主一派老氣橫秋的樣子。

「五十歲？樓主眞會說笑話。說實在的，小生年方二十三歲尚未娶親呢。」喬治桑用西廂記張生的口吻，向欣綠樓主打趣。

「長奴三歲。」樓主索性也以挑簾裁衣潘金蓮的口吻回答。

「哎呀，不來了，你們不許拿麻將間當戲台，言來語往，幸虧沒有外人，否則人家眞會懷疑你們在抬槓的呢。」金鳳凰扭動身體，很像跳阿哥哥的姿態。

這場牌打得很熱鬧，談笑之際，不絕於耳。吃過晚飯又繼續打了八圈即告結束。喬治桑一家贏了三千多元，三位娘娘都遭敗績。欣綠樓主拿出四十元美金，金鳳凰拿出一千元台幣，喬治桑甚麼也不肯收。後來還是裘白琅提出建議：大家到華盟大飯店宵夜，由喬治桑作東。問題才算解決。

文匯樓別記

喬治桑非喬治葉

文匯樓主

幾個月以前，有一位部長階級的官員，問樓主：「自由報與喬治葉有甚麼難過？」最近又有一位黨人曾做過某政要幕僚長的，問樓主：「喬治桑是否寫喬治葉的？」

所謂喬治葉者，樓主恍然大悟，即前外交部長葉公超先生，喬治桑會給外間少數讀者這樣深的誤會，因之不得不稍加聲明。

葉公超先生爲本報同人最推崇的學人和最佩服的官員之一，馬五先生曾爲文讚揚，樓主和葉在國外認識，且曾爲文介紹葉公超在中華民國外交上的卓越成就。本報甚多北大校友，對葉率多以師輩尊之。因爲「喬治桑外傳」使作者聽到外間一些話後，更感到不安，不過，張大萬開始就交代的很清楚，喬治桑的譜名叫「紹孔」別號「栖鸞主人」，據說他的父親是一位酸秀才，替他取名爲「紹孔」，顯然不僅是望子成龍，而是望子成聖，喬治桑回國不滿卅歲，便當了洋行買辦，也就是上海租界裡的所謂「康白度」，從這幾個月連載內容來看，喬治桑一直和賭徒、奸商、混棍混在一起，格調上當然不會太高，而葉公超先生是學人，北京大學教授，外交家，不可能引起甚麼誤會。

和喬治桑同名的人太多了，簡直舉不勝舉，例如法國有兩位最傑出的小說家，一個聞名於世的巴爾扎克，一個女作家就叫喬治桑，巴爾扎克與喬治桑代表法國浪漫主義時期小說世界兩大主流，前者是寫實派的領袖，後者是理想派的權威，喬治桑在一幅畫面下題的四行詩，於今還給人有深刻印象：

憑籍你額上的汗水，
你賺到你可憐的生活。
經過長久的勞動和消耗，
現在死却來邀請你。

張大萬筆下的喬治桑，沒有像法國喬治桑那樣高的境界，張大萬筆下的喬治桑，乃二流「康白度」自領階級而已，不過，對崇拜媚外有很強烈的諷刺，亦倫理建設過程中的九九九，看來像「美羅香」一悲劇、又像是「蘇州夜話」，其實都不是，喬治桑就是喬治桑，還是讓讀者們自己去欣賞吧。

又有很多讀者來信問：「喬治桑外傳」、「自由談」、「情關與自由中國」、「巨變歷險記」、「文匯樓別記」、「諸葛亮狂想曲」等，出不出單行本，據樓主所知道的，不僅要出單行本，聽說「喬治桑外傳」有人正計劃拍電影，合併奉告。喬治桑與喬治葉，乃風馬牛不相及，無絲毫連帶關係，兼作聲明。

倫理哲學講話之一

夫婦之道（七）

陳邁子

（二）互敬

夫婦彼此相愛，情感自然濃厚。朝夕耳鬢廝磨，形神相親；晝則同食，夜則同寢。情感的密度，密到無以復加；言行的距離，縮小到幾乎沒有距離。這其間，設無「禮」、「德」的節制，雙方互相尊敬、敬重，則必致媟瀆、狎慢、互爲踰檢、放蕩之行，而生輕卑，邪污之心。爲時漸久，自然影響情感，而斲傷了互愛之心。其結果是彼此不敬，情感必致分裂。小則怨恨不睦，大則反目仳離。多少悲劇，皆由此而發生。究其原因，在於不能互敬。且因夫婦不能互敬、互相尊敬，影響所及，勢必對上不敬父母，對下不能受到子女的尊敬。更不能贏得兄弟、姊妹、妯娌、親友之間的尊敬。當然也無法獲致社會一般人士的敬重。其損失是何等重大？所以君子自重之道，要首從夫婦互敬作起。眞西山曰：「夫之道，則敬身以帥其婦，婦之道，則敬身以承其夫」。左傳曰：「冀缺耨，其妻[illegible]之敬，相待如賓。與之歸，言於文公曰：敬，德之聚也。能敬必有德。德以治民，君請用之。」後漢書曰：「樊英有疾，妻使婢拜問，英下牀答拜，陳實怪問之。英曰：妻者，齊也。供奉祭祀，禮無不答。」又曰：「張湛，矜嚴好禮，居處必自修整，雖遇妻子若嚴君」。吳志曰：「顧悌待妻有禮，常夜入晨出，罕見其面。疾篤，妻出省之。悌命左右扶起，冠幘（巾帶）加襲，趣令妻還，其貞潔不凟亂如此」。「過妻子若嚴君」，「罕見其面」，未免禮敬過甚，有踰夫婦互敬之義，但這種莊重嚴肅的禮貌，殊不失爲中國文化所孕育的士大夫文精神崇高之表現，亦足激濁揚清澡範末流。身有如後漢宋弘，湖陽公主而不婚，以敬其妻。光武帝召弘，曰：「富易交貴易妻，人情乎」。弘曰：「貧賤之交不可忘，糟糠之妻不下堂」。帝亦無可如何。孟光三十不嫁，父問其故。答曰：「欲節操如梁鴻者。」鴻聞，遂娶之，每進食，光必舉案齊眉，以敬其夫。「鴻案相莊」，遂成爲相敬之典範。是以夫婦「相敬如賓」，是古禮，也是今禮。也是夫婦相處之要道。漢班昭女誡敬愼篇曰：「陰陽殊性，男女異行。陽以剛爲德，陰以柔爲用。男以彊爲貴，女以弱爲美。故鄉諺有云：生男如狼，猶恐其（病弱之意），生女如鼠，猶恐其虎。然則修身莫若敬，避強莫若順。故曰：敬順之道，婦之大禮也。夫敬非它，持久之謂也。夫順非它，寬裕之謂也。持久者，知止足也。寬裕者，尚恭下也」。以上是說「敬順之道」的。又說：「夫婦之好，終身不離，房室周旋，遂生媟黷。媟黷既生，語言過矣。語言既過，縱恣必作。縱恣既作，則侮夫之心生矣。此由於不知止足者也。夫事有曲直，言有是非。直者不能不爭，曲者不能不訟。訟爭既施，則有忿怒之事矣。直者，於不尚恭下者也。侮夫不節，譴呵從之。忿怒不止，楚撻從之。夫爲夫婦者，義以和親，恩以好合，楚撻既至，何義之存？譴呵既宣，何恩之有？恩義俱廢，夫婦離矣」。夫婦之不能相敬，其害有如此者。今之夫婦，當知所取法。

（三）互諒

夫婦互愛互敬之外，還需要「互諒」。即互相諒解，遇事彼此原諒之義？孔子曰：「益有三友，友直、友諒、友多聞」。朋友相處，尚須求「諒」。而況夫婦相處，能不互諒？諒即信實諒解。由諒更能生「恕」、生「讓」。何謂「恕」？「推己及人」之謂。「己所不欲，勿施於人」之謂。夫婦相處，若能處處互相諒解，事事諒解。推心置腹，體貼入微，怎會彼此不快？故互諒亦是互愛互敬之道。何謂「讓」？即彼此容忍退讓之義。「有容乃大」，「忍耐爲先」。夫婦均能「休休有容」，相忍爲家，則又何爭之有？「百忍堂中有太和」，端在夫婦互諒作起。

（四）互信

信爲人之根本。「人而無信，不知其可也。」「子以四教，文、行、忠、信」。可見「信」的重要。信者，何也？誠實無欺之謂，信實忠實之謂。夫婦相處，最貴誠信。嘗見今世有少數夫婦，在結合之前，原非誠意相愛。爾虞我詐，言不由衷，完全一片詭僞虛浮之氣。結婚之後，又不能推誠相與，不惟年籍、家世、出身、隱瞞不實，而職業、收入、積儲、體能、學識等等，亦均出以「假鳳虛凰」之行。一味敷衍，絕不實在。或各私其財，或各行其行，或各隱其短，或各諱其疾。同床異夢，不能立誠。表面假情假義，虛與委蛇，互相利用。一旦無利用價值，或假面具揭穿，或一方發現對方之破綻，往往感情徹底破裂，只好分手。甚至對簿公庭，名譽破產，其害有不勝言者。因此，夫婦之道，互信亦屬要項。必須以誠信相愛，以誠相結，以誠相處。以誠立則信生，自信以信人。雙方均能如此，纔是夫婦之道，夫婦信，則一家信。社會莫不予以信任，誠信素孚，人所共敬。學問事業之成，生活工作之利，此最關重要。

（五）互助

夫婦共同生活，休戚榮辱與共。爲人生旅途中的惟一良伴。並蒂比翼，連理同心。鳳凰于飛，不羨神仙。既已結爲夫婦，誓盟白頭。時雙方應，事事相助。時就助，合作互助。義不容辭。無論生活、工作、學問、事業、以及操持家務、教養子女諸事，無不需要彼此互相幫助，共底於成。須知夫之助婦，但求有益於婦，亦即有益於夫。婦之助夫，亦即有益於婦。夫婦的生活幸福是不可分的。利害功罪，也是不可分的。且由互助之中，即表示了體貼、溫存之愛。那麼，互助也就是互愛之法了。

末了，本人並錄舊撰賀世誼結婚二詩，以作本文結語，用抒不盡之意，兼爲今之夫婦祝福：

時維吉日，樂事孔多。鵬程比翼，玉樹交柯。惟愛惟諒，惟敬惟和，鷄鳴戒旦，鸞鳳諧歌。

結褵重倫紀，君子造端始。關雎（且勞）詠好逑，齊家治平理。相莊師鴻光，敬愛無彼此。恩情毋相忘，生活共甘旨。善體父母心，鵬程比翼美。佳期書所懷，以之聊申喜。

（全文完）

綜談國劇復興（十）

王方曙

3、唱詞的改動：

國劇唱詞有些很好，有些竟是[illegible]通之至。原因是在從前演員的程度較差，甚至有不識字的，教戲僅口傳心受，不知道原詞究竟是那些字句。以致漸漸以訛傳訛，錯誤百出。又有些詞句太俗氣的。所謂太俗氣就是庸俗有失高尚。戲詞不怕通俗，使大家都懂得是對的；但俗氣得像數來寶，便覺格調太低了。如「翻身下了馬能行」這類的詞句，如果沒聽過國劇的人，第一次聽見這樣妙文，像「馬能行」之字，豈不令人失笑？最早這類的詞句，只是爲了合轍的，便毫不作計較，隨便用上去，後來習慣了，甚至不感覺不對了。類此甚多，我想熟悉國劇的人，都會有這種感想。也有的詞句根本不通的；也有的像前段所說，與次重複的；也有前後矛盾；也有些過於格律化的，聽起來索然無味，如「尊駕大人聽奴稟。細聽××說分明……」之類，實在是費話，但許多戲類此情節都是一樣。使人聽起來想到這齣戲像那齣戲；這段詞便像那段詞。使價值減低。其實劇詞我們可以串串有力的話寫上去，作以必專用俗套？這都是戲中極大的損失。

除此之外，劇詞中小毛病也很多，其實極易改正，稍下功夫，都可改好。關於戲詞的改正，不礙劇表面的形態，可以說是最容易的一端。現在的演員程度已很高了，我想對這一點是很容易接受的。也還關於修改劇本方面，大致如此。但這一艱鉅的工作，却需要極有魄力的人主持辦理，否則是根本行不通的。

以上是關於劇本方面，我提出創新和改舊兩種辦法。劇本是一個戲能否演出良好效果的基本，假如在這一步上能首先有正確的認識，則復興國劇便有了良好的開始。

政壇現形記（二十）

吹牛成癮不吹不行

李樂

少時閱清末出版的說部「官場現形記」，總以爲多是稗官野史家構想情形，未必確有其事。近年事稍長，涉及政治界垂廿餘載，目擊一般官僚政客的言行，其庸俗鄙陋之狀，實較「官場現形記」所述者，尤有甚焉。

愚有大學同窗劉君，在學生時代，即好吹牛，友輩謔以「劉牛皮」綽號而不名。後來他投身政治界，弄到一官半職，吹牛更甚，每聞人談及當代文武顯貴人物，彼必謂「我們是老朋友。」愚竊鄙之。對日抗戰中期，我住家成都，一夕，有三數友好適在舍間閒談，劉君忽蒞止，入門即謂：「林主席今天從峩嵋山回到成都（按此時林主席在峩嵋山避暑），轉赴重慶，我剛纔跟他談了兩小時的話，他垂詢前線戰況甚詳，老人家對我眞客氣！」我肯定他又是當着老友面前瞎吹牛皮，頗感肉麻，急謂：「今天有余致力先生從重慶來，係奉最高當局到成都公幹的，他向我打聽你的住址哪！」劉謂：「啊余君是老朋友，找我一定有事情商量。」當時我忍俊不住，教他趕快去查詢余君住所。他出門後，在座朋友詰詢余致力是何許人？我謂：「是總理遺囑第一句的[illegible]有先生，故意提弄牛皮客的。」朋友相與大笑不已。

愚友徐佛觀教授，對日抗戰時期，服務軍事委員長侍從室，担任組長職責，侍從室人員每週舉行會報一次，研究重要問題，且約集政府各有關單位主官參加。某次會報談到當前的經濟問題。佛觀大發議論，別有主張，當時即有某部長駁斥佛觀之言，認爲一無是處。最後由主席陳布雷先生作結論，陳綜合各人見解，予以論斷，謂徐君所言，不無見地，本人頗表同意云。某部長急起發言：「布雷先生的話很對，我極端贊成。剛纔我因爲一時疏忽，未加考慮，曾有反對的意見表示，殊屬不妥，謹此聲明撤消。」拍馬之術如此，可謂嘆觀止矣！

以上所述吹拍人物，除「劉牛皮」陷身大陸，莫知所梱外，其餘皆在政治界顯達固營，讀者如有志作官，即應引爲寶鑑，幸勿視爲笑談也可。

諸葛亮狂想曲（五三）

・劉玄・

天神的手簡直是灸熱的鐵，扶着他，諸葛亮覺得熱不可當，幸而不久到了祭壇上。耶穌一聲叱喝，天神用雙手將諸葛亮舉起，諸葛亮恍如騰雲駕霧，還來不及想，突然又從半天中掉下來，只聽見察一聲，諸葛亮靈體合一，安然躺在地上。頭昏目眩，好似千萬螞蟻在混身咬嘴，奇癢難熬。諸葛亮站起來，耶穌要他再跪在祭壇旁，取出小瓶，在他額上重倒聖水。諸葛亮好似是（西勞）醍醐灌頂，神志清朗，奇癢立止。

儀式完畢，諸葛亮再向耶穌行吻足禮。不須說諸葛亮眞對耶穌心悅誠服了。

「諸葛先生，你以前是人體，後來是神體，現在是人體亦是神體和我一樣。」耶穌很慈祥地告訴諸葛亮。

可是，你下凡以後，只能做你人體能做的事，不能做神體的事。換句話說，就是要表現得和凡人一樣。否則會遭受天譴的。」耶穌這一啓示很重要，他知道諸葛亮具有濃厚的政治思想，怕他運用神力左右下界政局。

「謹遵台命。」諸葛亮對耶穌眞是尊敬極了。

諸葛亮復活以後，獻耶穌玉十字架，那是命碧雕琢而成的。又獻銅爵供耶穌飲葡萄酒之用。耶穌收了，也不言謝。本來諸葛亮想奉獻蟠桃人參果之類，與徐光啓商量，徐光啓認爲不合適，才改送此物。

第一站先到美國

諸葛亮辭別耶穌，回到住處，約好劉約翰在家吃晚飯，以便商議往下界的細節。

「恭喜丞相，賀喜丞相。」劉約翰一見諸葛亮立刻稱賀。

「謝謝」諸葛亮用英文回答。

「現在一切都準備就緒，我要問你在地球上何處降落爲宜？」諸葛亮也學會美國人說話方式，直截了當不兜圈子。

巨變歷險記！

在寒風刺骨中（五七）

胡慶蓉

丁博士能够登上火車離開天津，對於他的簽僕固常在念中，他能在車開行的當中，在稍縱即逝的情況之下，登上，他事後想起來，也有些神奇。火車在鐵軌上走，是非常快的，眼要看得清楚，手要動得快，不能有絲毫的遲疑，不能有絲毫的差錯，稍一不愼，就會滑下去，滑到輪下，作輪下的鬼。但丁博士的眼睛是不好的。他經常的戴着六百度的近視眼鏡。他的腦子常常裝着很多的東西，常常愛思考。他能登上前進中的火車，實出他意料之外。豈天之助歟？人多少都有點宗教的本質。丁博士也自不例外。他在上海一個天主教的大學，震旦大學讀書，當今轟動台灣聞名世界的于樞機于野聲就是他的同學，當今司法院院長謝冠生先生也是他的同學，而並且都是四十年以上的老朋友，但丁博士並不是天主教徒。遇到剛才這種情形，他也不由得歸功神助。

車是上來了，車開到那裡，他也不知道。車是空車，是敞車，我上邊好像已經交代過了。我還應該說，敞車是沒蓋的車，當然也沒有四壁，更沒有房間。空者，空也，空車者什麼都沒有的車也。空車，敞車，普通是運貨車，倒不說是運材料的車更爲確切些。丁博士登上的空車，敞車，一無所有，連矮矮的四壁，連一尺高一寸高的四壁也沒有。丁博士登上的空車，敞車，就是一個板板；四大皆空，四望皆空，四壁皆空，只有四角四根柱子。除了躺在中間骯髒不堪的板板上，就只有靠着角角上的柱子。假如要睡，那是很危險的。

特別是暴露在暴風裡邊，最可憐不過。陽曆一二月的天氣，在平津，在華北，還是很冷的天氣。陽曆一二月的天氣，就是舊曆陰曆臘月正天氣，是一年中間最冷的天氣，所謂點水成冰，並不是一句空話，而是實實在在的。水一點下去，立刻馬上就變成了冰，天之寒可知。有鬍子的人，呼出來的氣，也會變成冰，在這樣的天氣之下，弔古戰場文上所描的慘況，什麼墮指裂膚，會是眞的，會是經驗之談。寒與氣有關，寒與風有關。沒有風，還好一點，有風，就令人覺得寒。換言之，風越大，也就越寒。在大風之下，所謂「刺骨」，所謂「寒風刺骨」，也是事實，也是千眞萬確的事實。氣是無孔不入的，風借其暴力，更是無孔不入。風借着寒氣吹進你的身體，任你怎樣的防，也是防不勝防，到最後，他簡直像刺刀刺你的骨肉。刺骨比刺肉更進一步。古有萬剮凌遲之刑，骨到被寒風侵襲，也無異於在受萬剮凌遲之之刑，這樣全身就慢慢的入於癱瘓，慢慢的失去知覺，而成爲個屍。每到冬季，每到嚴冬，充滿着肅殺之氣的時候，平津及華北不知要凍死多少人。丁博士在空車車上，天寒，風大，一天到了滄州，他也差不多成了個屍了…………。

桃花潭三水阡

鱷魚潭邊的故事（七）

趙陀

「馬家的債還了沒有？」顏芳發愁似的問着。

「從那裏來的錢還呢？三餐都難飽，前天實在迫得沒有辦法，從烟斗裡挖了一點點灰，算過了癮，經濟是人生最現實的東西，比如你早年在上海嫁給護軍使做八姨太那一段，說穿了還不是爲了錢。」

「老東西扯着扯着又下流了。」

蘇霍獨以很鄭重的口氣向顏芳說：「看情形克琳對牛馬兩家的婚事皆成問題？老伴還是你勸勸她，祇答應一家，另一家的問題就會迎刃而解，兩家都不答應，會生出三個問題來的。」

「老東西，這話怎麼解釋。」

「我堅決反對任念佩，豈不是多出一個問題嗎？」

「老東西，聰明得你能講出口，多少年來，用我女兒當搖錢樹，供應你上海全家揮霍，克琳並未欠你的，假定你再迫我的孩子做她所不願做的事，哼！我這條老命就和你拚了。」

「話也不是這麼說。」

「你覺得應當怎麼說，才合你的胃口。」

「如果不是我訓練她一手好書畫，請老師教鋼琴，聘兩個洋鬼子輪班教文法，學會話，能有今天的社會地位嗎？」蘇霍一邊說，一邊直視着顏芳。顏芳說出：

「老東西，你倒會擄功，如果沒有我顏芳授她一套「男人的駕馭和男人的心理」，怎麼能使得個男人見到他就着了迷，哼！我們這個家呀！不是克琳，老早就瓦解了，楊耐梅（老明星）睡馬路還有人把她接到台灣，你呀：……」

「老伴，說正話，你看任念佩是股實商呢？還是空心湯糰，或者又是小周之流……」

「怎麼？你又想動任的腦筋。」

「老伴，我倆別舌頭老是和牙子鬥，有甚麼意思呢？」

「告訴你，克琳不會稱你再騙。」

「騙這個字，講得多刺耳，多不科學，應當稱作運用。」

「運用的實質還不是騙，一個清清白白的女子，秘密訂婚都經過三次以上，解約一次，名譽受一次打擊，你呀！沒有再比你辯的人了。」

「唉！怎麼可以這樣講呢？堂堂的國家，中國與日本之間還演過一段水鳥外交，意思就是變蹼游動，表面鎮靜，國際上的慕尼黑協定，雅爾達條約，均在證明蘇霍獨的外交運用，乃模仿性的，與騙無絲毫關聯。」

「老不死，你祇知道運用，使孩子怎麼樣做人？」

「老伴，昨天電影散事你又忘記了，克拉克蓋博問阿娃嘉娜結過婚嗎？她很自然的答用「一個皆爲之常。」」

（未完）

生活漫談

苡仁常食益壽延年

馬騰雲

九十老人乾隆皇帝，常食苡仁粥，早晚用冰糖，晚間用蜂蜜調整甜度，同時每最吃的八珍糕，苡仁粉就是八珍中之一，吃八珍糕常不拘泥於甜鹹，御膳房根據御醫指示配的，中國民間也認爲苡仁是很好的滋補品，苡爲一年生草本，幹高四五尺，七月中旬，開花後結淡褐色有光澤之橢圓形小實，實中有孔，指壓之其皮自破，其仁類麥粒而狹長，外部有淡褐薄皮，內部白色，嚼之如糯米。苡仁類爲最富營養，易于消化穀類，含蛋白質極多，並含鈣質脂肪亦多，其質透明，有似燕麥，但其滋味遠過之，其成份爲蛋白質一七點五八，脂肪七點一五，炭水化物六二點四一，故其滋養力較之其它各種米，有過之無不及，其所含石灰質及燐質亦非常豐富，石灰質係構造我們人骨骼之原料，燐質足以滋補衰弱之腦系，苡仁滋養力之大，筆難盡述。生用利溼熱，炒用止瀉痢，常作利尿水及健胃藥，又治腎臟炎。中醫師們認苡仁甘淡微寒，可以去溼氣，能入皮膚筋脈，又認爲風寒溼三氣存於脾內的話，此藥性燥。能除寒溼，味甘能入脾，兼可補肺，遇有筋急拘攣，不能屈伸，及風骨溼痺筋骨邪氣，常服苡仁皆可收效，又利腸胃，消水腫，令人能食，書載苡仁上清肺熱，下理脾溼，以其色白入肺，性寒瀉熱，味淡滲溼故也，凡肺熱肺癰，脚氣疝氣，泄痢熱淋，皆能利水，使筋不從弛，若津枯便秘，不宜妄用。

北宋名將楊業（下）

海清

楊業一聞此言，義憤塡胸說：「當爲諸公先，然此行必不利，業太原降將，分當死，上不殺，寵以連帥，授以兵柄，非縱敵不擊，蓋俟其時，將立尺寸功，以報國恩。」說罷即要領兵前往迎敵。潘美說：「楊將軍去抵擋一陣也好。」楊業說：「元帥明日午時須派兵一支在陳家谷口接應。」潘美說：「我一定派兵接應，楊將軍放心。」

楊業帶領所部五千人馬，向陳家谷口迎敵去後，潘美就派王銑三千人馬，明午去陳家谷口接應，一面使大隊人馬保護數萬義民，急速先行。

却說楊業督隊走了半程，即遇見契丹士兵，漫山塞谷而來，楊業是久經大敵的老將，全不在意，督隊殺入敵陣。契丹兵一則在大勝之後氣盛，二則地理熟悉，三則兵力數倍于楊軍，雖則楊軍殺法厲害，終抵不過越殺越多的契丹兵，自日落殺到天明，楊軍所剩不及千人。于是且戰且退，楊業一槍在後面攔遮，維護着大隊得撤。契丹兵雖近不得眼前，怎奈谷岸兩旁的契丹兵，箭放亂箭，對準谷底楊軍，不停的發射。可憐五千楊軍，退到谷口，祇剩下數十騎。他的愛子楊延玉，早已陣亡。看谷口並無一兵一卒接應，楊業不禁撫胸大哭，對官兵說：「上遇我厚，期討賊捍邊以報，而反爲奸臣所迫，致王師敗績，何面目求活耶？」說畢返身衝入敵陣，又指殺敵將數十人，終以力竭被擒，三日不食而死。

王銑奉命帶領所部兵馬，到了陳家谷口，未午時，遠見契丹兵滿山遍野，他以爲楊業打了勝仗，他滿心忌妒楊業，深怕楊業獨建大功，他守谷口，竊兵爭取契丹輜重，所以楊業到此，無人接應。致使一代棟樑，白白犧牲，殊爲可惜。王銑本人也被契丹殺得落荒逃回。

潘美統率大軍退入雁門，就將楊業失陷致死的情形報于太宗，自請處分。

太宗覽奏，對楊業甚爲痛惜，降旨追封楊業爲雲州節度使；封其長子供奉官楊延昭爲崇義軍副使；殿直延浦、延訓，爲供奉官；延環、延貴、延彬爲殿直。潘美削降三級，王銑、劉文裕革職永不錄用。

楊延昭以後也位至節度使，戍邊甚久，契丹畏他英勇，皆呼之爲六郎，俗傳延昭爲行六，是因此所誤。（完）

國際貨幣問題及其合作的方案

（上接第一版頭條）

（一）攤額之爭論：各國所認銀行資本之多寡，與以後享受貸放之數額無關，故均不願多認銀行股本以圖減輕自己責任，故攤額之爭論，成爲議論焦點。照理基金攤額應與銀行股本同一數目，惟有俄國祇肯認攤其基金總額四分之三，以致銀行股本，尚差三億美元，無法解決，形成僵局，我國爲謀大會順利進展，還自動提議增加吾國股額，從五億五千萬美元，增爲六億美元，嗣加拿大波蘭等國代表聯亦自動增加股額，中南美各國亦相繼增加，結果湊足八十八億美元之數。至大會結束之日，蘇聯亦承認增加股額三億美元，計美國認股三十一億七千五百萬美元，中國六億美元，英國十三億美元，蘇聯十一億美元，總共爲九十一億美元，比基金多出三億美元，結果完滿解決。

（二）放款限度問題：關于放款限度，該銀行所担保或參加貸款與直接貸款之總額，不得超過該銀行未受損害之股本及其準備與公積之和。按該銀行法定股本既爲美金一百億元，故開辦時之放款額，當以一百億元爲限度。

第三個委員會討論有關國際貨幣及其他問題：

（一）白銀問題：墨西哥代表主張金銀並用，以提高白銀在貨幣上的地位，並曾請求我國幫助。我國代表團發表聲明，謂白銀在中國頗爲重要，用途亟應推廣，但祇能作輔幣之用，不擬以之充作貨幣，結果該問題被大會否決。

（二）國際清算銀行，若干國家主張清算國際銀行帳目，並清查責任，嗣經大會議決，國際銀行應予結束，並清算帳目，但責任免於清查，以免糾紛。

（三）處置敵產：議定組織處置敵產委員會，並在各國設立五分會，分別推行工作。以上爲各委員會討論之概要。

會議之收穫，本人認爲此次國際貨幣會議之最大收穫：（一）四十四個國家意見大體都能一致，與過去歷屆貨幣會議紛爭之狀況大不相同，至可寶貴。（二）專家之價值，已得各國政府之公認，今後世界趨勢，將重視專家，實爲可喜現象。（三）恢復國際繁榮，已有具體步驟，國際協定成立以後，所有機構與辦法完成，便可次第實現。（四）英美方案公佈以後，經過各國專家學者公開研究討論，歷時年餘，以會議方式決定，深合民主精神，可爲此後各種國際措施之模範。

報壇點將

馬星野—中央日報

·辛文彬·

從民國三十五年直到遷台出版，那是中央日報的黃金時代，黨營報紙賺錢繳回國庫發黨，從中央日報起。黨報雄據一方，壓倒所有民營報紙，從中央日報起。黨報能使人爭着閱讀，從中央日報起。老百姓眼睛是雪亮的，祇要有好東西，他們一定歡迎。

當時主持其事的是馬星野。馬畢業於中央黨務學校，後到美國密蘇里新聞學院深造，歸國後回母校（中央政治學校）任新聞系主任，教「新聞學概論」，作育桃李，門徒滿天下。抗戰勝利後，一旦被徵調主持中央日報，馬合乎一個成功原則，「實踐從理論中來，理論仍回實踐中去。」這就是中央日報，報運昌隆的關鍵所在，如果讓他將中央日報辦到現在的話，突破百萬份大關乃意料中的事。報紙亦毋庸凍結登記了。

不過話又說回來：「官船湖，官馬提」，這是中國吃公事飯的訣竅，惜馬氏對此無研究。就辦報說，馬星野可謂熟練的舵手，他的成就，是從暴風雨中獲得，在自由中國還找不到第二個人。

御廚談藪

炒蛋最難做

不會做菜的人，常謂自己會做清水燉雞或炒蛋，殊不知清水燉雞固大有文章，炒蛋則更不簡單。

李鴻章（前清名臣）的廚師吳矮子有八種拿手菜，炒蛋就是其中一種，其餘七種爲雞底海參、紅燒魚翅、火腿蒸蜜棗、珍珠圓、虎皮肉、八寶鴨、黃瓜魚炸焦回軟，但李鴻章最欣賞的還是吳矮子的炒蛋。

炒蛋的材料除幾個蛋外，甚麼配料都不要，將蛋打和另加食鹽，用小磨麻油，烈火炸到冒出青烟，將蛋倒入鍋裡，急抄緊翻十幾下，約十五到廿五秒鐘起鍋，蛋如嫩豆腐，上桌即食，否則廚師有：「我本有心向明月，誰知明月照溝渠」之感。

陳副總統雖很精幹篤實，平易近人，但對吃一道，尚缺乏研究，副總統的廚房距餐廳甚遠，遇到火候菜，則不容易表現廚師的傑出手藝。前我國駐義大使劉文島懂得吃，中國大使館的脆皮雞，醬牛肉、山藥泥、八寶鴨等曾受到墨索里尼、希特勒、弗朗哥幾個國家元首的讚美，吃在中國眞是值得誇耀。

中華民國內政部登記證內版台報字第〇三一號
中華民國僑務委員會登記證僑新字第三二三號
中國郵政登記第一二八二號執照登記爲第一類新聞紙

自由報

（第九八八期）

（半週刊每星期三、六出版）
每份港幣壹角・台灣零售價新台幣弍元

督印黃行籌・社長李運鵬

社址：香港九龍彌敦道593—601號
廖創興銀行大廈八樓五座
LIU CHONG HING BUILDING
7th FLOOR FLAT 5
593—601 NATHAN ROAD,
KOWLOON, H.K.
TEL：K303831
電報掛號：7191
承印：聚星印刷公司
地址：嘉咸街廿九號地下
台灣總管理處：台北市大同街119號
台灣區直接訂戶　台郵劃撥戶
第五〇五六號張萬有（自由報台計室）
電話：七一四〇三三、五五五三九五
台灣分社：台北市西寧南路110號二樓
電話：三三〇三四六，台郵劃撥戶九二五二號

國際貨幣問題及其合作的方案

——布列敦森林會議二十五週年誌感之三——

・顧翊羣・

布列敦森林國際貨幣會議開會以後，贊成者佔大多數，反對者亦有其人。據各方調查，贊成者多爲學者議員，美國二百五十位學者中，二百二十四人贊成。反對者則以銀行家與報紙爲多。贊成者之理由：（一）威廉教授所主張不必四十四國合作，而祇須英美兩國成立協定，過於注重主要貨幣（Key Currencies）有傾向權力政治之嫌，事實上英美仍須與其他各國合作。（二）舊金本位理論已失敗。（三）稀少貨幣問題一般美國銀行家所顧慮，實際並不致引起困難。（四）其他工作如善後救濟，減低關稅等工作當齊頭並進，並非祇注意貨幣安定而不求國際全面合作之設。（五）假如管理得法，經過過渡時期，則各國內部調節完成，經濟恢復平衡，國際貨幣合作可望成功。反對者之理由：（一）國際貨幣結算之主要貨幣，向以英鎊美元爲本位，故應先求兩者之相互安定，如照基金辦法，則各國進出口貿易，須改變其習慣上之計算單位。（二）美國因爲惟一之債權者，需供應資金甚多，而將遭受莫大之犧牲。（三）無論管理如何得法，均無補於過渡時期，因各國內部經濟過於不平衡，調整甚難。（四）主張祇設立國際銀行，以該銀行一部兼任基金之職務，而不必分設兩機關。（五）最少須恢復過去國際信賴之金本位制。（六）各國內部政策須要調整，國際貨幣始能安定，例如放棄狹義的經濟國家主義之類。（七）英國困難尚鉅，仍未解決，故國際貨幣難得安定。

對於國際銀行之主張，贊成者之理由，認爲：（一）國際保證較優於私人保證。（二）國際銀行可使債務國了解美國。（三）私家銀行僅重私人利益，不能協助永久計劃，國際銀行可協助開發經濟落後國家。（四）國際銀行與聯邦住宅管理局（F、H、A）相類似，該局成立後美國之房產抵押業務，由混亂而轉爲社會所信賴，故國際銀行成立後，亦可使國際投資由混亂而趨於有秩序。（五）國際銀行成立以後，因保障安全，且事業機會加多，私人投資將大爲增加。

至於反對者之理由，認爲：（一）美政府應擴大進出口銀行，不必參與國際銀行。（二）銀行管理將操諸債務國之手，甚非妥善之道。（三）國際投資爲私人企業，與國際銀行無關。以上爲美國銀行家所持之反對理由，與根據十九世紀之放任自由思想，不足重視。惟學者專家如威廉斯教授等之言論，至堪注意，彼再三主張要安定貨幣，必先從英美兩國開始，其言論至爲透澈。

現美國國內有二銀行公會發表宣言，主張基金附設於國際銀行之內，惟英國輿論反對此種主張。是年二月十二日羅斯福總統曾咨國會無保留通過法案，同時國會於二月十五日提出法案，對於攤付之五十九億二千五百萬美元，主張美國庫不必撥款，即由平準基金二十億八千萬美元內撥付十八億美元，餘額二億八千萬元仍留於原基金內。又該會保留決定將來美金變值之權，並取消強生法案（Johnson Act）。至於基金與銀行人選之規定，法案中亦規定須總統提交國會通過。以上爲美國當時之反應也。

六、我國對協定應取之態度與政策

我國對於布列頓森林會議協定，應於規定之限期前批准，通知美國，惟於基金開始工作前，對國內通貨膨脹須努力設法控制，俾貨幣能及時安定，易於參加。政府並應於此後隨時接受專家建議，採用科學方法，以從事於貨幣及外匯之工作，防止膨脹之再起。我國參加國際銀行以後，務必努力使戰後建設不致影響貨幣安定，並使技術及其他工作與之密切配合，以資全功。至於參加協定以後，所有外匯管理等措施，亦應限期廢止，以與國際合作密切聯繫。在可能範圍內，應儘量減短過渡時期，俾早日達到安定貨幣之目的。

七、結論

世界正在十字街頭，布列頓森林會議，係採用國際合作政策，從混亂到達繁榮，正當努力方向。基金與銀行兩種協定之成立，爲各國各種要求之折衷產物，故未必能使每一方面均感滿足，但就全體而言，其結果已屬相當滿意。假如此後各國政府能開誠布公，採用與協定相符之政策，則此兩機構定可獲得成功，否則如仍沿用過去十餘年之經濟國家主義，以貨幣爲爭取力量之手段，則此兩機構自難免於失敗。惟根據目前各種象徵，吾人可信國際合作力量日增，協定之實現，頗有甚大之可能性。

陳大慶在省議會表示

培養學校書香氣　嚴辦校長收回扣

（本報記者公孫熊台北消息：）台灣省主席陳大慶於省議會答覆省議員蔡案書質詢時表示，省府決慎用校長，杜絕攤派，改善教育風氣，並注意教職員福利。提高服務熱忱，培養各級學校之「書香氣」。陳主席並在另一質詢上答說：「要嚴辦校長收回扣」。此議員質詢時指出，現在有「書香氣」的學校很少，而「市儈氣」學校很多，教員不能以學識好、品德好、教學好，受到學校的敬重，而以「人情」、「逢迎」、「送禮」、「合流」等獲得賞識。在省教育廳方面曾於八月五依據監察院調查部份學校代辦學校教科書，涉嫌從中圖利，分取回扣等情形，轉飭各級學校，如經查實，將依法嚴辦。

省教育廳在命令中說：監察院調查委員會調查結果，發覺各書局爲推廣書籍，例如七折、八折出賣與各級學校，而學校經辦人除少數例外，大多未按照原訂價折扣優待學生，而截取其利益以爲己有，但亦有一部份作學校福利經費者，此外部份書局爲求學校採用其書籍，更以金錢或禮物賄賂校長或任課老師，自係非法行爲。

命令中說：歷年來省教育廳對各級學校代辦學生教科書，曾規定應以原售價或原折扣價格，轉售給學生，不得增加其價格，嗣後如學生自願請求學校代辦教科書，應依照規定辦理，不得截取價目書籍之利益，倘在折扣以外，私自接受額外財物者，一經查證屬實，將予依法嚴辦。至於工具書，參考書應由學生自行購買，學校不得強迫或誘迫購買。

昨日與明日

對美的錯誤觀念

歐陽鑫

全世界非共產國家，對美國有一種共同錯誤觀念，就是希望美國幫助我們反共，拿出經濟、軍事乃至於兵員，將共黨擊潰。

大家忽略了新興的美國是怎樣形成的，兩百多年來，容納世界各種不同民族的移民，其歡迎到美發展事業的人，這些人抵美後，第一希望獲得美國國籍，第二渴望取得長期居留，第三運用智慧拓展事業。美國因容納很多不同地區來的生產份子，民富國自然強，再加以華盛頓、林肯等多政治遺產，更值得後代驕傲。因美國的組成份子觀點不同，從未考慮特別的國家打仗或抵抗共產主義，韓國和越南戰場美國的屈服是必然，不屈服的話祇能視爲偶然，否則不會聽到可恥的封號——「紙老虎」。

美國是紙老虎嗎

美國在科學上的偉大成就，開創了人類歷史新頁，美國不僅不是「紙老虎」簡直是一條活龍。

美國自立國以來，未打過敗仗，尤其近二十年，戰勝了納粹，擊敗了日本軍國主義，奠定了世界和平基礎。一世紀來從未打過勝仗的俄國，與美自難同日而語。但政治手腕無可否認的俄國始終佔着上風，這還不論，二次大戰結束，就美國來說，原子彈祇此一家並無分號，地球會被俄國割去一大半，一九四九年美國受利用出賣了中國大陸，一九五三年美在韓戰場不勝不負了自己，近五年越南戰場戰爭勝的怪論，正向與共作無恥的求和，實在使人失望到了極點。

科學和政治是分不開的，美國的科學直越成就世所推崇，現實政治表現太差勁了，但要注意科學是附屬於政治的，政治失敗了，純粹科學亦難以挽回，目前美國科學雖是一條龍，政治確有點像「紙老虎」。

非共國自處之道

一個國家如果不能容納學人和賢者，這個國家一定很危險。因學人們都多先天下之憂而憂，賢者則可共商國家大事。政府，若略了這兩種人，而能使國家保全的甚少見到。

秦始皇並併六國一統中原，但推倒秦始皇的是「揭竿起義」的劉邦和不學人合作使然。共產黨的功業，還比不上秦始皇，祇是用窮人（無產階級）爲路本，這招，民主集團還未想出一套對策，非共國家必須要從這方面動腦筋。反共是史無前例的政治鬥爭，而非武力比較，用一場戰爭「不足導出有餘」的角度去看反共，比登陸月球又容易得多了。

自由談

美國務卿羅吉斯最近申述美政府對越南政策，認爲越南如在國際監督之下，舉行自由選舉而使越共獲勝，美國亦必欣然接受這項後果。有人詰問他：「假使任由越共控制全越，則盟軍過去對越共戰爭數年，豈非毫無意義嗎？」他卻倔然答曰：「這就是我們的目標，讓越人自由選擇他們的政治生活」。羅氏這套說法，滿以爲很漂亮，實則徒然丟架失格，愈不愧爲一「醜惡的美國人」的面目也，嗚呼哀哉！

羅吉斯之所謂「國際監督」是否有絲毫效用呢？我們不必等聯合國派遣代表團監督中東停戰而毫無作用的情形，反證其爲瞎扯淡的遁詞，祇看依照日內瓦和談協定而由印度、巴基斯坦等國代表，在東南亞地區監督越共軍事行動，藉以維護寮國與高棉自由獨立這回事的結果如何，即證明羅氏是上海人說的「瞎話三千」了！

瞎話三千

戰後美國對於自由友邦的領導方法是這樣的：初則大言炎炎，教別人努力反共，給予一些軍事援助，派遣軍事代表團指揮一切，遇事要由美方作主，不得異言，否則就設法推翻友邦的執政者；繼則自恃其堅甲利兵，天下無敵，貿然出兵助戰，卻又不敢跟共黨打硬仗，決勝負，而美其曰「警察行動」；最後被共黨搞得焦頭爛額，張皇失措了，便要別人跟共黨講和，組織聯合政府，戴着「紙老虎」的帽子，急忙打退堂鼓，反而指摘友邦的執政當局爲腐敗低能，以期掩飾自己的低能作風。如今對越南問題，不特率由舊章，毫無二致，而且不擇手段地要跟共黨妥協，不惜使原來過着自由生活的友邦人民，送給共黨任意奴役呢！

職是之故，戰後若干自由國家，凡是不接受美國的指導懸援，標榜中立主義的不結盟政策者，皆能保持相當的獨立生活，誰若向美國一面倒，相信山姆叔叔是救主，即未有不倒霉遭殃的，往事歷歷，斑斑可考，自由越南的前途絕對凶多吉少，卅待繼着也。

人類最大的悲哀是無知而又妄自尊大。我看自由世界在美國的所謂「核子傘」庇護之下，非全部被共黨埋葬不可，噫嘻！

・陽五先生

往事不堪回首　從茲拿出決心

按本報曾經揭載，三年前台北某具有規模之書局公司某董事長內經手致送全省各中等學校校長承購教科書回扣，列有明細帳目以及校長姓名，給欵數目，其中亦有幾位操持廉潔校長大名不在其內。該書局職員某，因故與某董事長發生糾葛，即將其致送回扣細帳提出要挾，並指責該董事長出身「國貨」，竟爾妄圖營業獲利，不惜助長教育貪瀆，賄賂國家元氣。欲予公布社會，雖經有關人員從中勸解調解息事。但某董事長遭此刺激，觸發舊疾，以致一命嗚呼！教育部某些職介高級員司，皆談此事歷歷如繪，但祇隱諱作爲私談，不願張揚結怨，若假監察委員能夠查出這一線索，意料前者之調查情形，或不致如此浮泛。所幸省教育廳，此次已將由來已久之校長收取書商回扣問題，依照監察院調查所得，「如經查覺」，飭轉各級學校，將「依法嚴辦」，此不過「一舊事重提」，「例行公事」而已。

如欲貫徹查覺，[illegible] 到學校負責涉嫌刑責案件，一律轉請調查局，依法偵查，當能有所交代。

記者擬稿至此，忽憶及五十七學年度第一學期教育部公行對各書局國中教科書出售之「統一編發」回扣，有大批欵項收入，因爲分配問題，曾與正中書局發生爭執，蓋正中書局自三十八年至四十二年止，獨家編印教科書，無利發售，該局一向對海外僑校供應教科書，悉以貼本代表國家，正中書局去年爭取「國中教科書統一路，可以」，售書起家之商部反對統收編輯，故有多數，以原本將此回扣分配給正中書局以償其歷年損失，但在當時之教育部自不以爲然，手續轉易，欵項大量放在，致與正中書局開成僵局，後由王雲五調停，作出解決，邀何應欽究竟如何。今年度尚無所聞。再本學年是否仍由國中教科書統一編輯，教育部亦尚無新聞。費回扣各方，均對此會主管當局以明白之指示，否則，人們一樣「回扣」的教育家，是一「你」，傷害教育家，也是「敗壞教育」！

賦稅改革工作 政府積極進行

維持物價穩定為前提 使稅負得公平的分配

（本報記者張健生台北特稿）行政院賦稅改革委員會正積極進行賦稅改革的工作。賦稅改革的長期目標：是攷慮政府將來的財政收入，須適應經濟成長的趨勢，須以維持物價穩定為前提，並使稅負得到公平合理的分配。賦改會主委劉大中告訴立法院財政委員會委員們：賦改會第一組已於去年八月間作成總體研究計量分析，根據若干資本系數之假定，估計共有一〇八種不同的情形，可以得到預期能維持經濟成長率及使物價穩定的歲收。然後，再就其中能實現的幾種情形，作更深入的研究。在稅收總額有了概念以後，再研究如何增加所得稅之比重，如何以賦稅來促進經濟發展，並改良賦稅以求負担公平的各項問題。賦改會對這種工作，在理論上將力求進步，在技術上則要儘量符合實際的需要。

關於稅法的修改：計有屠宰稅法、遺產稅法、獎勵投資條例、貨物稅法、營業稅法、印花稅法、土地法、關稅法、以及所得稅法等，都正在分別研擬修正中。

賦改會為建立納稅義人資料，現正與戶政、警政機關聯繫，自身份證底冊中取得資料，設立扣繳人名和身份證號主檔，將扣繳資料歸戶，然後再辦理非扣繳資料歸戶，此項主檔建立後，無論大戶小戶，逃漏稅捐的機會都將為減少。是故以電子計算機處理財稅資料，在初期，必須採用人力及電子計算機並用之雙軌制。

賦改會為配合新型電化屠宰廠之設立，已於今年六月間，將屠宰稅法修正草案，報由行政院審核中。

而遺產納稅義務人往往利用遺產稅法對於贈與及遺贈作為逃稅的手段，且完全合法。賦改會為此，將現行遺產稅法加以修正，除防止這類逃稅漏稅外，並將維持總遺產稅制，而贈與則要按其總贈與來課稅，至其減免類及稅率，則要達到重分配於社會及合理顧到繼承人利益的目的。

自美援停止後，我國經濟成長率仍高達百分之九，有人說應歸功於獎勵投資條例。不過，該條例將在明（五九）年十二月滿期，政府為要達成三個目的而修正該條例，繼續實施。這三個目的是：第一、使新創和新擴充企業在創辦和擴充時，可享有合理的優待。第二、獎勵企業將所獲盈利從事再投資。第三、獎勵一般人民節約儲蓄，並將儲蓄投資於生產事業。

最不公平最不合理的莫若重複課征：重複課征者又以間接稅較多，且與經濟因素相衝突。若稽征手續過份繁苛，將妨碍經營。我國現行的貨物稅、營業稅和印花稅有重複課征的情形，賦改會現正積極研究中，擬在幾種改革方法中，選擇一種理論基礎最健全、執行最簡易的方法，予以詳加設計，現賦改會特請愛爾關賦稅署署長來台協助改革，將貨物稅、印花稅及營業稅予以合併。

現行關稅稅則 不敷實際需要

由於經濟的發展，新興工業產品不斷的增加，現行關稅稅則分為十五大類，已經不敷實際需要，因此海關驗估乃成為最困難的工作。現在，賦改會已會同其他有關機關，參照布魯塞爾分類法、中華民國標準號列、國際貿易號列等，完成關稅稅則修正草案初稿。

立法院財政委員會委員們，就「計量經濟學」的問題，賦稅過重的問題，建立財產稅制的問題等等，紛紛向賦改會提出質詢：

關於計量經濟學的問題：我們的經濟資料並不完整，亦不可靠，如果依照總體研究計量分析與根據若干資本系數之假定的資料設計，必然要發生差錯。因為計量經濟學只講量而不講質，如完全以數量來制定經濟政策，恐易滋流弊；倘以計量經濟學來編制國民經濟預算，有賴許多假定及前提。例如，編製國民經濟預算，必須假定有充分就業之情況，如不假定充分就業，則勞動供給及生產力等均無法予以確定，即難以編製國民經濟預算了。可是台灣目前有許多隱藏失業，根本未達充分就業之境界，是以台灣之國民所得會計帳，不甚可靠，若以此不甚可靠之會計帳資料作成國民經濟預算，殊不可取。現在，賦改會以「假定」為前提之假定一〇八種不同的情形，其數字基礎不健全，何況本省並未達到充分就業的境界，因此，依計劃量分析方法研究的結果，自不可靠。

目前賦稅中，漏稅與重複課稅問題甚為嚴重，賦改會如不先弄清楚問題之眞象，而以此種資料作為訂稅率之依據，勢必難期平允。（以上為胡鈍俞委員等的質詢）

關於建立財產稅制問題：建立財產稅制，加強直接稅之比重，故應對地價稅、房屋稅、及田賦等合併為財產稅，以避免重複，充裕財源。現行之地價稅、房屋稅、同以地段等級為評估標準，一地兩稅，重複課征，使房屋稅不惟不能依造價折舊，逐年遞減，反隨地價上漲，逐年提高。實施都市規定地價，照價征稅，使地價稅成為定期增值稅。而同條例第三十四條之增值稅的征收，又可以追溯到民國五十三年，等於兩個地價雙重課征，與國父平均地權規定一個地價永成為定的遺教抵觸。且都市內之綠地與都市邊緣之高樓所用的土地仍征田賦，稅負懸殊，顯失公平，對此類矛盾現象，均應力求根本改革。（黃煥如委員質詢）

目前直接稅比重 一年不如一年 這是什麼緣故

目前的直接稅之比重，一年不如一年，這是甚麼緣故？例如遺產稅之一種，但老是辦不好，可能是稅率太重之故。蓋國人以勤儉積蓄為美德，而得到遺產的人又無立刻變賣產業以完稅之習慣，在環境方面亦無此便利，利害關係人在「雖以善其後」的心理之下，就不免逃稅。有人認為遺產稅是直接稅，應該加強。而其加強之方法，祇知增加稅率就越行不通了。如三十九年六月二十一日公布的遺產稅法，有十個稅級，自超過一萬銀元課征百分之一，超額累進至超過五十萬元，就其超過額課征百分之六十而止，稅負不為不重。四十年統一稽征條例亦設十級，高至超過一百五十萬元，就其超過額課征百分之六十，但則形勢稍見和緩；但百分之六十的高稅率，嚇阻了稅源。四十一年九月間遺產稅法修正案，設二十三級，自超過二萬元課征百分之二，高至超過二百萬元就其超過額課征百分之七十，是以稅率又加，予人心理上的影響更深，此情至今未改。難怪有產業者即不免生前贈與，或索興隱匿財產以逃稅，現賦改會擬設贈與稅為輔，這是對的，但遺產稅、贈與稅之稽征應放寬，累進應級和，且利推行。（潘士浩委員質詢）

去年底修正之所得稅稅率與修正之所得稅法，亦為財產稅之一種，其規定低所得者稅率由百分之三調整為百分之六，增加了一倍。高所得者雖亦略有增加，但大多逃漏，政府眞正能征收到者似乎甚微。低所得者大多數為軍公教人員，平時收入已不敷支出，如今所得稅負担突然增加一倍，實在難得事理之平。有人認為我國低所得者稅率比之歐美等國，並不算高，其實這是似是而非的看法，我國一般國民的收入，既不能如歐美諸國相比，且除了日常衣食之外，還要支付許多吉凶慶弔的應酬費用。我們的稅率如何能與歐美等國相比？

而綜合所得稅以有重複征稅之弊，一般人除薪水所得須扣繳外，其他如房屋出租所得等，尚須扣百分之五的綜合所得稅，在同一項之收入，報繳所得稅，又要報繳綜合所得稅，豈非重複課征嗎？（徐漢□委員質詢）

關於賦稅過重的問題：賦稅改革工作之推展，須要注意到台灣賦稅的實際情況，對症下藥，才能達到改革的目標。近年來，地下小型工廠之猖獗，原因就是賦稅過重。

賦稅改革之目標，首在達成經濟發展與社會公平二大任務，使產業革命與社會革命同時完成。其次，則以推動社會建設為促進經濟成長之手段，以加速經濟發展達到增進社會福利之目的。有人認社會救濟為經濟發展之一環，但社會救濟是消極的，經濟發展是積極的，財政的功能在促進經濟發展，而經濟發展是財政的開源，因此，賦稅改革須做到四大目標：第一是調節社會財富，第二是開發國家資源，第三是適應公共需求，第四是推展社會福利。

賦稅改革成敗 關係國家興衰

賦稅改革之成敗，直接關係國家興衰，過去的經驗告訴大家，由於社會發展迅速，許多新的工作亟待積極推動，尤其九年國民教育所須經費至為龐大，經濟發展一時無法與社會發展相配合，舊的預算無法應付新的社會需要，故去年賦稅改革工作的重點在加捐加稅之上。加捐加稅作為臨時應急的措施是可以，但絕非賦稅改革之本務所在。超征超收歷年皆有，而去年超收幾百分之四十。特別是去年五月間，政府公告的地價上漲幅度過大，地價上漲，刺激物價的上升，一般軍公教人員與社會人士反應不佳，對賦稅改革產生種種誤解。

有人說，去年是賦稅改革年，今年則是經濟發展年，惟從實際的經濟結構來看，恐怕不很樂觀。就農業而言，目前的情形是正產不如副產，平地生產不如山地生產，過去一向和日本台作良好，日本購買我糧食，我購日本肥料，現在，我國不購日本肥料，日本亦不買我糧食（按：去年日本糧食生產量突料，且有餘糧外銷。）此外，國內肥料價格高於國際價格，但稻米價格下跌，農業基礎已呈現不穩之現象。除非台糖公司在政策上能改變過去的作法，採取多角經營方式，以求得更高的農產利益，否則，農業利益所受工商業之剝削將日甚一日。再就工商業來看，其基礎穩定，此種情形，從最近證券交易量的減少可見其一斑。目不前，銀行幾乎沒有儲蓄存款，多數依賴中央扶持，勉強支撐場面，自然談不上對工商業之貸款輔助。總之，自五十九年賦稅改革以來，財政的難關雖然渡過，惟經濟的基礎不夠堅強穩定，這是當前經濟發展中的一個重大問題，賦改會不能不加以注意。（魏壽永委員等質詢）

（完）

喬治桑外傳

四七　張大萬

「樓主與博士作伴，妳打電話找小李，好不好？」裘白瓊安排節目似乎很有辦法。

「你為甚麼知道我一定會約小李？」金鳳凰拱誦的問裘白瓊。

「他是妳的『梁兄哥』，妳不約他約誰？」裘白瓊說「梁兄哥」這一名詞來點破他們的關係。

金鳳凰出去打電話，桌上籌碼狼藉，另有美金、台幣。這兒眞像君子國，大家見錢不要。

金鳳凰回到房間，沒有牌坐到桌上，卻坐在沙發上。

「我約好了，他說他馬上到華麗飯店，在那裏碰面。」金鳳凰說完看了看腕錶：「現在還不到十一點，去早一點還能看到表演。」

「桑博士，你將錢收起來。」裘白瓊用手將紙幣整理成一疊放在喬治桑面前。

「請客用不到這樣多，我象徵性收一點怎樣？」喬治桑拿了十元美金，二百元台幣。

「桑先生是不是怕我們輸不起？打牌是要論輸贏的。我打牌贏了要拿進，輸了要拿出，喜歡乾脆。」飲絲樓主這一番話說得喬治桑再不能推三阻四了。

「台灣社會有『金賭銀會』之說，恐怕桑先生還沒有太了解。」金鳳凰也插咀支持樓主。

「什麼叫『金賭銀會』？」喬治桑問。

「就是說賭錢，標會非硬不可，不可賴皮。」裘白瓊向喬治桑解釋。

「哦，我這才明白了。當然，當然，非硬不可，尤其和小姐同一塊玩。」喬治桑笑着說。

「哎呀，桑博士說話不乾淨，要罰，要罰。」樓主最敏感。

「好的，好的，等會我請大家喝香檳好不好？」喬治桑自知說話過而近虐，甘願受罰。

「桑先生是半洋人，雖非土包子卻是大洋盤。台灣不像美國，不興喝香檳。」金鳳凰不同意喬治桑開香檳的辦法。

這時裘太太正化裝去了，剩下兩男兩女在房裡嘰嘰說說，時間過得特別快。倒是金鳳凰又看了看腕表，已經十一點一刻。

「裘太太，裘太太，請妳快一點好不好？」金鳳凰天生一付好喉嚨，喊起來不同凡響。

「來了，來了。」裘太太已進了麻將間。喬治桑只見她穿一件白底碎花旗袍，戴一副白色鑽珠耳環，穿一雙半高跟黑漆皮鞋，打扮得另有一種風韻。

「不是我催妳，南美希里娃的加力騷唱得特別棒，我想除學一下。」金鳳凰說明她急着要去的理由。

「金鳳凰說的不錯，想當年我學戲的時候，程先生登台，我一場也不缺。」飲絲樓主不愧是程艷秋嫡傳。

「好啦，好啦，累死狗（英文一起走之意）。」裘太太要了一句洋文。

裘白瓊有一部發來貓屎牌汽車，自任駕駛。裘太太坐在駕駛座旁邊。後面車廂左面坐的是金鳳凰，右面坐的是飲絲樓主，喬治桑宛在車中央。左擁右抱之樂，喬治桑不是不懂，可是今晚與兩位女客還是初次見面，只好眼觀鼻，鼻觀心，正襟危坐作柳下惠狀。

車行不久，到了華麗大飯店，裘白瓊讓乘客先下車。

「博士，請你帶她們先進去，等我停好車就來。」

「OK。」喬治桑用美式英語問答。

一進華麗大飯店夜總會，電燈照耀如同白晝，原來正在進行表演節目。有一個混血女郎在表演軟身工夫。喬治桑見得多了，絲毫不覺新奇。

僕歐迎上來問他們有沒有訂座。金鳳凰忙反問：「季先生來了沒有？」

僕歐還沒有回答，遠在音樂枱旁有一位身穿紫紅色上裝的男士在招手。金鳳凰如同看見招魂幡，立刻加快了腳步，他們也就跟踪而往，由喬治桑殿後。

一落座，金鳳凰立刻為喬治桑介紹：

「這位是美國僑領桑博士。這位是季先生。」

（未完）

文滙樓別記

民社黨定八月十五日召開代表大會，屈指計算距離會期尚有十天，這是向青年黨迎頭趕上，就進步這個角度看，都是好現象。

民社黨一致同意，仍根據已故張君勱所頒佈的召集令，召開代表大會，但這其中有幾個問題值得研究的，一、張君勱的左右手蔣勻田，從美國來信，表示不願回台參加大會。二、主席團的人數問題，非常複雜，各派意見甚爲紛歧，這比青年黨的排名之爭還難解決，其實義與排名之爭，殊途同歸。三、民社黨團結委員會，現有主席六人，即向構文、蔣勻田、王世憲、郭虞尙、孫亞夫、李緞。此六人於代表大會開完，是否仍能保持正式主席，否則會像姜子牙封神，最後自己沒有位子了。四、傳其中有三人自動願意放棄，又一說這是以退爲進，究竟情形如何，尙難判斷。

民社黨能團結嗎？

文滙樓主

民社黨元老向構文以九十高齡，最近奔走於各派人士之間，呼籲團結，要求摒除私見，實行愛黨，受感動的固有，講閒話的也不少。民社黨的情形本來就複雜，張君勱的死因，有說是氣死的，不過話又說回來，民社黨的黨魁張君勱是一位標準學人，張家敖先生說的對：「我哥哥不懂政治，對政治非常熱中。」亦可演繹張君勱不懂得搞政黨，但對政黨興趣非常濃厚。」民社黨懂得搞政治的人很多，在當年南京梅園新村「國共和談」，表現得最傑出的就是民社黨的蔣勻田，翻雲覆雨，奇招迭出，周恩來都被打得直搖頭，但蔣勻田是一個學人，很懂得政治，而不能做民社黨領袖，甚麼道理呢？這就很難答覆了。

民社黨雖決定在八月十五日，開代表大會，但在前列的一些問題未解決前，會是開不成的，看到青年黨的團結工作這樣的艱難，左舜生、李璜、陳啓天、余家菊相忍爲黨，同時皆不願有負 蔣總統盛意，經過多少波折，才把會勉強結束，李璜經過多日辛勞，疲困交集，現已進入某大醫院，左舜生的健康本不太好，經過這次疲勞轟炸，打算趕回香港入醫院休養。陳啓天、余家菊，亦氣亦累，更須要一個時間休息。

從青年黨的團結經過，看民社黨的團結，問題沒有那麼簡單，從最近民社黨各派迭日紛紛集會情形推測，又像是有團結可能，青年黨的團結成功，對民社黨來說，酷似一劑強心劑，又兼傳說各地議會有爲在野黨提出預算之請，果眞確實，這是最強大的誘惑力。

（編者按：此文原係八月初旬來的稿，因編排的延誤至今，特此聲明，并謹向作者及讀者致歉！）

復興關下幹校魂（上）

陳中平

「中央」月刊革新第一卷第一期刊出了王文衡君的「黃埔二三事」，敘史體散文，使研究黃埔軍官學校勳業的人又獲得一份印證資料，價值的確很不尋常，革新的「中央」月刊因此便非常引人注意了。

爲甚麼黃埔軍官學校的勳業會使人重視呢？這自然是由於他對國家曾作過非凡的貢獻。 蔣總統二十九年在「中央政治學校創設的宗旨和教學的方針」裡面說：「軍官學校從創辦到現在不過十六年，但在這十六年之中，他們對於黨國所賦予的使命差不多已經完全作到，不僅在國民革命第一時期黨與政府所要求於他們的工作——掃蕩國內軍閥與障碍——已經全部完成；就是第二期國民革命的任務——打倒帝國主義者在中國侵略的勢力——也已經完成了大半——所以軍官學校可以說已經完全達到了 總理當初創辦黃埔軍校的期望，黨國所賦予他們的責任大部份已經作到了！」此是一最具體明證。但黃埔軍校是一座純軍事性學府，當現代中國推動國民革命最近階段的任務裏，他的方法常是側重於政治的，因此有「三分軍事，七分政治」之揭舉，革命人才的培養，於是便不是偏重於軍事，而青年的政治革命幹部作育，就必須與黃埔軍校齊頭並進」，所以 蔣總統又繼承了 總理遺志，在抗日戰爭時期的重慶復興關下，創辦了三民主義青年團中央幹部學校，他在三十三年幹校開學紀念特別帶言：「我們青年幹部學校之成立，較之二十年前軍校的創辦，實在是同樣的重要，而其所負的使命，尤爲艱鉅，所以我們不能不刻苦耐勞，同心一德，憑着我們的主義精神，來創造新的社會，建設新的國家，以完成我們實現三民主義的使命。」幹校與軍校既然「是同樣的重要」，則軍校之黃埔與幹校的黃埔可以敘成史文。成立於復興關下的中央幹部學校，當也是以傳述久遠了。

幹校是建置在戰時陪都復興關下的。名戲劇家李曼瑰教授的「復興關——我的回憶」中說：「復興關原名浮圖關，是重慶的要塞，往日進軍重慶者能佔領此地，即可垂手而得。蓋居高臨下，可炮擊整個重慶。過去戰爭在這裡死義的官兵極多，久稱爲盡忠全節之處。民國廿八年中央訓練團由溫泉遷至浮圖關，將關門題爲忠孝之門。『忠孝之門』四大字爲橫額，兩旁直聯，一邊是『爲國家盡忠』，一邊是『爲民族盡孝』。」中國傳統本有「忠孝不能兩全」之說，但復興關下卻要求既要盡忠，又要盡孝，可見復興關是綜攝了華夏文化與倫理之精粹的，這是復興關的最偉大處。

原名浮圖關的復興關，或者又叫做浮屠關，也號稱佛圖關。顧祖禹的「讀史方輿紀要」說：「重慶三面臨江，春水泛漲，一望瀰漫，不可卒渡，其出入必經之要道，惟佛圖關至二郎關一路耳。萬曆中，永寧奢崇明作亂，踞重慶，分兵夔州江口，陷遵義、瀘州，截四川棧道，直逼成都，全蜀震動；識者謂：但守佛圖關，賊立可餓死。既而賊縱橫四出，直逼成都，官軍扼之，引還重慶，諸軍齊進，奪其佛圖關，而重慶遂下，蓋佛圖關者，又重慶之喉要也」！據辭源浮屠條：「按浮屠、浮圖，皆即佛陀之異譯；佛教爲佛所創，古人因稱佛教徒爲浮屠，佛教爲浮屠教，後併稱佛塔爲浮屠。」袁宏漢記有謂：「浮屠，佛也。西域天竺國，有佛道焉。」又據「辭源」天竺條：「印度之古稱」。這證明佛圖關的稱呼，不是中國所自有，而是從外國傳來。佛圖關正式改名爲復興關的時間，是民國三十年三月四日，關上石壁上嵌「復興關」三個大字，便是國家領袖 蔣委員長的手筆，氣勢雄渾極了。佛圖關改名爲復興關，給還了它的本來面目，作用無疑是從觀念上加強了民族的自尊和自信，使復興關下的人因此要復興民族，復興國家，當然更復興中國文化。成立於復興關下青年幹部學校其所以重要，道理就在這裡。

（未完）

綜談國劇復興（十一）

王方曙

（2）關於演出

像在前面我們扼要的談了關於劇本的問題。劇本是一切的根本，如有了好劇本，則不難演出好戲，不難號召新的觀衆。我們可以說，有了好的劇本，便使復興國劇的工作完成了十分之五。但演出問題也是極關重要的，如果不能把好劇本用好的方法演出來，仍舊會失敗！

所謂好的方法，便是進步的方法。進步的方法，便是與前不同的方法。也是我們不要忘記原則，無論如何進步，總不可以看起來不像國劇；換而言之，進步要在適當的度數之內，不可亂來。 現分述如下：

甲、舞台利用

舞台的利用，在演出上是首應考慮的事。因爲舞台是一個戲的全部呈現在觀衆面前的總形象，它的利用方法，關係一切戲的表現方法，及戲劇形態。所以我們必在第一步先談舞台。

國劇的舞台，是在所有的戲劇中，利用得最靈活的一種，它不需要佈景，不需要認眞寫實的道具，不需要換景和轉動，甚至不需要門窗隔牆，一切都交給觀衆的想像，使觀衆自動承認。這是一種最輕便的辦法，也是最巧妙的辦法，更是最上乘的辦法。如果我們能利用這種辦法，使之靈活無阻滯，則會引人入勝，使人感到簡捷明快，變化有致。在這一點上，我們已有的演出方法，已經大致作到。但爲適應現代觀衆，我們仍不能不再求更細緻的利用，使它更完整；使它更有一新耳目，而增加戲劇發展力量的功用。

在這一點上，我們首先要提出說明，便是我們的舞台是固定的，不換佈景的。（少數要用佈景，其實是例外而已，不用佈景也一樣能夠演出，在後面我們要另外討論。）因此我們必由上場、下場、圓場、挖門、開門、關門等等動作，再加唱和白，來說明環境的變換。如拾玉鐲的孫玉姣，由室內到門外，一路的動作，表示到了門外。鴻鸞禧的金玉奴，開門而觸到莫稽，表示莫稽是倒在門外，打漁殺家的動作，表示了上下船等等，不必多舉。這是極好的方法，根本不要再作絲毫修改。但有些戲的表現方法，則稍稍拙一些。原因是上下場的遲緩，和舞台變化形態而演出並未改其方法，以致太適宜。現分述如下：

（未完）

政治垃圾現形記（二一）

李槊

第八回　獻媚有術能惑主　辨姦無智致殃民

自古以來，凡講究爲政之道的人，皆以親賢遠佞，摒除僉壬爲主要條件。然自古以來的歷史紀錄，總是治少而亂多，原因是奸佞倖之輩常被寵愛信任，大則禍國叛主，遺臭萬年，小則殃世殃民，作祟多端，前者是政治毒菌，一時不易察覺，後者乃政治垃圾，稍加注意就能夠辨識的。可是，這類政治垃圾在政治上卻到處充斥，以致誤盡蒼生，恬不爲怪，可見一般統治人物之低能無知，自誤誤國，如本篇所述的葉勃勃（蓬）、即係典型的佞倖之徒，足資鑑戒。

葉氏出生鄂省，民國六七年間，畢業保定軍校後，投奔於在湖南創建的「湖北自治軍」首領夏斗寅帳上，由下級官洊升至旅長。但胆小如鼠，從未親臨過戰場，每逢作戰即藉故躲在後方，而教訓手射冒矢石。迨國民革命軍北伐成功，統一全國後，夏斗寅所部擴充成軍，繼有十九年馮、閻之役，夏軍轉戰中原，頗著勞績，夏斗寅超任湖北主席，葉氏以旅長資格，工於逢迎鑽營，得拜武漢警備司令之任。維時毛共叛亂日見擴大，湖北境內的共禍甚烈，武漢郊外的查家墩飛機場，亦曾遭共軍破壞，鄂省各地區除了武漢三鎮外，幾乎沒有安全區域。中樞軍事當局感焉殷憂，於民國廿一年夏間，在漢口設立「豫、鄂、皖三省剿匪總部」，由最高統帥 蔣公坐鎮總部，指揮督導之。蔣總司令視事之日，曾在紀念週會席上，指摘鄂省文武官員，腐化低能，有虧職守，致令匪患加深，苦害人民；尤對於踞有軍事職位的大員多所譴責，詞殊嚴厲。葉氏在場聆悉，深恐地位動搖，忐忑不安，而急求固位之方。

他首先仿效江西剿匪的碉堡政策，在武漢三鎮郊外遍築碉堡，每個碉堡的名稱，皆摘用蔣總司令訓詞中的語彙，如「硬幹」、「實幹」、「知恥」、「負責」等等，表示他服膺最高統帥的忠貞意志，並在報紙上大事宣傳。至於所需經費，即責令武漢三鎮工商界籌募，聽他自由報銷，無人稽核，藉此又可以撈取一筆外快，可謂名利雙收。他那警備司令部，裡裡外外皆貼滿 蔣委員長的格言、語錄，嘆觀止矣。某日，他的兒子在小學校內，跟三省剿匪總部政訓處長某某的兒子打了架，他馬上偕同自己的妻孥，買上大堆禮物，到某處長住宅道歉請罪，當着某處長夫婦面前，把兒子痛打一番，以示恭順之忱。

吾國人於民國二十年「九、一八」事變發生後，到處掀起反抗日本帝國主義的排斥日貨運動，甚爲熱烈。日帝藉此向我興問罪之師，外交殊棘手。越民國廿三年夏間，葉氏爲表示他是愛國主義者，於舉行武漢警備司令部成立三週年紀念遊藝大會之日，特在部內廣場上增設「打靶」遊戲，用稻草紮一中型的人像，穿着紙衣，上書「日本鬼」三字，讓來參加遊藝會的群衆持槍射擊，依成績給予獎品，葉氏以爲這是最好的宣傳技倆了。

駐漢日本領事館的職員以應邀參加紀念會，目擊其情，當場把那被射擊的「日本鬼」一個草人攝取影片，送交日本駐華公使館向我政府提出嚴重抗議，指我國官方人士公然侮辱「大日本帝國臣民」，要我方迅行嚴加處置，先將警備司令部撤職法辦，并保留日方另提其他要求條件之權利。同時原在長江各處駐泊中的日本軍艦若干艘，亦奉東京軍部命令駛集武漢江面，大有採取直接行動之勢，情況殊危急。

諸葛亮狂想曲（三六）

・劉　玄・

「我以爲地球上共產國家，鐵幕森嚴不宜進入。萬一疑心丞相是間諜那還得了。至於東南亞各國，『勢動蕩不定，應該列爲次一旅程。以我愚見，丞相還是以先到美國爲上策。」劉約翰向諸葛亮建議。

「是的，我也計劃先到美國，一來該國人種複雜，對我這個特別高大的亞洲人不會發生懷疑。二來美國不是警察國家，落籍比較容易。」諸葛亮立刻同意劉約翰的建議。

「我今天特別請張素梅小姐做一頓西餐請丞相吃，以便練習適合美國生活。」劉約翰設想得很週到。

「最好，最好，可是要你破費眞不好意思。」

「丞相說那裏話來，西餐以牛排爲主，比龍肝鳳髓不知要便宜多少。請吃西餐，我還請得起。」

諸葛亮出身農家，生活簡樸，吃西餐很吃得慣，他對於張素梅燒的菜讚不絕口，尤其是冰淇淋，他認爲即使是仙家雨露也沒有此味道。

飯後，劉約翰進一步替諸葛亮設計在美國登陸的計劃。

諸葛亮將作華僑

「丞相這次到美國與一般觀光旅客不同，即不要簽證，又不要坐飛機坐船。我的意思，丞相可以在美國西部沙漠地帶降落，然後，搭便車進入城市。定居的地點最好是紐約或舊金山，這兩處中國人比較多，比較容易隱晦。」劉約翰是美國通，他的話是很有理由的。

「可是交通工具怎麼辦呢？」劉約翰問諸葛亮。

「這點你可放心，我準備乘自造雲車經過三十六道關口直到南天門外，然後先到美國放射人造衛星歇一歇腳，離地球近了，駕風駕雲進入美國都不會有問題。」諸葛亮說出行動計劃。

巨變歷險記！

剛一登上火車，丁博士異常的興奮。天津的魔窟，北平的魔窟，總算逃出來了！……他在這樣想。但這不過是剛過兩關，將來關還多得很。在昔伍子胥不過是過一關，關公不過是過五關，而半壁河山，已入於共匪之手，其餘的也都已蒙上陰影，且在天天加重。眼看大好河山，都將被共產黨席捲以去，向那裡跑？怎樣跑法？……在在都是問題。遠大的目標已經有了，早就有了，當然是南京、上海、台灣、？？？、？……。但行遠自邇，登高自卑，還是回到自己身上吧！……

回到自己身上，漸漸的冷得不[illegible]車行[illegible]，風本來很大，現在更[illegible]大，感到冷，感到悶，自己身上，[illegible]有皮領，但[illegible]太悶，太熱，皮大衣的作[illegible]大的折扣。差不多天[illegible]，[illegible]滄州，雖沒有變成[illegible]，也相[illegible]不遠了。臉也變成[illegible]鬼。

在飢餓中

（五八）　胡慶蓉

平津，向南來說，是一個廣大的平原。臘月的時候，只看見一片黃土，一片沙土。偶有個小風，這土就會飛起來，假若風大，那就是到處飛沙。騰雲駕霧，是說過去的神仙。雲、水分最重；霧、水分也相當；神仙升在雲上，騎在霧上，飄飄然，是相當舒適的，而自己也有高貴之感。而今丁博士坐在車上，倒不是騰[illegible]，而乃是騰沙駕[illegible]，[illegible]被沙所包圍，所侵襲，所滲透，[illegible]空裡、耳朵裡、眼睛裡、頭髮裡、袖子裡、襯衣裡，處處都是沙，無一處不是沙，簡直被沙吞噬了，簡直一不是人一了，簡直成了個[illegible]人，[illegible]如[illegible]鬼，但不如[illegible]鬼。

在飛沙走石之下，空氣的乾燥可想而知。丁博士車是上來了，但在在都是問題。風沙的侵襲滲透，固然是問題，沒有吃的，沒有喝的，尤其是沒有[illegible]，更是問題。早上四點在義僕家裏裝的（即飲的）水，到上了車以後，就差不多消耗光了。在車上漸漸的感到口喝，舌乾、肚餓。但沿站車都不停，偶而停一下，又不敢下，那裡去找水喝？又那裡去找飯吃？……人到了[illegible]要水而沒水喝的時候，人簡直就變成熱鍋上的螞蟻，六神無主。人的胃，好像是鍋爐，人體裏缺水，好像鍋爐裡沒有水，但下邊的火還在燒着，那是一種甚麼味道！……

丁博士在法國，曾同東北的將領吳克仁、東北大帥令郎張學文，參觀過「凡爾登」戰場。嚮導述說士卒在山洞裏喝馬尿的故事。水對人太重要了。食當然也重要，一天，丁博士沒有水喝，沒有飯吃，在嚴寒之下，可謂飢渴交迫，狼狽不堪！沿途車不停，直到滄州才停，這已經是天快黑的時候了。沿途，簡直看不見人，人都到那裏去了呢？是不是平津的消息，已經傳遍平津以外的地方，誰還敢出來招惹事非。

桃花潭水三千尺

鱷魚潭邊的故事（八）

趙陀

「那你為甚麼對牛少爺的別字詩，發那麼大的脾氣？」

「夫婦談天，不是到法院去出庭，這樣認真扣着辯駁幹嗎？如果傳了腦溢血我可不負責任。」

「老爺聽電話。」王媽在房門外這樣的喊。

「奇怪？十一點了，甚麼人會來電話。」蘇雀寶自言自語的問着。

「哼！不是馬就是牛，還有甚末好事？」顏芳這樣的答，心情亦似很沉重的在凝思着。

「假定是牛少爺，六號請客的事怎麼辦？如果是馬小開來逼債又怎麼應付，克琳與牛訂婚的消息，好像被馬已經發覺，不然不會半夜來電話。」蘇雀寶未接電話前向顏芳喃喃的唸着。

「管我甚麼鳥事，你的雙眼馬政策到那兒去了。」

「老伴，我看還是求你去接，就說我病了，有一個退步，老將抵賬的棋是很難走的。」

顏芳被迫得無可奈何的拿起電話聽筒說：

「我是蘇公館，甚麼？長途電話，馬來匪來的。」

克琳剛聽到長途電話，已經很迅速的到達電話機旁，拿起聽筒接話：

「你是念佩，怎麼？汽車碰傷了？怎麼會呢？住在馬來醫院，六號行期改了，另外有信，急死我了，急死我了，任哥哥，不，好哥哥，你要爲琳珍重，別忘記克琳的心就在你病榻的旁邊，不，琳琳的人和你的傷口是跟在一齊的，媽在這，爸也在這，他們都很關心你。」

克琳接完了電話，很懶散的回到自己的臥房，顏芳亦跟着進去！急切的向女兒問道：

「任的傷勢要緊嗎？」

「左腕斷了，已打起石膏布。」一邊說着一邊驀然哭出聲來，顏芳這時向克琳安慰道：

「年青人很快會恢復的，痴情遇到痴情，半夜三更還打長途電話來。」顏芳摟住克琳，一邊替揩着眼淚。

蘇雀寶搖搖擺擺顯得很輕鬆似的，向顏芳母女說：

「王媽告訴我，任念佩被汽車壓死了，唉！出師未捷身先死，留取丹心照[illegible]琳。」

「你這個老不死老鬼，眼睛耳朵亦聾了，是嗎？任念佩爲車受了傷，克琳說「急死了」，甚麼「壓死了」。」

「嗯！那應當換一副對聯：「春蠶到死絲方盡，蠟炬成灰淚始乾」。這樣就恰題了」。

「老鬼，老東西，你給我爬開，克琳和我心裡都很煩，你別引發了我的火。」

「六號牛少爺請客的事，你們母女倆可從長計議了，任念佩空口講白話，乃必然的報應。」

「爸爸，女兒已經計議好了。」

蘇雀寶疑惑的，躊躇的說：「這話是假的嗎？」

顏芳這時表現得很堅決，毫不猶豫的說出：

「克琳已和任念佩在長途電話中訂了婚，是我主婚，從今起[illegible]牛少爺和馬[illegible]久的事。」

出乎蘇雀寶意外，火山爆發式的話頭，使蘇雀寶怔得發呆，黑眼球向上翻，[illegible]的都是白眼球似的。克琳[illegible]無力的躺在衣櫥右邊的沙發上向顏芳說：

「媽，我頭痛，一跳一跳的像很重的東西向下墜。」

（未完）

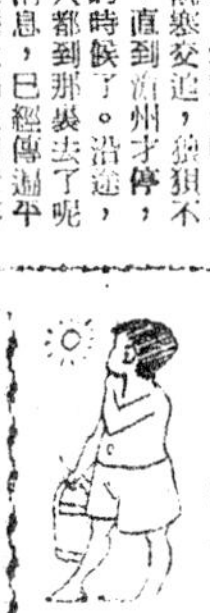

御廚談藪

御廚館小尤魚

林泉隱

尤魚是用來佐膳的，尤魚、蝦米、燒肉、雞是大餚館中的基本菜色，可是市面有了尤魚絲之後，尤魚作爲零食的銷路遂與用作佐膳的同樣大了。

尤魚絲眞是老幼咸宜，味道不錯，因之港九各大街小巷都有賣，銷流之廣，一時無兩。並且尤魚絲不僅在港、九銷路很好，甚至在暹羅、越南方面，也曾紛紛向港庄訂貨，曼谷飄輕架御廚館，擅製油炸小尤魚，味美價並不廉，製尤魚絲這一行突呈好景。但可惜的是製造商方法欠佳，入箱時不加抽空封閉，加上越、暹氣候不同，貨物在途中常常變壞，出口生意乃受影響。

尤魚絲的食味彷彿像牛肉乾，當然沒有牛肉乾那麼好，但價錢却比牛肉乾平了六、七倍，尤魚絲用的並不是太好尤魚，僅是普通的尤魚吧。

說來是有趣的，一隻不足一尺長的尤魚，經一番製作後竟變成五、六尺長，辦法是去了它面上的薄膜，而用絞機壓長。

翠樓吟

別了故園春　葉亮文

竹影搖窗，雲飄細雨，風薰晚春將易。看鵑紅窗外，撩人墜，墜風無力，霖沾花魄。似欲老朱顏，悽然淚滴。愁難匿。子規離語，幾回聽得。

往昔。夢似流年，恨苦吟思倦，潦辭難織。明春人異地，泊湖海，孰能相憶。雖曾相識。笑語重前程，天涯展翼。從何覓。五陵裘馬，[illegible]期[illegible]測。

日有所思夜有所夢

公陶

命相與夢話

夢與人有不可分的關係，夢是否能預兆吉兇，在人的心理已佔有了百分之五十，另百分之五十與我們的遭遇偶能與夢吻合，夢就變成爲百分之百的可靠，即稍有偏差，也算應驗，住在台灣的人，都曉得木柵指南宮夢的故事，尋者入夜大部份都可以得夢，至於夢是怎樣形成的，請看下列有關夢的分析，讀後就會清清楚楚怎麼一回事。

夢的狀態與催眠幻覺同一性質，即夢中的言語和催眠中所說的話，亦完全相同，催眠是藉暗示，睡眠中的夢，既與催眠中的幻覺同一性質，無疑的也來自暗示，所謂「日有所思，夜有所夢」。「到指南宮去尋做夢」的人，既然是白天決定，也可以說根本就有做夢的暗示，故到指南宮去尋夢，很少會落空的，夢是否可以預兆吉兇？還要提供若干參考資料。

如果是常常做惡夢，應當趕快找醫生檢查身體，有位朋友，他連續做夢，夢見有一塊龐然大物跌入咽喉，忽然夢咽喉被刀剪扎住，忽而在自己咽喉裏發生爆炸，忽而夢見到大樹下自縊，忽而咽喉如自來水管，流水不止，後來醫生檢查，[illegible]這位朋友的咽喉生瘤正在發展着，[illegible]很容易解釋，在咽喉生病的發展過程中，開始病況很輕，未能覺察，只能在夜間有所感覺。

一般人都做過可怕的夢，被飛機炸彈炸傷，或者被殺，或者從容就刑，槍兵和劊子手猙獰的面孔，將做夢的驚醒，凡是做這樣沉重的惡夢，第二天常感覺得非常疲倦，這是因爲夢太刺激大腦[illegible]的關係，導致這種惡夢的原因，多爲消化不良，或者患有心臟病，絕不會因夢到被殺，而便有兇險事故發生，著者曾作過許多夢的試驗，大體都合乎邏輯，例如[illegible]，夜裡總是夢到大嚼一頓，[illegible]肉鴨之類，接着打破盤子碗，其實[illegible]達的達鋪聲，是容易夢到路塌或者斷橋，[illegible]着[illegible]睡眠，從來未做過[illegible]實，躺臥不舒服會影響睡眠，因而影響心臟，可能[illegible]，或者死在道旁，孔老夫子[illegible]，大概就是教人別臉朝[illegible]，因爲這樣睡，易做惡夢，或者在房間裡有刺激性[illegible]，身體[illegible]一動，會[illegible]，機關槍聲，[illegible]或者在近處說話，[illegible]見狹窄的地方，或者人[illegible]的喊聲，或者起床和跳[illegible]，不勝枚舉，尋夢不一定[illegible]，照樣會做到各種各[illegible]。

歷代冤獄

周文王囚七年

司發碧

周文王有美好的聲譽，與當時的鬼侯、鄂侯，同受殷王帝辛封爲三公。鬼侯的千金，是帝辛的愛妃，因觸怒帝辛，便把她殺了，鬼侯不服，也被染（刀旁）成肉醬，鄂侯異常氣憤，向帝辛據理爭論，因而也被處死，文王聽到這個消息，嘆了一口氣，不料帝辛得到小報告，文王立被逮捕，囚在羑里（即今河南湯陰縣）七年，那裡的人民，敬佩文王是一位有聖德的人，所以都牽羊挑酒到獄中慰問。

蠔能壯陽補腎

馬騰雲

生活漫談

廣東人講究吃，幾乎全國之冠，俗話有「食在廣州、穿在杭州、死在柳州」，廣東菜最大的特點，是不拘泥於固定形式，所謂別出心裁，巧奪天工，不像北平菜、上海菜、安徽菜、四川菜、湖南菜，受不變的陳規所約束。

蠔油牛肉是廣東人的家常菜，其實蠔在帝王時代，就被列爲宮庭珍品，當時能夠享用的人，多爲豪門達官貴族，法國人的壯陽術是吃生蠔，飲白蘭地，羅馬人則愛以生雞蛋，生蠔下酒，據說補力特強，廣東人嗜吃的蠔油牛肉，後來外省人皆普遍食用，自有其營養價值理論根據，台灣人對吃蠔興趣也很高，料理店和攤販到處有蠔可吃，以證明「日無同美，則無千都，口無同嗜，則無易牙」的話一點不錯。

蠔產於海邊，近代多用人工培養，我國沿海各省都有蠔塲的設立，特別在廣東省的寶安和中山縣沿岸養的蠔，是既豐富、質亦肥美，而含的脂肪質尤多，故中山縣出品的蠔油，爲全國之冠，最近台灣養蠔的風氣漸盛，因供難應求，距離「蠔豉」外銷的目標尚遠，但業已大衆化了，爲一般所公認。

經過化驗的結果，其成份含有肝醣（西穀）、蛋白質、脂肪、水份、灰份、維生素A、B、C、D，礦物質則含銅量最多，蠔的脂肪最多，台灣民間食用時，常以瘦肉或青嫩鮮菜，及生蛋同煎，藉以中和，消化不良的人吃蠔，可以加薑汁及胡椒粉，以蠔油髮菜作湯羹，不僅可以減少對胃腸的諸賦，兼能開胃，日本醫藥半月刊謂：患遺精的人不宜食蠔，筆者認爲這是一個因爲果和果成因的問題，「蠔豉」功能壯陽補精，尤以鮮蠔的最宏偉，倘再飲以烈酒，即[illegible]精滿自溢，何況是本患有[illegible]，至於果成因的道理，蠔的[illegible]刺激了生殖系統的分[illegible]，[illegible]連帶關係，如果我們[illegible]毛病，雖受刺激，也不可[illegible]，假定患有腸胃病而又患遺精[illegible]，而飲用蠔湯，對遺精[illegible]，相反的對遺精病間接直接[illegible]。

其壯陽補精，健脾益腦，[illegible]，家裡小孩子多的話，[illegible]的純正蠔油，使孩們拌飯[illegible]粥吃，可以健脾開胃，增[illegible]，蠔油裡含有兒童身體所需要的[illegible]，促進造血功用，蠔油所含[illegible]、C、D等都是兒童發育[illegible]，特別注意的，一定要買上好純正的蠔油。

自由報

中華民國內政部內警台報字第〇三一號
中華民國僑務委員會登記證台僑新字第三二三號
中華郵政台字第一二八二號執照登記為第一類新聞紙

（第一九八九期）

（小型週刊每星期三、六出版）
元式幣台新價售零灣台・角港幣港份每
社長李運鵬・督印黃行舊
社址：香港九龍彌敦道593—601號
廖創興銀行大廈八樓五座
LIU CHONG HING BUILDING
7th FLOOR FLAT 5
593—601 NATHAN ROAD,
KOWLOON, H.K.
TEL: K"03831
電報掛號．7191
承印：景星印刷公司
地址：嘉咸街廿九號地下
台灣總管理處：台北市大同街119號
台灣區直接訂戶　台郵劃撥戶
第五〇五六號萬有（自由報會計室）
電話：七一四〇三三、五五五三九五
台灣分社：台北市西寧南路110號二樓
電話：三三〇三四六，台郵訊撥戶九二五二樓

關於中國科學史的幾點具體建議

·江應龍·

前些日子中央副刊發表了一連串的關於「零與一」，「易經」，「中國古代科學」一類的辯論文字，筆者對易經沒有研究，對科學是門外漢，本不擬妄置一詞；但是看了謝冰先生的「祖業待發揚」（一月二十五日）及李樸生先生的小簡（一月三十一日）之後，有幾句話如骨鯁在喉，覺得不吐不快。

易經是否含有高深的科學，是否合於現代的科學原理，我們應該以客觀冷靜的態度，作縝密深刻的研究，求得真實可靠的結論，一還他的本來面目。不必作籠統含糊的過份推崇，也不必抹殺一切的過分鄙夷，認為凡是中國的都不好，中國文化毫無科學成分之可言。這樣的言論，不但無補於我國科學的建設，而且有礙於我國文化的發揚。

幾十年來，絕大多數的優秀青年，都立志從事科學研究，是一種可喜的現象。但直到現在，我們的科學還遠落於別人之後，我們的科學建設依然沒有達到理想的成就，這是一個很值得深思的問題。我不能說今天學科學的青年，都不愛國家，但我們的科學家沒有在學成之後，把所學的完全貢獻給自己的祖國，則是事實。我們不能一味責備學科學的青年們，但我們應該檢討我們的教育政策。不懂易經而否定易經的一切價值，猶之於不懂中國文化而否定中國文化的一切價值，一樣的沒有道理。前幾年有些狂妄青年，主張全盤西化，把自己的文化糟蹋得一文不值，創鉅痛深，令我們記憶猶新，痛定思痛！

在科學技術上 我們祖先優越 我們子孫低能

小時候翻閱過「營造法式」一書，大約十幾年前，國立歷史博物館舉行了一次古代建築展覽，我看過之後驚異於我們的祖先在科學方面的成就。我走出歷史博物館，想到我們滿街都是的火柴匣似的所謂「西式」建築，不禁長長的歎了一口氣說：「老天爺為甚麼讓我們中華民族的祖先，有如此優越的聰明智慧？又為甚麼讓我們中華民族創造過燦爛輝煌歷史文化的列祖列宗所生下來的我們這批子孫，如此的低能？」西門町的電影院，放映的都是些反教育的西片，或打打殺殺，或香艷肉感。每張票十幾元到二三十元不等，卻大排長龍，有時還得買黃牛票，舞廳歌廳就更用不着說了。這時歷史博物館的門票，是成人二元，學生一元，但卻門可羅雀，無人問津。

今天的青年，除了中學時代在歷史書上讀到一些火藥、橋梁、羅盤、印刷術之類的記載極其簡單的中國古代重大科學發明之外，似乎不知道還有其他的東西了。當他們踏進大學之門，從事於理、工、醫、農任何一種科學的研究，他們所讀的課本是百分之百的洋文書。在這些所謂「原文書」中，當然不會有絲毫關於中國科學的影子，出國留學後自然更用不着說了。因此絕大多數學科學的青年，自然以為科學是不折不扣的外國人的東西，與中國文化是風馬牛不相及的。內此有意無意之間，對祖國文化對祖國的熱愛，便打了一個大折扣。我不知道我們的教育當局為甚麼不像日本一樣，把這些原文書翻譯成為本國文字？科學上的某種觀念意識，日文都表達出來了，難道中文還不能表達？「是不為也，非不能也！」當然最好這些課本是由我們中國人自己用中文來撰寫。

我常勸青年們讀一讀謝冰原先生的「中國古代文化與中國知識份子」，尤其是第六章第六節「秦漢之學術思想」。我還記得胡先生曾對我說過：「中國人短於科學。」「短於藝術」我不敢苟同，長於藝術而長於科學則是真的。青年們如果看到我們今天的科學不如人，便認為我們中華民族一向科學不如人，是大錯特錯的。

放着二十五史中律曆河渠……這些材料不論，我只隨手翻檢架上的知不足齋叢書，其中農書，猛書，今水經、潛虛、蘇沈良方、讀易別錄，五行大義，這幾部書自然都是古代科學的書，（根據鄭錄中間也有一部分。）單是數學一類的便有孫子算經、五曹算經、張丘建算經、緝古算經、細草、數術記遺、測圓海鏡、益古演段、弧矢算術細草，透簾細草、續古摘奇算法、丁巨算法等十一部書。另外還有一部勿庵曆算書目，所列曆學書共六十二種，算學書共二十六種，（上列諸書，都不在其內。）這些書我們現代的科學家們讀過沒有？研究過沒有？而知不足齋叢書不過是中國古書中的九牛一毛而已。我並沒有說這些書中有現代核子知識、飛彈知識、火箭知識、太空船知識。但我們應該以當時的眼光來看他。我們應該看我們的祖先當時，有這一科學成就或科學思想的時候，西洋人的文化在那一個階段？我們今天沒有核子武器，沒有太空船，我們的祖先，我們的文化，不應該負這個責任，應該負責任的是我們今天的中國人。

中國科學史書 獨有外人撰寫 是我們大恥辱

聽說英人李約瑟曾經撰寫中國科學技術史，已出版的有精裝七鉅冊，應該是洋洋數百萬言，甚至千萬言的鉅著，這種書出自外國人之手，應該是我們中國人的奇恥大辱。（第一本中國文學史也不是中國人寫的。）這樣重要的書，若干年後的今天，竟沒有一個屬於政府的編譯及出版機構或民間書局出版社翻譯成為中文加以印行。足見我們的麻木與無知。別說這樣的鉅著了，如果你只想買一本薄薄的一本小冊子「中國科學史」，保管你跑遍台灣也買不到一冊。我們的青年讀不到這一類的書，他怎會承認自己的文化裡有科學？當他到了所謂科學先進國家，耳所聞，目所見，我們似乎百不如人，他怎會熱愛自己的祖國？

學國文的要修中國文學史，學政治的要修中國政治史或中國政治思想史，學哲學的要修中國哲學史，學教育的要修中國教育史，為甚麼學科學的不修中國科學史？

越寫越令人激動，越寫越令人痛心，還是就此打住的好，我不想板起臉孔責備甚麼人，我也沒有偏袒參加論那一方面，我只是提出我自己的幾點意見，供大家參考。

綜括我上面的意見，謹作成幾點建議：

一、加強中學歷史課本上關於中國古代科學的介紹。

二、學者專家應加強中國古代科學的研究。

三、從速組成委員會，從事李約瑟的中國科學技術史的翻譯工作。

四、大學有關科學的課本，由國立編譯館聘請學者專家一律譯成本國文字，供應各校採用。

五、由國立編譯館聘請學者專家用中文撰寫有關科學的各種大學用書。

六、政府應鼓勵學者專家，編撰中國科學史之類的書，優良者應予獎勵。

七、教育部應修訂大學課程標準，規定大學理工醫農各學院學生必須修讀一門共同修科——中國科學史。

昨日與明日

于斌獎學金

成　公

報載美國聖若望大學於下年度起，設立一永久性的獎學金，來對于斌樞機主教表示敬意，此項獎學金即名為「于斌獎學金」。辦法及給獎的對象，是由于斌樞機，就其所辦的輔仁大學畢業生中，親自向該校推荐，聖若望大學創校已有百年而設立此種性質之獎學金，尚為創舉。

聖若望大學為美著名之天主教大學，一向對我國為友好，尤其自薛光前博士在該校任教主持亞洲研究中心以後，對於中美文化交流事宜更是促進不遺餘力，在亞洲研究中心的推動下該校不斷舉行有關中國的展覽與集會，旅美中國學人經常取得該校的協助與接待。目前美國各大學設有亞洲研究部門的不計其數，且也不乏有卓越成就的，但其領能熱心從實際的活動，來促進中美友誼和認識的，卻要首推聖若望大學。現在該校又在創校一百周年的時候，設立此一獎學金，更使中美文化交流有進一步的發展和意義。

意義重大

我們說有進一步的意義：第一、這不只是給一兩個學生的求學機會而已，而是代表中美兩大天主教大學的合作。去研究的雖仍是某些個青年，但卻是代表着于斌樞機所手創（指復校言）的輔仁大學，意義遠較某一二個人為豐富。第二、聖若望大學校長說設置這項獎學金的目的乃是：「對於這位中國樞機主教，在促進中美文化關係的相互作用方面所著重要貢獻，表示敬意」，可說是一個公允的意見與措施。遠在抗戰時期于氏那時還是紅衣主教，即在美國作了無法估計的促進中美相互認識的工作；至今談到「六尺二寸的中國主教」，許多美國人氏，猶不禁為之神往，足見于氏予人印象之深。而今于氏這一獎學金的設立目的就在表揚于氏這種功績，因此其意義就不止是獎勵一個成績良的學生而已了。第三、于氏這種促進中美文化交流的工作，將因榮任樞機主教之後，而益為積極推進。于氏加冠後，在旅美途中，宣稱即將校復益世報，可為明證，而正在這個時候，設立此一獎學金，這正反映國際間對于氏的支持，由此于氏未來大展鴻圖的順利，這一點意義非常豐富，不是普通獎學金之所比。

慎擇人選

由于意義如此重大，因此這一獎學金的得主，也勢必要慎擇人選，以符使命，按照一般遴選的標準，多半是依照成績，但我們借箸代籌，建議在成績之外，還要參考其他輔助因素。因為分數的評給各個教授寬嚴不一，不能混而同之，等量齊觀，何況考試分數往往與學問的實力（尤其是顯後發展的潛力）並無必然關係。許多有才氣的青年，並不熱心考試。試以往日科舉情形來論，「狀元」，有幾個有貢獻的，反之建大功立大業的卻都是三榜進士。因此在遴選人才時，除了成績外，首應看其抱負，胸襟、品德、氣度，其次還要看看，常識是否豐富，才幹是否可取，甚至言談儀表，家庭教育都可作輔助參考的資料，這樣慎重遴選的人選，才會不負這一獎金設立的意義，而使文化交流的使命發揚光大。

自由談

白水先生最近在本報寫了兩篇談教育問題的文章：一是敘述所謂「師道」之蕩然無存；一則指出台灣報紙上常時宣揚的所謂「教師福利」這回事，不特毫無實際，而且無形之中把原有的一點「福利」亦剝奪殆盡了！他以個中人談個中的事，說來有憑有據，娓娓動人，我們讀罷不勝感慨萬千，難安緘默。

許多人正在大聲疾呼地鼓吹復興中國固有文化，我不知大家看過白水先生這兩篇文章之後，心裡亦感覺有些難為情否？中國文化最重視師道尊嚴，認為「師」的地位與天、地、君、親同樣崇高，我們幼時雖見老輩人尊禮師儒的情形，現在渺不可尋了。教師被視為販賣知識的商賈之徒，待遇菲薄到啼飢號寒的境況，猶其餘事；教師的人格還不如在香港碼頭上給人碰石子的「打工仔」受到東家重視。

咄咄怪事

像基隆省立中學教師因為管教學生較嚴切，竟遭到殺身之禍的倫常大變，這在舊時講求師道尊嚴的吾國固有文化社會中，不但該校校長應予撤職論究，即直接主管教育行政的官吏，亦非議處不可的。於今呢，被殺的教師好似罪有應得，校長和教育主管長官照舊屍位，無所容心，却對人大談其復興中國固有文化問題，這不是天大的笑話嗎？

白水先生所指述的教師待遇實況，原係就中學教員而言，實則一般國立大學教授亦幷無二致。迫使那些經師人師四出兼課，而以輪流缺課的方法來換取少數鐘點費，其情可憫，其事可哀，誰為為之，孰令致之？搔首問天，余欲無言矣！

古人說：「宰相須用讀書人」，我認為宰相少讀詩書，貽患尚不致無可救藥，唯有當校長和教育行政長官者不讀書，為禍殆勝於洪水猛獸，國家民族前途，危險極了！若使一般不學無術的人雜廁文教界，而高倡復興中國文化之說，豈特滑稽可啣，實屬咄咄怪事也。

馬五先生

政府、社會打成一片 官吏、民衆結成一體

郭雨新建議陳大慶主席 大刀闊斧精神澄清吏治

（本報通信員柳一欄來自台灣省議會消息）省議員郭雨新提出質詢云：本次大會省政總詢問，適值省府改組未久，過去的施政實績，來年的預算計劃，全屬前任黃主席經辦的；新任要整個明瞭還需要相當時日，自難要求分負責任。因此之故，本席只準備指出政府過去若干言過其實的政治措施，希望衡酌先後緩急，革新進步，以慰省民喁望，是否有當，還請不吝賜教！

七月十一日，主席訪問本會，發表談話：希望「政府與社會打成一片，官吏與民衆結成一體，今後省府與議會之間，密切合作，共同協力來加強三民主義模範省的建設」。情詞懇切，同仁聽了頗感振奮。

主席來自軍中，在主持警備，領導陸軍的期間中，對於確保社會安全，推行軍事整建，確有偉大的貢獻，但是對於現實政治難免生疏隔閡，本席仰體 總統「知恥知病」的訓示，願就所見所聞，坦率直陳，備供推行革新方案之參酌。

闡揚民族主義 促進全國團結

先就民族主義的建設來說：民族主義的精義，是在恢復中國固有的倫理道德，期能團結全民，抗禦外侮。現在台灣社會、風氣之敗壞，道德之淪喪，幾乎到了難以收拾的局面：兒子有殺父母的；學生有殺老師的；妻妾有殺丈夫的；下級有殺上級的；朋友互相殘殺，更是時有所聞。其他有關奢靡淫亂，勒索詐欺，盜竊打鬥，太保太妹之類的新聞報導，幾乎沒有一天沒有。所謂「禮義廉恥」，所謂「忠孝仁愛信義和平」，眞不知從何說起？最令人痛心的，如同本席在上次大會施政總質詢中所說過的：留學國外的知識青年，明明是黃帝子孫，竟然不承認自己是中國人。關於全民團結問題，也是一言難盡，雖然反共愛國，擁戴 總統領導光復大陸的心情，大家相同，但在朝與在野，海內與海外，本省人與外省人，相互間，牆相當高，溝還相當深，所謂「面和心不和」，本席在上次總質詢中也曾提到。政府設學與教，動員戡亂，結局如此不理想，其何能建立台灣三民主義模範省，而爲規復大陸的楷模嗎？

貫徹民權主義 奠定民主丕基

次就民權主義的建設來說：「人民有權，政府有能」，是民權主義的主旨。中華民國憲法經過修訂戡亂時期臨時條款以後，行政命令代替法律。像中央民意代表的增選補選，在民主國家是政治上的大事，必須一切依法辦理；但在我國，只要國家安全會議制訂辦法經 總統公佈以後，就可以視同法律，不需要立法院完成立法程序即可付諸實施，不獨如此，甚至歪曲事實，而致發生偏差，舉例言之：依照動員戡亂時期臨時條款第五條規定：「對於依選舉而產生之中央公職人員，因人口增加或因故出缺，而能增選或補選之自由地區及光復地區，均得訂頒辦法實施之」。本省不但是自由地區，而且是反攻基地，自宜辦理補選監察委員，方爲適法。再就本省議會而言，不但歷屆省議員，都是普選產生，且經中央認可以正式成立的省議會，尤宜藉此增補選中央公職人員的機會，依法賦予補選本省監察委員。此次本省或謂依照動員戡亂時期自由地區中央公職人員增補選辦法第十一條第一項第二款規定：「對於在調整行政區域前，原已選出之監察委員，以其當選時之選舉單位爲準」。而認爲本省現有監委，不必補選。其不與憲法實施之準備程序第二項規定的法意相違背嗎？且以本省參議會早在十八年前已不存在，原選舉既不存在，而又爲正式省議會所接替，所謂「皮之不存，毛將安附」正可比擬瞭然了。可是在此項增補選中央公職人員中，仍然摒棄本省籍監委之補選，不獨漠視本會職權，抑且違背民主精神，由是觀之，政府不僅「有能」，竟可以說是「萬能」了。可是，人民是不是有權呢？

國父遺教指示：人民應有四種政權，即（一）選舉權；（二）罷免權；（三）創制權；（四）複決權。憲法第一百三十六條規定：「創制複決兩權之行使，以法律定之。」行憲已經二十多年，人民行使創制複決兩權的法律始終不見訂頒；選舉罷免兩權的行使，地方自治法規雖有規定，但黨政人員認爲罷免權是政治上的烈性藥劑，不宜輕於嘗試，不僅法規所定的程序繁複，人民難以行使；如果眞有人提案罷免，有關方面必然多方設法阻撓，台灣試行地方自治二十年來，民意代表也好，行政首長也好，能罷免案可以通過的，可以說是絕無僅有。剩下來的只有選舉權，由於選舉風氣之敗壞，以及黨政輔選的影響，有欠公正，人民的選舉權與被選舉權也均難以自由行使。如此「政府有能，人民無權」，是遵奉 國父遺教呢？還是違反 國父遺教呢？

實現民生主義 達於康樂之境

再就民生主義的建設來說：民生主義的兩大綱領是：「平均地權與節制資本」。就平均地權而言，政府官員們津津樂道的，就是在台灣實行了「土地改革」。這包括市地的實施「平均地權」，與農地的實行「耕者有其田」，但這也是經不起分析的；國父遺教中的平均地權，是有其整套辦法的。那就是：「自由報價，照價徵稅，照價收買，漲價歸公」。台灣地區所實施的都市平均地權，報價不能自由，照價累進課稅，漲價不會歸公，照價收買部分，則是低報的照價，高報者不照價，會與國父遺教的指示相符合嗎？如果因時代不同，而加損益，而能完成平均地權的積極任務，即政府可以有計劃的建設都市，人民可以有廉價的建屋設廠基地，自屬無可非議。事實上，由於地價飛漲，政府人民兩蒙其害。關於農地「耕者有其田」部分，績效比較良好，但一則各級政府及各公營事業所擁有的土地，不能陸續辦理放領，很多耕者並不能「有其田」；一則由佃農變成的小自耕農，因收益無多，而稅捐苛重，已感覺負擔沉重，因而難以改善農民生活與增加農業生產，乃其美中不足之處。至於節制資本，則距離更遠。國父所謂節制資本，包括兩方面，即是「節制私人資本」，與「發達國家資本」。自從政府實施經濟建設計劃以後，對於民營企業的積極輔導，促使經濟加速成長，是可喜的現象。但是由於政府對工商企業的投資，因多方的獎勵，致有所謂特權與特惠發生，復以執行偏差，結果形成資本主義的抬頭，而距國父遺教的節制資本背道而馳。至於發達國家資本，在此時此地，理應從事於科學工業發展，事實不然，其屬民營工業的範圍，政府仍甘冒與民爭利之譏，毅然投資經營，如最近設酒公賣局，建築步芽工廠，是大反其道而行之嗎？[illegible]息股票紅利的扣繳率等量齊觀；另一方面大資本家投資工商企業，多方減免稅捐，以資獎勵，[illegible]農民，除田賦與水租以外，[illegible]還須負擔，這是民生主義的經濟政策該這樣嗎？

要想求變求新 必須實事求是

不過，「冰凍三尺，非一日之寒」，而且積非成是，積重難返，要想「求變」、「求新」，並非輕而易舉之事，更不是地方行政首長所能獨力挽救的。所以與其多談主義，不如實事求是，解決急要問題。大處着眼，小處着手，「管理衆人之事」雖然千頭萬緒，但輕重緩急之間，還有其衡酌取捨餘地。黃前主席達雲先生在本會本次會議開幕時報告施政，提到政治風氣、社會風氣的敗壞，已經到了「姦僞相存，變詐相角」的懸劣境地，語重心長，發人深省。報章揭載：陳主席就任之日，招待新聞記者，發表談話說：「今後主持台灣省政，當以革新政治風氣爲首要。」並且強調：「興利必先除弊，更能符合革新政風的要求。」言簡意明，認清了問題的核心。只要認了就做，凡省政府的當能爲部份，如選舉風氣、稅務風氣、教育風氣、警察風氣、地政風氣，以及人民請領執照時的簡化問題等等，均能以大刀闊斧的精神，貫徹整飭，務期弊絕風清，不再賄賂公行。積極方面，員工做到愛民便民，在省政府權責範圍以外的，如司法界的風氣，則建議中央轉飭改善。本席深信：革新政風有了成果，主席先生所希望的「政府與社會打成一片，官吏與民衆結成一體」，必然完全可以做到，不會勞而無功。但如只說不做，和過去一樣，計劃也，紙上寫了洋洋大觀，就算做了事，或派遣少數官員，走馬看花的普查一番，報告交差了案，上下相蒙，不求實效，問題就會越來越嚴重。

本會同仁來自民間，人民的疾苦與期望，代爲表達，責無旁貸，希望主席先生大度包容，「良藥苦口利於病，忠言逆耳利於行」，牴觸之處在所難免，希望省府議會之間共同保持「守法」「守分」「守信」的良好關係，對國家，對地方，對人民，都是有利的。

讀者，作者，編者

醫藥理論家馬騰雲最近完成一篇草藥治大病：「初期癌症治療與有效預防」。與「賽金花返老還童術揭秘」兩篇文章，將在本報九月六日、九月十日登出，敬希讀者注意。

「桃花潭水深千尺」是描寫本港很久前一對戀人的故事，作者憑其豐富生活經驗，寫出這部有血有淚的作品，是戀愛課，亦是勸世文。

諸葛亮狂想曲，有如政治卡通，在馬來亞、菲律賓等地頗受文教界注意，亦受到祖國廣大讀者歡迎。名教授吳相湘專誠要求本報諸葛亮狂想曲別脫期，老報人李洛九說：「這是一部劃時代的政治小說。」

台北某雜誌冒用本報社長名義，請本報編輯轉載其一篇文章，這種無恥行爲，顯非文人所應有，欲以「魚目混珠」欺騙社會及其自己讀者，目的在炫耀自由報都轉載他的文章，不得不予揭穿。

李槃先生是政論家，部長階級的官員，現在仍爲大學教授及國會議員，秉其春秋之筆，指責賢者，好幾位讀者來函查詢，特此奉告。

馬騰雲既非留德，更非留英，他是一位不折不扣讀中國書的飽學之士，編著書很多種，計有「中國醫藥學綱庫」、「中國丸散膏丹製造秘典」、「實用生產百科全書」、「生活漫談」等，台北中央日報、中國時報、（徵信新聞報）中華日報及海外十幾家大報，皆經常登馬氏著作，自與本報約定後「生活漫談」全部在本報獨家連載。

「文匯樓別記」已決定出單行本，現正排印中，待裝訂時，將發行預約，凡自由報讀者一律六折優待。根據海內外讀者反應，文匯樓別記初版，必然搶購一空。

陳邁子教授，現執教中國文化學院，淡江文理學院，王方曙是筆名，現任某著名大學文系主任。馬五先生不姓馬，一如諸葛文侯不姓諸葛。成公是前華盛頓大學哲學教授。林泉隱並非御廚，但是一個喜歡研究吃的人，雖一把豆芽，或幾根青菜，經他一調，端出就與衆不同。王邦雄本港清華書院教授，何如琅供職本港新亞書院。

海外同業，近來轉載本報文章漸多，而又未徵得本報同意，還有署名爲「本報特稿」者，眞是荒唐到了頂點。

喬治桑外傳　七五

張大萬

「季樸，四季平安的季，樸實的樸。」季樸向喬治桑自我介紹。

「我叫桑紹孔，久仰，久仰。」

季樸與飲絲樓主、裘太太都是熟人，所以不須介紹。喬治桑知道季樸是金鳳凰的老相好，不免對這位吃軟飯的慘綠少年上下打量一番。只見他穿一件紫紅色上裝，淡灰色西褲，高跟皮靴。兩鬢鬢腳留得好長好長。襯衫是深藍色的，繫一條紅夾黑的領帶。眉目如畫，顯然着意修飾過、講起話來細聲細氣地，故作斯文狀。喬治桑雖談不上有中西文化修養，但對於季樸這一型的人，卻無絲毫好感。

舞池裡一個混血兒，站在一條長板櫈上彎腰反身喝酒，手裏用兩根長鐵子玩着盤，不久時間，表演完畢，下一個節目開始。南美女郎希里娃，穿大紅上衣，彩色大裙子，像一團火扯出來。急鼓緊鈸，形成了熱烈的場面。希里娃一曲「香蕉船」，確實唱得不錯。金鳳凰聚精會神在聽，咀裏也在低聲和唱。季樸用手打着拍子，皮鞋也在地板上敲着。這時，裘白璣提到，坐在喬治桑旁邊。

「季樸是幹什麼的？」喬治桑低聲問裘白璣。

「拖車。」裘白璣的回答也只有喬治桑能聽見。

「拖車」是上海話，特別指風塵女郎吃飯的男人，類似英文的「基格羅」。喬治桑是上海老白相，當然聽得懂。

表演節目完畢又恢復幽暗燈光，音樂台上奏起舞曲。季樸與金鳳凰下池，兩人摟得好緊，臉貼臉，是很熱烈的鏡頭。第二曲開始，裘白璣請飲絲樓主下場，喬治桑只好請裘太太。喬治桑畢竟是中年人，用很大方的姿勢與裘太太共舞。

「我的舞跳得不好，桑先生不要見笑。」裘太太很自謙。

「那裏的話，我跳的也是老舞。」喬治桑也很客氣。

還是柏子，六位男女客人，只有季樸與金鳳凰每曲必跳，而且不換舞伴。喬治桑在旁冷眼旁觀，覺得季樸的舞跳得實在不壞，尤其是探戈，花樣百出。「這小子倒眞有一手！」喬治桑不覺暗暗讚了一句。

一直玩到打烊的時候，侍役送來飲食賬單，連稅捐總共兩千零一點。喬治桑付了兩千二百元，也算是很漂亮的出手了。（未完）

文滙樓別記

泰國僑領張蘭臣

文滙樓主

泰國巴故中華總商會主席張蘭臣，廣東潮安人，早年披星戴月，流亡到泰，由木匠出身，而小本經營致富，直到中華總商會主席，能出三百五十萬華僑人頭地，並不是一場簡單的奮鬥。

日本軍閥南侵，強迫張蘭臣僱四千名華工趕築軍事秘密基地，做完工當然滅活口，據說：日本軍閥付出一筆相當大的數目作爲每名買命錢。被徵的華工，無疑的是沒有抵抗力量的苦難僑胞，待抗戰勝利，問題來了，苦難僑胞的遺族，紛紛向張蘭臣索命索錢，泰國政府也祇好要張避開，有僑領丘炳隆者，甚重道義，且爲有名神槍手，護張宵夜奔山巴，一邊由張蘭臣夫人黃龍招女人在曼谷宣[illegible]張於某月某日逝世，竟常陳設空棺辦理喪事，直到我政府與泰國政治關係銜接，張蘭臣才敢露面，這場劇演的相當精彩。

張蘭臣在泰國跑的是乃屏（海陸空軍大元帥）和乃沙立（陸軍總司令）路線，乃砲（泰國警察總監）則非常討厭張，有一天乃砲獲密報，張蘭臣從聯合銀行挪用公款一千五百萬元，次晨乃砲準備親自到銀行查賬，事被左右洩露給中華總商會副主席丘創志，乃集友五人，一夜之間，將挪款補上，後來未查出所以然，算救了張蘭臣一次。但張對救他的人，不僅不感恩圖報，到了台灣，惡言相加。有人說張蘭臣性情反常，不久人世，回泰沒有好久，果壽終正寢，

張對國家有貢獻，但沒有國家對他的貢獻多，這是三百五十萬華僑的共同觀點。

在泰國僑社留有去思的是王慕能而非張蘭臣，王慕能死了，全泰國下半旗誌哀，這是華僑的無上殊榮。王慕能生前未嘗華僑分文，也未在泰國政府打過主意，他身任卅幾個泰國國營事業單位董事長和總經理，照道理不會身後蕭條，兒女教育費都成問題。民國四十三年，有一筆西德進出口公司願賞付王慕能的四十萬泰幣佣金，電匯到曼谷，他批示：「原封退回」，後由他的副手丘創志解釋，（王任國家糧食公司董事長，丘爲總經理）沒有退的必要，王慕能說：「交給南洋商業股份有限公司，翻譯台灣來來往往的官員吧。」一生從未替自己着想，可惜我們沒有爭取到這樣的人辦理國民外交，是僑政上的最大失敗。

張蘭臣死時，相當熱鬧，親官旗、萬民傘、軍樂隊、國樂隊、和尚、道士、尼姑，乃至於教堂也參加送葬，但這些都是一般的形式，尤其親官旗、萬民傘的行列，即排得很長，都是租貨店賊來，要多少有多少，不能代表生前任何建樹，就張蘭臣個人說，送往迎來幾十年，由極低微而混到商界領袖，不能說沒有一套。張雖不識字，簽字確很漂亮，講起話來十五句之內，竟不出一點毛病，方面大耳的身材，儼然外交官神態。王慕能的賣相，則不若張蘭臣遠矣！

「深宮怨」與伊利莎白一世的關係（一）

·羅璧珠·

「深宮怨」係描述英國女皇「伊利莎白一世」即位前的一段辛酸史話，尤以她的不尋常身世背景及性格爲主，更貫以和湯姆斯摩海軍大將的緋惻愛情，有血有淚，是一首頂够悲哀的旋律。現就歷史觀點，分敍「伊利莎白一世」於後：

（一）伊利莎白一世是英國與愛爾蘭的女王，生於一五三三年九月七日，地點係「格林尼治宮」她是亨利第八的第二任皇后安保玲的獨生女兒。亨利第八不惜公開反對羅馬教皇，並將英國與教會分離以使他能與安保玲結合。但這第二次的婚姻和第一次一樣，因爲沒有子嗣以承繼王位，安定王朝而破裂，當伊利莎白未滿三歲時，其母后即以不貞的罪名被處斬刑，並且聲名此次婚姻乃不合法。伊利莎白出生後三個月即被遣往「哈飛宮」，故喪母並未在她心靈上留下深刻的傷痕。但亨利八世此舉却使她失去承繼權。此後她的合法承嗣權始終未能正式重中，雖然在一五四四年所發佈的一項條例中，有關承繼王位的次第事宜，亨利八世將她排在愛德華（生於一五三七年）與瑪利（亨利八世第一任皇后之女）及他們子女之後，然而她有個愉快的童年，從亨利第八的最後一任皇后Catherine Parr中，獲得母愛。派愛德華和瑪利間也感見融洽，又從由英國新文學傑出的學者中，如William Grindal一等人，發奮研讀希臘與拉丁古典文學，精於法文，意大利文和西班牙文。

愛德華登位後不久，伊利莎白被牽涉入Thomas Seymour勳爵陰謀的危機中。Seymour勳爵係攝政王之弟，與亨利遺孀Catherine Parr成婚，伊利莎白與他們同住。西摩勳爵甚至在其妻生前已愛上伊利莎白，凱撒琳死後（一五四八年九月），他即被指控企圖與伊利莎白成親以推翻政府的罪名。因此，他被處斬時，伊利莎白和她的僕人皆受審問，但是，這些問訊只證明「她非常機智，以致除非用很大的手段外，從她那裡得不到任何效果。」自從這次脫險後，終其一生她不再受到任何困擾。她逃避了Northumberland公爵的仇視和危險的求婚，公爵陰謀欲推翻瑪利和她的地位，而立其媳婦Jane Grey夫人爲女王。這項陰謀因伊利莎白的逃避而失敗，一五五三年八月三日，她遂陪同瑪利光榮地進入倫敦。

她姊姊瑪利是位誠奉天主教的教徒，故在瑪利登基爲女皇後，伊利莎白的地位遂急劇地受到打擊，她迫於無奈地參與彌撒，內心却強烈地起反感。當瑪利漸失民心之際，衆人又反對瑪利與西班牙王（非臘）結婚的計劃，一切反對者遂理所當然地擁戴並寄望於伊利莎白，希望她能使英國教會和羅馬宗座重新復合，無論當時或未來的存在，始終是一種威脅。「Thomas Seymour」叛逆失敗後，伊利莎白於一五五四年三月曾被禁於倫敦塔上。西班牙大使極力主張置她於死地，以保證「非臘王」的安全。可是，從審問中得不到圓滿的結果。瑪利不敢只因懷疑而殺掉一位Tudor王族的人。所以伊利莎白的監禁漸漸鬆緩，在塔上渡過了兩個月後，她便在Henry Bedingfield爵士嚴密監視下，解送往Woodstock，後來，她獲准回朝庭，並在一五五五年秋天，可自由出入「哈飛宮」。此時，西班牙王非臘成了她的監護人；當時與伊利莎白競爭承嗣權的有蘇格蘭皇后—瑪麗「（法國太子之妻）」，爲一天主教徒，非臘眼見瑪利（伊利莎白之姐）患病在身，又始終不育，所以他擁護伊利莎白甚於擁護「瑪麗」（蘇格蘭皇后）。

伊利莎白此次留住「哈飛宮」並非別人對她有何懷疑，而是擁護她的人日增無已，這對她的生命是很危險的，又値法國戰爭的災禍，Calais的陷落，更焚燒基督教徒事件，使百姓對瑪利，對西班牙和對羅馬完全失却愛戴之心。

（二）繼位：瑪利死於一五五八年十一月十七日。伊利莎白的繼位成了普天同慶的事。她是一使人敬佩的人物，身高適度，有金紅色的頭髮和近似橄欖的膚色，她宜人，並不美麗，但那雍容華貴的舉止風度，却很快地在百姓腦海中留下極深刻的印象。由她即位，進入首都倫敦，至進行加冕禮之當兒，她的表現極度獲得衆人的擁護和歡呼。她瞬速地掌握行政大權，她並不是位易於奉侍的女王，她的話語剛柔並用，寬嚴兼施，凡喜怒無常，不擇手段，如她的父親和祖父們一樣，很神秘地她有判斷冒險的能力，尤其在[illegible]不前的冒險上，其天才更表現無遺。在行政方面，是大權獨攬。因此在位不到數星期，西班牙大使即稱「她的主觀與發佈命令的嚴厲，可媲美其父。」她的參謀人數不多，出於她選拔的精微，當選後，皆能勝任稱職。同時她不允許她的部屬本著男人氣概，一致行動而佔上風，她對他們實行分化或保持容忍的態度，同時她喜歡個別聽取意見，不喜集體從之，並不同的參謀來處理不同的事項，因此，甚至她最親信也最能幹的一位William Cecil（即後來的Burghley勳爵）也不能保持他的提議。（未完）

政治垃圾現形記（二二）

李桑

第八回　獻媚有術能惑主　辦姦無智致殃民

我政府此時方在秘密準備對日作戰期間，認爲葉氏此種幼稚行爲，實係誤國的兒戲之舉，徒增政府困難，乃明令將葉氏免職，聽候查辦。葉則自命是愛國份子，怨恨當時的湖北省主席某公不予維護，十分恚忿，某公雖私下向葉表示，這是政府迫不得已的對日外交策略，既不會再予查究，且對他另有安排，但葉仍不諒解。他之所以極不願意失去武漢警備司令一職，并非戀戀於這個名位，而係善財難捨。因爲武漢三鎮的烟、賭、娼寮捐款，以及碼頭上一般流氓苦力物[illegible]旅客的金錢，乃至緝私獎金等等，警備部皆佔着多數的分肥額，而警備司令又係戰陣之勞，坐享非份之福，穩收儻來之物，好不寫意，這亦就是武漢碼頭上地痞流氓敢於魚肉旅客之所以然也。

葉氏交卸警備司令職務後，馳赴南京別謀出路，然政府爲敷衍日本方面，未便即予葉以官職，他乃投入軍統局長戴雨農門下，經常表現抗日詞色，裝出爲抗日而罷職丟官的愛國英雄模樣，戴局長派他爲津浦鐵路警備處主任。這時候，湖北省主席某公已超任中央外交部長，葉氏不忘宿怨，曾僱流氓於某公乘車駛經市街之際，開槍行刺，僅毀車窗玻璃，某公固無恙也。旋經治安機關破案，知係葉氏主使，依法究問，葉知無法狡賴，聲言某公係親日派首腦，只是激於愛國心情而有此博浪一椎之擊，別無私怨存乎其間云云。政府恡於中日外交關係險惡階段，不欲因此聳動社會觀聽，而某公亦以忍辱負重精神，主張不必根究。但戴雨農以葉氏如此胆大妄爲，殊感失望，不久即將葉氏的津浦警衛處主任職務解除了。

綜談國劇復興（二十）

王方曙

（1）用雙重舞台以求上下場的淨化：這是

裏所說的雙重舞台，並非上下二重，而是後面二重。那就是說：利用舞台的深度，隨時可以由空中降下一重背幕，遮斷舞台後面，使舞台的前面仍可繼續演戲，而舞台的後面，則可以在幕後佈置下一場戲的道具和人物。使下一場的戲，不必在一上場的情形下，才能繼續。而可以在前場一完，中間幕在音樂中拉起，下場即可開始。這種辦法的用意，是減少時間上的浪費，和使場與場之間的緊湊。舉例說：如探母之第一場和第二場之間，四郎唱了叫小番以後，劇情趨於緊張，應該緊接盜令。但第二場太后以逍遙之倒板大慢板上場，加上龍套等之上場的排場，更是十分緩慢，乃使劇情鬆弛，造不起緊張的氣氛。由有人說，這樣才可以造成太后的排場。由太后的排場可以用宮女龍套等人的排列來表現，用不着遲緩的上場，影響了劇情。以往所以慢慢上場，是因爲上下場的走出走進是一種習慣，當時就沒有想用其他的辦法，甚至也以爲沒有其他的上下場辦法。但我們現在有了，好像從前沒有乘飛機一事，我們便從不想人可以飛行，也就不背想用飛行方法去辦一件急事，現在已有了飛行了，我們還堅持坐牛車最合理，恐怕難於合這個時代。在電影裡，十年前還多用化出化入，（即雙重畫面相疊，漸漸前場畫面消失，後場畫面清晰而正式開始）但現在已經很少用這種辦法，因爲這種辦法在技術上討厭，在觀感上也不甚舒服，現在的電影多在跳接一個特寫，給觀衆一個轉變思想，接受下場戲的時間。大約三兩秒鐘，即可正式接受下場戲。其中力法極多。如由紐約到巴黎，下場但先跳接巴黎鐵塔，然後即可在屋內演戲，觀衆已知此場已在巴黎了。或由演員口說：「我們巴黎見。」然後即可跳接下場戲，稍予一二秒鐘之緩衝時間，即可開接正式之巴黎的戲了。因爲現代觀衆，受工商業社會的影響，人人有不喜歡多等時間的潛在習慣。沒有人願意看拖延，而毫無意義的浪費時間的表演。我們雖然表演是舊戲，但觀衆是新時代的人。我們只知保守，是站不住的。不是要保守部分的技巧。我們需要保守的是國劇的「特質」。我們希望國劇是現代社會中，純中國式的戲劇，不必希望國劇爲故宮博物院中的古董，連銅銹都得保存。古董是舊物之保存，國劇是有生命的，時時有新創造表現出來的東西，性質是不同的。

（未完）

諸葛亮狂想曲（三七）

·劉玄·

「但是，那祇不是警告過丞相不得運用神力嗎？」劉約翰的消息也很靈通。

「那是指到地球以後，未到地球前當不受限制。同時，在旅程終了，我不藉神力那能重返天庭？此之謂通權達變。」諸葛亮的見解到底比劉約翰高。

登陸美國計劃很簡單，不多時諸葛亮與劉約翰計議已定。諸葛亮送走劉約翰，便命琴童詳細檢查雲車，深恐年久失修，萬一停在人造衛星上不能動，那可不是鬧着玩的。

琴童侍候諸葛亮已久，知識更超過凡間的機械工程師，檢察完畢，偷偷抹上了牛血，豬血，羊血，據說是辟邪的，但諸葛亮的思想早已遠邁秦漢，近入二十世紀邊緣了。

諸葛亮離開天庭，送行的場面很熱鬧的，劉皇叔帶着關、張、趙、馬、黃五虎將，很早便到了南天門。劉約翰、張素梅、張翼飛等龍岡會友到的何止千人。最難得的，羅斯福啣着長烟嘴，邱吉爾哼着大雪茄也趕到了。耶穌派弟子伯多祿送行，使諸葛亮很感光彩。

臨啓行的時候，祥雲繚繞，瑞靄繽紛，人羣一陣騷動，諸葛亮抬頭一看，原來是太白星君駕到。

諸葛亮連忙趨前，向星君打一稽首，連稱：「不敢當，不敢當。」

「這次諸葛先生下凡，倘使星君大力幫助，備感同身受。」劉備是客氣無限公司，最會講應酬話。只有關羽在旁，微縐臥蠶眉，用手撥着滲白的長髯，向星君點頭爲禮。關羽生性高傲，在天庭大小各仙都了解他的個性，所以太白星君都不怪他。

太白星君走到諸葛亮面前，諸葛亮知道星君有話囑咐，忙用耳朵湊在星君嘴邊。

太白星君聲細如蚊，向諸葛亮囑咐道：「你這次下凡，保證人是關羽。玉帝只批准一年，你千萬不可逾限，致干責咎。」

太白星君公文嫻熟，出口都有術語。他因鍊丹日久，混身都有人丹味道。

巨變歷險記！

滄州總算到了！……

路途上不管怎樣苦，只要能到，就是好事！但下一站呢？下一站又成問題。滄州，同天津一樣，交通也是沒有恢復。車站上，幾乎什麼人都沒有，一片荒涼，荒涼一片。車站上，除了剛才坐來的那輛車，也沒有別的車。眼下的希望，就是希望這趟車能繼續前進。但總沒有前進的消息。不管有沒有消息，也只有等這趟車，車就是開，車不會告訴你的。

怎樣等呢？在下邊不可以。因為不是票車，什麼時候開，誰也知不道。可能連司機先生他也不知道。

車上死等

（五九）　胡慶蓉

司機先生在等候命令。司機先生常在燃火待發的狀態中。他隨時可以開。雖不曉得什麼時候開，但可以決定是要開的，最大的一個證明，那就是車頭的火在燃着，車頭的火沒有熄。車雖然知道開，但向那裡開？南乎？北乎？回頭乎？前進乎？這更是不知道。假若上去，又開回天津去，怎麼辦？還有什麼辦法？還再想辦法。

只有到車上等車，才是辦法。拘着死守的主義。不是與車共存亡，而是與車同進，退不可以，退就只有跳下來，滾下來，聽天由命了！在車上等，也不是一件容易的事。我上邊一再提過，天氣非常冷，在涼風裡邊等，手腳很容易變僵，身上也容易變涼。丁博士很得力於他那件蜂絨皮大衣，蕭賀當事，但不管怎樣當事，若是時間太久了，還是不當事。

丁博士吃過飯，就到車上去等了。很多的人跟他下來，他不下來，又有很多的傳話，說什麼車不向前開了，又什麼車要回天津了，但不為所動。這個機會是不能失的；怎樣也不能失！丁博士的主意是拿定了；怎樣他也不離開車，就是死，也死在車上。任風是多麼的大，塵土多麼的多，天多麼的冷，他還是不顧一切的在上邊死等。

天黑了！天黑，丁博士就在車上了。我說過，這車就是他坐來的車，[illegible]說，簡直是個不設防的城市，一點遮攔沒有，坐受到沙漠的襲擊。台灣很少冷天，但不管怎樣的冷，冷好像都受得了。在塞北的冷，有時候，人就受不了。凍死並不稀罕，並且可以說是常有的事。丁博士的主意拿定了，他就是凍死，也死在這車。

從天黑就等，但總是沒消息。到深夜，車還是沒消息。下一點鐘光景，車動了，這太好了！這給了丁博士無限的興奮。車動了！車動了！丁博士自言自語的說。車動去裝貨——不，去裝杉木，電線桿子，在裝的時候，他要下來，但一裝好，他就又上去。這一不是躺在板板，是坐在杉木上了。古有高臥風之說，以後，丁博士要常，他想，這就成功。但電線桿子裝好了，車還是不開……（未完）

鱷魚潭邊的故事（二）

趙陀

桃花潭水深千尺

顏芳說：「乖，因神經突然受到刺激，你任哥哥很快會好的，他將是媽最疼愛的姑爺，桌上這張照片多麼可愛，比我女兒還甜，真是丈母娘看女婿，越看越有趣。」

「媽，你說的這些話都是真的嗎？」

「孩子，媽和你開甚麼玩笑。」

「可是媽從未拿出勇氣支持女兒一次，去年爸爸要不是英國老師強生出面干涉，老早將女兒嫁給那個王百萬造五姨太了。孫女都比我大，叫女兒怎樣造人，有甚麼臉再到教堂去做禮拜。」克琳說完話，又是一陣淚水流出。

「孩子別再回憶那些傷感的事了。睡吧！媽從今天起，在這陪伴你，直到有一天討厭媽在旁時為止。」

「媽，我永遠不會討厭媽的，對了，牛少湘從私家偵探公司得到的資料，謂女兒十六七歲還跟住媽媽睡，自從爸爸……」克琳這時突然住口。

「爸爸怎麼樣？」

「[illegible]，我又講錯了，真該死。」

「媽最怕人講半截話。」

「反來逼女兒了。」克琳很遺憾的表示。

「哼，我知道，你爸爸吃了媽一刀，鬧到法院差一點離婚，是嗎？如果不是你章公公代他求情，我才不會饒恕這老東西呢？」

「這樣說私家偵探公司並未造謠了。」

「你爸從那次後，再不敢動你的歪念頭，不過話又說回，你在藝術上的成就，確是你爸爸苦心孤詣一手培植，真亦煞費週章。」顏方向克琳這樣解釋。

「[illegible]請客的事，究竟應當怎麼處理。」

「據說馬家的宴會亦擇在六號，請[illegible]念佩改期來台，[illegible]話，那才熱鬧。」

（未完）

御廚談藪

油淋肥嫩鴨

林泉隱

油淋鴨　肥嫩鴨一只，糯米薏米合半碗，冬菇丁二大匙，蓮子二大匙，花生仁二大匙，豬肉丁二大匙，熟火腿丁二大匙，蝦米二大匙，豬油一大匙，豬油二大匙，酒一大匙，鹽一大匙，鴨蛋一只，豆粉二大匙，用一大匙鹽。把鴨子殺洗好，淸除內臟，擦抹鴨內外。糯米及薏米用水洗淨，分別浸泡半天。薏米另用鍋煮至熟備用。冬菇及蝦米，分別用熱水浸泡一小時，發漲好後，泡冬菇及蝦米的水均留後用，把冬菇及蝦米切成小丁備用。蓮子及花生去皮，分別煮至僅僅熟，去水備用。用二大匙豬油爆炒肉丁，繼加入火腿丁，冬菇丁，蝦米，蓮子，花生仁，攪炒十數下，加入醬油及酒，再炒幾下，即刻起鍋。把泡好的糯米及煮好的薏米撈出，摻和在炒好的作料中，塞填在鴨腹腔內，酌加四五大匙泡冬菇蝦的水，然後用針線把腹部縫合，使八寶餡不能流出。把鴨子放大淺碗內，再整碗放入蒸籠中，大火蒸三小時。把鴨蛋調打開，加入豆粉，攪合成糊狀備用。鴨子蒸好後，等略凉，用調好的鴨蛋糊塗抹鴨全身，即刻放在大鐵絲罩籬中，鴨背朝上，連罩籬下油鍋炸之，炸時，用大湯杓盛起油鍋中沸油，頻頻往鴨子上澆淋，炸到鴨皮變脆變金黃色即好。油淋雞做法同。

復興關下幹校魂（中）

陳中平

幹校魂[illegible]重要，[illegible]就可以如「黃埔」[illegible]事」一樣，能叙成史文了。雖則如此，如[illegible]國先生之言：「幹[illegible]短歷史，是同學們的血汗所寫成的！」因此，蔣先生非常堅定[illegible]天，校長下野，共匪渡江，在此風雨飄搖的環境中，幹校的學生，始終團結一致，堅忍奮鬥，最後留在成都的一批學生，計冒風雨，徒步跨過雪山冰嶺，到西昌去，翻山到最後一天。這種堅貞清白的校風，是值得我們自豪和自慰的。大陸陷匪之後，還有無數的學生留在那裏，過着暗無天日的生活，從事於艱苦而危險的地下反共工作。共匪說：「幹部學校的學生，沒有一個不是『頑固』，沒有一個不是『反動』，沒有一個不是『軍官』的。」有的只要是幹部學校的學生，或是青年軍的官兵，一被拘捕，不管一切，『殺了再講』。事實上，在討毛反共的保衛民主和自由的聖戰中，幹校同學沒有一個投降，「蓋攏」，變節，背義之徒，有的只是全節報國的忠於黨和領袖的同志了。這是應該叙成史文的，為甚麼幹校同學中沒有投降，「蓋攏」，變節，背義之徒，有的只是全節報國的忠於黨和領袖的同志，而一被共匪逮捕就「殺了再講」；這自然是幹校的革命教育所啓迪，幹的熱愛民主，自由與正義的精神所領導的結果。復興關下幹校校園的升旗場上，就有一精神堡壘，它絕對嚴格地要求幹校同學能「發天地正氣，法古今完人」。這就是「軍人魂」了。此一精神堡壘的「軍人魂」之標誌揭揚於復興關下，距總統三十九年四月十六日在台灣陽明山莊所講述的以「革命軍人成仁之主要義」為內容的「軍人魂」，最少要提前了五六年，所以幹校同學都確實知廉恥、辨生死、負責任、重氣節，去偽崇實，「以忠誠為天下倡」，養成了「一絲不苟」的革命精神，與黃埔軍校同學的「親愛精誠」，同其步伍，做到了「清清白白的做人，實實在在的作事，一心一意的革命」，而不怯於大，俯仰無愧於地了。幹校自然也是一座軍事學府，由於所推行的教育是「文武合一」的教育，所以幹校便有了「軍人魂」，而「軍人魂」也就是「幹校魂」了。

柳庵題詠集（上）

胥端甫

曉窗懷古詠，激感氣如霓；車鑑如風杳，神州帶血腥；維新追壯翮，返旆棹孤舲；且喜烟塵隔，河山過眼青。

送范公使道瞻赴韓任所

瀛島年關近，瞻韓竟別筵；春風一揮手，滄海萬重烟；回首辭江漢，奔雷過永川；應同南渡感，異否北征年。

夙昔籌封地，今猶依輔車；衣冠仍夏古，禮士裂扶餘；鴨綠層層浪，蒼溟尾尾魚；漢家垂鈞使，命駕正春初。

遨海高飛去，教槃屬望殷；劍奉聯晉楚，持己仰忠勤；一曲空候（兩字竹頭）引，三杯柏葉醺；遙知懷樂浪，始見古檀君。

捧讀隨閣禱，乾坤一放翁；白增司諫懷，延綱乃[illegible]雖；東對淵源在，清[illegible]想像中；悲歌還信白，引領海天東。

黃興紀念詞

中華民國五十五年十一月二十九日於台北中山堂，爲革命元勳黃興克強先生逝世五十週年忌辰，舉行紀念，詩以誌之。

當年革命稱健者，公與國父兩人耳。長江珠江併爭流，朝宗於海同其旨；高明篤實兩兼之，武昌之師從此起。纓懷誅屠五五年，申毫血染蔡倫紙。緬懷公烈感雖勝，同胞應礪砥。三湘透澤多人傑，湖嶽鍾靈聰有別。浩然氣撼楚天青，洞庭浪捲波如雪；湘沅兩岸夾林花，魚燈點點夜明滅。岳陽樓上歐少年，猶與善化挺英哲。留學倫帝十年間，磊落英風變雄傑？功原不必自我成，名原不必自我立，赴義爭先偵壯烈。黃花崗葬漢兒魂，更將浩死沙塲穴。合作無間協國父，皓皓崑崙比高潔；三讓爭[illegible]日月光，忠肝照似洪爐鐵。懷萬年愁不可捐；遺言猶[illegible]手空研。感懷自有登樓賦，撥亂長披[illegible]。公之壯烈懸天壤，後人不慊殊難想；擧攜國父在[illegible]，對之哀懷當怏怏。況復縱橫紅衛兵，狂呼簡簡提高額；堂開紀念哭中原，海天茫茫山頭仰。

保台史

基隆採訪題劉銘傳抗法

板[illegible]傷蔡亂，甚[illegible]據史蹤；幾經詢故老，都不識濟寵；數日驅車街，澤材意外逸；[illegible]陵谷感，殘日又雲封。

月照雙魂泉，生前灑血斑；樓船穿碧海，驟浪蕩青山；百戰成何濟，孤撐幸凱還；褒忠情意切，猶像寫沙灣。

嶺上看殘壘，風吹戰骨寒；一夫曾駐此，萬馬喪羅鞍；遠嶼浮天出，鄉心濺淚彈；徘徊遲欲下，落日襯[illegible]丹。

赴蘭陽訪夢庵題長白識之

攜我草間吟，遠省夢庵疾；春光幾何時，三月廿六日。刊誤識忽忽，中懷殊暢逸。驅車隊[illegible]行，已想故人室，證照兩詩儔，情絲抽[illegible]；先詢耳疾狀；再請生花筆，潤我[illegible]時句，正我與比失，誠我過進心，永借琴瑟。庭樹夜搖衛，清茗苦如蜜。人生貴相知，休戚互關恤。朗期嫂憂色，謂昨去台北；頭如冷水澆，情懷頓挫抑；一一述病情，令人滋困[illegible]。言獨又匪綢，劃治殊危仄；時好時復生，宛似賊反側；根治彌除之，病灶不可識，夙昔心天聰，現覺差聽力。總總年復年，生活在荊棘。幸福原健康，余以天行則。日嘆榮根香，三餐鮮肉食。母職十年乘，身心長不息。兩人相對觀，謝便我心惻。客途懷轉思，蟲聲苦啾唧。（未完）

生活漫談

白菜的吃法

馬騰雲

白菜各地皆產，春夏秋冬四季出產，且價格一般人對白菜的吃法，未能臻於至善，或對白菜的功用不太明瞭，白菜有知，一定會感嘆，本身供過於求就不被人重視，人總是嚮往那些山珍海味，有名無實的東西。白菜的吃法：（一）白菜心[illegible]（四）[illegible]其實也不儘然，[illegible]沒有搭油、酒、醬[illegible]，又能發揮甚麼好味呢？又有人認為白菜與肉單獨比較，白菜遜肉遠甚，可是話也不是這麼簡單，一個人不吃肉與健康壽命不會有甚麼妨害，如果一生不吃青菜影響就大了，從這個角度去衡量白菜的地位，無疑的不會比肉低多少，白菜能清除腸胃積熱，凡患大便秘結，腹部不舒、心情煩燥，甚而引起血熱皮膚紅痛者，這是因為腸管滯液水份少，由便秘而引致，使體內的「毒素」增加使然，每飯能多吃白菜，減少「毒素」中的消導作用，用白菜兩三斤，最好是連菜頭不必切開但要洗淨，放入瓦罐，以多量清水熬之，能加三五蜜棗更好，猛火熬兩三小時，飲用此湯，對於肝陽偏盛而引致的頭痛，眼頭痛，赤目，胸肋痛，口乾，吐痰困難，大便不暢，腹部脹實等最有實效。（廣東民間驗方）

白菜煲豬肺，豬肺能補肺虛，清肺熱，配以白菜，因熱而起的咳嗽痰多，飲之食之，既可佐膳，又能治病，寧波人吃的一種「菜圓湯」，湯清菜翠，淡美可口，冬天白菜盛產時，採其大株肥碩者蒸熟曬乾，這種白菜乾，其清肝肺熱之力甚佳，將鮮白菜與白菜乾一同燉湯，名為金銀湯，倘猛火或加入瘦肉同燉，拾營養之道不談，也算是一種很爽口的菜，上海四馬路（天蟾舞台附近）幾家菜飯館，門庭若市，食客擁擠，分「四喜」、「蹄花」、「排骨」、「辣粉」等，經濟實惠，貧富咸宜，台北有兩家菜飯還可以吃，但比起上海菜館，雖差之毫厘，但距離就遠了。白菜成份裡，含蛋白質一點一，脂肪〇點一，無機體〇點五，粗纖維〇點四，含水炭素二點五，白菜富維生素A、B、C亦多，同時含有鐵、鈣、鉀等，民間有白菜蘿蔔，常吃有福，並非虛構。抑且魚、肉、雞、鴨吃多了口膩生厭，唯白菜則能列席不缺，其非君子何！（未完）

自由報

中華民國內政部登記證[illegible]
中國郵政[illegible]第一類新聞紙

(第九九〇期)

(小週刊每星期三、六出版)
每份港幣壹角・台灣零售價新台幣弍元
社長李運鵬・督印黃行蠶
社址：香港九龍彌敦道593—601號
廖創興銀行大厦八樓五座
LIU CHONG HING BUILDING
7th FLOOR FLAT 5
593—601 NATHAN ROAD,
KOWLOON, H.K.
TEL：K303831
電報掛號：7191
承印：泉星印刷公司
地址：嵩成街廿九號地下
台灣總管理處：台北市大同街119號
台灣區直接訂戶　台郵劃撥戶
第五〇五六號張萬有（自由報會計室）
電話：七一四〇三三、五五五三九五
台灣分社：台北市西寧南路110號二樓
電話：三三〇三四六，台郵劃撥戶九二五二四

談大學教育的怪現象
——教授・學生與分數大家都在混

高瞻

台灣目前的教育，正無過地在畸形的路上衝去。其中尤以大專院校，只重「量」的增加，而無視於「質」的提升。其弊害之大，實遠較中小學的升學主義與惡性補習爲甚。此中癥結，乃是大專院校，師生的隔閡日深，唯一的聯繫，是那不能代表眞才實學的「分數」。

大專院校，一般來說，都極富自由的色彩。青年學生，從中學跨入大學，面臨一種突變，整個生活面，已全面的解放；不再有突擊性的小考，永不會有教官爆炸性的個別談話，在身心完全不設防的狀態下，男女的交往又告名正言順，這一羣久處牢籠，嚮往自由的小鳥，一旦擺脫了[illegible]，對對雙雙振翅高飛，爲海闊天空[illegible]唱的時節，若不是眼光遠大，懷抱理想之士，能專心聽課，上圖書館鑽研的，究有幾個？就在大學生熱中於郊外遊舞會之際，而身爲國家專精學術領導者的教授們，也正爲生活奔波，大事兼課。我們懷疑，他們尙有何餘暇，作日新又新的研究工作。甚至有某些「專家」，足跡遍及北部各有關的大專院校，竟引爲平生最足以自豪快事。似乎兼課日多，則自己在學術界的權威性日重。事實上，教授們的課表塡滿，不僅己身疲於奔命，使研究學問的可能性，相對減低，而且所授學生，各校各級都有，對學生的認識已完全不可能，更談不上個別指導了。何況，學術界最現實，也相當無情的，那是一場永不休止的馬拉松賽跑，不日有所進，就跟不上時代，不努力前衝，就不能走在時代的前端。若數十年所授之業，盡是師門的舊貨，年年同樣的講義，也一字不變，這種現象，對其自身而言，不過是扮演了一個可憐的角色而已，但一旦走上講台，就未免害人不淺了。自己的學識陳舊落伍，不管過去招牌多大，師門餘蔭，畢竟救不了一個教授明星的褪色，衰變凉。在現階段的風氣之下，開課能叫座，學生願捧場的教授，實在是寥寥無幾。

就這樣，學生無心向學，教授不專研究，變爲互爲因果，終於形成當前大學教育的怪象，也建立了瞞天下奇聞的師生微妙關係。分數，學生追逐的是分數，教授掌握的也是分數；分數，幾乎代表了今天的大學教育，也決定了大學教育趨向失敗的命運。

學生們闖過了六年沒有假期的中學生涯，長期在升學壓力的背書考試，朝朝暮暮，好不容易才擠脫出來，擠進大學之門，已是身心俱疲，劫後餘生了，大學很自然就成爲他們喘息歡笑的樂園。也難怪，生命本不該如此沉悶單調的，年青時不留點痕跡，不抓住一些感情，當年華逝去時，豈不空留悵惘？對酒當歌，人生幾何，非及時行樂，怎能在垂垂老去之年，留下些許往事難堪的回憶？大專聯考的惡夢初醒，他們以爲一切都改觀了，一切都解放了，他們有一個錯覺，大學是長期苦讀的終站；不知對專精學術而言，這才是一個起點。同時，中[illegible]的[illegible]。上了大學，逍遙教授又不聞不問，大家更是放心奔馳，不知回首了。於是這些象徵國家未來希望的大學生，下焉者，大展小聰明，與教授鬥法，作業是複製品，上課找替身，考試不是夾帶，就是請槍手，教授不講書，瞎發牢騷，他們最表歡迎，蓋所授者少，所考者亦少故也。他們只求安全過關，混張文憑，反正學問不能當飯吃，出了社會，嘿！大家各憑手段。中焉者，選課時，先打聽行情，問教授好壞，只計分數高低，犯有「殺人」前科的教授不選，要求嚴教學熱心的教授不選；分文高又不必上課的教授，才是選課最理想的對象。他們已習知讀書，但以課內爲限，投教授之所好，以求高分，得個漂亮的成績單，爭取獎學金，是他們最大的目標，教授授書念，他們也樂得接受，蓋考試易得高分之故也。上焉者，可就微乎其微，他們眞正想做學問，也想求個好教授指導，但似乎相當不易；他們雖知教授數術，言之無物，[illegible]資料自備；爲了[illegible]險慘遭「謝」（年青一輩，不及格之謂也）掉的命運，都敢怒而不敢言，一切靠自己了。

教授幾十年的苦心鑽研，雖滿腹經綸，然生性耿介，懷才不遇，不免爲之英雄氣短；加上待遇菲薄，在笑貧不笑娼的社會風氣下，更是大感灰心，遂漸失去教學與研究的興趣。上焉者，專心研究，作一個純正的學者，有幾個是堪承衣缽的學生，但如斯難望，也似乎極爲渺茫，不禁要搖頭嘆了。中焉者，上課準時，下課不早退，課堂上講書，是分內事；課外請求指導，對不起，沒有閒功夫，我要兼課去也。下焉者，比之於中學教員，尙覺遜色，講書也講不出所以然來，更別想發現更有新的創見了。此等中下之教授，雖說學生不滿，反正教授是鐵飯碗，搶也搶不掉，碰也碰不破，學生混，我也來混，學生刁難，把教授問跨，那請者我使出救命絕招，「殺」掉你，不及格，重修，殺一儆百，以後誰敢？

由上所述，學生與教授各分三等，假若上碰上、中碰中、下碰下，倒可謂最佳合約，各所其所。奈何天下事偏難如願，教授之上者，偏遇到學生之中下者，學生之上者，也偏碰上教授之中下者，是以「孺子不可教」與「誤人子弟」之怪象環生，分數主義終於猖獗於大學園。

就筆者所知，某私立學院研究班之英文教授，姓師，據聞是留美的，在外交部做事，教書避重就輕，艱難不講，要學生自己看，學生提出問題，只得胡亂猜測一番，學生

昨日與明日

不怕新八國聯軍

歐陽鑫

毛澤東用不折不扣的湘潭土話，掛在口上講的：「我不怕新八國聯軍」。照心理學研究，大有「此地無銀三十兩」之嫌。

根據華盛頓「每日新聞」最近報導蘇共政治局正在考慮對中共建立在西北的核子基地，發動攻勢，予以澈底摧毀。來自西方可靠方面消息，林彪已調五百萬大軍馳赴邊境佈防。今後七千里長的戰線上，隨時隨地，都有緊張鏡頭演出。

每日新聞與西方報導果如正確，祗蘇俄一國已經夠瞧的了。也祗有蘇俄，所謂反美不過口號與表面。毛爲甚要喊不怕新八國聯軍呢？乃湘潭小販在鐵路邊賣甜稀飯的一貫老作風，「請吃清甜白糖蓮子紅棗桂元金橘圓粒糯米稀飯」。其實就是糖精稀飯。毛竟將這一套延用到軍事政治和黨務上，可謂搾盡剩餘價值。

俄懂得打蛇七寸

蘇俄試摧毀毛澤東的核子基地，大有箭在弦上的態勢。認爲如果不及早修理，將來爲禍世界會不堪設想。

蘇俄指出，自一九六四年中共試爆原子彈成功，驕橫無理，目空一切。那時本港靠左的報紙，也有齊天大聖「玉皇輪流坐，明年到我家」式的口風，意思就是要和蘇俄老大哥換換領導位子。

一九六八年七月一日，全世界六十幾個國家，簽訂「防止核子擴散條約」，毛澤東破口大罵爲「卑劣的騙詐」與「可恥的壟斷」。從那時起，蘇俄與毛在烏蘇里江珍寶島，不斷發生衝突，互有傷亡，中共稱有四千幾百次，俄國也公開承認。

目前的問題，蘇俄懂得「打蛇七寸」，這七寸者就是核子基地。毛澤東對俄有什麼錦囊妙計，就不得而知了。

毛俄心目中雪亮

毛俄之間從利害交疏到反目雪仇，乃鬥爭政治必然的定律。史達林未死前鬥到最火熱的時候，面對着大鏡，毅然嘆曰：「可憐蘇維埃聯邦還須要你，否則我連你宰了。」這是對共黨作瘋狂政治鬥爭的一種諷刺。

共產主義的鬥爭哲學，和唯物論辯證邏輯，是共黨人思想根據，亦列寧馬克斯最大的遺產，鬼打鬼，狗咬狗，從未間息。毛澤東因爲俄國心腹大患，俄國也是毛澤東心目中的死神，未來的局面是「先下手爲強，後下手遭殃」。

自由談

參議員愛德華・甘迺迪的女秘書溺死後，早已掩埋了，但當地法院檢察官主張再行驗屍，藉以究明死因，而女方家長表示反對，殊出意外。

法院檢察官既已允許死者殮埋，事後爲甚麼又不憚煩的還要澈穿此案呢？這是輿論的壓力所致。根據美國報紙透露的消息，那位女秘書和甘氏有染，且已懷孕數月了，因女方有所要挾脅迫，對方不能接受，纔發生汽車衝入深淵而招來滅頂的慘禍，如果重行檢驗屍體，證明死者確有身孕的話，不特貴爲參議院民主黨領袖人物的甘氏身敗名裂，政治生命從此完蛋，即死者的名譽和家聲亦將遭受嚴重損害無疑。男女雙方具有共同的利害關係，然甘參議員，殊不便出面反對法官的主張，祗好慫恿女方家長提出異議了。

眞正的民主社會

從這樁公案的演進情形，可以反證眞正民主社會中的輿論力量實在偉大，新聞記者便是整個社會的檢察官，亦爲無孔不入的情報人員，任何有錢有勢的特權份子作了壞事，總逃不過新聞記者的耳目，摘姦發伏，決無倖免，因而申彰正義公道，發揮福國利民的潛能，善莫大焉。假使在「官主」社會中發生此案，事前必然封鎖報紙消息，不許報導眞象，事後新聞記者如作「扒糞運動」，那有錢有勢的甘迺迪參議員，一定運用政治[illegible]告記者誹謗名譽，而[illegible]誘惑與官官相衛，狼[illegible]不願多事了，且將杜[illegible]詞，在報紙上廣爲宣[illegible]模樣。這便是民主生[illegible]惜冒險犯難以爭取民[illegible]

若要人不知，除[illegible]的耳目極其聰明加以[illegible]進步，無論好事壞事[illegible]作了壞事而以箝制[illegible]掩飾，欺世人以紙[illegible]，不會發生絲毫效用[illegible]然許多自命爲聰明的[illegible]其妙，不亦怪哉！

[illegible]

陳大慶倡整體教育

（本報駐台北記者柳蘇特稿）台灣省政府主席陳大慶視察教育廳聽取簡報後，自謙說是建議，提出「整體教育」一詞，新聞裡雖是語焉不詳，予人的印象，當不外是把升學、考試、就業連接起來，作通盤有計劃的教育政策。在今日大家都不願作的政風之下，這眞是空谷足音。不過，教育上這一問題，由上將出身的省主席提出這麼響亮而且針對時弊的口號，那些自以爲教育專家的台上教育官們（近年沒有教育家），不知是腹組一陣之後，是以「尸位素餐」而自愧呢？還是「腹非」陳主席不該多事？

一年一度大專聯放，放榜已畢，教育官們正在沾沾自喜，彈冠相慶的當兒，監察院忽然推派委員調查計分錯誤的案了，已經大煞風景了。陳主席又出了這樣一個大題目。坦然「納編」是不成了。據悉此次聯招計分錯誤有三萬零二百四十八件，而且已經經過「校閱」「找錯」等手續才放榜的，何以還有如許的計分錯誤？除了教育官們應付[illegible]着假兩個假期招收學生、辭聘教員，所謂六臘之戰，除了經費、人事而外，生活，日常就緒開會混生活，無論對內對外，事無大小統籍開會聯合來解決，這樣開會的方式，如果是集思廣益開誠議事，當然爲人所佩服。若被官僚政客利用，便是卸責任圖自保，便是舞弊而政了。教育家貶値而爲官，也就學會了裝居終無所用心的活寶了。招生大專既由聯招會承担一切責任，放榜之後，便算功德圓滿。但在憂國之士看來，問題並不如此簡單，今年報考的學生，多達六萬八千九百二十九人，所有公私立大專院校全部錄取名額，卻只有二萬二千三百四十人，放榜之後，有四萬六千五百餘位青年學子立即失學，至少是今年一翹首大專一望門流涕一。這些留下來的問題，教育官們不來設法解決，難道請考試兩院代謀嗎？四萬六千多人考試落第，廣播、報紙、電視一面提醒家長們不要責怪孩子，學習相勸再接再勵明年再考，另一方面宣傳[illegible]採訪，了[illegible]各錄取甲、乙、丙[illegible]組榜首，其熱烈不減當年，只是把「狀元」二字改爲「榜首」，應景文章，緊張熱烈，如火如荼，熱鬧過後，也就各個本行了。

聯合招生隨後軍事學校招生也在八月十一日放榜，以五〇七、一五名周不烈，以五十組第一名分發，取國防醫學院醫學系，乙組第一名李百豐四〇八、五分分發取財務學校財務管理系，同是大專，同是榜首，其冷落程度，眞簡直不可同日而語，社會對大專聯招是如此看待，也就無怪落第生和家長的誤解爲[illegible]得不合人傷心！一千萬人口中有四萬青年發生失學問題，這樣嚴重問題並不自今年始，教育官們卻熟視無睹。教育廳只拿數字來表現成績，中、小學學生激增，私立學校，自[illegible]擁擠，私立中、小學設置。[illegible]立委[illegible]法令第一大學明條，國家[illegible]與口號，這教育部長的立場，政府應該[illegible]落第青年在幾方面設法[illegible]。此家長已把自己的子弟拉在家去請家教和夜間補習部，[illegible]事學校[illegible]失學或設法多收容一部分。或設起辦法[illegible]，民就業輔導所只管介紹小程度的國民，[illegible]會又只管介紹大專畢業生，高中學生既非「國民」又非「青年」，究竟讓他們走到那裏去呢？政府應該想辦法來解決。

維護憲法效力鞏固國本
應制定違憲懲治法
憲政研討會已通過結論
建議國大訂定明確制度

（本報記者司馬恭台北航訊）國民大會憲政研討委員會於八月十一日起，舉行爲期兩天之第十二次綜合會議。並通過第一研究委員會之「違憲懲治法之研討」結論等二十二案。該次綜合會議決定把「違憲懲治之研討」結論：建議國民大會於修改憲法時，訂定國民大會對違憲審查制度；構成違憲犯罪之範圍，應於刑法內明確規定，或制定違憲懲治法。

此項決議案，係根據國民大會第四次會議，國大代表戴天球等二十五人提出之第一五〇號提案：爲尊重憲法尊嚴，維護憲法效力，鞏固國本，應制定違憲懲治法。案經大會決議：交由國民大會成立之研究機構研究，憲政研討會成立後，由國大秘書處送第一研究委員會研究，本案研討後僉認頗切需要，原提案有具體說明：

「近年來甚囂塵上，時聞人言曰，某一法規之爲違憲，以及其他事項，謂其爲違憲法者，更不勝枚舉。然違憲已違憲矣，已往姑置不論，若將來上自中央政府，下至鄉鎮公所，以及各級民意機構，而不予以防止排除，制裁懲處，國家根本大法──憲法之尊嚴掃地，效力喪失，國本亦不免因此動搖，與言及此，惕恐無已。因思違警尚有懲處之違警罰法，違憲獨無懲處之法規，何以對違憲者寬縱如此，豈違警重於違憲耶，抑違憲不應重視耶，令人百思不得其解，或謂大法官對於違憲，可以宣告其爲無效，自無須再另行制定其他有關違憲法規之必要；惟查大法官對於法律與憲法有無抵觸發生疑義時，得解釋其爲無效，並非對於任何違憲事件皆可認定其無效，故違憲者可以任意違憲，公然無所顧忌。爲尊重憲法尊嚴，維護憲法效力，以及鞏固國本起見，應制定違憲懲治法，將違憲應行懲處罰則，及審判程序，俱規定於該法中，使甘冒不韙，居心違憲者，有所驚懼，不敢明知故犯，擺受法網，始得以戢止違憲之風。」云云。

──行憲以來，違憲事件未嘗無之，祗因從未設置違憲審查專門機構，或憲法法院，致無由審議而懲治違憲，既乏法可循，其迄未對違憲者有所制裁懲處，使之皆獲倖免，要屬民主法治之憲政上一大缺點。爲維護憲法尊嚴，故應由國民大會之修憲或修改臨時條款中，訂定國民大會違憲審查制度，設立憲法審查委員會；由國民大會內三政黨與無黨無派代表中各選出代表三人，並以司法院院長、最高法院資深推事三人，大法官三人，法學專家三人組織之，審議由國民、機關、團體、政黨、政府、法院等提出之違憲事件，依法決定，並明定憲法審查委員會之決定，爲最終決定，適用於一切案件，法律之有違憲者，未公佈前，不得公佈之；訴訟系屬中者，應停止其訴訟程序。民、刑、行政訴訟確定終局判決所適用之法規，其經決定屬於無效者，原被告均得於五年內提起再審。

──人民受憲法保障所享有之權利，如因法令之違憲而遭侵害者，得依法定程序提起訴訟。關於違憲行爲之懲處罰則，以及審判程序，均於違憲懲治法詳加訂定，使與西德基本法媲美。至違憲審判，以高等法院本院爲第一審管轄以昭鄭重，各國違憲行爲均受刑法之制裁，我國現行刑法對於違憲行爲直接有規定者，僅爲第一百條之「以非法之方法變更國憲」一端，頗嫌簡畧，應採西德及法國刑法有關違憲刑罰之規定，修改刑法，補充規定，而資法院之適用，至應增加內容，其關係重要者，例如，凡以暴力或暴力之威脅，變更憲法秩序者，或剝奪總統基於憲法所賦與之權限，或以暴力或危險之威脅，強制或妨害總統行使其全部特定權限者，或分裂國家固有領土者，或對國家領土被侵奪而不力爭回者，應處以十年以上有期徒刑或無期徒刑；凡意圖侵害中華民國之存立者，或排除憲法所列規定之一，或使其不適用者，爲憲法背叛罪，應處以五年以上十年以下有期徒刑。其他如爲憲法背叛之預備行爲，以及背叛憲法爲目的之犯行，均應處以相當之刑，未遂者罰之。

──國民大會憲政研討會認爲在憲政體制下，應由國民大會於修改憲法時，訂定國民大會對違憲審查制度。本案提全體委員會通過後，報告國民大會。（八月十二日寄）

憲法至高無上　神聖不可侵犯

該研討會指出：按憲法乃國家根本大法，爲最尊嚴之最高法律，神聖不可違反，其應絕對尊重與保障，全世界之民主法治國家，均予一致公認。各國發生之違憲事項，多不盡同，約而言之，可分爲二大類，其一爲法令之違憲，另一則爲官員之違憲。對於是否違憲之審查，我國採大法官會議審查制。我國大法官會議，僅對於法律與憲法有無抵觸發生疑義時，得解釋其爲無效，並非對於任何違憲事件，皆可認定其爲無效，範圍狹小，權力亦微，雖謂其即爲違憲審查制，宜加研究，進而建立一完善違憲審查制度。

──我國現行憲法係依據國父孫中山先生遺教，基於三民主義五權憲法而制定，中華民國之主權屬於國民全體，國民大會代表全國國民行使政權，憲法規定國民大會之職權，有選舉、罷免總統、副總統、修改憲法、行使創制，複決兩權等，國民大會如對總統、副總統行使罷免權時，必須因其具有違法之情事而後可，所謂違法，爲廣義的，當然包括有違憲情事在內。至監察院對總統、副總統之彈劾案，其亦應以具有違法違憲情事，更無二致。我國現行大法官會議解釋法律或命令有無抵觸憲法之規定，不盡賅備，因既不克對任何違憲事件均得審查認定，並宣佈其爲無效，亦從未包含有官員之違憲事項在內，其應即改採國會違憲審查制，似屬適宜，亦至必要。

喬治桑外傳　六七

張大萬

曲終人散。

「博士，要不要我送你？」裘白瓊問喬治桑。

「不用了，我自己僱計程車回去。」喬治桑答。

裘白瓊知道喬治桑是三腳貓，喜歡東遊西蕩，所以不勉強他。

喬治桑與裘白瓊夫婦、欽絲樓主、金鳳凰等分手以後，一看腕表，已經午夜一點多鐘。他覺得有點困乏，同時，他也有一種寂寞之感。僱了一輛計程車回家，應門的是睡眼惺忪的下女阿芳。

「李小姐有沒有回來？」喬治桑一進門便問阿芳。

「還沒有。先生要不要洗澡？」阿芳在桑家日子久了，知道主人無論怎樣晚回來，都要洗澡。

「妳替我先泡一杯茶，然後再準備洗澡水。」

台灣寶島四季如春，陽曆四月天氣，一連好多天沒下雨，令人感覺燥熱。喬治桑穿了一套睡衣，沒穿睡袍，赤足拔着一雙拖鞋。

喬治桑坐在沙發裏抽烟喝茶，只聽得阿芳在洗澡間放水，發出嘩嘩喇喇的響。

「先生，洗澡水放好了。」阿芳到客廳稟告喬治桑。

喬治桑沒有答話，點了點頭。

喬治桑洗澡不像娘兒們那樣費時間，一會兒工夫，已經洗完。這時，偌大的一幢房子顯得靜悄悄地。他在經過雅麗絲房間時，忽然下意識地踏了進去。

床邊夜壺廂上的枱燈發出微弱的燈光，照着雅麗絲的半身彩色照片。梳妝枱上排列六七種化粧品，隱隱發出幽香。他躺在雅麗絲床上自己顛顛了兩下，發覺枕頭下面有厚厚的一本書，抽出一看，是女作家葛威（草頭）著的「心火」。他知道葛的小說描寫男女情愛極爲大胆，「心火」是一本禁書。他無心細讀，翻了幾頁，縮手塞回原處。他打開了夜壺廂抽屜，一眼看見用錫紙包的藥丸。喬治桑很內行，那不是「騷奴兒」是甚麼？

他倒想不到，以雅麗絲這樣一個淑女型的女孩子，爲甚麼竟有避孕藥。何況這是很貴重的避孕藥。

原來喬治桑留居美國的時候與一個美國中年婦人結下香火緣。她是有丈夫的，在歐洲經商，喬治桑親眼看過這種藥，所以「宰羊」。

喬治桑不聲不響退出雅麗絲臥房，重又回到客廳，他是過慣夜生活的人，這時尚無睡意，於是，又跑到書房裏揀了一本書來消遣。那是一本英文小說，書名「蝴蝶之夢」。不用說這並非西洋文藝，而是一本黃色的禁書。中國人有謂「雪夜擁衾讀禁書」是一樂。喬治桑也不例外。

一書在手，雖非開卷有益性質，倒是很能消磨時光。喬治桑聽到八晉門鈴，知道是雅麗絲回來了，連忙前去開門。

「哦「包死」，這樣晚了你還不睡。」雅麗絲的神態有些疲倦，但帶着愉快的笑容。

「我在看小說。」喬治桑一面替雅麗絲關大門。

「什麼小說？」雅麗絲隨口問。人已經進了客廳。

「是外國「心火」，拿來消遣是很好的。」喬治桑話中帶刺。立刻雅麗絲臉上現出一片紅暈。

「要不要我替你燒咖啡？」雅麗絲只好王顧左右而言他。

「不用了。」喬治桑衝口而出，隨而一想，喝咖啡可以和雅麗絲聊會閒天，也要得。「好吧，假使你不怕麻煩，燒點咖啡來喝也好。」

「還有什麼麻煩，讓我先去換了衣服。」雅麗絲回房換衣服去了。

（未完）

檢討糧食政策
仍應求精求進
美日粮產情況堪爲借鏡
郭雨新在省議會提質詢

（本報通信員柳一欄來自台灣省議會消息）省議員郭雨新對有關農林問題，提出如下質詢：

一、當前糧食政策之檢討。

近聞美國食米運銷於產米地區之遠東，已屬聞所未聞之事。現在竟有出乎意料之外者，糧食奇缺之日本，亦告生產過剩，依據報載：日本五谷豐登，食米盈倉，過剩食米達三百萬噸，使日本束手無策。請問日本食米是否因豐收而供過於求？餘米果有三百萬噸之多乎？

根據新聞報導，如果確屬事實，則我國經濟將遭受如何之影響。例如中日兩國之貿易，逆差甚大，而且越來越嚴重。在過去我國向日本購買肥料，等於以貨易貨，現在日本已有大批餘米，是否仍以高價向我國購進食米？而我國是否繼續向日本購買肥料？至於我國之餘糧又將如何改變銷售之對象？

其次在糧食生產方面，亦值得檢討，應如何在農業技術上求精求進，本席提出幾點意見，以供檢討！

（一）在美國稻谷並非其重要農作物，農業經營由於缺乏勞力，不得不仰賴機械耕作，以粗放之經營而能生產大量食米。在台灣地狹人稠，勞力充足，生產技術，精益求精，開發中之國家，且望我國之農技援助，何以近十年來，食米之增產量，每年均不足百分之四，原因何在？

（二）在日本亦屬地狹人稠，由於氣候關係，每年稻作僅有一熟，而農耕面積之小與台灣無異，僅能以小型機械耕作。現在台灣亦在推行機耕，且勞力與氣候，均較日本爲優，而生產成果，在前年年產二〇五萬噸，去年增加至二一一萬噸，政府即認爲大豐收。返觀日本在過去是供不應求，現在過剩達三百萬噸，其不出現奇跡乎？

（三）台灣與日本、美國之間，交通方便，農糧界人員之交往，不絕於途，對於農業經營之趨向合作化，企業化，機械化，以及投資鉅，用肥多，均屬耳熟能詳之事，現在台灣亦在倡糧食增產而研究發展，何以成果不及美日兩國遠甚，究竟美國之優點何在？日本之長處何在？其不自檢討反省乎？

懲蕉虫人心大快
香蕉外銷前途
必須全面革新

二、政府將如何展開香蕉外銷前途。

自從剝蕉案發生後，玩法官商即將繩之以法，而大快人心。但對整個香蕉輸出前途，却大受影響，根據目前之情形，香蕉輸往日本，由於品質未能控制，以致售價不及成本，而日本方提出要求，希望能在預定運輸班輪中，減少輸出數量，如是將使中日香蕉貿易，無法抬頭，而陷於困境，未審（言勞）主管當局是否注意及之？

大家知道，香蕉出口，每年可賺取外匯六千萬美元，對農村經濟有莫大裨助。但是依目前之情況，似已岌岌可危。試問主管當局能否在一大快人心之餘，儘速穩定蕉農生產之心，而謀香蕉「產、運、銷」三方面之全面革新？

三、開放保安林，種植柑桔，繁榮農村經濟。

關於開放保安林之宜農地，種植柑桔完成水土保持，前經本席一再提出建議，而邀林務局解除部份保安林，並予放租，施德政於民，至深敬佩。惟部份保安林之宜農地，如礁溪、頭城地區之第二至三十林班，業經種植柑桔成林，且已完成水土保持設施，而有生產，却爲某單位百般刁難，予取予奪，並責令提具切結書，在柑桔欄間，造植木竹，企圖使墾民所投之鉅資毀棄，誠不知其居心何在？本席認爲對於保安林之宜農地，必須予以開放，以促進農林經濟之繁榮。

至於租金之繳納，依據本省森林用地辦法第十四條第四款之規定，柑菓之收益，政府分收百分之二十，較之以往政府分收百分之十二點五，實有違背政府減租與安定民生之政策。由於租金之提高，而使柑農毫無利益，且使所投鉅資與心血付之流水，是否可將分收率降低爲百分之十，以維護菓農應得之利益，請指教？

森林大火頻傳
何以竟無對策

四、森林火災頻傳，其無對策乎！

查本省林班發生火災，何其多也，前聞大雪山林業公司所轄林班，頻傳火警，據聞係該公司因短少原木，故意縱火焚山，藉機報銷。由於發生火災之後，未曾明確公布損失情形，更未調查起火之原因。自難避嫌，是否事實，亟盼有所澄清。

最近所聞報導，在轄大林區竹山林班，又傳火警，而大甲十七林班於發生火災後，雖經撲滅，由於清理火場，未能徹底，又告死灰復燃，致遭重大損失。請問，對森林火災之預防，其無對策乎？而[illegible]致火災之原因，其有因短少原木，藉機報銷之情事乎？

文滙樓劄記

銀行鉅子陳弼臣

文滙樓主

東南亞銀行家陳弼臣，廣東朝陽人，早年一直從事吃粉筆灰生活，抗戰勝利後，到了曼谷謀生，雖努力，無收穫，欠債七千泰幣（折成台幣爲一萬四千元），被債主逼迫，又回到祖國。（民國卅六年）大陸淪陷，陳再度逃難到泰國，這是發跡的起步。

不按照正軌做生意，暴發戶有五條大道，陳弼臣走的那一條，站在揚善隱惡角度，不擬多贅。民國四十二年陳弼臣一躍而爲銀行經理，那時最賺錢的，是曼谷亞洲信託公司，專做華僑匯兌，術語叫作「僑批」，一天出進約六千萬銖一億元，僑所謂賺的麥克麥克，比開石油礦還過癮，陳弼臣並不以此爲滿足，凡賺錢的水龍頭，都盡量開，銀行家的基礎終於奠定。

陳弼臣得到名人指點，也指點過名人，這一階段對陳一生的作用相當大。陳弼臣因向南洋商業股份有限公司購買白糖一千噸，而認識該公司李總經理，相談之下、陳認爲李非普通商人，李亦感到陳頗有招數，陳就自己事業處境向李討教，李很「誠」的向陳說：「趕快將銀行的錢散開，禍可自消，藉設香港、東京、星洲分行，發展國際匯兌，誰也不能講話」。陳弼臣謂：「登記恐有問題」。李又告訴他：「香港找誰、東京找誰」。陳恍然大悟。泰國幾經政變，陳弼臣沒有受到太大影響，即因盤谷銀行大部資金都已散在海外各地之故。陳弼臣看到李用規矩劃方圓的經營方式，相當焦急，特以書面親筆指出：「我兄須知今日社會將本求利比登天還難，商不厭詐，尚望奪裁……」後來乃砲成立宣傳機構，想請一位彷彿上海新聞幫時的福開森，陳弼臣推荐李任斯職，果一拍即合，未料泰國政變，盤谷銀行已如上述安排，故陳未受到大的波及，李呢？則與乃砲同垮，全軍覆沒，人生非命運而何。

民國四十五年鄭仲玉等拜訪姚文莉（陳弼臣夫人）邀姚到台灣來觀光，姚說一定來，次日，華僑通訊發出消息，謂陳弼臣夫婦即到台灣觀光。泰國共黨統戰份子展開攻勢，陳弼臣欲登報聲明，華僑通訊社造謠，後被李說服，告訴陳：「共產黨裡沒有銀行家的席位，今日世界不做共產黨，就得走民主國家路線，台灣將來對你會有很大幫助」。李之無名英雄，陳的主秘馬燦洪知之最詳。盤谷銀行後來能到北台設行，與李當年建議有很大關係。其中一些陰謀詭詐，李多出自左道挑撥。共黨心戰專家加以指導，過問題，言之有物，箭發必中，美國工作人員，固非對手，李之孤軍作戰，那有不跌的道理。

附帶値得一提的，國民黨曼谷總支部書記長蔡學餘，是李在世界報業股份有限公司副手，被共諜許××以師生關係利用，請求美方對李勿予支持。後李另立門戶，蔡等則被滲透共諜一批開除，許××告訴蔡，共產黨人從未撐過手段。最後蔡無以自處，祇好自縊。

「深宮怨」與伊利莎白一世的關係（二）

・羅璧珠・

（三）婚事和承繼問題：伊利莎白不願結婚，也許是不願受拘束之故，當時人們眼見一位年青的女王故意放棄結婚的權利而感到驚奇，遂有「因爲她生理上有缺憾」的說法，但謠言不足採信。她一直不被感情所操縱，且明瞭一位丈夫會增加她更多的麻煩。在她的屬下之中，她似乎真的喜歡 Robert Dudley（即後來的 Leicester 伯爵），由於其他屬員的嫉忌，尤其娶 Ama Robsart 湊巧的死亡，同時伊利莎白憶及 Dudley 家族中曾有兩代有叛國行爲。故此，這段婚姻未能成功。至於外國的求婚者之中，沒有一個不會產生更大問題的。其中，瑞典王Zrist十四世是瘋子。Arran 伯爵，James Hamilton（蘇格蘭人），是値得懷疑的一位。西班牙王「菲臘」也屈尊降貴地向她求婚，不過這意欲獲得第二位英國女王的企圖是不可能實現的。在一九五九年春天，伊利莎白拒絕了他。

「菲臘」的表兄弟，奧國大公爵查理士，本可用以平息西班牙與法國間戰爭的潛伏危機，也可停止蘇格蘭皇后瑪麗的嚴重威脅。可是因爲伊利莎白堅持查理士秘密結婚，決不准他成爲天主教徒，恐其日後成爲天主教徒動亂的對象，故此厭棄交涉，未果。自一五六八年起，當西班牙的仇視比法國和蘇格蘭更甚時，法國的求婚者，Henry of Anjou 與後的 Francis of Alenco，也帶來同樣的障碍。Alencon 向伊利莎白求婚之時，她已四十餘歲了。他們有一段長時期的交往，有人會猜疑她也許不願放棄還次結婚的最後機會。但還是沒有結局。

伊利莎白獨身最大的不利是她沒有一個明顯的承繼者，依照傳統，承繼希望最大的人係蘇格蘭皇后瑪麗。但國人反對，尤其在一五六二年伊利莎白患病時，他們明顯地表明這態度。再者，一如當日 Mary Tudor 執政時，伊利莎白成爲基督教徒的希望，而這次 Mary Stean 自然地成爲天主教徒寄望的對象。瑪麗雖於一五六八年被逐出蘇格蘭，並未消除危機。她留在英國半爲賓客，半爲異教徒，她在英國的逗留，足以引動北方的反叛（一五六九年）和以後一連串下獄上的謀殺事件。只因伊利莎白不願殺害一位皇后，瑪麗得以活到一五八七年。如果議院能自作主，他們一定早在一五七二年將她和 Norfolk 公爵一同誅滅。至一五八七年，出現一位比較可容忍的繼承者——瑪麗的一位信奉基督教的兒子 James VI of Scotland，若他即位，則可解決兩邊歷年來的爭執。這承繼問題未免太冒險，不過以她來說這冒險是値得嘗試的，她得到很大的報酬——英國與蘇格蘭王權方面的永久統一與和平。

（四）宗教問題：在宗教上，伊利莎白首要的關懷是確保她超越的權力。因爲她是安保玲的女兒，而按照羅馬法權，她是私生女，故此她對羅馬宗座沒有好感，她既身爲女王，不准教士們承認還有比她更高的統權者。此外，清教派（長老會（Calvinism）也不爲她所喜愛，因清教主張一獨立自治的教會。伊利莎白雖然相信基督教主教制乃是鞏固皇家權力最有利的工具，可是她對主教不甚尊重，對於他們的妻女更施以白眼，正如 Edmund Grindal 大主教所察覺到的——她希望見到基督教的狂熱傳佈於下級教士中，不過還願望並不大於另一願望——即她願嚴厲執行「全權與統一」法令，以鎮壓羅馬天主教徒。

（未完）

政治現形記（二三）

李槃

第八回　獻媚有術能惑主　辯姦無智致殃民

葉氏以軍人出身而不能從事戰陣，行政知識完全莫名其妙，搞特工又不是那塊料，因而落拓京滬，鬥蟋騁驕，幸擁有大量資財，尚能度其優裕的寓公生活。迨「七、七」蘆溝橋事變發作，中日戰爭繼起，全國軍人多請纓抗敵，齊赴國難，葉氏口頭抗日最激烈，卻不敢投袂從軍。民國廿八年武漢淪陷，國府轉移巴蜀後，葉與其同路友好前武漢綏靖公署參謀長楊揆一，聯袂至重慶活動，但無適如其望的官職可得，鬱鬱寡歡，葉楊二人乃潛赴上海，比及汪精衛偽政權出現，葉則揭去抗日英雄的假面具，毅然通謀敵國，背叛祖國，官拜偽湖北綏靖主任，回到武漢進行漢奸工作，一面派人持其親筆函到重慶，分投軍政部長何敬之，軍法執行總監何雪竹，聲述自己並非眞心通敵，謂「將來必有以報答」等情，就終其漢奸時期，絕無「通謀本國，不利敵國」之事實表現，是徹頭徹尾的賣國之徒。回想他當年對國家領袖那種變料忠貞的言行，對日本帝國主義者那樣激昂慷慨的反抗作風，其奸佞險詐的面目爲何如者！

綜觀葉蓬平日的言行動作，稍有「人鑑」知識的人，即認爲決非善類，應在投諸濁流之列。抗日戰爭勝利復員後，葉蓬雖首正典刑，固不足以蔽其辜，而類似葉氏奸佞言行的偽裝忠貞份子，依然大行其時，終於導致大陸淪入匪寇之手的浩劫，可勝慨歎耶？

正是：

人心不同各如面，
見微知著辨忠奸。

復興關下幹校魂

——上接第四版——

彈指算來，幹校自從三十三年五月正式創建，於今已是二十五個年頭了，這二十五年之中，幹校對於國家，究竟有一些什麼貢獻呢？由於幹校師生不會自我矜誇，這些只可留待後人作歷史查攷了。雖則如此，一般公正的批判却是足以加之於幹校的。名教授郭廷以先生說：「多年以來，就幹校畢業同學在各方面的表現看來，應該說是十分成功的。他們無時無地不在爲國家民族的復興而奮鬥，無時無地不在創造歷史，其貢獻之巨，有目共睹」。大胆的講，如無幹校同學的努力，即不易有今日台灣的安定進步與興盛氣象，特別是在黨務、軍事、社會、教育方面。這是幹校教育的收穫。」因此，總統府副秘書長鄭彥棻先生要說：「冒險犯難是幹校的時代任務，逆流挺進是幹校的先天氣質，只要我們能夠本着先天氣質永遠團結在　校長領導之下，發揮冒險犯難的精神，苦幹、實幹、硬幹，必能達成反共抗俄建國復國的使命。」這樣，「幹校的短短歷史」，便自然與黃埔軍校「同樣的重要」了，値得叙成史文，傳述久遠了。黨國元老李宗黃先生說：「反攻復國的大時代，是我們幹校同學發揚革命事業和革命精神的時候。」當此「風雨如晦」的時候，緬懷黃埔島上，復興關前，這一輩的革命報國之士，是應該「雞鳴不已」，而絕對不可以猶豫於「値時之未央，恐鵜鴂之先鳴」的！且聽當年「飲馬崑崙山下，揮戈太平洋濱」的怒獅吼，中國的青年朋友們是必須服膺「幹校魂」的提領，而奮然以起了！

（完）

綜談國劇復興（十三）

王方曙

所以，例如探母盜令一場，應該是四郎一下，倒板音樂即起，便拉起中間幕，太后已坐在上面，兩邊宮女龍套雁翅排開，輝煌壯麗。太后倒板唱完。音樂應短促，太后再唱原板成二六流水之類，吩咐注意間諜，有作叛國之行爲者，定斬不赦，這可以增加緊張氣氛。然後公主上場，與太后對唱之間，太后應囑其特別注意南蠻間諜，不可放過。公主因此不免戰抖。然後再進行盜令，中間經過緊張萬分，這才是場好戲。目前所演盜令一場，有如兒戲，有幾次冷眼看戲的人發出疑問，我都無法回答。至於這場戲，公主一下場，就應該突然黑燈，快落中間幕。再快亮燈，四郎立即上場唱：「在頭上……」這才連接得緊湊。戲劇要講求剪接，剪接對戲劇的關係太大，對戲劇的效果影響極深。爲了要求剪接的乾淨合適，用雙重舞台，利用中間落幕，分割前後；利用黑燈亮燈，以爲前後場交換的補助，是最方便而不影響劇本質的一種最好的方法。

（2）我們的扇形舞台：國劇的舞台目前是扇形舞台，就是觀衆大約以最多九十度的展寬，向舞台集中觀點。舞台是以扇形畫面向觀衆張開。因此我們必須注意表演時舞台地位的利用。我所以要提出這一點的原因，是以往在國劇極盛時期，如滿清末葉，國劇舞台是四方形的。好像舞台伸展出來，到了觀衆的腹心，觀衆是三面包圍着舞台的。這種舞台，在民國二十幾年，北平的廣和樓便有這種跡象存在。既有了這種舞台，便有這種必然的表演方法。比如扯四門，由中間走到左邊，又回來，又走到右邊，龍套也跟着變換隊形，有時簡直要遮住主角的正面了，其實在當時是轉一個方向給另一面的觀衆看的，但在今天，扇形舞台之下，這扯四門便不太適應。當然，扯四門有它表現的意義，我們當然不能取消。我們無妨改變一下形態，除非表現行路，可以用圓場表現外，其餘龍套可以不動，演員可以循其自然，隨時左右移動，不必拘於移一個地方便唱一句的固有形式，可能更爲生動。演員利用舞台，「地方」是頂重要的一點，方形舞台一定要扯四門。扇形舞台便不然。這是舞台變遷的關係，我們不得不適應，這些是不必保守的。

其餘如一切表演，也都應注意到扇形舞台的特點，使觀衆的視線自然達到，如演上場，多在上場門一邊，面多向下場門，所以從前聽戲要坐下場門，以便觀賞。

（未完）

諸葛亮狂想曲（三八）

・劉玄・

諸葛亮連連點頭，也用蚊聲回答：「謹遵星君台命，絕不敢逾限。」

諸葛亮爲了下凡一念，勞動了太白星君，龍岡弟兄，以及大小仙家替他幫忙。最難得的是耶穌基督，還在他身上顯示了復活的奧跡。好不容易一切就緒，乘坐雲車已到南天門邊界。送行行列中，以劉備情意最厚，與諸葛亮執手相踏，依依難捨。忽見天邊金光閃閃，隱有雷霆之聲，大家心裏明白，必然是遮眷的大仙來臨。須臾，金光收斂，雷聲停止，飄下一朵祥雲，大家定睛一看，乃是禪宗始祖，面壁十八年的達摩。旁邊立有一位金甲神，龐然大物，身高何止九丈？

諸葛亮何等敏感，一見達摩偕金甲神來到，知道事非尋常，事情可能發生變化。因爲達摩守靜工夫，高人一等，泰山崩於前而不驚，黃河傾於側而不恐。他在天庭從來不送客接客，更不要談交際應酬了。至於金甲神，乃天庭守護天神，從來不擅離天宮一步，由他伴同達摩出現，更不簡單。達摩見了龍岡弟兄只畧畧點頭爲禮。他站在諸葛亮面前，拿出黃綾裱成的手卷，諸葛亮一望就知是玉帝聖旨，那敢待慢，立刻俯首拱敬聽，其表情之誠穆，誠有不勝屏營待命之態。

「（一）諸葛亮前此呈請往下界遊歷，經朕批准有案，並已遵照規定辦妥手續三百餘項。

（二）查近據駐月宮宣撫使嫦娥報稱：美國太空人阿某、艾某、巳乘火箭飛抵，跡入月宮禁地，並挖去禁地岩石達數十磅云云。朕聞報之後深感不安。

（三）地球人類自發明電腦以後，神仙能想到的，他們都想得到，渠等第一步登陸月球，以後則火星，金星，甚至海王星，冥王星無遠弗屆，其震動天庭不言而喻。

（四）自即時起，除特曉諭天庭大小各仙，一律不准擅離天庭一步。並派金甲神爲天庭巡閱使。凡希圖擅離天庭之大小各仙，不論其職級如何，一經拿獲，即行打入十八層地獄，決不寬假。

（五）茲派達摩護往南天門，曉諭諸葛亮不得出境。

（六）欽此！

巨變歷險記！

車上成了家（六〇）

胡慶蓉

丁博士在滄州車站死等上車，車終於開了，終於開到了濟南。

這車是運料的車，運到沿途各站，分配給他們，作恢復通車的準備工作。我前邊提過，津浦鐵路，天津、濟南間很多年沒通車了。徐淮一戰，政府軍大敗於共軍，大江以北，津浦路兩旁，盡入於共軍之手，現在天津、北平得手之後，津浦全線盡入於共軍之掌握，現在共軍在亟謀津浦全線通車中。丁博士「高高在上」，視線非常清楚，極目遠眺，所看見的，盡是「不毛之地」，點綴些鄉村而已。河北的鄉村，山東的鄉村，並沒什麼不同，都窮得很。我所謂窮，是多方面的，全面的，無所不包的。單就地來說，就鄉村的外貌來說，已可略窺大概。提倡平民教育的晏陽初，提倡農民身手的陶知行，提倡鄉村建設的梁漱溟，對於河北、山東的農民，都提供了很好的資料。河北山東的農民都早到無以為生，難以為生的地步。地，在丁博士眼見的狀況之下，什麼也看不出，有之，那就是似乎看見，似乎又看不見的麥苗苗而已，但因為過於荏弱，麥子很難長起來，縱會能長起來，也都細得很，簡直像線一般的細，那麼收成就談不到好了。其他的雜糧，如豆類、紅薯、穀子，農民的生活必需，也都同樣的收成不好。河北、山東的農民慾望可以說減低到無可再減但還要減的地步，那就是連只要活命也做不到了。更明白的講，他們連肚子都裝不飽了。鐵路兩旁的鄉村，一望即知其窮窮不堪言。很少有瓦房磚房，都是土牆茅屋。茅，不耐久，經過兩三年，就都變成黑色了。柴，在這直隸地區，更感缺乏，在這大冷的冬天，是沒柴取暖的，若大兵過境，連僅餘的門、窗、桌、櫈，也都會拿出去劈劈燒燒。人都沒得吃的，狗那裡還會有吃的，故火車經過旁邊，他們往往連頭也抬不起來。就是有起來走走的，也都無精打彩，毫不關心的樣子。骨瘦如柴，皮包骨，彷彿見之。跟着火車叫的，可說絕無僅有。鄉下人，鶉衣百結，面有菜色，更甭與人見面，倒不如說都在餓的走不動了。

丁博士有天津、滄州一段的經驗，在滄州上火車的時候，先買了一袋子的大餅，並買了一個大罐子，盛了一罐子的開水，在上邊餓了就吃，渴了就喝，倒也「逍遙自在」。車，每站都停，也不知道什麼時候到什麼地方。車就變成了丁博士的「家」。有吃的，能喝，天就是冷，也不覺得怎樣冷了。最怕是押寒交迫。丁博士很感謝管火車的人，起初攔、趕，後來看攔不下來，趕不下來，也就不攔了、不趕了。最後，對丁博士，並且同情起來。丁博士坐在高高，簡直成了車上的一員，有如車上的押貨員，得以避免共黨盤的檢查，順利到了濟南。（未完）

復興關下幹校魂（下）

陳中平

但是，「幹校班」的蹤跡，也和羅馬城的興建之非一日造成一樣，他既非突然而有，也不是憑空出現，乃是山川靈秀之所鍾毓，更是 領袖提拔所栽培。三十七年七月，有一位「俠名」詩人，在南京報紙上發表了他的歌頌「幹校魂」的「復興關行」詩篇說：「抗戰首都入巴蜀，勝利復興萬世目。氣象萬千自天成，臨風徘徊看不足。山嶽起伏似龍蟠，房第重疊彈入空。滾滾長江來天際，波瀾壯闊盪襟胸；嘉陵江水如琴瑟，詩意清新且鬱葱。橫瓦奇峯出幅望，一鞭殘照任奔放。暮海明珠集麗頭，長江倒影繞雞項。復興關下冒人魂」，巍巍幹校集群英。偉感 領袖諄諄訓，不辭迢迢萬里征。行看河山重一統，聖地千秋照日星。」因此，五十六年五月出版於台北木柵的「政大四十年」所附「中央幹部學校簡史」說：「成立之初，假重慶大坪馬家寺原青幹班舊址開辦，三十三年七月二十七日，由馬家寺遷至復興關中央訓練團舊址，定為校址。該地形勢雄勝，險要天成，龍蟠虎踞，氣象萬千，同時校園寬敞，風景絕佳，其建築物如青村、多士亭、四維堂、八德堂、慎思齋、明辨齋、留園等，命名典雅，發人深思；大禮堂尤雄偉壯麗，運動場亦極完備，在陪都首屈一指。在抗戰時之學府中，無與比擬者，傾是培養革命幹部的好處所。」

在 領袖諄諄訓示之下，透過了迢迢萬里的一統河山之形勢雄勝，然後是集群英於聖地以發人深思，於是戰鬥勝練，刻苦耐勞與同心一德的新革命幹部便給培育出來，他們要實現三民主義，他們要建設新的國家，如此這般，「幹校魂」便巍然矗立於地球之上了，它不止是清白實在，而且更是照日星於千秋萬世呢！蔣經國先生之所以說「幹校的短短歷史，是同學們的血汗所寫成的」，道理就在這裏！

自從有了「幹校魂」的巍然矗立，幹校同學便擁衛在 領袖救世救民的神聖大纛之下，為國民革命任務而奮鬥犧牲，抗戰時期的三十四年七七獻金，幹校師生率先響應，有的捐出身上僅剩的衣服，這是幹校的精神；在這前一年，當日寇進擾獨山，貴陽告警，大重慶市保衛戰很有可能揭開序幕的時際，幹校師生，不但大部份投入了「十萬青年十萬軍」，以實踐「一寸山河一寸血」的報國熱顧，而且更以蔣經國教育長為其中心，把全校的師生員工組成了一個勇猛而悲壯的戰鬥兵團，準備開赴前線，為祖國的生死存亡洒鮮血，拋頭顱，這是幹校精神。

剿匪戡亂初期的幹校同學，保衛洛陽、睢東、洛陽，或者據傷再戰，或者與城守土共存亡，這是幹校精神；三十六年七月，國民政府通過「勵行全國總動員戡平共匪叛亂方案」，幹校同學為了積極推行這個方案，絕對大多數參加了「戡亂建國幹部訓練班」，組成戰建大隊，深入敵後及匪區，重建政府機構，展開綏靖區的善後建設，使政府確保了綏治地區的安全，這是幹校精神。

到了三十七年八月以後，大陸已是一片混亂，特別是經濟之都的上海市的經濟情況惡化，更影響了全國安危和民心散離，幹校學生，在蔣經國教育長領導下，在上海推行經濟改革，不顧本身安危，協助物價管理，並與奸商豪富及貪官污吏和匪諜共匪作殊死戰，爭取了政府從容佈署，退保台灣的事機，這是幹校精神！

政府退保台灣建設台灣為復興基地初期以至於目前，幹校師生贊助政府完成政工改制，重建了革命部隊的軍魂；又促成了青年反共抗俄聯合會的催生，因而化解了共匪及其同路人在台灣所安排的「四二六」大學潮，使復興基地的青年因此得以走向自由，民主和安定，並使復興基地的人心和社會因此平靜下來，這才有了目前的進步與繁榮。這又是幹校精神！

集合這些表現，「幹校魂」便不斷擴大並更新了他的鑄鑄。但「幹校魂」究竟是甚麼呢？借用蔣經國先生的說法：「幹校的責任，就是要發揚天地正氣。」這又回到「養天地正氣，法古今完人」的「軍人魂」了。所以，「幹校魂不是別的，就是天地的正氣！如文文山先生之言：「是氣所磅礡，凜烈萬古存。」因之，「幹校的短短歷史」，使在「爭千秋不爭一時」的要求中，於「時窮節乃見」之時，要垂諸丹青了。

——以下轉刊第三版

柳庵題詠集（下）

芝山巖詠史

肯端甫

芝山巖位台北士林鎮之芝山里，屹立小丘，青葱獨秀，狀若漳州芝山，故以名之。日人據台，台灣總督府設學務部於此，並開辦日語學校，以柔化台民，而鄉人仇之。乙未十一月十日，台北城之役，我義民一部，直搗芝山巖，殲其學務部官員六人，擊斃來援日軍十六人。光復後，日相伊藤博文碑志被搗毀，建戴雨農將軍紀念堂。昔清咸豐三年九月漳泉人械鬥，戰死者葬於此，曰同歸所。是此山巖之存在，固有其可歌可泣之流血史突。

一、雨農將軍紀念堂

關山烟雨記事新，滄海橫流痛此人；強寇竟緣機智掃，併輝長共四時春；芝山祠廟神如在，泉路丹心鬼與鄰；巖畔年年寒食奠，杜鵑如火哭曾彬。

二、芝山巖事件碑

畢竟炎黃好子孫，拒將鴂舌化台魂；北京入衍漢家土，孩瓚誰甘島寇村；血濺義旗生命失，氣存驕虜赤心存；豐碑剝蝕從頭讀，感動難禁淚眼昏。

三、同歸所

一所同歸土一丘，漳泉怨隙攘人頭；懷能胞與乾坤大，心切慈悲楚漢休；地下情融芳草茂，人間秋祭子孫愁；漢家日月南天照，勿再尋仇黯九州。

四、毀埋日碑誌感

光復空餘鼠竊開，天皇降詔震靈台；關東軍竭逃亡淚（梅濟民寫五千公里大逃亡，日軍五萬凍死長白山中），海上人深侵略哀；狂喜飢腸拼腹裂（駱香林日降詩有「五十年間幾威福，裂腸君莫笑飢蛇」之句。）巨憐故士塵珠還；埋碑磐礎情何烈，共酒神明酒一杯。

題曾后希長女公子倩輝女士畫展

左思嬌女豔壇豪，上立靈氛殖寄高；忠孝眼底線條碑篆韻，望中人物茁關操；遺烈榮湖楚，惠放專精等鳳毛，勛業丹青司煌美，箕裘風播九天翔。

廣陵秋引

愛爾娜游止芝廬，談復興中國文化，余感至聲淚俱下，任增道委員亦泣不能仰。因以識之。

革命當年，憶想起，頭顱擲擲。五七年，鼠竊狼爭，是處亂鴉斜日，蓬蒿胄戚湖，算歐風美雨更東來，綠倫敦。心似鐵，天如漆，鬥爭清算屍橫樍。痛同胞骨肉悵然，陵墓有烈非昔。知君慣作同情慨，教人疑清淚灑無多，山河赤。

鱷魚潭邊的故事（十）

趙陀

桃花潭水深千尺

「媽，我覺得爸最近方寸大亂。」

「他呀！自稱睡覺都比我醒時明白。」

「牛家和馬家錢的問題，我已經……」

「你已經想到辦法了是嗎？唉！感謝上蒼的保佑。」

「媽，那有這麼簡單，五萬元在香港可買一百條大黃牛，樓下在報館做事的房客周先生，病了很久，想吃牛肉湯，周太太已無衣物可典，昨天來借兩元港幣去買餵狗的碎肉熬一點湯，多麼可憐！媽，我打算幫助他一百元，你答應嗎？」

「鬼丫頭就是喜歡講半截話，牛和馬家的錢你已經怎麼樣了，我關心的是這些問題，你又扯到甚麼周太太無衣物可典與餵狗的碎牛肉熬湯，這和我們有甚麼關係？」

「媽，我已在致任念佩的信裡提到。」

「哎呀！面還未見過，提有甚麼用呢？」又落一把話柄在別人的手上。

「是他自己來信問我，需要他幫甚麼忙？」

「你就是這樣的天真。」

「奇怪，他也是這樣說，我就是天真得可愛，還說我……」

「還說你甚麼？」

「難為情，我不講了。」

「又在媽面前講半截話，媽年青時專吊別人的味口，致出你這個女兒專吊媽的味口。」

「我今天就要吊媽的味口。」

「鬼丫頭，你講不講，講不講。」

「媽，我怕癢，我最不喜歡動手動腳。」

「不這樣，你不會講的。」

克琳一陣笑聲連說：「我講，我講。」

「你快講。」

「媽手不拿開我不講。」

「手拿開，你快講。」

克琳的嘴對着媽媽的耳朵唏噓了幾聲：

「不怕羞，面都未見過，竟會講出這些醜話。」

「媽，我不來了，不講又逼着別人講，講了又罵別人不怕羞。」克琳撒嬌的說着，但面部現出緋紅。

「哼，小鬼頭，難怪最近看到牛少爺像路人一樣，對馬小開又是那樣的冷淡。」顏芳看着克琳說。

「媽，你沒良心，這三個人的條件，作很客觀的比較，其中那一個健全。」克琳嚴肅的向顏芳發問。

「據你爸爸說，牛少湘的條件最好，在香港擁有千萬財產。」顏芳將「千萬」兩個字講得特別重。

（未完）

火腿的食製與醫療

生活漫談

馬騰雲

在台灣樣得吃火腿的人不太多，將火腿製熟而又保持火腿的原味，更外的少，上海長三堂子（高等妓院）下粥的火腿片，以刀切成薄如一方一方的紅紙，火腿特有的臘香，觸鼻就能使人垂涎，再配以另外三盤小菜，日本罐頭金錢鮑，寧波如生油悶（火旁）筍，道地的廣東臘腸，別說還有可望不可及的色（這是長三堂的規矩，要經過一個階段心目中的人才到手）。「色」上邊的一個「食」字已經夠醉人的了。

火腿的煮製，是先將整隻火腿泡一兩天，每天要換一次到兩次水，然後將火腿取出，用削刀削去油渣穢物，再以鋸刀慢將腿骨起出，用毛筆桿粗的麻繩，將火腿綑紮扎緊，投入鍋裡滾約二十分鐘，釜底抽薪，只用木柴的餘燼，溫熱到兩個鐘頭，再將煮火腿的水燒滾，立將火腿取出，如是可保持原味，及恰好的熟度，這是最標準的火腿煮法，民國卅六年上海新聞報社長程滄波，中報社長潘公展，邀宴著者於瑪賽國際飯店豐澤樓，那時豐澤樓掌紅鍋的是光緒皇帝御廚，著者特爲到廚房請教御廚烹荷包翅及煮火腿的方法，他亦作如是見告。

豬腿的醃製，以浙江金華、雲南宣威最著名，每豬腿十斤，配鹽十二兩到十四兩，加皮硝末少許，須乘豬體兩熱擦之勻後，置大桶內，用石壓妥，五日一翻，候一個月將腿取起，掛在有風日處，四個月後可食，醃製火腿，以雪後立春前，爲最佳時節，其中以皮薄色潤，明亮通體隱隱見內骨者爲最佳，火腿有冬腿春腿之分，前腿後腿之別，冬腿可久留不壞，春腿交夏會變味，久則蛆蟲離食，冬腿之中又以後腿爲佳，肉細厚而可久藏，前腿則稍遜。至於火腿收藏之法，先用麻油遍塗，再以長繩綁腳，如有多具，則排勻一字式，下以毛竹對破，仰承以接油，設於通風處，雖十年不壞，倘交夏入梅，上起綠衣，或生毛蟲有蛀孔，亦無大礙，只要用竹簽將蟲挑出，用麻油灌之即可，切生火腿剖切剩者，須用鹽擦切口肉上，用乾荷葉包好懸之，亦可久留不壞。

火腿的藥用價值，可以安神開胃，寬膈養胃，壯陽道，生津血，固骨髓，治噎膈，用火腿煎湯，入鍋用椒去掉上面的浮油，白水煮一天，待爛熟時連湯食之，治婦人虛勞怔忡。中國火腿以浙江東陽、浦江兩縣產者爲佳，越陳越香，藥用價值亦高，辨別火腿的優劣，春腿多黑眼，夏腿則爪直，秋腿則皮粗，惟冬天製而皮細無黑眼，手摸之潤膩，切開沒有黃油，爪是彎的可久留不蛀。

自由報

中華民國內政部內警台報字第〇三一號
中華民國僑務委員會登記證僑台新字第三二三號
中國郵政台字第一二八二號執照登記為第一類新聞紙

（第九九一期）

（半週刊每星期三、六出版）
每份港幣叁角・台灣零售價新台幣弍元
社長李運鵬・督印黃行鶯
社址：香港九龍彌敦道593—601號
廖創興銀行大廈八樓五座
LIU CHONG HING BUILDING
7th FLOOR FLAT 5
593—601 NATHAN ROAD,
KOWLOON, H.K.
TEL: K303831
電報掛號：7191
承印：長星印刷公司
地址：嘉咸街廿九號地下
台灣總管理處：台北市大同街119號
台灣區直接訂戶　台郵劃撥戶
第五〇五六號張萬有（自由報會計室）
電話：七一四〇三三、五五五三九五
台灣分社：台北市西寧南路110號二樓
電話：三三〇三四六，台郵劃撥戶九二五二樓

中華少年棒球獲得世界冠軍面面觀

關德辛

成軍不久的中華少年棒球隊，在美國賓州威廉波特城，先後擊敗加拿大、美國北區及西區隊，榮登世界少年棒球王座。消息傳來，舉國歡騰。中華少年棒球隊在美國出賽時，華僑觀眾喜極而泣，出現了很多感人的鏡頭。這是鬱積在無數中國人內心中，崇高的國家民族感情的發洩。在近百年的歷史，中華民族飽經磨折、屈辱、壓迫、誣蔑，只要具有良知的中國人，遇到此種場面，怎能不放聲一哭！

中華民國十四位小朋友，他們出賽的心情，幾乎與出征軍人同樣的壯烈。濃厚的國家榮譽感，堅決的個人責任心，構成他們勇往直前的奮鬥精神。而這種國家榮譽感，個人責任心正是我們恢復民族自尊，自信最重要的因素。

二次戰後，日德兩國是戰敗國家。多年實施軍國主義教育的日本和德國，他們對於因戰敗所可能喪失的民族自尊、自信，感覺比一般國家更爲敏銳。但他們了解世界的客觀現勢，不容他們再有重建軍事霸權的意圖。於是，他們將國力注入科技、文化、體育各方面，以求在世界科學、技術、文化、體育稱霸。日本所下的工夫是令人驚異的。經濟建設暫且不談，日本在田徑和球類所訓練的人材，早已達到國際水準。男子足球、女子排球，遠東各國均非其對手。即此這次世界少年棒球而言，以前兩屆的錦標得主都是日本，難怪他們對華少年棒球隊傑出表現要酸溜溜了。

如果說，苦練是成功的先決條件，中華少年棒球隊應是最好的證明。這般小朋友，買不起球和棒球，他們用木棍，石子來鍛鍊。也沒有任何有力人士的支持。無數流汗，流淚的日子，鑄成八月二十三日這一偉大光榮的日子！中華少年棒球隊，爲了出國旅費一百二十萬元，籌措煞費週章，幾乎無法成行。假使竟爲了一百二十萬元旅費而無法參加，則任何人亦無法斷言，這是一個奪標的機會。正因爲中華少年棒球隊出國之艱難，其領隊、教練以及隊員，在心理上的負担，要比其他各國的球隊更爲沉重。

中華少年棒球隊的第一棒太重要了。如果他們不幸失敗，明年我國是否有人還有勇氣組隊參加，即使有，是否能獲得有關方面的支助都是大成問題的。中華少年棒球隊這次旗開得勝，至少含有下列意義：

（一）發展全民體育：全民體育多年來一向是一句有名無實的漂亮的口號。強國必先強種，而發展全民體育無疑是強種的不二法門。中華少年棒球隊，這次獲得世界冠軍，替國家爭到最大的榮譽，而我們所花的代價却是最少的。因此，這一刺激使國人產生了新信心——中華民族具有無比的潛在力量，只要我們肯發奮圖強，絕對可以趕上人家甚且超過人家。這一新信心的建立，不僅可以發展全民體育，而且是民族精神由萎靡趨於振拔的新里程碑。

（二）培植民族幼苗：無可諱言的，中華民族由於歷經憂患，正趨向衰老。保持民族年輕，對國家、社會始能言創造。近代中國人，在思想上重文輕武的觀念根深蒂固。所謂文弱書生，似乎便是面色蒼白，手無搏雞之力，中國知識分子的寫照。到台灣以後，升學主義所帶來的「惡補」，其戕賊民族幼苗的身體性靈，更難以想像。以前我曾寫過一篇文章，担率指出：這種「惡補」即使能塑造很多「小狀元」，爲將來科學，文藝儲備人才，其付出代價將是民族健康還是得不償失的！蔣總統決定延長義務教育的政策，是民族幼苗普遍漫蘇的契機。沒有這個決定，我敢斷言中華少年棒球隊無法組成，即使組成，也難與其他各國爭雄。

「鳶飛戾天，魚躍於淵」是青少年的天性。人的才智體能各不相同，而教育的目的，應顧到多方面的發展。舉例來說，如果硬讓紀政學圍棋，林海峯練田徑，恐怕都不會有很好的成就。科學家不一定能寫出一篇好文章，而文藝作家多半對自然科學是一竅不通的。我們的社會，至今仍多少殘存着士大夫階級觀念，因此，教育也就變成了一個死硬模子，將青少年的可塑性無形中予以否定，這種落伍的教育方法，大有商榷餘地。我這樣說，也許有人會持異議。現在我可以，以中華少年棒球隊的事例來說明。

中華少年棒球隊得錦標以後，關心他們的國人以及教育當局，都在準備如何給他們獎學金，進入國中讀書，却沒有人考慮到讓他們如何能繼續打棒球！我們知道，世界少年棒球會，除了我們參加的少年組，還有相當於我們初中、高中的聯賽。以這次中華少年棒球隊而言，除了余宏開，其他小朋友在明年都將逾齡而無法參加比賽了。我們爲什麼只參加相當小學的少年組，而不考慮參加相當初中、高中的少年組。以一隊旅費一百二十萬元來說，參加三隊也不過只多花二百四十萬元而已。以目前台灣工商企業界的現況，籌措二百萬元台幣，大概還不致有困難。

我認爲中華少年棒球回國以後，除了讓他們升學，更應該讓他們能有機會打棒球。他們至少還有參加世界相當初中，相當高中組的機會。在他們能夠維持對棒球的興趣，在國家也需要他們替國家爭取更大的榮譽。

美國的棒球名家，特別讚賞陳智源，蔡松輝等具有棒球天才，將來有成爲職業棒球選手的可能。我知道一國體育水準的提高，職業選手是不可缺少的。爲什麼日本能培養出來王貞治，我們就連想都不敢想。

全民體育需要一棒接一棒，中華少年棒球隊奪標，是中華民族由衰老轉向年輕的契機，我們必須好好把握住！

（三）自強不息之道：過去中國人在各種訓練方面，幾乎完全喪失民族自信。讀者以升學爲務，而升學的目的便是替留學舖路。自從楊傳廣、紀政在美國訓練成名以後，倡發展全民體育者，內心都存有一種無謂的恐懼。我們自己能不能訓練出色的選手？他們現在這一恐懼已由中華少年棒球隊打破。他們是土生土長，在本土訓練出外的球隊。並未借重洋教練的洋方法。這次在美國獲勝，洋教練向我們請教：如何訓練？

這一無謂的恐懼心理，消除以後，將使我們敢大踏步向發展全民體育奔赴。

一切球類及田徑運動，基本動作的原理本甚簡單，其主要點在訓練苦學。發展全民體育所迫切需要的第一是訓練的時間，第二是訓練的金錢，第三是訓練的場地，器材。

綜上所述，我認爲中華少年棒球隊奪標不僅是體壇的盛事而是國家的一件大事！所幸政府以及新聞界都已經體會及此。禪宗有「棒喝」之說，以中華民族的沉酣遲緩，由中華少年一棒喝醒，豈非國家之福音乎！

對榮登棒球王座的看法

昨日與明日

中華少年棒球隊，榮登世界少年棒球王座，消息傳來，舉國歡騰，旅居各地的華僑喜悅的心情，非筆墨所能形容，若干觀眾竟感動到流出熱淚來，爲前所罕見，實是爲國家民族爭了一口氣。

中華棒球隊登世界王座後，這個發表講演，那個發表談話，中國有句俗語：「不是親來也是親」。出國前沒有旅費，你也推來，我也推，恰構成強力對比，其實光榮應當歸功於九年國民義務教育德政，否則十二歲的學童，正是加緊惡補階段，那裡還有時間去練習棒球。蔣總統毅然決定九年國民義務教育，棒球隊的成績祇是大家看得見的果實，還有若干軍事上、政治上必須提高國民教育水準，尚未被大家注意者，此即所謂之先覺覺後覺，到時候就明白了。

九年義教師資問題

由於實施九年國民義務教育太匆促，國民小學改成國民中學，師資成問題乃無可否認的事實，但窮則變，變則通，非絕對的，而是相對的　筆者認爲祇稍加權宜，師資有過剩可能。

大專每年服兵役的約三萬人，國家沒有戰爭，有戰爭的話，六十與三比，微乎其微。如果能將服兵役的三萬學生，臨時以行政命令改服教役，所有困難，迎刃而解。待足夠的師資訓練成功後，兵役仍歸兵役，功在學童，利在國家，不亦悅乎。

女生應向男生看齊

女子應不應當服兵役，在立法院爭執甚久，見仁見智容未盡同。就女性生理說，服兵役是不太適宜，但有一點被人忽略的，男女既然平等，權利與義務就不能有太大偏差。台灣一千三百萬人口，女人去掉一半，尚餘六百五十萬，再除去三分之一老，三分之一弱，壯男的担子感到太重了。

女人不能服兵役，應當改服教役，大專畢業女生得向男生看齊，男生服兩年兵役，女生服兩年教役，既不損及兵源，又可充實師資，未審執政諸公，對筆者意見認爲如何？（歐陽鑫）

自由談

多此一舉

馮正先生

中國文化復興委員會決議要翻譯「中國科學史」，用意在表示咱們的固有文化思想并非不科學，而且有憑有據，可資印證。我認爲提議此事者其志可嘉，然其事極難也。

中國人在二千年前就有科學思想和技能。在思想上，如易經的天文學，墨子的光學，公輸子的機械學，華佗的醫學，都比西方人更爲先進。在技術上，中國人首先發明羅盤針、紙張、硝黃，以及混天儀等類器物的製造方法，被西方人奉爲導師。可是，我們歷代以來的科學家，始終不曾留下科技發展的具體資料和說明，他們的著作中，祇是講述科學概念的原理原則，不着邊際，後人讀了他們的作品，不特對於技藝問由，茫然不識其所以然，即對其科學思想的解說，亦復玄妙莫測高深，加以儒學思想沁言「奇技淫巧」，專談治國平天下的大道理，自唐代以迄滿清的近千年來，知識份子的出路只是科舉制藝，恃一第以作官，大家孜孜役役於文章的寫作技巧，而視科學與技藝爲末務，屬於「勞力者」之所爲。這就是中國科學不發達的基本因素，因而我們的科學思想雖較西方人先進了千年以上，然其發展與實驗工夫，却落後了千年！

今天咱們若翻譯本國的科學史，無論外國語文怎樣高明，但其內容一定貧乏，不足以語於世界科學思想之列。譬如道家的煉丹術，算是科學專業了，究竟有些甚末原素，採用何種技術，根據那種實驗過程而製造出來的，把它翻譯出來，還是一些抽象的理論而已。

與其消耗許多人力財力以翻譯古代的科學史事，而對現實急起直追，大力培植科學人才，期與歐美的科學看齊呢？我有一個親戚在美國世州立大學（名科學家愛因斯坦的母校）學習高等數理，他去年來看我，說是看到台灣方面出版的高等數理書籍，內容皆陳腐過時了，西方科學家多不屑一顧。專爲虛名而忽視實際功用，這使不學科學思想，何必多此一舉耶？

但聞稅官更迭　未見氣象更新

公正政策。面臨攷驗

（本報記者曾饑君台南航訊）最近幾個月，自新任省財政廳長杜均衡接任以來，人事上雖動了大手術，整頓稅務，實績究竟如何，且看本文報導。

嘗異動各縣市稅捐處長時，台灣各報章上發現了不同的說法。尤其兩件事值得回憶與重提：一、台南市稅捐處長蔣灝調職案。二、新任彰化稅捐處長周亞武跳舞要商人付鈔案。前者有人惋惜，後者令人驚異。在這兩件不同事故的發生間，而杜廳長標榜施政新猷，却面臨最大考驗。

蔣灝雖然在台南把稅務辦得由尾數爬升最高數字。據聯合報載：不可否認的，蔣灝担任台南市稅捐處長四年八個月的期間，是台南市稅捐處歷任處長任期最久，且表現很好的一位，以其任期的歷年征績而言，均居南部六縣市的首位，到五月底已經超過全部預算的七千六百多萬元，超出積預算三成以上，其征績率，居全省首位……。去歲曾蒙繼統以特優人員召見嘉勉，這些良好政績，但抵擋不住杜廳長新官上任三把火，以「好好先生」爲詞，降調稅務處督察。

據側面獲得消息：蔣灝認爲財稅界無是非之分，萬念俱灰之下，黯然求去，欲入天主教福機構工作，此不啻否認財稅界失去一顆閃耀的慧星。

舊的去了，本該帶來一番新氣象，但台南市稅捐處除了處長官變了位置，煥然一新外，人事上已大動了四批之多，其他則未見有什麼嶄新姿態面對數十萬納稅人，誠實令人懷疑新人之新措施，是否欺人之談，見台灣嘉義發行的商工日報，披露南市稅處大批調動人員，分批宰割之不當報導，足資證實。

——下轉第四版

喧騰中外的包機糾葛之來龍去脈

（本報駐台北特派員呂孝鴻專訪）最近轟動台灣的一樁大事，即是由紐約中國同學會會長張燄主辦的回國省親團，因為包機發生問題，使得七十七位在台灣的團員不能如期返美，而向行政院、立法院、監察院請願，致引起的一場風波，迄至目前為止，初步業已圓滿解決。由於記者曾替台灣某大報作過詳盡的採訪報導，願將此一包機糾紛的來龍去脈特向本報讀者作一經過的敘述，因為是非自有公斷，新聞記者只是盡一份報導言責而已，不能對任何發生的問題，冒然執筆妄加評斷，這是有違道德和良心的作法。

包機的由來

主辦包機回國省親原是一件吃力不討好的工作，可是台灣每年寒、暑假皆有人作此生意？一方面固然可獲取薄利，但最重要的是雙方互有利便。留學生與華僑旅居海外多年不免有落葉歸根的想法，如能參加包機既省錢又方便，於是這項包機生意乃應運而生，許多旅美同學會也紛紛舉辦這項利人利己的服務工作，張燄所主持的紐約同學會也是其中之一。

張燄的包機糾葛

張燄是位熱心誠懇的青年，他在紐約擔任一一三〇電腦顧問公司的工程師，另兼張氏電腦與企業管理研究院院長，也是這次主辦「美東省親團」的負責人。他初次主辦包機經驗不足，加上各方壓力和打擊，如美國民航局的刁難，和旅行社方面的爭回扣，以及同學會之間的利益傾軋，使得他措手不及，終於這趟包機功敗垂成。據張燄告訴記者：他當初作包機的服務時，根本未想到內中的錯綜複雜，他主辦包機回國的動機是純正的，想為華僑和留學生服務，但未想到黑幕重重，讓他有理說不清，更未想到會弄出一場風波出來。他承認自己辦事經驗不足，但絕不會如外間所傳的從中漁利，或使團員們不能返美，否則他無臉見人，更是愧對父母和國家的培植之恩。這些情形可從他最後與團員的簽約立據並親赴團員家中道歉可以看出，張燄尚是個勇於認錯肯於負責的青年人。

湯岳中的解釋

據團員中的湯岳中對記者說：這次回國省親團，他曾協助張燄工作，六月初張在報紙上刊登廣告，有一百八十餘人登記，其中有十一人是臨時上飛機而未付款，另有十[illegible]人支票恰在起飛的同時止付，一切以包機來回的款項並未繳齊。加以美國花旗銀行和民航局從中為難，使團員開始集合就發生困難，因為團員中包括旅居東岸各地的華僑和留學生，全賴長途電話連繫，他們是在賓州的花園旅社集合的。不料到了台灣後，美方航空公司不履行合約，張燄不勝焦急，便又於七月卅一日親赴紐約處理，在短短的十數天不眠不休地辦理交涉，結果鍛羽而返，其中主要原因是：

——美國恰在此時從越南撤兵，西岸四十一架包機臨時取銷合約。

——由於張燄急於包機使團員如期返美，各航空公司和旅行社故意抬高票價，使他一時無法付出巨額票款。

——美國航空公司的大型飛機怕包機麻煩，而小型飛機又恐責任問題。

——張燄眼看大勢已去，乃交美金五千元的保證金給美民航局，獲得同意，但他們又不肯定答覆，致拖延了數天期限。

——最後張燄委託一家航業統計電腦公司，以探測航訊，發現有一架飛機可以使用，但他們只肯降落在紐澤西軍用機場，可是留學生與華僑多半持有中華民國護照，根本無法離開機場。

湯岳中接着說：團員中有四人是早年的一逃船船員，即偷渡入境而不返國的船員，目前皆已取得美國居留證，他們均是張燄負責向有關單位保證來台省親的團員，他們並未付清票款而又操之過急，再加以若干留學生的特殊背景，造成向行政院、立法院、監察院請願事件，弄得包機的糾葛更糾纏不清矣。

留學生團員的意見

在包機糾葛期間，九十餘位團員則先行搭機返回香港，剩下的七十七人包括留學生和部份華僑，感到緊張不滿，於是留學生團員即展開行動，召集團員於八月十四日下午六時在中山南路教育部會議室集會，並邀政府官員參加，共同討論此次由台灣返美之包機問題及取消包機之善後解決辦法。他們推趙舉郎擔任主席，陶立美為記錄，張燄也列席報告。會中對張燄包機措施諸多不滿，並希望政府有關單位協助他們能早日返美繼續學業和工作。（附按：該項紀錄亦為記者取得）

華僑團員的看法

張燄在五時卅分也到了普康堂向團員表示定照大家意思盡力而為，他強調：絕非故意拖延返美之事，實有不得已的苦衷。留學生團員的語氣極為強硬，且意見紛歧。使得在場的華僑團員也覺得應留有周旋的餘地，他們認為當前要務是急於返美，不必要作人身攻訐，大家如能互諒合作，定可使此一事情獲得圓滿解決。可是留學生團員卻一味堅持，要張燄攤牌，結果在雙方互持不讓的情況下，乃決定退回二百四十元美金的辦法，自行設法分批返美。

華僑團員之一許王家華女士向記者表示：這次包機糾葛弄得喧騰人口，實是一件不幸的事，因為站在中國人立場，大家應顧及政府信譽，大家不能意氣用事徒增困擾，而況回國省親不同回國講學，不能心靜氣討論返美問題，說不定早已迎刃而解，像包機糾葛的擴大，只有使旅行社乘機抬高票價，弄得美國政府方面也在注意此事，於人於己皆屬不智之舉。倘若大家能平過份拖累政府，就事論事。

包機糾葛的教訓

從這次包機糾葛事件，可以看出處理團體事務的困難，不論雙方對此事作如何的看法，不能互諒合作是此事弄得不歡而散的主要原因，因為雙方如肯心平氣和地討論，也不致於使此一糾紛擴大。所以事情未處理妥當在前，而爭執吵鬧在後，中間缺一適當的仲裁人，這就是他人指摘有關單位未能及時挽回惡化態勢的原因。

現在風波雖暫告平息，但監察院方面已派團員之一內家伊丁淑蓉和王文光委員，將依正常程序提出調查報告，初步決定的我國駐紐約總領事館及交通部民航局做為調查的主要對象。

總之，這場喧騰中外的包機糾紛，截至目前為止已告一段落，監察院只是在作追究責任的調查而已。無論如何，我們可由包機的來龍去脈中，獲得某種啟示和教訓，恐怕是這場風波唯一的收穫了。

喬治桑外傳　七七

張大萬

雅麗絲換了睡衣，拔着一雙繡花拖鞋，用電咖啡壺燒了一壺咖啡，坐在喬治桑對面的沙發上。

「你今晚打牌，怎麼這樣早便停了？」雅麗絲問喬治桑，用手撫着咀輕輕打了一個呵欠。

「噓，現在還早，已經半夜三更了。」

雅麗絲一看電鐘，果然三點只差十分，

「不是，我是說你是幾點鐘打完牌的？」雅麗絲用手攏了攏頭髮。

「在裘家打牌打到十一點多鐘，然後又和他們到華麗飯店坐了一會兒。妳到那裡去玩了？」喬治桑報告畢，反問雅麗絲。

「我在方中飯店吃飯跳舞，後來又去吃宵夜。」

「幾個人？」

「兩個人，怎樣？」

「沒有什麼，隨便問問而已。」

「今天有沒有人打電話給我？」

「下午牛董事長打電話來，他說日本朋友明天下午飛東京，如果你有空，希望你到機場一送。」

「嗯哼，還有呢？」喬治桑講話洋裡洋腔的，喜歡用嗯噓。

「還有謝銀鎚先生來電話說，上次你託他調頭寸，五萬塊錢支票，後天到期，要我提醒你一下。」

喬治桑一聽謝銀鎚來電話提起頭寸之事，心裡沉重起來，冷冷地說，「台灣的大老板真小氣，幾萬塊錢也要打電話。」

「我看謝老板倒是好意，他怕你忘記。」雅麗絲比較老實，還未聽懂喬治桑的語意。

「我不是這個意思，我雖然不及他有錢，我也不會為五萬元拆他的濫污，何必這樣不放心。」喬治桑嘴裏雖如此說，心中卻在盤算：銀行戶頭還剩有兩萬一千餘元，上星期打了一個電報給拉斯維加的史格蘭頓，還未得復電，後天差三萬元，怎麼辦？

喬治桑很能沉得住氣，內心盤算，雅麗絲看不出來。

這時咖啡已經燒好，雅麗絲問他要不要糖，他搖搖頭。要不要放牛奶，他又搖搖頭。

一杯像藥汁的咖啡，喬治桑喝在嘴裏有點苦味。他的腦子裡三萬元、三萬元轉個不停。他了解王法條條不講情，在台灣，犯了票據法，可不是鬧着玩的。

擴展國際貿易　平衡外貿逆差

均衡發展地方經濟建設

（本報記者柳一樺來自台灣省議會消息）省議員郭雨新提出有關建設方面的質詢：

一、擴展國際貿易，平衡外貿逆差：

依當前國民經濟狀況觀之，國民所得固在逐年增加，但在國際貿易方面，由於外貿逆差逐漸擴大，而發生嚴重警號。依據導報，在第四期四年經建計劃中，進口商品總值約達二十九億美元，而出口商品總值僅達二十五億美元，平均每年外貿逆差達一億美元。未審在第五期四年經建計劃中，將如何擴展國際貿易，以減少輸出入之差額？

再就中日貿易而言，中日兩國之邦交，素稱敦睦，由於歷史淵源及毗鄰之關係，其在經濟上之關係，尤為密切。以最近年來，在相互貿易或經濟合作，均有長足之進展。但值得吾人重視者，最近三年來，我國對日貿易，均居於入超地位。根據統計：在五十六年我國輸出日本之商品總值僅一億三千四百萬美元，而自日本進口之商品總值達三億一千四百萬美元，入超達一億八千萬美元。至於五十七年中日之貿易，其入超數字，益形龐大，依據統計：在該年度我國輸出日本之商品總值為一億五千一百萬美元，而自日本進口商品總值增至四億二千二百萬美元，入超高達二億七千二百萬美元。由上計資料顯示，我國對日貿易逆差之逐漸擴大，未審將如何謀求平衡中日貿易，使輸出入差額，不再擴大？

針對當前中日貿易逆差之情勢，我國應該展開農產品或農業加工品輸日，諸如香蕉、鳳梨、柑桔、蘆筍等之輸出，斯能緩和中日貿易之逆差。同時加速發展國內機械工業，以期國內產品逐漸替代進口，減少外匯支出。是以緩和對外貿易之逆差，已是當前發展經濟之重要課題，未審建設主管當局有何具體之對策？

二、發展鋼鐵工業，促進工業起飛：

本省經濟，自從政府實施經濟建設計劃以來，雖然進入工業階段，但是輸出之商品，仍以農產加工品為主，而以輕工業之紡織品，居於第二位，猶處在落後經濟。至於重工業之鋼鐵工業，尚屬最弱之一環，在此情形之下，欲求工業起飛，豈不侈談乎！

政府為促進工業發展，曾輔導機器零件之螺絲工業，並規定凡在本省可生產之螺絲，應予管制進口。現在本省已能製造符合水準之螺絲，但是仍聞有投機者，以變相方式，大批進口汽車螺絲。不僅損失國家外匯，且影響螺絲工業之發展，所謂管制進口，豈不流於形式乎！

現在本省已進入第五期四年經濟建設計劃，對於如何發展鋼鐵工業，是否有具體之計劃？至於國內之工業，在政府輔導之下，已能製造之工業產品，且經政府列為管制進口者，是否應該加以維護？

三、地方經濟建設，應求均衡發展：

本省地理環境特殊，南北狹長，而台灣地區之經濟又以西部為中心，以是有重西輕東之議，自從政府實施經濟建設計劃之後，已使之均衡發展。惟本省東部地區，由於中央山脈之阻隔，而在經建計劃中，未獲重視，形成東瘠西腴，半身不遂之狀態，而使經濟建設失去平衡，前者政府為開發東部而設東部資源開發委員會，但自該會成立以來，究竟有何具體之計劃？效果如何？

煤礦生產貸易　不容假公濟私

四、煤礦生產貸款，不容假公濟私：

煤炭為工業生產之原動力，政府為確保煤礦增產，對於煤礦業者，有所謂生產貸款，由煤調會核貸，因之每聞煤調會對此項貸款，不僅有所偏差，且有假公濟私之嫌。頃接檢舉書，以煤調會對福安煤礦之貸款，有以公款濟私，勾結舞弊情事，是否屬實？

五、傳聞水利局處理水利會人事案件，有違法情事：

查農田水利會遴用人員，依照水利局之規定，必須報經水利局核准後，始得任用，因此傳出水利局人事室之某課員貪污、違法、瀆職事件。據聞農田水利會所報之人事任免案件，如未談妥條件，奉送紅包，即難獲准。更聞某課長在每一水利會中，均佈置二三人為眼線，一旦有機可乘，即由其妻出面接談，貪瀆方式之巧妙，使人嘆為觀止。本席接得油印之陳情書，痛陳事實，至為具體。難道主管當局未有所聞乎！抑屬官官相護，置之不理乎！如今陳情書滿天飛，如不澈查偵辦，公諸社會，以正視聽，而平抑民怨，則頹廢之政風，安望整肅乎！

文滙樓別記

失敗有預兆·信不信由你

國劇捉放曹，呂伯奢出場就唱：「昨夜晚一夢大不祥，夢見了猛虎趕羣羊，羊入虎口無處住，一家大小被虎傷。將身兒來至在莊頭上，吉凶二字實難防。」後來呂伯奢因被曹誤會，全家竟遭凶殺，這是從夢中預兆吉凶。

政學系重要人物楊永泰，民國二十二年，在委員長武漢行營主任兼湖北省政府主席任內，被刺的那天，早上穿大衣時，驀然發現左右口袋各跳出老鼠一隻，武漢各報皆有記載。還有一位政學系重要人物劉鎮華，民國廿二年任安徽省政府主席，前往皖北各縣視察，經過懷遠，參觀美國長老會民望醫院，及民康女醫院。不愼跌倒，劉甚迷信，心情頗感不悅，乃中止視察任務，未幾突聞楊永泰被暗殺，因刺激過甚，變成癡瘋，後住蕪湖醫院，非禮漂亮護士小姐等，政治生命告一段落。

泰國強人乃砲是耶暖上將，於親臨主持曼谷世界日報揭幕之際，大門燈突然墜地，泰國文武百官與各國駐泰使節均皆看到。乃砲當晚又到世界日報視察，坐車甫抵報館門前，世界大廈電燈突然熄滅，經查明是保險絲斷了。保險絲早不斷遲不斷，待乃砲到時才斷，可謂奇矣。不久泰國發生政變，乃砲被逐出國外。又泰國大僑領王慕能，民國四十五年夏，專機到泰國東北各地視察，電約其助手亞洲銀行馬總經理同道去玩，馬在電話中答覆說：「這麼熱的天氣，飛機失事，連屍首都運不回。」王慕能坐機果於次晨飛返曼谷途中失事，乘客計二十六人，包括馬在內，全部罹難。

秀才將軍吳佩孚，民國十三年，就任十四省聯軍總司令的當晚，卜呂祖課，問戰爭前途。卦意：「七十二戰，戰無不利，忽聞楚歌，一敗塗地。」後無不應。民國革命軍第十三路軍總指揮石友三（馮玉祥舊部），於民國二十年，駐節皖北，與西南政客串通叛亂，自封爲護黨救國軍第五路軍總指揮，石友三就職後，心情煩燥，偕幕僚等到懷遠荊山白乳泉純陽道院飲茶，占呂祖卦，卜軍事前途。呂祖卦意：「出師未捷身先死，常使英雄淚滿襟。」石回蚌埠後，中央派大軍討伐，不戰而退。

雲南省政府主席龍雲，在香港淺水灣興建住宅，未幾龍失勢，香港人說：「龍遇淺水，焉有不垮」。民國三十五年三月，軍事委員會調查統計局戴雨農將軍，預兆甚凶，戴不信邪，坐機在南京東郊「戴」山失事，同機隨員全部罹難。泰國首相鑾披汶在未政變前，曾夢守宮庭兩頭白象，兩來報仇。左右解釋，日有思，夜有所夢。守宮白象乃鑾披汶手令交農民使用參加生產者。又南天王陳濟棠將軍，雄據西南，形成特殊局面。某日扶乩問政途，得四個字曰：「壯志凌雲」，愉快心情，溢言於表。未幾日，陳屬下全部空軍飛投南京，此「壯志凌雲」又一解。凡事皆有預兆，信不信由你。

文匯樓主

「深宮怨」與伊利莎白一世的關係（三）

·羅璧珠·

她明智地領會到宗教糾紛为政治危機，一方面她並不迫使天主教徒走入窮途，另一方面，也渴望緩和清教徒的熱誠。

所幸由於西班牙外交上的支援，使英國與羅馬在一五六一年以前還未彼此脫離關係。至一五七〇年止，教宗始終沒有採取極端的行動、當教宗發佈函件，逐出伊利莎白於教會時，爲時已晚。英國的天主教徒始終未接獲任何教宗明澈實際的領導。此際，年老的神父們已漸故去，後繼無人，天主教在英國似乎慢慢地被淘汰。然而因由耶穌會士和從海外 William Allen 紅衣主教新建的修院中訓練出來的神父，從事傳教工作，終於挽回頹勢。至一五八〇年，天主教徒的復興，對女王的政係一大威脅，更危及她的生命。雖然大部份的傳教士都小心遵守法則，僅可能不干涉政治，不過天主教的熱忱既因他們的努力而復興，繼之也引致其他較非純靈修的活動。Allen所實伊利莎白爲一異端侵奪者。由於宗教所給予的靈感以及大家對 Mary Stuart 的希望，一五八一——一五八六年間，發生一連串謀殺女王的企圖。新發佈的刑法，表面上看來似乎不近人情，可是和以前的法律一般，執法者並未嚴厲執行，只是被處決者，不因爲他們是天主教徒，而套以賣國賊的罪名，在伊利莎白在位後期的二十八年，被處決人數遠不及當年 Mary Tudor 的最後三年半時所被焚的人之多。守法的天主教徒通常很少有生命的危險。女王在位末年，英國的羅馬天主教徒表示，只要能准許他們在神靈方面隸屬於教宗，則他們皆願意效忠於基督教的政府。若謂年老的伊利莎白未能從此機會中獲取利益，至少她已除去天主教徒在政治上的利齒，何況她殘忍的程度不若議院所要求的嚴厲，也不致如她姐姐以前對付基督教徒的迫害那般驚人。

至於控訴清教徒此一較不得民心的措施，女王都交與主教們辦理。至一五七〇年初，一些清教徒轉而攻擊主教們，並要求准許他們成立一自治的長老會，其中有些教徒甚至企圖將他們辦事的經費賬單交入下議院內，這兩點同是對皇家專政的一種威脅。伊利莎白和 James VI 一樣，都明白皇室與長老間的仇視，有如「上帝之於魔鬼」。女王早已警醒議院，吩咐他們凡一切不清楚的事項，切勿染指，例如他們請求女王解決其結婚問題（一五五九年，一五六三年和一五六六年），同時，她也不准許清教徒引入賬目，以免奪去王室立法的領導權。也正因此，引致多次女王與議院的糾紛，清教徒聲言議院應自由討論所有問題，而女王限制商討政府賬目此舉，無疑地削減了他們的權利。可是大多數人接受她的管治。因此清教徒的議院運動只產生衝突，並無結果。

當時教士們在各地開會革新，宣揚清教教義和長老的組織，因Grindal大主教的抗拒，她暫時不能鎮壓這些會議，遂停止Grindal施行其職權，以表示她的不滿。直至John Whitgift繼任，她才眞正找到合她心意的大主教，可以爲所欲爲，Whitgift的措施雖然令Burghley不滿，但有女王支持，因此看來他們已平息長老會（清教）的危機了。

女王只關心政治方面的活動，她雖對清教徒沒有好感，但也不迫害他們，相反地，當他們的活動無礙於政治時，往往很樂意地任用他們。

（五）外交政策和戰事：外交政策是伊利莎白女皇個人密切操縱的另外一事。她的第一等秘書（首任係William Cecil；其次是Francis Walsingham男爵，最後是Robert Cecil），經管日常外交的書信來往，有時也召請一或兩位顧問前來協助指導，甚至整個樞密院也在被召請之列，這究竟很少。不過一切決定皆操在女王手中。此外女王常保持與各地密切的聯繫，偶而她其中某位秘書會聽這國外的代理送來有利於他自己政治的報告或利用女王所習慣的短信編上自己的消息，但以女王的精明和她消息來源之迅速，欺騙談何容易！加上她本人熟諳多國語言，能直接和外國使者接交來往，因此，一切宗教、外交事務的責任都落在她雙肩上。女王對戰爭不必要的消費極感厭惡，此點足以和亨利二世相媲美。却使那些寄望她對抗反革命的基督教主感到失望、沮喪。（未完）

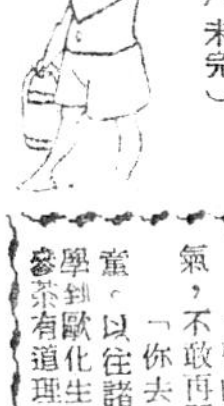

綜談國劇復興（十四）

王方曙

其實演員上場，無妨直奔舞台中心，便稍稍偏於下場，而面對正面，即全部觀衆便得到適當的欣賞，而不必爭趨下場門的好位置。舞台上有一個「强區」，演員一上場，一定要先入這個「强區」，是在舞台的正前方，我想任何人都會知道。但竟也在初出場的時候，有時失去「强區」表演的機會，這也不對的。

（3）在舞台下，利用「地方」的檢討。在國劇中，我們有這麼好的舞台，毫無限制，眞是太好利用了。我們可以隨時移動變化，以求生動。但有時竟不然。如武家坡，平貴從扯四門的形式化表演以後，一直在舞台的右邊。寶釧則從出場便在左邊，毫無變化，二人對站唱，一直到抓土迷眼的時候才動。這條堅守一地，不作移轉，並不是好的辦法。平貴何不在唱完之後，歸於台的中間裏邊，面對背幕，把舞台全部讓給寶釧，寶釧則可滿台表演，然後歸於左邊二人對演，仍可找尋關鍵，不時換位，豈不生動？奈何死釘住一個地方不動？藝術假如失掉了變化，我想誰都會發現它是無味的。武家坡幸有部分劇情和唱腔可取。（一部分劇情却十分壞，如十八年別離，竟作調戲，還想一劍將她殺死，不免太無情了）所以還可演。但部分劇情的教育問題，和台上的單調，不能不說不是落伍的戲了。類此的還有，不再多舉例。假如我們再仔細檢討，每齣戲是否眞正的利用足了我們的舞台，便會有許多的改善和創造。

四、關於佈景問題。關於這一問題，我堅持國劇舞台不用佈景！我們不要忘了，藝術是要求統一的。國劇是寫意的，佈景是寫實的，兩種本質不同的東西，混在一起，一定不調合。如穿西裝而足下穿一雙布鞋，當然不好看。國劇的一切，都是爲了不用佈景而演出的。比如打漁殺家，不必用水的背景，更不必在台上撐船。假如我們一定要水爲背景，不能撐船也是不夠寫實的。（未完）

諸葛亮狂想曲（三九）

·劉玄·

原來天庭公文亦早已改爲新式，以符速簡之旨。

諸葛亮聽後，雖大感掃興，但也不敢不遵，連聲唯唯稱是。

張飛性情粗魯，在旁咕嚕道：

「嫦娥的胆子也未免太小了！——兩三個太空人登陸月球，有什麼大驚小怪的。諸葛先生爲了觀光，費了這多工夫，結果還是出不去，我眞替他不値。」

劉備用肘部碰了碰他，意思是請他不要說話，

「三將軍此言差矣，」達摩畢竟是禪宗鼻祖，說話先下結論後說理由。

「我有幾句偈語，你且聽了：『靜不如動，動不如靜。月球地球，亦動亦靜，六出祁山，不如面壁，時間空間，不着痕跡。』」

張飛聽後，似解非解，但有見金甲神，手持宣化斧，比他使用的丈八蛇矛不知要粗大多少倍，那敢再吭聲。倒是諸葛亮似有領悟。

「恭聆偈語，使亮茅塞頓開，敢不從命。」諸葛亮肅立答話，語調柔和。達摩聽後，高興非常。

到南天門送行的，一聽諸葛亮不能成行，立即默默散去。關羽在天庭最怕麻煩，諸葛亮下凡，央他作保，他拗不過龍岡義氣，只好勉強答應。現在，諸葛亮不走，他有如釋重負之感。故此，他不再皺起臥蠶眉，也沒說一句話。

「我想到丞相住處談談」，劉約翰低低向諸葛亮說。

「好，好，你和我一起走。」

劉約翰能在衆目睽睽下，坐上諸葛亮的雲車，自然感覺十分風光。本來，部門會友看見劉約翰與諸葛亮經常在一起，未免有妒忌心理，日子久了，同時，他又是諸葛亮的英文教師，也就視爲當然了。

雲車在天庭行駛，並不比直昇機慢，一會工夫就到達諸葛亮的住處。琴童迎接，面現訝異之色，問道：「丞相爲何又回來了？」

「暫時不走了。」諸葛亮冷冷回答，琴童知道他有古怪脾氣，不敢再問。

「你去煮一壺咖啡來，招待劉約翰先生。」諸葛亮吩咐琴童。以往諸葛亮待客，都用參茶，所費不貲。現在向劉約翰學到歐化生活，他覺得神仙不必再進補品，還是喝咖啡比吃人參茶有道理。

關於袁枚祭妹文

江應龍

偶閱中副七月五日所載李詠湘先生「袁枚祭妹文的疑句疑字」一文，即查閱寒齋所藏關於此文的文集、選本、中學課本十種以上。茲就李先生所說的三點，分別解說如下：

一、「汝梳雙髻，披單縑，來溫緇衣一章。」還是「汝梳雙髻，披單縑來，溫緇衣一章。」（三十四年十月國定本初級中學文中編第四冊，二十三年十一月開明書店開明國文講義第二冊，三十九年八月正中書局高中國文（高明編）第一冊，四十一年七月新世紀高中國文選（楊家駱編）第一冊，四十一年五月復興書局高中國文（戴君仁許世瑛編）第一冊，二十六年六月正中書局明清散文選（劉延陵編註），三十六年一月世界書局清文觀止均從「來」字斷句，僅二十五年三月上海廣益書局隨園文選從「縑」字斷句，鄙意從來字斷句較佳，這一句的意思是「汝來」。（這個時候你來了。）「梳雙髻，披單縑」是形容語句，也就是一眼看過去的一種印象。從「來」字斷句，仍然使人有三字相對成文（也就是李先生所說的「以三字的整齊句法構成。」）的美好感覺。

二、「強應曰諾，已予先一日夢汝來訣」，還是「強應曰諾已，余先一日夢汝來訣」？國定初中國文中編、開明國文講義、正中高中國文、清文觀止、隨園文選均從「諾」字斷句，僅新世紀高中國文選、復興高中國文、明清散文選三本從「已」字斷句，鄙意從「諾」字斷句較好，這一點我同意李先生的看法。但從「已」字斷句的人不見得是如現行高中標準的注解，把「諾已」解釋成「休矣！－完了。」

三、「天乎天乎，而竟已乎？」還是「天乎人乎，而今已乎？」各本均作「天乎人乎」，僅開明國文講義作「天乎天乎」，可能是傳抄之誤。開明國文講義、復興高中國文、明清散文選、隨園文選、清文觀止均作「而竟已乎」，國定本初中國文甲編、正中高中國文、新世紀高中國文選作「而今已乎」。另外兩種沒有句讀的本子，一種是光緒壬辰年（十八年）勸裕堂活字版本小倉山房文集，一種是中華書局四部備要本小倉山房詩文集，都是「天乎人乎，而竟已乎？」這兩種書特別具有權威性，大概是不會錯的。（最好能找到家刻本——隨園藏版——隨園全集，此書我在中央研究院歷史語言研究所圖書館看過。）鄙意「而今已乎」，雖然沒有「而竟已乎」好，但「天乎人乎」也很感人，這四個字不能像李先生「怨天嗎，尤人嗎？」那樣解釋，應該解作成「這究竟是天意呢？還是人事呢？」（有人謀欠周之意，即前「早知訣汝，則予豈肯遠遊；即遊亦尙有幾許心中言要汝知聞，共汝籌畫也。」）就這樣的完了嗎？」椎心頓足，無可奈何之情，躍然紙上。這種表達方式是很成功的。

質之高明，以爲如何？

五十八年七月八日潛廬

巨變歷險記！

滄州—濟南（六一）

胡慶蓉

從天津到滄州，對丁博士來說，可說是最長的一天。雖然是飢寒交迫，但能逃出來，能離開北平、天津，在丁博士看來已經是三生有幸了。

平、津，以及以南的地區，雖然都入了共黨範圍，但他們從簡單的農村，到了龐大複雜的都市，未免有手足無措之感。對於人口的流動，採取放任政策。丁博士能把握這個機會，快快的逃出來，是他最聰明的地方。他還有一點了不起的，就是行動輕便，單獨行動，從不攜家帶眷。在他看起來，緊急從險之際，決斷要快，行動也要快，單身一個人也是最合適的。尤其是一個人，常不爲人注意，不成目標，容易脫險。

滄州，在津浦鐵路上，是僅次於濟南、徐州、蚌埠的大站，實際上，滄州同濟南、徐州、蚌埠同樣的有名。若從軍事方面着眼，殆較濟南過之。在抗戰開始時期，丁博士曾幫助馮玉祥在這個地區——在德州，丁博士同馮玉祥也有一段時間。丁博士同滄州並不陌生。

滄州儘管有名，但必竟還是個大的農村。特別附近，更充滿了農村的味道。車站倒是一座高樓，但只是十座孤立的高樓，四週，除了幾家雞毛小店，一無所有。但這，對丁博士來說，已是心滿意足了。留得青山在，何患沒柴燒。車停在滄州，他就下來，到一家雞毛小店，洗澡、更衣、喝茶、吃飯。「飢者易爲食，渴者易爲飲」，確切是經驗之談。水不知喝了多少，飯又不知吃了多少。等到水喝足，飯吃飽，那一種愉快舒服，眞是「南面王不易也」！

更衣是個大問題，丁博士是只此一套，並無分出。任到一個什麼地方，當地的人不會把丁博士當作外人，更不會把他當作逃難旅行的人，原因是他決不帶行李，決不提皮包，決不提箱子，任何到一個什麼地方，都好像本地人似的。袴褂沒有兩套，脫下來，把土打打，又再穿上。若是時間允許的話，就將內衣內袴脫下來洗洗，然後架在火上烤。

到南京、到上海、到台灣、到……，還早得很！飛機幾個小時到達的，現在地上走起來，可能幾個月幾年！到滄州，不管怎樣，總算離開天津，離到平、津。但還要繼續努力，加緊努力。在滄州喝了水吃了飯以後，又開始打聽南下的車子。從天津到滄州沒有通車，搭便車，運材料的車。從滄州到濟南，還是沒通車，想着南下，也沒有別的途徑可循，只還有搭便車，材料車之一途。據觀察，有一列車，裝材料的車待發，但究竟在什麼時候發，則不得而知。看看車頭燃火，是要走的樣子，就登了上去。還太與從天津上的車迴然不同。從天津上的車是空車，從滄州上的車則是滿載着鐵線桿子類的車，一個在板上，一個在木上，一個在「地」上，一個在「天」上。能走不能走？什麼時候走，一切靠命運之神。（未完）

新舊七筆勾

劉英柏

我在大陸時，轉天山南北，環繞祁連秦嶺，讀到滿淸時代，一個名士描寫西北社會生活型態的七筆勾詩，別饒風趣。

逝者，戰禍蔓延，大西北錦繡河山，已淪入朱毛匪幫之手，滄海桑田，不勝今昔之感！特將原七筆勾抄錄如下，並針對當前社會生活型態，撰附新七筆勾詩，雖屬東施效顰，亦足反映現實，尚祈指正！

舊七筆勾：

一、萬里遨遊，百二秦關天盡頭，山禿窮而陡，永遠聲似吼，四月柳絲抽，花無錦繡，一陣狂風，不辨昏和晝，因此把萬紫千紅一筆勾。

二、堪笑儒流，一領藍衫便罷休，方入黌門右，文章便丟手，鬧頭掛門樓，榮華儘夠，坐吃饑頭，不向長安走，因此把金榜題名一筆勾。

三、可笑女流，兩鬢蓬鬆灰滿頭，黑漆鍋叉手，腥膻猙獰口，衣褲不遮羞，騾蹄高厚，雲雨巫山，那見秋波溜，因此把紅粉佳人一筆勾。

四、未雨綢繆，窯洞依山傍土修，夏日晒不透，陰雨偏不漏，土坑砌牆頭，燈油盞流，臭氣熏鬍，馬糞與牛溲，因此把雕樑畫棟一筆勾。

五、反面羊裘，四季當穿不肯丟，帽尖而瘦，棉褲寬且厚，紗葛不須求，衣衫耐久，毡片遮身，火被褥何曾有，因此把綾羅綢緞一筆勾。

六、客到忙留，奶子煎茶敬一甌，麵餅湯蒜醋，鹽塊和蔥韭，牛蹄與羊頭，連毛入口，風捲殘雲，食罷方丟了，因此把山珍海味一筆勾。

七、荒蕪沙坵，韃土番回雜相稠，人心乳澆薄，性情特異殊，苦要細推求，哈哈拍手，國法森嚴，此地偏遺漏，因此把禮義廉恥一筆勾。

新七筆勾：

一、赤禍橫流，國破家亡事可憂，河山變了色，大陸全失守，有原子競爭，美俄相鬥，山雨欲來，狂風已滿樓，因此把天下太平一筆勾。

二、三藏前頭，大亨多向外邦走，丟掉國家事，行爲不如狗，禮義他不顧，廉恥沒有，賣謊傷心，頻頻祇搖頭，因此把國民資格一筆勾。

三、時事潮流，自由中國已抬頭，美援常常有，生産冠全球，還民團結夠，愧煞走狗，[illegible]顏事寇，丟盡人間醜，因此把良知眞理一筆勾。

四、金鈔銀球，聚藏盡爲富人有，妻妾滿紅樓，汽車駛黑虎，派對樓嬌雛，挺起大肚，假裝斯文，銅臭致人嘔，因此把忠厚長者一筆勾。

五、仕女風流，耳篰斷嚼坐戲樓，大腿白且秀，乳峯高而陡，遙窺飛機頭，黝巴紅透，春風一度，各向東西走，因此把愛情美德一筆勾。

六、飯館茶樓，滿座紛紛鬧不休，紅燒雞魚肉，瓜子花生酒，抹花醃醬油，狂談無阻，背生意經，說騷登女人，因此把國家大事一筆勾。

七、多少丫頭，生活迫她走下流，黃昏及巷口，見人暗招手，那管羞不羞，飢腸轆轆，兩張大鈔，關門便賣肉，因此把貞操道德一筆勾。

（按：此爲作者十六年前所寫，本刊認爲它發人深省，且有趣味，故樂予刊出。編者）

御廚談藪

衡陽魚粉

林泉隱

這是彭玉麟（前淸名臣）最喜歡吃的早點。

材料：台灣粗條米粉與衡陽米粉頗酷似，草魚或者鰱魚皆可，豬肉骨頭加雞鴨骨頭更好。

製作過程：將魚頭尾及豬肉雞鴨共同煨成濃湯，時間越久越香越鮮，然後將未煮湯的魚切成一塊，一塊經過油炸，再用混和的大鍋湯三斤，煮一斤魚，待魚煮熟，另以鉢裝，鉢裡的魚留作蓋在米粉上面的，混和煮成的大鍋湯留作米粉湯用的。

將乾粗條米粉在滾水裡燙軟再撈出置大碗中，和以大鍋湯蓋以魚塊及小鍋湯，略施胡椒粉及味精，胡椒的作用是刺激味覺，味精可使魚益加鮮美，衡陽人和經過衡陽的旅客，對衡陽魚粉都有深刻印象，幾乎百食不厭。

不過吃衡陽魚粉還值得一題的，就是魚粉末端上桌前兩碟小配菜，一是鹹碎辣椒、一是醃醃的韭菜，在吃滾熱的鮮粉時，有特妙和藝術作用，可能是配合成色香味三者俱全。廣東潮州吃炒麵及很多炒菜，每喜歡加一點點生韭菜，不讓衡陽魚粉專美於前，其中道理日後有機會再研究。

但聞稅官更迭 未見氣象更新

公正政策．面臨考驗

（上接第一版）

白培英於本六月廿一日走馬上任南市稅捐處長，先以「公正廉明」爲標榜，旋擬定工作人員服務準則：一、稅收成績。二、政行績効。以便作人事上基本要求。然而在短短不足兩月的變異中，第一批調走秘書及總務主任，這兩類職務安排親信，理所應該，自無據議，第二批調走查緝審核員五人，第三批調走所得稅股長，第四批異動外勤稅務員。調人本不足怪，怪就怪在調動人員中，多數不乏切合要求之士，甚至稅收成績名列前茅，政行考績亦在、規定以上者，結果定以一般風評不好被調。蓋風評到底如何認定？標準爲何？說起來很抽象，並無具體性。職是之故，欲加之罪，雖屬合於要求，亦將掛冠另換方位，此等理無休止的排除異己，還不知有多少批呢？

更妙的是白處長任命新總務主任兼職稽核員查賬，另由彰化稅捐處帶來一親信稅務員，任命爲機要股長，辦理機要秘書業務，這種破天荒的新制度，唯有台南市這個稅捐處的新面貌才變出如此新花樣。

周亞武案應不該再談了，爲了借鏡之故，記者告訴不得不舊事重提。

乃據傳聞：該案中原彰化稅處秘書魏××，不但是周案罪魁首；也是周案案[illegible]人，周指明彰化某書局代付押[illegible]，其實周未到職，憑啥如此，因某書局代印該處表報，稅單等，與原秘書魏△有交情。在調職換長中，魏△替書局搞公共關係不得不把周亞武拉上聽，以便繼續長期交易，誰知不幸玩出了紕漏，周亞武算完了！但本縣魏△神通廣大，居然在財政廳尚未查辦結案中，仍調來台南市稅捐處任秘書，這顯示新面目標榜的「公正」政策，并不可靠，且有南轅北轍之勢。（完）

鱷魚潭邊的故事（十一）

趙陀

桃花潭水深千尺

「媽，你相信嗎？」

「我怎麼會相信，全不是那麼一回事，老東西還說：上海法租界亞爾培路和英租界大連灣路半條街都是馬家的房地產，只要打回大陸，雖不能富堪敵國，最少在上海稱得上是一流富家。」

「媽，太公公是前淸的進士，掌理太醫院很久，遺訓說得很淸楚：『女子擇偶，勿苛求對方富貴，須察其學識能力，品德氣魄，如能備此好條件，今日雖未顯，他日必富貴』，尤其在這亂世裡，本領乃男人的流動財產，偸不走也搶不去，比銀行裡存摺還可靠，媽，你說是嗎？爸只看到牛少爺馬小開眼前綑這一點淫錢，可是本身條件太差，焉知他日不轉爲貧賤呢？」

「孩子，這年頭現實也不能完全怨爸。」

……

「我認爲任念佩是一位卓越的青年，一語，都使女兒拜倒欽服，與公子哥兒迥然有別，半年來從他給我的一百多封信中研究，得到的結論：

一、他從不向我誇耀過財富的事，香港有他的分公司，但從未提過，不像牛少爺三千元買了部破汽車，開到我們家亮相若干次。

二、他對婚姻觀點非常正確，他說有人類就有愛，然後才有婚姻，他說舜承堯位，兩妃助舜治理天下，後代稱舜爲盛世，舜死在湖南，兩妃哭慟於墓，墓前長出斑竹，就是近人都喜愛的湘妃竹，斑痕點點，有如血淚，他認爲情之所至，金石爲開。

三、我看他做事有計劃，有魄力，能忍耐，能担當，專注重事情的大節和重要方面，不高興在小事上多費功夫，這和爸的脾氣完全相反。

四、他非常淵博，著作好多部書，中文根基相當好，也翻譯了不少東西，傾可說得上才思縱橫，一代俊傑，今日社會能具備這些優裕條件的青年，甚少遇到，媽，最後一點我不講了。」

「你最討厭你講半截話。」

「我講出你不准羞我，任念佩對我……」

……

「對你怎麼啦？」

「對我已着了迷，他還說常夢到和我……」

「鬼丫頭，你對他是否着了迷。」

「媽，我不要你問這些。」

「孩子，媽今天和你講眞話，任念佩有才，蘇克琳有貌，所謂郎才女貌，媽媽[illegible]，我女非任念佩不嫁，可是怎能担保對方非蘇克琳不娶呢？」時鐘已經敲到一點卅五分，克琳偎依在郞方的懷裏，怡然發問說：

生活漫談

癌症的初期治療與有效預防（上）

馬騰雲

有關癌症，中西醫生有若干不同的觀點。西醫認爲病菌爲致病的唯一原因；中醫則認爲除花柳病、瘟疫、喉痧、白喉、霍亂、痢疾、鼠疫等，確有病菌的存在與傳染外，其餘的外感、時病、雜症與內科諸病，則認定爲風、寒、暑、濕、燥、火，六氣爲其致病的因素。上列病症，雖然亦有起因於生理上的變化，但究竟是因受外界六氣的刺激而起。反對中醫的人，如前台灣大學校長傅斯年先生等，認爲中醫的風寒暑濕燥火，簡直是胡說八道，金、木、水、火、土更是胡扯，玄而又玄的事。筆者拜讀過傅斯年這篇大作。我讀了傅先生這篇文章後，感覺到傅斯年對醫藥常識很缺乏。以一位缺乏醫藥常識的人，對精深繁雜，非經十年以上的研究，不能通達的中國醫學，當然會莫名其妙。所以傅先生對中醫見解的錯誤，實在受他自己識域所限，不足爲怪。殊不知中醫的風、寒、暑、濕、燥、火，六氣，又分內外兩因，即外因的六氣和內因的六氣。因之病症之來，不一定是傳染，與風、寒、暑、濕、燥、火有很大的關係。有關中醫的風、寒、暑、濕、燥、火，與金、木、水、火、土等在生活漫談裏講的很多，詳細留待「國醫五行六氣淺釋」一再發表，敬請醫藥同好指教。

照中醫對癌症的看法，認爲癌症由於熱毒積於臟腑所致，大多生於神道、[illegible]台兩穴間，色紫黑不破，裡面先潰爛是[illegible]症的初起，不作寒，亦不作熱，不痛亦不癢，只是體重減輕，臉上的氣色不正常，食慾減退，還常常沙啞和咳嗽，吐痰有點帶血，大小便不正常，吞嚥食物有阻礙，胃部常感到不舒適，每每懷疑是胃病。女人更是月經不調與乳部硬化。假定我們身體有這種現象，雖不能斷定就是癌症，但得提高警覺。癌症到目前爲止，還沒有甚麼特效良方。市上包醫癌症的醫生雖多，那只是代表衛生機關不負責任，任由狼心的醫生，榨可憐人的錢而已。

馬來亞和東南歐甚少癌症，筆者已在生活漫談講得很多。有關癌症的調查資料，筆者曾在馬來亞住過，他們平日有一種飲料，功能淸五臟腑毒。癌症初期可能就被這種飲料慢慢的消滅了。有關該項飲料的配製，乃植物中殊品，決定在本報下期公佈。東南亞的人少患癌症，歸功於食大蒜。大蒜雖不能治癌病，但可制止癌症細菌的發育，詳見日本名古屋醫藥週報。

自由報
中華民國內政部內銷證內版台報字第〇三一號
中華民國僑務委員會登記證台僑新字第三二三號
中國郵政台字第一二八二號執照登記為第一類新聞紙
（第九九二期）
（半週刊每星期三、六出版）
每份港幣弍角・台灣零售價新台幣弍元
社長李運鵬・督印黃行賓
社址：香港九龍彌敦道593—601號（廖創興銀行大廈八樓五座）
LIU CHONG HING BUILDING
7th FLOOR FLAT 5
593—601 NATHAN ROAD,
KOWLOON, H.K.
TEL: K303831
電報掛號：7191
承印：景星印刷公司
地址：露成街廿九號地下
台灣總管理處：台北市大同街119號
台灣區直接訂戶　台郵劃撥戶
第五〇五六號帳戶有（自由報會計室）
電話：七一四〇三三、五五五三九五
台灣分社：台北市西寧南路110號二樓
電話：三三〇三四六，台郵劃撥戶九二五二

二屆華學會議為甚麼停開

張起鈞

張其昀氏主持的第二屆國際華學會議，終於宣佈停開。這次會議原定於本年八月二十五日至三十一日在台北召開的。主要的內容是七華學中有涉及社會科學的部份，與去年八月在台北召開的以文史哲為主的第一屆華學會議性質是一貫相承的。由於去年第一屆會議開得有聲有色，極為成功，因此學術界的人士對這一次會議的期望很高，據聞截至七月底為止，已收到各地的寄來的論文達二百另四篇之多。並有一部份人士已來台北參加，但正在緊鑼密鼓的時候，忽然宣佈停止舉行了。這不論就學術界的本身，還是就中國在國際學術界的聲譽來說，都是一樁令人非常遺憾的事，尤其停止召開的原因，據報載是：「經考量時局，決定停止舉行會議。」（見八月廿九日中央日報），其實華學會議乃是一種學術性的會議，與政治無關，並且台灣目前一切謐安，何以竟說是為了「時局」，眞是令人莫測高深。

更定「漢學」為「華學」創中華文化新時代

所謂「華學」，乃是更定「漢學」的譯名。西方人從事漢學的研究，溯自耶穌會敎士東來之時，已有三四百年的歷史，而自二次世界大戰後，更成為普遍注意的熱門學術，尤其美國，後來居上，幾乎所有著名的學府，無不設有漢學研究部門。（至少也有研究課程），而研討漢學或東方學的學會更是不斷的舉行，這就中國人來講，自應是高興的事，但遺憾的乃是這些漢學的研究從不用華文漢語，漢學家們很少能說中國話的，甚至中文也不見得怎麼了了。尤其這些漢學的會議，從無一次在中國舉行。這不僅是中國很丟面子的事情，並且在這後面還潛存着一個比丟面子更嚴重的問題，就是西方漢學家們，有意無意的優越感（儘管實際連漢文都看不懂），和其索隱求怪的偏見，其著者如費正淸之流是，因此深思遠慮之士，無不想力爭上游，挽回漢學研究的領導地位，茲事體大，不能曉獨立辦，但爭取在中國開會之事我們教育當局和若干有識人士確曾想作一作。祇因籌備不易，需錢孔多，始終未能召開，尤其就心西方學術界不予重視，無人前來參加，落個冷場，豈非自討無趣。因此始終不敢輕舉妄動。

去年張其昀氏以中華學術院的名義，邀東海內外學者，召開國際華學會議。結果竟如意外成功。原本預定出席代表為一百四十人，及後竟不期而至者達兩百另九人之多，除在台灣本處者外，計來自日、韓、琉、菲、新、馬、越、泰、港、德、法、奧、荷、意、比、英、美、加……等十五個地區。其中五十一位中國學人，五十九位外籍人士，都是自備旅費，遠自歐美來台參加，大會提出論文宣讀的共有一百七十四篇；這種盛況，即在西方也不多見。大會對與會人士招待的週到與優厚，更是國際學術會議中所稱有的事。凡是前此參加過國際學術會議的無不大感滿意，覺得中國的人情味，確乎不同，這些人回去後，無疑的將是我們的義務宣傳員，這一切還都是浮在表面的；而眞正有意義的，則誠如黎東方博士代表與會人員致答辭時所說的，第一定名華學會議，以異於往日的漢學不富研究，第二是第一次中國人自己召開的，第三是第一次在中國召開，第四是會中以華語為主要的語言，這都是在漢學研究中前所未有的事，尤其用華語一點，最値稱述。會中日本學者島田一郎不經翻譯，直接用華語宣讀致詞，法國學者，巴黎大學的康德模教授，也試着用生硬的華語宣讀論文，不僅難能可貴，並表現國際學者對我們的合作，這實在是一個極好的現象，因此感到欣慰的不僅是與會人員和學術界，而朝野各方莫不對這會議重視，例如政府中張羣秘書長親臨致辭，嚴副總統假圓山飯店歡宴全體與會人員……等。而台北的中英文各家報紙全部撰寫社論讚揚祝賀，中華日報八月廿七日的社論並標題為：「是世界重估中華文化的時候」，而八月廿六日中央日報社論的標題，竟直謂為：「開創中華文化的新時代」，凡此可見此會召開的成功和其意義的重大。

好的開始反而結束

由於第一屆華學會議召開的成功，大家都對第二屆的會議，寄予殷切的關注，深深的希望如此逐年召開，終將漢學研究的重心撤回中國，而取得某一方面學術思想的領導地位，那知，正在這瞻望高潮的時候！而第二屆華學會議，宣佈停開了。俗語說「好的開始便是成功的一半」。而此處則是「好的開始」便是等於結束。夫復何言！此會雖是張其氏私人主持，但其成敗，卻非張氏個人的榮辱，而是從小處講，關乎中華民國的聲譽，（外籍學者只說到中國來開會，而不是說到張其 家去開會），從大處講，直將關乎中華民族的地位，其影響遠比少年棒球隊贏得冠軍要深刻，雖則孫頭不能為什麼停開，外邊傳說紛紜，我們局外人自用不着查詢，但由張其晚局」一語，亦可思過半矣。民術語叫「流年不利」，張氏今年利了。由雜誌的攻擊，到監察院是不一而足，弄得街談巷議，氏從政多年，恩怨自是難免，，弱自難倘，更難免有瀾詞不安攻擊，凡此各端，所謂清官難們無從論起，更不顧側身其間假如覺因這些恩怨攻擊，行政響對外的學術活動，使得張氏在下無從召開這第二屆華學會議，壞長城，自己打擊中國在國際學。「兄弟鬩牆，外禦其侮」，令張氏有過，有罪，甚至獻其有功。那又何不使其「將功此功歸之於總統，歸之於國家

昨日與明日

絕對不送財神

歐陽鑫

中國北十幾省，過舊曆年時，有一種乞丐討錢，挨門逐戶專講好話，謂之送財神。其乞討方式，一問一答，比如甲：「恭喜老闆大發財」，乙答：「斗大元寶滾進來」。甲：「陸發黃金萬萬兩」，乙：「蟾財童子運高堂」。甲：「恭喜多子又多孫」，乙：「老闆像個活財神」。

東南亞若干國家，大概都希望報紙採取送財神的態度，否則就找報紙進口機構的麻煩。同時好話並不記帳，忠言呢？則斤斤較量。這種百長併集，一短難留的新聞政策，難怪彼邦新聞紙都步向剪乃漿糊和黃色黑色的目標發展。這種社會太危險了。監獄人犯直線上升，就是最好的一份證明。

我們在東南亞業已關閉了兩個分銷機構，如果不能恢復的話，再詳詳細細公佈眞相。根據耶穌的話，當不受對方歡迎時我馬上走開。腳上的灰塵都得抖乾淨，但絕對不送財神，以保持自由報二十年傳統作風。

辦報本不簡單

辦報本不是一件簡單的事。民國三十二年筆者得到一筆相當大的物力和財力支持，欲在西南辦一張大報，到重慶去辦理登記手續。那時中央宣傳部長是張道藩，迎頭就是一盆冷水。他說：「你們年靑人，開口辦報，閉口辦報，道藩到現在還不敢講這句話……」

自由報乃各黨各派領袖賢達們所發起，二十寒暑，著盡艱辛，有感辦報確須要付出相當大的代價，尤其辦在香港的報紙，財神送多了，本地的銷路就大成問題。如果照香港的自由尺度，不僅祖國，其他國家進口也會遭遇到政治上的困擾。因為台灣有一部份讀者認為自由報最近言論辣椒少了一點，我們特別作此聲明。

道藩先生作古，筆者已不是年靑人，有感居是非之地，逢是非之時，辦的又為是非事業。祛除是非既不可能，總好秉春秋責備賢者的心情，「明利害，辨是非」作為我們辦這張報的基本態度，知我罪我，則非所計。

保持文人論政

自由報組織非常簡單，大體上還是保持文人論政。

但自由報本身有一個自律，同人相約克服自己的情感，消除自己的私見；其次絕對不任意去行心中要做的事，和不批評我們所素來看不起的人。自由報自社長起，及所有執筆朋友，據統計，大多待自己極嚴格，對他人極寬厚，打擊之來常能鎮定如恒非無由也。

自由談

治亂世用重典

最近五十年間，咱們全國人民經過了兩次顚沛流離的浩劫：一次是對日抗戰之役，國土大半淪於敵寇之手，中央政府遷移四川繼續作戰，許多義不帝秦的大後方人士，紛負轉徙於川黔地區，一致奮鬥；第二次就是共匪竊據中原河山之後，無數不願從匪的各界同胞，隨着政府投奔台灣。這兩次的人口大異動情形相同，但一般生活方式迥不相侔，而以公敎人員的生活習慣為尤甚。

在對日抗戰期間，大家偏處於西南一隅之地，物資十分缺之，生活特別艱困，然人人堅信抗戰必勝，意志奮發，確確實實表現着「毋忘在莒」的艱苦卓絕精神，甘之如飴。例如公教人員之中，雖然亦有不知自愛的少數貪官汚吏產生，但司法和文化，教育界人士，依然保持着廉幹淸苦的節操，有所不為。即一般社會大衆的生活情緒，亦相當循謹醇良，如學生在教室裏見殺師，校長公然誘姦女教員，最高民意代表利用權力機會，任意收受賄賂，司法官悍然貪圖訴訟當事人內懷來之物等類惡劣現象，是少見的。可是，這些大家流徙到台灣來的情況卻回變了，不亦怪哉！

世人每將官吏貪汚風氣之所以滋生，歸咎於待遇菲薄，這說法絕對不正確。對日抗戰時期的公教人員收入，何嘗優於現時在台灣的所得——尤其是司法與文教界人士更淸苦——倘們當年在川黔，何嘗公，廉介不苟，亦威不見有餓死的人。構成目前這種大不正法，小不必法之政風的基本因素，一是大家習染過去「租界」時代的生活積習，罔顧自己國家的生產力，而侈言提高生活水準，漠視舊有道德的自身已進入工業社會，一切生活方式和道德觀念，都要跟美國看齊，習慣於相率以十九世紀的生產能力，追求二十世紀的生活享受，利令智昏，罔知所屆。二是政府對於貪官汚吏，未能臨之以「治亂世用重典」的嚴刑峻法。對日抗戰時間，成都市長楊全宇因捕積了幾百石糧食，中央兵役署長程澤潤利用機會職權，營取所謂「部」「管區司令的荷苞，即受到鎗決的大辟。今日卻未見殺過一個貪官汚吏，政風焉得不敗壞呢！

有倡移人，說者不免，若要革新政治，請以吾說為千泉，庶幾有为！

讀者・作者・編者

王方曙是筆名，他的眞實姓名王靜芝，現任輔仁大學國文系主任，為現代國劇研究權威。

諸葛亮狂想曲中的諸葛亮受美國太空人登陸月球的影響，天庭出境令修改，一時倘難下界，輔仁大學，台灣大學及建國中學幾位同學特別關心，併以奉聞。

李榮是一位老敎授，年齡已逾七十歲了，做敎育廳長甚久，破例為本報撰寫「垃圾現形記」，本春秋責賢態度，受到廣大讀者讚揚。

丁作韶博士，曾任四川大學，廈門大學敎授，朝陽大學，廣西省律師公會會長，現任台南成功大學夜間部主任。

李文彬是一位老報人，早年上海為中報，新聞報，時事新報寫稿，抗戰勝利後執敎復旦大學新聞系，現林泉高隱做逍遙自在的詩翁。

趙院敎授（筆名），中央政治學校高等考試畢業，僑居南洋星馬甚久，常為星系報紙撰文，是一位傑出的事業家，其人甚厚道其文非常尖酸。

民社黨團結有無轉機
且看十一月一日 能否開成全代會

（本報記者董尚審台北消息）年前此時，正是中國民主社會黨緊鑼密鼓的協商該黨內部團結問題。由於張君勱（該黨已故黨魁）去年六月二十七日，自遙遠的加州親筆寫下委託信，指蔣勻田、戢翼翹等四十一人（旋增加至四十九人），籌備召開全國代表大會，期謀團結，解除四分五裂之「僵立失措」局面。經戢翼翹奔走、折衷、集歛、往返與張君勱函商，達兩閱月之久，遂有去年九月二日成立了一個「中國民主社會黨全面團結協商會議」。初步「團結」橋樑，算是有了着落，社會各方亦殷殷雅望，願該黨果能如張君勱所預擬之「召集合」有書「本黨保持大本不立，國士未復之危擋，乃擇於五十七年十二月二十五日行憲之日為本黨第三屆代表大會召集之日，所以念既往，開將來，示全國人心之所向」。詎該黨協商會議搞到十二月揮定會期到來時，適代表名額以及產生方式，都沒有搞出一個眉目來。據外傳，張君勱那封委託信，雖先前委託四十一人，後經函商乃允增四十五人，而委託的重心係以其得意門生蔣勻田為主，且示意蔣氏「黨的繼承人」亦以蔣勻田為歸屬。如第三屆全國代表大會召開成功，「主席」一職自當歸張氏所懸，蔣勻田膺選「副主席」亦料當無疑。張氏自以年壽有如風前之燭，生前由蔣氏「代理主席」，身後該黨自然由蔣氏所領。詎張氏此一劃策，並未邀得衆洽，即以其嫡系信徒門生中亦有不以為然者。雖在戰霧翻，向構父等有數老人觀感上，固能博得諒解，但在該黨有力之各派系「領袖人物」中，卻釀成阻礙「團結」之礁點。蓋該黨之所以演成僵裂複雜形勢，要以張氏之遠適異邦，徒自遙領無負實責，幾度將謀團結時，乘虛張氏回國，親予督率，即可迎刃而解。迄至去年之委託籌召全代會時，而盼張氏之返國親領者，亦佔該黨人士中之多數，而張氏之不返，適領顯捉如故。因此張氏在該黨之領袖聲望，卻逐漸降低，固屬張氏生前始料所未及也。易深遺憾！

剪不斷理還亂 內部問題太多

蔣勻田於今年元月，因協商團結希望茫然，乃赴美國向張氏面報一切。不率張氏於今年二月廿三日，病逝美國。該黨激進人士，仍力主早日召開大會，以慰張氏之靈。

該黨本年春中國國民黨召開十全大會時，民社黨亦據青年黨之例，發佈本年八月十五日召開全國代表大會消息，青年黨所預定七月廿一日所召開之第十二屆全國代表大會，終於如期順利達成，雖然內部尚存若干未決問題，但四分五裂之局面，總算有了統一橋梁，總於健全矣。外人大可無須杞憂。然諸時日，「八月十五日」，又成過去，而中國民主社會黨再一個擇定的大會日期，未能召開又成過去了。問題何在？癥結何在？值是「剪不斷」；「理還亂」。

道理從八月十七日韓戲民社黨有力人士程文熙一則啓事云：「茲以積稿待理，避免阻擾，除出席張故主席最後委託之中國民主社會黨第三次全國代表大會籌備委員會外其他黨中會議概不參加，同業所感（？）（？）雖辭共流（？？）別業各異（？？）惟另自修。所望君勱先生能來示指稱，本黨舵手之蔣勻田先生，早日返國及本黨真有「好人好事」，以利民主政治及反攻復國。」云云。據悉，程文熙啓事所指之「籌備委員會」，即張君勱委託以蔣勻田為重心之四十一人或四十五人之「籌備委員會」，因最近發動召開大會的係由五十一年成立的「團結委員會」中之向構父、郭虞裳、李緞、孫亞夫、王世憲、蔣勻田（在美國）六召集人，實際只有五人出席會議，能所決議之大會召開日期，曾有函通知蔣勻田，但蔣氏復函僅云在美國講學，合約期未滿，不克返國，但對大會之召集，則未表明態度。外傳此一「團結委員會」的若干安排，蔣勻田深表不滿。與蔣氏聲氣相通的「統一委員會」現正聯合向構父、「中央總部主席團」的梁訓蔵、「中央重點委員會」的蔡家群等人，醞釀組織「全面團結委員會」。以與「團結委員會」相對抗。

四分五裂癥結 不外私權私利

由此一線索觀察，蔣勻田與孫亞夫黨見，紛歧由來已久，雖孫亞夫亦出自張君勱門下學生，但張氏生前對孫亞夫亦許驰，去年委託函中，並未將孫名列入，後經戢翼翹諸人疏解，而張氏亦尚只默認，故前嫌未釋。因此孫亞夫始終仍以「團結委員會」号號召，在同黨中亦有他的選手，例如社會都不陌生的楊毓滋、王世憲、郭虞裳等，孫亞夫位列國民大會主席團，與另二位該黨人士主席團黃孟剛、王培基亦頗契合。由於今年五月廿三日該黨一次協商會議上，楊毓滋曾發告說：「郭虞裳、王世憲、孫亞夫三人願退賢讓能，不再競選主席團主席」。可證楊、郭、王、孫諸人已聯合該黨促進建立謙讓風氣，堪爲該黨奠定團結基礎。

說來說去，民社內部所爭持不下者，無可諱言的說，不外是「私權」、「私利」。

例如此次大會不能如期召開的原因，就是由於主席團名額分配問題：主張少設的大致有五人、七人、九人三種意見。主張多設的甚至希望二十五人之多，但有一個條件，主席團按人數編排，輪流值月，完全「義務職」，不能支領任何待遇。作此種建議的人，就是針對「私權」「私利」而來的。如果真的實現「義務職」或謂當減退。據熟悉該黨內情某人士談：「民社黨分裂後之派系，組織林立，幾不可勝數，但歸納起來，可歸諧「四號」、「五號」、「六號」三大派別，這種派名也係該黨對內自稱的。

屬於「四號」的首要以張君勱爲主席、蔣勻田、郭虞裳、王世憲、孫亞夫爲副主席，後來孫亞夫因被張氏棄絕，蔣勻田遂與嫌隙加深，但孫與郭、王則無正面衝突，始終保持相當關係。故張君勱在生前之最後階段，親信亦僅蔣氏一人而已。無怪人引喻：「餘黨萬人，僵立失措」。而張氏之介弟公權，當年亦曾語人：「家兄醫雖博，但對政治不無外行之感」。張氏注手物化、張無此學！屬於「五號」的首要，比稱張主席團，包括梁朝威、劉敬源、黃仰城、李緞、向構漢、朱漪謀、李警裕等，原屬徐傅霖一派，徐生前自爲主席，屬於「六號」的首要以向構父爲主席、副主席爲蔡家群、余仁美、牛存善、李碩甫等人。該三大派別則各立門戶，不顧神通，演化各色各式之中央組織，號稱中央執行委員、中央監察委員者，約計五百餘人之多，此次協商會議中，即曾有人堅持主張，全代會之代表，或名額限止，即以上各派執監委員，逾不須選舉產生，同最近成立之「各省市聯合會」委員爲當然代表。

團結的新趨勢 將爲集體領導

於定期開會前，登報公告召集即可。關此一主張，並及二十五名主席團名額，能獲通過，即該黨或可如楊毓滋、孫亞夫最近對「各省市聯合會」之激烈要求全代會於八月十五日所保證決按照預定程序，於十一月一日如期舉行。否則，爭持無休止，團結亦永無希望。又據悉，蔣勻田將於十一月前返台，因全代會之召開，勢必在十一月一日。蔣氏如不返回，該黨全代會亦將照開有望。據接近 氏之該黨某人士表示，新的趨勢，已打破「舵手式」之獨一「主席制」，而改爲集體領導之「主席團」制，蔣氏屆時縱不返回參加大會，亦將被推爲主席團之一。

喬治桑外傳（續）〇七

張大萬

（編者按：此篇本應上接八月十三日第九八三期喬治桑外傳（一〇〇）後刊出，因當時編排，疏忽補刊於此，希讀者見諒。）

我以為這樣可以親密一點，也民主得多。」喬治桑不願雅麗絲稱他為「嬰」，唯一的理由當然是雅麗絲是一個女的，而且是一個漂亮的姐兒。

「你的學識、地位都比我高，而且年長，我怎能叫你的名字？」雅麗絲的態度必恭必敬。

喬治桑並不欣賞雅麗絲這種矜持的態度，他倒希望她能像柳絮的輕狂。鳥瞰一機是女人，總要顧作風那樣大膽？可是，鳥瞰的治濤，使佈有濃得化不開的感覺，雅麗絲清麗，雅麗絲淡雅，但可望不可即。

喬治桑目前的心願很簡單，雅麗絲被一位不知名的男士擁吻鏡頭，一再在他腦海裡複映。「佳人已屬沙吒利，義士今無古押衙。」他竟無端地想起這兩句詩來。

「雅麗絲，明天有沒有甚麼約會？」喬治桑的約會便是「辦公」。假使沒有約會也就無公可辦了。

「明天上午沒有事，下午二時裘白瑤先生約你去他家裡打牌。」雅麗絲的職務便是要一一記住「包死」吃喝玩樂節目，不致發生差錯。

「哦，那是一場豆腐麻將。」喬治桑脫口而出掉了一句新名詞。

「甚麼叫豆腐麻將？」

「裘先生約了一位電影明星，一位歌星，名爲打牌，其實是吃吃豆腐而已。」

「甚麼叫吃豆腐？」雅麗絲沒有去過上海，難怪她不懂。

「吃豆腐是上海話，開玩笑之意。」喬治桑學識淵博，連忙作一解釋。

「不是我說，你們男人都不正經，打牌便打牌，還不忘找女人尋開心。」雅麗絲站在婦女立場表示抗議。

「此所謂不作無益之事，何以遣有涯之生。有些女人倒是樂意打豆腐麻將的。第一，輸贏不論。第二，男人吃她的豆腐，她也吃男人的豆腐，兩不吃虧。這是末世紀的風氣，誰也無法挽救。」喬治桑的見解很精闢。

「時候不早了，是不是你也需要休息了？」雅麗絲用右手撫着咀打了一個阿欠。

「妳先去睡吧，我再坐一下，妳不必陪我。」

這也許是喬治桑的長處，也很體諒人。說真的，雅麗絲除了對喬治桑沒有愛情，還是很有好感的。

「對不起，『包死』，我要先去睡了。」雅麗絲收拾了兩個咖啡杯，回到臥室去了。

喬治桑的一支雪茄已經抽完，很像一段乾狗屎梗子。雅麗絲回到臥房，他到底沒有梅龍鎮上正德皇那樣大的膽子，往小姐房裏硬闖。結果只好在客廳裡自思自嘆了。

劍橋一來鴻

・沙翼如・

編者按．台灣師範大學教授吳協曼（名詩人吳宓教授之令郎），前年赴劍橋大學研究及講學，備受歡迎，頃由其夫人沙翼如女士執筆報導其旅英情形及觀感，撰交本報發表，內容精采，極有風趣，歡迎者當不止吳氏友好而已也。

來劍橋已進入第三年，就協曼的情形來說，一切對他們都很有利，以頭二年教學的成績，學校第二年爲他特設一 Lecturer 職，他離開，此職即取消。按資格核給此職最高薪，並贈授碩士學位。因此自己讀學位的事就無例再談了。這兒校長、系主任或教授很少有學位，不過新進人員，慢慢也在講求學位了，教授名額極少，「外國人」能做到 Reader 也算頂了頭，同學院的鄭德坤先生已得到了這份榮譽。輔導的特別作風，仍舊保存，正課只教六小時（每週），輔導常常到一倍以上的時間，第一年協曼的輔導工作少，他利用了很多時間到自己本行方面，語言系的同仁，對他極好，在教與學上都獲益不少，也參加各種研究討論的機會，常常發乎弄不清自己的立場，在觀點教學方面也長些見識，改聘以後，先是二年，再聘則永久職，這是一般例子，六年可休假一年，兩年也可要求休一學期，每年三個學期，一學期最多上八週的課程；種種情形與國內不同，直到現在，摸不清楚的情形太多了。系裡每人都有一間很好的研究室，希望大家能充份利用，所以因家中簡陋，書房的重心也就在那邊（家裡的桌子），我邊來寫信），六月十號結束了一學年的課業，這個假要放到十月中，可是研究生的輔導工作，照常進行，好在今年我們無遠遊計劃，估時也不算多。天冷不做苦工不流汗，任何情形下可吃飽，諸如此類，對協曼較合式，只是我言語不靈光，難免要增加不少內政職務的勞累，爲了學，我們以一種熬的心情渡日，是甚麼樣的結果，那就太難預料了，發展成就不敢想，一家二口，能混個溫飽也漸覺不易了。突然出洋，僅給我帶來了許多困苦。

從抗戰到戡亂，由一家人逃成一個人，許多困境都掙扎過來，不覺這次最舒適的環境，反而坐到苦海來了，言語不通，影響到的方面就多了，我素不唱愛國愛民的口號，我知不怕與台灣共存亡，誰知跑到外國以後，我無時無刻不想回去，心裡還沒進入正常，風濕來找我的麻煩，膝蓋左右，從前年耶誕節之前就開始醫療了半年，至今也沒完全恢復，最近膝蓋又不大對了，這裡絕不比台北潮濕，但是我們覺得太陽少見，所以前幾天出大太陽，我也學洋人晒晒，有了病痛，把不會說話的煩惱，就放在第二了。劍橋不如倫敦，沒有成年人學說話的學校，個別教太竹槓，昂五之年學說話，不是味。

天暖以後，我們要做的事，已由室內發展到室外，種草養花，我覺得是賢人雅士之興，我等俗輩，過份外行，什麼不計賢俗，皆要雅他一番。在勞民傷財的原則下，我們照葫蘆畫瓢，跑了幾十年的江湖，丟怕了，與一樣樣有，一樣也不敢培養，但見有集興者，也不反對。協曼初來，順便留下了盒兒，我也試吸各種烟，在我們相識的朋友中，還不知有別人集烟盒，所以很容易就記起了你們的孩子，各國在郵票上都大撈錢，使得集郵者，勝負荷，我們每次也趕着去買，紛紛寄給愛好者，今天信封上貼的是四張連印的一個版，揭下後請不用撕開保存。

談開了頭，自自然然地會喋喋不休，也不知道從那兒說到了那兒，請勿見笑。寫的零亂而潦草，紛這些家常話，能解遠念，更盼潭信封裡能裝去一點凉爽，減除稍微的開然，如果不怕煩，下回再叙。敬祝

闔府夏安

協曼翼如上

五十八年六月廿三日

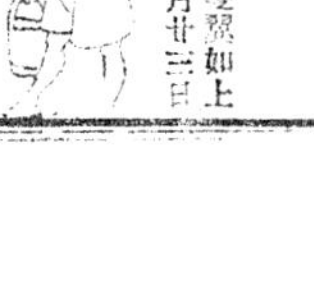

文滙樓別記

仰光自由日報的誕生

・文滙樓主・

、民國卅九年，現任中央評議委員陳文亨的老太爺大壽，陳在福建省黨部做過秘書，幾個弟弟在仰光做生意都很得意，「富在深山有遠親」，富在市區遇到此大典，賀客盈門乃在意料之事。

那時樓主恰在仰光，本與陳文亨很熟，其老太爺做壽，中國有「人情大似債」的習俗，乃以隨身所攜古畫中，選擇一幅「壽」字，為慈禧太后御筆親賜大清帝國派駐俄國欽差大臣王之春的，黃綾京裱，長逾六尺，懸諸堂中間，莊嚴奪目，大家因注意這幅字，進而注意贈這幅字的是一位報人。

僑社人才本少，辦報人才更缺，有者多靠剪刀與漿糊。緬甸各地的報紙，除本地新聞外，餘皆香港日晚報的翻版。仰光最大一家報是「中華日報」，係曹鳳美獨資經營，主持業務的是李啓我，言論態度，自稱中間偏左，其實與共黨機關報沒有甚麼區別。國民黨駐緬甸總支部書記長王輝，前緬甸武官何景同，亦通過一個關係勸過曹鳳美，曹不僅不肯聽，反而說：「我曹鳳美到仰光祇一條短褲，餓了上樹找鳥蛋充饑，晚上睡在馬路邊，從沒有人管過我的事。現在……」這是曹不識大體和未讀過書的關係。最後還是被共產黨修理了，現閒散居香港，過着晝伏夜出的生活。

仰光自由日報在陳文亨與樓主籌備推動下，果然閃電式出版，日發行兩大張，領導僑社，反共抗俄，一改與論胡說八道的作風。自由日報為社務委員制，除陳文亨與樓主為當然委員外，陳兼總經理，樓主兼總主筆，另三位社務委員，現留緬甸，不便公佈其姓名。發行人是李義常（曾任國術社負責人）。由於共諜搗亂，得隨時到法庭應訊。盧偉林任總編輯（現為本報駐菲國特派員），吳琪任編輯主任。（現為台灣博物館秘書），包國富為資料室主任。（現任監察院秘書），自由日報因為內容充實，消息靈通，銷數幾乎壓倒仰光所有左派報紙。

自由報董事會的功臣有好幾位，現在仰光的不擬多談。在台北的有陳洪安，出錢出屋，全力支持。政府照常特別照顧，不能認為已無剩餘價值，就杯葛在一邊。要知道革命事業須要大批富革命熱忱的人，毀家紓難，赴湯蹈火積蓄而成。國父時代的老同志，蔣總裁幾十年來，一直都在禮遇和照顧，就是最好的榜樣。希望負責僑務和海外黨務的人能注意。

自由日報的小醜要算吳管書。吳的綽號是「班加」，班加是緬話電風扇的譯音，形容吳會吹的意思。此人非不識幾個字，到了台灣儼然以大僑領姿態出現，幾乎將自由日報的艱辛創辦，一功貪盡，其實完全不是那麼一回事。吳管書於接辦自由日報，報紙很快壽終正寢，就是最好的說明。

「深宮怨」與伊利莎白一世的關係（四）

・羅璧珠・

顯然地，女王所關心的不是宗教而是英國，她不願意因著追隨活躍海外的基督教徒政策而激起國內的宗教紛爭，何況這政策係在國內所心避免的。固然她知道欽些不好戰的路德派各州郡加入一致的行動是很不容易的。而且一五六二——一五六四年間，從法國 Huguen ts 處，使她對叛逆的加爾文派勢力和信任起了疑慮，她也知道，英國與歐洲大陸龐大的天主教勢力間，不論財力、人力都有著一大段距離。

因此，在伸衛利用國外的基督教徒作為一種擴張力的團體之際，女王首先很聰明地依靠合法的統治者，從一五五九——一五六〇年間，她雖公開地和蘇格蘭的基督教叛逆之徒為盟，卻乘機和瑪麗商得協約，任用基督教徒為大臣，不是使他們成為蘇格蘭的基礎，而只是以他們作一手段而已。

和法蘭西的關係

在一五六四年以後，女王的政績建立在和法王的一種諒解上，同時她利用 Huguenots 為天主教和慾望傾向西班牙影響的 Guises 黨的一種平衡。一五五九——一五六〇年間，她藉著西班牙對法國的妒意的，同樣的，五六八年以後也藉法蘭西對西班牙的妒意——尤其是駐在低往（荷蘭）國家的西班牙軍隊——以平息 Philip，因她援助荷蘭叛徒以及英國水手不斷的掠奪行為，而興起的憤怒。

十七年來，她阻延了公開的敵對行為，使英國海軍走上領導的地位，荷蘭防得以建立。另一方面也削減了西班牙雄偉的軍隊，牽制住懷有野心的法蘭西同盟國。雖然一五六八——一六七三年間，英國和西班牙會起衝突，不過萬不能因此而認毀女皇的策政，實際上她無法預見促使「菲腊」由防守而轉變為進攻立場的一連串事件的發生。

即使在那使她過去十七年的統治當上險影的西班牙戰役中，對戰略的要點，女皇也會顯示出一種類似於謎似的領會，正値危機時刻，女皇顯示自己是個有激勵性的領袖，在她演講中最出名的是一五八八年八月八日，當 Armada 幾乎被擊毀，而低窪國家（荷蘭）的 Parma 軍隊預料一小時就要開到時，她在 Tilbury 向她的部隊所作的一次演說，她說：「我親愛的人民，曾有關懷我安全的人，深恐我陷入被出賣的陷阱，勸我如何小心地和軍人們來往，但是，我老實告訴你們，我絕不願活着而不信任我忠誠可靠的子民，要怕就讓那些暴君去怕吧！上天洞悉我，為人，因此我毫不懼怕地將衛權放在我子民的忠誠以及好意上……。我知道我有一個皇帝的負担，而且是英國皇帝的負担。如果卑鄙的 Parma 或西班牙或任何歐洲的王子膽敢侵犯我疆土，我不但會感到羞辱，而且要親自拿起武器上戰場，我要做你們的統帥、裁判以及你們每人在戰場上所表現英勇行為的酬勞者。」

顯然，她不曾挑起戰爭，因為她缺少足夠的金錢及軍力以實踐野心的軍事計劃。此外，縱然她的海軍揚言可以摧毀西班牙，甚至仗着海軍力量即可防禦英國群島不被外侵，她多少表示懷疑。實際上戰爭的演變，增加她的疑慮，因此在戰事上一如和平上，她首先注意的是不使法國和荷蘭的進攻港口落入西班牙和其他同盟國手中。不過，她也並非不採取攻勢。（未完）

綜談國劇復興（十五）

王方曙

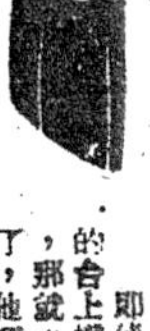

即使偶的台上擺船，那就也壞了，他們竟無法跑圓場，無法表演身段，甚至鑼鼓也不能要了。真正的行船，豈有用鑼鼓之理！我們的戲是寫意的，是要用一種形態的表現，或加說唱，來引起觀衆的想像，而使觀衆體驗到演員的表演的環境或內容的。比如打漁殺家，父女上場，唱出在水上的戲詞，一人用槳作撥船狀，這就足夠了。這也可以說，在戲劇中最高上乘的方式，越加佈景，越近寫實，越近寫實，越不像真。（因為我們的國劇根本不是求像真的，如有一部分太像真，越顯出另一部分太不像真，反而更糟。）越近寫實，也就越趨於下乘。再說清楚一點：國劇裡全部都不用佈景，是不會減色的。

但若一部分加用佈景，是否增色呢？我個人以為，只有偶然用一點象徵的佈景，可以幫助一點劇中的情境，也嚴格說起來，那仍舊不是佈景，只是象徵性的培襯而已。如梅蘭芳於太真外傳，撈月一場，用一個天幕，燈光打出衆星和斜月。下面有一點欄杆，其餘則仍舊。這對劇情確稍有些幫助。但這祇是部分天幕而已，不能算是有了佈景。真正的佈景是完整的，豈止一塊天幕而已？這祇是一個可以配合寫實形態的戲的舞台裝置，可以說在舞台上加了一個小裝置，並非佈景。且也只能偶一為之。其實，這一場即使不用天幕月亮，也照樣十分有效果。大致國劇加佈景只能如此，算是可以不破壞整個的藝術，而稍有補益。如果佈景完整，換場更換，十分求真，便一定破壞了國劇的風格和形態。假如鎖麟囊一戲，竟真的坐了花轎，而把轎子停在亭子裡，再在轎子裡唱一大段二六流水　觀衆大可想想，那是何等奇怪風光！能不能如此作，我想不必等我來分析了。

大學尺牘

抗戰的基本觀念（上）

（摘自蔣百里札記）

歐洲人以商業起家，他們的心理上有兩個基本點，一是現錢主義，一是計算主義。因為現錢主義，所以將來如何危險，他總是說：「到那時候再說」。這決不是苟安心理，但今日今時如何最為有利，卻是他全副精神之所在。因為計算習慣，所以兩種數字比較，可作一切計劃的根本。他們偏重物質元素，至於不可以數字計算的精神元素，總退居於背景。

我來到歐洲，隨時給歐洲人說明我們抗戰到底的決心；他們表面上雖然承認，心理上總帶着懷疑。因此我就以中國人並軍事學問上的立場，在德、法兩國軍事雜誌上發表也一點學問方面的見解，想把他們的根本觀念廓清一下，現在把這篇漢文稿子寄到國內藉供國人的參考。

我們中國人的思想有兩個基本點為西洋人所不易瞭解。第一點，是我們的樂觀態度，這樂觀並非眼前的一時的享樂，而是悠長的永久的希望。我們對於歷史，慣於五千年一回溯，三千年一綜括。在歐洲人看來，三五千年的老古董，學問上研究固屬有益，與實際的人生則不相干。在新教育家看來，這徒然造成了時代的落伍。但中國人卻從這種歷史教育中間養成了一種特性，在今日就發生了影響。中國人是：因為時代經過既久，社會變遷自多，所以他的歷史觀念是強者未必久強，弱者未必久弱。漢、唐、宋、明，曾經幾度的敗亡，但未來復興的一個模糊的希望始終涵現於國民潛意識裡。王夫之顧亭林在民族失敗以後，仍是拼命著書。這種例子只是有最近一位德國海塞爾博士，在國德戰敗後從新把本國歷史叙述一遍，提倡一種樂觀精神。我覺得他的功效，比了費希特的講演還重要些，但較之顧王，猶不能望其項背。

這種悠久的樂觀態度，非今日物質文明眼前享樂的人們所能明白。也許有人說現代的文化與從前不同，然而真正拿歷史的眼光來看，文化之所為文化，就在其傳染性，發酵性，假如不「化」，就不得謂之文。所以文化這回事第一是敵我同化。蒙古人、滿洲人會騎馬，西洋人、日本人會用機器，但他騎馬我也能騎，他用機器我也可以用。假如說，那麼我們機器武力不如人，所以決不能取勝，那麼歷史上復國英雄，與革命志士起事的時候，弱國於抗強權的時候，武力與機器總是不如人，但終久獲得最後勝利，這是什麼原因？羅煦將軍指揮了一千萬人以上的武力，握有全世界的補充，他卻說一句話：「只有自認打了敗仗的人，才是真正打了敗仗。」我們知道羅煦將軍先有了這個根本信仰，然後英、法、美的武力才交給他。換句說話，因為法國人精神的堅決，所以物質能從貧乏裏一天天充沛起來，武力能從弱小裡一天天強大起來。

我們今天退出上海，但我們自信是勝利的，但我們今天退出南京，我們也自認是勝利的。這種說法並不抽象，也不空洞，我有正式的科學根據，須知我們是農業國家，並非工業國家；後者全部國力集中幾點，一個紐約可抵半個美國；一個大阪，可抵半個日本。中國因為是農業國家，國力中心，不在都市。敵人封鎖了內地隔絕的上海，只是一個死港，點綴着幾所新式房子而已。牠們與中國的抵抗力量，宗全沒有影響。你們把南京比紐約、倫敦、巴黎、柏林，這就錯了。史丹法尼他們儘此心理，他說現在中國人人心頭有一個南京，日本空軍炸毀了幾所新式建築，並不算一回事。

諸葛亮狂想曲（四〇）

・劉玄・

諸葛亮走到鋼琴旁，掀起琴蓋叮叮冬冬彈起來。

劉約翰仔細諦聽，既非貝多芬的曲子，亦非蕭邦的曲子，有着古東方的浪漫氣息。

諸葛亮彈完，劉約翰輕輕拍手。

「你聽得出這是什麼曲子？」諸葛亮問劉約翰。

「我對音樂是外行，實在不知道是什麼曲子。」

「這是我憑我的靈感和我多年演奏古琴所得經驗譜出來的。我想替它取一個名字，叫『諸葛亮狂想曲』，你看如何？」

「好極了，我建議丞相在龍岡會所開一次鋼琴演奏會，那倒真是『此曲只應天上有，人間那得幾回聞』了。」劉約翰阿諛得很得體，諸葛亮聽了很舒服。

「我第一次嘗試作曲，琴又彈得不好，那敢開演奏會。」

「又不賣票，有什麼關係。」劉約翰也有理由。

「不，不，我的作曲，自娛而已。」

諸葛亮語氣堅定，劉約翰不好再說。

「約翰，我問你，美國科學家是怎樣完成登月計劃的？」諸葛亮造過木牛流馬，故對科學甚感興趣。

「不瞞丞相說，我對科學是外行，我只知道，登月計劃是美國數以萬計的科學家的心血結晶。而且費了長久歲月才成功的。」劉約翰的回答等於零。

「依我看來，太空船的原理便是冲天炮。可惜我們中國人只知拿冲天炮當過年過節的遊戲玩藝兒，所以科學便一直落後了。聽說，自海禁大開以後，下界常有『月亮是美國的好』說法，有民族自尊心的中國人，常拿這句話來揶揄崇拜歐化的同胞。現在，同一月亮，在中國不過流行着嫦娥奔月，吳剛伐桂的神話，美國太空人卻已帶回幾十磅的月球巖石。這是很值得我們深省的。」諸葛亮雖是漢丞相，頭腦倒很新。

「對，對。丞相的思想很新，我很佩服。」劉約翰嚥了一口咖啡。

「不過話又說回來了，探月固然美國可以用一國的人力、物力、財力辦到。至於探測更遙遠的星球，恐非地球各國聯合一致，才能收效，這便是世界大同的境界。中國文化還是有其價值的。」諸葛亮生前漢賊不兩立於原則，他有濃厚的國家民族思想。

「探月成功，人類對於空間時間觀念有革命性的改變。而所講仙人、凡人也不過是一紙之隔而已。恐怕將來人類修仙成佛的觀念要為做太空人所代替了，哈哈。」

劉約翰似乎也言之成理。

諸葛亮正與劉約翰閒聊，忽然琴童入報，太白星君駕到。這太白星君是玉帝前的元老重臣，這樣天庭大仙，等閒人必須迴避。

史魔的私生活

世界名人特寫之一

翟文

一代魔王史太林賦性沉默，無論在辦公室或私邸，他總想避開人們的視線，獨自地讀書，獨自地沉思，這是盡人周知的事實。在大庭廣衆之間接見形形色色的人物，他最感覺頭痛。除開一年有幾次站在多數黨員之前報告施政方針而外，其餘的時候只有莫洛托夫、伏諾希洛夫、卡岡諾維安等三五心腹及私人秘書隨時得和他會談。史氏服裝與其他各國首領不同，只穿一件普通工人的衣服，下雨時罩上一件長外套，誰識得他是叱咤風雲的大人物？至於飲食一項，絕對不食外來之物，有時由夫人親手烹調，有時是推心置腹的廚子所做的。史氏周圍常常潛着暗殺的陰影，一杯茶一盤湯之微亦不可大意。人人想做大首領，人人沒想到大首領生活之不自由與不舒服！史氏每逢滴黨黨軍的時候，其警戒尤爲周密，自基洛夫被刺以來，他常常提防到反動派之陰謀不軌。克朗寧宮五間房子他住樸素無華的一間，沒有一切娛樂消遣之物，他的私生活冷靜是冷靜極了，單調也單調極了。

一年當中大部份時候由住在莫斯科，只有夏季才偶然到郊外別墅或黑海之濱停留一下。別墅建築在莫斯科河畔小山上，離莫斯科中心約有二十餘公哩，由克郎寧宮到別墅是一條直線大路名曰『史太林路』，是史氏掌政後才敷設完成的。路面之平坦寬闊引得外僑常在這兒駕着汽車兜風，時近到別墅的交叉路上站着一個很神氣的漢子指揮着來往汽車不許在別墅前經過。當然，別墅四周布有密密層層的警戒網，這不像普羅階級的氣派，但民衆對此並不感覺得一點兒異樣。

高加索海濱的屋子其主權是屬於共產黨中央執行委員會的，那裏是游水浴場，在這兒夏季有許多人在此浮游消遣。當史太林游泳的時候並不透出半點消息，何時來何時去外面都好像睡在這裡一樣，等到大家知道時，史太林早已回到莫斯科有兩三日之久了。假使有人走近游泳別墅之前，馬上會閃出一個素不相識的漢子一面和你閒談一面把你領到海邊較遠地方，這是一種舉止文明的警哨。史太林在屋子裡仍舊過着單調枯索的生活，不會客也不散步，高興時站在窗口吸收海濱新鮮空氣而已。他是個烟斗不離口的，正像英國邱吉爾一樣，據說他嗜好美國菸草，但在大庭廣衆之前他用的本國貨。他也喜喝酒，但從來沒有喝醉過，瞧他外貌像是不會喝酒的。

史氏生於一八七九年，十一歲喪父，母親以縫紉度日，把他送到神學校。他在十九歲做「馬克思主義的信徒」，以此被該校除名。嗣後參加革命，並未再受較高的教育。他的同志們有許多亡命到外國的，只有他從不離開俄國一步，連接過着流放或越獄的生活。他曾經說過：「凡是革命同志都應當留居國內與帝政作殊死戰，如果跑到國外發出不負責任的議論，那便不是革命家的行爲了。」他自承繼列寧地位以後，和地方民衆接近的機會一天比一天少，還由於預防暗殺的緣故，他簡直成了個秘幕中的怪物了。

御廚談藪

杏仁荳腐

林泉隱

杏仁荳腐就是四川的荳花，安徽的荳腐腦，可是四川荳花沒有杏仁荳腐那樣細嫩，安徽的荳腐腦雖與杏仁荳腐同樣細嫩，但賣出的價錢，差的不可道里計，杏仁荳腐就是荳腐腦裡加一兩滴杏仁精，被擺上酒席做冷甜菜，當然還有其他配料，荳腐腦則係弄道口小街上兒童的零食。

杏仁荳腐的製作，和製荳漿略同，另加石膏使豆乳凝固就是豆花，再加杏仁精與澱粉質即所謂杏仁豆腐。

成份黃豆一、〇〇〇公分，燒石膏一湯匙，細膩的澱粉（如紅薯粉之類）佔黃豆的重量三分之一，水約三十餘磅，將豆汁滾沸後，用桶放入燒石膏和澱粉以水和到不粘手的樣子，將滾沸的豆漿倒入經過半個鐘點就成爲豆腐腦，製杏仁豆腐的話於和石膏及澱粉加幾滴杏仁精，也有在臨吃配料時加的。

不管是豆腐腦或者是豆花乃至於杏仁豆腐都以嫩白光滑爲優良品，具富於蛋白質的營養食品，在四川有一種豆花價賤物美，更別具風味，在重慶石灰市有兩三家小飯館都是號賣豆花飯發財的，台灣似乎沒有，是值得提倡的。

丁博士成了個雪人（六二）

巨變歷險記！

胡慶蓉

丁博士與求共存亡的死主意是對了……

停在滄州車站的車終於要開了……

下半夜的天氣，比上半夜要涼，而且越涼越涼……。加上在走着——「空穴來風」，更涼更涼……！丁博士「高高在上」，在「樹高招風」的情形之下，更涼更涼……，腳已整個的麻木，腳已成了一塊冰似的，失去了知覺。腳那裏去了呢？好像不知道。腳好像沒有了，好像脫離了自己。耳朵都凍紅了，臉都凍「寸」（龜裂之）意了。假若有鏡子來照一照，自己看自己，恐都會怕起來。手也凍爛了，腳也凍爛了。幸身上還有點熱氣，頭腦還清楚。

騎在材料上，坐在材料上，還有晴朗的是高高在上。在夜裏，有天在悠悠之感，像屈原在他的離騷中，「念天地之悠悠」：……「悠悠」這兩個字太好了，悠悠有幽遠無窮無盡的意思。又有「天何言哉，四時行焉，百物生焉」的意思。「悠悠」表示天地之偉大，悠悠表示天地之殘酷，他不管一切，不顧一切，在不停的動，常常的動，永遠的動。秦皇漢武，而今安在？但又有自誇高出秦皇漢武者。消終歸也要被悠悠打下去。「悠悠」眞是不得了，了不得，誰都無奈他何，誰都奈何他不得。這時的丁博士，恐怕精神與天地參了，命雖還沒上西天，命好像消在冰冷之中了。

古詩有湘又逢湘夜雨之說，在車行快要靠近濟南的一段，天並且下起雪來。雪，我說過，在天寒的地方，最容易見着。雪比雨好。雨打在衣服上，假若不是遊雨衣的話——上，滴滴濕透，很容易濕透。但雪則不然，雪有雪花，雪花滿佈，雪花是在飛，而不是在下。雪花飛在丁博士的衣服上，把衣服給他堆埋起來，把頭給他蓋起來，除眼睛和鼻孔蓋不起來，其餘的部份幾爲雪所蓋了。丁博士成了一個雪人。這是太好的掩護了，到了車停的時候，共產黨來查，也不注意，或注意不到，也就算了。

雪在平常的時候，是很令人愛的。把大地點綴成銀色的世界，那是多麼美麗啊！茫茫大地，一片白色。但他把世界的醜陋也都掩蓋了。沿津浦線兩旁的農村，他們的貧窮面目都不見了，現在看見的，都是雪。農村都蓋上雪，確實象徵美麗的服裝。是美麗。古有陽春白雪之說，白雪足見是一景。白雪之白，象徵貞操，象徵清節。白雪之白，象徵悲哀。中國歷史上傳統，父母死亡，兒女當大事，普通都穿着白衣服，白衣又有孝衣之稱。但也有披麻帶孝的。

滄州到濟南，彷彿走了兩天兩夜。車行非常緩慢，但也時候很快，快一點慢一點無所謂。沿途常見工人在修鐵路，準備通車。因爲多年沒有通車，[illegible]多。（未完）

鯉魚潭邊的故事（十二）

趙陀

「媽，你說你哥哥會不會像媽一樣的喜歡我，整天帶領着我，媽媽說得對『怎能相保對方非蘇克琳不娶呢？』媽，我怕，我怕會有這樣一天的來臨，我將不知如何自處……」這時份的克琳現用懷疑的態度。

忽然之間，蘇荷寶從窗外喊：「快兩點了，母女都生着一張喇叭嘴，吹起來就不停，打算敲通宵是嗎？」

京劇中三娘教子的台詞，哼出「你的母，教訓你，非爲之錯，爲甚麼將好話錯當惡說。」

你爸這個老不死，和我是前生冤孽，又將我昨天的參茸酒當黃湯飲了，老鬼遇到問題，就借酒消愁，讓我來問他：

桃花潭水深千尺

「老東西，上星期一筆錢要你節省點用，你這個老鬼，甚麼『天生我材必有用，千金散盡還復來。』叫你酒鬼別再樂酒鬼，你唱甚麼『古來聖賢皆寂寞，惟有飲者留其名』，今晚我應當和你一首：『牛馬各價上門討』，但願長眠不願醒。』」

蘇荷寶指着顧芳大聲朗誦唱出：

老伴呀！老伴！「呼兒將出換美酒，與爾同銷萬古愁」」說罷向顧芳拱手打揖說：

「駙[illegible]回宮，[illegible]娘娘與公主珍重。」

（未完）

生離死別二十年（上）

——悼國代張疆亭學長逝世——

黃公偉

纔許多故舊友好之後，國代張疆亭學長也逝世了。七月廿日，參加公祭歸來，不勝黯然，惆悵悲傷！深感黃泉之路，雖所不免，然埋骨他鄉總非所願。不幸，張學長也未能免「俗」。江淹有云：「人生在此，天道寧論」！是天命，是人爲，我所以爲許多不及「落葉歸根」的朋友，旅死荒郊而一灑莫可奈何之淚。

套用「三國演義」的一句話，話說從三十八年到如今，我們在「半生教訓」的戰線上，復國的路程已經走了二十年。在此悠悠歲月中，留在大陸上受苦難的，誰無父母倚閭而望。誰無兄弟妻子，無依無靠，這二十年的苦難歲月，少者已壯，壯者已老。老者如何，不敢設想。我連眼區報導，都不忍聽。一聽就感肝腸寸斷。這是夢想不到的身爲悲劇主角，誰能免「俗」！在此漫長廿年中，台灣風光，歡樂年年。眞是「暖風吹得遊人醉，竟把杭州作汴州。」當年出生的嬰兒，今已跨進大學。同樣的，少者以壯，壯者以老，社會各角落，湧滿奇服異裝的青少年。我們這一代的人走坐公共車都沒有插足餘地了。有人說，這是一「新陳代謝」，這是一「交替」，還是，乾脆說這輪到我們這一代「自我否定」了。哦，好像酷的自然律，多令人不敢領教的歷史律、社會律，生死法門，誰也無所逃於此種趨勢的處決，豈不可悲可哀！實例不勝擧，

二十年中從大陸一同逃出來的朋友，又經幾多人的進出殯儀館，又讓大家送進什麼山長眠。先如于右任、賈景德、[illegible]、張道藩者流，他們一「道」終於大典」再隆重，我也不敢相信他們是瞑目的。就我這樣顯要之外，不列各人之內的人而言，我的同鄉好友，無論是新聞記者、教書匠、鋒二尺半的，要想樣的朋友，當我接到一份訃聞，我在「行禮如儀」之後，和參加晚宴的婚禮的感受，總是截然不同。二十年來吃得不計其數的喜酒，是爲他們的父兄的體面，與我無關，連「喜」事來。凡屬訃聞，除了友好的「丈母娘」者外，大半都與我有生死相關的情誼。我必須到場一盡人情。必要時，還須付「奠儀」，一表不枉作一世朋友，在生死之門，殯儀館出入的次數實在也不計其數。「公祭」、「私交」，都難免使「老者何以堪」。例如九年前他說笑話：「老一你說這個老件」，過了不到一個多月，他真的世了。張道藩先生[illegible]院長，我勸他[illegible]立刻就好，他終於熟朋友[illegible]了。可是[illegible]文藝[illegible]，如傅紹[illegible]，同我去台大醫院求醫，他已去世多年。至於王平陵、葛賢寧、覃子豪，無不熟朋友，如黃教育界的[illegible]建中、係總中不必說。台大許恪士教授去世前一週，我還在輔大碩士學位的口試一同坐車作考試委員，星期後，他竟作古人，「人生無常」。哦，[illegible]風燭殘年的我輩，目睹此一前仆後繼」的光榮，焉能不興「物傷其類」之悲？最使我傷感的是常文陳語大兩兒之早逝。身後蕭條，鄉友齊出，他們生前莫不咬牙切齒，梅闊也去世幾年了。而竟未見國土重光。匆匆的結束了人生旅程，作了「離鄉背井魂」。哀哉。（未完）

癌症的初期治療與有效預防（中）

生活漫談

馬騰雲

癌症雖然還沒有救藥，但防止癌症是有辦法的。一九五一年，仰光大學請一位專家就癌症問題發表演說，這位專家指出東南歐嗜食大蒜的區域甚少癌症，南洋羣島有二十幾萬中國山東省籍的商人，未聽說其中有得過癌症的。他的結論，歸功於食大蒜，等於注射癌症預防針，就日本出品的癌藥，就是大蒜製劑。

我們根據各種資料研究，有人曾用大蒜加入細菌培養基中，對於各種細菌，可完全制止發育，大蒜裏有效成份是二硫化合物，不僅可以制止各種細菌的發育，且有消滅阿米巴原虫的性能，他如葡萄球菌、鏈球菌、赤痢桿菌、八聯球菌等皆可消滅。

筆者曾旅居馬來亞，很少聽說有人得癌症，後詢諸當地醫藥界，謂土人有草藥可以化解此項絕症，經過詳細打聽，有種草藥名叫「大古草」，又名「鱗口珠」；本地人常將這種草熬水作飲料，功能消除五臟肺毒。這是十年前的事了，筆者回到祖國後，遇到初期癌症也即似是而非的病症，告以服鱗口珠，皆有奇效，有一次筆者去訪問一位賣草藥的七十高齡老先生，詢「鱗口珠治何病」？他答覆：「治五臟生病」，筆者再問：「五臟是心肝脾肺腎嗎」？他說：「是的」。得很，未有幾天有位同鄉，係台灣××兵工廠技術人員，腳部紅腫發腫，吃藥打針都沒有效，進者費他買兩元新台幣鱗口珠煎熬成汁半吃半洗，後果然痊癒，於是鱗口珠在人們的傳播下，大行紅運，醫好了不少的病人，筆者患過肝病，朋友們都替我招急，一致主張住台大醫院，因爲我是相信中醫的人，且有些多醫書編著出版，只「生活漫談」一集發行數達一萬幾千本，這在台灣是破天荒的，尤其不相信西醫治內科，老頑固的頭銜也是這樣謙來，後來還是自我治癒，不算名醫，也未抵觸法令，用的主藥就是鱗口珠，約有六年，肝病未有再犯了，鱗口珠是否能根治癌症，希望因此叙述而能得到專家注意，早日發明治療癌症專藥。發明盤尼西林者對他自己國家的收益和對人類的貢獻，眞非數字所能形容。台灣有幾個癌症患者，正式請筆者診治，皆經言詞謝絕。中國已往儒醫地位最高，於今得有醫師執照的眞正識書人，往往不取，不識幾個字的人考必能中，「盲醫」大行其道，早代替了儒醫，遙亦是社會進步使然，錢都給識書人賺，功全部歸識書人，不讀書的人豈非永遠不能翻身了嗎？這些「盲醫」應當感謝考試制度的恩惠。下期談鱗口珠的性能與藥用部分。

自由報
中華民國內政部內警台報字第〇三一一號
中華民國僑務委員會登記證僑台報字第三二三號
中華郵政第一八一二八二號執照登記爲第一類新聞紙
（第三九九期）
（半週刊每逢星期三、六出版）
發行兼督印・社長李運鵬
社址：香港九龍彌敦道593—601號創興銀行大廈八樓五座
LIU CHONG HING BUILDING
7th FLOOR FLAT 5
593—601 NATHAN ROAD,
KOWLOON, H.K.
TEL：K303831
電報掛號：7191

本報台北區地址及電話號碼局部變更啓事

本報台北區地址及電話號碼變更如後：（一）本報台灣總管理處地址照舊惟不列報名下免得台灣讀者投稿訂報輾轉週折及信件遺失等事。（二）台灣連絡中心：台北青田街五巷三號，電話：三七五〇二二。（三）台北營業部：衡陽街三十號，電話二七二〇〇。（四）台灣分社地址照舊

論中國文化之可大可久

尤禾山

我中華民族，雄踞東亞，建國迄今，已[illegible]年。其間屢經阽危，而終能撥亂反正，繼續發揚光大者，賴聖聖相傳之文化道統。換言之，乃以人性爲基礎，以人道爲內涵之中華文化促使中華民族，在悠久博大光榮之歷史中延續發展，創造；雖猶彌厲，歷久常新，可大復可久。

中華文化經由先民之集體智慧，不斷地創造與發展。自有文字紀錄後，詩書易禮之所載，金器甲骨之所遺，無不創造其獨特之風格。尤其有周一代，典章俱備，文物一新，百家爭鳴，思想新穎，於古代之文化史中大異彩。夫考其故，實賴傳統文化負之以繼，載文載道。自唐虞與舜繼承黃帝建國，啓明以來，歷經三代，先聖先賢而能集其大成，首推孔丘，又有孟軻之發揚，論其要者，曰仁與中。仁者，待人之極則，中者治事之極則。仁者愛人，故和，中而不偏，故安。先民以和吸收外來文化，傳播本身文化，相互交流，擴大影響，終於同化，以致載華嶽而不重，振河海而不洩，而歸於安。故曰：致中和天地位焉，萬物育焉。是乃中華文化受各種壓迫而不屈不撓。周姬以次，中華文化之創造，發展，雖因暴秦之焚書坑儒而遭傷害，但暴政仍自取滅亡，創造發展不僅未終止，且能再創造更創造，再發展更發展。漢武之中興，中華中復興而發揚，崇五經，尚儒術，設博士，上承兩千年文化傳統，下啓兩千年思想中心，兼容並蓄，既不排斥老莊哲道，又兼容西來釋佛，形成萬物並育道並行，一統中華文化歷久彌新，萬古常青，光芒四射，近悅遠來。降及近代，思想潮流激盪，中西交流，國父高瞻遠矚，網羅萬象，乃本其卓越智慧，崇高思想，揭櫫三民主義，堅主恢復固有道德之精華，發揚民族優秀智能，吸收西方文明，迎頭趕上，進步發展，創造三民主義新文化。實行於全國，宏揚於世界，促進大同。是乃中華民族之可大者在此，中華文化之功能亦於斯。

中華文化經由暴君亂臣交相摧陵，肆意損傷，未能得逞，仍能屹立迄今，恒久不衰，不減盛年，實因博大精深之功，如秦政，不爲劫火所焚，如五胡不爲狄亂所毀，或元蒙賤儒所能貶低，或清廷文字獄所禁錮。反而均在中華文化潛力反擊下，不能苟存。是故我中華民族之文化，歷五千年而彌益光，道益盛，不惟無人能予以搖撼摧夷，亦且反證，愈經搖撼摧夷，愈見其剛健強韌，而可大可久。中華民族，上自君主，下自平民，堅守不爲聖賢，便爲豪傑之大道，每當變亂之世，多少百姓爲此轉死溝壑，無數仁人志士爲此投袂以起，奮勇作戰，圖謀光復。中華文化，屢經變亂，迭受欺凌，但終能復興，開拓新運。緬懷先烈、先民、先賢、先聖爲了維護傳統文化，民族生存與發展，人人奮起於可歌可泣之戰鬥中，個個前仆後繼於可欽可敬的犧牲裡，使中華文化亡以圖存於危而復興。中華文化唯有於內亂外患交侵之中，備受草賊流寇之破壞，毀傷，足以表明中華民族可久之源流，植基于民族忍耐力之堅強與創造力之宏偉。而在悠久之歷史上，內憂外患爲禍中原，其時長短不等，或二百多年，或八十餘年，或十餘年，而中華文化之延續，愈久而大義愈形彪炳；中華文化之光輝，愈久而燦爛永射全球。而今之世，環顧神州，僅區區毛匪，何物？寥寥紅衛兵，何物？在中華文化之正氣下，亦適見此蚍蜉撼大樹，自速其死亡而已。吾人深信全國同胞，在總統英明領導下，以中華文化爲吾人之精神武器，掃平妖氛，根絕赤禍，奠定中華民族之復興基礎，完成人類和平世界之偉業。

在民族文化發展之長夜漫漫中，中華文化確發揮了偉大的功能，有如永不熄滅之明燈，大放光明之火炬，引導中華民族衝破黑暗，邁向光明之前程。

試看文化發展史之過程，中華文化以孔子爲經，在孔子以前，經有：堯舜禹湯武周文公之創造與發展，皆著成就，自孔子出現，刪詩書，著春秋，制禮樂，定制度，匯集中華文化之大成。其後，中華民族，變經暴亂所侵，屢爲邪說所亂，使中華文化備受損傷備受摧殘，迄至今日赤禍，使我民族更受空前絕後之浩劫，史無前例之侵凌，使我傳統之優秀文化，幾將滅絕而中絕，幸賴國父繼此絕學，乃有三民主義之發明，而道統文化從此集大成於國父，並建三民主義之新中國迄今。總上所述，則知中華文化，由繼往開來者無不持載，無不覆幬，功贊化育者如四時錯行，如日月代明。是乃中華文化，引導中華民族於長夜漫漫中，啓明復旦。亦促使人類臍道坦坦，步驟於新時代也。

中華文化基礎，在倫理，在民主，在科學。中華文化的精神，以誠爲動力，以仁爲中心，以中爲標準。處處表徵德配天地之造化，時時有道貫古今之神功。

先聖先賢之所以由之致後人之道，皆可大可久之道，成德而不重財，一切重德而不重力，均以德本而先，故凡事合于人性，近人情，[illegible]有本立而道生之論。中[illegible]：注重人治，本於德治，[illegible]以德爲基礎，以法爲制度。就教育而論：以修道爲基本，以德性爲先，[illegible]。就軍事論：[illegible]以德服人，[illegible]。故謂中華文化足以護衛中華民族生生不息，不惟無人能予以[illegible]，而愈見其堅強，[illegible]，容光煥發。可大更可久。

中華民族，建國迄今，在中華男女之體驗下，中華文化之偉大功用，是謂能盡人之性，能盡己之性，能盡物之性。有天道，有地道，有人道，[illegible]，三才兼具。或頂天立地，[illegible]，與天地參。是故實行中華文化，能知天地之化育，[illegible]，以解決世界禍亂之紛源，挽救西方文化之分裂、

中華社會，首重五倫，而中華文化，亦爲五倫文化。精加剖析，五倫文化者，人倫之道也。是乃八德之來源，四維之張本，人倫乃中華文化之精華，中華文化之人倫精神，反共復國之利器。反觀西方文化之人倫，唯心者偏重於心態，唯物者注意於物質，結果，不僅不能中其道，行之，甚至各行其是，由衝突、矛盾、鬥爭，以至戰爭。所以，民主國家，有道德重整之組織，有道德重整之活動，期能鑑於斯，其目的亦以挽救西方文化之精神崩潰爲依歸。但欲振起敝者，有待[illegible]之功效者，外需中華民族之人道文化，人倫文化之大舉推動，方克以竟其功。

中華民族，無不以家爲本位，因之其文化，亦然，所以中華文化在以家爲本位之基礎上，既不偏向于個人主義，也不偏向於社會主義。並以國之本在家，家之本在身，以爲教育之起點，人人明修身齊家，出則治國平天下，均以能力於家，或以家爲橋樑，家在中華文化中，發揮了偉大的功能，所謂家是男女老幼生活之基地，古今中外，[illegible]歸隱者，將士解甲歸田者，是家。[illegible]日，家更是兒童之保育院，青年之戀愛場所，老年之天堂。[illegible]

[illegible]中華文化[illegible]，功足以挽救西方文化[illegible]

[illegible]她是三民主義之中和文化。她貫通了古今，融會了中西，開出現代之中華文化；[illegible]人類必須有共同認識。[illegible]中國最新最進步的文化。[illegible]國父之志業，[illegible]，我們務必一致，[illegible]中華民族與山河[illegible]，[illegible]而臻於世界大同[illegible]。

昨日與明日

胡志明一死了之

張克敏

越共領袖胡志明，係共領袖乃比里，在政治鬥爭上，同爲一對狼角，尤其胡志明二十五年來率領北越人，打垮了法國，現正和美國作生死存亡之戰。

胡志明於本月四日上午九時四十分，因心臟病逝世，筆者引用法國小說家兼政治家的四句詩贈給胡志明還相當恰當。

遮着你額上的汗水，
你賺到你可憐的「政治」
生活。
經過長久的勞動和消耗，
現在死確來邀請你。

胡志明是死了，給越北人民留下來的是一鑊爛泥，蘇俄要胡志明跟着「蘇聯修正主義」走，毛澤東硬逼胡志明反蘇修，反美帝，且指出「蘇修與美帝是越南人民的共同敵人」胡志明在兩姑之間難以爲媳，祇有一死了之，至於胡是氣死，自殺，或他殺，留待時間來澄清吧。

匪俄派大員治喪

蘇俄表示，保證繼續對胡志明的繼承者，給予充份支持。

據蘇俄官方消息，柯錫金總理率領一個代表團，將飛往河內參加葬禮，目前已中止休假馳返莫斯科，儼然爲喪考妣，難道胡志明眞有這麼重的份量嗎？

毛共派出一個以周恩來爲首的代表團，前往河內參加喪禮，且已先柯錫金抵達內，其實胡志明在蘇俄反毛運動，者毛河澤東反蘇修之間，北越早失去了自主權，即對內也無法指揮，柯錫金與周恩來在胡志明棺材前會晤，已成定局，角逐的結果雖難預測，但柯錫金，周恩來帶給北越人民的非物資金錢和幸福，仍舊爲戰爭，死亡與紊亂，可以斷定。

日本外相太丟臉

蘇俄總理柯錫金，因爲要到越北去奔喪，已決定取消接見日本外相愛知揆一的預定計劃，就外交常態上說，蘇俄固然失禮，日本外相更會感到尷尬。

愛知揆一在行前一連串的會議，獲首相甚多秘密指示，藉以爲抵莫斯科後，雖不敢說舉足重輕，最少總是蘇俄近年來有份量的客人，未料，竟被一個北越死去的酋長將鏡頭搶去，多麼使日本難堪，眞是：

我本有心向明月，
誰知明月照溝渠。

自由談

美國的希望和實現

馬二爺

尼克森總統於本年一月廿一日上台迄今，已逾半載。在這半年多期間，共和黨政府面臨若干現實的難題，譬如國內通貨膨脹的威脅，對外越南戰爭的應否改變政策，都是非常棘手問題。儘管在這期間，美國探月成功，提高了美國在國際上的聲望，使在位的美國總統尼克森先生特別感到幸福和榮譽，但本質上，對於美國所面臨問題的解決，並沒有多大的幫助。

在過去半年內，尼克森總統曾兩次出國訪問，從從風塵於歐亞兩大洲之間，很顯然的，他的目的並非遊山觀光，而是一有所爲」。在共和黨的領導下，美國的外交政策顯然要「變」。如何變法，已引起世人的普遍關心。因爲今天與共產主義國家相對抗的，祇有美國這個力量。美國態度的轉變，實在關係世界大局的安危。美國政要的言論和美國政府近來的若干措施看（爲越南撤軍五萬，放寬對中共、貿易限制等），已使世界有識之士對美國外交政策發生懷疑了。

其實歐洲國家對美國政策早已不甚信任。譬如一九五八年匈牙利革命事件，一九六八年俄軍捷事件，美國都袖手事外，漠然無動於中。這也就是以往北大西洋公約同盟，法國所以堅決主張，法國應有指揮核子武力的權力，其後，法國在國家財力萬分困難的情況下，法國甚至不惜自法鄉貶值的危險（最後還是貶值了），獨自發展核子武力。其中主要關鍵就是若干盟國懷疑：在必要的場合，美國有否以核子武器來保護她的盟邦呢？

尼克森號召的新亞洲政策，能確保解決亞洲問題嗎？對侵略者的遷就，能一定獲致和平嗎？縱然中共進入聯台國，美國政治家們有多少人相信：能以談判解決問題嗎？在世人對美國新外交政策導致懷疑期間，我們很高興地看到尼克森總統本年九月二日在美國科羅拉多州第六十一屆全國州長會議的演辭。他宣示：一九七〇年代的新戰略需要謀求和平的戰略。他的政府仍堅守世界領導責任，決不背信任何盟國，不過，他也提出：美國想締造一個新的世界安全結構，在這個新的結構中，負担與利益平均分配，不依賴一個國家的力量，而要運用所有國家的力量。

這些話，仍然值得世界反共國家的重視深思。我們對美國的建議是：和平爲世人的願望，但與殘暴不仁的共產主義國家謀和平，不用具體有效的方法，結果必落入陷阱，所得到的決不是和平，而是擴軍更爲慘重的戰爭。

蔣副院長掌握重點
財政經濟徹底革新
聽取工商意見變理想為事實
錢鬼難作法銀行不再是當舖

本報財經記者齊野台北消息：子適衛，冉有僕，子曰：「庶矣哉！」冉有曰：「既庶矣，又何加焉？」曰：「富之。」曰：「既富矣，又何加焉？」曰：「敎之。」

以上是孔子去衛國，弟子冉求當僕員，老師合弟子討論衛國政治的一段對話

行政院局部改組，特別著重財、經、敎育幾方面的人事調整，精神物質雙管齊下，可說已經把握了政治重點，並由蔣經國副院長兼任國際經濟合作發展委員會主任委員，又親自主持新成立的財政經濟金融會報。蔣兼主委宣示，經合會此次改組後，其性能有類於財經金融會報的幕僚作業機構。倘該會果能負起溝通政府與民間意見，必能協調各有關部門工作，使今後經濟發展更為加快又全無阻碍，是可斷言的。

蔣副院長為貫澈他的主張，把理想變成事實，又分批約請工商界人士舉行座談會，聽取工商界經營事業所遭遇的困難，各別給與指導及協助，使一切困難在政府協助下將迎刃而解，這種座談會聞將經常舉行，不斷檢討改進。在在足以證明蔣副院長有決心先把國家「富之」，然後進而「敎之」，也就是回頭再來「整頓敎育」。

自由中國的經濟發展，不容否認近年已有飛躍進步，但也不必諱言，與「經濟建設」四字相去實在太遠，美其名曰「經濟繁榮」，亦不過主其事的人自我陶醉而已。九一八事變後軍事學家蔣百里（方震）就高倡「國防經濟」一詞，並奉令　總統　蔣公派往意大利考察。這個目標，於今在反攻前夕的環境下，仍然是一份急務。

二次世界大戰，美國總統羅斯福喊出「美國是民主國家一大兵工廠」的口號，戰爭期間美國真正負起民主國家所需要軍火生產的責任。一旦戰爭結束，又恢復了正常的生產，美國的各型工廠並沒有因戰爭或勝利而關門，我們的條件當然不能同美國相比，有計劃的設廠須向國防經濟建設方向努力，乃正確途徑。目前自由中國所有工廠的生產，莫說反攻令一旦下達，他們不能生產軍需品，所有交通工具用於前線，外銷產品甚麼工具去運，產品堆積到倉庫裏，工廠又甚麼來支持。過去這種不協調的形成，說的冠冕些當然是財政金融界的主管們本位主義太濃厚，不肯與各方面密切配合，共謀發展。否則經濟繁榮決不止像今日虛有其表的畸形現象。

考試院長孫哲生先生去年某日發表一篇演說，痛詆「銀行是當舖」。一針見血，大快人心。但銀行界並不引以為恥，真正的銀行家，是憑銀行的信用，運用一切資金投之於國家的生產建設，記者十數年前，去看一位大陸相識多年的銀行界朋友，他正與人談論一個人，他很嚴肅的說：「他何必同我來這一套，我是在銀行界幹了幾十年的錢鬼子」。當時我很詫異他為甚麼罵自己是「錢鬼子」？留心十數年，我才瞭解這位朋友既非「自嘲」，也非「自諉」，正是良心實話。

立委新聞集錦
艾敏

近來有幾件關於立法委員的新聞，刊載在報端，看後實在感到「蹩扭」，不能不說幾句話：

有位女立委去美國開飯館，被謀財害死。我想：假如這位立委，很安份地在自由中國作她的立法委員，儘管不一定按時開會，但決不致被人謀財害命。

有位先生過去也算是政海聞人，最近在旅居多年的香港逝世了，如果報上不刊載立委頭銜，人們還不曉得他是立委呢？我們懷疑：這麼多年，他何以不回國替他代表民意的職責呢！

有位立委在公開會議場合，口出穢言，侮辱主席。正義的委員們以為他侮辱主席，就是侮辱立法院，提付紀律委員會懲戒，輿論大快，原因這位委員人緣有點差勁，有家報紙並主張澈查他的真正動機何在？立法院代表全國最高民意機關，怎容如此人物橫行？我們懷疑：如此型的人，是否還有？有如此風度[illegible]懷的人，夠格在廟堂論政嗎？

小金龍奪魁看世態
科學教育百年大計
中原理工又傳醜聞

（本報駐台特派員呂孝佛通訊）國內近日最熱門的新聞，便是中華（另名：台中金龍）少年棒球隊榮獲世界少年棒球賽冠軍的消息成為舉國上下歡欣鼓舞的一樁大事。不由得使人想到當初少年棒球因無人過問，致旅費短絀難以成行的情形，再看到今日勇奪冠軍，獨佔鰲頭後，國人交口稱讚熱烈興奮的樣子，甚至有人打鐵趁熱作募集獎學金的準備，令人不禁興世態炎涼之慨，實乃雪中送炭者不多見也。

×　×　×　×

中央研究院物理研究所副所長王唯農自西德講學歸來曾在機場告訴記者：國內應積極培養科學人才，特別是職業教育方面，尤應予以加強。這是參觀過西德最大的兩所核能融合與分裂中心的學人表示：德國與我們的民族性有許多地方極為相似，如聰明和勤勞皆是，但他們對科學發展較有遠見，像二次大戰後，德人就積極推廣職業教育，奠定了日後德國在核能方面發展的基礎，並且社會輿論也重視鼓勵一般青年從事技術性的工作。王唯農教授認為國內青年一窩蜂擠向大專的窄門是士大夫的觀念在作祟，他呼籲國人重視科學教育，政府社會各方面應重視職業工作的神聖觀念，如此上行下效，相信中國在科學的基礎上將更為紮實，更為穩固。畢竟科學時代裏唯有科學技術才能救國，唯有科學文明才能使中華文化發揚光大。

×　×　×　×

最近台灣高等學府盛傳一項醜聞，即中原理工學院的內部糾紛，原來該校自若干董事和特權階級合力迫走謝明山院長（兼夜間部主任）辭職出國後，現又將夜間部副主任王可富解聘，另聘賈辛酉兼代主任，致使雙方互登廣告指控對方不合法，高潮迭起，歷時十八天之久，教育部才姍姍然在八月廿六日發表書面談話。據熟悉該校的內情人士說：謝明山為一忠厚熱心教育的學者，不可能中途因健康關係辭職，實為幕後操縱該校財政和人事的教會人士合力迫走的。其實中原理工學院在初成立招生時就發生買賣學籍的情事，當時第一屆的水利專修科的學生背景，可以說是冠蓋雲集將星滿堂，後來經過謝明山的大力整飭才走上正軌的，不料教會方面居心叵測，始終不肯放棄這所以基督教會名義設立的理工學院，因此十多年來形成一股逆流，終使謝明山辭職赴美講學。

銀行貸款先講暗盤
言語拿順皆大歡喜

台灣工商界的人士都知，不管你需要資金如何正當，如果暗盤條件談不好，你所具備的要件怎樣優越，也絕對從銀行裡借不到錢。這兩年台灣炒地皮鬧得天翻地覆，試問那一個炒地皮的人不是和銀行裏勾結，背後有銀行在那裏撐腰，尤其正當的中小型企業，向銀行貸款，談何容易？

主持經濟部的李國鼎部長，對財政金融機構不能配合經濟發展的真正情況，可能瞭解最多，痛苦亦最深，說是本位主義在作祟，恐怕是最客氣的外交修辭吧！行政院局部改組把李國鼎先生由經濟部調為財政部長，政府真正用意何在非局外人所得揣測，在一般人表面看來，這是政府相當有魄力的一項決定。李國鼎在經濟部長任內，對工商界所要求最多，但工商界所要求於經濟部的李部長意見雖多，卻無能為力，這次貫澈主張可有發揮的機會了。我們也可能想到，冰凍三尺，非一日之寒，銀行界的積弊已深，李國鼎孤軍深入，身陷重圍，被迫必須向那些錢鬼子們鬥法，內心的痛苦恐怕是免不掉的。然而多數人還是希望李部長拿出過去勇於負責的態度，努力向前，建設我們的國家。

政府的決心，如果是有計劃的，把我們的經濟發展，走上國防經濟的道路，人事的安排還是最重要的。台灣的金融機構，幾乎沒有一家是純粹民營的，幾家大銀行最少有政府百分之五十一的資本，只要政府一紙命令便可順利調整人事。政府在台灣所經營大規模而且一切制度化的公營事業機構也有不少單位，我們很欣喜蔣兼主委拿出更大的魄力，把財政金融機構和公營事業機構的主管們互相對調服務。主持事業機構的人也都是國家培植多年的優秀人才，他們的觀念、他們的經驗主持銀行業務是絲毫沒有問題的，他們最懂資金的運用，必能發揮金融最高效用。相反銀行老板們主持公營事業既非完全外行，政府也給他們一個發展能力的機會，公私均利，何樂不為。

喬治桑外傳
七七　張大萬

喬治桑在台北吃喝玩樂，每天花天酒地，混久了，自己也感覺得有點膩味，所以，不必要的應酬，儘量推卸，寧可呆在家裡與雅麗絲聊天。

台北的五月天氣，變化最大，乍陰乍陽，忽冷忽熱。連出三天太陽，熱得令人透不過氣來，連下幾天雨，又令人有春寒料峭之感。

喬治桑患了輕微感冒，一連幾天沒出門。閒來放些平劇唱片作為消遣。有時又練習書法。很有故都文化人的閒情逸緻。

這天下午喬治桑的感冒已經好大半。窗外陰雨連綿，喬治桑與雅麗絲坐在客廳裏閒聊。

「雅麗絲，妳是那裡人？」喬治桑忽然查問起雅麗絲的省籍來。

「我母親是蘇州人，爸爸是福建人，怎樣？」雅麗絲不會抽烟，她嘴裏在嚼着口香膠。

「沒有甚麼，我隨便問問，妳的台灣話說得這麼好，我還以為妳是台灣人呢。」喬治桑已經幾天沒有抽烟了，現在卻在吸着烟斗。

「李是我後父的姓。」雅麗絲受歐化教育，並不諱言她有兩個父親。

「以前的父親是誰？」喬治桑用眼睛直視雅麗絲，等她回答。

「以前的父親是……」雅麗絲微微皺眉，繼續說：「我的生父是個沒有良心的男人。母親與他發生戀愛的時候，才高中畢業，等到肚子裡有了我，他竟跑到美國去了，『包死』，你是知道的，那一時代，未出嫁媽媽簡直在社會無法立足，母親是一個堅強的女性，我一出生，她便離開了家庭。」雅麗絲侃侃而談，倒是喬治桑聽了，心靈微微覺得有點悵撼。

「妳的母親，娘家姓甚麼？」喬治桑問。

「姓曾，我索性告訴你吧。母親離開家庭以後，便去做舞女，我還記得小時，大概三四歲吧，母親每晚打扮得花枝招展出去，我有好的東西吃，好的衣服穿，好的玩具玩。老實告訴你，我直到今天，我仍以她為榮，絲毫不覺她做舞女為可恥。相反的，我一直恨我生父！」雅麗絲說到此處，狠狠地嚼了兩下口香膠，似乎在表示憎恨。

「上海淪陷，我隨母親來到台灣，母親為了要讓我受最好的教育，所以便去當酒家女。不瞞你說，我並不賤視舞女、酒家女，也許還是一個潛在的原因。」

「一低賤的職業，不會影響一個人靈魂的純潔。」

「對，對，正是此意。」這時，雅麗絲吐掉口香膠渣，在嗑玫瑰瓜子，抓了一把給喬治桑。

「嗑瓜子的嗜好也是由母親那裏學來的，你知道蘇州女人都愛嗑瓜子。」雅麗絲頭一偏，甩了甩她的「馬尾」，模樣兒很嬌美。

「當我上初中二年級的那一年，有一天晚上，母親帶了一個中年男人回來，叫我叫他李伯伯。不久，他們便結婚了。我的後父是一個很能幹的生意人，脾氣又好。你不要見笑，他從來不罵我，像自己親生女兒一樣疼我。當然，他是很愛護母親的。我們的生活一直幸福。」雅麗絲嗑瓜子的技術，一看便知她有蘇州血統。

「妳的父親幾時死的？」喬治桑抽完一斗烟，在磕烟灰。

（未完）

台灣二三事

十年媳婦熬成婆

時代在今日太空科學[illegible]十年媳婦熬成婆[illegible]最近數以萬計[illegible]

[illegible]

子喝水按着頸

西洋有一句名言[illegible]

郭雨新二三事

文匯樓主

文匯樓剳記

立法委員、省議員如果亦三緘其口學金人，還和辦務不敢講話，如出一轍，就像不捕鼠的貓，不能守門口的狗。前者有負選民權數務，後者講出太像教，還是話到咽邊留半句吧。

郭雨新在省議會中，是敢發言的一位，同時他的資格也老，日治時代，台北帝國大學畢業，做過台灣青果業工會理事長，台灣合作社聯合社理事主席，及很多公司的董事或董事長，到現在爲止，郭雨新仍一貧如洗，兩袖清風，其能潔身自愛，可以想像。台灣省議會中，前後有五位資深議員，除郭雨新外，另四位是黃朝琴、李萬居、劉闊才、謝東閔。

郭雨新爲青年黨籍，在省議會以「小鋼炮」著稱，亦因此得到選民的信任與喝彩。昔年他炮轟任顯羣，認爲財政廳長兼台灣銀行董事長，有醫生兼開長生店之嫌，結果任顯羣辭去台灣銀行董事長。他抨擊過糧食局長李連春，說糧食局違法將生產資金與配銷肥料款，收回糧食局自己經營，缺乏法治觀念。他對台灣公賣局所屬配銷會，認乃不倫不類機構，以上一些大手術，如非本身健全，絕對不敢輕易操刀，有人說：郭雨新爲省議會精神議長，並非完全空穴來風。

郭與筆者同病，就是「不信邪」，遇到強人，總想較量較量腕力，還是搞政治最大的忌諱；還有他認爲愛國何必批准，還與貴州省議會議長平剛老先生個性不謀而合。當共匪迫近貴陽，達官貴人富商，紛紛離境時，平剛獨持鎮靜，他說還要多老百姓逃到那裡去，待共匪入城，平剛以七旬高齡竟上演「李陵碑」撞死在自己住宅的石柱旁；壯烈成仁，可歌可泣。不過話又說回來，這一型的個性，除識者外，甚少能受執政黨的歡迎。

末了，有兩點值得一敘的，郭雨新孝親，從不後於人，從他在海外遊歷那一階段可以衡量，詳見聯合報。他事母至孝，當年他在大陸，由上海而北平，扶親始終在身邊，年前到外國考察，沿途特有平安家報，這大概是受「父母在不遠遊，遊必有方」的影響。郭母今年八十幾歲了，郭雨新在家常說：「父母之年，不可不知也，一則以喜，一則以懼」，這和實行「國罵」開口就是三字經「幹你娘」的某省議長相較，政府應該多支持讀過書的人，國家社會自有救藥。

「深宮怨」與伊利莎白一世的關係（五）

·羅璧珠·

只要能力可及而且情勢許可，如一五八九和一五九三到一五九七年，便進攻了。的確，那時女皇比她那些軍事顧問看得更清楚，知道成功的鎖匙在那裡。

（六）結論：這長期戰亂的重担，使國內漸感吃力，而致使英國王室政體轉入一新而艱苦的時代。這年老的女王，在年青一代的心目中，對其敬慕之心已遠不如上一代的濃厚。她雖設法以恩賜來爭取他們的服從，相反的卻使他們感到不耐煩。其中有個最特出又受寵的年青可愛的Essex伯爵，甚至公開反叛，從而輕舉妄動者雖不多，可是他的死刑在國家和女王的末年方面卻留下了陰影。商場上的失敗和田地間的欠收帶給百姓困苦的生活。王室的橫徵暴斂，復使上流社會與鄉下農民怨聲滿佈，尤其政府急徵金錢，以應付耗費龐大的愛爾蘭之役時（一五九八——一六〇三），更受到嚴重的批評，在一六〇一年，議院辯論專利權問題時，表露無遺，後因伊利莎白的「金石良言」，使議員停止批評而重新顯其效忠的熱誠。這可證明她始終還擁有獲取民心的手腕。「雖然上帝把我高舉在上」，她對他們說：「可是，使我引以爲榮的是我能在你們的愛戴之下治理國家……我的贈與將使我的子民受苦，而困苦將更增加我們刻苦耐勞的光彩，我們崇高的威儀將不會消滅。聽聞之下，我深感不安，直至將它改變爲止……只要爲了你們的利益，我不願在我生命的久遠和統權的久將上超過你們利益所須的。雖然，古往今來已有或將有更偉大，更高貴的人坐在這寶座上，不過，前無古人，後無來者，你們永不會再找到比我更愛慕你們的一位了。」她始終保持着良好的健康與精力，但是，她的時日將盡，而她的工作亦將了結，西班牙與愛爾蘭的叛亂業已平定，法國與荷蘭的獨立業已穩定，英國的新一業已鞏固，而「James VI」已成了她最明顯的承繼者（雖然，等到伊利莎白死時始被承認），至於她的幹事與朝臣多已回心轉意，雖然他們的效忠精神在她死前不久曾發生問題。她死於一六〇三年三月二十四日，就此結束了Tudor的傳統線。

（全文完）

政治破規形記　馮玉祥與韓復榘（二四）（上）

老兵

基督將軍馮玉祥（煥章），在軍人中可算頭腦最複雜，又最好標奇立異的。所以有關他的趣聞特別多。因他首倡倒戈，爲人所不滿，有些傳說且不免言之過甚，離事實太遠，今就所知信而有徵者寫下數則。

一、貌形大漢膽小如鼠

馮玉祥的原籍，是安徽巢縣人，家境清貧，又遭水災荒年，其父某推獨輪車逃難到山東曹州（首縣今荷澤），寄住谷某家中。谷老有兩個兒子，老大叫良友，老二叫良民，與馮年齡相彷彿，遂結盟爲兄弟，不久都跟隨馮父去保定，稍長三人又同營當兵（谷良友七·七抗戰前跟韓復榘在山東當第X路民團總指揮，谷良民在韓復榘部下當第二十二師師長），馮玉祥說話操保定口音，原因是自幼生長在保定。

馮軀幹雄偉，兩眉相連如一字，像貌屬於凶惡一類，而膽量卻特別小。從來不敢坐飛機，作戰不敢到前線，雖不如名軍事學家楊杰（耿光）一聞槍聲就兩腿癱瘓不能站立，馮玉祥除非在兩軍尚未開火時，決不親臨前線督戰，即使去了，亦必蜷伏後方戰壕中，因此雖以善於練兵聞名於世，而自己則少有不敗。十八年春天，馮部第二集團軍，駐防豫、晉及皖北、蘇北一帶，號稱五十萬，雖不免有些誇大，但其實力相當於一、三、四三個集團軍的總合毫無疑問。那時陝、豫、晉三省主席都是他的部下，馮玉祥的聲勢之大確是空前的。當時國民革命軍北伐告成，濟南的五三慘案亦告解決，日本約期退兵，由馮的親信部將孫良誠率兵接收濟南，四月三十日孫良誠已派農礦廳長王冠軍等赴濟南先事布署，次日濟南各界已準備歡迎孫主席入城，泰安（山東省政府原在泰安）突然傳來電話說，孫主席已于昨夜率部南退，泰安已成無政府狀態，消息一經傳出，全國震驚。其原因自然是馮本人心懷鬼胎，多疑猜忌生怕大軍沿津浦線北開山東，被中央軍躡其後，實則當時中央對馮雖有戒心，並沒有攻擊他的計劃，不過馮誠人胆虛，以小人之心度君子之腹，釀成大錯，他以後的失敗，完全種因於此舉的一念之差，實亦胆小多疑所致，也是本性使然，否則他個人歷史必不如此黯然無光。

二、韓復榘衍家對頭

孫良誠部由山東撤退到河南省境後，馮玉祥即下令全軍撤回關內（潼關）。陝西連年荒旱，人人幾乎相食，馮部將士，內心無不反對，只是礙于馮之淫威，都不敢有異詞罷了。韓復榘稍作表示，遂招馮之深恨，立將韓部三萬餘人，分成數段，中間夾以對彼最忠心的孫良誠、梁冠英、龐炳勛各部，防制韓復榘的叛變，預備一進潼關，即分別包圍一鼓而將他解決。

韓復榘以驍勇善戰著稱，且嗅入機警，對馮這種種布置，焉有不明白之理，遂連絡石友三、馬鴻逵兩部，決計不就馮進潼關受苦挨餓，石、馬兩部遠在南陽一帶，行動自如，而韓部則完全在隴海鐵路沿線，並被切作數段，不過韓反馮最具決心，行軍至陝州之甘棠（即詩經所稱蔽芾甘棠後人紀念召公因以名地），即不顧一切，揮戈東返，馮獲報當即下令全軍夾擊韓部，韓且戰且行，到黑石關硤石，龐炳勛部在隘口山上，居高臨下，用機槍數十挺掃射，而無別路可通，只有冒險前進冲有活路，韓復榘本人用毛毯裹身，首先滾下山坡，其他將士蹬之而下，龐部集中火力，彈如連珠，向滾射擊，韓部自然是死傷累累，衝過此關後，馮部未再追擊，韓檢點殘兵敗將，尚不足六千人。此役馮損失韓、石、馬三部兵力約有十萬之衆，尤其韓、石兩部最爲精銳，實爲他的致命打擊，而他又認爲韓是罪魁禍首，所以馮對此對韓恨入骨髓，無時不想策動韓部復返自己的懷抱以制韓的死命。

（未完）

諸葛亮[illegible]（四一）

·劉玄·

劉約翰很知趣，轉轉對諸葛亮說：「我先走一步，後日再來。」諸葛亮也不強留。劉約翰從後門走了。

諸葛亮在大門口恭迎太白星君。「我是不速之客，你不會不歡迎吧？」太白星君鶴髮童顏，滿面含笑，穿着很厚的雲履，每走一步，足邊都有淡淡的雲霧，大仙功架不同凡響。

「星君駕臨，亮實感無限光榮。亮剛從南天門回來，還沒有到星君仙邸叩謝。死罪死罪。」諸葛亮見了星君，立刻運用士大夫階級的客套禮貌，自甚恰當。

「不必客氣，不必客氣，我剛才見玉帝，知道達摩已報告玉帝，在南天門勸你暫時不要下凡的經過。玉帝對你欣然接受勸告，甚表嘉慰。特告我來再和你談談。」

諸葛亮一聽，立刻省悟。他對太白星君的好意十分感激，他知道星君是奉命來查看他的動靜的。決不能在星君面前發牢騷，萬一傳到玉帝耳邊那還了得。

諸葛亮請太白星君坐在正廳當中的太師椅上。「星君想喝點什麼？」諸葛亮鞠躬如也，執禮甚恭。

「不是我說，參茶、玉液、瓊漿，我家裡的都比你的好，聽說你這兒有一種黑色飲料叫什麼……飛的，我倒想試試，再不是這種飲料也像鳥雀一樣能喝？」太白星君老氣橫秋，諸葛亮不請客氣。

「是咖啡。」諸葛亮亦常飲用。咖啡是外來話譯音，星君如不嫌待客簡慢，亮即命琴童煮一壺來奉敬。」諸葛亮心裡想太白星君只會打坐鍊丹，現代常識封得之。可是卻不敢表露形色。

須臾，一壺咖啡煮好，加了糖和牛奶，諸葛亮手捧給太白星君。星君呷了一口，連聲讚道：「良藥苦口利於病，味道很像草藥，想必於身體有益也。」諸葛亮只知道咖啡提神的，但不便在星君面前多加解釋，只附和着說：「有益，有益。」

「你這次想往下界遊歷，我知道你花了不少準備功夫，學英文啦，學鋼琴啦，找那些舉行復活儀式的人？到頭來卻無法成行，是不是你會感到惆悵？」星君單刀直入首先使問諸葛亮的旅行失敗感想。

「亮此次動念往下界遊歷，一切按照天庭規定辦理。承蒙星君照顧，銘感五中。玉帝旨意由達摩宣達，亮自當敬謹遵從。至於學習英文、鋼琴，前者能增進科學知識，後者足以陶怡性情，並未白費精神。亮已許徐半齋轉告耶穌，稍等時日，即往彼處，諸事辦得極爲得體，他知道玉帝不放心，怕他私自偷出南天門。」

「如此最好，玉帝對天庭各種仙凡均極關注，目前正命令中神嚴密注意人類窺探天庭之進一步動態。玉帝認爲天庭一向太平無事，不可受人類來干擾。」星君爲玉帝親信，故深知玉帝意旨。

抗戰的基本觀念（下）

（摘自蔣百里札記）

大學尺牘

第二點，便是我們的決心，是直覺的，不是計算的。毛奇將軍有一句名言：「先要算，後要斷。」現在的歐洲軍官一天到晚只是算，平生難逢一次斷。但歷史的經驗告訴我們，平時的計算無論如何精密，到了戰時仍不可靠。毛奇將軍這句話的價值，就是把「算」和「斷」分爲兩件事。斷的時候，就不能算。假如算定穩打勝仗，這種軍官就不成其爲軍官。

從世界眼光看來，敵人的飛機有多少，武器有多少，我們只有多少，我們當然不能和日本打仗。但我們的國民，我們的領袖已經在計算中經過了六年。現在不能計算，只能斷。我們現在的抗戰，便是我們的直覺，但這直覺已經過了一番計算的洗鍊。你們現在所用的純粹計算的眼光來看我們這次抗戰，就是輕視我們斷然決然的意志。戰略家異口同聲說：戰爭目的在於屈服敵人的意志。屈服一個將軍的意志，使他放棄抵抗，這是可能的。屈服一個政府意志，使他改變政策，這是可能的。但要屈服一個民族求生存求自由的意志，這在古今中外都是不可能。就中日戰爭來說，抗戰乃我們民族決心的表現。蔣介石將軍的意志，便是我們民族意志的象徵，若謂日本能屈服中國民族的意志，這是沒有歷史的常識，若謂日本能屈服蔣介石將軍的意志，這是沒有人格的認識。

日本的口號可笑，可見於防止赤化，稱宜傳上面。大家知道共產是一個思想，不是威力問題。靠謂威力可以壓制思想，世界上就絕對不會有革命問題發生；也有新興的國家了。假如歐洲人害怕共產黨，不客氣的說，總着日本二百萬大軍來防止中國赤化，等於尼古拉二世驅迫革命黨一樣。而且，誰能保證二百萬軍隊中沒有很多的反戰派和共產黨？中國人決心不走共產的路，不是任何威力防止的緣故，而是由於中國人自己的觀念，自己的家庭組織愛國精神。假如日本這時欲防止赤化，就是十百倍日本的兵力也是不夠力。日本現在這樣對中國的處心積慮要把中國分裂毀壞，要把中國上共產的路，但實際上反而刺激了中國精神，反而促成了中國的全民團結，加速了中國一切組織改進。中國民族存在一天，這種精神，組織也存在一天。所以日本要征服中國，和把中國趕上赤化的路，二者是同樣的絕不可能。中國人既不會屈服，也不會赤化，我們不敢自誇，我舉外國人一句話：英國泰晤士報說：「中國民族主義終必勝利。」

（完）

巨變歷險記！

丁博士坐的材料車，到達濟南，是在夜間，約摸十一點的時候。

濟南雖是山東的省會，雖是沿津浦線的一個大站，但在民國三十八年一月下旬的時間，同滄州車站和其他沿途小站俱無不同，則荒涼得很，看不見人，也看不見火。

這對丁博士來說，卻是萬分的慶幸。車站荒涼，也就是沒查問的人，沒人查問。假若有人查問，那就糟了。在得到天津、北平之後，共匪叢政權對於人的行動限制極嚴，出來一定要有路條。沒有路條，就不能走路。路條之取得，不是一件易容之事。往往還是要化錢的。

藏在車廂裏（六三）

胡慶蓉

丁博士在天津剛一陷淪即馬上出來——北平還未完全淪陷又即出來，當然無路條可領。出天津以後，都在火車上，當黃魚，也用不着路條。特別是滄州以下，簡直沒人往來，對於丁博士這一個人，也就不注意了。間或有問道，丁博士答回南夏邑家中，也就讓走了。

回河南夏邑縣家中？這個問題常在丁博士腦中轉。河南夏邑，同山東滄州、濟南，現都在共匪佔領之下。去容易嗎？去河南夏邑，要經過徐州轉隴海路。夏邑與江蘇的碭山靠近。丁博士的家鄉，在夏邑縣的東北二十五里的朱莊，距離碭山尚不足十五里，可說咫尺之遙。決，危險性很大，但因懷念到老母五個哥哥五個嫂嫂近百的姪子姪女孫子孫女……特別是八十四歲的老母，不管怎樣危險，丁博士都決定去，大有縱死九泉也甘心的樣子。

天下事，就有那麼湊巧，又有一次運材料的貨車在燃火待發。這一次車，與剛才坐來的大大不同。

這一次，有三個車廂，有門、窗、戶、鎖。丁博士就離開剛才的敞車，鑽到一個車廂裏。這次車也還是運材料的車，就是車廂，也還是滿裝着材料。有車廂可鑽，有避風雪的地方，丁博士深引以爲幸事。兩天的風雪之苦，而今能有一個躲避的地方，感到無限的舒適。誰知正在慶幸之餘，就來了一個人，硬把我拉出去。妙在他拉他並不出聲，只是把我向外推。我那裡去呢？……

我決不住旅館，我怕要路條，我還是抱定主意，回我的車廂。同這推我的人有一番掙扎和懇求。最後，忽然想到手裏的人民幣，就拿出兩百元來孝敬。怪奇，這一手很靈，推推我的人就離開了，不知那裡去了。我至今還懷疑這是不是鬼呢？兩天的凍，把丁博士凍慘了，雖然還還沒有死去，實際上已經假死幾次了。是不是「天將降大任於斯人也，必先苦其心志，勞其筋骨，餓其體膚……」？又是不是「天之未喪斯文也，桓特其如余何？」一念之轉，丁博士也就挺起胸膛。決定繼續前往，師滄州、濟南間的故智，決不離開車，與車同「存亡」。車，也還是開了？……

（未完）

生離死別二十年（下）

——悼國代張疆亭學長逝世——

·黃公偉·

我主編「健康長壽月刊」已七年，這裏有一段可回味的生死故事，要從張疆亭的逝世說起。十八年前，我們共事於中央改造委員會。那時我是從新聞記者的崗位上敗下陣來的病夫，正走姜子牙的壞運，疾病纏身，常在辦公室表演「休克」怪劇，名傳儕輩。視我如「殭屍還陽」。但我仍不服病，一同去陽明山受訓，同住一室，恰好十二位都是北方彪形大漢。時有羅漢堂之稱。我不良於行，備有手杖一具掛在床邊。一次，魏汝霖學長查宿舍，問：「誰是杖者」？我猛然發現他就是民國十五年在保定省立六中的同班同學。於是相見，歡逾生平。院長在大禮堂點名，整隊一小時，還未開始，我站立不穩，私自撤退回宿舍休息。不久，覺得院內騷雀無限有異，立即返至禮堂插隊原位，疆亭說：「老夫，你可回來、你看院長就在前排快點到我們了」。果然，萬主任、鄧雲冰副主任都隨侍院長個別點名。我聽名時，精神飽滿，和單獨談話時同，院長頷首而過，事畢，他說：「你再晚半小時到，準出漏子」那時你就慘了」。我報以一吉人天相」。不料，當年弱病夫竟爲「排頭」（站隊第一名）先去死別之淚

十五年前，我在發處公幹，眞是「病入膏肓」，還不認輸，毛鳳公常於晨間談完公事，送我到黨部上班。並派員送藥到我家，有時還親臨問早問安。我認爲他體夢甚健，還走在車中聊天。後來，我在「義嶼」門診告一段落，爲了休養，南下嬌田治病。不到半年，噩耗傳來，鳳公病重，去美就醫歸來，等我前往探視時，他已入彌留狀態。我參加了隆重的飾終大典，又描揉欲墜的回鄉撰稿。想不到，當年在「義嶼」開慶生會的主持人，也如此早逝了。可是我從此改操「人之患」的行業，直到如今還在「誤人子弟」。反而心平氣和的恢復健康了。十年前，我寫「轉弱爲強」的妙訣，發表在聯合副刊、健康月刊上，大爲主編陳東原醫師欣賞。由是，被陳國亭兄拉進了長壽會。七年前繼任了健壽月刊的主編。我儼然變成「講者相」了。其實，我身果鬥關的逃兵。

回憶廿年中，友輩中有人空手起家，發了大財變成大富翁，我不羨慕。有的人官運亨通，小官升大官，位極百僚之上，我不道賀。我知道，這都是「暫時」的。眞正永恒不變的朋友是道義、學問。我寧可給不發稿費的朋友擺攤，也不肯爲了蠅頭小利，降尊屈志去向別人投稿。因爲說假話，自欺欺人的話還不如不說，走出官場，還是覺得正氣常在筆硯間。這是我的十年反省結論。讀詩讀到「無邊落木蕭蕭下，不盡長江滾滾來」，驟然想到最可惜的是大陸那批魔鬼還未死盡，而我們朋友迫不及待的紛紛歸西。我爲張疆亭兄的吸烟傷身早逝可惜。也爲堅持生「大陸的朋友，以陶醉代奮鬥可怕。我希望站在復國戰線上的朋友，無論那一行業，都不要忘懷健身爲還鄉的第一義，健身爲取勝的第一義。升官發財的思想最不衛生。

（完）

生活漫談

癌症的初期治療與有效預防（下）

馬騰雲

癌症的治療，中西醫迄仍束手無策，但初期癌症服麟口珠而癒者在馬來亞、泰國、緬甸等地，舉不勝舉，惟有財有勢得癌症者，十有九不治，因爲他們也絕對不會相信草藥可治大病。

緬甸東北臘戌，有一種地方病「肛疔」和「泥鰍痧」，新唐入境（唐即華人）易患該病，染病時全身高燒，昏迷不醒，三五天必死，這種病的治療，由當地捏手修腳的土人，用針將肛疔挑破，泥鰍痧則用鹽水在胸部連續的刮，皮內現出泥鰍黑影多條立癒。民國三十八年由雲南逃難到臘戌的華人，死於肛疔，泥鰍痧者甚多，眞是寃枉。

癌症初期服麟口珠治療者，十有八癒，麟口珠在台灣叫作龍口珠，又名大舌草、蛇舌草、白花蛇舌草，用鮮的搾汁飲，或以乾大舌草與茅根煎汁，可治五臟生瘤，及內部一切腫毒，對胃腸炎尤著奇效。

照草藥典記載，麟口珠功能清熱散瘀，消腫解毒，適應症急性或慢性盲腸炎、瘡癤、腫瘤、腸癰，凡腹部內臟生瘡與結塊，均有奇效。初期癌症以新鮮麟口珠三百公分，茅根一百公分，黑糖一百公分，清水八大杯，文火煎到四五小時。又爲清涼解毒，以麟口珠一百公分煎汁加冰糖當茶常飲，功能利小便退熱，治遠年咳嗽，及預防癌症。皮膚生腫疽，以麟口珠熬汁外洗內服有速效，他如眼病、結膜炎、生紅翳、爛眼圈均治。

泰國各地街頭有賣冰凍青草汁，五毛錢一杯，原料就是以麟口珠爲主，潮州人謂此汁破血，非病少飲爲宜，大概也是因爲太便宜，一如泰國人不吃豬頭，賣布的山東人嫌便宜，則不怕犯病，一日三餐，涼拌、紅燒、清燉豬頭。筆者僑居南洋羣島歷十餘年，甚少聽說有人得癌症，[illegible]研究與麟口珠有連帶關係。

但須注意麟口珠必須與白茅根同用，能發揮完善效力，因白茅根內含有、葡萄糖及果糖等，適應症治淋毒病、妊娠浮腫、除伏熱、消瘀血、解酒毒。與麟口珠合流後，互補妙不可言，日本山口一香氏用中藥之茅根、豬苓、木通、伏苓四種，試驗，茅根之利尿作用爲最顯著。

台北南京西路有一位台灣時醫國棟的癌症是他醫好，門庭若市，病，病人十有八九都買醫生能製藥瓶廿元，一日服三瓶，最少須買一，筆者於月前在朋友處取到這種藥，發現就是麟口珠和白茅根煎劑，各病確實有效，只是醫生心太狠，，五元的成本竟賣六十元，眞是賣，藥無價矣。（下期爲賽金花返老還童術）

御廚談藪

豬雜烹調法（上）

林泉隱

豬頭，先對豬頭刮去毛，洗得極乾淨，放在沸水裡，稍燒一會，拿去水，用甜酒和葱，薺肉面，一同煨，等熟後再加鹽，水醬油用弱火煨到極爛爲度。

豬蹄，用刀洗刮得極乾淨，放在沸水裡，燒過一些時候，拿出來。另外再用水、酒、鹽、放在鍋子裡煨爛，或用茴香醬油，紅煨也可以。

蹄筋，將蹄筋泡軟，放在雞湯或火腿湯裡，加作料煨爛；或加火腿片筍片等炒之；或先在油裏炸後也可以，

豬肝，可連網油買來。將豬肝切片，網油切小塊，一同放在鍋子裏，加酒、鹽、醬炒，再放進葱整或鹹菜一同炒之。

豬肚，必須洗滌得極乾淨；燒燉，白煨，冷拌，都可以。另外有湯泡肚的一種方法：是用肚極厚的地方，叫做肚尖，刮淨外膜，切成薄片，浸在冷水裡。用的時候，取肚片放在沸水裡，略燒一會就拿出來，用葱椒酒拌透。另外燒火腿湯或雞湯，燒到沸點，加入肚片，立刻起鍋。吃的時候，可以加胡椒末以及芫茜。肚片以脆嫩而不生的爲最良好。

桃花潭水深千尺

鱷魚潭邊的故事（十三）

趙陀

顏芳以沉重的心情，無可奈何的語氣大早就和克琳說：

「老不死，烟鬼，賭鬼了，又染了酒鬼，是媽前生造孽，遇到這樣一個「活寶」，只有夫婦的名義，早無夫婦義務，如果不是怕親友們笑，老早……」

「媽，爸爸過去也是書香人家，怎麼會……」

「你先祖萬鈞公做福建按察司的時候（泉台），不見天的錢要得太多，媽媽所知道的，凡打官司的人，有條就有理（金條），出錢他就敢判，因之福建的老百姓統稱他叫蘇萬「鈞」，貪官的後裔大率如此，你吳伯伯做過張大帥的監務總辦，造孽呀！害了多少良家女孩子，上海綏南山老替他看相，預言他不能善終，留待事實去證明吧！」

「媽，你爲甚麼不控制好自己的錢呢？」

「孩子，那時媽對你爸也是入了迷，赤裸裸的心，都全盤托出，身只怕對方不要，身外物的錢，還會計較嗎？」

「媽，你在諷刺我，爸怎能和任念佩相提並論呢？爸爸是祖上遺孽，念佩乃全憑自己創造。」克琳不平的辯護。

「鬼丫頭，你還嫩得很，火候差得遠，你爸於民國十二年北洋政府派他爲東北實業考察團團長，六十幾位博士碩士專家在他領導下，到東三省去考察，做過關外王的上賓，聲譽國際，聲勢顯赫，任念佩在你爸爸心目中，像是一條小毛蟲，所以你爸常露出看不起任念佩的口吻。」

「難怪人家說年青人富幻想，老年人喜歡回憶，這些話媽亦講過很多次了。」克琳頗爲不滿似的。

「小鬼頭，我的意思是提高你的警覺，根據媽一生以交際爲職業，縱漂亮混世的經驗，一個男人眞正愛慕一個女人，所表現出的動作，往往是很拙劣與粗線條，不太容易表現出自己的可愛處，很少看到有像任念佩這樣有這麼堅強的吸引力。」

「媽的意思是說任念佩並非眞的愛慕我了，奇怪女兒也有這樣的同感，一直悶在心裏未說出。」

「乖孩子，別神經過敏，快點起來吃早點吧！」顏芳的這段話，就克琳來說，正所謂「發於其事，生於其心」。克琳對媽媽的話，越想越對，越對越想，終於自動又說出：

「天下本不會有這麼理想的事，對了，這一定是白天裏的幻覺，入夜變成了夢，難怪這兩三個月來，夢和幻覺老是劃分不清，還是媽的話有道理，女兒決定冷一個時期，不和任念佩通信再說。」克琳益覺得媽媽的話對。

克琳低着頭又在凝思，思到萬一任念佩沒有拙劣和粗線條的表現，而表現出儘是可愛處，我要不要呢？又忖想到，戀愛應否拘泥於同一形式？念佩的信上說：『事業家是一種既痛苦又沉重的工作……』又說『我願意拿出一段時間，將琳琳建造成爲最美麗的象徵。』難道這是壞的意思嗎？克琳又思及到自己在八年漫長的歲月裡從未孤獨過，直到最近兩三個月才嘗到寂寞的滋味，除任念佩在紙上能帶一點慰藉外，人生陡然變成這樣的空虛，這時克琳的眼睛濕了，像被淚水打通了思路，竟發現任念佩的拙劣和粗線條，他很清楚的寫過：

『我要改正你封建和未落社會家庭的缺點，並要達成我所理想的生活方式。』

這些不是表現，他的拙劣？他在又一次的信上說：

『一向喜歡小孩，但又覺得自己懶散得要命，東奔西走，飄泊無定，我這對孩子缺乏安全感的人，你願意替我生一個黑黑壯壯像我一樣的孩子，用心的去照顧他嗎？』

命相與夢話

杜月笙三奇格

公陶

杜月笙生於光緒十四年七月十五日午時，其八字爲戊子、庚申、乙丑、壬午。才，官，印，同在申宮而又並透，乃三奇格也，日元坐非得三偏，天乙照臨，陰陽貫繞，最難得的從表面看，個性直率逾常，但事實乃用心機之人，因八字陽包陰，在上海碼頭，不僅帝國主義鈎心鬥角之所在，亦國內各派系政治之必爭之地，太直恐難立足，上海人謂杜先生是鬼王，八字非無由也。

自由報

中華民國內政部內警台報字第○三一號
中華民國僑務委員會僑聲證台數新字第三二三號
中國郵政台字第一二八二號執照登記爲第一類新聞紙

（第四九九期）

（半週刊每星期三、六出版）
每份港幣壹角・台灣零售價新台幣貳元
督印黃行・社長李運鵬
社址：香港九龍彌敦道593—601號 廖創興銀行大厦八樓五座
LIU CHONG HING BUILDING
7th FLOOR FLAT 5
593—601 NATHAN ROAD,
KOWLOON, H.K.
TEL: K303831
電報掛號：7191

承印：景星印刷公司
地址：嘉咸街廿九號地下
台灣連絡中心：台北青田街五巷三號
電話：三七五○二二
台灣區直接訂戶 台郵劃撥戶
第五○五六號張萬有（自由報會計室）
台北營業處：台北衡陽街三十號
電話：二七二○○
台灣分社：台北市西寧南路110號二樓
電話：三三○三四六，台郵劃撥戶九二五二號

「嚴懲貪污」亦不可矯枉過正

丁作韶

在今天嚴懲貪污喊得震天動地，嚴懲貪污提出十全大會，嚴懲貪污成爲行政院的施政方針，而提出來不應嚴懲貪污，是不是故作驚人之論？是不是非常可怪之論？是不是大逆不道之論？我說都不是，我說是持平之論——公正之論，其至於可以說是救國之論？茲道其詳。

首先什麼是貪污，應先予以確定？在嚴懲貪污口號之下，什麼是貪污，界限非常的不清楚。加以黨部影響司法，行政干涉司法，司法又在推波助瀾，什麼是貪污？他的意義更爲模糊，貪污本來是有規定的，我們可以參攷普通的刑法，也可以參考懲治貪污治罪條例，此外並且有很多的判例可循。但因爲政府要嚴懲貪污，在嚴懲貪污口號之下，貪污的意義變成非常不確定。嚴懲貪污之「嚴」，到了跡近羅織，到了欲加之罪何患無詞。嚴懲貪污之「嚴」，竟嚴到沒有道理，嚴到不講道理，嚴到不講法律，嚴到公務員的一切行爲都可成爲貪污，嚴到簡直不成話，嚴到做官就是貪污，更不成話說！

本來士居四民之首，學而優則仕的，仕在士之中，地位更爲崇高。他們到那裡，那裡就有招待，並且有特別的招待，優渥的招待，豐富的招待，禮貌的招待，盛典的招待。這本來是中外古今最普通的現象，也可以說是中外古今政府的要求。試問犯什麼罪？作了官，到上邊，到下邊，到各處，接受招待，亦份有應得，理所當然，又那裏談到犯罪！

中國有禮義之邦之稱，中國官場，尤其注重禮義。試翻閱翻閱中國舊有的禮記舊有的禮則，更曉然於禮在官場中的重要。孔子曰：「能以禮讓爲國乎何有，不能以禮讓爲國如禮何」。也或許有人說：現在是民主了，禮變了。其實，民主民他的主，禮並沒有變。從國際的往來上，更看得清楚。假使中華民國的什麼特使，大使，全權代表到一個什麼地方，有不接受招待的嗎？有不受人招待的嗎？假如地方不予招待，或招待不週，自己又是一個什麼感覺？

招待，接受招待，還不單單在招待，接受招待本身上，他還有很多別的重要的意義。國際，國內同是一個道理，因招待，因接受招待而犯罪，同樣是天下之大稽。簡直可以說，俱眞豈有此理！至於招待什麼，怎樣招待，更不用追究，更不能追究，這是隨時代而不同的，其實，這又何必去管，何必去問！還有什麼關係。

招待最簡單的也是最基本的，自然是三餐飯了。人到那裡不吃飯？招待請吃一頓飯，犯什麼罪？接受招待吃飯，又有什麼犯罪可言。「待客唯豐」，乃中國的傳統，中國的文化，今政府竟禁止官員接受招待，不但毫無根據，並且不近人情。試問把官員看成什麼東西？置官員於何地？其實，管這些幹什麼？這不但與事無補，簡單與事大有害。自己去外國，爲什麼要接受招待？爲什麼要要求招待，並且要議定招待程序以及招待方式？

在事實上，在台灣，在嚴懲貪污之下，在「嚴」之下，連招待一頓飯，連接受招待吃一頓飯，竟構成犯罪，這事發生在台南縣。七位鄉代表，一位科長，竟因爲接受鄉民的招待吃一頓飯，而被檢察官起訴。這一頓飯談起來，也笑死人，只用去新台幣一百二十元。一百二十元：在今天的物價，八個人能吃什麼？不管一百二十元，一千二百元，一萬二千元！招待就是招待，受招待就是受招待，根本無犯罪之可言！根本不構成犯罪！根本不能成立犯罪。

推而至於最近鬧轟轟的剿蕉案，民衆同體所給官員的招待，官員接受招待，當然也不能構成犯罪，不能算是貪污。

送金飯盌犯不犯罪？有人說之不管大的小的，送金飯盌就犯罪，接受金飯盌也犯罪。這是不合法的，也不合過去的判例。

照法來講，照判例來講，送金飯盌應屬於禮品，應屬於感情作用，既不是對於職務，也不是違背職務，怎樣能成立犯罪。但檢察官起訴了，法官判罪了。其他因招待，因接受招待，因送禮，因接受送禮而犯罪的，比比皆是。這都是「嚴」的結果，嚴懲的結果，嚴懲貪污的結果。

就理來說，就風俗習慣來說——就中國的文化來說，就各國的情形來說，俱不應嚴懲貪污。實則所謂貪污，並不是貪污，完全是政治上要這樣。不是貪污，而認爲貪污，加以嚴懲，對於官吏來說，固然是天大寃枉。對於政府來說，大大的喪失了自己的威信，威信應認爲政府的生命，威信喪失，再沒有比那裡嚴重的。至於官吏，會一律趨於消極，使行政效率低減到零度。這是國家上下莫大的損失。

中庸上，哀公問政。孔子指示他要「忠信重祿」，是再沒那麼對的。這是政府對官吏之道，忠，在這裡講，是處處爲官吏着想，處處照顧他們，使他們感到位尊職重，不敢絲毫苟且。信者，即古之所謂用人不疑也。疑了就不要用，用了就不能疑。這樣官吏才能放手做事。重祿者，即給他優厚的招待也。決不使他有後顧之憂。若對官吏不忠不信不厚祿，而且處處限制他，使他無以爲生，甚至不能做人，那國家就危險了。

但官吏是不會挺着餓死的，有些更胆大，更貪，更污。在嚴懲貪污下，貪污的更多，這就是「民不畏死，奈何以死畏之」。何況嚴懲貪污的嚴，並不是在量刑上，而是在犯罪範圍擴寬，這只苦了好官，並沒有懲治了眞正的貪污。眞正的大貪污，都有他特別的來頭，你是懲治不住的，這也是不應嚴懲貪污的理由。爲害於國家社會的是大貪污，而不是什麼一頓飯，一個金飯盌，一千元，兩千元。「竊國者侯，竊鉤者誅」，這是自古以來[illegible]，要打大老虎，不要拍小蒼蠅，這非事矣哉。這也是不應嚴懲貪污的理由。不應嚴懲貪污，還有別的理由，容俟後再續，就教國人。

昨日與明日

急須採取對策

何如

去年美國大選揭曉後，尼克森膺選了總統職位，反共非共的中國人，一致歡欣鼓舞，好像獲得了頭獎馬票的心情，台灣方面有許多人燃放鞭爆，表示慶幸。當時我在本欄提醒大家不必太高興了，尼克森雖係著名的反共政治家，但他在民主黨控御國會大多數議席的政治環境之下，顧忌多端，他不可能專憑自己的想法與作法以施政的。

現在事實證明，尼克遜政府的對華政策，比民主黨當政時期還要糟糕！例如所謂「兩個中國」的陰謀詭計，原係杜魯門在位時倡導的，但以咱們全體中國人（連同毛共在內）一致否認之故，祇是暗中忸怩其詞，游說活動，而不敢公開主張，表面上且認爲難以實現。於今尼克遜政府的國務長官羅吉斯，却公然宣稱亞洲各個國家都贊成「兩個中國」，唯有台灣反對而已。這眞是莫名其妙的邪說，豈有此理！

所謂兩個中國

所謂兩個中國的詭計如果可以施行的話，咱們首先就要請美國第七艦隊滾出台灣海峽，這是中國的領海，美軍無權隨便進駐。再說兩個中國也罷，三個中國也罷，乃係中國人的問題，不必煩勞羅吉斯先生越俎代庖，夸夸其談。尼克遜政府爲着安撫國內的姑息主義份子，藉以爭取下屆總統連選連任，而不惜出賣受共禍最深鉅的自由友邦，飲酖止渴，忘乎其形，這那裡是政治家的言行，實係十足的淺見近視的小官僚面目罷了。讓這類小官僚來領導自由世界，而希望制勝俄帝，寧非幻想乎？

不友好的作風

自第二次世界大戰末期，羅斯福總統去世以後，每次美國總統選舉時，咱們中國人總是期望着共和黨人當選執政，因而招致民主黨人的恨怨，杜魯門之協助毛共竊據大陸，即以此基因。現在共和黨人執政伊始，就表現這樣對中國人民甚不友好的作風，未審我們的外交決策人士，清夜自思，作何感想呢？

「人爲刀俎，我爲魚肉」的形勢已顯然，將何以打破這種惡劣的局勢，應該是採取有效對策的時候了！

二屆華學會議決定暫不舉行

張曉峯說明原因

（本報記者萬尚書台北消息）與中國文化學院並立之中華學術院，均係張曉峯所創辦，前者係大學，獨立學院並有研究所，分設碩士、博士班級。已早具完整大學之規模，欣見人文蔚起。後者爲民間學術研究機構，分設研士、議士、哲士，曾對中外有聲望之人士，授予名譽哲士之榮譽。學術院爲發揚中國學術計，曾舉行第一屆國際華學會議，影響甚鉅，頗獲好評。

第二屆華學會議，原定本年八月二十五日至卅一日舉行，詎已因故停開，據張氏表示，第二屆華學會議，未能如期舉行，由於茲事體大，需要請示，經考量時局，顧慮國際，暫不開會爲宜，因爲今年以八月初旬，大陸情況有了顯著變化，山西等省兵變，形成割據狀態，强盜政權的老本，快要輸光，形勢刻刻在變，大有山雨欲來風滿樓之概。此時此地，召開國際性的國際會議，有不可預測的安全問題。在一個民間學術機構來說，是負不起責任的，這就是停止舉行的原因。

他說，星洲陳育崧先生等，認爲國際華學會議理想很好，方式可變，但宗旨不變，並提供了四點意見：①由各國各地區的會員，各組成華學研究委員會，每年選派一人，于八月下旬來到台灣，以工作小組方式，叙談一次，人數不會超過二、三十人。②由中華學術院各分科協會名義，分別邀請外國學者和旅外學人集會研討，每三年一次。③外國學人如來訪華，應由各地區委員會介紹，以便接待，而明責任，但不必集中在一起。④論文集和提要，希望每年編印一次，集合世界學人心力，俾專於華學研究，價值至大，多方貢獻。

他說，陳育崧先生等提出的意見，已被完全採納，將來照此方式進行，化巨型爲小型，化有形爲無形，使組織更爲健全，更有效率，所謂可大可久，那麼在國際華學會議的號召下，必能一年一年更爲篤實而有光輝。

由於外間對華學會議之停開，頗多誤傳，但經張氏此公開表示後，自可澄清一切。中華學術院近年來爲推行學術研究，設有各研究所，約分三類，一宗教性，如天主教文化研究所，二地域性，如韓國研究所，三新興學術研究所，如土地資源研究所。此類研究所從事研究工作，但均未招收研究生，故不涉及教育法令問題。未經教育部許可，以傳此一招致非議之解說，實係一般不瞭解眞相而之使然。

創辦人張曉峯氏，以發揚固有文化，倡導文藝復興爲己任，民國五十年秋曾呈奉總統蔣公，准由國防研究院與中國文化研究所合作，編纂中文大辭典。張氏除身負監修之責外，並禮聘當代國學名師高明、林尹丙氏主持其事，首由師範大學國文研究所畢業之博士、碩士等二十餘人悉數參加工作，繼由文化學院文學研究所畢業生負責。中文大辭典共收單字四萬九千八百八十八字，辭彙三十七萬一千二百三十一條，全書六千萬言，分訂四十巨冊。資料來源冠絕空前，約分經、史、子、集、類書、叢書、辭書、韻書、字書、辭典等十項，前後經過七年時間，直至五十七年八月始告完成，功之所在，誇亦隨之。但當本年六月十三日張氏曾於中央日報發布啓事，聲明中文大辭典編纂「以及中國文化學院、中華學術院」事，曾經財團法人登記手續，與中華學術院之以解說外界傳化公爲私，將事實公開說明：「外間傳說，與事實不符。」本啓事尾說：「實在無暇過問毀謗，以哲學家克羅齊化恨爲愛。」意大利人的學術爭論，乃云：故謂理不辯而明，本人深具同感。祝公道自在人心。」人稱張氏，對外間揭露處之泰然，不僅難能可貴，惟其雅量實有足多云。

自由談

富貴與德澤

美國參議院民主黨領袖人物愛德華、甘迺迪，最近偕同女秘書乘坐私人汽車出游，車子過橋時墜落河中，女秘書殉難，甘氏本人却無恙，且於車禍發生後九小時纔報案，因而治安機關認爲該女秘書之死，頗費猜疑，此中是否另有不可告人的隱情潛在，必須詳加查究，旋經法院判處他徒刑二月。這對甘氏的聲望大有妨害，在其政治前途上，不啻投下一大陰影。

甘迺迪家族既富且貴，不可一世。自從大兒約翰、甘迺迪總統被刺以來，繼有二兒參議員羅拔甘氏死於非命；復有寡媳賈桂琳以「第一夫人」而下嫁希臘巨富歐西斯，且攜同兒女參加再醮典禮，丟盡甘家的顏面；如今三兒參議員愛德華甘氏又有不名譽的事情發生。這一連串的不幸事件，使那位臥病在床，奄奄一息的甘老太爺聞之創痛鉅深，必然老淚縱橫，難過極了。人生至此，其何以堪！

老甘迺迪初以一個年方二十五歲的愛爾蘭天主教徒窮光蛋，移民新大陸，橫衝直闖，努力淘金，嗣利用兩次世界大戰的機會，大發其戰爭財，進而培植兒子搞政治，或登上國家元首座位，或作參議員而競選總統，成爲美國大富大貴的豪强門第，炙手可熱。詎料剛剛進入第二代，即趨於家敗人亡的衰落景象，其興也勃，其亡也忽，寧不怪哉！根據吾國傳統文化思想的人生哲理而言：若不是甘家的財富來得太容易而揮霍無道，便係甘氏祖宗的德澤不足以庇蔭其子孫之果，即證明西方人所奉爲金科玉律的功利主義，并不高明。光是有錢有勢，而不知輔以仁義思想，實踐於日常生活之中，雖大富大貴，亦爲不祥之物。

法國西文學家大仲馬所著「基督山恩仇記」，說擇人類最强烈之報復手段，不是一槍把對方打死，而是教對方接受長期的痛苦生活。觀乎甘家老太爺今天的遭遇，似屬信而有徵。因此，我希望咱們同胞中凡是有錢有勢者，必須以謙遜救其驕倨之弊，以仁義祛其富貴之災，身體力行，人不知而不慍，庶可免於長期痛苦之造物懲罰也。

馬五先生

立法院一場鬧劇 主席台變成擂台

執政黨紀律受嚴重破壞 出發點為私致引起公憤

本報記者公孫龍台北消息：立法院上季會期末次會議，由於魏委員惜言演出一場「史無前例」的「侮辱主席」，「侮辱立法院」的「野蠻行動」的違紀事件。經吳委員延環等三十五人提案，將委員魏惜言交付紀律委員會議處，當經一致鼓掌通過。提案中指出：「查本院第四十三會期第四十三次會議時，於出席宣告次日加開院會之後，魏委員惜言一個箭步，竄到主席台前；將台上文件，一掃落地，並對主席（院長黃國書），公然侮辱，大罵混帳。如非被台所隔，勢必動武。侮辱主席，即侮辱本院，似此野蠻行動，應請紀律委員會依法懲戒，是否有當，敬請公決。」吳委員在提出本案時並加補充說明：「二十六日院會會場情況如何，有目共睹，魏委員當時上台打主席，打不着就罵混帳。猶憶十多年前在中山堂開會，當時有一議案，本席意見與魏委員意見不合，魏委員亦曾指責本席罵過混帳，王八蛋！」當時本人容忍了事，但這一次魏委員侮辱立法院，所以不能再忍了。

懲戒案雖然通過，惟魏委員惜言之罵人係為開會審議公司法第十三、十四兩條修正案而起。魏委員反對委員陳顧遠、鄧翔宇、王任遠、張子揚等卅一人所提出之修正案，反對二十七日加開院會，未果，遂攘臂而起。據悉，魏委員之「罵人」「勢必動武」等行為，似屬「侮辱人身」，超出了紀律處分。如被侮辱人，向刑法訴實，或當成立。但立法院長絕不會出此。

因紀律委員會對此項「公然侮辱」事件，固無處罰明文，若果引用「道歉」、「限止出席」等處罰，像魏委員這類個性的人，勢必不會接受，又如何能強制執行呢？說不定還真會演出更辣手的情勢。現勢擺在面前的，魏委員看到交付懲戒的決議，他還仍不息火，加且大發傳單，話炎炎，勢洶洶，非要罷免黃院長不可。縱然罷免不會有第二個委員簽署，但他自我的「架勢」是「頑强」的。所以有人主張，魏委員隸籍國民黨，此番所反對之議案，係由執政黨中央政策委員會秘書長王任遠所聯署提出，凡由副秘書長黃彥平、鄭其福共同參與協調，並由馬濟霖等邀約立法院各委員召集人會商，妥善運用自己的友好關係，使八月二十七日的會議出席人數足夠表決，並望懇能贊成陳顧遠委員等的提議，將政府急待修正的公司法部分逕付二讀並接着三讀，期能順利通過。詎這位與魏委員有同鄉父執之誼的陳委員顧遠為首所提公司法修正案，竟然遭到這位同鄉晚輩「强人」魏惜言單槍匹馬，野蠻罵陣所破壞。影響國策，毀損黨的威信，尤屬嚴重。因此魏惜言將由黨紀議處，現已臨決定階段。前有較魏委員違反黨紀之輕微多多者之國會議員三、四人被開除黨籍的成例。看情勢魏委員事件，「勢將不免，重蹈覆轍」。

有人說，魏委員為甚麼拼命的拿出看家本錢，破斧沉舟地反對修正公司法呢？在利害上說，據立法院某些人士稱：自從立委們停止執行律師業務後，魏委員個人仍擁有不少的商事頭銜。他的生活不在乎立委的萬二千的公費，經營所得，月入可觀。公私來往，有新型私家包車可坐，魏委員不僅「一人強馬北」，也確算得「闖來台」的人物！再有人云：「魏委員若干年前，在陽明山研究院受訓，照例與同學睡上下兩層架床，輪到魏氏上舖時，他隨帶夜尿便壺，就此小解，下面睡的同學，以有關大雅，亦莫可如何。」當三十六年某君於役西安新聞記者時，詳悉魏氏，當時以綏靖長官部軍參議身份，參加咸陽縣區國大代表競選，經中央提名候選人為某君，並非魏氏。魏氏氣憤即以某君曾任軍事統計調查局高級職務，不惜採用共匪口吻，公然指稱某君為特務出身，大發傳單，予以誣毀。事聞於胡宗南長官，為之震怒。嗣經地方紳首取以邀情，准予悔結息事。魏乃改途，競選候補立法委員，三十八年來台後，始行補正云云。

台灣報紙大聲疾呼 予青年人更好照顧

在每年的暑假裡，可以說是教育界的旺季，譬如出國深造，畢業服役，大專的聯合招生，日夜間部和五專的聯招生，高中聯考，以及青少年的惹事生非等等，皆是人所關心切身的事。幾家歡樂幾家愁的滋味幾乎是每家都可以輪流轉到，因此這段時間也可以說是多事之秋，當然，紙上談兵未必非事有補，不過，台灣各報仍盡了言責。

譬如聯合報在八月十四日的社論以「青年人應該得到更好的照顧」為題發表感想，認為政府應特別注意出路問題：創造升學、就業，成功的機會。並作了三點說明，指出現代青年眼界寬闊，志向和水準也不輸於北伐、抗戰時代，對於切身的問題瞭如指掌。因此政府和社會所做「青年」的事，能與青年的需要相契合。

民族晚報在八月十九日的社論也以「解決教育問題的正確途徑」為題，主張開放私立中小學學校，對私立大專院校文法科女生過多，認為應在招生名額加以限制，並增加男生讀書的機會，然而這一看法似有商榷餘地，因為教育問題一向見仁見智，必須集思廣益庶幾有效。

車票黃牛引起抨擊 電視報紙鹿死誰手

最近台灣各報對車票黃牛乙事，猛烈抨擊鐵路局與公路局，尤其鐵路局經常是「車上座不滿」，而使有要務待辦的旅客卻「徘徊車站」。此一焦點係集中在所謂的「保留票」問題，由於鐵路 並未作合人滿意的答復。於是引起各報跑交通的記者不滿，甚至用圖文並茂的方式報導此一陋規的內幕，看來鐵路局為了維護大多數旅客的便利，實有徹底通盤檢討的必要。同時應將改進的辦法公佈，以取得公衆的信任。

× × ×

即將於今年十月間正式開播的中國電視公司，內為資金雄厚，組織龐大，無形中對於目前的報社、電台、台視產生一大威脅，許多當地的大報和電台記者，均被高薪羅致旗下，而台視的基本歌星，也很多為中視挖角而去。據悉中視方面仍嫌人才不足，正繼續網羅人才的工作中。記者曾與同業談及此事，他們均認為中視背出高薪凡禮遇人才，這對報社或電台的工作人員實有莫大的吸引力，將來的世界趨勢是報紙與電視的鹿死誰手之競爭，倘若報社不及時努力充實內容，運用科學方法和新的思想，勢將走向淘汰自取滅亡的絕境，這是報社應引為警惕的。

解決青年問題 關鍵仍在教育

另外大華晚報在八月十四日以「現代的裂縫」為社論表示，應正視青少年的問題，不可不切實際施以責罵和訓誡，也不能用「人心不古」、「道德淪喪」等道學嘆息所能概括，不可將責任歸咎到家庭、學校、社會。這是一種時代病，是兩個時代的裂縫。他們強調唯有站在青少年的立場去了解青少年，然後真正替青少年解決問題。有如用疏導的方法治水，才是正道。記得中國青年反共救國團主任蔣經國曾在報上說過：現代中國青年不是「問題青年」，而應說是「青年的問題」，需要大家齊心協力解決青年的問題。事實證明國內青年的問題，並不比外國嚴重，解決之一鑰全視教育當局的努力如何。

同行相煎何太急

中國的一句老話：以德服人，留有深遠的道理在，年輕小伙子雖不知天高地厚，但起碼受過國家的良好教育，他們對同行的先進前輩，多具有誠惶誠恐的虛心求教心理，然而一旦與這些「人物」接觸，便會發現一股腐酸冲天，能掩鼻而過的算是運氣，否則只有忍耐適應，向環境低頭，久而久之，人才自也會成為鄉愿的庸才，難怪大家都要攘臂振呼阻遏人才外流了，因為在國內的「人才」比較懂得俯首從命的藝術。

同行相忌文人相輕原是農業社會的特徵之一，如今已進入工業社會，更應保留中國人的淳樸敦厚的傳統，同時擷取科學技術文明之長，那就是合作的精神，外國人譏笑中國人是三個和尚沒水喝，換言之，即是一盤散沙。所以，對前輩尊重自是應該，可是對後進的鼓勵栽培更為重要，否則造成國家未來接棒人的心理偏差，那就要成為國家的罪人矣。

李璜離台語重心長 寄望青年學習政治

強調專家政治技術指揮 不但國富強天下將無敵

青年黨五主席之一的李璜，已於八月廿一日離台飛港，行前曾對記者表示：當前在野與在朝的合作，不是在政府機關求取一官半職，而是在民意機關密切配合，唯有如此，才能符合國內外形勢的要求。

李璜並且語重心長地說：他希望青年們學習政治，特別是在國內外習理工的青年，不要忘了政治。李璜強調：專家政治，技術指揮，不但使國家富強，而且天下無敵，如以色列和美國即是很好的例子。他又說：今日學，僅靠常識是不行的，必須要靠專家；但是，專家必須要懂得政治。因為學理工，固然很好，但如不懂政治，事事聽人指揮，到頭來可能百事無成。

徐賢修博士談 發展科學教育

旅美科學家徐賢修博士，曾在中國國民黨中央委員會 總理紀念週的一次演講中指出：研究科學落實生根，並要配合國情發展工業。他舉例說：日本自第二次世界大戰後，便全心致力於光學（照相機）及電子工業發展。如今，日本的電子工業已到了起飛的程度，而日產的汽車，也正在國際上佔有重要的地位。

徐賢修博士說：發展科學，必須要有遠見。由於近代科學的特徵之一，是具有連貫性的，需要全國上下共同努力，而個人的貢獻遠不及合作努力來得有效果。

監委重視陳砥瀾案

監察委員們對於公務員懲戒委員會懲戒彰化少年輔育院長陳砥瀾發生程序錯誤問題，表示莫大關切。台灣各報也均以遮攔和暗影的方式報導此一事件之來龍去脈。其實監委們這件事之所以十分注意，倒不在公懲會與台灣省政府的處理程序發生錯誤，而是與此案所引發的一些問題。依照公務員懲戒法十一條的規定，各院部會長官，或地方最高行政長官，認為所屬公務員有違法失職的情事者，應備文敍明事由，連同證據，送請監察院審查，但對於所屬薦任職以下公務員，得逕送公務員懲戒委員會審議，換言之，簡任官的懲戒，必須先經過監察院，才能夠付懲戒。

由於，目前公務員等相當複雜，有簡任和薦派之別，加上有的「比照簡任官待遇」，所以在移付懲戒的程序手續，不免發生問題。

喬治桑外傳　七八

張大萬

「在我大學三年級的時候死的。現在已經三年了。父親不是大生意人，只留下一幢房子。我賺的錢大半養活母親，這倒不是甚麼孝道，母親養活我，我應該養活母親。老實說，眼前若有我的生父，我是不理的。」雅麗絲一面嗑瓜子一面說話，速度很快。

「好的意見，我完全表示贊同。」喬治桑又燒了一斗烟，重新點燃。

女孩子最喜歡談家常，話匣子一打開，簡直沒完。

「對了，我到房裡拿老古董給你看。」說完，雅麗絲立起身來向臥房走去。

「什麼老古董？」喬治桑這一問沒有得到答話。

雅麗絲拿了一本照相簿出來，遞給喬治桑。本來她坐在對面，現在卻坐在喬治桑旁邊。

「這並不是什麼老古董。」喬治桑翻了兩頁，盡是雅麗絲的單身照片。間有幾張穿學生裝的，頂多也只有十年八年時間，算不了老古董。

「你往後面翻。」雅麗絲說話的音調很平靜。

翻到第四頁，喬治桑一眼看到一張好面熟的女人，照片年代久了已經有點發黃。背景是上海兆豐公園。照片中女人穿着短袖長旗袍，半高跟皮鞋，梳着當時最流行的麻花捲頭髮。

喬治桑眼光停在這張照片上，目不轉睛。

「這是我媽媽年輕時照片，你看漂亮不漂亮？」雅麗絲稱讚她媽媽，連帶徵求喬治桑的意見。

「很漂亮，很漂亮。現在你母親是不是住在台北？」

「她搬到台南住已經好幾年了。父親在台北留下的房子，她嫌小，她賣了在台南買了一幢更大的。多餘的錢放利。媽媽是很精明的。她一點不顯老，除了頭上多幾根白頭髮以外。她現年吃素唸佛。好靜，唯一的嗜好是偶爾看看電影，打打小牌。」雅麗絲一口氣報告了她的母親的現況。

喬治桑一言不發，雅麗絲母親的照片，似乎對他神經有極大的震撼力量。

雅麗絲坐在旁邊，指指點點，並不了解喬治桑的心情。

「這張照片總是老古董吧，母親照這張照片的時候，還沒有我哩。」雅麗絲說完，嗑了一顆瓜子，發出細微的，清脆的響聲。

一連好幾頁，照片簿上都是雅麗絲的母親照片，由少女到少婦以至中年。謎底頃頃，呼之欲出。「不是她是誰？」喬治桑心裏好似打翻了作料瓶，一時分辨不出酸、甜、苦、辣。

其中有兩張照片最引起喬治桑的注視。一張是雅麗絲幼年時，依偎在她母親膝前的照片。一張是，一位穿着整齊的中年男人和她母親的合照。

「這是不是你的後父？」喬治桑話中的「後父」用的是英文。這種名詞用英文比較順口。

「是的，他倒是一個好人。他從來不用非法手段賺一塊冤枉錢。他對我很好。他拿我當親生女兒，我也拿他當親生父親。唉，好人不長命，他過世時才五十四歲，真是死得太早了！」雅麗絲說到最後，輕輕嘆了一口氣，似乎有無窮的感慨。

「哦，哦，他和妳的母親感情很好吧？」喬治桑望着雅麗絲，她的頭髮有幾根散落在額前。他忽然感覺那是胎毛，而雅麗絲清秀的面龐，在他眼裏也立時變成了稚態可掬。她只穿了一襲碎花綢襯衫，外罩一件細絨線的背心。

文滙樓劄記

汪漢溪的辦報訣竅

半個世紀，中國最成功的報紙，祇有上海「新聞報」。其不靠政治力量，不靠資本家資助，獨立經營以維持發展業務。因爲「新聞報」能自給自足，以報養報，不與任何特殊勢力締結關係，成爲中國第一家大報，皆汪漢溪的力量。

汪漢溪一生不問政治，不兼他業，不掛銜頭（上海公共租界工部局聘爲顧問，皆婉拒之，工部局者英國在上海最高政治機構）。他的勤懇精細久而不懈，可作新聞同業楷模。據該報編輯嚴獨鶴（梓材）語樓主，汪漢溪以報爲家，傾其腦力心血於新聞報，三十餘年如一日，事業之成功，眞非偶然。

民國初年，軍閥割據，強鄰日本干涉租界言論，報紙講了公道話，得罪了不公道的人。新聞報雖辦在上海，發行必須要運到全國各省市縣，張大帥命令火車遲開兩小時，曾引爲笑談，殊不知駐軍到了旅長階級，皆有權干涉行車，禁止報紙在防區銷售，眞是易如反掌。

汪漢溪指示編輯部同人及採訪人員，新聞報登的消息，未必無誤，但絕對不准有私圖，採訪未必盡確，絕對不准故意爲之。新聞報主筆李浩然，以北洋軍閥貪汚風氣甚熾，請示言論方針。汪漢溪說：「中國歷史上歷代君王，雖然望治之心甚切，而對於貪汚之輩，往往特別重用，且願寄以心腹任務。」李浩然謂：「明白了。」汪漢溪告訴總編輯的話更有意義，他說：「報館裡的總編輯，就如古之宰相，宰相者，其職乃上佐天子，執行交辦事項，調和及拓展各門部工作，報紙是羣衆的精神食糧，須注意羣衆口味，最忌偏激與孤芳自賞。」汪漢溪就新聞報的性質，一面作商業經營，一面則對國家社會又積極的匡導與扶助。新聞報在中國報業史上是一家比較成功的報紙，爲大衆所公認。

中國對日抗戰勝利後，上海租界取消，中央宣傳部派政論家程滄波，接辦該報担任社長，總主筆是章士釗（北洋政府司法總長，現附匪），總編輯趙敏恒（前英國路透通訊社遠東分社經理），總經理詹文滸（前中央政治學校新聞系主任），已被匪殺害。程滄波的經營方式，半承汪漢溪時代的衣鉢，如嚴獨鶴等照舊錄用，繼續寫新園林小方塊，目的在使幾十年老讀者，不受報館人事波動影響。一面向最現代化的企業目標邁進，再加上程滄波、章士釗兩根巨筆，在全國將近三千家報紙中，新聞報實高人一籌。大陸淪陷後，共產黨將上海新聞報翻來覆去，改組了好幾次，由摩現代化報紙，退回到若干年前「宮門抄」型最古老的讀物，祇此一點，毛澤東應該打三百屁股。

文匯樓主

論「上帝愛世人」評議（一）

吳輝章

四月間偶然見到「論上帝愛世人」一書，因見此書乃台灣佛教有名之印順老法師與香港頗負盛名的基督教牧師兼名作家吳恩溥牧師二者間對「上帝愛世人」所引起之論戰，故爲好奇心所吸引而得見吳牧師與印順和尚二者精妙之筆戰，然閱後私下對二者所持之討論態度與所發表之言論，有些微見，茲列於后，聊充讀書心得。

（一）印順老法師之論點：

印順老法師認爲耶和華並不愛世人，他（指印順）以爲耶和華上帝所喜悅的乃是盲目無知識的人，因而耶和華上帝起初可以讓人永遠活著，而不容許人類有分別善惡的智慧。他指出了耶和華所喜悅的盲目無知，如舊約創世紀所說：

耶和華吩咐他（亞當）說：「分別善惡樹上的果子，你決不可吃，因爲你吃的日子必定死。」

蛇對女人（夏娃）說：「你們不一定死。因爲神知道，你們吃的日子，眼睛就明亮了，你們便如神能知道善惡」於是女人……就摘下果子來吃了，又給他丈夫（亞當）吃，他丈夫也吃了。他們二人的眼目，就明亮了，纔知道自己是赤身露體。

耶和華說：「那人已經與我們相似，能知道善惡，現在恐怕他伸手又摘生命的果子吃，就永遠活著。」耶和華便打發他出伊甸園去。

但是到底爲什麼耶和華上帝起初可以讓人永遠活著而不容許人類有分別善惡的智慧呢？這一問題，印順老法師特別提了出來，他認爲分別善惡的智慧，意味著人類的自覺（由於眼睛明亮，覺得自己連衣服都沒有穿），自由的思考（不服從耶和華的禁令）。自覺與自由的思致，是不會盲目信從的，是促使神權崩潰的有效武器。而耶和華上帝則自以爲創造一切，有權支配宇宙上的一切，就是宇宙的大統治者，他所喜悅的是絕對忠實的僕人，永遠受其支配，卻不可有分別善惡的自由思致。如奴隸們有了自由思致，智力增長，這對祂（指耶和華）來說，是具有很大的威脅的。因此禁止人吃分別善惡的果子，無非是希望人類永久盲目無知，永爲其忠實之僕人，而將榮耀永歸於上帝。

印順進一步的指出耶和華所喜悅的乃是人們的分散無組織。他認爲從上帝的作爲中可看出，想蒙耶和華上帝的喜悅，承受上帝的慈愛，除了自認無知，或智服從於信仰之外，分散無組織，乃是必要的。印順由舊約創世紀中指出了這一點：

那時，天下人的口音，都是一樣。……他們說：「來罷！我們要建一座城，和一座塔，塔頂通天，爲要傳揚我們的名，免得我們分散在全地上。」

（未完）

大學文牘

馬相伯百齡大慶祝詞

二十八年四月六日孔氏在重慶演講

孔祥熙

今天我們在重慶遙祝馬相伯老先生百齡大慶，我們的情緒是非常的熱烈和興奮，並且還含有很重大的意義。莊子說：「百年爲上壽」，洪範五福，以壽爲先，可見享大壽的人，是古來所稱有而爲一般人所敬敬的。馬先生有高尚道德，得到這樣的壽考，我們慶祝他老人家是我們的國華人瑞。但是，除了國華人瑞一點值得慶祝以外，我們更要將馬老先生做人做事的成就，作爲我們永久的師範。本人覺得馬老先生享此大壽的主要原因，是在氣質的修養，氣質上有了深厚的修養，所以纔能達到上壽，因爲達到上壽，所以更表現出來偉大的修養，和成就了偉大的事業。願就此兩點，說明馬老先生照耀乾坤的精神。

第一就修養而言，馬老先生一生確是做到心安理得的地步。曾文正說：「古之君子，修己治家，必能心安身強，而後有振興之象，必使人悅神欽，而後有駢集之祥」，這是解釋凡人如從心安二字着手，就可修己，就可以強身，也就可以招致祥福。所謂心安，有消極和積極兩面的說法，消極的說法，是要以順乎自然爲養生之道，積極的說法，是要以勤勞自勵達到壽考。孟子說：「我善養吾浩然之氣」，這種浩然之氣，就是由順乎自然鍛鍊出來的，這樣的鍛鍊，才能養成恢宏的度量，豁達的見解，也才能不知不覺的享受大年。從前蘇東坡作養生頌，說明他的養生方法是取法莊子兩句話，莊子說：「聞在宥天下，不聞治天下也」。我們體味這個「在宥」二字，是包含有虛心涵泳和無所不容的意思，惟其有了無所不容的涵養，所以才可以做到順乎自然。但是，徒有順乎自然的度量，猶爲未足，必須積極的勤勞自勵，古今中外之聖賢豪傑，沒有不是磨鍊筋骨困知勉行的，書經上無逸一篇，闡論「勤則壽考，逸則夭亡」的道理，人的精神身體，如同機器一樣，用之於合理的節度，就可以保持恒久，若是閒置不用，必將生銹以至於敗毀。

馬老先生休休有度，凡見過的，無不同聲贊佩，並且勤苦一生，從不以逸豫自苟，還有更能以百齡高年，不憚跋涉，不避艱險，共赴國難，這種忠誠愛國的精神，使後生儕輩聞風鼓舞，而在這個外患憑陵的國家和變幻動盪的社會之中，馬老先生能夠不爲環境轉折，享此大壽，實在是把握住順乎自然和勤勞自勵兩要點，因此心安，也因此身強。

第二就事業而言，馬老先生確是做到貫徹始終的地步。委員長最近講行的哲學，裡面有說：「我們應該認識行是經常的和恒久的」，又說：「我們行事，只要以至誠去力行，就必能篤行實行，唯有篤行實行，纔能算是行，這樣的行纔能事事精益求精，實事求是，且必始終專一，貫徹到底」，馬老先生提倡教育，培養人才，數十年如一日，眞正是經常的行，恒久的行，眞正是篤行實行，所以才能貫徹始終絲毫不懈。由於老先生的作育人才，還些年來他的許多學生直接間接幫助國民革命，做了國家的棟樑，社會的領導者，而老先生都能親見其成功，這是何等快樂，何等的幸福。古人說：「十年樹木，百年樹人」，樹木的時間不久，所以樹之者大都可以見到木的長成，惟獨樹人，需要相當長的歲月，往往樹之者不及見其長成，馬老先生於親手培植的人，都能夠及身一一見其對于國家民族有重大貢獻，這是古今所不多見的事，老先生可以以此自豪，我們也因此對老先生表示無限的慶賀。

馬老先生成功的因素，當然不只如此，不過本人特別指出修養和事業二點，是要使我們每個人都能學着這好榜樣，努力事業，努力於健康。易經上說：「吉凶悔吝，生乎動者也」，這個動字是指動向而言，人的吉或凶，都是由於他本身的動向而決定的，只要對於動向謹慎，那麼沒有不逢凶化吉履險如夷的。馬老先生生平的動向，是有目的，有軌則，和有步驟的，所以得到今日完滿的境界。我們慶祝馬老先生的壽考無疆，同時也預祝我們國家民族的萬壽無疆。西人有言：『人民之健康，亦即國家之健康』，願以此言共同勉勵，更以此言恭祝我們中華民國的國運興隆！億萬斯年！

諸葛亮狂想曲（二四）

· 劉玄 ·

「玉帝君臨宇宙，智慮深邃，亮實敬佩。但以亮愚見，美國探月旅行只不過基於科學研究，決無驚擾天庭之心。嫦娥已是靈體，太空人對她無可奈何，她對玉帝報告，似言之過甚。天庭以玄學爲主，實駕科學之上，況仙家道力非凡人所能窺測，對他們登月之舉，不必過份重視。」諸葛亮說的是老實話。

「你的話雖有見地，可是還不夠深入。你要知道，天庭與地球必須嚴格劃開，不容夾雜。假使讓你到下界，你是靈體可以獲得肉體。阿某等踏上月球，他們雖具有肉體，已到靈體境界，這樣一來豈非人神不分，天下大亂乎。」太白星君的玄學頭腦果然非諸葛亮所能及。

「自然，自然，亮道根淺薄，星君洞察天人之際的奧秘，實非亮所能幾及也。」諸葛亮立刻向太白星君認錯。

「你來不必太謙了，對於人世間之事，你比我懂得的多。天庭之事，你當然比我生疏。但人世間可以接受天庭道理，天庭卻不容多談人世間之事，這便顯出高低上下了，哈哈。」太白星君在天庭太久了，他總認爲天庭一切都是最理想的。這和美國人的優越感到有幾分類似。不過，美國人能登月，太白星君能鍊丹，他們有優越感未始無因。

太白星君是道家一派，崇靜厭動，他與諸葛亮一席談，在別位仙家或許是稀鬆平常，在他已經是很少有的事了。咖啡喝完，太白星君向諸葛亮告辭，諸葛亮不便留他，恭送至大門口。

諸葛亮送走太白星君，在大廳來回踱方步。這是他納悶的習慣，當年他在擺空城計時也是這樣的。

「丞相，你要不要吃點什麼東西？」琴童進來問諸葛亮。

「不想吃什麼，替我拿兩個素包子來好了。」諸葛亮不像關張等猛將，吃起東西來狼吞虎嚥，他喜歡吃素，並且食量很少。生前就是因食少事繁才不永壽的。

「丞相，」琴童叫他。

「還有什麼事？」

「丞相知玉帝爲什麼對美國人登月感覺震驚？」

「不知道，難道你知道？」

「諸葛亮用的琴童是鬼靈精，在天庭日久，東跑西跑消息很靈通。諸葛亮分明是要琴童細說分明。

「因爲美國太空船比孫悟空的筋斗雲，哪吒的風火輪更快。而美國的太空雷達設備比千里眼，順風耳兩位將軍更靈。」琴童一邊說一邊直點頭，表示肯定的語氣。

「不會吧，你是聽誰說的？」諸葛亮追問琴童。

「孫悟空身旁服侍他的一個小猴精告訴我的，他說齊天大聖接到玉帝密旨，要他練筋斗雲，務求比太空船更快。聽說哪吒也受有同樣的密旨。想不到，玉帝也參加太空競賽了！」

政治垃圾現形記（二五）

馮玉祥與韓復榘（下）

老兵

十九年春隴海路大戰之前，隨韓倒馮的張鐵順騎兵師即受馮的威嚇利誘，又叛韓歸馮，事先馮並有最好把韓復榘同回復令，因韓不在防地未能如願，其參謀長李樹椿則幾至不免，因李亦是主持叛馮最力之一人。

十九年秋隴海路戰事結束，韓復榘任山東省政府主席時所部又擴充到三師一旅，馮對他仍不能忘懷，派他的舊部師長韓多峯赴魯勾結，但當時魯局已粗定，韓部餉項充足，好像窮家女子，幸而嫁得金龜婿，誰也不想再回娘家過貧苦的生活了。即韓多峯本人，亦留在山東接受了省府顧問的名義，不再回馮處。迨二十一年馮玉祥在察哈爾利用方振武、劉桂堂等烏合之衆號召抗日失敗後，窮途末路，無所歸宿，乃又托人向韓說項，願假泰山一小廟爲棲身之所。韓迫於情面，不便堅拒，但內心有說不出的苦味。記得馮過濟南下車時爲冬天，衣藍粗布短褂，腰間紮一條麻繩，藍色粗布棉褲，褲腳紮帶，黑布棉鞋用帶緊於脛，蓬首垢面，髮長數寸，極似一鄉下莊戶老頭兒。韓迎於車站，馮下車第一句話仍說：「我要看看你的隊伍，」韓與馮對話，必作立正姿勢，因習慣已久，出於自然而不自覺也。

（完）

巨變歷險記！

「屍橫遍野」（六四）

胡慶蓉

從濟南到徐州的這一段，丁博士有車廂可躲藏，他引爲是莫大的幸事。

從濟南到徐州，同從天津到滄州，從滄州到濟南，路旁景象，沒有不同。擴而大之，到整個的華北，也並無不同。這是一個廣大的農村，廣大的農業社會，接觸到眼簾的，是貧、是窮。單單從此子上看，已可以一覽無餘。

陽曆一、二月的天氣，就是舊曆十一、二月的天氣，不管刮風也好，到處充滿肅殺之氣，茫茫大地，悠悠蒼穹，都在不言中。除了凋敝不堪，牆倒屋漏的點點農舍外，你再也看不見什麼。農村的人是不愛動的，農村的人更安土重遷。有得吃也好，沒得吃也好，大家都願意守在家。雖然家裏是四壁空空，雖然家徒四壁，就是餓死在家裏，也死而無怨，雖然家徒四壁，但究比暴露在風雪中要好得多了。雖然家徒四壁，但四壁總可以擋住風雨，要比在外面好得多。在農村有秋收冬藏之說。冬藏者，將春耕夏耘秋收的東西，一概藏起來，藏在家裏，慢慢的吃，何必動呢？但民國以來，兵荒馬亂，那裏藏得住。尤其津浦線沿線的農村，更是藏不住。藏不住，老百姓那裡有吃？沒有吃，老百姓怎麼能活？……

丁博士躲藏在運料的車廂，他非常慶幸，但他又想到外面的老百姓，他不時會看見逃荒的，會看見要飯的。這是少數不甘餓死在家裡的人們。他們就一家一家的出來，推着「洪車子」，推着「小土牛」，把僅餘的破布破棉絮鍋盌瓢勺放在上邊。小孩不能走路的，也裝在上邊。大人柱着棍，在後邊跟着。我所謂大人，是指女人而言——男的則在推車子。「洪車子」者，大車子也。其實，同「小土牛」一樣，都是獨木輪車，都是獨輪車，不過在裝備方面，「洪車子」兩旁可放東西，可以坐人，而「小土牛」則只有上邊，而且很小的面積。逃荒的，也就是要飯的。因爲沒有飯吃而逃荒，逃荒一定要吃飯。從這一個莊，到那一個莊，也就是這一個莊要了了，再要下一個，如此天天趕路，天天要飯。因爲普遍的沒有飯吃，被要的人也就是要飯的人，大家都在逃荒，大家都在要飯。一天要，一天在要，一天也要不飽的。天天餓，身體怎支持得了！於是在啼飢號寒之下，大家都成了餓莩，都倒斃路旁，倒斃村旁，倒斃門前，倒斃院裡。於是茫茫大地之上，悠悠空蒼之下，到處是死屍……

逃荒的人，要飯的人，能夠趕到車站的，都往車站上趕，希望從客人方面得到一個救濟，他們那裡又知道火車久已不通了，現在在車上的，丁博士他本人又是一個逃荒的人，要飯的人。但丁博士仍盡他的可能，給他們援助。但他一個人能救濟多少呢？今天能救濟，明天呢？後天呢？……杯水車薪，還是與事無補。屍橫農村，橫屍車站？……

（未完）

逍遙的眞人—臨濟禪師（一）

吳經熊原著・吳怡譯述

禪學黃金時代

一提到臨濟義玄，我們便會想到他的激底，倔強的個性，和求道的熱情。他是山東曹縣人，俗姓邢。我們不知道他生於那一年，大約九世紀初，死於西元八六六年，或稍後。

從臨濟的賦性來看，他是一個地道的北方人。幼年時，他便立志出家，虔誠求道。雖然他後來的開悟也是很突然的，但在他通向悟道的路上，卻是歷盡了艱辛。

在他落髮受戒時，便已嚮往禪宗，大約在二十多歲左右，他到了安徽投奔黃檗（本腳，以下同）門下。當時，睦州道明已是僧衆的首座。深感臨濟的性行純一，早就對他另眼看待，後來發現時機成熟，便問他說：

「你來此多久？」

臨濟回答：

「三年了」。

睦州又問：

「曾經問過方丈嗎」？

臨濟回答：

「沒有，我不知道要問個什麼」？

睦州便說：

「你爲何不去問他！什麼是佛法的大意」。

於是臨濟依照睦州的指示，便去問黃檗。當他還未問完，黃檗拿棒就打。臨濟只得退了回去，睦州便問他：

「他怎麼回答你」？

臨濟把經過一五一十的告訴睦州，並說無法了解黃檗莫明其妙的舉動。睦州再催他去問。這樣臨濟來回的一共問了三次，卻挨了三次打。至此臨濟深感自己無法了解，還不如離開爲妙。於是便怒形於色的去見睦州說：

「以前承蒙你激勵我去問佛法，使我屢次吃師父的棒子。自恨前世的障緣未了，不能徹悟玄旨，因此只有離開這裏」。

睦州便說：

「在你離開前，應先向師父告辭」。

等臨濟走後，睦州趕緊搶先跑到黃檗處說：

「問話的那個和尚，雖然年青，但此人很奇特，請你給他方便指點，將來他一定會變成一棵大樹似的，蔭蔽天下衆生的」。

過了一會，臨濟向黃檗告辭，黃檗說：

「你不必到別處去，只要到高安灘頭，去參見大愚，我想他一定會指點你」。

當臨濟到了大愚那裡，大愚問他：

「你從那裡來」？

臨濟回答：

「從黃檗處來」。

大愚又問：

「黃檗告訴了你一些什麼？」

臨濟回答：

「我三次去向他問佛法的大意，三次挨打，我不知自己究竟錯在那裡」。

大愚說：

「黃檗也眞是老婆心切，爲你這樣徹底的解除困惑。但你居然還到我這裡來問有無過錯」。

聽了這話，臨濟恍然大悟。便說：

「原來黃檗的佛法就只有這麼一點」！

大愚一把抓住臨濟說：

「你這個尿床的小鬼，剛才還來問你自己有無過錯，現在卻說黃檗的佛法就只有這麼一點。你究竟看到了些甚麼，快說！快說！」

臨濟不答，卻在大愚肋下築了三拳，大愚把他推開說：

「你的老師是黃檗，與我何關」！

臨濟離開大愚後，再回到黃檗處。黃檗看他回來，就說：

（未完）

御廚談藪

豬雜烹調法（下）

林泉隱

猪腦　照炒肉法燒之，或與火腿麻菇同煮。

猪腰　猪腰可以煨爛，蘸椒鹽吃的。或切成片，用熱水泡去血水，洗淨，放在葱椒酒醬浸一會，照炒肉絲的方法炒之。

脊腦　每段切成一寸長，與猪腦一同放在火腿麻菇中燒之，名叫脊腦湯。

猪肺　洗的時候，將肺掛起，從氣管中注入冷水，用手掌將肺葉敲拍幾十下，自氣管中傾出血水。再注入冷水，用手掌敲拍幾十下，必須要將肺葉洗滌到極乾淨，而變爲白色，乃剔去包衣，剪碎成塊，去掉膜再洗。然後用雞湯或火腿湯同煨。

猪腸　猪腸很不容易洗淨，洗時，第一必須將腸翻轉來，刮去污穢，用稻柴灰以及鹽擦擦，再放在清水裏洗淨，到沒有臭氣爲度。然後放在沸水裏，燒一些時候。拿出來再洗乾淨切斷，與雞湯同煨。紅煨或白煨都可以；或將幾條小腸套在大腸裡，煨過之後，切成薄片，蘸椒鹽吃亦可。

猪皮　先風乾之，用的時候放在水裏浸軟，再在油裡炸透，和其他菜料一同燒。菜館中人常有充當魚肚用。或將皮斬細加調，在鍋子裡蒸幾次，蒸到極透，加入斬細的瘦肉，就可以做饅頭餡。

賽金花返老還童術

馬騰雲

生活漫談

八國聯軍攻陷北京後，瓦德西將軍眷戀北京名妓賽金花，凡對國事稍注意者均皆知之，曾孟樸先生（即今日新聞界名流曾虛白之尊翁）所寫「孽海花」小說，其中就是賽金花的故事。

賽金花原名傅彩雲，清末名妓，生得國色天香，因殿斃下女，被逮捕判罪入獄服刑，仍如出浴楊妃，看官們如果不相信的話，有詩爲證：

「京都多名妓，齡說賽金花；車馬門如市，賓客列座嘉；爭求識一面，聲價高雲霞；腰乏十萬貫，徒徇虛聞餘；一朝入冏圄，險除黑雲遮；妖星臨貫索，淚雨濕荷枷；我毀提牢職，放飯趁晚衙；鶯驚辭爭食，一鶴靜不譁；見我屈一膝，請安禮有加；滌淨夫脂粉，艷如碧桃葩；小蠻腰肢細，楊柳吐新芽；花中年逾半，仍如初破瓜；含情羞掩面，尤似抱琵琶；諦視未了了，忽被禁卒拿；須臾雙扉闔，深鎖不可撾。」

其漂亮的程度，「花甲年逾半，仍如初破瓜」是多麼的陶醉人和迷惑人，上海一代花魁華芳（潘雪艷），據說曾以高價輾轉迴折買到賽金花返老還童術的秘方，華芳直到三十幾歲，亦是花中逾半，仍如初破瓜。民國二十四年上海英美烟草公司新任總辦老基際，因職務關係去拜訪華芳，（英美烟公司出品的華芳牌香烟，用以對抗上海華成烟公司美麗牌香烟）幾驚爲天仙，問齋司潘今年十幾歲了，老基際可能未讀過「心理學」，見小姐太太問年齡和見報館老板問銷數，統歸納爲「挖祖墳」，不過華芳則例外，卅幾仍被人認爲十幾歲，也値得驕傲的了。

華芳的飲食起居散漫，乃職業使然，但還童有術，從十幾歲起到三十幾從未間斷，即每月服食男性頭胎衣胞一具，四川某將軍就是以此術延年益壽，據說以新鮮的衣胞烹調當菜，效果最著，不會製不慣得吃，則成爲難題。詳細在生活漫談單行本叙述。

衣胞，中藥名叫作紫河車，佛袈裟，含有激動素。據蘇俄醫藥機構宣佈，爲極合理之組織療法，用於神經衰弱及陽萎。我國醫典載，紫河車功能補氣血，治虛損，及婦人五勞七傷等症。筆者一位父輩某公，在華芳身上用去百萬銀元（抗戰前），後身敗名裂，三代首富，因之結束，僅賺得此不傳秘方與華芳各種各型照片一大箱，不過話又說回來，人各有志，他認爲一個人「寧在花下死，做鬼亦風流」。注意：下期爲「百試百驗的風濕痛療法」。

鱷魚潭邊的故事（十四）

趙陀

桃花潭三水肝

這種粗線條的作風，使我聞信後頗幣都羞漲得緋紅，克琳想到這裡時，認爲媽的話，被任念佩用事實推翻了，一壁看報紙，一壁吃着牛奶麥皮，像發現新大陸似的喊道：

「媽，任念佩既拙劣又粗線條，我馬上提供有力證據給媽看，簡直沒有一點可愛處。」

「小鬼頭，快來幫忙把媽的束胸罩扣好，傾討厭日子一天比一天愁，身體呢？卻一天比一天胖。」

克琳去幫助媽去扣好束胸罩後，向媽開玩笑式的說：

「媽，五十多歲的人了，胸部爲甚麼會這麼大，你臟多麼像碧姬巴鐸和蘇菲亞羅蘭，有甚麼秘訣嗎？」

「小鬼頭，媽要撕你的嘴了。」

「媽，我要你告訴我。」

「鬼丫頭是不是要媽請你吃生活，甚麼事不好問要問這些。」顏芳半眞半假的罵着。

「媽的胸部，像對臥着未滿月的小鹿，稍稍一動，如鹿初醒，媽自己一定你喜歡，難怪趙伯伯詞裡有『一顧傾人城，再顧傾人國。』的字樣。克琳還據描寫着媽。」

「小鬼頭，我眞的要請你吃生活了。」

「媽生得太美了，該凸的地方凸，該凹的地方凹，年青時在一個公共場合是多麼的搶眼。」

顏芳在克琳的屁股上重重的擰了一下說：

「小鬼頭，你反吃起媽媽的老豆腐來了。不過，媽亦老早想和你講，孟河名醫張繼賢有通乳秘方，並不一定是通乳水，也可通乳房竹脈，使之特別發達，依法服用，就會變成這樣，近代美容師注射的海綿型脂肪劑，有效期間，只有半年，且含用危險性，不若國醫能夠固本培元，又無副作用。」

「雖怪媽常常的在服食藥劑燉豬腳呢？」

「孩子，你不講，媽亦想不起來，你的三圍都不太夠標準，竟有出人意外的吸引力，媽倒要來研究，研究，是怎麼一回事。」

「女兒吃媽的老豆腐，媽又要吃女兒的嫩豆腐，蘇家簡直變成爲豆腐世家了，媽，我拒絕你研究女兒這些。」

「對了，鬼丫頭，這些與媽沒關係是嗎？期待未來的新姑爺研究。」顏芳打趣的向克琳輕微的一刺。

「不！我才不准他研究啦！媽，說來話長，女兒對性感的秘訣，就是自己的心靈覺得很性感，若干地方，只須暗示，而不必表露，我試過很多次，沒有一個男人抵擋得住，我還股富有含蓄的吸引力。」

「人小鬼大，雖怪任念佩入了你的迷魂陣了。」

「媽，我不來了，你又……」

「小鬼頭，剛才你說發現任念佩的拙劣和粗線條，有甚麼證據嗎？」

「媽：一、他指出我的缺點，要改造我的生活方式，算不算拙劣，二、連面都未見過，就想和我替他生一個黑黑壯壯的小孩，算不算粗線條？像上列的情形來看，如非遇到我這驕傲和偏見的人，簡直沒有一點可愛之處，媽：你說是不是？」

「這證明媽的觀點很正確了。」

「假定女兒馬馬虎虎，不去思證，豈不是對任念佩發生很大的誤會嗎？」這時王媽走進來喊道：

「老爺聽電話，牛少爺，牛老太太九點半到紅棉餐廳候駕，恭請蘇府闔第光臨。」

蘇翟寶被喊醒後睡眼朦朧，喋喋咕咕的咒罵道：

「是不是牛家死了人，天剛亮孝子就來報喪和打擾。」蘇翟寶於咳嗽中間息的咒罵着。

王媽說：「老爺討論婚事成與不成，都是大喜，怎可以說這些不吉利的話？」帶有譏諷的語氣。

蘇翟寶中了電影毒，認「大喜」兩個字是前清法場殺人時的代名詞，又兼情緒特別煩，乃破口罵出：

「王媽，你這個爛女人，大清早上來出霉頭，眞可惡。」

王媽立即抗議說：「老爺你不能罵人。」

「我罵你，你能怎麼樣？想造反是嗎？」

（未完）

自由報

（第九九五期）

（半週刊每星期三、六出版）
每份港幣壹角・台灣零售價新台幣弍元
社長李運鵬・督印黃行賓
社址：香港九龍彌敦道593—601號
廖創興銀行大廈八樓五座
LIU CHONG HING BUILDING
7th FLOOR FLAT 5
593—601 NATHAN ROAD,
KOWLOON, H.K.
TEL: K303531
電報掛號：7191

自由民主的經濟制度與自由中國（上）

何浩若

現在我從生產、消費、分配、交換、四方面說明自由民主的經濟制度的內容。香港總督葛量洪訪問紐約。紐約工商界的企業家歡迎他請他講演。他說：『十九世紀屬於我們英國人，二十世紀屬於他們美國人，二十一世紀則屬於他們中國人。』當時有人問他，是不是指的中共的政權。他說不是的。他以爲中共只是一個暫時過渡的政權。他說他指的中國人。在這裡我要說到另外一個重要的問題，那就是現在世界的人口問題。因爲科學和醫藥的發明與衛生環境的改良，人類的死亡率已經大大的減低。上次引述的，杜勒斯國務卿一九五六年六月廿一日在舊金山的講演，便說到美國的嬰兒死亡率減低了百分之七十五。大規模生產和使用抗生素一類的藥品。不僅使死亡減少，而凡使疾病不易發生。這不僅美國的情形是如此，凡是能使用抗生素和現代醫藥設備的地方都是如此。據人口問題專家的估計，現在只需要四十二年人口便會以增加一倍。「美國科學促進會」的太平洋區分會於今年八月二十八日在美國西岸的士丹佛大學舉行年會討論世界人口問題，據說在二〇五〇年世界將有人口九十萬萬。那個時候，美國的人口將有六萬萬。年會會長洛克博士致詞，說到那個時候，人類將仍然有足夠的糧食，但是必須增加生產。葛量洪爵士的預言是有相當根據的。當二十一世紀到來的時候，將有十萬萬中國人。這十萬萬中國人的聰明才智絕不在世界任何民族之後。自從李政道楊振寧推翻對等律獲得諾貝爾獎金以後，這一事實更爲人所公認。但是這十萬萬聰明才智的中國人最主要的問題，仍然是生產，仍然是如何才有足夠的糧食。這使我回想到另外一個故事。第二次世界大戰的時候，德國攻蘇，打到斯莫林斯克獲得了斯莫林斯克黨部的全部檔案。後來美國打敗了德國，便把這一百多箱的檔案運回美國聘請專家研究。研究的結果獲得了許多珍貴的材料。蘇聯經過了十年的準備才澈底實行農業集體化。可是實行農業集體化以後，接連十多年都缺乏糧食。中共自一九五〇年起平均每年供給蘇聯三十萬萬斤糧食，這是陳雲向中共的人民代表大會報告的。蘇聯在西伯利亞和烏拉山開墾荒地更是公開的事實。據「斯莫林斯克檔案」透露，因爲蘇聯的農民反對農業集體化，斯大林和莫洛託夫（當日的部長會議主席）曾經共同副署黨部和政府的聯合命令，把九十萬農民送入集中營做奴工，把十萬多農戶流放到西伯利亞。但是結果只有更壞。到現在，蘇聯雖然放了幾個人造衛星，糧食問題仍然無法解決。安居斐力浦是法國社會主義者的領袖之一，做過法國的財政部長。他在一九五六年訪問蘇聯。因爲他是一位經濟學者，又有行政經驗，在蘇聯的時候又和克姆林宮的那一羣詳細談過話，他對蘇聯的觀感和報告，應當比較的可靠。據他的研究，以一九一三年爲基數，從一九一三年到一九五〇年蘇聯個人平均收益是百分之一百二十三點六，美國個人平均收益則是百分之三百〇八。斐力浦最驚人的報導，還是與人口有關的糧食問題。他說以一九一三年爲基數，現在蘇聯糧食的個人平均生產量爲百分之一百零八。可是肉類、牛奶、雞蛋的生產現在還趕不上一九一三年。雞蛋的生產量祇有一九一三年的百分之九十一。肉類生產量只有一九一三年的百分之七十八點九。牛奶生產量更少，只有一九一三年的百分之七十三。斐力浦說，蘇聯曾經每年平均把國民總收益的百分之二十一投資在重工業裡面，然而再過四十年恐怕還是趕不上美國鋼和鐵的產量。我們在這裡要研究的還是人口與糧食的問題。一九三九年以後，蘇聯停止公佈人口的數字。關於蘇聯的人口在一九五六年以前始終是一個謎。民主國家的人口學專家，估計蘇聯的人口約爲二萬萬二千萬。但是蘇聯在一九五六年六月公佈了厚達二百六十二頁的一本名叫『蘇聯的國民經濟』的報告書，說蘇聯在一九四〇年的人口是一萬萬九千一百七十萬，一九五六年四月，則是二萬萬零二十萬，比民主國家所估計的少了二千萬人。最奇怪的是烏克蘭和白俄羅斯，經過二十六年，人口不僅不增，而且減少。可是蘇聯的平均死亡率已經大大的減低。在一九二六年一萬個蘇聯人要死亡二百零三個。在一九五五年，一萬個蘇聯人口死亡八十四個。因爲共產黨鬧一杯水主義，蘇聯的出生率也同樣下降但不如死亡獨下降之甚。在一九二六年蘇聯平均每一千人出生四十七人，到一九五五年蘇聯平均每一千人只出生二十五人。蘇聯公佈的人口比自由國家所所估計的少了兩千萬人，最主要的理由，據蘇聯說是因爲世界第二次大戰的傷亡太大。可是所謂大，或不如此之甚。也許還是因爲糧食減少的原因。在這本統計裡面我們發現了另外一個秘密。一九五〇年蘇聯正式公佈的糧食生產數字是一萬萬零三百百萬公噸。在這本『蘇聯的國民經濟』裡面，我們用牠的百分比計算出來，只有七千九百八十萬噸，比原來公佈的產量少了二千多萬噸。共產黨在奪得政權之初，是用恐怖政策殺人。在政權穩固以後，便控制糧食，有計劃的餓死人。自由國家叫前一個政策爲恐怖政策，後一個政策爲饑餓政策。在共產黨統治之下糧食的生產既不能增加，便只有計劃的控制來饑死許多的反動份子。饑餓政策比恐怖政策更殘酷有效。饑死的人無法計算，而且也不露痕跡。這裡有一個慘痛的故事。據說大陸上有一個忠貞之士，死也不肯加入共產黨。因此共產黨便不配給他糧食要餓死他。他臨死之日忽然和他的太太說，要加入共產黨。太太很驚奇的問他爲什麼？他說：『假如這個世界上要死一個人的話，寧可死掉一個共產黨，不可死掉一個反共的人士！』這已够傷心的了。他又接着說：『共產黨說他們餓死的都是反動份子。現在我加入共產黨而被餓死，也可以使他們的饑餓政策有點偏差！』。

我從葛量洪的預言說到世界人口問題，從人口問題說到共產黨的饑餓政策，只是想說明一點，那就是說，共產黨的經濟制度，不能解決生產問題，就是最重要的糧食生產問題也不能解決。蘇聯的人口平均每英方里才二十二人。中國人口的密度十倍於蘇聯。蘇聯以十年準備的時間，實行農業集體化，接着有十多年缺之糧食，到現在仍然無法解決糧食問題，還要仰給於中共。中共只有一年的準備，便把百分之九十以上的農民合作化、集體化。請問今後幾年的情形怎樣？美國推斷中共之必然崩潰，從斯莫林斯克檔案所獲得的蘇聯農業集體化與糧食生產的情形，也是理由之一。反過來講，在自由民主的經濟制度之下，以美國爲例糧食生產的情形，不僅有餘，而且過剩，這理由很簡單。要比較兩種經濟制度，我們只須問：自由工人和奴工相比，那個的生產力大？相傳中國有一個孝子守着父親的棺材，忽然鄰家失火，孝子恐父親的屍體被焚，便一個人把父親的棺材拖出戶外。後來教他再拖那樣重的東西，他再也拖不動了。自然，這只是一個故事。這個故事意在說明，人類只要有工作意志（Willingness to Work）他們有無比的潛在的力量。羅伯歐文和亨利福特都把他們的理論建立在『工作意志』上面。只要工人願意，心甘情願的做工，即令減少工作時間，工作效能只有增加並不減少。人類是有靈魂的、有理智的，不能把他們看做機器看做牛馬。共產黨自詡，在他們統治之下，沒有失業。我們何曾見過牛和馬失業？我們全是人，共產黨也是人。爲什麼共產黨要強迫其餘的人來做機器，做牛馬，服從他們的意志來解決人類的問題？這是不可思議的。正因爲人類不願意失去他自由的意志，不願意被強迫，因此在共產黨統治之下減少了他們工作的意志。人類爲謀自己的生存，原有他們自己的生產的動機的。只要他能自由的享受自己勞心勞力的所獲，他願意自由勞力的工作着。這並不是說他可以剝削別人的勞力。剝削別人的勞心勞力的所獲是不合理的。共產黨也無理由來剝削別人勞心勞力的所獲。人失去生產動機以後，共產黨要由勞動英雄一類的鼓勵來增加生產，其效力是有限的，至於所謂增產節約則是單純的增加工作和減少待遇。人生經濟的目的究竟是爲了什麼？自然是要繼續人類的生命，和提高生活的水準。要提高生活的水準，自然要增加生產，要增加生產，自然要有生產的動機。生產者更要有自由的意志。這不是一個單純的分配問題。共產黨說生產工具操在私人手裡便變成剝削勞動者剩餘價值的工具，因此他們要把生產工具收歸國有，然後他們以黨治國來控制全部的生產。實際共產黨在名義上沒有生產工具的所有權，卻有生產工具的使用權。他們用無產階級專政的名義來剝削勞動者，美其名曰國家資本主義。他們不知道，在自由民主經濟制度之下，生產工具既不屬於私人，也不屬於國家，而屬於公司。公司是公有的，人人可以購買公司的股票，工人也一樣的可以購買公司的股票。當然，在自由民主國家裏面，仍然有私人公司，私人工廠，但是一般的趨勢是公司公有。最近福特也把福特公司的股權出賣了。時間會使自由民主的經濟制度下的生產單位都變成公有的公司。公有公司的生產工具既非私有亦非國有而是公有。以公有公司爲生產單位的好處是免去私人的剝削而仍然有競爭。

自由談

陳腔濫調

所謂「東南亞公約」組織機構，最近發表本年度報告書，指斥中國大陸上的毛共是亞洲禍亂之源，說來好像義憤填膺，與毛共不兩立的樣兒，而美國務卿羅吉斯亦致函該公約機構，保證美國恪守盟約，履行承諾。我認爲這都是些扯蛋談的陳腔濫調，不值一哂也。

名爲「東南亞公約」組織體系，而其實際主人乃是美、英、法各國，除掉美國在東南亞沒有惡劣印象外，英、法皆係在東南亞實施帝國主義殖民政策的國家，東南亞人民對它們沒有好感，更談不到信心。該公約組織創設之初，每次舉行理事國會議時，英法代表且諱言「反共」字句，英國代表更謂毛共政權可以成爲「亞洲狄托」呢！越南共禍之所以釀成到今天這樣的劇烈程度，英法是禍首，而美國亦係從犯！

真正的東南亞國家已參加該公約組織者，如泰、菲、越南和巴基斯坦等，根本就沒有作主的權能，每次開會時，祇有敬陪末座，洗耳恭聽幾個東南亞無關的西方強權國家代表的議論後，即簽署會議公報，製造大堆的無聊檔案而已。

美國原係東南亞公約組織的發起人，但又怕痛怕癢，硬要把英法拉在一起，結果是英法專門扯腿潑冷水，以致公約組織有名無實，不發生積極作用，因而越共乘機竊發，弄得美國焦頭爛額，大丟其臉。禍根種於當年艾森豪政府一著失錯，乃招來今日有如手捧着紅炭丸的痛苦後果，已謀不臧，於人何尤乎？

爲今之計，唯一挽救方法，就是改組東南亞公約體系，仍由美國領導督促，使東南亞各個反共國家結成一條陣線，擔負着公約的主幹任務，而將跟毛共政權締交的英法除外，庶幾涇渭有別，壁壘分明，纔可望發揮一些共同爭取自由獨立的力量。否則所謂東南亞公約組織應予早散檔，以免徒亂人意，敗事有餘。可是，尼克森總統有這種氣魄嗎？我很懷疑！

馬五先生

昨日與明日

迎冠軍想紅葉

——成公

少年棒球隊凱旋回到國門，台北市民擁到機場歡迎，場面之大，情緒的熱烈，尤超過當年的瘋狂迎凌波。

在舉國歡迎這批「棒球新貴」時，有沒人想到當年植樹掘井的人。此次少年棒球隊，贏得世界冠軍，固是由於球藝精良，將士用命，但主要的動因：當歸功於當年紅葉隊的掀起風氣，建立大家的雄心，假如沒有紅葉隊的異軍突出，大勝日本關西隊，那麼林林總總的中華少年，縱有無數的陳智源，還不自己都覺得是「醜小鴨」，那個敢有念頭進軍世界少年棒壇。

新人笑，舊人哭

如今則是「只見新人笑，那聞舊人哭」。「紅葉」不僅早已凋零，而培植紅葉開拓新疆的關主竟是兔死狗烹，因打球而「判刑犯罪」（不是「犯罪判刑」）。

報載紅葉的領隊和教練，也就是紅葉國校的校長胡學禮，和體育教員（那位用石頭代球，訓練紅葉隊的教師）邱慶城，被台東地方法院以偽造文書罪，判處有期徒刑一年，緩刑兩年，因而受到了莫大的打擊，犯的什麼罪呢，乃是爲了打球時用另外五個學生代替打球。這最多是不合體育道德取消比賽資格而已，怎麼扯得上偽造文書。「天理，國法，人情」，古有明訓，法律可以這樣解釋嗎？法律如其這樣深文周納的解釋，天下恐怕很少有不犯罪的人了。

表揚好人好事

台灣方面標榜表揚好人好事，並且每年還選出好人好事，正式表揚，這是很有意義的。但社會上的風氣則往往是打擊好人好事：任何人只要在社會上有點成就尤其是出了名，得了衆望。或遲或早，總有人要出來設法打倒。而今天這股風竟吹到老實的山地國校教員身上來了，寧不令人可嘆！胡學禮邱慶城，自然傻裡傻氣，沒有許多法律訴訟知識來應付，心裡只有「吃悶虧」。但「啞子吃黃連」，心裡有數，這個悶虧不僅胡、邱本人不能服氣，而所有山地同胞和社會公正人士，都不會服氣的。結果只有把怨氣加罪政府，是遺禍之鉅，不可預料。因此我們一定要主持公道，起來平反這不公的裁判。並且在這世界少年冠軍之際，應該對胡學禮、邱慶城加以照顧和表揚。

革新不是一句口號　必須舉國上下奉行

·朱同慶·

自國民黨十全大會所揭櫫的革新大計以來，不獨輿論界反映熱烈，紛紛為文評述，而國民政府本身，亦在全力推動，大有下石千仞，勢不可遏之概，觀其對香蕉案之澈底究治，與周匪武案之不稍寬假，業已顯示政府對此次革新計劃之執行，是以劍及履及之行動隨之。吾人覩此現象，深慶夙願得償，欣慰有加。並願就個人觀感所及，提供幾許意見，作為革新的參考。

凡事以身先之，以鼓舞群情。

我們提倡革新，不自今日始，多少年來，政府一直為此而[illegible]規劃，諸如改造，克難奮運動的開展，革新，動員戡亂等口號的揭示，以及新、速、實、簡四大原則的垂訓，的確已苦心孤詣，煞費周章，然其成效未能臻於理想者，原因固然很多，而領導階層未能充份發揮其示範作用，自是其中的原因之一；要知革新不是一句口號，更不是幾個單純數字，而是全國人民熱烈響應此舉之淬礪奮發的情緒。有了此洶湧澎湃的情緒，則所謂衆擎易舉，而萬事即不難迎刃而解矣，革新事業，自可順利完成。不過此種情緒的發成，全賴有影響力的領導階層，抱有「革人者必先革我、新我者乃以新人」之自我犧牲的大無畏精神以為鼓舞，然後可收立竿見影風行草偃之效，否則，置身事外的以談革新，不管口號喊得如何響亮，而辦法訂得怎樣周密，將不會有實際的效果，這是領導革新事業者所應具有的認識。

肅清官僚主義與鄉愿思想

無可諱言，有背民主制度的官僚主義和違反科學精神的鄉愿作風，仍在我們這個以民主科學為號召的自由中國滋長蔓延，如果不予以肅清，不僅對正在進步的國家起腐蝕作用，而對正在推行的革新工作，亦將受到不良的影響，不過官僚，鄉愿這兩個帶有封建色彩的殘餘思想，要想一下子予以廓清，也非易事，我們應該首先瞭解其政治因素和社會背景，在我們的政治圈裏和社會場中，雖未明白承認官僚主義與鄉愿作風的合法性，但在官場政治和世故社會的影響之下，多少有幾分鼓勵的作用，所以我們要清除官僚主義和鄉愿思想，必須先予清除具有影響力的官場政治和世故社會。然後再運用淨化後的政治和社會力量，分別向感觸自作的官僚主義和阿比取容的鄉愿作風進軍。予以合圍夾擊，使其無所逃於天地之間，妖氛盡掃，瑞氣自降，將見海清河晏，弊絕風清，而革新事業，亦可順利推展矣。

欲使人盡其才，先革三制。

「人盡其才」和「中興以人才為本」，這兩句口號自 總理 總統先後提出以後，國人對此無不念茲在茲以求兌現，尤其當此反攻復國之際，各級政府更是迫不及待的唯才是求，然而人才並未恰如其量的為世所用，這並不意味着人才的缺乏，而是人才有關的教育，考試，和人事三種制度各有其自身的缺點，而未能發揮其應有的功能所造成的結果。先談教育吧，我國教育之重視文憑，雖受其他力量所左右，但自身亦有其不可忽視的錯誤。有實學而無文憑，不得入校讀書，這種扼殺自修風氣的規定，實開教育史上之惡例，學校不管學生才愚勤惰，屆時一律給以文憑出校，這種無有淘汰率的機械教學方式，成為我國教育之特色，以此而觀，學校為人才的培養所？抑為文憑的製造所？不待智者而自辨矣。次如考試，不問其性質如何？一律側重於記憶力的測驗，而忽略了理論的探求和發揮，其所選拔出來的，不是一些照本照抄的「文抄公」，即是一些會叫號碼的「電話生」，而真正有主見有特識的卓越人才，反在機械式的考試而被埋沒了。至若人事，更是千孔百瘡，其弊病較為顯著的則為資歷的重視，人事制度之重視資歷與教育制度之重視文憑同出一源：有資歷而無能力，亦可扶搖直上，有能力而無資歷，雖賢如武侯，惟有望洋興嘆，因此，不僅造成賢愚倒置，巧拙易位之反淘汰現象，使規劃已久的新陳代謝的計劃，由於一般人貪念資歷的累積以便資位的取得而遲遲不能付諸事實，是皆緣於崇尚資歷一念有以致之，可見制度的良窳，直接關乎人事的臧否，如影隨形，絲毫不爽。本來，教育、考試、和人事這三種制度，是為了培養，選拔，和使用人才而設的，今因本身有其先天性的缺點而作了扼殺人才的工具，所以欲使人盡其才以輔導革新事業的順利推展，就必須先從改革三制着手，使其成為一部[illegible]人才的完美機器，為各種人才之所從出，才不失為正本清源之道。

應謀輿論的健全

一個開明的政府，其所以培植與論而使之健全，讓其毫無顧忌的從事批評工作者，以批評有助於政治的進步。美國輿論界對政府的批評是毫無保留的，可是值得稱道的是美國政府對這些毫無保留的批評，非獨不感困惑，而且能一一地加以接受，分別其輕重緩急予以改進，使政治更臻完美。老實說：美國之能有今天，輿論的力量，是不可抹煞的，我國唐虞之世，亦極重視輿論，堯有敢諫之鼓，而舜設誹謗之木，是以卒成盛世之名，民到於今稱之。降至戰國，齊威王因其臣鄒忌之諫，遂別開生面的頒佈一道詔令：「有面斥寡人之過者受上賞，有上書諫寡人之過者，受中賞，有設謗於市朝而聞於寡人之耳者，受下賞」此詔一出，門廷若市，年之後，雖欲言莫能進者，結果，威行三十餘年而諸侯不敢東向。可知輿論對於一個政府所生中的力量，不是其他力量所能幾及的，所以我們今天欲謀政治的進步，對於促進政治進步的輿論應使之健全，應該是革新工作者又一課題。

革新之事，經緯萬端，非上述數項所能概括，不過有了上述數項，直如航海者，有了寶筏，陸行者，得着駿馬，自可越渡重洋，馳騁中原矣。這是我個人對革新事業的看法，質之當軸，未審以為然否？

（完）

× × ×

編者、作者、讀者

丁作韶為法國巴黎大學法學博士，今撰：「嚴懲貪污亦不可矯枉過正」，頗多卓見，可資當局參攷。

江應龍為國立台灣師範大學教授，脊端甫為名詩人，現任中國文化學院教授。

梅川克為老報人，今承從台灣專函，補述當年汪精衛一段實情，增益讀者，謹致謝意。

郭雨新日本帝大畢業，現任台灣省議員，外間對其有精神議長看法。

赤松子是筆名，為中國青年黨五老之一，早年服務上海新聞報，被派駐巴黎記者。

諸葛亮狂想曲，因天庭法令變更，一時難以出境，太白金星正為諸葛設法中，劉玄德來信囑轉知讀者。

大學尺牘

吳稚暉致張仲仁函

鴻雁

仲仁先生執事：省教育會從前利用張季老，以其久不適用棄之。今又有利用先生之必要，因復以東大校長浼先生。孟子云：「矢人豈不仁於函人哉……故術不可不慎也。」故責任之浼信鄉袁觀瀾諸先生皆賢者也。年來因欲維持其特殊紳士地位，遂明串，把持，反復諂附，所謂患得患失，竟流為鄙夫者也。弟雖激急暴徒，自安其為新病世俗之責，先生北洋舊雨，亦守其穩健士大夫之常，皆予人以共見之底裡。惟彼所謂「陽性十姊妹」也者，營狡兎三窟，圖三元之不敗，敗風俗患鄉里，彼等亦不自知耳。東南大學者，彼等出官之花；省教育會，其大本營也。郭秉文鄒秉文之徒，為其出張之傀儡而已，先生久受齊燮元之不悅，故立於旁觀最清地位。彼等此次之失敗，乃千年老狐狸，偶不自檢，致有此挫跌。彼等不信吳齊將萬年不歸，安福已成薜中痱，故出其大捧場之手段，遂渾制而成難洗之逆迹，惟失敗，在黨人視之為極平常，從蝙蝠着想，則大失計。所以汪精衛先生勸彼等不恤失敗，彼等充耳不願聞也，現惟着手事齊不成，事關事楚，雖靡恥道喪，亦不暇深究。彼等昔日隱排先生，今又韋奉先生，皆此類耳。

郭秉文鎩羽而去矣，久久著名之文理平常，手段高明之鄒秉文，尚有鄒秉文也者，亦嘗為東南大學之害虫，現已撲被入都，為先生在北京報紙鼓吹（此次忽提議舉先生為校長，先生開去，當亦莞爾而笑。先生自有先生之值，文苑、儒林、名閒，置之所謂正史中，皆可無愧為大學校長，未免朋笑。此無異冉有子路能御聖人之車，又令作汽車夫，豈不笑話。

彼等辦學成績，即近日兩端，已可窺見。一即號稱師範教授，能指揮流氓，毆辱彼等口頭所佩服之人。（陸志韋先生自述，胡敦復之道德文學，彼亦佩服。）一則隨便拉一名流，戴之以為傀儡。即此觀之，彼等辦學之成績何在？其辦學之誠意又何在乎？

今欲在東南尊校長，止有胡敦復、張君勱差強人意，張先生為黨人，欲東南大學或為純正講學之地；並然於黨化及紳士機關外，舍胡敦復有何人？彼等亦遍尋不可得，故剛中先生為傀儡學名流，以隨彼等頭把戲之作用。所以教育部為大學任學者，彼等則易其名流，彼等不肯自供其蹈空架子之行為。

自郭秉文以出戲法之手段，裝成一東南大學之空中樓閣，羊皮虎皮之大學，遂紛然以起，此逆跡共睹共見之事，那么臨之鄒秉文，亦到處隨冷熱之觀斷，此次彼重踏都門，又在黑暗中搗鬼矣。尤憶前年為農大校長，今日所謂司法總長章行嚴先生者，在黎元洪時代招之而來，幸曹錕時代，章先生失利，鄒先生即謀取而代之，此又先生之所知也。故所謂江蘇省教育會十姊妹也者，郭鄒皆其附庸。會今日之韓奉先生，猶前年有一時期之鄒承章先生耳。

今次舉先生，不曰省教育會，而曰校董會。我則仰天大笑，覺其臭氣四溢，作嘔而罷。校董會，本大學章程之所許。即如北京一隅，雖北京大學無之，而師範大學則不能無，然何以師範大學無問題，一聞東南大學之校董會，竟作嘔噁之呢？一則因師範大學之校董會，無政治紳士把持地方之作用，一蘊生合法，若東南大學之校董會，自知即為省教會之附屬物，三數人把持之，操縱政治及地方重要機關而已。先生亦拼名校之一也，照我們所知之蔡子民、蔣夢麟、江易園、王儒堂諸先生，皆拼名湊數，礙於情面而隱者何異？此次郭秉文附逆逐去，彼三數真正校董，逆迹更彰，如此郭之不存，尚何有於校董？

更退一千步一萬步而論，就算抽象而為空洞之校董會，東南大學之校董會，亦無推舉校長之可能性，因彼第一次校董會，得教育部批准者，並無推舉校長之職權。會以第次之修改，然教育部批令再謂該部指派之一人加入，方能成立。竟始終未謂指派，是第二次校董會，欠缺重要分子，並未成立，故彼等於去年擅裁工科，亦未敢早謂教育部批准，僅借當時炙手可熱之督軍省長命令，用官勢以驕人。彼等亦知東大校董會之不正當也。所以彼等近頃在報紙上出把戲，以法律問題圖欺教部生手長官，亦心勞而日拙耳。

此次倘為前馬次長為國民黨，不恤舉執政席上之命令，受鄒秉文等搖尾乞憐之影響。正如今日京報社論之金言，諸勿問馬叙倫骨子如何。「中央為自身威信生命計，凡疫之來也，不問其患者為仇為恩，總不可不竭力以撲滅。」即我亦因一切政治問題，曾獻言於章行嚴先生曰：「最要謂段執政堅持者，是非黑白問題。」倘段執政自信自身為白，早讓路。不可自愿曰：「人非聖賢，誰能無過，彼雖吾仇，到底老北洋派；彼雖吾友，到底新人物。終身為輪迴之喜怒，則是非既無標準，結局亦左右均予之以不可。將何以治國？」今以京報之言評之，將終為疫虫所竊笑耳。

此種云云，為先生拉雜陳之者，小弟狂噪，始終不諱言流氓，先生亦為一舊式之端人，慨嘆夫任之先生者等，嘯世賢豪，竟以患得患失，墮落至此，彼等捉弄先生，欲以先生為爐火中取栗之貓脚爪，眞不值先生笑耳。謹聞無恙。

弟吳敬恒頓首。一四、四、一一。

喬治桑外傳

七九

張大

他情不自禁地在她肩膀上捏了一把。說，「妳只穿這一點，冷不冷？」

雅麗絲像受驚的小鹿，閃開了身子，「不冷。」她的聲音很低。

喬治桑自知道一[illegible]嬸嬸。但他此時是父[illegible]的心情，可惜雅麗絲懵然不[illegible]。

「妳的母親是不是姓曹？」喬治桑找話說，以掩飾內心的不安。

「哎呀，你眞是貴人多忘事，剛才我不是告訴你了，母親姓曹，父親姓李，[illegible]」雅麗絲最後的一句話用的是英文。

「那妳的生父姓甚麼？」喬治桑似乎要打破沙鍋問到底。

「這，我倒不清楚。我問過母親好幾次，每次問她，她總是憤憤地說『提起他我就有氣，我只當他早已死了，妳要是我的好女兒，以後不許再提到他。』母親的眼睛立刻紅了，接着眼淚簌簌地流下來。我那裡敢再問。」雅麗絲說到此處，用手指着一張照片，那是在上海王開照相館拍的，「你看這張照片本來是兩人合攝的，右邊已經被剪掉。顯然是我的生父。那剪下的一半，早被母親用火燒了，這是火葬。」

雅麗絲的話像虫子肯（口旁）嚙着喬治桑心靈上舊有的創痕。喬治桑沒有流淚，鼻子却感到有點酸。

「妳的生父確實辜負了妳的母親，難怪妳的母親恨他。是不是他移情別戀，另外結婚了？」

「我只知道母親在有身孕以後，他留下了一封信，偷偷跑到美國去了，從此再無消息。母親一度想自殺，後來因為捨不得我，才含垢忍辱堅強活下去。這種對愛情不負責的男人，是世界上的壞東西。」雅麗絲皺了皺眉毛，表示她對生父的厭惡。

「可能妳的生父也有他的苦衷……」喬治桑話未說完，雅麗絲搶着說，「甚麼苦衷？他所犯的錯誤是不能原諒的」。

「妳的母親叫甚麼名字？」這時喬治桑已經看完了照片，兩隻手放在沙發的扶手上，右腿架着左腿，表情很凝重。

「叫曹梅卿，梅花的梅，卿相的卿。我當着母親的面不敢說，我總覺得她的名字帶有濃厚的紅顏薄命意味。」雅麗絲用兩手支着下巴，肘部放在膝部，十足少女的姿態。

「名字與命運有甚麼關係，妳太迷信了。」喬治桑不表同意。

文滙樓别記

從吳忠信談到吳申叔

老母「資」，實則是「鷄」，乃合肥人的標幟；「洗」念「死」，「已」和「幾」都念成「資」。抗戰期間，張治中在某機構發表演說，因矯枉過正，指美國「基」本主義，聽衆一時感到迷惘。美國有資本主義、孤立主義，又增了一種基本主義，多歸些時，才發現係張治中矯枉過正。

合肥土話，一般合肥人很難變，據說亦不願意變，李鴻章做了滿政府首相，「國關」中的三字經，常脫口而出，「入娘的」，「搗姨姨」，即在國際外交應酬場合，也很少避諱，充份表現出天朝風度，但也鬧過很多笑話。段合肥（祺瑞）亦然。合肥人講合肥土話，似乎有一種傳統榮譽感。

總統府資政吳忠信（禮卿），就是一口合肥土話，在未逝世前，接待樓主的談話中，中央財務委員會秘書長克裕，有一次也在座，吳忠信對樓主建議修正總理遺囑，認爲頗有卓見，遺囑上講的那些，事實上都做到了，已成過去。樓主復建議政府各項工作，應當選賢與能，不必太重視關係。吳忠信讚揚蔣總統對中國人事制度的建立，煞費苦心。在未北伐前幾乎一團糟，蕭佛成同志將曼谷國民黨一條街的房屋地皮，都化公爲私。星洲、巴黎、紐約等地類似情形，舉不勝舉，國父的氣量亦眞大，不僅不追究，嘆口氣也就算了。

吳忠信欲移開話題，指着牆壁上吳申叔（鐵老獨子）一幅畫問樓主說：「老弟，你看我小孩子畫的這幅畫如何？」樓主暗忖，這幅畫究竟是烏鴉呢？或者是野鴨子，還是老鷹？他老人家解釋說：「這隻『資』畫的雖不工整，意思還是畫到了。」樓主這時才敢誇獎申叔兄畫的不錯，很有神。一連想到另一位吳老先生稚暉，諷刺印象派的詩：「遠看一朶花，近看牛屎巴，所謂印象派，唉喲我的媽！」

吳申叔與王莫愁結婚，用英國幽默大師，蕭伯納的解釋，可能出自「誤會」，借吳迪「瞭解」的機會都沒有，就離開這人世間了。吳死後，吳府上的金佛多尊，及價值連城的舍利子佛家寶物，據說都存在銀行倉庫，這些東西應當暫時收歸國有，因王莫愁不曉得該物的貴，反易引起人動腦筋，搞出若干亂子。泰國和緬甸於百年前交兵，就是爲了爭取一尊玉佛，後來泰國戰勝，玉佛接到曼谷首府最大的廟宇玉佛寺，就是犧牲很多生命換來的無價之寶。曼谷市區到機場的路上，有座「舍利子」塔，說來話長（從略）。吳忠信做過蒙藏委員會委員長，並代表政府到蒙、藏各地宣慰，活佛和喇嘛們有甚多饋贈，吳的隨從醫師單向往博士，現在曼谷耀華力路開業，他比樓主知道的更多了。

文滙樓主

論「上帝愛世人」評議（二）

吳輝章

耶和華說：「看哪！他們成爲一樣的人民，都是一樣的語言，如今既作起這事來，以後他們所要作的事，就沒有不成就的了。我們下去，在那裡變亂他們的口音，使他們的言語彼此不通」。於是耶和華使他們從那裡分散在全球上，他們就停止不造那城了。

由此看來，耶和華上帝怕的是人類過著更有組織的生活，團結起來，從而發揚人類自己，人類文化的光榮。要是人類團結起來，甚麼事情都能做，那還有誰將榮耀歸於上帝。因此，便起而變亂人之語言，使人因語言的隔膜而不斷的引起了矛盾、衝突，而削消了人類團結進步的力量。所以，耶和華變亂人的語言，目的在要人類分散，如此，耶和華之大能，才會到處顯揚出來。

并且，印順還由耶和華的反對成立國家與叫人家庭分爭二者，及世上有許多毒草毒果，人類因誤食而致命，虎狼等猛獸的食人、傷人。洪水的毀滅人類的一切等等，以及人們的殘廢、畸形、狂妄等，「不是這人犯了罪，也不是他父母犯了罪，而是要在他的身上顯出神的作爲來」而結論出「上帝到底不是愛世人的，倘若上帝愛世人，又爲何而有此作爲。這些便是印順老和尚的論點。

思溥牧師反駁印順之論點（二）吳

吳思溥牧師反駁印順和尚主要論點是在印順所說的耶和華上帝所喜悅的人是盲目無知識的，耶和華所喜悅的是分散無組織的人們，這也就是說，牧師在印順所謂的上帝的「愚民政策」與上帝的「分化政策」二論點上，下功夫。

吳牧師認爲印順和尚是歪解經文，事實上亞當并不是盲目無知的，人類的智識并不是由於吃了禁果而來。他說那人（亞當）便給一切牲畜和空中飛鳥野地走獸都起了名」（創世紀），由這一項艱鉅的工作，便見出亞當並不是盲目無知、不知不識的人。並且亞當受了上帝之命，治理這地，管理一切活物，印順憑甚麼說他是盲目無知識的蠢才。此外，吳牧師認爲「人並不是吃了分別善惡的果子才開始有了分別善惡的能力」，他認爲夏娃明明曉得吃禁果，是一件違命的事，也就是說：在這件事上，夏娃清清楚楚明白甚麼是「是」，甚麼是「非」。印順實是誤解經文而大發夢囈罷了。吳牧師便由此而立論曰：「上帝並不叫人盲目無知，而他所喜悅的也並不是盲目無知的人」。因爲若他所喜悅的乃是盲目無知的人，那怎麼會要有知有識的亞當來管理大地及一切生物呢！

綜談國劇復興（十六）

王方曙

丙、關於燈光

國劇舞台上的燈光，直到現在，可以說主要在將舞台照亮，使觀衆看清台上的表演。很少利用燈光，增加戲劇效果的。關於這一點，我認爲是國劇上的一個缺點。我主張在燈光方面，應該充分利用。

國劇所以用燈光只注意照亮舞台，是有原因的。因國劇在無電燈的時期已然成熟。甚至已到北京去演唱的時候，還沒有電燈，所以沒有燈光的變化可資利用。國劇在早期都是用天然光。除非特殊豪華的場合，或可有多設照明設備的可能以外，早期的國劇是以白天演出爲主的。因此在早期排演的時候，從來就不想如何利用燈光。等到有了電燈，可以充分照明了，於是大演夜戲。當時覺得便利多了，也好看多了。但因早期的觀念和習慣，始終很少在燈光上想辦法。有之則如梅蘭芳的霸王別姬，望月一場，燈光滅掉，照上五彩燈光；舞劍一場，也是如此。其實照五彩光是不合理的。也破壞劇情。但在那時却算創舉，而且引起大衆的欣賞。其他少數利用燈光之處，大致如此。海派連台大戲，更多利用「五彩燈光」，作些什麼空中飛渡，騰雲駕霧等新奇玩意，那只能破壞國劇，更不值得重視。

我現在所談的利用燈光，是要眞正的利用，是要以燈光配合劇情。比如霸王別姬，望月一場，當然不要「五彩燈光」，而需要黯淡的夜色。以再配合上文所談過的利用簡單的舞台裝置，在天幕上打出半鉤新月，其他佈景道具都不要，就足可將這一場襯托起來了。這是一種用燈光造氣氛辦法，在今天的戲劇中，最平常的事。但在我們國劇方面，始終沒有在這一方面切實的利用，原因是沒有利用燈光的習慣。國劇利用燈光以往很多，只是在第一主角上場以前，先暗了燈。等他一上場，燈光猝然大亮，以示主角兒上場了。這實在不是燈光本身應負的責任。這種辦法，現在已經有所改正，也是很大的進步。燈光配合劇情的地方，需要的很多，上面所說，只舉一例而已。其餘如三岔口的摸黑，無妨燈光眞正黑下來，而照以一「聚光燈」，只以兩支小度數的「聚光燈」，跟着台上的兩個表演的人，那種境界便要高多了。四進士宋士杰的偷信看信、吹燈，若能配合燈光：在偷信時打「聚光燈」，在吹燈時「聚光燈」突然暗掉，台上留一點點微光，使觀衆僅能看見台上的動作。等再點燈時，便隨着燭光之亮，而再照起「聚光燈」，那該多麼美！類此極多，不必多舉，運用之妙，可自創造。但這些是不會破壞國劇的。從前打「五彩燈光」都沒有破壞了戲，今天利用合理的燈光，當然不會破壞戲。這祗能增加國劇的美。

另外一種燈光的利用，是換場時滅燈落幕，在前文雙重舞台一節已談過。在這裡也應該提出一下，因爲這也屬燈光的利用。但事實上是配合舞台換場而已。從前沒有燈光可利用，當然只好讓舞台一直亮着，但今天有無往不利的燈光給我們利用，而又決不會破壞國劇的本質，我們當然要盡量利用。利用燈光已經是今日舞台劇的很重要的一點。我相信我們的國劇更會利用燈光。（未完）

徐復觀名字說

熊十力遺稿

謹按：余原名秉常，十六、七歲時，閱大乘起信論，自取佛觀以爲字。民國十六年入軍中爲書記，委任狀寫爲佛觀；爾後秉常之名，遂少爲友朋所知。民國三十七年，熊師爲易佛觀爲復觀，並特撰名字說以張其義。熊師已於去歲病逝上海；檢讀遺文，爲之慨嘆，慚汗不已。五八、八、卅一、謹誌。

古人命名，無苟。文王名昌，用能昌大其德，如天不已（詩曰唯天之命，於穆不已。文王之德之純，純亦不已），蓋大地，萬萬世，無措無邊衆生，皆文王之德所含茹。孔子名丘，其修德似之；凝衆日增，崇高無極，在大地，萬萬世，無量與無邊衆生，同仰此丘山也。名依義立，義必實踐，其可忽乎。復觀原名佛觀，佛氏於宇宙萬象，作空觀而已。般若心經，照見五蘊皆空，是大乘無量義之總攝（五蘊即目宇宙萬象）。此等宇宙觀，其影響於人生及羣化諸方者，畢竟未妥。大乘雖以大悲，不捨世間救此空觀，然畢衆生未度盡故，方與世願，其教化終歸趣寂。周吾聖人裁成天地，輔相萬物，參贊化育，開物成務，立成器以爲天下利，富有日新、諸廣大義趣，究不相似。余故造新論，繼大般若空經而宣演變經（變經一詞，見新論語體本緒言）此意不容忽也。今爲吾子，易佛觀以今名，且字曰見心。易復之象曰：復其見天地之心乎，取義在斯。復者剝之反也。今大地衆生，方顛倒以趨於剝，吾愛人才剝極，其忍不忍復乎？剝極而復，非去其慘酷之惡心，而見（現）溫愛之和心，則不可以復也。余以衰年，丁此剝運，一身無所計，唯於族類之憂，不容已。鳥獸猶愛其類，何況於人。同類不卹，侈言悲衆生，此唐大之戲也。立愛自近始，是余志也。余願與世人相勗以見天心之學，久而當有復也。子以維桑之誼，周旋於老夫丈履間，寄望彌切，愼勿忘易名命字之旨也。民國三十七年一月一日。

諸葛亮狂想曲（四三）

劉玄

「不要胡說，我不相信太空船比筋斗雲，風火輪更快。」諸葛亮嘴裡雖如此說，心中却佩服琴童的消息靈通。

南天門送客的行列，三五成羣，對天庭的修正出境令，看法不一，嘖有煩言，張飛性直，說起話來所謂千里傳音，在歸途上，向趙雲說：

「當年孫猴子大鬧天宮，玉帝頒旨招安，那樣遷就，今諸葛軍師依法辦理出境反道樣留難，天庭簡直在除良安暴……」

「三爺講話聲音小一點，太白金星就在前邊，距離我們不大遠。」趙雲講這話聲音很小。

「我就是要唱給這小子聽，甚麼齊天鳥聖，打到龍王宮索武器，鬧閻羅殿上，搶生死簿，蟠桃園刼農作物，這麼樣的目無法紀，理應名正典刑，當東海龍王召請天兵天將修理此妖時，太白金星竟然簽呈玉帝「降招安聖旨，宣猴王上界，委以官職，以收邪心，庶宇宙昇平，四海寧靜」，簡直不成體統」。

「三爺的話似是而又非。」二郎神巡邏巧遇，聽到張飛在路上發表妄論，趙雲當年雖渾身是膽，於今皆得還窮環境，忙稽首爲禮，張飛當然亦顯出尷尬，還是張苞腦子動得快，連忙上前向二郎神施禮，接着說：

「楊將軍日理萬機，還能抽出時間來送諸葛伯伯，出晚輩意料之外，家父今與舊遼當，飲玉液瓊漿過量，如有冒犯伯伯在座，他老人家從不會醉……」

「本將軍奉旨巡邏，非送諸葛亮者，令尊天眞爽，一如往年。」語氣之間等於開張飛教訓。趙雲和張苞都以爲三爺會當場出彩，未料不僅未頂撞，反拱手爲禮，趨前說：

「楊將軍今日辛苦了，我們在閒談，認當年孫行者大鬧天宮，文武百官莫能抵禦，如非將軍德威，只靠如來佛法力，不一定就能將猴子抓到。」（未完）

政治現形記（二六）

李槃

第九回　小道士居然貴爲政要　大洪爐終於燬沒人渣

話說我國在舊有的君主政治時代，有幾種職業出身的子弟，是不許參加科舉考試的，科甲爲從政的正途，不能應掄才大典的考試之役，即永遠沒法涉足政界，規制嚴明，決無假借。所以，凡是參預科甲試場的人，除填明三代履歷外，必須註寫「身家清白」字句，如本篇所述的道士人物，便屬於禁止應試之列。

到了辛亥革命，民國成立，政尚民主，國號共和，上述那種不民主的法制，自然非摧毀不可。於是乎，胡爲牧猪奴，都登政府位者比比然，對於曾否識過字，操着何種職業，有無從政資格，一概免予置議，小道士就是從革命火爐中鍛紅起來的。

道士姓繆，字丕成，江蘇無錫人。父親業巫師，夜間爲疾病人家唸咒畫符驅鬼，小道士自幼跟着乃父效力，抱持巫師法器，四出奔馳，助施法術，弱冠曾在上海南洋公學混過短期的學生生活，到民國十二三年，輾轉流落至廣州，冒充上海交通大學畢業生。這時候，廣州的國民革命政府偏促一隅，對於外來參加革命行列的青年特別歡迎，繆以號稱大學畢業學生，年輕擅長交際，他對於該位同鄉的革命元老吳稚暉、鈕永建格外親近，執禮甚恭，就認識許多人事關係，加入了國民黨，在廣州工作，而於民國十五年國民革命軍北伐時，于役總司令部經理處，一年後曾經代理處長職務，然由於智識淺陋，才具平庸之故，革命軍克復上海南京後，他的代處長位置已難於勝任了。恰江蘇省政府改組，主席內定鈕永建，他即以曾任革命軍總部經理處長資格，營謀民政廳長職位，此時覬覦民政廳長最急切的有曾任南京市長何民魂，資歷比繆氏高深，年紀亦大些（繆年未滿三十歲），但何氏與第七軍李宗仁比較接近，繆乃利用這機會去要求吳稚老出面保舉他，吳老疾言正色云：「繆有二十八歲的人，就可以作民政廳長的？」拉不應允，繆碰了一鼻子的灰，依然糾纏不已，對外揚言鈕主席希望他能作民政廳長，結果竟得如願以償。當時蘇省人士以其出身微賤，知識甚差，頗不贊成，然因於他曾任革命軍總部經理處長之名，又說與鈕主席有深交，亦不便公開表示拒絕。

巨變歷險記！

慘不忍睹……（六五）

胡慶蓉

丁博士在到達濟南之後，又決定前往家鄉——河南夏邑東北朱莊一行，確切是一項重大的決定。民國卅八年年初，天津、北平入了共軍之手，山東省、河南省、河北省、安徽省，也早已進入共軍之手。現在在共產區域裡轉，豈不成了釜底游魂，一旦被共軍發覺，豈不是死命一條。但不入虎穴，焉得虎子，在共軍區域裡轉，一定有不少意外的獲得。濟南決定不進去，順流直下，直薄徐州。材料車是沒鐘點的，他儘可以優哉悠哉的慢慢的進前；但車是去徐州的，已經沒有疑問了。

沿途多所停留，在兗州這一站，停的特別久，足足有一天的工夫。又一度作為押貨員的丁博士，得「大飽眼福」。這實在是見所未見，聞所未聞。成羣成隊的人，一家一家的人，都在餓死。這是一個荒年，若在太平盛世，一年之耕，而有三年之食，那當然是吃喝不成問題，如今寅支卯糧，那裏還有儲蓄，一旦遇到荒年，則難乎為繼，除餓以外，還有什麼辦法？大家都不願意動，而且動也動不好遠，於其死在外邊，何不如死在家裡！大家放棄了逃荒，等死在家裡。但必竟還有不願餓死的人，於是爭着向車站方面逃。一來是希望能帶他們到遙遠的地方，有飯吃的地方，二來希望能得到車上的人的救濟。這兩方面他們都失望了。車很久很久都沒了，那裏來的旅客？運他們到有飯吃的地方，更是妄想。在他們要到車站的時候，車站沒有車來往。不知道怎樣遇了丁博士這一趟車，但這又那裏有旅客。有之，就是丁博士這條黃魚了！可憐這條黃魚，也成了涸轍之魚，又那裡能救濟？又能救濟幾多。他將他身上帶的人民幣拿出一千元，一百元一張的大票十張，給他們買大餅吃，買麵吃。車站僅有的幾家小店，倒做了一筆大買賣。錢說起來一千，但並買不到好多東西。在這荒年，外邊的東西過不來，一切都貴的非凡。古有米珠薪桂之說，這個時候才知道。人到了快要餓死的時候，天之下地之上再寶貴的也沒有米麵寶貴。餓死的人，屍橫遍地。個個骨瘦如柴，身上西除了幾根骨頭一張皮而外，也沒有甚麼了。稀稀的幾根頭髮好像也要落了。人需要吃飯，是無人不知的真理。人沒有飯吃，人就如同一盞油燈，會把你身上的肉給你耗乾。人死燈滅，這是說平常的人。這四個字假若用在丁博士眼前這般人更顯得真切。個個已經搖搖欲墜，他們那份求生之慾，可憐相，誰見了也會同情，誰見了也會一掬同情之淚。人同鬼好像是有區別的。但到了看見這些可憐之人，人同鬼實在沒有區別……

這是二十年前的事了，丁博士記憶猶新。人在死亡的邊緣，豈止兗州一站，豈止兗州一地，豈止山東，豈止河南……。這才是大問題。丁博士常這樣想。

（未完）

逍遙的眞人——臨濟禪師（二）

禪學黃金時代

吳經熊原著・吳怡譯述

「這傢伙，來來去去，沒有一個了期」。

臨濟便說：

「只因為老婆心切」。

於是把自己的經過和大愚的話全盤告訴了黃檗，黃檗罵着說：

「大愚這個老傢伙真是多咀，等他來時，我要痛打他一頓」。

臨濟接着說：

「還等甚麼，現在就打」！

於是便給了黃檗一巴掌，黃檗大叫：

「你這個瘋子，居然敢來這裡捋虎鬚」。

臨濟便喝。黃檗就叫人帶他回堂去。

某天，他們正要去田間工作，黃檗拿了一把鍬，看見臨濟空手跟在後面，便問：

「你的鍬在那裡」？

臨濟回答：

「有人帶走了」。

黃檗便說：

「你走過來，我要和你商量一些事」。

臨濟走向前去，黃檗把鍬豎在地上說：

「就是這個，世上沒有人豎得起」。

顯然，黃檗以鍬來暗示禪的傳燈。臨濟立刻領悟黃檗的意思，便把鍬奪過來，豎在地上說：

「為什麼卻在我的手裏」！

這也是象徵的說法，掌法之權已落在他的手中，於是黃檗退回對大家說：

「今天已有人帶你們去工作」。

這是說他已發現臨濟能將代他的地位，他可以安心的退休了。

又有一次到田間工作，臨濟正在掘地，看見黃檗走過來，便站起來，靠在鍬上，黃檗有意要考驗臨濟，而說：

「這傢伙大概累了」。

臨濟卻說：

「我連鍬都未曾舉過，又怎麼會累呢」？

黃檗舉棒要打，臨濟接住棒的一端，往回一送，把黃檗推倒在地上。黃檗便叫在旁的和尚扶他起來，那和尚說：

「師父怎麼容這瘋子如此無禮呢」？

黃檗起來後，便打那個和尚。這時，臨濟一邊鋤着掘地，一邊說：

「諸方火葬，我這裡活埋」。

這是多大的口氣啊！好像幼獅的第一聲怒吼。他說這話的意思是指那個摔倒的，摔倒的我，現在已經死了，被活埋掉。只有這個眞我是永遠活着。我們要在驅殼未消滅前，就應死去；惟有這樣的死去，才能變成一個不生不死的眞我。

從這時起，黃檗才確認臨濟已徹底悟道，便決定把禪燈傳給他。臨濟繼續留在黃檗門下很久，直到他做了河北臨濟寺的住持。最有趣的是有關兩位師徒正像兩個拳擊家搏鬥一樣的，互相攻擊，互相較智。某天，臨濟在僧堂小睡，黃檗進來看見，他在睡，便用棒敲椅子一下，臨濟開眼一看是黃檗，便又閉目入睡，黃檗再打椅子一下，就離開。走到上面的僧堂，看見該堂的首座正在坐禪，便說：

「下間僧堂內的那個小伙子正在坐禪，而你在這裡胡想個什麼」？

首座答說：

「啊，你這老傢伙，在幹什麼呢」？

黃檗也打一下椅子，走了出去。他這種作法是多麼的奇特啊！他把睡當作坐禪，而把坐禪當作胡思亂想。

命相與夢話

・公陶・

吳明經字述齋，鄂建始人，出身張文襄公所立之兩湖書院，日本士官學校。北洋政府時，他歷任中樞軍職。長子國柄為留英工程家。次子國楨為留美習政治。明經現年九十六歲。自吳國楨背棄國家出走美國後，明經仍居台依國柄生活，孫及曾孫繞膝。生活素儉樸，茹素唸佛，日以書寫佛經為樂。身體健耳聾，言語欠清。目明，神志俱如昔，每飯三盅。春間曾於夢中得詩一首，詩云：四月清和麥正豐，平明歌頌到新宮；人間天上兩相樂，古往今來一夢中。醒後甚以為不詳，自料孟夏（舊四月）非死不可，但近猶健在，飲食仍如常。

百試百驗的風濕病療法

生活漫談

風濕病，一談，再談，三談，四談，曾在台北各大報上發表，最近新的發現，五談風濕，想為風濕患的讀者所歡迎。

中國貴州、雲南高原地區，地勢高亢或氣候乾燥，很少有風濕病，中醫認定，病與風、寒、暑、濕、燥、火、六氣有關，特別是風與濕是引發風濕病的主要因素。中醫的治療方法，是發汗祛風，初患風濕，幾劑藥就可以治好了。

據筆者的經驗，導致風濕病的其他因素也很多，比如：一、憂慮和沉重的心情，包括事業失敗。二、住的地方潮濕，濕氣侵入骨髓。三、開着電扇睡覺，或迎着窗口風睡覺。四、夜裡蓋被不小心，寒熱失去平衡。五、患猩紅熱一類傳染病後，調養不好，會得風濕。六、褲子穿的太單薄，尤其年青小姐太太，冬天不穿長褲，等於在自己的身上播下風濕痛的種子。七、出汗時以涼水沐浴，或怕熱喜歡在泳池裏泡。

從前我一向主張精神療法，採取湘軍和淮軍的作戰態度，湘人：「除死無大病，叫化不再窮」。皖人：「頭砍掉祇有碗大的疤」。不過這種民族性，非人人可以做到。比如商人蝕頭寸，支票被對方提出交換時，抱除死無大病或頭砍掉祇有碗大的疤，都不是解決問題的根本辦法，必須要將支票上的數目擺平，才算如釋重負，最好是量入為出，不做空頭，又回到萬世師表孔夫子可囑的話「生財有大道，食之者寡，生之者衆，則財恆足矣！」據本港瑪利醫院某名醫說：「以精神導致的風濕病最難治」。

最近從名醫雜論發現，五十以上的人患風濕痛病，多出貧血而來，血補足，病痛自然消失，總覺這個理由非常充份，患了貧血，紅血球和血色素都缺少，沒有抵抗力乃在意中，風濕相侵構成為病。凡患風濕病的人，長久未好，應該快去驗血，如果為貧血只要補足了血，病患自退，因非掛牌醫生，恕不處方，有關食療補血，試敘述之。

當歸燉雞，熟地燉老鴨，龍眼肉煮稀飯，銀杏桂元湯，鴨血豆腐，紅棗做湯聽便，都含有補血功用；大麥芽粉煮稀飯，溫中除滿，開胃去痰，特別適用於老人衰弱及食慾不良；龍眼肉成份有維生素A、B、葡萄糖、蔗糖及酒石酸等。國父孫中山先生是一位名醫，他對吃血補血談的很多，糾正了歐美人看不起中國人吃動物血的錯誤觀點。患有風濕病的人，一邊注意食療，一邊由醫生指示補血。著者是老風濕，有一個時期不能上下公共汽車，痊癒已久，替我治風濕的醫生，患風濕病是我替他治好，亦算是小新聞了。

・馬騰雲・

爆腰腦

御廚談藪

林泉隱

豬腰花與豬腦同炒，謂之炒腰腦，既鮮且嫩，非常可口，又為一種最營養菜餚。

製作過程，先將豬腰花與豬腦滴淨，用清水浸泡備用，佐料嫩薑片、嫩葱段，紹興酒，上等醬油，白糖，胡椒粉適量，另切數片紅辣椒。（配合色香味）

豬油或花生油聽便，烈火滾油，滾到冒青烟，然後將腰花、豬腦及佐料，緊炒急鏟，二三十秒鐘起鍋，即成為美味的爆腰腦。四川湖南人吃法加入辣椒，亦是一份好菜。陝甘籍林之望嗜食此菜。據說福林的外孫介勛公（前清舉人）吃涼拌腰腦，滾水燙後，加麻油、醬油、醋、蒜泥、青椒水、芥末，清爽可口，別具風味。

桃花潭三水牌

鱷魚潭邊的故事（十五）

趙陀

[illegible]王媽說：「我已辭工好幾次，都是小姐挽留，我馬上離開這兒，請將八個月的欠薪和代經手週轉的一千七百元償還，你們一家人，我已經看夠了。」一邊說一邊流着淚，取下腰間掛着的手帕揩揩眼淚。

「賤貨，我把你送到差館，昨天我的手錶丟了，八成是你偷的。」蘇崔寶將王媽當出氣筒樣在罵。

「老爺，你對外江佬欺詐訛騙可以，我們本地人不吃你這一套，我現在就到差館去檢舉你私設烟燈，柴路抽頭，不把你這壞老頭抓起，你不知道香港是個有法律的地方。」說完不待蘇再答話，扭頭便走，這時顏芳攔住王媽的去路，講些好話，使事態未向嚴重的路上發展，顏芳指着蘇崔寶罵道：

「老東西，這幾天你簡直在反常，大概是要死了！」

蘇崔寶仍惡狠狠的說：「討厭的東西，一大早就老爺老爺的喊。」

顏芳指着蘇崔寶說：「不喊老爺，難道喊少爺嗎？」馬上要訂婚的姑少爺，等不及了，大早來傳你，於王媽有甚麼關係。」

「老太婆，我今天情緒很壞，別來出我的岔頭，快叫克琳化粧後，一道去飲茶。」

「克琳肚子痛，恕不奉陪。」顏芳氣憤的答話。

「怎麼這樣巧，眞是懶驢上磨屎尿多。」

「你這個老不死，生張熟魏，開口就傷人。」

這時克琳，理理衣服，順順額前的亂髮，拿起手皮包，一副很沉重的心情，表示說：

「媽：有問題怎得解決，迴避並不是好辦法，牛府管家的錢老頭，生着那付老鼠眼，鷹鈎鼻子當公嗞，一望就不是個好東西，很早便放出空氣，要將爸爸送到石柱，不出錢的大瓦房去住幾天，還準備對爸爸作適當的小修理。」

蘇崔寶如釋重負的噓了一口長氣，頌揚着克琳道：

「還是我女兒識大體有遠見。」伸出拇指稱讚克琳。

「克琳，我反對你去，拋頭露面，處理一些又髒又臭的問題，除非顏芳死去，不管你怎樣死究是一個大閨女，蘇家的男人還未死光，樣樣事要女人出面。」顏芳表示。

博士何價

依詞集

楚材

台北某報載，美國某大學，將以名譽博士學位，授予某張姓工商鉅子，以獎勵其熱心教育，張某已離台遊歐，轉往美國以便接受。當然，張某年來以水泥盈餘，確是辦理了多種獎學金，連旅美某著名女科學家也得過台幣四十萬元（此款已全數捐作獎學金），可以說是熱心教育，但錢用的是某公司的，而某公司之所以用許多錢，完全是出於當年創辦公司時擬定的章程所載的，在盈餘分配項下，辦理社會公益事業，與張某私人何與焉。據聞美國某大學之所以授予博士，是張某對某大學捐獻了美金五萬元，張某對台灣教育熱心，是用公司的錢，而對美國某大學，確是私人捐贈，因而某大學才授予學位，以酬庸其「眞正」對教育熱心，因而我們也得以曉得博士行情——美金五萬元。然而這時張某只認得上千的中國字，除開洋盲以外，又有何補焉？

自由報

（第九九六期）

（半週刊每逢星期三、六出版）
每份港幣壹角・台灣零售價新台幣壹元
社長李運鵬・督印黃行舍
社址：香港九龍彌敦道593—601號
廖創興銀行大廈八樓五座
LIU CHONG HING BUILDING
7th FLOOR FLAT 5
593—601 NATHAN ROAD,
KOWLOON, H.K.
TEL: K303831
電報掛號：7191
承印：景星印刷公司
台灣分社：台北市西寧南路110號二樓

自由民主的經濟制度與自由中國（中）

何浩若

每一個公有的公司，假如不努力生產，日新月異的改善出品，便競爭不過其他同性質的公司而受到自然的淘汰。工人既可以變成公司的股票持有人便必然的要愛護他自己的公司而加倍努力。即令他不是股票持有人，因為公司失敗於他有切身利害，也必然的努力工作。再說公司的股票持有人並不能直接干與公司的業務。他們只有組織董事會，再由董事會根據民主的方式選賢與能來充任總經理。這個受委託的總經理的產生，是完全以能力為標準的。董事會必定會選任賢能，否則公司失敗就會影響股票持有人的利益。在自由民主經濟制度之下以公司為生產單位的生產方式，不僅有競爭而且能增強生產者的工作意志，是於增加生產特別有利的。必須增加生產才能提高人類的生活水準。

現在再講消費。每一個人，不一定全是生產者。但是沒有一個人不是不消費者。每一個人必然的是消費者。即令他死了，他還有最後的一次消費，要睡一具棺材。因此消費者是包括全人類每一個人的。自由民主的經濟制度便是以消費者為主體。自由民主的經濟制度保存一個自由的市場。消費者有自由的選擇。生產者必須迎合消費者的心理。儘量的討好他們。滿足他們的願望，否則他們便不選購他所生產的那一項商品。假如生產者的商品不能推銷，他們公司便必然的破產。我目覩美國的生產者是如何的要討美國每家主婦的歡心，而又是那麼的自然，毫不矯情。生產者是如何的嘔盡心血，日新月異的改良出品來求銷售。不如此。他便要在自由市場裡面被淘汰。商店的推銷員又是那麼客氣而有禮貌。這一切太和諧了。不這樣做又等於自掘墳墓，顧主再不上門。像這樣才能真正提高生活的水準。在工業落後的國家，只要所實行的是自由民主的經濟制度，即令不能日新月異的改良出品，但是原則是一樣的，必須滿足消費者的願望和迎合消費者的心理。反過來讓我們看一看共產黨統治之下的情形。共產黨取消了自由市場。一切生產由國家控制。也就是說，由共產黨控制。

當然共產黨是統治者，他們要賣給人民或是配給人民一點什麼，便是什麼。這裡是有無的問題，不是好壞的問題。消費者，除去統治階級的共產黨以外，是沒有選擇的。消費者需要日用品，日用品是那樣缺乏。破的爛的臭的，消費者都得接受，否則便是沒有。要不要隨你便，在過去有一段時間，當毛澤東提倡大鳴大放的時候，有人和他說到蔬菜的問題，說一切屬於國家便沒有嫩的蔬菜吃，毛澤東受着中國人民的供養自然有嫩的蔬菜吃。但是他以為一切屬於國家消費者便沒有嫩的蔬菜吃是不無理由的。因此他下令恢復北平市蔬菜的自由市場。自由市場恢復以後，消費者有選擇了。可是供不應求；嫩的蔬菜，市價大漲，波動其他的物價。因此中共又下令驅逐菜販，把三千多個菜販驅逐出去。這是中共的人民日報報導的。一九五六年中共鬧馬大哈買猴兒的糾紛。這是一個有名的相聲的節目。馬大哈在國營百貨商店服務，原是要買進猴兒牌肥皂的，却把定單寫成猴兒。因為是國營沒有人負責，將錯就錯，真的買了一批猴子回來，大鬧百貨商店。中共在檢討這個相聲的時候，透露了若干事實。最奇特的是國營商店竟把調經丸做咳嗽藥片賣。至於將桐油做食油賣那是家常便飯，時常會發生的事。一切屬於國家，買不買隨你的便，任何的日用品都很缺乏。通常顧客都要排隊站長龍。店員的顏色更是難看。顧客那裡敢說一個『不』字。這與自由民主的經濟制度以消費者為主體的原則恰好相反。

其次說到分配。自由民主的經濟制度的分配方法是用價格制。共產主義的分配方法則是用配給制。價格制的原則是各取所值，配給制的原則是各取所需。在自由民主的經濟制度之下，任何一種勞動，不論其為心力勞動或體力勞動，其結果，不論其為商品，或勞役都可以在自由市場裏面，在自由競爭的原則之下，定出價來。因為有自由競爭；因為消費者有權選擇，因為勞心者或勞力者能自由選擇和隨時變更其所從事的企業或職業。自由市場所決定的價格是相當公允的。一個電影明星賣座的能力和他或她的票價，無疑的是觀眾所給予他的評價。作者的作品，畫家的畫，舞蹈者的舞術，和一切的表演，都可以作如是觀。在價格制之下，消費者是最後的裁判者。因為每一個人全是消費者，由消費者評價，以滿足人類的願望來作評價的標準，是相當合理的。基於供求的關係，對於任何的心力勞動或體力勞動所產生的商品或勞役估價太低則供給必減而需求必增。反之則供給必增而需求亦減。當然，限制自由市場未必有絕對的自由。因此自由民主的國家便從立法一方面多方的來補救這一個價格制的分配合理化。自由民主的經濟制度首先反對和取締的便是獨佔。有獨佔性的企業，在必要時，必須由國家來經營。要維持自由競爭，必須維持契約的自由。從勞資的關係講，國家制定許多的法律，如最低工資律和社會安全法等等來保護勞動者。勞動者自身的組合實行罷工與集體議價的方法以及其數字龐大的公積金也無疑的增加了勞動者的力量。最重要的還是自由民主的經濟制度用賦稅制來輔助價格的分配。自由市場的價格所決定的個人之所得或者超過個人的需要而造成財富分配不均的現象。在這種情形之下國家使用累進稅的所得稅和遺產稅來平均財富的分配。賦稅制正是在自由民主經濟制度之下用來解決階級鬥爭的和平的合法的方法。百分之百的遺產稅便等於廢除私產的繼承權。百分之百的所得稅便等於全部沒收私人的所得。但是因為人類需要生產的動機，因為要鼓勵生產必須使勞心者或勞力者享受其合理的所得，賦稅制的累進稅率可以接近百分之百而不必到達百分之百。因為有限公司的發達，因為股權的分散，生產財儘可以由私有變為公有。但是消費財的私有制是無法廢除的。即令在共產主義經濟制度之下，即令共產黨能實行共產主義全部配給日用必需品，共產黨所配給個人的消費財仍屬私有而不能和別人相共。再進一步講，共產黨的配給制，就無法按照各取所需的原則來執行公平的分配。假設個人的需要是相同的，共產黨如何能有相同的消費財來滿足每一個人的需要？誰住高樓大廈？誰住竹籬茅舍？誰坐汽車？誰坐三輪車？誰吃魚翅？誰啃菜根？共產黨的配給如能絕對的平等，真是不可想像的事。至於說到蘇聯和其他共產主義國家的現狀，那更是十分的不合理。曾經做過蘇聯的貿易部長現任部長會議第一副主席的米高揚，曾經在一九五四年宣稱蘇聯有百萬富翁八百六十餘人，這八百六十多個百萬富翁是什麼人？他們如何能在流血的階級鬥爭之後，在無產階級專政的統治之下變成百萬富翁？這眞是一件不易瞭解的事。我們當然知道蘇聯的工廠和農場裡面高薪資和低薪資的差額比美國的工廠和農場大。我們也知道蘇聯所得稅的累進稅率很低。我們懂得蘇聯有培植百萬富翁的環境。我們不懂的是蘇聯為什麼要培植百萬富翁的理由。一個忠實的共產黨員坦白的解釋是現在的共產黨已經變成了一個新的剝削的階級。名義上他們雖然沒有生產工具的所有權，他們却有生產工具的使用權，他們使用生產工具來剝削勞動者的剩餘價值而成為一個特殊的階級。這是南斯拉夫共產黨領導人之一，吉拉斯在他所著的『新階級』一書中所提出的結論。除此以外，我們很難找到更合理的答覆。

再次說到交換。人類是有理智的。他們能解決自身任何的困難的問題。我們的祖先有一個最重要的發明。那就是以其所有易其所無並且使用貨幣為媒介的交換制。人的慾望的不同，眞是有如其面。這個世界有幾十萬萬人，有幾百萬萬種不同的慾望和嗜好，如何能使生產配合着消費者的需要，這眞是一個最複雜而且最困難的問題。但是我們的祖先已經替我們輕而易舉的解決了。辦法是建立一個相當自由的市場，讓生產者和消費者來交易。市場上供求的關係自然的解決了生產和消費配合的問題。假如市場上缺乏某一種消費品，那一種消費品的價格便上漲，生產者有利可圖，便會增加生產。假如某一種消費品生產過剩，供過於求，牠的價格便會下跌，產量便會減少。人類只要維持這一個自由市場的交易，便什麼也不用管。生產自然會配合着消費。當然也會有脫節的時候。物價的漲落，就是因為暫時脫節而對供求加以調整。所謂調整供求的人，他們是自動來參加的，不是別人請來的，也不是別人勉強他們來的。

昨日與明日

應澈底檢討教部學術審議工作

曹鳴

教育部學術審議委員會第九屆委員已經教育部聘定，並且在報端公佈名單了。該會委員的任期本為二年。第八屆委員從五十四年四月，迄今已四年三月。本屆委員的聘任，不多不少，剛好延遲了二年零三個月。在政府正在號召全面革新中，教育部這種牛步的行政效率，豈不值得檢討！在發表委員的人選中，最末一名是蕭忠國，而偽造實物配給貪污舞弊案被法院提起公訴的涉嫌者第一名也是蕭忠國，不知是巧合？還眞是同一人，教育部實有澄清的必要。

所司何事

教育部學術審議委員會所司何事？一般人或者不甚瞭然，大專教員卻非常注意，受過它「修理」的教員，也非常瞭解這個機構，對它的作風更無不搖頭歎息，痛心疾首。原來大專教員的升等，由講師副教授，由副教授，升教授，都需要向教部申請核准，並且要附送著作。教育部學術審議委員會便是掌握大專教員升等大權的，對在大專教書的人來講，已確是很權威的。在大專學校裡對該會傳說甚多，譬如連著作代撰在內，包辦升等成功的需要「紅包」若干？有「人情」的，可以早付審查？更可以送請好講話好過關的委員審查。不講交情的，則送刻薄嚴格的委員審查。謠言畢竟是謠言，我們並不相信，但有一個千眞萬確的事實，就是著作審議教授升等的期間，太長了，長的使人無法相信，由申請到發表，經過一年到二年的是常事，更有的，著作一送出去便迄無下文。最不合理的，還是著作審查的標準問題。有的通過，有的通不過，標準在那裏呢？審議標準裡有一項是「創見」，以自然科學和社會科學而言，我們還在介紹階段，有誰發明幾條定律，有誰創造新的學說？今日數學教授，都有創見嗎？這項規定，顯然大值考慮。

對鍾部長的期望

就大專教員而言，升等是個人的生命線；對政府而言，學術審議是崇高神聖的工作，不幸年來辦理諸多不善，流弊叢生。鍾部長也是做過教授的，希望為教授們主持公道，要使學術審議教授升等做到公平合理，提高效率，儘量求速，並請組織小組對該會工作清查檢討：一年中收了多少申請案？審議完成期間是多少？合格和不合格的著作標準為何？主辦人將著作送某某委員審查的依據若干？委員對送件審查的期間有無時限？像目前，一、二年才有結果的事，在行政效率上是不可以原諒的。像現在的行政效率，我們敢說：一千年，一萬年，我們也去不了另外一個星球！

自由談

應該知所自處

北韓共黨政權最近發出聲明，說它俘獲的三名美國航空人員尚活着，只要華府當局向韓共道歉，即可予以釋放云云。我認定美國務院一定欣然同意，道歉如儀，決無問題。

欺善怕惡，利己損人，原係西方資本帝國主義國家的固有本質，萬變不離其宗的。遠事不必敘說，試看一九四九年秋間，毛共竊據上海之初，中華民國空軍襲擊滬上時，英美僑民和傳教士們，曾經聯名電請該國政府出兵干涉我空軍對上海的攻擊行動，意氣激昂非常；而美國的海輪「飛雲」號，亦以武裝護航，販運戰略物質赴上海天津各地接濟共軍，賺取厚利。迨毛共政權僭立後，不特把英美在大陸的公私財產全部沒收，且將其僑民和傳教士一律逮捕，治以間諜之罪，然英美國內的所謂輿論噤若寒蟬，政府當局唾面自甘，不敢說句二話；英國更趕忙承認毛共政權，美國表示願以數十億美元援助毛共，致大使留在南京候命，若不是毛共始終視「美帝」為死敵，決不妥協的話，美國亦早以所謂「承認事實，并非贊成共產主義」的遁詞，邪說，跟毛共親善結交了！

再看英美——特別是美國，對於東西各個接受軍經援助的自由友邦，迺專頤指氣使，儼然太上皇的作風，稍不愜意，即以停止美援相威脅。美籍浪人在友邦隨便為非作歹，亦不讓當地政府依法訊處，爽然逍遙法外，揚長回國，如十幾年前美國大兵諸士在台灣因盜賣美國軍用物資漁利而殺死中國人後，由美方將該犯送回國內就沒事了。又如年前兩個美籍浪人在台灣盜掘中國人的墳墓，經法院傳訊後，兩犯竟由美方私自遣還國內，視中國政府若無物。假使我方要求美國對這些事表示道歉，華府當局如不反唇相稽，那才怪呢！至於英國的外交官在北平隨時被毛共軟禁凌辱，更屬家常便飯，倫敦政府除抑告疏乞恤外，氣都不敢吭一下。

毛共說「美帝」是紙老虎，似乎并非著無故實之談。咱們固然反對共黨暴力外交的方法，認為太過野蠻，然西方國家安之若素，逆來順受。明乎此，我們再不能抱着崇洋思想辦外交，應該知所自處吧？

馮五先生

飲料關係國民健康 取締虛偽不實宣傳

消費者協會舉行座談會

（本報台北通訊）中華民國消費者協會，近曾在台北舉行一次座談會，以「飲料衛生與國民健康」爲主題，內容頗爲精彩。

首先由理事長李大超作開場白，對各有關機關及各飲料業廠家派代表參加，深致謝意。接着說：國家經濟的發展，生產與消費者的關係非常密切。因爲構成人類經濟活動的重要因素，即生產必須消費，這是自然的現象。一個工業高度生產的國家，一定要有消費市場及消費羣衆。我們正在推行第四期經建計劃，今後工業產品水準必定提高，消費者定會受到許外實惠。但要使生產廠家站在同一情況下，同時提高品質，則有待於消費者的鼓勵與促進意見，作爲生產廠家的參攷。消費者協會爲了溝通消費者與生產者的意見，調和雙方的利益，及提高消費者對產品的認識，値此炎暑期間，特舉辦「飲料衛生與國民健康」座談會。蓋因台灣地處亞熱帶氣候，消費者需要冷凍飲料時間較長也較多，故特煩請諸位先生蒞臨座談會，因時間所限，本席不再贅述，就請大家踴躍發表高見。

常務理事鍾壬壽說：本會的目的是保護消費者，協助正當廠商，普及消費者知識。所以請飲料業多給我們一點常識。如飲料規格及所用色素等。諸位今天來參加的，全是台灣省有名的廠商，相信在品質方面，製造方面，衛生方面定有嚴格的檢驗。其他色素香料，營養等問題，各廠也一定有自己的標準，以上種種，請各位多多指教，發表高見。

改進生產設備 實行品質管制

台灣區汽水果汁飲料工業同業公會關總幹事耿元鉅：今天來參加座談會的全是本會有代表性的會員工廠。多年來本業不斷在努力改進，業者在安全措施上，主觀改進生產設備，實行品質管制。本會爲了配合這些措施，也曾舉辦過兩次品質管制訓練班，以提高本業的產品。客觀方面：消費者對衛生安全方面選擇提高，也會選購優良的飲料。

台灣省現有一千三百多萬人口，一年要消耗飲料一億三千萬瓶，每人每年平均要消耗飲料十瓶，而每年增加消費量十五%。本業的賦稅甚高，汽水徵三十六%，果汁徵三〇%，還與衛生關係很重要，賦稅高，成本增加，對改良設備影響甚大，其次受貨物稅條例限制，照開瓶必破的原則，稅單須貼在瓶頸上，這是很不衛生的，看起來髒兮兮，不太引起消費者食慾的，這方面本業也在儘量改良。

中泰賓館陳副總理世昌說：飲料衛生與旅館業關係密切，影響也很大。外國來的觀光客對飲料的選擇，不在乎價錢貴，只要衛生清潔可靠。希望今後在品質方面提高，注意衛生安全即可。

嘉樂多公司蔡常務董事行華說：

（一）飲料衛生關係的重要——現在，飲料已成爲大衆化的食品，因爲好的飲料對於健康有幫助；不良的飲料反而對於健康有害，可見飲料與人們的健康有着非常密切的關係，如果只檢查飲料而不檢查生產設備，還是捨本逐末而無濟於事的，所以希望衛生當局，對於食品的衛生檢查，應該深入澈底，才能維護國民的健康。

從色香味反應 辨別質料好壞

（二）不良的飲料對人體健康的影響——不良飲料的成因——多數是由於生產設備不完善所引起的。如果有些飲料在製造過程中，還要靠手工才能成品的話，由於衛生管理不善而容易沾有害健康的大腸菌。另一種成因是由於製造原料所引起的，譬如滲有色素，人工甘美料或防腐劑等，像這類的飲，飲用後對於人體健康才會產生不良的作用。

（三）消費者如何選購品質優良的飲料——要有現代化的生產設備，才能製造品質優良的飲料，這是無可否認的事實。因爲完善的生產設備，從頭至尾都是全自動機器操作至成品爲止。因此，衛生管理非常嚴密，對於原料的選擇也非常嚴格，所製造出來的飲料，自然品質優良，衛生可靠．對於人體的健康也有幫助，那麼，大家都可以放心飲用了。

許多擁有現代化生產設備的飲料工廠，都歡迎顧客自由參觀工廠，瞭解製造過程，並贈飲樣品，俗語說：「百聞不如一見」，由此才能增加顧客的瞭解，使顧客有個比較和選擇的機會。

（四）消費者怎樣辨別劣質飲料——可以從飲料品質的好壞，以它的製造廠的信譽，及飲料本身的色、香、味，或者飲用後的反應來辨別。在一般情形來說，只有品質優良的飲料，才能開拓廣大的市場，擁有衆多的基本顧客。因此，劣質飲料不但無法博得消費者的愛用，而失去在市場上存在的價值，甚至，也有被淘汰的可能性。

本報評論委員侯璐於八月廿五日代表中國出席世界教師聯合會年會。圖爲侯氏與象牙海岸總統夫人握手，其旁即爲總統伍弗布尼。

放久就會變質 缺少營養價值

台北飲料廠長孔昭說：飲料的衛生非常重要，但飲料規格不一樣，各廠的配料就是一個秘密，在配料方面，每家都有它的秘密。生產設備與衛生關係很重大，飲料裏的香料全部由外國進口的，色素問題不過是引起消費者的食慾。消費者認爲好吃解暍，衛生就行了。以我們立場而言，希望政府能做到（一）修改不適用法律。（二）取消貨物稅納稅憑證。（三）加強檢驗使廠商取得正字標記。（四）公佈無害色素種類。（五）飲料攤販要合乎衛生，並愼重發給營業許可證。

進馨汽水公司代表賴耀燦說：關於飲料的衛生，色素並不是問題，現在有許多規則是參攷外國而制定的。因部份廠商不照規定使用，才引起不良後果。在飲料本身來說，果汁、每西西不能含有二〇〇個以上生菌，汽水每西西不能含有一〇〇個以上生菌、大腸菌絕對不許有。消費者購買時，瓶蓋要新不要生銹，放了太久就會變質，也缺少營養價值。

味全食品公司經理楊卿鐵說：每當夏天來臨，氣溫逐漸上昇，一般困難，挨酷著熱浪之侵襲，乃多量飲用冰凉飲料，藉以排除悶熱，求取凉爽舒適，但是冰凉飲料如喝的太多，將影響胃口，使食慾減退，營養吸收不足，損害體力，同時夏天在本省亞熱帶地區，氣溫大致均在攝氏卅五度左右，這種氣溫對傳染疾病的各種病源菌，如大腸菌，腸炎菌、葡萄菌等是最容易繁殖的時候，極易使飲料變質腐敗，因此，在夏天對飲食的衛生，稍一疏忽，個人的健康即招致疾病的威脅，甚至於大衆的健康，也會受到嚴重的危害，所以如何注意預防「病從口入」，實是維護國民健康最重要的課題。

加強檢驗工作 衛生最爲主要

我們國人對於飲食衛生問題，一向不很注重，常以「眼不見爲淨」的態度，飲用不衛生的食品飲料，而習以爲常；有許多製造的販賣業者，因缺乏衛生知識，只貪圖眼前利益，常以最簡陋的方式販售製品，而不顧大衆的健康，最近幾年來雖經政府有關單位大事呼籲，定期加強業者稽查抽驗工作，使本省的飲食衛生日漸改善，但距理想仍有一段距離。因此我們一面提高飲料業的品質，加強檢驗工作，一面喚起消費者對飲料的選擇，要以衛生與營養最爲重要。

台灣汽水廠經理張敏雄說：社會日趨繁榮，國民生活水準提高，民衆對飲料品的需求日益迫切。而飲料的選擇必有相當的認識，以免招致身心上不良的後果。

部份小型工廠，由於缺乏長期的研究，設備簡陋，衛生條件過差，使用廉價原料，鮮艷化學色素以及人工甘味料，漠視人身健康，忽略不良飲料對人體慢性浸潤的不良影響，終導致疾病叢生。

政府主管衛生當局，爲了維護國民的健康，必須積極扶助廠商增加衛生設備，加強產品檢驗取締虛僞不實宣傳，灌輸衛生常識，提醒大衆對飲料衛生的重視。另一方面，消費者爲了自身利益，必須選用品質與可資信賴廠商生產的飲料，因爲它有最完善的檢驗程序，確保衛生安全，可以安心飲用。

大進食品公司董事長王謀祥說：飲料對人體健康影響確是很大，有的是慢性的，不是馬上就能顯著出來，一般消費者對飲料本身所使用的原料及色素、香料等附加物是分辨不出來的；這完全要出品廠商的設備好，就衛生安全可靠，檢驗的好就品質可靠。要顧慮到消費者的利益，也要顧慮到工廠本身的信譽。

小廠製造的飲料，因爲設備太差，確是不合乎標準的，不能顧及到衛生上的條件與品質，飲用此種不合規定的飲料，自然是有害的。

品質好的飲料是顏色鮮艷不變色，香味因人的愛好不同，看每個人的歡喜而定。在包裝方面，我們所用的容器現在是瓶裝，將來要改良走上罐裝方面去。

應協助消費者 選購優良飲料

掬水軒食品公司代表彭金船說：政府要幫助正當廠商，使其有優良的設備，製造出來的飲料才合乎衛生條件。同時要對大家宣揚衛生的重要。協助消費者如何選購優良的飲料。現在政府就要開始實行國內產品檢驗，在檢驗後應該分出等級來，使消費者很容易的分辨出產品的優劣，供他們選擇購買。

新生實業公司李先生說：工廠設備優良，容器如果乾淨處理的好，它的生產品一定衛生，可以安心飲用。

談到消費者對消費飲料優劣的辨別，的確是很困難的事，這是要看出品工廠的信譽，及其設備是否精良，品質管制有未合乎標準，如能合乎衛生條件它的產生自然優良的，無可疑問的。

信不信由你

·辛文彬·

故宮博物院院長蔣復聰，他的叔太爺是軍事學家蔣百里（方震），他的侄公子是中國有名譜星蔣光超。

名教授吳相湘，自南洋歸來後，深居簡出，爲本報「諸葛亮狂想曲」忠實讀者，狂想曲因中斷兩期，吳教授親臨催刊。

梁寒操先生竟爲馬雲的忠實讀者，凡馬氏著作單行本，梁先生必劃撥款來訂，又外間甚多人懷疑馬騰雲爲醫學博士轉業的中醫師，要求馬氏診病的函件幾每日都有。

宋朝中葉開封知府包丞，（亦民間俗稱五殿閻羅王）包氏一脈宗支代代單傳，現任中央圖書館館長包遵彭，就是閻羅王的後裔。

替本報寫「綜談國劇復興」的王方曙先生，得梅蘭芳博士眞傳，唱做及國劇理論，在自由中國國劇界都算第一把交椅。

官員招待記者，這是習慣，香港自由報是經常舉行記者招待官員會，（限於卓越的政治人物及學者）方式是羅漢請觀音，主人十有七八皆爲國際有聲望的名流教授（兼任本報評論委員）。

外間對柳一權所寄予的注意，超出我們想像之外，台灣省議員們簡直以柳一權爲自由報交涉事情代表，中央黨部有關部門對柳一權所寫的「台北新聞信」認爲相當成功，凡有拍案叫絕者。本報以一位通信員能受各方這樣欣賞，深深感有餘榮。

喬治桑外傳（八〇）

張大萬

「我雖對中國文學沒有甚麼研究，可是我覺得起名字是非常重要的。譬如，『包死』你的名字叫紹孔，自是克紹孔子基裘之意。一望而知是一位有學問的人。你的朋友謝銀鎚，則十足銅臭氣，根本就是市儈。」喬治桑想不到雅麗絲還能說出一番道理，不住點頭。

「對了，妳的中文名字叫甚麼？我一直沒有請教過。」喬治桑用右手食指在沙發扶手上劃來劃去，寫的是英文雅麗絲。

「叫我雅麗絲不是很方便嗎？我又不是你的女兒，又不想承繼你的遺產。」雅麗絲說快了，自知失言，甚麼遺產不遺產的，還豈非在觸喬治桑的霉頭？於是將話收了回來，停了一會兒接着說，「我是開玩笑的，『包死』不要見怪。我的中文名字就叫雅麗，高雅的雅，美麗的麗。是母親起的。」

「妳的中文名字很好。倒不是開玩笑，外國人可以將遺產贈給任何人，倒不限於兒女。妳爲我做事，我對妳的印象很好，說不定將來，我會贈遺產給妳，可惜我只是空架子，沒有太多的錢。」喬治桑現在劃的不是英文雅麗絲，而是中文雅麗兩字。

雅麗絲知道喬治桑不是隨便說說而已，內心很受感動。黯然地說，「我是無父的孤兒，沒有那樣好福氣。」

「我有一句話，很冒昧，不知該不該說。」喬治桑這時的表情嚴肅極了，一洗往日的輕狂姿態。

「你是我的『包死』，何必客氣。」

「我想收妳做義女，不知妳願意不願意？」

雅麗絲眼睛睜得大大地，喬治桑的話似乎很出她的意外。她用手攏了攏頭髮，囁嚅着說，「這怕不大好吧，台灣社會風氣不好，你的朋友海龍王不是收了很多乾女兒嗎？外邊好多閒話。」

喬治桑突然站了起來，站在雅麗絲的面前。

「雅麗絲，妳拿我當甚麼人？我是誠心誠意要收妳爲義女的，我要使妳獲得喪失的父愛。妳難道不了解我的意思。」

雅麗絲眞正慌了，她不懂喬治桑爲甚麼定要收她爲義女？但她能看到喬治桑眼中所露出的慈愛。如彷彿有觸電的感覺，她說不出來，這也許就是所謂人類天性。

文滙樓劄記

新興行業—業餘暗箭

民國五十八年九月一日台北出版的「中華雜誌」有胡秋原先生答覆客廬先生的函謂：

「客廬先生：

謝謝你的關心，你說的情形，我並非全無所知。我想這是一個「中外惡人大同盟」（或黑暗動物大同盟）利用若干糊塗虫所作的宣傳。他們宣傳花樣多得很。就我記憶所及：他們先宣傳我住過中共在倫敦的招待所，又向國民黨寫過「悔過書」，「言行像共產黨」。（這些謠言直到前三年，還由文星和聯合報在報上和法院宣傳）。後來他們又宣傳，中華雜誌是「最壞的雜誌」，是「國民黨秘密支持的雜誌」。（後面一點，去年還宣傳到倫敦。）在這期間，只有有人拿一本中華雜誌，便有人對他說：「你爲什麼看這壞雜誌？」去年有人在一集會中提議封中華。又五十六年有黃某等寫文攻擊我的「邏輯實證論與語意學」，我答復他們，並將他們的文章轉載，以表示公平。但據說有人說，那雜誌是不許進口的，中華不當登載。直到最近，還有人攻擊到中華兩篇文章。諸如此類，不一而足。到了你說到的什麼「揭短揚私」云云，已經是惡人們的黔驢之技或强弩之末的誹謗了……

……」

因而連想到五十八年八月十六日拙作：「章太炎譏諷伍朝樞」一文，末尾有一段：「如果一個人能知道有利必有害，有火一定有烟，是非恩仇自然減少，因寫刻薄的章太炎，連想到台北某政委，一年來不斷的警告自由報不同的作者說：「你們都站開一點，黨裡快要修理自由報了，上次會某某就準備提出，自由報簡直不成玩意，某篇怎樣壞，某篇怎樣差勁，簡直要不得……」由他自己的叫喊證明，自己就是自由報不折不扣的忠實讀者，能篇篇批評，必是篇篇熟讀的人。某政委的口氣，既代表黨的意見，又代表政的執行，樓主偶而機緣，遇到某高級有關人士，就此問題提出請教，他答覆的很妙：「這叫作『自我陶醉』。且認爲十幾年前的自由人，由反調幾乎快到了反動，政府並未停止其進口或甚麼修理」。這張富有政論性，有二十多年歷史的自由報，香港政府及美國新聞處，期期譯成英文，列爲重要資料，更是海內外高級知識份子讀物，即是台灣不准進口，並不能使香港政府對這張報查封，自由報更將步向自由民主發揚光大，有甚麼作用？」

將上列兩文前後對證，像是出在一個人的口氣，本報有兩位股東，亦是愛國學人，曾懷疑是中央黨部第三組或第四組，有這樣的發動，經查明不僅沒有這回事，他們對自由報的風格和以眞實內容爭取讀者的作法，表示非常高興，他們也到有關進口方面查詢過，自由報銷數已超過自由人時期最高進口數。

本報自五十六年十二月改組，截至目前爲止，還未出過甚麼大毛病，報社各門部負責人都受過中央政治學校高級新聞訓練，固然是一個因素，執筆者，多爲國內外著名學人，也不可能出大毛病。由於事實證明，台北有業餘看相、業餘家教、業餘記賬，現又多出一行職業，即業餘暗箭、祇可惜暗箭的目標不準確，專門射向自已人，不是手或腕患風濕病，一定是眼睛有了問題。

文匯樓主

論「上帝愛世人」評議（三）

吳輝章

至於印順所謂的「分化政策」——上帝的分化政策，吳牧師則以上帝的全能並不需要「分化」才能「治」，來反駁印順，指出印順論證之荒謬。並且還指出上帝起初定下的旨意；要他們分開，向全地發展，去開闢他們的世界，「要生養衆多，遍滿地面，治理這地」，但因他們滿於目前小就，圍繞着高塔過生活，上帝才把他們分散，東西南北任由發展。而印順竟將之誤認爲是上帝故意要人類分散，而後才能保持他的統治。吳牧師直指印順之言爲含血噴人，强不知以爲知，復裝成「精通」的樣子，狂言欺世，而以此來駁斥印順，整盤的將印順所謂的耶和華上帝的「分化政策」推翻了。

（三）對印順及吳思溥二者之批評

一物若由不同的角度來看，或不同的人來看，則會發出對此物有不同的看法，實則，所見則一，而因各各人所見此同一物之各各不同的點、面，以致對此物有了不同的看法。例如印順與吳思溥二者，所見者乃同爲聖經經文，然因其立場不同，所見之角度不同，故二者對同一經文有了不同的看法。此乃仁者見仁，智者見智，不能算錯。然而我們却可由二者討論之態度來畧加批判：

印順所持以爲論「上帝愛世人」一文之根據，乃取自耶教之聖經，自是無可非議，然其爲文則以諷笑虐罵，滿紙譏詆之語，此非眞正討論「眞理」者所應爲，亦非一宗教家所應有之態度。茲畧舉數端於后：

「盲目無知的人有福了，因爲地上的樂園（地上的天國）是他們的」！

「不過，習慣於奴僕的思想生活，如耶和華的忠實僕人們，又當別論」。

「張獻忠到底是那類，耶和華到底是上帝，不這麼一對比，不但顯出耶和華的愛世人，也看出西方上帝的智慧了！」

「耶和華與耶穌先生的信徒啊！你們要記着：統治你就是愛你。」

「如宣傳到使人信仰，大家跟著走，這就是應用耶和華上帝的統治學，到了爐火純青了！我起初希奇，希伯來的偉大宗教，怎麼也搞這一套？但不久就明白，耶和華上帝是宇宙王國的大統治者，不搞這一套，又搞些甚麼呢？」

政治垃圾現形記（二七）

李樂

第九回　小道士居然貴爲政要　大洪爐終於燬沒人渣

繆氏在廳長任內的唯一政績，就是按需等級賣官鬻爵——價賣縣長和公安局長從一萬元到五千三千元不等，交易場所設在上海租界內，條件談妥後，由他以主管官的職權提請省務會議通過，主席鈕永建素稱「好好先生」，總是接納主管廳長的意見，未到兩年，他的醜名已經狼藉，他的口袋亦大爲滿盈了。他爲着表示廉正有爲的作風，又挽請內政部參事粵人孔憲鏗（又名力行，後來在抗日期間作了漢奸）出任他的家鄉無錫縣長，對外宣稱中樞的簡任官亦願作他的部屬，以示其能。無錫是大縣，縣長容易抓錢，繆與孔氏訂立密約，詐得的錢二人朋分。孔氏恃有這樣的背景與奧援，乃放手貪瀆，肆無忌憚，終因罪行累累，證據確鑿，被地方人士告發，置之於理，而繆氏亦受到了牽累，廳長職位乃於葉楚傖繼任蘇省主席時被免去了。繆道士卸去廳長任務後，仍到南京活動，但一般黨國要人，都知道他的醜名惡劣，避之若浼，誰也不願給他幫忙了。此時他擁有大量資財，生活優裕，即在上海作寓公，適北平的名坤伶新艷秋來滬獻藝，繆氏一見驚爲天仙人物，不惜大力捧場，贏得美人青睞，新艷秋北去後，他亦隨時北走幽燕，一面作新艷秋入幕之賓，同時在故都從事政治活動。自「九、一八」事變發生後，北方的政局在日本軍人控制之下，成了獨立王國的態勢，繆認爲這是作政治活動的大好環境與機會，乃和日本浪人勾結，進而跟王克敏梁鴻志王揖唐殷汝耕這些舊官僚政客拉上關係，經過日本駐屯軍的卵育，繆氏居然又蛻變爲親日政權中的要人了！

綜談國劇復興（十七）

王方曙

丁、關於服裝：服裝方面，我們國劇是有一個整套的所謂箱。我們的全箱可以演一萬齣戲完全夠用。這是國劇原來便於演的一大特點，但時至今日，這一優點也應該百尺竿頭更進一步了。我們有時應該給觀衆一些新的觀感，如梅蘭芳之有古裝戲，那種古裝就是從前箱裡沒有的。箱確實也應該隨時擴大，不致感覺不是國劇裡的事，服裝也無妨多有些變化。排演新戲依理就應有新服裝。像從前臨演出添了四方巾纏頭，不方便又難看，但不像梅蘭芳的古裝那樣被人接受了。在服裝方面我只能提出這一原則，作起來，是千變萬化的，當然在這裏無法說出。這祇能隨機應變而已。

3、關於音樂——唱和配樂

這是一個很大的題目。本來它也屬於演出部份。但我單獨把這一項分出來，單立題目，以便詳細討論。

外國人把我們的國劇呼作「中國歌劇」，不管這一翻譯對不對，可見「唱」在國劇中確佔了最重要的地位。我們國戲中的唱，確也十足表演了它的特色。有一個時期，在中國一談到唱，大致即指國劇的唱。唱就是不被重視的。但時至今日，情況又已不同，由於外來文化的深入，大家對於音樂的欣賞，與前不同了。他們聽到的也太多了。他們喜歡多變化，因此國劇裡面的唱，在已經很完美的情形下，也不得不再求其更完美了。所謂更完美，我的意思是：在已有的之外，再增加腔調的變化及翻新。但要把握一個原則，不能唱出來不是國劇，而變成了熱門音樂！

（1）曲調的增加：目前國劇中的曲調，西皮二黃部份，計有西皮倒板、慢板、原板、二六、流水、快板、搖板、散板、反西皮二六零碎的哭頭迴龍十三咳等。還有南梆子。南梆子倒板等。二黃計有倒板、慢板、原板、快三眼。散板、搖板。反二黃慢板、原板、搖板。又有四平調慢板、原板、反四平等。二黃也有哭頭迴龍等。我想我一時統計不全，大致如此。另外還有吹腔，和若干崑曲調子雖在國劇中。我們數起來，雖然不少，甚至可以說表現得很好。但在現代的觀衆面前，他們却不滿意我們了。比如：武家坡的薛平貴，「八月十五月光明」又是如此，「提起當年淚不乾」又是如此。這種曲調的重複，在一齣短短的三刻鐘的戲中，重複三次，確實使現代的戲劇觀衆不解，同時也覺得「又是那個調子來了」。其實我們看。中國的戲劇並不是這樣的。崑曲比黃皮早，但曲調之多，眞不知多到多少倍。到了皮黃時期，本來採用了崑曲的規範，但他調却是減少了很多。只好把這些調子分配在許多戲裡。例如探母一齣戲，公主唱倒板慢板，太后唱倒板慢板，四郎唱慢板，四郎唱倒板原板，六郎唱倒板原板。四郎又唱原板。我想我不要再多說，欣賞這齣戲的人太多。誰都知道這裏面共包括幾種調子。聽習慣了，以爲該當如此。但在新觀衆聽起來，有些覺得都是一個調子。這不免使我們的歌劇減色。

江左少年夏完淳

羅雲家

中央日報駐高雄縣記者陸震廷（郭風）兄編寫多年的「江左少年夏完淳」，於本年春由中山學術文化基金會獎助出版了，四十開本，模造紙精印，一百零四頁，約六萬言。在他搜集資料，着手整理時，我住在鳳山，相距咫尺，曾互相討論過、所以這本書的問世，在我也有一種欣喜的感情。爰於閱讀之餘，畧加評介以饗讀者。

本書由陶希聖先生作序，內中凡分九章，即幼年時代，江左少年，復國奮鬥，禍死如歸，從容就義，家族親友，賢淑妻子，名師高足，不朽文章等。體系完整，資料豐富，是本值得一讀的好書。

夏完淳，字存古，小名瑞哥，明末松江府人，五歲知詩經，九歲已下筆如神，十四歲從軍，十七歲殉國。不僅具夙慧，有神童之譽，而且事跡可歌可泣，在我國抵抗外侮歷史上應該是值得表彰的人物。

當他十四歲的時候，在家聞甲申之變，和其父允彝痛哭失聲，準備毀家紓難，他更痛恨那些附逆的貳臣，乃和他的知友杜登春，自稱江左少年，籲請大家舉義勤王，同時還寫了一篇檄文，以討從逆，慷慨激昂，正義凜然，使一般權要時人爲之側目。從此，江左少年夏完淳的大名傳遍「大江南北。

不久吳三桂引狼入室，完淳父子義憤塡膺，和陳子龍等在松江起義，終因兵微將寡，後援不繼，其父殉國，他和陳子龍僅以身免。

後吳日生在太湖起義，完淳和陳子龍與吳合作，抵抗清兵，不幸又失敗。

丁亥四月，完淳又參加了松江提督吳勝兆反正義舉，但亦失敗，勝兆及陳子龍皆死難，完淳因年紀輕，人緣亦好，僥倖得脫，潛居鄉間，待機再舉。在鄉除讀兵書外，並從事著作，有「大哀賦」和「續幸存錄」等。

他在「大哀賦」中批評南都之政，把當時福王和馬阮的昏庸和事態寫得淋漓盡致：「醜昏侯之失德，蒼梧王之不君，玉兒寵金蓮之步，……麗華長玉樹之淫……先見乎玉杯象箸，復成夫酒池肉林，問蛙鳴於爲官爲私，御龍袞於若存若亡、……冠蓋之銀青俱滿，廟堂之銅臭相因。……將相盡更始之羊胃，衣冠多南渡之雁民。……」

「續幸存錄」中，言論更爲精彩警闢，批評當時南都之政說：「南都之政，幅員愈小則官愈大，財富愈貧則官愈富，斯謂之三反，三反之政，又烏乎不亡。」寥寥幾十個字，把南朝敗亡的原因幾乎都說了出來。

完淳對於當代人物崇拜的並不多，除了他自己的父親和陳子龍外，只有劉宗周等幾位，他對史可法尚在其次。他對史可法的評論是：「史道陵淸操有餘而才變不足」，又說：「用兵將畧非道陵所長。」但他對史公的人格非常敬佩：「勤勞王家，鞠躬至死，有武鄉侯之遺風焉！」

鼎變以後，完淳的親友殉難的很多，一部份親友却遠離了他，深恐爲他所拖累。完淳對此不勝感慨，在詩文中，我們可以看得出來。

如「當年結客同心者，滿眼悠悠行路人。」又如「今日三千珠履客，誰人知報信陵恩」」等多是。

完淳被捕時，在淸順治四年，地點是松江華亭縣本籍。離家時在家人哀哭聲中，他猶高吟：「忠孝家門事，何須問此身。」昂然上道。

完淳被捕後，關在南京牢中，兩個月後，提出審問，當時最高審判官爲叛臣洪承疇，洪愛他天才，想開脫他留爲己用，完淳不但不爲所動，還把洪承疇大大地挖苦諷刺了一頓；故意說洪已殉國，說他是冒牌，等到洪不得不老起臉皮說明自己投降的經過時，被完淳以大義責之，弄得體無完膚。

當時他的岳父錢彥林同時受審，有苟活意，亦被完淳以大義鼓勵，遂不屈。

完淳赴刑場時，猶高吟：「璧月沉銀海，金鳳剪玉衣，孤臣瞻拜近，泉路荷恩歸」詩句。

臨刑前，他面向紫金山，立而不跪，高呼：「高皇帝萬歲」不已。劊子手急得從前面來把他喉管割斷而死，其壯烈情況，眞是驚天地而泣鬼神。

夏完淳死了，但他的精神是永遠不會死的，和中華民族共垂不朽。

巨變歷險記！

徐州憑弔（六六）

胡慶蓉

兩天一夜的工夫，丁博士的料材車到達了徐州。

徐州這個地方太著名了，可以說無人不知，沒人不曉。徐州，即銅山縣城。有不曉得銅山的，但沒有不曉得徐州的。

徐州在津浦鐵路線上，徐州也在隴海鐵路線上，而且是這兩個鐵路線的交叉點。從這裡，北可以到「北京」，南可以到「南京」，西可以到「長安」。徐州是四通八達之地，亦軍事上必爭之地。從老友李則芬將軍寫的五千年戰史，可以看出來徐州的重要。古往今來，不知有多少的戰爭，都在這裡打的。最近最大的一次，自然是徐淮大戰了。在這場戰爭中，國民政府曾傾全國之力與中共一爭雌雄。不幸天不佑中國，國民政府在這裡敗了。往事不忘，事後之師，這對於國民政府一定有很大的影響，這且不提。

徐州這個大戰後的城市，簡直是一片荒涼，津浦路的車不通，津浦路的徐州車站，同滄州車站，濟南車站並無二致。站上並沒有停車，我坐的這趟材料車到徐州車站，站上並沒有人，有人，那就是專門照料這趟車的了。丁博士儼然是這車上的員工，他同其他車上的人進站，站上沒有任何的阻難。

丁博士進到徐州城裏，到處還是大戰以後的景象，首先感到的是人口稀少，雖不能說到處看不見人，但人煙稀少得很，同墳場的場，倒的倒了，沒倒的也好像闃無人跡，雞犬之聲不聞。這是一個破舊的農村，絲毫沒有工商業社會城市的景象。入晚，只有在過去熱鬧的場所，還可以看見三兩個賣饅頭的、賣蒸饃（食旁，以下同）的、賣「豆沫」的、賣「馬虎」的、賣「胡拉湯」的。每一個人一盞豆油燈，在寒風凜冽之下，搖搖擺擺，欲振乏力，遠望去，一明一暗，有鬼火之稱。徐州的饅頭是著名的，麵「折」得很硬，是一層一層的，吃起來非常有味道。以台灣的油泡饅頭大不相同。蒸饃是在「籠」裡邊蒸出來的饃饃，實則，饅頭就是蒸饃，蒸饃也就是饅頭。華北人民很苦，能吃到饅頭吃到饃饃的，那就算特殊而又特殊了。華北一般的人民，吃的都是雜糧。江南的人有的說：華北人民吃的，豬都不如，並非過甚其詞。「豆沫」是豆子做的，「馬虎」也是豆子做的，「馬虎」有很多的佐料，裝在大土罐子裏，下燉着火，特別在天冷的時候，喝着非常起勁。「胡拉湯」，上邊還撒着雞蛋花，那就更講究了……都熱得非常。這在冷天吃，也是最合適。

丁博士到徐州，吃饅頭喝「胡拉湯」，這才眞正的飽餐一頓。他在黑影裏，繼續巡視徐州的大街小巷。徐州還是一個廣大的農村，是個不設防的城市。「大戰之後，必有凶年」，是信而有徵的，隨便你在什麼地方吃，必有很多的叫化子，在追着你要。的窮人之多，如過江之鯽。這與袞州的情形畧勝一籌，還沒有倒斃路旁的屍體。是不是已拉去埋了！……

逍遙的眞人——臨濟禪師（三）

吳經熊原著・吳怡譯述

禪學黃金時代

另外一次，黃蘗看見臨濟正在栽松樹，便問：

「在深山裡栽那麼多松樹做什麼」？

臨濟回答：

「一是它們可以爲山門增加一番美麗的景緻；二是它們可以爲後人當作標榜」。

說完了，便用鍬在地上戳了三下，黃蘗便說：

「雖然如此，你已經吃了我的三十棒」。

臨濟又用鍬戳地三下，並長噓一聲，黃蘗便說：

「我們的禪宗到了你手上，將會大行於世了」。

臨濟在渡夏假渡了一半的時候，跑到黃蘗山，看見黃蘗正在讀經，便說：

「我以爲是那個人，却原來是瞎了眼的老和尚」。

在那裡住了幾天後，便要再回去渡假，黃蘗對他說：

「你既然半夏才來，爲什麼不終夏再回去呢」？

臨濟回答：

「我來這裡只是向你作一個短期的參拜罷了」。

黃蘗聽了，舉手便打，把他趕了出去。臨濟走了好幾里路，心中覺得這樣匆匆的走掉，不太好，於是又回去渡夏。後來，當他拜別時，黃蘗問：

「你準備去那裡」？

臨濟回答：

「不是去河南，便是回河北」。

黃蘗舉棒便打，臨濟立刻接住，並反打黃蘗一掌。黃蘗被打得大笑；同時吩咐侍者去拿百丈先師的禪板和几案來，顯然他的意思是要把這些傳給臨濟。可是臨濟却對侍者說：

「請拿火來」。

黃蘗叫道：

「不必了。我只是要你帶這些去，以後可以坐斷天下人的舌頭」。

臨濟在開悟之前，我們都已看過，他是非常的小和虔誠的，可是在他開悟之後，却是一個極端破壞偶像的人。有一天，他去拜訪達摩紀念塔，塔主問他：

「你是先拜佛，還是先拜祖呢」？

他回答：

「佛和祖，我都不拜」。

這話使塔主大爲驚奇而問：

「佛和祖，跟你究竟有什麼冤仇啊」！

臨濟拂袖而去。

這種態度並不是一時的意氣，而是由於他內心有堅定的信念。例如他說：

「道流，出家兒，且要學道，只如山僧，往日曾向毘尼中留心，亦曾於經論尋討，後方知是濟世藥，表顯之說，遂乃一時拋却，即訪道參禪，後遇大善知識，方乃道眼分明，始識得天下老和尚，知其邪正，不是娘生下便會，還得體究練磨，一朝自省。道流，爾欲得如法見解，但莫受人惑，向裡向外，逢着便殺，逢佛殺佛，逢祖殺祖，逢羅漢殺羅漢，逢父母殺父母，逢親眷殺親眷，始得解脫，不與物拘，透脫自在」。

對於這一片殺聲：無須驚悸。臨濟只是認爲要證道和了悟自性，便應把擋在路上的任何東西，都無情的丟在一邊。對他來說，生命的問題不是「是」，便是「非」。只有當一個人眞正的自由，心不附物，才能證入無極。所以他的破壞偶像並非反宗教，實際上却是最眞實的宗教精神。

（未完）

歷史人物漫談

岳飛

許一塵

一

岳飛從戎，留妻侍母姚氏。既而河北陷落，訪求數年不獲，俄有自母所來者，寄聲曰：「爲語五郎（註一），勉事聖天子，無以老媼爲念也。」飛銜遣人迎之，往返十有八，然後歸奉之。後宣撫襄陽，母死（註二），路人無不涕泣。既葬，廬於墓側。（見「學圃萱（草頭）蘇」）

（註一）飛行五

（註二）葬江西廬山。

二

銀幷（缶旁）（註三）小姊者，岳武穆（註四）季女也。武穆被難，女欲叩闕上書，邏卒攔止之，遂抱銀幷（缶旁）墜井而死。（見「湖需（土旁）雜記」）

（註三）據岳珂金陀粹編載，武穆有女安娘，女夫高祚，補承信郎，不及銀幷（缶旁）小姊。此事似出附會。

（註四）飛謚號。

三

岳鵬舉（註五）初入獄，欲坐以得合策應，三日不行；爲違節制，當行軍法。何伯壽治其事，乃謂岳曰：「相公但放心，若相誤，令某子孫皆無眼。」岳乃著，竟坐死。何由此得執政，既而其家生子，果皆盲。此事得於老吏。（見「談藪」）

（註五）岳飛字

四

秦檜妻王氏，素陰險，出其夫上。方岳飛獄具，一日，檜獨居書室，食柑，玩皮以爪劃之，若有所思者。王氏窺見笑曰：「老漢何一無決策？捉虎易，放虎難也。」檜犁然當心，致片紙，付入獄。是日，岳王薨於棘寺（註六）。

（註六）大理稱棘寺。

五

其斃於獄也，實請具浴拉脅而殂。獄卒隗順，負其屍出，踰城至九曲叢祠中，葬之北山之□。身素有一玉環，順殉之腰下，樹雙橘於上，誌焉。及其死也，謂其子曰：「異時朝廷求之不獲，必懸官賞。汝告官曰：棺上有一鉛筒，有棘寺勒字，吾埋葬之符也。」後購其櫬不得，以班職爲賞。其子始上告官，啟如所言。而屍色如生，尚可更斂禮服也。（以上見「朝野遺記」）

六

岳飛死後，臨安（註七）西溪寨，軍將子弟因語紫姑神（註八），而岳侯降之，大書其名，衆已驚悍，請其花押，則宛然平日眞跡也。復書一絕云：「經略中原二十秋，功多過少未全酬；丹心似石今誰愬，空有遊魂徧九州。」秦相聞而惡之，爲治其徒，流竄數人，有死者。（見「賢車志」）

（註七）今浙江杭縣，宋高宗南渡建爲都。

（註八）迎其神以問休咎，即扶乩也。

七

紹興中（註九），金人遣其秘書劉陶來聘，因問岳飛因何罪而死，館伴者無以對。但曰：「欲謀叛，爲部將所告。」陶曰：「江南忠臣善用兵者，止有岳飛，所至紀律甚嚴，秋毫無犯。所謂項羽有一范增而不能用（註十），所以爲我禽；如飛者，亦江南之范增乎？」館伴不能對。秦檜聞之，約束勿奏。（見「行營雜錄」）

（註九）宋高宗年號。

（註十）楚項羽不聽增言，增怒，辭去。

八

李太虛，明崇禎中，梅村座師也。國變，降李自成。有徐[illegible]源者，嘗列卿，非笑之；撰一劇，演太虛及龔芝麓降賊。後聞本朝（指清朝）兵入，急逃而南，至杭州，爲追兵所躡，匿於岳墳鐵鑄秦夫人胯下，值夫人方月事，迨兵過而出，兩人頭皆血污。此劇已演於民間，稍稍聞於太虛，芝麓亦聞此事，乃與太虛密召歌伶，夜半演而觀之，血淋淋滿頭，不覺相顧大哭。（見「簷曝新記」）

桃花潭水深千尺

鱷魚潭邊的故事（十六）

趙陀

「媽，今天飲茶的幕後，隱伏變重危機，如果照爸爸今晨對王媽的態度，立即就會吃虧，面子一旦被抓破，會引發出來若干問題，女兒在香港也住不下去了。」

蘇霍寶又贊頌道：「還是我女兒高明，造爸爸的由衷佩服。」再伸出拇指表示。

「你這個老不死，遇到問題，就將女兒拖出來造擋箭牌，難怪章老狐狸說你是吃鞭重歡飯的人，一百零八根骨頭，都被人數得清清楚楚。」

「蘇霍寶是一一〇根。」挑皮的向顏芳說出。

「老鬼，一一〇根又出自太公公醫典是嗎？」

「牛馬兩根骨，卡在咽喉吐不出，不是一一〇根？」

克琳說：「這樣痛苦的境遇，爸好像過得很快樂？」

「孩子，快樂必須在痛苦馬上解除時，才感受得到。」

顏芳說：「今晨只是痛苦的移植，並不是痛苦的解除。」仍狠狠的怒視着蘇霍寶。

「注射了麻醉藥，究比硬割好些。」蘇霍寶這樣說。

「老東西生就一張窮嘴，雙眼未閉前是講不完的。」

顏芳的意思在旁催促着兩父女，未料克琳拿起電話，撥通了號碼說：

「我請牛少爺接電話，早，飲茶，謝謝了，向伯母問安，今天下午三時，我們在愛丁堡見面，兩個人之間的問題，不必扯扯拉拉的，一切留待當面談。」克琳講完話轉回自己的臥房，蘇霍寶不斷地頌揚着女兒的能幹，顏芳不斷地罵着老不死，昨夜的酒話和今晨的失態，但這些現象在蘇府來說，已習以爲常。

愛丁堡餐廳位在金巴倫道附近，很像上海租界時期的美琪電影院，印度孟買的維多利酒店，光顧的都是那個住宅區的外國人，是一個很適於談問題的去處。當克琳腳步踏進愛丁堡時，吸引了卅幾對眼神的注目。牛少湘很快的走過接下風衣，照顧克琳坐下後，克琳先發言說：

「來很久了是嗎？」

「一點半就到了。」

「我們不是約到三點嗎？」

「我和媽在一齊吃飯，吃完了飯，陪去買點東西，本想去接妳的，電話說已出來了，我只好先到這兒等了。」

生活漫談

食牛鞭會導致陽萎

中藥裡的穿山甲，蚯蚓，地鱉，其藥性都含有一部份的生節本能，其藥效見藥典（不贅）。還有我們將一條小蛇打死，取牠的血染燈心，乾了在燈上燃之，則會現出蛇影，這書中有甚多類似記載，頗耐玩味。

古時宮裡的太監，因爲將生殖器用刀閹去，就變成不男不女的人了。中國民間有閹雞，閹羊，目的在使雞羊發育的快，長得肥壯。農村閹牛的目的，在使牛性溫和，易於使用。馬和驢則很少去閹，因爲馬和驢要靠生殖器交配傳種，如果閹馬閹驢則不如畜騾，馬和驢交配生出來的就是騾子。騾子性暴強而有力，勝過驢馬，形容一個人的倔強蠻橫，比作騾子脾氣，就是這個道理。用孔聖人的眼光「不孝有三，無後爲大」去看牲畜，騾子可謂生下來就不孝，俏皮話：「騾子的生殖器——廢料。」

這樣說牛閹後靠甚麼傳種接代呢？說來話長，今天不是講「畜牧學」，茲摘要述之。多妻動物，除了海狗外就是牛，一條雄牛可供應百條雌牛，大牛奶公司到了交配季節，雄牛且且伐之，不以爲苦，從牠那股衝勁和神態觀察，毫無腰酸背痛現象，因之連想到雄牛不閹則很難使用。

照蘇俄近百年才發現的組織營法，（我國古代早已知之）即吃心補心，吃肺補肺，吃陰莖補陰莖，化驗未訛，言之成章。照中國藥典記載，牛陰莖壯陽道、增精液、固本培元、令人有子，兼治婦人漏下赤白帶。牛陰莖俗稱牛鞭，牛鞭的燉法，第一要去掉中間的一根貝筋，牛肉店怕麻煩，總告訴買主自己去掉，不妨用刀片從中間割開即發現一條像粗線樣的白筋，用手挖掉，煮出就不會有怪味了。茲再敘與牛鞭有關的枸杞，枸杞的功用很多，功能補血強心，治糖尿病、肺結核、堅筋骨、去虛滯、清毒解熱、耐老除風。爲強壯劑。但有一點值得注意的「橘生淮南謂之橘，橘生淮北變爲枳」見晏平仲語。台灣種植的枸杞，是否仍如藥典上說的效力，就不得而知了。用道地出產的枸杞燉牛鞭，指未閹過的牛腿試驗，功力無窮，會氣死不少男子專科的大夫們。

最後特別要注意：閹過的牛不僅沒有醫藥價值，多吃幾次還會導致陽萎。星加坡一位朋友，嗜食雄雞屁股，越吃距離預期目標越遠。有一天來試教筆者，首敘述在家鄉潮州食雄雞屁股對補腎的效力，末謂最近吃雄雞屁股竟變成陽萎了。筆者告訴他，照組織療法的定義，凡閹過的雄雞，性能已變，多吃會導致陽萎是想像的事。閹過的牛與閹過的雞同一原理。某有地位的政論家，來函詢問「吃牛鞭爲甚麼反會陽萎」，併此解答，不再另覆。

・馬騰雲・

中華民國內政部登記證內警台報字第一三一號
中華民國僑務委員會登記證僑新字第三二三號
中華郵政香港第一二八二號執照登記爲第一類新聞紙

自由報

（第九九七期）

（半週刊每星期三、六出版）
每份港幣壹角・台灣零售價新台幣弍元
社長李運鵬・督印黃行寶
社址：香港九龍彌敦道593—601號
廖創興銀行大廈八樓五座
LIU CHONG HING BUILDING
7th FLOOR FLAT 5
593—601 NATHAN ROAD,
KOWLOON, H.K.
TEL: K303831
電報掛號：7191
承印：景星印刷公司
地址：嘉咸街廿九號地下
台灣連絡中心：台北會田街五巷三號
電話：三七五〇二三
台灣區直接訂戶　台郵劃撥戶
第五〇五六號張萬有（自由報會計室）
台北營業處：台北衡陽街三十六
電話：二七二〇〇
台灣分社：台北市西寧南路110號二樓
電話：三三〇三四六，台郵劃撥戶九二五二號

自由民主的經濟制度與自由中國（下）

何浩若

他們『使貨暢其流』便對人類有貢獻應當獲得報酬來解決他們自己的生活。交換制是自由民主的經濟制度最重要的一環。假如人類要廢除交換制的話，那就等於經濟的自殺。

現在讓我們來分析一下在共產黨統治之下的情形。據一九五七年一月間蘇聯眞理報的報導，在一九五六年的冬天，西伯利亞的國營商店不斷的收到一批一批的草帽，却沒有冰天雪地中極端需要的皮帽。經過若干函電的請求，據眞理報說，所收到的仍然是一批一批的草帽。在共產黨統治之下，供求脫節，生產與消費脫節的情形，隨時隨地都有。舉起例來，也舉不勝舉。蘇聯老大哥在西伯利亞的冰天雪地之中，賣草帽，也算是共產黨造成的奇跡之一。但問題並不在此。蘇聯現在並沒有廢除私產制，也沒有廢除交換制。蘇聯現在只是把所謂無產階級專政的國家變成主要的賣方中國家計劃着大部分的生產把生產的日用消費品賣給人民。就是這樣，已經不勝其煩。原來不要政府管的事，政府偏要來管。先是要計劃生產。全國幾萬萬人要穿幾萬萬雙鞋，戴幾萬萬頂帽子，草帽多少，皮鞋多少，多大的尺寸。要穿多少套衣服。從穿的、戴的、吃的以及用的都要計劃到。這眞是麻煩到了極點。日用必需品生產以後，交由國營商店賣給人民。國家變成了唯一獨佔的賣主，自然不會再有競爭。人民也不能再有選擇。那就是說，冬天賣草帽，把調經丸做咳嗽藥賣，人民也得接受。這是一個有無的問題。冬天買了草帽，第二年夏天仍然可以用。不買就再沒有貨了。至於那個買咳嗽藥的並不知道他所買的是調經丸。即令他發覺了，第二次還是要到國營商店來買藥，因爲只此一家，別無分店。買賣雙方必須平等方有公平交易。現在賣方既由國家獨佔，這個開店的國家又掌握着陸海空軍，秘密警察，請問那些手無寸鐵的顧客，如何敢和老板講價還價？這就和政府代表資方一樣，赤裸裸的用奴工方式剝削勞動者，勞動者也不敢反抗。在共產黨統治之下，所謂無產階級專政的政府是獨佔的資方，也是獨佔的賣主。這個特殊階級也就是共產黨所統治的政府，既可任意剝削勞動者，也可以不再取悅消費者。在這裡，我敢說，統治者是必然的要變成一個特殊階級。統治者要計劃生產和分配物資就必然的得脫離生產。在共產黨一方面講，這些人叫做『脫產幹部』。以中共爲例吧。一個將近五萬萬人的國家要實行農業合作化和集體化再有計劃的來控制糧食和分配糧食，該需要多少人來管理這一件事。這些人又必需的要脫離生產受人民的供養。共產黨的毛病就在自以爲是救世救人，便把他們一種行不得的思想強迫別人來實行。其結果並沒有實行共產，却把自己變成了一個特殊的剝削階級。

現在我從民主的立場來講一講自由民主的經濟制度的內容。馬克斯拿經濟做政治的基礎，提倡社會主義革命。要從流血的階級鬥爭來解決政治問題。爲了完成階級鬥爭，他主張無產階級專政，要在共產黨統治之下的人民犧牲政治的自由，來爭取經濟的平等。其結果人民不能獲得經濟的平等，却犧牲了政治的自由。所謂今天的自由民主的國家，經過七百多年的流血革命才獲得人權的保障和建立民主政治的基礎。共產黨却輕描淡寫一筆勾消，說這是資本主義的自由民主。共產黨說他們無產階級的民主就是無產階級專政。他們的民主是民主集中制。譬如說，現在中國共產黨所實行的制度，便叫做『人民民主專政』。在這裡我沒有時間來批評共產黨的民主制度。自由人所瞭解的，民主和專政是絕對相反的，說民主專政，就等說『熱的水』『醜的美人』是毫無意義的。再說所謂民主政治，必然是全民政治。我們不可能把人類的社會分成勞資兩個階級。人類的社會是不斷的進步的，階級的成分也是不斷的變更的。譬如說，在民主國家裡面的生產單位已經由私人變成有限公司。工人持有公司的股本已經是很尋常的事。這個持有股票的工人，算是資本家，還算是勞動者呢？再說醫生、律師、會計師、工程師、技師、以及作家、公教人員等又算是什麼？有人說，他們算是第三階級。民主政治也就是第三階級的擴大。我不同意這一說法。第一第二階級既已變質，如何還有第三階級？民主政治便是全民政治，不能拿人爲的階級來加以限制。我們必須要對人類有信心。人是有理智的，他們能解決他們自己的問題。解決的方法，就是實行民主，讓他們自己來選擇。他們不僅可以選擇他們的代表來制定法律，來執行他們所同意的政策，他們還可以直接投票來決定他們所需要的制度。用民主的方法來解決經濟問題，便是拿政治做經濟的基礎。人類並不需要流血的階級鬥爭。人類所需要的是用和平合理的方法，用民主的方式，從制度和法律方面，來解決經濟的問題。什麼是自由民主的經濟制度？所謂自由民主的經濟制度，只是適合當時此地的需要由多數人民用民主方式所決定的一種經濟制度。

今天自由民主國家的人民，用民主方式所選擇的自由民主的經濟制度，其內容便如上所述。現在自由中國所努力實行的以及將來所希望實行的，也當不超出此範圍。

我現在要綜合以上所講的來結束作一結論：從現代經濟學說的演變看當前世局與中國前途，我們必須認淸當前兩大壁壘的對峙，不是美蘇兩個國家爭霸的問題，不是東方與西方的問題，更不是資本主義對抗共產主義的問題。今天兩大壁壘的對峙，是自由與奴役的鬥爭，是民主與獨裁的鬥爭，是公理與強權的鬥爭，是人與非人的鬥爭，是一切宗教信仰和無神的鬥爭。我們不僅要認識這一個鬥爭的本質，而且要對這一個鬥爭具無上的信心。我們必須信賴有理智的人類能合理的解決他們自身的問題。我們從一千九百五十年度來看現代經濟學說的演變，是從質的分析到量的分析，從靜的分析到動的分析，從抽象的研究到具體的研究。現代的經濟學者已不如前之注意純理論的研討，而要以實驗的方法，從經濟制度來解決實際的問題。同時十九世紀的資本主義社會已大大的變質。國家已成爲勞資雙方的仲裁者。勞動者不僅獲得國家法令的保護，而且自身有堅強的組織，運用着雄厚的公積金和能工的方法向資方集體議價。在民主國家裡面，資本已不再是剝削勞動者的工具。反之在共產黨統治之下，擁着陸海空軍和法院並且操縱工會的無產階級政權却變成資方來無情的剝削鐵幕內面的勞動者。有限公司的發展使資本的所有權分散，把公司變爲公有。同時共產黨却已變成特殊的剝削階級而產生了無數的百萬富翁。我們從生產、消費、分配和交換四方面分析自由民主的經濟制度。我們認爲人生經濟的目的是要提高生活水準來改善人類的生活。因此我們必須保存生機動機來增加生產。在自由主的經濟制度之下，生產者必須以消費者爲主來滿足他們的慾望。以自由市場的價格來決定分配輔之以累進稅率的賦稅可以使財富的分配相當合理。累進稅率的所得稅和遺產稅可以限制私人所得和私產的繼承權，但是人類不可廢除私有財產制。貨暢其流的交換制可以調節供求，使生產配合消費的需要。最重要還是人類要適應當時此地的需要用民主的方法來決定他們所選擇的經濟制度。我們略的提出這一個自由民主的經濟制度的內容，來請求自由中國經濟學者批評。我曾經引述杳瑞德雷西洪爵士所說的話。他說十九世紀屬於英國人，二十世紀屬於美國人，二十一世紀則屬於中國人。二十一世紀的中國人是必然的需要選擇一個合理的自由民主的經濟制度的。（完）

自由談

看熱鬧的感想

中華民國少年棒球隊在美國競賽贏得了冠軍歸來，台灣朝野上下人士熱烈稱頌歡迎，且數日不輟，這跟美國歡迎探險月球成功回到本土的三壯士的情況相彷彿，懿歟盛哉，得未曾有，我個人亦深感榮幸！

美國三壯士出發升空奔赴月球之前，總統先生代表全民向他們以電話表示欣賞鼓勵之意，其他數以萬計的科學家和技術專家，更對他們同聲祝賀歡送，昕夕關切不置。可是，我們的少年棒球隊出國競賽時，似乎沒人注意，場面殊冷落，一旦奪得錦標回來，指稱其「爲國增光」的功績表現着舉國若狂的歡迎盛況，報紙上連篇累牘地描述他們的一切動態，無微不至，殊令人滋生以成敗論英雄的感想。

中華少年棒球隊能稱霸世界少年棒壇，論者皆歸功兩年前紅葉隊掀起的一陣狂風，但最近「紅葉」隊教練員因爲在當年在跟別人競賽之際，臨陣易將，竟被當地法院以「僞造文書」罪名判處了徒刑一年。爲着體育比賽而犯規的事項，在任何情況之下，充其量不過是取消比賽資格而已，何致構成嚴重的法律行爲呢？然該教練員無端被處刑，幷無人過問，主持公道，直到最近纔有人舊事重提，認定法院的判刑非是，將由最高檢察署依法予以糾正。若非少年棒球隊在美國建立了奇勛，那位枉遭判刑的教練員，勢必爲沉海底，自傷淪落！這又證明社會上的一副勢利相，不足爲訓。

搞政治專講現實利害，成王敗寇，趨紅踏黑，關係民德與國脈，影響世道人心至爲深鉅，萬不可憑着現實觀點來肆應。職是之故，我認爲少年棒球隊那位有功的教練員的刑責問題，既屬緩刑的往事，似可存而不論，但對他的工作與生活，由教育當局妥予安排照料足安。一定要替他翻案平反，既近乎「事後有先見之明」的窘態，又給社會大衆以不良印象，對於正人心，厚風俗的前途，未免得不償失。至於因此而揭示法院的瘡疤，損及司法信譽，猶其餘事也。

寫王先生

昨日與明日

兩件善政

成公

俗語說「勿以善小而不爲，勿以惡小而爲之」，尤其政治上，許多大的成就，都從無數小的善政積累而來的，政府最近有兩件善政，其事雖小，但我們仍然引爲欣然，幷不以其事小而抹殺其美意。

澄淸舊書業

第一件，便是取締淫書。如所週知，在台北，牯嶺街一帶聚集着許多舊書攤和舊書店。這些舊書業雖遠不能和北平的琉璃廠相比，但在這鬧囂的市塵中，終不失爲文人學子盤桓的場所。而眞能買到絕版孤本的書，猶爲餘事。

令人遺憾的，在這一高雅淸潔的場所，過去竟有少數牟利之徒，以舊書爲掩護，而暗售淫書淫畫，傳播色情，敗壞風俗，殊堪痛恨。尤其此一地區，正爲中學生出沒之地。台灣最有名的中學，建國中學即在附近，而這些少年血氣未定，很可能就是受誘惑，而成中毒的犧牲品。其貽禍之深！戕賊教育之甚，實在無法估計。現在使這些舊書業者，具結不售，實在是一德政。値得稱讚。但願能澈底執行，不要虛應故事，光作表面文章才好。

淨化介紹所

另一件善政使是整頓，傭工介紹所。台北的傭工介紹所，主要的是介紹家庭服務的下女，和一些店舖的店員，這原是對廣大農村少女進城謀職的一種良好服務。但近些年，竟也有部份的介紹所變了質，若干無法無天的敗類，竟與下流事業勾結，而使部份的傭工介紹所，而變成「奴女招徠站」。假如這些少女事出情願，自甘墮落，那麼「介紹」一番，還有可說；而最可恨的乃是若干流氓，利用村女愚昧無知，竟然威脅利誘，逼上賣淫之路，傷風敗俗！作惡多端，莫此爲甚，尤其復興車站一帶，更是公開的秘密。

現在政府，也使這些介紹所具結担保不作此傷大害理的勾當，果眞如此，這將使多少村女，免於墮入火坑，對於社會問題，道德風氣，均將有莫大的裨益，眞是値得圈點。不過我們還希望政府能百尺竿頭，更進一步，使這些介紹所不僅不消極的爲惡，並且能積極的，作到眞正健全合理的介紹工作，並輔導介紹出去的下女「安分」服務；那麼直接對於公務人員的家庭可以穩定，間接的就合增強政府人員的效率了。

編者・作者・讀者

顧翊羣教授寫：「國際貨幣問題及其合作的方案」連載三期，博得廣大讀者讚揚及注意，非權威學人難說出此項權威見解。

張起鈞教授寫「華學會議爲甚麼停開」，其立論有獨特見解，乃針針見血之作，張氏曾在美國華盛頓大學及夏威夷大學哲學系執教有年，對一件事的看法幅度較寬，該文載本報九九一期，敬希讀者注意。

吳經熊博士頃將「逍遙的眞人——臨濟禪師」交由本報連載，該文係吳怡教授譯述，句句金玉，字字珠璣，係不易多得之作品，謹向吳博士與吳怡先生致誠摯謝意。

文匯樓主與馬鵬雲，祇願替本報寫作，不願意接見賓客，日前囑轉知本報各地來信熱情讀者。

「喬治象外傳」、有人計劃拍成電影，大文學家熊式一博士允任導演，可謂自由報讀者、作者佳音。

馬二爺（筆名）正式參加本報寫作，馬氏現任中興大學及輔仁大學教授，常在天津大公報、益世報爲文，本報從今起，就寫作角度說，不再是「老牛破車」，而成爲一輛三頭馬車了——馬五先生、馬二爺、馬鵬雲。

三日春秋

丁炎

最漂亮的風骨

執政黨中央在本月十二日加開的臨時常會中，通過了高級領導幹部馬超俊、李樸生等五人的退休申請，並決議予以嘉勉。

消息傳出，立即博得海內外輿論熱烈的讚譽。並一致期望：馬星老、李樸生等五人的退休，應是黨、政、社會、教育，各界一致響應「自退運動」的開始。倘使能由全面的「依例自退」而帶來人事的革新，由人事的革新而增加復國建國的新氣象與新動力，則馬星老、李樸生等五人的「退休」，從更長遠的啓導全黨新機的觀點來說，其意義實是最積極也最漂亮的「進取」。

「故人慷慨多奇節」，早期革命黨人的風骨與境界，當然不是「戀棧豆」者流所能望其項背的！

除政府機關而外，全國性社會團體中，（如工商界，尤其是體育界等等）其理監事高齡達七十九歲以上者，當不乏人，不卜亦知效法景從馬星老、李樸老的精神，以響應　蔣總裁的號召否！

發洩與同情

台北市市議員選舉及中央公職人員選舉，已進入密鑼緊鼓以爭取黨內提名的階段。

所謂政黨提名，實際上便是以政黨的歷史與信譽替其候選人作保證。有眼力能識貨的消費者，雖然也能在圓環或萬華的地攤上買到價廉物美的貨物，但多數人却寧願信賴歷史悠久商譽佳良的大公司。

大公司要維護大公司的招牌，用商業的術語來說，是培養良好的商譽。

比如有某「國產」製造公司的老板，也正在爲爭取黨提名而奔忙。但其國產之「國」，實際上并非咱們中華民國之國。凡在原產地的某國，其成品市價，只合咱們市價的三分之一強。即使加上捐稅，也無論如何不應該高到比原產地高過兩倍的程度。

選舉術語中有所謂「發洩票」與「同情票」，在化解、爭取、與掌握運用之間，說來十分玄妙，實則十分簡單。此無他：「天聽自我民聽」而已！

願手操提名大權的先進人士們，能重視本報所特別指出的這一段！

「巨型」的「氣魄」

據報載：「規模龐大的」日本影劇團，即於月底訪華，於十月初旬在台北市「體育活動中心」盛大演出。

來台演出的是四十位「經過精選的少女紅星」，「將以曾連演數百場賣座不衰的『春之舞』爲中心；……」演出大氣魄和璀璨的巨型節目……」

由新聞照片看來，四十位少女紅星一字排開，玉腿平伸，酥胸微露，其氣魄，確實可許是夠「璀璨」又「巨型」的。

台北市以外的「舞迷」們不必眼紅，如果你們都早就養有「體育活動中心」，少女紅星們當然也會爲你們演出「春之舞」。

台北市各夜總會的老板們也不必眼紅：雖然政府有關機構曾經規定，「外人來台表演節目，以特技爲限」，藉以保障民族藝人，端正社會風氣，並復興中華文化；但來台表演的外人如果是少女，又一次多達四十人，情況便不能不隨之而改變。

這次邀請日本少女來台的主辦者，和核准者，其「氣魄」當然也是「璀璨」而「巨型」的。

爲了對社會、對國人、乃至於對復興中華文化運動，都有個明確的交代，我們希望這些「璀璨」、「巨型」人士，能夠有頭有臉地站出來給大家見識見識！

「太空」與「領空」有別　不能據爲一國所有

建立太空法律程序問題　引起科學家法律家重視

（本報記者劉騏台北專訪）自從美國太陽神十一號太空船登陸月球成功的消息傳遍全人類之後，目前爲科學家法學家所重視的問題，是建立太空的法律程序的問題，這是刻不容緩的事。

本報記者爲此特走訪名法學家現任立法委員梁肅戎先生，提出建立太空法律的問題請教他，他告訴我，他曾應中國廣播公司在「早晨的公園」節目中，對這個問題講述過。他認爲：領空與太空不得混爲一談，是有區別的。太空不得爲任何國家據爲己有。

梁委員說：太空是指包括月球或其他天體，以及星際的空間而言，太空法本質上是屬於國際法的範圍。近年來國際法的研究和編纂工作，主要是由聯合國負責，因此，太空法成爲聯合國日益重視的問題。

——一九五九年十二月十二日，第十四屆聯合國大會通過一「國際合作使用太空」的決議案，成立和平使用太空委員會，大會要求該委員會研究「太空探測可能引起的法律問題之性質」。

——一九六一年十二月，太空委員會接受美國的建議，向第十六屆聯合國大會提出關於太空探測的議案，大會於同年十二月二十日全體無異議通過，該項決議有兩項重要的規定：一、國際法，包括聯合國憲章，應適用於太空及天體。二、各國得依國際法，自由探測及利用太空跟天體，太空跟天體不得爲各國據爲己有之對象。聯合國認爲太空跟天體有法律的區域，受國際法支配，同時，太空跟天體是自由的區域，不受任何一國主權所管轄。

——一九六三年十二月十三日，第十八屆聯合國大會通過「關於各國探測及使用太空活動的法律原則宣言」。重申太空自由的原則，並強調各國應依照國際法，維持國際和平與安全，增進了解與合作的利益下，從事太空的研究與活動。對於太空人造衛星的所有權及其可能造成的危險所發生的損害賠償，太空人的救助等問題，都有具體的決定。

——一九六六年十二月十九日，第二十一屆聯合國大會通過：「關於各國探測及使用太空包括月球與其他天體之活動所應遵守原則之條約」草案，全文十七條。其中最重要的是規定締約國不得將核子武器或其他任何大規模毀滅性武器，射入地球軌道或設置於太空，且應避免使太空、月球、天體遭受有害之染污。該條約草案於一九六七年十月十日起生效。

——一九六七年十二月十九日，第二十二屆聯合國大會通過：「關於援救太空人，送回太空人及送回射入太空之物體之協定」草案，全文共十條。其主要的是規定：太空航行器人員，因意外事故，危難、緊急或非出於本意等情況下，而迫降於任何締約國領域內或公海上時，締約國應迅速予以援助，將其返送發射國；在締約國領域內發現射入太空之物體，或其構成部分，如經發射國的請求，應尋獲該物體，並送還予發射國。該協定草案於一九六八年十二月三日起生效。

離地九十哩高　即爲太空起點

目前太空的法律關係，經各國跟聯合國所公認者，梁委員說有下列各項：

第一、領空與太空的區別：國家的領域範圍分爲：領陸、領海、領空。一般法學家在討論空中主權的時候「空中」一詞，意指「大氣空間」或「大氣層」。一九一九年巴黎國際航空公約及一九四四年芝加哥國際民航公約均採取此一觀念。民國四十二年五月三十日，我政府公布的民用航空法，對「空中」一詞，也持相同的看法。各國的聲明或聯合國文件，都稱人造衛星在「太空」活動。而各國法學家亦主張「太空」與「領空」有別，國家只能在領空裏行使主權，「太空」不屬於主權範圍。所以領空與太空是兩個區域，國家的領空主權及太空的意義，已爲各國所公認。領空與太空的界限如何分別？一般認爲以空氣及地面能有效控制爲準，超此範圍則爲太空，大概是離地九十哩高度，就是太空的起點。所以在太空飛行，不發生侵害他國空中主權的法律問題。

第二、太空不得爲任何國家所私有。太空是共有物，是無主之物，不能爲任何國家據爲己有，爲聯合國所認定。根據太空法第二條規定，國家不得對太空提出主權要求，或使用先佔及其他任何方法據爲己有，條約中太空一詞包括月球與其他天體在內。我國民法第九四〇條規定對於物有事實上管領之力者爲佔有人。第九四三條規定佔有人於佔有物上行使之權利，推定其適法有此權利。第九四四條推定佔有人，推定其爲以所有之意思，善意、和平及公然佔有者。第九六〇條規定佔有人對於侵奪或妨害其佔有之行爲，得以己力防禦之。人類登陸月球或其他天體後，事實上之佔有亦不能否認，則難免發生使用權利之爭。

第三、太空條約第一條規定太空包括月球與其他天體，應由各國在平等基礎上，並依照國際法探測及使用，不得有任何種類的歧視。天體之所有區域應得自由進入，應有科學調查之自由。第十條規定本條約當事國應於平等基礎上，考慮本條約其他當事國，關於有觀察各該國所發射太空物體飛行之機會所作之請求。第十二條規定月球與其他天體上之所有站所，裝置器材及太空航行器，應依互惠原則對本條約其他當事國代表開放。但實際上，只有美國開放，蘇聯則秘密進行從未開放。

第四、國際合作探測及使用太空：太空條約第九條規定應以合作與互助原則，顧及本條約所有其他當事國的同等利益。第十一條規定將太空活動的性質，進行狀況，地點及結果，通知聯合國秘書長，公衆及國際科學界。

第五、太空應爲和平目的探測及使用，不得爲軍事用途。太空條約第四條規定締約國家承諾不將任何載有核子武器，或任何他種大規模毀滅性武器之物體，放入環繞地球之軌道，不在天體上裝置此種武器，亦不得以任何其他方式將此種武器設置太空，於天體上建立軍事基地，裝置堡壘試驗任何種類之武器及舉行軍事演習，均所禁止。

進行太空探測　應遵守國際法

第六、關於進行太空探測，應遵守國際法，如有爭端時，應比照一般國際爭端的解決辦法，由聯合國提交國際法院處理。

第七、太空航行器的國籍及管轄：太空條約第八條規定對入太空物的登記國，應保持其管轄及控制權，不因返還地球而影響其所有權，如在國境外尋獲，應歸還該當事國。

第八、太空條約第七條規定，凡發射或促使發射物體至太空，包括月球與其他天體之本條約當事國，及以領土或設備供發射物體使用之當事國，對於此種物體或其構成部分在地球、空氣、或太空包括月球與其他天體，加於另一當事國或其自然人或法人之損害，應負國際上責任，即負損害賠償的責任。

梁委員認爲太空自由原則，因爲空間極大，在使用上當然彼此不會發生衝突，或使用權利的問題。但月球或其他天體的探測使用，因其使用的空間有限，自然發生先後使用，或基地已被別國先行使用，最後到達的國家無基地可用的問題，是否承認佔有的權利，或有排除他國侵害的權利，以及使用權的如何分配問題，都是今後太空法所應注意研究解決的。

（完）

東方「威尼斯」城素描

依調集

易傳

這幾天台北接連下了幾陣豪雨，若干低窪地區頓成澤國。泰國有「東方威尼斯」之稱，台北似乎不甘落後。所感美中不足者，水城的畫舫畫舸足以吸引觀光客，台北雨後，下水道淤塞所造成的「人工湖」只有使市民皺眉蹙額，大有「行不得也哥哥」之概。

台北下水道整修，多年前據說估價是二十億。這筆錢始終沒有着落，於是乎，也就一直拖延下去。但市政官員如高市長等並未因此而怠忽市政建設，除一再往國外考察市政，藉收他山之助外，由於人口膨脹之故，房屋建築都在講求向高空發展。事實有此需要，自不能以「打高空」目之。晴空萬里之時，台北市容雖非美奐美輪，大致尚能看得過去，但只要幾陣豪雨便面目全非矣。尤其是，大台北瓦斯，到處挖路的結果，使已經腐敗的下水道更形不濟，雨過天晴，但見瘡痍滿目，不忍卒覩！

台北需要晴天，最好不下雨。農村却需要雨暘調和。可惜目前科學還沒有進步到用儀器來控制天氣，看到台北下水道的整修工程所需預算年有增加，越拖越沒有辦法。將來只有等發明控制天氣的儀器，讓雨再下不到台北來。那時市民才眞的有福了！

喬治桑外傳　一八

張大萬

「我很感激你，『包死』，可是，我得稟告母親，至少也應讓母親見你一面，免得她懷疑我隨便找義父。」雅麗絲這番話，可見她是一個很純厚的女孩子。

「我想不必了，不必告訴妳的母親，也不必舉行公開儀式，改天我送點小禮物給妳，就算確定父女的名份。」喬治桑說完這些話忽然沉默起來。

喬治桑一言不發，雅麗絲母親的照片，似乎對他神經有極大的震撼力量。往事好像一部古老影片，模模糊糊地在他腦海中一幕一幕複映出來。

照片冊翻完，他合起來交還給雅麗絲。他順手取出菸斗，在烟灰碟裡客（手旁）殘餘的菸灰，發出喀喀的聲音。

「妳的母親辛苦一生，妳應該好好孝順她才對。」喬治桑噴了一口烟，微微嘆了一口氣。

「我們母女相依爲命，在我小時候，她撫養我，教育我，現在她老了，自然應該由我養活她。」雅麗絲說話時對於母親表露了深切的愛。

「這很好，中華文化最重要的便是孝道。妳在我這兒賺的錢夠不夠用？」喬治桑用右手無名指在沙發扶手上不斷打着問號。

「怎麼？『包死』，你想替我加薪？我每月要交四千元給母親，我自己用錢很省，有錢就多用，沒錢便少用。不怕你見笑，我們除了南部那幢舊房子，什麼也沒有。」雅麗絲說完，喝了一口冰水。

「我再過幾個月，便要回美國去了，我老實告訴妳，我對目前的生活方式，感到很疲倦。我在拉斯維加與美國朋友合夥做的生意也想結束一下，這叫做絢爛之極，歸於平淡。」喬治桑這時的心情很複雜，此種滋味連他自己也分辨不出，雅麗絲當然更難了解了。

「我是雇員，你是老板，你的計劃我實在不敢妄參末議。不過，我覺得你還未到退休年齡，爲甚麼忽然對人生如此消極？也許我不該這樣問，你是不是感情上受了創傷？」雅麗絲懷疑喬治桑失戀。

（未完）

綜談國劇復興（十八）

王方曙

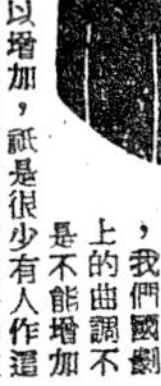

事實上，我們國劇上的曲調不是不能增加，也不是不可以增加，祇是很少有人作這種工作而已。其實只要作出來便有好的效果，如梅蘭芳的太眞外傳出浴一場的四平調，生死恨相會一場的反四平（夫妻們分別十載了）三娘教子的哭靈堂的反西皮二六（那是與逋營寨的反西皮二六同一處理方法的）教子團圓一場的南梆子，直接採用了秦腔的調子，其他的今也有這種實例不遑枚舉，且每一新調都非常風行。但梅氏有他的助手，所以造成他的成功。其他的人也不是創不出，不過缺乏助手，所以都少造出新的，只是跟着學。因此缺少開展。

我們自己難道不會造幾個腔調嗎？會的！只是沒人注意提倡而已。我願意在這裡提出一個增加曲調的路線：

1、從舊有的裡面滋繁：我們已有西皮、反西皮、二簧、反二簧、南梆子，這幾族。我們可以將每一族擴大，西皮除現有的慢板原板二六流水等等以外，無妨再滋生其他調子，比如：中間快板、快原板、花腔原板、三六，種種。只要是不離國劇風格而變化成的腔調無妨多立名堂，盡量擴張。如南梆子一族，現在只有倒板和原板尺寸的調子。何不來幾種較快的或較慢的或不上板的南梆子的散板搖板，以至南梆子，也有流水板，以此類推，可以層出不窮。只要有音樂家協助我們，黃梅調都能唱得風靡一時，我們的國劇難道除固守領域就無辦法？

2、從崑曲地方戲中吸收變化：國劇中未包括崑曲戲，但崑曲是崑曲，皮簧是皮簧，即使在同戲中有崑曲也有皮簧，但仍是各唱各調，二者是分開的。我們何妨把崑曲中已有的調子，取來融入皮簧中，使成一種東西。或地方戲中的好調子，也收入融成新調，則新調更是多了。

3、創造新調子：要新調子，不能光倚賴舊的滋繁，一定要有新的創造，不過創造新調，要依照我們原來的原則，就是聽起來不能像洋歌！一定要把握國劇的風格。這一點在音樂家是會作的，他們會把握某種特點，創造出新的同樣風格的新調子。

有了以上三種產生新調子的路線，新調的增加，可以說是並不困難。我們每部新戲，除保有舊調，隨時採用外，間雜取用新調，用在適當的地方，使觀衆一新耳目，這是十分必要的！

（2）唱詞的變化　我們要增加新調，戲中唱詞的變化也是大有關係的。我們現有的戲的唱詞，大致都是二短一長式，比如：「不由人，一陣陣，怒滿胸懷。」「楊延輝，坐宮院，自思自嘆。」快的如七字一句的「母親不必心太偏，女兒言來聽根源……」上四下三仍舊是二短一長的形式。

（未完）

逍遙的眞人——臨濟禪師（四）

禪學黃金時代

吳經熊原著・吳怡譯述

臨濟思想的重心在于「無位眞人」。他不厭其煩的強調我們要信賴自己，但這個自己不是短暫的個體，和形相，而是不生不死，超越時空，和道合一的眞我。一個人如果只知有短暫的形體的我，他便是一個奴隸，一旦覺悟到他心中的眞人，他便直證眞我，而能逍遙自在。在某一次法會中，他對大家說：

「你們的赤肉團裡，有一個無位眞人，常從你們的門面前出入，你們尙沒有體驗到的人，試看看！」

這時，有個和尙出來問：

「甚麼是無位眞人？」

臨濟立刻從禪床上跳下來，抓住這個和尙說：

「你說，說！」

當那個和尙正想開口時，臨濟便把他推開說：

「這樣一個乾屎橛是無位眞人！」

說完後，便回到自己房內。

這段故事的意思是非常明白的。因爲那個和尙問的時候，是把無位眞人看作甚麼奇異之人，而根本沒有想到他的眞我、實際上，一個人如果以假我爲我，便等于使自己流爲奴隸，使自己像乾屎橛一樣的沒有生命，沒有價值。

臨濟的「眞人」和愛默森的「最根本的「自我」」極爲相似。愛默森像臨濟一樣，鼓吹自恃和自信，並強調這個自恃，自信於自我，不是形體的我，而是根本的我。現在我們將引證愛默森的「論自恃」，也許自恃兩字過於耳熟，反而使我們忽略了它的眞正光彩；但我希望能透過禪的新看法，使它的光芒常新。

（未完）

論「上帝愛世人」評議（四）

吳輝章

諸如上述數端譏諷之語，在印順文裡到處可見，印順此舉太過火了，此非智者所應爲。

至於吳牧師，用以反駁印順之文，閱後，令我不敢相信這是出於香港有名牧師之手筆，其爲文亦如印順，滿紙漫罵譏諷之語，且其用以反駁印順之論點的，往往不能針對問題核心，一針見血的反駁，實令人惋惜，其指印順誹謗另一宗教而期抬高自己所信之宗教，實在不是一位宗教家的宗教精神的應有態度，殊不知其自身亦犯了非宗教家所應持態度之過錯了呢！現在我也將吳牧師之譏諷語略舉數端，讓大家見識見識：

「印順對聖經究竟所讀有幾，竟不自藏拙，猛向基督教攻擊。如果一個無名小卒這樣做，倒情有可原，因爲成功了，可以一舉成名；失敗了，最多是打回原形，但名字究竟叫開了。印順和尙既然是當今佛教界有數人物，則說話也應該有些分寸才對。」

「江湖郎中，開口總是『獨得祕方』；遊方術士，總會許多玄秘，許多『天機』。所以如此，無非想抬高自己的身份，造成奇人，神人的特殊身分，才可以更容易地去進行欺騙敲詐的手段。現在印順和尙所採用的，却正是術士們的一套，使我疑團莫釋，難道『佛教圈裡無人』，才任由印順這樣『目無餘子』，『玩弄一切？』」

總之，印順與吳牧師二者所爲，皆爲不當，如此針鋒相對，漫罵不已，又有何用？如此討論法，又能結論些什麼來，實是令人懷疑？所謂「道不同不相爲謀」，印順與吳恩溥二者，既然一是佛教界有名人物，一是基督教牧師兼名作家，我想也該明瞭這道理吧，只要各信其所信者即可，要何苦勞心勞形硬要對方信從自己呢！何況「上帝愛世人」與否，這亦非我們這有限理智的人類所能了解。我想這問題也只有上帝本身才能解答的呢！因此，印順與吳恩溥二者竟對此問題而針鋒相對，你來我往漫罵譏諷一場，實在是太不値得的事。

（完）

政治垃圾現形記（二八）

李桀

第九回　小道士居然貴爲政要　大洪爐終於燬沒人渣

迨「七七」事變作，中日戰爭揭幕後，繆道士秉承日本軍閥意旨，組織賣國團體「新民會」，自任會長，與王克敏、王揖唐等狼狽爲奸，通謀敵國，危害祖國。某夕，他在北平某戲院替新艷秋捧場，曾被我方地下工作人員偵知，在戲院開槍射擊他，未中，他倉皇逃走，從此再不敢露面於公共場所了。汪精衛僞政權成立後，他仗着日本人的奧援，初要求做江蘇僞省長不遂，又要作僞監察院長亦不行，這大概是由於汪精衛、周佛海等人，都知道繆道士貪濫劣跡，醜名昭著，在南方拿不出來吧？

中日戰爭進入第七年階段後——即民國三十三四之間，日本軍閥深知必敗，急欲與我政府談和，到處亂找能與重慶通聲氣的中國人，從中穿針引線，繆道士藉機一動，異想天開，妄以「蔣總司令舊幹部」的口實，向華北的日本駐屯部毛遂自薦，說他可以跟重慶通消息，而且僞造重慶方面拍給他的電報，華北的日本特務機關信以爲眞，報由東京軍部許可，特請繆氏赴東京會晤內閣總理東條英機，參謀總長秩父宮（昭和天皇的兄弟）以及外務大臣重光葵等，儼然是重慶方面的代表人物，日方教繆道士在東京拍發密電到重慶接洽一切，但說發電的器具和技術人員不夠，日方即發電令華北駐屯軍，派飛機將繆道士所需要的人員與器材運送到東京，而外務大臣重光葵研究繆氏是不可信賴的騙術，提出強烈的異議，乃作罷（詳見重光的回憶錄「昭和之動亂」一書）。

繆在東京鎩羽歸至北平，一切活動皆告吹了，只好躲在平津一帶跟日本特務人員鬼混，等到日軍宣告無條件投降後，他無處可以逃遁，旋由我政府接收人員將他逮捕，靜候究處，不久，押解到上海，經過法院審訊，明正典刑，他是繼陳公博之後，以第二名大漢奸罪行執行槍決的。正是：

富貴逼人不知守，

法塲喪命只爲貪。

宋哲元欲逮捕胡適

文滙樓別記

民國二十五年夏天，北平冀察政務委員會委員長是宋哲元、秘書長楊兆庚、常務委員有秦德純等。北平「獨立評論」刊出一篇文章，題爲「冀察不可以特殊自居」，對冀察政務委員會，甚多特殊化屈辱外交，有所指責。

宋哲元讀後，立刻下令「獨立評論」停刊，並飭逮捕該刊發行人胡適。宋哲元無疑的是軍人頭腦，直率兼天眞，很像三國演義裏的張飛，劉備三顧茅廬，見不到諸葛亮，張飛自拘奮勇，謂可用繩子，將諸葛亮綑綁來交給大哥，後果如何，則非所計　如果眞把胡適抓起來，怎樣善其後，宋哲元可能未想到這些。

楊兆庚很快打電話給常務委員秦德純，將宋的盛怒，和下令查封「獨立評論」及要逮捕胡適等情，告訴了秦德純，秦馬上答覆楊兆庚，萬不可以這樣做，一邊去找宋哲元，謂：「『獨立評論』上的這篇文章，我早已看過，學人論政指責冀察當局，合情合理，並未謾罵，文學指責，冀察處境雖然特殊，但不能以特殊自居，應當抱定決心，站穩腳跟，以整個國家利益前途爲重，命令『獨立評論』停刊，和逮捕發行人，應重加考慮……」

宋哲元說：「我要怎麼辦就怎麼辦，罵的皮，一等強國的日本鬼子我都不怕，甚麼胡十胡九。」秦德純看這事搞得很僵，乃邀同河北高等法院院長兼綏靖公署軍法處長鄧哲熙，同往求情，宋仍堅持原意，非把胡適關起來不可，「我這抓槍桿的人今天要和搖筆桿的較較高低，看誰有力量。」

這時候，「獨立評論」的發行人胡適，剛從美國回到上海，聽說宋哲元要抓他，他馬上拍一電報給宋哲元，「適準於某月某日某次車到北平」，俗話「紗帽之下無隱情。」宋哲元既未派憲兵，也未派警察去抓胡適，竟派秦德純到車站去處理。秦見了胡後，估計對方會先談起「獨立評論」的事，想不到胡適悠閒愉快的說了很多話，却不談「獨立評論」半個字。秦德純回到冀察政務委員會覆命時，宋再一次聽取秦分析這次事件的利害得失，宋欣然接受秦的建議說：

「好吧，『獨立評論』的事，完全交給你處理好了。」結果不了了之。

文匯樓主

道藩先生訪印眞象

爲蔣君章所記傳聞失實而作

傳記春秋

齊野

八月號出版的傳記文學十五卷第二期，刊載蔣君章悼念張道藩先生一文，對道藩先生處世爲人，以親身體接刻劃入微，推崇備至，文情並茂，感人至深。

惟所記道藩先生隨節蔣委員長訪印一段，多與事實不符，蔣先生亦自稱得自傳聞，筆者深恐這一傳聞失實的珍貴資料，愈傳愈廣，特爲補述，藉供有心人士的參考。爲明瞭經過，先鈔蔣先生原文如下：

「道藩先生美儀表，善詞令，富急智，其對領袖的忠藎和任事的勇敢，眞可以動天地而泣鬼神。在重陽，我只舉出兩件故事，來證明先生上述各點的美德。當　蔣委員長訪問印度，先生以留英甚久的資格，作爲委座的隨員。委座既遠道到了新德里，做印度的貴賓，在禮貌上自應加以訪問，印度總督爲不列顛帝國國皇的代表，素有副皇帝之稱，印度對其地位，頗有奉爲神明之意，凡印民謁見總督，均作『打滾』禮，以示崇敬，據說當時爲委座一行貴賓作引起是國民大會黨的重要分子尼黑魯。尼某見總督，照例打滾爲禮，但此時對委座來說，實有失尊嚴，而道藩先生因爲沒有知道此項特殊的禮節，所以沒有預作安排，道藩先生見此場面，立即向前，效尼某之所爲，一個尷尬場面，始彌補於無形。此事後來在重慶傳說頗廣，我很想向先生求一個證明，可是以後每次見面，都是總他事而遺忘，以先生之富急智與忠於領袖的素性來看，此事富爲事實的可能性是很大的。」

依道藩先生自己講述！領袖訪問印度，主要會談對象是甘地，甘地指定尼黑魯專責接待，既到新德里，對英國派駐印度的總督，便不能不理睬，總督是英皇代表，有國家元首之尊。蔣委員長當時是全國擁戴的最高領袖，但在體制上國家元首是國民政府主席林子超（森）先生，因此與印度總督的會晤，頗費周章，最後商定通權達變的方式是總督設宴歡迎，領袖赴宴的時候最後一人到達，兩邊大門齊開，領袖與總督同時入席，行至禮堂正中由人介紹，寒暄爲禮，然後由總督夫人手挽領袖，蔣夫人手挽總督相偕入席。領袖並沒有專誠拜訪總督。

其次，打滾一事，更是傳聞乖謬。上面說過尼黑魯既是接待專使，在領袖訪印期間自是左右不離。尼氏對我們領袖訪印，本來就有點受寵若驚，跟領袖朝夕相處，更有些得意忘形，在一次遊園會中，休息飲茶時，尼黑魯伸席地而坐，繼而手舞足蹈，脫去外衣打滾以爲戲，尼氏之女在旁，實其失禮，尼氏便說，東方人知己相處，不拘形跡。父女相爭各執其是，道藩先生聽得明白，不好勸他們父女日爭，也不便說明誰是對的，道藩先生更是明白只有客人以行動來解圍了，於是也脫去上衣，臥下去和尼黑魯談笑戲樂，尼氏立即坐起對他女兒說：「好朋友就是如此，你看中華民國來的貴賓，不是一樣喜歡嗎？」頓露得意之色，好像他是勝利了，大家看他那副又急又樂的樣子，不覺好笑起來，尼氏父女也笑了。

巨變歷險記！

丁博士徐州下車，當天夜裏就又轉隴海路西去碭山了。

丁博士本來到了濟南就下車轉往青島下海的，因為當時整個的華北已經淪陷，所餘一片乾淨土，僅不過區區青島一隅而已。假若連這一隅也不保的話，試問丁博士那里去？怎樣去上海、去台灣？在平津失守之後，青島還能保住嗎？雖三尺童子，亦知其不可能。但丁博士仍抱着不入虎穴焉得虎子的決心，前來徐州，現又轉到隴海線上。

民國卅八年初，隴海路已經在通車。隴海路的車站與津浦路車站不是一個，雖然已經通車了，但車站還是一樣的冷清，旅行的人，仍然寥若晨星。站上，同在滄州、濟南……看見的，並沒有兩樣。入晚，漆黑一片，連雞犬之聲都聽不見了。站上的髒，更是不堪言狀，牛溲馬勃，在在皆是。在寒風之下，衣服襤褸，鶉衣百結，到處找人要飯的，更是如過江之鯽，絡繹不絕。臉當然沒有洗，看來簡直像黑人，令人有白天見鬼之感。不能坐

隴海綫上（六七）

胡慶蓉

下吃東西，一坐下，就被圍圍的圍住。四面八方都是手，都是那髒兮兮的手，都是臭烘烘的手，四方八面都是喊聲，都在喊：「老爺！老爺！可憐我一點吧……」、「……可憐我一點吧！……」、「……可憐我一點吧！……」他們不敢希望一飽，他們只希望一點，甚至一點點……

從津浦線的徐州車站到隴海路的徐州車站，中間很有一段的距離。沿途所經，是那一片荒涼淒涼的街道，是那殘垣破壁的房屋。忍不住飢寒，作垂死掙扎的貧苦之人，都在路的兩旁。半天有個人經過，他們就看作好像救星似的，向他們要吃的。「可憐可憐我吧！可憐可憐我吧……」之聲不絕於耳，令人聞之淚下，行路的人，同他們一樣可憐，殆尤過之，又那有力量給他們！同是天涯淪落人，只有相顧興嘆。也有不願活在人間，拚命的哭，作子規泣血的。透過冷的空氣，更令人心冷。這樣的哭法，地方人稱之曰：「叫街」。他一哭，全街都會聽見。

綜之，徐州乃徐淮大戰的中心之地。這一戰，軍隊死亡的很慘。犧牲百萬大軍，皆在泥淖中。其崩潰的原因，言人人殊。未始不是都有道理，但天寒地凍，沒有吃的，沒有喝的，因而士無鬥志，必然最為重要。「民以食為天」，民之與食之重要可言。兵無糧自潰，兵之與糧之關係，也為人所共喻。大戰之後，必有凶年者，豈不是上帝的處罰？事實確實是這樣。故所見所聞，到處是凶年的現象。人到了沒有吃的時候，天下一定大亂。只有到這個時候，才瞭解治國之大道是「足食」。但到了這個時候，又已經晚了。丁博士一面走向隴海路車站，一面在想。古代重農抑商，良有以也。工業給社會很多便利，把社會裝飾得很華麗。但這是炫惑人心的，無補大計，徐州的景象，能不能給人以莫大的警惕？

（未完）

對「汪精衛最不民主」一點的補充

梅川克

讀本報八月廿三日，李槃先生政治垃圾現形記（十九），子題為「汪精衛最不民主」，其最後一段，涉及本人在中央社一段糾紛，因電語焉不詳，而事實經過，似有補予說明的必要，特作此補充。

民國廿三年金樹仁以邊疆主席身份來京向中樞報告，實在是具有極大誠意而來，不料汪精衛竟挾一點小小私怨，藉詞指金樹仁擅訂喪權辱國條約的罪名，捕金下獄，當時京中各報羣起對金指摘，意若指金為「國人皆曰可殺」的人物，一時氣勢洶洶，大有山雨欲來風滿樓之勢，當時筆者服務中央社，頗為不平，且稔知褚民誼當年中法攷察團一段結怨內幕，一時正義油然而生，因撰一「金樹仁果應重懲乎」短文，投於南京之華報，全文刊出，却於篇尾加了一段按語，大意是說自金案發生後，各報輿論一致攻擊，認為金樹仁應負喪權辱國之刑責，今接梅君來文，獨持不同見解，梅君是否為中央社人員，不得而知，但其用紙均有中央社字樣，本報乃予刊出，以求社會公斷。我在原文中最主要論點，是說「政治既失平衡，懲獎尤應公允，甚於金樹仁罪過者，多至不可勝數，如失東北之張學良，南棄熱河之湯玉麟，張湯既未掬誠來向中央報告，亦未聞張湯受有任何處分，何以對像金樹仁尚能以邊疆主政者身份向中樞報告者，如此大張撻伐，寧得謂平？豈是強凌弱而出此乎？」（上述文字，係就記憶所及而寫，如頭兩句即出於原文）這種內容的文字，表面上並沒有對汪有甚麼攻擊，但實際上對他那種不公平的處置，是有微詞的，華報當時在南京雖然也是大型的報紙，但總不能算是顯赫著名的大報，以汪當時行政院長忙碌的情形說，雖當難得看到，但汪對於新聞界一向懷着一種鬼蜮精心理，他每天生活習慣，是在早上八點以前把所有京中報紙，照例走馬看花的看一次大標，只要發現對他不利的社評和新聞，那是[illegible]有，我在華報還說大文就是在這種情形下被發現和看到的，看完後就非常憤火，在他想像中，只知道這篇文字是中央社的人寫的，當時中央社社長蕭同茲先生，也是很活躍的人物，人眼熟，人緣好，汪找他只要搖個電話就找到了，據三年前逝世當時編輯部主任曹蔭稚先生告訴我，汪當天把蕭社長找去責備了一番，不過有「蕭王爺」之稱的蕭社長，很能應付這類事情，當時就答覆說：「人家這是以私人身份發表的文字，並沒有假中央社名義對外發表反對的言論，我又怎麼禁止得了人家呢」？臨走汪還是一再叮囑要好好查究一番，而社長回大街口總社後，並沒有找我作過甚麼責難的談話，但我那時在總社一人作兩三個人以上的工作，成績有功勞，也有苦勞，依照蕭社長當時規定的制度，我是應該獲得加薪升職的獎勵，可是我並沒接受到，於是我向蕭社長遞了一份帶質詢口氣的信，我還記得那次信中，我引用了攷試院牆壁上的兩句話：「鼓勵以方，則無抑鬱之士；任使得法，方無倖進之徒」。意思對蕭社長沒有為我加薪調升職務，表示不滿的實難，後來還是曹蔭稚先生偷偷告訴我說：「你還想加薪升職，要不是蕭社長原諒你，單憑華報那篇文章，就可以予以停職的處分，因此，你的年終考績加薪的事，也就彼此倒算了」。這意思是說本來廿三年終應當可以得考績加薪的獎勵，但因為有了這次文章風波，就將功折罪了。其實在我看，蕭社長既能有肩膀在汪精衛面前去挑這件大事，就不應再為此事而生甚麼影響[illegible]，不過蕭社長那說明了，假如蕭社長[illegible]，那我第三年也就是四年或許不會離開中央社，也或許不會離開新聞界，那我個人後一段到此門爭的歷史就得改寫了。

（完）

報壇點將

潘公展——申報

·辛文彬·

報人出身的潘公展，抗戰勝利後，在全球第四大都市——上海，身兼三要職。一是上海申報社社長（上海歷史最久一家報紙），二是上海市議會議長，三是中國國民黨中央常務委員，眞夠過癮的了。

潘公展先生，可稱得上是一位鬥士，尤其對付共產黨一套招數，祇可以意會沒有辦法言傳。申報的做法，格調比新聞報高，編排也很新穎，總編是陳訓畬（現任職香港時報），副總編輯是卜少夫、趙君豪。大陸淪陷，卜在香港辦新聞天地，趙在台北辦自由談，都相當成功。

潘公展現仍在美主持華美日報，其孤忠與人格，堪作報人楷模，陳布雷、陳果夫、陳立夫三陳，都對潘相當推重，非無由也。搞民主政治議長的學術道德也必須凌駕當地政軍首長之上，才能發揮作用，否則就苦矣！

人的天年是百四十歲（上）

生活漫談

從一歲到三十歲，稱為少壯時期，三十歲到六十歲叫作長大時期，六十到七十是暮年時期，七十到九十歲，屬老耄之年了。由於近一百年的醫藥進步，使兒童的死亡率減少，不治之症可治，人類平均壽命大大的增加，幾已超過五千年的總和。第二次世界大戰期間，美國電機聯合公司在支加哥舉行過一次百年進步展覽會，有十位傑出代表發表高見說：

一、將來的飛機由陸地電鈕操縱指揮，二、人類可以控制電子及宇宙光線，三、傳染病絕跡，人的平均壽年以七十歲為標準。（百年以前的平均壽年是三十五歲。）四、未來不僅可以征服病魔，而且有控制腺的功能。五、對於太空的神秘可以完全揭穿。六、將來的發電可以利用太陽光的熱能。七、化學上有不可思議的發明。他們一共發表了三百餘件預言，其中有些的確都兌了現，因而控制腺的功能，相信也會實現，如果腺的功能可控制時，矮子變高，長子改短，醜變美，瘦變肥，乃至於返老還童都有其可能性。同時對於人體和腦的關係，也會有極大的貢獻。人類普通的壽年為一百歲，更不會成為問題。當時集會的，還有七位醫學專家，他們一致指出「疾病」這個字，將來只是辭典中的名詞了。照這樣看來，我們如果再能期待一個時間不死。張浩霍先生認為「人生七十才開始」，和蕭伯納說的「三百歲是人的成熟年齡」，可能均為先見之明。依動物學家的統計，每一種動物的成年期，用七去乘，就是它應當得的天年，人是二十歲成年，我們天年是一百四十歲。著者這樣「大胆假設」，如果讀者不願「小心求證」的話，即利用你們身邊的家畜小動物計算計算，是一件很有趣味的問題。

醫藥的高度發展，使很多的絕症都有了救藥，即是談虎色變的「癌症」，於最短期內也將變為不會致命的東西了。這樣說來，我們每個人都有做老壽星的資格了。不！事實與理想往往相反，只因我們在人生旅途的過程中，患絕症的機會究竟不多，最大多數的死亡者，據統計還是由於[illegible]。換句話說就是[illegible]生命過多，提前結束人生旅程[illegible]而已。因之我們想長壽的話，[illegible]做一些自己所做不到的事。醫藥的功能，固不可抹滅，講衛生，無疑是值得重要的。保衛生命的三道防線：一、醫藥衛生，二、環境衛生，三、心理衛生，三者不能缺一。醫藥衛生，既如前述，環境衛生者：一、[illegible]，二、暢通空氣，三、[illegible]，四、[illegible]，五、勤於勞動，六、善休息，七、[illegible]，八、正思想，九、調七情，十、節嗜慾。這是有利自見的，心理衛生則比較複雜，而效果有所能見。只要容易做到的，維持之以恆。語言所能述，就人為財死這個角度說，社會上不知產生了多少詐騙惡變的事件，孔聖人因看到當時搞得太不成話了，才說出：「富貴可求也，雖執鞭之士，吾亦為之，否則從吾所好」，以聖人的大智，對富貴都作如是觀，很多愚不可及的朋友，為了求富，求貴，所招致的苦惱，是可以想像的。

·馬騰雲·

桃花潭水深千尺

鱷魚潭邊的故事（十七）

趙陀

「妳的開車技術，有點進步嗎？」牛最喜歡人間的。

「能兒子膽量越開越小，人他的先人，眞不簡單，老人打算還是僱一個司機省些。」粗言粗語的答着。

「講話還是一口的髒字和土音，不容易改正是嗎？」

「人他為先人，小時候的毛病，據說我老子比我還粗。」牛少湘腦子裏，裝滿了老子英雄兒是好漢。

「少湘，我們之間的問題，彼此還要多瞭解，婚姻大事，不是去買西服，能試試樣，錯了還可以改，更不是買西瓜，包打包開，前幾天讀報看和樣林在家徹夜總會醉倒大醉，當眾狂舞，最少在你和黛琳的關係尚存在前，言婚事，似嫌過早。」克琳向牛作上列的表示。

牛少湘被說得滿面的表情，不斷的在變化着，白一陣，紅一陣，很尷尬的。

「那是逢場作戲，兒子曾向蕭老伯備過案，以證明我對這個女人並沒有甚麼味口。」很坦率的表示。

「你是在追蕭老伯嗎？」

「不……。」

「你當着我強調向他備過案是甚麼意思？」

「我在表白自己的心跡，對了，小姐要吃甚麼？還未喊進門就打起嘴官司。」

「甚麼都不要，談幾句話就走，今天下午四點的主日學輪到我講習。」

「還成甚麼話呢？」

「餓的，我不想吃，你要吃甚麼？自己喊吧！」

「我們吃過牛天了。」

「噢，還有別的朋友。」

「沒有，沒有，是我媽媽。」

「你不說先陪老太太去買東西嗎？」

御廚談藪

猪肉的烹調

林泉隱

（一）紅燒肉　用背部肉（肥瘦各半）一斤，切成大塊，放在鍋裡，加水與肉面齊。煮到半熟，將肉撈出，另外用熬熟豬油四五匙，調白糖二兩，與肉一同入鍋，炒之，再加醬油四兩，酒二兩，等候肉色濃紅，加水（就是先前的肉汁）少許，[illegible]

（二）燜（火旁）肉　和前面方法所不同的地方，就在燒到半熟的時候，就將醬油、酒加入（留肉汁同燒不好）。用弱火燒半小時，再加冰糖二兩，鹽半湯匙，[illegible]

（三）白切肉　用背部或腿部肉（瘦多肥少），在沸湯中，稍煮一些時候，用繩紮緊，加[illegible]約經過四十分鐘，已經熟透，拿出切片，[illegible]（[illegible]米）拌醬吃。

（四）火腿肉　用背部肉一斤，切整塊，放[illegible]面，先用猛火燒沸；再加入酒二兩、鹽[illegible]等，用弱火再燒。等燒透，另外用醬油蘸[illegible]候，加上白菜、冬筍、火腿等，都很適宜。

註：朱洪武皇帝，嗜食肥肉，割不正不食，脂肪不在三寸厚以上者不食，（見鳳陽縣誌）鳳陽縣包括（蚌埠市）吃肥肉風氣，於今無法改正。

自由報

（第八九九期）

（半週刊每星期三、六出版）
每份港幣壹角・台灣售價新台幣弍元
社長李運鵬・督印黃行齊
社址：香港九龍彌敦道593—601號
廖創興銀行大廈八樓五座
LIU CHONG HING BUILDING
7th FLOOR FLAT 5
593—601 NATHAN ROAD,
KOWLOON, H.K.
TEL: K303831
電報掛號：7191
承印：景星印刷公司
地址：嘉咸街廿九號地下
台灣連絡中心：台北市田街五巷三號
電話：三七五〇二二
台灣區直接訂戶　合郵劃撥戶
第五〇五六號張萬有（自由報會計室）
台北營業處：台北衡陽街三十號
電話：二七二〇〇
台灣分社：台北市西寧南路110號二樓
電話：三三〇三四六、台北郵政劃撥戶九二五二號

亟應廢除「貪污治罪條例」

丁作韶

此處所稱「貪污治罪條例」乃是指的「戡亂時期貪污治罪條例」，為了方便起見，簡稱如上。下同。

首先筆者要鄭重聲明的，我們呼籲廢除「貪污治罪條例」，並不「擁護貪污」，認為貪污可以不治罪。反之，我們是要甘冒天下大不韙，言人之所不敢言，論人之所不敢論，不避嫌疑的，指出這「貪污治罪條例」，並不能杜絕貪污，要貪的還是貪，是污的還一樣污，絕不因有此條例而稍有改善，若想乞靈於此條例，而想杜絕貪污，那眞無異緣木而求魚，不僅魚不可得，同時在另一方面，却帶來極大的惡劣影響。何況從技術上講眞要有決心懲治貪污，現行的刑法已是足够應用了，又何必多此一舉？

戡亂時期貪污治罪條例是民國五十二年十月十五日總統明令公佈同日施行的。於今施行已有六年之久。從這六年的經驗，實感到有廢除之必要，並且應該從速。還有很多的理由。首先是貪污的問題是一個政治的問題而不是司法的問題，應從政治上謀解決，而不應從司法上謀解決。從中國的傳統文化上看，從儒家的學說上來看，始終認貪污的問題是個政治問題。「導之以政，齊之以刑，民免而無恥；導之以德，齊之以禮，有恥且格」。「其人存則其政舉，其人亡則其政息……故為政在人」。「君子之德風，小人之德草，草上之風不偃」。「上有好者，下必有甚焉者已」。「苟子之不欲，雖賞之不竊」。不從政治上解決，而從司法上謀解決，司法是解決不了的。即從過去的六年來看，司法解決了貪污的問題啦嗎？我想答案是否定的。單單從報紙上看，恐怕就會有這麼個印象。貪污案件，是報紙的大新聞，也是法院的大案子，眞是「野火燒不盡，春風吹又生」。野火並且有越燒越利害的趨勢。像最近的剝蕉案，其牽涉之廣，株連之衆，眞是駭人聽聞，見所未見，聞所未聞。沒有用處，也是貪污治罪條例應該廢除的理由。照該條例第一條規定：「為懲治貪污，澄清吏治，特制定本條例」。是「懲治貪污」，以「澄清吏治」為目的，但「懲治貪污」，「吏治」能「澄清」嗎？事實上告訴我們：懲治貪污並不能「澄清吏治」，而且是愈懲治貪污，而吏治有愈不能澄清之趨勢。是澄清吏治應於政治中求之，而不能乞靈於司法。「不揣其本，而齊其末，方寸之木」，固可使「高於岑樓」，但這是沒基礎的，沒用的，並不能達到目的。「為政在識大體」，「物有本末，事有終始，知所先後，則近道矣」。貪污治罪條例是「方寸之木」而已，如何可以澄清吏治？「澄清吏治」應於政治中求之。

懲治貪污的治罪條例存在，不但不能澄清吏治，實在是中華民國吏治的恥辱，甚至於可以說是中華民國吏治的侮辱。在中國傳統上，吏的地位是很高的。在中國傳統上，更就是民之父母，天地君親師，君就是吏之代表，君與天地親師並列，君之地位之高可知。特別把君放在天地與親師之間，其地位之高更可見一斑。「天之生斯君，所以牧斯民也」。在專制時期，固然是這種說法，即在民國，事實上又何嘗不是如此。所謂「公僕」，並不能減低他的身份。這也就是說吏有吏的地位，吏有吏的尊嚴，在貪污治罪條例之下，動以莫須有的罪名，吏就被逮去查問，接着鋃鐺入獄，囚首垢面，對簿公庭，叫老百姓看笑話，吏本人因感到無地自容，情何以堪，而整個政府的尊嚴，又置於何地！政府需要威信，貪污治罪條例大大的喪失了政府的威信，政府沒有威信，政府還如何統治？

即在國際，貪污治罪條例也沒有存在之必要，甚至於可以說更有廢除之必要。誰也知道，亦無庸諱言的，中華民國政府在國際方面素有貪污無能之稱，有貪污治罪條例之存在，更是中華民國政府貪污無能之證明。貪污治罪條例之存在是中華民國政府貪污無能的大好宣傳自我宣傳。假使不是貪污無能，為什麼要特別訂一個貪污治罪條例呢？訂一個特別的貪污治罪條例，當然就是貪污風行的表示。貪污與無能是不是有聯帶的關係是另一個問題。也可以說無能與貪污是有連帶的關係的。因為貪污，對於職務，就不能盡責，甚至為違背職務之行為。為雪貪污無能之恥辱，我們應廢除貪污治罪條例。

何況王子犯罪與庶民同罪，對於懲治貪污，普通刑法已有規定，照普通刑法處理可也，何必再要一個貪污治罪條例？有人說因為現在戡亂，現在戡亂時期，故在貪污治罪條例之上冠以戡亂時期。但戡亂時期也沒有特別再要一個貪污治罪條例之必要。普通刑法對於貪污治罪也並不輕，要高要低儘可以上下，法官判刑普通最高也只是七年，低的一年多，也有幾個月的。儘可以依普通刑法懲治貪污，何必再要一個貪污治罪條例？吏與庶民同罪已經足够了，再定一更重之罪，實在沒有道理，難道作吏比庶民的地位還低嗎？

要知道吏是吏治的台柱，政府的手足，國家的幹部，政府國家要特別的愛護，特別的推崇，使他有地位優越之感，有個人尊嚴之感，有責任重大之感，千萬不可予以打擊。貪污治罪條例之存在，予吏之打擊至大，使吏處處有一種自卑感。這對政府的損失太大了。目前行政上表現的呆板，這恐怕是很大原因。學而優則仕，仕而優則學，仕在中國傳統上自視是非常高的。在民主之下，仕途已經變成很窄了，士之氣已經很餒了，再加上工商社會處處講錢，有錢就有地位，君子固窮，士氣更餒。再加上科學化、工業化、現代化的呼聲響徹雲霄，士相形見拙，自慚形穢，志氣更為消沉。再加上貪污治罪條例之下，好像無官不貪無官不污，更使士垂頭喪氣，敷衍塞責。這是多大的損失！名利是維繫吏的兩大要素，雖沒利給他，又奪去他的名，他還有什麼希望。貪污治罪條例擺在那邊，使吏太難為情了。平時的收入，已談不上仰事俯畜，又給他難堪，當土匪防，當盜防，誰還願意幹！貪污治罪條例亟應予以廢除，不但勢所必至，亦理有當然也。

最後，我們再一度的聲明，我們呼籲廢除「貪污治罪條例」，並不是鼓勵貪污，不治貪污的罪。而是誠懇的請大家面對事實，尋求一個澈底解決的辦法。不是制定一個「貪污治罪條例」，就可以交差了事，把這問題解決，須知政治經緯萬端，絕不是「頭痛醫頭、脚痛醫脚」，可以平治的。尤其國家大事絕不像法家的天眞想法，只憑一套法規，便可吏治澄清，天下太平的；反之我們應該深思熟慮，謀求一個拔本塞源的澈底解決辦法。

昨日與明日

中信局又有問題了

徐賢樂的請願

報紙又有中央信託局的新聞了。已離婚的故蔣夢麟博士夫人，服務中央信託局已有二十多年的徐賢樂女士，民國五十五年底因車禍受傷停職，五十七年傷癒後，曾七度向中信局申請復職，均遭擱置，乃向監院請願，經監委陶百川、楊宗培二人的調查，中信局對於這件事的處理，確有不當之處，由內政委員會討論，決定送行政院辦理。據說：對於本案，監察院本來準備提糾正案的，後因中信局多方疏通，乃有送請行政院處理的決定。由這個簡單的請願案看來，至少有三點值得特別注意：第一、中信局對徐賢樂的申請復職，拖了幾年不解決，足見中信局這個機關辦事效率太差勁了，在政治全面革新的號召下，該局負責人，應受懲處。第二、由監委認該局確有不當之處，該局人事制度確實大成問題，如果人事制度健全，對於本案，早已妥善解決。第三、監察院受人情的包圍，應提彈劾案而未提彈劾案，甚至糾舉也未提，如此作風，深使國人失望。

中信局的重要性

中央信託局是國家行局之一。根據民國三十六年政府頒佈的「中央信託局條例」，該局資本由中國庫撥給，辦理特種信託、保險，儲蓄業務。該局現行內部組織計有秘書、會計、購料、易貨、信託、儲蓄、產物保險、人壽保險、公務人員保險等九處，及人事室設計稽核委員會共十一單位，另有國內外分支機構及駐海外代表多處。所以，它是一個金融機構，又是貿易機構，也是具有若干壟斷性的國營事業機構，因為若干工商企業物料的購買，常經政府指定由該局辦理。因之，在協助推行政府金融政策和貿易政策等方面，該局責任重大，而對民間利害關係，也較其他國家行局更為密切。眞正問題，就是在：這樣一個重要國營事業機構，並不健全，人事制度極不完備。以前該局也曾有位去職員，曾向立法院請過願，立法院財政委員會並曾經邀請陳漢平局長列席報告。國家行局呆帳最多的，也是該局，監察院在幾年前曾通過糾正案，移送政院飭屬改善。可見該局問題並不簡單。

要調查要整飭

為了遵行　總統政治革新指示，為了加速進行經濟發展，行政院應責成財政部對所屬中信局切實督導，使該局業務更能發揮效率，在協助推行國策方面，發生更大作用。監察院也應當派員澈查：該局人事制度是否健全？任用考核，有無標準？所有職員是否都經過考試任用？更重要的該局所經營各項業務是否眞正便民？有無弊端？呆帳處理情況如何？有無再增加？或有無發生新的呆帳。像這樣一個重要的國營事業機構，實值得國人和政府管機關的重視。

・曾信・

自由談

中國大陸上的毛共政權，隨便將英國的一個新聞記者扣留，強要香港政府釋放十三名因犯暴亂罪行而判處徒刑的共黨份子，作為交換條件，而英倫當局慨然接受。巴西的共黨恐怖分子把美國大使綁架囚繫，勒該國政府釋放了被判徒刑的十五名政治犯——即共黨分子——纔將美大使放回來，而華府當局馬上表示感謝。這種野蠻的強盜行為，令人聞之髮指，但素以文明先進國家自居，在國際間過事表示強權主義作風的英美執政人物，却卑以自牧，對中巴的共黨暴行，有若綿羊見着老虎，懾伏聽命，不敢說句二話，可怪孰甚哉！

這類事情如果是發生在其他的東西洋自由國家內，那還得了！記得四十餘年前，中國山東省臨城縣的土匪孫美瑤，刼掠國際列車，把若干歐美籍的乘客綁架入山作人質，勒索金錢，而英美法各國政府即提出嚴厲通牒，要求中國政府限期救出被綁乘客，否則將由「國際聯盟」決議共管中國的辦法。一副強權主義者的面目，肆行威脅，無可理喻，以視今日他們對待東西共黨暴行的「孬仔」態度，前倨後恭，可笑亦復可恥！

豈有此理！

假使英倫當局不接受毛共的野蠻勒索，一報還一報亦將駐在倫敦的毛共分子予以拘捕，而毛共未必就敢向英國宣戰，妄動干戈。美國若援助巴西政府淸剿共黨恐怖分子，表示不惜犧牲一名外交人員，亦不願對強盜行為屈從的正義感，巴共為着整個共黨分子的存亡關係，亦未必敢於殺害被綁的人質吧？計不及此，而採取不顧正義公道和自己國家體面的姑息自瀆作風，將來東西洋各地區的共黨政權或恐怖分子，繼起效尤，隨意拘囚，綁架英美的外交官和新聞記者，作為政治勒索的交換條件，試問英美究將何以善其後耶？

回想過去西方帝國主義者對待一般弱小國家民族的強橫史事，瞧着今天英美這種對共黨怕得要死的萎瑟樣兒，即證明人類欺侮善良，畏懼強暴的劣根性普遍存在，所謂文明進化之說，乃是放屁放屁，眞正豈有此理！

馬五先生

讀者・作者・編者

台北貴陽街二段七五號李松年老先生，致馬騰雲信件，業已轉達，他表示從事醫藥研究的人，拒絕出診及任何酬勞，有關老年人健康的一些問題，請注意生活漫談。他會給你公開答覆。

潘再中先生來函謂：「中青問題，文匯樓主：「青年黨排名起波瀾」，文雖尖刻過譏，但針貶痛癢，如遇神醫……」潘先生七月廿一日撰「慶祝黨運中興和昌隆」佳作甚有遠見，惜時效已失，祗好割愛。

根富讀者：喬治桑無所謂好人或壞人，他代表上海租界時期標準的買辦階級，不是「包打聽」這一類型。「包打聽」者，就等於英國工部局警務處刑警，可能是壞人多，但也不能說沒有好人。

本報除專論，若干十分之六七都用眞名發表，其餘各文筆名佔多。據統計百分之八十皆為本港與台灣各大學教授。

王紹章讀友，你的性急待葛諸亮狂想曲單行來出版後，可從後邊看起或祗看結論。此外編者沒有甚麼好辦法。

喬治葉是前外交部長及前北京大學教授、詳細請查閱八月廿七日本報三版，「喬治桑與喬治葉」。

「文匯樓別記」不日開始預約，文匯樓主以他一生多彩多姿的生活經驗寫出的「別記」，張起鈞教授說，其中有一部份為傳世之作，曾約農教授說：「文匯樓的筆鋒如利劍，兩邊都是刀鋒，進退皆有招數」司法行政部長查良鑑教授說：「文匯樓別記」是我最愛讀的文章。

沈應松獲准冤獄賠償
武漢旅社兇殺怎麼辦
一拖十餘年並不能解決問題
司調局對該案應該重行偵察

（本報通信員柳一權台北消息）據九月二十五日此間中央日報刊出沈應松被人誣告爲詐欺判刑五百五十七天，獲准冤獄賠償，原消息云：「沈應松聲請冤獄賠償不服台灣高等法院之決定，向司法院冤獄賠償覆議委員會聲請覆議案，頃經該委員會決定予以賠償，決定書主文如下：原決定撤銷，沈應松依非常上訴程序判決無罪前，曾受刑之執行五百五十七日，准予賠償八千三百五十五元（銀元）」。

司法院冤獄賠償覆議委員會在決定理由中稱：本案聲請覆議人沈應松因詐欺案件經台灣高等法院判處有期徒刑二年。確定後移監執行，自民國五十六年四月廿一日起，至五十七年十月卅日假釋時，共計執行五百五十七日，有聲請覆議人提出之假釋證書影本可稽，聲請覆議人於非常上訴程序判決其無罪確定後，據以聲請賠償，尚無不合。至冤獄賠償法第二條第二款所稱行爲違反公共秩序或善良風俗者，係指行爲違反國家社會之秩序利益或國民一般之道德觀念而言，聲請覆議人因商人陳恩典向台北市水肥處理委員會推銷酵素脫臭劑久無音訊，促請兼主任委員黃啓瑞擬准承購，尚難謂係違反公共秩序或善良風俗之行爲，且查第二款僅適用於受不起訴處分或無罪之判決確定前曾受羈押者，原決定依該條款駁回其聲請，不無誤會，原決定應予撤銷，由本會自爲決定，應按聲請覆議人所受執行之日數，以十五元折算一日，准予賠償八千三百五十五元（銀元）。

沈應松爲前台北市議長，五十六年間因涉嫌詐欺案，經台灣高等法院判刑二年確定，并移監執行，經沈應松請由最高檢察署提出非常上訴後，改判無罪。沈應松因判決無罪前受刑之五百五十七天，乃向高院提出冤獄賠償之聲請，爲該院決定駁回。沈應松再向司法院冤獄賠償覆議委員會聲請覆議，經決定予以賠償。」

冤獄案在中國歷史上，信筆寫來盡是文章，從周文王被判刑起，高缺、司馬遷、華陀、蘇東坡、王陽明、岳飛、史可法、文天祥，直到清末秋瑾等，數以百千計的冤獄代表人物，雖百萬言，也無法敘述。法官的自由心證要以包拯爲代表人物，在「鍘美案」裡，包拯台：「尊一聲駙馬公細聽端的，曾記端午日朝賀天子，我在朝房與駙馬，我相了你的面，我相你左眉長來右眉短，左膀高來右膀低，眉長眉短有兒女，膀高膀低有前妻……」，「刑求」到演戲則可，憑着相斷實，又不成話了。「不供不休」是前新疆省主席盛世才式的審判，當然這並不是盛世才發明，北洋軍閥都會這一套，尤其是栽贓，那眞是可怕到頂點。國民革命北伐完成後，將總統洞燭機先，手頒「明利害，辨是非，負責任，守紀律、」黨員與公務員，共同守則，如果司法界都能照着這四句話切實做，冤獄案就不可能有。馬馬虎虎是判案的大忌，因爲馬是被人騎的，老虎是吃人的。九年前武漢大旅社關自殺與他殺案，被牽涉的人有二十幾個，其中主犯是一位去職警官黃姓男子，據說在警官任內，也非善人，該案經過時間，事實映證有被冤的可能性，因黃失去社會同情，雖被判了死刑，一般人的心目中總以爲是因果報應，不過該案中有台大化工系主任陳華洲死在獄中，照常理判斷，一個學人又當過建設廳長，而和流氓勾結殺人，簡直使人不能置信，據說該案已死了幾個人，拖到十年未結案，這其中不能說沒有一點毛病。該案發生在沈之岳先生未任調查局長之前，辦判方式是否採取盛世才那一套，就不得而知了，該案的癥結，先進國家化驗求證的結果，都難指出是他殺，假定姚家若是自殺、問題就嚴重了，這一干人的冤獄賠償，和死去的人又怎麼辦，如果是他殺，而判的又未錯，全案人犯都早該於法處決，和送監服刑，拖並不是一個好辦法。

記者認爲該案，司法部調查局有重行偵察的必要，重點一、海外報紙新聞是甚麼人發動去登的。二、報既登出能很快而有系統的剪輯也不是一件簡單的工作。三、偵察陳華洲與人有無權利財勢之爭奪。四、被殺的姚姓男子是眞有錢還是假有錢，在海外原來是幹甚麼的，他的兒子受過高級教育沒有？五、該案發生後線索被人很有條理供應辦案人員有沒有毛病、六、陳華洲被打倒消滅後，生前權利應死誰手應寄予注意。七、該案在押人這樣久，看守所的管理員也會知道的很多。八、將錯就錯乃古今辦案大忌。

限制私立中小學校
國會議員多數反對
違背憲法精神抵觸現有法令
世界各國找不到這樣的例子

（本報通訊員張慈功台北消息）：台灣限制私立中小學校，立法委員多表示反對，林委員棟說：剛才聽了鍾部長的報告，但是在報告中沒有提及最近教育廳潘廳長所發表的談話，就是「私立中小學今後要限制設立」的動機原因，可惜潘廳長今天因事未能列席本會，無法深入了解限制私立中小學設立的原因，不過，據鍾部長報告，限制設立私立中小學似乎是普遍的，而非限制於台灣省，其原因有二：一是消滅惡性補習，二是緩和升學競爭。我個人認爲，如果依這兩個觀點來限制私立中小學的設立，不僅理由不夠充份，而且難以達到消滅惡補和緩和升學競爭的目的，甚至會變本加厲，更助長惡補和升學競爭，因爲既然容許已經設立的私立學校繼續存在，它就可以用它所能吸引學生的方法，以廣招徠，如果不准再新設立學校，這些學校，就更奇貨可居了。每一個家長都希望他們的子女能多受一點好的教育，在這種粥少僧多的情形下，惡補與升學競爭必然更加激烈，不限制設立私校還不能緩和這種趨勢，限制設立豈非火上加油，又如何能和緩呢？

就法律與教育的觀點來看，私人設校不可以也不應該限制。因爲憲法第一六七條規定：「國內私人經營之教育事業成績優良者，應予以獎勵或補助。」這就是表示國家需要和鼓勵捐資興學，所以定之於憲法。同時，教育部頒佈的私立學校規程規定：「除師範學校由國家辦理外，其他學校私人均可設置。」政府如使已設立之私校能得鼓勵，以符合憲法獎勵私人興學的精神，又製訂私人捐資興學褒獎條例，來具體的獎勵私人辦學，從沒有一種法律是限制私人辦學的，因此，限制私人設立初中與小學政策，是違背憲法精神和現有法令。

周委員敏說：關於限制私立中小學招生問題，同仁們已說的很多，而且都不贊成此一措施，個人亦復如此，本席今天不談理論，僅就實際問題表示一點個人的看法：

前幾天討論留學政策時，本席主張放寬，因憲法規定，「人民有講學的自由。」人民當然也有學的自由，推而至於私立學校亦應予以辦學的自由，而且我政府曾一再鼓勵私人興學，現在又爲什麼要限制呢？世界各國從未有這種例子，我們竟然要限制私人設立中小學，豈非大謬。依照法令的私立學校，是幫助政府教育，減輕政府負担的好事，教育當局應該是鼓勵之不暇，感謝之不暇，何以要限制呢？即使私立學校辦的不好，教育當局有責任監督促使其改善，絕不能以限制的手段來扼殺私立學校，或者如林委員剛才所說的，因爲公立學校（國民中學）辦不好，所以他不讓私人辦好，以免相形見拙，如果眞如此，那實在是我國教育的悲哀。

爲了消除惡性補習限制私立學校，更屬不當。國民中學的程度低，水準差是事實，但國中只辦了一年，如欲辦的理想，必須假以時日，慢慢改善，不能因爲辦不好就限制私人設校，這種嫉忌的心理要不得，應該以你好我更好的胸襟和抱負與私立學校競爭才是。

張委員光濤說：今天討論的問題，可以一言以蔽之，說是我們實施九年國民教育表示了政府重視教育的決心，但也暴露了我們實施九年國民教育的缺點。在這種情形之下，促成了私立學校今天的特殊地位，也因此使公立學校發生了許多困難。我認爲教育部對這些問題的解決沒有採取一個合理而妥當的途徑，以致使問題變得更嚴重，所以我很願意把個人的意見貢獻出來，希望能有所幫助。私立學校之成立，是應我們的現實環境而發生。但因此而造成的問題，如果以取締或限制的方式來解決，不僅徒勞無功，很可能造成更多的困擾，反過來說，愈禁止、愈限制、愈使一般人覺着私立學校愈是他們大家所需要的。自政府遷台以來，由於經濟繁榮，生活安定，國民所得一年年的增加，因此就學的學生也一年年的增多，根據鍾部長報告，截至五十七年止全省有學生三百六十萬，教育經費（包括省（市）縣地方）高達六十一億，以我們國家的財政情況來說，可以說是一項很巨大的負担，就現在九年國民教育的就學率來看，國民小學約爲百分之九十七，國民中學約百分之七十三。如果站在義務教育的觀點實施強迫入學，國民中學的就學率應該在百分之九十五以上，試想我們的學生人數與教育經費是如何的龐大。

依調集

學店的生意經
·易儔·

台灣每年大學及中學聯考，成績優良的學生，可以分發到公立學校攻讀。學費低、師資好，學生能夠安心就讀，家長也能減輕負担。至於名落孫山的，乾脆去做學徒，在工業社會裡，行行出狀元，沒有什麼不好。最怕成績不好不壞，分發到私立學校裡，倒霉的家長，每逢寒暑假繳費時期，好比伍子胥過昭關，鬍子不急白已算大幸！

公私學校收費懸殊是當前教育界的怪現象。私立大專學院，每學期學雜費要四五千元，私立中學亦需一兩千元，這個數目根本不是升斗小民所能負担的。其意若曰：私立學校是專爲貴族子弟設立的。「校門八字開，有志向學無錢莫進來」！

私立學校的師資並不比公立的優良，但收費却高出多多，其故安在？簡單說來，拿辦學當開學店耳！開學店的人不必像開工廠、開貿易行那樣麻煩，用不着納稅，所以賺錢也更容易。肥了學店老板，瘦了學生家長。此恐非教育之本旨！

現在財經當局正在拓展台灣貿易。筆者建議把學店老板共策進行，以彼等算盤之精，必然大有建樹。至於學店，似仍以恢復學校之本質爲宜。

周博士斷腿被追（一）
·赤松子·

滄海拾遺

周博士出身于無錫工商家庭，在同濟大學醫科畢業後，到柏林專習小兒科，年未三十，雙腿已斷，原來博士在柏林留學時，曾有一段傷心史。

博士家道小康，周老先生一生經營了一個中等建築工廠，生了兩個小孩，博士算是長子，博士沉着剛毅，身材魁梧奇偉，頗像一位日耳曼標準青年，在同濟大學八年中，也算是有名的高材生。未出國前，結識了一位女友——楊小姐，楊小姐是一位銀行經理的獨生女，生得來花容月貌，長身玉立，後來在金陵女子大學讀書，兩家都是同鄉，又係常有往來的朋友，于是周博士和楊小姐，也就變成了非常親近的朋友，兩家老人看見這種情形，以爲門當戶對，便是理想的幸福婚姻，並沒有注意他們倆的性情與嗜好，僅由兩家老人在多次談笑中，便決定了兩人的終身大事，不料從此鑄成大錯，竟斷送了博士終生幸福。

博士雖不是頭號書呆，却是一位有事業理想的人，楊小姐雖不是十分水性楊花，但脫不了一般江南小姐的氣習，平日愛好音樂歌唱，歡喜跳舞，在學校中常參加話劇表演，兩人性格既不相同，嗜好也不一致，于是感情上的距離，自所難免。所以兩人訂婚以後，雖然游遍江南風景，可是口味永不相同，楊小姐欣賞西湖，認爲湖光水色秀麗天成，却可與西子相比，但是周博士呢，他却認爲無錫的太湖汪洋三萬六千頃，七十二峯沉浸其間，才是海內奇觀。至于飲食，楊小姐喜歡蘇州點心，說是味美是中國第一，至于周博士則喜歡鎮江餚肉和揚州獅子頭。說到聽戲，楊小姐喜歡崑曲蘇灘，周博士却歡喜平劇。還有一個使他們隔絕的，楊小姐學的是英文，畢業後要到美國，周博士學的是德文，畢業後要到德國。當他們倆先後畢業的時候，對于結婚一層，傷透了兩家老人的腦筋，因爲兩家都爲防止青年久別多離，兩家老人都主張他們結婚後再到外國，可是楊小姐和周博士都不贊成。楊小姐的理由是外國沒得大肚子的碩士，周博士也認爲學業未成，就談結婚，這是不進步國家的笑話。可是因此一場悲劇就發生了。

喬治桑外傳 二八
張大萬

「我並沒有拿妳當外人看待。我們是朋友，不，我拿妳當自己女兒。我已經有一把年紀了，那裏會作繭自縛？我的心境彷彿佛家所說的四大皆空，妳入世尚淺當然體會不到。也用不着體會。」喬治桑知道目前他面對的人，正是他的親骨肉。所以他這番話，都是由衷之言。

「你知道，我是自小失去父愛的人，只要你眞能拿我當女兒看待，我會感激你。」雅麗絲臉上帶着天眞的稚氣，喬治桑忽然覺得她很小很小，根本是一個孩子。

「好。我一定拿妳當親生女兒看待。雅麗絲，我問你，妳有沒有男朋友？」喬治桑表情嚴肅，問這話顯然是對雅麗絲表示關切。

「現在男女社交公開，我那裏會沒有男朋友。你問這話是甚麼意思？」雅麗絲眼中帶有惶惑之色。

「我是問妳有沒有知心的男朋友。」喬治桑又緊迫追問下去。

「我不懂甚麼知心不知心。」雅麗絲雖然是新時代女性，談到男女之事總不免有點嬌羞。

「妳是不是有一個叫蘿蔔蔡的男朋友？」喬治桑開門見山，毫無保留地揭開雅麗絲底牌。如果不是由於父性的威嚴，他決不敢這樣的。

「不錯，你是怎知道的？那也不過是一個比較熟的朋友，談不上知心不知心。」雅麗絲掏出一條小手帕，在額角輕輕擦汗。

（未完）

文滙樓別記

馮友蘭受脚拷手鐐辱

上期我們談到北平冀察政務委員會委員長宋哲元，民國二十五年下令逮捕胡適，雖未成爲事實，那祇是秦德純等勸宋別亂來，待胡適到了北平，宋哲元便能怎麼樣了！

民國二十二年，還有一位秀才遇兵的事，即北教授馮友蘭，從莫斯科講學歸來，那時蘇聯與中華民國邦交，正在友善階段，照道理一個學人被外國請去講學，其個人及國家都是一種榮譽，未料馮友蘭竟成意外。

不知怎麼一回事，馮友蘭回國到達北平，被駐軍憲兵團逮捕，手銬脚鐐，星夜押赴保定，馮是名教授，國人皆知，憲兵團不會不知。既知而用對付江洋大盜禮待馮，引起學人的反感，所好的馮押抵保定後，並未嚴刑拷打，當然也沒有甚麼叫作罪，很快釋放。但馮所受到的委屈到那裡去申訴呢？

民國三十七年，北平危急的時候，蔣總統派專機去接教授們離開，尤其著「中國哲學史」的馮友蘭，和「唯物論辯證法」，恰爲對台戲，一般的看法，馮非離開不可。北大同仁也皆勸他先走，當馮想到手銬脚鐐，公然對其侮辱時，陣陣辛酸，湧上心坎，乃告訴胡適說：「胡先生，你去吧！自由民主陣線，不能缺少你　我將以出世的心情留在這兒，活一天算一天。」

果未出所料，馮友蘭最早受到共產黨清算，清算的課題是：

一、馮友蘭狗屁著作中，一再強調自己是正統派，甚麼叫作正統派試論其詳。

二、任何事物都可以談鬥爭，祇有人與人之間不能提倡鬥爭，根據甚麼典章，講這些不三不四的話？

三、爲天地立心，爲生民立命，爲往聖繼絕學，爲萬世開太平，甚麼叫作天地生民？甚麼叫作往聖絕學。在中國五千年的歷史中，試舉出一百年太平的實例，可宣告馮友蘭無罪。一共提出八條，清算馮友蘭的「反動」思想。

這時候，馮友蘭才曉得「秀才遇到兵，有理說[illegible]清」。兵發現自己搞錯了，馬上還會釋放。現在是秀才遇到搶盜（匪），這種野狐禪，簡直要老命了，馮友蘭氣得自己打自己的咀，左掌打右臉，右掌打左臉，打得面部紅腫，共幹們才說出：「馮先生，你能向「人民」這個樣的坦誠悔罪，朽木還可以雕塑，希望你今天回去將所列八條，一條一條的向「人民」交代，不能有半點虛假，因「人民」的眼睛是雪亮的……」

馮友蘭被清算的那天，也正是胡思杜（胡適的太子），在人民日報發表：「我不殺我的爸爸，怎麼能對得起人民」，後幾天，至文數萬言，佔了一版又七欄地位。外報記者問胡適有甚麼感想，胡適謂：「共產黨那邊沒有不言論的自由」。

文匯樓主

禪學　黃金　時代

逍遙的眞人——臨濟禪師（五）

吳經熊原著・吳怡譯述

在我們研究了自信的理由後，便可以解釋爲什麼由個人原始行動會引發了這種磁性的吸力。但什麼才是可以作爲普遍信賴基礎的最根本的自我呢？這是一顆沒有視差，不能計量，而使科學受挫的星辰，它的美麗的光輝照遂了繁雜不淨的行爲。如果它沒有一點獨特之處，試問它的本性和力量又會是什麼呢？這問題使我們歸根究底的，去探索那種被稱爲自發或本性的天賦、道德，和生命的本質。我們稱這種根本之智爲直覺，稱學習得來的爲教授。那個分析所不能及的最後力量就是萬物的共同根源，在平靜時從靈魂深處，我們不知如何的透出了那種存在感，它是和萬物，時空，人類一體共存的，顯然，它就是和生命及一切存在同一根源的」。

以筆者看來，所謂「最根本的自我」，「這顆沒有視差，不能計量，使科學受挫的星」，正是臨濟「無位眞人」，有時稱爲「無依道人」，或簡稱爲「此人」。他所有的言行，都是直接或間接的指着這顆「沒有視差的星」，他四季不變的一直等着那「獨特之處」，雖然他經常是失望的。他從各方面去尋求「最根本的自我」，耐心的，熱切的等待着機會個破小我的軀殼，解放自己，把自己從無知和貪戀的作繭自縛中解放出來，在臨濟眼中，那些學生不知自己的本來面目，而寧願享受奴隸般的舒服，眞是可憐可悲！他們不用自己的直觀，却寧願爲無價值的教授而付費，他們自己心中就有佛母，却要向外去求佛。臨濟奇怪爲什麼這些人離開了自己的家，去尋別人的家。（未完）

政治垃圾現形記（二九）

李樂

第十回　學貫兎陰。公卿多讚賞
　　　　足踢毛毽。廊廟任翱翔

話說古今中外凡在政治上顯露頭角的紛[illegible]人物，無論是官僚也罷，是政客也罷，總須具備着相當的學識和資歷，只有對國家建立過軍功的，才可以破格擢用，一步登高，普通的知識份子，却不許躐等倖進，妄蹈覆轍，這叫作人事制度，非如此，政治便沒法上軌道，吏途龐雜，政風窳敗，國事一定糟糕。所以，吾國著名的政治家孟嘗君好養士，門下食客三千人，史家每予稱許，而王安石譏其所網羅的人才盡係雞鳴狗盜之徒，眞有才學的士大夫是羞與爲伍的。

吾國自辛亥革命告成，建立民國後，所有舊時的法制規章，不管好壞，一概革掉了，尤其對於政治人才的登用，毫無人事制度可言，一是皆以權力者的私人好惡關係爲進退黜陟的標準，因而副官亦可以沐猴而冠位，居顯要。如本篇所述的褚民誼，就是極爲突出的例證，不失爲政治垃圾中的特殊材料。

褚生長於江南山明水秀的紹興地方，以家道小康，青年時曾赴法國留學，究竟他學習的是甚麼科系，沒人知道，祇因在法國游學時，認識國民黨的高級幹部人物汪精衛張人傑等。民國十四年國父孫公下世後，汪張都回到廣州綜持黨政事務，褚亦馳入粵垣，以留法學生資格出入汪張之門，且號稱「博士」，社會人士多呼之爲「兎陰博士」，甚受汪精衛青睞，汪夫人陳璧君對他更器重，給他介紹女人成婚，外間傳說那位褚太太就是陳璧君最喜歡的一位丫環，人皆稱呼褚氏爲「丫姑爺」，確否未可知也。

褚氏經常穿着法國式的藝術家服裝，身佩照相機，藉着汪精衛的關係，往來於黨國要人的私邸間，自稱在法國專門研究兎類的生殖機能，因而對於雞犬的生理狀態亦很瞭解，那類是優種，那類是劣種，說來頭頭是道，娓娓動聽，一般黨國要人的眷屬，對他特別歡迎，熱忱款待，而兎陰博士的聲名乃大噪了。他還有兩項特長，一是打太極拳，二是踢毽子，當着黨國要人的妻孥面前，恣意表演，必須博得對方的悅愉贊美而後已。職是之故，他在政治界的人緣相當好，若論其才學，筆既不能寫，口亦不會說，只是性情很和易。他的政治路線自然是屬於汪精衛系，但汪於民國十五年春間爲着國府海軍局長李之龍謀叛案，宣告出國，直至民十六年春回到武漢與共黨合作，對抗南京政府。繼而寧漢政府統一後，汪以未能居於領導地位，初則掘起武漢唐生智叛變，次有廣州共黨大暴動之役，最後又有民十九年北平「擴大會議」之變，因而褚氏始終沒有在政治上活動的機會。他在民國廿一年以前，住在上海法租界內，請託某一會在法國居留過的黨國元老推介，負責經管「庚子賠款」項下的法蘭西與比利時兩國每年應退還之賠款，這筆錢，名義上須用之於中法比三國有益的文教事業上，褚氏乃以法比同學會的名義，在法租界租賃一間樓房，懸掛「中法大學」招牌，以便支用庚子賠款，實則該所謂大學也者，不但沒有學生，連「學店」的場面亦未具備呢！

諸葛亮狂想曲（四四）

・劉玄・

二郎神明知這套是假話，但聽來還是很舒適，不過，仍解釋自己說出的話：「太白金星當時有感戰爭最傷元氣，一時既不能收伏該妖，就不如政治解決，封他爲齊天大聖，未料他竟喊出『玉皇輪流坐，明年到我家』的口號，才惱怒玉帝……」

諸葛亮學會鋼琴，自譜狂想曲，足證他的才華邁絕古今中外，不受空間、時間的限制。他只彈過一次給劉約翰聽，原不想以此驚動天庭的大小各仙。不料，劉約翰爲了要討好諸葛丞相，秘密告訴了諸葛亮的鋼琴老師張素梅，張素梅剛剛離開煉獄不久也想藉此在天庭站立脚跟，於是，由劉約翰以同宗灰灰孫子的身份，去拜訪漢孝景帝玄孫，大耳郎劉備。

劉備在天庭並無固定職務，但他畢竟做過三國時代一國之主，不肯安於寂寞，照現代的術語，即「官癮很大」。他在龍岡會所有一間很大的辦公室。他的辦公室掛有一塊龍岡會所職位牌，計開：

總會長	劉備
總顧問	諸葛亮
會長	關羽
	張飛
副會長	趙雲
	馬超
	黃忠
第一處處長	關興
第二處處長	張苞
第三處處長	劉禪

至於其他蜀漢名將如：姜維、廖化、魏延、馬稷……等數十員均爲委員，不在話下。

劉備每天都到龍岡會所辦公，由機要秘書龐芳將公文呈閱，由於公文太少，任何雞毛蒜皮的事兒都要經過簽批呈判的手續。

劉備辦公桌上放了一張桃園結義的照片，劉備坐在當中，關張侍立於後。劉備的坐椅後面掛了一幅玉帝欽題的福字，寫得筆酣墨飽，帝王手筆不同凡響。不過「福」字是止掛的，不像現在台灣一般人家過春節將福字倒掛。

劉約翰事先安排，由劉備在龍岡會所接見。劉約翰因輩份太低，見劉備行了屈膝禮，正像天主教徒晉見主教是情形一樣。

「諸葛先生好嗎？我有好多天沒見他了，」劉備見了劉約翰先問起諸葛亮，足見他們君臣的感情是何等深厚。

「諸葛先生身體很好，精神都很好，謝謝總會長關懷。」劉約翰眼觀鼻，鼻觀心，神情肅穆。

「諸葛先生下界觀光計劃未克實現，在他的心情上很懊喪，我倒很高興，[illegible]遇事有個商量。」[illegible]國老送他在甘露寺[illegible]

「諸葛先生是個很通達的人，他對此事倒能處之泰然。」劉約翰也深悉天庭官場的情形。玉帝不許諸葛亮到下界旅行，豈可稍露不滿之情？

「如此最好，你找我有什麼事？」劉備和顏悅色的問劉約翰。

「報告總會長，諸葛先生的英語鋼琴雖學習不久，但已有很深的造詣。他最近譜了一個樂章，名爲「諸葛亮狂想曲」，實能揉合中西音樂的優點於一爐。會友張素梅小姐想在會所舉行公開演奏會，使天庭仙凡共飽耳福。是否可行，特來向總會長請示。」

「噢，諸葛先生的作曲必然有獨到之處，應該公開演唱，應該公開演唱。」劉備最信服諸葛亮，對他的一切無不讚美。（未完）

綜談國劇復興（十九）

王方曙

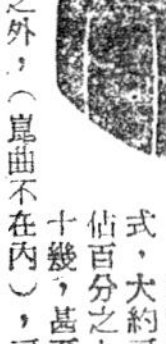

這種形式，大約可佔百分之九十幾，甚至除幾段特殊的之外，（崑曲不在內），可達百分之九十九至一百。因此，我們的唱的音樂，便成爲二短一長算一大句，至爲一節。不論快慢都是如此。而中間音樂也隨之如此，如慢板第一大句完了，便有一大過門。有時過門之長，實不合於劇情的發展。而每一大句下面，都是如此。藝術是要求多變化的，有性靈的，一落入規格化，便難免有匠氣。如果有一種調子是這樣，可以聽起來很好，有兩種如此也還可以。完全如此，便覺一律化，而少變化了。

我們的戲詞，可能受詩的影響，整齊排列。但詩後有詞，詞後有曲，很顯然的由整齊的句子變爲長短句，以長短句再加上襯字。變化越來越多。不知戲詞如何不受曲的影響，成爲美妙的長短句加襯字的句法，而固守於二短一長的格式，因此這曲調也無法多變化了。國劇中有崑曲，大家唱崑曲時都有接觸那種句法和唱法，但一轉到皮黃便又完全不取崑曲的方法，這也是很令人不解的。但我們試聽聽，凡是在皮黃中的唱詞，稍有些句法變化的，便都十分動人。如生死恨的「要把那，衆番奴，一刀一個，斬盡殺絕，到此時方趁了心腸」。你感到情詞曲調並茂了。如武家坡的「這錠銀子三兩三……」也是如此，這類例字很多，因此，我們相信，假如在戲詞的句法上，先不拘於二短一長的格式，可以採用長短句，這是可以幫助曲調變化的一進步。我們也可以因此創出許多種新的調子。又可以在唱的方面，增加許多美感。

（3）和聲（合唱）、齊唱、轉調、三拍子：這一節是關于唱的技巧方面的較新的觀念。所謂較新，是說我們原有的唱法新一些，其實除和聲與三拍子是原來沒有的外，齊唱與轉調二者，在原有中也有的，不過非常之少而已。現分述如下：

1、和聲（和唱）：和聲是在音樂上佔很重要的位置，意思是聲音的協和。如二人合唱，主唱的人唱的譜子與和唱的人唱的譜子並不一樣，但聽起來卻是協和的。又如一人獨唱，而樂器伴奏的譜子與唱並不一樣，但聽起來卻比完全照原譜和的來得更好聽。在幾種樂器合奏的時候，各樂器的譜子各有不同。這種和聲的辦法，在國劇中是沒有的。[illegible]完全用[illegible]樂稍加花腔，並非和聲[illegible]有單純的和聲之[illegible]。我在前面說過，我不主張把國劇[illegible]和聲是在音樂中[illegible]自然應該在我們國劇的音樂裏[illegible]和聲。我們可以請音樂家來主持這件事，成功是不成問題的。[illegible]成復雜之美[illegible]的觀念之中，一人唱時，[illegible]器的配樂[illegible]，則不僅配樂可以用和聲，唱的人也各有譜調，造成和聲。開始時無妨小唱，先作一試驗，觀衆聽來感到有興趣，再逐漸多用，[illegible]時間，自然會發展完美的。

六十里步行（六八）

胡慶椿

巨變歷險記！

從徐州開車，是在晚上的十點鐘。天色已不早了，天深沉的利害！沒什麼風，但天黑得很，冷得很……丁博士坐的車，又回復到天津、滄州、濟南的樣，又是敞車。人堆在農邊，毫無保障，只有任風吹，吹……吹……吹得令你身體冰冷，神魂顛倒。一個車上的人，自然的團結起來，像一羣小鷄，你靠着我，我靠着你，相依爲命。

丁博士現在還記得，他到徐州的那一天，從徐州出發到碭山的那一天，是民國三十八年清明的前一天。他的父親去世了，而且去世已久了。他這一次回去，準備給他老人家上墳，在徐州準備了一點箔紙，給他老人家燒。又買了點供，作上墳掃墓之用。河南夏邑，丁博士的家鄉，是一個五省（河南省、山東省、江蘇省、安徽省、河北省）搭界的地方。夏邑旁邊就是永城，夏邑、永城、徐州緊接着。夏邑在行政上是屬於河南商邱（即歸德府）的，但經濟上則屬於徐州——易（石旁，以下同）山。家裡要買東西，總是去易山或者到徐州。易山南關，易山車站，易山的水蜜桃，猶歷歷在目，從家裡去徐州，也不過七八十里路。此次丁博士從徐州回家，又想起徐州的棗糕。棗糕是棗泥和稷麵和在一塊放油裏炸的，味極美。他也買了幾個，給家人帶着。在車上，丁博士一路在想家。

從抗戰開始，丁博士一直沒回過家。現在家是個什麼樣子？在共產制度之下，不知道變成什麼樣子了？他很想領教領教。從徐州到易山是很近的，中間小站也只有兩三個。現在坐的這個車，不管是難民車，是每站都停的。同車的人，到了一站，大喊「易山到了」、「易山到了」！……丁博士彷彿從夢中驚醒，急忙下車。但知道是黃口——而不是易山之後，車已經開了，已來不及再上了。這如何是好？……只好在站後邊的鷄毛小店歇歇，再作道理。這鷄毛小店，只有幾把草鋪在地上，此外什麼都沒有。這一天晚上，一個火車站，只有丁博士和這位店主人。但他很慈善，他給下了一盌豆雜麵條吃，還配了些醬豆。問老板黃口離易山還有多遠？據答約莫還有卅里的樣子。從這裡到易山，今天再沒有車了，明天也沒有。爲爭取時間，並免人注意，丁博士決定步行。晨鷄三唱，丁博士就起來了。他就開始走。怎樣走法？當然是一步一步的。沿着什麼走？丁博士有個笨法子，那就是沿着鐵道，走在鐵軌上。這不會走錯路的。萬一走在橋上，火車來了，怎樣辦？幸好，黃口一直到易山，一直沒有橋。「周道如砥，其直如矢，」路是不會錯的。天不過剛亮，丁博士就到了易山南關。從那里，他沒有停，就又轉向南，轉向他的家——河南夏邑東北朱庄走去。這又是一個三十里。不到中午，他就安然的到了他的家中。不停有不停的好處，沒有人注意，沒有人報告給當地的共產人員。

馮玉祥與韓復榘

（上接第九九四期第三版）

老兵

三、英雄末路的泰山生活

馮玉祥車過濟南，在那種很勉強的情形之下，當然是不宜久留，匆匆趕去泰山，先住山下的普照寺，韓復榘爲敷衍面子，曾親去泰山探望一次，馮在廟內六朝松下，欵韓以午餐，筆者亦幸叨末座，吃的是大餅、饅頭、白菜粉絲大鍋菜一盆，蓋有意重溫西北軍軍營裡的舊式生活。馮、韓二人閒話，表情極不自然，韓的態度更是如坐針氈，飯後馮似有意邀韓到方丈室密談，韓亦看出，急藉口濟南有事立即告辭，馮在山上生活費用，韓每月負担銀元兩萬元。馮的衛隊尚有五百餘人，在山上種菜耕田爲生，操作時手槍帶在身上，這也是馮玉祥作風之一端，在別處是不容易見到的。登山者如過其地，必遭盤查，普照寺更是禁地，謝絕參觀，香客也不能越雷池一步。蓋馮膽小，生怕有人行刺。後來又覺得普照寺距津浦路車站太近（五里），怕有危險，又遷居較高處的五賢祠，其衛隊因生活太苦，由韓給資遣散大部分。馮初到泰山，仍不死心，打算對韓的部隊發生一點離心作用，殊不知韓早有禁令，大小軍官非經許可，絕對不准和馮見面，馮見無計可施，又要求韓派專車一列，乘車由泰安出發，過濟南轉往維縣、烟台等地遊覽，沿途所經各地仍然看不到一個軍官，掃興而回。馮山居無聊，跟泰山上的石頭幹上了，泰山海拔一千三百餘方尺，從泰安縣城南門出發，走到玉皇頂，號稱四十華里，曲折環迴，古松夾道。筆者於民國二十五年春偕友遊泰山，沿途所見，凡登山所經的路旁或是行人能到的地方，稍大的石頭或者懸山成壁，無處不是馮玉祥隸書題字鈎泐上石，並塗上深紅油漆，把原來的自然山景破壞無遺，眞是大煞風景。嚶嚶（二字食旁）石（形如饅饅）是在水流中央，在那附近的河底，除雨季山洪暴發，平日無水有一片被水流沖擊較爲平坦的石上，馮玉祥大概看見這石谷石刻千古流傳，他就在那一大片石面上，刻了墨子「非攻篇」的全文。那一段山溝時間很像韜光養晦的樣子，他自己由不識字的一個大兵，自修得能讀能寫，讀書雖不多，也沒有讀過，但很鼓勵別人讀書，也曾派遣出國不少留學生，到歐美各國去留學，大半都是就讀與軍事有關的學校，其中一位去英國皇家空軍，後來學成回國，在筧橋中央空軍軍官學校當教官，一年著假回籍省親，道經泰安，就下車登山晉謁這位老長官，馮氏一見之下，大爲高興，堅決留客在山上盤桓幾天。某日晚飯後提上手杖邀同山上散步，他忽然回頭向這位老部下發問：「你現在成了中央政府的人物」，在中央這幾年，當然交上不少中央朋友，你有沒有聽到人家批評我們是怎樣失敗的？」這位部下冷不防此一問，一時無法回答，但馮追問甚急，迫不得已，只好敷衍着說：「人家知道我同先生（馮最喜歡別人這樣稱呼他）的關係，都不願談這些。偶而也有人談，先生在軍事上並沒有失敗，只是外交方面作壞了。」他一聽這話，大聲的說：「胡說八道！你看中央四門大開，招賢納士，各方齊來，我們西北軍，門戶關得緊緊的，惟恐有人進來搶我們的飯碗，我們的人只會打戰，新的人才一個也不能吸收，怎能成事啊！」

谷良友病故濟南，馮由泰安趕來弔喪，韓復榘避往郊外之佛浴別墅，馮下車未見韓到站迎接，立現不豫之色，弔喪既畢，即遄往省府逗留下去，韓只得趕回，見面後未及三言兩語，即告辭回山，其憤憤之情，可以想見。

黃膺白（郛）奉命北上主持冀察政務整理委員會，搭平滬快車赴平過泰安時，訪馮於山上。馮說：「我躲在山裡你也來了。」黃膺白回答的好，「你入山不深，比在報上大登廣告聲明現在何處，效力還大，當年我在莫干山一住七年，很少有人見到我，因我入山惟恐不深。」語頗幽默。

馮在山居期間，延泰安老儒范銘樞講授五經，北京大學新畢業的學生趙普炬等講經濟科學，范銘樞年已七十早已投共，外人無法得知馮是否故意發外。民國廿四年山東大學中文系一個畢業生騰懸劉子衡，原是曲阜師範的學生，曾受業於范銘樞，山大畢業投入馮氏門下作食客，他用英文講易經，馮氏大悅，向人介紹稱爲當代經學大師，此人花樣百出，鬧了不少笑話。馮居泰山約有三年，廿五年始下山赴南京。（下期續完）

報壇點將

胡健中——東南日報

·辛文彬·

杭州東南日報社長胡健中，是一位辦報的狠角。浙江省會的報紙，能銷到江蘇、江西、安徽、福建各縣市，與上海及平津各大報相抗衡。

東南日報的特點：第一、印刷清楚；第二、立論正確；第三、把握新聞要點；第四、副刊充實；第五、服務版編得好；第六、報紙到達時間迅速；第七、消息人有我有，人無我有；第八、謠言容有，自己不造。

東南日報還有好的條件，浙江文人薈聚，稿源不愁，總編輯劉湘女也是一位辦報能手，該報董事長是陳立夫先生，大小風浪都還擋得住，幾乎同上海申報、新聞報，天津益世報、大公報地位不相上下，皆得歸功於胡健中卓越領導之功。

生活漫談

人的天年是百四十歲（下）

凡此皆妨害了心理衛生，一些搶奪和不擇手段的做法，大體上多淵源於「物競天擇，優勝劣敗」的一套，使貪妄的朋友，多一重題目。其實優也未必勝，劣也不見得敗，中國古哲有塞翁失馬，焉之非福，塞翁得馬，焉之非禍的名言。近代受達爾文影響最烈的，大概要算希特勒、墨索里尼、近衛文麿，乃至於史達林之輩了。他們認定自己屬優，故操必勝算；對方是劣，所以一定失敗。其結果呢適得其反。因爲這些傢伙忽略了達爾文到了晚年，痛悔自己失言，他曾告訴過霍浦夫人說：「我年青時思想不成熟，對於一切事物，都愛投以責難、疑問和自己淺薄的臆斷，未料我的思想竟像野火燎燒開，受許多人崇拜信仰，唉！我眞希望收回這些話」。他們更未讀過中國老子：「佳兵不祥和物極必反，反者道之動也」的名言。貪妄和不規則的數取，都是不合乎心理衛生的。不合乎心理衛生即等於預支生命，也人就是長壽的尅星。

另一派人認爲「人生就是一條淚路」，與遊戲人生的朋友們固屬持這些論調的，因人生既不是淚路，也不是遊戲，人生就是人生，假定要問人生究竟像甚麼，人生倒很像塡不滿的慾海和攻不破的愁城，最好的辦法是別去做傻瓜，從事那些塡愁海及攻愁城的艱危任務，聖人說的對，「從吾所好」，就是說自己喜歡甚麼就幹甚麼，懂得享受，所指懂得享受，並非住有洋房，行有汽車，食有山珍海味，樂有妻妾成羣，相反的，人生眞快樂，眞受用，多在貧家茅屋，鮮出於富貴侯門。一個人只要看得開識得破，將人生當成爲一種無法治癒的病，用養病的心情，雖住一間茅屋，種種菜，讀讀書，也是一所樂窩。天堂不在天堂，天堂就在人間；讀書人的腦子裡是「有書眞富貴，無事小神仙」，一生能坦蕩蕩，逍遙遊，無牽掛，無憂煩，不是天堂是甚麼呢？有一位安徽省傳教的美國牧師敘慕尼博士，他就是醉心中國茅屋生活的人，在他的園圃裡，自撰了一副對聯：「種菜未能如老圃，藥蔬聊以效南陽」，顯示了自己的心情，欽慕着諸葛亮早年的耕讀生活，敘氏常向來華訪問的美國人說：「耕是勞力，讀是勞心，中古以前的中國人就懂得，身心運動的大道理，這個民族是世界上最偉大優秀的民族，實在太偉大了」。可惜若干假洋鬼子，未有學到別人的長處，將歐美牛下流社會的一套都搬回來了，把自己的身價一貶再貶，數典忘祖，硬認爲月亮都是美國的圓，筆者居國外，站在黃帝子孫的立場，確認爲天下的月亮，中國最圓。

延年益壽的鑰匙，操在我們自己的手裏，如果我們能在日常生活裡，隨時注意醫藥衛生，環境衛生，心理衛生，保衛生命的三道防線，自然堅强鞏固。在台灣患時代病的人佔絕大多數，居非常之地，逢非常之時，過到一些非常的事務，是非恩怨，在所難免，果能瞭解人生就是害多過利，亂多過治，憂多過喜，任何人既難以免此，只有退一步想，唐詩尋隱句有：「松下問童子，言師採藥去，只在此山中，雲深不知處」，明乎此，雖居人世上，却已出人間，如果能將自己隱避到「雲深不知處」，無利何來害呢？沒有喜也杜絕了憂，樂在其中，苦惱自消。我們說：長壽的鑰匙操在自己，這一句很老實的話。相信本版廣大讀者都有同感。（完）

·馬騰雲·

桃花潭水深千尺

鱷魚潭邊的故事（十七）

趙陀

克琳這才發現烟灰碟裡一小堆染了口紅的烟頭，對牛雖沒有甚麼情感與愛可言，但想到其他座位的人目睹着這些短劇的上演，對自己的身份來說，是不名譽的，顯得有點不高興的說：

「我打算去看看老太太，告訴他老人家在我們之間的關係，未協調前，言婚似嫌過早。」

「甚麼時候？」

「現在。」

「我媽這時候不在家。」

「到那兒去了。」

「到錢公館打牌。」

「你怎知道？」

「媽說午後要到錢伯伯家去。」

「那我們就到錢公館好了。」

「克琳，你的意思，我代轉達家母，有關婚事，我完全同意小姐的意見，但我有個要求。」

「要求甚麼？」

「今晚請你到樂宮樓吃飯跳舞。」還未得到克琳的答覆，黛琳驀然之間，匆匆忙忙的走進來，牛少湘本來就是一個草包，遇到這樣一個緊張的場面，就是竊兒被警察現場捉到似的，黛琳究竟是在影圈圈混久了，老練而沉着的問：

「噢！少湘，這位小姐是……」

「對了，我來介紹，這位就是蘇小姐，這位是陳小姐。」

「蘇小姐，很對不起，我和少湘講一句話，就誤你們兩分鐘，太不禮貌了。」黛琳表現得很婉轉。

「陳小姐，你太客氣，我和牛先生沒有甚麼要緊的事，想先走一步，讓你們談談吧！」克琳想乘機離開。

御廚談藪

美味牛肉乾

林泉隱

牛肉乾這項零食，在穗、港、澳中是很暢銷的。如在市面的店舖，或娛樂場所，輪船或火車上，只要有零食檔就必定有牛肉乾這類東西賣。至於海外華僑，對這東西更視爲珍品，很多到外國去的華僑，他們總要買上一些，用盒子裝好，作送禮之用。

牛肉乾這東西，確是很可口的食品，吃起來是結實中而帶鬆化，味道鮮美甘香，和做餸菜吃的牛肉有絕大不同，在菜餚中誰也吃不到他這種美味。在抗戰前上海冠生園有果汁牛肉乾行銷全國廿幾省，大盒賣五角錢一盒（可買鷄蛋五十五個）。

材料：備牛㸆肉（髀）二斤半，上海醬油二兩，白糖三兩，味粉五錢，露酒一湯匙，硝少許。

製法：先將牛肉去淨肥膏及筋，以利刀順紋切成薄片，越薄越好。牛肉切好後即可將醬油物混合拌勻，取出接序鋪貼於竹篾板上（以箕代篾板亦可），鋪貼時必須厚薄均勻而無洞，曝日光下，俟其乾燥即可成張揭起，吃時置於電爐上燒烤即馥香四逸。如當日無太陽即需入火櫃內焙乾，電爐不便，火炭或油炸均可，烤時見其捲縮便妥，切勿燒焦。如作貨者，烤好即以木板壓之，求其平滑美觀，方有好賣門。

自由報

中華民國內政部登記證內警台報字第〇三一號
中華民國僑務委員會登記證僑新字第三二三號
中國郵政台字第一二八二號執照登記為第一類新聞紙

（第九九九期）

（半週刊每星期三、六出版）
每份港幣壹角・台灣零售價新台幣弍元
社長李運鵬・督印黃行寶
社址：香港九龍彌敦道593—601號、廖創興銀行大厦八樓五座
LIU CHONG HING BUILDING
7th FLOOR FLAT 5
593—601 NATHAN ROAD,
KOWLOON, H.K.
TEL: K303831
電報掛號：7191

承印者景昇印刷公司
地址：嘉咸街廿九號地下
台灣連絡中心：台北寶田街五巷三號
電話：三七五〇二二
台灣區直接訂戶　台郵劃撥戶
第五〇五六號張鵬有（自由報會計室）
台北營業處：台北衡陽街三十號
電話：二七二〇〇
台灣分社：台北市西寧南路110號二樓
電話：三三〇三四六，台郵劃撥戶九二五二號

論法治與禮治（上）

周德偉

作者按：當代大思想家海耶克著自由的構成Constitution of Liberty 余正在以中文重述之，仿孔子述而不作之意，每章每段均繫以己意，以期完備，且適於中國讀者之瞭解。海耶克原著第十一章附註一稱述馮友蘭之言，余意不謂然，乃將其附註，大事增補，已函達海耶克先生徵其同意矣。茲將增補之文，命名法治與禮治，請自由報發表。

海耶克謂余坦然承認無資格討論中國文化，其發展似與希臘同時。其法律概念亦與西方文化相似，據馮友蘭中國哲學史第十三章，春秋戰國時代（紀元前七世紀到三世紀）貴族政治崩壞之結果，一方面為平民之解放，一方面為君主之集權，當時現實政治之一種趨勢，為由貴族政治趨於君主專制政治，由人治、禮治趨於法治，此書著者徵引管子一書為佐證（715—645 B．C．）其成書或在紀元前三世紀「法不一則有國者不祥……故曰：法者不可不恒也，存亡治亂之所從出，聖君所以為天下大儀也。……萬物百事非在法之中者不能動也。故法者天下之至道也，聖君之實用也。……有生法、有守法、有法於法，夫生法者君也，守法者臣也，法於法者民也。君臣上下貴賤皆從法，此謂為大治。不過馮氏又謂：「而在中國歷史上蓋未嘗實現者也」。馮氏又申述其意義謂：君臣上下貴賤能從法。一切私人之學說，多以非議法令為事，故皆應禁止之」，此則韓非之主張也。此與西方法治及自由思想相反，亦不合中國儒學傳說，早在此以前，子產（鄭國宰相）不毀鄉校（鄉校亦為批評或非議政治之所）並謂「防民之口，甚於防川」。孔子亦主張庶人議政，春秋一書乃庶人議政之最偉大的著作。余按馮書之英文譯本，多失真義，將原文貴族政治譯為封建制度易滋誤解，馮氏本人不諳西方政治哲學及法理學，對於中國史實見解亦多謬誤申論如次：①封建制度一辭，東西方意義截然不同，在西方封建制度，乃以領主為中心管轄廣大耕地，由農奴耕作，農奴絕無自由，且世世為農奴，不得離開耕地，逃亡即處嚴刑，中國地廣人稀，此一制度絕難成立，所謂封建也者，不過一國之政治領袖，世襲相承，收其地之貢賦，決無力俘人民全體為奴，至多只有家奴僮僕而已。孟子描述古制、八家助耕公田者，即政治領袖之直轄土地也，八家仍各私有其耕地百畝，不過抽出餘力助耕公田而已，畸零之地給與餘夫（獨身男丁），亦私有廿五畝，人民決非農奴。井田之制雖不可靠，但人民私有田地則為事實，古希臘亦有奴隸，伯拉圖且主張之。據較近之研究，知此乃極不重要之事，希臘仍為自由之國。②馮氏謂：「萬物萬事非在法之中不能動也」尚有「西方自然法」或「自然秩序」之義。至於彼謂「有生法者」，「有守法者」，有法於法者，法於法（或為人民之法，不得抵觸君王之法），生法者君也，守法者臣也，法於法者民也，君臣上下貴賤皆從法，此謂大治。生法之權專之於君，與歐洲十五世紀之「絕對主義」相似，與中國儒學傳統則完全違反。馮氏又謂：「由人治禮治趨於法治」，亦大有可議。人治禮治截然兩事，「禮治」乃風俗習慣傳統及人民共同接受之道德標準之治，孔子以下，儒學極重視此點，正所以反對「人君武斷之治」。君王不守道德傳統者，均詆為暴君，為獨夫。③馮氏謂：「紀元前七世紀到三世紀轉變到君主集權，似亦過甚其辭，自三家分晉，國君不敢信用世卿，寧用遊說之士，但遊說之士無社會勢力可以招之即來，揮之即去，無一能久掌政權，似為君主集權。戰國時代各小國消滅，合併為七大國，有類於歐洲十五世紀之君主國家，但君主集權似只有秦國完全做到，其他六國，仍有外戚世卿擅權篡位之事，如田氏篡齊，子之殺趙武靈王，春申君擅楚權，及大臣不得君王命令殺春申君之事。④紀元前二千七百年約當殷末周初，已有記載可考，諸侯以千計，中國式之封建則有之，帝王絕對權力則無其事也。武王伐紂，不期而會者八百國，尚有未來會者，帝王何能有絕對權力，周以前之封建制度確如柳子厚所云『乃聖人之不得已也』。帝王不過是分立的諸侯之共主，乃就地方有勢力之政治領袖，就地而封之。封與不封無關重要，各地（亦名為國）有各地之首領，共主實管不着。文王為西伯，不過西方諸侯之長，西方諸侯決不止文王一人。姜尚本為東方諸侯，且為神農之後，姜姓係一最大之氏族（姬姓亦為最大之氏族），姬姜二姓合作且結為姻親（太公之女嫁與武王為妃是為邑姜），故合力推翻了紂王。武王大封同姓亦不過增加數十國，如何與八百諸侯相比，太公封於齊，則其本人原屬東方諸侯之長，開國元勛，復其故爵而已。迄至周公東征後，滅了鄰洛至徐淮一帶之諸侯，國家方稍具規模，然其勢力，仍不能越長江而南，北方仍是諸侯分立，世襲政治地位，秦始皇滅六國正當紀元前三世紀，似已成立大帝國，但為時甚短，并未成功，不然，何以陳勝一匹夫耳，揭竿而起，六國後人及其將相即紛紛起事，秦帝國瞬即瓦解。⑤至於馮氏謂由禮治到法治更無其事，所謂禮者即由風俗習慣傳統及人民接受之道德價值而成，亦即人民共同生活之規律雖無法之拘束力，但其普及於民間較之成文之法律不知高若干倍，且惟其無拘束力，故能適時生長演變，以現代西方術語表示之，此乃一「私法系統」，類似英國之「判例法」。漢興以後，廢除封建，成立郡縣制度，雖具統一帝國之規模。但其為治也，其最大部分非由政府公佈之法律，郡守以下之官吏均由地方上之茂才及孝廉充任，帝王實無力管老百姓的事，老百姓享有廣泛的自由，亦享有高度的自治。自治的骨幹，為能獨立生活并有暇豫的士君子」或退休有聲望的高官。此類暇豫分子有知識有聲望，獨無固定的職業，故無職業偏見。上可以抗衡官吏，使其不得「武斷之治」。下可以協調或平息人民間之紛爭。漢武以來，二千餘年中國的社會建構，無大的改變，一切古文化中，中國文化巍然獨存未始非此制之功也。地方官吏貴與人民相安、其責任只掌與地方對中央之賦稅、捕盜及倫常大事。漢武帝集全力於伐匈奴以固國防，制度以安地方，所謂地方制度，則為高度之地方自治，中央政制，則一律以文人充任公職，軍事將領絕無政權。大將出役歸來後，兵士仍交行政官吏統率及訓練。中國幅員遼闊，官府組織又極簡單，一縣之命官只有縣令一人、縣丞一人、縣尉一人或二人（司捕盜）、教官一人或二人、典史一人（司錢糧賦稅），以數人統轄百方里之地，真是鞭長莫及，讓人民自己生長不予干擾，方能國泰民安。中國歷史上亦有大亂，主要由於大災（如乾旱水災）人民無資生之工具所引起，此類暴亂，中等階級及士君子絕少參加，或由異族之侵入，兩漢時即有匈奴及西羌之入侵，到五胡亂華為最盛，但中國地廣人稀，人民之生活鬥爭向不激烈，異族侵入後，不久即相安無事。故中國之所謂帝王專制，不過帝王對其所管轄之臣僚專制而已，偶有豪奢帝王作巡幸，地方官吏望顏承色，藉機蠹擾人民，但絕非「以法為治」，亦為士君子所譴責。管仲乃一大政治家，馮氏所引管氏之議論，確含有尊重法治之意，但仍不脫帝王創法之思想，似係其個人之理想，是否付之實施，效果如何，史無記載。管仲號稱齊桓公之相，事實上有權力更高之卿（高氏國氏），所謂相者，不過桓公親信之秘書長而已（管仲約當紀元前五世紀），⑥中國亦有法家，其思想與柏拉圖及共和羅馬之法治思想」，以剪削帝王權力求取一平等之治」為主旨者，大異其趣，如商鞅（紀元前四世紀）李斯（紀元前三世紀）均極重用法，其立意在增強政府之權力。李斯著督責論，主張絕對王權，頗似歐洲大陸十五世紀之「絕對君權論」。彼等不顧人民之自由，違反了中國傳統，故導致大亂。諸葛亮號稱用法嚴明，但史傳只見其有安民之政，無擾民之政，儘力維持傳統之地方自治制度，征服南夷後，全軍撤出，不設漢官以治理之，將西南政權交還夷人，因其風俗，絲毫不改，并曰吾欲夷漢相安而已。其治蜀也，凡地方之賢士一律起用，荊州隨來之人反形落後。儒學極佳之王安石（紀元後十二世紀），創新法，設制置三司條例司（財政制法機關）以增強中央之財政，設保甲法以增強對地方之控制（地方治安，人民負連帶之責。設保役法實令每鄉出兵丁若干人）設保馬法以增強中央之兵力（每鄉或每數家須為政府養馬若干匹）違反與民相安的傳統，為當時之公卿及士君子所反對。中央權力增強，職務加多，執行幹部學養不足，故失敗去位。⑦中國人民最大多數為農民，且不識字，公佈法律，甚少用處，故脫離傳統風俗習慣及久已接受之共同道德價值，根本不足以為治。甚至滿清政府、各級地方官吏，仍只管錢糧賦稅、搶劫、殺人及違反倫常大案，凡民事細故，官府甚少過問，即問此類細故者，必是貪官，導致禍亂，地方之士君子能協調紛爭，宗族之長能約束其子弟（家法即正規之判例法據聖賢之教以判案），帝王任命各級官吏，只要辦理上述事項得當，地方無拖稅，人民無叛亂，即已滿意。

昨日與明日

台北民營市車近況

台北市公共汽車開放民營的呼籲，已經有好幾年了，直到最近方才算正實現。而大有、欣欣、大南等幾家公司的新車，相率出現街頭蔚為大觀。

台灣由於近年來的經濟繁榮，社會各方面都呈現蓬勃發展的現象，台北市尤其摩肩接踵熙攘往來，因此大家預料這些民營公共汽車，加入行列後一定生意極佳；何況民營車又都漂亮美觀設備舒適服務良好呢。那知事實上營業情況並不太好，這真是出人意料之外。不過若對這些民營車經營的情況作一較深入的研究時，這也就並非意外了，因為他具有下列的許多漏洞。

路綫重複

最重要的致命傷便是路線重複，這些老板們無一具有遠大眼光，能針對着都市發展情形，作迎頭趕上的計劃，而開闢新線，反之卻全是拼命的擠向，萬華、西門、三重，火車站等幾個人多的地方，彷彿只有這個地方才有人坐車，而別的地方無人搭乘一樣，殊不知許多別的地方，所以人少正是由於交通不便而已，若有新線開闢，則一樣會有很多的人往來，其始人數雖少，但就這新線講卻是獨佔，豈不強似與許多老線搶生意，尤其最莫名其妙的，這些老板們，好像卻不知道台北市的發展情況一樣，台北市的西邊，由於為河所限不能發展，因此這些年都是一貫的向東方延伸發展，在往昔飛機場一帶是荒凉的村落，今天則南京東路一直連接到松山都是人烟輻湊的熱鬧地區。這些地區與原有的廣大住宅區，台大，和平東路，以及永和一帶，幾乎完全隔膜，為什麼不配合這種新發展，闢幾條從公館、台大，貫穿新生南北路，而到南京東路一帶的路線呢？但這些大老板並不此之圖卻都是一仍舊貫的，十九都循着從三張犁到西門，萬華這個方向劃線。這不是與原有的老線重複麼，既重複大家由於習慣性當然好搭原車，而不會乘還後起的新車了。此所以市營公共汽車營業并未減少之故也。

宣傳不夠

其次是宣傳不夠　請問今天台北的市民有多少人知道，這些新出的市車路線經過，站停何處，又有幾人知道他們有無優待學生公教人員的辦法，優待票在那裏買，因此，持有優待票的公教人員和學生，只有乘搭市營車，而不會去高價（？）搭乘這些民營車了。

我們借箸代籌，這些民營車，更改路線，茲事體大，但是宣傳工作，卻是容易作的；因此首要之舉，必須大量印發行車路線圖，向市民宣傳！同時並將優待辦法，主動的向公教人員和學校機關宣傳，並予以便利，那麼營業便不愁其不蒸蒸日上了。

・成公・

自由談

不能舍本齊末

現時一般婦女們使用「奶罩」的習俗，原是西方社會創行的。這與咱們中國舊時的婦女束胸之風，有何軒輊呢，說中國人束胸，妨害生理的不良習慣，而西洋人搞「奶罩」便係文明進步之作，我決不承認這種漠視事實的謬論！

中國人盲目崇洋媚外的自卑感，由來久矣，西方一切的事事物物——特別是一些惡劣的風俗習慣，皆奉之若瓌寶，崇尚唯恐落後，唯有對於西方人的科學精神和民主政治，卻不肯踏實奉行，迎頭趕上，始終是虛有其表，徒託空談。若就食、衣、住這些日常生活方式而言，中國舊有的一套，無論外表或內容，皆比西方更文明而優越。

先言食：中國菜的烹調，既衛生，又營養，而且品類繁多，味道無窮，視彼所謂「西餐」，文野判若霄壤，尤其使用刀叉進食，更屬野蠻習慣，吾國三千年前的初民社會，就是用手指或乃叉進食的，古籍紀錄，斑斑可考。

次言衣：中國舊有的袍褂，舒適而雍容，唯一缺點就是行動上略欠方便而已。但近代新興的「中山裝」，遠較西裝適用而省事。至於婦女穿的改良旗袍，乃世界上最美觀而舒適的服裝，幹嗎要仿效西方婦女們那種累贅而露胸袒臂的格式呢？若夫所謂「迷你裙」也者，更不體統，兩腿上部完全露出，彼此對坐之際，舉目正視，對方的一片「三角褲」亦看得清清楚楚，生理構造的原形顯然，這是何等鄙野的服式啊！

再言住：西方那種火柴盒子式的所謂「洋房」，有甚末地方優於中國式的雅緻建構呢？祇有西洋發明的住宅衛生設備，比咱們優善，但與住宅的建築格式無關。所以，西方人到中國來的游客，總是樂意下榻中國式的建築物之中，良有以也。

西方國家之所以富強，是由於科學發達，工商業之進步，構成高度的物質享受生活，但其文化精神除卻功利思想外，別無所有。中國之所以貧弱，是文化精神太豐富，卻缺乏科學智能與工業基礎。咱們應該向西方學習的乃是科學精神與民主政治，卻不是奶罩、迷你裙以及洋房、西餐之類，若不揣其本而齊其末，那便是殖民地人民的意識形態，烏乎可哉！

馬五先生

立法委員經營商業 勢必步向不可收拾
紙裏難包火應趕快設法改正
別忘了天下為公和堅苦卓絕

（本報通信員柳一欄台北消息）立法委員經營工商業，已引起的嚴重惡果，面臨着「紙裡難以包火」的階段，如果不趕快設法改正，勢必步向不可收拾的局面。

永和鎮發生過立法委員以放火賠保險的陰影，雖未成案，附近居民，可以如數家珍。繼轟動全世界的黃豆案後，立法委員雷鳴龍又鬧出天大的笑話，眞所謂「其愚不可及也。」禍不單行，不久以前一位女立法委員在美國被人謀財害命，很多海外報紙，批評得非常難聽，幸而還好，這些報大部份都列在禁止進口，否則又會使平靜的台灣社會，增加若干困擾。

有些立法委員自己將身價貶值，搞甚麼傳播公司（就是廣告社）從事廣告和跑街的工作，據說坐着新型汽車神氣十足的鬼委，就是其中之一，可能是錢壯胆，過前竟然在立法院，欄將主席台當作擂台，以國會議員提倡「我武維揚」並不是壞事，可與日本軍人的「武運長久」媲美，只是誤將議場當作沙場，因之構成重大的新聞。聽說執政黨黨部，對此事甚為重視，除立法院國民黨部舉行秘密會議，並電召正在南部考察的委員急返北部與會外，看情形第一招是開除黨籍，第二招解除在黨裡所享受的利益，中央財務委員會的裕台公司每月配給的瓦斯五十桶，將不存在。立法委員中有人要檢討裕台公司何必這樣客氣，監察委員×××等主張徹查，這些花花絮絮的新聞，報紙雖然未登，一傳十，十傳百，今已不再是秘密了。

立法委員兼做生意，法律雖無明文限制，但做醫生，兼開棺材店，殯儀館或兼看風水卜葬，法律亦同樣沒有明文限制，可是從未聽講過個醫生兼做這些行業的。不是限制不限制的問題，而是應不應該這樣做。照中國的傳統有法的依法，沒有法的依習慣。國父孫中山先生早看到這一點，特書「天下為公」昭告同志，蔣總統更清楚以「堅苦卓絕」勗勉同志，但身為立法委員的執政黨同志，有些實在不夠意思了。從黃豆案起，到打擂台止，記者不顧作更深入的報導，怕被「親者痛，仇者快」，不然，眞是一部最佳的小說。「天下為公」與「堅苦卓絕」也是國會議員，（包括監察委員，國民大會代表）基本守則，最高民意代表如果自私自利，或無止境的追求物質享受，不斷的被商人利用，那眞如于右任先生所說：「國危矣！國危矣」，商人找立法委員挑大樑，其用意不外：一、到銀行借錢方便與不還。二、抗稅，反正稅務員多數屁股不乾淨。三、違反票據法。有某立委應罰的　進大數，神不知鬼不覺取消了。四、做豪門買辦，吸收官本。五、挖掘政府的牆腳淘金。這些人忘記了一個根本大問題，就是共產黨不消滅，要錢有甚麼用，舊小[illegible]的口氣：「往那裡逃？」星球不能生存，地球沒有樂土。

不錯，有錢能使鬼推磨，某奸商以十萬美元包了一個中國小姐，其實山珍海[illegible]常飯吃時，反會感到膩膩。國會議員中孫玉琴很富有，三太太在模範監獄附近租了一個房子讓他在側，可是身已敗名早裂，又有甚麼味呢？徒增全監兩千幾百名難友不平之鳴，和法律之前不能平等，坐監也得分出三六九等。（這些人雖聰明支支（兩字口旁）叫，都上了商人的圈套，為甚麼還有這麼多的人向圈套裏鑽呢？俗話：「明知山有虎，偏向山裏行」。

立法委員們身繫國家命脈興衰，攸關國家大計，審查政府預算，各項法律都由立委制訂，照道理乃神聖不可侵犯的職務，那裡還有時間去跑廣告，做「不亦克」，為了幾個臭錢，口若懸河，到處拜託，上叫唇抵天，下叫唇着地，只是臉沒有了，怎麼對得起選民呢？不過話又說回來，立法院裡的大多數還是「先天下之憂而憂，後天下之樂而樂」的國士。台灣處枕戈待旦的前夕，一致希望立法委員們，能夠多數影響少數，好人制裁壞人，以「天下為公」的職志，「堅苦卓絕」的行為作好復國基礎，早日打回大陸。

新聞系學生出路問題

·易傳·

年來台灣百業競秀，一片工業起飛的景象。別的不談，即以過去在大陸上的各銀行如中中交農，各大學如輔仁、清華，甚至各醫局如世界、中華、開明、商務印書館都紛紛在台復業，其中唯有報業，不論過去有如何輝煌的歷史，一概不能重振旗。因此，很多老報人在此均一籌莫展，入作失業者的行列裏。

現在台灣造紙工業相當發達，紙張日給自足早已不成問題。在全國高唱復興中華文化聲中，報紙自然佔有重要的比重。而台灣現有報紙，寥寥數家，不要說與歐美亞洲各國不能比擬，即拿香港來說，我們亦遠落人後。報紙不能復業，使文化事業在工業起飛中形成偏枯，要為無可諱言之事實。

台灣的官報，着重政策宣揚。民營報紙，因無形中形成「特權」階級，多財善賈，自然更偏重趣味化，商業氣息越來越濃。報紙原來所含有的文化氣質，也就隨之降低。過去國民革命的成功，報紙實為一項重要因素，現在政府對報紙的凍結政策，是令人難以理解的。

一方面報紙不開放，而各大學的新聞系却在年年大批製造新聞人材，這些學成的青年往何處去？倒不純然是就業問題，而是教育與社會之間的脫節。目前能造反的是共匪而非「秀才」（知識分子），報禁是知識分子的一大苦悶，看來學生報國究成為徒託空言了。這不僅使台灣蒙有「文化沙漠」之譏，而且也是國家的損失。

「人生以服務為目的」
台北民營車主動跌價
盲目競建空出房屋兩萬家
到處挖路一洞一洞復一洞

（本報通信員柳一欄台北消息）台北若干條路線公車開放民營後，對台北交通上說，減去不少壓力，平時不應該有的戰時現象，業已消除，各民營車食髓知味，感到獲利過厚，稍有良心的人，都願自動跌價，有的不跌票價，路線自動延長，實行「人生以服務為目的。」

比如從台北到新北投，公車票價是新台幣四元，民營車只收三元五角，中興巴士更訂出優待顧客辦法，市民正在高興的時候，問題發生了。闢公路局有規定不准民營汽車擅自跌落票價，換句話就是民營車只可多賺，不得減價，大有市民都是可饒之東的樣子。從前「只准州官放火，不准百姓點燈」，於今進步了，州官可以放火，百姓得火上加油，實在不成體統。

還有台北無計劃的盲目建築，全台北市閒下兩萬家房屋，陷於林葛，每家二十五萬元（最低價估計），全市有五十億新台幣，不能國營源流，這是一個多麼值得注意問題。至於接電接水紅包錢，那「只要老天收，蝗虫耗幾何」。講老實話，工業社會是一個六親不認的社會，索紅包已變成常情，不要紅包將會構成新聞。一棟房子蓋好了，半年到一年都領不到使用執照，不是有關機構太忙，而是屋主缺乏靈活腦筋。台北新生北路等地的違章建築像蜂窩樣的稠密，既毋庸建築執照，也不必領使用執照，這都是窮則變，變則通最好的例證，且水和電都不發生問題。

從另一境界體會，高級住宅區房子翻修後接水問題，必須先準備幾包虎標頭痛粉，如果屋主不識相的話，花樣就多了，自來水廠不是缺少這種管，就是缺少那螺釘，下雨也成為拒修接自來水理由之一，英國倫敦市常年在陰雨中，居民好吃雨水了。

台北從仁愛路到中正路的復興南路，剛修好[illegible]一星期，[illegible]十步一個垣，八步一個坑，如果說故意與居民為難呢？[illegible]火，使經過和看到的[illegible]今天挖，明天挖，包括仁愛路花園大道也不例外。市民說這是挖寶，[illegible]，如果台北電力公司、自來水公司、大台北瓦斯公司、工務局聯合統一行動，[illegible]要省去幾[illegible]，豈不是太便宜市民了嗎？

周博士斷腿被追（二）

滄海拾遺

赤松子

周博士上船後，海上經過了十五天，到了馬賽，由馬賽經過巴黎，盤桓了兩個星期，雖然法國的葡萄酒和美人，令外國青年一見迷魂落魄的！可是並不能阻止博士學醫的豪興，教他留連忘返，一直進了柏林大學，花晨月夕，總是想念新大陸愛人。可是楊女士上船以後，就碰上一位杭州小鬼。這小鬼曾畢業于清華大學，在學校有綽號新式柳下惠，（柳下惠是坐懷不亂，這位新式柳下惠是見石女也能坐懷不亂。）他和楊小姐在南京金陵女大讀書時，每年暑假，總要到青島海邊去度過一個月的游泳生活。杭州小鬼在清華讀書時，每年暑假，總要到北戴河去度過一個月的海上生活。因此，兩人第一天見面，便成了密友，後來二十天的船上生活，總是形影不離，可憐周博士對這些情形，一點兒也不知道，後[illegible]住一個大[illegible]但是[illegible]是每週一[illegible]出，改為[illegible]忙，至于[illegible]假，有時[illegible]姐通信，[illegible]年以後，[illegible]是她在美[illegible]光，屆時[illegible]

喬治桑外傳

（八三）

張大萬

「男大當婚，女大當嫁，女孩子交男朋友，如果過於隨便，並非幸福。我知道在美國，就有很多女孩子，因為濫交男友而造成悲慘的後果。所以，我認為女孩子交男朋友應慎重。」喬治桑儼然是家長的口吻。

「我的頭腦是很清楚的，中國人所說，一失足成千古恨，再回頭已百年身，實在很有道理。何況我的母親就是我的鏡子。」雅麗絲又提到她的母親。喬治桑聽了，未免有點尷尬，但雅麗絲却沒有察覺。

喬治桑心想：他關心雅麗絲，說穿了便是嚴防色狼。他就是年輕的他自己！人生眞是神秘而微妙的。

「我們只顧聊天，忘了時間。」雅麗絲看了看腕錶，接着說，「你在家吃飯還是出去？」

「我不想出去了，家裏有甚麼便吃甚麼。我吃完飯，想一個人到郊外散散心。」喬治桑迫切需要一個沉思的機會，他是一個海闊天空的人，從來沒有憂煩。現在曹梅卿的影子，深印在他的腦海裡，再也排不開。他需要沉思，要澈底想一想，以後該怎樣辦？

雅麗絲做了羅宋湯，另外有炸雞腿。喬治桑沒有吃飯，只吃了幾塊麵包。吃完飯，喬治桑換了灰色西褲，藍色上裝，穿一雙運動便鞋。

他交了五十元美金給雅麗絲。「我要到郊外去散散心，一兩天回來，這點錢妳拿去作為這兩天的開銷。」

雅麗絲接過錢，問：「如果有人打電話來，怎樣說？」

「告訴他們，我出門去了，要兩三天才能回來。」喬治桑一面說話，一面起身出門，步伐是很輕快的。

雅麗絲心裡想：喬治桑眞是一個怪人，他的行蹤可但難以捉摸。

喬治桑出得門來，長長地噓了口氣。跨上計程車，吩咐司機：「北投。」

他記得北投在山裡有一家旅館叫「梅花別墅」，設備雖非一流觀光旅館，但環境幽靜，是一個休閒的好地方。

喬治桑到了梅花別墅，揀一間背山面野的房間。洗了一個溫泉浴，獨自坐在房間裡沉思。也不知過了多久，他突然看見天邊抹着一道晚霞。他覺得這晚霞好熟，似乎在那兒見過。哦，對了，那是在好久、好久以前。那時，他還在上海某大學讀書。是一個燠熱的夏天，下午他約了曹梅卿到兆豐花園會面。他穿着那時流行的白嗶嘰褲子，白皮鞋，上身穿一件深藍色的綢質運動衫。在幽靜的樹蔭深處，他和她共同看晚霞。他只覺得晚霞的艷麗，身旁人兒的嬌美。

他獲得初吻，多麼美妙的愛情甜汁！然而，結果却是苦澀的！他在年輕時，聽他的性格，像一匹野馬。他祇知拼命的愛，却根本未考慮到其他。無數次的擁抱接吻，使他倆浸潤在愛河裏未能自拔。於是，在某一天晚上，她告訴他，「已經有了！」這是一個晴天霹靂，他到上海一切早感恐怖，他準備到新大陸。他認為她以及她腹中的小生命都是他前程的障礙，他要遠走高飛，他不願背（手旁）這個包袱。

他甚麼也沒有告訴她，甚至沒有留下片紙隻字，就是這樣一走了之。

他在這漫長歲月有沒有成就？有沒有幸福？祇有他自己明白。在大學叫桑治，在國外留學叫桑治孔，在曹衛叫桑治，也就是雅麗絲的媽媽，祇道他叫桑治，她所愛的，所恨的也是桑治。她根本不認識桑治孔或喬治桑。

我決不再見他。這是喬治桑經過沈思的第一項結論。我決不讓雅麗絲知道我是她的生父，這是第二項結論。我一定要到雅麗絲履行做父親的義務，這是第三項結論。（未完）

文滙樓劄記

李相國嗜食狗肉

前清名臣李鴻章（合肥），國人皆名曰李合肥。後袁世凱（項城），黎元洪（黃陂），段祺瑞（合肥）。可能是這樣演繹而來，劉經扶（峙），因戰功由經扶作縣名（河南省），衛立煌亦然，前者是民意形成，後者乃政令爲之。

李合肥訪問大不列顛帝國，鬧出甚多笑話，其中最著者當爲吃狗肉，狗爲六畜之一，在古時與猪、馬、牛、羊、雞同爲肉食之一，具有藥用價値，漢高祖幼時，即以屠狗爲生，從前某名士譏諷當時世俗，撰一聯謂：「道義多屬屠狗輩，讀書每是薄情人。」以證明屠狗在古時也是一行職業。

英國伊莉莎白女皇大壽，李合肥曾親撰一聯：「西望瑤台降王母，東來紫氣滿函關」。壽之。後女王亦以訓練純熟的愛犬贈給這位到英國訪問的貴賓大清帝國首相李鴻章，合肥睹犬甚喜，垂涎欲滴，以手順順犬的頭部，伊莉莎白也以爲對方欣賞愛犬爲樂。

李合肥接受贈犬後，悅顧左右曰：「英王怎麼曉得我喜歡吃狗肉？」侍從就像平劇中操胡琴拉流水板式的順口答出（逢迎本爲官場習慣）：「相爺德威，遠播環宇，伊莉莎白當然知之」。合肥又問：「洋狗與中國狗有何區別？滋補價値孰高？」侍從謂：「洋狗吃牛肉與牛奶長成，自非中國狗可比，但西人視狗爲玩物，甚少食之。」李合肥說：「這是他們的文化水準不够，對狗肉營養價値還不大清楚，我國玩狗的人也很多，但均限於江湖賣藝之輩。」侍從皆服，合肥命將狗牽入廚房屠之，次日親書一函給英國女王曰：「承賜砍犬，大快朵頤，味美且香……」外交官將李合肥信譯出後，伊莉莎白眼淚幾乎流出。

李鴻章對狗肉的吃法非常有研究，先將狗肉晾乾，切成方塊，用小磨麻油爆後，加薑、葱、辣椒、醬油、高粱酒燉調好，再裝入瓷罐，黃泥封口，文火燉六個時辰，（即從早晨六點到晚間六點）上桌食前加胡椒粉與香菜，眞是一家燒肉百家香。李鴻章十錦在歐美大行其道，所謂李鴻章十錦者，就是合肥菜館裡的湯雜會（火旁），乃剩菜中拉拉雜雜如海參、肉圓、猪肚、雞脚、鴨、冬菇、魚圓、蛋捲、木耳、冬筍、麵筋包、馬蹄、肉皮等，高貴的人很少點這種菜，竟被歐美社會各界爭相競食，報紙、雜誌言之成章，其實以相國之尊的李合肥，就不會去吃這種丁丁塊塊的菜，何況中國讀書人「割不正不食」的傳統，合肥對狗的烹調臻於至善，反不被人注意，這就想不通了。

文滙樓主

禪學黃金時代

逍遙的眞人—臨濟禪師（六）

吳經熊原著・吳怡譯述

在他的粗曠作風後面有一股難以壓抑的慈悲心，這慈悲不是盲目的同情，而是開悟後的正見。在這裏，臨濟的棒和喝，都是從慈悲心中流出來的。

在禪宗裡，有一句俗語就是：「養子方知父母慈」，這也是臨濟對老師黃檗的一種感受。有一次，他對僧衆說：

「求道的人，不要怕丟掉性命，我二十年前，在先師黃檗處，三度問佛法的大意，三度挨打，我好像被蒿枝刺了似的痛心，現在我想再吃一頓棒，可是又有誰能給我呢？」

當時有個和尚出來說：

「我能」。

臨濟便把棒遞給他，他正猶疑着去接，臨濟舉棒就打。這是告訴對方責任是不能逃避的。

臨濟雖然常用棒，但後人却以他的喝相稱，而有「德山棒，臨濟喝」之說。如果我們看到他用喝的思想，而認爲他特別善於用喝，也是不無理由的，他曾把喝的方法加以分類，有一次他對一個和尚說：

「有時一喝如金剛王寶劍，有一喝如踞地獅子，有時一喝如探竿影草，有時一喝不作一喝用」。

作完這些分類後，他問那和尚說：

「你了解嗎」？

當那和尚正在猶疑要回答時，臨濟便喝。筆者以爲這一喝是屬於第一類，因爲這像金剛王的寶劍一樣，要斬斷那個和尚的思想之流。

但當一位老師特別喜歡用某種方法時，這種方法便會形式化，使學生只知依賴，只知模倣。因此臨濟的學生也只知學着喝，而並不知喝的作用和意思。這情形使臨濟大爲惱悔，深覺必須去阻止這種鬧劇。有一天他對大家說：

「你們總是學我喝，我現在要考問你們，假如有一人從東堂出來，有一人從西堂出來，兩人齊喝一聲，你們能分得出誰是主，誰是客，如果分不出的話，以後不要再學我喝了」。

其實，喝並不重要；重要的是認清主客本是一體的，誰是主？就是你的眞我。正如臨濟曾對大家說：

「爾若欲得生死去住，脫着自由，即今識取聽法底人，無形無相，無根無本，無住處，活潑潑地，應是萬種施設，用處只是無處，所以覓着轉遠，求之轉乖，號之爲秘密」。

臨濟一再的強調，聽法的人是「無依道人」，同時又是「諸佛之母」。他不僅是聽者，而且是說者。臨濟又告訴大家：

「現今目前孤明歷歷地聽法者，此人處處不滯，通徹十方，三界自在，入一切差別境，不能回換，一剎那間透入法界，逢佛說佛，逢祖說祖，逢羅漢說羅漢，逢餓鬼說餓鬼，向一切處，遊履國土，教化衆生，未曾離一念，隨處清淨，光透十方，萬法一如。」

假如臨濟活在今天，他會像點燈一樣的說：

「如果我們不能跨過彼此之間的鴻溝，即使登陸到月球上去，又有何用呢？」

其實，他所有教學的重心就在于要我們跨越彼此間的鴻溝。因爲「無依道人」就是眞我。的確，你也有形體，那是四大的和合；但在臨濟眼中，却認爲：

「爾只今聽法者，不是爾四大，能用爾四大。若能如是見得，便乃去住自由，」

（未完）

政壇現形記（三〇）

李桀

第十回　學貫兔陰・公卿多讚賞　足踢毛腿・廊廟任翱翔

他僑居上海灘，過着悠閒而逸樂的寓公生活，乃隨時跟王曉籟、張嘯林一般人厮混，學習演唱平劇的黑頭角色，而且常登台。迨民國廿一年春，汪精衞到南京作行政院長，褚氏竟受任爲政院秘書長，上海灘上那些白相朋友，對他更加另眼看待，恭維奉承不置。某次他在上海參加一種游藝募捐的平劇演出，飾「空城計」的司馬懿，站在城樓下聽得城上諸葛亮唱完「我正在城樓觀山景」這段戲詞後，居然指揮左右人馬殺進城去，急得打鼓佬大呼「秘書長莫要進城」，他纔聲言「退兵三十里」，台下聽衆爲之哄堂噱笑，他亦滿不在乎，

廣東游泳女選手楊秀瓊，綽號「美人魚」，民國廿一年秋間到南京觀光，褚氏以行政院秘書長身份，親駕馬車一輛赴下關迎接楊女進城來，他坐在馬車伕的位置上，執鞭驅着馬匹，招搖過市，途人親狀譁笑，他却洋洋得意，恬不知羞，眞是丟盡了中朝大官的臉，可謂人妖也矣！汪精衞亦知道褚氏沒有能力擔任政院秘書長職務，但怵於陳璧君的關合，不能抵拒，因而汪每逢情緒不佳時，即以褚氏爲「出氣筒」，動則疾言怒叱，然褚氏甘之如飴，不失「丫姑爺」的身份。他在行政院內得暇，不是在辦公室內打太極拳，就在外面嚥地上踢毽子，視國家的廊廟爲雜技表演場所，而與秦淮河畔夫子廟內的江湖賣藝風光媲美，政治紀綱與官箴官常皆蕩然無存了！

綜談國劇復興（二〇）

王方曙

2、齊唱：齊唱就是二人以上同時一個調。齊唱與合唱不同的，是合唱要用和聲，齊唱則不用合聲。這種唱法，在崑曲中多有。如遊園、杜麗娘和春香便作齊唱。這是大家熟習的戲，大家都會注意過這種唱法，但在皮黃中便很少了，如大登殿的十三咳，五花洞的十咳。如二進宮、探母的別家、迴荊州的別宮，偶然二人以上齊唱一段小腔，如哭頭之類。雖然如此，在台下的觀衆每逆到此處，便覺別有意味，感情豐富。但是我們爲甚麼不充分利用這種齊唱呢？皮黃戲爲甚麼竟不如崑曲來得複雜呢？我們固不必一定在此要答案，但我們總應採取各種長處，充實自己，使自己有更高的成就。所以我以爲齊唱也是可取的一種方法，川戲裡面有幫腔的唱法，這也是齊唱的一種形式，我們可以視劇情的需要，作二人齊唱，三人以上的齊唱，或幫腔。再加上合理的配樂，齊唱便也是我們求進步的一種唱法。

3、轉調：轉調在音樂中本來是平常的事，不過在國劇中少用而已。轉調就是從某一調，轉變爲另一調，如此：我們唱歌，唱着C調，而轉爲D調。這在聽衆的感覺上，會覺得感情全無轉變，情境一新。我們最常聽見的「教我如何不想他」，第三節便是如此。在國劇中這種情形也是有的，如孫摸記半春登祭壇的一段，二黃倒板迴龍轉反二黃的調子，在迴龍的尾音上，落到反二黃開始的音節上。於是胡琴的裡外絃都轉，外絃作爲裡絃，而奏起反二黃。這是在一套曲譜中，中間轉調。又如一齣戲裡先唱二黃，後改西皮，或先唱西皮，後改二黃，胡琴定絃也是轉了調的。這種例很少，如女起解學即是，不必多舉例。但這種轉調的方法，都是在一段曲調停止以後，再加以轉變的。却找不到唱在中途能轉的。這種情況，自然是我們的缺點，這種轉調的唱法，對於感情的發抒是大有作用的，我們戲劇中的唱，是表現劇情的，不同於普通的歌，假如我們能對這轉調充分利用，對於唱的美感增加，自不成問題；而對情感，流注，更必能有力的引起共鳴。

4、三拍子：我們國劇中的歌唱，到目前爲止，還只有四拍子和兩拍子的譜子。雖然有名爲慢三眼快三眼等譜子，但那還是四拍子（三眼加上一板），音樂是一種藝術，是要多采多姿的。西樂中三拍子的曲調別有趣味，我們日常聽到的華爾滋曲，慢的、快的，都十分動人。尤其快華爾滋曲，非常生動活潑。至於這種三拍子譜調，如何利用到國劇上去，當然要音樂專家去設計作譜。我們在這裏只能提出一點理想，但我相信，音樂家會由國劇已有的音樂風格中，創造出三拍子的國劇腔譜，聽起來還是國劇的味道，而趣味却可以一新。

以上四種在國劇唱法中的新形態，聽起來也許有些太新了。也許有人怕將國劇變成了西洋歌劇了。但我相信，只要我們把握住我們既定的原則（見前原則一節），便不會發生這種問題。

（未完）

諸葛亮狂想曲（四五）

・劉玄・

「是，是，鋼琴是演奏，不是演唱。」劉約翰是喝過洋墨水的人，故敢直率糾正劉備說話的錯誤。劉備的長處是豁達大度，也不以爲忤。

「不過，你知道龍岡一切活動必須開會決定。鋼琴演奏會不算重要公事，但至少應該和關張兩會長商議一下。」

劉備的意思，劉約翰很明白。在天庭大小各仙都要看香火興旺不興旺而定行情高下。顯然，關羽的香火最盛，無論開書畫展覽會或演奏會，必須有關羽具名才有號召力。

「你沒有事吧，你坐一下，我立刻就派人去請關張兩位會長來。」劉備的話雖婉轉，但等於是命令。劉約翰即使家中失火，那敢離開。

劉約翰正襟危坐，心中忐忑不寧。他最怕見關張兩會長，關羽的威儀，張飛的粗獷都是凌厲可畏的。現在只好硬着頭皮等。一會兒，他嗅到檀香味，知道關聖帝君駕到。

先進來的是關平，除了向劉備執子姪禮問安外，根本就不睬劉約翰，劉約翰連忙站起向關平行鞠躬禮。關平筆直地站在一張虎皮椅後面等他的父親進來。

劉約翰知道劉備辦公廳設有兩張虎皮椅，比其他椅擺不同，專爲關張兩會長坐用，只有諸葛亮敢坐，別人連想都不敢想。

關羽進門，用丹鳳眼瞄了劉約翰一下，劉約翰趨前行屈膝禮如儀。

「大哥，你找我有什麼事？」關羽坐定，右足伸在左足外面，穿了一雙抓雲牛皮漆成綠色的戰靴，綠色戰袍，威儀懾人，不愧是中國的武聖。

「等三弟來一起談，」劉備很講桃園義氣，三不可缺一。

正在此時，劉約翰聽見外面大叫「大哥，大哥」好大的嗓門，難怪當年「當陽橋前一聲吼，喝斷了橋樑水倒流，」爭說三將軍的威風了。

張飛進來，一眼看見關羽，「咦」了一聲說，「怎麼二哥也在此？」

「大哥找我們，你爲何遲到？」關羽是做兄長的，一見張飛便打起官腔來。張飛因在古城嘗過訓斥的滋味，所以對關羽有忌憚。

「不是的，我正在打獵行樂，換了衣服才來，所以遲到。」張飛最好打獵，有一次一箭射中玉帝御花園的鳳凰，玉帝震怒，多虧關羽力保方告無事，現在御花園週圍都劃爲禁獵區，張飛行獵只好捨近求遠了。

「玩物喪志！」關羽冷冷說了四個字，對張飛用了春秋一字之貶。張飛那敢抗辯。

劉備見此情況，即用話岔開，向劉約翰說，「你將來意向兩位會長報告。」

劉約翰遂將張素梅想公開舉行鋼琴演奏會，演奏「諸葛亮狂想曲」說了一遍。

沉默片刻，關羽首先發言：

「子在齊聞韶，三月不知肉味，可見孔子對音樂的重視。我國歷代樂曲，曲名都很典雅，並且從來沒有用人名當曲名的。諸葛先生所作的樂曲爲什麼要用「諸葛亮狂想曲」？諸葛先生畢生致力復興漢室，功在國家，一言足爲天下法，怎可認爲他的思想爲「狂想」，「狂想」者豈非狂人之思想乎？我的意見是，音樂演奏會可以舉行，但不能演奏「狂想曲」。」關羽的儒家思想很重，開口不離孔孟。

劉備在旁一時不知如何回答。

「二哥的話有道理，諸葛先生的思想，我們都不及他，怎能說他是「狂想」？」張飛向來以關羽馬首是瞻。

劉約翰心裡一想，再不能不說話了，原來關羽雖曾過五關斬六將，刀劈秦琪，宰了蔡陽，想還不至於爲了我說錯話，而劈我腦袋搬家。「說大人則□之」也是中華文化，於是胆子一壯，慷慨陳辭。

巨變歷險記！

到河南夏邑

（六九）　胡慶蓉

從隴海路上的黃口站，一氣走到河南夏邑東西三十五里的朱莊。博士盤旋共產的區域裡，好像已經交代過了，他有他的原則，他有他的辦法，即單獨一個人，儘量避免與人接談，絕不使人有外來人的感覺。在人家不注意的情形之下，達到他脫險之目的。

從黃口出發，原則辦法還是一樣。黃口是一個小站，僅有一個站房，僅有一個「孤苦零仃」的屋子，高大倒還高大，但空空如也。隴海路的車雖然通了，但還不是按時的票車，而是運東西的不定時的列車。車到黃口是停了，丁博士錯下來了，他並沒有見站上的人。奇怪，下來的，也只他一人。恐怕已經到了夜裏十一、二點鐘，車固然是漆黑一片，站房也沒有燈，也是漆黑一片，站後邊的雞毛小店的老板，把他迎了過去，接到他的店中，圍在鍋門前邊，他給燒了一壺茶，他也給談了很多當地的情形。他勸早早離開，千萬不可等火車。火車有沒有，什麼時候有，過停不停，都在未可知之數。於其等車靠不住，不如自己步行之為感。沿着鐵路走，這也是他想出來的辦法。一來不容易走錯路，二來是直線，路程最短。三來，不是大路，很少遇見人。即會遇見了人，人會把你當作是當地的人，而不予理會，人會把你當作是到自己田裏去查看查看的。

果然如此。在丁博士到達碭山之前這一段，曾有多次見過人，人都是對他望望就走他的路了。丁博士走路，從小就養成了一種好習慣，說走就走，走就走向目標，決不左顧右盼，決不拖拖拉拉，面部表情，若無其事，因爲無懈可擊，無隙可乘，人也就對他不懷疑。君子坦蕩蕩，小人長戚戚。丁博士的態度，完全是君子的態度 丁博士的內人，對於丁博士的走路風度也非常欣賞。他在共產區域中，如入無人之境，不能不說得力於此。

從碭山南行，是他常走的路，遠在民國十年他到開封鐵塔前留學歐美預備學校讀書，他就常常走這條路了。經過那些村落，怎麼走法，他都滾滾熟。更可以單刀直入，用不着問人，用不着打聽。這也是丁博士如入無人之境的辦法之一。假如向人問路，向人打聽，往往會問出事來，往往會爲人盤住而脫不開手。在丁博士經過的地方，都如同是自己的地方，他不去驚擾人，人也不去打擾他。他手裡提的那紙消那棗糕，更給人以親切之感。這一宗是來碭山買東西的，誰也不起懷疑。

家裏的人，誰也沒料到博士會回來，但博士必竟是回來了。家人都爲他感到欣喜，也都感到惶恐。共產人員知道怎麼辦？……怎麼辦？……但來，必竟是來了，遂把他藏起來，儘量的不使人知道。……這麼大一個人，又如何掩蓋得住，掩蓋得了！……

漫談陳獻章（上）

彭桂芳

中國學術史在其航程上，雖歷起波濤，但所掀起最大的漣漪，可稱爲宋明之際的理學。此時儒家正統思想已爲理學所掩蔽，雖有力倡復古的朱熹，但其注解經事，仍不免移經文以就己說，竄衍經義。明以沿宋之末，受理學影響至巨，其理學較之有宋爲單純，但卻比宋理學精密。黃梨洲云：「有明文章功事皆不及前代，獨於理學爲前代所不及，蠶絲牛毛，無不辨析，眞能發先儒之所未發。」明初理學又稱爲朱學時期，學子林立，各成學派，但其中獨開門戶，超然不凡者，唯陳獻章而已。黃梨洲云：「有明之學，至白沙始入精微。」由此可知陳白沙以明初理學由疏入密，由簡入精微的轉捩點。

（一）生年

陳獻章，字公甫，新會白沙里人，生於西元一四二八，死於一五〇〇，享年七十三。別號石齋。白沙自幼警悟絕人，讀書一覽輒記，受學于康齋，學近陸王，凡染禪機 在其有生之年，因其才華超逸，屢荐，但因上有老母，以辭拒之，過其清靜恬怡之生活。白沙爲學，以虛爲平，以靜爲門戶，以四方上下往古來今，穿紐湊合爲郭，以日用常行分殊爲功用，以勿助勿忘之間爲體認之則，以未嘗致力而應用不遺爲實際，遠之則爲曾點，近之則爲堯夫。他雖出于崇仁學派，但卻自立門戶，創江門學派。

（二）學說

白沙之學，可稱爲一人生哲學，其學宗自然，而要歸于自然，重覺悟，主靜坐，以求自得之道。

（甲）反致知，重良知，即反客觀知識，可分爲二：

①反致知，重良知。

白沙云：「二程得於周子，朱子不言；有象山也。」又云：「良知良能易解，使之自治，宇宙在我，不累于外，要減擔子，求之于心。」即象山之學中之：「學苟知乎，六經爲我注脚。」之義，故言書籍累心，心累書籍，應放開書本，自己用心，自己去想，此乃反致知，重良知之態度。

②心即理。

理即本體，心即本體之精神 白沙主張拋開書籍，反對崇拜偶像，應自求于吾心，由吾心發現本體，此即「心即理」。重良知覺悟即致良知。重覺悟即重先天之知識，亦即良知先天之倫理價值。白沙云：「日用隨機體認天理，學者能辨乎此，使心常在內，見理明後，自然成就其大。」即擴充心胎，若對自然悟解透徹時即「心即理」，「吾心即道心」。

（乙）心性修養或教育：

(1)致虛以立其本，主自然。

白沙云：「虛其本也，致虛之所以立本也，戒愼恐懼吾恐其太嚴也。」即覺得朱子的戒愼恐懼是一種煩瑣，燦存。又云：「太虛師眞，無累于外物，無累于形骸矣！儒與釋不同，其無思同也。即擺脫外界的一切現象，以眞理爲師，即先立本其大者。

2)以心涵養氣節，功業。

即以致良知之功夫，以涵養氣節，重實踐價值，從心理上的涵養工夫以求證。白沙云：「文章、氣節、功業，果然皆由我涵養而來，三者皆實學也，唯大本不立，三者自名，其所務者小，所喪者大。」所以應先立乎其大者，即以虛立其本，見理明後，自成就其大，以了解自然。

③重覺悟：

白沙云：疑者，覺悟之挺進，一番覺悟，一番長進，非至放下，終難湊泊，是知叢與否？」又云：「疑而後問，問而後知，知之眞則信矣！故疑者進道之萌芽。」白沙二十七歲時，始發奮讀書，廢寢忘食，終日乾乾，但雖經數年，終難湊泊，于是以在靜坐中以求覺悟，使此心與此理[illegible]，以達內外二忘之純然境界。

盈天下者，皆心也。白沙是個唯心主義者，亦可稱爲主觀主義者，一切均存于心，應在其心內以發現本體。君子一心，足以開萬世，小人百惑，足以喪家邦，之所以如此，以一心耳！故應覺悟，天下未有不本于自然，一切順其自然，見理明後，自能成就得大，而得自我。（未完）

生活漫談

中醫的五行六氣淺釋（上）

抗戰前汪精衛在南京行政院長任內，主張中醫實行逐步廢止，一代學人傅斯年也曾不斷爲文，對中醫痛恨到極點，大發謬論，侮辱中醫。傳說：「我寧死不請教中醫，因爲我覺得不如此，便對不起我所受的教育」他指出中醫的五行六氣是胡說八道。

像傅斯年這樣，反對中醫的人，當然很多，不過我們認爲他們對於醫藥常識非常缺乏，以缺乏醫藥常識的人，對於文化精深繁雜非經十年以上的研究，不能畢業的中國醫學，當然有胡說八道的感覺。但既然公開反對中醫，自己必須先拿出幾年時間，作分別的研究，再以幾年的時間作比較的研究，才會瞭解中醫的優點和缺點，西醫的長處與短處，然後講出的話，才不至表現出過份的不通與膚淺，如果僅憑個人簡單的直覺，講出一些不負責任的話，那就變成亞亞汚了。

中醫的所謂五行者，乃金、木、水、火、土；其實只不過用作代表心、肝、脾、肺、腎，五臟的一種符號而已。符號的本身並沒有甚麼特別意義，更不是中國醫學的基本要點，何況進步的中醫，早將金、木、水、火、土廢除不用，而直接用心、肝、脾、肺、腎五臟的本名，恐怕攻擊中醫的人，還未注意到這些問題。

五行者，雖然是一種符號，但也不是憑空亂取，進一步研究的話，出自陰陽五行，陰陽來自易經，易經是中國一切哲學之源，易經所指易的狀態，認爲天地萬物的變化，都起於一個動字，因天地之間有兩種動力，一是陽（屬剛性），一是陰（屬柔性），由於剛柔兩種動力互相衝突，生出種種變化，是謂之道，電學常識裡，有陰陽兩種相等的電子，互相吸引，就是這個意思，人身各部，不斷的新陳代謝，就是陰陽兩原力爲其動力，違反這個自然規律，人就要生病；人之有老態，就是因新陳代謝機能衰減。

上面說過，五行者，代表心、肝、脾、肺、腎，五臟的符號，另一意義，甚麼叫作五行，五行乃五種行動之謂，金代表鎮靜，木代表滋長，水代表下行，火代表上升，土代表漲縮，宇宙萬物一切行動，沒有辦法離開這五種方式，人體更難例外，如果其中有一種行動過度或不及，就會引起生病，醫生的任務，就是糾正人體中不正常，怎麼能指陰陽五行謂之胡說八道呢？

馬騰雲

御廚談藪

點心的調製（一）

林泉隱

一、中國點心製法：湯麵製法：用鷄蛋調在麵粉裡，又用冷水和麵粉成塊，再把粉塊滾成薄麵皮，拿刀將麵皮切成細條，或寬二分的帶，稱爲脚帶麵，將此麵放入沸水裏，待一次沸滿，連湯取起，便成湯麵。湯裡可以任意配和味料，或先加煮熟的魚片，鷄肉片，火腿片等，如是菜下麵，須先將菜在湯中煮熟勢，再將麵放下去。

拌麵製法：把麵在滾水中煮時，用長竹筷攪動，待熟後撈起，再用冷水淋過，再在沸水中略煮，撈起瀝乾，放在盌中，將味料或已煮熟的菜拌着吃。在夏天待麵冷後再拌吃，稱爲拌麵。

鰻麵製法：用大鰻魚一條，蒸熟後，去骨，用鷄湯和入麵粉中搓勻，滾成麵皮，切成麵條，再加火腿湯或鷄湯煮吃。

鏈衣餅製法：用冷水調勻乾麵，不可多揉，將濕粉滾成薄皮後，捲成條形，再滾薄，用豬油白糖調勻，再捲成條，再滾成薄餅，用豬油煎黃便成。

燒餅製法：拿濕麵粉滾薄作餅，形用松子或敲碎胡桃仁，加糖及豬油和成餅餡，包成團子，撳扁成餅，餅面鋪滿芝麻，在火中烤到兩面焦黃爲度。

桃花潭水深千尺

鱷魚潭邊的故事

十八　趙陀

三角戀中的爭奪（十一）

「克琳我還有話和你講，」牛急切的制止克琳站起欲離坐。克琳看看黛琳，然後向牛少淵說：

「不，我的時間到了。」

「克琳，你等幾分鐘好嗎？」牛少淵一邊問道：

「黛琳有甚麼要緊的事指教嗎？」

「少淵，你中午給我張支票遺失了，你冷靜的想想，我們在樂宮樓吃完了午飯，到彌敦道去買鞋看衣料，然後到邵氏大樓，你去打完了電話，我們就回到愛丁堡來了，支票會掉在甚麼地方呢？」黛琳還是背書而直率式的談話，急得牛少淵額角上的汗水像雨樣的往下淋，少淵被弄得又慚怒，又焦急，但又不敢發脾氣的說：

「我怎麼曉得你支票掉在甚麼地方呢？趁快到邵氏大樓去看看，如果沒有的話，下午掛失還來得及。」黛琳走後，少淵的餘悸存在，乃還餘的向克琳說：

「以一個月作我們彼此之間的效驗。」牛因爲內疚和放寬了幅度，一邊想緩和與克琳之間的不協調氣氛。

「我同意的要求，婚姻關係終身，本不可以太隨便。」克琳的心理上達到今天來的任務，但表情仍是嚴肅的。

「今晚跳舞肯賞光嗎？」牛少淵懇求的問。

「我感到人很不舒服。」毅然答出。

「克琳，我所講的黛琳小姐就是她。」牛向克琳表示。

「很漂亮，人比鏡頭還美。」克琳稱贊着。

牛說：「但我討厭她的拙劣和粗線條。」

「那是對你眞正的有愛。」克琳的解釋。

「難講。」

「我媽說的。」克琳很天眞的說出。

「我所表現出的拙劣和粗線條你一定也很欣賞了。」

「我欣賞的，有其人。」

「我明白了。」

「你明白甚麼？」

「花花公子馬繼元。」

「得了，得了，主日學的時間已到。」

「再坐幾分鐘，再坐幾分鐘。」哀求式的。

「不怕你媽再找來嗎？」

「怎麼？我媽會找來。」

「你不是說，中午和媽在一齊吃飯，又陪媽媽去買東西，剛才不是找來了嗎？除了打牌是謊話外，其餘的話都很忠實。」

「小姐，罵够了吧！」

「還是你自己說的。」

「馬繼元比我高明。」

自由報

（第一〇〇一期）

社長李運鵬・督印黃行言

LIU CHONG HING BUILDING
7th FLOOR FLAT 5
593—601 NATHAN ROAD,
KOWLOON, H.K.
TEL: K303831
電報掛號：7191

論法治與禮治（下）

周德偉

至於官吏享受若干傳統特權規。帝王及上級亦不察察爲明，盜賊問、頗多事也。帝王之意若曰，你們幫助我統治全國有效，享受一般越生活也是應該，且治民之官均用讀書人，不用軍人，蓋知讀書人旣讀孔子書，一般而言，其行動不致過分越出行爲正軌。滿清只有人口數百萬，統治以億計之漢人，究竟何術，乃完全接受并遵守漢人之風俗習慣傳統及道德標準，并令滿人讀漢人之聖經賢傳，所有田糧賦稅册籍，均一因明朝之舊，即登用人才之道，亦採宋以來（紀元後一千一百年）之科舉制度，人民仍過其天高、皇帝遠之生活。及至滿清歷次對外戰敗，西方侵入，教會勢力侵入鄉僻處，與中國人民之生活習慣信仰傳統完全不同。亂以後暴亂迭起。⑧自唐以後（紀元後九世紀）歷代均有法典，考其內容，亦限於管制官吏及違反倫常搶刼造反田糧賦稅大事而已，據各朝法典，中國帝王之權力以西方術語表示之，有「神聖之權利」，但其「至高無上之權」力則只及於臣僚，至於管轄人民之權力，則遠不如傳統風俗習慣及孔子。至於田糧賦稅又僅徵，春秋戰國時之儒家（紀元前六世紀）向主什一之稅，但漢以後之田糧賦稅在正常情形下恐不及廿分之一（明崇宗以後以迄五代，天下大亂，則爲例外），余於此有一深入之調查，民國時代國民之稅課負担合乎法律程序者，合國家及地方財政二者計算以民國廿五年（一九三六）爲例，約十五億銀元，約當國民所得百分之五，再加上各地軍閥之非法苛索，仍不會超過百分之十，故人民仍有餘力以發展輕工業及若干基本工業以及文化事業，此爲民力之自然生長與政府無關（見周德偉經濟論著四五八）。⑨余可斷言，中國爲政之道從古至今，「禮治」（風俗習慣傳統及聖賢之教）起了最大作用，法律所及者只極小部份而已。此正與英國及歐洲大陸法治的起源及歸宿有相似之處，近世「個人自由」制度乃向國王爭權之副產物，自紀元前五世紀之希臘，即盛行反對暴君之法治思想，此一思想傳到共和羅馬，至十六及十七世紀又傳到英國，創建了「有限政府」的觀念，其目標所指爲限制帝王武斷之治，立法之最高原則爲帝王及政府亦平等的受法律約束，保障個人自由領域并規定分權制衡，立法亦須在人民承認之最高原則下立法，所謂帝王不得爲武斷之治，立法機關亦不得爲武斷之治也。「法律至上」，只指平等約，無任何例外的適用於人人，法律必爲一般，普偏的及齊一的，此數點海耶克先生經明朗陳述，至於判例法乃從風俗習慣傳統長成并續行發展，「巴力門」從來不予干，不在立法範圍內。誠如Max Rheinstein所云：「在盎格魯薩克森系統內各國，判例法內絲毫找不出人民代表立法之痕跡。」可見英國亦爲法治與禮治并行之國，此與中國相似之處也。但亦有重大相異之點，中國人民本享有廣泛之自由及自治，帝王驅迫之對象爲其臣僚，非一般人民。臣僚要做官故安於受驅迫，一般人民甚少直接受帝王之武斷干涉，故無須發生民權思想及無須發生限制帝王權力之思想。⑩中國自一九一一革命成功後，頒佈了約法，其主要內容，爲限制政府之權力，規定法律前人人平等，保障個人自由的領域（私有財產，言論思想信仰之自由，集會結社居住之自由及人民不得被政府任意拘禁）并規定漢滿蒙回藏五族平等，此爲中國歷史上第一次之大憲章，極似英國十七世紀斷決查理斯一世流血革命爭取之[illegible]

[illegible]

國慶紀念　國父遺像

昨日與明日

漫談民意代表做生意

特權難容

[illegible]

兩相利用

[illegible]

老記。

自由談

日本政府的醜態

馮正先生

[illegible]

「焦風刮到徐柏園」

張健生

[illegible]

消費一千課稅兩千 有效扼阻過度消費

立委金紹賢議會上高論

（本報通信員柳一欄台北消息）來自國會公開報導，金紹賢委員認爲，台灣經濟現狀，消費過度膨脹，台灣各觀光場所都極擁擠，酒家舞廳林立。前幾天我有位香港朋友來台說：香港的酒家沒有台灣規模大，台灣的國民普遍住洋房，有冷氣機、電冰箱、洗衣機等高級享受，經濟發展人民生活應該提高，不過提高的程度太高，而且浪費的也太多。我們今天經濟增加速成長，本是可喜的現象，但最重要的是能夠儲蓄，使得資本形成用在投資用生產，使經濟更加速成長。現在政府政策，未能有效扼阻過度消費，以致消費膨脹的程度非常可怕，賦改會對這方面應該想辦法扼阻過度消費。賦改會的賦稅改革，表面上是經濟的一環，實際上是經濟的中心，假使用租稅方法，根本不允許過度消費，或者向消費者抽重稅。如果人上酒家消費一千元，課他二千元的稅，以增加政府收入，如果計劃經濟學要做國民經濟預算，[illegible]補助經濟成長，假使租稅附屬在經濟之內，一旦跟着經濟情態走的話，租稅便不能領導與扼阻過度消費的作用，這樣的租稅沒有很大效果。我希望劉先生用一個方法扼阻不必要的消費，以期[illegible]資本形成。

喬治桑外傳（四八）

張大夏

在晚霞散失，月亮升起來的時候，喬治桑離開梅花別墅，在山野間散步。虫聲喞喞，非但不覺喧鬧，而且更增加靜謐的野趣。

燈月昏黃，喬治桑揀了一塊嚴石坐了下來。夜晚的露水好重，他覺得有點濕漉漉地，於是又站了起來，掏出一塊手帕舖在石頭上，再坐在上面。

英文的「沉思」與「醫療」只一個字母之差。以喬治桑目前的心情確實複雜微妙。他需要沉思亦即是要醫療他內心深處的創痕。

已經是很久很久的事了，他騙得了一個少女最純潔的愛。但他沒有負責任。這算不算「始亂終棄」？

於是，他遠走高飛了。但以他的小聰明才智，在美國混到一個博士頭銜，其實，天曉得，他的中西文學程度都是半瓶醋，他用孔孟學說的皮毛虎（口旁）洋人，用西洋文化的渣滓唬中國人，這算不算「欺世盜名」？

他爲了要表示澈底西化，最早便成爲基督徒。在美國每逢主日他必定進教堂做禮拜，那是一種「表演」，給洋朋友看的。回到台灣，每天花天酒地，週末的狂歡，使他養成主日晏起的習慣。這不是聖經所謂「假善人」而何？

他想到雅麗絲使他感到無限的㥏悵。他沒有去關心她的幸福，反而對她有各種猥褻的想法。啊，可怕！她是自己親生的兒女啊！「衣冠禽獸」！「衣冠禽獸」！我不[illegible]……我簡直是桑反孔……！

雅麗絲原是一個好女孩。她從小便失去了父愛，我應該儘量給她補償。

她是不是已有了好的對象？她[illegible]房裡會有避孕藥？是不是她已經墮落了？我應該挽救她，她是我的親骨肉呀？

牛興蜂、謝銀銘、蔡[illegible]……這些所謂上流社會的人，我相信他們除了酒食徵逐，是不是還存有半點道義？我在社會上混，[illegible]的是甚麼？他們又爲的是甚麼？

我的錢從那裡來的？做一「康白度」不是靠拍洋馬屁，靠甚麼？拉斯維加和洋人合夥的生意，[illegible]、色兩字可以包括一切。我們的金錢都是骯髒錢！

剝繭抽絲，喬治桑的沉思正是他的反省。

夜深了，風吹到身上冷颼颼地，但他額上有汗沁出。

也不知過了多少時候，他站了起來，抬頭一望，淡黃的月亮，隱入雲裡，反而感到一陣牛毛細雨。

回到梅花別墅的房間，與他相熟的下女阿嬌，走進來問：

「桑先生，要點什麼宵夜？晚上那位小姐來嗎？」

「今晚我想清靜一下，來點酒菜。」喬治桑的表情冷冷地。阿嬌臉上帶有慍怒之色，哪有來此的單身男客不叫小姐的？何況是老客人桑先生。

喬治桑換了日本睡衣，[illegible]，[illegible]了兩大杯啤酒，吃了幾塊滷鴨。心情頓覺平復很多。

惟楚多才

·柳一欄·

（本報通信員柳一欄台北消息）在台北出版的「自立晚報」本月二十二日刊出一篇徐復觀[illegible]殷海光文，頗引起社會注意，徐和殷[illegible]都是湖北，頗所謂「惟楚多才」。除開大陸時期外，二十年來台灣文化界湖北大小戰役，楚人都佔重大成份，無可否認的，湖北學人革多出類拔萃，例：張知本（當代法學權威），王世杰（中央研究院院長），陶希聖（政論家，中央日報董事長），沈剛伯（台灣大學文學院院長），陳啓天（中國青年黨領袖之一），余家菊（中國青年黨領袖之一），胡秋原（政論家，立法委員），徐復觀（香港中文大學教授），殷海光（台灣大學教授），劉光炎（國防研究院講座），[illegible]（中央日報總編輯），[illegible]（[illegible]文理學院[illegible]），張起鈞（老子研究人之一），[illegible]權威，[illegible]美國[illegible]大學，[illegible]教授），[illegible]南亦[illegible]，如果再加上[illegible]先生，[illegible]文俠，能大炮，王[illegible]，柳一欄，[illegible]數十人，那[illegible]是一「惟楚多才」[illegible]。中國前有「無[illegible]不成軍」之[illegible]，今則大有「無楚不成文」之勢。

周博士斷腿被迫（三）

赤松子

周博士說：「這張明信片，[illegible]數語，以[illegible]楊小姐是要來同[illegible]研討結婚問題的。[illegible]此[illegible]期，都未合眼，滿心以爲待她來後，[illegible]，那知到船上接[illegible]，[illegible]冷淡異常，並且跟着楊小姐身邊，寸步不離的，有一個油頭粉面的杭州小鬼。楊小姐和周博士介紹杭州小鬼，[illegible]這是我的好同學，在美國留學，這是[illegible]的[illegible]兒，是[illegible]。我讀幾年，全部[illegible]的與指[illegible]，要[illegible]，不知吃了多少[illegible]，一面說，一面望着杭州小鬼微笑，而[illegible]周博士只到請[illegible]情景，她[illegible]自己的未婚妻完全變了，明顯雖然沒有一點兒表示，[illegible]小姐那[illegible]，就好像被人用尖刀在心[illegible]絞了一下。周博士[illegible]楊小姐，[illegible]新近在[illegible]了一個[illegible]人[illegible]節，每月美金一百元，房間住，以免外人笑話，男女未結婚的人的生活，最好是你[illegible]的附近，可是我們至多[illegible]會面一[illegible]，約[illegible]往在我的附近，因爲這幾年在美國，都是他招呼我，如今我也要招呼他，才能報答這份[illegible]的友情，那杭州小鬼住在一塊，[illegible]只是[illegible]，可是周博士聽了這些話，也[illegible]無[illegible]法，只有由她自由活動去了。

[illegible]小姐在[illegible]林[illegible]以後，周博士每週去[illegible]千內，[illegible]如何[illegible]，[illegible]如何[illegible]，[illegible]同居，但[illegible]小姐輕輕予加以拒絕，[illegible]，她的理由是，我們到外國來，一定要[illegible]。[illegible]一次，不到半年，問題來了，有一個星期[illegible]，周博士[illegible]楊小姐，[illegible]楊小姐先[illegible]，接來的[illegible]，可是態度[illegible]自然，到了[illegible]林[illegible]中，不到五分鐘，[illegible]將[illegible]來。先由周博士開[illegible]小姐道：你[illegible]到[illegible]林來，[illegible]和我結婚嗎？[illegible]要解除婚約？[illegible]小姐[illegible]道：甚麼婚約，那不過是一張紙，又不是我們兩個人的[illegible]，我們兩個人的[illegible]好和性格，都[illegible]太[illegible]，[illegible]結了婚，不會有[illegible]的，我看[illegible]小姐從今天起，你去物色一位[illegible]的[illegible]小姐，我的[illegible]，你也不必過問了，[illegible]，登一次報，也未始不可。（未完）

「歡樂滿堂」兒女繞膝

侯播

一般的觀念，都以爲美國人，不喜歡生孩子，這也並不盡然，所謂有原則，必有例外，多子多孫的也大有人在。如圖所示，便是當前一個極有名的實例，事實是這樣的。

在美國加州[illegible]州[illegible]特萊有一位結茲萊先生之前妻生有子女十人，[illegible]偶然遇到一位孀居婦人亦有子女八名，兩人交談之下，均有同感，同情且同有結合之意，故雙方意和，重拜花堂，兩人部隊集合一齊共達十八人之多，婚後又生子女各一，遂成爲一個子女二十人的大家庭，且因家庭負擔甚重，生活艱辛，便引起好萊塢聯美公司之體影明星露西包爾，「我愛露西」一片中之美艷女主角之同情，爲他們籌拍了一部影片「歡樂滿堂」，替他們解決了生活問題。現在他們利用這筆款在[illegible]特萊開設了一個不大不小的雜貨店，由全家孩子們經營。（他們各人都[illegible]了一個號如「第一號」、「第二號」等），過着和樂而快樂的生活，在他們店舖中，經常貼出他們的全家合照及[illegible]的[illegible]名照片。上圖就是他們全家福的照片。中間坐的就是那對多子多孫的賢伉儷，[illegible]的便是那二十位女子，這二十位女子，按照出生背景，可分爲不同的三組。坐在前面地上，右邊的那兩個小的，是他們婚後所生。後排左起第一人，第六人，中排左起第二、第三、第四，坐在地上的左起第二人，和坐在他們夫婦兩旁的那兩位，共八人都是這位夫人帶過來的。其餘的位則是他的茲萊先生前妻留下的孩子。現在這三組子女高高興興的一起生活，一起工作，成爲到[illegible]特萊旅客觀光的對象。你[illegible]他們的照片，不正是一幅「[illegible]滿堂歡樂圖」嗎。

滄海拾遺

南投縣稅捐稽征處（公告）

58 8 22 投府稅字第六〇六八一號

事由：爲開征五十八年第一期地價稅公告週知由。

一、本縣五十八年第一期地價稅，定於本（五十八）年九月廿一日開征至五十八年十月二十日截限，納稅通知書業經按戶送達在案。各納稅義務人接到上項通知書後，務請如限向所在地鄉鎮公所繳納，以免逾期受罰。如對納稅通知書記載之事項，或應納稅額認有不符時，請於接到稅單十日內叙明理由向本處第二課申請查更正，如因故尚未收到稅單或遺失稅單者，請逕向所在地鄉鎮公所財政課申請補發。

二、特此公告。

處長：倪覺吾

依洞集

教育界的上下交征利！

·易傳·

台灣實施九年教育，使許多學子免受「惡補」摧折，誠爲一大德政。中華少年棒球隊榮獲世界冠軍，不啻爲下一代民族健康立下保證。[illegible]國民無不額手稱慶也。可是，教科書却變成了教育部、學校和書店的[illegible]，[illegible]合法化，這又是[illegible]的事實。以下舉例來說：

書名	實施義務教育前價格（[illegible]）	實施義務教育後價格（五十七年）
初一歷史	三元九角	九元三角
初一地理	四元七角	十四元三角
初一國文	四元二角	十一元五角
初一公民	二元一角	七元八角

以上所舉各書，前後相對比，價格一跳就是三倍多。其故安在？原來有教科書[illegible]有特殊關係書店的[illegible]專利。教育部又要抽取百分之十五的「編審費」，台灣書店抽取百分之五的發行費，[illegible]加上去，難怪教科書[illegible]一路領先，非台灣省[illegible]物所能望其項背了。

台灣省書店推銷方式，對各地校長、教務主任和各科主管教師的人情攻勢，已由送禮、吃館子、逛酒家，[illegible]其情形與一般生意[illegible]，有時還[illegible]。

教育當[illegible]，却不能[illegible]。因此，不僅[illegible]教科書的書店[illegible]，參加推銷[illegible]的[illegible]，亦吃喝不盡。這是當前教育界上下交征利的[illegible]現象！

「[illegible]」[illegible]成「[illegible]」、[illegible]教育下[illegible]先務了「[illegible]」，何[illegible]教育界的[illegible]。希望[illegible]。

文匯樓別記

記扶乩說邪靈

文匯樓主

民國三十二年冬，樓主避難湖南靖縣，日本軍隊佔領涌道，鞏固廣西桂林外圍邊防，距靖縣祇百餘里，但甚難判斷其是否續進，毛粟文將軍等也在靖縣，離敵人稍遠，有一位軍事委員會楊科長（大名忘記）會扶乩，某晚請出關帝臨壇指示：

操筆的人係一普通工友，目不識丁，寫出的字蒼勁有力，原詞謂：一查靖縣劫後餘生，（幾年前鬧瘟疫，全縣人口死去三分之一），三月之內可保無虞，由靖縣逃死縣，不啻五十步笑百步，況今日戰爭之勝負，已非決定於敵我矣！（美空軍正式參戰）。扶乩問事，早經政府明令查禁，（第九戰區司令長官兼湖南省主席薛岳，通令不准扶乩）。後靖縣果未淪陷。

又民國三十五年，衡陽空軍第四軍區參謀長徐燕謀被竊，失去公事皮包，內裝美金一百餘元，手槍一枝，鑰匙皮包即無所謂，惟手槍印有號碼，不是賠可以了事，乃懇求中華時報採訪主任，前天津大公報記者李恕民，扶乩卜尋，乩指去向。一頭未滿十二歲兒童圍觀，如看電影，說出賊的形狀，怎樣破門，用竹桿將徐燕謀皮包挑出，從側門步小路，到後邊菜園，將美金取出，皮包埋在冀郵附近，講到這裡，徐燕謀偕吉普車馳返，果挖出皮包，除美金外，各物皆未動，所指賊，即徐的勤務兵，聞者嘖嘖稱奇。

又一次，山東省社會處長王平一，脫險歸來，在中華時報，担任主筆，靠薪水吃飯，有感自己做老八路時，胡作非為，失去本性，後離反省，參加國民黨陣營，每思因果，心理總感不安，也參予扶乩，問自己能否善終，壇上下儲告訴他可以善終，並儀險語器形態皆現出，備言之就是能頤福壽全歸。

樓主卅六年離開故鄉，與家父一別九年，抗戰到末期時，連絡中斷，思親心切，也巧遇很多朋友湊熱鬧，順請李恕民扶乩問家父是否健在，果被請臨壇現出背像，幾個兒童齊聲喊出，白丹翁老公公，這還不算奇，老人家生八字鬍的很多，他們接通又喊出，老公公是個跛子，走起路來一拐一跛，這一點很少人知，更奇者坐的椅子，和喜歡用旱煙管吸紙煙，皆歷歷如繪，這究竟是甚麼學問，迄未研究出一個道理。李恕民出於善意，想把這一套傳予樓主，經婉轉謝却，讀書人皆有敬鬼神而遠之的觀念，且認為人不應當和鬼打交道，知道這件事的有國大代表李洛九夫婦、王平一夫婦、程曉華夫婦，前省黨部秘書胡瀚等多人均在台灣。

禪學黃金時代

逍遙的真人——臨濟禪師（七）

吳經熊原著．吳怡譯述

可是你也不必厭棄形體，因為開悟之人是整體的，並非沒有形體的人。他也不須有甚麼特別的作為，相反的，在開悟後，所有平常的行為，都變成真人的作用。因此你也不要想任何超越之事。臨濟常引證南泉的「平常心是道」來告誡學生說：

「道流，佛法無用功處，只是平常無事，著衣吃飯，痾屎送尿，困來即臥，愚人笑我，智乃知焉」。

「無事是貴人，但莫造作，只是平常」。

只要我們真正能符合自己，一切都是獨創的；否則如果一味的追求獨創，反而失去了獨創的精神。

臨濟深通老莊之道，不論他的信仰如何，至少他的思維形態是道家的。他所謂的「無依」、「無求」，正和老子的「無為」相同。他曾說：

「若人求佛，是人失佛，若人求道，其人失道；若人求祖，其人失祖」。

最珍貴之寶，是無依道人，是在你的身中，是你自己。因此向外追求，便會失去了它。同時，正因為他在你身中，你也無須向內尋覓，因為你尋覓的就是尋覓者自己，而不是有一個能讓你看到的對象，也就是說你的真我是主體，而不是對象。

關於這種主客的問題，臨濟有四種方法來對付即是所謂的四料簡：

「有時奪人不奪境，有時奪境不奪人，有時人境兩俱奪，有時人境俱不奪」。

（未完）

綜談國劇復興（一二）

王方曙

說起來上述四種，兩種是國劇中已有的，不過要更進一步；兩種是新的，但在世界的音樂領域中，它已舊而又舊了。假如今天我們要躋世界的中國歌劇，連這些都沒有，可能使新時代的觀眾不滿了。

（4）配樂：國劇中的所謂配樂，可分為三種：一是唱時的配樂，就是配合唱的牌子的音樂。二是作戲時的配樂，可以說類乎電影中的「配樂」。三是效果音樂。現在分開來談：

1、唱時的配樂：唱時的配樂主要的是胡琴。附帶的有月琴、南絃、二胡、笛子、嗩吶等。笛子嗩吶都是另有用途，並不與胡琴合奏，鼓板是打拍子的，在任何時間裡，它與絃樂或管樂是合而為一的。大鑼小鑼和鐃鈸，則是在曲調中間轉換之處鳴以配合其節奏的。因此唱時配樂最重要的是以胡琴為主的絃樂。

胡琴確是一很好聽的樂器，不過稍嫌單純一些。我們在此並不打算換掉胡琴的伴奏，而另提一種樂器取而代之。相反的，我們主張更多利用胡琴，因為胡琴的音質音量，可以獨立，可以獨奏，可以合奏。嫌單調時，可以由別的方法來補救。我們所要探討的是胡琴以外的配搭樂，和樂譜的和聲，以及配於歌唱中間的過門的時間長短和變化的問題。

①首先談胡琴以外的配搭樂器。目前有二胡、月琴、南絃。笛子是不用在這一組的。笛也不用，似乎只用絃樂，不用管樂。但絃樂之中很好的琵琶也不用。古箏也不用。我對音樂可說外行得很，不知在國樂中，若把笛子、簫、管、琵琶、古箏，都合在一起，也成個管絃樂隊，是不是在音質和音量方面，都增強些？變化不也多些嗎？至於究竟那些樂器可以合起來，造成一個國劇管絃樂隊，當然要由音樂家來精細的研究設計，我在這裏說不出來。

但我有一個基本看法，目前的國劇樂，太過單純，無法站在新時代的音樂上，則不可否認。也許有人認為破壞國劇傳統的。但不然，二胡本是從前沒有的，聽梅蘭芳在民國十幾年才用了二胡（大家可聽到民初百代公司唱片，尚無二胡），而梅氏用了二胡之後，極受觀眾大歡迎，並且誰也沒指他破壞傳統，而祗有讚美。並且自從戲都加上了二胡。可見進步的需要。古今從無一成不變之事，只要大家向正確完美的方向去變，就是對的。我們國劇伴奏樂隊（原來叫作場面），也可以變化多端，可以觀台上的需要，而使用某些樂器，或不使用某些樂器；或至合奏，或覺是單純的獨奏；或此起彼落，縱綜錯綜，我想只要有音樂家用心來研究指導，我們國劇的音樂一定會進步而至於完美。

悼惜殷海光教授（上）

．雷嘯岑．

台大教授殷海光君，於九月十六日以胃癌逝世了！英年學人，頓告凋化，這是學術界的大不幸。我與殷相識於對日抗戰末期，自大陸淪於共匪，中央政府遷移台灣後，君在台北，我滯香港，二十年很少接觸，也就說不上有親切的交誼。但同是天涯淪落人，緬懷前塵往事，感慨良多，驚聞噩耗，固不勝其悼惜之情。

記得民國卅三年（一九四四年）夏間，我任重慶「掃蕩報」主撰寫社論時，某日，該報社長黃少谷持着一篇外來投稿的專欄文章示之曰：「這文章我尚未過目，是否可用，請審閱之。」我看題目是「共產黨的氣象學」，作者署名「殷海光」，內容分析共產黨諸張綴幻，陰謀叛亂的，言之有物，持之有故，而文筆犀利流暢，閱後頗為激賞，主張立即發表，且希望跟作者見面談談。少谷乃教編輯部列佈該文，並照作者所註通訊地址，派人先去聯繫，旋據報作者係一位剛從西南聯大畢業出來的青年人，住在重慶南岸一家煤炭店的樓上。即去函約定時間地點晤面，殷君自述是湖北人，而其語言却沒有湖北地方音調，我希望他到掃蕩報工作，他亦無可無不可。匆匆一面而別，且覺得他的個性是屬於內向型一流，曾經建議少谷加以延攬。過了十來天，少谷與我談及要請殷君担任主筆，我表示贊成，但編輯部一打聽，殷君已經被「中央日報」聘任為主筆了。

對日抗戰結束，中樞還都南京後，掃蕩報更名為「和平日報」，總社移設南京，我正式受命担任和平日報總主筆，殷君仍供職中央日報。維時執政黨中央宣傳部每星期約集黨報的負責人和總主筆開一次座談會，交換宣傳意見，我和殷君皆參加此項會談，關於軍事消息，由國防部新聞局派員出席報告。每次會談時，殷君常有意見發表，在其言論觀點中，想來越出忠黨愛國的範圍，允屬忠貞之士。記民國卅六、七年之交，徐蚌會戰爆發，我軍主持的消息告急，中樞曾經召集正在南京開會的國軍某兵團將領在新聞時十餘天，尚未獲得消息，探詢撤離徐州。某次新聞負責人員召開會前的座談會，大家注意戰況，國防部政工局發言人張六師，拿出地圖到會報告前線某戰況後，殷君詰問某兵團何以久未到達？張氏答曰：「某兵團的行動很遲緩，每日僅走二十華里，據說是由於機械化，備帶着追，行軍尚又需沿途搜索前進，因而軍行遲緩不及半步，簡直是蝸步呀！」殷君聞之大為憤激，發言甚多而激切，這是我第一次聽到殷君的真情流露，當時我亦表示跟他共鳴之意。

嗣後我倆雖少晤對，然不時通電話，交換彼此對於國事前途的見解，交誼更進了一步。

越民國三十八年秋間，政府遷都台灣，殷君仍留中央日報入台工作，我于役「香港時報」，常常看到中央日報社評，作者雖不署名，但觀其命意遣詞的風格，即知某篇是出自殷君手筆，揣摩不爽。大約是民國三十九年的春間吧，中央日報在社評中，提出「政治垃圾」這一新名詞，譏責一般官僚政客紛紛來到台灣，欲入其中滿街走，說是將來台灣有很可能被這些政治垃圾的汽車衝垮呢！當時我判定這篇文章的作者，非殷君莫屬，不禁拍案稱快！過了兩年後，我初次入台出席國大代表會議，即聞殷君已離開中央日報，不悉另作何項職業，我以人地生疏之故，亦無從訪問他，旋即回到了香港。

（未完）

談瀛室見聞記（三一）

李槃

第十回　學貫兒陰．公卿多讚賞　足踢毛毽、廊廟任翱翔

汪精衛下台後，褚氏當然隨着去職，依然恢復上海寓公生活。對于抗戰工作，他並未參加抗戰行列，與劉汪與日本帝國主義者勾結叛國，在南京組織偽政權時，褚氏又當偽陳群等的呢囉，從事政治活動，初則要做偽行政院秘書長，因陳公博、周佛海、陳羣諸入反對不果，繼想攫取偽政權的某一部長或淪陷區某省省長，亦以陳、周諸人不同意，竟達目的，最後汪乃派他担任駐日本的偽大使（因上情形，周佛海的日記內有所叙述。）他駐在日本除了打太極拳，踢毽子之外，當然無所作為，即社交活動亦沒法進行，因為他對一切外國語文皆不通曉，號稱「留法博士」而不能說何法語，其他的外國語文更無論矣。他在駐日偽大使任內，對其故主汪精衛的輸誠，使是汪死在東京後，一切喪事都由他將汪遺體與其骨灰帶回南京來，皆由他經辦，隨後又將汪的骨灰，拽埋於明孝陵之前。

對日抗戰結束，國府還都後，依法懲究叛國通敵之漢奸分子，褚氏因在蘇偽之列，首經法院判處死刑，在上海提籃橋監獄內執行，他由執法吏帶到刑場之際，走過陳君的囚室門前，對陳氏說了一聲「再見」，陳君祇狀大哭不已，一代政治垃圾，化為灰燼了。正是：國家將亡，乃生妖孽；彼既之子，死有餘辜。

（完）

[illegible]（六四）

．劉玄．

「報告會長，中西樂曲由文化而來，中西文化不同樂曲的製作亦大異其趣。所謂狂想並非「狂妄」之謂，而是與西洋浪漫文學一脈相通的，像西遊記，封神榜都是我國的浪漫文學。所謂心所欲是也。諸葛先生才智過絕古今中外，他所譜的樂曲是合古今中外的樂曲，自成一家，甚在是超時代的作品。嫦娥奔月是浪漫文學，但美國太空人已能完成此一看來不可能之人類壯舉，足見「狂想」由來始不能成為事實。我還聽說的很有理，諸葛會長原諒。」劉約翰知道他正在拍馬大神一般的人物，絕角不當面冒冷汗。

「好了，好了，你不必多說了。既然諸葛先生自己命名他的樂曲為「狂想」，如果招來外界批評均由他負責。」陽光分明是找台階下台。劉約翰總算過了關，有驚無險。

劉備看見形勢和緩，接着說：「諸葛先生於作曲將由會友張素梅演奏，要請我們替她用面來邀大陸各伸光臨欣賞。」

「這我就不懂了，雖說張諸葛先生琴藝還不及黃毛丫頭張素梅？當年同馬謖兵臨城下，諸葛先生撫琴退兵，現在是不是年紀大了，手指頭硬，反而彈不好了？」張飛最愛說三國故事，其實，除此他也說不出什麼來。

「不是，」劉約翰說嘖嘖了英語，一開口寫[illegible]語。不料張飛以為自己頂撞他，立刻喝道：「你這小子好大膽！敢與三太爺頂嘴。」[illegible]指，頭想[illegible]修理「劉約翰。」

劉備在旁連忙喝道：「三弟不要發脾。」劉約翰嚇得面無人色，急急巴巴地說：「三將軍息怒，我有話要說，說錯了……三……將……軍……」

「我不進。」「好，你說，你說。」張飛坐在沙發椅上，氣呼呼地。

「劉約翰與三絃琴不同，所有的樂曲都有分別。諸葛先生天資超人，學鋼琴不久就能譜出樂曲，實在難得。現在由張素梅會友登台開演奏，非但不會損諸葛先生之美，並且更增加作曲人之光彩。以我淺見，諸葛先生以丞相之尊，登台演奏，未免有失體面。不知三將軍以為如何？」

張飛聽後，默不作聲。

關羽一撥他的鬍子，若有所悟地說：「諸葛先生為孫子退司馬，乃是一計，現代軍事學所謂心理戰術是也。以諸葛先生在當前所地位之崇高，不可登台彈奏給孫子乃至於灰孫子聽子？」

諸葛：「三將軍說的是，最後由劉備打圓場，對關羽笑嘻嘻道：「二弟所說的是好意，他是最好勝的，他相信諸葛先生的琴比任何人都彈得好。」張飛最相關羽，一聽此言，立刻轉怒為喜。

劉約翰知道難關已過，忙從懷中掏出一張節目單，諸葛先生擬定的節目有一張，劉備接過一看，格式是這樣的：

（未完）

巨變歷險記！

丁博士到了家裏，第一就是拜見老母。

丁博士兄弟一共十人。丁博士是老么，是最小的一個。幸而在大陸的時代，馬爾薩斯的人口論，雖然不無人傳播，但並沒有被倒老一輩的人。節制生育之說，尚無所聞。可是丁博士的父親丁從古先生，分家還不到五畝田，但他是「不孝有三，無後為大」的忠實信徒，他同丁博士的母親，丁門卜氏，合愛了十個孩子，十個孩子都是「男生」，外人都替他担憂，他很坦然的說：「君不見燕子乎？飛來飛去，忙得不可開交，小燕子不都活了嗎？人為萬物之靈，豈人能不如鳥乎？」「彼啄木鳥者，即「擬木鳥」（你看，彷他啄木的[illegible]）也，不也活着嗎」？「天無絕人之路」「船到橋頭自然直」。他起五更，睡半夜，鋤草、拾柴、養豬、偶耕田、耕南畝，也把十個孩子一個一個的扶大了。是不是天見憐？遠在民國卅年，他就與世長辭了。

拜見老母（七十）

胡慶蓉

丁門卜氏，也認不得糊，繼續領這個窮得不堪言狀的家。她常常的告訴兒子們，她是怎樣生活的。她常常背着一個，牽着一個，還帶着一個，天不亮起來到地裡摘棉花拾柴，她種紅薯收雜糧……丁作貞是老大，教一輩子的書，「丁作詔」丁博士是他一手培植起來的。丁從古先生一輩子的老願，也是他父親的志願，他兩位老人家都希望這十個孩子中能出一個秀才，但丁作貞沒有留[illegible]現他們的願望，丁作詔，這個早該[illegible]了的小傢伙，竟實現了他們兩老的志願，也是丁作貞大哥的志願；丁作詔不但給他們帶來一個「秀才」，竟扶搖直上，給他們帶來「舉人」、「進士」、「狀元」。丁從古先生雖然是死了，他死也瞑目。

丁門卜氏，一直到丁博士回來，還健在人間。民國五十八年清明的這一天，她已是八十八歲的人了。她正坐在房門前曬太陽取暖，她穿着一身破爛不堪的老棉襖，在不斷擦拭她的眼睛，頭上頂着一塊相帕，好像在尋找什麼似的。她忽然聽到丁博士在喊「娘！……」「六兒回來了……」她忽然猛然揚起頭來，仔細的看了一看，好像有見又好像沒有見的樣子，又把頭低下去，有氣無力的在問：「你到那裏去了？你回來了？……」從此她再也抬不起頭來，一直在病床，一直在哭泣。實際上，她的淚早已乾了，她已是欲哭無淚了。二哥、[illegible]哥、四哥，在那（飢荒）年，她給他們拾掇。這是一個很苦的故事。大陸上逃得過的人都知道，這是怎樣支的，是個什麼樣子。大大的日，[illegible]，一把一把的[illegible]，因爲[illegible]者，就是「一些一樣，豆一點」，「[illegible]」，不用火，[illegible]的人就[illegible]了，年在不停的「[illegible]」，[illegible]在不停的[illegible]，老在前面，眼都被[illegible]了，[illegible]。丁博士[illegible]，娘的眼就是瞎着的，還沒有十分瞎，但已很接近了。模糊糊可能望見一些影像，但已經很難辨別了。「六！……你回來了……」不知道她老人家心裡有多少的苦處要傾訴！……

漫談陳獻章（下）

・彭桂芳・

④習靜坐，澄心

白沙認為人心本體皆一般，只要養之以靜，便自開大，故為學須從靜坐中養出個端倪來。白沙云：「佛氏教人日靜坐，吾亦日靜坐，定力禪定禪也。」（？）捨彼之繁，求吾之約，唯在靜坐久之，然後見吾心之體，隱然呈露。」又云：「體認物理，稽諸聖訓，各有頭緒來歷，如水之有源委也，作聖之功，其在茲乎？有學于僕者，則教之靜坐。」而以靜坐來澄清邪念，使吾心與此理，湊泊脗合，以達渾然一體之境界。

（三）結論

尼采說：「我的日子，尚未來臨；有些人是死後才出生。」一般而言，西方的哲學家們，在其有生之年，其學說不易為人接受，甚至埋沒於人羣中不為人們所發現。如近代哲學之父——笛卡爾，在其逝世之日，當天報紙只記載了：「一位呆子死了，他相信人能活下去。」但當時的人們怎能料到其影響後世之深！此種淒涼之下場，實令人為他掬一把無情之淚。在我國則不然，儒者你的學說如何？當時定有人支持你，且弟子不絕，這可能是東方人比西方人具有些長處吧。

一個學說，無論是好是壞，都有其價值的。以形上學之觀點而言，一切存在都是好的，有總勝於無，何況一個學說之成立，必有其處，否則怎能成立？白沙之學雖不能與朱熹、陸象山、王陽明等並駕齊驅，但以當時而言，其學說可謂鶴立雞羣，與眾不同。

白沙之學宗自然，有言：「出處語默，咸率于自然，不受變於俗。」「宇宙內有何事？一切均順自然而行」，有點似老子之自然哲學，但白沙之自然說未及老子來得透澈，清晰。

任何一個人，都不能跳出環境的影響，白沙亦然。雖然宋、明之學者，均排佛、排禪，但其骨子裡不知不覺的都受禪的影響，於是理學和禪結下不解之緣。白沙不排禪，亦不揚禪，但卻受禪的影響，白沙主靜坐，猶如禪宗之打坐，但白沙之靜坐只排除雜念，[illegible]自得，大悟擴大高明，用之於日用常行而已，不及禪宗中之四禪」。

生活漫談

中醫的五行六氣淺釋（中）

台北甚多有經驗的中醫師，如馬光亞、陳九如、賴少魂、涂全福、吳惠平、黃福儒、黃維三、蕭正、張百塘、張正懋、孫培榮、陳純藝等，他們都瞭解醫生的目的，在使人體得其和，得其平，而陰陽五行，就是解釋怎麼樣能和，怎麼樣能平的道理。筆者認為中國醫學同任何進步國家比較，均無遜色，不過沒有人研究和發揚。私人研究即使有點心得，不過是零碎的，片斷的。台灣有國立中藥研究機構，並未將著名中醫師都延攬作共同研究，那祗是代表主持人隨心所欲，很大胆的將自己親友都掛一個名，有那麼一回事而已。研究機構本身病就很深，誤了自己，也誤了這份任務，非動大手術不易改正。

陰陽五行已如上述，現在我們應該談談六氣，六氣者是指風、寒、暑、濕、燥、火，在中醫的心目中，就是氣候的變遷，高濕作用，高氣壓作用，與人體的關係和影響，這和西醫病理之溫度刺激，空氣感應，光線氣候等作用相倚伸，所不同者，西醫認病菌為致病的主要因素，中醫則認為除花柳、溫疫、猩紅熱、霍亂、癩疾、肺病、瘧疾等，雖有病菌的存在與傳染外，其餘的外感時病及內傷雜症，則認為風寒暑濕燥火六氣，乃是致病的原因，上列一類的病，雖亦有起於生理上的變化，但究竟是受外界六氣的刺激而起。

如果將六氣有系統的說明，可寫成一部專書，中醫認病菌不是一切病症的原因，內除病菌之外，尚有六氣可以致病，證明病菌為萬病之源，乃係一種偏差，除六氣內外因將另文評述外，筆者今天先介紹幾本中醫歷代研究病理診斷藥物的書，如內經、難經、傷寒、金匱、千金、外台、巢氏病源，還有金元四大家、明清八大家，民國初年的醫學家對於病理診斷藥物，代有發明，日新月異，近二十年來，香港、台灣書版翻印，書商們將藥物學、診斷學不斷出版，更是系統明確，對中醫研究有很大的幫助。

欲廢除中醫的朋友們說：中醫有很多不學無術的俗醫，念了幾句湯頭歌，就敢替人治病，這和在各大醫院裡當過幾天看護，出來之後，就開設診所，更是所在皆有，均不能代表中醫或西醫落伍，這是政府衛生行政的問題，而非中西醫學本質有甚麼毛病。下期解釋風寒暑濕燥火外因的六氣及內因的六氣。

・馬騰雲・

」定來中許諾。」白沙謝第四大大，猶草木遇雨而蘇，但須從之風影纏牽芽，亦如一盞油燈，燈雖小，但能照亮全厝，不僅照亮他人（完）

相思三千丈

三角戀中的爭奪（２）

趙陀

「為明甚麼？」「先包一個辦女同居，要你在有向我投，外國都說：……」「說甚麼？」克琳不作聲的問着。

「蘇伯將女兒押給馬家了。」克琳顯得生氣說：「謠言出於智者，我要走了，再會！」

克琳參加[illegible]的舞會後，克點半在油廳堆的輪渡上恰巧遇到馬繼元，免不了又是一番糾纏，馬繼元要請克琳到飯店裡去吃晚飯，克琳有感兩塊公案能一次解決也好，免得六號再來麻煩，但內心痛苦，非局外人所能領會，雖然答應馬繼元同去吃晚飯，可是在輪渡上個個並未說甚麼話。馬繼元找出話題問：

「克琳有甚麼不舒服的事嗎？」

「你總拜覺回來很疲倦。」

「蘇伯伯的蘇伯母好嗎？」

「都好，謝謝你的關懷。」順口答：

「今天氣候很冷，西伯利亞的寒流入侵，聽晚報登的很詳細。」馬繼元沒有話可講，而找出話來談天氣。

克琳順手接過，無精打彩的翻了一翻，猛然發現第三版一篇專欄「任念慈其人其事」，並刊出任的照片，在克琳痛苦的來說，儼然像荒漠中的甘泉，一旦有了[illegible]，很快的心曠神怡，並將這張晚報放在皮包裡，馬看到克琳面部表情，[illegible]急劇變化，[illegible]很高興的又向克琳說：

「六號請客，小姐肯賞光嗎？」

「馬先生請客，[illegible]光呢。」

馬繼元的[illegible]，本來是自己會動的，[illegible]克琳道的話激動的像上了彈簧似的，笑得更外的長，克琳[illegible]合不攏，兩個[illegible]近碼頭，馬繼元[illegible]欲照顧克琳下船，渡輪已[illegible]，[illegible]用晚報看時，[illegible]

「你先到[illegible]，[illegible]個[illegible]內我會[illegible]到。」

「你媽同來是嗎？」

「她不在。」

「現在到甚麼地方去呢？」

「我要去的地方。」

待馬繼元上車後，克琳到[illegible]

「朋友找到嗎？」

「踏破鐵鞋無覓處，得來全不費功夫。」

「是誰呀？」

「報館裡那些獃子。」

「克琳，你最喜歡和那些獃夫子打交道，時有用的時間，都是一些[illegible]可取的朋友。」

「人家都認為自己是很[illegible]人，[illegible]自己是[illegible]人。」

點心的調製（二）

林泉隱

御廚談藪

麻餅製法：拿放熱凝結豬油一碗，開水一碗攪勻，再和入麵粉裡，儘量拌揉，分成團子形，和桃核一般大，另拿蒸熟的麵粉，加入豬油，揉成團子形狀，略小一些，拿熟團子包在生麵團子裡面，捏成長圓形的餅，長八寸，寬二三寸，再折疊成碗一樣，包入餡子，做成酥烤熟。

豬油糕製法：拿純糯米粉拌豬油，加入切碎和進粉裏去，蒸熟後，切成斜方塊。

肉餃製法：拿溫麵粉分成胡桃粒一般大，再拿麵粉揉薄，另把豬肉斬成細末，加醬油葱花做餡子，將麵皮包成半圓形，或在湯中煮熟，或在蒸籠中蒸熟。

水粉湯團製法：用水將米浸胖，磨成粉，又用這水粉製成湯團，將松子，核桃，豬油，白糖，做餡子，或用斬碎的肉末料做餡子，搓成團子，在清湯中煮熟。（水粉製法，是把糯米在水中浸一日夜，帶水磨成粉，磨時在磨口上接一個布袋，濾去了水，又將粉晒乾應用。）

粽子製法：將上等糯米淘淨用大竹葉包裹，中嵌火腿或豬肉一塊，或豆沙生豬油一塊做餡子，包成長方形，用麻繩紮緊，在鍋子裡煮一日一夜，不可立刻取出，待灶中火種完全熄滅，鍋中熱度減退時才取出。

自由報

中華民國內政部內版台報字第〇三一號
中華民國僑務委員會登記證台僑新字第三二三號
中國郵政台字第一二八二號執照登記為第一類新聞紙

（第一〇〇一期）

（半週刊每星期三、六出版）
每份港幣壹角・台灣寄售每份新台幣弍元
社長李運鵬・督印黃行首
社址：香港九龍彌敦道593--601號
廖創興銀行大廈八樓五座
LIU CHONG HING BUILDING
7th FLOOR FLAT 5
593—601 NATHAN ROAD,
KOWLOON, H.K.
TEL：K303831
電報掛號：7191
承印：景昇印刷公司
地址：嘉咸街廿九號地下
台灣聯絡中心：台北青田街五巷三號
電話：三七五〇二一
台灣區直接訂戶　台郵劃撥
第五〇五六號張鴻有（自由報合訂本）
台北發售處：台北衡陽街三十六
電話：二七一〇〇
台灣分社：台北市西寧南路110號二樓
電話：三三〇四六，台郵劃撥二五二號

大學教育怪現象的另一面

君璞

拜讀九月六日第九九〇期「自由報」高論先生的「談大學教育的怪現象」一文，感觸萬千。今日在台灣大學或學院裡教書的人，莫不具有同感，筆者在國內教大學任教已逾三十年，由美國到大陸，由大陸到台灣，所見所聞大學教育的怪現象再沒有比今日在台灣的大學教育現象之怪者，茲就個人所知，略論一二。

號稱學生最多的某學院是一個典型的例子，這個學院的現任院長不過是一個在美國三流大學混得了一名碩士的人物（在美國，這個大學的論文是可以用本國文字寫的，寫好後可以一百至二百美金的代價經請人譯成英文，所以任何人都可以東抄西襲一篇有關論文請人譯成英文換得一個學位），乃不學無術，商賈之流，他得祖先之獨厚，以地方勢力從繼母手裡奪來乃父創辦的學校，濫收學生，在「學分容易」的號召下，近年來學生人數激增，在這個學院中的教授，他的學術地位不會被尊重，他的教學嚴謹不會被歡迎；相反地，只要他給分寬，聽命於院長，他便是「最好的教授」。因為分數打得嚴，學生被淘汰了，對學校就是一大損失，他們把學生當做顧客，在「顧客是對的」之原則下，校方竟於上學期結束時印製「教員調查意見表」分發學生，讓學生用無記名方式在一張表上打老師的分數，給老師下評語。當然，在「分數第一」和「文憑第一」的大前提下，那些謹守教學崗位，平時教學嚴格的教授們一定得不到好的評語與分數，因此，校方便迎合「顧客」心理，根據這些調查表格來作為續聘與否的依據。潔身自愛的好教授，莫不憤慨！但在台灣教授席位粥少僧多的情況之下，為了生活，也就不得不忍氣吞聲的「混」下去。

更奇怪的是有些「教授」根本就沒有教授資格但他們仍舊被聘為「教授」。他們被聘的目的原來不是為了「學術」，而是為了「關係」。因此，某些在官場上有「辦法」的人，如什麼委員，某人的「秘書」，教育部的秘書或什麼「長」之流都被濫竽充數的聘了過來榮任「教授」，甚且更給予「系主任」，或「召集人」的名義，而這些人的教學，則是天曉得，如某國文「教授」兼召集人在出考題時也會寫上好幾個別字，某英文「教授」兼召集人，不但滿口洋涇濱，即連一個普通英文單字也會拚錯。說也奇怪，這種人也居然可以「混」得下去，原來他們的法寶是對學校他們擺出一副「保鏢」的姿態；因為像這種「學店」，難免經常有一問題發生，那時他們就是什麼委員或某要人秘書之流，便可以憑關係為這個「學店」講話，因此，他們畢竟是被學校當局所歡迎的「教授」。

在學校裏並不是所有的學生都是「混資格」和「騙分數」的，但志在求學的卻佔着少數，所以這些濫竽充數的「教授」在他們對着如簧之舌的吹騙之下也就能在這種學店裡混得過去。事實上，這種學店所歡迎的和所需要的並非認真教學的教授，因為他教學太認真了，學生會不選他的課；相反地，那些掛着什麼委員，代表，秘書頭銜的「教授」因為他們有「來頭」，學校一旦有事便需要他們轉人事關係作「說客」，同時他們見人都給八九十分，可以招攬學生，生意興隆。

就筆者所知，某私立學院院長，因本身沒有像樣的學位，去年著假假「考察教育」為名赴美，其實他是揹着一個「獨立學院院長」的招牌想到美國去混一個博士回來充充門面，誰知在美一年，因他根本不是一個讀書人，即連那三四流的大學也不賣他的帳，結果用去了十幾萬美金，還是空手而回。回來後還要厚顏談什麼「××爆發」。首先將一批他看不順眼的人開刀解聘，發表「人事命令」（在大學裡對教授之聘任以「命令」來安排於事真是奇聞！）將什麼系主任等人皆派他的同鄉充任，造成地方派系，把一間「學府」當作他私人喜怒發洩的地，試問這樣辦學校怎麼不是怪現象呢？

不過話又說回來了，拿一紙「命令」瀏掉幾個教授有什麼稀奇，當年他對勞苦功高的親娘舅，還不是要瀏。原來他這學院，在台灣創設最早，那時陳誠先生作主席，禁止私人興學，而他的娘舅×××使着父親是黨國元老，而用劉王□卜弓的辦法，硬辦，此事不論道德是非如何，但對該學院卻是開國的功臣，那知某院長（當然那時還只是個小當舖頭子，而不是院長）善用權術，表面討好×氏，暗中卻在董事會下手腳，等到時機成熟，請他娘舅×氏召開董事會，董事到齊宣佈開會，×氏報告還未終了，立即有人迫不及待的，提議罷免校長×氏，×氏館直弄得丈二金剛摸不着頭腦，開票結果還是全票對他，一致罷免。×氏央求三日內交代，都不允許，迫限立時交代，一時掃地出門，這位娘舅就在這樣陰謀的陷阱中，一等到最近這位他的親娘舅也一齊兔死狗烹，於悲憤之中，如何死去的，在台北已經是公開的秘密，足堪世道德爭甘迺迪的女秘書，東西媲美，所憾者竟然連一個敢呼氣的檢察官都沒有，這恐怕就是中國不如美國民主的一點罷。

最近這位院長很不甘「寂寞」（？），其實早已不寂寞了）「學（？）而優則仕」，起而競選議員，並且聽說他手眼通天，法力無邊，竟然活動中央支持他作副議長，果真如此，不僅是台北之羞，並且也將是整個自由中國的恥辱。這樣的人，我們還推選他，那還有是非嗎！

昨日與明日

從革命的政黨談起

停止黨權仍嫌不足

中國國民黨中央已停止黨員魏惜言黨權一年，魏是立法委員，在立法院開會時，因不遵從黨的決定，違反黨紀，所以遭此處分。黨員聞訊，無不舉雙手贊成；黨員人士對於執政黨這種明快措施，也無不齊聲讚佩。若干黨內同志私下表示，中央未免寬大，應當乾脆開除魏惜言黨籍。蔣總裁曾宣示：中國國民黨是個革命的政黨，黨員應當永遠保持革命的精神。國父之所以能夠推倒滿清，總裁之所以能夠完成北伐大業，就是因為黨人具有革命精神，祇知有人，不知有己，祇重正義公理，民族國家，不顧個人權勢利害。北伐以後，政府所以遭受挫折，就因為投機取巧，腐化份子的官僚政客，混入了革命陣營。今日中國國民黨是唯一執政黨，要想政治清明有效率，首先必先健全「黨」，要使「黨」健全，必須求黨員的健全。如果黨員腐化貪污，何能領導政治，更何談政治革新，「一顆老鼠屎落在鍋裏，整鍋的飯都犧牲了」。寄語執政院的中國國民黨中央，應切實依照黨的總裁的訓示，做到十足的革命政黨。歡迎革命的同志到本黨來，腐化的份子滾出去。在這種意義下，對魏惜言停止黨權的處分，黨內革命的同志們亦確嫌輕些。

政治流行病害了陶聲洋

內閣中，最年輕有為的經濟部長病了，而且還病的不輕，到美國去治療日昨病逝。我們除表示哀悼外，還深深感陶氏之病與中國現代政治流行病大有關係。我們當前政治最大毛病就是不會應用現代科學分工原理，也不善用分層負責辦法。祇要一個人在政治上露了頭，或者，負了一方面之責，什麼事都非他不可，不僅官局這樣想，連社會民間也跟着起鬨，開幕剪綵，集會演講，也非由找這幾個人不可。政治人物變成了「明星」，什麼場合，都少不了他們。於是，開會、見客、訪問（他們也有要應付的人物），剪綵、講演、請客、赴宴等等忙個不停，辦公事往往到深夜，坐息無定時，飲食無定時。在政治舞台上，顯赫熱鬧，的確不可一世，而精力浪費了，體力透支了。能夠打太極拳的，善於肆應的，還比較好，實心辦事有負責的便很容易累病了。我們這套政治機器，顯然生病不輕，談政治革新，談人事革新，何不找個機師檢查校正一番呢？

教育部不可如此

教育部不合理的措施很多，對於大專學生轉系的限制，就是顯明的一例。最近就發生這樣一件事：約有四百多名就讀於淡江、文化、東吳等四校學生，原依聯考志願分發入學，唸了一年後發現志趣不合，轉系就讀，而教育部硬是不承認，在他們唸了一年之後，必須返回原系就讀，除了共同科目外，對於所修學分，他一概不予承認。這種措施，使數百青年陷入進退不得的窘境。我們大專聯考制度，未能顧及青年志願，本來就不很合理，而轉系就讀，既屬學校核准之事，如果有錯，錯也不在青年學生。我們政府不□宣傳：鼓勵青年上進，培養青年學人，而教部這種措施，豈非與政府政策相違。愛護青年云乎哉？摧殘青年云乎哉？請教育當局深思之。

・千公・

女立委王學超指責石油公司代征經費

請政府改訂以杜流弊

（本報記者張健生台北通訊）河南籍女立法委員王學超質詢財稅機關以行政命令變更法律的違法行為，則所謂法治，所謂民主，誠不知將作何解釋！這位女立委認石油公司「代征經費」，為一種巧立名目，圖利他人，損害國庫觸犯刑章的不法行為，收支不經過預算，既不崇法，也不務實，其嚴重後果，無形者更大於有形，在端正風氣的今天，對於此一問題，應否慎加考慮改正？

王學超委員說：查貨物稅條例第十六條規定：「凡應征貨物稅貨物，國內出產者，應派員駐廠（場）於貨物運出廠（場）時征收，其產製廠（場）有規模者，得完備帳冊，報請該管稅務稽征機關派員核帳冊依法征收；國外輸入之貨物，由海關於征收關稅時代課征。」可見貨物稅的課征方式，法律上採列舉主義，自不容有所例外，況依中央法規標準法第二至七條規定「法律應經立法院通過，並由總統公布」，凡「憲法或法律有明文規定，應以法律定之者」，「關於人民權利義務者」，均應以法律規定之；「應以法律規定之事項，不得以命令定之」，各機關發佈之命令，不得違反變更法律，或抵觸法律。貨物稅現在油氣類貨物稅是按照財政部呈經行政院於五十二年六月十七日核定的油氣類代征貨物稅稽征辦法，為代征貨物稅的命令，實係違反變更並抵觸法律的違法行為。上項不法措施，即令果如行政院答復有因稽征機關無法克服之困難，亦當循法治國家之常軌，修訂貨物稅，以利稅課。

民營廠商加工煉製之油類，指征機關因化驗的技術與設備，所以由中國石油公司代為化驗，因而以代征費名義，作化驗費支用，王委員認為名既不正，言亦不順，張冠李戴，不無涇渭不分。據行政院書面答復所開：「五十七年度代征稅捐一項合計現記帳及免二千二百七十四萬四千一百零九點二二元」，其中石油公司本身應納稅捐若干？民營部份代征稅捐若干？由海關同時代征者若干？五十一年開征以來之有關數字，查抄以供參研。所計一五十七年度貨物三百九十九萬七千零七十二點〇二元，估征四千九百七十點五分之〇。三五〇」一年至五十六年度各年支出數若干？支給標準是否均係依此比率？

王委員質詢「代征經費」，於法無據，凡自始不生效力的錯誤辦法，政府應予改訂，以杜弊端，而保障人民權益，並以符總統革新政治的殷切期望云。

自由談

虛矯之氣

麻將牌原係咱們中國人發明的娛樂品，它的作用與西方人的撲克牌並無二致，都是消閒之物。時至今日，玩麻將牌的風氣已流行歐美社會，而以美國人樂於此道者特多。若夫東鄰日本，早在四十年前，東京首都到處設有「麻將俱樂部」，好之者林林總總，司空見慣。至於香港居民，可以在馬路上的走廊間玩麻將，亦沒人加以干涉，大街小巷「麻雀館」林立，照條向政府領牌按期納稅。

歐美與日本各國，並未視麻將牌為賭具，海關公開進口，對於玩牌的行為亦不干涉，但人並不因此而說歐美與日本各國有悉文明國家的聲譽。在共黨未竊據中國大陸之前，麻將牌大量外銷，手工業商人獲利不少；自毛共偽政權出現，指麻將牌為資本主義社會的奢侈品，不許商人精製出售，祇許粗製濫造以應市，亦未完全查禁。

近年來，日本商家乘機而起，製造各種精美的麻將牌向外推銷，而以台灣的銷路佔着第一位。但台灣海關原認定麻將牌為賭具，不許旅客攜帶進口的，然日本出產的貨品卻在市面上暗中暢銷，百無禁忌，不亦怪哉！因此，我不妨提出兩點意見，就教有關當局：

一是嚴格禁止官民玩麻將牌，違者重懲不貸——就看事實上能否做到？記得卅七年前，江西民政廳向內政部請示人民在家庭玩牌消遣，應否一例按照違警律究處？旋轉請司法院解釋，認為凡不在公共場所聚衆玩牌而以賭博為目的者，不為罪。這就准許人民玩牌娛樂的最高判例，為甚末又要禁止麻將牌進口呢？事實上，玩麻將牌之風，台灣極其盛行，掩耳盜鈴，何苦為爾耶？

二是公開允許商民製造麻將牌出售，凡仿其精益求精，抵制舶來品傾銷，藉以保持本國工商業者的一部分利益，既與國家財政無損，又可挽回一些喪失了的權利，即可養活一部分手工業界的職工，一舉而三善備，何必憑着一般虛矯之氣，一方面不能禁止官民玩牌，同時又不許麻將牌進口，且不許國內商家公開製造，所謂虛名而受實禍，徒然將日本商人開闢財路，這是甚末政策？我不懂！

馮五先生

日製汽車致命性缺陷
監委葉時修反對進口
主張進口者反葉錯誤觀點
請指出那一國汽車不闖禍

（本報財經記者齊野台北消息）日製小汽車有「致命性的缺陷」極易發生車禍，有主張不准進口，爲主張准許進口，見仁見智，辦法不一。主張不准進口者爲監察委員葉時修等，他認爲如果任由這種「致命性的缺陷」汽車進口，當然行駛，則影響交通安全，結果將不堪設想，擬請行政院迅予決定暫停日製小汽車進口。主張准許日製小汽車進口者，除中央信託局有資格高級人士暨部份車商外，一般不滿意裕隆國產汽車公司者，咸贊成日產小汽車進口，他們有一點共同理由，就是葉時修所指的日產小汽車，極易發生車禍，不成其爲理由，他們想請葉時修指出那一國那一家出產的小汽車未發生過車禍，至於「日本外務省已訓令其駐外機構，採取措施，將日製有缺陷的汽車收回修理」，那正是日本商人向顧客負責的美德。他們中間又說，葉時修既然對台灣交通這樣的關注，全省頻增了若干萬部市狼（摩托車），台北平均每廿分鐘出車禍一次，葉委員爲甚麼不講話，市狼比市虎（汽車）可怕爲有目共睹的事實。

不過葉時修在「從日製小汽車有缺陷說起」一文裡，對主張日製小汽車不准進口理由分析得相當透徹，茲錄其原文於後。本報讀者均爲高水準知識份子，對這方面的意見，希望亦能多多發表高見。本港及海外讀者稿件寄港彌敦道六〇一號六樓五座本報，台灣讀者稿件請寄台北忠孝路三段廿一巷二弄二號馬騰雲。

葉時修先生原文

對於開放小汽車進口這件事，我一直認爲有重加考慮的必要，可是言者自言，辦者自辦，可說小汽車進口與否的爭論已成爲過去了。至於對我國汽車工業的打擊如何，那就不去理他，所謂保護工業云云，那不過是紙上談兵罷了。護保自己工業的發展，一是加重進口的關稅，一是管制同類產品的進口，而後者尤爲有效，各國無不採用這種辦法，以保護自己的市場，發展自己的工業，再由政府一方面控制售價，防止獲取暴利，一方面加強指導檢查，提高產品品質。最近美國限制紡織品進口，無非是基於以上的理由。我國經濟迅速發展，工業產品，進軍國際市場，成績斐然可觀。唯獨汽車工業，投資額大，而市場又復限於國內，現在已有裕隆、三陽、三富等廠，均在積極擴充設備，加緊生產車輛，在國內開放設廠，展開公平的競爭；在國外限制進口保護自己的汽車工業，這政策是十分正確的。乃由於政府主管機關，經不起汽車代理商的糾纏，居然開放小汽車進口，說甚麼可以刺激本國廠家，改良品質，說甚麼不開放進口，仍有外人進口轎貨，走漏關稅，似亦持之有故，言之成理。其實對於保護本國工業而言，這是背道而馳，自相矛盾的。

進口小汽車已成定局之後，這些話也就不去再談了，目前登記申購小汽車的工作，統由中央信託局統籌辦理，據查計有二五六七輛，其中日本小汽車佔了幾乎一半，計一、〇二〇輛，計有五種廠牌，豐田六〇三輛，馬自達一〇二輛，五十鈴七三輛，日產二六輛，三菱一七輛。日製車輛，經日本政府公佈有「致命性的缺陷」，極易發生車禍，這事喧騰報紙，已有一個多月了，可見是千真萬確的事。六月廿六日東京航訊載：「美國紐約時報於五月廿七日報導，日本的豐田汽車公司出品的可樂娜小車，與日產出品的青鳥汽車，都是機件有缺陷的汽車，該兩公司發現自己的產品有缺陷之後，不肯公佈有缺陷的事實，爲保護乘車者的生命安全，都在暗中收回車子，以及更換機件的工作。」對於這種機件上的缺陷，報紙上多稱之爲「致命性的缺陷」，可見其嚴重性了，詳情我們不知道，有的說是剎車系統的毛病，剎車多麼重要，無論你如何小心駕駛，剎車突然發生故障，或者剎車失靈，那還有不發生嚴重車禍的道理嗎？因此中央社七月四日東京電訊，「日本外務省已訓令其駐外機構，採取措施，將日製有缺陷汽車收回修理。」所謂駐外機構，當然包括駐我中華民國者在內，而日本駐華大使館經濟參事瀨野滋宣稱，認爲日本銷售我國而需要收回修理的「缺陷車」爲數極少，原汽車製造廠已寄必要零件來華，予以整修云云，與日外務省收回修理之通知，頗有距離。換修之後，是否能保障行駛安全，不無疑問。

正在此時，大家對於日製小汽車極不放心，而台北市汽車商業同業公會，忽在各報刊登廣告，強調「召修」並非要將產品送回製造廠修理，並承認已有在本省之日製汽車，由代理商通知車主送往保養場檢修，又稱該會正搜集歐美汽車之缺陷，呈報政府有關部門參考，如此說法，冲淡日製汽車有缺陷的嚴重性，此種態度，殊非所宜。商人重利，固不足深責，然危及交通安全，決不容模稜敷衍，馬虎了事，生意固然要做，錢固然要賺，但是也得顧及同胞生命財產的安全啊！

我國近年交通發展，車輛需要量激增，惟其如此，對於交通安全，尤應極端重視，乃車禍頻仍，人民生命財產的損失很足驚人。車禍發生，原因至爲複雜，防範未然，端力減少，固與道路之擴寬整修，司機之小心駕駛，行人之遵守秩序，車輛之維護檢修等有莫大的關係，而汽車機件的健全，尤爲重要，每次車禍發生，其責任每歸咎於駕駛或行人之疏忽，對機件檢驗不易，鑑定爲難，則車禍責任鑑定，是否公平，令人不無疑問。

日製小汽車，既已證明其有「致命的缺陷」，似非稍換零件，即可保障安全，本省已有日製小車甚多，若再任由新購之一千二十部有缺陷者進口，加入各線行駛，（多數是在台北道路行駛）台北汽車已經太多，擁擠現象，不堪想象，不堪目睹，試問北市的交通安全，如何維護？更何況加入新的車，有先天性的嚴重缺陷？爲今之計，中央信託局既已搜集資料，自己不加可否是由行政院決定，行政院似應迅作決定，暫停日車進口，訂款退還，如確有必要，再向歐美名廠洽購，其實少進口一千多部小車，不但可以節省三百萬左右的美金外匯，即對於交通秩序安全！社會節約風氣，以及對於國內汽車工業的保護，都有莫大的裨益的，我們希望行政院多加考慮！中信局對於此項日車資料，不加任何意見，可能是這批生意，棄之可惜，取之責任太大的緣故，該局購車佣金高達百分之四十，又另加額外費用每部二千元，這項利潤，未免太高，上級機關如何核定，這都是我們老百姓所不能瞭解的，社會輿論已經早有煩言了。

我在監察院七月份院會中，曾經有一個關於這件事的提案，草此文時，尚未提出討論，將來可能決交交通委員會處理，我希望交通委員會迅作處理，以免遷延時日，等到小汽車已陸續裝運來台，那我們就只有等着看馬路上頻添車禍了。

爲維護交通安全和保障人民生命財產的一片誠心，本原提案的要旨，草爲此文，我決不是對這件事有什麼成見，來破壞此筆龐大的差不多已經到手的生意，好在有「致命的缺陷」極易發生車禍，是人家自己都已公開宣佈和承認的事實，難道我們還要非買下來闖禍不可嗎？（五八、七月、七日）

依洞集

「此地無銀三十兩」

・楚狂・

中度颱風「艾妮西」，就台北地區市民所感覺到的風勢和雨量，遠不如「八七」水災那一次，但帶來的災害確未讓「八七」水災專「兇」於前，多家工廠被淹馬上不能復業，蘆洲、五股成爲汪洋大海，台北股票市場被迫停業，銀行票據停止交換，爲現代國家都市中少見到的現象。

由於基隆河、淡水河的河水倒灌，這是造成災害的主要原因，市民不約而同的又想到石門水庫的放水問題，其實海潮上漲之際恰遇颱風，也可以使河水倒灌，他如市區排水溝的系統零亂，或者根本沒有排水溝，同樣可使低窪地區，盡成澤國。不過話又說回來，石門水庫是發生過放水不當的過失，人非聖賢，受難後遷怒亦人情之常。

就事論事，我們認爲石門水庫負責人，對這次人力難以抵抗的災害，不必一再解釋，尤其通過官方宣傳機構，使受災而遷怒石門水庫的人，不僅懷疑且有反感，這叫作「此地無銀三十兩」，因石門水庫，本爲造福社會而建，不是專準備淹老百姓的，英國本土和其殖民地政府，遇到這一類問題倒通過民營報紙與民營宣傳機構向治區居民說明，就是這個道理，可謂最懂得雲行雨施的宣傳技術。

滄海拾遺

周博士斷腿被迫（四）

赤松子

周博士聽了這一席話，心如刀絞一般，他想我在德幾年，留德同學，那一個不是紙醉金迷，我周某連一次跳舞場，也沒去過，我並不是爲男子，不過時時想起從前我們的青梅竹馬生活，以爲情有獨鍾，才對得起自己的愛人，那知道她才不是這種想法，真是「既有今日，何必當初」，不過她的想法也對，長痛不如短痛，不如今天就死在柏林車站罷了。主意一定，周博士反對他甜言蜜語起來，車子一到，兩人剛好要上火車，周博士用盡平生之力，將揚女士抱住一團，就往火車下跳，車上人驚叫，火車馬上停止，路局人員來看。楊小姐僅僅負點兒輕傷，周博士可斷下兩腿，路局人員爲救護生命起見，叫了一部計程車，將周博士送到醫院。

周博士進醫院後，雖說身體上、精神上雙重痛苦，實有不勝負担之感，不過意外的安慰，也不斷接踵而來，因爲這件事哄動了柏林，幾百萬人凡有過這段經事的，無不同情周博士的遭遇，很多醫生，無不自動來爲周博士診治，至于每天打電話來問周博士健康情形，或有許多少婦和小姐送花來的，其數總在一打以上，德國醫學醫術，早是世界有名，加以一般名醫對周博士盡心治療，于是不到三週，周博士已能用手扶架，下床在房中散步。

有一天，周博士忽然接到一封小姐送來的德文信，大意如下：

周先生你接到我這封信，起初一定驚奇怪！其實說穿了，並不奇怪，因爲你我同是這地球上的苦命鴛鴦。你現在最需要的是一個精神上的看護，和靈肉一致的耶穌，不惜犧牲他的寶血和生命，終身伴着你，才能使你復元，因爲你的精神上傷害太大了。可是這個人又在什麼地方？我想你現在並沒找到，恐怕永遠也未必找到。

你如果要找這樣一個人，我不惜自我介紹。

我是一位歸滿二十的維也納小姐，出身奧國貴族，名叫歐陽，去年母親死後，我一個人帶了點兒財產，到柏林來觀光，僅二三個月，遇着一位翩翩少年，英俊瀟灑，來往不過兩個月，我的錢被他騙光，還將我遺棄，我想人生如夢，買了五瓶安眠藥，在旅館中企圖自殺，不料這些藥都是在小藥房買的，大部藥性已過，竟被醫院救活。我起初以爲男子盡是壞人，後見報上載你的自殺經過，驚驚哭了一夜，後來又知道你的病房，和我是隔壁，每天聽見你呻吟一聲，總要哭泣一陣，我覺得上帝太殘酷了，爲什麼不讓天下有情人都成眷屬呢？

現在聽見護士小姐說，至多兩個星期，你就要出院了，所以提出緊急呼籲，靜候你的答覆。

周博士將信看完，雖然覺得歐陽女士的信寫得够纏綿悱惻，不過他這時候的心情，對于一般女人，都看作魔鬼，他心想我同楊小姐當初還是青梅竹馬，當共在西湖泛舟時，兩人手拉着手，肩挨着肩，對天發誓的情形，簡直是生生世世都是「在天願作比翼鳥，在地願爲連理枝」，那知曾幾何時，竟變成這樣，如今對一個萍水相逢的奧國小姐，怎麼能够相信？經周博士這一想，于是歐陽小姐嘔盡心血寫的一封信，立變成字紙簍中紙屑了。

第二天，護士小姐又給周博士送了一信，還是歐陽小姐親筆寫的，折開一看，大意如下：

周先生，我終身敬愛不渝的周先生，你不要太固執了！「女人是萬惡之源」那不過是叔本華少年失戀後的牢騷話，如何可以奉作經典呢？我當初恨男子，恨一切男子，和你今天恨一切女子一樣，我們都是生活在歐洲的青年，你知道男子中有一個惡猛，難道女子中就沒有茶花女嗎？你不要再固執了，你縱不肯貿然接受我昨天的請求，何妨作一個暫時的朋友。我想你不至于再反對罷。

周博士看完了信，正在躊躇，護士小姐催着回信，周博士拿着自來水筆，剛剛寫了一句：「我親愛的歐陽小姐……」忽聽叩門聲，護士小姐把門一開，原來是歐陽小姐，她進門就笑道：好奇怪的中國青年朋友，被小姐追求，還不賞光呢！周博士也笑道：我們是世代平民，怎麼高攀得上貴族小姐？護士小姐也笑了，趕快退出病房。從此異國鴛鴦，變成終身情侶，不久回到上海，周博士醫術精湛，奧國夫人悉心協助，不久便成了上海第一流兒科名醫，可惜天不假年，在抗戰前，奧國夫人已病逝上海。抗戰期間，周博士曾到重慶，勝利後不知所蹤。

喬治桑外傳

八五　張大萬

他暫停飲食，坐在床上，先看了一下手錶，差五分鐘一點。他拿起電話機撥了自宅的號碼。電話接通，他聽到電話鈴響。第一遍沒有人接，第二遍也沒有人接，正當他想掛斷的時候，對方傳過來熟悉的聲音。

「哈囉。」

他一聽就知道是雅麗絲。

「雅麗絲，妳還沒有睡嗎？對不起，我打電話來吵妳。家裡今天有甚麼事？」

「今天下午銀行打電話來，你開出的一張三萬元支票到期，戶頭存款只有一萬多塊錢。我想你不在家，退票可不是鬧着玩的，我替你軋進二萬元。」

「哦，謝謝妳，那張支票不是還有三天才到期嗎？」

「這，我可不知道，在台灣，支票進了銀行是不管日期的。」

「謝銀鏈這傢伙真不夠意思，怎可這樣開玩笑？」

「『包死』不是我說，你有沒有想過，有甚麼事與謝先生發生誤會？」

喬治桑沉默了幾秒鐘，接着說：「好了，反正我借他的錢，沒有甚麼說的。雅麗絲我問妳，妳從那裡調的頭寸？」

「我手邊只有幾十元美金，一兩千台幣，那裡夠，我是向朋友挪借的。」

「向那個借的？」

「是蔡先生，我的朋友。我想，你的朋友由我向他們開口，恐怕不方便，你說是不是？」

喬治桑一想，蔡先生一定是蕭務。若在平時他又會無端端地吃飛醋。現在他反而有種喜悅之情。

文滙樓別記

青海的「烤鴨」與「油淋鷄」

中國有一句俗話：「天高皇帝遠」，形容王法不容易到達的意思，今天我們記的是邊遠省份青海一位酋長昔年與現任某國會議員戀史的一章。

酋長的姓氏，馬也好牛也好，我想不必講得太直率，顧及政府的敘餞，事實經過是某酋長與漂亮的某小姐戀愛，（就是現任議員）其實屬於霸佔。

某小姐開出條件，必須要酋長保送到重慶留學（戰時首都），得到學位後才願意結婚。當一個人色迷心竅時，考慮不週到才是正常行爲，酋長就很高興的，一口答應，小姐兒、寶貝蛋，一些肉麻的語句，向張大舖看齊是免不了的。某小姐爲了想脫離魔掌，有些地方自然得遷就，遷就的結果，很快到達重慶。呼吸自由空氣時，才感到「不自由毋寧死」的價值。

電影明星張仲文的乾爹劉篠遠先生（亦國會議員），說過一句話：「蘇格勒低有句名言，漂亮女人是大家的」。像蘇非亞羅蘭、歐燦利赫本等確受着上億人的熱愛和讚美。一朵青海之花到了重慶，亦難例外，入學未久，很多男同學注意了，未料「肥水流到外人田」，被一個就讀軍校的青年追上，這位青年的尊翁，恰在青海某酋長麾下担任幕僚，酋長接到駐重慶辦事處的小報告，謂未來的第十幾位如夫人，竟和軍校某青年熱戀，乃至於上甚麼館子，吃甚麼菜，如吃烤鴨、油淋鷄等，都在報告裡，載得明明白白。某酋長向以陰狠毒辣馳名，對做活忘八的事，自難容忍，考慮了相當久，有一天，很自然的召情敵的爸爸上殿，謂：「青海軍事人才特別缺乏，擬請在重慶軍校就讀的大世兄協助辦理軍事教育，並以少將任用」，做爸爸的望子成龍，亦人情之常，乃親函囑兒子快到青海，並附少將派令一件，某青年接父諭，信以爲眞，亦未和某小姐商量，拘舉大事，不顧其親的精神，都是學劉邦的一套。有人判斷，可能想就職後給小姐一個驚喜，然後再請假回重慶結婚，英雄型的人物大體都是這樣。

當某小姐發現心中人，未辭而別時，眞是「杜鵑叫斷樓頭月，千呼萬喚不再回」，內心的難過，固不在話下，這位赴青海履新的青年少將，剛抵省會，就被四位槍兵押赴刑場，看到自己的爸爸，綁在一根鐵柱上，四週堆滿了乾柴和很多的火油桶，父子相見，嚎啕大哭。父親說：「孩子，爸爸對不起你，誤以×××的話爲眞，將你騙回……」兒子大喊爸爸，要求同死，執行的人說：「老太爺吃的是「烤鴨」，爲少爺準備的乃「油淋鷄」！說罷轉瞬之間，老太爺被烈火燒成剛出爐的「烤鴨」。然後再押少爺到另一刑場，去受「油淋鷄」的刑酷。青海某宿將指責×××太殘酷了。

某酋長的答案謂：「古時希律王感到自己被人愚弄，盛怒之下，命令將伯利恒城裡城外並東南西北所有男孩子，凡兩歲以內的，統統殺光的事，與這忘恩負義的父子作一比較，本主席這樣處理，要算是仁慈的人了。」

文滙樓主

政治垃圾現形記（三二）

李棃

第十一回　巧官一生，蓋棺定論唯遺臭；傳家有子，因財失義莫承歡。

許桂庭出生華南邊陲地區，身爲農家子，幼年亦曾應科舉制的童生考試，雖然名落孫山，也算是稍識之無的士子之流。以家貧，負笈担，流浪在外，貢緣隨侍江南某縣署的文案先生——俗稱「紹興師爺」——執弟子禮，得任鈔胥之役，而略諳公文程式，稍識刑名概要，對於官場文章，亦能通曉。入民國後，曾在北洋政府某單位担任辦事員職務。宦海浮沉閱十餘載，依然蹬無進展。迨民國十六年國民革命成功，北洋政府垮台，國府建都南京，舊有一般北洋政府的各色官吏，紛紛改頭換面，奔赴革命黨人之門，先求加入國民黨，然後以革命人物姿態，南下從事政治活動。所以，當年社會上流行着「軍事北伐，政治南伐」這兩句辭藻，許桂庭即係「政治南伐」隊伍一名士卒，很幸運地在國民政府中樞某部得到一個「科員」職位。

他本着原在北洋政府政治生活上閱歷經驗，專爲逢迎上司，討取歡心是務，尤其對於達官貴人的妻妾兒女們，巴結唯恐弗及。他採聽自己的頂頭上司某部長有懼內癖，隨趨蹌部長公館，替部長夫人効犬馬之勞，任何賤役皆樂爲之，甚博夫人好感。部長夫人育有兒女三數人，驕生慣養，溺愛非常，許桂庭每夕飯後即到部長公館陪伴少爺小姐們娛樂游戲，少爺小姐喜歡捉迷藏，常教許桂庭以毛巾紮蔽雙目，彎腰曲膝四向摸索某少爺或某小姐，他和她則互相一面馳逐，一面足踢許桂庭的屁股以資笑樂。久之，部裡同寅皆知道此事，而許桂庭亦官運亨通，由科員升科長，不到兩年即升任到司長了。於是，同事們給他起了一個混名，叫作「許狗子」，大家在背後提到許桂庭，一律稱「狗子」而不名，也不稱「司長」，許氏雖有所聞，亦復犯而不校，實行笑罵由人，好官自爲主義，滿不在乎。某部長以夫人之故，對許氏寵愛有加，言聽計從。部長有位女兒成人後，每每干預乃父的政務，部中諸僚屬莫不憤懣，唯許桂庭極表服從，且常常誇稱某小姐如何能幹，說她有丈夫氣概，才識勝過乃父。對日抗戰時期，某部長因公出國，需要相當時日纔得回來，臨行之前，關於指定某人代理部務問題，召集次長與司長和主任秘書商量，大家認爲應由政務次長承其乏，而許桂庭擬推崇部長的小姐嫻習本部政務，爲事擇人，不妨由部長下令派小姐代行父職，比較有益，某部長欣然照辦，對外揚言係遵從本部同仁的意見。某小姐於乃父出國後即來部辦公，她的駕到時，部裡照常亮出「部長到」的紅燈，以便各主管單位首長向部長報告重要事項，雖時自次長以至各司長等，皆不屑進謁「代部長」，只有許桂庭必恭必敬抱着紅色公文卷宗，叩見「代部長」請示如儀，部長夫人聞之，讚美許氏不忘恩德，確係十分忠貞的幹部，迨某長回國來，竭力稱讚許桂庭才堪大用，允屬不可多得的棟樑之材，未幾，許桂庭即平步青雲，晉爲特任階級的某部部長了。

許氏接任部長後，躊躇滿志，得意忘形，見着賓朋即謂：「我進門了二十年，到今纔算入閣居於尚書地位了。你們要曉得，尚書職位在前清是屬於軍機大臣的班次，非有一甲翰林的資格不可的。」

逍遙的眞人——臨濟禪師（八）

吳經熊原著．吳怡譯述

這四料簡是接引不同階段中的四個方法。在第一個階段中的人，他常會以主觀的偏見而枉曲了對事物的看法。如果要使他變得較爲客觀，而不視人如物的話，便必須先破除小我的主觀因素。在第二階段中的人，他的看法比較正常，見山是山，見水是水。但卻須提醒他物不離心，客觀是不可避免的帶有主觀因素。只要他眞正悟入主觀性，使進入了禪的最初境界，而不再見山是山，見水是水。在第三階段中，學禪的人已了解即使能够主客相融，也只是經驗界、相對界。在這個時機，他必須提升到最高的境界，看出現象世界中的主客都來自于同一個源頭，就是心。唯有這個心才是絕對的主體。在最後一個階段中，由于前面那種精密的訓練，使他完全和眞我合一，這時，他能够自由的回到現象界，再見山是山，見水是水。同時，他深知所有的名言，都要有它們的眞價値，以及它們所代表的眞體，而不只是呆板形式的觀念而已，這也叫做再造的乾坤，和以前所看到的那個赤裸的世界完全不同。

只有這最後的境界才能稱爲「無依道人」或「無位眞人」，他到任何地方都不會離開了家。臨濟正像莊子一樣，認爲眞人是「入火不燒，入水不溺」的。顯然莊子和臨濟所說的都不是指人的形體。而是人的眞我？而是不屬于無常世界的不朽精神。臨濟曾描寫這種精神說：

「展則彌綸法界，收則絲髮不立，歷歷孤明，未曾欠少，眼不見，耳不聞，喚作什麼物？古人云：「說似一物即不中」，你但自家看，更有什麼，說亦無盡」。

在這裡，可見眞我正像道一樣是不能用言語表達的。

臨濟和老莊有那麼多相同之處，這並不至於減低了他的獨創性。最重要的不在，他是否最先有這種悟解，而這種見解是否眞的覺悟。以我的看法，臨濟在所有求道的人中，是最具有獨創性，句句話都來自他的肺腑。都像從喉嚨中很自然的喉出。他非常博學，不僅精通佛典，而且也深通道書。尤其能把所學的消化成爲自己最有生命力的思想。下面所引證的一段文字中，是他整個思想的縮影。在其中，我們不僅可以看出道家和佛家思想的線索，而且更感觸到這段文字所表現的是一種嶄新的看法。這段文字是：

「眞學道人，並不取佛，不取菩薩羅漢，不取三界殊勝，逈然獨脫，不與物拘，乾坤倒覆，我更不疑，十方諸佛現前，無一念心喜，三塗地獄頓現，無一念心怖，緣何如此，我見諸法空相，變即有，不變即無。」（未完）

禪學黃金時代

綜談國劇復興（二二）

王方曙

(2)其次是談樂譜的和聲。和聲在前面已談過，在這裏我再特別提出的是在作奏方面的音樂，或動作表演的配樂應有和聲樂譜。在國劇裏的唱的方面，應該用和聲配樂，在前面已經談過。不再重複。至於動作表演的配樂，在國劇中需要之處不少，如拾玉鐲，如醉酒等，我們都是用很長的牌子作配樂，而且都很好聽，效果極好。類似這種戲的配樂，假如再進一步的造成和聲的曲譜，再多變化，演奏起來便會更好。這道理很簡單，我想在這裡可以不必多說，只要我們有了原則就好了。

(3)第三是談「歇唱時的中間樂」的問題：所謂的中間樂便是我們叫作「過門」的。在這裡我們主要談過門，但也附帶談一談每一曲譜的「前奏」。

皮黃戲中的過門是很好聽的。較慢節奏的歌唱，大致每唱一大句（二短一長一大句，前面已談過），便有一段大過門。大過門聽來很美。但這種過門有一缺點，就是大部分都是重複舊調，並非每段另有曲調。比如西皮慢板，唱他六句或八句，其間所用過門，大體重複。即使稍作花腔，仍然不能脫掉舊有範圍。至於老生戲西皮原板，唱十句二十句也聽不出有何過門上的變化。所以，就武家坡一齣而言，由「不由人，一陣陣，淚灑胸懷」起直到「提起當年」以下的大段原板，過門全是一樣。我想無論如何，這不能算最高明的藝術手法。有的懂音樂的人問我，爲甚麼要這樣，我實在無法答覆。在我個人想來，假如在過門方面多求變化，當然是很好的改善方法，但更好的方法是將不必要的過門剪短！

我們應首先了解，大過門的作用是爲了演員在這唱時間內作表演的。如扯四門，和其他應有的動作。但如沒有動作時，這大過門只是多餘！如迴荊州的孫尙香，大慢板上來，連唱六句。中間四段過門，使演員站在台上無所表演；要等着唱。這齣戲又不合於扯四門，即使有人用扯四門，來撐演身上發僵，但也還是不好看。我在前面談過，扯四門是爲了方形舞台的，現在的扇形舞台，這一表演方法並不關係全適合。（有時當然還是有用）藝術是要完整的，舞台變了，表演照舊，便不太適合。拉大過門扯四門，或站着等唱，確已是不合適的表演了，所以我提出一個對過門應該多變化和剪短的意見。如果沒有，便用短過門。比如四郎探母，坐宮慢板是坐着唱的。雖此時宜於慢節奏，但用一兩段大過門便足够了，在「好不慘然」以下，便纏縮短過門，漸至於極短，而轉成二六。如提放曹「馬行在夾道內……」要有動作，便用長過門。其他地方都可剪短。提放曹一戲，到那種衝突很大的地方，不需要慢節奏，以此類推。

諸葛亮狂想曲（七四）

·劉玄·

謹訂×月×日下午×時在龍岡會所大廳舉行會友張素梅獨琴演奏會，敬請光臨

會長關羽
總會長劉備謹訂
會長張飛

樂曲：諸葛亮狂想曲

劉備看過，遞給關羽，說：「二弟，請你看一下。」

關羽接過來，微撚臥蠶眉，完全是看春秋的架勢。

「張素梅是三弟的宗親，由三弟出面好了。」

劉約翰聽了，暗地叫聲糟糕。他知道天庭的行情，關羽最高，劉備次之，張飛最低。如果由張飛出面，到時候必然形成小貓三四隻局面。可是，剛剛才碰了三將軍的釘子，那敢再開腔。

「二哥，不是我說，咱們弟兄桃園結義，同生共死。在天庭，龍岡集會向來由我們一同出面，這次豈可例外？老實說，天庭大小各仙都是勢利眼，二哥香火最盛，也最有號召力，由我出面請客，演奏會準砸！」張飛是爽快人，他的一席話，倒教劉約翰有如釋重負之感。

關羽一聽張飛直言談相，覺得再堅持將使劉備處境尷尬。他不直接回答張飛，却向劉備說道：「不必用我們的名諱，用別號如何？」

「對，對，還是二弟有見解。劉會員，請你改一改。」劉備一向很尊敬關羽。

劉約翰如奉綸音聖旨，那敢怠慢，立刻用工楷寫了劉玄德、關雲長、張翼德。又遞給劉備。照例，劉備又遞給關羽。

「你的毛筆字寫的眞差勁，簡直一點帖意都沒有。聽說你是留美學生，看你寫的毛筆字，足見中文程度之差。眞是數典忘祖。以後要多多練習毛筆字。」關羽好打官腔，找機會還是要教訓劉約翰一頓。

劉約翰唯唯稱是，那敢再辯白。

桃園弟兄與劉約翰正在說話，關平走了進來，向伯伯、叔叔、父王問安畢，侍立在關羽身後。

「有什麼事？」關羽問他的兒子關平。

「啓稟父王，據觀音大士身邊的善財童子告訴我，美國舊金山華人城某處，本來有一處觀音堂，現在改爲關帝廟，東南亞各國也有類此情形。觀音大士香火銳減，深爲不悅。大士認爲他是眞神，父王畢竟是凡胎，因此，希望與我們達成協議，在美國和東南亞平分香火。」關平說話時，必恭必敬。可見關家家規之嚴。

「笑話，觀音竟想佔我的便宜。觀音只有善財童子靠他吃飯，我們開支多大！不說別的，維持龍岡會所就不簡單，此事應毋庸議。」關羽畢竟是猛將，連觀音大士也不賣帳。

巨變歷險記！

可憐的娘！

（七一）

胡慶蓉

「……六！……（丁博士小名）你回來了！……」

在老娘說這句話的時候，她就在開始擦她的眼淚。實際上已經沒有淚了，她的淚早已乾了。她揚起頭來，在找她的六，她已經不大看得見了。她伸出手來 她的六也就湊上去，趕緊的握住娘的手。啊！娘的手是這麼樣的！冰涼涼的，好像一塊冰，一點熱氣也沒有。淨是「僵了」。因為天天勞動的關係，手心的肉已看不見了，盡變成「僵子」了！換言之，都成了死肉，硬得粗得不能摸。天冷，天奇寒，沒有火取暖，這兩隻手都凍裂了，手指頭、手心、手背，到處都是裂的口子，像刀子一樣，非常鋒利，裂的口子越多，越見不得水，越痛，很難洗一次手。手黑得髒得不能看。鄉下醫藥一點也沒有，裂就只好讓他裂！痛也只好讓他痛。六握着娘的手，當然是輕輕的，六的淚也如泉一般的淚下來。娘好像有點感覺，但又覺不出什麼的樣子。

「六！再靠近些，給娘看看：……」六靠近了，面對着娘的面。啊！娘的面，只有一張皮了，額上一道子一道子的，都成了很深的皺紋了。兩頰深深的陷下去，兩眼成了兩個洞洞，爛紅紅的，實在辨別不出那裡是眼珠，更看不出一點點的光亮。她是不是覺得六靠近了，狠狠的在掙扎，在睜她的眼，要望望她心疼愛的小鬼子……但似乎是望不見了，她用她的兩隻手，抱着六的頭，同她的頭碰在一起，用她的咀去親六的面頰。

「六……娘好想……娘恐怕不久於人世了！娘能同你一見，娘可以瞑目矣！……」「屋漏又逢連夜雨」，娘的腿最近又[illegible]了。有個月都不能動了。故雖然聽到六來了，她還是不能動一動。她有個小板櫈，兩個手扶着，像狗在爬，到廁所解手。鄉下那裡有廁，又那裏有所，就在臥房旁邊的地上。大手很快的就變成一堆一堆的冰塊，小便立刻就成了冰凌。在六到的時候，連這兩步地也不能爬了。

可憐的娘，牙齒久已沒有了，又沒有白麵吃，死啃鍋餅啃窩窩頭，她那裏啃得動，鍋餅窩窩頭，都是紅色的薥薥（高粱）麵做的，湊熱還可以啃得動，一旦涼了，簡直就像鐵一般，沒有牙齒的娘，怎樣啃得動！她身上的棉襖都是幾十年的老棉襖，棉已經成了鐵了，那裡還有熱氣！她的被也是一些老「套子」一套成，也變成鐵片片，也沒有熱氣了。

這樣的生活，是當時華北一般母親的生活。天下母親都是這樣的可憐，在六在家裡四天，他就同娘睡在一屋。娘夜裡還起來給六蓋被，慈母情深，春暉寸草，六自萬死還到家看着老娘，看見娘可憐的樣子，他不禁為整個中國的母親悲。母親的不畏一切，把孩子帶大，扶植成人，負責任，為家庭，實可為天下後世法。

悼惜殷海光教授（下）

・雷嘯岑・

未幾，台灣出版的「自由中國」雜志上，見有殷君的文章，初時尚平正，繼而逐漸趨於偏激。該雜志某期的文章竟公然主張美國可以干涉咱們的內政，又指摘教育部長張曉峯先生演說我國的「易經」具有原子能思想云云，乃是「有辱國體」之言。我閱後大不謂然，一面在「自由人」寫短評加以駁斥，一面致函該雜志主持人「吾家儆寰」，詢問上述那幾篇文章是否殷君手筆？儆寰避不答復。往後殷君在該雜志譯載海耶克所著「到自由之路」，他在每段中皆加註譯者按語，措詞尖刻，專門攻訐執政黨，我更為詫異。蓋以儆寰與殷君原係國民黨員，一則久作政府幹部，到了台灣後，又曾經代表總統赴香港撫慰一般反共非共的中國人士，一則久任黨報主筆，素來忠黨愛國，何以忽爾變節，不惜走入反動的途徑，其故安在，令我迷惘莫釋，某次入台時，私自叩詢儆寰係何原因？他除敘述自己所受一些後生之輩的侮慢委屈事實外，又說殷君亦是迫不得已而趨於偏激地步的。嘗我主編「自由人」三日刊時，曾再三寫信請殷君幫忙惠賜大作，但他連信也不復，把舊有的交誼一概勾消，似乎跟我處於敵對地位了！我很懊喪，亦不勝感喟無量，咄咄書空。

以殷君之學之才，固不失其為高級智識份子中的後起之秀，他既久任執政黨黨報主筆，當然是一名黨員——而且應該是忠實同志，顧一旦忽告携貳，不惜自毀歷史，由反對而悍然歸於反動之列，思想變化到兩極端，這實係執政黨的一項損失，誰為為之，孰令致之？究其癥結，恐怕是有關當局未能正確地處理高級知識份子問題，佔着重要關係吧？我們是民主國家，民主政治的起碼條件，即以容忍精神的豁達大度，開放言路，無所禁忌，而使社會上一些乖戾之氣得以宣洩，蛻化為祥和景象。這與治水的訣竅相同，必須注重疏濬工夫，少築堤堰，讓水盡宣洩暢流，自然不會發生洪水之患。若一味只是築堤以防洪，結果不是東邊被大水決沒，便是西邊被急流衝垮，防不勝防為害不已。知識份子還有一種普遍的心情，他偶爾寫文章，發議論，批判庶政得失，振振有詞，過了一夜之後，連自己說甚末話，論甚末事，一概忘記了。知識份子根本就沒有造反的能力，只是發議論：高談政治。講過就算數，如能加以疏導說服，表示尊重他的意念，更無問題；且可改變他的言論思想。如果不許他說二話，那他即認為連說的自由亦沒有，偏要不信邪，非說說不可，相激相盪，勢必構成沒法協調的戾氣，貽誤大局，殷海光君的情況，得無類是耶？殷君往矣，今後類似事情，恐怕不少，懲前毖後，我于悼惜殷君之餘，乃不能已言如此，知我罪我，非所計也。

中醫的五行六氣淺釋（下）

生活漫談

有關金、木、水、火、土五行，在本文上、中兩篇講的很多，今天打算談談六氣。六氣為中醫病理中的重要部份，絕對不是傅斯年先生所指的「胡說八道」。

六氣分「外因」的六氣與「內因」的六氣。先說「外因」的六氣。

「風」為冷、熱兩氣鼓盪的作用，由皮膚進入，使毛疏洩，交感神經弛緩，汗腺放縱，所以患了傷風的人，一定會發生高燒汗出的病症。

「寒」為外界低溫刺激皮膚，使毛孔收縮，汗腺閉塞，血液不能担任為汗腺排泄任務，以除去不潔之物，欲達目的，殊集於表，發生寒熱。傷寒病患惡寒發熱、無汗就是這個道理。

「暑」為日光反射作用，夏令氣候炎熱，日光射於地面，發生最高的溫度，中於人體，發生急性的胸溢血或腦溢血，以致面暈臉紅，身熱肢冷，昏倒無知，中醫叫作中暑，西醫謂之日射病。

「濕」為水蒸氣作用，天氣陰雨的濕，居處過低的濕，皆足以妨碍人體的健康而致病，此種現象分出多種，看濕氣所中的部份而定。

「燥」為外界空氣乾燥，着於人體，則皮膚枯燥，筋急爪枯，受寒而咳，痰不易出，種種病症隨之而起。

「火」為高熱快到燃燒之謂，如湯火灼傷，或氣候奇熱，溫度特高，觸動人體內部的熱，致生燥擾狂越的症候。

有關「內因」的六氣：

「風」內因的風，為神經發病的變態，或神經過於興奮，致生痙攣，如驚風、癲風等；或者神經過於沉滯，致麻痺成癱縮者，如中風，風癩等是。

「寒」為貧血的現症，以神經沉滯，動脈血行遲緩，全體微血管發生貧血，必致惡寒，全部貧血則通體惡寒，局部貧血，則一部惡寒，也謂虛寒。

「暑」六氣雖分內外二因，但中暑則以外因為主，至於內因或以素有內熱，或以脂肪過多，或以體氣虛弱，亦足以誘致外因。

「濕」內濕的發生以消化氣為主。濕因脾胃不能吸收食物，行其消化營養作用，於胸部脹滿，嘔吐泄瀉，諸種病症隨之而起。

「燥」內因的燥，一為陰凝的乾燥，一為陰竭的乾燥，所以各種枯燥乾燥的病症，皆隨之而起。

「火」內因充血的現症，神經極度興奮，動脈血行過速，或則腸胃熱結，或則熱入心肝，或則高熱譫語無倫次，這便是熱極似火的症象。

上列六氣致病的道理，略加淺釋，有關治療的方法，例如外因的風，用桂枝湯以治之，因桂枝可興奮神經的弛緩，芍藥收斂汗腺之漏泄，共成調節血液流行，恢復生理常態的功效，汗出惡風發熱脈緩諸症即隨之而愈。他如麻黃的散寒，石膏的袪暑，五苓的利濕，皆有絕對必效的把握，經過千百年的考驗，沒有絲毫偏差，本文限於篇幅，至此為止。（本報連載生活漫談首集即將出版，為前各大報所未有，全書兩百頁，定價廿元，預約對折，台北郵政劃撥第五〇五六號張萬有（自由報會計室））。

・馬騰雲・

點心的調製（三）

御廚談藪

林泉隱

藕糕製法：拿頂好的藕粉，用清水調勻，如稀漿糊的形狀，加入白糖及薄荷，最好將薄荷葉泡水代清水用，桂花等在鍋中煮沸，隨沸隨攪，待漸厚，倒入磁盆內，又將盆坐在冷水中，隔數小時後，凝結成固體，用刀切成小方形，冷時吃着十分涼爽。（又孛（荸頭）薺糕是同last製法的。）

藕餅製法：用一砵將生藕刨成絲，（另有專刨絲的器具，市上各處都可買到。）藕絲藕汁混合入砵中，再加麵粉白糖，略加水調和成不厚不薄的漿，另起油鍋，將二匙藕粉煎成一餅。

茄餅製法：將茄子切成絲，再用手揉搓，使茄子水流出，便將此茄子水和以麵粉及鹽絲食鹽等，如製藕餅方法，將茄粉煎成餅。

香蕉餅製法：用冷水調麵粉，又將香蕉去皮搗爛如泥，與麵粉調和，再與黃白調勻的鷄蛋調和，加白糖成厚漿糊的樣子，倒入木製的模型裡面，壓成餅的樣子，用油或猪油在平底鍋中煎成餅。

桃花潭水深千尺

三角戀中的爭奪（2）

趙佗

「小姐的意思是說鄙人很愚蠢了。」

「不，你很聰敏，凡白手而成千金之業者，很少傻子，像今天報上登的任念佩之流。」

「知音，知音，謝謝小姐的賞識。」馬表現出非常的高興。

「財產很像一條毒蛇，會掌握的人，不致受他傷害，不會掌握的人，將會被牠咬傷或致死。」克琳又說着。

「克琳，你看我能掌握嗎？」

「創業維艱，守成不易，你應當能够。」

「克琳，你喜歡錢嗎？」唐突的問出。

「金錢是萬惡之源。」克琳很自然的答覆。

「對愛情的看法呢？」

「愛情像金錢，一定要付出去。」

「小姐一定付出很多了。」

「到目前為止，還未發現付的對象。」

「蘇伯伯的話：大概都是自己編的。」

「我爸編些甚麼？」

「他老人家說：你很愛我，只須假以時日，克琳會無條件屬於我的。」

「這樣說，你也很愛我了。」

「當然，我的生命中確不能沒有你。」

「你對我講的話，句句是真的嗎？」

「我可以對天發誓。」

「聖經上說：發誓不能使一根頭髮變白成黑，發誓有甚麼用呢？」

「我願將心挖給你看。」

「那我會犯故意致人於死罪。」

「怎樣才能表示我的心跡呢？」

「要得人不知，先得己莫為，好朋友還有好朋友，尤其風流韻事傳播得最快。」

（二十）

自由報

（第一〇〇三期）

（半週刊每星期三、六出版）

社長李運鵬・督印黃行寶

社址：香港九龍彌敦道593—601號廖創興銀行大廈八樓五座

LIU CHONG HING BUILDING
7th FLOOR FLAT 5
593—601 NATHAN ROAD,
KOWLOON, H.K.
TEL: K303831

電報掛號：7191

談學術、教育與師資問題

黃公偉

（一）人情關係與證件主義

目前教育制度在行政的處理上表現的矛盾、無是非無善惡現象，說來令人一言難盡。所謂「尊師重道」，在主觀上的，缺點與客觀上的形式主義，不能不使教師地位一落千丈。一般說來在台灣爲了高等教育的量的發展，每年有大批知識份子戴方帽子的新學士出籠，形成人「才」過剩的現象。缺乏適當出路，自然成羣的湧向教育界來。用他們那張大學或碩士證書當作「飯票」，換取中學教員或大學助教講師的位子。同時，教育行政主管核發聘書還得核給一張「教員證書」，然後憑此以爲「營業執照」，担任合法的教職。這從畢業證件到教師證件的獲得，其中的奧妙，找教書的對象要「修行在個人」，要「各有因緣」，並非有人聞名來禮聘。而是先要有人情關係介紹。有人聘請，如果證件不足，小則必須「降尊屈節」以赴，比如你是大陸早年的畢業生，交不出證件來。就得由高降低。大則須經「檢定考試」。才能取得「人之患」的資格。通過此兩重關節，有了師資的身份。是否算是優良師資？那就在你自己的所學是否名實相符了。依中等以上的學校而言，從大學新出茅廬的中學教員，強有進退人事的審權的校長，並不歡迎。爲的是他們既少經驗又少實學根底。很少教學「勝任愉快」的條件。但爲什麼呢，就不能不歸到大學的粗製濫造，也有師資的問題了。那批來自遠方大陸而「屈尊」的教師，倒受重視。可惜受了「證件」主義的害，既有經驗能力，反而受委曲。一有機會就會別謀高就，或者年老退休，所以這批人越來越少。而在「文史」教員方面就不能不懸爲「缺貨」現象了。請問這不是有制度無是非嗎？這不是一面人浮於事，一面又感人才不足嗎？此等事實矛盾，令人感到現行教育，由上到下，形式主義官僚路線，固然是公立學校的通病，而私立學校的商業化、政治化，更覺病情有增無減，很明顯的事實，只有政治上有人支持，沒有喝過幾年墨水也能辦什麼專科學校，搖身一變登上校長寶座。掛上教授的招牌，進入私立大專作教師，祇要有人情就可一過教授之癮。同樣的進入公立大專作教授主任，院長。祇要有政治背景，更可從中學教逐而躋登大學教授之位。也可以憑人情由工友而升任研究所教授，這實在一言難盡。如此發展學術的大專師資就難怪有人指責良莠不齊了。此外大專取材是重著作的，升等須經評議著作，於是便有妙文現世了，例如，某不繪畫的「畫家」，可請其師座代畫，成爲名教授了。某不文的「作家」，不會作詩的「詩人」，統可援例鯉魚躍龍門了，而被延攬成爲教授。至於作品貨色的眞僞實質，誰去過問？台北最近有兩大轟傳的故事，那就是某不撥著書的教授，撥竊別人著作爲己有，還八面威風的擁有幾所大學的地盤，儼然一代學術權威，經人檢舉，也沒奈他何。反之爲了人情，很多人不敢嘗試「送審」這一關，因爲，一則是擁有評議學術權的人並非眞正在學術上高人一等。雖免「外行審內行」之嫌，使人不能心服。二則是議而不審。沒有溝通人事，任你有什麼學術成就，其價值就得埋藏，休想有人投票通過你的教授資格。這樣，既不作僞偷竊，也不倩人支持，眞才實學，視爲硬的送審的人，祇有受冷落了。甘居於「黑牌」教授之列的人，大有人在。此又爲高等教育學術風氣的另一怪病的所在。試問誰會治這種病？所謂「學閥」這些高手各霸一方的形勢，要想大專師資改善，豈非大道失常。

（二）待遇參差，文化退休

試先就中學教師來說，像做「[illegible]」一樣，中學是不上不下，兩頭不著天地的一格。教育當局往往在教學上往上提，在待遇方面向下拉。變成待遇和小學並論，成績和大學相銜接。在初高中之間，祇有資歷的限制，並無待遇上的差別，名義上的分等。一個教初中一的教員和一位教高中三的教員，雖教學難易懸殊，而大家彼此一樣。試問誰希罕去教高中，自討苦吃？校方照法令要求使教員的負担，如職罰於老牛，有處理不完的作業考卷，還得兼任「導師」。導師要看早自習，午自習，要升降旗站班，週記，領導班會。每月加給是新台幣七十六元，這種通小工還不如的待遇誰有興趣去幹。何況全部待遇，比不上一個記帳員，理髮師。他怎麼去「安貧樂道」？有人說教育「清高」，如此清來，實屬清苦之至，那裡有「高」可言？幾乎沒有半點社會地位。但他們受到的精神束縛，就大了。一旦做了老師，必作「聖人狀」，任何泥汚沾不得。否則即給你戴一頂「有辱師道」，有汚「師表」的帽子。這種清法，非「出家」人莫辦。吃粗的拉細，誰說中學教員好幹？有人比喻說，「一家有二斗糧，不作小孩王」。這行當對大學畢業的成本來說，是賠本生意；對身份地位來說，是無自由的自由職業，是清而不高的行業，眞是最不可幹。

大專學校教員分三等，又分專任與兼任。一般私立學校多重「生意經」。不聘專任，多聘兼任。公立學校專任兼任的工作無二，待遇懸殊。公私立的兼任教員除了有「車」可坐外，祇領十一個月鐘點費。而且標準行情高低不一。公立的標準最低，每小時六十元。比不上歌女唱一支黃梅調。私立的從六十五元，七十五元到二百元是最高的。但有的私立老板，對請假，星期日放假日都要扣除。這比打「零工」的小工還刻苦。因爲兼課要跑路，等車走路，往返費時，上兩小時課要化半天時間。出汗受累，還不在講堂上。談及待遇，精神方面，雖免有「自我陶醉」我是教授之感。但校方很少招待。有工友的休息室是好的，連茶水也不管的不稀奇。在學校有四不相識：師生不相識，同事不相識，校方教員不相識。那同學不相識還不在內。如此兼課「奔走呼號」的句當，比販夫走卒高什麼，實無法估計。由教學來說，這種制度，待遇，要想辦好學術水準，豈非奇蹟！不過，大專教員兼課是多多益善，專任教員並不例外。學生心理是混學分，凡是容易得學分的就是好教授。形同「爾詐我虞」各得其利的現象。考試祇是形式而已。校方排課，教什麼鬼教材，無人過問，不談什麼標準水準？然而大學助教，講師升級是很難的，取得官方的「教授」資格也不易，有人專東亂抄亂爲的著作可以順利通過；無情面就休想問津。前已提及，中學視教員如苦工，大學視教授如售貨員。什麼「尊師」，「重道」，一切從簡，除了上課鐘點費外大家彼此不相干，老死不相往來。那還談什麼學術程度？形式化，商品化的現象瀰漫當前，造出的學生，其實質如何，還須問嗎？

時間是無情的，老一輩的人辦了退休，由新的一輩補充，特別是文史方面教員，就難免「一代不如一代」的往下發展，而教育當局並不重視，彷彿很相信新人，似乎讀了兩年研究所或中了博士，就勝似幾十年的學術研究成就似的，但有的新「碩士」，「博士」，在老一輩的考試下，其畢業論文，是勉強的，只有「搖頭」苦笑通過而已。那麼由這些「新貴」登堂執教，其後果更不難想見了。「復興文化」如請一批政治人物開幾次會，唱若干的口號而無眞正專家出面，那麼「不落空談」是不可能的。

（完）

昨日與明日

不愉快的「觀光」

成公

艾爾西、芙勞西，這兩位西施小姐，跟蹤來台觀光，頗把台灣弄得個西里嘩啦！艾爾西風勢盛猛，橫掃南部，還猶可說；芙勞西，風力既不強，離去也迅速，按說不會有什麼問題，沒想到臨去秋波，帶來一場淫雨造成水災。北部許多地區，竟是汪洋一片，成爲澤國，災情之重，人民受禍之深，實爲政府遷台來之所僅見，這一鉅劫之形成祇是出於天災，以目前的科學技術，還不能應付，因此不能怪誰。但其中也有一點值得推敲的，那便是石門水庫的問題。

石門水庫的洩洪

石門水庫是政府遷台後的偉大建設之一，其嘉惠小民，造福國家之處，眞是值得歌誦，但不幸由於管理調節不當，往往也會給人民帶來甚深且痛的災禍。數年前的葛樂利颱風，和這次芙勞西颱風的水淹台北，一般人都認爲是由於石門水庫洩洪造成的災害。洩洪自然是必要之舉，但正在雨水傾注的時候，洩洪那不是火上澆油嗎，不成災，還何待。

這個看法石門水庫當局，當然是不同意的，例如這次水災的事，據石門水庫管理局提出一大堆數字計算後，結果認爲：「石門水庫的洩洪，實不至對台北低窪地區，的水患有何重大影響。即使沒有石門水庫，積水的情形一樣不會減輕」，好，現在就假定百分之百的承認，這話就是淹水與石門水庫無關，但是我們要反問一句，石門水庫是否盡了防洪的功能，減少了淹水的可能，如其未盡未減，那我們花這麼多錢，修建這個水庫作什麼？

防洪第一生命第一

石門水庫的當局又表示了，這水庫是多目標的，因此第一綱要維持相當數量的水，第二不能事前多洩洪，以免後繼無水，不能恢復原有水位，以致不能達到各方面的任務，旨——這話原也不錯，不過有點不知權衡輕重，所有灌溉、發電、遊覽、划船：：等的損失，我們都可補償，但是人命關天，生命財產，這損失我們怎麼能補償？此處限於篇幅，長話短說，我們具體建議石門水庫在颱風洪水季節，寧可忍痛降低功能，而只儲水一半；那也就是說只保持一百多公尺的水位，那麼無論多大的颱風豪雨，都不會充滿水庫的。而勿須在下雨時洩洪。等到雨過天晴，地面水退，然後再緩緩洩洪，恢復一百公尺的水位，如此豈不可收防洪之效，縱有發電、灌溉等損失但比起人命關天，不是太值得作的了麼？

自由談

見微知著

從歷史紀錄的事蹟中，得悉每個時代大動亂發作之際，民間與官府皆有些不尋常的奇特現象可說，當時大家習以爲常，罔知警覺，迨相習旣深，構成時代風氣，要想挽救亦來不及了。

我國對日抗戰勝利結束，政府還都南京後，平劇藝人麒麟童——周信芳——在上海連續排演新編的「明末遺恨」戲劇，累月不歇，而南京方面亦繼起效尤演出，觀衆不少。當時我和友人劉百閔深感詫異，認爲國家對外抗戰旣告勝利，躍居世界四強之一，又是聯合國的主幹會員國，爲甚麼國內尙有人編演「明末遺恨」這類描寫亡國事迹的戲本呢？百閔原係國民參政員，我主張他向參政會提案，轉請政府嚴予查禁，他在參政會議席上亦曾指摘此項風氣，但沒人注意，未有下文。

民國卅七年共匪竄擾中原黃河流域，旋有徐淮戰役發生，國軍黃伯韜兵團正在徐州外圍碾莊大戰之際，京滬的各個廣播電台，竟不斷地反復播出言菊朋灌唱的「讓徐州」這張唱片，其中說白的戲詞，描述一般將領置軍務於不顧，專事宴安逸樂的情形，最後乃有「難怪天下要大亂了」的感嘆語。此時我住在南京中心區中山東路和平日報的發行部樓上，夜間常常在收音機上聽到這張唱片的廣播，心裡很不舒服，曾在和平日報副刊上寫短文加以指斥，然而只是「指斥」了事，「讓徐州」的言派戲依然傳播不已，結果徐州終於讓給了敵人，最後連整個中原河山亦淪喪了！

這證明在動亂的時代中，人心皆表現反常的狀態，社會上充溢着一股乖戾之氣，沒有正義公道，更不講究功過是非，形成一種十足的「封閉社會」現象。這需要政治上能有如王安石那種「天命不足畏，祖宗不足法，人言不足恤」的勇於負責的英雄豪傑之士，正色立朝，秉持國鈞，庶可轉捩頹風，挽狂瀾於旣倒，救大廈之將傾。不料往後所見到的，又是副總統的選舉鬧劇，眞正表示着「明末遺恨」的歷史重演情況，豈勝痛惜！

這些眼前的事實，凡屬從大陸上轉到台灣來的同胞們，大家都能知之，能言之。今後我們如要光復中原，救國救民，必須培養正氣，遇事以國家利益爲前提，主張正義公道，明辨是非得失，使社會上的正人君子樂於爲國馳驅，不惜赴湯蹈火，則貞下起元，復興乃可望也。

馮五先生

台監獄犯人有權投票

技術上正作審愼研究

周主任委員望記者忠實報導 對選舉之壞風氣應嚴加制裁

【本報記者張健台北航訊】關於羈押於拘留所或看守所或監獄刑事被告，政府原則上同意他們有行使公民投票權的權利，唯技術上的問題將進一步研究，這是政府對人民權利的行使又邁進一大步。此一重大的政策措施，係動員戡亂時期自由地區中央公職人員增選補選選舉總事務所總幹事高應篤答復本報記者時宣布的。

十月二日，該選舉總事務所主任委員周至柔，率同各負責人員出席行政院新聞局記者招待會，報告中央公職人員增補選有關選務，並答復記者詢問。

本報記者曾提出三點詢問，分別由周主委、高總幹事等答復。第一點是國大代表由職業團體之農會工會增補選五名外，其他職業團體如漁會、商會、工礦業、教育、新聞記者、律師、會計師、技師與醫師公會是否辦理增選或補選？第二點是立法委員之增選包不包括職業團體在內？第三點是羈押於拘留所或法院看守所或監獄的刑事被告，犯罪尙未判決確定或判決確定而未被褫奪公權者，按理憲法准其行使公民投票權，政府是否在看守所或監獄內設置投票所，使未被褫奪公權之刑事被告行使投票權？

（下期續完）

藥物管理法審查經緯
人多口雜尚未達結論
藥物管理法案冷藏了三年
藥種商是日治留下的東西
大華晚報指國會偷天換日
藥業週刊要立委拿出良心

台北新聞信

（本報通信員柳一權台北消息）來自國會報導說：劉贊周說：現在討論的是藥種商問題，甚麼是藥種商？是民國三十九年以前日據時代遺留下的東西，光復後，政府補辦過一次訓練，等於承認他的存在。今後是不是還需要？本席認爲不需要，今後就讓他逐漸減少。現在的問題：一個是政府承認不承認的問題；另一個是法律不溯既往問題，根據這一點可以存在，不過在法上列出來，是否適當？需要研究。關於藥品應以分類方式管理各得其所。過去本席主張分類：一種是醫生處方藥品。第二種是無需醫師處方藥品，藥劑師可以買賣。再一種是藥商、藥種商可以買賣的藥品。至於對於小型藥房，本席主張限制其售賣種類，食品、化粧品、成藥三種東西都可以賣。我認爲這樣才能解決問題，否則執行上都有問題。

楊寶琳說：政府送來本院審議之藥物管理法草案，是經過三年的研究，始送來本院，在政府原案中，對於藥物，規定由藥劑師、藥劑生、中醫師和熟諳藥性人員共同管理。現在審查會將熟諳藥性人員删除，所剩下的藥劑師、藥劑生、中醫師合計不過四千多人，而要管的西藥商有五千多家，中藥房有七千多家，本席因爲顧慮到這一個現實問題，所以才想到藥種商如何在本法中加以規定，以補救分配不夠的問題。本來上次會已經表決增加一條，後來牛委員提出復議，又恢復原狀。現在是在再討論之中。我認爲我們首先要考慮的：究竟是從嚴管理？還是從寬管理？政府所送草案是嚴格管理。因爲藥劑師（生）中醫生不足分配，所以把熟諳藥性人員作一個計劃，藥種商也包括在內，此等業者，加以訓練後，然後給執照，使他在法律上有一個地位，在中西藥房執行其職務；如執行不力，給予嚴重的處分，在本法七十條，七十七條，七十八條中都有明文規定。本審查會曾將熟諳藥性人員删除，現在又有委員主張把藥種商也除掉。所謂除掉就是讓他們關門，這個問題很嚴重！人家開了一百年、兩百年的中藥店，爲他契（口旁）飯的有十幾廿口，失業的人怎麼辦？憲法上規定人民具有工作能力者，政府應給他工作機會，現在人家自已已經有了工作機會，被審查會加以扼殺，與憲法規定是否符合？政府原草案無此意，立法院作這樣的決定是否妥當？同時對於藥種商，政府發有執照，他根本不違法，法律不溯既往：你有甚麼權取消他的執照？同時政府亦不宜朝令而夕改，所以無論從憲法保障人民工作機會說，從維護政府威信計，爲保障人民生命健康與社會安全計，不應該這樣做。

基於以上理由，藥種商的存在不成問題；熟諳藥性人員叫甚麼名稱均可，也應該繼續存在；否則就失掉了政府管理藥物的實要意義。

最後本席要說明的是政府對偽劣禁藥的查緝，效果甚著，但對於藥劑師一人兼數家藥房的問題，應該嚴加改謹。我們代表人民行使立法權，必須憑我們的良知，作公允的處理，而不能有所偏頗，執政黨是全民政治，希望諸位同仁對於藥種商能夠予以支持，並作一法律之規定。

藥種商立委不曉得
可能是入境未問俗

趙石溪說：關於藥種商問題，聯席會有作鄭重考慮之必要。本席願提出幾個原則，請教諸位：一、所謂「藥種商」的名詞，在本席參加聯席會以前，從不曉得有這一個名詞。其性質如何？更不清楚。假定在此處必作規定，必須於第一章作定義之規範。現在前面總則未作規定，後面規定，就無所依據。因此關於這一問題，依本席個人看法，以不規定爲宜。同時所謂藥種商，係日據時代遺留之制度，無繼續保留之必要，應予逐漸改正，以符合我法律要求。

二、所謂「藥種商」的數目，根據西司長的報告說明，西藥種商一百四十四家，臨時西藥種商五百十五家，合計六百五十九家，尚不成多大問題，不過還有中藥種商四百八十二家未包括在內，六百五十九家加四百八十二家共一千多家，也算太多。但是另外有一個數字張司長始終沒有提及，就是臨時中藥商有六千三百七十八家，同樣經過地方政府發給執照。如果將這一數字加起來，就顯大無比。本席認爲現在專談「藥種商」一問題，就應該一起來談，不能僅僅只談五百十五家。因爲這七千多家都是經過政府發給執照，假定有法律根據應該都有；假使沒有應該都沒有，倘使提出來西藥種商，那就很不公平，後果相當嚴重。

三、藥物管理法草擬的原旨，是想使我們的藥政步入現代化。假定這一原則不錯，今天爲了取締偽、劣藥之猖獗，應該採取嚴格管理，加重處罰。在藥物管理法尊立里程碑之前，把不合理、不合法的現象，逐漸淘汰，因此本席籲請各位須下定決心，將目前不合理的現象，逐漸糾正過來，關於這一點，我們應該拿出革命的態度，本席很佩服楊委員的態度，但仍然籲請楊委員下決心將這一個雖屬良性的瘤子割除，這是本席第三個原則。

四、將仁慈觀念，帶入行政觀念，本席雖主張採取近似革命作法，但仍主張以王道精神爲原則，逐漸淘汰，這是本席第四個原則。

基於以上幾個原則，本席建議由聯席會作一附帶決議，將這一問題作一處理，決議文字爲：「在本法施行前，已依地方單行法規發給執照之藥商，不合本法規定者，應由中央衛生主管機關酌定期限，妥善輔導使其轉業，在限期屆滿前，應嚴加管理，以期本法之貫徹施行。」是否有當？敬請各位指教。

忍辱負重議員難當
審查兩三年開會若干次
賺得偷天換日銜
還被指責沒良心

潘十源說：本席在上次會就曾主張應該面對現實，來討論這一個問題，但是我絕不贊成在本法中增加一條關於藥種商的規定。爲甚麼我不主張增加這一條？因爲關於藥種商的問題，只有台灣省才有，是日據時代遺留下之制度，經過台灣省政府發給執照，在接收台灣以後，我們不能不維持他的現狀。但是由於維持現狀，而成爲我們今天藥政紊亂之源。藥物管理法是全國性立法，對於某一省特殊的問題規定在國家百年大法之中，是否適宜？這是第一點，請各位鄭重明智的效慮。

第二點、藥種商是日據時代產物，是我們藥物管理法所不採取的一種藥商，藥種商，我們政府發給藥商執照，其營業範圍，只包括藥品之販賣，而不包括製造，根據內政部的資料，共達九種之多。這些領有執照而不合乎藥物管理法所規定之藥商，均不屬藥物管理法所承認。如果我們在本法中規定上這一條，就等於藥物管理法承認了藥種商的地位，但是除了藥種商以外，跟藥種商同樣情形的藥商還有六、七千家之多，對於他們又作何交代？這是藥種商不能在本法中規定之最大理由，請各位同仁鄭重考慮。

此外，本席雖然不贊成在本法中規定此一專條，但是我贊成處理這一個問題。因爲這還是一個事實。因此我贊成用附帶決議的方式，來解決這一個問題，限期加以處理。

藥物管理法，本院審查了兩三年，有時全天開會，開會的次數實在太多，大家所費的心血相當多，在本法審查至尾聲之時，稍微失却平衡，則前功盡棄。因此本席不厭其煩的將本席的幾點理由向各位提供，供各位明智的參致。附帶本席想說幾句話，昨天大華晚報國會春秋有一段所謂「偷天換日」的話，又藥業週刊社論要「立法委員拿出良心來」。各位有的經常來開會，不過大家都很清楚。不論大華晚報也好，藥業週刊也好，他們說的不是那麼一回事。大華晚報所謂「偷天換日」是指依照本法規定藥商可以處罰五萬元罰鍰，而藥劑師依照藥劑師法只罰五十元，相差的太多。關於這一條的删除，本席記得很清楚，在草案第二十四條藥劑師一人不得兼任兩處職務，係本席提議，牛委員贊初附成，沒有經過大多的討論，無異議通過删除，並非偷天換日，也非受到藥劑師的拜託，更非獨厚於藥劑師。請各位同仁注意：本法的標題，行政院原案是「藥物管理法」，審查會通過的是「藥物藥商管理法」。根據審查案第四條所謂藥物，包括有藥品及醫療器材，第八條所謂藥商，包括有藥品或醫療器材販賣業及藥商或醫療器材製造業。對於醫師，對於藥劑師（生）的處罰，不包括在本法以內；所以關於醫師的不得怎樣，未作規定，我們只有一條是醫師應該怎樣。本來藥品的調劑，限於藥劑師（生）；關於醫師不得怎樣，爲甚麼沒有規定？因爲在醫師法中也有規定。所以那一天本席曾經講過，對於藥劑師的處罰，在藥劑師法中規定。如本法通過後處罰藥商很重，行政院送修正案也可以，本院委員提案也可以，把藥劑師法的處罰比照藥物管理法的處罰予以修正，均無不可。但不能把藥劑師的處罰規定在藥物商管理法以內。兩法如果都有規定，在體例上太不適宜，這一點本席不厭其煩的說明清楚，使得大家能夠了解。最後本席補述一句話，藥種商問題，不宜於本法增訂條文，用附帶決議方式一樣可以達到目的。

王冬珍說：趙委員、牛委員所提附帶決議，我想再加以修正，我修正文字，是：「在本法施行前，已依地方單行法規發給執照之藥商，應由中央衛生主管機關，定期限，公義輔導，使其合於規定。在限期內如不能實行，應公義使其轉業。」我想這樣修正以後，大家都不必爭執。

決議不是法律
政府維持威信
立委們勿多管閒事

楊寶琳說：本席也有一點意見，提供各位參考，本案政府送來的是藥劑師、藥劑生、中醫師與熟諳藥性人員共同管理一萬多家藥房，一個對一個不得兼任，不得兼聘。現在審查會將熟諳藥性人員删除，使得管理藥品人員相差幾七千，本席認爲這不是行政院的意見；同時使其不符分配，還不是解決問題，而是製造問題，至於趙委員、牛委員所提之附帶決議，所謂由政府酌定期限，定額分配，現在是根本不夠分配，酌定期限政府還是行不通。上次會本席曾經向各位呼籲，我們立法委員要憑我們的良知，不爲任何一方所說服，要爲大衆立法，爲全民立法，爲病人求好的藥，爲病人求好的醫師。本席現在的意見是希望在本法中增加一個條文，這個條文是：「本法公布施行前，台灣省已依地方單行法規發執照之中西藥商，由中央衛生主管機關訂定辦法管理之。」決議不是法律，這些藥商已經取得政府所發執照，政府更要維持他的威信，如果政府認爲有取締之必要，那麼中央衛生主管機關可以取締，用不着我們去取締。希望在座各位支持本席的意見。

潘士源說：楊委員意思很好，但在本法中規定，問題很多。如依照楊委員意見，在本法附則中增加一個條文，就產生一種情況：就是正式藥商依照本法管理，而不正當藥商，反而由行政命令管理。請各位考慮：是否妥當？其次，假定本法承認了藥種商的合法地位，永遠存在，而本法制定的目的在整頓藥政，其結果是非但藥政不能整頓，反而紊亂了藥政，是否妥當，也請各位考慮。

外僑上訴有感

（台北消息）台中市衛道路發生於去年十一月間的三名外僑搶劫計程車案，初審各判徒刑六月，並得易科罰金後，三名被告上訴台中高中院，結果反被台中高分院，撤銷原判決，被告三人各處有期徒刑十二年。

這三名外籍被告是：鮑寧伯格（廿一歲），其爾雷包爾（廿一歲），甘迺迪（廿一歲）。

他們較早是被台中地檢處依恐嚇勒索罪提起公訴，被台中地方法院庭依同一罪名分別判處徒刑六月，如易科罰金以六元折算一日，但上訴台中高分院之後，却被變更法條，以陸海空軍刑法結夥搶劫罪，分別改判十二年的重刑。

司法尊嚴，法庭神聖，新聞紙對於起訴審理中的案件，習慣上不許妄爲法律上之批評或推測，因之我們對這三名外僑搶劫計程車，初審判刑六個月，上訴後改判爲十二年，本案將來之發展如何，不敢也不願多贊一辭，但有一種直覺與簡單的看法。

本案之特點：一、由六個月徒刑並得以六元折算一日易科罰金，突改判爲十二年徒刑。孟子裡有一句話：「不知足而爲屨，我知其不爲蕢也」，屨之相似天下之足同也。二、是否適應於我國當前外交政治情勢。劉自然案引起的事件，於今餘悸仍存。三、即使是一個最好的人，如果把他所有的思想與言行提交到法律面前，都該判處死罪。自由國家法律的量刑，與極權國家迥異者，不在懲惡，而在勸善，就是基於這個道理。

台灣最近，反案件和獲得冤獄賠償案件迭出，其中因素，不外法官忙中多錯，（詳見中央日報）像十月三日消息，台南市民張森雄，因被人控告詐欺，經過台中地方法院、高等分院兩審均被判處徒刑，而最高檢察署認爲該項判決，違犯法令，提起上訴後，又被改判無罪，即其一例。有關於鮑寧伯格等一案，我們最注意的，不要再替安全繁榮的台灣，帶來壞的影響。想高等法院台中分院，從國家刑事觀點上，當有公正適當之把握。

法的生命是理，理的完整是法，大哲學家蘇格拉底認爲法官的守則是：「謙恭的聽取，機智的答覆，冷靜的思考，公正的判決。」確有其絕對至理。根據上述論點，我們認爲法官的天秤，應當傾向於同情，勝過傾向於嚴厲，就教高明，以爲如何？

文滙樓劄記

薛岳將軍白話批公文

中國國劇標準去衡量，薛岳將軍（伯陵），屬內穿紮甲，外披蟒袍，且豎有「帥」字旗的人物，薛岳早年做過　國父孫中山先生的警衛營長，陳炯明叛變，薛背着　國父脫險，國父拍肩嘉許說：「伯陵眞吾徒也」。

「共黨兩萬五千里長征記」，亦即薛伯陵奉命剿匪「兩萬五千里窮追記」。對日抗戰期間，薛岳任職第九戰區司令長官兼湖南省政府主席，功著長沙，名昭白日，爲中外所共知。那時候湖南省府人事，秘書長是李揚敬、民政廳長陶履謙、財政廳長胡迪、建設廳長余籍傳，教育廳長朱經農，現任內政部次長唐振楚，祇廿幾歲，曾做秘書專員，同一時期，政論家任畢明在當股長，外間有強將之下無弱兵之說。教育廳所屬湖南大學、湖南通俗日報、暨湖南省立教育館、湖南省立科學館、湖南省立各專科學校、湖南省立各地中學等。那時朱經農可能受戰爭洗禮影響，力圖人事革新，除湖南大學校長老青年胡庶華不能更換外，其餘單位皆欲啓用青年。創刊宣統元年的湖南通俗日報，歷史雖久，向無設備，保持着「官船湖、官馬授」陋規。每任社長都可以混上好幾年，也是主辦官報的訣竅：辦好了適會引起爭奪，辦的太壞，又站不穩，用老油條的搞法才拖得下去，就是說壞不算壞，說好也談不上。

民國三十年春，湖南省府會議，毅然通過湖南通俗日報社社長，由衡陽大剛報總經理李運鵬担任，李比民國小六歲，客觀上正血氣方剛戒之在鬥。不過李在「鬥」字上面加一個「奮」，一年奮鬥，一改舊觀，賺到湖南省政府和教育廳的一再嘉獎。

報紙發行數爲每日一萬九千餘份，國民政府軍事委員會，蔣委員長親題「導俗以正」予獎勵，這些光榮，照道理皆應歸功於中央政治學校；因當時除南宮搏（馬彬），藝術家劉獅，分任副刊編輯外，各部門負責人皆政校同學，駐重慶特派員是黃印文，後由潘公接充。

問題發生在李辦任何報紙，首先照例設立「兵工廠」（即印刷廠）因通俗印刷廠另具規模關係，教育廳長朱經農受得意高足（光華大學）第四科長楊熙靖慫恿，當然要保李做湖南長沙、邵陽、衡陽縣縣長。因楊熙靖欲任報職，目的在兼做教育廳全部印刷生意，條件就是要李將所成立之印刷廠全盤交出，李表示既不想貪污，做官對個人說，是一樁很大損失。教育廳開始對李鼻敬酒，後來改成罰酒，末了演變爲猛虎洗臉，省政府根據教育廳意見突下令通俗日報停刊，民間甚府宣佈任務，由國民日報接替，並令衡陽警備司令兼市長趙君邁，武裝監督就日移交。

李的人生觀：「頭砍掉祇有碗大的疤」。作人那怕過事，那裡肯吃這杯罰酒，除邀請各債權人，十有七八成駐軍中將以上人物，有集團軍總司令部派憲兵一班駐紮印刷廠外，李一邊前往省府力爭，所持理由，計劃成立印刷廠時，教育廳既未推准，有公文書爲證，成立印刷廠後，經申請湖南審計處報備，審計處以照法無據，拒絕驗收，亦有代電爲憑，非公有財產，已屬顯然，一場爭訟官司，直打到薛兼主席面前才算獲得公平合理解決，薛約批示大意：一、湖南通俗日報原有公物繳交回教育廳。二、李任內人欠欠人由李登報聲明，自行清理與教育廳無涉。三、李任所置財產與通俗印刷廠由李自行處理。教育廳那裡肯服這口氣，後經財政廳長胡過出通，拒絕會印，李年青盛氣，亦太好强，當着楊熙靖的面說：「猴子不上樟，多敲幾次鑼」。乃再度上一道白話呈文給薛兼主席核示。

薛以正直著稱，亦出自愛護後進，用白話批下呈文：「我決定了的事，馬上就得辦，不會絲毫無道理」。侍從在前，將薛兼主席批示，拍一電報給省府秘書處，那時主任秘書是巴壺天教授：「奉司令長兼主席薛諭：『我決定了的事，馬上就得辦，不會絲毫無道理。』特因奉此相應電達即希查照」、李運鵬和朱經農後來並無惡感，但是不打不成交情，朱對李的外交運用與能力魄力，由衷嘉佩。民國三十六年，朱經農任職上海商務印書館總經理，再度誠摯邀李前往上海担任該館副總經理，李因自己事業過忙婉謝。民國三十五年，楊熙靖任湖南善後分署衡陽辦事處處長，因貪污出了亂子，李重義念舊，不僅未報復，且全力支持未成爲案，使其能清白離開，不過，楊對李寬宏大量，亦從不再忘懷。

文匯樓主

政治現形記（三四）

李槃

第十一回　巧宦一生，蓋棺定論唯遺臭；傳家有子，因財失義莫承歡。

許氏只好同意，在一年之內，陸續取出了十萬元美金，投資股票市場大蝕其本，從此兒子不肯再簽字取欵，請乃父停止股票生意，安居華府度其餘年，包管不愁衣食。許氏實逼處此，不能不接受兒子的勸告，但心裏很不舒服，吩咐兒子要將銀行存欵戶頭改成許桂庭名下，免多周折，兒子忿然曰：「我早就告訴你了，美國銀行存欵或取欵，都要本人簽字乃可。你會寫洋文名字嗎？」許桂庭亦抗聲云：「那有甚末關係？你替我簽一洋文名字，再刻成橡皮章，我蓋在支票上不就得了麼？」兒子知道乃父缺乏常識，無可理喻，大聲答道：「你說的是中國衙門裡的公文程式，這兒是美國，辦不到啦！」父子爭辯一場，許桂庭聽到兒子說的振振有詞，只好放棄自己的主張，暫時閒居納福。可是兒子在外供職，早出晚歸，許桂庭一個人悶在家中，實在感覺寂寞無聊，總想去外面逛逛，找訪中國朋友聊天，但以不識英文，害怕迷失路途，不能回來，他心生一計，教兒子用一張見方的厚紙上面寫着英文字句云：「我住在紐約某街某號，請幫助我回家去！」出門則須帶着這張紙片，以便必要時向警察或路人乞援。好幾次都是靠此方法纔得回到家中的，許桂庭自認爲這項妙計實屬明智而便利，若非是自己聰明過人，談何容易呢！他對着兒子洋洋樂過，說是「我曾經辦理國家大事多年，這點小小困難問題，難道沒法解決麼？」兒子唯有苦笑而已。

一天，許桂庭忽然受到感冒，混身標冷汗，發高燒躺在床上呻吟不已，兒子急忙打電話請大夫來診治，大夫量過體溫後，對許桂庭的兒子說明病況，開出藥方，指示服用之法，匆匆別去。許桂庭不知道大夫說些甚末，便詢問兒子道：「我的病情怎樣？醫生如何說法？你可告訴我，以免操心。」兒子答曰：「你又不懂洋話，照單服藥就是，何必嚕囌多問呢？」許桂庭不覺黯然神傷，但臥無言，頻頻搖首。

經過短時間的醫療，許桂庭已告康復了。某日飯後，兒子向他說：「今日是週末，我約了七八個青年男女同學同事在家裡開跳舞晚會，他們若是見到爹爹，不免有些拘束，玩得不痛快，而且大殺風景，爹爹可到外面去游玩幾個鐘頭再回來罷。」

逍遙的眞人——臨濟禪師（十）

吳經熊原著・吳怡譯述

「大凡演唱宗乘，一句中須具三玄門，一玄門須具三要，有權有實，有照有用。」

臨濟自己並沒有確切的說出什麼是三玄門，什麼是三要。因此使得後來許多學禪的人都以自己的立場來解釋，形成了歧見。直到現在，仍然是個參不破的公案。有的人認爲三玄門是：

（一）體中玄
（二）句中玄
（三）玄中玄

三要是：

（一）假體無斷
（二）大用無方
（三）邊中不立

今人陸寬昱居士在他的「禪和禪敎」一書中曾說：

「三玄門是指體、所、和用。每一玄門有三階段，即是初、中、和末。因此爲了要得到佛的智慧，學禪的人便必須經過九個階段。臨濟曾經通過它們，而把自己所成就的加以分析，即是現在所謂的三玄三要」。

如果這種解釋不錯的話，那麼臨濟便像一隻狡猾的老鼠在迷宮中安放了三重門，而在每個門口上裝了三個秘密的關關，爲了要走出迷宮，那些可憐的老鼠們必須要模對九個關關。以我來看，這並不是臨濟的本意，也不是禪宗的精神，汾陽善昭的一首偈子說得好：

「三玄三要事難分，得意忘言道易親，一句明明該萬象，重陽九日菊花新。」

我們千萬不能忽略臨濟的根本精神是在於能活到眞我就是無位眞人。所有機變的方法，和推論的公式，都是次要的，都只有暫時的價值。後代學禪的人只注重次要的問題：而忽略了根本的精神，這實在是一大諷刺。這也是後來禪宗之所以不能保持原有的創造力。

因爲你一旦被公案所困，用你的聰明去解的話，那就像蒼蠅被蒼蠅紙所粘着一樣，永遠也得不到解脫。偉大的禪師是用各種不同的公案把你逼到牛角，使你在極度的痛苦之下，也許突然打開了內在之眼，看到你所被困的曲折的迷宮，只是一場惡夢；在你領悟之時，便立刻消失了。現在先讓我們看看南泉的一段軼事，有一次，陸亘大夫問南泉說：

「古代有一個人在瓶中養了一隻小鵝，鵝漸漸長大，出不了瓶。現在不能把瓶打破，也不能損傷鵝，請問你用什麼辦法使牠出來」？

南泉叫道：「大夫」。

陸亘回答：「是」

南泉便說：「出來了」。

這時陸亘才領悟到了自己的眞性。

也許有人奇怪臨濟自己對「三玄門」和「三要」的那種博雜的註解和冗長的思辯會有什麼感想。筆者以爲假如臨濟閉口不說，或像南泉一樣把鵝唱出瓶外，也是很自然的，毫不足奇。

臨濟曾對他的大衆說：

「道流，莫將佛爲究竟，我見猶如廁孔，菩薩羅漢盡是枷鎖縛人底物……大德，莫錯，我且不取爾國經論，我亦不取爾國王大臣，我亦不取爾辭似懸河，我亦不取爾聰明智慧，唯要爾眞正見解，道流設解得百本經論，不如一個無事底阿師」。

（完）

禪學黃金時代

綜談國劇復興（二四）

王方曙

但在國劇中的鑼鼓却不僅止動作配樂。配合動作的幕外配樂有了以後，在我們的戲劇中，有更進一步的發明，那便是在配合動作之外，要表現並配合戲劇的節奏。這一作用，甚至比配合動作都重要。在國劇中的鑼鼓，在每場的開始都有序曲的作用；在每場之末尾，都有結束音樂的作用；在每場進行之中，隨時都有造成氣氛，控制奏，表現抑揚頓挫的功用。如「慢長錘」表現舒緩，「緊緊錘」表現急切，任何人都可以感受到；像「住頭」，會使你感覺到這是一小階級的結束，好像文章中的句點；而在某些地方，加上一鑼，會使你感到是一個小頓挫，好像文章中的逗點。諸如此類，在這裡不必細談，舉其一二，可體會到它的功用。

在用鑼鼓作配樂以外，也有用管絃作配樂之處：配合動作的如拾玉鐲等；配合氣氛的如小開門、哭皇天等牌子的演奏，都非常明顯。我想我們的觀衆若肯承認電影中的配樂，當然便可以同時承認國劇的配樂。不過國劇的配樂是多方面的，而且多用鑼鼓，有時使新觀衆不能了解，其實說明了便是極正常的戲劇形態，決無不合理之處。

假如我們試演一場戲，把鑼鼓完全去掉，你可以發現，整個的戲會變成毫無力氣，全無節奏，全無氣氛。不信可以試一回！如果我們確實發現了這種配樂是不能去掉的，使也就是知道了它的必要性了。談到復興國劇，以往各節，我都有一個想要更進步的方案，惟有對鑼鼓配樂這一部份，我不想再有更進一步的方案，我以爲鑼鼓的演奏，已經相當的完美，如果不得已，我們一定要求更好，當然，好是無止境的、我們可以更進一步的研究比現在更完美的鑼鼓點兒，或再加多鑼鼓點兒，我想也是可以作得到的。

至於用管絃配樂部分，我倒主張應該再擴張，我們目前有的牌子也不算少，但再加多，再求精，再求普遍利用，都是該研究該作的。

諸葛亮狂想曲（四九）

・劉玄・

「你的見解甚對。假使我不逼你，你還不肯說呢。你爲什麼老是改不過口？我一再叮囑你，不要稱呼我丞相。我現在在天庭，跟以前臥龍崗一樣，又恢復散漫的人身份了。」諸葛亮生性恬淡，與天庭一般仙家喜歡別人稱呼官銜的不大相同。

諸葛亮從善如流，拿出五線譜底稿，一邊沉吟一邊塗抹。作曲與中國人作詩相彷彿，諸葛亮很會推敲，不一會工夫，已經修改竣事。

諸葛亮脫去八卦衣，丟了鵝毛扇，只穿短裝，坐在鋼琴邊將新改的第二樂章彈奏一遍。

劉約翰在旁看了，心中暗想：戲台上的諸葛亮從來不作興脫下八卦衣的，手也不離鵝毛扇。但戲台上化裝的諸葛亮，其實是假的。眼前穿短裝在彈鋼琴的，一點諸葛亮的味兒都沒有，倒是眞正的諸葛亮。這大概就是佛家所說的衆生相罷。

修改過後的第二樂章，異常狂熱，類似西洋「搖滾」旋律，但隱藏金鼓殺伐之聲，確實有一種震撼力量。

諸葛亮彈完，自有琴童替他穿上八卦衣，遞上鵝毛扇，只不像戲台上大人物換衣服，場面上要敲鑼鼓罷了。

「諸葛先生這一改，改得好極了。我想諸葛先生剛才靈感是由赤壁鏖兵而來，不知猜得對不對？」這次是劉約翰先開口。

「你猜得對，你是怎樣猜到的？」諸葛亮面帶笑容，不住點頭。

「我聽到樂曲中有金鼓殺伐之聲，故而大胆假設一下。」劉約翰略有新文學底子，所以引了胡適博士的一句口頭禪。

諸葛亮推敲樂曲，張素梅勤練指法，暫且不表。只說龍閣會所很久沒有熱鬧集會，自從桃園弟兄柬發出以後，天庭大小各仙無不驚奇，認爲是頭條花邊新聞。在演奏期的前三天。三國中有名的一位狂之士，現任南天門門官禰衡，忽然來拜訪諸葛亮。諸葛亮一見禰衡名刺，立刻很禮貌地請他到客廳裡坐，待以上賓之禮。

禰衡見了諸葛亮既不作揖，也不鞠躬，大刺刺在客位上一坐，一派傲慢態度，倒是諸葛亮低聲下氣問禰衡道：「禰先生枉駕，不知有何見教？」

「我來問你，上次聽說你要往下界觀光。後來又不走了。現在又要開什麼「狂想曲」演奏會，究竟是啥子名堂？」禰衡在天庭，官卑職小，而又狂態逼人，所以很不得人緣，他只有與蘇東坡常來往，所以說話帶有川味。

「亮上次擬往下界觀光，因格於天庭新規定，暫時不能成行。「狂想曲」是亮學習人間新作品，到時還請光臨龍閣會所指教。」諸葛亮對禰衡說話格外小心，知道禰衡有點神經兮兮的，所以

巨變歷險記！

[illegible]要不是說於頭痛了，這會敲了她的「回光返照」。在這花一現之後，就一下子就倒下去了，在丁博士到家後的第四天，她就與世長辭了……

丁博士是不是有預感，在他到達西南之後，他就急見母親，他就決定回家去看望她老人家，而且這個念頭十分的堅定，大有赴湯蹈火在所不辭之心情。老娘總算看見了，而且還相處了四天。他倒看見她老人家咽氣，但他沒能送她老人家到墳上。當地的共產黨知道了，決定逮捕了，在他幾個哥哥督促之下，終於在第四天的早上三點的時候，潛離他那可念的母親回到礦山了。

娘的傾訴……

（七三）　胡慶蓉

在同娘相處的時間，談到很多他小時候的故事。丁博士在小時候是再沒那柔弱。東西南北四個字，學了五天都沒學會。那裏是東？那裏是西？那裏是南？那裏是北？他更是不知道。教他讀文稿影，一紙底四字，[illegible]，經書解日，子史須通」，這四句，共十六個大字，諗一天都背不出來。但他有個特點，他有鍥而不舍的精神，娘每天雞叫三遍就把他叫起來讀書，他從來聽娘的話，從不惹娘生氣。「人一能之，己百之；人十能之，己千之」。他終於出人頭地。在入高小以前，在私塾的階段，他已經三字經、百家姓、四書、五經、龍文鞭影、幼學瓊林、讀了凡的綱鑑易知錄，他都會背了。此外他還記住五百篇時文，兩百篇古文。他大學畢業，法國回來，從事教育文化工作，從沒忘記給娘讀書。娘說到這又哭了。她拿了兩大箱子的金圓券給博士看。她說：「這就是你花我的錢……。他所有寄來的錢，一變、再變、三變、四變、五變……最後都變成了金圓券，金圓券的金字非常吸引人。在開始發行的時候，老百姓紛相走告：「不用銀元了！要用金圓了！」老百姓，從老幼起，都迷信金子，都崇拜金子。一聽到金圓券，大家都在踴三丈，競相換取，把什麼錢都換成金圓券。」誰知道……」娘說到這裏，更哭得可憐，誰知道金圓券變成了「無價之寶」了！什麼都有價值，惟獨金圓券無！拿金圓券什麼都買不到」……

「你看……」娘指着這金圓券的兩個大箱子，她不由的又哭起來。「完了！完了！一切都完了……」一兒來！你看怎麼活？……」這給她的打擊太大了。這恐怕就是催她早歸道山的原因？……

鄉下人錢來之不易，故對錢非常的重視。這不是他的第二生命，這簡直就是她的生命。最近廿多年，娘又儲錢蓄著，沒過過一天的好日子，天天在過年卅，不是這邊要糧，就是那邊要稅，加上不是水災，就是旱災，收成差，開支大，每天的三餐都接不上。「現在一切都完了，還怎樣活？……」她想不開，她就這樣去世了……這樣去世的，豈止丁母卜太夫人，恐怕還多着呢？現在共軍佔領，共軍又發行一套紙幣。後門拒狼，她怎樣活呢？……

我與新疆一段情（下）

劉英柏

大西北種族之爭，即是其他各族都談族之爭，爭甚麼呢？爭領導權。只要大家諒解，就無爭端了。我適應機宜，把這一枝部隊安定的運用起來，對國家是有貢獻的。

三十四年秋天，抗戰勝利了，伊寧方面所謂「東土耳其斯坦國」頭子，（原係新疆省政府副主席，其主席為西北行轅主任張治中兼）阿合買提江，死灰復燃，又領導維吾爾、哈薩克民族倡亂，精河、烏蘇，相繼淪陷，綏來吃緊，迪化危如纍卵。我奉命要轉進嘉關蘭州的時候，做夢也想不到這一枝部隊的「雜牌兵」，突擊新疆，並且說：「敵人雖然和我們同種族，但是他們壞我們不壞，我們要在你頭上下去打仰們！」於是，我信心堅定，組成了自衛大隊。後來上級仍然要我轉進，只好說以公務為嘉[illegible]個服從名，不日即返。部隊交與維族軍官宋合負責管理，於九月二十五日，帶了一部份漢族官兵，由迪化飛嘉谷關了。

我們的國家，實是不幸，誰知道抗戰勝利，領土重光，全世界歡欣鼓舞，可是多難的新疆，還是[illegible]撤退。我的小小部隊，好像在「打濫仗」，官兵分佈迪化、嘉關、蘭州，正如後來「一三十八年下半年分佈西安、漢中、成都一樣。

中央政府希望新疆和平安定，可是新疆一直都在打打談談，我駐嘉關對所屬迪化蘭州的官兵前後照應，直到三十五年夏末，才又奉命飛回迪化，官兵們歡喜若狂，張燈結彩，大開晚會慶祝，並將有名的「康巴爾罕歌舞團」請來表演，極一時之盛！

當年二月一日，在當時的省主席，後來投匪的張治中主持之下開「新疆和平聯歡大會」，中央派監察院長于右任前往新疆宣慰，多族的新疆，表面上頗團和平。記得當時于老還有感吟詩作紀念，其詩云：「我與天山共白頭，白頭相映亦風流，羨她雪水灌田疇，風雨憂愁成過去，山川憔悴變經秋，蒼鬚已盡見芳洲。」一

新疆幅員遼闊，民族複雜，全疆四百萬人口，漢族只有百份之十，亦即四十萬漢族人口，漢族人文化水準較高，其他各族，由於居於邊陲，接受新文化機會較少，文化水準，不免稍遜一籌，但誠樸敦厚，苦幹實幹的精神，並不下於漢族人。我在新疆城市與鄉村，先後住了兩年多，迪化市區光滑平坦的柏油馬路，兩旁綠化俱樂部的二轉子姑娘，街頭[illegible]，[illegible]的滿流，西[illegible]公園的[illegible]，異香名花，天山的白雪，新疆學院校花張秀、王素貞們：「天山白雪潔又鮮，活潑兒女齊向前，新政府創立吾校到今天，培養了不少優秀女青年！」悠揚甜美的歌聲，至今快二十年，仍然再三再四縈繞於我的腦際。總之，我對於新疆的觀感非常好，新疆人民的特性，吃軟不吃硬，共匪慘無人道的高壓手段，恐怖政策，奴役殘殺那一套，當然不能他（她）們所能忍受，所以非逃亡不可。

歷史興亡成敗，莫不為民是賴，任何政權，得民心者興，失民心者亡，可以說是天然定理，在毛匪的政權，雖然盤據十五年，但不得民心，古話說：「多行不義，必自斃」，不崩潰待何？反觀我自由中國，在總統英明領導之下，政治修明，軍民團結，反攻武力非常強大，只期待時機成熟，則跨海平亂，收京復土，吾人可以拭目以觀之。

編者按：據作者說，這一份稿件，是五年前所寫，文中的劉英伯現已退休，張將軍現任警總副總司令，羅將軍當[illegible]身故，張逆治中已去陰司受審，滄桑雖變，但大西北原野的情形，仍值得回味。本刊故予發表，以饗讀者。（完）

御廚談藪

點心的調製（五）

林泉隱

白蓮花片製法：夏季白蓮花開時，將初放開沒有斑點的花瓣採下，用雞蛋白及麵粉調成稀漿，把蓮花瓣調漿在油中炸黃，再加白糖便可吃，一切菊花片，玉蘭花片，都是同樣的製法。

高麗蘋果製法：用麵和水成漿，加入雞蛋白攪勻，又將蘋果切成小塊，中裹豆沙，外包網油一層，浸入麵漿中，取起在油中煎黃，使餡漲大鬆脆。（倘將蘋果改用豬油便成高麗肉，倘換上香蕉，便成高麗香蕉。）

湯包製法：湯包要皮薄餡細湯多，先把鮮肉斬成肉餅，另加洋菜在肉湯中煮成濃汁，待涼後，和入肉餅內攪勻，再用冷水激成凍形，拿來做餡子，一經在蒸籠中蒸熟，那肉凍當變成湯。又把陳海貨末少許，和在肉裏面，一經蒸熟，也能化湯。

生活漫談

胡蘿蔔治肝病與肛門癢

馬騰雲

最近台灣經濟日報登出，胡蘿蔔可治肝病，謂有維生素K，經查胡蘿蔔含有維生素A、B、C，[illegible]果發等，對脾胃，安五臟，補中氣，利腸胃，藥典有詳細記載，是否含有維生素K，還者在求證中。胡蘿蔔汁治肝病確屬事實，既安五臟，肝當然包括在內，可惜台灣胡蘿蔔水份少渣多，生吃困難，引為憾事。

一般人常發生肛門搔癢的毛病，這是由於蟯蟲（虫旁）蟲，不斷在腸內產卵，經而爬到肛門週圍的皮膚皺壁上去產卵，經過六七小時就會孵出，並且有感染能力，有時蟯蟲爬進了盲腸的闌尾，引起急性盲腸炎，此時只好動手術了。

不愛清潔的人，經常感染這種寄生蟲，當肛門奇癢，用手去搔抓的時候，就會把蟯蟲卵帶在手指甲縫內，將蟯蟲卵很容易帶到被服、衣服、家常用品和玩具上，然後再由這些物品經過人手帶入口腔內，如果檢查患蟯蟲病者所住的房間，在地板和窗台上的灰塵裡，以及玩具、床單等物品上發現蟲卵。

上面已經說過，蟯蟲不顯在人的腸內產卵，所以在化驗室裡檢查患者的大便時很少能找到蟲卵，即使明知這個人感染蟯蟲症，也很難找到，如果檢查患者肛門週圍皮膚，表面上所刮下來的東西，會發現很多的蟲卵。

我們防止蟯蟲病的方法，應該很好的保重身體，被服和房間的清潔，如果發現自己已感染到蟯蟲，要趕快把蟯蟲卵從皮膚上弄掉，每天早上和晚上，用水和肥皂洗肛門，洗完後，要洗淨手和指甲，指甲應剪短，夜間應穿好睡衣睡褲，以免抓搔時，使蟯蟲卵落在床被單和手上，每天換衣服一次，衣服煮沸洗淨，用熨斗熨平，治蟯蟲的藥雖然很多，但得根據醫生的服用，中國治除蟯蟲，古有良方，於今歐美及俄國醫界咸認是最王道的辦法，就是喝胡蘿蔔汁，可使腸內蟯蟲自動排出，不過在製胡蘿蔔汁前，先得把胡蘿蔔洗淨，然後仔細削去外皮，用開水燙一下，搾出的汁連續服用兩到三星期，每日兩次，每次成年人一茶杯，小兒四分之一或二分之一杯，屢試屢驗，用為介紹。

板橋三娘子

周遊

唐汴州西有板橋店，店東寡婦，人稱三娘子，膝下無男無女，獨自經營客店。擁有房舍數間，供客旅行業，頗有資財，驢畜常數十頭，生意興隆。

元和（唐憲宗年號）中，許州人趙季和者，將遊東郡，過汴州板橋店住宿，時客有先住者十餘人，因其後至，住最末一榻，鄰間即女店主三娘子寢房。三娘子供給諸客甚厚，夜深致酒，客會飲盡歡，趙季和素不飲酒，但亦共客言笑。時至二鼓，諸旅客皆醉倦就寢。三娘子歸寢入室，閉門息燭，人各熟睡，獨趙季和輾轉不眠。夜靜更清，耳聞隔壁三娘子似有行動之聲，心甚異之。起坐由隙中窺之。見三娘子在箱中取出耒耜一副，木牛一隻，木偶一個，大小六七寸，放在灶前，然後含水噴之，木牛、木偶活動如生；木偶牽牛駕犁，遂耕床前一席之地。又于箱中取出蕎麥子，該木偶人播種，移時麥熟，收七八升。又于箱中取出小磨一副，使木牛磨之，磨成麵粉。旋收木偶、木牛、小磨于箱中。三娘子即取麵粉做成燒餅數枚。忽聞雞鳴，諸旅客起身啟程，三娘子先起點燈，置新作燒餅于桌上，與諸客早點，趙季和已目睹異狀，藉詞不食而別，暗中窺三娘子所為，見諸客[illegible]而食燒餅，忽然間諸客先作驢鳴，繼而變成驢，三娘子將諸驢入店後，然後悉將旅客資財沒收。趙季和膽大心細，知隱不宜。

月餘，趙季和從東都歸途，將至板橋店，預先作燒餅如三娘子手出，既至板橋店，復住宿如初時。是夕更無他客，三娘子供待愈厚，深夜設動，問趙所欲。趙不吐露，惟告以還鄉，照舊燒餅點心。是夜三娘子如前所為，燒餅置于桌上。三娘子因他事入內，趙季和以自己之餅換之。三娘子不知，揀餅食之，三娘子忽作驢鳴，頃刻間變而為驢，強壯健碩。季和乘此驢而行，周遊四方，日行百里。後四年入關，至華嶽廟，途遇一老人，拍手大笑道：「板橋三娘子雖有罪，然遭君已過甚了」。請即釋之。老人從驢之口鼻開以雙手劈開，三娘子自皮中跳出來，宛若舊身，向老人拜畢而去，不知所終。

（完）

桃花潭水深千尺

趙陀

「不，朋友之間，金錢的界線，一定得劃分清楚，否則會失去朋友。」

「根本就劃分不清了，我與蘇伯伯之間，亦沒有劃分得太清楚的必要。」馬繼元表示得很鄭重。

「我想請你開一張清單給我。」克琳認真的可憐。

「一千，三千，五千，一萬，正式有借據的約二萬三千元。」馬繼元一邊扣住手指數，一邊瞪着眼看克琳。

「沒有借據的呢？」

「零零星星別再算了。」

「外間盛傳蘇伯伯將女兒賣於馬家的謠言，不知是誰散的。」克琳注視着馬繼元。意思就是馬在造謠。

「那是蘇老伯在醉酒時寫的一段語無倫次的酒話所訛誤，克琳，你怎麼會知道？」馬率直表示出。

「可以給我看看嗎？」態度很急切。

「不在身邊。」馬想推諉。

「回家拿好嗎？」表示一定要看。

「這個……」馬面呈難色。

「碍難照辦，是不是？別勉強，留着作話柄亦好。」克琳表示要離坐的樣子。

「照辦，照辦，小姐之命，豈敢不遵。你亦想到歪路上去了。」馬繼元被克琳制服似的答出。

「我在這等。」克琳將手提包向右邊一擺。

「同道去好了。」馬向克琳表示。

「我不願意進到你家。」克琳現出難色。

「車停門口，或者明天送到府上。」馬這樣說。

「同道也好。」克琳拿起皮包隨馬離坐。

克琳於歸途中捫心向神懺悔，自言自語自忖自責的說：「基督徒呢？還是夜歸人呢？心裡在默禱主呀！求你的寶血，洗淨人世間的罪惡，我們是這樣的骯髒，污濁，無恥，我們沒有臉再和主交通……」克琳哭了，馬繼元表錯了情，以為這餐飯大有急轉直下的功用，但她拒絕他太接近。

蘇福寶、顏方，一直在為克琳焦灼，蘇福寶曾到輪渡去查詢過兩次，逢人就問：有沒有人從船上跳海，當看到克琳歸來無恙時，一陣熙攘，顏方看到克琳心靈的窗口有淚，讀濕過的痕跡，但覺得克琳精神還勝過早晨，乃急切的說道：

「都是您爸無能，連累孩子好苦，看起來小鬼頭今天很高興的樣子，一定有甚麼好消息。」

克琳以失而復得的心情向顏方說：「爸爸把女兒都賣掉了，那裡還有甚麼好消息，我怕媽不相信，特將這張賣身契，索回給媽看，外間的謠言，自然有根據的。」這時的蘇福寶幾乎變成進士似的。

「您這個老鬼，老不死，殺千刀，我老早就說你是個幹不出好事的人」，顏方將賣身契的詩接過念道：

（廿二）

自由報

中華民國內政部內警台報字第〇三一號
中華民國僑務委員會登記證台僑新字第三二三號
中華郵政台字第一二八二號執照登記爲第一類新聞紙

（第一〇〇四期）

（星期三、六出版）
[illegible]
社長李運鵬・督印黃行甯
社址：香港九龍彌敦道593—601號劉創興銀行大廈八樓五座
LIU CHONG HING BUILDING
7th FLOOR FLAT 5
593—601 NATHAN ROAD,
KOWLOON, H.K.
TEL: K303831
電報掛號：7191
[illegible]

蘇修對毛共反擊的一顆棋子

·關德卒·

受毛共排斥，而依靠蘇俄的王明，於毛共九大和世界共黨新的國際會議前夕，在加共機紙「加拿大論壇報」發表「毛澤東實行的不是文化革命而是反革命政變」一文的摘要之後。蘇俄華語廣播緊接着又轉播了全文。這是王明公開署名發表反毛文章的首次，也即是蘇俄反擊毛共的一顆棋子。

王明的文章對毛澤東和他的小集團的國內政策與國際政策，大肆抨擊。

在國內政策方面，王明所指責毛澤東的十大罪狀如左：

（一）用反馬克斯列寧主義的思想代替馬列主義，摧毀中國共產黨，代之以實際反共的假共產黨。

（二）利用額外的一些假共產黨的代表，發動召開九大，組織新的反馬列主義的毛澤東派反共政黨，假共黨成立後，準備仿效托洛茨基的作法，建立一個反共反革命的毛澤東國際。

（三）消滅人民民主專政，代之以個人的反動軍事恐怖專政。

（四）分化「人民解放軍」，清洗「解放軍」的共產黨人骨幹，用文革中挑選的新人，代替「解放軍原有的黨團幹部」把「解放軍」變爲個人利用的反共、反人民的盲目工具。

（五）危害青年，用紅衛兵和紅小兵代替共青團和少先隊。

（六）解散全國總工會，分裂工人階級、降低工資，取消計件工資和獎金，逮捕殺害主張改善職工生活的人，在工農兵合一口號下，要工人除做工外，還要墾地、出操。派遣軍隊進駐工礦交通企業，對職工實行軍事管理。

（七）迫害勞動農民，破壞農村社會主義建設，捕殺人民公社幹部、社員。在工農兵合一口號下，叫農民除耕田外，還要做工、出操。派遣軍隊駐在農民家裏，對農民的勞動與生活，實行軍事管制與監督。

（八）摧殘文化教育，毀滅文化遺產，迫害和消滅知識分子，實行愚民政策。

（九）壓制各少數民族的人民，消滅他們的革命領導人員和幹部。

（十）無微不至的保護資產階級，在政治上，經濟上和社會地位上都特別重視和優待民族資產階級。一九五六年決定給資本家支付五年到七年，每年百分之五的定息。一九六二年期滿以後，決定延長付息五年，現在限期又過，又決定再延長付息十年。資本家担任廠長、經理、工程師，薪水高出其他同職人員的幾倍。文化革命期間工人、農民、知識分子，都受到紅衛兵，造反派和軍警的殘酷迫害，只有民族資產階級照常生活，照常拿利息，照常「剝削人民」。

王明對毛澤東的指責，從表面上看似乎都能言之成理，但他一開始便斥毛爲「假共產黨」，無疑的王明是以「眞共產黨」自居了。而王明却是澈頭澈尾走蘇俄路線的。因此，我們可以了解，王明抨擊毛澤東，並非共產黨的思想，政策之爭，而實在是蘇俄對毛共的反擊。質言之，王明是一顆棋子，下棋的人是克里姆林宮諸酋。

在王明的文章，攻擊毛共之罪狀（二），有「反共」字樣，「共」應解釋爲「蘇俄」始能明瞭。罪狀（三），「人民民主專政」應改爲「親俄共產政權」始能明瞭。罪狀（四），顯示毛共清除「人民解放軍」中的國際派骨幹，蘇俄難以忍受。罪狀（五）（六）（七）（八）（九），分別挑起青年、工人、農民、知識分子，邊疆少數民族對毛共的仇恨。其中不可不辨者、王明文中所謂「文化遺產」實指「俄化」而言，因共產黨係百分之百由「俄化」孕育而成，絕無中華文化成份在內。

蘇俄爲什麼要王明鬥爭毛共呢？原來王明就是陳紹禹，一九二六年經中共派送莫斯科中山大學受訓，深獲該校教務長米夫的歡心。

米夫原爲共產國際東方局中國科長，負責訓練一九二〇年代初期中共選派到蘇俄的青年。一九二七年陳紹禹又赴莫斯科，在中山大學內與楊尚昆、秦邦憲等結成小派系，成爲「二十八個布爾什維克」的首領。陳紹禹遠在一九四二年中共「整風運動」時，即成爲主要鬥爭目標。據中共某一刊物透露，王明是一九五六年以養病爲名飛往莫斯科的，一九五八年在劉少奇包庇下，全家遷往蘇俄。

俄共、毛共爲爭奪共產國際領導權，早已發生齟齬，對劉少奇發動鬥爭，其目的是要澈底肅清國際派分子，也就是王明的文章所謂「馬克斯列寧主義的思想」。

毛澤東敢於向蘇俄爭奪共產國際領導權，實在是看透了蘇俄在目前複雜的國際局勢下，對他將無可如何。儘管毛共俄共之間的傾軋，愈趨愈烈，但訴諸武力解決，畢竟是難以想像的。蘇俄用王明出面，對毛共進行思想鬥爭，倒是一件很有興趣的事。王明不能放棄共產黨立場，而又無法否定毛共不是共產黨，只好說自己是「眞」而指毛共爲「假」了。

從以往的歷史紀錄，我們可以看到無論是俄共、中共內部都曾發生過無數次的鬥爭，但均爲權力鬥爭，結果是無改共產思想本質。因此，我們對於毛共、俄共之間因鬥爭發生的種種情況，應該密切加以注意，却不宜存有任何幻想。

毛共當前所作所爲，削弱了蘇俄對附庸國家的控制，打擊了它在世界共黨中的領導地位，也影響了它以反帝爲旗幟對新興國家的號召。蘇俄紙老虎，倒眞被毛共戳穿了。王明的文章，也着實暴露了毛共內部的情況。與俄共、毛共兩皆不利，這或許非俄共、毛共始料所及。

自由談

須從根本着手

台灣有海員攜帶新台幣三萬餘元，由遠洋回台入境時，被海關發覺予以沒收了，理由是按照財政部頒訂的法規，凡旅客出入境只許攜帶台幣一百元，違者沒收充公。該海員不甘損失，向政府提出行政訴願，最後獲得勝訴，認爲人民私有財產應予保障，海關僅依照財政部的單行法規而沒收旅客的鉅額紙幣，於法不合，自應發還。這是一項公正的裁決，值得讚許，但非根本解決之計，何以故呢？

凡是政府對人民的自由權利有所限制或查禁，必須根據法律行事，原屬憲政通則。然「法律」是指那經過立法程序製訂頒佈的[illegible]令中，却非各個行政機關隨便私自擬定的所謂單行法規也。可是，若干年來，一般行政機構則經常以其擅自「欽定」的單行法規，處理有關民衆利害的事情，而其法意又每與國家的大經大法相違悖，妨害人權，損傷政府威信，紊亂法治精神，莫此爲甚！這次在該海員的行政訴願裁決理由中，即指海關未遵照戡亂時期總動員法，呈報行政院核辦，而擅行沒收旅客的鉅額金錢爲非法行爲，理有固然，無可否認。

我所說的根本解決之計，就是在要禁止各個行政機構濫用職權，若無[illegible]地擅訂單行法規，乃可正本清源。老實講：咱們現行的若干舊有法制規章，早就應該大加整理修訂了。施行憲政已逾廿年，而過去在軍政、訓政、剿匪，抗日時期的一切法令，皆照樣援用不誤，未免有忝憲政之治，即難怪各個行政機構漠視大經大法，而藉單行法規來操作威福。行政院早已設置有「法規整理委員會」，數十年來，對於現行多如牛毛的法規，迄未聞有甚末爬梳剔抉的工作表現，殊難索解。今後行政院對於所屬單位自訂的單行法規，無論其曾經呈報備案與否，一律嚴加審核，分別指示其適用限度，以杜流弊。這是消極的革新措施，似屬輕而易舉。談政治革新而忽視與法治流行，那是不切實際的！

馬五先生

昨日與明日

經濟進步的諷刺

曹松

政府在宣傳經濟進步，經濟主管當局也常用年來經濟成長率的顯著提高，作爲台灣經濟發展有力證明。客觀事實所顯示，台灣經濟，年確有顯著的飛躍的進步，如果和中國大陸人民生活相比較，那台灣和大陸眞有如人間地獄，兩個極端的對照。不過，就在衆人交讚的進步聲中，也有若干不能配合的現象，對台灣經濟構成莫大的諷刺，譬如一幅美麗的畫圖中間有了敗筆，顯得非常不調和。

鐵路使經濟進步蒙羞

第一、鐵路交通使台灣經濟進步蒙羞。

衣、食、住、行，對人生該是何等重要。然而，台灣的鐵路，却使人有「行不得也」的慨歎。每逢年節，台北車站大排長龍，買票萬難情況，固無論矣，就是平時，人們也得擠車。購買觀光號車票對號快車票等等，眞是千難萬難，要老早排隊，不知犧牲了多少人的寶貴時間。工業社會，時間就是金錢，也就不知犧牲若干人們的財富。儘管有許多人買不到票，而黃牛却有辦法買到票，特權階級却可以隨時到，隨時購票。民主社會，購買火車票也分出等差，執政黨爲民服務的努力，爲之抵銷。鐵路交通擁擠現象已久，何以不見澈底改善？交通主管當局顯然難辭其咎。我們敢言：交通如不能配合，台灣經濟發展必將大受阻礙，豈止不便民而已哉？

公路也差勁

第二、公路交通落後了。

台灣公路局本來辦得不錯，各地交通尚稱便利，但年來因人口增加，公路局的交通設備，不能配合增建，因而，各站都充滿了擁擠現象，行車效率大爲減低，服務精神轉爲惡劣。有次，記者同幾位友好到新竹清華大學訪友，適值星期日，旅客特多，車站並未因假日人多增加行車次數，仍照平日班車時間行車，而且還比較平時誤點一刻多鐘。旅客去車站交涉，找不到站長。據云原來不壞的公路局，竟有此現象，殊使國民訝異。現代化國家，公路交通所負促進經濟發展的使命，比較鐵路交通，有過之而無不及，更何況民主社會，政府施政應以爲民服務爲第一要務。公路交通也未能有效配合台灣經濟進步，我們不能不提出來，促請交通當局的注意。

都市建設要迎頭趕

第三、都市建設也未能趕上時代。

僅以台北市而言，在性質上，它已是國際化的一個大城市，而實質上，它距離現代化的程度有多少呢？尤其每次大雨，低窪地區，都是一片汪洋，陸地行舟，雖多美景，而老百姓實吃不消也。目前艾爾西颱風一襲，許多地區，都鬧了水災，鬧得學校停課，商舖關門。總算軍警防颱工作做得好，對災民救護，十分週到。天災雖非人力所能抗，但台北市下水道工程之欠缺，也是重要原因之一。我們眞不願意大台北變爲威尼斯。國民雖樂聞經濟進步，但一雨便成災，對進步的看法，便將逐漸改變了。

台監獄犯人有權投票
技術上正作審愼研究
周主任委員望記者忠實報導
對選舉之壞風氣應嚴加制裁

（續上期）關於國大代表職業團體增補選問題：據中央公職人員增選補選選舉總事務所主任委員周至柔說：職業團體之選舉，係由台灣、福建、廣東、廣西等四省合爲一選區，非以台灣地區爲一選區，故依法不辦理增選補選。凡是全國性的職業團體，不辦理增選補選國大代表；不辦理增選立法委員。

內政部民政司長高應篤兼中央公職人員選舉總事務所總幹事，他在回答本報記者詢問時說：關於未被褫奪公權刑事被告行使公民投票權的問題，過去，本省公職人員選舉時，對犯罪輕微之被告曾經商洽交保投票，經與司法行政部治商的結果，基於實際上的困難而未實施。在原則上，未被褫奪公權之刑事被告，應有投票權，至於技術的問題，我們將進一步研究，俾使此一問題順利解決。

周至柔主委說：政府爲適應動員戡亂時期之需要，開放民主憲政之新猷，舉辦中央公職人員之增補選。一方面使自由地區公民得以行使選舉及被選舉權；一方面使青年才俊之士有參與中央政治的機會，增加中央民意機構的新血輪。不但確保憲政法統於不墜，靈活民主憲政的運行，並爲大陸人民早日重享民主自由與憲法所賦予的各種權利，提供鼓舞作用，意義至爲重大。由於這次中央公職人員增補選具有劃時代的意義；而政府各級選舉機關也一本過去歷次辦理選舉的開明立場，力求擴大組織基礎，現選舉總事務所均由全國各政黨及無黨派之社會公正人士共同組成，實結合各方面力量，羣策羣力，在至公至正的原則下，開誠佈公辦理選舉工作，以不負總統及政府維護憲政法統推行民主政治的苦心，以及全國國民對此次選舉的殷切期望。

周氏又說：國大代表增選十名，補選五名，總計十五名。立法委員增選十一名，其中台北市增選四名，台灣省增選七名（內婦女名額一名）。監察委員，係由台北市首屆市議會議員選舉。本年十二月二十日，由台灣區選民投票選出十五名國大代表，十一名立法委員，同月二十九日，台北市議會議員四十八人投票選舉兩名監察委員。

最後，周主委希望各報記者要忠實的報導，因不實的消息影響很大。並希望報界發揮力量，對選舉上壞風氣，加以制裁，端正選風，俾產生選賢與能的目的。

台北區合會儲蓄公司早爲强豪奸商所把持

立委謝星曲等提出猛烈質詢

一致認爲較剝蕉案更爲嚴重

台北新聞信

本報通信特派員台北消息：來自國會報導，立法委員謝星曲、余富庠、徐中齊、冷彭、陳鐵夫、劉[illegible]勳，據台北區合會儲蓄公司，早爲强豪奸商所把持，利用政府法令空隙，多方剝削人民，由於經營管理不善，職員貪污舞弊千百萬元，使金融政策破壞民生所受之損害，較之剝蕉案更爲嚴重，應予依法嚴辦，以清亂源。

一、職員貪污舞弊，動輒千萬。據本年十月二十三日各報刊載：「台北區合會基隆分公司職員陳炎，侵吞公款六百餘萬元，經省刑警大隊深入調查後，發現尚有其他共犯：……除警方已獲悉其在高雄爲一蔡姓女子購置一棟價値六十萬元的樓房外，其餘款項，陳[illegible]推說自己花掉，警方對其供詞，甚表懷疑，正深入偵查中」云云。六百萬元不是小數，當然要損及國家人民利益，該公司負責人不能早期發覺以減少損失，當然係管理不善，經營無方。

二、操縱地價，囤積居奇。邇來台省地價暴漲，以台北區爲尤甚，有三數日間，漲價一倍者，不但破壞國家土地政策，即國民住宅之興建，公私工廠之設置，均深受阻碍，究其原因，多爲金融機構直接間接之操縱。其將存款收入直接轉投資於土地者，屬於直接操縱；其勾結大戶以土地抵押貸款出投資於土地者，屬於間接操縱。

台北區合會公司以上述方式直接間接操縱地價，其例不勝枚舉，其經手人員，且有收取佣金百分之十之說。查銀行法第五章法定經營業務條文中，並無轉投資於土地之規定，而台北區合會公司，竟以直接間接操縱地價，爲其主要業務之一，用以囤積居奇，合圖暴利，不但顯然違法，且已破壞國家之土地政策。

三、高利盤剝，坑害保人。（一）查合會公司之「標會」業務，本爲日據時代剝削人民之辦法，政府法令一無明文規定，且其標會之手續，且與銀行法顯有抵觸。

台北區合會公司之「標會」辦法，不但規定繁苛，便於職員上下其手。即其「標會」本身之利息，亦高於銀行放款之利息，公司坐收佣金，（手續費會員費等）更加重「會人」之負擔，擴其利潤，以銀行三月定期存款利息計，約達三倍，以銀行普通放款利息計，（177）亦逾一倍。

政府對於人民放高利貸者，設法取締，名之曰地下錢莊，科以擾亂金融刑責，刑法上亦有科罪之條文，獨對於台北區合會公司以「標會」方式之「高利盤剝」，若無睹，揆諸法理，寧可謂平。

（二）我國社會，爲重情感，邀人作保，雖以婉拒，合會利用弱點，以坑害保人。例如有人串通台北區合會職員，以報價百萬元之土地，設定抵押貸款五十萬元，並願負保負連帶責任，保證人以折半抵押之故，亦作保而不疑，乃發生事故，公司即謂抵押品不値五十萬元，不實其承辦人調查不實之罪，反依法拍賣迫令保證人負賠償餘款之責，且以「民營」無官署可管爲詞，拒入理論，顯屬出爾，坑害保人，不容故飼。

四、合會違法，

查銀行法第一一三條規定：「銀行對外文件，應標明其營業執照號數」，同法第一一八條規定：「凡經營銀行公司銀號及其他類似之銀錢業者，應於本法施行一年內，按其業務性質，依本法修正組織，申請中央主管官署爲營業登記」。台北區合會公司之對外文件，從不標明執照號碼，已違銀行法一一三條；又未向中央主管官署爲營業登記，又違銀行法一一八條；且其「標會」辦法，有高利盤剝之嫌；其轉投資營業務，亦有操縱地價破壞國家土地政策之郭。

近聞合會公司有申請改制儲蓄銀行之說，姑勿論台省公私銀行及信用合作社等已達飽和狀態、即以台北區合會違法營貪弊經營而言，尤不應容許其延續。否則自毀法治，何以對國人。

五、應予裁併，以清亂源。綜上所述，足見台北區合會公司管理不善，貪弊叢生，高利盤剝，操縱地價，已無繼續存在之價値。至其破壞土地政策金融政策及違法之行爲，或即係彼等之陰謀，更應裁撤歸併，以清亂源。（一）將公營合會之資金併合於省市營銀行，私營合會之存金，歸併於民營銀行，合會地址，改爲銀行分行。（二）裁撤後之合會職員，酌情移轉至所合併之銀行，其行爲有操行可疑者，一律革職。

我國當前的僑務政策

高信前在大會有說明

鍾皎光柯叔寶都有簡要報告

黃石華等代表各個地區發言

僑務委員長高信昨（六）上午在第一次大會中，以「當前僑社會發展與當前僑務政策」爲題作四十分鐘的報告。

高委員長說，華僑過去與現在有很大的變化，過去很單純的華僑附屬「華僑」，第二次世界大戰後，由於有些新興國家排斥，民族主義思想作祟，限制華僑經營種種事業，僑商處境，發展事業，參加當地國籍，而現在對僑胞的稱呼卻有華僑、華人、華裔等名詞，但不論華僑用任何的籍，他們對祖宗的觀念，和中華民族文化、倫理道德是不會改變和忘記的。

高委員長向僑胞呼籲，要能使全世界友邦人士認清，華僑維護中國文化及倫理道德的立場，是對抗一個國家社會都有益的，因爲[illegible]敵人和奮鬥。

高委員長指出，僑務政策的指施，是在全世界自由國家共同的敵人就是共產極權，所以必須要團結全球華僑團結一心，更要團結全世界自由的友邦人士，共同奮鬥，[illegible]。

僑務政策的措施，是護中華倫理道德，就是抵制共產極權，現在並重，所以僑委會輔導協助世界華商舉行貿易會議，旅遊聯誼會，金融聯誼會，華業會議和航業會議，也就是促進華僑經濟的擴展，加強華商團結。由於上一代的華僑多數未接受現代教育，所以在海外的經營以小本商業爲本，僑委會希望經濟事業邁向企業化，特爲訓練海外工商企業人材而開始海外青年技訓班，培養造就人材，使華僑事業改善，近年來華僑子弟回國受教育的日漸增加，這也是僑教最重要的一環。

[illegible]

[illegible]其內部[illegible]，對外[illegible]，與[illegible]海外[illegible]共匪對外[illegible]的最好方法。

對內正加緊搜捕民主人士[illegible]，對外則利用紅衛兵，加緊分化、加緊其在海外僑社的滲透。[illegible]他說，自從大陸陷匪後，爲進一步地赤化全世界，共匪使已積極展開對僑社的統戰，它以一[illegible]、赤化[illegible]其法，企圖在僑社的赤化[illegible]共匪所謂的一一華僑愛國統一陣線，以及誘騙華僑回國投資，[illegible]。

[illegible]僑社[illegible]對共匪[illegible]，及[illegible]華僑[illegible]文化[illegible]海外僑胞[illegible]，[illegible]與中華文化，以及復興中華文化[illegible]使能加強反攻復國的成功。

教育部長[illegible]光在報告中說：政府爲提高僑生素質，除在來台前先舉行測驗外，並在台灣設立技術訓練班，初級預備補習班，使僑生補習，並承認其學分。

毛共破壞團結

大家應當警覺

[illegible]僑民萬中央第[illegible]組部主任[illegible]，昨日上午在僑務會議中指出，四十代表大會中，[illegible]共匪的[illegible]一大[illegible]，但共比[illegible]，它對僑社[illegible]，[illegible]。

[illegible]其[illegible]不再受[illegible]，目前，僑社在[illegible]地[illegible]，僑社的組織[illegible]在海外的[illegible]開始打擊政府[illegible]而忠貞的[illegible]，發展僑胞的[illegible]工作。僑團開始對僑社及[illegible]更是爲[illegible]政府的[illegible]以[illegible]地服外部[illegible]，使其在海外[illegible]。

[illegible]所以當前僑務政策，足以促進華僑經濟繁榮，以經濟能力培養人材，所以華僑經濟教育是很重要的，[illegible]多的貢獻。

希望華僑領袖能同心同德，協助政府，朝此目標共同努力，使僑社對祖國都能有很[illegible]。

據教育部統計：二十七年度在台升學僑生，共八千六百十八名，而歷年大專畢業僑生達一萬四千五百餘人，對僑居地僑胞經濟的發展，教育水準提高，均有極大的貢獻，政府將本此目標，繼續努力。

接着進行地區報告，分別由菲律賓代表[illegible]、[illegible]越南代表何[illegible]、[illegible]、印尼代表陳[illegible]、[illegible]泰國代表黃[illegible]林，[illegible]香港代表[illegible]有[illegible]，[illegible]澳洲代表[illegible]及澳[illegible]報告各地僑情。

菲律賓代表[illegible]，報告其地區：菲律賓的華僑一般組織大多數的僑胞從事商業，僑胞人數約卅萬，僑團體有一千多個單位，他們的共同目標[illegible]都是以促進工商事業，並由國民外交保衛僑胞權益，加强中菲友好爲任務，他們維將繼續的反共復國。

寮國代表盧偉林說

永珍華僑比較自由

寮國代表盧偉林說：旅緬華僑約四十萬，多數從事新型工業與[illegible]業，在[illegible]政權不斷的打擊與[illegible]之下，幾乎全部破產。在經濟教育各方面，[illegible]局勢，華僑的處境所以大家希望[illegible]共同困難，[illegible]政府早日光復大陸，使緬甸有所[illegible]，[illegible]所以，對我僑胞態度，比較外[illegible]政局的[illegible]，自由民主的政[illegible]到優勢，我們的前途仍有[illegible]樂觀的。因爲現在還有大多數團結反共的僑胞。

緬甸代表何[illegible]，[illegible]留在緬甸[illegible]待[illegible]，[illegible]恢復僑觀。

寮國代表盧偉林報告說：寮國地區的華僑，在東南半島各國中，雖然所佔比例最少，而且目前寮國與我沒有邦交關係，但是我們在這裡向諸位說：在寮國的華僑享有比東南亞任何地區的華僑更多的自由。

他說：這是一種極爲奇特的現象，在寮國的行政首都——永珍，設有匪共的大使館，可是成大都關閉着大門，住在永珍四萬多的僑胞，絕沒有一個敢說他是親共的，而持有中華民國護照的，不論出口或進口都能辦理出入境的手續，在國內的貿易，特別優待，政府的特別照顧，在永珍的一切的僑團、僑校全部的僑胞的手續，我忠貞的僑胞（在幼稚園到中學）的僑校以從初中到高中的僑校，課程至任意接受中文一樣，是無限制，每年僑胞們到了祖國讀書的情況，由此可見寮國政府對我自由中國，事實上仍然具有極大的好感。

喬治桑外傳（八）

張大革

有的也會幾句洋涇濱英語，以便與外國觀光客打交道。其中娜娜是喬治桑賞識的一個，據喬治桑私下告訴他的玩友，娜娜的「工夫」很到家，究竟是甚麼「工夫」？則非局外人所能臆測了。

「不要，我想安靜休息一下。請妳替我泡一壺龍井茶，要多放茶葉。」喬治桑是主顧，他雖然無意尋芳，阿嬌也不能強迫。

喬治桑抽了半罐三五牌香烟，喝了好幾杯濃茶。絲毫沒有睡意。

由於想得太多，身心都感疲憊。雖然泡過溫泉，却不能恢復。於是，他按了叫人鈴。阿嬌又進房聽候吩咐。

「妳替我叫一個按摩師來按摩一下。」

「要女的？男的？」

台灣的按摩師是盲人的行業。戴一付太陽眼鏡，特人推拿按摩。倒不是野狐禪，據說有些「醫好的，確有舒散肌肉筋骨之效。

喬治桑穿了日本睡袍，躺在床上，靜靜接受按摩。按摩師倒是盡子的信徒，不問生張熟魏，一律摩頂放踵，服務十分到家。

喬治桑經過按摩以後，身體覺得很爽快。按摩師走後，他迷迷濛濛睡着了。

他的年齊愛侶曹梅卿穿了一襲寧麗的新娘裝，挽着他款款步向結婚禮堂。

他向兩旁一看，來的客人好多，牛與鏞、謝銀鏡、婁白瑕、婁太太、大塚、野村……都來觀禮。

「眞對不起妳，妳現在還恨我不恨。」喬治桑低聲向依偎在他身邊的新娘說話。

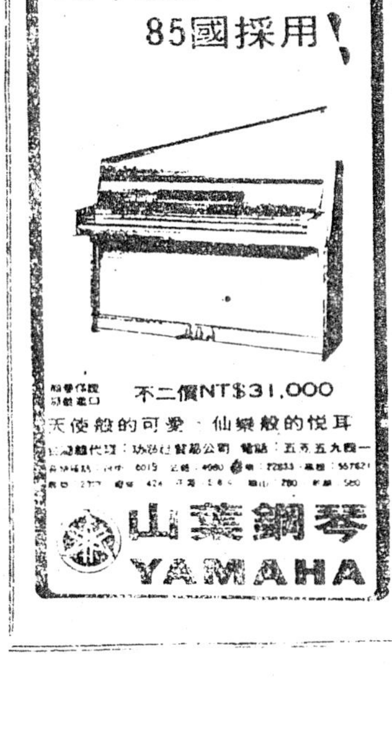

政治，愛國活動，不後人。菲律賓華僑對文教事業頗爲重視，六十年前就成立了「小呂宋中西小學」。最早的一家僑報「公理報」創刊至今已有五十八年。

印尼代表郭楠祥說：自蘇卡諾下台後，由於印尼人民對共匪陰謀加深認識，對內採取了反共的措施，僑胞們現正多方努力，促請印尼政府恢復僑校僑報。中華民國代表團之訪問印尼加強了中印的經濟關係，他說，加強貿易促進國與國之間合作了解的最佳途徑，中印關係前途最樂觀的。

文匯樓別記

余程萬悔未做緬王

文匯樓主

民國三十八年雲南綏靖公署主任兼陸軍第二十六軍軍長余程萬將方面重任，衛戍邊區，是年十二月八日雲南省政府主席盧漢叛變，余程萬遭共匪俘擄，屈辱偷生，愧對領袖，雖被釋放到香港過着寓公生活，耐抵港職業軍人親信沒有飯吃的人太多，又兼爲富不人，終至被刺。

余程萬於共匪壓境之際，請某學人到軍中講學，俗稱打氣。所謂旁觀者清，某學人睹此大勢既去，士無鬥志，主張余程萬勿坐以待斃，風聞一九六師有架槍投降的醞釀，如果還倘樣的垮法，寧可將幾萬武裝部隊撤到緬甸，先解决緬甸××親共政權的國防軍約七千人，然後號召全緬甸一向被被壓迫之大小百餘酋長，論功行賞，就地封王賜祿，組成緬甸聯合王國，京城改設在故都曼德里（三國誌時，諸葛亮征南蠻最後一站——瓦城），余程萬爲國王，鄙人（某學人自稱）出任首相，替中華民國保存幾萬反共實力，並擁緬甸糧倉地帶，收容從大陸撤退來緬軍民，既成事實後，國際自會追認。

緬甸聯合王國，秘密外交三大方針，及一大公開號召：（一）承認英國在緬甸失去的一切利益，重新訂緬、英友好條約。祗要英國能切實支持，對美會有很大啓示功用。（二）向美國一面倒，先實行君主立憲，十年後還政於民。推行高度民選自治，堅决反對毛澤東推行的抗美援朝運動。（三）派遣特使前赴台灣，向最高領袖稟明，欲藉緬甸糧倉，替國家保存反共實力若干萬名，並接待救助大陸撤退到緬的軍民，鄭重宣誓中華民國，可隨時調遣緬甸聯合王國海、陸、空軍部隊到任何地區作反共戰爭。蔣總統是中央軍官學校和中央政治學校的校長。中國有一日爲師一生有恩的觀念。緬成聯合王國致中華民國外交文件，可開國際間從前未有之先例，結成師生國。上書謹呈蔣總統，下邊署全銜緬甸聯合王國國王學生余程萬，緬甸聯合王國首相學生×××同叩。這樣做法，即算成功，比着架槍投降的好，或坐待緬甸親共政權與共匪搭上關係後，再來修理我們，那就更不成話了。未審鈞座意下如何？一大公開號召，爲聯合世界上以平等待我民族共同奮鬥。

（編者按：截至目前爲止，我們還有數以萬計的孤忠人士關在緬甸集中營未釋放，屈指計算已二十年了）。

余程萬聽完某學人這段高論，連聲的說：「閣下醉了，閣下醉了。」未及一月，盧漢叛變，余程萬被扣，由共匪槍兵押赴防地，完全像醉了的一樣，下令部屬不准抵抗，結束了大陸對共作戰最後一道防線。幾年後，余程萬寓居香港，與某學人又在馬路相遇，余程萬慨然嘆曰：「昔年悔未聽先生寶貴指示，皮之不存，毛將焉附，土地之大，竟無立錐的味道，於今都深切體會出。最近舍間強討惡索的人，越來越多，眞不知如何善其後。」未幾，余程萬忽以被刺聞，一幕悲劇就此散場。

政治垃圾現形記（三五）

李槃

第十一回　巧宦一生，蓋棺定論唯遺臭；傳家有子，因財失義莫承歡。

許桂庭只好照辦，匆忙穿好衣服即出門，却不敢遠走，只在離住宅不遠的一家中國餐館中品茗閒坐着，坐到晚上十時，店裡伙計對他說快要打烊了，請他會帳，他只好從命，準備「尋去處」。可是，忘記隨帶那張「請幫助我回家去」的英文紙片了，再要遠走，害怕迷途難返，還是回去爲上。走到家門口按鈴，兒子來開門，一見是乃父，即頓足而訾曰：「怎末就回來了？我們的「派對」纔開始呢？爹爹千萬不能進去，因爲要經過客廳纔上樓，我的朋友們見着你老人家就很不自然，請你再往外面逛逛罷。」許桂庭未便硬闖進去，恐傷父子感情，他垂頭喪氣地在附近大街漫步閒游。這時夜深了，街上行人稀少，只有警察巡邏往來，瞧着許桂庭白髮老翁，在街上行行不已，以爲他有神經病，趨與談話，許氏只是搖頭擺手，警察以其係一個聾老的華人，就置之不問。他在大街上閒游到午夜十二時左右，兩腿酸痛，實在頂不住了，只得回家，兒子開門見是許氏，忙說：「我們的「派對」正在熱烈進行中，爹爹回來還太早了。」許氏淒然道：「我實在熬不動了，再不讓我回來，我只有倒斃在大街之上，豈不危險！」兒子覩此情形，便婉拒，乃教許氏從旁邊汽車間進去，再繞道經廚房由小梯登樓，並且叮囑許氏，脚步要放輕些，謹防驚動坐人。許桂庭受過這次的刺激後，逢人即說美國生活不是人過的，却不便指摘兒子不孝，因爲錢在兒子手裏，非遷就兒子不可呀！

從此以後，許桂庭急欲離開美國，他既然不可能回到中國大陸，心裡只希望到台灣終老，曾跟旅美的中國朋友商量，那些朋友們笑謂：「你可以回到葡京里斯本去！」他赧顏道：「我已經被兒子氣死了，你們還忍心開玩笑嗎？」大家瞧着他那副可憐相，唯有付之一笑，不再調侃他了。有人主張他先去就教卜居在美國的某顯要，乞其向台灣方面疏通，再定行止，結果允許他回到台灣，但兒子掌握着的金錢，不肯交給他，怎末治商亦不行，最後拿着一張飛機票，揮淚辭別了大陸，臨老依然一身無長物，未幾，溘然逝世了！

正是：

斯人竟居卿相位，國運迍邅偶然！

總統蔣公壽頌

桃熟三千，玉階之春不老；樽開六五，海屋之籌頻添。我總統　蔣公，以堯舜之仁聖，立漢唐之規模。四海具瞻，衆星齊拱；萬物以睹，百世之師。得一爲強，壽國壽民以壽世；持三不朽，主德主功而主言。文王一怒安天下，少康一旅而致中興，修樂先發，修文尙武。某等或爲門前桃李，或爲膝下貔貅，感日月之照，沾雨露之恩，仰止高山，獻茲寸草。一人有慶，萬壽無疆。盛世豐年，試看椰風蕉雨；清香晚節，且吟丹桂黃華。綵舞蹁躚，雲璈宛轉，九疇洪範，三祝華封。喜捧東海稱觴，笑指南山作頌：

立心立命，化育同功。開來繼往，大同爲公。
日升月恒，岡陵嶽嵩。總統萬壽，天下從風。

總統　蔣公八秩晉二華誕，海內外欣喜若狂，同申慶祝。尙記十七年前即民國四十年，總統六五華誕時，余曾代數團體恭撰壽頌一首，迄未發表，用特鈔寄。

江應龍謹識　五十八年十月

綜談國劇復興（二五）

王方曙

如現在舞劍都奏夜深沉。夜深沉固好，但千篇一律倒也不必。何不另創造一個新牌子，比夜深沉更好些，豈不更好？但也有些是不可改動的，如帝王上場拉小開門，已成一定，觀衆一聽便曉得是帝王上場了。哭皇天一定是祭奠，像這一種是一方面表音樂，一方面表現劇情的性質，倒是別有風格的。但如舞劍則不一定非夜深沉不可，因舞劍是一種舞，不含有喜怒哀樂的特質，如別姬的舞劍和紅線盜盒的舞劍，舞法差不多而在戲中的感情上並不一樣，但都奏夜深沉，然則夜深沉並無特殊意義，只配合動作而已。只求配合動作則可以換用別的牌子，以求給觀衆新的印像。

有許多從來不用管絃音樂配合的地方，無妨加上配樂。或許會好一些。如許多小鑼上念引子的戲。主角上場十分舒緩。這種舒緩自然也是戲裏需要的，但如加上管絃配樂，奏起舒緩幽靜的牌子，可能更加強所需要的氣氛。如別姬的虞姬上場時，先小開門上，念引子，顯得非常堂皇大雅。其他戲也無妨試試看。其他可能加音樂之處都可試試看：如大段獨白之處，二人私語之處，大都是需要配樂的。但因戲的情節不同，需要也都不同，實行的時候，一定要分別加以試驗，才可以知道效果如何，是否合適，甚至是不是需要。這一切都要精密的研究和試演，不是一兩句話就說得完的。但只要不存墨守之心，便會有新的成功的發展。

（3）效果配樂（這一節本該叫作音響效果，但在國劇中音響效果都由場面上用樂器奏出，所以列在音樂部份）這裏所謂效果配樂，是專指幫助台上的動作和景像，使成爲觀衆可以有些事實的感覺。比如捉放曹的鳥鳴叫，探母的小孩哭，別姬的烏騅嘶，以及打環帶、雷聲、水聲等等。這些聲音，都是由場面上就場面已有的樂器，隨手作出，聽來也相當使觀衆有能夠體會得出的感受。在非寫實的國劇中，這種辦法已經不算壞。不過這種效果配樂，仍是偏於寫實的。我個人的意見，關於這一類配樂倒無妨完全改爲寫實，決不會破壞戲的完整，而在效果方面會加強。

成語選粹（一）

李國良輯

雪泥鴻爪

蘇軾和子由澠池懷舊詩：「人生到處何所似，應似飛鴻踏雪泥，泥上偶然留指爪，鴻飛那復計東西。」按子由係蘇軾（東坡）弟蘇轍之字。世以「雪泥鴻爪」喻凡事經過所留之跡象。

介紹「旅美話家常」

王邦雄

名哲學家張起鈞教授，於去歲九月應邀再度赴美講學，先後在夏威夷大學與南伊利諾大學兩校之哲學系，主講中國哲學，直到今年六月中才講畢返國。張君爲馳名國際的「新天地」雜誌主編人，爲了滿足讀者要求，因此便把這段時間的生活見聞，以生花之筆，作輕鬆快談，名爲「旅美話家常」，於「新天地」雜誌分期發表（四十五期至五十六期），娓娓道來，引人入勝，語鋒犀利，入木三分，對異國人之山川人物，有獨到而生動的描繪，對金元王國的學術，政治與經濟，也有深刻而詳盡的論述。在嬉笑之中，不忘幽默，在平淡之中寓有哲理，一般只是「眼觀」，到處□□的遊記，固不能同日而語。就是那些摘作中國人報章的「報抄抄」的旅美報導，也無法倫比。其諸多論點，皆發人之所未能發，而言人之所不敢言，處處發人深省，令人於錯綜複雜之中，豁然而見其眞貌，不愧爲哲學家之見地。而張君文筆復異常優美，許多美文妙語，使人擊節稱賞，確如吳經熊氏對張氏之評讚，認爲乃一極少數具有文學成就的哲學家，因此爲文簡介，凡是看過張氏文章的，當知筆者乃是忠實的報導，絕無溢美之辭。

下面我們便將旅美話家常的各篇，簡單評介於后：

首先談到「雜外風光」（新天地四五期）與「南面觀瀑」（五四期），這兩篇精緻的小品遊記，沒有白描手法的細緻渲染，惟大刀闊斧，寥寥幾筆，即寫出了夏威夷的荒島野趣，旖旎風光，而尼加瓦大瀑布的壯闊怒濤，與「帶鈎」奇觀，亦彷若眼前。

「謎樣女郎」一文（四七期）則是一篇動人的短篇小說，以寫實的文筆，寫一位謎樣的人物：她有東方姑娘的柔美，也有西方女郎的爽朗，舉止儀態，係受過西方宮廷的訓練，而超速飛車，竟也泰然自若；其身世一如其人一樣的迷離，雖然是一位印度公主之後，然而出身富家，竟有「在家從父」之下的東方文明的美德，簡直是集東西方文化的精華於一身。這位神秘女郎，在張氏筆下，雖然謎底仍未揭開（就因爲其始終是個不解的謎），更顯得其神秘動人，卻活生生地迴旋在每一個讀者的心中。（上、未完）

諸葛亮狂想曲（五〇）

・劉玄・

「哼，我想三國時代，只有我配稱「狂人」，也只有我才有「狂想」。你只知做官，有什麼「狂想」？我因打鼓罵曹，致遭殺身之禍，才贏得千古狂名，後代都說你一生謹慎，你怎能與我爭狂名？現在我向你提一條件，你要琴，我當場必與你一試，所打鼓，共同參加演出。否則，我們演不得要領，勿怪言之不預也。」禰衡氣勢咄咄然，那裡像中國讀書人，簡直是日本武士面目。

「禰先生且聽我說，前天會不是我親自登門拜候，乃是諸葛會友張素梅小姐出場。如有第二次機會，我一定你表演鼓技，我來伴奏。至於「狂想」之「狂」，非中國「狂猖」之意，實含有西洋浪漫色彩。」諸葛亮當年舌戰羣儒，他自以這一太極拳打的很爲到家。

「張素梅？他是我們第幾十代的灰孫子？黃毛丫頭，懂得什麼琴藝？你不要因爲懂得一點時代西化皮毛便來嚇我，什麼浪漫不浪漫的？浪漫還不就是瘋？三國時只有衛道城張繼的結婚媒氏夠得上風騷？你難道也變成老風騷了？」禰衡對西方文化的曲解，使諸葛亮啼笑皆非。

「禰先生的見解，亮很欽佩。但這次演奏會是由桃園弟兄出面東邀的，請禰先生還須向桃園弟兄商洽，如果他們答應禰先生登台，亮之幸也。」諸葛亮只頭痛醫頭，一推推到桃園常見的身上。

「關羽剛愎，張飛莽撞，我豈能與他們談話。」禰衡又說：「上次想請張飛將軍以借點香火過年，關羽只顧看春秋，是足冷他，有十分沒有理睬他，冷冷地向他道：「你最後，在南天門當門官難道一點辦法都沒有？假使天下各人都向我借香火，我的開銷那裡來。」」

一陣打鼓回聞，可惜關羽聽不到。狠狠地碰了一鼻子灰，回家在天庭閒逛，張飛也不要說去找他，在天庭看到張飛正在天兩天喝酒，關羽又有準備，醉了便亂罵人，又有誰敢去惹他。

禰衡在天庭使酒罵座，最不得人緣，上次麻姑獻壽準備了「綵繩舞蹈」，本來想請禰衡打鼓伴奏，擬點香火給他。可是禰衡生成狗熊脾氣，竟認爲麻姑是娘娘，替她伴奏，有辱身份。他現在與蘇東坡在一起聊天，蘇東坡在天庭比他還窮，上次開書展，原想他的一手蘇字天下有名，可以賺點香火，不想大庭所重視的是王羲之、懷素、以及太白星君、呂洞賓……等知名仙家的書法。蘇東坡展，一張沒賣掉，還賠了裱工紙張。禰衡因只有蘇東坡尊敬他，才和他交朋友。蘇東坡淪成了禰衡門下的食客，但禰衡景況不佳，正是如此。蘇詩所謂：「空庖煮寒菜，破竈燒濕葦」，正是如此。

（未完）

巨變歷險記！

疾趨而過

（七四）　胡慶蓉

娘與世長辭後，丁博士就被迫離開了，他那個可憐的家，可憐的河南。這恐怕是鷄叫二遍或公鷄叫三遍的時候。一個人生在農村，長在農村，他對於鷄有特別的喜愛。五歲開始讀書，鷄就成了他的好朋友。讀三字經，到「鷄司晨」之句，感到特別的親切。我好像說過，娘是每天早上按着鷄聲叫起來他，點燃如豆的油燈，讀他的書。後來進洋學堂，讀國文，讀到「雄鷄，喔喔啼」，看看下邊的圖，雄鷄叫的神色，尤令人興奮。是不是鷄知道丁博士遭難，催促他快快的走，鷄在拼命的叫，不斷的叫。古有子規泣血之說，鷄不是子規，鷄會不會泣血？但在娘辭世丁博士要離開的一刻，確切鷄叫的聲音有異樣，其聲急而促，粗而啞，雄鷄之雄已經不見了，大地一片昏黑，眞是倉皇逃遁，昔也蕭何追韓信，有「山又高，水又深」之句，麒麟童演出，特別的令人神往。他在戲台子上轉，是那麼的快，連氣恐怕都喘不出來。丁博士離開家，彷彿似之？從他的家到碭山火車站，是沒有山也沒有水了，當然更談不到「山又高水又深」，但道路之壞，行路之難，較山高水深，殆尤過之。道路就是牛車路，就是土路；高高低低，坑坑凹凹；一不小心，就會跌倒。加上急不擇路，更容易跌倒。爲避免人家注意，爲避免共黨工作人員來追，有時逋路也不敢走，往往捨正路而不由，去走那偏僻小徑，夫走在田裡，眞是淺一脚，深一脚，更常有跌倒的危險。

送來碭山車站的哥哥，同胞情深，怕被共黨工作人員追到，更是催促不遺餘力，嘴裡總在不停的說：「快……快……快……快快快快……」丁博士也儘其可能的加油，飛也似的在跑，在這緊張的時候，他的心越靜，靜的像止水一般。他腦中還在轉他的小兒子丁恩航在唱「一夜把命殿上」！丁博士現在上的倒不是命殿，而是土堆，在黑暗中摸索，常常走到墳地上。在小時候，他是怕走墳地的，現在不怕了，走墳地也如履坦途。古有身輕如燕之說，現在丁博士也有這種感覺。古又有飛毛腿之說，腿上是不是有毛是一個問題，飛倒是眞的。人急智生，人危力生。在逃命的那刻，全身都好像有神賦的力量，平常所不能者，這一刻都能了。萬不能讓共黨抓去，一定要逃出去，「鷄犬之聲相聞，老死不相往來」，老子道德經有這麼兩句話，鷄犬之聲，平時是愛的，而且愛得要命。現在在逃命的時間，丁博士一反平時，對鷄犬之聲萬分厭惡害怕。鷄犬之聲現在變成了敵人的信號，鷄向那叫，狗向那叫，共黨的工作人員會向那搜索，最好能在鬼不知神不知的情況之下，跑到碭山車站。幸好，沿途經過無數的莊村，但並沒有干擾，沒有鷄犬之聲。古之作戰也，有啣梅疾走之說，丁博士於今彷彿似之，跑……跑……跑……跑跑……：到東方旣白，紅輪初上，就已經到了碭山車站。丁博士還是老主意老辦法，絕對避免與人接觸。他有一個侄媳婦，家就在車站附近，丁博士到火車站之後，就到這親戚家。約莫停了不到兩個鐘頭，有火車，從洛陽鄭州開封方面來，他就登上去了。

（未完）

命相与古夢話

孔子壽命億萬年

漢平

至聖先師姓孔名丘，字仲尼，生於今山東曲阜縣。父親叔梁紇，正娶魯國施氏爲妻，所生九女，納妾生男名孟皮。因患足疾而死，乃求婚於顏氏的第三女顏徵在。因叔梁紇求子心切，乃禱於尼丘，得生孔子。孔子的頭頂生得奇異，名「壚頂」，壚頂就是「凹頭」，即中低「周高，所以有「頂如反宇」的說法。眞是亘古奇頂，難怪他成爲亘古聖人，壽命數千年，以至億萬年而不絕。

孔子三歲喪父。周景王己巳年二十，始爲委吏，就是做「會計」。繼爲乘田，這是主官一國畜牧的農林部長。孟老夫子說：「會計，當而已矣」。又說：「牛羊茁壯而已矣。」周敬王庚子，年五十一歲爲中都宰。繼爲魯司寇。職掌刑罰，等于司法院長。丙午（五十七）至乙卯（六十六）主衞適晉、之宋、反魯、過桓魋之難，繼而困於陳蔡之間。至周敬王四十一年壬戌夏四月己丑逝世，享年七十三歲。孔子爲儒家的鼻祖，初仕于魯，攝行相事，只三月功夫，魯國大治，但不能用。遂周遊列國講學。歸魯之後，删詩書、定禮樂、贊周易、修春秋；以傳先王之道。旋以設帳授徒，以教育天下英才爲職志。弟子有三千人之多，在當時來說，可謂「桃李滿天下」。身通六藝者七十二人。唐開元二十七年己卯，追謚文宣王，宋大中祥符元年戊申，加謚「先聖先師文宣王」。元大德十年丙午，加號「大成至聖文宣王」。明嘉靖九年庚寅，改稱「至聖先師孔子」。滿順治二年乙酉定文廟，謚號爲「大成至聖文宣先師孔子」。四十年丁酉，改稱「至聖先師孔子」。

孔子生於魯襄公二十二年（周靈王二十一年），即庚戌之歲，即夏曆八月二十八日申時生。逝世於周敬王四十一年，魯哀公十六年（壬戌），即夏曆二月十一日午時。孔子的「八字」排列是這樣的：

庚戌　命　六歲爲丙戌，十六爲丁亥
乙酉　宮　二六爲戊子，三六爲己丑
庚子　戊　四六爲庚寅，五六爲辛卯
甲申　子　六六爲壬辰，七六爲癸巳

根據先師的命言之：日主之庚爲陽，在正五行本屬金。月幹之乙爲陰，在正五行本屬木。今庚乙並列，相近相親，左右聯合，火乳交融。不獨「庚」字變爲化氣五行之陽金，乙亦變爲化氣五行之陽金。年幹値庚，在正五行本屬金。時幹値甲，在正五行本屬木。庚能引乙，又變爲化氣之金。甲能引乙，又變爲化氣之土。時支申，月支酉，年支戌，會合一氣，聯爲西方金局，雖然地枝居下，又與天幹在上之庚乙化金，同氣相求，同聲相應。格局純眞，毫無疑義。此名爲西方之氣格，又名金乙化金格。雖日枝的格子居前，暗中藏癸。命宮戊子居後，暗中化火，亦不妨事。因孔子誕生之際，節過白露，化金得令，化火無權，小人道消，君子道長；有美無惡，有順無逆。此誠齊日月，爲並台乾坤之造。可惜的是運途愆常，去經坎坷。當孔子三歲之時，歲逢壬子，遭父之喪。二十四歲，歲逢癸亥，孔子母親顏氏又逝。此乃子癸引戊，化火肆之故。十九歲迎娶上官氏，二十歲生子伯魚。初仕爲委吏，繼爲乘田，此乃丁運引壬，化木爲功。至於五十一歲爲中都宰，五十三歲爲司寇，進位司寇，攝行相事，與聞國政，三月魯國大治。這是丙、寅二運，同爲化金喜神有以致之。

及至五十七歲至六十歲，五十衛適晉之宋，反魯，過桓魋之難，困陳蔡之間，此即辛卯二運同爲化金的忌神有以致之者。到六十七歲，夫人上官亓氏逝世。六十九歲，孔子獨子伯魚死。更覺歲逢丙辰，與生年庚戌抵觸，歲逢戊午，與生日庚子抵觸有以致之。七十三歲大運壬辰，既落空亡，又與太歲壬戌互相抵觸，因此竟於七日而終。

孔子不得位，窮而在下。乘刪述之權，這是明道宏人的聖人。行道的人；能成其事業在一朝；明道者，教思周行百世。所以孔子爲萬古一人，壽億萬歲不死，孔子活在億萬年後的人們心目中，這就是不朽的偉人之命。（下期預告：淡光武）

生活漫談

吃雞中間有學問

馬騰雲

吃雞有很大的學問，非講究吃的民族，難研究出道多的道理，雞有六趾者不吃，雞生四距者不吃，雞死足曲者不吃，雞與蒜芥李及犬肝犬腎同食，令人拉痢，雞與兎同食則生痢，同魚汁食易生心臟病，同鯉魚食則成癰癤，同生葱食則生蟲痔，同糯米食則生尤蟲，孕婦食之影響孩子發育。

雞肉所含的營養最豐富，雞的水份七三、四五，蛋白質二三、五，脂肪一點六二及維生素A、B、D等，其他尚有炭水化合物，灰份、鐵、磷、鈣等成份，爲肉食的中上品，雞身上的副產品很多種皆入藥，雞血，安神，定志，補血，雞翅下邊之血淬白癜風有著效，雞蛋，益氣補血，安臟鎮心，清咽開音，除煩止驚，功難盡述，雞肝補腎助陰，治陰蝕瘡，小兒疳眼，雞油治頭禿，髮落，耳聾（此物以烏雄雞者良），雞肫皮，消水穀治喉閉等病數十種，雞神水擇大蒜一個，開一大孔，孔內入雞蛋一枚，仍補之於地陰，俟其發芽長成，取雞卵內水用之明目去翳，點眼內其亮如童（見左醫典），雞骨丸治小兒肚冒冷弱，雞滿散，治咳嗽用血，雞眼餳，雞脚上雞眼（製法從略），雞腸治消渴，小便頻仍，遺溺（燒存性酒服）雞肫乘治遺精白濁，此物療病，男用雌，女用雄，妙不可言，今天談的是雞的補養價値，瑣瑣碎碎妙方從略。

用於食補的雞，分老母雞與童雞汁，老母雞最補，越老越好，不拘肥瘦，每日吃一隻，加入老薑四兩，不必用油鹽佐料，清燉四小時，取汁一大碗，（約兩小碗）去掉上面所浮的油膩，然後加胡椒粉，食鹽調味飲用，只要能吃得下去，再弱的身體都可轉強，此爲著者對人的體弱處方，屢試屢驗，從未失望，雞肉雞皮，雞油雞雜等都不要吃，因精華都在雞汁裡，所謂使勞的腸胃，消化那些對身體沒有大益處的東西；老母雞汁的適應症，產婦胆血過多，貧血，面目黃腫，頭暈眼花，耳鳴心悸，腰酸背痛，血虧，在治療上都有特殊功效，買老母雞比普通的雞便宜，但要先向雞販商定購，他們會替你搜集。

童雞汁，擇取一年內之童子雞，如果老雞質堅其汁難出，殺後乾拔其毛，以酒洗去腹中穢物，不要見水，才符合古法製的原則，照古方說，雞要用細繩縊死，竹刀破腹，但太殘酷，故不主張，用蒸或燉皆可，雞汁色白如油，氣清味鮮，童雞汁的功用，明目，生津，消痰，益血，助脾，長力，名醫雜論，謂此物大補元氣，與人參同功，爲治各種勞症之良品，男用雌雞，女用雄雞，雞汁粥，以雞肉熬汁，和米煮粥，早晚食用，性質功用與童雞汁同，與牛汁粥，羊汁粥咸同。

桃花潭水三千尺

趙陀

「媽兒身爲奴，恩斷義亦絕。」爸爸內心苦，媽媽垂衣泣。公子原有室，膝虛乃納妾。」

顏芳的詩未讀完，氣得手發抖，咀唇亦變爲青色，端起烟盤連燈帶槍摔向蘇霍寶，蘇霍寶被濺得滿面都是烟膏和燈油，一邊賠禮，一邊用毛巾揩去臉上的膏油，掙辯着說：

「老伴這些酒話怎能當爲眞事呢？既已被克琳取回，法律上已無根據可言。」

蘇霍寶和顏芳的咀官司，無疑的又要辯到通宵，克琳這樣做也就是逼着顏芳勸戒蘇霍寶別再胡作胡爲，當然迴避去解勸，悄悄的回到臥室閱讀各日晚報有關任念佩的新聞去了。讀到：「任念佩其人其事」專欄：「世界上任何成功的人物沒有一個不是從艱苦中奮鬥出來的，任念佩在他十幾年的努力中，充滿了可歌可泣傳奇性事跡，其中最値得贊佩的是完成南洋群島七個國家的通鐵貿易，雖然他尚未及而立之年，可是他做的事業和魄力，超乎一般人們的想像之外，他領導下的總公司設在馬來亞，分公司遍佈曼谷、加爾各答、仰光、香港、西貢、馬尼剌和東京。這位肯拿出勇氣和造福異域的任念佩，今已成爲若干友邦國家最歡迎乃至於爭取的對象，他正步着昔日英國有位美商皮博代先生的後塵，（皮在英逝世時，英國國會爲他誌哀一天）曾做過越南、泰國元首的貴賓，任念佩計劃一口氣辦十三家華文、英文健全的報紙，將東半球這道鐵幕攔起來，從事爭取自由民主的神聖使命……」

克琳面對着任念佩的肖像，讀着記載任念佩的專欄報導及電訊，正在怔怔得出神，忽聽顏芳從外敲門道：

「小乖，今天已經夠刺激了，還不早點休息。」

克琳將房門打開，顏芳看到自己的女兒，逾乎平常的高興，乃問道：

「小鬼頭爲甚麼這樣高興呀？」

「女兒要做馬小開的姨太太了，當然要高興呀！」

「老東西在賊心11掃，希望他早點死，他不死這個家永遠不會安寧的。」顏芳的情緒因蘇霍寶而怒，又爲着克琳的喜而喜。

「媽，只有吸毒的人，才會做出這種有失倫常賣女兒的事。」克琳說。

「對的，媽也準備戒烟，這一生被老鬼害苦了，吹烟也是他勸上癮的。「鴉片鬼」現在媽才明白「鬼」的定義，未上癮能治百病，既上癮百病叢生，不是鬼是甚麼？」顏芳很同情的向克琳表示。

（廿三）

自由報

中華郵政台字第一一二八二號執照登記爲第一類新聞紙

中華民國內政部登記證內版台報字第〇三一號
中華民國僑務委員會登記證台僑字第三二三號

（第一〇〇五期）

（半週刊每星期三、六出版）
每份港幣壹角・台灣售價新台幣弍元
社長李鵬運・督印黃行寶
社址：香港九龍彌敦道593—601號
廖創興銀行大廈八樓五座
LIU CHONG HING BUILDING
7th FLOOR FLAT 5
593—601 NATHAN ROAD,
KOWLOON, H.K.
TEL: K303831
電報掛號：7191

承印：景星印刷公司
地址：嘉咸街廿九號地下
台灣連絡中心：台北寶田街五巷三號
電話：三七五〇二一
台灣區直接訂戶　台郵劃撥帳戶
第五〇五六號張鴻有（自由報會計室）
台北營業處：台北衡陽街二十六號
電話：二七〇〇〇
台灣分社：台北市西寧南路110號二樓
電話：三三〇三四六，台郵劃撥戶九二五二號

綜論中國國術精要（上）

長虹

派別之演進與流傳

中國國術有數千年的悠久歷史，在史冊上可以考證的有：一煉氣之學見於莊子，角觝之戲諸演史，達摩傳易筋經會見性強身之旨，華陀闢五禽，酒飲神入道之階，管子選健勇以助迪鄉，武穆創意拳而教將佐，在神農氏紀元前發明消腫舞，爲世界醫療體操之始，黃帝軒轅氏創導引之術，開後世養生之端」。至唐宋時代已成爲專門的學術，其間經政府的提倡和國民的熱心研習，孕育滋長日益進步，而代有名賢與新發明，演進至今，在派別上有：少林、六合、自然、披掛、迷踪、字門、功力、通臂、螳螂、白鶴、翻子、蹉脚、角觝（按即摔角，又名撥子）、金鋼、太極、形意、八卦、以及李半天之腿，鷹爪王之拿，千跌張之跌，張伯敬之打，溫家七十二行拳，三十六合鎖，呂紅八下，廿四探馬，戚氏長拳，綿張短打，門派之多極盡光怪陸離之能事，雖各有專長，然而以生理學與力學之觀點仔細推敲，其中似多有上無下，有下無上而偏於一隅，求其如長蛇陣法，擊首則尾應，擊尾則首應，擊其身則首尾皆應，具備剛柔相濟，內外兼修的功夫，則不多見。由於理論練法與體用反應之不同，而又形成「內家」和「外家」的分別，外家宗法少林，尚力主剛，氣虛而浮，內家宗法武當，講勁主柔，氣沉而實，但外家的武學，不單純是徒重外形的鍛練，同時也有其內功運動，若少林派不是入室弟子而且要經過三年以上的長時間考驗，決不肯輕易傳授的九拳來講。（五拳即龍、虎、豹、蛇、鶴、龍拳練神，虎拳練骨，豹拳練力，蛇拳練氣，鶴拳練精），拳之本身就具備着內外雙修之上乘練法，按外家就是「方外」的意思，因其不肯輕傳俗家，所以通少林五拳的外家拳師，是很少見的，加以雜流之徒，對其皮相，或專練一腿一掌的下乘功夫，日久練成某一部份的死蠻拙力，而挺胸凹肚雄糾糾的自詡爲鐵掌或鐵腿，一派的江湖作風，以眩人耳目故神其說，而初學的人因爲對武學沒有正確的認識，由愛好國術遂盲從而師事之，因而與武學之眞理背道而馳，虎質羊郎，逾失逾遠，這也是遭致國人輕視或視爲畏途的一種因素，實在是提倡國術的一種障礙，關於這一點有向日本體育界看齊，由政府主動的將國術列等分級，銓定師資，積極改進之必要，至於內家國術，又有太極，形意八卦三派的區分，以學術研究的態度，依據生理學，哲學，力學之科學觀點，闡明它的理論和法則，先畧將內家三派的精義，順序說如次。

太極拳的精義

太極拳之定名——引證潘作民先生講：「凡天下之一事一物，必有其名，名就是表示其性質與形態，拳名太極就是拳之性質形態，含有太極之意，一圓圈之中以曲線區分爲紅黑兩部就是太極圖，紅者爲陽，黑者爲陰，此陰陽兩字猶歐美科學上所用之正負符號，正者爲陽，負者爲陰，凡事物之相對者均可以陰陽兩字代表，拳中所謂靜，剛柔，開合，虛實，前後，左右，上下，全可以說是陰陽，太極拳每一動作，均以圓圈爲體，以陰陽爲用，太極拳論說：無使有凸凹處，無使有斷續處，無使有缺陷處，就是言其形態的圓整，虛實宜分淸楚，一處自有一處虛實，處處總比一虛實，就是說明其性質之分陰陽，換句話說，即太極拳一手一着之動作均爲圓圈，而其一手一着之中均分虛實開合，所以名之曰「太極」，至太極這一名詞是出在「易經」裡，易經這一部哲學是講宇宙間大自然之一切活動的現象，而太極就是易道裡大自然界活動的總體，自然界之一切活動，無不由陰陽兩性推演變化而成，我們運動効法自然界的活動，才能發育肢體延續生命，這就是說自然界乃一大天地，人身乃小天地，拳訣中的「站如釘，走如風，坐如鐘，臥如弓」之一動一靜，也是順應自然界變著往來的演變而定其方式的，又拳論中有：「太極者無極而生，動靜之機，陰陽之母也」，這陰陽兩性的變化是陰中有陽，陽中有陰而互不相離的，太極拳的虛實變化就是效法太極的動靜之機以調劑生理上的平衡發展而致用到推，打、拿、發的技術機明，這種體用兼備的運動，諒非偏於一隅的西洋任何運動或如上面所說不得其傳專練一腿一掌之死角外功所可同日而語的。我們要曉得不論習內家外家的國術，如不得眞傳和明師益友的指點，徒「洗三練到拔三」，就是說由初生練到死，一輩子也是挨打的架子。太極拳除「長拳」和「炮錘」兩拳套外，又名「十三勢」，是根據用法的——掤履（手旁）、擠、按、採、挒、肘、靠八手，每一手中都含有此八種手法的變化，這和八卦的演變爲六十四卦的道理是相同的，所以八手以象八卦，是爲八門，再加步法中的前進，後退、左顧、右盼、中定，以象五行，合此八門五步共爲十三勢，勢者行動的狀態而有變化的奧妙，八卦有它演變的律，五行有它生尅的用，此就拳之變化而定名曰「十三勢」。至「太極長拳」之長字，非長短之長亦非外家長拳之長，是長久之長，勢如長江之水滔滔不斷而有不息不絕的意義，長拳之術名，自「攬扎衣」起至「潛入星」止，共一百八十七手，練起來自始至終貫串一氣，由終返始循環無端，故名「長拳」，又太極長拳現已失傳，僅存拳譜，所以現在一般太極拳專家每誤解「太極長拳」，就是「太極十三勢」，其實太極長拳是另有其拳套，內容術名是大不相同的，至「太極炮捶」，其術名自「懶扎衣」起至「井欄直入」止共三十手，以其勢法重捶而雄壯，其捶之發如連珠炮，所以定名曰「炮捶」。

太極拳之沿革

太極拳的發明，傳說起源是始自唐朝時代的許宣平，許爲隱士，是江南徽州府人，唐代大詩家李白，慕其名三訪而不遇，有題詩望仙橋而歸的傳說，許氏所傳拳名「小九天」，共分三十七個單式，無拳套是一式一式的個別單獨操練，每個單式個別含有自然的生尅作用，可以同時兩個人相互排練，小九天這一原始運動，數千年來代有傳人，現在通曉其練法的在自由中國僅有一人而已，在唐代同時又有李道子其人，江南安慶人，時人稱爲夫子李，所傳之拳名爲「先天拳」，尚修眞養性之道在拳中，至元朝時代有張三豐其人，將許李等內家拳，溶治一爐而集其大成，始正名爲太極拳，據明史所載：「張三豐名通字君實，世籍江西，爲元季儒者，其人豐形鶴骨，及奔馬日可千里，一啖升斗輒盡，辟穀數月亦自若，中統元年舉茂才異，後仕中山陵令，出遊至寶鷄，中有三峯挺秀蒼潤，內自號三豐居士，泰定甲子春，南至武當，調神九載而成，于是隱顯激遊，嗣元紀終明運起，結庵於太和，洪武十七年太祖詔求未赴，永樂四年侍讀學士胡廣奏言三豐深通道法絕拔倫，五年丁亥詔（命胡濙）尋遍遊天下訪之十年未遇，又命孫碧雲于武當建宮拜候，並至書相請，終不可得，乃召其徒玄淸拜爲太常卿，天順三年英宗錫詔贈爲通微顯化眞人，所傳太極拳又名十三勢，其內功以呼吸調達渾元爲主，其動作以轉柔圓之通達四肢爲勢」，明人王岳傳三豐眞傳，著有太極論，十三勢行功心解，推手歌、綿勢歌、南傳至溫州浙東等地北傳至滿代蔣發，蔣發傳河南懷慶府陳家溝子陳長興，陳氏其人立身中正不倚，人稱牌位先生，但陳氏所傳的太極拳，對外宜稱否認是三豐先師的遺傳，而說是家傳爲其九世祖陳王廷所創，脫胎於明代戚繼光的拳經云云，關於這一點因爲我國文獻中對拳藝的記述甚少所以要考證太極拳的實在源流很難，陳氏所傳之太極有長拳，十三勢，和砲捶三套長拳現已失傳，現所傳留的僅有十三勢和砲捶兩種，而十三勢又分頭，二，三，四趟，勢法大同小異，淸季直隸永安楊露禪，體弱多病，慕陳長興之名，往訪遭拒，乃毀容喬裝啞叭，在陳府傭工三年，暗中偸拳，被陳氏發覺而感其誠，遂傾囊相授，功到化境，並將老架加以革新而爲楊派，挾技游京師，上至王公貝勒，下至三教九流，桃李滿天下，吳鑑泉與孫祿堂得楊家之傳而又各成一派，現在海內外傳習的大半都是出自楊家，在自由中國馳名的人物有鄭曼靑、施無畏諸先生。（未完）

元首頌

恭祝　總統蔣公八秩晉三華誕

陳邁子

武嶺召（山頭）嶢。劍溪瀠洄。篤生賢哲。日月同輝。
聖學繼統。加盟英年。鼎革矢志。功在開天。
建軍黃埔。總領師干。東征北伐。以翦凶頑。
禹域渾一。車書既同。赫赫雄師。烈烈豐功。
國於天地。首重紀綱。富之教之。四維乃張。
東鄰啓釁。烽燧警。八年抗戰。領導全民。
焦土淸野。半壁孤撐。堅貞一德。奏凱還京。
赤氛旣熾。衣冠東渡。瀛嶠新膽。教訓生聚。
中原北定。指顧可期。河山再造。億兆瞻依。
興復文化。昌明禮義。王道干城。敦敘倫紀。
維德之行。大任有身。嶽降崧呼。生甫及申。
偉彼雲漢。光被四表。宜民宜人。如日杲杲。

昨日與明日

慶典與救災

成公

一年一度的光輝十月，已經過了一半，並且好像上天能夠體恤人意的一樣，每年到雙十節，都是風和日暖，晴空萬里，給人們帶來無限的鼓舞和喜氣。

但遺憾的今年，就在雙十慶典的前兩週，一連來了兩個颱風，使得整個台灣寶島，蒙受無比嚴重的損失，前一個颱風，摧毀了南部的農產品；後一個颱風，則把北部許多老百姓陷入了「水深」火熱的困境，多少人廬舍圻墟，無家可歸；多少人衣物雜器爲水浸毀，損失難以勝計。台灣是在颱風區內的，每年都有颱風，但像今年這樣的災情嚴重，實是八七水災後所僅見。

因災情不輕，現在各界甚至海外僑胞都極重視此事，紛紛起而臨將，拯救災黎，以復元氣，並且就在雙十國慶的前兩天，自由中國的各界，在國民黨中央黨部號召下，成立了「中華民國各界救濟艾爾西，芙勞西災害委員會」，藉以日作推動救災的工作，這使我們感到非常欣慰，足見大家雖是籌備慶典，並未偏廢救災工作。

三點希望

在這裡我們有三點卑之不高的意見，提出藉表我們對這一工作的關懷與贊助，

第一希望　不蹈一般覆轍，勿使這會變成一個空有虛名，只供點綴宜傳的機構；換句話說，是要眞能劍及履及的面對災黎，災區作些具體而切實的工作。我們不希望這一委員會在結束時，發表一大堆的堂皇工作報告，而是要看到撫輯流散，復蘇社會的事實。

第二，這一臨時組成的龐大機構，勢必會是一個烏合之衆。不是步驟不一，互相妨礙；便是一國三公，無人管事。因此我們建議要推定少數的人，或一定的機構，集中事權，負起責來，然後工作才能推動。

第三、這是一個變局，而須迅赴事機，因此不僅不能從容開會討論推敲，甚至許多地方都不能按照普通公文的程式辦理。否則「手續」雖是到堂，而災民恐怕已在枯魚之肆了。因此希望主事的人能抱着救火的精神，負起責任來處理推動，然後才能有濟。

以上三點都可說是最起碼的要求，也可說是用不着說的基本常識，但爲政不在多言，果能作到這三點時，我們相信，這救災的工作，便成功一半了。

自由談

醜態

馬五先生

史載：南唐李後主朝，張洎嘗舉人時，張佖已通貴，洎每奉謁求見，稱「從表侄孫」，旣進士及第，改稱「弟」，及秉政，不復論中表矣，以僚屬遇之，怨洎入骨髓云。這是政治人物的一幅勢利相，古今一揆，殊不足異。

官場本係戲場，作官就是演劇，無論你扮演王侯將相的那一類角色，在通人的觀感中，都不過是人類生活過程中的一個符號——而且是一種以祿代耕的記錄，沒有甚末可以驕倨的價値。至於等而下之官吏們，本質上乃屬於奴役地位，更卑卑不足道了。弄得一官半職，即視爲無上光榮，隨時驕其妻妾鄉黨，在長官或老友面前，亦悍然表示矜倨詞色者，知識一定譾陋，心性一定傖俗，人格必然卑鄙無恥，是十足的政治垃圾，奧穢不可嚮邇也。

話雖如此，古今來的紆靑拖紫之流，眞能保持一點做人的道理，把作官看成是演劇，對人決不裝模作樣，而表現若干眞性情的，殆如鳳毛麟角，滔滔者盡是張洎一流人的作風，上諂下驕，恬不知恥，其故安在耶？

基本原因是中國數千年來的傳統習慣，旣以作官爲光宗耀祖，發財致富的榮利勾當，而社會人士又有官尊民卑的普通心理，這種封建社會的腐敗思想和落伍觀念，至今原封未動，深中於官吏之心，牢不可破，如年前逝世的投共名人程潛，他在野時，對任何人皆謙和有理，藹然可親，一旦在朝添居官位，即隨時以極端驕倨的態度向人，肆無忌憚。今人尚且如此，又何怪千年前的張洎對於老表示那種醜態呢？

至於張佖對張洎竟有「怨入骨髓」的心情，亦復俗不堪耐的小人器而已。凡是以官勢驕人凌人者，必爲識字無多的傖夫鄙徒，技能止於奴才，品格與婦相伴，一笑置之可也。見着奴顏婢膝的官僚而生氣抱怨的，自身便是俗士，不足以登大雅之堂。舉目觀察現時的官場人物，有幾個不是張洎的難兄難弟呢？若要生他們的氣，你就非得心臟病或癌症不可，太不衛生了！

立法委員楊粹在政院
請保障人民土地私有
中國的地主是數千年安定力量
樂於儲蓄視購土地爲儲蓄銀行

本報通信員柳一權來自台北國會消息，立委楊粹說：

我國自從廢封建後，無論在政治方面或經濟方面，階級意識和階級制度，早已日漸消失了。即地主與佃農之間，也無不以平等道義相處，很少有發生爭執或衝突的，與歐美社會封建土地之和農奴，資本家和工人間的對立現象，完全不同。這至民國十六年，中國共產匪徒利用一般流氓地痞和極少數的無知農民來鬥爭地主，才使我國兩千多年貧富和諧的社會，發生了突變！

我國自有史以來，社會上有一種最優良的傳統美德，那就是勤儉持家，樂於儲蓄，並以購買土地視同儲蓄銀行。故凡勤儉的人，今日做佃農，明日即有做地主的機會；反之，如果你工作懶惰或生活奢侈，縱擁有地主資格，但在短時間內，便會喪失，終至連佃農的地位、也無法可以取得的。所以，中國的土地，雖是實行私有制、繼承制，然而除了少數貪官汚吏富商巨賈還可同集部分土地外，其餘大部分土地卻始終保持在過去的，或現在的勤儉的農民手裡。而且都是循着勤儉和惰者的生活方式而易觀。所以，沒有窮三代的，也沒有富三代的。因之，中國的地主和佃農之間，根本不成其爲階級；如果要說中國的地主是一階級，這麼，這個階級也只能稱之爲中國的勤儉階級。而且他們是中國社會數千年來最大的安定力量；絕是社會的罪人，或歷史的罪人、所以，只要社會上還有私有財產制的存在，則他們的土地私有權，政府是應該予以尊重的、保障的。設不如此，試問：誰還願意勤儉？誰還願意儲蓄？一個國家的人民，如果大家都抱着「今朝有酒今朝醉」的生活方式，那就不管這個國家的工業如何「起飛」，經濟如何發展，它的社會是永難保持康寧的。所以 國父始終反對馬克思的鬥爭理論，認其「爲病性之遺傳於人類者，當以早除之爲妙」。而且 國父認爲中國的地主多是些小貧人家，所以他也始終不贊成用殘暴的手段來解決我國的土地問題，使這批小貧的地主「吃虧」；甚至而還說過：「如果政府利用重稅政策，把地主的土地拿來充公，實行耕者有其田，也是行不通的。」

台灣地區的地主與佃農間，過去也大都是和睦相親的。可是自民國四十二年政府實施「耕者有其田」以來，地主與佃農間爲着土地問題而發生訴訟糾紛，據法院的統計，每年均在一千二百件以上，最高且達三千三百件。到五十七年度止，合計起來，共有二萬六千七百二十四件。這雖不能說是台灣地區地主與農民已發生了階級性的仇恨，但不能不說是一個重大的社會問題。至於今日台灣社會之日趨奢侈，人民儲蓄觀念之日益淡薄，以及家庭制度之日形沒落等現象，究與政府近年所實施的土地政策是否有關，都是值得大家深加效慮的。

解決土地問題的關鍵
認絕對不能本末倒置

土地問題的徹底解決，是地權的公私問題，是分配的公平問題；而不是私有權的轉讓問題。所以，當前世界一般政治家之言土地改革者，也多是主張土地國有的；而於土地國有以後，方能談到分配的公平問題。中國古代的井田制和均田制，都是如此。很少有人主張由政府來辦人民私有土地的轉讓。因爲光是私有土地的轉讓，不但不能解決土地問題和農民問題，而且還要發生許多新的不平的社會問題、

國父於講演三民主義時，亦曾一再說過：「公平分配方法，在私人資本制度之下，是不夠實行的」。「至於將來民生主義眞是達到目的，農民問題眞是安全解決，是要耕者有其田，那才算是我們對於農民問題的最終結果。」所以 國父一向主張土地國有，但因有許多歷史因素，政治因素和社會因素的存在，一時窒礙難行，乃創設平均地權。意在運用這個政策，解決當前亟待解決的土地問題；進而還要運用這個政策，徐圖達到把私人的土地照價收歸國有的目的，以便實施耕者有其田的公平分配。可是今天窒礙土地國有的各種因素，還是依然存在，故仍不宜馬上實行土地國有；連帶的，在事實上，也談不到馬上實行耕者有其田。這是必然的道理，絕不光的！更無法本末倒置的！因此，我們今天欲謀徹底解決土地問題，和安全解決農民問題，應以全面實行平均地權爲先著；而耕者有其田的分配辦法，必待平均地權以後，才能實行。亦必如此，才可使我們在台灣現行的耕者有其田步入正軌，而不致日行逐漸消失；也才可使我們今日在台灣所實施的土地改革，與光復大陸後的土地處理，容易迪成一氣，而不致發生脫節現象。

耕者有其田，在現耕農民固是受到實惠。可是這種私有權的轉讓分配，僅以一次爲限。故今日之耕者能私有其田；明日之耕者便無其田可耕，儘管我們在法律上對現耕農於承領土地後之轉移，規定有種種限制，但在事實上卻沒有發生一點效用，以致造成種種不平和不合理的現象。這固是政府的管理力量太大不够，無法執行這些限制；然而我們還要知道：土地可私有，有者便是地主。有地主，便有兼併。有兼併，便有租佃關係。有租佃關係，便有地主和佃農的存在。

一位工業資本家 土地竟有七十甲
這些大地主是政府促成 照國父遺教非平均不可

這是歷史的演進，也是社會的自然趨勢，固非政府的一紙命令或一條法律所能強制得了的。而且在這些限制之下，現在有許多非農民，都來從政從商，把他們的農地改爲工業用地，原來的地主，一變而爲工業資本家。一位工業資本家，竟有七十多甲土地。這與 國父所說「平均地權」的話，是完全不吻合的。如果不將這些大地主的土地拿來，正是促成這些大地主的去路；爲了想從工業賺錢，他們原有的土地，繼續保持其他業爲，從事工業，把農之子，恆爲農，回復到古老社會，僅從事耕種苦來的，以致鄉村一般農民要想從事耕種的，……

謀生者，反而根本無田可耕了。所以自從政府實行耕者有其田以來，社會上便發生了兩種畸形現象：一是具有農民身分的人，比例數增高了；與歐美國家工業愈發達、農民愈減少的現象，恰成反比例；一是現在鄉村裡具有農業技術的人，憑其技術謀生的人，已沒有做農的機會了！大家只好降做僱農了！故就政府所實施的耕者有其田政策的效果言，也許就有其成功的地方；但就制度的經常性來說，卻是失敗的。從根本上說，實施失敗的原因，至少有兩點：一是法制的失敗，原則上非由於大家謀不減，而是非徒耕者有其田的本質；二是私人沒有認識 國父「在私人資本制度之下，無法實行公平分配」，……的道理，研究透澈，以致發生這種謬誤的。

次就政策的普遍性來說， 國父於民國紀元前七年創設平均地權之始，在中國同盟會以軍政府宣言裡便以「平均地權」，是核定的天下（全國）土地；其後公告國人說：「平均地權，應普及至全國」。

今台灣只實施都市平均地權，而不普及鄉村，這是違背 國父創設平均地權之原意，以致在解決土地問題上大有捉襟見肘之病。再而目前鄉村裡，原來那些地主僅保留之三甲土地（按：現耕的農民、也有些不止此數）以每甲現值二十萬元計，共總也不過六十萬元，但以農地實施「耕者有其田」，而沒有實施「平均地權」，故使不任其私有，必日益轉讓之以爲快；反觀在都市裡，地主持有土地之時值在數十萬元者，可說比比皆是；即高達數百萬、數千萬元者，爲數恐亦不少。但以政府只實施都市平均地權故，使可私有私用，逍遙自在。同一地主，徒以在城在鄉以及供應農業和工業用地之不同，而招致如此差別之待遇，焉得謂平？又同一資本，用之於土地與用之於工商業，政府對於鄉村之土地資本，既予以種種限制，如三七五減租、三甲以上之土地轉讓等皆是。而於城市之機器資本，卻一任採取放任、聽其發展，任其私有，有時還更予以特權保障之、獎助之。如過去之唐榮鐵工廠，目前之裕隆汽車工廠，其顯著者。且更有甚於此者，就是政府原來的公營事業，正合於民生主義發達國家資本的原則，徒以富事者的低能，經營不善，政府竟不顧一切，通統以之轉讓民營，培養一批新資本家，來壟斷國民生計，造成台灣貧富懸殊的現象。今天，台灣之所以造成貧富懸殊的現象，這是 國父的民生主義國家經濟制度脫離，而沒有普遍性的發展的必然結果，

培養一批新資本家
今日壟斷國民生計
造成台灣貧富懸殊現象

低調集

公車搞不好的因素

·楚狂

據自中報通信員柳一權台北消息，謂：「台北若干條公車開放民營後，對台北交通上說，減去不少壓力，平時不應該有的戰時現象，於今已消除，這眞是政府一大德政，沒有一個乘客說壞的。」

不過還有很多待改進的事，就是公車票價不能高於民營車票價，這是一個難以推翻的定則。如果民營車票價跌，公車不能先民營車而跌，已經沒有道理，相反的再以「公」家權勢限制和干涉民營車票價不准跌，那就更不成體統。公車一切都是公費，公費乃取之於民、役之於民，而民營車的資本，即非血汗換取，也是智慧賺來，公車效率與票價竟不能與民營車等量齊觀，頗使人總是徘徊，百思難解。

有人說甚多不能報銷的賬目要出自台北公車處；還有一種不衛生的講法，謂台北某議「官」爲競選和私人幾百萬斷塗而出自公車處。此話果眞，監察院、審計部、台北市政府都連帶負有相當責任。不過這段經過確出自台北市黨部前王主任委員親口所述，且強調必須經其蓋章始能核銷，這個樣子的公車處難怪搞不好了。

喬治桑外傳 八八

張大萬

「不很，一切都由雅麗絲向我說清楚了。」曹梅卿的音調和以前完全一樣。

站在牧師前面，喬治桑在荷包裡摸結婚鑽戒。摸來摸去摸不着。他記得他與曹梅卿兩情正濃時，他許她在結婚時一定要給她一枚三卡拉以上的鑽戒。她說，她要的是他的人，並不希罕鑽戒。他當然想記，三萬元的頭寸還是雅麗絲替他擺平的，現在那有錢買鑽戒？

正在他急得混身冒汗時，有一個穿迷你裙、上空裝的女郎在他身邊出現。

「好，你騙了我的身體，卻與別人結婚，今天非和你算帳不可。」

喬治桑定睛一看，來的不是別人，正是娜娜。她的身材對他是一點也不陌生的，他倆一同洗過鴛鴦澡。

「娜娜，妳千萬不要亂來，我和妳只是朋友，每次我都是付錢給妳的……」喬治桑聲音嘶啞，禮堂爆出如雷般的譏笑。

「錢？誰希罕你的臭錢？」娜娜圓睜雙眼簡直比母老虎還可怕。

新娘氣得烏（手旁）着臉拔足飛奔，喬治桑緊跟在後面，好不容易追上了，那裡有曹梅卿影子？分明是如假包換的雅麗絲。喬治桑這一驚非同小可。咭吧吧地說：「怎會是妳？」

不好了，牧師來了！羅蔔蔡好像剛從拳擊台上下來的，戴着一付皮手套。

「姓桑的，你根本不是人，你騙了雅麗絲媽媽，又騙雅麗絲，我非揍（手旁）你不行。」羅蔔蔡來勢洶洶，好不怕人！

「蔡先生，請你聽我說，我與雅麗絲是純潔的父女情感，請你不要誤會。」喬治桑向羅蔔蔡作哀求。

羅蔔蔡更不答話，走上前來，用兩隻大皮手套將喬治桑連耳帶口鼻一起烏（手旁）住。（未完）

制度經得考驗
無分都市鄉村

無論從空間來說也好，從時間來說也好，古今中外，各國所實施的經濟制度，都是具有普遍性的、經常性的；沒有那個國家的經濟制度，是可行之於城市，而不可行之於鄉村；可行之於今日，而不可行之於明日的。可是我們近年在台灣所實施的經濟改革，便沒有注意到這兩種特性的具備。眞是美中不足！

先就制度的經常性來說，政府倘着因日前客觀的環境需要，推行

文滙樓別記

郭連蔭揚威舊金山

文匯樓主

中國人不注意自己的國醫，日本遠在明治維新後，世界一等强國時期，就注意到中國醫藥，並加以改進，從表面上看，大有後來居上的趨勢，中國很多國醫標榜在日本畢業，非完全盲人騎瞎馬，也有其自己的觀點。

最近美國各地對中國太極拳，非常感到興趣，不要幾十年，中國人學太極可能要到美國去留學了，這也可名之爲生活的藝術。美國這個國家是濃厚的資本主義思想，說不定會設太極拳博士、碩士等，使想學習的人更會感到興趣。華國的博士比日本、韓國、澳洲、及歐洲很多小國博士究竟不同；台灣有很多人混到一頂博士冠戴上後，嚴然有齊天大聖金币帽那樣神氣，頗合乎鄭板橋的詩句：「青山亦恨揚州俗。」

言歸正傳，美國人對太極拳的印象若干年來，是零零落落的，正式受到重視是民國四十年，中國太極拳師郭連蔭向美國拳王喬路易挑戰三次。日本人不僅有眼力，嗅覺既敏感，耳朵很也長，馬上要請郭連蔭到日本去授拳，郭有感自己習八卦拳太老師程廷華，在八國聯軍戰役，被日軍暗殺，故日後凡爲董海川先生門人，皆發誓不教日本人拳術，嚴詞謝絕日本的盛意。

拳王喬路易被郭連蔭挑戰後，成爲受社會注目的花邊新聞，很快的傳遍各階層。美國重量級拳術家哈□、不肯服這口氣，願與郭連蔭一較長短，剛出手被郭擊出一丈開外，美國舊金山警察總署聞訊，欲聘郭担任太極拳教授，美國人重科學，科學者乃有組織有系統的學問，對郭有這麼大的功力，敬疑參半，經選出五位彪形大漢，雖不是打虎的漢子武松，也不會低過黑旋風李逵，集體戰鬥，郭連蔭施出太極招數，所謂：「站如釘、走如風、坐如鐘、臥如弓。」剛柔開合，一動一靜之間，五位美國打手，雖累得氣喘如牛，始終沒有方法接近郭身，打是更談不上了。

筆者對太極拳，爲不折不扣的文、科，既識到郭連蔭，又不能不談幾句有關太極拳的史話。太極拳的發明，傳說起源於唐朝的許宣平，許爲隱士，係安徽，徽州人，大詩人李白曾數訪切，三訪未遇，有題詩「望仙橋」的傳說。許氏所傳拳名爲「小天九」，共分卅七個單式，每一個單式皆含有生剋作用。在唐代同時，又有李道子者，安徽安慶人，當時咸稱其爲李夫子，所傳爲「先天拳」。寓修眞修性之道在拳中。後來張三峯將許宣平、李道子內家拳，熔冶於一爐，而集其大成，始正名爲太極拳，據考證張三峯生於宋，死於明，爲元代儒者，原名通，號君實，出遊至寶雞，中有三峯挺秀蒼潤，乃自號三峯居士。洪武十七年，明太祖詔求未赴，直到晚年將道法與拳技傳給淮北大俠王一飄。抗日名將劉銘傳（綽號劉六麻子）曾說過，太拳極簡直就是我們「老母鷄」（皖讀「養」音）拳，豪人豪語，益證「麻爺」（爺爲皖人尊稱），遇事有獨特的看法。

介紹「旅美話家常」

·王邦雄·

「夏天簡介」（四六期），「亞學年會」（五一期）與「天下一般」（五三期）三篇則是當代崇洋夢者的暮鼓晨鐘，自鴉片戰役以後，中華兒女已失去了昔日天朝上國縱橫全球的骨氣，一轉而爲次殖民地卑躬屈膝的媚外。試看當代的青年，誰不馳騖於西方的物質文明，追逐那醉心的享受，誰不想渡海淘金，嚮往那虛幻的天堂，青年們一窩蜂的往外跑，一去而不回頭，此與張氏之應美禮聘，前往講學，宣揚中國文化者，相去何止千里，張氏有鑒於此，故於旅美期間，一再地告誡國內的青年朋友：「外國的月亮，不一定比中國的圓」。夏大的文史諸系，其水準不及我們的台大師大，有些系尚相差甚遠；他們全國的學術會議，沒有我們想像的隆重，台上惟宣讀論文，□之，台下熙熙攘攘，亂哄哄一片，所謂論文，並非篇篇精采，其中不乏陳腔濫調之流，尤値一提者，乃漢學家的「妙文」，妄發謬論的大有人在！在國內我們常罵部份機關，行政効率委實太差，而在美國混久了的，也會「深深的感到，所有中國的壞事，美國全有！」一件例行公事，可以積壓了兩個月，還要等大爺子來批，如此景象，即是向以悠閒自賞的我們，恐怕也要自嘆有所不及了吧！張氏斯言，並非有意貶抑美國的輝煌成就，而是話重心長地來糾正青年朋友的幻覺。我們以爲國破家亡，尚不足懼，多難自可以興邦，只是「哀莫大於心死」，年青一輩的伙伴，要是永遠把未來的理想，寄託在國外，那麼我們的國家，眼看眞要沈淪於萬刧不復的絕境了。張氏這番空谷絕響，可以說爲「青年自覺運動」及「文化復興運動」上了最重要的一課。

「從吃說起」與「華埠遊行」（均見五十期）二篇，則是有關海外華僑生活的報導，雖雪泥鴻爪，在吃喝談笑中過去，却啓示我們：「羅馬不是一日造成的」。試想，當初他們闖山萬里，渡海闖天下，在寄人籬下的困境中，不知流盡了多外的辛勤血汗，經過了幾番的慘淡經營，才能建立起今日的產業和地位。夏威夷的華僑，勢力雄厚，有的已是名重一時的大銀行家、大企業家及參議員了，但仍然一如往昔，過着樸素無華的生活，不斷的向前奮進。而舊金山的華埠大遊行，更是盛況空前，全美轟動，唐人街儼然就是一個小中國，深深表現出中華民族的偉大潛力。他們的創業精神，値得我們仿效，他們的爲人成就，更是値得我們引爲自傲的。（中、未完）

洛陽古今談

——龍門與香山

賈星源

洛陽西南距城十五里，有一高山截然中斷，兩崖對峙，恍如宮闕，白雲浮其上，伊水出其下，此即大禹所鑿之龍門；又名伊闕是也。

伊闕兩崖，東曰香山，西曰龍門，皆有瀑布，下臨伊河，水清見底，游魚可數，山高而秀，林巒如畫，懸崖鑿刻，佛像滿壁，廟宇亭榭，倚岸而立，此種鉅製，多是漢魏隋唐以來古物，不過年久失修，遂使千載遺跡，剝落彫殘，殊屬可惜！一俟收復中原後，自當爲藝術上之觀點，而有以保存識地方，而加以整飾之。這裡不僅風景美麗奇妙，而且具有歷史性國粹作品，彌足珍貴。

大凡往遊龍門香山者，率皆循山麓而進，甫至山口，即見清泉一泓，自石崖噴出，聲如暴雨，此禹王池也。其間怪石突出，爲一蝦蟆咀，天將雨，則水由咀內外吐，奇驗。晴如瀑布，冬日蒸氣如雲，故此池或稱溫泉。池上有石樓，名望月樓。稍南古剎一所，臨水建有涼亭，推窗眺望，山水紆曲，樹木葱然。剎內有三大石龕，頗莊嚴，此潛溪寺也。剎下有水流出，匯爲蓮花池，已湮沒殆盡矣。又南有翠花亭，壁上有刻繪壽星形者，有刻繪鍾馗形者，並陳希夷書：「開張天岸馬，奇逸人中龍」十字。寺南下凹有石碑六，名鐫菠洞，以雜草蔽其下，則水自穴湧出，錚從（金旁）作金華聲，試之果然。再稍向南有一清泉，天然自上下汎，纍纍若貫珠，故名珍珠泉。前數武，有水窟，曰老龍窩，上鑿石龕，曰蓮花洞，因龕頂刻繪蓮花而得名。由此往南數十步，仰見山坳石佛，或立或坐，或喜或怒，或閉目或凝想，或昂首遠望，最高者約一百三十尺，莫不栩栩如生，顧以山之高峻，轉見其低耳，此奉先寺也。俗名九間房，相傳爲武則天朝覽處。筆者就學中學時，集體遊覽於此，同學中有不少人戲以石子對最高佛擲之，盡力上拋，僅及其肩，或云佛法無邊，人力焉能勝過耶？極南端大石龕，曰老君洞，正中石像後有深穴一，杳不見底。世傳爲老君煉丹處，或云其中有金礦，則老君者，或掏金之訛也？不然，此山石龕皆佛，龕間石像明明鐫曰：「魏正始時造彌勒像」，則其爲佛氏事有概可知矣。龕頂及四壁，刻魏字二十品，即所謂：「龍門二十品」流傳遠近，爲世寶貴。下緣山足而前，石壁峻削，龕如蜂房，不可勝計，山坳間尚建立二華表，一書「龍門勝概」，一書「伊闕雲連」，皆陸潤庠手筆。

由龍門過橋而東，即是香山，登擂鼓台，到羅圈溝，中有萬佛洞，非特佛像滿壁，而且雕刻奇異：過北乃看經寺，相傳爲唐僧唸經處，自看經寺北望山腹，古柏參天，廟宇巍然，此香山寺也。山南坡上塔千級，爲清高宗遊幸時所特設，循塔上登，及半，迴顧龍門石佛，若在眼底，其間另有白傳寺，九老堂，寺之山頂，建有清高宗香山遊詠石刻八卦亭一座，所謂御筆亭是也。亭北築有清廳，頗雅麗，壁間詩刻甚夥，洛故知事秦公茂林之遺愛也，洛人稱作召杜。寺北山巔，有白樂天之墓，洛陽白氏族人春秋祭奠，尚不間斷。此洛陽龍門香山之簡介也。僅憑記憶所及，信手寫出，尚望讀者諸君，多賜指教。

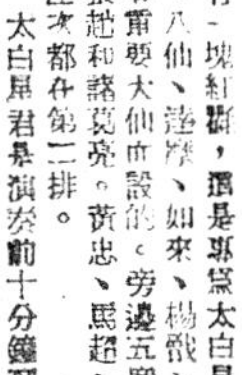

（完）

綜談國劇復興

（二六）

王方曙

比如拾玉鐲的搓線，在最後用手指捋線時，胡琴用滑音，完全是寫實的聲音；又用牙齒挑彈，胡琴則用指挑絃，絕無寫實處，隨即把南梆子，意味雋永，音樂悠揚。此處極獲觀衆欣賞，並未以其像眞而以爲不妥。可見這類效果像眞反而更好，則其他效果何不也使它像眞？如雷聲、雨聲、風聲、馬嘶、小孩哭，各種聲音，利用現代化設備，用錄音帶作好，必要時放，既不費事，又不用特別技術，只要找準備是開即可。如御碑亭滑步一場，如將燈光暗下來，加上風雨聲（如利用灰幕背景放映下雨，可能更好。這種辦法也只是前面談過的部分天幕的利用，並非全部用佈景。）氣氛就足够了。等旦角小生進了亭子，再臨時配合唱作，控制風雨聲的大小。這場戲的效果應該要好得多。以往所以不能這樣作，是因爲從前沒有錄音設備，再早連燈光控制設備都沒有，當然放映更不可能。所以燈光一直亮着，效果只好就場面所有適手配來。如今既然一切都能作到，在增加戲劇效果，而不破壞戲劇形態的原則下，自然應該求進步。上述一例，不過是想像設計，還沒實驗過，不知究竟如何。不過這只是一例，我想將國劇中類此的場子，燈光效果作得好些，總應該比現在燈光一直大亮，效果不够眞實要好一些。國劇不求寫實，但總要使觀衆有相當足够的情況感受。我所以主張效果加强，目的在此。我並不想將國劇變成寫實戲，那便是唱歌話劇了。我更堅決不願意國劇走向失去本身風格的新歌劇！

、關於面部化裝

國劇的面部化裝，已經相當到家。尤其以大花臉的臉譜，小花臉的小人物象徵，極盡其妙。但我們仍願百尺竿頭更進一步，談談還有甚麼値得注意的。

第一、我們應該注意到戲中人的身份，而作更精細的面部化裝。我常看見，一個名角色，演皇后是那樣化裝，演小家碧玉還是那樣化裝，演大家閨秀還是那樣化裝。我相信，這位演員決不會不懂化裝要合身份，這像誰都應該知道。但多數人有一個習慣，都不願意失掉自己的標準美。所以永遠願意貼片子的地位一樣；永遠願意貼一種式樣的片子，永遠搽那麼紅那麼白，眉毛永遠是吊成那樣斜度描那樣彎度。

成語選粹（二）

李國良輯

名落孫山

宋范公偁過庭錄：「孫山滑稽才子也，赴舉時，鄉人託以子偕往；榜發，鄉人子失意，山綴榜末先歸，鄉人問其子得失，山曰：「解名盡處是孫山，賢郎更在孫山外。」孫山宋吳人。按唐制，進士由鄉而貢曰解，故世稱鄉試曰解試，並稱鄉試第一人曰解元。「解名」謂鄉試發榜之名次也。賢郎猶令郎。世謂應試不第者曰「名落孫山」。

諸葛亮狂想曲

（一五）

·劉玄·

彌衡爲了門官的收入太微薄，接到龍岡會所的演奏會請柬，想單刀直入找諸葛亮，藉此機會涮一下他自命不凡的鼓藝。不想竟鍛羽而回。彌衡也是自不量力，諸葛亮在三國時代，只有司馬懿、周瑜能與他鬥智，彌衡那是他的對手。

到了演奏會的那天，諸葛亮派劉約翰管簽到處，劉約翰知諸葛亮有心提拔他，自然感激非常，很早便守候在大門口。

爲什麼諸葛亮派劉約翰管簽到簿是提拔他呢？因爲天庭大小各仙，知道龍岡會所在人間天上都有相當勢力，不得不敷衍。劉約翰管簽到簿可以有機會認識大小各仙。這是千載難逢的機會。

很早到場的是黃忠、馬超。以他們與龍岡的關係自然應該早來。

黃忠鬚眉皆白，而面色紅潤，說話聲若洪鐘，可見其丹田氣足。馬超生得劍眉入鬢，目光炯炯有神。一望而知是一員虎將。劉約翰久仰黃、馬兩位將軍英名，不免仔細看了他們一下。

「你是不是教諸葛丞相英文的劉約翰？」黃忠發了名，開口問劉約翰。

「正是在下，久仰老將軍英名，今日一見快慰平生，」劉約翰不敢洋裡洋腔答話，純依中國古禮。

黃忠爽朗地笑了一下，用手一拍劉約翰肩膀，說，「你認識我？」同時，他用手指了指馬超：「他才是三國眞正的名將哩！」馬超聽了漠然沒有任何表情。

劉約翰經黃忠一拍，肩膀隱隱作痛。他想：這個老傢伙眞厲害，難怪年輕小伙子拉不開的鐵胎弓，他能拉得開。

在演奏會開演前半小時，陸續到了天仙大小各仙何止幾百位。劉約翰一一和他們寒暄，克儘招待之責。其中有一個生得狗頭狗腦的，面孔上的汗毛，好黑好重，伸出的手，小得像嬰兒。頭戴一頂束髮紫金冠，穿一件醬紫緞蟒袍。

劉約翰看見這位怪客，一時倒猜不出他是那路神仙。所以在他簽名時，特別加以注意。只見他用小手好吃力地，歪歪斜斜寫了「孝天犬」。「孝天犬」是誰？劉約翰默想了一下，才恍然大悟；他一定是二郎神楊戩座下的哮天犬。他不由暗地叫聲慚愧。當年好萊塢狗明星林丁丁走紅時，很多人有人不如狗之嘆，不想在天庭亦復如此。「孝天犬」的入場券是第四排，其地位雖不及正路各仙，要比其他閒雜人等高出多矣。

會場佈置，第一排全部虎皮交椅，地上舖有一塊紅氈，這是專爲太白星君、觀音大士、八仙、達摩、如來、楊戩、金甲神、……等重要大仙而設的。旁邊五席，是主人劉關張趙和諸葛亮。黃忠、馬超、姜維、龐統等座次都在第二排。

太白星君是演奏前十分鐘到場的，祥雲瑞霞，彌漫一室，大仙氣派是令不同。

命相與夢話

漢光武隆準日角

漢年

漢光武劉秀，字文叔，南陽蔡陽人，即在今湖北省棗陽縣西南。為漢高祖九世孫。年九歲而孤。為叔父劉良撫養長大。身長七尺三寸，生得美鬚眉，口大，鼻隆準，日角。甚麼是日角？就是中庭骨起，其狀如日。光武的一生開創後漢基業，為中興令主。這些彪炳功業，知者甚多，不必細述。下面我們專談他的命理，如果讀者有心人，可去復按後漢書光武本紀，參酌一觀更佳。

漢光武生於建平元年十二月甲子夜，生時，有赤光照耀室中，家人十分驚異。使卜人王長占卜，王長道：「此兆吉不可言。」就在這一年，蔡縣生長嘉禾，一莖九穗，因名劉秀。

按光武帝造，如泥於夜字，即作子時論。他的八字即是乙卯、己丑、甲子、甲子。日幹之甲與月幹之己，同化為土。月枝的丑與日枝的子，又聯合為土。通會謂為幹合又得枝合，五見兩旬者，名曰「夫婦聚會」，格局奇異，勝於尋常。再益以生年乙卯，歲幹坐祿，生時甲子，時帶將星，氣象巍峩，顯而易見。

但有一點值得命理學家所懷疑的，則光武的生時，在大寒節之前，其時是晝短夜長，所謂「夜」者，未嘗不是三四點鐘的寅時。若從丙寅時推測，則比甲子時更有過之。為甚麼？生時丙寅，則命宮為戊寅，時幹丙，固為正五行之火；時枝寅藏丙，又為正五行之火，命宮戊寅，幹固化火，枝又藏火。光武生時「赤光照室」以證之，又不為無因。若是甲子時，不僅四柱缺火，即命宮庚辰亦復缺火。當此誕生之際，天寒氣降，地凍水冰，如果無火以暄之，恐怕有壞將變為石田，豈能萬物資生？兆民有賴？如照此命理以名之，名之為「眞化土格」，又名「夫婦聚會格」。

光武的九歲子運，歲值癸亥，會生月之丑，為北方一氣。光武之父南頓君早逝，具見土畏水濕之弊。二十八歲丙運，歲值壬午，冬月得宛人李通等協讖，起兵舂陵，光武還是騎牛指揮，竟能殺新野縣尉而得馬。繼而又進拔棘陽。二十九歲，歲值癸未，大破王莽之兵，進圍宛城，下昆陽，定陵郾，立劉聖公為天子，改元更始，封破虜大將軍，封武信侯。至九月，三輔豪傑共誅王莽，居然傳其首級至宛。三十歲戌運，歲值甲申，立為蕭王。三十一歲戌運，歲值乙酉，馬武等勸進，六月己未，乃立大位。十二月，更始為赤眉所殺。用此種種，無一不是丙為陽火，戊寅合火，都是鼓盪聚土之功，有以致之。否則自壬午冬月至乙酉六月，為時不過三年，焉能使王莽自潰，州據土，而帶甲百萬哉。

至于四十七歲甲運，廢皇后郭氏為中山太后，立貴人陰氏為皇后。四十九歲申運，以皇太子劉彊為東海王，立劉陽為太子，改名劉莊，世人多有擬議；此皆辛丑年小限庚寅之際，不甲運妬合，申運亦衝寅。

五十六歲癸運沛太后郭氏薨。六十三歲未運，光武崩于南宮，一為太歲壬子，一為太歲下己，皆與甲已化土之正格極端反對。

程伊川說：「命之理深」，蓋謂其理精微，不可思議。然以光武的命理證之，似微實彰，絕不是人力所能更易的。

（下期預告：張道陵）

生活漫談

淡菜滋陰又益陽

馬騰雲

淡菜為軟體動物，江蘇、浙江、福建、廣東等沿海區域皆產，以日本產量最多，淡菜大體分為兩種，一種大如小卵而無鬚，另一種則比較細小，但腹爪部有頭髮一樣的鬚，平常佐膳，以大的淡菜，藥用者皆取小淡菜，淡菜的殼為三角形，外黑色，內珍珠色，生長在海邊巖石，肉色紅紫，味道鮮美，以曬成乾不加食鹽，故名淡菜。

淡菜所含的成份，肝唐（西勞）百分之二，五，水份二九，二，蛋白質一六，七，脂肪二，六，及灰份一，四五，性質甘溫無毒。功用：溫五臟；理腰脚，治虛勞、毛髮不潤、腰酸腰痛、腹中冷氣；他如玄癖、疝氣、腸鳴、久痢、宿食不消、婦女崩中、產後瘦瘠、血結、腹內冷痛等症。見名醫雜論稱，此物功能滋陰益陽，為溫補之品，吃太多了的話，能令人脫髮，不可不注意。

兒童有時皮黃骨瘦，常常喊肚子痛，晚間則時出冷汗，頭面部流的汗特別多，這是一種脾虛的現象，原因天氣熱，兒童好吃生冷，消化系統受了影響，肝臟機能削弱，遇到這種情況，最好用淡菜佐飯，淡菜有良好的健脾功能，對出冷汗，非常有效，家裡孩子多的話，每一個星期做一次淡菜飯或者淡菜粥，將淡菜先用水浸透，然後撕去其鬚，和以肥瘦肉丁、洋芋丁、馬蹄丁、與米一齊下水煮或蒸，和菜飯一樣，味道很好，其藥力不寒又不熱，對兒童的健康有很大的幫助，且能減少兒童的疲勞狀態，又為治療兒童流汗的好藥物。

淡菜滋陰力甚強，故非常利於婦女因經期過多，以致體溫下降，以淡菜與黑豆煮酒飲用，有些醫理不太深的醫生，認經期過多，再用酒去刺激怎麼可以呢？殊不知凡是經期過多的婦人，她的子宮多是溫度不足，因宮冷才失去收斂力，造成經期過多或血崩的情況，淡菜可增加子宮的溫度，黑豆功能溫腎，故食後可止血，用淡菜燉猪脚，少加海帶，經常服用，可吸收這種菜裡的豐富軟骨素，可使老年人減少皺紋，有恢復青春的功能。

淡菜又有補肝作用，對肝虛血少的朋友，可用淡菜常燉湯和煮飯，如果你身體是寒底的話，略加薑汁或胡椒粉，淡菜對性機能有很大的幫助，凡患有神經性腎虧，食之有良好的功能，最好亦加黑豆煮湯或飯，台灣人最怕得吃烏豆糜，可惜不曉得吃淡菜飯，新鮮的淡菜功力更佳，據說台灣沿海澎石亦有淡菜出產，祇是不太多，故市上很少見到。

巨變歷險記！

可憐的家鄉

（七五）　胡慶蓀

丁博士的娘可憐，家可憐，家鄉同樣的可憐。

丁博士的家鄉，小而言之，指他家的附近莊村而言，也指他的鄉他的縣他的省而言。他的鄉他的縣他的省同樣可憐。

他的鄉——河南夏邑縣東區，家家戶戶同丁博士的家並無二致。家家戶戶都是食不足以果腹，衣不足以蔽體，大大小小在飢寒交迫之中。丁博士生在農村，長在農村，常常挨餓，他知道餓的味道。人在餓的時候，天地之大，宇宙之大，全縮小了，全縮到肚子上。餓是人生最慘的時候。人到餓的時候，再也沒什麼希望了，再也沒什麼要求了，但求有飯吃，但求能吃得飽。丁博士回到朱莊，曾潛往前邊的劉莊去看他的老同學——私塾的朋友，又潛往旁邊的高莊去看他的親戚，潛往崔樓去看他的姑母，潛往卜集去看他的舅舅，……所到之處，無一不在啼飢號寒之中，他的心是如何的難過呢！到處沒吃的，外邊又不能來，坐着等死，看着等死，人世之慘，還有慘於此的嗎？

丁博士的家鄉是著名的土匪出沒之區。不甘於餓死的人們，就挺而走險，去為非作歹，大家已經沒有了辦法，殺人越貨，又能有什麼獲得！昔之漢高祖，就是丁博士的近鄰。其以泗上亭長，能起而與楚霸王抗，最後還戰勝了楚霸王，而奪有天下，就是靠地方上的一羣餓民。楚霸王的子弟兵，也是一羣地方上的飢民。

再說到丁博士的縣——夏邑縣，也與博士的鄉無異，也是到處飢饉漸臻，只有農業的一點生產，農業一不行，人民就沒有辦法。里長、村長、區長、縣長所日夜以求之者，為向老百姓要錢、要糧、要人。人民自顧已感不暇，還要出錢、出糧、出人，豈何以堪。征去的兵，都是快餓死的人了。故所以走到路上，紛紛倒斃。這樣的兵，又能作什麼？即濫竽充數，亦不可能。這樣的兵，怎樣能打仗。

再說到丁博士的省——河南省，同博士的鄉，博士的縣同樣的可憐。民國以還，黃河改道，一死就是幾十萬幾百萬。積極的建設一點沒有，消極的需索卻紛至沓來。人民都到了無以為生的地步。丁博士曾經英勇的奮鬥過，丁博士是出名了，但並沒能改善人民的生活狀況。湯恩伯大將軍將他駐防的地方，樹木全砍得光光的，「千載之下」，猶使人談起來痛心。大好河南，赤野千里。人民扶老攜幼到處奔命，幸運的找到外江佬，相許終身，一般的大都倒斃路旁。

整個博士的家，博士的鄉，博士的縣，博士的省，推而至於整個的華北，全體人民無不在飢寒交迫之中，這給博士的感觸至深。使他瞭然於農村的實況，人吃飽的才能做事，竟有人驅飢餓之民去同共匪作戰，這簡直是為淵驅魚，為叢驅雀。

（未完）

桃花潭水深千尺

趙陀

「媽，你如果眞能戒烟，女兒就告訴你一些使媽高興的事。」

「小鬼頭，媽老早要戒，你又不是不知道，上個月到瑪利醫院去檢查，醫生說不會有甚麼危險。」

「我眞高興媽自拿出決心，也許是否極泰來，神的恩典下，一整天都是蘇附的好消息，讓我向媽從頭講起：

一、牛少湘與女兒間的問題，一個月後再議。

二、馬繼元同上，並交回爸爸的寶女獎。

三、有關任念佩的報導，越來越多，這一大扎日晚報都載有他的專欄及電訊，這些報我和媽分開看，看完再交換意見好嗎？」

「知女莫如母，進門就被媽看出有異象，哼，媽的眼力如何？」

「女兒的眼力比媽和爸更高，看準了任哥哥是一塊材料，女兒就全力以付，叮着他不放，終於……」

「施出渾身解數，把任念佩拖進了迷魂陣是嗎？」

「媽，我不要你講這些粗話。」

「把人都迷死了，還不承認是嗎？」

「女兒已向任念佩無條件投降。」

「任念佩呢？」

「也向女兒無條件投降。」

「這樣說：媽媽要做雙方面的受降官了。」

「到了受降那一天，媽媽就變成女王，公主和駙馬會向女王叩頭的。」克琳頭皮的向顏芳表示。

「小鬼頭，臉像城牆厚，甚麼話都說得出，女人沒有鬍鬚，大概因皮太厚，鬚不容易長出來。」

「媽，又來了，學會爸爸的那張缺德嘴，講眞話你說任念佩見我面時喜歡嗎？三圍就是胸圍弱點。」

「黃花閨女，當然這樣，未接觸過異性的女孩子一看就知道。」

「媽，你說他會不會替我畫眉毛。」

「小鬼頭，越來越不成話。」笑着責克琳。

「我希望他能在我化粧時來看我。」成竹在胸似的。

「為甚麼？」顏芳打趣的問。

「我可以吃任哥哥的豆腐。」充份現出春的意味。

「小鬼頭，異想天開，怎樣吃法，講給媽媽聽聽看：」

「粧能低聲問夫婿，畫眉深淺入時無。」

「眞想不到小鬼頭，一心要做新娘了，更想不到的是未見面，會動起眞情，唉！孩子只向好的角度去看，將愛的情緒已昇華到幻境。」顏芳憂慮着克琳。

「媽：愛情本身，就是精神刺繡出的一幅幻想圖案。」這時顏芳因隱憂不得不說出：

「媽媽有句話，恐怕你聽不下去。」

「甚麼話講好了。」克琳在想一定是洩氣的話。

「萬一任念佩的答案是：『幾度徘徊粧成，君看不言好』怎麼辦呢？」顏芳欲改正女兒感情上的偏差。

「媽最喜歡潑女兒的冷水，今天我和牛少湘在一齊，發現媽的若干錯誤觀點。」克琳不以為然的駁顏芳。

「小鬼頭，媽有甚麼錯誤觀點。」

「你說當一個男的眞愛一個女孩子時，所表現出的多拙劣和粗線條，牛就是最拙劣和粗線條的人，難道他是眞正的愛我嗎？」克琳很不服氣的這樣說。

「孩子，你討厭牛是一回事，要說牛不愛你那是很寃枉的，兩年來他的氣也受飽了，尤其是你爸爸稍有不週，常拍桌子打板櫈的鬧得使人難堪。」

「那是他自己找上門的。」

「還未見面心都送了，算不算是找上門去的？」

「媽，你又來了，我最不喜歡媽反反復復的。」

（廿四）

自由報

中華民國內政部內版台報字第〇三一一號
中華民國僑務委員會登記證僑新字第三二三號
中國郵政台字第一二八二號執照登記爲第一類新聞紙

（第一〇〇六期）

（半週刊每星期三、六出版）
每份港幣壹角・台灣零售價新台幣式元
社長李運鵬・督印黃行寶
社址：香港九龍彌敦道593—601號劉創興銀行大廈八樓五座
LIU CHONG HING BUILDING
7th FLOOR FLAT 5
593—601 NATHAN ROAD,
KOWLOON, H.K.
TEL: K303831
電報掛號：7191
承印：豐昇印刷公司
地址：嘉咸街廿九號地下
台灣連絡中心：台北青田街五巷三號
電話：三七五〇二二
台灣區直接訂戶　台郵劃撥戶
第五〇五六號張萬有（自由報會計室）
台北營業處：台北衡陽街三十號
電話：二七二〇〇
台灣分社：台北市西寧南路110號二樓
電話：三三三〇三四六，台郵劃撥戶二九二五三號

綜論中國國術精要（下）

長虹

民國初年在北平所傳習的太極拳，有河南陳家溝子後裔陳福生所傳的陳家太極，人呼之謂武太極，對楊家太極，呼之謂文太極。所謂文太極，武太極云者，是指拳勢之剛柔快慢的差別而言，究其實二者之理論與勁路是完全一致而殊途的同歸。但陳家太極演變至今流傳不廣，現在得陳家嫡傳之太極拳，在自由中國僅滯作民先生一人而已。迨中央國術館成立，中州陳泮嶺先生（前教育部國術編纂委員會主任委員現中華國術進修會理事長）以其多年研究之心得，採長補短，而將太極拳架加以改變，名之曰「新架」，其特點着重體用兼備而革新者。以上是說明太極拳的發明和沿革，下面再講一講它的特點。

太極拳的特點有三

第一是由內功鍛鍊而成的功勁，這種內勁就是憑着「心、意、氣、膽、神」五者的內在運動，使軀幹內部的神經和五臟六腑健全調整內分泌促進新陳代謝強化各部細胞組織而收斂入骨，這種由內功鍛鍊出來的內勁可說是由極柔而成極剛，以之運於臂、腕、掌、指以發人，敵人所受着的地方，不過方寸之間的一塊，勁在剎那，未發之前無勁，已發之後亦無勁，依照力學之理，動力加速力所生出來的勁，就超出了原動力可以達數倍乃至數十倍，歌訣中所說的：「行氣如九曲珠，無微不到。運勁如百鍊剛，何堅不摧。」等句就是這個道理。談到內功，它所根據的原理是宗法吾國儒道兩家的學說，如效法易理的太極應用變化之道，和老子的專氣致柔之說等等，專氣致柔的氣，不是指呼吸的氣，而是孟子所說的善養我浩然之氣的氣，這氣在人身中佔極重要的地位，用它來催血；用它來養血，這氣是由命門火和精液溫養發育而成的，道家稱爲「水火旣濟」，它所存養的地方在下丹田，一般把血視爲身中至寶，不知氣更較血爲貴，古人稱此氣爲衞，稱血爲營，人的生存全賴營衞調適，如有營無衞，或有衞無營，就成了獨陽不生，獨陰不長，就沒有調劑運化的功能，血如不足還有辦法輸血可以使它暫生，氣如不足則立成危症，所以武學上把「練精化氣」列爲三步練法中的第一步練法就是這個道理，現在社會上宣傳得如火如荼的所謂「科學內功」，實即將道家定功中之「抵、提、吸、攝」四訣之析開個別的運動而已，也就是武學上練精化氣的初步練法，如將抵、提、吸、攝四訣合來同時運用就是道家所說的「歸根復命，凝神入穴」的坎離相交之心意功夫，如以科學分析可以叫做「向心運動」，一言以蔽之完全是用思想控制氣血分行而達健康領域的一種內壯練法，其道理是人在成形之初，先天元氣即根源在下丹田，生後而分一半上丹田之心，既長乃流行於耳目口鼻四肢百骸，中年以後爲七情六慾所傷，而道家之定功就是觀心返本，將散於五官百骸之元氣，收斂復返於上丹田而求積氣生液，積液生精子母會合以達金剛不壞之體，易筋經中有：「元神一出便收來，神返身中氣自回，如此朝朝並暮暮，自然赤子產靈胎」之句，就是此功的形容詞，（註：赤子就是心，靈胎是精氣神凝合的代名詞，又一解釋是頭頂心之心，初生嬰兒該部位是隨呼吸而起伏的，道家叫做「胎息」，行功即利用胎兒時代氣體交換的老路以求返本還源長生不老）現在將抵、提、吸、攝四字訣以科學觀點個別分析爲：

抵者就是舌頂上顎，以求尾閭、夾脊、玉枕，三關之相通而達到「法輪自轉還精補腦」之目的，在內家國術有：「舌捲氣降」的說法，也是儒、道、釋在行功上不可或缺的要訣。提者就是屏息着力於尾閭處使穀道上提，將睪丸內儲藏之內分泌逆運於全體使身體各部保持青春活力，同時促進腎上腺及腦垂體之內分泌作用。（註：腎上腺在左右兩腎上部，它有刺激交感神經使血管收縮，能進內臟機能的作用，能增加血液中的糖量，使腦垂體在腦底部它有促進身體及精神的發育成長之功用）這樣以充實各部細胞組織之活力，法之發明根源於「鹿」，鹿角之滋陰名貴就是把內分泌逆運走入角中的道理，而太極拳中之豎舌提肛和虛靈頂勁就是此功之運動，「內分泌促進運動」之科學內功，也就是將道家定功中之提字訣單獨來作單獨的運用而已，吸者就是用深呼吸的丹田吐納方法壓迫橫膈膜向下，使氣激盪於腹腔之內，并能使腸胃靈活運用在促進消化機能上有絕對性之效用，同時可使身體肥胖的人趨於緊縮，相反瘦小的人却會發大，總之使生理不正常的狀態變爲正常狀態，其道理肌肉有隨意肌和不隨意肌之分別，內臟或內部器官都是不隨意肌屬於自律神經，不受腦神經節制，不能隨之意旨而運動，且腹部的脂肪有害於人類的健康，足以影響壽命，因此腹腔內的五臟六腑必須用呼吸的氣激盪於腹腔之內使自律神經有所運動，在使脂肪變爲肌肉，使人走入康莊之道，法之發明根源於「鶴」，以鶴之長壽，歸功於牠的腹部呼吸，人能如鶴亦可長壽，在洗髓經有「息息歸田壽無疆」之句就是此功的表現；在科學內功中之「內臟運動」就是根源道家吸字訣之功夫而來的，現在講一講「攝」，攝——就是收斂的意思，就是「三花聚頂，五氣朝四」之道家的內壯練法，其着眼點在頸部，因爲頸部就是腦神經與脊髓神經通過樞骨大孔而聯成一氣就叫做神經中樞，一經屏息用力向腔內下縮可刺激各種神經器官不再麻木，靈活的結果成爲健全的狀態，這和內家國術之「頭頂項豎」的作用是表裡一致的，法之發明根源於「龜」，龜之能長壽得力於頸部的活動所致，科學內功中所說的「神經運動」其根源就是「攝」字功夫的單獨運動，總之今天在社會上所宣傳的科學內功之三種運動，實際就是將道家之歸根復命凝神入穴定功中之提，吸，攝三字訣的個別分開運動，不得謂某之新發明，以上所講抵、提、吸、攝四字訣的功夫，在內壯練法上仍不過是皮毛而已。

生命奧秘的綫索

另外有少林派鼻祖釋家達摩所傳的「易筋經」與「洗髓經」之綜合的提　練法，舊稱爲內功中之總匯，國術之寶典集其大成，這種功夫是入道之基，同時也是武學上「練精化氣，練神還虛」的上乘功夫，茲引證易筋經和洗髓經上兩段記載，以助說明它的功能如下：「進道初基有二，一曰清虛，一曰勇往，清虛無障，勇往無懈，清虛爲何，洗髓是也，勇往如何，易筋是也，易筋變化，筋者勁也，原夫人身骨髓以外皮肉以內四肢百骸無處非筋，幕絡周身通行氣血，翼衛精神提挈運用，試觀筋弛則痪，筋縮則攣，筋靡則痿，筋弱則懈、筋絕則折，再觀筋壯者強，筋舒者長，筋勁者剛，筋和者康。以上諸狀悉由內賦於天外感於氣自成盛衰非由人功也。今以人功變弱爲強，變攣爲長，變柔爲剛，變衰爲康，易之功也，身之利也，聖之基也，我命在此其一端　而功有漸次，法有內外，行有起止，以至藥物器械，節候年歲及夫飲食起居徵驗始終各有次第，務須先辨信心，次立肯心，奮勇往心，堅精進心，如法行持，進修不懈，何患不躋聖域哉」，又：「髓骨之外皮肉之中及五臟六腑無處非筋亦無處非膜，膜較於筋，膜爲稍軟，膜較於肉，膜者稍勁，筋則分縷，半附骨肉，膜則周偏，全著皮肉，與筋不同，功須各盡，然練筋易練膜難，蓋行功之道，以氣爲主，夫天地之生物也，氣之所至百物長生，故行氣至，筋膜長堅，但筋體虛靈氣至則起，膜體呆滯氣不倍充不能起發，練至筋起之後，必須倍加功力，務候周身膜皆騰起與筋氣偶堅，外應於皮並堅其肉，始爲氣充始爲完固，不則筋無膜助，譬猶植物而無沃土，根本無滋營之處，則枝幹有枯朽之處安得全功」。

昨日與明日

天災人禍之間

鄭宜

禁不起考驗

九月末，十月初，自由中國遭遇兩次颱風侵襲，使台灣北部，特別是首善之區的台北，蒙受很大的災難，從不淹水的地方，也淹水了，而且淹得很深，有的地方，甚至淹到屋頂，災區之廣，損失之重，堪稱空前。有人歸咎於下水道的不修，有人責難石門水庫的放水，也有人談到海水漲潮問題，議論紛紛，卻無補於人民的嚴重損失。大台北區的防洪計劃，不知吵了多久，祇是談談而已，迄未付諸實施。政府施政應以保障國民生命財產安全爲首要，而今台北市政却置重點於美化都市方面，什麼林蔭大道，紅磚舖地，在總統府前面，興建噴水池，安放盆花，說穿了都是粉飾門面的表面文章，而非務本的工作。結果，一有天災，原形畢露。如此台北市政，禁不起一點考驗，不知高玉樹市長向選民如何交代？對上級政府如何負責？經過這一場的災難，市民對高玉樹市長的政治成績和作風，又多一層認識了。

新官上任

經濟部長陶聲洋逝世後，使內閣不得不改組。交長孫運璿調長經濟，經合會秘書長張繼正接長交通部。這次任命，不僅出乎新聞界意料之外，也出乎黨政權要意料之外。各報根據政府所送資料，對兩位新部長的出身籍貫學歷等，都有介紹，有一家報紙並曾補充介紹張繼正，今年僅五十一歲，是現任內閣閣員中最年輕的，他也是現任總統府秘書長張羣先生的公子。他過去留學美國時，學的是工程，這次出任新職，和他所學的東西，是有關聯的。社會各方對這次內閣的改組反應，似乎並不熱烈。不過在經濟進步，交通落後的現狀下，人們對張繼正部長却也抱有無限的期待。

如此私立大專院校

經過漫長的暑假後，各大專學校又紛紛開學了，最值得同情的是那些在私立大專院校任課的教授們；最使人痛恨的是那些開學店的私立大專院校負責人。各私立院校除極少數如輔仁大學等外，一方向學生徵收高昂的學費；另外，則向哀哀無告的知識階級，購買廉價的勞動力。第一、這些私立院校很少聘任專任；第二、採用大班制，每班七、八十人最普通，甚至超過一百人，鐘點費還是按一班計算，第三、多數私立院校，每年十二個月；祇發十一個月的鐘點費，少數甚至按時計酬。教一小時，算一小時，國定假日，也是照扣鐘點費無誤。如此，大專教師，便和木工、瓦工無異了。有的私校，有講師，不請副教授，有副教授，不請教授，原因無他，祇爲省錢而已。於是，院校老板愈辦愈富，窮教書的越教越窮。這種非常現象，社會不悉內情，教部不加過問，教書的人無力主張，反正張三不教，請李四；李四不來，找王五；願教的人多的是，誰管他合格與學問。如此私立大專院校，吾欲無言矣！

自由談

招魂幡歟？風向袋歟？

一九五〇年毛澤東「鄭重」宣佈取締中國儒學，把孔孟打入十八層地獄。毛的想法，謬係培根羅哲爾，復爾德，及培根法蘭斯等怪傑的蠅迸，高舉「打倒古人」的旗幟，闡揚革新精神，造成今日歐美科學的巔峯。

毛澤東統治中國大陸整整廿年了，廿年的時間不算短，毛澤東不僅未將國家搞好，其本身很顯然的，已變成爲全國革命對象，這些革命者分出積極與消極：前者是武裝抗暴，誓與毛共不共戴天之仇，山西、湖北、湖南、江西、廣東、四川、安徽、河南、浙江、福建、廣東等，大半個國家的心腹地帶，討毛救國行列快形成一條強有力的陣線。後者拼命向國外逃跑，雖冒萬死在所不惜，這說明毛澤東的搞法，無折無扣的失敗了。

劉少奇比較冷靜，用國際規格去衡量「鐵幕人物」劉少奇對馬克斯，恩格斯、列寧、史達林主義，確有相當研究和獨到的見解，尤其對辯證法的運用，匪邦中還找不到第二把交椅，劉少奇因看清楚了馬列主義不適於中國社會，「毛澤東思想」更是放狗屁，蠻幹的結果，祇有被七億人民所埋葬，因之不能不改變手法，重新宣揚孔孟學術，劉少奇近著「修養」一書，內容標榜着「人類愛」「消除階級鬥爭」「黨內和平論」「讀書做官論」等。大大的惱怒了毛澤東，毛共喉舌「人民日報」，以「劉少奇爲甚麼要爲孔子招魂」爲題發表了一篇文章罵得劉少奇體無完膚，但並未影響大陸人民對劉少奇的支持與同情，相反的很顯然將毛澤東看成不是劉少奇的對手。

不過話又說回來，政治這個玩意兒奇怪，祇准人試一次，比如袁世凱要做皇帝，後觀風向不對，馬上又要恢復民國，但行不通了，最後被逼致死。照當前大陸實際情況判斷，劉少奇的不是「招魂幡」，而是「政治風向袋」，試圖改一改路線，找一找生機。毛澤東的政治早在十年前正從絕路步上「望鄉台」，雖然毛的政治幽靈還在打着「蓮花落」，那祇是民間俗話：「不知死活的鬼」而已。

・馬一爺・

學生家長會內幕

吳積平

台灣各級學校家長會組織，雖然在教育法令上找不到任何依據，可是教育當局以其有時為學校解決困難，所以自台灣光復以來仍沿襲舊制，讓其存在。所謂家長會顧名思義應由所有在校的學生家長組成，會長人選亦應由所有家長票選產生及選派幹事人員處理會務。可是實際上，各級學校的家長會組織，均係由各該學校自行安排妥當的機構，無論會長或委員及實際負責事務的人員，亦係由學校當局指派的，因此家長會的組織絕不是代表所有家長的意見之機構。因而漸漸地被家長認為是形式的，是學校與地方派系或政治慾濃厚人士的御用招牌，視家長的組織為一種可以利用的工具，以取以求，對學生有所需索的，或不樂之捐如敬師節的敬師金「硬性指定數目」……等，也都假藉家長的名義收取。因此，一般家長對家長會這個機構不但不感興趣，相反的都存着厭惡之心。家長會這個機構的組織既然依法無據，它本身弊端尤多，當然難免引起社會人士的閒話，黨政機構亦曾有過直截了當的建議明令廢止。

家長會費每學期規定中學二十元、小學十元，這些數目在富裕的家長來說是微乎其微，可是如果是窮苦的升斗小民，加上有兩三個子女上不同的學校，那末除學雜費外再加上數十元的家長會費，那就不是輕而易舉的事了。

台中市某國民小學有某家長因貧病交集，一時無法籌措學雜等費，擬分期攤繳，不意為該班導師所不容，竟將書籍扣發，使其家長氣憤填膺，致函向校長申訴，原函云：

「敬啟者：一、貴校交學生帶回收費通知開列共計七十一元四角，本人雖係病患兼無正常收入之貧民，然為免影響子女心裏自卑，不辭貧困，東湊西借，籌措四十一元交小女繳納，不意該班導師，竟以欠繳家長會費、兒童活動費（共三十元），為由迄今尚扣發（公民與道德課本、音樂課本、算術科輔助教具、寫字簿本等）補充教材，並時飭小女回家催取，似有非繳不可之勢，實失百年樹人之仁心。

二、家長會之組織雖非非法產生，究係人民團體機構，絕不能令人人無條件參加，依理縱有參加之必要亦不能強令人人限時繳費之職責，須知人有智愚之分貧富之別，更不能強制規定人人繳納同等數目之會費，該教師為家長會費耿耿效勞其特何由？

三、兒童活動費數目雖小，然升斗小民多此負担實感籌措艱辛，況兒童年幼智弱接受正常課本知識能力還覺不易，尚有何智能活動？（每學期有幾個月，每月有幾天上學？有多少時間活動？活動的是甚麼項目？「每班以五十學生計即有千元之數」），而需如此鉅大活動費？即有活動之必要與規定，亦屬次要事項，絕不能將本人所繳購買補充教材等費扣押，再令學生回家催取，非至全家與腹不食而將錢繳納家長會費及兒童活動費而後甘，其存心何在？

四、我國憲法（第一六〇條：六歲至十二歲學齡兒童一律受基本教育免納學費，其貧苦者政府供給書籍），明文規定濟助貧困，政府素施仁政，凡貧困者多有救濟，該教師竟以欠繳家長會費、兒童活動費而扣發已繳款購買之各項補充教材，幾近江湖行為，實違背政府仁政與貴校選購補充教材之宏旨，今將由該老師處取回之四十一元四角交小女奉上敬祈查放飭依貴校選購之各項補充教材分發閱讀，俾得平均發展，以貧者（據悉貴校尚有不少學生有同樣遭遇）……

某校長覆某家長函，「××先生：

惠書敬悉，台端關心子女教育，至表欽佩！關於家長會費及學生活動費均係政府所規定，家長會費以五分之二繳送教育廳，五分之三留學校作充實設備之用，學生活動費之用途包括修飾各班教室、加強學生體育活動、編輯壁報、公訂報刊、舉辦學藝活動暨班際校際各項競賽活動、購置音樂衛生保健器材及教學參攷書籍、充實各科教學設備暨其他公共用品等，每班縱有千餘元之學生活動費，亦須節約支用，否則勢必透支，至於補充教材，係本校酌情選定，讓家長自由購用，是項補充教材均經教育部審定，本校本學區家境多不充裕，故所選教材均較他校為少，台端顧及子女學業樂意購買補充教材，且以手中拮据，一時交不出家長會費及學生活動費兩項代收費計三十元，俗說：「一錢難死英雄漢」，××（姑隱其名）深表同情，願代繳三十元，補充教材及收費收據一併交學生帶回，請釋念！

×老師熱心負責，教學成績優良，且家孤兒寡母，獨力支撐門戶，大家均敬佩之不暇，請予諒解，同時學校教育，端賴學生家長合作，今後希多批評指教，耑此佈覆順頌

大安」

我們看了上面兩封信後，心裡感覺各級學校均有其依法編列的預算及決算，既有固定預算各項開支定有其經費的來源，為甚麼像購置音樂、衛生保健器材，及教學參攷書籍等要在學生的活動費開支呢？其次我們存疑的是各級學校家長會費除要撥五分之三充實學校設備外，還要節外生枝的繳送五分之二給教育廳，教育廳憑甚麼法規收受各級學校的五分之二之家長會費？難道家長會的存在目的在此！

書商與官勾結大家撈

被搾對象採適當對策

低調集指責掀起社會注意　各項毛病被內行挖出根來

（本報通信員柳一禪台北消息）自十月十日自由報「低調集」以「教育界上下交征利」為題發表一篇短文，掀起台灣學生們家長的共鳴，他們將根據可靠的資料，採取有效對策，「低調集」原文：

「台灣實施九年教育，使莘莘學子免受「惡補」磨折誠為一大德政。中華少年棒球隊榮獲世界冠軍，不啻為下一代民族健康立下保證。凡我國民無不額手稱慶也。可是，教科書却變成了教育部、學校和書店的「利藪」。種種陋規竟然合法化，這又是反面的事實，舉例來說：

書名	實施義務教育前價格（五十六年）	實施義務教育後價格（五十七年）
初一歷史	二元九角	九元三角
初一地理	四元九角	十四元三角
初一國文	四元二角	十一元九角
初一公民	三元一角	五元九角

以上所列各書，僅換個封皮，價格一跳就是三倍。其故安在？原來賣教科書是那些有特殊關係書店的註册專利。教育部又要抽取百分之十五所謂「編審費」，台灣書店抽取百分之五點八的發行費。各種名堂加上去，難怪教科書要一馬當先，非台灣的雞鴨魚肉等物所能望其項背了。

台灣各書店的推銷方式，對各地校長、教務主任和各科主要教師的人情攻勢，已由送禮、吃館子，演進為「全套招待」。其情形與「蒸虫」相彷彿。可見古人所謂「書中自有黃金屋、書中自有顏如玉」確實匪虛。

教育書售價雖昂，却不怕學生不買，這是與其他生意不同之點。因此，不僅承辦教科書獲利倍蓰，即挨上一角，參加搓圓仔湯（圍標）的書商，亦吃着不盡。這是當前教育界上下交征利的怪現象！

「惡補」造成「書虫」，戕賊學生健康，固然不妥。九年教育下却生產了「書蠹」，同樣是教育界的詬病。希望從速改善。」

記者為明瞭究竟作更深入採訪，發現官商勾結，暗無天日，已到斯可忍孰不可忍的境界。他們搞錢的手法真所謂巧奪天工，如果把這種挖腦子的精神，用之於發展科學，先登月球的可能不是美國，而是這批聰明到無以復加的會動腦力的官商。用法律條文找根據很吃力，以輿論制裁，可做到針針見血，因為這些毛病非行內人難以挖出根來。

書店分享權利金一項，就等於坐吃學生家長的血汗錢，難道台灣八十幾家書店，比大陸上兩千六百幾十家報社更重要嗎？報社不准復業，失業的報人們在飢餓線上掙扎，書店不僅可以復業，且可坐享其成，吃得腦滿腸肥，學生家長就等於書店的兒子、孫子，最大的××××若干家書店，且將這些不勞而獲的非法收入，列作為正當權益，一年尚定幾百萬和幾十萬不等，更可惡的，印書紙等亦有油可揩，數量相當，銷數雖未錯，資料掉包則大成問題。有關機構業已開始調查。記者將書商們分贓不均的爭執，一連串寶貴資料，從下期起在本報繼續發表，記者本於良知，認為一個國家教育為百年大計，教育本身患着肺癆或癌症，下一代怎麼健全的起來呢？尤其書商牽（手勞）着教育界的鼻子走，太不成話了。

喬治桑外傳

八九

張大萬

好難受……喬治桑想喊，喊不出聲，想掙扎，也沒有力氣。好不容易掙扎出來，不，掙扎醒了，才知道自己安安靜靜睡在床上。那有皮手套，分明是自己的頭鑽在枕頭下面。

做了一場奇奇怪怪的夢。他起床到洗手間洗了一把冷水臉。率性坐在沙發裡，又點上一枝香烟。

他自己知道這個夢並非憑空出現的。他許多複雜的思想無形中是編織這個夢的材料。

他拿起放在夜壺廂的腕錶一看，已是深夜三點半鐘。

山中的晨曦是最準時的，天一亮，鳥雀都為光明來到而歡唱。喬治桑醒來，發現自己是在沙發上睡着的，這幾個鐘頭倒睡得很好。他洗臉漱口完畢，才七點鐘過一點。

他命阿嬌準備早餐。阿嬌知道他是吃慣西式早餐的，替他準備了咖啡、烤麵包、橘子汁。

喬治桑是一個樂觀的人，以往從沒有為一件事認真思考過。「人生行樂耳」是喬治桑的人生哲學。

現在不同了，他感覺孤獨、寂寞。他對自己的行為感到內疚。他急於想見的是雅麗絲。雅麗絲是他唯一的親人。

八點鐘才過，喬治桑已經下山了。到家的時候還不到九點。

「包死，你為甚麼這樣早回來？希望你有一段歡樂的時光。」雅麗絲開門的幾句話，後面的一句是用英文講的，這算是一種洋禮貌。

「我這幾天心裡很煩，想去清靜一下，但是又想見妳。」喬治桑已到了客廳。

「是不是關心頭寸？沒有關係，等你美國匯款一到再還人家好了，用不着急。我們不是天天見面嗎？想見我有甚麼事？」雅麗絲的神態安和，喬治桑聽了她的話，一時倒不知如何回答。

「有沒有人打電話給我？」喬治桑只好將談事回到「公事」上面。

「昨日裘先生來電話來請你去打牌，說是老搭子，三缺一，請你無論如何要抽空去。我告訴他，你到郊外去了，我無法聯絡。」喬治桑的「公事」不外吃喝玩樂。

「嗯，這樣應酬賬將，打過一兩次就夠了，多玩實在無有意思。」喬治桑在自言自語，雅麗絲沒有插咀。

「美國的電報有沒有發？」

「我發了一封電報給拉斯維加的史克蘭頓，請他趕快匯錢。」

「史克蘭頓做事向來敏捷，這次不知怎麼搞的？美國人的怨忙反變成中國人的慢騰騰了。」喬治桑是死要面子的人，覺得差幾萬元台幣頭寸都擺不平，還要勞動雅麗絲，未免有點砍招牌。

阿拉伯新聞信

葉門這個國家

原屬土耳其奧托曼帝國

・劉必權・

葉門是阿拉伯半島的一個小王國，它有很多神話式的傳說，聖經中有塞巴王后朝見所羅門王的記載，而塞巴即葉門的前身。塞巴王國最盛的時期，文化水準相當高，它曾佔有阿拉伯半島的大部份，且可能佔有東非洲的一部份；在二千餘年前，葉門人即以商業冒險及生活優裕見稱於世。

這個被稱為「奇異之國」的葉門，曾屬於土耳其奧托曼帝國，直至一九一八年以前，仍係土耳其主權下的自治區。在第一次世界大戰中，葉門主教葉雅仍忠於土耳其。第一次世界大戰後，葉雅以葉門獨立統治者的姿態出現，但未正式宣佈獨立。因此土葉雙方交惡而以武力相訴。停火後英軍會自葉門海岸數處登陸，以撤退土耳其軍隊。

撤軍完成後，英國以葉門港口地區轉手於阿拉伯盟友伊得里西，葉雅乃憤而攻擊英屬亞丁保護地若干地區。一九二五年葉雅攻取荷底達等沿海港口。其後英國和義大利兩國勢力在葉門相衝突，英國乃謀與葉門達成協議，藉以確定亞丁邊界，但未成功。義大利却於一九二六年與葉門訂立為期十年的友好通商條約，並承認葉門為完全獨立的國家。

後葉門並與蘇俄訂約，允許蘇俄在沙那設商務代表團。此時英葉關係惡化，葉門出兵攻擊亞丁保護地，被英國空軍逐退，但葉門不放棄其對亞丁的要求，僅於一九三一年因國內部族叛亂而表示願與英國協商。（下期續完）

依洞集

正統健身運動太極拳

・楚狂・

台北自立晚報創始人李玉階，因為打高而夫球扭痛腰部，求治於吳惠平針灸醫師，吳成美娟女醫師勸李玉階說：「別打高而夫球了，還是練練太極拳吧！」並當場現出兩手，格拒自如，姿勢迴環，據說這種拳學習並不十分困難。

高而夫球是貴族玩意，且係舶來品，當為大家所公認，球場佔地之大和須要很多人照顧與拾球童隨侍在側等，如非為外交上需要，在克難的國度裡，我們主張根本廢除，但私人建立高而夫球場則非常贊成，理由很簡單，不管佔地萬坪或數萬坪，屬自娛於酬應，同時是自己的錢，愛怎麼化就怎麼化，像體壇某公，經常包僱幼齡少女，別人很少去管他。

言歸正傳，太極拳確係一門好運動，是值得提倡的，我們外行人的直覺，有渾然無間，隨其來勢，不離不拒，以中我致柔之極，對方雖富不擋之勇，會無所施其勇，即有萬鈞之力，能使其化為無力。旅美華僑太極拳師郭連蔭，精悍絕倫，凌鑠全美，受到友邦普遍重視，影響各州治安人員，無不爭相競習，就是最好的例證，李玉階先生對中國道學相當有研究，如能聯合有道之士振臂起衰，倡導斯術，對轉移台灣當前崇洋媚外風氣，當可有很大助力。

打高爾夫球的形形色色

文匯樓別記

文匯樓主

台北自立晚報創始人李玉階先生，因打高爾夫球扭痛腰部，前往吳惠平診所針灸，還有幾位一點不懂，到時候去湊熱鬧自抬身份的。又聞某巨商在高爾夫球場就地小便與隨意吐痰，有人告訴他不可以這樣，彼謂青草地沒有關係，因而連想起台北須否設立高爾夫球場問題。

高爾夫球場是舶來品，貴族玩意固不在話下，球場須要大量土地面積，和很多人照應，自己打球還得備檢球的人隨侍在側，台灣是反攻基地，處境艱難，尤其人口不斷激增的結果，寸土寸金，建築都向高空發展，這是一個無可否認的事實，我們以爲台北高爾夫球場可以廢除，理由很簡單，若干萬坪的土地，祇爲了幾個人打高爾夫球所佔有，是不公平的，台灣是半戰時狀態，由各項法令可資證明，前後方生活方式不能距離太遠，引用韓國一位記者的話：「台灣前後方須劃在一個同規之內」。否則又變成爲對日抗戰末期形勢，前方苦得有甚麼吃甚麼（雜糧野菜）；後方樂得吃甚麼有甚麼（山珍海味），這就不成話了。

也許有人認爲筆者一定是個土包子，根本不懂得洋玩意的妙處，才會講出這些不三不四的話；或者認爲外交酬應中，高爾夫球是外交上的生命線，不打高爾夫球就不能辦外交；乃至於達官貴人，富商巨賈，不打高而夫球，無法顯出自己地位崇高，如果這樣自我陶醉，我們奉勸嗜此道者，自己購地建高爾夫球場，屬自娛於酬應，不管化多少錢都與老百姓無關，像體壇某巨公私生活不檢點，從沒有人去干涉過他，就是這個道理。

世界第二次大戰前，英國的高爾夫球最發達，球場畫面點綴得這個國度特別幽美，因爲他們是幾百年工商業先進國家，在各殖民地還處處賺銀回國享受，英國自被德國希特勒將各港口封鎖後，糧食發生困難，所有土地都得供應糧食生產，全英高爾夫球場很快的都自動變成麥田，以證明生活比打高爾夫球重要，不吃飯可致死，因不打高爾夫球而致病的記錄，從未聽說。中國共黨黨於民國卅八年佔據上海後，曾下令所有經常打高爾夫球的貴族，包括英、美等若干國家未離開上海平常玩高爾夫球的僑民，統統強迫充作檢球童，原來的檢球童與匪幹則變成打高爾夫球的貴族。這種惡作劇直演了很久，平民討厭貴族生活方式的心理，從匪幹報復行爲可以窺出，以證孟子「目無同美則無子都」、「口無同嗜則無易牙」。說法不會錯，筆者迄今餘悸仍存。

中華民國最高領袖 蔣總統，一生沒有絲毫不良嗜好，不吃烟、不飲酒，也很少吃刺激性飲料，蔬菜淡飯，起居定時，以八秩晉二高齡、健康的體力，飽滿的精神，且從不沾染偏的一面，故能爲七億人民的表率。言之非艱，行之維艱，不過話又說回來，這種數十年如一日的良好習慣，確影響了不少人跟着學習，我們講這些話的用意，乃希望打高爾夫球各色各樣的貴族，能將生活方式變一變，大家既在台灣同舟共濟，農工商學兵應拉平到一個同規內，不要顯出「朱門酒肉臭，路有凍死骨」的強烈對比。筆者目睹貴族攜着貴族犬縱橫球場，平民兒童則不准擅入，這和上海被帝國主義佔領租界時期的公園：「華人與犬禁止入內」比起來，現在狗的地位抬高了一點，人反不能追。人的境遇退步了呢？還是進步呢？未悉袞袞諸公，考慮這些問題否。

介紹「旅美話家常」

·王邦雄·

「金元世界」（五二期）是篇專題的論述，評斷目前美國發展方向的偏差。這一富甲天下的王國，舉國上下，莫不捲入金錢的漩渦裏，唯利是圖，一切措施均以利害得失爲前提，不僅美援是「待價而沽」，而於整個世局的和戰之間，亦恆以其本身的利益爲取捨之標準，甚少問及正義與公理的存在，縱觀其歷任之總統中，唯有一位林肯，捨利而求義，解放了黑奴，其餘盡是「損人利己」，「見利而忘義」之輩，予多事的世局，平添了不少的紛擾，伏下了無窮的爭端。故其富則富矣，却長年陷于共黨集團的威脅與恐嚇之中，少有安寧之日；援則援矣，反而引發了全球各地的反美運動，無有感其德者，由是觀之，金元之不足恃明矣，張氏論及此一金元怒潮之流弊，可謂針針見血，美國人在趾高氣揚之際，若不知聞風轉向，則五十年後的金元王國，恐怕要在其本身金錢的罪惡所埋葬了。

「汽車問題」（四八期），也是一篇與「金元世界」有同等份量的專論。張氏慧眼獨具，透視過美國的汽車問題，道出了人類文明的隱憂。汽車一如金錢，原爲人類的方便而設，而今具見其本末倒置，人類不僅成了金錢的奴隸，同時也反過來伺候汽車老爺了。汽車越是普遍，則問題越發嚴重，蓋汽車之製造，可以無窮無盡，而土地永不加多，長此以往，勢必汽車充斥於途，造成全國癱瘓之局，由小可見大，未來的世界，正向這一方向推進，張氏提出這個問題，可謂於未來的文明，敲下了警鐘，萬物之靈的人類，在征服太空躊躇滿意之餘，也該回首來檢討本身的問題了。

其他，在「夢迴故國」（四六期）一篇，有細緻感人的抒情；在「世外桃源」（四六期）一篇，爲祖國的多苦多難，發出了由衷的慨嘆；在「談林海茶」（四七期）一篇，有高度智慧的流露，令人拍案叫絕。

由上面的介紹，可以看到這「旅美話家常」的內容是如何豐富，一般的寫作，類多受其學養和訓練的限制，而只能寫某一特定範圍的文章，例如寫小品文藝的，多半不能寫學術性的文章，能寫學術性文章的也多半不能寫社會問題，經濟現象的文章，而張氏此文則舉凡政治分析，社會觀察，學術報導，景物描寫，風情介紹，以及文藝小說，諸般題材，無不具備。這足見張氏學識的淵博了。

據聞商務的王雲五先生已決定將張氏此文出單行本，我們希望能在不久的將來，看到這本書的出現。（下、完）

綜談國劇復興（二七）

王方曙

其實那樣只是有害而已。使小家碧玉像一個皇后，或使皇后像小家碧玉，當然是不對的。以上我舉旦角一例，其他角色也都類此。像有的老生竟紅白鮮明，有如風流小生。至於對性格的刻劃是毫不注意。小生也是如此。假如陳大官竟像周瑜呂布，豈不可笑！我們要脫離定型化，而成爲千變萬化。化裝甚麼便像甚麼。國劇雖然非寫實，甚至獄中蘇三可以穿紅緞子衣服出場，但總要把應表現的表現出來，不應表現的便不表現。蘇三雖穿紅緞衣服，是象徵罪犯衣，罪衣的美化而已。但總不能滿頭戴花，手指上鑽戒，腕上玉鐲，又加手錶，那就對了。

因此，我主張在化裝上要多下功夫，研究一下那一角應如何化裝，貼片子不同；畫眉不同；粉色不同；頭面不同；髮型不同。再加上服裝的變化，唱腔動作的變化。於是每換演一個戲，便變成另一個人。眞正的演員一定要如此；眞正對好戲劇，當然要如此。假如一個大演員，名叫張三。演甲戲是張三，演乙戲還是張三，演丙戲還是張三，那不能算是好演員。但在目前國劇化裝流於定型化之下，倒有些時不經意的犯了這種毛病。我想這是極容易改的，這不是一個新見解，而是老早就大家都知道的，不過沒徹底注意而已。我們爲了求精求好，自然是大家所願意作的。

花臉戲的臉譜，是國劇中的特色，也是成就極高的一部份，對這一部份，我只有讚美，一點意見也沒有，我以爲前人對此實在研究到家。我只希望能留存而求精，不要潦草毀掉「已有的好東西。至於再創造出若干新的，當然更是我們該作的。至於有人懷疑人的臉上爲甚麼會有花紋。

我想用前面動作配樂的道理來解釋是最簡單的辦法，動作配樂是強調動作表情的，臉上花紋是強調戲中人性格的。假如我們承認了人走路可以敲鑼鼓，就可以承認臉上的花紋是可用的，因爲國劇並不要寫實！其次，我提倡國劇化裝用油彩。從前化裝都用水粉，是因爲沒有好的油彩。今天油彩這樣好，各種顏色，隨心所欲，容易擦，容易去掉。（用水粉在卸妝後每洗不淨，尤其旦角，面上時常帶着粉痕，紅紅白白）而油彩化裝，輕易不變，出汗也不要緊，面上又塗得細潤柔和，效果要比水粉好得多。油彩化裝，幾年前就有人試驗過，非常成功。近來也可能有許多人採用。我願意提供此一意見，在國劇中，除大小花臉外，可以都採用油彩化裝。這雖是小節，我覺得凡是有益的事，都應該提倡，每一件小事都作好了，就是大事都作好了。不放棄任何小的進步，自然會有大的進步。

成語選粹（三）

河東獅吼

李國良輯

宋陳造（心勞）（以下同），字季常，別號龍邱居士；妻柳氏悍妬，造宴客，有聲伎，柳氏輒以杖擊壁大呼，客皆散。蘇軾嘗戲以詩云：「東坡先生無一錢，十年家火燒丹鉛，黃金可成河可塞，只有霜鬢無由玄。龍邱居士亦可憐，談空說有夜不眠，忽聞河東獅子吼，拄杖落手心茫然。」按河東，係用杜甫詩「河東女兒身姓柳」句，蓋暗指其姓。獅子吼，佛家以喻威嚴。傳燈錄：『釋迦佛生時，一手指天，一手指地，作獅子吼，云：「天上天下，惟我獨尊。」』楞嚴經：「我於佛前，助佛轉輪，因獅子吼成阿羅漢。」涅槃經：『佛說偈言：「獅子一吼，衆獸伏，金剛一杵，羣峯碎，修羅無數一輪降，世間黑暗一日破。」』陳造好談佛，軾即借佛家語以戲之。世以「河東獅吼」喻婦人之悍妬者。

黎洲遺著彙刊序（上）

·陳固亭·

自民國五十五年 國父一百晉一誕辰紀念， 總統蔣公倡導中華文化復興運動迄今，海內外賢達，學者專家，熱烈響應，波瀾壯闊，蔚爲大觀。年來不少人士，重刊古籍經典，復印先哲遺著，藉以發揚中華文化之特質，集知勵行，作爲國家民族復興之基礎。各類出版廣告，常見報端，足見時代要求，成爲事實，殊堪欣幸。

鄉友王子克明，精研歷史，對於中國思想家名著，尤感興趣，爲響應文化救國諸友，重印「黎洲遺著彙刊」，徵序於余，情意懇摯。自忖淺學，何足以序黎洲先生之書。雖勉應諾，未有以報。近接抄寄彙刊目次，知此書原係民國十六年上海掃葉山房版本。除首冊傳記、碑銘、墓誌、年譜及目錄外，都六十卷，二十巨冊。黎洲先生畢生著作精華，燦然具備。佩慰之餘，竟忘淺陋，畧抒所見，爲此曠代傑出之大思想家遺著重刊誌慶。

黃黎洲（宗羲）先生，生於明萬曆三十八年（一六一〇），卒於清康熙三十四年（一六九五）。時當十七世紀，爲中華民族衰替之秋，東西文化交流之會。先生目覩明季腐敗，滿清勃興。復値中原陸沈，斯民塗炭，淪於夷狄，創鉅痛深，更無處控訴。一時遺老魁儒如先生者，羣抱救國之憂。其心思氣力，頃注於學問，以寄守先待後之志。又自宋明以來，相傳七百年濃厚之理學空氣，使人呼吸沈浸其中，莫可自拔。然已病痛百出，流弊日甚。正心、誠意、性命、氣質之辨，無救於國亡種淪之慘。先生當日時艱，困心衡慮，不爲科舉利祿所惑，而慨然以學術救國爲己任者，時勢使之然也。故倡導道德、經濟、氣節、力行爲職志，終其生而一之。其思想議論，流風遺韻，影響於後世者甚鉅。南雷學案首稱：「南雷之學，最爲博大。師事蕺山（劉宗周），以誠意愼獨爲主。又病南宋以後講學家空談性命，不究訓詁，教學者說經則宗漢儒；立身則宗宋學。平生以捍衛姚江（陽明）自任。而於其末派，則痛斥至嚴，懼其亂眞，蓋屹然爲王學之干城焉」。此雖數語，已可見先生博覽多識，畢力著述之精義。若綜論先生學術思想之大要，厥有下列三端：

諸葛亮狂想曲（二五）

·劉玄·

諸葛亮一見星君駕到，連忙趨前打一稽首，說：「星君駕到，實不敢當。」

「不必客氣，聽到你要演奏什麼「狂想」曲？我鍊丹向來主靜，必需袪除一切雜念，我倒要見識見識什麼是狂想？」太白星君與諸葛亮很談得來，所以說話也隨便。

「村野樂曲能得星君欣賞，是亮莫大光榮。還望不吝指教。」諸葛亮與星君說話却不敢輕率。

「我是門外漢，等一會請你派一個人坐在我旁邊，替我講解如何？」太白星君倒很有求知慾。

「亮派劉約翰席地坐在星君足旁，以備垂詢如何？」諸葛亮有心栽培劉約翰。

「是不是教你英雄文藝的那一位？」星君以爲「英文」者，英雄之文藝也。諸葛亮不便辯白，只好回答：「正是他」。

劉約翰做夢也想不到一跤跌在青雲裡，他雖然連坐位都沒有，畢竟是坐在第一排的地板上，尤其是天庭炙手可熱的太白星君腳旁邊。這份光榮豈是等閒能獲得乎？太白星君落坐以後，劉約翰欣然坐在他的腳下面。

絲絨幕啓，張素梅穿了像梅蘭芳天女散花的古裝，上台向到場大小各仙鞠躬爲禮。然後走到鋼琴旁邊，捲起衣袖，叮叮多多（兩字口旁）試了一下琴鍵。

「眞奇怪，我在打坐入定時，耳朵裏曾有過這種聲音。」星君低低告訴劉約翰。

「此乃星君道根深厚之故！」星君將打坐參禪的境界說與劉約翰聽，劉約翰怎能理解。所以只好恭維星君一番。

第一樂章奏完，休息五分鐘。星君從懷中掏出七寶鼻烟壺，用右手小指的潔白長指甲，挑了小許，當給劉約翰，劉約翰立刻用雙手敬謹接受。劉約翰看見星君自己用鼻烟放在兩個鼻孔裡通嗅兩下，遂亦如法泡製。星君的鼻烟係自製，芳香馥郁，吸在鼻子裡，滿腦袋充滿祥瑞之氣，有提神醒脾之效。

「我聽了半天，聽不出這音裡有狂想，我只覺得裡面有雷霆風雨之聲，松濤竹籟之分，是自然界萬籟之協律，你以爲如何？」星君開始向劉約翰說他對樂曲的感受。

「是，是，星君對音樂了解之深刻，非凡人所能及，約翰極表敬佩。」劉約翰坐在地板上，比太白星君矮了半截，那敢對星君持不同意見？何況劉約翰也是半瓶醋，他只能聽得懂甚麼是蕭邦，甚麼是貝多芬，甚麼是莫札特，至於其中的奧妙，他根本一竅不通。休息時間已過，演奏者張素梅第二次出場，換了一身袒胸露背的西式禮服，與台下的古衣冠觀衆恰成一強烈對照。有識之士在世上推行中西文化交流運動達數十年，而功效甚微，不想在天庭却能自然契合。蓋天庭一切是超時間、超空間的，世間煩雜事到天庭無不迎刃而解。神仙世界令人嚮往非無因也。

巨變歷險記！

可憐的娘去世了……

這對她來說，實在是上帝的恩典，閻王爺有眼睛。娘是一個澈頭澈底的鄉下女子。她沒有什麼知識，但具有傳統的道德，一輩子爲兒子，一輩子爲家庭，「貧賤夫妻百事哀」，娘就在百事哀的情況下渡過她的一生。她受的苦是說不盡道不完的。天天天未亮，爹就起來到地裡拾他的大糞，種他的幾畝田，耕他的幾畝地，娘就在家紡她的花，織她的布，給孩子忙做穿的做吃的。自從十八歲嫁給爹，七十年如一日，從沒懈怠過，從沒失望過。她一看見她的六，她就向他述說她受的苦，她愛說「苦得睜不開眼」，「苦得不能說」。苦到睜不開眼，也就是苦到不能看，苦到不能說，也就是苦到沒法形容。這樣的生活，等於是活受罪，活受罪何如早死之爲愈。好在孩子們都成人了，都勉勉強強可以自謀生計，她認她死了可以少孩子們操心，可以少孩子們負担。

清明掃墓（七六）

胡慶蓉

娘對於他的老伴，對於爹，也寄以無限的同情。雖然爹去世已近廿年，娘還是很懷念。對於永生之說，對於輪迴之說，她都相信。她說爹苦一輩子，培植出十個兒子，應可告無罪於祖先，祖先會庇佑他的。「積善之家必有餘慶，積不善之家必有餘殃」。爹做了很多的善，應該福及子孫。「你同你九個哥哥都托爹的福了。」特別是丁博士，爹培植不遺餘力，無論在如何艱難的情況之下，都要叫他讀書。他常說「把油鍋的錢都拿給六上學」。爹，除了種他那幾畝田他還磨油。他自己就是一條老牛，作磨道的小驢。磨油的錢，意思是說盡所有的意思，凡是能籌的錢，他都籌出來，即最後資本動用了，也在所不計，磨油的錢，油鍋的錢，也就是最後資本的意思。

爹去世的時候，正是丁博士有家歸不得的時候，他那個時候（民國廿四年前後）在四川東北供職報館學校，得罪了河南的大綏靖主任大主席，不准他回家，更不准他參加任何的選舉。在他的家鄉，大主任大主席派有武裝部隊，誰選舉丁博士，他就槍斃誰。爹就在這種情況之下鬱鬱以終了。在丁博士到家之後，娘就叫他到爹的墳上拜見已死的父親。

其實，丁博士在從徐州出發以前，就已經有這種準備了。他買的有箔。這箔也就等於給死人的錢，箔上邊塗以金色塗以銀色，白花花的，黃亮亮的，再折疊成元寶狀，帶着香燭，拿到爹的墳前燒。爹的墳距家約二里之遙，還隔兩個村子，隔着賈莊黃莊。其實，賈莊黃莊同朱莊幾乎全是連着的。因爲怕惹人注意，沒有敢放鞭炮。行了三跪九叩之禮，換了墳上的土，也就趕緊回來了。丁博士徘徊很久，默默的望着那一坯黃土。一個爲兒子奮鬥的老人，而今安在哉？再想了眼下可憐的娘也已到了風燭之年，不禁淚撲簌簌的流下。

（未完）

命相與夢話

張天師長壽有命

漢年

張道陵字輔漢，後漢沛豐人。（即今江蘇省豐縣），爲張子房八世孫。身長九尺二寸，龐眉廣額，朱頂綠睛，隆準方頤，目有三角，美髭髯，兩手垂直過膝；行如龍蹯虎步；望之有威嚴。光武庚子，道陵年七歲，讀老子能知其義理；對於天文、地理、圖書、纖緯之秘籍，皆默識貫通，且旁及三墳五典之書，亦盡瀏覽。從其學問者千餘人。天目山南三十里，西北八十里皆有其誦講之堂。（天目山在浙江臨安縣西北五十里）浙江臨安山神仙觀，（杭縣西北十里），以及餘杭通仙觀，即當講學之地。

漢明帝永平己未，年二十六歲，以直言極諫科中人，拜江州令（四川江北縣），道陵辭官不就，歸於洛陽北邙山（河南洛陽縣東北）修煉。和帝永元己丑，年五十六歲，和帝徵辟他爲太傅，封冀侯。三次詔辟皆不就詔，視富貴如浮雲。六十三歲丙申，入雲錦山煉九天神丹，丹煉成而龍虎見，因名龍虎山。一百〇九歲，漢安一午，得三五都功，路品經錄，授三五斬蛇雌雄劍以及玉印等。本年癸未，一百十歲，登青龍山。桓帝永壽丙申，年一百二十三歲，游渠亭山以終。奉太上玉冊，敕命爲六合無窮高明大帝，封道陵爲天師。唐天寶七年，詔後漢天師張道陵冊贈太師。宋徽宗稱天師。元成宗、明世宗亦稱天師。道陵子孫，代代世襲眞人，居江西龍虎山。龍虎山就是在江西省貴溪縣西南八十里，象山西南，兩峯對峙，如龍昂虎踞。其子孫世居上淸宮，上淸宮在龍虎山兩山之間。道書上說龍虎山是三十二福地。

按天師生于後漢光武帝建武十年正月十五日子時；卒于後漢桓帝永壽二年正月初七日午時。

天師造爲：甲午、丙寅、壬戌、庚子。按壬戌日元，納音五行，爲大海之水。莊子云：「天下之水，莫大於海。」水能潤物，人人皆知，然必須濟之以火，俾使陰陽和偕爲佳，又必須水居於上，火居于下始妙。我們看久雨忽晴，其生物之效力，又遠不及旱後甘雨之迅速。而火在釜上，能熱物之效力，又遠不如在釜下爲便利。因此，我們可知水在火上可濟，水在火下未濟之說不錯。

試看天師八字，壬戌日元，納音五行，固爲大海之水，再就正五行的說法，亦爲百川之水。既爲日元，即身主宰，水居上位，一望可知。年支之午，月支之寅，與日支之戌，聯成爲火局，此即火的基本。雖然內火游行于月幹，其歸宿仍在地枝，說是火居下位，誰說不宜？

今既水火相濟，其人必聰明脫俗，思患預防，益以時之空亡，年枝孤虛。因此天師視富貴如浮雲；熱神仙虔修道術，恰好五行完備，四柱純陽，得太士之親傳，避人間之煩惱。故能除邪扶正，煉氣成眞，受歷代的榮封，獲千秋之榮譽。這種命造，絕不是狗苟蠅營，不知足的人所能望其項背的了。

廿六歲己運，永平二年己未，以直言極諫科中之，拜江州令，謝官不就。歸北邙修煉三年，有白虎銜符至座隅。足證巳與甲合，未與午合，頭頭是道，非比尋常。

四十七年歲辛運：建初五年庚辰，奉詔徵辟他不就。這種天子徵辟之詔，在漢代爲崇賢士之最高榮譽。以視此種最高榮譽之徵而不起，詔三而不行，這是何等胸襟？何等識見呢？

五十六歲癸壬運：永和元年己丑，和帝徵天師爲太傅，三詔又不就。足證金水相生，尤有世俗浮雲之感。

六十三歲申運：永和八年丙申，入雲錦山煉九天神丹成，食神丹身體益壯。足證得長生，銜寅合子，故先勞而後逸。

一百〇九歲丁運：漢安元年壬午，得三五都功，諸品經錄，授三五斬蛇雌雄劍，及玉符印等物。

一百十歲丁運：漢安二年癸未，登青龍山，足證丁遙壬合，午與寅戌聯合。均應得道多助之故。

一百二十三歲卯運：永壽二年丙申，游渠亭山，正月七日，亭午，奉太上玉冊，敕命道陵爲六合無窮高明大帝，又名天師。足證卯爲天乙貴人，申爲壬水長生，即丙火亦無午寅戌之火局，氣求聲應。故大功圓滿，白日上昇也。

張道陵道家奉之爲始祖，但是後世只有張家一尊，惟有他的子孫方可承襲衣缽。但張道陵在生時，並未創立「道教」，教祖是後人所尊崇。他常以符爲人治病之說，恐怕是後世道家所附會。到唐天寶間，他的後代始號正一清應眞君。他的子孫並無賜號。在後漢末年的張魯即是其後代，但當時並無朝廷的封賜。至宋祥符九年，有賜信州道士張正隨號眞靜先生，徽宗崇寧二年，又有賜張繼先號先生。然也未有階品。自元世祖至元十三年，賜宗演爲「靈應沖和眞人」。始給三品銀印。明洪武元年張正常入賀即位，授正一嗣教眞人，並賜銀印，秩六品。以至於淸代，其後代皆爲「眞人」。

（下期預告：「武聖關公」）

生活漫談

如何防止兒童肺炎

馬騰雲

兒童患肺炎的防止法，包括成年人都很適用，因爲在比例上，兒童患肺炎超成年人，所以我們畧畧強調。

鼻子是用來呼吸空氣的，從兩個鼻孔進去，共分三條路，鼻上面一對通路，是檢查空氣好壞的，檢查時立即辨別空氣裡各種氣味，當傷了風，呼吸仍照常，但無法分出香臭，俗語罵人有「臭豬頭遇到爛鼻子」，意思是指沒有人要的東西，竟會有人要。還分不出香臭，就因爲兩條路已經塞住了的。

鼻子裡第二對通路是彎彎曲曲的，裡面經常很潤濕，發黏，還生很多細毛，這是吸氣的大路，空氣從那裡進去，灰塵大部份被黏水和細毛擋住了，空氣裡的細菌被黏住或殺死了，因鼻涕有殺菌功用，在工廠和礦山裡，許多灰塵是有礙健康的，都市的燒生煤，和家庭燒炭爐，極細的灰塵能通過鼻子和氣管進到肺裏去，進去以後，咳痰又咳不出來，就留在肺裡面了，很多灰塵是有毒的，肺部一旦中了毒，就會生肺病。

鼻子第三條路是筆直的，那是出氣的路，第二條通路閉塞了，就用第三對來進空氣，第三對也閉塞了，只好用嘴呼吸，用嘴吸氣，氣管受到外邊的刺激，吸進的灰塵細菌，對身體有非常不好的影響，空氣由鼻子吸進氣管，氣管的口子上，有一個軟骨活蓋，叫做喉門蓋，我們吃東西的時候，它就把氣管蓋住，以防吃的東西被吸進氣管，被吃的東西被吸進氣管，會引起咳嗽，如果咳嗽咳不出來，就可引起肺炎症，所以吃飯的時候不要大聲大笑或者講話，孔老夫子說：「食不語」是很有道理的。

肺分左右兩邊，右邊是三葉，左邊是兩葉，它是沒有知覺的，有些人因爲感到胸部有點痛或是脹悶，就懷疑自己得了肺病，乃至於購買成藥或者單方進補，其實胸部痛，那和肺很少關係，肺不僅沒有痛癢的感覺，肺連自己脹縮的能力都沒有，呼吸時由於肋骨的起伏，和橫膈膜的上下鼓動，才會一張一縮的，橫膈膜是分開胸部和腹部的一層薄皮，肋骨往下鼓，橫膈膜同時往上鼓，肺就脹大了，空氣就吸進肺裡；肋骨往下塌，橫膈膜往下窩，肺裡的空氣就被擠的向外出，這就所謂呼吸，所以肺是經常活潑運動的東西，不容易得病。

肺炎的由來，傷風不很快醫治，用嘴呼吸空氣，吸進的細菌未經過黏水，細毛檢查哨使進入肺部，易生肺炎，吃的東西被吸進氣管，會引起咳嗽，如果咳都咳不出來，也會引起肺炎，此外要特別注意的，我們兩個肩膀底下的肺尖兒，時常那裡肋骨的鼓動小，不常換氣，非常的脆弱：如果壞的空氣含有細菌，最可怕的是結核菌吸進肺裏，遇到當時身體不堅強，血液沒有把它消滅，它就從肺尖上慢慢侵到肺部，所以我們平日要多作體力活動，使肺部能作體育活動，使肺部多有運動的機會，孩子們在學校舉行晨操是很合理的，同時要注意避免和肺炎肺結核病人接觸。

桃花潭三水浮

趙陀

「小鬼頭，早點睡吧—精神養好了，留待『雖能低聲問夫婿，畫眉深淺入時無。』」媽想任念佩亦會還你一首：」

「媽：你說他會怎麼還？」

「就這樣還。」

「怎麼還麼？」

「就這樣還。」

「媽亦喜歡講半截話，我不聽了。」

「小鬼頭你不要聽，我反倒要講：『此女只應天上有，幾時降臨到人間。』」

「媽，他眞的會這樣說嗎？那我得先感謝天上的神，媽，你坐坐，女兒替你將香烟和茶拿來好嗎？」

「哼，小鬼頭一聽到這些，勁就來了。」

「媽，你很客觀的說，我和任念佩有幾成把握，會不會未見面時這麼熱，見了面後事實與理想往往相反。」

「媽媽的看法，應當不會。」

「莫秋師講道時說：命運很像玻璃，越明亮，越閃光，越容易破碎。」

「乖孩子，你忘記目前一些雞毛狗蒜的問題與準備迎接任念佩有同等重要，別尊他到時，爲了一些瑣事分散你的注意力。」

「爸爸欠他們兩個人的債，共約港幣五萬以上，就是照顧寶女計劃去做，並不能決定當前的問題，不過話又說回來，女兒之所不脫手重要因素也在此，所以還能夠留在媽的身邊。」說完流了幾滴眼淚。

「克琳，媽要和你爸爸辦理分居手續，這樣糾纏下去，兩敗俱傷，這條老命都斷送在他的手裡。」

「媽，你不能完全怪他，媽每月就要一千五百港幣的鴉片，還有打牌零用，爸爸雖是個醫生，因醫德失去了，即要負失去了病人的信心，唉！家裏的事，我不願多講。」

「還是談談任念佩吧！」

「我也不想談了。」

「那麼早點休息吧！」

「我還要做功課。」

「只有任教授才能激這個學生。」

「如師如友如兒如……」

「如甚麼？」顏若打趣的問。

「媽猜。」克琳撒嬌的答。

「猜不出。」

「我有個問題要向媽請教，一個有智力的丈夫，是否會損及妻子的自尊心，他在信中指出我那幾件漂亮的衣服太俗氣，且引證鄭板橋的詩句：

『青山亦恨揚州俗，多少峯巒不過江。』

來諷刺我。」

「難怪小鬼頭做了一些平常所不要穿的布衣服。」

「媽又來了，他還抄錄南通張狀元發到家書給我看，說狀元府都沒有我們家的開支大。」

（廿五）

自由報

中華民國內政部登記證內版台報字第〇三一一號
中華郵政台字第一二八二號執照登記為第一類新聞紙

（第一〇〇七期）

（每星期三、六出版）
每份港幣壹角，台灣零售價新台幣式元
督印人黃行　社長李運鵬
社址：香港九龍彌敦道593—601號廖創興銀行大廈八樓五座
LIU CHONG HING BUILDING
7th FLOOR FLAT 5
593—601 NATHAN ROAD,
KOWLOON, H.K.
TEL: K303831
電報掛號：7191
承印：景昇印刷公司
地址：嘉咸街廿九號地下
台灣連絡中心：台北寶田街五十三號
電話：三七五〇二二
台灣區直接訂戶　台郵政劃撥
第五〇五六號張萬有（自由報發行部）
台北營業處：台北衡陽街三十五
電話：二七二〇〇
台灣分社：台北市西寧南路110號二樓
電話：三三〇三四六，台北郵政劃撥戶九二五二號

劉少奇扯的是「招魂幡」嗎？

李運鵬

「馬克斯主義的精髓：「凡一件事物發展至其極，即被其自己含有之否所否定。」」這可能來自老子的「物極必反」「反者道之動也」。馬克斯認為資本家與帝國主義，走向極峯的時候，必然會被其自己含有之否定所否定；俗稱作「埋葬」。列的徒子徒孫，對此觀點，整齊劃一，從無分軒輊。

馬克斯當年的一面鏡子，祇照着帝國主義與資本家陰濕面，抹殺了別人的長處，專注意對方的瑕疵，一切事物不正常的形態都起於這種偏見。由於未用鏡子照過自己，後來列寧的繼起拿到了政權，很自然的將這些偏見，建築在歪的基礎上。因為這種關係，共產主義的存在，永遠需要恐怖暴力和鮮血去維持，這已成為共產黨徒政策上的不移法門。他們沒有辦法和人民自由競爭，更忽略了政府是一個股份有限公司，政府官員也就是公司職員，無論公司或職員，都是為人民的利益而存在，這是廿世紀七十年代搞政治的人，最起碼最普通的常識。可惜毛澤東竊據大陸後，被「勝利」冲昏了頭，橫征暴斂，血腥屠殺，推行着史無前例的殘酷統治，經過了整整二十年漫長歲月的實際考驗，毛澤東無法使中國人民信服，而將來也永遠不會叫人民信服，演進到最後，中國人民將會消滅或消化共產主義。由於大陸抗暴武裝與日俱增，及老百姓不惜拼命向國外逃亡，都是人民預給毛澤東必然失敗最有意義的證明文件。也是政治家們對毛澤東勢必垮掉一致的看法。

原為中國共產黨國家元首共黨理論家的劉少奇，即是「俄國老大哥」也曾公開承認劉少奇為馬列主義忠實信徒，典型的國際共產主義者。劉少奇對馬恩列史主義研究的純熟，與辯證法高度靈活運用，在中國共產黨裡，還找不到第二把交椅，包括中共的黨章，都是由他起草，非毛澤東之流所能望其項背，一般說法，風靡了很長一個時間。但最近十年來變了，大有浪子回頭，棄惡歸正的趨勢，在他手著的「修養」一書中，竟標榜「人類的愛」「階級鬥爭熄滅論」「黨內的和平」「讀書與做官」。一般的看法，劉少奇的用意，可能為王明在「加拿大論壇報」發表的「毛澤東實行的不是文化革命而是反革命政變」，指出毛共政策十大罪狀，一個側面呼應。其次不外安撫黨內外的人心，給人民安居樂業帶來新的希望，予眼前漆黑一團的老百姓透露一線曙光。另一個可能是共產主義不適合於中國社會，劉少奇最先感覺到，非這樣做無法將共產黨從死亡線上拉回。在劉少奇的心目中「毛澤東思想」乃狗屁中的狗屁，瘋狂地反對蘇俄和其他社會主義國家，無絲毫政治價值可言。因此他不能不挺身直出，設法挽救已經搞糟了的局面，欲通過深入人心的孔孟學說，不死守共產主義的教條，緩和來自民間的反抗力。劉少奇在「修養」一書中雖未闡揚孔孟之道將必戰勝馬恩列史的理論，但極力吹捧孔孟學說的優異，白紙黑字，昭然若揭，並在毛澤東王朝的環境來說，眞是「國家將亡，必出妖孽」。

「北京」出版的毛記「人民日報」，在「劉少奇為甚麼要為孔子招魂」社論裡，把劉少奇批評得體無完膚，幾乎不值一個錢，該文最有力的引證，指歐洲科學的發達，皆起因於培根羅哲爾，笛卡德，及培根法蘭斯等幾位怪傑之崛起。高舉「打倒古人」的旗幟，力行革新精神所致，同時又將太平天國的洪秀全，楊秀清等，從墳墓再度拉出來，像沒頭蒼蠅式的盲目亂捧一陣，讚揚他們焚學宮，燬孔廟一套英勇行為，講是非，重實踐的革命情緒，不過太平天國被曾國藩等儒者所蕩平這一段，則隻字未提，大陸民間對人民日報的反應很冷淡，與平日直覺上的黨八股沒有兩樣，認為從前還換湯不換藥，現在湯與藥都不換了。相反的對劉少奇由同情而跡近行動支持，還是毛澤東事前所未料到的。

自一九五〇年毛澤東宣佈廢除孔孟儒學，將四書五經埋葬在十八層地獄後，現在竟通過劉少奇的腦袋，重行出現於中國共產黨社會，搬出孔孟理論，在強烈的嚴厲鬥爭的過程中，從孔子生前失意，道不行回山東著作，直到漢武帝能罷百家，獨尊儒學，兩千幾百年來，孔子一直就在中國學術界，取得了正統，說穿了一切，說來針針見血，條理分明。又指出元成宗鐵木耳褒崇「孔子之憲萬世，有國家者所當崇奉」。清聖祖康熙曾自謂：「八歲時就喜讀『大學』『中庸』」，滿蒙異族的帝王尚且如此，我們（劉少奇這一派人的自稱）為甚麼要把野蠻的斯拉夫民族馬列主義，生吞活剝的，強迫人民無修改的去信奉它；為甚麼反對孔孟，劉少奇特別強調孔孟的人格思想如：「親親而仁民，仁民而愛物」作政治起點是正確的。認為一種學說能夠流傳幾千年，自然有其推不倒和顛仆不破的眞理，怎麼能夠一言抹煞，徹底廢除？劉少奇雖未說出中國共產黨都搞錯了，但確暗示政治這一套，西洋進步國家還要求之於中國。絃外之音，即毛澤東你打算怎麼辦？

劉少奇的蛻變，並非空穴來風，他廿年來親身體會到數百萬方里內，百分之九十以上大多數人民的眞實生活狀態，而毛澤東則茫然無所感知。過去雖在井崗山或陝北窯洞待過一個階段，但與最大多數人民精神上並未接觸。祇控制了人民的傷損，小刀子插在人民的痛處而已。這是中國共產黨得到政權後最大的失敗，根本不應該有的偏差。換句話就是共產黨的首腦人物，並不知道中國事和不理解中國人的生活。既然被弄得烏烟瘴氣，目前也沒有方法轉這個急彎。照「老子哲學」對中國歷史的看法，「中國人的心理是聽天由命，無為而治」，擺脫一切人為的束縛，顯然比馬克斯，列寧的理論更深入人心。中國人心目中的法律，是幫助治民的工具，重點還在於教化。法律越是苛刻，越發引起混亂，所以中國的法律，一向與情理配合。否則統治者就被構成為革命對象；中國歷史上革命一向來自民間，也就是這個道理。毛澤東成為全國人民公敵已久，未審眞不知呢？抑裝糊塗？「北京人民日報」指劉少奇扯起「招魂幡」，其實劉少奇扯的不是招魂幡，而是「風向袋」，（現代若干國家機場碼頭還在應用）有風轉舵，為搞政治的人所必須備的知識。一味蠻幹乃智者所忌。蘇修正主義即淵源於此，劉少奇欲使中國共產黨跟着蘇俄修正主義走，並非完全沒有理由。而毛澤東判反蘇修，固出自意氣之爭，不過毛澤東自己所站的立場，自己亦辨別不清楚了。全國人陷於水深火熱和民不聊生情形，更未在他考慮之中。

毛澤東詆毀孔子是「封建帝王的走狗，資本家的工具」。不過話又回來，因為孔子對暴君獨夫早不留情，充份發揮其反抗精神，比如：「三軍可奪帥也，匹夫不可奪志也」這句話是多麼的觸怒一個野心家。尤其「見義不為無勇也」於今仍成為全國人民武裝抗暴最高精神守則。堅持拯救到底的毛澤東，日睹大陸上的尊孔活動，終釀澎湃，孔家店又重行深入到民間每一個角落，想不到共產黨的祖墳，竟被身邊的同志劉少奇挖了。文化打手姚文元將毛澤東捧成為神，且早步向幻境；還是劉少奇所堅立的招魂幡時，政治附體，與政治幻境，本為一體，不管口頭上怎麼辯硬，俗語：「啞巴吃水餃心裡有數」。否則，就是毛澤東藉「文化大革命」消滅劉少奇；或者劉少奇憑藉孔孟在民間生根的武器，鬥垮，鬥臭，鬥死毛澤東。末了萬年遺臭上裝。

昨日與明日

阮文紹智舉

鄭宜

就在美國反越戰示威蔓延全國，鬧得如火如荼的時候，越南總統阮文紹表示歡迎這些反越戰的人們，到越南來親自看看越南人民受的是什麼罪，共產黨徒是如何的在蹂躪摧殘人民。

俗語說事實勝於雄辯，美國那些少不更事，和一羣飽漢子不知餓漢子飢的人們，輕信共黨的宣傳，挑撥，認父作[illegible]（當然更是認賊作父了）拿着大炮向自己家裡打，專門示威遊行，和自己政府過不去。而不知道自己的政府既是為了國家的存亡盛衰，又是吊民伐罪，為了解救越南人民的痛苦。然而這些人竟然如此大鬧，不知他們是受人利用甘心賣國，還是眞不知道實情，假如眞是後者，那不妨接受阮文紹總統的建議，親自到越南去看一看。

有無看的勇氣

這些人有無前去看的勇氣呢？當然其中也不無眞有誠意的熱心人士，但我們可以武斷的講這些人搗亂是有興趣的，眞去研究問題，那有誠意！眞要專機接去，也不過是觀光，照幾個照片，買點紀念品回來而已，那裡會去眞看，因為他們本無眞正的誠意，不過是被人利用，起起哄哄，這種無源之水是不會當眞起作用的。

這還是好的，更壞的，是去也眞去，看也眞看，但去時先從共黨那裡，帶一付眼鏡，帶着這付眼鏡看，回來後，還再聽由共黨安排導演，拚命的罵美越政府，作共黨的傳聲筒。因此阮文紹總統這一着雖是明智之舉，但要眞付諸實行時，既然技術困難行不通（例如眞有大批人要去時，那有那麼多的交通工具和招待費），行了後，也不會有效，因為癥結所在乃是背後一「亂源」在策動，由此看來，這「亂源」一天不撲滅，一切都難談起，遺憾的是美國當局竟然「王顧左右而言他」不去滅此亂源，因此也就難怪動亂得不了。（成公）

自由談

我與國民黨

我在中學生時期，目擊而身受着先輩人因國民黨的關係，被袁世凱爪牙湯薌銘下令殺頭抄家之禍，沒齒不忘。所以，我於民國十年在日本讀大學時，即加入國民黨，担任駐日黨部的常委，曾與反動派從事流血鬥爭。當年跟我一起奮鬥的同志，現在台灣的還不少，可以證明我并非虛言自炫也。

我自從加入國民黨到今天，從無違背黨紀的記錄，將近五十年的期間，亦未參預過任何其他的政治團體。迨共匪竊據大陸後，許多舊日的所謂忠貞份子，或謀叛，或投降，或者逃到海外以「民主人士」自居，人大罵國民黨和領導人。我呢，依然以國民黨員的身份，在海外為本黨黨報盡犬馬之勞，公開跟敵人作文化鬥爭不歇。今日在台灣以變料忠貞份子的姿態，招搖過市，得意行時者，當年逃到海外之際，否認自己是國民黨員，連國民黨的報紙亦不敢看，國民黨人在海外被譏為「白華」，大家避之若浼，我就不信邪，照樣用眞姓名在報紙上撰寫反共文字。「香港時報」開辦十年間的社評專欄副刊中的長短反共文章，十分之八以上都是我寫的，我撰寫的指斥李宗仁瀆職叛國的文章，台灣中央日報曾予轉載。這些有物證可以檢驗，也是我自己創造的歷史，別人雖不重視，我却敝帚自珍，不忍毀棄——我不能臨老還要變節。

我雖是國民黨員，亦是中華民國的人民，在不違背國策與尊崇領袖的原則之下，對於庶政得失，自有批評的正當權利。在君主專制時代，尚容許處士橫議，且尊重社會清流的言談，難道說我們過着民主政治生活，竟不容許人民對國事表示不同的意見嗎？乃有些當我為着國民黨與反動派鬥爭時，他尚未從娘胎中生出來的傢伙，無知無識，莫名其妙，對我妄加誹謗，自命忠貞，恬不知恥，殆如古人所謂：「居心不淨，乃欲點污太清」，可憐亦復可哂！

我為人自有本末，也有不信邪的騾子脾氣，世俗的毀譽得失，與夫榮辱禍福，對我都不發生絲毫影響，我只是向眞理低頭而已。

馬五先生

炒地集團圖獲暴利
台康寧會被纏真象

丁徹

林茂生等炒地集團，玩弄花招，將承攬中國大衆康寧會委託購買內湖土地約十三刀坪，違背其自己申請承攬之任務，私自轉售過戶第三人涂君郎（台灣省合作金庫理事涂榮豐之胞弟）所有，並繼續阻礙康寧會興建工程之進行，企圖從取暴利。

中國大衆康寧互助會為配合政府推行社會福利政策，造福人羣，在台北內湖覓妥地勢高亢，空氣新鮮之土地約十三刀坪，擬建設康寧社區，對該社區建設內容以及該社區於五十七年三月興建奠基典禮，並於興工後三個月，突傳該土地被炒土地集團玩弄花招，將土地所有權過戶第三人所有，企圖從中取暴利，迫使康寧會停止興建工程，本報曾於今年一月十五日撰文報導，亦以深入採訪所得，對炒地集團糾纏康寧會始末，作翔實報導，藉以警惕社會各界，以免再蹈陷套。

康寧會的原始發起，倡設人之一于斌先生，於五十五年一月十日該會正式成立時被推任為理事長，並聘請另一發起人金克明為總幹事，其任推行該會業務，並籌劃興辦大衆福利，決定購買土地於台北內湖，興建康寧綜合醫院，康寧護校，大康寧醫學研究院，仁慈中心，服務大廈，研究中心，附屬中心，學校及各種附屬試驗場之新穎社區事業。地為康寧會社區進行興建工程期間，由亞記營造廠與該會接洽承建工程之向承包營造，該會與亞記營造廠數度交涉結果，雙方訂立合同內容要點，以「其一甲方（康寧會）需用土地選於內湖十四份，即由乙方（亞記營造廠）先行購買，提供甲方使用建築。其二、該項土地先以乙方名義購入，提供甲方使用，代價之地價，及一切費用之二分之一由甲方付清，所有權將過戶予甲方，所有一切權利由甲方負担，以過戶手續完成，付清，應由中無異議，亞記營造廠此後乃因于斌赴羅馬，康寧會事務之任務，該項承攬，委託中林茂生出面向康寧會申請承攬同意，繼續利轉行到手，訂立合約，並林茂生取得該項權利後，竟私自將原有承辦土地代書人何連煌調換為林茂生自己掛着的土地代書李滿霖，將所有文件經李滿霖取到手，康寧會雖與兩查詢土地事務辦理情形，林茂生均避不作答而以一手遮天過海，以林茂生的一手法違背其本人與康寧會五十七年三月七日所訂立同書第三條「上項土地自即日起一經林茂生及中國大衆康寧互助會之共同協議任何一方不得私自行處理」之規定，於六月廿七日將該項土地完成買賣給第三人涂君郎（合作金庫理事涂榮豐之胞弟）所有，其居心叵測，昭然可見。康寧會為此向司法機關提出告訴，並要求和解，經數年，法院辦理解決，康寧會已根據法院指示，與林茂生等協議和解，但林茂生等故意拖延，欲達其私人暴利之目的，致使康寧社會福利事業如此擱置，迄今經年尚未解決，行將合約與事實對照，其中蹊蹺，耐人尋味？

台灣教科書惡性競銷
嚴重影響到教育風氣
這個樣搞法怎能教出好國民

（本報財經記者齊野台北消息）八月二十日本報九○五期白水先生大作一篇「在教科書上揩油」文章發表後，藝洲之士，競相議論。因爲教科書惡性競銷，嚴重的影響到教育界的風氣。大家雖然關切，苦不知底蘊。當局是諱莫如深，報紙也從來很少談，偶有片斷的報導或是讀者投書之類的批評，也不能予人以深刻印象。

記者讀白水先生大文，慨嘆教育官們（目前很多的校長也都是在那裏作官），這個樣的搞法，怎麼能教育出好國民，爲進一步瞭解，乃從正面或側面訪問了出版界、教育界，和教育主管方面許多人，大家都認爲沒有甚麼安善辦法，那眞正瞭解的人，又不肯拿出良心辦法。可能是爲了私利。未瞭解的人，根本就不知從何說起。

教科書的問題眞的無法解決嗎？恐怕像孟子所說：折枝之勢耳……「是不爲也，非不能也。」

教育風氣敗壞，教科書惡性競銷不過是許多原因之一，又那知助長惡性競銷的，正是有不少位教育官親身參與，助紂爲虐。社會上任何一種消費者，只要肯出錢就有完全自由的選擇權，化錢的人總是最神氣，惟有教科書的消費者是學生，絕對沒有選擇權；出錢的人是學生家長也沒有發言權，選擇權卻操之於教員（學校有各科教學研究會由教員組成）或校長在內的教育官們，書商們看準了目標爲生存而展開競爭，愈演愈烈，五花八門，各顯神通，進而不擇手段，不要臉知，不顧廉恥，演出一齣「得意樂」的「風流」。教育界有人指說一位校長來台北，公畢通知三家書店代買回程的車票，拿一張上車，到票窗口退回兩張把錢裝入自己口袋，回家後自鳴得意。推銷員爲爭取用書討好一位教育官或是其他有權決定用書的小伙子，請客非帶「花」不辦。如果客人要解決，情願陪同到旅館，雙雙進入房間，自己找份報紙在門口外看着等候開帳，（其他舉證已多）這種種人爲的罪惡，是自從某學閥收容政治上失意的羣象，派爲校長結黨營私，把持教育才形成這樣，這些人非但沒有把聖神的教育視爲千秋盛業，且又利用自古以來社會上對老師的信賴，無法無天的與書商勾結夥拉同僚一齊下海爲利是圖。教育當局受了各方壓力，在不得已情形下，官吏們想出了一個對外宣稱足可「斷絕風清」的騙術戲法來，藉着去年實施九年國民教育，乘機拿出統一編印國中教科書，又留下高中及大專，仍然自由編印方式。書商們說，國中學生最多，政府想機做，未免堵絕了他們的生路。羣起反對，一再協商妥協的結果，把國立編譯館編就的課本，交由曾經出版過某一種課本的八十幾家書商及出版社聯合印製發行，歸類比例分享權利金。教育界的反應呢？正如白水先生所說：「這也不能怪學校方面都不服氣，書店爲甚麼可以坐享權利金？」殊不知書商們還有分贓不公的爭執，本身依然有問題。

我們很超然的分析台灣出版界，台北市未改制以前，台灣地區登記有案的出版家數，總共七百卅九家。（書局或叫店不一定是登記出版，內政部核准出版的又不一定有門市，還有所謂是政府批准有出版資格的，傳統的認識繼續稱之學，闡揚學藝。」政府遷台已經廿年，五穀豐登，生活安定，民國以來所未有，這麼多的出版商，竟沒有看到風行一時所謂「紙貴洛陽」任何一本新書。也很少看到出版一本可以値得永久保存的書，其價值也就可以想見。外國人來台調查觀，對出版界的批評是：「這只叫做印刷；說不上是出版。新書內容選擇既不嚴格，翻印線裝舊書，版式、紙張更不講求，只知偷工減料降低成本多賺鈔票。因爲中國讀書人最講究「版本學」，且是最高的一種專門學問。今日台灣竟看不到中國傳統文化眞面目，能不可惜可惜！」出版界這種作爲，實在沒有任何理由，値得同情。印刷廠的工作，除各機關作爲表功的工作報告請求紙張印刷外其少作是這工種的教科書、武俠小說，有的專門出版升學和考試用書，其不比較正當的是有價值的書」（未完）

人事革新非面孔換新
更非歲數大換歲數小
立委程烈公開質詢時指出

（本報記者張健生台北航訊）財經首長惡性補習，立法委員提出質詢。

東北籍立委程烈質詢嚴院長說：所謂革新，其目的在業務之革新，求行政效率之表現，所採的手段是先從人事革新做起；所謂人事革新，絕不是由個面孔換幾個新面孔，由幾個歲數大的人換幾個歲數不太大的人就算是革新了。古語：「爲政在人」，並不是新發明的原則；「爲政」包括理論和實務，由過去現在推及將來，使理論和實務混爲一體，決非因對今日情況有所不滿，就批評未來的都爲是，過去的皆爲非。無論是自然科學、社會科學，都有漸進之道。過去的若干表現，是者是，非者非，不能一筆抹煞，說成過去皆爲非，未來皆爲是。知人善用人之道，只是一念之差，面目之改爲，就算是革新了？因爲人非聖賢，縱然惡性補習，一夜之間就會變成專家？這種天才不見得多。財政的範圍包括何其廣，經濟的範圍也不是過去開小店打算盤，就算是經濟學跟財政學。

就經濟言：包括農、林、漁、牧、礦、商、各種業務，就管理言：工廠管理，從生產、消費、分配、運輸，乃至計劃經濟學，一夜之間都懂了？就財政而言：由金融、賦稅、公債、國際貿易到稅捐，也都不是簡單的。作爲一個行政院長，是綜理全局，對於各項專業，知道當然更好，不知道，有行政院會議可以集思廣益，大家共同解決，如果是政府委員兼任專業的部長，不兼部長的政務委員，對專業不懂或造詣不深或仰使奇才，以爲惡性補習課來普及。我們的國家已經到了什麼時候！這種行爲簡直是冒險！將來提任新人的時候，要把專業的技能學問列爲第一優先。程委員認爲：「當前最要緊的事是「財經第一」。嚴兼院長是財經老前輩，但希望從老前輩手中的方案，先經專業部長們研究研究，以免送到立法院之後，多費議會時間，社會不明眞象，反認爲法律一再修改，計劃一再變更，不是我們顧前無知，便是我們不負責任。」

這位現任中興大學商學院的教授認爲施政重點應是經濟。許多國家都是因經濟繁榮而興起來，經濟衰微而國勢也隨之不振。如何使經濟做好，不必好高騖遠，講甚麼起飛、效率、成長、親民之事最現實的是衣、食、住、行，當颱風來臨或有季節性變動的時候，物價就會高漲，甚麼叫做物價高漲？就是有關衣、食、住、行，起了不正常的變化，牽一髮而動全身，影響到全面，最後走向潰崩之路。凡是涉及民生問題的事業，是否仿照公營事業予以經營？以期平衡物價，而達到穩定社會基礎的目的。

人人皆知財政爲庶政之母，但在經濟未開發的國家，如果不顧及預算的，而只注意財政與經濟的配合，需要多少錢則給予多少錢，其結果，預算是否能夠負担？頗成問題。因此，未開發國家之新興事業，其投資多半來自貸款與僑資、外資。程委員指出：我們幾年來都有追加預算，其原因不外開始編列時不夠確實與預算不上軌道之故。其不上軌道的事實可說不勝枚數，尤其是觀光事業的收入從未納入預算的收益中，這些錢究竟用到那裡去了？又放到那裡去了？往往有人責備我們審查預算的效率低，殊不知預算法雖經立法院催促，但迄今仍未送立法院審議，預算法究竟何時送審？何故尚未送來？

程委員並質詢：關於國有財產整理，施政報告中並無表現，集中支付亦未實行，銀行利率調整是否有進一步的實施？現在銀行最怕呆賬，在一般國家多有呆帳保險公司之設，我國尚無這種公司設置。

經濟部政務次長張研田答復程委員質詢，他說：在食的方面，蔬菜與肉類價格近有變動，尤其近日連遭兩次颱風侵襲，是以蔬菜受了很大的影響，現在解決的辦法，就是一方面作充分地供應；一方面在調度上克服困難。

行政院主計處主計長謝人傑說：觀光收益因爲目前尚無直接收入，故無從列入國家總預算中，但有關間接收入，部已列入總預算中。關於預算法修正草案，一俟行政院審查完竣，即送立法院審議。

財政部次長馬兆奎答復程委員質詢：政府有無設立存款保險公司的計劃？馬次長說：因爲所得稅法對呆帳提存有規定，但銀行未照規定辦理，現在財政部已擬定詳細辦法云。所答非所問，由此可見，政府官吏對立法委員質詢是如何的掉以輕心。（完）

阿拉伯新聞信

葉門這個國家

·劉必權·

王室腐化爆發共和革命

一九三四年英葉成立沙那條約，英國承認葉門的獨立，葉門也承認亞丁邊界現狀四十年。同年五月葉門在與沙地阿拉伯作戰中失敗，英國和義大利爭相向葉門表示親善。

第二次世界大戰中，葉門保持中立。戰後於一九四五年參加阿拉伯聯盟，一九四七年被允許參加聯合國，並增進與美關係。一九四八年二月國王葉雅及其次子被部下所殺而爆發葉門內戰，王太子阿麥德平亂後於同年三月即位爲王。一九五五年四月，陸軍發動叛亂，阿麥德在其弟脅迫下放棄王位，但王子巴德爾卻救平亂，使國王復位。

葉門曾於一九五八年八月，與埃及和敘利亞聯合組成「阿拉伯聯合國」，但是到了一九六一年十二月，又宣佈與埃及和敘利亞斷絕聯邦關係。

葉門王室是中東各王室中最專制、最腐敗、最落後、和內鬨最多的一個，國王是國內一切的主宰者，掌握着其他民生殺予奪的大權。國家的一切都是國王的財產。阿麥德國王尤其腐敗，當時無以復加，他以七十餘歲高齡，仍然自命風流，廣置姬妾，結果一身沾上花柳等等五六種疾病，終於在一九六二年九月間因不治而嗚呼哀哉。

阿麥德王死後，由王子巴德爾繼任，但不及十日，國內就發生軍事政變，巴德爾死於革命軍炮火中。由革命軍首領沙拉爾締造了共和，從此結束了葉門王室專制的統治。但葉門駐聯合國首席代表王叔哈珊，卻宣佈自己是葉門新國王，並獲得約但和沙地阿拉伯國王的支持，譜組武力企圖反攻回國；部份國內親王室的部落酋長，也率兵反抗新政府，欲爲王室報仇。這些保皇黨武力與在埃及支援下的革命軍苦戰二年餘後，眼看大勢已去，乃於一九六四年十一月五日與新政府達成停火協定，從此使葉門的民主共和政府，得以穩定下來。（續中、下期續完）

喬治桑外傳

○九　張大萬

「我想史克蘭頓對你在此的情形並未十分了解。你需要一兩千美金，在他可能認爲是小錢，所以沒有急着替你兌來。我知道你在謝銀鏈那裏一共掉了五萬塊錢，有兩張支票，三萬元的一張已經解決，還有一張兩萬元的，你得事先準備一下，萬一美國的錢沒有到，那可不是鬧着玩的。」雅麗絲坐在喬治桑對面，一本正經和喬治桑談公事。

喬治桑一聽，心中立刻焦慮起來，可不是麼？三萬元頭寸由雅麗絲幫忙過關，兩萬元的一張怎辦？謝銀鏈有台灣生意人的脾氣：如果你每天和他泡酒家，十天半個月花上三萬五萬的，也屁毛都不會拔，假使你要向他借錢，三分利，支票到期絕不通融。

喬治桑暗暗計算「午時三刻」的日子。今天不算，還有五天，恰好是星期天，無形中可以多拖一天，倒有一種異樣的喜悅。看官，爲甚麼說是「午時三刻」呢？原來台灣所實行的票據法嚴厲非常，一般開遠期支票掉頭寸的人，一到限期，其心情確像以前臨到刑期的死囚犯。不過，喬治桑還算是有點本領的人，還不至驚慌失措。

喬治桑知道美國的錢不會來得這樣快，也必須在台就地設法。官場朋友都是「淸新記牙刷」（一毛不拔）絕無通融之可能。何千嬌雖然是電影界有名的富婆，更是出名的「鐵公雞」；牛董事長和謝銀鏈是熟人，向老牛借錢還老謝，根本是馬尾穿豆腐，不用提。裘白瑛派場雖好，混身紕漏，自己也爲頭寸弄得團團轉。桑博士在台灣來往的雖然盡是達官巨賈，想來想去，一時倒想不出什麼人可以助他一臂之力。

雅麗絲看見喬治桑沉吟不語，知道他爲頭寸着急，同情之心油然而生。

「『包死』，你不必爲頭寸着急，誰不知道你是有辦法的人，兩萬台幣，你臨時無論向誰挪借一下，大概不會成問題。」

這幾句原本是安慰他的話，但是喬治桑聽了卻不是味道。只哼了兩聲，沒有表示意見。他站了起來，拔電話給老友記古有方。

「喂，古公館嗎？古先生在不在？」

「喂，有方兄許久不見了，近來玩能？」喬治桑一口京片子。

「哦，桑博士。我正要出去，假使你晚來電話五分鐘，我已經出門了，有何見教？」古有方也是忙人，可是他的忙與喬治桑不同，他有「賺錢」的本領。

喬治桑「有點小事想和老兄當面談談。」

華國飯店獲雅譽
蔡紹華經營得法

最具現代化設備而富有中國文化色彩的「華國大飯店」，在台北開業，雖只二年，已被中外賓客譽爲「觀光旅館一枝獨秀」的雅號。

華國飯店是旅遊僑領蔡紹華回國投資的。華國能有今日揚譽中外的雅號，應歸功於早多認識的蔡紹華經營商業中得來的經驗。他對事業的經營，領導有方；這也是蔡紹華從經營商業中得來的經驗。他對事業的經營，一方面以身作則，再就管理嚴明，所以有員工都能以顧客至上，謙恭親切，服務週到而贏得輝煌燦爛的雅號成果。

蔡紹華幼年遠渡南洋，從小本經營而至工商企業，其有今日的成就而並不驕矜，尤對社會慈善、教育、福利等捐獻更不後人而不願出名，此係筆者偶然得於該店助人之口述，供與報導，以饗讀者。（丁傲）

文滙樓別記

楊耿光修理名女人

軍事學家楊杰（耿光）將軍，在戰時首都重慶與某名女人由戀愛進入登堂入室，英雄與美人，眞使很多朋友爲之艷羨，這是從表面看。中國有一句成語：「家家有一本難念的經。」楊耿光軍事天才縱凌駕孫吳，但家庭那本難念經，並未例外。所謂智者千慮必有一失，那就是楊的財產受到對方施出神不知鬼不覺的偸襲，且已安全過戶變爲既成事實，照常理不承認也得承認，否則祇好到法院去打官司。

楊杰究竟是搞軍事的，既拒絕政治協商，更不依照法律條文到法院去告狀，不像一般人，請託大律師在報上，大登其廣告，鬧得天翻地覆，並不能馬上解決問題。楊杰抱「將在軍，君令有所不受」。完全採取軍事行動，在「兵不厭詐」的原則下，將自己所愛的名女人的衣服褪脫得一絲不掛，連最後一道防線三角褲也被拿走，將其反鎖在一間房間裏，斷絕水源，拒送糧草，乃至於馬桶痰盂都不留一個，吃喝皆成爲問題，經過兩日夜的圍困，名女人祇好大號救命，楊杰笑答來救的鄰舍，她脫得一絲不掛，受迷惑的是我，管你們甚麼事？鄰居亦感到很有道理，後來算由楊虎將軍出面做調人，楊杰開出的條件是：「鷄蛋換鹽兩不找錢。」即名女人侵佔楊杰的財產全部退回，並辦好過戶手續。某名女人的隨身衣物，聽由自行拿走。有人提出中國共產黨掃地出門的戰術，是學習楊耿光的，這種訛傳是沒有根據的。

幾年前，北京某大學×××博士，在台北也碰到一位名女人，演變得比楊耿光更離奇，本來由朋友而相戀，由相戀進入婚事，乃人情之常。中間經過社會物議，老朋友不贊成，兒女們的一致反對。未料到×××博士於洞房花燭夜時，遭遇意想不到的困擾，就是新娘硬要逼新郎必須先將外國財產目錄交出，始准過關，否則可望而不可及，直堅持到大天光，眞像江湖朋友戒條：「財色分明。」絕對沒有人情可講。這一幕戲作劇，可把×××博士氣壞了，後來關雖然突破，婚約則永難挽回，最後祗好走向悲劇的一條路。至於其他的風風雨雨，恕筆者不擬作黃色的描述。

聽說這位名女人最近幾天，又要過關了。這次可不是別人過她的關，而是她要過別人的關。筆者附帶聲明的：這一關，不是「男女關」，而是「工作關。」把關的人守得很牢，幾如銅牆鐵壁；闖關的人，盯得很緊，儼然生龍活虎，且發動了各種各型的壓力，陣勢雖然如此佈署。一般的看法，名女人這次會吃斷。莎士比亞在劇本裏有一句名言：「女人正像她們的容顏一樣溫柔與纖弱，是經不起摧殘和污損的」如果一個女人，尤其是漂亮的女人，一生經過的摧殘過多，「名譽」、「人品」、「信用」，都會受到很大的損傷，乃至於完全失去社會的同情，所有名女人都吃這個虧。中外古今很少有例外，何況女人生來是要被人愛的，不是要人去瞭解的，欲知後事如何？且聽下回分解。

文滙樓主

黎洲遺著彙刊序（下）

·陳固亭·

一曰性命之學：黎洲早年從學戢（草頭、以下同）山，自謂其時志在舉業，所得尙淺。身遭鉅變之後，盡發所藏之書，始多深造。於是胸中存疑盡釋，而追悔往昔所爲偏時之學。此後講學宗旨，自負爲戢山正傳，專以發揮愼獨道敎爲主。嘗謂：「愼之工夫，只在主宰上覺有主，是曰意。離意根一步便是妄，便是獨矣。故愈收歛是愈推致。然主宰亦非有一處停頓，即在此流行之中。……蓋離氣無所謂理，離心無所謂性。」（戢山學案）先生必辨義理即在氣質之中，以破宋儒相傳理氣二元之誤。必主工夫用於主宰根源處，以矯正主張良知現前具足之失。此爲戢山學說之發揮，亦可認爲黎洲講學宗旨所在。本此上溯，而論陽明良知之敎。以求本心於良知，即就流行而見主宰之說。合致知於格物，即本氣質而見義理之說。於此可見黎洲論學，兩面兼顧，其重實踐，重工夫，既不陷空探本體，又不致墮入渺茫。又不致陷入猖狂一路，縱橫放任，以爲道之所在。推黎洲最要見解，乃爲其親撰明儒學案序。作此序時，年已八十有四，誠可謂先生晚年之定論。序文中所論與陸王講心學者殊異甚多。其「盈天地皆心」一語，即是戢山「心在天地萬物之外，不限於一膜」之意。於是由重視心體，而引申出博學宗旨，以救晚明心學空疏偏狹之弊。又言「修德而後可講學」，使致良知宗旨，歸自行事復推進於學問之中。從此陽明良知之敎，容納博學精神。故黎洲對心學之會通闡揚，不但較其早年拘執戢山愼獨之訓，造詣深遠；更爲晚明學術思想新趨之一大轉變。

二曰經史之學：黎洲平日講學精神，早已開創新局，已非明人高談性命，束書不觀可比。嘗謂：「學必源本於經術，而後不爲蹈虛。必證明於史籍，而後足以應務。」（全祖望）甬上證人書院記）其爲學之務博尙實，巍然爲時代所宗仰，誠不愧爲新時代學風之先驅。黎洲爲學之廣，全謝山稱之。謂其「以濂洛之統，綜會諸家。橫渠（張載）之禮敎，康節（邵雍）之數學，東萊（呂祖謙）之文獻，艮齋（薛季宣）、止齋（陳傅良）之經制，水心（葉適）之文章，莫不旁推交通，爲從來儒林所未有。」（黎洲先生神道碑）謝山之言，良非虛譽。而先生亦嘗自謂：「讀書不多，無以證斯理之變化。多而不求於心，則爲俗學。」蓋欲以博雜多方之學，融成精潔純粹之知。以廣泛之智識，造完整之人格。內外交養，兼收幷濟。其意欲治文苑、儒林、道學於一爐，且推及於事功以經世。其願力之宏，氣魄之大，自與後之專尙博雜者不同。至言史學，黎洲尤多貢獻。所著「宋元學案」、「明儒學案」，詳誌七百年來儒學源流及其分合變化，實爲學術史不磨之創作。輯著明末史料亦極富。其治史特點有二：一爲注重當身現代之史與後之偏研古史者不同。二爲注重文獻人物之史，與後之多偏考訂者有別。此種重現代，尊文獻之治史精神，一傳爲萬季野（貞文），再傳爲全謝山（祖望），又傳爲章實齋（學誠）。浙東史學異彩，遂燦然與吳、皖漢家，以證治古史者幷峙。

三曰政治理想：黎洲父尊素，名隸東林，身死黨獄之禍。其平日敎子，亦以留心時政爲重。故先生政治興味，培養有素。明亡之後，興復之望既絕，乃始激而爲政治上根本改造之圖。此亦明末諸遺老一種共有之態度。其時如亭林（顧炎武）注重各種制度之實際措施，船山（王夫之）注重民族精神之激勵，而先生則着眼於政治上最高原理之發揮，貢獻尤鉅。其識論見於「明夷待訪錄」。以獨立超越之思想，闡論治國平天下之根本要道。充滿申張民權，宏揚法治精神。可與法國思想家盧梭（一七一二——一七七八）「民約論」（一七六二）比美。顧亭林於丙辰（一六七六）「書黎洲」，有云：「待訪錄，讀之再三，于是知天下未嘗無人。百王之敝，可以復興。而三代之盛，可以徐還也。……」先生所講經世之學，其價値于此可見。

又「日本乞師記」一卷，乃黎洲自述明末隨軍海上，兵敗後求援勤王史實。友邦學人石原道博，著有專書，言之甚詳。漢學家宇野哲人博士所撰「近世儒學史」，在明末諸儒一章，專論黎洲生平學術，譽爲近代漢民族思想之代表者。國內名家，如梁任公（啓超）、錢賓四（穆）、蔣夢麟、柳詒徵、蕭伯潛、劉君左、楊一峯諸氏，對于黎洲事略、傳記、年譜、學說、思想、言行，或專書敘述，或撰文中論列。胡秋原[illegible]刊。[illegible]復社及其人物」，在其即將出版之續篇「明清之際七大思想家」，以黃黎洲爲首，必有精深獨創之闡揚，于此足見先哲學說，影響後世之大。

最後復有一願，甚望此書重印出版後，讀者各就性分所近，學藝所長，選擇其內容之一部，詳加研究、整理、分類、詮釋。務求簡明通俗，一目了然，使古書具有現代價値。如能攝取精華，翻譯介紹，俾外人得窺我國近代學術思想之眞貌，而發揚光大之，則對中華文化復興運動，必將更有助益也。是爲序。

（完）

成語選粹（四）

李國良輯

一毛不拔

孟子盡心：「楊子取爲我，拔一毛而利天下不爲也。」東坡全集與陳季長書曰：『鄉諺有云：「缺口鑷（金旁）子」，君知之乎？』自注云：「缺口鑷子，取一毛不拔，恐未嘗聞，故及。」世以「一毛不拔」譏人之慳吝。

綜談國劇復興（二八）

王方曙

5、關於道具

國劇中的道具，除武把子之外，都極盡簡單之能事。大道具方面，同樣的桌椅各四張，大致足用，有特別人多之戲，臨時另加即可。中軍幕帳和洞房的帷帳，同用一座也可，願意作兩種算是講究的了。城門只是布作的，開兩扇軟門；山只是兩片木板，上端稍尖，畫有山頭形態，就算是山了。有的在木板上面畫出樹木和山峯樣子，算是最好的了。石頭，可以放倒一把椅子應用；雙獅關的石獅子，實在不便用兩把椅子，才用了兩隻紙糊的。小道具更簡單，酒具、茶具、蠟台、提燈、文具、印信、摺扇、鏡鏇、信件、狀子……零零碎碎的當然一時也不必細數，但有個原則，都是不必像眞，如酒具，酒杯不必能容酒，酒壺中不能倒出酒來；蠟燭並不眞點火；（演某些戲也有眞點火的例外），狀子只是一張摺疊的長紙，並不寫字。道具可以只此一套，前面的戲吃酒，用這套酒具，下一戲吃酒，仍可用這套酒具。像這樣簡單的道具，甚至城和山竟不屬佈景，而屬道具，看來似爲國劇中的缺點，但事實上卻正是國劇的優點，我們可以不必處處認眞，但卻處處可通，不礙戲的進行；也可以說，這是我們非寫實的戲中的便利之處的充分利用，雖然如此，若干小處我們仍有檢討的必要。

如城門，用布作，竹竿穿起。演員出入城門時，用兩位戲外的人舉起。這究竟太不合理了，實在脫離了藝術的範圍，破壞藝術的完整。這一點的改善，可以用佈景裝作城，稍高一點，門洞高度可以容納演員出入。背面裝支架，可以立在台上，不需人扶。裝置的時候，可以和用前後三重舞台，（前面已經談過）中間放下幕布，前面演戲，後面裝城，裝好之後，幕拉起，看不見有人在裝城，更看見有人扶着城牆。比如女起解，第二場唱流[illegible]時，要落幕在幕前演唱，（由第一場起在前重舞台演唱亦可）等蘇三跪起，唱「人言洛陽花似錦……」時，幕布拉起露出城。蘇三正好唱「低頭出了洪洞縣」，自城門走出。二人對白完了，蘇[illegible]唱完倒板，開始前[illegible]時，幕再落下，以[illegible]住城門。從此一直到唱完，可以不再進[illegible]，即行下場。（以往是再架城入城）。[illegible]爲蘇三的唱詞是「遠遠望見太原城。」崇公道說白是：「離省城不遠。」都[illegible]即在城前的話，再入城似完全不必。如[illegible]拉幕見城，再顯重複而無意義。

（未完）

中秋夜感懷　一九五一

·吳森·

迢迢天上月，悠悠擾我心。
斯人獨憔悴，有口苦難吟！
他鄉爲逆旅，故國夢中尋。
佳節傷閒度，今夕復登臨。
[illegible]淡風高夜，無語歎更深！

報佳音後登太平山觀日出　一九五二

[illegible]報佳音，工畢夜氣陰沉。
[illegible]人何消遣？乘機相與樂事尋。
[illegible]上太平山，曙光微露鳴山禽。
[illegible]日欲昇東，東望光芒漸熊熊。
[illegible]王捧日出，上下一色海天紅。
[illegible]天皆有日，當其出時處處同。
[illegible]山登絕頂？何必羅浮飛雲峯？
[illegible]步上紫微，衣履滋露未晞。
[illegible]物如朝氣，我乘朝氣觀朝暉。
[illegible]來第一次，彼此相視逸興飛。
[illegible]外拍掌笑，呼嘯下山詠而歸。

諸葛亮狂想曲（五三）

·劉玄·

「這是不是天魔舞裝？」太白星君在參加瑤池蟠桃大會時，看過「天魔舞」表演，所以有此一問。

「這是西式禮服，在西方國家男式禮服除了頭部和兩手，一切講求遮掩得嚴絲密縫。女式禮服則尙暴露，即貴爲女王公主亦復如此。」劉約翰向星君恭敬回答。

「哦，哦。這就難怪孔子有：『微管子吾其披髮左衽矣』之嘆了！在我看來，西洋女式禮服，似乎難登大雅之堂。聽說現在歐美有所謂『披頭』出現，究竟是怎麼回事？」星君很健談，由西式女禮服一扯扯到「披頭」身上。

「星君所見極是，『披頭』是二次戰後有歐美出現的佯狂斯污不事生產。男女雜交過着禽獸生活。『披頭』實在是工業社會發展達到極致的人性反動。」劉約翰向星君作簡單解釋。

「中國文化大精深，尤以道家思想之玄妙，更非世人所能窺測。『披頭』誤以什麼事都不做便是『無爲』，放浪形骸，便是『返璞歸眞』，差之毫釐謬以千里。他們不過剽竊到一點老莊的皮毛，與道家思想相去何至千里？」太白星君是天庭鍊丹第一好手，道行高邈，有時說話雖略嫌迂闊，畢竟非世間自命不凡的假洋鬼子所能比。

「聽星君一席話，勝讀十年書，敬佩，敬佩。」劉約翰深知天庭各仙都愛戴高帽子，拍他們馬屁絕不會錯。

張素梅開始演奏第二樂，音符曼妙，恍如珠走玉盤。淒淒切切，含有濃厚的悲天憫人意味在內。所謂舞幽壑之潛蛟，泣孤舟之嫠婦，庶乎近之。

太白星君閉目凝神細聽，在琴聲戛然而止之時，他忽然擊掌喝道：「對了！」劉約翰見此情景，不覺仰望星君，眼中帶有詫異之色。

「第一樂章是描寫諸葛亮東西戰、南北剿的經歷，故多金鼓殺伐之聲。第二樂章則係描寫其初出茅廬的心情；知其不可爲而爲之，純基於悲天憫人之一願。次序雖然顛倒，正符「狂想」意趣。你以爲我的看法對不對？」星君說完又取出鼻烟嗅了一下。

「星君對音樂之理解，實非凡夫俗子所能及。約翰得聆高論，眞三生有幸也。」劉約翰不是拍馬屁，而是由衷佩服星君。

第二樂章奏畢，又是休息時間。一般比較好動的客人，如：孫悟空、李天全、以及龍圖會友張飛、馬超等都走出大廳，在廊廡閒聊。

「實在差勁，我以前參加蟠桃會，百戲雜陳，節目之精采不必說，光吃蟠桃就吃個飽。現在用一個妞兒在台上叮叮冬冬彈『洋琴』，聽得我只想打瞌睡。本想開溜，又奈諸葛亮與太白星君私交甚厚，星君不走，我也只好硬撐了。」孫悟空向呂洞賓發牢騷。

呂洞賓因被李天全誤咬過，所以在任何場合，總與李天全保持一段距離。

巨變歷險記！

——丁博士的家

現在要來談丁博士的家。

丁博士弟兄十個，除了老大丁作貞與頂小的即他本人而外，全部是業農。丁博士本人的家，是一個典型的農村社會的老式家庭，可以說是當時華北家庭的典型。

由於莊村太過於稠密，人口太過於衆多，可耕的土地太過於稀少，再加上肥料缺乏，寸土磽瘠，天災人禍，紛至沓來，在民國三十八年的年初，確已到了老百姓無以爲生的地步。問題已經不在生產，不在分配，而在有沒有了。老百姓實在窮到什麼都沒是，已經窮到沒有吃的沒有穿的，不是在死亡邊沿，而是在亡死中。

誠如娘說的，老百姓已經苦到睜不開眼。衣不蔽體，衣不襤褸，尤其小焉者也；問題是大家已經沒有東西吃，不但白麵不敢想，紅麵不敢想，連草根樹皮也找不到了。眼看見老百姓一個一個的倒下來，眞是慘絕人寰。

丁博士的家是個大家庭，除了

可憐的家（七七）

胡慶蓉

丁博士沒在家外，其餘九個哥哥都在，九個哥哥又成了九個家，每一家佔倭倭的小小茅屋三間，一間是臥室儲藏室、一間是廚房、一間是蛀口房，即所謂廄房。燒起火來，滿屋子黑烟，牆都燻得發黑發亮了。冬天還好，夏天的蒼蠅，牆上都會爬得滿滿的，鍋一掀開，一羣一羣的，向鍋裡撲。門外就是糞坑，是藏垢納污之所，對於蠅子的產生，有如溫床，有如暖床。看那地毯式的貼在牆上，飛起來，轟轟響，眞是滿蠅盛哉！蛀口就在鍋的旁邊，其「香」，令人有不可「嚮邇」之感！床上是些「套子」（按即棉花）一堆，存糧少得很，幾乎沒有了，鄉下人沒有別的收入，有之，那就是糧食了。其得錢的方法，就是賣糧食。不曉得那麼多的稅，席捲多的捐，一個接一個，催收的人，一個跟一個，到了民國三十八年初，實在已經賣光了！

丁博士的八個哥哥都是好哥哥，都是標準好老百姓，標準好農夫，同時也都是孝子。丁博士回到家裡，八個哥哥，連同大哥，都常常在娘前。娘愛兒子甚於愛她自己，看見個個面有菜色，看見個個要活活的餓死，她的難過是沒法形容的。她說：「我早死了好，可以省下一個人的糧，多養活你們一個人」！她那裡知道，即令她死了，也並不能多活一個。在九個哥哥之下，還有近百個侄子姪女，近五十個的外孫兒外孫女。這些小孩的問題更大。他們都能吃，他們都要吃。在丁博士面前，一片啼飢號寒之象。他就把存的五百人民幣留下二百，下餘的都給他們。其實，杯水車薪，此又奚補！大家除抱頭痛哭，還有什麼辦法？老百姓之望救濟，如大旱之望雲霓。使丁博士焦灼萬分，眼看見自己親愛的家人就要一個一個的餓死，人世之慘，還有慘於此者乎。「國以民爲本，民以食爲天」，當國者應如何……以維民食……

關雲長義薄雲天（上）

漢年

命相与夢話

關羽字雲長，河東解梁人。（即今之山西省管縣西南，根據「關聖帝君考證」，關羽生於解縣常平村寶池里。時爲漢桓帝三年庚子歲六月二十四日。祖父關審字問之，父號磐石。卒於漢獻帝建安二十四年十二月初七日，享年六十歲。關于關公一生轟轟烈烈義勇千秋，爲一世虎臣，威震華夏等義勇事蹟，有一部「三國演義」，說得詳盡，家喻戶曉。筆者曾在本報寫得不少，所以他的生平就不必再浪費筆墨了。在此我們僅談他的命理如何。

但有一事必須事先說明的。舊說及江湖術士所言的四「戊午」八字，此乃無識的妄誕不經之說，不足採信。又有所謂：「關羽生于漢桓帝延禧三年庚子五月十三日。如此則年爲庚子，月爲壬午，日爲庚子，這種說法，不過外行人聽之則可，如詳究此說，亦爲不然。下面先破「戊午」之謬論。

查戊午乃是漢靈帝熹平七年。這一年並無戊午之日，焉得有戊午之時？而且三國志先主傳中有「靈帝末年，黃巾起」，書得明白，此時關公已打黃巾。如照此說，關公不過十歲小孩，焉能打黃巾？如照三國志所載，中平元年甲子，張角僞號天下，劉、關、張皆破黃巾。若以戊午年生，關公不過七歲小兒，豈能打黃巾呢？若果爲戊午年生，死于建安二十四年（己亥年）十二月，關公只得四十二歲。不究可知其謬誤。

若以五月十三日生者，則年爲庚子，月爲壬午，日爲庚子：若在十二時辰中任擇一佳者來配合關公的八字，根本就不能配合關公名位。

關公正確的八字，具誕于漢桓帝延禧三年六月二十四日申時。卒于漢獻帝建安二十四年十二月初七。（時不詳）但據命理推之，應爲庚子、甲申、戊午、庚申。按建安二十四年冬十二月初七日，時不詳。然關公一生，正大光明，尊曹、孫之厲氣，忠誠義勇，開雎陽、武穆之先聲，種種經歷推之，當爲庚申，其他任何十一時斷難如是。因爲月甲、日戊、時庚，三奇順佈，四柱純陽，始有此至大至剛，乃文乃武之魄力，維持世敎，夠贊皇猷之豐功。鬼谷子說：「順得三奇，全逢五專」。「采眞獸」說：「三奇應貴眞奇鬪」。平時二幹，並列庚金，月時二枝之申，又各藏庚金。證以「指迷賦」所謂「威武剛烈分，乃是金多」，尤爲脗合。不宜如此。關公命宮爲己丑，幹可以加日主之精神，枝又爲庚申戊庚之天乙，光照日月，氣貫雲霄，豈是偶然。唐人王維見龍生聖賢曰：二龍五老，生孔聖分，噫！五老二龍，產關帝分。噫！三國之一人分。噫！萬年之二聖分。噫！聖耶！五老耶！二龍耶！是一是二兮。噫！」

二十五歲甲子，關公至涿郡，與張飛俱事先主，義同生死，恩若兄弟，共討黃巾。先主至徐州，守下邳，關公已三十八歲，歲值丁丑。按他一生土運，爲丁火，戊藏甲木、亥土，皆興戊土日元情致纏綿，是以日上蒸蒸之運。

三十九歲戊寅，下邳失陷，先主歸曹，關公亦從歸曹。四十歲己卯，先主隨曹還許昌，表關公爲左中郎將。先主欲擊袁術，殺徐州刺史車胄，關公守下邳，行太守事。

四十一歲庚辰正月，關公與曹操戰於下邳、徐州、下邳皆相繼失陷，關羽權降於曹，曹表爲偏將軍。四月，關公勇斬顏良，解白馬之圍，曹表爲漢壽亭侯。七月，奔先主於袁紹之軍。劉、關、張重聚。（未完）

信不信由你

安樂山奇胖

顧頡柔

趙飛燕的瘦，楊玉環的肥，人皆知之，安樂山奇胖腹大，後代甚少注意。玄宗寵安樂山收爲義子，常在便殿與貴妃同宴坐，玄宗有一次問樂山，「腹中何物、其大乃爾！」安樂山順口答道：「兒腹中無何物，惟赤血與赤心。」玄宗聽之頗感悅耳，且嘉其誠摯，後更親近了。

南瓜殺虫兼治氣喘

生活漫談

馬騰雲

南瓜果肉，含有豐富的營養成份，及胡蘿蔔色素，維生素B1．C及脂肪等。瓜子仁含有脂肪尿（肉旁）每（酉旁），及維生素B．C蛋白質等。南瓜子在中藥的名稱叫作番瓜子、窩南瓜子。

南瓜肉極富營養，在大陸上若干缺乏糧食的地區，即以南瓜代飯，所以又稱爲飯瓜。日本侵華戰爭的末期，日本軍人在前方作戰，搜刮不到米糧，一班人發幾個大南瓜，他們就用刺刀一塊一塊切下充飢。南瓜在很多種蔬菜中，是比較有營養價值的一種。內含有維生素A，B，及碳水化合物，可作菜，又「作糧食。湖南人用作飼猪，再和以米湯。（湖南人吃蒸飯，米湯藥作餵猪之用，因爲這個關係，湖南的猪肉香嫩肥鮮，駕乎金華猪肉之上），南瓜子爲有效殺蟲藥。南瓜肉，條（絲旁，以下同）蟲照樣討厭它的味道。故常食南瓜，絛蟲被迫會跟着大便逃出。照日本藥典記載：「日本人將南瓜作爲營養胃部和減低血壓之用」。南瓜中的纖維極易消化，病後如不能即時進食粥飯，可用南瓜代飯對腸熱病及其他發熱病，皆很適用。但有一點弊病，即南瓜可以助長濕熱，凡患有黃疸及脚氣病的人不宜多食。

患有絛蟲的小兒，用南瓜子代零食，炒熟了放在瓶子裡隨便小兒自己吃，就等於自動吃殺虫藥。據日本藥典說，收到百分之四十的效果。用一飯碗南瓜子搗粹煎湯，加使君子與檳榔各五錢同煮，無論兒童或大人，在餓肚子時服下，條虫很快宣告逃却；換句話說就是沒有方法在人體內繼續盤踞，只好隨大便離開人體。南瓜子有療治高血壓的功能，很多藥物學家，正從事此項研究工作。患有高血壓的人，常吃南瓜子，有百利無一弊。南瓜子代替西瓜子食用，並不討厭，其乾香可口，有些人認爲比西瓜子好吃一點。

南瓜蒂子煎湯爲農村婦女一種安胎劑。由南瓜蒂研末又爲催吐劑，治小兒痰多的哮喘有相當功效，不過嘔吐時，情勢非常難看，由南瓜蒂的份量，應由醫生視病情指導服用。關於哮喘症，又名氣吼病，西醫稱作爲「氣管枝喘息症」，這種病不容易根斷，好幾位讀者來函要求著者公佈此方，今特提供參攷：陳皮二錢，半夏二錢，白礬三分，川貝二錢，薄荷二分，下列各藥研末，每服一到二錢，用南半個重約三到四分泡茶送下，爲支氣管咳嗽驗方。國醫治哮喘症離不開沉香，但傾藥難得，古方有「小青龍湯」麻黃，現在歐美各國，對麻黃製劑日異，且能在腎臟提煉出腎臟腺素，功用甚偉。治哮喘症參攷處方，比西能持久，不過在台灣一般經濟能力薄患者，如果進不起醫院，而採用此方病情發作時既無大消耗，喘症平息後以有三數月，乃至於較長時間停止發此一參攷方對病者說是有利的。又以肉晒乾磨成南瓜粉，當作麵粉沖服，驅蟲亦非常有效，時間上必需七到十因爲條虫不到不能不退時，不會輕易。

楚文拾遺（二）

王曰叟

鄂人向以「惟楚有材」自負，往昔武昌貢院牌坊，即懸斯語標榜，此詩張炫耀之辭也。「十步之內，必有芳草」，「有材」豈必「惟楚」？雖然，湖廣文風之盛，確亦不可否認，而以文名世者，代有其人，即以今日自由中國一隅而論，馳騁論壇，左右文風者，固泰半楚人也。十餘年來，台灣筆戰之雄者，如陶希聖、胡秋原、復觀、居浩然、殷海光……等數人，而此諸子者，何一非鄂人耶？（註）此外如台大之沈剛伯、中央研究院之王世杰，以及主辦新天地雜誌，且主本報筆政之張超鈞，殆亦皆楚人也。以是乃有「無湘不成軍，無楚莫論文」之諺焉。

邇來筆者遯居，整理什物，偶於舊篋中，得鄂中前賢篇什章，雖無名英雄之作，然才情文筆自足多者，而其工力之深，尤非時下自詡爲專家者所能望其項背。因加介紹，送請本報發表，命曰「楚文拾遺」，藉觀其風，而免湮沒。豈亦「惟楚有材」之一註脚歟？

（註：某次論戰方酣，有人請某教授爲文助陣，某教授曰：「那是他們湖北人自己吵架，咱們裹在裡面幹嘛？」——一笑。）

桃花潭三大案件

「這話也是眞的，可是老鬼聽到又氣壞了。」顏芳嘆了一口長氣，接住說：「父母的名譽毀於鴉片，女兒的名譽毀於父母，這一捲報紙讓媽拿給老鬼看看，心痛病馬上就會好的，眞是這個時候死去，棺木都成問題，」

「我覺得還是不看的好。」

「爲甚麼？」

「香港是沒有地方再借錢了，別又將手伸到馬來亞。」

「面都未見過，不可能的。」

「爸爸的事，很難斷定，他那根燒烟的烟筒搖動起來，勝過諸葛亮的鵝毛扇子。」

趙陀

鬼丫頭的嘴也夠瞧的了，媽可以保證，即是伸手的話，也會待姑爺見否後。」

「媽，爸看這些報後會怎樣表示。」

「你爸呀！最現實，不是常告訴你嗎？空中「肥雁不如手上雀。」

「對了，萬一我已把家庭的經濟狀況詳細的告訴了「任」，萬一他王顧左右而言他，女兒怎麼下台呢？」

「鬼丫頭，糊塗的事常是聰敏人所做出，面都未見過，就嘮嘮咕咕談錢的事，會引起對方的疑竇，我覺得任，且爲一般男人所不欲。」

「念佩不會的。」

「生長在這個時代的青年，恐可能出還現技節。嘗照顧媽的看法，多吉少，比你爸爸低頭沉思。

「怎麼補救呢？」

琳眞情的流露，快追封信去，克琳說明上封信的措詞是要婉轉，態度要明朗，強調並不是來借錢，乃是急的話還封信，自信，己有費龍點睛之妙，如果他願意幫你的忙，如果不願意幫你的忙，先留下一條走廊作爲不得已的退路。」

（廿六）

自由報

中華民國內政部登記證內版台誌字第○三一號
中華郵政登記認爲第一類新聞紙
中國郵政台字第一二八二號執照登記爲第一類新聞紙

（第一〇〇八期）

（半週刊每星期三、六出版）
每份港幣壹角，台灣零售價新台幣弍元
社長李運鵬・督印黃行寶
社址：香港九龍彌敦道593—601號
廖創興銀行大廈八樓五座
LIU CHONG HING BUILDING
7th FLOOR FLAT 5
593--601 NATHAN ROAD,
KOWLOON, H.K.
TEL: K303831
電報掛號：7191
承印：[illegible]印刷公司
地址：[illegible]
台灣連絡中心：台北青田街五巷三號
電話：三七五〇[illegible]
台灣區直接訂戶　台郵劃撥戶
第五〇五[illegible]（自由報台訂戶）
台北營業處：台北衡陽街三十[illegible]
電話：二七[illegible]〇〇
台灣分社：台北市[illegible]
電話：[illegible]

優美的民族文化與高尚的民族精神（上）

洪同

我們中華民族，自黃帝迄今，已歷五千餘年。在此五千餘年之中，我中華民族雖飽經憂患，屢遭頓挫，但仍然巍巍峩峩矗峙，屹立不移，而且繁衍綿延，日益壯大。推其所以致此之故，完全由於我中華民族有一種堅韌剛毅，奮鬥進取，不屈不撓的精神，與恢閎廓大，坦坦蕩蕩，不忮不求的襟懷。凡此，皆是我民族精神的表現。由於這種民族精神，我中華民族在發展的歷程中，便有過挫彌堅，歷劫重振，「磨而不磷，涅而不紫」的耀煌史蹟。

民族精神係由民族文化所孕育。我有優美的民族文化，因而有高尚的民族精神，因而有輝煌的民族歷史。「誠於中」者，必「形於外」；「石蘊玉而山輝，水懷珠而川媚」，這是「事有必至，理有固然」。因而我們可知我民族的文化，實我民族的瓌寶；乃我民族生命之所繫，亦我民族發展之所資。愛我民族者，必須愛我民族之文化；而復興我民族之文化，更爲復興我民族之前提。

欲求復興文化的運動獲致實效，首須了解文化的意義，與我中國文化的特質。如此，始不致含混籠統，無從措手。因爲只言復興文化，而不了解文化的意義，則復興工作便漫無範圍；同時，如不了解中國文化的特質，則復興工作，亦無一定的鵠的。關於這一點，我們可以引用莊子上的一則寓言來說明：

「庖丁爲文惠君解牛。手之所觸，肩之所倚，膝之所踦，足之所履，砉然嚮然，奏刀砉（石旁、以下同）然。」

庖丁自述其能操刀一割，便迎刃而解的原因，乃是由於他已將牛的各部份，作了精密的分析，並不是將整個的牛籠統概括的看，所以「奏刀」便能深中肯綮。他說：

「始臣之解牛之時，所見無非牛者；三年後，未嘗見全牛也。」

「所見無非牛者」，是將整個的牛籠統概括的看，所以感到無從下手；及至「未嘗見全牛」，則是將牛作了精密分析的結果；所以能「奏刀砉然。」

此一則寓言，正可用來比喻我們復興文化的運動。我們要復興文化，首須作一番精密的分析和研究。我們首須了解文化的意義，進一步了解中國文化的特質，然後復興文化的運動，方能作具體而有效的推行。

茲先述文化的意義。

文化與文明，是中國固有的兩個名詞。

束廣微補亡詩云：

「文化內輯，武功外悠。」

又說苑云：

「凡武之興，爲不服也；文化不改，然後加誅。」

至於文明，易乾卦文言云：

「見龍在田，天下文明。」

又易賁卦彖辭云：

「文明以止，人文也。」

關於文化與文明的分別，現在一般的說法，多認爲文化是指精神方面的，文明是指物資方面的；文化是指內部生活，文明是指外部生活的。但也有人認爲此二者並無嚴格的區別。甚至有人認爲文化發展到最高度的部份，就是文明。

若就中國文化與文明之固有的涵義說，則文化與文明，實與上述的第三種說法相近。而且文化與文明，也有較現在一般的解釋更爲深刻的涵義，

文化一詞的涵義爲何？這必須先明瞭何爲「文」？何爲「化」？然後對「文化」才能有較明確的概念。

所謂「文」，乃指一切的學術思想以及典章制度之載記於冊籍者而言。至於道德的規範，社會的規律，成文的或不成文的，當然也歸屬於「文」的範疇之內。

以上的意見，是從前人有關於「文」的言論歸納而來。

論語孔子曰：

「弟子……行有餘力，則以學文。」

又曰：

「君子博學於文，約之以禮。」

又曰：

「文王既沒，文不在茲乎？」

以上之「文」字，註論語者，有時註爲「詩書六藝之文」；有時註爲「文是道之顯者，禮樂制度是也。」

其實，「文」不祇是詩書六藝之文，凡學術思想及典章制度都是「文」。何以故？因爲學術思想及典章制度，紛列並陳，若五采之相間，「斐然成章」，「郁郁乎文哉」，所以稱之爲「文」。

「文」字此一方面之意義，即是易經上之所謂「人文」。

易賁卦彖辭云：

「觀乎天文，以察時變；觀乎人文，以化成天下。」

「天文」即是日月星辰；「人文」，孔達穎正義曰：「則詩書禮樂之謂。」

「文」之意義，約如上述；至於「化」，乃是人們沈浸涵泳於「文」之中，爲日既久，以至達於成熟。而於不知不覺之中，便在思想云爲方面流露出來。這便是「化」的境界」。這是一種自然，無待於勉強的境界。

論語上說孔子是「七十而從心所欲，不逾矩。」這「從心所欲，不逾矩」，就是思想云爲自然而然的，毫無勉強的，能夠合於規矩；這非修養至於「化」的境界是不行的。

中庸上對於「化」的境界，也有描述：

「誠者，天之道也。誠之者，人之道也。誠者，不勉而中，不思而得，從容中道，聖人也。誠之者，擇善而固執之也。」

「不勉而中」至「從容中道」一段，是「化」的境界之最切當的描述。人之思想云爲，能夠「不勉而中，不思而得，從容中道」，就能合於「天之道」。所謂「天之道」，就是自然之道。「火炎上」，「水就下」，金屬熱脹冷縮，都是自然之道，也就是「天之道」。這都是自然而然，無待於勉強的。所以人的思想云爲，到了自然如此的地步，就與「天之道」相合了。

比喻說，父母之於子女，其愛就是自然而然的。父母對於子女，不待勉強自合於「愛」的要求，不待考慮而爲「愛」之事，其子女之行爲，正是從容自然，不待勉強，而自合於應然之道，這樣就與「天之道」相合了。

至於「擇善固執」，雖然可貴，但仍有人爲的努力的迹象可言，這與「自然而然」尚有距離，尚未能達於「天之道」。但這却是達於「天之道」之應有的努力，所以說是道是「人之道」。

合於「天之道」，便是達於「化」的境界。至於「人之道」，是尚在達於「化」之境界的過程中，尚在「變」的階段。

中庸上對於由始變以至於變之完成，所經歷之層次，有如下的一段描述：

「誠則形，形則著，著則明，明則動，動則變，變則化。」

「動」是「變」的開始，「化」是「變」的完成。

沈浸涵泳於「文」之中，思想云爲受其薰陶，由漸漸與之接近而與之融合，隨時隨地流露於不自覺之中，這就是「化」的境界。達於這種境界，易經上名之爲「化成」。

前述易賁卦云：

「觀乎人文，以化成天下。」

又恒卦云：

「聖人久於其道，而天下化成。」

就以上對於「文」與「化」分別的解釋，我們對於「文化」一詞，便得了以下的概念：

凡是稱爲一個民族之文化的，它必是普遍的，籠罩的，好像空氣一樣的無所不在，沒有人可以脫出它的影響以外，而且隨時隨地的都在人的思想云爲方面顯露出來。舉例說中國之所謂「孝」，包括父母年邁時，爲子女者要在可能範圍內躬親奉養。而所謂兄弟的「友愛」，包括兄弟的子女孤苦無依時，要視同自己的子女一樣，予以教養。這種觀念，在中國社會，是普遍的存在着。所有的人或絕大數的人，都在奉行。假如有人違反了這樣觀念，必然不免於遭受社會的批評。因此，中國式的孝，與中國式的友愛，便是我們中國的文化。

其次，凡是稱爲一個民族之文化的，它必然是深入人心的。所謂深入人心，就是人在想法上都是自然如此，而在行爲上也是自然如此。這樣，才是「化」的境界。如若在想法上，在行爲上，有絲毫的勉強處，便不得謂之爲「化」。

孟子曰：

「大而化之謂聖」。

孟子之所謂「化」，就是指達於自然的境界而言。所以朱註說：

「大而能化之，使其大者泯然無復可見之迹。」

所謂「無復可見之迹」，就是自然，再沒有勉強用力的迹象。

以上是說明文化的意義，茲再述文明的意義。

關於文明的意義，有認爲是文化發展到最高度的部份。這與中國文明一詞之固有的涵義似相近。

所謂文明就是存在於內心的觀念，表現於作爲之上。存在於內心時，是隱微的；表現於作爲之上時，使由隱微的而成爲明顯的。將內心的觀念，表現於作爲之上，使由隱微的而成明顯的，乃是高階段的發展。

昨日與明日

美國的「街頭政府」

何如

美國總統尼克遜說：「國家的政策如果由街頭政府來決定，那是不合民主的程序。」所謂「街頭政府」也者，係指一般反對越戰的定期游行示威羣衆也。他這話很合理，烏合之衆的叫囂意見，都是一些沒有經過大腦而產生的瞎扯淡，幷不值得重視的。

可是，這種「街頭政府」的幕後，如有人憑着政治慾望而加以煽惑教唆，形成一股對於執政當局的壓力，那就不容忽視。尤其是美國目前的反越戰游行示威運動，背後是由左傾的學人和國會議員們悉力導演着，還有些不甘寂寞的小政客如愛德華、甘迺迪之流，亦藉此機會大出鋒頭，企圖製造政治資本，於是乎執政當局乃深感困擾了。

不知共產黨內容

事實上，凡是對越戰表示反對意見最力的美國姑息份子，無論學人也罷，議員和政客也罷，他們根本就不知道共產主義係何內容，也不明白越南究竟是在甚麼地方，光是憑着一種暴發戶的大少爺脾氣，吵吵鬧鬧，沽名吊譽，爲求得遂個人的私慾，他非所計也。試看美國參議院民主黨的領導人物曼斯斐爾的高見，他公然主張白宮以撤軍手段，壓迫南越政府與越共組織聯合政權，進行普選工作，這不是幼稚得驚人的說法嗎？

美國叨着地理環境之光，在兩次世界大戰中，不特本土幷未受到戰火的摧殘，而且大發其戰爭財，富庶甲於全球，更首先發明原子武器，一躍而居於自由世界的領導地位。但由於文化基礎薄弱，只知有文明的生活享受，却缺乏文化精神的素養，經不起一點點挫折，既低能，又好勝，稍不遂意，即哇哇然大叫特叫，不可終日。自由世界讓這樣不成熟的大少爺長此領導下去，實在危險之至。我看越南人民的自由生活，終歸要被美國斷送掉，謂余不信，請拭目俟之罷！

自由談

談提高生活生準

提高生活水準之說，原係社會進化應有的結論，但亦須具備各種條件乃可，否則利少害多，不足爲訓也。

要提高人民生活水準，必須民衆增加個人收入；而增加個人收入的唯一要圖，即發展生產，構成社會上眞正的繁榮景況。然後又以增加購買力來刺激生產力，使分配合理化，物價指數的上昇率與國民收入所得成正比例，見其平衡，沒有畸輕畸重的病態。於是乎，人民生活水準自然相應提高，用不着嘵嘵宣傳了。

如果生產不發達，國民收入所得與物價指數相差若干倍，而經濟基礎亦全靠外來的資金和技術支持，那根本上尚未脫離受制於人的變相的殖民地色彩，若侈言「提高生活水準」，殆無異於戀着十九世紀的生產力而渴着廿世紀的享受，這與舊時上海租界內的居民生活情形，有何區別呢？

十年以前，香港大學經濟系主任教授甄[illegible]，三次到台灣考查經濟事業後，我問他有何指教——但不要只說好的。他說，專靠外援以發展經濟是危險的，因爲外援有時間性，亦有伸縮性，一旦外援不繼，就會發生惡果。基於這種觀察，我當時曾在「自由人」三日刊上迭次爲文引稱，希望政府注意及此。現在祗看台灣方面的各大報紙和電視中的商業廣告，十九都爲外國的商家支持，而許多稍具規模的輕工業製造廠的生產品，名爲國產，實際多係由外國將製成品化整爲零，運輸進口後，再化零爲整，這能說是眞正的經濟繁榮嗎？

生產力既脆弱，物價與國民收入所得率至少是四與一之比，然社會上乃相率講求高度的生活享受，而託詞爲「提高生活水準」，自難怪一般人士的道德觀念日趨淪喪，大家笑貧不笑娼，作官的遇有機會即悍然貪汚，經商的造假帳以逃稅漏稅，一切視爲尋常，至於社會上的色情氾濫，姦盜淫殺之風時作，尤屬司空見慣的事，這便是生產力不發達而妄談提高生活水準的必然現象，不揣其本，而齊其末，決非國家之福。過去我談及此問題，台灣有人爲文指斥我反對提高人民生活水準，我唯有憐其無知而已，尚何言哉！

馮玉先生

三日春秋

劍及履及，簡單明決

中國國民黨在本月六日舉行的中央常會中，通過了緊急救災及災後重建的決議案六項。其中第二項是：成立民間救災捐獻組織，邀請有代表性的學校、團體、及熱心人士參加，統籌展開支援救災捐獻事宜，推請中央常務委員谷正綱主持。除發動工商界人士捐欵救災外，黨內同志，尤應熱烈響應，充分發揮民胞物與的精神。

第四項是：儘速由行政院及從政同志切實檢討水災形成的原因，並研究徹底解決的辦法。

這是國民黨中央常會自九月廿七日艾爾西颱風災害以來，第二次有關救災的決議。且不述其內容是如何的眞誠懇切，促使有關從政同志立即採取具體有效的措施；也不說其精神是如何的實事求是，毫無諱疾忌醫、敷衍塞責的老毛病；單是這種關心民瘼、劍及履及的態度，和簡單明快的作法，也就值得為之感念且大書特書了！

出錢出力、慷慨感人

在黨中央的號召下，連日以來，聞風響應，親自到中央黨部將捐欵面交張寶樹秘書長點收的，到十月七日止，首有陳茂榜捐十五萬，繼有林溪圳捐三十萬，許金德捐二十萬，周陳玉樹捐三十萬，蔡萬春捐二十萬，陳逢源捐二十萬。五天之內，所捐獻的總數，就已超過新台幣一百萬元。——台北市臨時議會第五次會議，也召開救災座談會，經濟情況並非素豐的老議長張祥傳就率先捐了五萬元，陳通祿議員立即跟進捐了一萬元。再加上交托內政部、交托台北市社會局、交托中央日報等單位收轉的捐欵，總數顯然迅即接近兩百萬。直接以饅頭、麵包、香烟、棉被等物到災區去散發的，以及不眠不休、泡在水中奮勇救災的，其熱情與效果，都無從以欵項來估計，自然也都未計入。

這種熱情，使人不能不為之熱淚縱橫，而深感同胞愛之可貴與民心之可用。同時，也具體說明，迅速組設救災團體，確有其迫切之必要。尤其，事先就明定這個團體由谷正綱主持，這更是快刀斬麻式的新氣魄與新作法！

清廉剛直　以正綱常

二十年來，在　蔣總裁的耳提面命下，谷正綱氏一直是黨中的人望之一，甚至於可說是清廉剛直的象徵。凡是谷先生所主持的工作，無不博得朝野一致的好評與信任。

據聞：某年亞盟在台北開會，我亞盟總會來不及辦理公事手續，便先在會址修建一座較為可觀的側門，審計當局事後毫無異言。又聞：國民大會歷次開會，經費開支動輒成為鉅數，但自代表至職員，對谷先生個人從無半點疑意。又聞：谷氏在台北某日式木屋一住十數年未動，因不堪淹水之苦，始終於前年搬遷，部屬代購四千元之臥床一張，立被退回另購價廉者：……

以是，谷氏訪問越南，越方曾擬待以副元首之禮。（因谷氏所任光復大陸設計委員會副主任一職，過去是陳辭公兼任的。）谷氏訪問美國，其演詞均列入美國國會紀錄。

現在，谷氏受中央常會之任命，主持民間救災團體，當然是災民之福。

從救災看國民黨新作法

演出延期、聰明漂亮

在水災的影響之下，「巨型」「瑞璨」的日本少女影劇團也將公演之期，由十月四日延後五天，並聲稱將義演一場救災。

據代理商在廣告上宣布的延期原因，只是「體育活動中心積水」。

大雨滂沱，積水沒踝之夜的演出，其收入是否能抵償該場的開支？多日不眠不休的警憲，是否能抽出救災善後的人力，來為該團公演維持交通與秩序？——其公演之宜於延期五天，明眼人是一望而知，固不待淹水而後決定的。

以是，其廣告上的延期理由，遠不及其延期並作義演之決定的聰明與漂亮。

據廣告：該團之來台演出，係「中日合作策進會」所贊助。——中日合作策進會係一個組織，常務理事為谷正綱、黃朝琴、與鄭道儒。

也許，這就是該團代理商之所以能作聰明而漂亮之決定的理由罷！——所義演者雖然是一場，但也就頗「够意思」了。

·丁炎·

劉先雲協助惡性推銷 分期付欵不買也得買

商務印書館保有當年餘威

（本報財經記者齊野台北消息）我們仔細的看看，來台復業的幾家老書店。正中書局是黨營出版的事業，在上海已經發展到後來居上，雄視全國，遷台後歷任主持人多半不是內行，其實非內行並不足病，不能虛心才是大忌。遷台初期，如果人事安定，本可乘其他同業喘息未定，一舉而獨步自由世界，在當時其他同業只有一間分店，人手不足，生財設備也未能搬來。正中書局的首腦部職員全部搬來，所有生財除了印刷機器，例如書版紙型存書幾乎全部搬來，機器一轉就可變成現鈔。同樣是黨營事業，那時的中央日報只不過撤來一批幹部，生財設備，連現在使用的一部高斯輪轉機還是幾年以後才安裝的，所謂設備只是東拼西湊對付印報而已。

就因為主持得人把握機會，遂定今日不拔之基，足證事在人為，是千古不易之理。正中在敗壞教育風氣方面，倒是牢守防線保持了清白。誠然教育不少人士，故意找藉口拒絕無條件多用正中課本，但在經營改進方面努力不夠，也是事實。歷史最久的世界書局，擁有一本看家的「四用英漢字典」，迄今暢銷不衰。

當年楊家駱主持時期，其為人好壞是另一問題，他翻印不少舊書，雖嫌定價太貴，因係獨家供應，倒也便利了不少作研究工作的學人。只因他故弄虛玄，張冠李戴，被人發現一部老書，不是擅改書名，便是偷換著作人姓名，外國人函購中文書籍，僅能看目錄，只要是世界出版的，絕不敢訂，生怕上當。就這樣斷送了暢銷海外的路子。該局近年落入立委成舍我手中，以成之為人及作風，今後不會再有什麼發展了。中華書局有一部「辭海」看家，每年印上幾千部保證員工吃用不盡，資本雖雄厚，但志不在此，指望收復大陸再展鴻圖，目前翻印舊書（大部頭的是四部備要），維持招牌分享權利金而已。商務印書館，最初和中華採用同樣不積極的態度，它也有一部看家的「辭源」可以對抗中華的「辭海」。自從王雲五行政院副院長退休，憑其政治上餘威，（劉先雲在台北市教育局長任內，就曾接受拜托利用職權向各中學派銷成套的商務存書，有的學校圖書費不足，分期付欵也必需購買），捲土重來商務，改組公司，自為董事長，原台灣分局經理趙叔誠等於驅逐出境，鬱憤病死在香港。王氏復辟之後，以學者身分出現，並以出版界元老自居。

王氏自稱為生意人而從商，確實懂得生意經。差不多四十年前，九一八以前編就上海出版，由他主編的一部萬有文庫，親政之後派人到牯嶺街舊書攤直接間接盡量搜購到一部分，改名曰「萬有文庫薈要」立即景印出版。有人批評許多科學方面的本子毫無用處，於是他又來一套抽印本，一共挑出一百四十種，另拼湊二百六十種，印一套四百冊的叢書。一套書花樣翻新連賣三次，且效楊家駱之所為，偷天換日把著作人和書名任意更改，被旅美學人夏志清在中央日報副刊公開指摘，（陳寅恪改為陳寅）好像他自己讀書不求甚解，認為人家都是不讀書。

這些年來比較有價值的只翻印了「四部叢刊」。開明書局老守田園，幾年來只出了幾種數學課本，尚合水準，當年在上海的創業精神和偏重文學為教育界服務的勇氣全然不存在，客氣一點的說，都在那裡走書商路子。

其次來台後新興的幾家，復興書局創辦人朱溯中，出身北京大學，中國國民黨的理論家，作過中小學校長，大學教授和行政經驗，同業人無人能比。主持獨立出版社，因人事磨擦又轉任正中書局副總經理，對出版不愧是內行。有溫州人又是現任商的本能，立法委員長袖善舞，呼風喚雨，復興書局在他手中，三五年間，大發財源，幾乎獨霸全省。不僅同業大感威脅，教育當局也為之側目。可惜氣度不够，眼光不遠，除了出版一些只為他賺錢的教科書。在學術上，文化上不會出版一本有價值的書。加以天壽不永，患上癌症，不治而逝。繼任的人限於能力、環境，雖得有所作為。遠東圖書公司，以初高中英語和美術課本起家，同行送它個「英美公司」暗記，為浦某獨資經營，發財之後不知甚麼原因，全家去美國，此間業務交其親戚代管，談不到有發展了。

廣文書局憑藉師大一幫同學作後盾，主持人是王某，最初翻印一些舊書，成套的向學校圖書館推銷。雖然不甚適用，但條件優厚，成績不惡。近年也慢慢向教科書的路子上走。要不是國中課本不准自由編印，這是不可忽視的一股生力軍，勢必一枝獨秀，威脅同業。環球書局為教育界某有力人士斥資開辦，成立不比復興遠東晚，資金也雄厚，並沒似乎有所顧忌，主要業務也只印些教科書。

其他規模稍遜的還有十幾家，篇幅所限，不遑細舉，這幾家都限於財力，保持溫飽的已算上策，為善為惡也不忍批評了。

既然透視台灣出版界，有一家中途夭折的明華書局，不可不附帶一述，大約創辦於民國四十一二年間，自始至終不曾出過一本教科書。教育界風氣不管糟到甚麼程度，這家書店是不負絲毫責任的。以文學作號召，出版了一百多種新書。並每月發行一本由台大夏濟安主編的「文學雜誌」。在當時確有拓荒者的精神，今天有不少成了名的作家，不少少受了明華的感染，便說是當年受到明華的鼓勵或栽培，多多少少，應該是不可否認的事實。當他們幹得正起勁的時候，朋友們多在担心，恐怕是「曲高和寡」。（未完）

依調集

惡人先告狀

·楚狂·

本港影星趙雷，在台北與人經商，後因業務未能開展，又告虧累，而被合夥人控告詐欺，纏訟很久，於週前經台北地檢處偵察終結，認為趙雷沒有刑事責任，予以不起訴處分。

台灣有一個最惡劣、最不成話的壞風氣，就是「惡人先告狀」；亦是我國法界黑暗面的傳統。從前衙門裡有「堂威」程序，原告得先挨打屁股，然後再呈敘理由；嚴重者還得「滾釘板」，尚且無法制止刁頑。今之世風日下，人心譎詐萬端，惡人欺善人，壞人普遍抬頭，構成為今日社會一大隱憂。

舉例：台北長安西路三年前有印尼歸來難僑周姓，福州男子，虛設行號，詐騙到百餘萬新台幣，發出的支票，張張拐尖，朋友替他背書，率多被控偽造有價證券，官司雖都打輸，周姓男子一直做着原告，拖着大皮包，法院出出進進，現在「久病成良醫」，竟將人的臉皮揭去，乾乾脆脆做黃牛。當然亦認識幾個同鄉警官，法界小職員之類，又兼有一位自稱為吃「情報飯」的老婆助威。司法大厦前類此情形的人很多，希望調查局能糾正這個失國家面子的壞風氣，且須嚴辦，否則，規矩的人有「禍」了。

阿拉伯新聞信

葉門這個國家

·劉必權·

阿拉伯半島高水準家

葉門位於阿拉伯半島西南海岸最富庶的地區，西北及東北均與沙地阿拉伯接壤，東南與亞丁毗連，西南濱紅海。隔曼得海峽與厄里特立遙遙相對，全國總面積七萬五千二百九十方哩（約合十九萬五千平方公里），人口四百七十萬人。境內大部份是海拔三千公尺的高地，雨量充足，森林茂盛，草地亦廣，是阿拉伯半島上難得的牛產地帶。

境內以農為主，且具有歷史悠久的灌溉制度，盛產大麥、小麥、玉蜀黍、葡萄、水菓、和咖啡等。國內山陵地帶所產咖啡，量雖少而質佳味香，出名於世，由摩卡港輸出，世稱之為「摩卡咖啡」。

葉門人的一般生活，遠較阿拉伯半島上其他地區的人民為高，大部份葉門人安居於山地村鎮，從事農耕，少部份從事遊牧，而羊皮亦為葉門出口的大宗。礦產方面，有石油、金、銀、煤、硫磺等，但多未開發。

國內教育相當發達，全國入學兒童在六萬五千名以上，採男女分校制，就學年齡從五歲至十八歲。課程方面，除普通各科外，另有可蘭經、簿記和農業常識等。

葉門是一個山國，重要城市海拔多在五、六千呎以上。雖然有三分之一邊界，濱紅海，但沒有良港，這就是葉門落後與孤立的主要原因。但葉門古文化水準很高，當紐約人還住在帳篷式的小屋裡時，葉門人就已建築起七層大厦。因此今日葉門對於自己古代的文化，他們都感到十分驕傲，他們自認係穆罕默德的後裔。據統計，今日大多數葉門人，都是信奉回教的阿拉伯人。

首都沙那有堅固的城堡

首都沙那，位於七千餘呎海拔的高原上，氣候溫和宜人，人口約五萬五千人，以荷德達為外港。城內有堅固的城堡，高聳的碉樓，和擁擠成一團的「摩天大厦」。城內除了有古色古香的傢俱和帳篷外，同時也有電燈、沙發、浴盆、冰箱、電視、電話等近代化設備。波斯地毯、絲織椅墊、乳白色玻璃窗、透明屋頂、人造噴泉、奇花異草等，應有盡有。

舊王宮內的「快樂宮」和「感恩宮」，矗立於宮牆內。宮前，有綠樹成蔭的御花園，有寬大的廣場，有常年不停的噴泉。

城內大都是從兩層到七層的立體式石樓或磚樓，沙那地勢雖高，但水的供應無缺，普通家庭都自鑿有水井，除供飲用外，並用以灌田。

城內除一通往城門的大道外，一般街道都很窄狹，且多土路，商店很多，無櫥窗，貨物陳列於室內。鄉民每逢進城趕集一次，出售他們的羊隻、穀物、水菓、蔬菜、和女人手織的地毯，以換回一些瓷器、法（王旁）瑯、棉布、綢緞、香料、和化裝品。

城內除少數從事珠寶業的猶太人，大部份都是阿拉伯人。猶太人僑居該地，已有幾百年歷史，他們除了不准攜帶刀劍或其他武器外，一切都不受歧視。沙那城內最引遊客興趣的，是一個小小的博物館，館內陳列着很多與葉門歷史有關的古代文物。

此外，葉門重要的城市還有泰茲、伊布、沙底亞、吉希拉、曼納哈、沙比德、荷底達、摩哈、汗丹、沙達、和馬里布等。（下完）

文滙樓別記

「武大郎養貓頭鷹，甚麼人玩甚麼鳥。」還是中國社會裏一句俏皮話。

樓主在這方面體會得相當多。中江報人沈秋雁在香港辦上海日報時，內容偏重於消遣文字，被捧的人包括電影演員、舞女、歌女、交際花等。閱報的對象很自然的以澡堂、理髮店、小飯館爲主，可名之爲茶餘酒後讀物，遠穆迅所諷刺的「幫閒文學」都跟不上。不過上海日報的格調還不算百分之百的低，等而下之的還大有報在，就不方便入筆了。

十三年前曼谷世界日報，風格甚高，過絕士林，祇週刊就有廿八種，由於甚多學人挑大樑，使世界日報在社會上的地位，形成爲中南半島報業中的奇葩。最近以病台北學民醫院的左舜生（已故），就是世界日報「史學週刊」的編輯人。其他如陳孝威將軍編「軍事週刊」；丁文淵（前上海同濟大學校長）編「科學週刊」；黃天石（傑克）有南黃北張（恨水）之說，編「戲劇週刊」；馬彬（南宮搏）編「小說週刊」；易君左編「山水週刊」；鄭天健編「人物週刊」；程曉華編「報學週刊」；劉百閔編「文學週刊」；王世昭編「詩詞週刊」；王平陵編「文藝週刊」。還有汪派一流文人趙叔雍等十幾位都參加了世界日報陣營，每天的文章眞是琳瑯滿目，美不勝收，使該報一出手就有那麼高，在泰京六家大報中雄據首席，說穿了很簡單，先聲奪人而已。該報最近的情況就不大清楚了。

武大郎養貓頭鷹說起

有人認爲，世界日報格於乃炮的財勢，始能臻於至善。其實沒有甚麼關連。因稿費支付的並不多，說來話長。舉例以香港自由人來說，三十九年創辦時，無財無勢，有若祇幾根書生報國的禿筆，由於十幾個發起人的生動文筆，就形成爲海外偉大精神力量，受到東南亞國家的重視。泰國內政部警察那因曾親語樓主：「自由人是自由人，才是難人中有份量的報紙。」美國駐泰大使吉賽浦：「自由人，報雖小，所負的任務甚大」。

凡此樓主皆存有當年很多生活照片可考，非不負責的亂扯。

回憶民國三十九年，自由人的發起，好像有左舜生、李璜，（青年黨領袖）張君勱、金侯成（民社黨領袖）王雲五（社會賢達），成舍我（報人），卜少夫（報人），陶百川、程滄波、雷嘯岑、許以成（政論家），端木愷（名律師），許孝炎（執政黨報在港負責人），其餘記不清了。民國四十八年，自由人改組爲自由報後，雷嘯岑担任社長，黃行爲督印人，馬五一肩挑起重負，寫稿作者變動不大。直維持到五十六年十二月再度改組，由台北公論報社長李運鵬接辦，標榜「大作家寫小文章，小報紙談大問題」，內容充實，銷數激增，海內外較前普遍三到四倍不等，皆有諸陸及菲直可徵。這種起飛式的發展，據說與金錢又沒有甚麼關係。相反的正因爲穀幹、苦幹、實幹的結果，才賺到海外廣大學人與力支持。這請人筆寫愛，也就在這兒。

兩年來在自由報發表過文章的，計有：錢穆、顧翊羣、何浩若、于斌、吳經熊、梁寒操、沙學浚、熊式一、陳立夫、郭垣、劉振東、陳光棣、侯璠、潘公展、劉光炎、徐復觀、鮑紹洲、褚柏思、林泉隱、陳適子、何勇仁、黃公偉、葉祖灝、王靜芝、曾約農、杜負翁、穆超、肯端甫、張起鈞、丁作韶、黃大受、雷嘯岑、郭雨新、蔣勻田、關德幸、袁中明、汪大鑄、馬空羣、劉長闓、林語堂、張維翰、冷彭、李洛九、張翰書、程曉華、馬騰雲等集百餘學人、報人、作家，於一報。且半多經常撰稿與通訊。上列教授服務學校包括：台灣大學、師範大學、政治大學、中興大學、成功大學、東海大學、中國文化學院、清華大學、交通大學、中央大學及歐美各大學等，皆法定各黨各派政治領袖人物。自由報接受各方面這麼多珍貴的精神投資，並決定以發行本位作自由報業務重點，一致認爲是正確的，今後欲做到有太陽的地方就有中國人，有中國人的地方就有自由報。全體同人，深具信心。秀才雖不會造反，秀才對辦報還不十分外行。

文滙樓主

敵人筆下的衡陽戰役（上）

趙慶昇譯
陳會瑞序

序

日寇之侵華也，若封豕長蛇，肆其吞噬，謂彼一營當我一師爲公算，兵鋒所加，下平徐滬京武漢無乘旬者。及太平洋戰起，海軍漸失勢，仍集精銳陸空四十餘萬，（其第十一軍即有卅六萬二千人）作打通大陸之決戰，且驥遐窺川渝，覆我國本。渡河南下，一鼓而佔霸王城許昌洛陽，再戰而取瀏陽、長沙。下及桂柳，均稱未逢堅陣，獨於衡陽，歷挫兇鋒，傷亡二萬有奇，戰死佐久間中將以下官佐九百餘人，至於封鎖新聞，諱爲大辱，雖再三增兵，勉克孤軍，而其作戰計劃，被迫改圖，有利我軍最後勝利。將士之用命，皆蔣委員長決策領導作育灸教之功也。

第十軍之守衡陽，承援戰常德整補未竟之後，兵力纔萬八千人耳。彈糧僅足十日，工事亦極簡易，憑城奮守，殺傷過當，使日寇文書比於日俄旅順戰役，謂「中國始有陸軍」，謂「敵人之守將方先覺將軍爲一驍勇善戰之虎將……其孤城奮戰之精神，實令人敬仰」，謂：「亘四十餘日之激戰中，敵人尚無一卒向我投降，實爲中日戰爭以來之珍聞」。敵國所譽，固我國之榮也，烏可以不記，爰節日譯，聊期引玉，罕語國之亦有戰史焉。五十八年冬陳會瑞謹序。

打通大陸作戰，簡稱「一號作戰」，自昭和十九年四月廿日起，至十一月止，共持續了半年多時間，參戰兵力達十七個師團、六個旅團、一個戰車師團、及當時所有殘留之騎兵部隊，確係太平洋戰爭爆發後規模最大的一次一連串的大軍作戰。

此次作戰，雖因補給之弱點，惜未達到最後目的，然于各作戰階段中，帝國陸軍卻反復的表現了勇猛與善戰，吾人豈容不予回顧。

打通大陸作戰之構想，係以黃河南岸之「霸王城」爲基點，先征服平漢鐵路之南半段，進而攻佔長沙、衡陽、桂林、柳州；以迄南寧，打通湘桂及粵漢兩線，全程共一千四百公里。

昭和十八年夏季，在大本營幕僚會議中提出討論，惟以當時東南方面之戰局惡化，必須自中國戰區抽調兵力扭轉戰局，乃致擱淺，迨至秋季：已先後將第十七、卅二、卅五、卅六等四個精銳之師團自大陸抽出，致大陸之兵力驟減，已形成了守備上的劣勢。中國派遣軍總司令畑俊六上將，迫不得已，乃將殘留之廿五個師團及十一個旅團，作機動防禦之配備，以戒備勢力逐漸強大之中國國軍，并曾警告大本營勿再由大陸抽調兵力，以免招致全面崩潰。

昭和十八年十二月三十一日，御前會議中，天皇正式決定棄守所羅門群島之瓜達爾以後，大本營參謀總長杉山元上將，有鑑於月前新竹之空襲，必將延至本土，欲用兵攻佔大陸之B二九基地，以緩和其對本土之威脅，乃趨前上奏曰：「一、爲阻止美在華空軍向我本土襲擊，擬澈底毀滅其位于桂林、柳州等處之基地。二、緬甸地區，今後擬實施彈性作戰指導方針。」

兩項上奏，雖經陛下反復質詢，但經杉山元及東條英機兩人答辯後，均行裁可。致前者形成了四個月後在大陸的一連串作戰；後者形成了緬甸之退卻與阿恰布會戰。

自昭和十八年，由於玉碎（意指全軍覆沒）事件之層出，國民士氣異常低落，大本營之首腦，繼企望於任何戰場上創造一次輝煌之勝利，以粉飾渲染擴大，以提高當前之敗績，而鼓舞總體戰中最需要之民心士氣。醞釀中之大陸攻勢作戰，變成了向國民宣佈勝利新聞之遠景。

基此，大本營以無比之信心，企圖一戰而挽回頹喪之民心士氣。

只要翻開亞洲地圖，立即可以發現，自新加坡縱貫馬來半島，至泰國之曼谷，再北上至越南之北端，有通往中國邊境之鐵路。（未完）

綜談國劇復興（二九）

王方曙

如空城計，探子報一塲可以在幕前演，城樓一塲再拉幕見城。以此類推。作爲城一毀，城門大開，而台下可清楚看見孔明坐在城內桌上架椅之座位，不免破壞美感。在現代科學進步的時代，把城門片後作成架子，坐在上面，決不甚難，兩邊可以裝起上下階梯，演起來要比原來的情況好的多。我們要知道，原來所以如此，是因爲便利戲箱的運轉，從前戲班原是東西流轉轉着演唱。從甲地到乙地，全部搬家，不得不採取最簡單的方法。今天情形已不全同，戲班雖亦搬家，但運輸工具業已非常方便，舞台的高度也大爲增加，像最高不到十尺的城牆片景，無論如何是可以製備利用的。此外，如山的設置，也應用這種拉幕的辦法。如失空斬，王平馬謖登山一塲，前塲應在幕前，然後拉幕登山。總之非至不得已，舞台上以不見戲外人上塲爲佳；尤其不宜在演員正演重要的戲時，檢場的上來準備下塲的道具，破壞最甚，應儘力避免。

小道具中的蠟燭，倒是以點火爲佳，國劇最早時期，演野台子很多，點火容易吹滅，故不點火。現在已無此問題，實宜點火，且宜配合燈光轉暗，以造氣氛。酒茶倒是有無均可，不關重要。其他如馬鞭、船槳車旗等，不僅爲道具，兼有表示騎馬劃船坐車之作用，是我國劇之特色，十分完美，自當善爲保留。凡此種種，原則上改而更好者，改之；改而不見有意義者，留之；更有根本不可改者，如馬鞭船槳之類，則更應强調其美點。

至於刀槍把子，屬於道具，種類甚多，而皆屬兵器。國劇中兵劍多以木製，像其形式，揮動以爲舞姿而已。然有些戲班號稱眞刀眞槍，刀槍用金屬製成，刀光閃閃，以增加驚險。但事實上並不增加美感，反而影響舞姿的美態，變成凶狠的打鬥。國劇中的打鬥，實是一種舞姿，是以打鬥動作爲基本的兵器舞。若重點全移於打鬥，則失去原意，而變成淺薄鬥狠，便意味索然了。所以在刀槍把子方面，我個人意見，以保存原來木製爲佳。惟不作打鬥，專作舞姿的場面，如舞劍，如孫悟空的舞鋼棍等，却是以金屬電鍍的爲美。

6、關於表演

表演在戲劇中當然佔極重要的地位，講戲劇的表演，坊間有若干名著，專論戲劇的表演，但那不是我們要談的，我們在這裏並不要寫表演論，而是要就國劇中的表演，提出若干可以檢討之處，以爲復興國劇之助。

成語選粹（五）

李國良輯

驚天動地

白居易李白墓詩：「采石江邊李白墳，繞田無限草連雲，可憐荒隴窮泉骨，曾有驚天動地文；但是詩人多薄命，就中淪落不如君。」朱子語錄：「聖人做事詩須驚天動地。」明郎瑛七修類稿：「御史初至則曰驚天動地，過幾月則曰昏天黑地，去時則曰寬天寂地。」世以「驚天動地」言聲勢之大能震動天地。

贈畢業同學　一九五三

·吳森·

風雨雞鳴喜不支，殷勤導我友兼師。
茫茫世事風雲改，切切交情歲月移。
數載同窗歡樂日，一朝分袂別離時。
河梁贈別無多語，珍重前程有所思。

旅遊青山兩首　一九五三

其一、宿道德觀

遠社諸友遊青山，此行何處不開顏？
身在無爲清淨土；心會蒼茫雲海間。
隔絕世塵塵不染，偷得浮生兩日閒。
鳳閣龍樓不足羨，願從老子出函關。
出函關，點仙班，莫問我遊何時還！

其二、登青山

玉露松風動客心，中原多難始登臨。
韓碑屹立原無恙；杯渡依然尚可尋。
遙聯嶺登新耳目；遠觀雲海闊胸襟。
關河咫尺遙相望，作客悲歌幾度吟！

諸葛亮狂想曲（四五）

·劉玄·

因此，很自然地與孫悟空聊起來。

「還是鋼琴演奏會，怎自與蟠桃會相比？我是因龐統士元兄堅邀，情不可却才來捧場的。」呂洞賓一向斜背一把寶劍，以表示其降魔法力，現在却沒有武裝出塲。

孝天全在旁邊，狗眼看人低，覺得猴兒子戴的一頂束髮紫金冠，比自己戴的一頂更華貴，上面鑲的珍珠寶石，比自己的一頂更大更多，光彩四射耀人眼目。

「哼，眞是沐猴而冠。當年南天門一仗；被我追得屁滾尿流，神氣什麼？」孝天全因嫉妒孫悟空的一頂紫金冠，暗地裡在與他。其實，孫悟空的武藝，自非哮天犬所及，南天門之戰，孫悟空因不敵二郎神楊戩才敗逃的，哮天犬追趕他，狗仗人勢而已。

張飛今晚是演奏會的主辦人之一，心內老大不自在却不便表現出來，到處與客人陪笑臉，寒暄的問好，倒變成了「交際將」一女人可稱交際花，張飛是猛將，只好稱交際將矣。

休息時間轉瞬又到，第三樂章演奏開始。照臨無上采賓的由氣，假使不是出於有下述幾項因素，恐怕早已作鳥獸散而成爲小貓三四隻的局面了。太白星君到塲，以他在天庭崇高地位，發生了無比鎮定作用，全塲鴉雀無聲，誰也不敢縮便抽鐵（離座）。這是第一因素。

關羽香火之盛，即天庭各仙亦爲之側目。他是以會由面發請柬的，爲了他的面子，大家雖不懂西樂，但也只好捧塲到底。這是第二因素。

天庭大小各仙，每位都有比較知己的朋友。人來多了，人與人的關係也就發生微妙作用。譬如：呂洞賓就是因龐統友情而來的。既來之則安之，非挺到終塲不可了。這是第三因素。

因此，節目雖進行到第三樂章，並無一人離塲，這種盛況在龍岡會所淵關空前。

張素梅知道她在天庭超凡入聖的唯一機會，豈肯放過？她又換了一套服裝，穿了好大好大的裙子，是法國宮庭的貴婦裝。臉上還點了一粒人工美人痣。

「這是什麼裝？在她的裙子裡是不是還藏着人？她的臉上白白淨淨地，爲什麼要點上一粒假痣？」太白星君壽逾千齡，依然耳聰目明。迪張素梅臉上的假痣，也能看到。可謂明察秋毫焉。

「還是法國宮殿裝，裙子大，走起路來可以搖曳生姿，裡面什麼也沒有。至於臉上假痣，據說可以增加嫵媚。」劉約翰成了法門寺的桂兒，是君好比千歲爺劉瑾，有問必答，不敢偷懶。

第三樂章的音符深沉緩慢，偶而有一節猶如急管繁絃，却又立刻停住。這些，在劉約翰看來莫測高深。

（未完）

巨變歷險記！

倉皇逃遁（七八）

胡慶蓉

就在娘咽氣的時候，丁博士被迫離開……。

原來丁博士回到家鄉，是抱着不入虎穴焉得虎子的心情。四天的停留，確切領教不少，但風聲所播，各級共匪工作人員無不大吃一驚。他們初不相信會有這回事，但事實俱在又使他們不能不信。丁博士這樣大膽，不啻同整個的共匪黨挑戰，這如何可以容忍，乃決定實行逮捕，依「法」嚴懲。

但共匪黨也不是毫無漏洞，在他們決定的時候，就已經有人飛馳趕來給博士報信了。這人是丁博士高小時候的同學，並且是丁博士的拜把兄弟。此人眼小如鼠，面如周倉，牙齒黑黑，望之可憎，雖是共黨的一名好打手，但對丁博士，却非常友愛。他們是燒過香的，八拜之交，金蘭之交，非同平常，一定要保護他出險。此人名叫×××，共匪黨佔據了夏邑縣，他就加入了共匪黨，清算鬥爭，作的異常認眞，為上級所褒揚，認為是一位最忠實能幹的同志。但向丁博士報訊的却是他。他是那麼急促，那麼慌忙，當他見了丁博士，話都說不出來。他勸丁博士就走、就走、走就……

這是早上約莫三點的樣子，八十八歲的老娘，剛咽了她最後的一口氣，九個哥哥九個嫂嫂侄子侄女都圍着娘的床在哭，在嚎啕大哭，在拼命的哭。丁博士也哭着，泣血稽顙的哭，娘是聽不見的了，也是看不見的了。鄉下是沒有燭的。只有如豆的油燈燈光，有氣無力似的，在那裡搖搖擺擺，更增加了當時情況的暗淡淒涼。

娘原來是有她的屋的，介乎四哥五哥房之間？這是兩間小小的矮矮的茅草房。門進去要低頭，門之小可知。對着是供的觀音菩薩，希望觀音菩薩保佑，她早晚一爐香，從來也沒有忘記過。裡邊就是一張床，一張硬板板床。沒有開窗戶，整個黑漆漆。丁博士一直到上洋學堂，始終跟着娘，就睡這張床。地是土地，坑坑凹凹，潮濕非常。這口小小的房，是留給丁博士回家來住的，其實是分給丁博士了。他同每一個哥哥一樣。但在丁博士回到家裡時候，這房子因為年久失修，竟倒了下來，幸娘不在，沒有傷到。自從老房子倒了以後，娘就搬到外邊大哥餵牲口的小屋，那屋就更小了，除了兩張小床，幾乎再也不能搬進別的東西，但無論如何，這是一間堂屋，堂屋即門開向南的屋，對着太陽的屋。這堂屋就算上房了。停屍在堂屋，是非常鄭重的。現在娘頭向北臉向上，讓子孫們瞻仰。她是那樣蒼老……可怕……

「他老人家已經去了，多子多孫，而且出了你這麼一個人，又活到八十八歲，也算是多福多壽了，作韶！作韶！……你要快走，你要就走，再遲就有人來抓了！要快！要快……快快！……再遲不得！……。」博士的好友這樣催促。博士在無可如何之下，從而倉皇逃遁……

關雲長義薄雲天（下）

命相與夢話

漢年

四十二歲辛巳，關公隨先主歸劉表於荊州。四十三歲壬午，仍隨先主於荊州。按此五年，適行子運，値日枝之午，因此風雲變色，挫折頻遭。然關公之大義參天地，精忠貫古今，實基於此。

四十四歲癸未，至四十八歲丁亥，關公仍在荊州。是年，劉先主三顧諸葛亮。按此五年，適行巳運，合月幹之甲，化土助力。是以蟄伏祖安。所妙的是川伏龍鳳雛，於是贊襄有人，共輔昭烈。

四十九歲戊子九月，曹操下荊州，先主兵敗當陽，關公將一萬精銳水師，直趨漢津，與先主會師。繼而從先主破曹操於赤壁。劉備與周瑜圍曹仁於江陵，別遣關公絕北道。

五十歲己丑，劉先主領荊州牧，駐公安。（故城在今湖北公安縣東北油江口）以關公為盪寇將軍襄陽太守。

五十一歲庚寅，關公屯江北。五十二歲辛卯，劉先主入益州，關公與諸葛亮等（張飛、趙雲）據荊州根據地。

五十三歲壬辰，與曹大將樂進相拒於青泥。照此五年，適行卯運，為天幹庚甲戊寅之天乙貴人；而又與年枝之子，適合化土，與日幹戊土聲氣相求，是以攻無不克，戰無不勝。

五十四歲癸巳，先主攻劉璋於成都，調諸葛亮、張飛、趙雲等入益州助陣。荊州根據地重全權負託關公，自此專制一切，威鎮一方。

五十五歲甲午夏，先主克成都，拜關公為荊州都督。

五十六歲乙未，先主命關公南爭三郡，移屯益陽，與東吳魯子敬相峙於益陽，諸將單刀俱會，中分荊州。劉先主征漢中，諸葛亮治成都。按此五年，適行庚運，因歲逢木火，是以坐鎮荊州，指揮如意。

五十九歲戊戌，劉先主軍於陽平關，六十歲己亥，劉先主定漢中，晉位漢中王，拜關公為前將軍假節鉞，擒魏大將于禁，降其七軍之衆，斬大將龐德。許昌以南，皆遭受關公印號。威震華夏，曹操商議遷都。十月徐晃救樊城，久而未克，引軍退還。不料孫權巳偷襲江陵。十一月，關公西保麥城。十二月遇害於臨沮。按這二年，具在寅運，一則歲在戊戌，三合會火，是以坐鎮雍容。一則歲在己亥，合甲合寅，是以威震華夏。只可惜小限庚寅，突會寅運，月、時二申，寅相衝擊，以致遇害，魏竟篡漢。袁宏道有詩云：「白衣豈至計，陸遜偶成功；天將移國祚，先忌絕倫雄。」

最後失敗的英雄義士，往往皆為後人崇拜的偶像。如伍子胥、項羽、關羽、張巡、岳飛等比比皆是。但中國所有神運亨通者，皆不及關公。他的義勇二德，表現得卓越無雙。而中國人又最崇義勇的人物，影響中國社會甚大。關公最後的封號是「協天上帝」，僅次於玉皇。關廟遍天下，成了亙古由人而神的唯高位者。（完。下期預告：諸葛亮）

生活漫談

為高血壓的人說幾句

人到中年血壓增高，並不是什麼太危險的事，只要飲食調節得宜，是很容易治好的。但最忌烟酒及濃茶咖啡之類，少吃肉類，多吃蔬菜，尤其不可吃火腿、香腸、板鴨、鹹魚等，因為鹹肉，對血壓高的人是不合宜的。

血壓高的人，晚上睡覺的枕頭，不能用普通木棉花作枕芯。湖南人喜歡用鴨絨做枕頭，更要不得。中國北方用麥管做枕頭，亦是熱性。上列幾種枕芯，不但對高血壓不適宜，就是普通的人，也不該用熱性的枕芯做枕頭；頭腦不夠冷靜，無論幹那一行都會有問題的。今天我們只研究高血壓有關食療問題，其他一律從略。

綠豆殼枕頭，為清涼解熱最佳藥物，綠豆殼在糕餅店有賣，製綠豆芽小販有賣，廢物利用，價錢不會貴的。在中國北方十幾省，兒童夏天用的枕頭，都是用蠶沙裝的。蠶沙就是蠶屎，其醫療作用與桑葉相同，有鎮眠功用，患有高血壓或癱瘓不仁及半身不遂等，用蠶沙做枕頭，可謂最佳的一種外用醫療藥。台灣農村的養蠶人家很多，不須要多少錢可買一大包。蠶蛾、蠶繭、蠶蛹、蠶連、蠶故紙、蠶沙均入藥，以證明蠶在國藥裡的重要性。菊花枕頭，袪肝熱、治頭暈，菊花價貴摻以菊花葉裝成枕芯對高血壓患者，如頭暈目眩、夜眠煩燥、愛講夢話、睡時心驚等極為適宜。

喜歡吃茶的人，突然不吃茶，感覺非常單調，同時我想能藉茶當藥，比專門打針吃藥自然舒適些。茅根茶，清涼退火。台灣民間兒童出疹後，一定再服用茅根茶，以清體內熱毒。茅根茶清香可口，對降低血壓有效。山渣茶為治療高血壓有效藥物，台北迪化街中藥批發行買，價錢不貴。每天以五錢到一兩燉茶，家裏有冰箱最好。山渣茶加補糖、陳皮，勝過街上賣的酸梅湯，於飯後飲用，不但可以降低血壓，且能幫助消化，增進飯益。石斛茶，雖非高血壓用藥，但能使腹內積糞排出，有清導及推陳出新功用，亦為滋養清涼藥，多服并不傷胃。

高血壓的人的菜單，以蕃茄、芹菜、茄子、紫菜、海蜇、豬腰、海帶、海參、干貝、昆布、芹菜最適宜。蕃茄降低血壓，很多醫生公認。芹菜可消熱，袪除肝火旺。茄子維他命P最豐富，可以防止細血管出血。紫菜煮湯，對血壓減低有著效，經許多人食用，效果均好。海蜇作菜，用麻油、醬油、醋拌和味甚佳；用生礦海蜇熬湯，海蜇化成水，並不難吃，功能化痰降血壓乃驗方。豬腰可以補腎，補腎可以平肝，肝火降低，血壓平復。海帶有清火平肝之效，涼拌清燉，紅燒聽便，味道雖不太好，但對高血壓患者有益。海參，含有豐富的碘質，碘質可以醫治血管硬化，為中年人老年人滋補的食品。干貝食法隨便，燉、煮、蒸、煲湯皆可，功能益陰降火平肝。昆布屬於海藻食品，葉厚面滑，味帶腥氣，用以煮湯煨水養陰平肝有效。芥菜是菠菜入藥要食品，芥菜晒乾，名為苦條，對高血壓有預防和治療功效。

馬騰雲

桃花三千丈

趙陀

「生薑還是老的辣，眞高明極了。」克琳高興得將面頰湊到顏芳的嘴邊，顏芳親熱的吻了臉頰後，又吻吻克琳的額角，含有酸意的說：

「未來的任念佩，將佔有了媽媽對女兒的愛。」

「我才不這樣和他吻啦。」

「要模仿外國電影鏡頭是嗎？」

「媽，你好壞。」

「這是事實。」

「事實也別講出來呀！爸爸在講解論語時說：『夫婦之不肖也，可以為也，及其至也，雖聖人有所不能也。』」

「得了，得了，又跟你爸爸學那些陳腐的一套論語孟子，搖頭幌腦，牛少爺只要聽到你爸爸開口講這些時，很快就搦出了萬金油搽擦頭部及太陽經。」

「馬繼元呢？」克琳像是在考驗顏芳似的。

「他到我們家來時，武俠小說與金瓶梅隨身攜帶，只要你爸一開講，小馬頭就低下，看自己所要看的荒唐小說了。」克琳笑了，顏芳說：

「鬼丫頭，你眞以為媽是一頭綿羊是嗎？」

「也只有媽和我可談心事，雖然媽常諷刺我，但這種刺是女兒也願意的，有時被刺得很舒服。」

「對了，小鬼頭幾天未洗澡了，讓媽給你洗洗澡擦擦背。」

「媽，你亦夠累的了，明天洗好嗎？」

「不，懶孩子，明天是洗不完的，今晚一定要洗，養成清潔的習慣，講孩子，你任哥哥……」

「媽，你總喜歡抓人癢處。」

「舒服嗎？」

「血都在沸騰，媽。你摸摸看。」

「鬼丫頭，媽又要澆冷水了，『幾度梳粧成，君看不言好』還無所謂，可怕和焦慮的是：」

「是甚麼？」克琳驚異的問着。

「只此雙娥眉，供得幾回作。」

這時的克琳感到不悅，頭低下來，靈魂的窗口，很快濕了，緊一把淚一把，乃顏芳最新式的武器，戰勝了多少英雄豪傑和富商巨賈，現在竟於向克琳實施戰鬥教練，克琳於感受中學習，體會中領悟，只是自己陷於迷茫迷惘的境界，進步於不知不覺之間。（廿七）

楚文拾遺（二）

王曰叟

碧詩塾，鄂之荼坰望人，頗以詩文名倚帝。抗戰中，避寇移居四川，其同里陳豫生聞之，自鄂馳書奉候，嗣獲覆箋，文辭典麗，音致高雅，雖語皆駢偶，然信筆拈來，一若出於自然，較之一般刻意對仗，推砌為篇者，不可同日而語矣。茲錄其函于后：

豫公賜鑒：別十餘年，東流桑，飄候疏遼。入蜀以來，故鄉交舊，同處顚沛苛尾之境。懷弟昆於流水，呼伯叔於旄丘。豈不見思，遠莫之致，乃於荒山窮谷之中，歲暮天寒之際，獲奉賜書，並誦佳什。德音金玉，不隔山河；故人起居，如親杖履。積思遐想，為之一快。僕自十六年秋，投袂舊京，飢驅南下，橐筆京滬，藉隱姓名。嗣在秣陵備員監院，幸所棲託，念其衰庸，假以老秘書之廢銜，祖同薔郎署之冷秩。次公之狂猶，告中散之懷不羈。遂乃旅進退於台桓，寄浮沉於人海。自公退食，與古為徵。掃葉尋山邀笛停步。天保城之秋風蟪蟲，弔猿鶴之不歸。莫愁湖之烟雨芰荷，伴鷗鷺而忘返。以致旅舍蕭瑟恆掩門庭。陋巷依棲，不通車馬，辱行旆，壓阻高軒。職是之由諒不我罪。大作自壽及拜蘇等篇，遠攀陸放翁之高躅，近師吳祭酒之麗藻。謝華啓秀，齒宿才新，足令郢客揚聲，詩人斂手。屬次遠韻，自省闕如。謹檢篋衍寄奉舊稿去鄂四章，藉抒離索。乞賜斧裁，並請轉之舊游，代陳鄙狀。在昔子瞻海外，頗傳存亡，太白夜郎，人疑生死。倘邀省覽，藉展哥塵，所幸感也。專肅並頌惟希不宣

弟詩塾拜啓　二月三日（民國三十三年）

中華民國內政部內銷證內版台報字第〇三一號
中華民國僑務委員會登記證台數新字第三二三號
中國郵政台字第一二八二號執照登記爲第一類新聞紙

自由報

第一〇〇九期

（本報每周星期三、六出版）
每份港幣壹角・台灣售價新台幣弍元
社長李運鵬・督印黃行督
社址：香港九龍彌敦道593—601號
創興銀行大廈八樓五座
LIU CHONG HING BUILDING
7th FLOOR FLAT 5
593—601 NATHAN ROAD,
KOWLOON, H.K.
TEL: K303831
電報掛號：7191

優美的民族文化與高尚的民族精神（中）

洪同

中國正統思想，不以將某一觀念存在於內心爲滿足，而是要求將其表現於作爲之上。所以孔子說：

「吾欲託之空言，不如見之行事之深切著明也。」

孟子也說：

「人皆有不忍人之心。先王有不忍人之心，斯有不忍人之政矣。」

「不忍人之心」，是存在於內心的觀念；「不忍人之政」，就是將之表現於作爲之上。孟子認爲先王之所以「大過人者」，就是能夠將觀念表現於作爲之上。

孟子又說：

「仁義禮智根於心，其生色也，睟然見於面，盎於背，施於四體。」

將存在於內心的仁義禮智，現表於外使其由隱微而彰明，這就是「文明」的境界。

「文明」與論語之所謂「文章」，似是相通。「章」之義，就是「明」。易經姤卦有云：

「天地相遇，品物咸章」。

論語子貢謂孔子曰：

「夫子之文章，可得而聞也。」

朱註說：「文章」是「德之見於外者」。內心之德見於外，就是由隱微而進於顯明，也就是「文明」的境界。

論語孔子曰：

「大哉堯之爲君也，……巍巍乎，其有成功也，煥乎其文章。」

文章即是指堯之德見於作爲者而言。所以吾人可說文明與文章似有同一的意義。

以上是說明文化與文明的意義。現在我們再討論中國文化的特質。

各民族的文化，皆有其自己的特質。各體文化，即以其特質而互相區別。一種文化之是否高尚優美，亦視其特質如何而定。中華民族的文化之所以高尚優美，由於其具有以下的特質；

第一、仁愛的特質

蔣總統在「反共抗俄基本論」一書中昭示我們：

「我們民族主義的基礎，是以仁愛爲中心的道德。這道德的力量，就是從家庭愛，到國家愛與民族的倫理之中，在在都能具體的表現發揚出來的。這是我們中華民族立足亞洲，歷經變亂，仍能生存和發展的基本力量。我們認爲民族的形成，雖有其他物質的各種條件，但是我們民族倫理的力量，實大於其他一切物質力量的總和。」

我們的倫理哲學是以仁愛爲中心；此一哲學思想，源遠流長。虞書皐陶贊大舜之德云：

「好生之德，洽於民心。」

又周書太誓云：

「雖有周親，不如仁人。」

又孟子引古語：

「仁者無敵。」

這都是說治國平天下之道，首在於行仁

以仁愛爲中心的倫理哲學思想，至孔子而益發揚光大。

論語孔子曰：

「吾道一以貫之。」

孔子之所謂「一」，即是指仁而言。孔子自言其道是以仁貫通一切，亦即是以仁爲綱維。故孔子之倫理哲學中一切德目，皆爲仁所涵攝。

至於仁之基本涵義，即是「愛人」。此可以孔子之言解釋之。論語云：

「樊遲問仁，子曰：『愛人』」

孟子亦曰：

「仁者無不愛也。」

孔孟皆以「愛人」釋仁，可見「愛人」是仁之基本涵義。

孔子自言其道是以仁貫通一切，就是因爲「愛人」是仁之基本涵義，而一切德行皆是愛人之表現。不愛人者，絕無慈孝忠信之行。例如對子弟無仁愛之心，何能有慈？對父母無仁愛之心，何能有孝？對國家與長官無仁愛之心，何能有忠？對朋友無仁愛之心，何能有信？此種道理極爲明顯，無待申述。

因此，我們可以說仁愛涵攝諸德而爲諸德之根源。

由於這種以仁愛爲中心的倫理哲學，無論政治，經濟、教育、宗教乃至刑罰，皆是植基於仁愛之上。

以仁愛思想貫通於政治思想中，我們乃有「無一夫不獲其所，無一人不樂其生」的理想。禮運大同篇，可爲此一理想的代表：

「大道之行也，天下爲公。……使老有所終，壯有所用，幼有所長，矜寡孤獨廢疾者，皆有所養。」

「導千乘之國，……節用而愛人，使民以時。」

「居上不寬，……吾何以觀之哉？」

由於主張爲政應以仁愛爲本，孔子乃認爲治國之道，德化重於刑治。故云：

「爲政以德。」

「導之以政，齊之以刑，民免而無恥；導之以德，齊之以禮，有恥且格。」

孔子並非摒棄刑治，而是認爲刑治之上，應有一更高的境界。法家論政，僅知刑治之效，而不知德化之功，此法家之不如儒家處。

至孟子更本孔子「一貫」之說，演爲「仁政」之論。認爲治國應本「不忍人之心」，使人民獲得幸福理想之生活。故讚禹稷之德云：

「禹思天下有溺者，猶已溺之也。稷思天下有飢者，猶已飢之也。」

又對梁惠王論政云：

「七十者衣帛食肉，黎民不飢不寒。」

以仁愛思想貫通於經濟思想中，我們的理想，乃是使人民各遂其生活之所需，而無所偏頗。

論語孔子云：

「丘也聞有國家者，不患寡而患不均。」

對孔子所說的「均」之精神，蔣總統在「民生主義的經濟道理」訓詞中的一段話，是最好的解釋：

「民生主義的根本精神，一方面是建設國家的事業，培養人民的事業，使其可以改善民生；一方面是節制私人的土地，使其不能操縱民生。申言之，中國經濟的道理……使資本國家化，享受大衆化，實現民享的理想，達到富而康樂的境域。」

孟子也是以仁愛思想貫於其經濟思想之中。故對齊宣王有云：

「是故明君制民之產，必使仰足以事父母，俯足以畜妻子。」

中國教育思想，亦是以仁愛爲本。孔子云：

「有教無類。」

「自行束脩以上，吾未嘗無誨焉。」

「誨人不倦。」

孔子對教育所持之態度，正是仁愛之表現。故孟子引述子貢稱孔子之言曰：

「教不倦，仁也。」

中國古代亦相信有上帝與鬼神的存在；並相信個人之禍福，純依上帝與鬼神對其好惡而定。（上帝亦稱「天」或簡稱「帝」。）不過上帝與鬼神係出於人之想像，其性格是人所賦予的。上帝與鬼神之性格，實際上即是人之性；上帝與鬼神之好惡，即是人之好惡。故皐陶謨云：

「天聰明自我民聰明；天明畏自我民明畏。」

這正是說明天之表現即是人之表現。

中國的上帝與鬼神是仁愛的，此亦足以反映中國人之性格亦是仁愛的。

商書云：

「上天孚佑下民。」

「惟上帝不常，作善降之百祥，作不善降之百殃。」

左傳宮之奇諫虞公曰：

「鬼神非人實親，惟德是依。」

墨子云：

「古者聖王明天鬼之所欲，避天鬼之所惡，以求興天下之利。」

以上所引，皆足證明中國之上帝與鬼神是仁愛的，此即是將仁愛思想貫通於宗教中。

中國人對於刑罰的觀念，亦是以仁愛思想貫通的。

虞書皐陶謨云：

「刑期於無刑。」

論語載曾子對掌刑罰之官說：

「如得其情，則哀矜而勿喜。」

昨日與明日

爲吳延環喝采

成公

本報立論，一向就事論事，從不爲人的關係而批評人；（如有批評，皆係因其所作之事不當），更不專文爲個人捧場；現在破例：撰文爲立法委員吳延環先生喝一次采。

喝采，當然是起於懲誡魏惜言。但我們喝采的原因却不是爲了這懲誡的「本身」。如就這事本身來說，立法委員中固多可敬之士，而行爲醜劣，不符民望者，實又大有人在。罵兩句人吵吵全場，豈不是小巫見大巫。在我們選民看來，早已司空見慣，不足爲奇了。再就懲誡的動機來說，這事背後，究竟有沒什麼背景，甚至是否如魏惜言所宣稱，吳延環是和他有私怨……。這一些，我們老百姓都不清楚。因此就事的本身說，實用不着喝采。而使我們喝采乃是，在我們的國會中，居然有人能破除情面，挺身而出，堅執制裁，維持風紀，這實在，還是首開紀錄之舉；頗使我們喜出望外。

二十幾年來，我們的國會議員（立監委，國大代）成了天之驕子。這在束身自愛之士，自然是加倍努力，爲國宣勞。但少數害羣之馬，却利用這「三不管」的特權，作出許多令人不愉快的事。政府既不能管，選民又無從改選？唯一途徑只有留待[illegible]自己約束。但是事實告訴我們，議員們，大家都是多年的同事，誰好意思出頭過問別人的事？在情不得已下，也不不過「點到爲止」？誰還能堅持下去，一定要怎樣。二十年來，立法院有很多次自行約束紀律的運動，但那次眞正制止了什麼人，那次約束了什麼人。這在許多潔身自好的委員們固是言之痛心；而在社會上則失望憤恨之餘每認爲議員諸公個個都是鄉愿！

現在我們居然看到吳延環委員能夠這樣大仁大義，堅持制裁到底，在我們選民看來，眞是空谷足音不勝慶幸之至。吳委員在抗戰期間，深入敵後，捨生出死，對國家民族盡了其應有的責任。來台後平素爲文立論，又多守正衛道之言，今天這一義舉出自吳氏實非偶然。我們希望國會今後都能確保和發揮吳氏這種精神，則立院幸甚！選民幸甚！國家民族幸甚！

自由談

高爾夫亡國論

馬二爺

老朽月前赴台觀光，見祖國人民安居樂業，生活水準提高，經濟建設進步，工商企業繁榮，尤以三軍訓練精良，士氣高昂，充滿復國信心，眞是一片中興氣象，好不樂煞人也。不過在許多樂觀現象之中，也不無若干令人看不慣的地方，高級官吏之高爾夫，即其一例。

活躍於高爾夫球場的有達官顯宦，民意代表，也有巨商富賈，與教授中低級公務員以至小商人無份焉　因爲高爾夫是一種貴族式的運動，最費錢的玩意兒，不是一般國民都能玩得起；而且高爾夫球場距離台北，有二十多公里，非汽車無以代步。高爾夫本來是種高貴的運動，無可厚非，但是細究內情却發現許多文章。玩高爾夫的，起初不過少數「首長」字號的人物，次層政治人物爲了趨炎拉攏，也不少「跟進」了；再次級人物覺得此中寶山可以發掘，因爲這些大吏平時甚忙，要想登門拜謁，有所企求，很難見上一面，就是能夠見面，也不易暢所欲言。但在球場上見面就比較容易了，談話的機會也增加了，接近的機會也增多了。如果本來不甚熟悉的，藉此也可以混熟了；玩熟了，混熟了，也就無所不談了，於是人材遂由此出，藉此更上一層樓。更何況這裡面儘多民意代表和豪門巨商，官商之間如有糾葛，經代表（在這方面代表民意了）從中斡旋，也就可以大事化小，小事化無。這樣球場本屬運動場合，結果遂變爲官場趨炎拉攏，奔走權門，以至官民（民意代表也）聯絡，官商勾結的場所，豈不大失運動本意，構成政治革新的絆腳石。

其實，如講運動，如爲運動健身，除高爾夫外還有不少的其他運動方式，如打網球，健步，登山，太極拳等等，何必非「高」不可。坐公家汽車，燒公家汽油使用公家司機去玩球，嚴格講來，本身就是一種貪污行爲；而且，如果藉高爾夫球，企圖達到其他政治上，商業上的目的，那對於政治風氣，社會風氣，更造成不可言喻的惡果，此風實不可長。

寄語祖國中樞當局：不妨調查一下：高爾夫球場俱樂部會員都是那些人？那些官吏常去？平均玩一次球要用多少錢？每年化費多少？以公務員待遇之菲薄（連民意代表待遇也要同樣看齊），怎能會如此開支？官吏如此迷高球，對政治和社會發生怎樣影響？昔人有詩，諷刺南宋偏安後之政局有句：山外青山樓外樓，西湖歌舞幾時休？暖風薰得遊人醉，直把杭州作汴州！有心人士不知亦有同感否？

立委不滿嚴院長報告
防洪計劃亦敷衍塞責
吳延環說應以治水為第一要件
蔣肇周不滿意石門水庫的措施

（本報記者張健生台北消息）今年九月二十五日及十月三日，台灣地區連續遭受艾爾西、芙勞西兩次颱風侵襲，造成嚴重災害，因此，各級政府各級民意機關，咸表重視，如軍警救災的事蹟，如上自行政院嚴院長、國防部黃部長、省主席陳大慶、台北市長高玉樹等，在水患嚴重時，均至各災區視察並慰問災民，省議會組團考察災區，台北市議會質詢水患，監察院推陶百川、陳翰珍、王文光等三位委員，成立專案調查小組，於十月十四日開始調查。立法院第四十四會期第四次會議，變更議程，請行政院嚴院長報告兩次颱風風災水災及善後措施並答復質詢。

現在，各方面正在發動救災運動，尤其中國國民黨黨員連日紛紛向中央黨部捐獻，作為救災之用。

此間民間輿論對石門水庫之放水，對台北下水道之不通，以及認為這次水災關係「人謀不臧」所造成，均表示意見。但在民間輿論中，則以立法院的質詢較具體有力，且有實效。因此，本報僅就行政院之報告、立法院的質詢與嚴院長的答復，作有系統的綜合評述，俾讀者一目瞭然。

據行政院嚴院長在立法院報告：九月二十五日的艾爾西颱風，風力強大，挾帶豪雨，台省各地都有災害，尤以中部地區蕉園受強風吹襲，損失最重。十月三日的芙勞西颱風，風力雖較小，但行進緩慢，滯留時間較長，台灣全島均被籠罩在暴風圈內，尤以北部地區，低窪地區積水最深處約達三公尺，災情以台北市和台北縣的三重市、蘆洲鄉、五股鄉以及宜蘭縣的多山鄉、五結鄉、三星鄉等地區，最為嚴重。

兩次颱風災害狀況，計死亡一百廿一人，房屋全倒者一萬零三百間，半倒者一萬七千六百五十三間。堤防受損者一百五十九處，共三萬九千零十五公尺。船舶損失計沉沒六十艘，流失者十艘，損壞者二十一艘，觸礁者兩艘。交通方面的損失，鐵路坍方者有八線。公路計有省道受災者十三線，橋樑引道沖毀者十座，坍方者約十三萬公方，路基沖毀者約三千公尺。縣鄉道受災者二十四線，橋樑損壞者六座，坍方路基約五萬公方。台北國際機場因積水共停止使用五十五小時，儀器降落設備進水，進場燈光標誌及屋頂通氣管損壞，各電台機房宿舍以及倉庫均受損。電信部份，電話纜線受損七萬四千四百廿九門，長途電話損壞九十七路，電報線損壞二十三路。電力部份，艾爾西颱風損失四千九百餘萬元，其中多為輸配電線路及水力發電水路。芙勞西颱風損失約一千二百萬元，大部為配電線路損失。受艾爾西颱風吹襲影響，以稻谷和香蕉損失較為嚴重。據調查，無稻谷收穫面積約為兩萬六千公頃。無香蕉收穫面積約八萬二千九百公頃，減少產量五百萬簍。（如每簍以美金六元計，即達三千萬美元。）

特別災情計：艾爾西颱風過境期間，台東縣卑南鄉大南村午夜發生火警，燬住屋一百六十戶，死亡四十三人，受傷四十二人。芙勞西颱風期間，台北、桃園、新竹三縣境內三處山崩，共三十四人被押死亡。

嚴院長並對芙勞西颱風造成水災之原因加以分析，他說：自十月一日起至六日至，估計淡水河流域降雨總水量約為二十三億八千萬立方公尺，約等於八個石門水庫容量。由於各地山區降雨特大，奔騰下瀉，淡水河幹支流水位驟漲，淡水河、基隆河、新店溪、大漢溪之水位均超過警戒線，淡水河之三重市、五股、蘆洲鄉一帶，地勢低窪，遂告淹沒。同時，基隆河之松山、大直一帶亦告氾濫成災，且淹水時間亦較過去歷次洪水為久。石門水庫此次洪水期間之運轉，其洩洪量均小於流入量，故不增加下游洪災。台北盆地四面環山，標高二十公尺以下之面積為二四〇平方公里，但淡水河之流域面積為二、七二六平方公里，其三大支流均匯流於盆地，經台北橋下達關渡至淡水出海，因此關渡為淡水河所有洪水量之唯一出口，原寬四六〇公尺，宣洩不暢。蘆洲、五股一帶，地勢特低，標高僅在海拔以上一、五至二公尺，潮水高潮一、八公尺，即行倒灌，開渡拓寬部分在低水位以上，河口至關渡下游未變動，進潮量不致增加，因此關渡拓寬，對蘆洲、五股一帶，並無影響。至於淡水河防洪計劃，現正由經濟部水資源委員會綜設小組復核研究之中。

台灣損失三百億
人為不臧應負責
嚴院長一心為水庫辯護

這次水災問題，立委梁棟說是「人為不臧，應負部分責任。」這次的災情，據立委胡鈍俞說：「據非正式統計，政府與民間損失約為一百億至三百億元之間。」立委吳延環說：「政府設施，應以『治水』為第一要件，如果一個政府不能負起治水的責任，就失去存在的起碼條件。」立委溫士源說：「我聽到嚴院長的報告，並不滿意。因為，整個報告內，除了說明最近兩次颱風對於台灣省與台北市造成災害的實情外，只有為石門水庫與關渡拓寬辯護，至於所謂今後各項防洪計劃，亦多係敷衍之詞。」

石門水庫對於防洪究竟有無幫助？立法委員的質詢跟嚴院長的答復，並不一致。

立法委員蔣肇周質詢說：淡水河防洪，自石門水庫築成以後，便感不易。蓋石門水庫未建前，因河流自然流水，有多少便流多少，並且分流到桃園地方。自從水庫築成便集中放水。原先自然流水量最多每秒六百立方公尺，但集中放水，最高達到每秒四千立方公尺，以台北淡水河的流量，每秒不過一萬立方公尺，上游既有四千立方公尺的水量流入，復又有海水倒灌，台北焉能不一片汪洋。

戰慶璉委員認為台北市政當局應共負失職之責。這次大水災，乃是「三分天災，七分人禍。」高玉樹市長疏忽職守，逃避責任，應向中央引咎辭職，以謝市民。」

溫士源委員質詢說：「嚴院長的報告，並不滿意。嚴院長說：石門水庫的洩洪量並不比吸洪量大，可是行政院又設有專案小組來研究另闢分洪道的計劃，如何使石門水庫的洩洪量分由桃園或新竹出海。石門水庫的吸洪量比洩洪量大，那就是說石門水庫沒有害處，既無害處，又何必研究另闢分洪道？既研究另闢分洪道，這就證明石門水庫顯然有害，而嚴院長仍然為之辯護。」

搬出亞里斯多德
直言相談責市府
我們所求的安全與生存

吳延環委員質詢：「一千五百年以前，希臘哲學家亞里斯多德有一句名言：『市政府對於市民應盡的職責，第一是給他們方便，第二是給他們幸福。』在二千五百年後的今天，我們並不心存奢望，既不敢要求方便，更不敢要求幸福，我們所求的只是『安全』與『生存』。但是，現在連這樣最低的要求都得不到。因為，我們市民始終在『不安全』與『死亡』的恐懼中生活著。颱風一來，使人人膽戰心驚！」而「水災一來，便把每個人都推到『不安全』與『死亡』的邊緣！過去治水的方法，可稱為『頭痛醫頭，腳痛醫腳。』記得石門水庫建築之初，有專家認為：該水庫在五十年內，泥沙堆將水與壩口齊平，對於台北市區將形成重大威脅。」吳委員希望嚴院長以大政治家自任，一面檢討過去「治水」政策的缺點，進而制訂一項新的治水方案，來付諸實施，使台北區水患，成為一個歷史上的名詞。」

立委胡鈍俞對石門水庫防洪的作用，「表示懷疑」。他認為：「石門水庫有四大目標，即灌溉、防洪、發電、給水，但實際上如欲同時達成此四項目標，只有另開水庫。否則，惟有放棄其中目標，始克有濟。石門水庫當局不敢提前洩洪，即為顧及發電，深恐萬一颱風無雨，則水位不能保持，勢將影響發電，故石門水庫不能同時兼顧四大目標，為重視防洪功能，必須犧牲發電一項，或作不定期的停止發電，務使石門水庫可以酌量提前放水，也就是增加了防洪功能。」

嚴院長於答復立委質詢石門水庫問題時說：「並非說石門水庫沒有防洪的功用，而是『石門水庫』已盡到它所能做到的防洪能力。」蓋「石門水庫滿水的水位，是海平面上二四五公尺，可容納的水量是三億一千六百萬立方公尺。事實上，壩頂的高度是二五〇公尺，壩頂上還有欄牆兩公尺，也就是水位最高可以到二五二公尺，不過那樣做是十分危險的。所以最高水位定為二四五公尺，稍微高一點也還可以承受。如把水全都放了，有兩個標高，一個是一九五公尺，通常叫做死水位。石門水庫未做前，原有桃園大圳，現在也包括在石門水庫系統內，水位到一九五公尺時，桃園大圳還有水，不過石門大圳就沒有水了。至於發電用水，十分有限，降到一九五公尺還可以發電。第二個死水位是一七三公尺，連桃園大圳也沒有水了，到這時候就不能再放了。到發電、灌溉都沒有水時，水庫的死水還有六千五百萬立方公尺，也就是說滿水同死水相差二億五千一百萬立方公尺。最低的死水水位，同最高的滿水水位，究竟還當保持多少，就是值得檢討的地方。平常的防洪水位是二四五公尺，防洪的容量的六千萬到七千萬立方公尺，石門水庫有其防洪的作用，但其作用不夠大。至於能否將防洪水位降低一點，就是值得研究的問題。在一九五公尺同二四五公尺間，在不妨礙石門大圳的灌溉和季節性的調節之下，有沒有可能再放一部分，也是值得研究的問題。

台北防洪的問題：立委梁棟質詢說：大禹能在八年之內以人力來疏通九河，使水入注於海，人民得以安居。台灣是一個很小的地方，而今天的防洪，已有科學方法及可用機械來疏濬河道，應該切實有效的把根本問題解決，如根本問題不解決，要是再來幾次這樣大的水，則敵人不打我們，我們自己已居於一個危險的地位了。」

幾十億善財難捨
三百億大江東去
政府看得輕鬆帶來災害

自葛樂禮颱風發生後，政府與民間都很緊張的要設法解決台北區水患問題，計劃一下就完了。所以今天會造成這樣嚴重的禍害，是政府把這個事情看得很輕鬆，尤其是捨不得花錢！胡鈍俞委員接著說：要解決台北區大部分防洪計劃，需費幾十億元，因政府不願用這個錢，計劃就擱淺了。這次一連遭受兩個颱風災害，據非正式統計，政府與民間損失約為新台幣一百億至三百億之間，究竟是花幾十億元合算還是花幾百億元合算？政府不肯用錢，是最值得我們檢討的。如果這個防洪問題，以前沒有警告過還值得原諒，那時的水災大家已覺得是不得了的事，而其防洪工程到現在為止不過是多築了一點堤防，除了台北市有點幫助外，對其他地區為害反而加重。凡對一個國家的大計，不能斤斤計較於錢，而不顧嚴重的後果。所謂亡羊補牢，羊跑了，牢並未補好，今天還是用亂子，政府應該要負這個責任。為什麼經過葛樂禮颱風的災害，還不及早設法防患於未然，而遭此次這樣大的災害呢？值得檢討。

胡鈍俞委員認為：「若像過去一樣，我不是危言聳聽，幾百萬人口的大台北區，將來恐怕變成一個湖。什麼道理？因為台北是一個盆地，它的海拔，最高亦不過七、八公尺，低的如五股鄉、蘆洲一帶，只有一公尺半，這樣一個低窪盆地，來建一個首都、建一個大台北區，對洪水不加預防，整個區域要被淹了，河床泥沙的淤積一天多一天，水患亦將一天嚴重一天，不要以為今天還不太嚴重，如再過三、五年，整個台北沒有一塊乾燥之地，負政府責任的人不能不把他看成嚴重的問題。

嚴院長在綜合答復立委質詢時說：台北市政府修建道路的計劃經費是十三億元，下水道列三億元，雖比道路經費少，但亦是從前所未有，是否可以增加，亦在研究之中。日據時期的台北市，沒有修築下水道，只有明溝來處理污水同雨水，效力非常小。台北市有下水道，還是光復後近幾年的事。下水道能否完全解決洪水問題，答案是只能解決一部分，因為基隆河與淡水河的水位高於市區的地平面，下水道也就難於發生作用了。

嚴院長在立法院會報告基本解決的計劃，他說：「石門水庫建築時，地質專家提出下游再做水庫」，這樣，「會使台北方面的水減少或降低流速」。此外，「如在大漢溪興建三鶯水庫，容量約三億立方公尺。在新店溪興建翡翠水庫，容量約一億餘立方公尺。在基隆河上游開闢山子隧道洩洪出海」。在「治本計劃最困擾的問題就是溫子圳，這個計劃沒有放棄，溫子圳有其價值，問題就在淤沙」。如何解決這個問題？大台北區的住民拭目等待政府的行動。

（完）

喬治桑外傳　一九

張大萬

「讓我看，現在是正午十二時差一刻，我有一個飯局，下午兩點我有約會，我們一點半碰個面好不好，談二十分鐘夠不夠。」古有方的節目比喬治桑更緊湊，儼然是要人派頭。

「好的，好的，準一點半我在明月咖啡館等你。」喬治桑知道古有方比抓落帽風還難，那敢放鬆。

喬治桑掛斷電話。隨又坐在沙發裡，點上一支三五牌香烟。在台灣借債的人都要有頭等享受，台灣殷實商人反而抽新樂園，這大概也是海派人物沒落的因素之一。

「你打電話約古有方，是不是想向他借錢？我想這不大好吧，他不過是你的打牌朋友，並沒有共經濟事業……」雅麗絲到底是一個天真女孩子，那裡知道上層社會人與人關係的微妙、複雜。

「我當然不會向古有方借錢，我約他談話另外有事。」喬治桑打斷雅麗絲的話頭。其實他找古有方就是為了借錢。他向雅麗絲扯謊，足見他是一個不夠虔誠的基督徒。

照例的每逢喬治桑在家吃飯，雅麗絲必定親自下廚。因為喬治桑很喜歡她燒的菜。現在才知道她的烹飪術從母親學來，難怪有濃厚的蘇州口味了。

雅麗絲端上來一碗火腿冬瓜湯，一碗冬菇炒白菜，一碗筍子紅燒肉，一碗生炒黃瓜加開洋，又煎了一塊香港進口的漕白魚。菜很清爽，也合喬治桑的口味，可是今天他有事在心只吃了一碗飯，菜也吃的很少。

（未完）

文涯樓別記

打報館的風氣，在大陸各地非常盛行。民國三十五年「衡陽王」北洋時期，小軍閥王熾昌，率衆打中華時報，助兇爲唐某，（現居台灣亦不得意）面子抓破後，衡陽王亦就愬斷不下去了。民國三十六年，衡陽中華時報以「仇市長（碩夫）應該走了」爲題，開罪當地政治最高主管。而仇市長竟發動地痞流氓同警察攻打報館。結果賺到「先行撤職聽候查辦。」那時奉命調查這件案情的，好像是兩湖監察使楊亮功先生，他說：「爲了愛碩夫，亦得趕快離開。」語焉之間，仇雖然是當地政治最高首長，但非中華時報對手。湖南省政府主席王東原，接受楊亮功的意見，對仇撤職查辦。當衡陽各界清算仇碩夫時，中華時報著論反對，仇才能好好收場。仇因感謝該報負責人寬大恩德，自動登門行三鞠躬禮道歉。

捉蚤計退娘子軍

今天敘述是華北某地方報，在三八婦女節那天，有侮辱婦女口氣的文字。這家報平常的公共關係本就不大好，再加上黨團力量加以煽動，當地的婦女會決定了一個議案，認該報既然引習孔夫子的話臭婦女界，婦女會就祇好用馬桶便溺倒在編輯枱上，臭一臭這批搖筆桿子的人。共發動了一百幾十位娘子軍，五十個馬桶，三十個尿盆，卅幾把馬桶刷子，準備遭受抵抗時作武器的用。

這家地方報的消息很靈通，立即到警區警察局報案，警官告訴報案的人：「婦女會的綱幹事就是某局長夫人，閣下今天豈非上我們的馬樁嗎？」（合肥土話，意思簡直要我們的命嗎？）未料半路上殺出一個李逵來，素有朱士杰之稱的報館主筆某君，向社長討這份差事，謂祇化五十元（銀幣），保證可擊退娘子軍。他的辦法，正如武俠小說上的「絕招」。開始大家對這位主筆的話半信半疑，後經過解說，在無可奈何之中，也祇有這樣做了。

當娘子軍大隊人馬迫近報館的時候，發現幾十個乞丐，都坐在報館門口，褲子半脫或全部脫下晒太陽，捉蚤子，這是北方下流社會窮人的習慣法，其醜固不在話下，這種下流習慣非知識婦女面對實現所能受得了。有的說該死，有的說男人這樣的不要臉，有的主張控訴報館妨礙風化。不過話又說出來，漫罵是一回事，娘子軍既不能進，就祇有退，退的時候誰還肯再提着馬桶沿街跑呢？這一批價值百元銀幣的「新武器」，祇好都自動繳械，丟擲在報館附近。乞丐們受僱是五角錢，又檢到一批新馬桶、痰盂，就乞丐本身來說，眞所謂不戰而屈人之兵是爲上策。一場笑劇就此結束，這是發生在三十年前的新聞。

台灣還有一些政治垃圾，近來常想打報館的主意，發動張三遊說李四，欲提案修理報人，據我們所知道的，這種發動「呆狗咬狼卵子」的事，沒有一個願意上當的；即是能夠獲得一點小勝，何況很少可能，還要付出無比的代價和冒險，乃至於使政治生命壽終正寢。

文匯樓主

敵人筆下的衡陽戰役（中）

趙慶昇譯　陳會瑞序

如果自中越邊境之鎮南關起，經南寧至柳州，以汽車完成中繼，則自柳州以鐵路運輸可直達朝鮮南端之釜山。換言之，自新加坡至東京間，除朝鮮海峽實施短距離之海運外，可于陸運交通。

決心之下，雖移山塡海之難，亦有成功之日，惜我軍已成強弩之末，終致功敗垂成。然「打通大陸作戰」之名，却因此一戰略理由而得。

衡陽戰役，眞相被當時的軍方隱瞞，致日本國內人們多受矇蔽，迄今仍未知其地名者，大有人在。

衡陽之戰，如欲惹人矚目，可稱之爲「華南的旅順之戰」。此種比喻雖稍嫌誇張，但稱之爲：「中日八年作戰中，唯一苦難而値得紀念的攻城」一戰則絕對正確。

日俄戰爭時（一九〇四）之旅順要塞，原計劃于一晝夜間攻佔，而實際費了四個多月時間，并付出了傷亡五萬九千餘人之代價，乃成爲世界最大的「攻城之戰」。第一次大戰之貝當要塞攻略戰，尙且瞠乎其後，如將衡陽戰役喻爲旅順之戰，實嫌誇大。但衡陽之戰，原擬定一日之間結束，而實際却延衍了四十多天，不獨嚴重的妨礙「打通大陸」的日程，並且還受了近兩萬人的重大傷亡，這一苦難的戰役，豈非値得紀念。

自出發點——岳州——至衡陽，公路不通，鐵路亦被徹底破壞，行軍補給之難，可想而知。在如此艱苦狀況下，預定在一日之間攻佔衡陽，其必勝之信念，誠屬可嘉；其廟算之粗率，罪無可道。

衡陽戰役之初，僅用於攻城之兵力第六十八及一一六等兩個師團，其餘主力，則照例已出沒於殲滅作戰之途。橫山司令官以下，中度參謀長，島貫作戰主任等首腦人物，均集中注意於第九戰區在東南方之野戰軍，並指揮第三、十三、廿七、四〇等四個師團，繼續運動於衡陽之東，以期邀擊敵人之主力。對衡陽城之攻擊，似感無足輕重。茲以大隊分別顯示當時之兵力分配，對橫山之作戰重點，即可一目瞭然。

一、邀戰敵人主力三五大隊，二、構築後方道路二〇大隊，三、攻佔衡陽一五大隊，四、後方地區警備一〇大隊。綜觀橫山之兵力分配，其用於攻擊衡陽者，尙不足總兵力之二成，難怪事後遭大本營之斥正。部隊自長沙南下之後，橫山將其指揮所推進於長沙之廢墟中，旋即以全付精力注意於殲滅之育成。其構想，係以兩個師團向衡陽攻擊，主力進出於衡陽以東之山地，一面消滅敵人之援軍，一面伺機圍殲敵人之主力。其如意算盤，雖未實現，但又與大本營之觀念相逕庭。

負責攻城之兩師團，鑑長沙之攻佔，已被他人捷足先登，功震全國，乃急起效尤，一時戰志如雲，於六月廿八日，正式對衡陽發起了強攻。

一夜間，攻佔了衡陽機場。

六月廿六夜，松山圭助上校，率獨立步兵六十四大隊，於一夜之間，攻佔了衡陽郊外之機場。

先是，橫山司令官於部隊自漢口出動之際，以爲衡陽機場，必爲本作戰之困難目標，應預作攻擊準備，乃口頭指示第六十八師團長佐久間中將，令其秘密準備。

對太平洋各島嶼上之機場爭奪戰，其慘烈之情形，日軍之將領豈能充耳不聞。佐久間中將所接獲的，雖係口頭的簡單指示，但其嚴重性亦可想像。其不獨將此任務謹記於心中，並誓以武士道之精神，完成此一使命。迨攻佔長沙以後，乃每夜勒令其部隊實施野營，並利用類似預期作戰之地形，反復演練夜間之模擬攻擊。偶爾於晝間發現敵人之確實警戒位置後，入夜必令其部隊實施滲透鑽隙等實戰訓練，在各種生疏地形，更假設敵人機場，以友軍行周密之警戒，令其部隊作夜間滲透攻擊。

全師官兵一面作戰，一面實施艱苦之夜間攻擊訓練，在極端疲憊與苦痛中，遂漸迫近了衡陽。佐久間師團長，經長期之觀察，以爲松山圭助上校機智而勇敢，且有卓越之指揮才幹，其所轄之獨立步兵第六十四大隊，在訓練中恒有良好之表現，仍將爭奪機場之重任，付託予松山，并正式令其「捨命攻佔！」上校及其所屬之各連長，膺此大任，受寵若驚，滿懷必勝之信心，莞爾受命。（未完）

題黃河萬里圖

·陳邁子·

浩浩滔天黃河水。驚濤注海流萬里。
育我黃魂五千年。搖撼乾坤勢無已。
宛若游龍走大荒。絕似天馬行空際。
蒼蒼莽莽榮有涯。飛騰躍距嗟難濟。
當勢之時洪水流。汎濫天下幾稱秋。
草木暢茂禽獸蕃，五穀不登生民愁。
益烈山澤驅百害。禹跡九河注諸海。
曾鑿龍門導洪流。神工斧痕宛猶在。
河套沃壤桑麻好。后稷教民稼穡早。
周秦富強此奠基。川原膴膴生珍寶。
以農立國敎文敎。敎以人倫明人道。
文化璀燦八埏尊。親親仁民敦慈孝。
地利辟舉河之賜。立我蒸民咸傾倒。
雞鳴耕耒遍舊蹤。萬戶炊烟欣繚繞。
長我胼手胝足人。黃流羊乳何時報。
夷狄交侵來北方。黃河天塹萬里長。
胡人南下而牧馬。秋高朔漠野茫茫。
玄黃浴血奮背水。折戟沈沙古戰場。
斷肢拋頭臨河哭。天昏地黯日無光。
殘烽廢壘遂處是。露　白骨蔓草荒。
沒羈鬼雄呼渡河。留與人間禮國殤。
還共長城依齒唇。吾華生民賴屏障。
丹心碧血照青史。吾華大義賴發揚。
高臺提劍一中土。詔集畫工入內府。
萬里黃河入畫圖。與地披覽過前古。
畫筆點染舊河山。烟波浩淼耐人看。
河隴嶽色猶髣髴。撫今追昔我心酸。
某也秦漢某唐宋。勝蹟一顧一泫然。
君不見鴻濛初闢有江河。
江河行地永不磨。黃河黃帝並黃族。
黃族精神世人欽。
又不見長城長江長萬里。
萬里黃河正堪紀。惟此三者最瑰偉。
吾華之大孰可比。披圖攬衣起徘徊。
堪歎神州付劫灰。天留圖畫存疆場。
鬼神呵護壯三臺。憶昔棄筆從征戰。
我與黃河久識面。壺口船籍古渡頭。
兩山夾河如奔電。曾踏河邊十丈危。
曾聞河吼驚如雷。曾見河力撼絕。
曾履懸橋凌空飛。憶曾河西授生徒。
憶曾河東賦七哀。長憶秋林寒月夜。
黃河六渡去曾回。中有精魂應不昧。
黃河黃魂盍歸來。滾滾黃河浪千堆。
（完）

綜談國劇復興（三〇）

王方曙

國劇的表演，就現有情形來看，已經很好。它是以歌舞爲基本，作聲音及動作的表情，而以面部表情表現更細微的感情。不客氣的說，這是一種高乘的表情藝術；一段歌唱，一句說白，都屬於「歌」式的聲音表演；任何一個手足的小動作，或一大段舞蹈，（舞劍、舞綢、舞袖等）或一大段武打，都屬於舞的動作表演。配合起各種聲音動作，合於面部表情，而成爲整個戲的表演，表現出喜、怒、哀、樂，離合悲歡的情緒，而一切都在歌舞的韻律之中。這是何等美妙的戲劇！是何等多采多姿的戲劇！

但這一種形態的表演方式，也會產生流弊，就是「形式化」。這裏所謂的「形式化」，是指表演都依據固定形式，某種表情，便用某種方式。在甲戲如此，在乙戲，還是如此，漸漸變成了套子，唱有套子，身段有套子，武打有套子，哭有套子，笑有套子，騎馬坐船，都有固定的形式，在甲戲如此，在乙戲仍如此，在丙戲仍如此。即使有小變化，也變化極少。於是，只要會了成套的唱作念打的方式，大致各戲都可以演唱了。（當然有些特殊的除外）有這種情形，雖然我們國劇的表演是上乘的，但看多了也覺平凡，而覺得各戲之間彼此重復。換而言之，本來是變化萬端的，而竟失之於漸趨「千篇一律」。這並不是說國劇的表演完全如此，但至少有些地方會被人發現如此。這樣，會影響我們的高尙的戲劇，減少了彩姿，甚至露出貧乏的弱點。我們以敢於如此直率的指出自己的缺點，實在是爲了國劇的復興；爲了治病，不得不指出病源。希望愛護國劇的朋友們，也用同樣心情，來共同作此檢討，現分別討論如下：

甲、身段與表情：這一部分，就是我們常談的唱作念打的「作」。由於我們的動作是以舞姿爲基本，所以要由走台步、拉雲手至起霸趟馬等基本動作訓練起，而由此引伸至細微精妙的動作，而一舉手一投足，都有基本的軌道。這也是我們最基本的本錢，演員動作不求天然，而全部融於「美」之中。

這種表演的原則，在最初是完全美好的。但漸漸變成了一定的法度：凡這種表情，一定用這種身段；凡那種表情，一定用那種身段。而漸漸趨於形式化。藝術一定要變化無窮的，一有了固定形式，而不能再求變化，便會成爲技術，便成了匠人的技巧，能夠熟練不錯誤，巧妙準確，善盡職守而已。（當然，這僅是理論，我們的國劇並未陷入此種境地），匠人所以不能成爲藝術，不是技術的不够巧妙，而是不能創造和變化。

諸葛亮狂想曲（五五）

·劉玄·

第三樂章奏畢，星君不禁在虎背交椅的扶手上，用手指連連擊節，嘆道：「我現在才知道，韶樂能使孔子三月不知肉味之故。」接着，星君俯首問劉約翰：「你聽此一樂章的內容爲何？」

「約翰愚魯，莫明所以。」劉約翰在大仙面前豈敢賣弄，何況他也實在說不出所以然。

「這是描寫諸葛亮忠心扶持漢室，而又格於形勢，無法展其偉大抱負的苦悶心情。當中的急管繁絃之聲，是形容他內心的感情衝動，然而不久又用理智控制了。你說我的理解對不對？」星君摸了摸長長的白鬍子，這是得意的表情。

「對極了，星君不愧是諸葛亮先生的知音。」現在台灣有一鷄兩吃，一鴨三吃，劉約翰用的是一屁兩拍，既捧星君又捧諸葛亮。

演奏會預定要演奏五個樂章，節目至此已進行過半。星君有鍊丹純陽體，精神奕奕毫無倦容。倒是關羽一來看春秋過份用心，兩次被下界香烟薰得太久，他對鋼琴毫無興趣，所以精神畧感疲倦。但關羽生性倔強好勝，當年刮骨療毒，飲啖自若，不喊一聲痛，華陀手術一完，汗濕征袍，仍然告誡關平、周倉不許張揚出去。現在他在聽鋼琴演奏會，雖已萬分不耐，却還能沉得住氣。不過，他緊鎖臥蠶眉，正襟危坐在頭排虎皮交椅上，沒有敢上前與他說話。

有幾個最坐不住的來賓，像：孫悟空、孝天犬、張飛……等，只要休息時間一到，必然到廊廡走動，同時，彼此隨便說些閒言雜語，以疏散身心。

張飛好酒貪杯，染有輕微胃病，華陀本來建議他開刀割治，張飛不肯。他也有中華文化精神——！身體髮膚受之父母，豈敢毀傷。張飛有胃病，龍岡會友中最崇拜他的蔡飛，送了一盒美國餅乾給他，他覺得這種餅乾的特點是特別堅硬，而味道很香，所以經常帶在身邊，隨時食用。

這時張飛站在廊廡，取出一塊餅乾咬食，發出路支路支的响聲。他忽然注意到二郎神楊戩的忠實走狗孝天犬，瞪着一雙三角眼，露出垂涎欲滴的饞相，

張飛肚內尋思：孝天犬還眞好怪，他每天吃好幾頓牛肉，難道還未吃飽？爲什麼見了餅乾饞成這個樣子？張飛爲了好奇，特意走到孝天犬身旁，大嚼餅乾，好像其味無窮的樣子。

「三將軍好久不見了，你好。」孝天犬很少向人打招呼，這次居然與張飛寒喧起來。

「你好。二郎神爲什麼沒有來？」張飛見孝天犬對他很有禮貌，不能置之不理。遂隨意問起楊戩。

（未完）

巨變歷險記！

不堪回首……（七八）

胡慶蓉

由於好友的催促，丁博士含着眼淚就忽忽然道：……

哥哥們也都成老六走，四哥五哥且抱着勇相送，一直到碭山火車站，一直到看老六上車才離開。

爹可憐、娘可憐、家可憐、鄉可憐、南河之可憐，還有更可憐的，那就是丁博士他本人了。

提起丁博士與南河，有一段很英勇的奮鬥，有一段可歌可泣的歷史，眞不知從何說起。

遠在民國二十年，丁博士親眼目睹瀋陽的九一八事變，有他親自寫的「九一八瀋陽去來」，見商務印書館出版的東方雜誌，大概是民國五十八年二月的一期。他不甘作亡國奴，起而主張立即抗戰，憑他三寸不爛之舌，雄辯滔滔的，以豐富的感情，以千鈞的毅力，從北平起——經天津、濟南、南京、上海、福州、廈門、而汕頭、潮州、廣州、又河南、陝西、山西、四川、雲南，作抗戰的講演。在河南開封，尤爲精彩，有抵抗主義一書，由當時田恩霈先生的師範學校教員原意記錄出版，大量發行。當時在開封的河南省政府民政廳廳長張仿英將軍，在新鄉的豫陝邊區督辦劉鎭華將軍全力支持，一時聲勢煊赫，南京中央方面也有很多人，如洪友蘭先生也非常支持。如何應付抗戰，丁博士有十二點的主張，不料這十二點竟變成了當時省主席劉將軍的「罪狀」，大爲不滿，實行逮捕丁博士，幸也吉人天相，得以逃脫。當時他住在鼓樓附近的時代旅館。而不料從此劉主席（後又兼河南的綏靖主任）就變成了丁博士的死對頭，在他的任（一共不下十幾年）內，始終當心丁博士，不准他回到河南，不准他參加河南的任何選舉任何政治活動。丁博士在北平，他還是不放心。河南的民意報有這麼一段：豫人丁作韶潛伏北平，對於我劉主席多所批評……。「我劉主席」有一次叫他的秘書長方其道打電報給丁作韶，說主席約兄到開封一談。丁博士竟傻裡傻氣的——是不是效法關公單刀赴會，竟買票坐平漢車前往。車爲鄉前輩老大哥胡石青先生、傅佩青先生所聞，即趕到車站（西站）阻止。無巧不成書，車快要開的時候，他們到了，急急忙忙到處找，終於找到了，一把抓住丁博士，硬拉下車來，告訴他：傻瓜！……傻瓜！……去不得！你不要命啦！幸而沒去！去！「我劉主席」彈要他的命。此計不行，「我劉主席」更乾脆電請北平行營主任就地槍決。又幸我行營主任不是那麼糊塗，加上行營主任的秘書長（到台灣任監察院秘書長）劉哲鍾是博士的留法老同學老朋友，從中斡旋，未成事實。又有一次「我劉主席」——「我綏靖主任」，又想到丁作韶，又電請冀察政務委員會宋哲元就地槍決，這裡邊又有他的一位好朋友，軍法處長兼北平高等法院院長鄧哲熙，鄧麻子他天不亮就跑到丁博士的住處，北平西安門內達子營報訊，又逢凶化吉。鄧麻子心地好，心眼並不少。冀察政務委員會復電，以丁某不知去向了之。「我劉主席」、「我劉主任」任內，丁博士有家歸不得，現在冒險歸來，又不能停留，迫送娘上墳都不能，他是如何的可憐啊！民生凋敝至於此極，眞是不堪回首……

（未完）

命相與夢話

諸葛亮鞠躬盡瘁（上）

漢年

諸葛武侯名亮，字孔明，後漢琅邪郡陽都縣人。就是今山東省臨沂縣北十五里爲當時的郡治；陽都縣則在今沂水縣南爲當時縣治。父親諸葛珪，字君貢，漢末爲太山郡丞，不幸早逝。孔明少孤，後叔父諸葛玄撫養成人。諸葛亮身長八尺，是標準山東大漢，自幼好爲梁父吟，每以管仲、樂毅自況，早有復興漢室的大志。「三顧茅廬」成了千古美談。他的一生文治武功，道德言行，知道的人太多，恕我不必細表。下面僅爲諸葛先生算命，可能還有許多筆墨。

諸葛亮生于漢靈帝光和四年十月二十二日巳時。卒于蜀漢後主建興十二年八月二十八日（時無考）。按武侯命造爲：辛酉、丙申、癸丑、丁巳。

按照三國志所載，他的生卒日，時不詳。筆者從孫雄所輯「名人生日表」獲得武侯誕生月日。又見白石道人叢書「忠武祠墓志」所載析詳。白石道人說他卒于建興十二年甲寅秋八月二十八日。筆者並非人云亦云，盲目附會，尚經過一番功夫致燊而得。

查光和四年辛酉，七月丙申，二十三日癸丑。按武侯之生經歷，生時當爲丁巳，因日元癸水，誕生立秋節後，白帝司權，金正當令，水得金生，正氣充足。再逢年幹辛金，年枝酉金，及月枝申藏庚金，又藏壬水，日枝丑藏辛金，又藏癸水，燊燊生之助之。因此武侯之命爲金白水淸，是顯而易見了。他將月幹單獨丙火，不僅不能制金，而且也不數濟水之用；況丙與辛合，同化爲水，火的成份又復若有若無；如果沒有生時丁巳之火，決不制當令之旺金。濟有餘之相水，今既得此爲正式之用神，其爲兩暘時若，天地順成可知，太玄經說：「陽交于陰，陰交于陽，物登以堂，森然皇皇」，一即是指的此種意義。因此，他的才比管、樂，節比伊、周；子房之後，孰與倫比？只可惜的大運金水逆環，與用神之火背道而馳。雖然一生鞠躬盡力，亦只事倍功半。楊鐵翁說：「諸葛公值衰運。」是指國運而言，但不知他的命運也是如此——衰運。

二十七歲丁亥，小限丙寅，劉備屯新野，徐庶薦之，昭烈三顧乃見。

二十八歲戊子，小限乙丑，劉表卒，劉琮聞曹操來征，即遣使請降。昭烈屯樊城聞劉琮投降，率衆南行，武侯與徐庶並從，繼爲曹操追破于當陽，乃奔夏口。武侯對昭烈說：「如今情況緊急，亮請奉命求救于孫將軍（權）」。此時孫權擁兵于柴桑，早有心聯合劉表及劉備。因爲聯劉即爲東吳截住大門。因此在羣臣主降，周瑜、魯肅主戰之下，孫權決定聯劉抗曹。諸葛亮去東吳一拍即合。結果在赤壁一戰火破曹兵數十萬衆。因此一戰，劉備方有一塊荆州土地，諸葛亮拜軍師中郎將，專任「調其賦稅，以充軍實」的後勤重任。在此二年，乃是武侯一生事的關鍵，其妙在歲運丁戊，限逢丙乙，非癸水運之效力可知。

二十九歲己丑，小限甲子，孫權派劉備爲荆州牧，屯公安，軍威大振，孫權畏憚之，進妹于劉備以固好。並讓南郡于劉備。曹操聞聽此說，大驚失色，正在作書，忽然筆落于地上。

三十歲庚寅，小限癸亥，昭烈以龐統爲治中從事，武侯仍爲軍師中郎將。

三十一歲辛卯，小限壬戌，冬，劉璋遣使迎昭烈入益州拒曹操，留武侯與關羽共鎮荆州。

三十二歲，小限辛酉。三十三歲癸巳，小限庚申。武侯仍在荆州。在荆州五年，雖然是武侯功業之初步，但關係却至大。因爲若沒有據荆州，劉璋固不會請劉備去益州，孫權也不會讓南郡進妹固好。尤其是孫權，豈能讓人在臥枕之下鼾睡。之所以然者，武侯適行已運，中藏丙火，時幹丁火，共同合作，是以能得道多助。化雖成祥。（如劉備入吳招親之險）。

筆者之所以確定武侯爲丁巳時生，實在就根據于此。因爲其他十一個時辰，都沒有此一大規模。

三十四歲甲午，小限己未。昭烈進圍雒城（四川廣漢縣北）龐統率衆攻城，爲流矢所中而死。因此劉備失去參謀，急調武侯以及張飛、趙雲入益州，一路順利沂江而上，克巴郡，降嚴顏，會師成都。劉璋投降，以武侯爲軍師將軍署左將軍府事。

（未完）

生活漫談

猪肉裏的旋毛蟲

馬騰雲

旋毛蟲是一種小而細的蟲，長約四毫米。旋毛蟲是寄生在人和動物的腸內，其幼蟲能侵入人和動物的肌肉裡，人和某些動物如豬、野豬、熊、狗都能感染到旋毛蟲。人吃了感染旋毛蟲的動物血，就能被傳染。旋毛蟲的幼蟲，進入人的腸子以後，經過三天的時間，便能發育成爲旋毛蟲。

受精的雌蟲，能很快的侵入人的腸壁，立刻生下活的幼蟲，這些幼蟲鑽入血管後，便被血流帶到肌肉裏，變成螺旋形，周圍形成包囊，此蟲逐漸被人體內的鈣鹽鈣化，使大部份的幼蟲漸漸死亡，不過有些幼蟲還可能活存幾年。

人吃了感染旋毛蟲的肉以後，經過幾天就開始患病，它的症狀和其他蟲病不同，病人最初是臉面浮腫，特別是眼睛腫得厲害，所以此病又被稱作浮腫病。此外還有發燒，肚子痛，惡心等，以後肌肉發緊，渾身特別疼痛，如碰到肌肉時，便有痛感，嚴重的時候，這種症狀能繼續兩月之久，以後肌肉疼痛漸漸消去，人便慢慢的恢復健康，不過在某些情況下，特別是症狀嚴重時，可能致人的死命。

旋毛蟲和其他種蠕蟲不同，它的幼蟲和成蟲在人體內發育，一個非常特點就是雌蟲生下活的幼蟲而無須經過產卵的過程，含有旋毛蟲的豬血，是人的主要傳染泉源，十條豬裡有七到八條是感染有旋毛蟲的；野豬和狗身上，很多也感染到這種寄生虫。我們防止旋毛虫通過豬肉進入人體，要把豬肉切成小塊，然後用燉或燒兩個小時，旋毛虫就會被消滅，平日吃的炒肉絲，肉元湯，豬肉水餃，豬肉餛飩，肉絲麵，雜醬麵，可說都是旋毛虫進入人體的媒介；同時人還會自欺，謂芥末可以殺虫，又認爲牛羹可以殺虫，還要可以告訴讀者們，豬肉做薰肉，火腿，香腸，和冰凍肉，都殺不死豬肉裡的毛虫，豬肉裡有沒有旋毛虫，衛生局應當執行檢查，凡是感染到有旋毛虫的豬肉，一律不准賣，稅務局蓋的驗訖，那是驗完了稅收，對老百姓的健康沒有一點關懷的意思，三民主義模範省的官員們，恐怕對這些與民健康問題有關的問題，想都未想過。

猪肉裡有一條條虫也很可怕的，這種條虫有鈎，長約三公尺半到兩公尺，有時長到六公尺。在猪肉條虫的頭節上，除吸盤外，還有兩排鈎。在猪的體內發育，與猪肉條虫相同，如果人吃了含有條虫的生猪肉或猪油時，就能感染到猪肉條虫，煮熟和炒熟的肉和肉湯，應當是灰色，而不是鮮色，如果我[illegible]爛，條虫便會死亡，[illegible]染猪[illegible]手虫所發的病，[illegible]病完全相同，如果[illegible]就會瞎掉，如果[illegible]導致人的死亡，[illegible]

（本報連載生活漫談首集即將出版，每本廿元，預約對折，郵撥台北五〇五六張萬有自由報會計室，郵票通用，直寄台北忠孝路三段廿一巷二號自由報拓展中心。）

楚一文一拾一遺

王曰叟

（三）

其「去鄂」詩，四首蓋爲民國二十七年秋，武漢戰爭已緊，去鄂赴川時之所作也，詩曰：

去鄂（民國二十七年八月）

兵火何能迫我行，匹夫許國此身輕。十年肝胆曾塡海，一戰榮楡日背城。野哭辛酸兒女淚，江流浩蕩鼓鼙聲。歸來黃鶴磯頭望，吆吶大風掃不平。

苦戰東南竟未收，諸郎此錯負神州。偷餘章洛關全局，好扼荆襄固上游。雨雪低徊太行夢，烟波珍重洞庭秋。荒山何處藏心史，付與行吟當臥遊。

飲馬長江氣已深，臣臚荀屐苦追尋。蘆花飄落愁風雨，鐵鎖浮沉認古今。落日晴川征雁急，满秋殘夜水龍吟。百憂攏盡書生老，却寫饒歌醉好音。

豈雙呵天此意孤，倚欄秋水滿江湖。關誅子野腸先斷，收泣新亭眼已枯。痛起河山已洗伐，劫餘身世兩模糊。吾鄉人物猶能數，誰是申胥誰伍胥。

桃花潭水深千尺

趙佗

消息傳得很快，任念佩熱戀牛某之事。經過一些報紙雜誌捕風捉影，任蘇的婚事，大有呼之欲出，某小報更有一段怪誕的記載，謂牛少湘與任念佩勢將在香港南端大禹山決鬥，標題有「勇氣分勝負，槍決定乾坤。」字樣。馬繼元比牛少湘深沉一點，認爲蘇任間結合的可能性不多，憧憬着三小時的燕雲樓密談，送克琳回府時，眼神兩度拉成平線，克琳雖然指責自己的短處，乃善意的所謂愛之切言之深。

又過了幾天，港九的方塊報，對任與蘇的花花絮絮紅紅綠綠越登越多，這些對經濟上形勢陸沉的蘇霍寶是有利的，因香港是現實的，不僅使頭寸的調度路線拉長拓寬，牛少湘，馬繼元亦再不向蘇霍寶叮着追錢的事了，而跑門路，求工作的指標竟不約而同的移向蘇府，凡此都出乎蘇霍寶，顏芳，克琳意料之外。蘇霍寶在港九社會的行情看漲，爲一般人所公認，幾家大一點報上的紅黑廣告「敬請福證」與「治喪委員」，「名譽介紹」常登出蘇霍寶的大名，甚至東華三院也快有份了（慈善事業）有一天蘇霍寶向顏芳以閒情逸致的口吻說：

「老伴，命家的話是很對，『木盛逢金，造作棟樑五材，又兼寅午戌會成大局，定有一翻新氣象。』李雨田批註：『不鳴則已，一飛衝天。』不才雖由於學驗聲望使然，亦命運有以致之，夫復何言；」一邊得意朗誦詩條的說。

顏芳：「是呀，又輪到你大吹大擂了，不過那一份賣女契如未索回，使你的學驗聲望會更高些。當時如果照着你的老鼠眼光，一意孤行，把任念佩的婚事囘掉，亦命運有以致之，假定不是克琳高瞻遠矚，控制着些空間和時間，牛家的債，馬家的債，遇到一些零星債都逼上門來，像寅午戌會成大局，將懷死你這個老鬼，夫復何言？」

「老伴，我是窮嘴，你是嘴窮，從今起，乾坤定矣！鐘鼓樂之，別再吵吵鬧鬧，要恢復我們的詩書門第，禮樂家聲，我們更要用『君臨民間』的心情去迎接任念佩，可不能再錯過機會。」

（卄八）

自由報

中華民國內政部內警台報字第〇三一號
中華民國僑務委員會登記證台僑新字第三二三號
中國郵政台字第一二八二號執照登記爲第一類新聞紙

（第一〇一〇期）

（半週刊每逢星期三、六出版）
每份港幣壹角，台灣售價新台幣貳元
社長李運鵬・督印黃行齊
社址：香港九龍彌敦道593—601號廖創興銀行大廈八樓五座
LIU CHONG HING BUILDING
7th FLOOR FLAT 5
593—601 NATHAN ROAD,
KOWLOON, H.K.
TEL: K303831
電報掛號：7191
承印：景星印刷公司
地址：嘉咸街廿九號地下
台灣連絡中心：台北青田街五巷三號
電話：三七五〇二二
台灣直接訂戶　台郵劃撥戶第五〇五六號張籌有（自由報會計室）
台北營業處：台北衡陽街三十號
電話：二七二〇〇
台灣分社：台北市西寧南路119號二樓
電話：三三〇三四六、台郵劃撥戶九二五二號

優美的民族文化與高尚的民族精神（下）

洪同

虞書所言，乃謂刑罰之目的在於行仁，而非在於明威。論語曾子所云，更是顯然仁者之言。

春秋時鄭子產以用法嚴峻稱，曾鑄刑書，但孔子却認之爲對民有恩之人。論語孔子答或人之問子產曰：

「惠人也。」

朱註謂：

「子產之爲政，不專於寬，然其心則一以愛人爲主，故孔子以爲惠人。」

因爲子產是本於「刑期無形」之心以用法，作爲雖嚴峻，居心却仁慈。左傳記子產臨卒告子太叔曰：

「唯有德者能以寬服民，其次莫如猛。夫火烈，民望而畏之，故鮮死焉；水懦弱，民狎而翫之，故多死焉。」子產此言，即是「刑期無刑」之意。故左傳載：

「及子產卒，仲尼聞之，出涕：古之遺愛也。」

中國古代以仁愛貫通於刑罰之中，實爲極普遍之現象。即以主張嚴刑峻法的韓非子，亦是以仁愛之觀點爲其立論的依據的。韓非子有云：

「聖人者，審於是非之實，察於治亂之情者也。故其治國也，正明法，陳嚴刑，將以救羣生之亂，去天下之禍，使強不凌弱，衆不暴寡，耆老得遂，幼孤得長，邊境不侵，君臣相親，父子相保，而無死亡係虜之患。」

蔣總統闡釋反共革命戰爭，就是本於中國此一傳統而予以發揚的。他在「軍人精神教育之精神」一篇訓詞中有云：

「『我們現在剿匪……爲的是要救我們國家和人民……這種保國家，救百姓，復興民族文化的革命事業是什麼？就是叫「仁」，就是要行「仁」。……我們之所以要救國家，救人民，完全是要行「仁」；即是以「仁」爲心，行「仁」之道，求「仁」之普遍圓滿的實現，「仁」之普遍圓滿的實現，即是革命的成功。』」

中國古代社會將人類相互的關係，分爲五個範疇，即中庸之所謂「五達道」，而「五達道」則須以「三達德」行之。中庸云：

「天下之達道五，所以行之者三。曰：君臣也，父子也，夫婦也，昆弟也，朋友之交也。五者，天下之達道也；智仁勇三者，天下之達德也。」

根據　蔣總統對於「智仁勇」的解釋，此三者，蓋均以仁爲中心：「智」即是「知仁」、「勇」即是「行仁」。申言之，即是對於人與人相互間的關係，須以仁愛之心處之，而又須深切知之，果決行之。

孟子對於處人類相互關係之道，創爲更具體的人倫之說。有云：

「教以人倫，父子有親，君臣有義，夫婦有別，長幼有序，朋友有信。」

由上所述，可知仁愛乃是中華民族之普遍深入而悠久的傳統，故應列爲我們文化的首要特質。我們文化的其他特質，亦是從此一特質開展而出的。

第二、民本的特質

在「總理生平之根本思想與革命人格」這篇訓詞中，蔣總統昭示我們：

「三民主義之終極目的，在完成眞正民有、民治、民享的大同世界。」

由此一昭示，我們可以明瞭，三民主義是以民爲本的。而此一民本思想，也是中國的道統之固有的成份。國父繼承了中國的道統，故將此一思想發揚光大。

茲述中國道統的民本思想如下。

論語引堯戒舜，舜戒禹之言曰：

「堯曰：『咨，爾舜，天之歷數在爾躬，允執厥中，四海困窮，天祿永終。』舜亦以命禹。」

「四海困窮」，則「天祿永終」。舜都認爲人民之苦樂，乃帝業之興亡所繫，可以窺知其對「民」之重視的程度。

又夏書五子之歌引禹之訓言云：

「皇祖有訓：『民維邦本，本固邦寧。……予視天下，愚夫愚婦，一能勝予。……予臨兆民，懍乎若朽索之馭六馬，爲人上者，奈何不敬？』」

又商書湯誓載湯自言其所以伐夏，乃爲救民。湯誓云：

「夏王率遏衆力，率割夏邑，有衆率怠弗協，曰『時日曷喪，予及汝偕亡。』夏德若茲，今朕必往。」

又周書泰誓記武王之言曰：

「天視自我民視，天聽自我民聽」

禹湯之言，對於「國以民爲天」之民本思想，已有高度的闡揚。而武王之言，又明示天意係由民心體證，民之所好即天之所好，民之所惡即天之所惡，爲政者能得民心，即證其能得天意，天意與民心合一，於是天之神秘氣氛爲之廓清，而爲政之道遂完全以民爲對象。基於此一論點，則易革卦所謂「應天順人」並非二事。

泰誓之言，孟子曾引用之，並根據此一點以建立其「民爲貴」，「得乎丘民而爲天子」，「得天下有道，得其民斯得天下矣」之民本的政治理論。

中國自春秋以上，歷史家稱之爲神權時代。不過，中國的神權時代，並不相同。因爲民本思想特爲濃厚。由前面所引堯舜禹湯武王之言可見一斑。

茲更引春秋時人之言論證之。

春秋時代有識之士，並不認爲有國者祇得神之歡心即可永保國祚，而認爲除神之歡心外，尚須得民之愛戴。

國語晉語荀臣曰：

「億寧百神，而柔和萬民。」

又左傳師曠曰：

「夫君，神之主也，而民之望也。」

又左傳季良曰：

「所謂道，忠於民而信於神也。」

又左傳劉定公曰：

「樂神人安。神怒民怨，其能久乎？」

以上所引，皆神民並重，並不以神之喜怒爲國家存亡唯一條件。

更有人認爲治國不必注意於神，而應注意於民。

左傳季梁曰：

「夫民之主也，是以聖王先成民而後致力於神。」

又左傳史嚚曰：

「國將興，聽於民；將亡，聽於神。」

又左傳士伯曰：

「薛徵於人，宋徵於鬼，宋罪大矣。」

史嚚之言，雖未否認神之存在，但其對於神之注意，遠遜於對於民之注意，此中國神權時期的特色，也是中國文化的特色。

第三、民生的特質

蔣總統在「中國經濟學說」的訓詞中曾闡釋民生與文化的關係說：

「五千年來，創造網罟耒耜的伏羲神農，發明文字與弧矢的倉頡、黃帝，中國人都一樣的崇拜他們，要知道，這些制作，都是爲了改進人民生活，使其一步一步達到理想境界，所以他們受後世的崇拜。

「如果離開了人民的食衣住行，來談文化，以爲生活之外還有文化，或竟以一知半解的寫作爲文化，未免輕蔑了文化。

「在中國的經濟學說上，文化與民生是一體不可分的。民生之外無文化，文化之外無民生。」

前面所述中國文化的兩種特質：「仁愛」與「民本」，這兩種特質，如不歸結於民生，則它們便成爲虛浮而不切實際的。孔子所謂：「載之空言，不如見之行事之深切著明也」。仁愛之心與民本思想如祇停滯在意識的狀態，而不能將其見之於行事之上，那便是華而不實，沒有實際的功效，因而也就不足貴了。孟子曾說聖王之所以異於常人者，就是由於能將想法見之於做法上。他說：

「人皆有不忍人之心。先王有不忍人之心，斯有不忍人之政矣。」

（以下轉刊第四版）

昨日與明日

最危險之事

曹松

在今天，全世界幾乎有三分之一的人口，生活在共產主義的極權政治制度中，以中國而言，有七億多人口呻吟在共產極權的殘暴統制之中。代表自由民主的中國政府偏安海隅，瞬已二十年，大陸同胞無不日望王師北定中原，流落在海內外自由區域的義民，也無不渴望早日光復大陸，重返家園。海內外反共人士！所以堅決擁護蔣總統所領導的中華民國政府，原因也就在此。惟縱目以觀國內社會，不禁悚然而驚，惕然而懼。

明是非

第一，今日社會太缺少是非。

就社會而言，人民對是非，善惡之辨，日趨混淆甚至顛倒是非，以醜爲善。經濟發展，人民對物質生活愈注重，拜金主義色彩亦愈濃厚。利之所在，亦即生活享受之所自出，亦即人們羣相爭取之目標。於是，財富金錢遂變爲「善」「是」的代表。祇有財富就是對的。人們之愈趨「現實」與「勢力」，原因無他，就是這種社會價值認識的結果。

社會人心如此，而政治作風與實際，復加以推波助瀾。政府權要提拔之士，多視其是否阿諛諂媚，逢迎有素，而政治操守，道義人格，學問器度不與焉。最値痛心者，一犬吠影、百犬吠聲。本屬爲社會不齒之士，一登龍門，便羣口交讚。新聞言論界亦然。如此是非難明，政治風氣何能輕易澄清。

立正氣

第二、今日社會更缺乏正氣。人們在心理主觀上，既然認識不清，是非不明，於是在行爲上，便缺乏正氣。特別是那些習非成是，以是爲非之徒。他們既然在心理上以生活享受第一，權勢金錢至上。爲了達到目的，什麼事都可以幹得出來，吹、拍、騙、絕招，便成了他們升官發財的拿手好戲，子女玉帛都可以拿來作爲晉昇的工具，而使易牙、開方、豎刁不能專美於昔日。等到重要關頭，需要他們犧牲效命時，他們便將作鳥獸散，甚至潛逃無蹤。因爲他們效忠的目的，並不爲國家民族，而是本身高官厚祿呀！

今日並非太平盛日，此地尤非安樂之窩。我們需要在社會中，有明確的是非觀念，好人壞人，都分辨清楚。在政治上更應建立良好的風氣，有正氣，有骨氣的人站起來，動起來。革新必須革心，尤必須以立正氣始。

自由談

世界最大的隱患

二次大戰後的國際局勢之演變情形，有一項爲世人所忽略的事實，不可不知也。

是甚末事實呢？說來很有趣味，即全球各個邦國，凡屬與美國打交道，接受美援，而在政治上遵從美方指導的，共產黨一定滋生發展，動亂不息，終致釀成大患。戰後跟美國關係最密切的國家，殆莫過於咱們中華民國和日本了。吾國共產黨所以竊據大陸的經過事實，世所周知，有目共覩，固無庸贅述其詳，祇看一九四九年毛共勢力大張，奄有中原大半地區之際，美國當局還肯定的認爲毛共集團是「土地改良主義者」，美駐華大使司徒雷登留在南京與毛共攀交情，謬稱白宮願給毛共政權以鉅　的經濟援助，這項史事，即知吾言爲不謬。若不是毛共始終稱「美帝」爲頭號敵人，決不妥協的話，美國早已承認北京的秩歐王朝，把它歡迎到聯合國，高踞常任理事國的席位了。

戰前的日本國內，共產黨徒是絕迹了的，幾個日共頭目祇能逃生於中國的毛共地區，對日本社會不發生絲毫作用。迨美軍佔領日本，實行統治日本後，承認日共爲合法的政黨，自由活動，現在日共及其同路人——社會黨和勞工聯盟——的勢力，足以左右政局，威脅日本的生存前途了。此外如古巴，越南，阿爾及利亞，巴基斯坦，以及中東與北非若干新興國家，凡是曾經接受過美援的，莫不產生共禍，至少亦是走　左傾親共之路。環觀全世界反共最成功的國家，只有印尼而已，因爲印尼幷未接受美援，亦不聽從美國的政治指導，全憑本身的力量以爭取自由生存，我行我素，乃使共黨勢力爲之徹底崩潰。

美國當局人物幷非共產主義者，且贊成各個友邦皆採取反共立場，何以結果適得其反呢？原因就是以自己的尺度，衡量別人，別人若不許共黨公開活動，便說是不民主的獨裁政府，認爲不值得援助，即非推翻不可。美共及其同路人，乃利用民主烟幕，藉着美國的關係，滲透到各個接受美援的國家，或任外交官員，或充政治顧問，或作軍事代表，或以特派記者的身份，經常向白宮打報告，提主張，對報紙寫通信，搞宣傳，而其宗旨專在爲共黨張目助勢，盡力破壞反共非共的友邦政府信譽，然白宮當局莫名其妙，尚以爲這是民主的措施啊！

美國一般人士，根本不瞭解共產黨的本質及其作風，再不警覺，終必誤人誤己，而有噬臍莫及之大禍臨頭，可怕之至！

鴻公先生

台灣書店是教廳賬房
荒唐可笑幾到了巔峯
課本未如期供應變明日黃花
廳令推銷雜誌後來消而化之

（續一〇〇八期本版）（本報財經記者齊野台北消息）後來果不幸而言中，只因，當選想而奮鬥，不肯隨俗向淺薄的現實社會低頭。苦命掙扎大概有十年光景，孤軍深入的結果，終於負傷忍痛而退，關門大吉！——不能成功的原因，那時初遷台灣，風雨飄搖，人心動盪，讀書寫作的風氣，沒有今天的蓬勃，業務不佳誠然是事實。短少資金周轉，才是致命打擊。

操縱金融的銀行界、富業界，他們玩錢竄成該死而又可顯的一種偏見。只相信金錢萬能，並且認定了你作官再大，你的社會地位再高，反正非錢不能活下去，只要我有錢在手，你就得向我低頭說好話。因爲他們從不需要求人，所以不會替別人設想。把文史界人士視爲窮酸，一切營行均屬於秀才造反之數。對文化事業更不屑一顧，因爲拿它來變鈔票，實在太麻煩，而且太不濟事了。如果說這些叫化子加以援手培養國家的元氣，有這種想法的人，那才是「愚不可及」的笨蛋。其實，正當的經營文化出版事業，是名利雙收，一舉兩得的不朽事業。

台灣雖然也有人利用銀行貸款搞出版撈了一票，但只限於一家，負責人跟他老子是個大亨，運用關係搞人情走私，拿公家的錢賣私人交情，也可說是執特權弄到手的。並不是合乎規定，或是合於政策冠冕堂皇得到的。因爲根本沒有政策，銀行也沒有扶助文化事業的規定。此君偏又不知自愛，出了一本雜誌，買槍手、僱打手罵盡了世人，專唱反調。正人君子沒人敢和他來往。他也不屑與好人共事，自絕於人群，終於走上絕路，眼看大勢已去，只好關上門來數數鈔票，另作別圖了。

倘若有人真心爲文化而努力，是得不到銀行信賴的。有若干錢鬼又那能知道工商生產只可增進物質文明，研究文史，發揚文化的人，才是真正主宰國家民族命脈的。吃飯固然要緊，但一個人精神無主宰，作事無信仰，何異行尸走肉，文化的貢獻，又豈是那無知淺見的書呆子所能理解的！

練習大團結
數十學生一本書

五、台灣書店是教廳帳房

還有一家教育廳官辦的台灣書店，更是荒唐可笑。光復之初，由台灣行政長官公署命令當時的教育處（教育廳前身），接收日本駐台灣總督府教育處所屬文化機構而開張的。在中正路並且有一處附設規模相當完善的印刷廠。儘管大陸各省尚未實施國民義務教育，台灣剛一接收到行政權就開始實行了六年國民義務教育。不但免繳學費，而且無代價（從去年開始收回成本費）供應所有課本。這項免費課本供應的任務，指定台灣書店負責印製和分發各縣市公立小學，再遞到學生的手裡。可是說也奇怪，從來就沒聽說台灣書店能如供應過。總是各校開學已久，學生仍然無書可讀，常常是各班五六十個學生共同合用幾本書輪流抄寫筆記。學期快要過半，書才發齊了。

張其昀作教育部長的時候，由他搞出來的高、初中國、公、史、地四種標準本，先由國立編譯館定稿，也交給台灣書店代理印製和發行。照樣也不能如期供應，弄得各中學怨聲載道，敢怒不敢言。三年前標準本開放，教育部也把權利讓給十四家書局，台灣書店的代理業務一切照舊。

陳雪屏教育廳長任內，台灣書店發行一種「小學生」雜誌，定爲兒童讀物，以廳令向各小學推銷，縣市教育科大力支持，坐地抽成，這算不算是「惡性推銷」，請教育廳自己解釋吧！後來又不知怎樣搞的，「小學生」雜誌，竟然脫離母體而獨立，化公爲私變成了私人事業。這些事被人向監察院告發，也不知是如何了案的。

只說正在趕印
過幾天就有了
孩子先習謊離怪風氣壞

表面看台灣書店是公營的，其實是教育廳私人賬房。就如財政廳、農林廳各有一局是一樣的。凡是廳裡無法報銷的開支，統由台灣書店負担。因此總經理總要私人關係夠味兒，只要會做報銷不需要對書店業務是內行。職員們的官派威風倒比鐵路、郵政人員還使人難受。有一位新進當教員的青年去買課本（只此一家並無分店也無代售），因爲學校催得急，一連跑了許多趟，書官們（店員）只好如此稱呼他們的只說正在趕印中。問他那天印好，很不耐煩的還是一句老話：「過幾天就有了。」這位老師光火了，也就還以官腔：「我是教育廳某科長太太派來代買的。」這時一副奴才像原形畢露，立時改容肅然起敬的答說：「那麼三天以後來拿，準時就有了。」很難得他們心目中還有上司！

六、惡性傾銷是誰造成的

在台灣自力搞出版發了財的不是沒有，有之，就是前邊所說那些專靠教科書起家的。他們的錢說得更明白一點都是從學生身上賺來的。學生的錢最容易賺得來，這幾年又適逢大量增設學校，所以搞教科書的大小組織也就如雨後春筍，形成了粥少僧多的局勢，要生存就得致力競銷，愈來愈不成名堂，爲大家詬病的「惡性競銷」一詞，也就於焉誕生！

「惡性競銷」的邪惡，最流行的論調，都是籠統的說，書商與校長們勾結，其實也是「似是而非」，不過「想當然耳」的不公之論。（未完）

共黨的統戰技巧

依調集

·楚狂·

華盛頓反戰團體「華盛頓動員委員會」前會員佛萊曼說：美國境內的和平運動，已經成爲共產黨統戰組織，佛萊曼在參院國內安全小組作證時作如上表示。（見中央通訊社專電）

讀到該項消息後，回憶到十幾年前一段往事：即曼谷世界報業股份有限公司，籌備之初，原爲掀起東南亞反共宣傳而設，下屬日報、晚報、週報、畫報等，並計劃設計一模宏大的廣播電台。由於泰國強人乃砲上將堅強反共態度，作爲這一個宣傳機構後盾，泰國人心爲之一振，這是從好的角度看法。

後來被共匪用各種方法滲透後，上海文匯報×××夫婦滲入大股東某君的身邊，男匪諜以僞批（即偷滙去大陸的黑市外滙）扼制着某君的喉嚨，女匪諜（梅州人）會梳頭，將某君的太太侍候得很舒適。國會議員許××老共幹（二萬五千里長征朋友）打入乃砲心臟機構，中國國民黨曼谷總支部書記長蔡學餘掩護得意門生許××，再加上原有的匪幹潛伏在報館，曼谷世界報業股份有限公司，很快的變成爲共產黨統戰組織。（美國情報機構偵察結果）

中共統戰機構加諸當時主持人李某的一些莫須有的罪狀，於今不攻自破，正如唐縱先生給李勸慰的信：「眞者自眞，僞者自僞」，當然，革命同志，如果太計較利害得失，則寸步難行。

台北傳奇錄（一）

·陳光棣·

我們這條弄堂裏，住着二十幾戶人家，統統擠在一模一樣的幾幢樓房裡，這種建築物的外形呆呆板板單調，看起來就像又是一堆火柴盒子；還美其名叫作什麼公寓大廈。住在大廈裡面的每個家庭，都是過着開放式的生活；誰在家裏的一舉一動，對面住的人都看的淸淸楚楚，難怪怕太太的先生們，都是從早到晚拉上窗戶簾子。而我們中國人，一面是自由慣了的，自由起來，又從來不致顧別人的死活；就拿我們這座大廈說吧：

二樓的一位小姐，是作曲的聲樂家，練起歌來就好像鋼琴獸在靜子上發出的聲音；三樓的太太是位搭拉松牌將好手，每晚淸時成局，戰況愈演愈烈，到了午夜以後，才慢慢進入了高潮；四樓上住着一對歡喜冤家，每天義務播放各電台音樂節目；憑良心說：只有我家比較安靜的，至多孩子們每天在房裡打兩個鐘點的籃球，太太常說，才兩個鐘點，算不了什麼。

我們這裡住着的男先生們，都是過着匆匆忙忙的日子，每天慌裡皇張的跑出跑進，大家在路上遇到，連點頭的時間都沒有，通常的情形，是彼此免費相相面，就算是打過招呼了。說來這也難怪，因爲這個年頭兒什麼都講究快，小傢伙在降生的時候，就體驗到快的滋味了，媽媽的肚子痛的吃不消要快，爸爸急的出白毛汗，也是要快，醫院裡催着產婦早點騰床位更是要快。上學的時候怕趕到要快，升學考試的時候怕誤場更要快，好不容易大學畢業了，找工作要快，有了工作以後，上班要快，逢年過節給長官送禮也要快，到飯館吃飯有人站在旁邊等位子，你不快不行，走到大街上，前擁後推，想慢也慢不起來。電話電報是爲了快，特快火車噴射飛機更是爲了快。一句話，生爲現代人，就必須浮沉在快節奏的漩渦裡，有的人是需要快而快，有的人是爲了快而快，有的人是不快假裝快，有的人是看到別人快，他也跟着快，既然甚麼都講究快，生孩子當然也要快，所以有很多新娘子等不到結婚典禮就先發過個胖小子了。快有快的好處，大體說來是辦事效率高，快也有快的壞處，計程車爲了快常出車禍，摩托車爲了快常表演空中飛人，生活的旋律太快，容易得心臟病，不管怎麼說，反正以後的生活節奏還要快，一直要快到都想提前下葬才算到了頭。廢話越說越多了，還是回過頭來，說說我們這裡的女太太們。

三日春秋

水哉水哉

洋洋滾滾，成江海

丁炎

多少人都在爲各種「起飛」而躊躇得意的時候，連袂而來的兩個颱風，都毫不容情地把大家從飄飄然的雲端，拉回一片汪洋中的屋頂。

近幾年來，隨著各種「起飛」的迅速發展，與建築商人的大量盲目興建，塡池設廠，變渠爲屋之事，無日無之，地形地物的急遽改變，帶來了低窪帶水池地區的積水成災，於是，又設抽水機以淸除，築堤以障衛。

原以爲如此這般，便可一舉而臻快了，卻不料，偌大個台北市自此便有三分之一以上的地區「一雨成湖」，而近郊的三重、五股、蘆州等等鄉鎮，更是動輒就成爲「滾滾大江」或「汪洋大海」的一部份！

是否正確？三分之一！

有些地方，是大水挾千軍萬馬之勢，奔騰浩蕩而來，如彰化與三重；有些地方，是在無聲無息之中，突然水淹沒踝、沒膝，轉瞬間便沒腰、沒胸……以至於齊腰齊胸而上。前者予人無可抗拒的壓威，後者則更予人以變幻莫測的恐怖。

對於這些現象，專家們的解釋是：一、與水爭地；二、以鄰爲壑。一般小民們的直覺是：石門水庫洩洪之不當。

針對小民的「錯覺」，行政院秘書長蔣彥士曾在追隨嚴院長視察災情的大巴士上冷靜分析：與石門水庫洩洪無關。並立時引指「石門水庫停止洩洪，新店溪淡水河水位下跌，而基隆河水位反而上漲」爲證，說是另有原因。

我們願意相信蔣秘書的分析。——至少，有三分之一的正確！

俟庫之淤，十年可待

台北某報曾刊出馬博士所稱「自然調整」的說法，大意謂：由於石門水庫本身泥沙淤積，十年之後就將自然爲沙所塡平，屆時當不足爲患了！

較早，我們曾聞石門水庫方面呼籲：「請迅疏濬沉沙，否則廿五年後將告淤塞」。現在，馬博士又提前了十五年。

十年的時間並不長。台灣推行土地改革，便是貸款與佃農們向地主買耕地，然後，由佃農在十年內分期償還的。當時，一些人以爲十年乃遙遠而不可及。但到現在，這些地價早就還淸了。

據台北市工務局說，大台北市的下水道計劃，要經時二十年始全部完成。

而「俟庫之淤」，則「十年可待」！大家還是各自安心，好好等待罷！

喬治桑外傳　二九

張大萬

喬治桑吃完飯，原有午睡習慣，他怕誤了約會，不敢睡。但精神感到有些疲倦，遂打開冰箱取出一支「克勞酸」。吸完「克勞酸」，他又扭開了收音機，轉來轉去，轉到平劇節目，是梅派的坐宮。正是他以前在票房學過的戲。

他忽然想道：雅麗絲簡比鐵鏡公主還聰明，楊四郎的心事，她要經過四猜才猜到，他的心事，只一猜就猜着了。

坐宮播完，接着播出「則（金旁）美案」、「提放曹」等，好在喬治桑的目的是殺時間，聽完平劇正好一點鐘。他便關了收音機，去洗臉、梳頭髮、漱口、換衣服，準備出門。

「『包死』，你幾點鐘回來？」雅麗絲在他臨出門時問他。

「現在說不定，我會有電話來。」喬治桑很匆忙的樣子，完全美國化。

明月咖啡館開在沅陵街已有好多年了，雖然沒有豪華設備，咖啡物美價廉，是中產階級、知識分子約會的場所。喬治桑約古有方在明月見面，爲的是怕碰見熟人。

喬治桑到了明月咖啡館二樓，揀一個僻靜的坐位坐下，叫了一杯熱咖啡，一看腕錶是一點二十分。

在等候古有方的十分鐘裡，喬治桑在盤算向古有方開口借錢的技術問題，所以這十分鐘時間並不難挨。

古有方衣冠楚楚準時來到，仍然是滿面春風，一見人就有一股熱呼勁。

喬治桑不覺暗叫一聲慚愧，自己在美國混到一個博士頭銜，那及古有方的辦法多。

「桑博士，勞你久等了，對不起。」古有方一坐下便向喬治桑致歉。

「我也剛來，有方兄你眞準時。」喬治桑與古有方很有禮貌地寒暄。

古有方要了一杯橘子汁，大概「勞心」的人，不喜歡刺激性的飲料。

祝總統壽　學總統德行

文滙樓剳記

蔣總統生於民國紀元前二十五年十月三十一日（農曆九月十五日未時）今年是八十三歲。原名周泰，字瑞元，學名志清，現名與號皆日後自取。

蔣總統八歲時，讀完大學、中庸、論語、孟子，十二歲讀完詩經，十四歲讀完易經，十五歲讀完左傳。領袖在「自反錄」裡所列讀的書，計有：五經、四子書、孔子家語、左傳、戰國策、六韜、孫子、吳子、莊子、韓非子、離騷、史記、資治通鑑、清史、古文辭類纂、古文觀止；諸葛亮、岳武穆、文天祥、戚繼光、曾國藩、左宗棠、駱秉章、李鴻章等集；他如中外各種戰史、中外地理、心理學、統計學、社會學、經濟學、文學、哲學等；而對曾國藩全集，才有深刻研究。

蔣總統的德行，最重中國固有的忠、孝、仁、愛、信、義、和平，（八德）及新生活運動禮、義、廉、恥。（四維）他一生身體力行，爲全民表率。讀「西安事變半月記」我們所體會到的，進退取捨，絲毫不苟，眞所謂：「威武不能屈，富貴不能淫，貧賤不能移」。就道義來說，中華民國也找不到第二個人。他能在陳英士先生被刺後，別人都嚇得逃得逃，跑得跑，躲得躲；避得避，惟有 蔣總統親將陳英士遺體搬回家裏治喪，經過七七四十九天。由於這種義行，很多同志受了感動，不期而然的發生向心力，化仇恨爲革命力量，凡此皆非常人所能爲。

中央政治學校西安事變殉職學生蕭乃華在扎記裡有：「 蔣委員長的文章，一言一字，都使人意想不到，所謂畫龍點睛，流暢生動：……」國人皆知 蔣總統是一位當代大政治家，其實他的文章，更是神來之筆：如「軍聲發刊詞」、「革命戰後軍政之經營」、「總理蒙難記」、「西安事變半月記」、「蘇俄在中國」等，皆文實並茂，擲地有聲，感情流露生動之作。

蔣總統一生「嫉惡如仇，道義爲歸」，和「一念至誠，不爲私而爲公；不爲權利之爭，而爲道義之交。」在其本人乃大政治家風範，站在筆者立場看法，也完全是一個健全報人應俱有的條件。他對部屬非常仁愛及寬大，及受過他嚴格訓練的學生們，於今仍能保持着這些良好美德，在今日社會已不多見。戰後台灣教育多私而後公，重利輕義是多麼可怕。

從香港通過中南半島，直到歐美卅幾個大都市，凡像樣的華文報，都離不開中央政治學校學新聞的同學，幾有無政校學生不能辦報的態勢。香港大公報、文匯報等雖附匪甚久，亦難例外。兩家報重要負責，××××××竟是出身政校新聞同學。有廿年歷史的香港自由報，從民國五十六年十二月起中央政治學校同學又佔半數，其餘的半數則爲國內外知名報人和學者，兩年來業務日進千里，銷數增加兩至三倍，乃憑眞材實料賣座。自由報爲甚麼會這樣受廣大讀者支持，說穿了又非常簡單，「嫉惡如仇，道義爲歸」贏得了幾十萬讀者的信心。聞李社長於接辦自由報時，眞支班邊，朝夕不保；於今在國內外竟形成爲一支泰晤士報型的文化力量，由小漸大，從弱轉強。據說該報同人都牢記 蔣總統的：「事無巨細，無不全神貫注，」這是自由報一筆最大的精神資本。

文匯樓主

敵人筆下的衡陽戰役（下）

趙慶昇譯　陳會瑞序

松山上校，率其一千步兵，於六月廿五日入夜後，迫近了衡山機場。當逐退了敵人警戒部隊向前推進之際，卻遭到守備部隊猛烈之射擊，松山等一面迎戰，一面偵悉了敵人之確實位置，乃僞裝不支向西撤退。午夜後，全體換着膠鞋，並分散成多數小部隊，復自原撤退路線潛入，迅將機場周圍之各高地分別佔領。拂曉，在一發信號彈所代表之衝鋒命令下，全體一躍而下，衝向了機場之核心。黎明時，全部機場已被日軍佔領。

此時，如果日本有足夠之空軍，立即將戰鬥機隊進駐此一新攻佔之機場，以制壓敵人之炮兵，直接支援我軍對衡陽城之攻擊，可能於三數日內即可「攻陷衡陽」。無奈我空軍已瀕臨破產，致新佔領之機場，除偶于夜間被我連絡機利用外，從未見我戰鬥機光臨。

佐久間師團，于佔領機場之後，乘勢渡過了湘江，于六月廿八日，會同嚴永旺之一一六師團，對衡陽發起了攻擊。守城部隊，且防者已經佔據攻擊困難之有利地形，並已完成歷年來所罕見之防禦工事。致使我炮兵不足且無空軍支援之兩個師團，攻擊一再受阻——頓挫。

衡陽，爲面臨湘江西岸之城廓都市，北有河幅百公尺之蒸水，南西兩面被複雜之丘陵地帶環繞，其周圍並有無數之蓮池魚塘，各接近城廓之道路，皆爲池沼間之小徑，小徑上，復築有堅固之地堡，前進路線悉被封閉，各丘陵地帶，已構成數線堅固之據點工事，據點之間，則有交通壕相連接，形成了一大要塞式綜合陣地。

尤其敵人之碉堡位置，頗盡選擇之能。其各個碉堡，不獨能相互支援，任意發揮側射直射之火力，且每一碉堡之前均形成有猛烈之交叉火網。其各丘陵之基部，盡已斷削成崖，于上端構有手榴彈投擲壕，我軍既難以接近，亦無法攀登。此種偉大之防禦工事，實爲中日戰爭以來所初見，亦堪稱中國國軍智慧與努力之結晶。

我軍面對如此堅強之陣地，雖擬乘勢急襲，惟以兩者之準備工夫相差懸殊，攻擊開始後，乃一再受阻——頓挫。

衡陽之攻擊，兩度中止，師團長先負重傷。

在急襲之意念下，佐久間與嚴永兩師團，未待炮兵之到達，即併肩開始了猛攻，以致初戰頓挫。後火炮雖到達之三十門，然各炮所攜之彈藥，僅有隨炮之十五發，對敵人之陣地，制壓效果亦期望產生，火之襲擊，雖未當場喪命，但師團長以下，參謀長（原田貞三郎上校）及各聯隊長，均負重傷，立即被裹傷後送。

中國軍隊在野（山）炮之數量上遠不及日軍，不得已，乃用其唯一之國產品——迫擊炮，與日軍週旋。其彈藥缺乏之情形，較日軍尤甚，爲節約炮彈，平時乃嚴格實施炮手之瞄準訓練。迨中日戰爭之後半期，其迫擊炮已能與我野戰炮兵相匹敵。第一線將校之傷亡，即多爲中國迫擊炮兵之傑作。

中國軍隊之另一戰鬥特技，爲「手榴彈投擲」。此項戰技手段，原爲英美陸軍之拿手，而現在之中國國軍卻已超越了英美，爬升爲優勝之A組。衡陽外圍之丘陵地，其基部盡已削成斷崖，敵人以手榴彈自上而下，作準確而遠距離之投擲，使日軍蒙害甚大。衡陽戰役之中期，第六十八及一一六兩師團，各步兵連之兵力，平均已減至廿名官兵，如此劇大之傷亡，敵人之手榴彈爲一主因，故需加以記述以資留念。

第一日攻擊中，佐久間師團長以下，所有重要的指揮官皆已重傷後送，使整個第六十八師團之戰力，爲之癱瘓。雖然橫山司令官立即採取了緊急措施，令左翼之第一一六師團長嚴永中將，負責全盤指揮，繼續攻擊，惟以嚴永本身亦被陷苦戰難拔之境地，自顧尚且不暇，何能指揮全局！況且對第六十八師團之實際狀況，又不熟悉。然既已臨危受命，唯有指示各代理人，按原計劃繼續攻進。因此，造成了更嚴重之傷亡。而攻擊亦未能奏功，終於七月二日，被迫全面中止了攻擊。

經過了十天的整補，炮彈已獲得部份補給，並可望獲得部份之空中支援，嚴永旺認爲時機已經成熟，乃于七月十一日一六〇〇時，下達了二次攻擊令，全體循原攻擊路線，再度發起攻擊。然而，經過了十天的停頓，敵人也因之信心加強，士氣益形高昂，防務亦更臻完善，我們再度發起總攻之後，除和上次一樣的僅奪取了極小部份陣地外，依然無所進展，而損傷卻更慘重，兩個師團之原任連長，已所剩無幾，大部份之步兵連，已變爲由士官代理連長，勉強支撐戰鬥之慘局。第二次之總攻，又有聯隊長一名，大隊長六名相繼陣亡，而攻擊前途卻仍不見樂觀，於是，攻擊再度停止。

衡陽之敵，負隅頑抗，寸土必守。

戰鬥之發展，實出人意料。兩次之總攻，已嚴如小型之旅順要塞爭奪戰。第十一軍如不全力以赴，欲拔此城，殆不可能。

然而第十一軍之作戰構想，已將本次作戰之主目標，置於敵人之野戰軍方面，於都市之攻佔，僅爲其第二作戰目標。衡陽之戰，雖已陷於極端不利之狀況，但橫山仍堅信衡陽激戰中，敵人必遣大軍來援，只要我軍主力將其來援之大軍殲滅，衡陽必不攻自破。其間，在萬洋山脈之作戰，即基於此種觀念。待至茶陵、安仁等地之戰鬥結束，其主力已遙遙進出於衡陽之南後方，且仍在爲殲滅敵人之援軍而努力。在橫山軍之主力方面，雖已獲得了若干戰果，但衡陽之久攻之下，使派遣軍甚感不安，大本營之不滿，亦逐漸到達極限。

七月十六日，衡陽之第二次攻擊再度挫敗時，中國派遣軍參謀長松井太久郎中將，特趨訪橫山於長沙，除轉達了大本營之願望外，並力勸橫山將其主力投入衡陽。翌（十七）日，派遣軍作戰主任天野上校，銜命而來，正式要求橫山遵從大本營之意旨，立即以主力指向衡陽。

到此地步，橫山已知再無效還之餘地，乃決心將主力投入衡陽戰場。當即令命重炮兵，利用已概略完成之急造公路，向衡陽進發。並命第四〇、五十八兩師團，第五十七旅團，與第十三師團之一部，就地向衡陽集結。其本人亦兼程南下，準備親自指揮衡陽之戰。

重炮五門，野戰炮五十門，總計約五個師團之兵力，於八月一日，集結於衡陽外圍。八月四日晨，在橫山司令官之指揮下，開始了第三次總攻擊。預期一天之內，必下此城。

但敵人之守將方先覺將軍，爲一驍勇善戰之虎將，其第十軍之四個師，皆以必死之決心，負嵎頑抗，寸土必守，其孤城奮戰之精神，實令人敬仰。我第一日之全力猛攻，竟又被迫無效而終。其四十餘天之激戰中，敵人尙無一卒向我投降，實爲中日戰爭之珍聞，如非敵人在長期抗戰中已逐步將遊雜部隊整編爲正規軍，則必係我軍之兩次挫敗，使敵軍堅定了必勝的信心！但我軍之此次總攻，若不成功，將何以對陛下！何以見國人！第十一軍亦將永遠淪爲受人卑視的境遇。責任心榮譽感之所驅，全軍將士猶如猛攻旅順要塞之乃木軍，生死不顧，用肉體逼向敵人之陣地硬拚。

如野戰炮兵一二二聯隊之大隊長，倉成國雄少校，曾將其火炮推進於敵前百公尺以內，直接射擊敵人之側防火力。雖兩足重傷，尤戲稱：「寧願作步炮協同之鬼，以賭勝利！」而堅持不退。其餘炮兵，亦無不爭先進出於最前線，捨命破壞敵人之工事，以支援友軍衝進。

步兵，更到處展開了慘烈之衝殺，在第一線揮動軍刀指揮官兵衝殺之勇將吉隊源吉少將（五十七旅團長）被敵人之迫擊炮彈自腹部貫穿而亡。

勇猛之黑瀨平一上校，所率領之第一三三聯隊，於前年十一月之常德戰役中，已英名四播。此次作戰之第一回合，即奪了敵人主陣地之一角——張家山陣地，後因攻擊中止而撤退。當第二次總攻時，又強行奪取了該地，並擊退了敵人之猛烈逆襲，致在同一地點，連續進行了三次激戰。第三次攻擊中，其所擔任之目標，爲敵人最堅強之岳屏山陣地，亦於攻擊發起後之第三天——八月六日，強行佔領。黑瀨屬下之三個步兵大隊，其大隊長迫少校，大須賀及足立兩上尉，於第一次總攻擊時，即已在張家山陣亡。第二次總攻擊中，新任之大隊長，東校及小野兩上尉，又於該地相繼陣亡。其所屬之連長，則全部罹難。然而，勇敢的黑瀨上校，並未因此氣餒，仍一意遂行任務，指揮其所屬向敵人衝進。當第二次攻擊時，其第一大隊，曾以僅餘之八十名殘兵，與敵人反復激戰了五晝夜，且終將敵人擊退。八月六日，當岳屏山高地被其攻佔時，其第二大隊，只剩下下瀨口上尉以下七名官兵，尙殘留於人間。（完）

綜談國劇復興（一三）

王方曙

藝術所以成爲藝術，就是不要屬於匠人的東西。因此，在我們的身段之中，應該把握以舞姿爲基本的原則，而無凝止的創造各式各樣各種的變化，使隨時有新的形態出現，才是最好的途徑。比如說：青衣唱哭頭，一定是翻袖子。翻袖子確實很好看，再配合上鑼鼓，實在很美又很動人。但每次唱哭頭都如此，便覺趣味減少。如武家坡：在二六以前，唱哭頭，在進窰對水盆照容貌，唱哭頭。二者都是差不多的唱法，差不多的動作。在一齣戲裏，自然有重複之感。即使不在一齣戲，而在兩齣戲。比如前場一齣武家坡進窰。後場宇宙鋒金殿。就一連三個哭頭。看慣了的人，以爲理所當然，哭頭就是這樣唱，這樣動作。但對藝術肯追求的人，不免疑惑：難道規定不許改變動作的方式嗎？不許改變唱的曲譜嗎？事實上假如我們肯將動作改變，加以翻新，加以變化，當然會更好，決不會變壞。但爲甚麼不變化呢？因爲習慣。在習慣上既如此，所以唱到這裏便如此。我於此只是隨便舉一例，其他部份亦多如此。如起壩，大致相同；如趟馬，大致相同；如要下場，大致相同。甚至於一切角色的上場，不外投袖正冠理鬚理髯等固定的幾個動作。近而至於哭的動作，笑的動作，和哭笑的聲音，都似有固定的方式。即使我們演得再好，觀衆也許以爲你只有這些套數，不過換幾個戲名而已，在甲戲表演是這一些東西，在乙戲仍舊表演這一些東西。

事實上我們所能表演的，絕對不是止於此的。但由於習慣，由於不敢擅改前輩的傳授，甚至有些人一定要追求前輩的風範，因此無意之中走向形式化。在此我想起梅蘭芳的宇宙鋒。他的水袖的變化，使我們感到不可捉摸，裝瘋前三次叫頭，水袖各有不同，而袖子的動作的速度，帶着感情。裝瘋時水袖的動作，更是變化萬端。齊如山先生寫有一部國劇身段譜，講到水袖的許多變化，確實解釋得很好。但我看了梅氏的這齣宇宙鋒，我發現用筆寫無論如何表現不出來梅氏水袖的運用之妙，梅氏爲甚麼能作得出來呢？其實無何奇妙，只因梅氏已經成大名，膽子大，不怕別人說他不守規矩。他願意怎麼作就怎麼作。於是他便把他的天才發揮了出來。其他的人未必沒有天才，但拘守於老規矩，不敢動前人的作法，老師死傳，學生死作，一切依樣葫蘆，甚至排新戲也都襲老套，於是越來越[illegible]。

小啓：今期稿擠，「諸葛亮狂想曲」暫停一期，下期續刊。

巨變歷險記！

濰縣—青島（七九）

胡慶蓉

丁博士下一目的地是青島。

丁博士從碭山而徐州而濟南，一帆風順，心中自然歡喜。到了濟南，是在快天亮的時候，車站上已經擠滿了人，他就在買濰縣票的窗口前排隊，他很早的買到了去濰縣的票。在站上喝足了豆漿，吃飽了大餅，就去到車上佔個位置。這是一趟慢車，這趟慢車先開，他就坐這一趟。三十六計，走爲上策，而且越快離開越好。車很快的就開了。一離開了濟南車站，丁博士的精神爲之大振。他以爲濟南能越過，前途就非常樂觀。山東人、河南人是不分的。丁博士的口音與山東人的口音並沒什麼差別，誰也沒把丁博士當作外人，都以爲就是山東本地人，誰也沒有注意。好在丁博士沿途不言語，他兩眼釘住窗口的曠野，儘量呼吸窗外的空氣。更可以爲丁博士掩護的，是去濰縣的人特別的多，丁博士被擠在徑邊，更沒人去注意他。

從濟南到濰縣，同從碭山到濟南，風光大體相同。徐州有幾個小山，前已言之。津浦線上，除泰安的泰山外，再也沒有什麼山。中曰泰山、南曰衡山、西曰華山，丁博士都曾登臨過，並曾在上邊看過日出。此次經過，僅遠遠目送而已。看山跑似馬，看來不遠，然若真的要去，那就遠了。在濟南濰縣途中，似乎什麼山都沒有，一望無餘的都是農田，彷彿丁博士記得，縱濟到濰縣要一天的工夫。到濰縣，住在一家鷄毛小店。這鷄毛小店，也就是民房。一個人有一個大炕。上邊鋪的蓆子是高梁桿的皮子編的。這高梁桿的皮子，當然遠不如竹子的皮，但也很光滑，而且很涼。晚上一人給一條被子，這被子恐怕有四斤重，實在厚得很，但棉套並不是新的，故雖重而不暖。濰縣著名是非常著名的，但還是個大農村，工業產品，一點沒有，丁博士轉了幾個大圈，但並看不出有絲毫的異樣。濰縣過去是山東的大縣城，除了濟南、青島，就該推濰縣了。他的出名，原因很多。臺調，恐怕也是其中之一。又濰縣以接近青島，人民愛出去經商，恐怕也是出名原因之一。在東南亞各地，常可以看見山東人揹個包包，到處作生意。濰縣在外僑數目上，當然還比不上福建與廣東；然若同山東其餘的地方比，同河南的各地比，那已算是手屈一指了。

從濰縣到青島這一段，沒有火車，沒有電車，也沒有汽車，僱了一輛牛車，作樣子，有時候也可以坐。好像是附近村子上作工的，對於丁博士來說，是一個非常好的掩護。趕一輛牛車，這村到那村，是常有的事。從濰縣到青島附近，需要兩天的時間，兩夜都是睡在鷄毛小店。快到青島，也就是快到水邊。有小帆船在等。打上船，到青島登岸的碼頭，也並不簡單。丁博士能夠登陸青島，實引以爲無上欣慰！

諸葛亮鞠躬盡瘁（下）

命相與夢話

漢年

在此同一年，武侯克巴郡，取成都，一生名業奠基於此之所以然者，歲逢甲午，限逢己未。不僅天幹甲木，可以生火，即地枝午未，曾生時之巳，聯爲南方一氣，也有功效。

三十五歲乙未，至三十八歲戊戌。這四年武侯年譜並未詳敘，但武侯時在成都任內治，「足食足兵」，建立文武異章制度。沒有其他發展。

三十九歲己亥，小限甲寅，關公遇害於臨沮。

四十歲庚子，小限癸丑，昭烈進年出兵漢中，渡沔水，定漢川，進爲漢中王。武侯仍在成都足食足兵。

四十一歲辛丑，小限壬子。昭烈即位於成都，以武侯爲丞相假節鉞，錄尚書事。秋天，昭烈恨東吳害死關公，親提大軍伐吳。留武侯守成都，輔太子劉禪。

四十二歲壬寅，小限辛亥。二月，昭烈敗歸白帝城。六月張飛爲其左右所害。以武侯領司隸校尉。十月，詔武侯營南北郊於成都。

四十三歲癸卯，小限庚戌，三月昭烈寢疾於永安，武侯詔奔永安受託孤之命。四月昭烈崩於永安，年六十三歲。武侯奉表還成都。太子禪即位，改元建興，封亮爲武鄉侯。在此五年間，關、張相繼而亡，昭烈又崩，可見辰運爲水墓，歲限[illegible]命水，因此造遭大故。命之有憑如此，雖有上智的人，亦莫如之何。

四十四歲甲辰，小限己酉。武侯務農殖穀，閉關息民。

四十五歲乙巳，小限戊申。武侯南征，南蠻悉降。收蠻將孟獲等，後爲國用。終武侯之世，夷不復反。

四十六歲丙午，小限丁未。武侯於兵講武，準備北伐。

四十七歲丁未，小限丙午。武侯率軍屯漢中以圖中原。臨發上疏，即有名的前出師表。同年生子諸葛瞻。

四十八歲戊申，小限乙巳春，武侯伐魏，揚聲由斜谷取郿縣，使趙雲、鄧芝爲疑軍，據箕谷，親提諸軍攻祁山、南安、天水三郡，三郡爲之響應，關中震恐。不料前軍馬謖違反武侯節度，敗於街亭。武侯乃拔西縣千餘家還漢中，斬馬謖以謝衆。又上疏自貶三等，於是以武侯爲右將軍仍行丞相事，統領如前。十二月，再北伐，出散關，圍陳倉不克，因糧盡引還。斬魏將王雙。此五年中，以戊申爲最惡劣。因大運在辛，而又歲值戊申，金多生水，是以滿盈。其餘四年，歲逢木火，故諸事裕如。丁未生子，亦因火能濟水之明證。

四十九歲己酉，小限甲辰春，武侯遣趙式攻武都，遂克二郡，詔復原官。是年冬，武侯徙府營於南山下原；上築漢、樂二城。因孫權稱帝，因此聯合西蜀，漢吳共盟，北拒曹魏，共分天下。

五十歲庚戌，小限癸卯。秋七月，魏寇漢中，武侯兵出陳固以待之。召李嚴爲驃騎將軍，將二萬人赴漢中，因大雨三十餘日，棧道斷絕。魏軍不得志而退。

五十一歲辛亥，小限壬寅。武侯北伐圍祁山，開始用木牛運糧，擊敗司馬懿於鹵城。因糧盡退軍，又斬追將張郃。

五十二歲壬子，小限辛丑。武侯勸農於黃沙，趕作木牛流馬以運糧，教兵講武。

五十三歲癸丑，小限庚子。冬天，武侯遣人運米於斜谷口，治斜谷邸閣。是年南夷劉胄造反，馬忠破平。在此五年中，雖不安寧，但沒有大出入。雖然卯與生年流衝，而卯運中藏乙木，有裨益於流衝。

五十四歲甲寅，小限己亥。是年春，武侯率衆十萬，由斜谷口伐魏，遣使約吳同時大舉伐魏。進軍渭南，屯兵五丈原，（在今陝西省郿縣西南，與祁山接界。）魏大將軍司馬懿引兵拒守。武侯乃分兵實施屯田，以爲久駐之計。與魏軍相拒百餘日。是年八月癸酉，二十八日庚辰，武侯病故五丈原，葬於定軍山。

這一歲正是歲枝寅衝申，限枝之亥衝巳之弊；然若非癸酉月，庚辰日，助紂爲虐，絕不致如此之烈。推究其原因，武侯之造，官則水金火三行爲主。水清金白，急需火爲濟。今得歲幹逢甲，限幹逢己，化土剋水，清變爲濁，破格堪虞。呂氏春秋說：「水之性清，土者拍之。」如將此語設之於武侯命造，更可證信了。武侯在此六年前說：「鞠躬盡力，死而後已」。武侯卒死於軍，言行一致，眞正做到了。下面用魏際端詠五丈原詩結束本篇。詩云：「漢業如灰已不燃，忠臣孤掌擬褰烟；三分天下四川地，六出祁山五丈原。司馬但但能拼急走，臥龍到此竟長眠。至今原上秋風色，一月長如八月天。」眞是沉痛之至了。（下期預告：石崇富貴命）

曾倩輝女史畫展評介

蔣丙英

畫美人像，是一種美好的享受，古典美人與現代美人不同，古代女人美易，現代女人美難，因爲古代女人美是含蓄的，只要面部美就可以交差；現代女人美則重在身材的窈窕，曲線的苗條，不管古代女人美也罷，現代女人美也罷，她總是鍾山川之靈秀，極上帝之傑作。秀色可餐，畫則畫美人之難可知已。吾於曾倩輝女史之專工仕女，不能不爲之擊節三嘆！因爲他有優美的點線，及空靈的意境，並能勾畫出每一仕女的心理狀態，意之所向，神之所會，自然清可出塵，美可悅目，一切的外在美及內在美，都能在繪事上表達無遺，外在美固然在生花的筆端表現得維肖維妙，內在美更能在靈活的筆觸裡，蘊藏着玉潔冰清。神化中的意境，匠心獨運，才氣橫溢，纖手揮毫，巧奪天工，令人怡然爲之神往，悠然爲之陶醉，故樂爲之評介。

桃花潭水深千尺

趙陀

「老鬼，人世間沒有比你再髒、再濁、再無恥的人了。」

「只向一個人低頭，不會染髒，就爬到萬人之上，等於鶴立鷄羣，怎麼會濁？沒有比這個買賣還划算；反過來說，就是一本萬利，不，簡直是無本生利；大學十章，重在理財，未把線裝書讀通的人，實難臻於此！」

「哼，你聽到王媽昨在樓下數蘇家的閒話嗎？」

「王媽數甚麼？奴婢就是奴婢，狗嘴裡不可能生出象牙，是非日日有，不聽自然無。」表示着無所謂。

「王媽說一位文弱的千金，肩負着香港上海兩地家庭的開支還嫌不夠，硬逼着克琳去做馬繼元的姨太太，賣身契都寫給人家了，王媽認爲鄉下的牛死了，都沒有人忍心去吃，蘇府的人，心腸都是鐵打的，幸而上天開路給小姐走，否則……」

「這樣惡意詆毀，我非告他不可。」

「老不死你又在亂嚼了。」

「這那裡還像一個家；沒有老幼之別，沒有主僕之分。」

克琳這時從書房走出，一本正經的說：

「王媽一人繫我們全家的安危，這次選擇任念佩爲對象，就是王媽代女兒決定的，她說：任念佩年青有爲，學問好，品德好，有魄力，有智慧，又同爲主丙兄弟姐妹，不像牛頭馬面，整天在外吃喝嫖賭，對女兒的影響力量很大，追根究底，這就是眞相所在。」含憤而乾脆的說。（廿九）

優美的民族文化與高尚的民族精神（下）

（上接第一版頭條）

當人只是存之於心，而不能見之於行，而先王則有此心，便有此行，此先王「之所以大過人者」也。

孟子又說：

「徒善不足以爲政。」

徒有善心而不能發爲善行，則善心便將落空，當然不足以爲政。

中國的先哲都是有仁愛之心便有仁愛之行，有民本的思想便有民本的措施；而民本的措施則是以民生爲重心的。前述論語引堯戒舜，舜戒禹之言曰：

「四海困窮，天祿永終。」

此即說人君之責任，在於解決民生。如民生不能獲得解決，則將失其爲人君之資格而不保其位。

虞書所載禹告舜之言，更足證明古代聖王對民生之重視。其言曰：

「德惟善政，政在養民。水火金木土穀惟修，正德利用厚生惟和。」

蔡註云：

「正德者，父慈子孝，兄友弟恭之類，所以正民之德也。利用者，工作什器，商通貨財之類，所以利民之用也。厚生者，衣帛食肉，不飢不寒之類，所以厚民之生也。」

三者之中，民生有其二，可見先哲對民生之重視。

又虞書載：舜命禹進善言以裨益政治，禹乃述其與后稷及伯益對民生之努力以相勉。其言曰：

「洪水滔天，浩浩懷山襄陵，下民昏墊。予乘四載，隨山刊木，暨益奏庶鮮食。予決九川距四海，濬畎澮距川，暨稷播，奏庶艱食鮮食，懋遷有無化居。烝民乃粒，萬邦作乂。」

禹所言之重點，在於「烝民乃粒，萬邦作乂。」蔡謂民生解決乃有治功也。又載皐陶聞禹之言曰：「師汝昌言。」禹以民生爲言，皐陶則願以其言爲師，可見禹及皐陶對民生之重視。

儒家繼承先聖道統，對於民生有更多的言論發揮，與更具體的主張提出。

論語孔子曰：

「道千乘之國，敬事而信，節用而愛民，使民以時。」

又論語子貢問政，子曰：

「足食足兵。」

孔門弟子有若謂魯哀公曰：

「百姓足，君孰與不足？百姓不足，君孰與足？」

欲富國，必先富民，正可見爲政之要務在民生。

又論語載：

「子適衛，冉有僕。子曰：『庶矣哉。』冉有曰：『既庶矣，又何加焉？』子曰：『富之。』」

庶而不富，則民生不遂而「窮斯濫矣」。重民生，正所以固國之本。

治乎孟子，承孔子思想而更予以發揚，乃提出解決民生問題之具體主張。孟子曰：

「五畝之宅，樹牆下以桑，匹婦蠶之，則老者足以衣帛矣。五母雞，二母彘，無失其時，則老者足以無失肉矣。百畝之田，匹夫耕之，八口之家可以無飢矣。」

這即是孟子所主張的井田制度。其作用，孟子自言在於使民得以溫飽。孟子曰：

「是故明君制民之產，必使仰足以事父母，俯足以畜妻子。」

但使民溫飽只是起碼的要求，孟子認爲使民富足始是解決民生的終極目的：

「穀與魚鼈不可勝食，材木不可勝用。是使民養生喪死無憾也。養生喪死無憾，王道之始也。」

「易其田疇，薄其稅斂，民可使富也。食之以時，用之以禮，財不可勝用也。」

「民非水火不生活，昏暮叩門戶求之水火，無弗與者，至足矣。聖人之治天下，使民有菽粟如水火，而民焉有不仁者乎？」

孟子所言，亦即管子所云「倉廩實而知禮節，衣食足而後知榮辱」的意思。民生，法家與儒家並無二致。

荀子亦注重民生問題。他認爲治國要養人之欲，給人之求。」其論禮之功用曰：

「禮起於何也？曰，人生而有欲，欲而不得，則不能無求，求而無度量分界則爭，爭則亂，亂則窮。先王惡其亂也，故制禮義以分之，以養人之欲，給人之求，使欲必不窮於物，物必不屈於欲。」

荀子又論解決民生的政策云：

「足國之道，節用裕民而善藏其餘。節用以禮，裕民以政。」

所謂「裕民之政」，荀子解釋說：

「輕田野之稅，平關市之征，省商賈之數，罕興力役，無奪農時，如是則國富矣，夫是之謂以政裕民。」

儒家法家重視民生，墨家亦然。墨子節用，節葬等篇，皆係以其民生的觀點以立論的。

以上所舉的中華民族文化的三種特質，祇是就最基本者言之。而此種特質，是我們古聖先賢一脈相傳的道統之主要成份。國父的三民主義思想則是繼承此道統而發揚光大之的。這是我們對於中國文化應有的基本認識。

（完）

（作者簡介：國立清華大學訓導長，政論家。）

自由報

中華民國內政部登記證內警台報字第○三一一號

中國郵政台字第一二八二號執照登記爲第一類新聞紙

（第一○一一期）

社址：香港九龍彌敦道593—601號六興大廈八樓五座

LIU CHONG HING BUILDING 7th FLOOR FLAT 5 593—601 NATHAN ROAD, KOWLOON, H.K.

TEL：K303831

電報掛號：7191

承印：景星印刷公司

台灣分社：台北市西寧南路110號二樓

悼念左舜生先生

雷嘯岑

我和舜生先生是在香港纔訂交的，閱時已歷廿年了。在這二十年的歲月中，過從密切，無話不談，我倆都具有一種湖南人的騾子性格，過事不信邪，對人朗爽率眞，心裡怎末想，嘴裡就怎末說，不存絲毫機詐矯飾的心情，因而一見如故，久要不忘。如今他溘然萎化了，我個人深深地覺得如有所失，曷勝悼念！

舜生一輩子過着讀書生的生活，卻從來不事生產。民國卅八年秋間，他從廣州遠離香港時，代總統李宗仁撥了兩萬元現大洋給他，備作青年黨同志在海外不時之需。他携欵入香港後，即將全部撥欵交出，在九龍郊區經營一座「生生農場」，作爲青年黨同志棲身之所。兩萬現太洋當時可折合港幣十四萬元，他如果像一般流浪人一樣，扣留三五萬元港幣作自己的生活費用，誰也不會說二話的，然他無意於此。自己賃九龍鑽石山的一條小樓上，爲着房租負担不起，還分租給易君左夫婦同住着，另在門口涌備中，開設了一爿「士多」，從事小本經營的商行爲，藉博蠅頭之利。殊不知一號書生根本就不是做生意的材料，結果祗有虧蝕收檔之一途。我和舜生就在這個階段結交的。我素來抱持着一項觀念，凡屬搞政治的人如果愛錢，那就俗不堪耐，決無前途。舜生在窮乏潦倒的環境中，能不喪其所守，這便是光明磊落的豪傑之士，値得親近海益也。當時成舍我劉百閔二位亦住在舜生的附近，我常到劉成兩家作方城之戲，總有舜生在座，他每次入局後，即囑他那「士多」的掌櫃送些「可樂」和糖果來，又不肯收錢，我笑謂：「左公如此作生意，勢非關門不可啦！」他答道：「整個大陸的錦繡江山都丟掉了，區區一所士多的存亡，何足道哉！」相予撫掌大樂，我心裏對舜生更爲崇敬了。

繼而「自由人」座談會產生，我與舜生每會必到，每到即毫無顧忌的發表意見，而所見皆略同，沒有黨派異同的觀念夾雜於其中。我曾對舜生說笑話：「如果青年黨的朋友都像左公這樣的風格；我願意改隸爲青年黨黨員，好嗎？」他說：「好是好，祇怕你不敢呀！」他把我的心思看透了。迨「自由人」雙週刊出版後，舜生和我每期必須寫稿，他的專欄爲「時局漫談」，專談政治問題；我寫「自由談」，上下古今無所不談，他曾經提醒我：「你以在朝黨的黨員，而過事率直批評，還望留意爲是。」我告以在「自由人」寫文章，是憑着中華民國國民的資格說話，與黨派無關。他又說：「話是不錯的，可是，今天究有幾個人能够辨別這項義理呢！」這可見舜生對我隨時關懷的誠摯友誼，決非泛泛之交者可比。

舜生待人接物的優點是坦白無城府，而又重感情，大問題堅持原則，其餘則無可無不可，不失爲政治家應有的風度。當他尚未到過台灣以前，曾在「自由人」寫文章對台灣某些當道人物有所不滿。民國四十三年他首次到台灣參加國大代表會議回港後，觀感即爲之改變了。他在政治生活過程中最懊悔的一樁事，就是對日抗戰時期他倡設了「民主政團同盟」，并担任「同盟」的秘書長，後來這種臨時性的政團組織，致爲共黨所利用，改稱「民主同盟」，降敵叛國，罔知廉恥。青民兩黨雖然早已洞燭其奸，宣告退出，但他深悔多此一舉。據舜生說，當年組織這個政團的用意，只爲保障在野黨派人士的政治權益而已。原因是國民參政會在重慶改組時，有幾個非執政黨黨員的舊參政員落選了，他爲防範政府再有淘汰在野黨參政名額起見，纔倡設「民主政團同盟」，這個機構，藉以自衛的，不料竟產生了貽禍國家的後患，實出意外。香港「自由人」雙週刊之宣告夭折，當時舜生是很不同意的，但由於某某官僚份子以發起人之一的關係，聲言他負有促成「自由人」停刊的使命，非達成任務不可，舜生乃表示無言的抗議，然主張不必對外申述理由，只宜稱本報於某年某日創刊，於某年某日休刊就得了。這便是他對大問題堅持原則，餘則無可無不可的事實表現。

舜生壯年畢業於湖南法政專門學校後即從事政治活動，也曾漫遊歐陸，然其學識之長進，據他自述，乃得力於他在上海中華書局編譯所工作幾年的工夫，抽暇讀書不少，結交學人亦多，「少年中國學會」就是在上海幹編譯工作時期創立的，亦因此而參加了中國青年黨，到對日抗戰時，他代表青年黨赴廬山與執政黨領導人洽商合作問題，交換合作文件，使青年黨成爲合法的政黨，公開活動，後來他受聘爲國立大學教授，亦導源於此也。他在上海復旦大學和國立政治大學都是講授近代史，有近代史學權威地位，這雖到了香港，又在香港新亞書院教近代史。往後新亞書院接受外國人的金錢贊助，以舜生沒有外國的「博士」「碩士」頭銜，竟將他列爲非正式的二等教師，他一氣之下，「老子不幹了！」充分表示着湖南人的個性，決不含糊。

舜生日常嗜好有兩種，即看電影與玩麻將牌是也。他最討厭僞君子的矯飾醜態，決不諱言玩牌這回事，而且逢人即傳述他母親的故事，說他母親易簀之時，眼見着兒女和媳婦們都在臥榻前送終，欣然語之曰：「你們都已到來，我沒有甚末遺憾了，祇有一件事感覺不滿足，就是此生的麻將牌還未玩够啦！」舜生解釋道：「我母親生下我這兒子，如果不玩牌，那豈非不肖之子嗎？」他這種朗爽的風格，和情趣，以視那些當着人即道貌岸然，裝出正人君子模樣；背地裡嫖賭吃喝樣樣精幹的假道學人物，雅俗奚似，高下又如何呢！他在青年黨是領導人之一，在政治上作過特任官，學術界有其崇高的地位，但其言行絕無絲毫矜持倨傲的形色，令人發生和易可親之感，眞不愧爲民主鬥士，微斯人，吾誰與歸乎？

舜生扶病到台北入榮民總醫院後，我以爲他的病況尚不十分嚴重，只送了一只花籃祝他早日康復，過一個禮拜後再往醫院探視，他已帶上氧氣器，閉目不能說話了！我站在病榻前愀然相對，默然無聲，咽淚自問：「左公眞的從此不起了嗎？」二十年來肝胆相照的朋友，臨危竟未能一言以訣別，這是我的疏忽，追悔莫及矣！左公九泉有知，亦能原諒否耶？悲夫！悲夫！（完）

昨日與明日

從王紹育（土旁）被控談起

近來自由中國最熱門一件新聞就是財政部常務次長王紹育（土旁、以下同）被人檢舉貪污瀆職，台北地方法院檢察處接受了這件控告，已交檢察官進行偵查。這件事所以被朝野注意：第一、檢舉王紹育次長的是財政部一位職員，也就是王次長的下屬。以下屬正式具名負責檢舉長官，在自由中國的政壇上，以往還很少見。第二、王紹育中歲長，局長而次長，在不很長久的時期裡，連升三級，權成台北政壇佳話。這樣顯紅的新人，突然被檢舉，被控告，眞是嚇人一跳。老記因也不禁發生幾點感想。

法治國家

由於王紹育次長被檢舉，法院即交檢察官進行偵查，並不因爲王是政府高級官吏，法院而不受理。法律之前，人人平等，這是民主國家的眞諦，也是法治國家的要件。由此證明：中華民國的確是個法治國家，而司法機關態度的明朗，行動的迅速，也値得讚揚。檢舉人所以檢舉，據報載他的動機是響應蔣總統政治革新的號召。不管他的動機如何，但有一點很明白：在政治上，位高就有權，財政部常務次長當然是位有權勢的人物，而他的下屬不畏權勢，不顧後果，他必一定相信：自由中國是個法治國家，會受法律的保護，不會無端被扣「帽子」的。

牆角挖不得

國家施政的得失、政治措施之是否得到人民的擁護，人的因素，非常重要。縱有完備的法令制度，而執行法令的人有偏差，結果一定失敗。特別是國家在非常時期，多難之秋，政府更應擢賢與能，用任艱鉅。在被擢升的要員方面，尤應感激上峯對他的知遇，加倍努力奮發，兢兢業業，以報知己而無負於國家重任。如果自己以爲有強硬的後台，大胆妄爲，不顧一切，其他的人也因爲投鼠忌器，敢怒而不敢言。結果，必造成政治上的貪汚腐化，人事上的怨懟不平。於是，最親近的人也就變爲挖自己牆角的人。對個人損失還小，造禍國家甚大，豈不痛心！

不平之氣

王紹育次長之被檢舉控告，是否涉有刑責，司法機關自必依法處理，將來自必水落石出，眞象大明。不過，由職員之檢舉長官，可以反映出各機關有的升遷獎懲，不平之氣，充滿內部，如職員的股暗流，往屢和其他福利的分配等等。如果長官有所偏私，未能公平處理，常常發生問題，縱然不敢公開反對，也導致內部離心離德，有的向監察控告，有的向上峯陳情，敢於負責具名控告的，那就大有原因了。如何提高行政效率，首應求機關內部的精誠團結，消除內部不平之氣。

·老記·

自由談

美國人常說，貧窮是共產主義的溫床；又認定民主政治纔是反共的唯一特效劑。他們覺得自己的見解很高明，實則空疏不切實際，印尼便是極好的證明。

印尼獨立後原係亞洲很貧窮的國家，且不特經濟生活貧乏，智識界亦貧乏空虛，而政治生活更由於開國首腦蘇卡諾的思想害着左傾幼稚病，效顰中俄共，倡行所謂「指導的民主」，採取親共路線，因而印尼的共黨勢力暴漲，不到廿年就發展到了四百萬黨員。若照美國人的想法和說法，印尼的赤化是絕對沒法避免的了。

可是，陸軍領袖蘇哈托崛起高揭反共旗幟，把親共的元首蘇卡諾予以幽囚，廢除舊有憲法，解散政黨和議會，實行軍事獨裁，對於共產黨徒，草薙禽獮，格殺勿論，無所謂民主不民主，而印尼四百萬共產份子逃的逃，死的死，匿迹銷聲，很快的歸於幻滅了。若照美國人的想法和說法，印尼的共黨勢力，由於蘇哈托之獨裁不民主，將見更加猖狂，非奪取政權不可也。

美國人不配反共

美國人根本不瞭解共黨本質，更不知道共黨份子的發展、鬥爭策略是怎末回事，祇是以自己的尺度，衡量別人，認爲美國亦有共產黨，且許其公開活動，然美共勢力在民主生活之下，并不發展。所以，一九四三年美國副總統華萊士到我國戰時首都重慶訪問時，曾對我政府當局說過：「你們何必害怕共產黨呢？我們就不怕美共！」假使印尼蘇哈托政府接受了美援，遵循美方顧問團或大使、特使的主張，擁護民主政治的招牌，跟共黨組織聯合政府，准其合法活動，並舉行選舉以決定政權誰屬，印尼早就赤化了！蘇哈托就因爲沒有接受美援，纔能夠徹底清除共禍，挽救國家民族的浩劫，而使美國人一貫的反共理論和方法宣告破產，何幸如之！

戰後凡是跟美國親善結交，接受美援的國家，共黨勢力即迅速發展，進而奪取政權，咱們中國乃其最著者。日本在戰前共黨份子無法生存，戰後經過美國的大力指導，日共勢力亦突飛猛進，致釀成新興日本的大患。誰不知美國人對於這些事實，作何感想呢？

留學政策與人才外流

·朱邦復·

編者按：作者語重心長，切中時弊，而其憤世嫉俗，愛國圖強之熱情，尤足敬佩。所提辦法雖牽涉甚多，尚値商榷，然其針對問題癥結提出有力啓示，則極有價値，甚望有關方面切實考慮，以謀此一問題之合理解決也。

筆者去國五載，歸國後每見報載留學生事都如隔靴搔癢，無一說中要點者。

多年來留學生有去無歸是無可否認的事實，且撇開回國之就業等問題不論，筆者以親身所歷所見，敢言人所未言者，以就教於當局，倘蒙採信，國家幸甚，民族幸甚。

簡言之，留學生大體上可分爲三類：一、爲求學求知者。二、爲盲目附從者。三、爲崇拜洋物者。

第一等人歸國適以害之。此類人才不「外流」而是國內「無庫可儲」。第二等人歸國對國家之「幫助」大不過推廣一美式俚語」，潛移社會崇洋風習，以「學人」姿態出入，玉帶圍身，坐享榮華富貴，徒事刺激國內安份樂道之士，而「心馳」之，擠往出國之門。

再說第三等人，不要說民族大義，即使堆以金磚，砌以玉屋，也不可能迎之歸。事實上是外國的空氣新鮮，好舒自在。倘使強之而歸，不僅無益，徒增一牢騷滿腹，言行乖張之高級難人，必導致社會亂而後已。

綜此而觀之，爭取留學生回國之癥結並不在於「爭取」，而在於如何建造一高水準之「人材儲庫」，匪此，倘祈袞袞諸公三思五思。

那麼留學政策又該如何呢？我們如果承認上項事實，即應對症下藥。根本之策是一移「美化都市之紅磚」，多設高級學術研究之學府（或機構）充實設備，舒暢學人之地位及提高待遇。

但以目前而論似嫌太遠，一如治大台北之水患焉。

此外尚有治標一策，亦等於防洪，防洪並非以堤而阻之，築壩而擋之，而必須適當地宣洩，若待颱風至後洩必以釀災，故必洩之有道。

再提及前所述及，第三等留學生是千方百計，以葬身「斯士」爲「最高理想」。試想國內同胞流血流汗，把他們小學造就到大學畢業所爲何來？國民義務教育不論，高中三年亦無美重要，但大學四年都是國家嚴重的負担，每年使小學子望門興嘆，而彼等倖入大學之門，不致力於學術，專攻其「美文」以爲留學之準備。

（下轉第四版）

立委谷正鼎謝仁釗等 對冲繩島問題講話了

美核子基地爲亞洲安全保障 所謂剩餘主權日本胡說八道

（本報記者張健生台北消息）關於琉球問題，據外交部沈劍虹次長說：「我們政府的立場與主張，一向認爲應依照開羅會議與波次坦會議的宣言，由有關盟國共同商議處。由於琉球在戰略上、在軍事上，其地位之重要，一旦有所變化，即可能影響及此一地區的安全，所以我們認爲處理琉球問題應注意琉球的重要性，與全面安全性，爲此我們與美方始終保持密切的連繫。自二次世界大戰以後，美國一直負責琉球行政、立法、司法的責任，由於當時美國承認日本對琉球保留剩餘主權，而致演變到今天。」沈氏在答復立委質詢的說明。

立法委員谷正鼎與謝仁釗，曾先後就琉球問題質詢外交部。谷正鼎委員質詢說：「琉球與中國曾有悠久的歷史關係，明太祖時曾受册封。一八七九年被日本武力侵佔，至一八九七年，日本宣佈吞併並改爲冲繩島。波茨坦宣言規定：『日本之主權必將限於本洲、九洲、四國、北海道、及吾人所決定的其他小島嶼內。』開羅宣言：『日本在太平洋上所奪得佔領之一切島嶼，例如東北四省、台灣、澎湖等歸還中華民國，朝鮮在相當時期內獨立。』依上述規定，日本領土已有明確之限制，琉球爲日本所『奪得佔領』之太平洋上島嶼，日本無權收回，依據舊金山和約，美國亦無權處理琉球。」

但「最近日本借安保條約之延長問題，向美國敲詐，希望琉球撤去核子武器，視同日本本土；歸還日本，而美國竟承認日本所揑造的對琉球有『剩餘主權』之說，將有條件的交還日本。琉球爲美軍基地，有核子設備，係亞洲安全之保障。日本想將琉球收回歸同日本本土，核子設備應當撤銷，美軍進出調度應受日本政府的控制。如此，則亞洲安全毫無保障，如一旦日本左派執政，其對美軍之控制，當將以俄共中共的意志與利益爲依歸，其爲害何堪設想。」谷委員「堅決反對日本收回琉球，並否定美國有處理琉球之權。爲維護亞洲安全與世界和平，在共產侵略威脅未解決前， 球應當仍然維持現狀。自第二次大戰後，殖民地盡皆脫離主國而獨立。我們希望 球將來能實現其獨立自主之願望。」

這位貴州省籍的立法委員，是一位著名的立法院外交委員會的外交家，他指出「日本左派反對安保條約延長，而執政黨就利用以爲向美要求收回 球，而美國竟亦陷其術中。殊不知日本現在的國民生產額居世界第二位——每年國民生產總額一千三百八十億美元，對軍事負担微乎其微（本報記者按：日本一九六八年度的國防預算計十一億七千萬美元，佔其國民生產額的百分之零點八三。）因無國防負担，故經濟建設能長足發展。日本暴露在中共俄共侵略威脅之下，其安全完全由美軍保護，倘美軍撤離，日本將岌岌不可終日，故安保條約之延長，乃爲日本之需要，美國何懼之有？日本有識之士及一般民衆是不願接受共產奴役的。日本應當多貢獻力量於自身之安全防衛，及亞洲各國之援助，日本的繁榮才能保持。」

近來，美國有人主張以日本爲亞洲之領導者，須知一個國家能否領導一方，不在其物質力量之大小，而決定於道義力量之有無。谷氏認爲：「日本過去侵略，現在投機，全無道義，何能領導亞洲？亞洲那一個國家願意接受日本的領導？老實說，日本之要求收回 球，就是帝國主義侵略動機的復活，日本可以用『餘剩主權』來要求收回 球、安知他日不對朝鮮等地也作『剩餘主權』之論呢？是故「政府對 球問題，應有具體的公開表示，不知以爲然否？」

謝仁釗委員說：美國是否可以將 球交給日本，不與有關國家商量，我們基於安全問題，我們不能不過問！根據中美共同防禦條約第六條規定，中華民國領土除了我們現有之領土，還有其協議之領土。就美國而言，如將 球隨意送掉，條約上規定有問題，條約上規定的事不能私相授受，這是我們所要注意的。」

沈次長答復謝委員說：「我們政府一貫主張這個問題不是美日雙方不經其盟國直接加以解決或處理的問題，這個主張，美日兩國政府都很瞭解。 球問題，從重要觀點說，當然是區域安全問題，我們歷次有機會與美國交換意見時候，特別強調。大概在最近美國有若干與日本直接接觸談判這個問題的官員，們要到台灣來，與我們交換意見。這一點謝委員放心，爲了區域性的安全，我們對這個問題，非常重視。」

國民中小學問題重重

教員待遇菲薄係因素 不爲五斗米折腰被逼着改業

本報記者當尚書台北消息：自 蔣總統明令公布將義務教育延長爲九年，隨爲挽救民族振衰起弊之劃時代教育政策，將垂萬代謳歌之盛事。惟在實施一年中，就記者所發現之問題，決非制度之本質，而爲財力、人力之外在關係所形成。記者於有關會議中，縷列事實，貢陳改革芻議，籲請當局注意採納，茲誌於下：

（一）自國民中學開辦以後，而國民小學之惡補問題，隨之消逝。但在教員之收入上，則畸形降低。一般具有才能者，多因生活之困難，紛紛改業，以致小學師資，發生普遍不足現象，偏僻地區尤感恐慌。交通便利地區，情勢雖較佳，但類多兼營兼職，且有視教員爲營業者。日前國小教員在教學上情緒低落，對學生之課業，則敷衍塞責草草了事，影響國民教育前途極大。惟一補救方法，須由國家合地方力量，另闢財源，普遍增加教師待遇，最低限度須在新台幣二千五百元以上，家口補助在外。對小學人事編製上亦應擴大。級任担課時數以不超過十二小時爲限，科任以不超過十八小時爲限。

（二）國民中學目前之問題，爲社會所注意者，厥爲惡補一端，實則說來，初中時代即已有之，國中仍繼續行之，亦即所謂升學課業輔導，教育主管規定於三年級准予課外輔導，並允收費用，以資補貼教員待遇。惟尚無統一明確法令，故在實施上，難以一致，亟應詳訂規章，化暗爲明，杜絕惡性，在升學輔導收費上，無妨稍予提高。在分配上應普及未達輔導之班級教員，但在比率上可以減少。

（三）再國中之分組教學問題，社會雖有反對者，但在教學方法上，而能力分組，仍具有正確之優良性。惟對成績次優或成績較劣之班級，所配備之教員，亦更須擇賢而任之，尤以導師益爲重要。分組問題，論者有謂：宜於國民小學進入六年級時期，即由校長和級任負責切實調查研究各生智能、性向、與趣及特長，並普遍舉行家庭訪問，詳悉家庭背景及經濟狀況，同時徵詢家長意見，對其學生之升學或就業希望，詳列於個案紀錄表內，於分發國中時，附送各分發學校。國中根據該項紀錄，再加研究分類，依其智能、性向、與趣及特長相近者編成一班，準備升學者則側重於升學課程，意圖就業者，則重於就業課程，其中智能特別高以及智能低之班級，均應施以特別教育，使其儘量發展。經過一學期以後，如導師發現情形有不符者，於學期結束時，即提教務會議共同研究，於第二學期再加調整。上述主張，頗切實際。因材施教，理有固然。再國民中學，既以能力、職業分組，即無須採用留級制度，所謂勒令退學，亦非所宜。準此，問題少年亦可減少矣。

師道須老成練達 操守人品爲第一

收敬師金有辱老師尊嚴

（四）國中校長人選，尚宜審慎，切以操守爲第一，年齡須以六十歲以下，如硬性規定須四十五歲以下，實等於棄置老成練達而不用，爲亟改正。再國中教務、訓導主任，以三年一期爲考績，如有優者，即以校長調升，以優績導師輪升主任。教師任課時間：國文（廢除國語科名，注音符號教學如舊）十二小時。英、數、十六小時。史、地、公民、自然十六小時至十八小時。體育、美術、音樂、勞作二十小時。教育當局應即明令規定，通令公私立中小學一體遵行。

（五）國中班級，以每班五十人爲限。課業批改，嚴禁由學生交互代爲。各班作業如超過五人以上者以十人計算，由學校酌予津貼。國中私中收費，應絕對由教育主管機關製發三聯單，規定明細項目。對公私立中小學，宜增收教師福利金（嚴令禁收所謂敬師金，例由導師向學生索討，有辱師道尊嚴），於年、節、教師節慰勞教師，須平均折現攤送。不分等級，校長亦不例外，如有中飽侵吞，以貪瀆論。私立中小學，准收教師退休金，上項收費項目，由教育主管規定，此外不准隨時向學生收取任何費用，違者應予處罰。

（六）廢除各級學校家長會，另行建立鄉、鎮、區教育協會（仿照台灣農民協會辦法組成），倡導捐募資金，協助政府興建校舍以及教職員宿舍，教師會館，以及救濟疾病災害之教職人員。

又據監察院巡察組於十月中旬，在台北縣據縣教育局長武增文，在所召開的檢討會中提出了詳細的報告。

武增文引喻目前台北縣國小教育，教員們課業負担是「雙重超載」，因爲依照教育部審定編纂的國小課程標準，是按每班教員編制一．五計算，實際台北縣各國小教員每班仍僅配置一、一至一‧二。其次，教育部規定編班人數每班學生爲四十至五十名，實際台北縣各國小每班多達六十至七十五名。由於這種「雙重超載」現象，影響教員對教學無法正常化，如課前準備，教學方法，考試命題，課業批改，家庭訪視等工作，都因陋就簡，做得不如理想。

武增文說：這種教學不正常所導致更嚴重的現象，則係讓書刊商人得以乘虛而入，印製現成作業答案、各種副課本向校推銷，因此連帶發生了書商與校方勾結，強迫學生購買，從中索取回扣等不法情事。

武增文指出：這種國小教員員額編制標準不合理問題，省方早表重視，曾在民國四十二年間訂定一項六年改進計劃方案，希望逐年遞增班級教員配置人數，至四十六年，可達到每班一．五的合理標準，但該方案實施一年，把新增班級提高爲一、二標準，便因財力不繼擱置了下來，迄今那些原有國小班級，還是按一．一標準計算呢。

對於編班學生人數的減少，也是教育當局所一再強調重視的問題；武增文說：省教育廳今年已訂了國六年實施計劃，要台北縣自今年起，逐年遞減班級學生人數，至達到每班四十人爲止。可是，該計劃今年實施首年，縣教育局擬按每班五十五名編班計算，估計全縣共需增加二百五十三班，結果僅獲省核准增設一百七十班，無形中把這項七十九班，很想設法的實施計劃，又大打折扣。縣府對此差額補足，但估計需經費預算一千萬元，實非地方預算所能負担。

怡偕奇錄（二）

・陳光棣・

我們這裏的女太太們，絕大多數是賢妻良母型，她們除了相夫教子之外，從來不管別的。另外有一小部份是三姑六婆型，她們除了吃飯睡覺之外，就專管別的。說來這些太太們的本領可實在驚人，左鄰右舍所發生的事情，都逃不過她們的耳目，所以這些女太太湊在一起，擺起龍門陣來，永遠有交換不完的情報，從某先生腎虧，某太太貧血，一直說到李家少爺女朋友的尼龍三角褲和張家下女的男姘頭推銷狗丸，娓娓道來，如數家珍，不由得你不由衷的佩服。可是我們這裡有兩個缺德鬼，針對這些太太們的特長，都給她們起了外號，從此這些太太們的名氣就越發大了起來。

這天早晨，首先由一位外號叫大洋馬的蔡太太，照例的站在弄堂裡一吆喝，馬上就有七八只菜籃子圍成了一個閒聊圈。

「我告訴妳們」！大洋馬不屑的說：「昨天夜裡，楊家鬧小偷，我好不容易把我那老不死的搖幌醒，妳們猜怎麼着」？

「怎麼着」？問話的是矮冬瓜盧太太。

「他個老不死的，居然錯會了意，妳們說說，四十幾歲的人了，誰還半夜三更的想那個」！大洋馬撇着嘴。

「可不是嘛！我們那老傢伙，他敢平白無故的上我的床」！另外一位太太斬釘截鐵的說。

「男人們還不都是一樣，接長不短的，就要跟妳囉索囉索」！作結論的這位太太，穿着迷你裙，梳着迷你髮，可惜就是缺少一張迷你嘴。

「我告訴妳們一椿秘密」！外號叫小辣椒的宮太太得意的說。在場的太太們馬上嚴肅起來，外號叫廣播電台的賴太太豎起了耳朵。

「劉二爺要辦喜事啦」！小辣椒大驚小怪的。

「什麼！劉二爺？」大洋馬叫起來：「眞想不到，孫子都有啦！還想……」

「哼！平常看起來，倒挺會裝蒜，敢情也是個老不正經」！矮冬瓜忿忿不平的說。

「妳怎麼知道的」？廣播電台追究來源。

「劉二爺託我們宮先生替他找房子，妳知道，我先生是頂尖兒的經紀人」！小辣椒拿出粉盒來撲粉。

喬治桑外傳 三九

張大萬

「博士有何見教？」古有方用管吸了一口橘子汁。

「最近因爲我的美國匯款沒有到，上個月向朋友借了幾萬塊錢，幾天後到期，想和老兄商量，是不是可以週轉一下？」喬治桑只好硬着頭皮，坦率陳詞。

古有方又啜了兩口橘子汁，沉吟片刻。

「你需要多少錢？數目太大了恐怕我無能爲力。」古有方是老江湖，這兩句話保持了很大的彈性，能放能收。

「當然是小數目，我只需要三萬元，利息照付。最好借一個月，否則，半個月也行。」喬治桑缺兩萬頭寸，開口要掉三萬，爲了要留一萬作零用。」

「三萬，三萬……」古有方輕輕唸數字，喬治桑在旁好似十五個吊桶，七上八下。

「你開一張一個月的支票，我替你向朋友試一試，大概不會有問題。不過，支票到期是不能轉的。至於利錢倒無所謂……算兩分半好了。」古有方等於答應幫忙了。

喬治桑一聽大喜，連忙掏出一本英文支票簿，寫了三萬元，在後面龍飛鳳舞簽了英文名字。同時又從皮夾裡拿出五百元台幣一起交與古有方。

古有方接過支票和台幣，很小心地放在皮夾裡。

熊克武引狼入室

滄海拾遺

·赤松子·

熊克武，號錦帆，生于四川井研，清末，留學日本，入東斌學校，曾參加黃花崗之役，以捷足先逃，不幸竟未被捕。辛亥年在上海，與四川同盟會人物，沒收上海「川漢鐵路分公司」款子，約五百餘萬，回川後，據重鎮，招兵買馬，自稱第五師師長，不受四川軍政府節制。二年，響應二次革命，與湖南，江西等省，同時獨立，失敗後，逃往東京，後來再回四川，曾任督軍，在川不久，曾有一次大功，就是收回四川軍用票一千三百餘萬。但對于四川，又有一個不可原諒的大罪，就是造成防區制。後來被川軍聯合驅逐，帶領三萬人，先想問鼎湖南，被湖南當局運用政治手腕，加以遏阻，乃轉向廣東，與陳炯明勾結，想乘機進佔廣東，殊蔣先生革命軍勢力已成，並洞燭其奸，乃將此野心軍閥，幽置虎門，所有入粵流亡部隊，一律解除武裝，加以遣散，到北伐成功後，才被釋放。

熊爲人工于心計，手段很辣，氣量甚小，重視現實。當主川政時，以九人小組爲中心，除此九人或有深切關係者外，概不得參與政治機密。當熊督川時，軍政大權，在其掌握，但當時四川省長爲楊滄白氏，由中山先生支持，熊以楊非嫡系，事事與楊爲難，以致楊號令不能出城都城門一步。幸賴當時張岳軍氏任四川警察廳長，周旋於熊楊之間，使熊楊關係，未至破裂，但楊的處境，非常苦悶，事實上楊不過熊的一個顧問。所以熊雖盤踞四川幾年，除收回軍用票及創造防區制以外，一事未能建立。不過能對于報復私人恩怨，也有些驚人表演。

熊在四川，先後兩次，一次在軍閥，不到一年，因二次革命失敗而被打垮，其在政治上無所表現，並不足怪。至于第二次，則大權在握，爲時亦久，但表現不及劉湘，其原因無他，第一，由于熊克武本一不學無術而又私心自用，政治上，軍事上，一切都以九人小組爲基礎，所以一切人材，以不在九人以內，皆以熊氏爲敵，熊氏當然無法發揮。第二，熊克武在四川，不僅無民衆基礎，也並無政治基礎，這是由于他的個性，可也是由于他的學識，因爲他的個性，是注重以小組織搞政治，所以他的政治構想，就是他九人的升官發財，除此以外，他都一切不加考慮，他在川先後幾年，幕中人才，可以數得出的，不過四五人。當民國八九年，上海開南北和會時，熊克武的代表是劉貞休，（與熊爲中公同學）他當時在上海愛文義路買一花園洋房，約在二十萬元以上，與章行嚴兩人均以揮霍著名，每天總是出入三馬路惠樂里，當時上海第一流名妓富春樓老六等處，以他兩位報効最多。有人看見富春樓老六，在上海賭場中，一夜曾逾五六十萬元，據說，都是章劉二代表所奉獻的。

熊氏自統一後，利用他的智囊熊曉巖計劃，與劉伯承朱德聯絡，又以一部幹部滲透劉文輝部在三十七年至三十八年之交，公開主張四川和平解放，在重慶組織機構，積極進行，四川有力的不滿中央的軍閥巨頭，大概一律參加，所以說四川淪陷，由熊克武造成，殆不爲過。

談文學的內容與題材的處理（一）

·方祖燊·

一篇作品動人的地方，有兩方面：一是內容充實，一是形式完美。一般說來，內容，是作者給予作品的內在美，是作品的生命與靈魂的美；形式，是作者給予作品的外在美，軀體與外表的美。文句的長短齊雜，音韻聲律的諧和抑揚，段落標點的妥善，篇章結構的緊湊，詞藻文采的修飾完美，都是屬於形式的問題，也可以說是寫作技巧的問題。至於內容，指的是作品中所包含的實質與意義，是作者通過形式，所顯示出來的一種主題，同時也顯示作者個人的思想、情感、與人生觀、生活經驗，甚至作者所處的時代與社會背景等。內容，實等于作者生活、意識的，是從作品生命裏開放出來的花朵，揚溢出來的光輝，作者學識豐富，才華橫溢，作品亦必光芒四射，刺人眼目，動人心魂。內容與形式兼重是必須的，曹雪芹的紅樓夢，就是兩者兼美，所以成爲流膾人口的名著。

許多人的文字表達能力，已經很強，詞采流麗，只是他寫出的文章，總是內容貧乏，這好比一個漂亮的女人，有希臘女神的線條，有瀟松蹁躚下回她的化妝術，但她的內心卻[illegible]，無知無識，沒有腦筋，一無所有，終是最大的缺憾。這是寫作單講形式所有的缺點，所以還要講求內容的充實，內容充實，就好像那些智慧、學識、才幹，都高人一等的女人，是能給人所喜歡接膝相晤的對象。專門性的文字，有的陳義高深，仍有它的讀者，因爲它有內容。作品內容充實，〔以使別人讀來不枯燥、不之味、不厭倦。內容比起形式，更重要。也是我們寫作首先要注意的一個問題。但在這個問題上，我要提出幾點作爲我們充實內容的參攷。

一、內容的涵義

內容的涵義，在前面已談過，我們知道我們的思想、情感、學識、人生觀、生活經驗，以及所處的時代背景、社會環境，都可以顯露於作品的內容中；換句話說，這思想、情感……，社會環境，也就是構成作品的內容的要素；再且截一點說，就是「作品的內容」。所以用我的情感，去寫一首短詩，那點滴的情感，就是這短詩的內容；用我的思想，去寫一篇文章，那片段代表我的思想的主張或見解，也就是這篇文章的內容；用我的學識，去寫一部著作，說明了許多事物道理，亦即學識道理，也就是這部著作的內容了。寫我的人生觀、生活經驗、社會現象，也就是這些作品的內容了。現在再舉一些具體的例子來說明吧。譬如：唐盧照鄰的曲池荷詩：

「浮香繞曲岸，圓影覆華池，常恐秋風早，飄零君不知。」

用芳潔的荷花，比況自己的才華，寄託他多病的感傷，恐怕短命，難以用世。詩雖僅四句，而情味深長；這深長的感傷，就是它的內容。其次，如周敦頤的愛蓮說，寫「蓮花之出汚泥而不染」，謝婉瑩的蓮花，寫兩枝蓮花在風雨中掙扎相遮的情狀，一在表徵作者的理想人格，一在讚揚那種互助的精神，用以教訓兒童；也就是這兩篇作品的內容了。又如植物學寫蓮花說：

「一生淺水中，地下莖是橫，肥長有節，節間有管狀的空隙，葉長而圓，柄很長，抽出水上，夏日抽長花梗，開花豔麗，花色淺，或淺紅或潔白，形體很大，雄蕊甚多，花托呈倒圓錐形，有許多小孔，每孔內結果一，即蓮子。它的產地，今散布於熱溫帶各地。」

這段文字介紹了許多有關于蓮花的習性，形態的知識，也是屬於有內容的文字。由此數例，我們可以了解甚麼是有「內容的作品」。

二、主題的建立

每一篇作品，都必須有它的主題，這樣才能使讀者們讀後覺有所得，覺得那是有價值、有意義的作品。主題並不是作品的整個內容，而是透過這個內容所表現出來的中心思想，代表作者的理想、希望、見解、情懷……。像廣播電台報告：

「颱風要來了，我們要把窗戶關好。」

這項廣播便是有主題的，希望聽衆把窗戶關好，以防颱風。至於我們和人閒聊，天南地北的胡扯，甚麼「天氣很好，哈哈！」「英格烈褒曼已經老了。」「這時樣最新，法國巴黎式的。」一話雖然談得很多，卻不能算是有主題的；聽的人，是左耳進去，右耳出來，因爲它沒有包含一個談話的主題。寫文章也是這樣，除了有豐富的材料外，還要先立定一個主題；根據主題，將材料加以剪裁鎔鑄，使整篇文字有統一的思想，使人讀了每一段文字，都有所得，這才算是真正有內容的文字。要想使文章有內容，必須有主題。

三、題材的選定與處理

主題的建立往往是在題材的選取之後。題材，就是用以表現作品主題的材料。寫作之先，先要選定題材；然後再藉這個所選定的題材，去表現主題，暗示主題。像莎士比亞漢姆萊特一劇，主題說明「懦弱性格，是造成悲劇的原因。」但它用宮闈間的僭位謀害的題材來表現它；又像孔雀東南飛，主題在描寫當日社會制度的缺點，婆媳的難融洽相處的地方，男女婚姻不能自主，媳婦在家庭中地位的低落，目的在提醒警戒世人，以免再發生類同的悲劇。但它用焦仲卿和劉蘭芝一對恩愛夫婦被迫離婚，終而殉情的題材來表現它。又如王安石鍾山即事，表現靜的境界，借「茅簷相對坐終日，一鳥不鳴山更幽」這種山居生活的題材，把它表現了出來。又如蘇轍六國論，主題在發表自己論史的見解，認爲六國滅亡，在於不能團結互救，致使敵人得以各個擊破而相繼滅亡，用史論的題材將它表現出來。

（未完）

綜談國劇復興（二三）

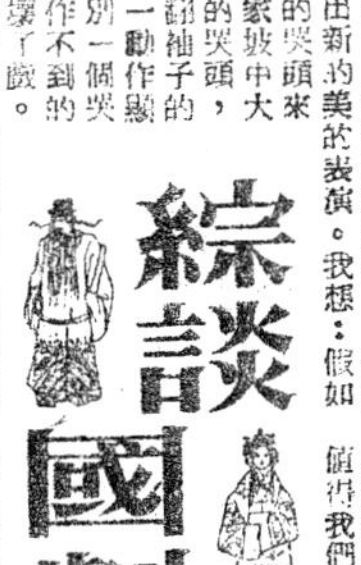

王方曙

今天我們討論這一點，並不是自己找自己的毛病，貶斥自己，而是要求進步。既要求進步，就必須先知道該進步的地方。由於前面所舉梅氏的一例，可見在我們國劇中，並不見得都是該固守形式的，只要提醒一下，便會有許多天才，引伸創造出新的美的表演。我想：假如前面所說的哭頭來看，在武家坡中大進窰的哭頭，只是一種翻袖子的動作，使這一動作變得不同於別一個哭頭，會是作不到的？會破壞了戲。甚麼不作呢？其他部份，也無不類此。上場的動作，也不必局限於舊有的，也會有許多方式產生出來。皮黃戲就要多采多姿，要使觀衆看了每一關目，都有一個新的觀感，才算盡了戲劇的本能。在這裡，我們無妨看看比皮黃戲更舊的戲，却足以作我們的參考。

崑曲戲目前已是只有少數人能欣賞的戲了，原因是「太」雅，唱調和唱腔都不易被接受，不能普遍化。（唱調太高雅，唱腔大部份顯得平緩。但在當時爲士大夫階級閑暇欣賞，是很合適的，對現代觀衆來說便不合於欣賞的需要了）不過崑曲戲值得我們參考的地方仍舊很多。像它的唱腔，雖已不受現代觀衆歡迎，但它那多變化，和固定不移的原則，都是我們應注意之處。（崑曲各種曲牌甚多。各牌唱法固定，不能自己亂變）而最值得參考的是動作。

崑曲戲動作隨着唱，甚至隨着念，一切都在體態之中。皮黃戲仍保持這一原則，但趨於簡化，甚至竟趨於形式化。今天我在國劇劇場之中，還可以偶然一見崑曲戲，如水漫金山寺、游園驚夢、思凡、夜奔等，都是載歌載舞。而所有的動作，都分別配合唱調和情緒，不拘於一定形式；同時，最值得我們注意的，是演員爲一分一秒不在戲中，很少暫時脫離了戲，而在舞台上失去戲中應有的動作，成爲一個戲外的人的情況。而皮黃戲有時便難免。這是因爲皮黃戲的動作比崑曲戲轉便些，有時候容易鬆懈，而崑曲戲處處要配合動作，使不易有失落的機會。不過好的演員，在皮黃戲裡，也照樣的處處在戲中，處處有情感。差一點的演員即使在崑曲戲中，也照樣會犯「出戲」的毛病。上面我說過，梅蘭芳的宇宙鋒動作表演，實不下於崑曲戲。甚至他爲了修書一段大慢板，改成原板，縮短時間，以便於無大動作的坐着表演。

（未完）

題培英中學校祖像

·吳森·　一九五三

東渡揚帆化育功，滿門桃李坐春風。
靈潭鶴洞源流遠；馳譽羊城氣象雄。
萬里培風彰道範；一堂英傑表精忠。
宜揚聖教匡時俗，教澤長留百世崇。

言志

一九五三

入巡已更闌，雞鳴即起。
日夜爲沉思，一飯三止。
敢易浙之韶光，壯心不已。
恨力量與心違，勳名有自。
担當大事在男兒，
留得丹心照青史！

高中畢業述懷

一九五四

富貴功名不好求，文曾經國懸千秋。
淵源學海知多少，所冀江河萬古流。

諸葛亮狂想曲（五六）

·劉玄·

「二郎神公務忙無法抽身來捧場，特命我向龍岡會所劉關張三公和諸葛先生致意。」孝天全在神仙世界混久了，也能口吐人言。

「他是個忙人，不像我們桃園弟兄在天庭終日閒蕩無所事事。」張飛說的是實話，但也不無牢騷。

「今晚演奏會很成功，我還是第一次聽絃琴，真是此曲只應天上有，人間那得幾回聞也。」孝天全因有企圖，所以對演奏會讚賞一番。

乖乖龍的冬！張飛心想：這廝竟掉起文來了，人有靈性，犬有人性，信不誣也。

「那裡，那裡，這都是靠天庭各位賞面子。」張飛今晚是主人身份，自然要表示謙虛。

「我有一點小要求，但不好意思開口，」孝天全言歸正傳，但又靦覥不好意思開口。

「不必客氣，但說無妨。你是知道咱老張狗熊脾氣的，只要拿咱當朋友，頭割下來也使得。」張飛說話向來是粗線條作風，什麼狗熊不狗熊的？豈非[illegible]胡塗？但說溜了嘴，也無法收回。

「我現在肚內有點飢餓，看見三將軍在吃東西：」

張飛是爽快人，不等孝天全說完話，即從口袋裡抓了幾塊餅乾往孝天全手中一塞。說道：「這是龍岡會友孝敬我的，據說是美國貨，味道還不壞，你嘗嘗。」

孝天全的吃像並不比張飛更文雅，接着餅乾，立刻塞了兩塊在嘴裡，咀嚼一兩下，便吞了下去。然後，伸出好紅好長的舌頭在嘴邊收拾餅乾屑。只不好意思當着張飛用舌舐手洗臉而已。

「味道真好，多謝三將軍。」孝天全讚不絕口，眼中露出感激之色。

看官，你道爲什麼哮天犬看見餅乾便饞呢？原來，張[illegible]也是個土包子，他看見餅乾包裝精美，還以爲是上等食品。上面的洋文，一個也不認識，所以便拿來送給張飛。那裡知道這是特製的狗餅乾。難怪孝天全看到要食指大動了。

哮天全吃了張飛給他的幾塊餅乾，他的後面雖已進化到與人類一樣，但臉上仍有搖尾的表情。

呂洞賓離他們不遠，哮天全向張飛要餅乾吃的種種情況，都被仙看在眼裏。呂洞賓正在和何仙姑閒聊。天庭的男女社交，以八仙爲最早。八仙中只何仙姑是女的，所以其他七仙都喜歡和她開玩笑，但他們謔不傷雅，極有分寸，仙家到底與俗人不同。

「藍采和身邊總是帶着笛子，我可從來沒有聽他吹過。妳聽過沒有？假使他吹的真好，我們也可以替他開一次演奏會，不讓諸葛亮專美。」呂洞賓向何仙姑談起藍采和。

「我看藍采和的笛子也和你的寶劍一樣，你只說別人不說自己。」

巨變歷險記！

直薄濰縣（山東）

（八〇）　·胡慶蓉

丁博士到了碭山車站，並未敢多停留，在親家坐了一下也就走了。

碭山以梨著名，故有碭山梨之稱。碭山梨是中國甚至全世界無與倫比的。他不但個大，他簡直像蜜棣，像北平的湯包，裡邊盡是水，且甜且美，可口異常。台灣的香蕉，最好一的種，據稱是芝蔴蕉。皮上的黑點像點點的芝蔴得名。易（石旁、以下同）梨上面，也有象芝蔴形的黑點點，故吾人亦未始不可以芝蔴梨名之。這樣好的梨子，不生在別處，而生在易山，恐怕是土質的關係。到親家裏坐，得以吃到易山梨，他非常高興，一連吃了兩個，精神爲之倍增，疲憊的身體，好像也恢復了一點。

他到現在還記得他伴媳當時的服裝。腳還在纏着，腳還是小腳。一直到民國三十八年，小腳在河南在江蘇北部當時還普遍得很。當時男的受教育的已經很少，女的更不用說。一縣能有一兩個大學畢業的，已經很少，能有一個留學的，更是鳳毛麟角。現任立法委員魯蕩平先生是丁博士的摯友。他曾任河南教育廳長歷十六年之久。他對丁博士知之最詳，河南的情形，他也最熟悉。其次，過去任財政部鹽務總局局長的朱玖瑩先生，他在河南任職，也有十六來之久，各區他都轉過，他是父母官，他對河南的情形，更爲熟悉。他同丁博士，也是摯友。他們對於河南一直在救困飢餓中，他們也無不引爲遺憾。又現任立委張一參先生，並曾担任過一段時間的民政廳長，對於河南一直在救困飢餓中，更不禁撫心泣血而長太息。加上今天住在台中的劉峙主席，相均不禁感慨系之。

往者已矣，來猶可追，丁博士本着這一念，僥倖風塵，出生入死，一頭又從虎穴中逃出，在夏邑共黨工作人員追蹤之下，不宜久留，故所以在親家少坐之後，即又轉回車站，搭車轉回徐州，轉回濟南。然後再由濟南前往濰縣，再由濰縣前往青島，再由青島前往上海，以至台灣……。從易山到徐州，也沒有停留，即轉到津浦車站，登上材材車，即又去濟南。從易山到濟南，丁博士可謂識途之馬，倒也順利。在易山到徐州的車上，在徐州到濟南的車上，丁博士以「脫兔」之姿態疾趨而過，可稱風馳電掣。在車上，概默不作聲，故人都不注意。查車的八中不注意，在大家都不注意之下，丁博士以平安渡過，在易山、徐州、濟南途中，天還是一樣冷，身還是一樣寒。但未發生事故，可堪告慰。在當時沿途的共黨人員，會想到在當時情形之下還有人「挺而走險」如博士者，眞所謂「蒼天之福，」邀國家的福，得以平安渡過。北方話：「船到橋頭自然直」，也並非無稽之談。

留學政策與人才外流

（上接第一版）

道等學生爲數不少，若留學不得成，身羈國內，心在彼邦，不僅難爲國之棟樑，抑且爲棟樑之蛀虫。切望當局鑒察及此。今既爲民主自由社會，不如「洩洪」，任其「流入大海」，一則社會上減少「害羣之虫」，二爲眞正的學生開啓大學之門。

如這批人不佔住大學之席位，人材外流之危機已減少大半，而第二等人因同理而減少。

第二等留學生多係見同班同學皆已「插翅」去，不甘後人，亦效法「西飛」。若同學多爲死心眼的愛國青年，彼等自無「汗顏」之理。但對於第一等，他們有天賦上進心，去留任之，彼如大鵬鴻鵠，去國深造，對於國家民族百利而無一害，一旦國內學術起飛，彼等定必聯袂來歸也。

那麼如何能達到這個理想呢？唯一良策是開放「高中生留學制度」。」這是老生之談，十餘年前曾經施行，及後爲制止某些人士之特權，並以爲留學爲「奢侈品」，故而禁之。但此舉不僅無法禁止特權者，筆者在國外累見此類年輕之「留學生」，由後門走了出去反而「大不領情」，心存芥。是以與其嚴少數特權者享受，何不開放，作爲「洩洪」之手段。願出洋者不必擠進大學之門，不必浪費公帑，浪費時間，並可送一順水人情。再說留學已不再是「奢侈品」，而是一如「肥皂牙膏」。如那家無子弟留學，爲父母者必若未「洗臉」然。

所以高中畢業生考國文（必需加強要求）英文後受完軍訓即「放」之去，實爲治本之上上策。或有人就心此輩青年國家民族意識尚不够深，持此觀點者，筆者願與「舌戰三生」：一則，大學畢業後國學程度比高中「高明幾許」，敬請一試。一未服人先服其心，敬請深入各大學，此輩顯出國者對此四年之教育有「幾分感激」？第三高中方爲國學灌溉之園地，入大學後，專攻科系之學術，此乃正理，第四，既爲「洩洪」，水入大海豈作「鹹淡」之分？

筆者爲文至此，擲筆五嘆：一嘆青年之心理無人識之，青年宜施恩不宜逼迫；二嘆國內人材濟濟但用非學，却大呼人材外流，似乎出了國門方爲人材；三嘆朝野上下，工作就業但認「文憑」不認「人材」，不識「人材」爲何物，造成崇洋之風；四嘆國內人口澎漲，「洩洪」之舉勢在必行而無人見之；五嘆嘆小民之言，蹙小力微難入時賢之耳。

擲筆既已，再容述一言以爲文之添足。洩洪爲首要，但「歸僑」之歸國易，「歸僑居地」則難，如「身份不合」、「護照不合」各種情形，致令海外遊子欲歸而不敢輕易啓行，政府雖優待歸國「學人」，但歸國若非「學人」，或「僑領」則手續之繁複一至於「歸之不得」。前報載有大學生出國「洗狗」傳爲笑談，但此輩既願與「狗」爲伍，留之留「狗蛋」，係家國之禍歟？既有人願「狗」伴，「逐」之可也；此輩「狗伴」強而留之，其不禍國者幾希？此輩之留，爲社會「留一癌」，一癌未見其害，「百癌齊吹」爲禍鉅矣，茲引述孔夫子之聖言作本文之結論：「[illegible]彼鬼神而「遠」之乎？」（完）

慶祝人類登月成功

·陳邁子·

浩蕩星雲一望收。玉盤漫步任優遊。
能通宇宙無窮秘。嘯古欣逢上月球。
杳杳廣寒千萬里。嫦娥不見使人愁。
吾華自古征空早。箭射日球有羿侯。

據史傳天有十日，后羿射其九以落。今人類登月成功，亦火箭射月之意。

復據美人所提登月資料，首謂后羿射日爲吾華最先發明宇宙有很多太陽系之明證，故末句及之。

奇門遁甲

·周遊·

在武俠小說，甚致歷史小說中常可看到的「奇門遁甲」之術，說的神奇之至。但筆者却是天生不信邪的人物，不足採信。最近爲了此一問題，與一位湖南朋友抬扛子，彼以事實來懸倒我的不信邪勁兒。於是他便以親眼見到的故事，對我大吹法螺。他說：

周仲平，湖南平江人。外號皆稱周神仙，與著「江湖奇俠傳」的不肖生爲同鄉。因爲他有一套「奇門遁甲」之術，常提弄人，人皆以周神仙呼之。

民國二十五年多，長沙交通銀行經理魏雲千爲了救治親戚急症，特別請了周神仙前往施術，外加表演。人們聞知此訊，跟去一瞧究竟者百餘人。施術的地點就在交通銀行大廳。周神仙端坐大廳中，廳中放一滿盛清水大木盆，別無他物。即見周神仙口中念念有詞，滿頭冒出大汗，移時忽見清水中盡滿綠浮萍，盆端露粗繩一條。周叫觀者提繩看看，原來是一條活生生的大甲魚。當晚即由魏經理烹之餉客。據周自稱：當段祺瑞執政時，曾應聘到京表演法術，曾獲贈顧問官銜，故有「甲魚顧問」的稱號。

程潛部下有兩名文人，一名張叔丹，一名李大年，均係留美學生，也是不信邪的。這一天，特地站在周的面前，要親自眼見表演。周叫張取生鷄蛋一枚，持之高舉，叫李取信封一個，火柴二條，火柴放入信封內，高高舉着。於是周念念有詞，然後叫李打開信封看看，等李啓信封一看，兩條火柴已不見了。周說：火柴已變成兩根繡花針了。現在鷄蛋已熟，針在蛋內。張打開鷄蛋，果然已熟，再用刀仔割蛋，果有繡花針兩條。於是二人皆服。這且不算神奇，更神奇的是由長沙到上海買東西。

周對衆人道：「誰願買上海的東西，可以即刻取貨？」一時願者甚多。周收了買物錢之後，開列登一紙條，點時照舊施術；約半小時。周說：到了。周用手向地上一提，就是一批東西，交與所購的人。每件貨品上面皆有上海某商號商標。如永安公司發單。最後湖南朋友特別補充強調：聽說周雲千兄現在台灣。不信請去問他便了。（完）

桃花潭水深千尺

趙陀

蘇霍智聽得出神，着異兼有悔恨的說道：

克琳接住又說：「還不止此，當馬繼元逼婚逼得最緊的時候，王媽毅然將聯合銀行一萬七千元的存摺交給我，青山道的木屋，牛池灣一塊菜園地，共値一萬餘元，顯提供解救女兒的圍，幫助我除所要嫁的人，因有這些因素，女兒才能做到寧靜以致遠。」

顏芳趨前幾步緊握着王媽的手說：

「王媽，我眞不知你是這樣的正派而有正義感的人，又這樣的愛護克琳，使我做媽媽的多麼慚愧。」

「太太不是壞人，但做出來的都跡近壞事，老爺是個好人，但從未見他做過好事。」

「希望你能更清楚點明白指出來。」顏芳望着王媽。

「王媽說：牛少爺是一個盛稻草的繡花枕頭，太太常稱讚他「父是英雄兒好漢」，有形無形影響到小姐的判斷，幾乎和他訂了終身。馬繼元是一個放高利貸，印刷假鈔票，無惡不作的人，亂扯亂吹，自稱沈萬三直系三十一代孫。據說老爺只借他七千元，利上加利，加到兩萬幾了。那張賣女契就是馬的打手們威逼利誘下寫給人家的。」

蘇霍智聽得呆住了，克琳的心情是沉重的，顏芳說：

「王媽既然你對克琳這樣喜歡，克琳今後就喊你阿姨好了，我們之間作姐妹稱呼。」

「太太，這我可不敢當。」王媽受寵若驚似的。

「由由小姐自已決定好嗎？」

「小姐從來沒有把我當作用人來看，我那部聖經就是小姐送的，在鐵櫃上小姐對我幫助太多了，我既無兒又無女，先夫一點遺產本準備防老的，能幫助小姐別跳入火坑，亦是一件樂事，現在我看到小姐已有良好結果，完全放心了。」王媽表現出的愉快是誠懇的眞實的。

克琳輕輕的走過去，右手搭在王媽的左肩，而頰很自然的浮現出兩塊紅雲，看着爸爸又看着媽媽後喊出：

「阿姨！」「阿姨」被喊得很激動，嘴咽得哭了，且哭出聲音來，克琳伴同王媽回到自已的臥房，有人說這是蘇府春秋裡於小插曲，可是這充滿了人情味的故事，一直在港九社會傳播着，且被編成爲廣東歌曲，最近有人計劃想把它編成劇，搬上銀幕。

錢孔方雖然是個管家，整天拘着水烟咕咕，就牛公館裏地位來說：並不遜於當年與主席平輩人物，他看到報紙上對任念佩蘇克琳的消息，記載的那麼多，力主張先下手爲強，乘機拆散牛蘇間的婚事。如果將牛家的職權加以分析，牛夫人固爲一家之王，可是在錢管家的籠罩之下，牛夫人既不負實際責任，也未經手經濟，乃至於出去玩牌，看電影，都得向錢孔方處臨時去支取，不過奴欺主自有可欺的因素，這些亦屬於香港亂世裡不成爲秘密的秘密。

（三〇）

生活漫談

麻豆金錢柚能治便秘

柚的種類很多，好壞的辨別，佳種者含糖量豐富，有種糖量少而酸味重，廣東南海和順德出產一種柚名爲「胭脂脚」由於「胭脂色」，甜而爽口水份又多，另一種爲廣西沙田柚，沙田柚頗富盛名，生產在廣西容縣的爲最道地，香甜可口，凡吃過的人，長久難忘，台灣南投麻豆的金錢柚，味甜水多，和上列兩種名柚差不多少，倘能大量種植有資格外銷香港南洋等地。

這三種柚子所含的成份爲水份五七．〇，蛋白質〇．五，無機鹽〇．二，粗纖維質〇．三，含水炭素六．六，關於所含的糖份則未盡同，本草記載柚能下氣、消食、化痰、對口臭難聞、頭腦昏熱、心胸煩悶、心情緊張、腸胃發熱，面紅耳赤、大便秘結，不妨食用台灣麻豆柚，可以治療上列病症，但柚爲多寒性，胃弱和消化不良的人，或肺弱常常吐冷痰的最好少吃。

柚可清除肝肺胃裡的燥熱，可是不要吃鮮的，用柚的肉與瘦猪肉同養，外加幾片老生薑及些許胡椒粉，食之使吐痰利便，清導腸胃肺中燥熱，大便燥結，或屬於熱性習慣便秘，甚至引起血壓過高，及血燥皮膚燥痕癢者，食用好的柚子，均能收治療功效，柚皮係中藥一種，味甘苦，治快氣，散憤懣；柚皮能化氣，所指是煩滯障碍的氣，如果是中氣衰弱，消化力不強的人，食之反會閉氣，這一點特別向讀者交代清楚。

柚皮丟在污水裡，可消滅蚊幼蟲，柚葉晒乾水養洗澡洗頭，能清皮膚風熱，並可預防頭風發作，故中國鄉村婦女都喜用柚葉煮水洗頭，據說能預防或減少頭暈頭痛，加一點老生薑同養效力更好，柚葉有特殊的香味，鄉人常用以避邪氣，這種習慣不知幾時傳到日本，日本相命先生，每看到人有倒霉氣色，總是叫人用柚葉泡水洗臉，連洗七天穢氣自消，且避邪氣，我們可以斷定乃習俗以訛傳訛之誤，柚葉使中國農村確爲治病避穢之用，但並不避邪，比如孩子們發熱外感，用柚葉水洗澡，可能病況減輕，柚葉曬乾研成粉，作外科同以消腫退炎之力。

假定我們的肝肺裡含有燥熱，使夜眠不寧或者是惡夢困擾，消化有不正常的現象，用柚加冰糖，生薑用蒸，食後可癒，在中國北部省份，視柚爲名貴珍品，酒席甜菜裡才有，玫瑰柚羹，和桂花柚羹，都是做成甜食，照本草說玫瑰能行氣解煩，柔肝醒脾，治風濕及一般腸炎下痢等，其成分含有柔（革旁），沒食子，精油等正與柚不謀而合；桂花利肺氣可矯味矯臭，又能健胃祛風，玫瑰柚羹，桂花柚羹，都含有高厚的食療價値。（本報連載生活漫談首集即將出版，每本卄元，預約對折郵撥台北五〇五六張萬有自由報會計室，郵票通用，直寄台北忠孝路三段廿一巷二弄二號自由報拓展中心。）

馬騰雲

自由報

（第一〇一二期）

中華民國內政部內警臺誌字第〇三一一號
中華民國僑務委員會登記證僑台報字第三二三號
中華郵政台字第一二八二號執照登記為第一類新聞紙

（半週刊每星期三、六出版）
每份港幣壹角・台灣零售價新台幣[illegible]
社長李運鵬・督印黃行寳
社址：香港九龍彌敦道593—601號
廖創興銀行大廈八樓九座
LIU CHONG HING BUILDING
7th FLOOR FLAT 5
593—601 NATHAN ROAD,
KOWLOON, H.K.
TEL: K303831
電報掛號：7191
承印：景泉印刷公司
地址：[illegible]廿九號地下
台灣連絡中心：台北市[illegible]
電話：三七五〇二一
台灣區直接訂戶　台郵劃撥
第五〇五六號張孫有（自由報會計室）
台北營業處：台北館前路[illegible]
電話：二七一〇〇
台灣分社：台北市西寧南路110號二樓
電話：三三〇三四六・台郵劃撥戶[illegible]

三民主義的歷史地位與時代精神

褚柏思

三民主義，是人類國家、政治、經濟、社會上的三個問題。有些國家，對此三大問題，只有程度的深淺，而不會完全沒有。但，將來大同社會實現，也許會徹底地解決了這三個問題。那是將來，不是今日。居今日而談人類問題，仍然必須三民主義。

自從三民主義出，中國人沒有敢公然反對三民主義的，亦沒有敢公然背叛三民主義的。抗戰時期，汪逆精衛，投降了日本軍閥，組織了漢奸政權；但他仍然要掛着三民主義的招牌，共匪雖然是俄帝的第五縱隊國際共黨的支部，但他於抗戰之初，仍然要說：「三民主義，為今日中國所必需，願為其徹底實現而努力」！

今天，毛共反中國文化，而不敢說「反」，美其名為「文化大革命」；而反三民主義，也不敢說「反」；不得已，乃在「文化大革命」的偽裝下，陰謀進行。大陸上，四十歲上下的中年人，多已呼吸過三民主義，以及三十年代文藝；二十歲以上的青年，或已接受中年人的感染；因此毛共拾棄了他們，另外培植了十二歲到十八歲的青少年，便是正在造反的「紅衛兵」！

三民主義，何以能有如此大的影響力呢？因為三民主義，是中國歷史文化的結晶，保有歷史的地位；又是十八世紀以來，世界思潮的主流，富有時代的精神。不管它是白色帝國主義的漢奸，抑或紅色帝國主義的魔犬，誰也不敢公然推翻三民主義的歷史地位，更不敢公然違背三民主義的時代精神！簡單地說，彼共產匪徒，敢說：反民族主義，而賣國；反民權主義而獨裁；反民生主義而獨佔嗎？雖然，他們有這樣的心意，有這樣的事實！然而他們要偽裝，而不敢坦白直言！細點說，約有如次的意義。

一、歷史地位

國父，十二年一月二十九日，著中國革命史，自述云：「余之謀中國革命，其所持主義，有因襲吾國固有之思想，有規撫歐洲之學說事蹟者，有吾所獨見而創獲者。」

其中：「因襲吾國固有之思想」的，是些什麼呢？　國父亦曾自述過：「中國有一個道統，堯舜禹湯文武周公孔子，相繼不絕。我的思想基礎，就是這個道統；我的革命，就是繼承這個正統思想來發揚光大」。（民國十年，在桂林，答第三國際代表）如就三民主義，分別言之，則有：

民族主義，「蓋民族思想，實吾先民所遺留，初無待於外鑠者也。余之民族主義，特就先民所遺留者，發揚而光大之。」（中國革命史）

在民族主義第六講上，曾說：恢復民族地位的四個方法：一、恢復固有的道德；二、恢復固有的知識；三、恢復固有的能力；四、學外國之長處。最後，又說：「中國古時常講『濟弱扶傾』……將來把那些弱小民族如果也受這種痛苦，我們便要把那些帝國主義來消滅，那才算是治國平天下。」

民權主義，「中國古昔有唐虞之揖讓，湯武之革命，其垂為學說者，有所謂『天視自我民視，天聽自我民聽』；有所謂『聞誅一夫紂矣，未聞弒君』；有所謂『民為貴，君為輕』。此不可謂無民權思想矣！（中國革命史）

在民權主義第二講上，曾說：「兩千多年前的孔子孟子，便主張民權。孔子說：『大道之行也，天下為公』，便是主張民權的大同世界。又言必稱堯舜，就是因為堯舜不是家天下。……由此可見中國人，對於民權的見解，二千多年以前，已經早想到了。」

民生主義，簡言之，即是大同主義。詳言之，民生主義第二講，曾說：「三民主義的意思，就是民有、民治、民享。……就是國家是人民所共有，政治是人民所管，利益是人民所共享。照這樣的說法，……這才是真正的民生主義，就是孔子所希望的大同世界。」從上面的引文看來，三民主義，可以說，就是：中國歷史文化的結晶。它承先啓後，在中國歷史上，是有其正統地位與崇高地位的。毛共，反中國歷史，反中國文化，因而反三民主義，這也是「必然的」。但，在中國歷史與中國文化，尤其是三民主義的面前，毛共能跳出去嗎？能逃於天地之間嗎？不可能，毛共注定了「必然的失敗」！

二、時代精神

民國紀元前七年　國父撰民報發刊詞時，曾說：「予維歐美之進化，凡以三大主義：曰民族，曰民權，曰民生。羅馬之亡，民族主義興，而歐美各國以獨立；洎自帝其國，威行專制，在下者不堪其苦，則民權主義起。十八世紀之末，十九世紀之初，專制仆而立憲政體殖焉。世界開化，人智益蒸，物質發舒，百年銳於千載，經濟問題繼政治問題之後，則民生主義躍躍然動，二十世紀不得不為民生主義之擅場時代也」。

在民權主義第一講上，說：「現在世界潮流，到了民權時代。……所以我們在中國革命，決定採用民權制度，一則為順應世界之潮流，二則為縮短國內之戰爭。」

至於民生主義，更是世界的潮流。「但是解決民生問題的辦法，各國也不相同。……照馬克斯派的辦法，主張用革命手段來解決一切政治經濟問題，這種是激烈派，還有一派主張和平辦法，用政治運動和妥協的手法去解決。這兩派在歐美常常大衝突，各行其是」。（民生主義第二講）

照西洋社會進化說，世界各國都有三民主義所要解決的三個問題。十八世紀末，一七七六年七月四日，美國宣佈獨立，發表獨立宣言，這是民族主義最突出的事例；其後，他們成立了三權分立的政府，頒布了成文的憲法，更在民權主義史上，寫下了輝煌的一頁。一七八九年七月十二日，法國發生大革命，一七九一年，發表人權宣言。至是，自由平等博愛三個口號，便是這一個時代精神，結晶成自由平等博愛三個口號，三民主義，便是這一個時代精神的繼續與發揚！　國父曾說：「用我們三民主義的口號，和法國革命的口號來比較，法國的自由和我們的民族主義相同，因為民族主義是提倡國家自由的。平等和我們的民權主義相同，因為民權主義是提倡人民在政治之地位都是平等的，……博愛的口號和我們的民生主義是相通的，因為我們的民生主義是圖四萬萬人幸福的，為四萬萬人謀幸福，就是博愛」。（民權主義第二講）

十九世紀，一八四八年，馬克斯恩格斯，發表共產黨宣言。照理應該是博愛精神的發揚，然而，他們出發於恨，且「誤認物質是歷史的中心」，因而產生了階級鬥爭的謬說。不僅未能繼承時代精神，且成了時代思潮的逆流。

時代進入二十世紀，一開始，便由於民族主義的逆流、爆發了第一次世界大戰，是一個帝國主義者爭奪殖民地的戰爭。戰後產生了意大利的法西斯，德意志的納粹黨，兩個反民權，主極權的時代逆流，又引發了這第二次世界大戰。今天，反民生的共黨逆流，正在進行着毀滅人類於第三次世界大戰。

今天，由於這第三個逆流，泛濫於世界，驚醒了世人的大夢！過去，青年人，多憧憬於共產主義；然而，今天的青年，亦多反共產主義了！一九五六年，匈牙利的反共大革命，便是青年以血肉之軀進行的。今年，印尼青年的反共，是有成就的，他們破壞了亞洲的毛蘇軸心。今天，中國大陸上的青年，羣起反共反毛，逼着毛匪不得已，另外訓練了青少年的「紅衛兵」！現在，共匪各國，內有青年的反共，外有自由民主國家的反共。反共，似已成了今日世界青年與知識份子一致的口號，二十世紀的時代精神了！

三、結語

從自由、平等、博愛，到民族、民權、民生，的三民主義，這本是近二百年的時代精神；然而，這當中却發生了三次逆流，引發了三次世界大戰。這中間的道理很多，但主要的，則是以紫亂朱。比如：

民族主義，有時為國家主義者所依附，亦有時為世界主義者所利用。國家主義，似保前德國、英國等所鼓吹的帝國主義；世界主義，似今天俄國所提倡的共產主義。真正的民族主義，不單求自己國家的獨立，民族的自由平等，還要協助弱少，「濟弱扶傾」，「興滅繼絕」。

民權主義，就是歐美的民主政治，它是反專制的，反極權的，也是反專政的。巳往君主專制與德意獨裁，固然要反對；即今天共產主義的專政，亦在反對之列！因為他們都是反民主，民權的！

民生主義，有人譯之似共產主義，有人譯之似社會主義，國父當年巳說過：「我今天為什麼不學外國，直接來講社會主義，要拿民生這個中國古名詞來替代社會主義呢？……社會問題，便是民生問題，所以民生主義，便可說是社會主義的本題。」（民生主義第一講）

至於「民生主義就是共產主義」這一句話，總統曾有所闡明，他說：「總理當時所指的『民生主義就是共產主義』的意義，乃是只指其主義的原則，而不是指其主義的內容和方法；更不是指民生主義的目的，就是今日俄匪所行之共產主義的目的。」（土地國有的要義）

孔子曰：「惡似而非者，惡莠，恐其亂苗也；惡佞，恐其亂義也；……惡鄉原，恐其亂德也。」（孟子盡心章）今天，弘揚三民主義，首須惡似而非者；進而，便是力行了！「我欲載之空言，不如見之行事之深切著明也！」這也是孔子所昭示的。天何言哉？天何言哉？

昨日與明日

公平競選

民意代表的選舉，這些天在台灣已是白熱化了，我們選民們看到選舉的情形，一天比一天進步改善，自然感到欣慰。回想從前在大陸上時，有些地區，還沒投票早已知道選舉的結果，或者是有人大批的把寫好的票往票箱裡裝，這些不愉快的情形，今天全不再有。並且硬是憑票當選，毫不含糊，例如當年國民黨以全力競選台北市長，結果開出票來竟然是高玉樹當選。並且好好的作到現在。從小處看固是國民黨的一樁不愉快的事，但從大處看却具見政府推行民主政治的誠意，和手握大權之執政黨的雅量，因此不僅選民們心裏悅服，而國際上更是博得極好的反應。

更進一步

成公

天下事，很難是十全十美的，民主政治也不是一下子就作到盡美盡善的，尤其當競選到白熱化時，負責競選的幹部人員，為了完成黨所交付的使命，就不免饑不擇食，慌不擇路，而有許多不中繩墨的行為。這些舉動有時或能發生一些效果，有時適發生相反的效果，執政黨愈施壓力，選民愈同情。過去許多黨外人士所以能當選，就佔了這個光。因此百尺竿頭更進一步，我們希望執政黨連這些小地方也注意到，就更好了，尤其當此選舉白熱化時，特別要小心。

借箸代籌

與其揚湯止沸，何如釜底抽薪。過去所以有些不愉快的事實，細推敲其原因，泰半起於黨方所提的人選，雖是「上交有道」却不一定「下符民望」，因此負責競選的幹部們，為了完成使命，使一些不符民望的人當選，就不能不採取「特殊」手段了。結果是費力不討好，左右不是人。何以說左右不是人呢？因為如果完成了使命，勢必落得有關人士（包括選民和有意競選的人）之怨恨，連帶所及，對政府造成許多不諒解的因素。在另一方面，如真未能選出黨所支持的人，又對黨交不了差。好幾次地方黨務人員固選舉失敗，而受到處分，我們旁觀的人，眞是替他們呼冤。因此假如黨方提名時，愼之於始，提出符人望的，受擁護的人民競選，則其當選乃是順理成章。不僅負責競選的人用不着採取「特別手段」，而生不愉快的印象；並且人民也會歡欣服氣，而對政府更增加擁護愛戴的熱情。

自由談

談養士之道

自來講求治國平天下者，必注意於養士，所謂「使天下之士皆有所養」是也。養士之道并毋須乎教一般讀聖賢書的士大夫，盡去吃政治飯，搞政治活動，有些士大夫根本就不願意作官吏，避之若浼。祇要讓他能夠依其志趣所在，發展所長而免於飢寒與恐怖之虞，社會自然構成安定的環境，循序進步，天下即沒有不太平的。因為士大夫在社會上，多少都奄有影響潛能，而屬於領導階層之列，他們固非每個人皆熱中政治生活，但每個人皆喜歡議論政事，臧否政治人物，却是共同的普遍性。假使士大夫的生活常在愁苦憂患之中，他們的思想即容易流於憤世疾俗的境界，情感趨之偏激，處士橫議之風乃大作，而天下從此多事矣！夷考史迹，每當大亂時代來臨，沒有不是由士大夫倡首釀成的，他們縱然成事不足，而敗事却有餘，養士之道豈可忽乎哉！

台灣近來對於公教人員及時退休制，認眞進行，無所假借，這在政治界自係應有之義，足以構成新陳代謝作用，促進一般官吏奮發有為的精神。但對學術機關，似乎未可等量齊觀，一個大學教授，如其學有專長，素著聲望，只要他尚有講學傳道的精力，則不應該讓他退休。學問之道不是搞政治那末隨便，誰也可以勝任的，那有如生薑一樣，愈老愈辣，青年子弟對他的信仰即越深。記得我在日本讀大學時，為我們講授政治學的教師，老少各一，浮田和民是老人，年已七十開外了，講學的聲音較低；大山郁夫是少壯之流，實大聲宏，思想亦新穎。可是，浮田上課時，聽講的人總是滿堂，有些不是肄習政經科的文法科學生亦來聆聽，大山的聽衆就不及浮田遠矣。此外如東京帝大的法學教授美濃部達吉，西京帝大的經濟學教授河上肇，都是越老越受學生尊崇，終身講學不輟死而後已。

所以，對於大學教授亦施以強迫退休制，年屆六十五歲的，不問其精力如何，實學如何，一律投諸閒散，視同爛草鞋，我認為很值得研究。如果一定要以年齡關係為主，屆時非退開不可，國家也應該使他們皆有所養，纔是求治的應有策畧。

馮玉先生

蔣肇周促政府有効防洪
切實整修台北排水設施
美國防洪專家建議值得研究
三重市等毀爲平地大有問題

本報通信員卿一龍台北消息來自國會報導：立法委員蔣肇周說：本人與淡水河爲鄰，每値颱風季節來臨，心神極感不寧，第一次自五十二年九月，自葛樂禮颱風侵襲，北區受災慘重，爲六十年來所未見，爲保障北區人民生命財產安全計在院會中提出防洪專案檢討，提請政府重視，務因治本分流案之第二期至第四期工程，仍未按進度實施，故續有二、三兩次質詢，促請政府注意大科坎（兩字山頭、以下同）溪改道，實施分流計劃減輕淡水河之負荷，此次艾爾西颱風猛襲，北區損失較葛樂禮尤爲慘重，未及復原之際，又受芙勞西颱風威脅，雖未登陸，而帶來狂風驟雨，使災上加災，造成更嚴重之災害，一切損失實無法估計。現各級政府正積極展開救災工作，使災區期早復原，同時對北區防洪工作，亦應重新檢討，究應採何種方案，以解決北區洪患問題。

一、民四十八年秋「瓊莉」颱風侵襲北部損失慘重，五十年至五十一年之間「波密拉」、「歐珀」、「愛美」颱風過境，淡水河洪水泛濫成災，台省水利機關，當時爲保護台北市區及台北縣永和一帶局部安全。興建新店溪之鯉魚水源、永和、景美等堤防，對淡水河防洪無整個計劃。

二、五十年秋，政院重視北區之安全設立，「台北地區河川防洪計劃審核小組」，對北區防洪工作，採治標治本兩部進行，台灣省政府又於五十二年春，成立「淡水河防洪治本計劃工作處」對北區防洪治本工作，擬成甲、乙、丙、丁、戊、五案，關於中央與地方對防洪措施，始能配合採取一致行動。

三、五十二年九月，受葛樂禮颱風嚴重災害後，政院對北區防洪計劃，經防洪小組研討，採用丙案，以疏洪方式，將大科坎溪改道，實行治本分流案，分十二年完成，第一期主要防洪工程，將關渡獅子頭拓寬及興建渡頭等處堤防，已次第完成，六年以來，政府對治本分流案，以開闢溫子圳疏洪道仍未定案，又研討在鶯歌附近築壩，將大科坎溪，引由桃園龜山經南坎溪出海的「三鶯導洪工程」新計劃，又擬在三峽、鶯歌之間建築導洪壩，成爲一個大湖泊，使水再不下游，可免除台北地區災害，但此計劃工程費浩大，仍停在計劃之中，想政府受了此次艾爾西、芙勞西颱風嚴重教訓後，應即就原有治本之三大防洪方案，責成防洪專家合力研討，擇一可行之方案，迅速執行，在此工程進行當中，還有一段漫長的時間，倘遇颱風來襲，如何解決人民的惶惑，希望政府，一面切實整修台北市下水道及加強排水設施，一面對石門水庫洩洪，亦應切實研究有效可行之良法，亡羊補牢，未爲晚也。

蘆洲五股等水深七台尺
淡水洪水平原管制
責任歸咎過渡辦法

民國五十七年五月，政府公佈淡水河洪水平原管制辦法，實因變更台北地區防洪治本計劃第二期工程項目而產生，此項過渡辦法，實無補救北區防洪大計，此次艾爾西、芙勞西颱風過境，各地淹水紀錄，按地形研判，所列爲一級管制區天然洩洪道之新莊至二重、三重沿淡水河一帶，海拔爲四、六〇公尺，而淡水河右岸，南京西路九號水門爲三．四〇公尺，此次芙勞西颱風帶來之水，淹至九號水門警界線時，而被列爲一級管制區天然洩洪道之新莊至二重三重一帶，並無進水跡象，經當地居民的攷驗，想水利當局認爲此一地段無堤防措施，視爲天然洩洪道之敞開，是否根據早年不確實之洪水紀錄而定，現此地段內無水可洩，被列爲天然洩洪道一節，事實上已不存在，所列爲堤防預定地，及溫子圳疏洪道預定用地，如有暫時管制之必要，另以命令規定；何必以一級管制區名義控制，同時被列爲一級管制區之二重國校，海拔爲五．〇〇公尺，頂坎街爲五．〇二公尺，五谷王廟爲六．六〇公尺，較三重市列爲二級管制區之光明路、河邊北街、大同南路等低窪地區爲高，較蘆洲五股二級管制區更高，此淹水程度較低一台尺至數台尺不等。又被列爲都市計劃區之蘆洲地段，淹水至七台尺，五股二級管制區，淹水五台尺至七台尺，成爲一片汪洋，而新莊、三重、二重一帶低窪地區，被海水倒灌，由蘆洲、五股地段進入，亦成澤國，所謂一級二級管制區之界線無形打破，而政府對管制區之措施，時而准二級管制區興建，時而禁建兩年，時而空地免稅，時而徵收農地田賦，時而移民林口，時而重劃三重都市區，時而規定工廠變更登記七原則，時而禁止土地移轉，有影響人民情緒，擬請政府提前結束管制，如政府認爲在防洪治本計劃尚未完成定案以前，如顧慮淡水河左岸三重等六市鄉鎮，被管制區內的人民，亂建濫築，可以命令限制停建若干時期，政簡易行，人民必樂於遵守，何必利用洪水平原管制繁複的辦法來束縛人民，被列爲一級管制之商店工廠人民，自受管制後，每對颱風來臨，不敢做一切簡單增建防洪設施，只有坐以待斃，究竟管制了居民，管制造成了洪水，管制權成了問題，事關人民權益，不敢緘默，請政府予以攷慮。

石門水庫洩洪研討
事實考驗大有問題
林口移民政策値得商量

石門水庫完成時，其主要部門聲稱，以防洪灌溉發電三大目標，並有給水作用，可容納大科坎三個颱風之容量，即可以降低淡水河洪水一半之功能，回憶五十二年秋，葛樂禮颱風侵襲，與此次艾爾西大颱風過境，石門水庫之防洪作用，經不起效驗，所以每次北區人民受了風災，都抱怨石門水庫，使管理當局實有難言之隱，特提出幾點淺見。

一、庫底歷年被山洪泥沙堆塞，疏導工程，切不可猶豫。並測驗庫內目前容水量，以瞭解防洪效力。

二、水庫係多目標設施，如遇颱風預先放水，不是絕對有利的方法，譬如艾爾西颱風，在未臨境以前，水庫預先放水，並未收到防洪預定效果，又九月中旬北區連日豪雨，市區半低窪地區，全被洪水淹沒，深度一台尺至三台尺，有一城風雨半城湖之感，是受了下水道的影響。幸而石門水庫未曾洩洪，而淡水河亦未泛濫，但水庫負荷有限，延至九月十四日洩洪廿四小時，放水量達六千萬噸，北縣五股、蘆洲、新莊、泰山等低窪地區，約有一千餘公頃農田菜園，又被洪水淹沒，稻作蔬菜損失甚重，足徵洩水不無影響作用，其重要觀點，就是天然洩洪與集中洩洪有密切的關連，在未建石門水庫以前，大科坎溪之洪水，係向天然低窪地區平均漫散，其流速緩，影響力不大，如遇海水倒灌而集中洩洪，其流速每秒達一千五百立方公尺，甚至三千立方公尺以上，可以興風作浪，則台北大橋每秒流量爲一萬立方公尺，從茲增加此一倍洪流，倘又遇海水倒灌時機，淡水河流量勢必泛濫成災，被阻不可避免之事實。網之石門水庫達到飽和點時，不管淡水河水位如何，必須洩洪，如何減少集中洩洪量，每秒洩洪不得超過每秒進庫量五百多立方公尺，以避免淡水河暴漲，關於水閘開放時機與程度及一切技術問題，希望水庫當局與水利機構詳加研討。

三、海水倒流，每月有一定時間，望負責管理人員，應切實了解潮汐（漲潮）高數尺，所以石門水庫洩洪時機，儘量在可能範圍內避開，以免火上加油，爲患更鉅。

垃圾們的阿扣精神

·楚狂·

依詞集

弗勞以爾心理學的定則：「人類歡喜傳播最快最奇的消息，越秘密的事，越有人搶着想知道」。台灣烟酒專賣局貪汚消息，與中央信託局一些風風雨雨，被自由報登出後，兩局主管前後不約而同的下令停閱自由報，可能視爲是「反動」讀物。未料停的報不到廿份，後來烟酒專賣局，和中央信託局的職員們，在公衆看不到自由報，私人紛紛來信或劃撥訂閱，林林總總約增訂到六十份左右。可證明弗勞以爾能成爲世界心理學權威，自有其權威必備的條件。自由報能把握知識份子非看不可，也有自由報的經營和言論方針，不是「阿扣」精神所能抵制得了。

不過話又說回來，一份報每月報費只十六元新台幣，除去九元航空郵費外，報費只算實收新台幣七元，可謂完全服務性質。化七元新台幣，能按期閱讀幾十位國內外知名學者的文章，眞是「訂此一份報，勝讀十年書」。可惜一些不學有術的政治垃圾，與貪墨之徒，未能明瞭其中奧秘，滿以爲要狗熊皮氣，自覺够味。殊不知的骨董，又被所屬同仁低估了若干鎊，而餓事源源洩露報社，因之得到更多有關內幕。除感謝供應消息朋友外，編者絕對遵守新聞道德，即刀壓頸，槍對胸，也不會表露投稿人，並以代郵。

台北傳奇錄（三）

·陳光棣·

「他爲什麼還要另外買房子」？廣播電台抽冷子一問，嚇得小辣椒一多呆（兩字山勞）。

「妳看妳，小嘴點行不行」？大洋馬說她破壞了氣氛。

「劉二爺要娶太太，女兒女婿大吵大鬧，老頭子氣不過，決定自己再買所房子」。小辣椒又開始蘸口紅。

「他要娶的是甚麼人哪」？

「聽說新娘子才二十幾歲」！

「甚麼？二十幾歲的小姐，嫁給六十幾歲的老棺材瓤子」？矮冬瓜不服氣的直抱怨。

「還不是因爲老頭子有幾文」！另一位太太深通事故的說。

「女兒女婿不願意，以後可就有好戲看啦」！廣播電台一向也是位預言家。

「新娘子是怎樣個人」？大洋馬最好奇。

「這可不大清楚，劉家的人誰都不透口風」。小辣椒抱歉的說。

「嘻！瞞也瞞不住，我一打聽就知道。」廣播電台很有把握。

「對！咱們託大頭呆的太太一調査就「宰羊」，她和劉家大小姐是同學」。另一位太太出主意。

「誰是大頭呆」？

「樓上姓許的那傢伙」。大洋馬甚麼都知道。

幾位太太正在認眞討論的時候，不提防，劉二爺挺着腰板從家裡走出來。太太們搭了折眼睛，提起菜籃子來一窩風似的不見了。

劉二爺六十多歲的人了！看起來也不過五十來歲，走起路來健步如飛，一些年輕小伙子有時候還都跟不上呢。

劉二爺前幾年死了老伴，一直是女兒女婿陪他住在一塊兒，女婿不斷的失業，女兒的服裝公司又經常賠錢，劉二爺也從來不計較，反正自己手裡有不少積蓄，多幾個人吃飯和賠幾個小錢都算不了什麼。劉二爺不但大方，而且很富同情心，誰有個什麼搞搞借借的，只要找上劉二爺，就從來不會打回票。劉二爺常說：「錢算什麼？生不帶來，死不帶去，兩條腿一伸，去向閻王爺報到的時候，都要使着親眼明友燒些紙錢來周濟」。那麼說劉二爺有什麼淨點沒有呢？

（未完）

喬治桑外傳

九四

張大萬

「我今天恐怕沒有空，明天上午我替你問一下，看沒有辦法，我在中午打電話給你。」古有方做事很穩重，他不敢一口答應喬治桑準有，預先留了退步。

「無論如何要麻煩你老兄，你知道我在台北熟人不多，你總比我辦法多一點？」喬治桑自知找古有方是最後一着棋，所以非釘牢他不可。

「不是我不肯幫忙，我找的這個朋友是做進出口貿易的，就看他這幾天要不要結匯，只要他有，我一定能夠替你借到。」古有方說的是實情，喬治桑再也無話可說。臨分別時，喬治桑搶先付了咖啡賬，並再三拜託了古有方。

喬治桑雖然錢尚未到手，在心裡已不像剛才那樣着急。走出明月咖啡館，一看腕錶還不到兩點鐘。太陽熱哄哄地照在頭上，好煩悶的天氣。

他與任何人都沒有約會，也沒有緊要事，站在馬路邊擺自覺楞了一會兒，竟不知如何是好。想了想，招來一部計程車，吩咐司機：「大海浴室」。

台灣上海式沐浴堂，光復以後才有，顧客多半是海派人士，生意還算不壞。喬治桑偶爾也喜歡泡泡澡堂。

「喬先生，好久沒來，請坐，請坐」。領班福生是熟人，一見喬治桑，連忙很客氣地打招呼。這時，自有一兩個伙計上來替喬治桑脫衣、脫鞋、擦背的脚、臉。上海澡堂有一種好處，客人一進門可以不動手，連擦臉都有人代勞。

輔仁大學
博士班難產

天主教輔仁大學雖復校未及六年，但在樞機主教于斌之領導下以及各院教授之認眞教學，已成爲一流學府。該校哲學研究所原只有碩士班，今年由教部核准設博士班，上月報考博士班者共有六人，其中有教授、副教授及外籍研究生，皆獲有碩士學位，考試結果，內成績不如理想，六人均落第。該校在毋濫之原則下，乃決定今年度暫不設博士班。因此次無人錄取的原因，乃係出在英文一科上，據所有六人之英文均在八九十分以上，惟英文係以七十五分爲錄取標準，未達錄取標準；此次英文命題及閱卷係由該校教授李震自負責，事後李氏對此次博士班之不能開課雖表遺憾，但輔已獲得該校招生委員會之支持。由此次輔大博士班錄取態度之嚴謹，足證自由中國大學當局尚不乏堅守學術崗位者；亦寄若干極少學校濫取轉學生一派學店作風者之強烈對比。

（隸）

文滙樓別記

謝麻子該死！

文匯樓主

東北九省行政長官某公匯樓主是「擺龍門陣」的朋友，湖南話謂作「扯談」、安徽話叫作「聊天」、台灣話謂之「開講」。

某公有感一個人的富貴坎坷皆出自運命，也就是江南一位譚老翰林常書勉求墨寶的人：「扚不過命，巧不過運，能不過錢，勝不過天。」這位九省行政長官講一個笑話，頗饒風趣，特就其大意誌後：

乾隆年間，天下大旱，乾隆皇帝率領文武百官在天壇為民求雨，甚久苦無結果，驀然想起南苑有謝麻子者，（江湖相命之謂）招牌上自稱能知「過去未來」與「天文地理」等，乃急召謝麻子進宮。謝接旨後，嚇得魂不附體，眞是人在家中坐，禍從天上來，乃告別老伴說：「我此去凶多吉少，天下降雨，人豈能知，欺君之罪難免。我死後爾率諸兒歸鄉耕種渡日，萬不要再幹這行買賣」。說完聲淚俱下。

老伴當然亦很難過，勸慰丈夫說：「孩兒的爹且慢，廊下掛的一塊老臘肉，每滴油時必雨，今晨我發現又滴油了，久晴必久陰，三天之內，落雨無疑。」謝麻子半信半疑。在傳旨的人催促下，上馬就道，進宮謁乾隆皇帝行禮畢，乾隆問：「我月前經南苑，看爾招牌，有能知天文地理字樣，今特召你算一算甚麼時候可以下雨，算對了有償。」謝麻子跪下謂：「啓禀萬歲，三日後必有淫雨。」乾隆說：「此話當眞？」謝答：「不敢欺君。」果於次日烏雲密佈，大雨滂沱，乾隆皇帝喜極面諭謝謂：「爾眞是神人。」立御賜三千兩紋銀。

謝麻子名利雙收歸來，佳話傳遍京城，正感謝老伴的臘肉妙計，突又傳聖旨召謝麻子進宮，謝慨然謂老伴說：「暴富不祥古有明訓。」謝進宮後被帶入御花園見皇帝，乾隆謂：「天事人豈能知？寡人對爾頗有懷疑，特召你再算一算茶杯下所蓋何物？」謝麻子聽到皇帝懷疑「在揣想臘肉計可能被識破了，立即跪下悔罪謂：「謝麻子該死，謝麻子該死。」乾隆聽得「蝦蟆子該死，蝦蟆子該死」。乃將茶杯揭開，放走所蓋的小蝦蟆說：「又被你算出，眞神人也。」再賜三千兩紋銀。

謝麻子這次回家後，第一件事找房子搬家，奈農業社會找房子不像現在翻翻經濟廣告就可解決，未及半月聖旨又到，兩位太監讀完聖諭，促謝立即成行，路上謝於煩惱中，發出怨言：「身為聖上，七七八八的事都來找我……。」兩位隨行太監，相顧失色，低言幾句，同跪在謝的面前說：「我是七號他是八號，昨晨爭看玉璽失手打碎，大師今既算出是七號與八號闖得禍，尙望救命。」謝乘勢答：「兩位公公，命不該絕，我早算出。」詳示經過，待見萬歲後自當得救。」謝謁帝畢，知果為此事。謝先請賜道免死金牌，理由是洩露天機，不能再殺人，說出玉璽破碎來龍去脈，七八兩號太監各被責五十棍，以示薄懲。

最後一次，是皇后不相信這些離奇經過，乃將自己玉鐲投入御花園深井內，召謝麻子算一算玉鐲被甚麼人偷去？謝面臨皇帝與皇后考驗，再無巧可取，侍衛林立，威不可言，死神的陰影立即到腦海裏徘徊，當想到被劊子手砍頭的味道時，自思不如投井而死，可求到完整屍體，忽然寬衣解帶欲自殺求解脫。未料皇后急制止謂：「玉鐲在井底又被你算出，眞是活神仙。井深數丈，爾年逾古稀，毋用你來打撈了。」皇后又償賜三千兩紋銀，「謝個八之扚不過命，巧不過運，「謝麻子該死」的故事，在官場中成為佳話。

馮玉祥與韓復榘

（上接第九九八期第四版）

老兵

四、津浦綫督師尷局面

誰所期待已久的抗日戰爭，終於在民國廿六年七月七日在蘆溝橋爆發。八一四淞滬戰爭繼起，馮曾以軍事委員會副委員長身份，一度赴滬督師。繼而全國劃分戰區，全面抗戰，馮自請纓派為第六戰區司令長官，並計劃在保定組織司令長官部，九、十月向津浦線戰況逆轉，宋哲元（明軒）部犧牲殆盡，韓復榘部八十一師損失大半，師長展書堂幾乎被俘，節節敗退到滄州泊頭之間。馮認為良機不可再失，自南京出發，毅然北上，只是前進到新鄉不敢再進，藉著北上督師的旗號，當然是名正言順，骨子裏他另有企圖，眼看第二十九軍軍長宋哲元，第三路軍總指揮韓復榘都是他的舊部，而且都吃了敗仗，正是收拾舊部，重整旗鼓大好時機，馮便決心轉往濟南憑黃河天險，扼住南北咽喉，坐待舊部來歸。他沒到濟南，前天津市長蕭振瀛，忽然打電話給在前線督戰的宋哲元說：「你還不請假嗎？」宋明軒愕然問道：「為甚麼？」蕭乾脆說：「先生來了，你還不知道嗎？」宋明軒立即電呈中央請給假一個月，赴泰山療養，同時飭令所部團長以上軍官不得與馮見面。韓復榘對所部也下了一道同樣的命令。馮之北上司馬昭之心，路人皆知，也是詭老部下防備之嚴。果然馮到前線見不到團長以上的軍官，團長又是前線直接指揮作戰的最高單位。團長一個見不到，任何事也不能辦。前線情形，還是節節敗退，馮到德州北的桑園車站時，會同一小部分軍隊講話，「我在上海指揮廣西軍隊作戰，無不唯命是從，現在到了津浦線，這裡的軍隊都是我的舊部反而寸步難行。」說罷嚎啕大哭不止。那種哭有眞也有假，假的是表示對戰事關心；眞的是他已經徹底醒悟過來，企圖抓回舊部東山再起是絕不可能了。尤其使他難堪的是馮的專車開往濟南，韓復榘立命備車北上督戰。兩車相遇於車站，馮還是鍥而不捨，跳上韓的專車，要同赴前線。韓復榘只得答應，當時筆者見韓馮同桌對坐，桌上有通前方軍用電話機十幾部，不停的鈴響。韓則手不離話機，嘴不停說的下達作戰命令。對馮本來也沒有工夫理睬，馮對面呆坐，百無聊賴，他看韓兩手都拿著電話耳機，忽然另一部電話鈴響，他就抓機會拿起耳機來大聲說：「我是馮副委員長」。對方也高聲叫道：「我是請韓副長官講話。」（李宗仁未到德州由副長官韓復榘代理第五戰區長官），車上的人都聽得很清楚，馮無可奈何，只得把耳機遞到韓的手裏。那種尷尬場面眞是萬難已極。馮屢受冷落，驟見所計不遂，立即返南京。他的專車剛過泰安，宋明軒也相即下山，返回前線，因前方戰事方酣，軍事首長不能片刻遠離，請假是為專躲避馮氏的糾纏而已。第六戰區司令長官部也就無病而終。

五、馮喪德敗行誘奸韓女

馮玉祥和韓復榘關係的惡劣，以上所說，僅是人所共知的幾點事實，但關係馮一生成敗至重且大，所以韓復榘被判死刑，盛傳馮有公報私仇的嫌疑，以常理揣測只要有可以殺韓的機會，馮是決不會放過，況且韓在當時負有抗戰不力的罪名。日寇已過黃河繼續南侵，迅速向隴海路集中，李宗仁首當其衝，正在準備大戰，尤有殺一警百提高士氣的主張，陰險如馮，又焉能不投井下石借刀殺人呢？不過韓雖已死，馮仍餘恨未消。抗戰時期，韓的遺眷由太太高藝珍率領寄住西安，後來被偽「和平救國軍」郝鵬舉部下師長楊樹森（曾當過韓的衛隊）派人接到鄭州，一家生活由他供應，二太太紀甘宵於韓死後早去當了尼姑。韓的一位寵姬想去後方讀書，千山萬水到了重慶，馮是國民政府軍事委員副委員長，有好幾處公館，地位高，目標大，一位妙齡女郎涉世未深，又是隻身抵渝，只好先奔謁這位馮老伯再作打算，馮一見便答應收留，並把她一安排在巫別墅自己的書房裡住下。這時的馮玉祥正是寂寞難耐，見色而起淫心，從此日夜看守住這位韓小姐，雖然兩人年齡相差四十多歲，不久竟就誘逼成奸。外傳是韓的親生女兒，其實韓只有個兒子而無女兒，韓妻高藝珍常好收養他人之女為己女，馮所奸是最小的一個，這處別墅在渝郊歌樂山，馮妻李德全是女師大學生，認識之後，把髮妻一腳踢死而後納李，李德全的個性和汪妻陳璧君極相似，領袖慾特強，一天到晚作些社會活動，時已有人懷疑她是替共匪作婦女運動。韓女起初是意存報復，後來竟弄假成眞，馮對她熱戀起來，難解難分。漸漸被外邊的人議論紛紛，馮也毫不在意，舊部婉勸，也都是逆耳之談，終於惹起了李德全潑翻醋罈，馮李年齡相差二十歲，李德全四十歲剛過，所謂虎狼之年，臥榻之旁，豈能容他人酣睡！馮竟棄之如敝屣，熱戀他人，是可忍孰不可忍！終天吵鬧不見效果，最後召集馮的舊部鹿鐘麟（兵役部長），薛篤弼（水利部長）等開了多次會議，總想出一條妙計，趁馮離渝，偷偷把韓女用汽車送往西安，迨馮歸來已是鳳去樓空，徒呼奈何了。

馮在政治上翻雲覆雨，固為一般人所不齒，還可強為之解，果有人代辯還可勉強找些理由。惟有誘奸韓女一事，大悖中國倫常，雖至親也不能為之諱。韓女初見馮時，呼為老伯，馮也擺出一副長者面孔，說是他的家門不幸，身世可憐，一定要盡可能成全她，把自己的書房志願讓給她作繡房，不料繡房變成洞房，照顧竟是據為己有，這是馮玉祥一生道德行為最沒天良的一例。

天道好還，勝利後赴歐美考察水利歸來，卅七年繞道蘇俄直趨赤都（北平），不料在黑海俄國的郵船上，活活燒死。蘇俄發表消息，說是放映電影，引火自焚的，深知馮的個性者說：「以他的好時髦，這事極有可能。最後落得死無葬身之地，也眞够慘了。」（完）

綜談國劇復興（三）

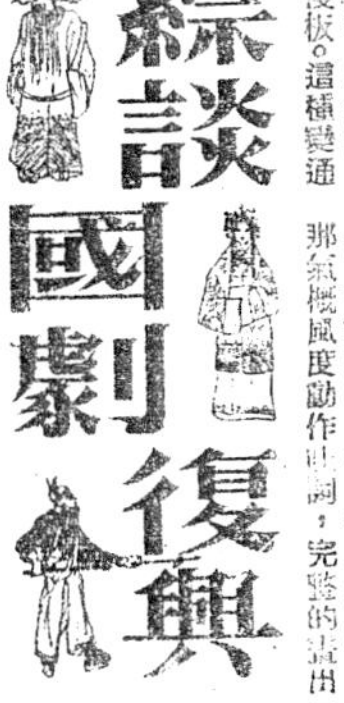

王方曙

梅氏在洞房唱慢板，修書唱原板。因洞房唱了慢板，所以修書只好改唱原板。其實宇宙鋒修書唱慢板是人人如此。梅氏如遵守舊規，自應改洞房為其他唱法，而不改修書唱慢板者是，但梅氏覺得修書一場唱大慢板失去緊湊而又僵坐不便表演，故改修書為原板，而洞房唱慢板。這種變通之道，也是我們值得注意的。因此我們知道梅氏對於在戲中的動作表演如何重視。

荀慧生不能不算好演員，但他在台上往往太隨便，而有時忽然之間又變成了荀慧生，而不是戲中人了。這也是由於他演的戲，動作表情比較輕便，不甚沉重，於是使容易脫軌。在崑曲戲中，演員如不注意，也會有這種現象。如侯永奎，夜奔最有名，但我看他唱的夜奔，便有這種毛病。侯永奎的夜奔，有許多特殊工夫，別人沒有，這是眞實不虛。但一齣戲不是一段特技表演，要是一部完整的藝術，侯氏的毛病是一段一段的表現他的特殊工夫，雖然極好，而這一段一段表演完了，身上便有些脫了原來的軌道，暫時失去了戲中的統一形態。這只能說是分段的特技表演，而不是完整的藝術。楊小樓演戲便不然，他那氣概風度動作時刻，完整的演出一個林沖。當然不是眞的，但給你一個活活的生動的現象。假如有半分鐘忽然變為楊小樓，那會多殺風景？你的腦中會馬上失去了林沖，台上的戲馬上破壞無餘了。但楊小樓卻從來沒有這種現象，不論在那一齣戲。

上面我們談了許多動作表演的實例，並不是在作此評，也不是在談掌故，而是要證明動作表演的需要「多變化」，而保持「一分一秒都在戲中」，「一分一秒都要配合戲中情緒」一。而這種情況，是崑曲戲比較好些，皮黃戲應該參考。換而言之，國劇中於身段，應該不必拘於形式，而變多求「變化」，變化應隨着戲的情緒。便是我們在身段上求改進的原則，而此一原則並非新的，早自崑曲中便已有之！

身段是表情的大部份，而面部表情是表情的最重要部分。舞台戲觀衆所見者為全台，演員所表露的是整個的身形。（電影電視則有中景近景特寫）所以演員在台上的大小動作，手足地位，都不能不被觀衆看到。因此身段的表現，是觀衆首先接觸到的。但身段的表現，雖佔表情的大部份，但它卻不能佔重要部分。（未完）

東遊詩篇

·吳森·

并序

一九五五夏代表香港大專學生赴日本出席世界大學生服務團第六屆國際研究會旅途中有感而賦

其一　旅中感懷

夏日薰風吹，長歌相和隨。
異域好風光，絲絲楊柳垂。
客行雖云樂，瀛洲不易居。
百感盈我懷，愁思當告誰？
多難本興邦，狼烟無盡期。
懷歸望故國，極目天之涯。
天涯遊難歸，悠悠我心悲！

其二　傷廣島

百萬生靈遭浩劫，可憐好戰覆家邦！
若非此地成焦土，那得東洋俯首降？

諸葛亮狂想曲

（七五）

·劉玄·

我雖然沒有聽過藍采和吹笛子，可是也沒有看見過你舞劍呀。」何仙姑用長袖子遮臉，使人想到戲台上青衣的水袖工夫。

「何大妹子，妳怎麼說到我頭上來了？我的寶劍專為斬妖除怪，豈可輕易舞給入看。倒是我要問妳，有些武師打醉八仙拳，有一招叫「何仙姑懶臥牙牀」，是不是由妳親授？」呂洞賓是出名的老油嘴，乘機吃何仙姑的豆腐。

「什麼「醉八仙」？根本就不通，我記得我們有一次參加蟠桃大會，鐵拐李醉了整整三千日，你也不必說了，連藍采和這個小猴子也灌了不少黃湯，只有我滴酒不沾唇。所以，只有醉七仙，卻無醉八仙。」何仙姑先否定了「醉八仙」之說，足見仙姑之不簡單。

「我們不必討論「醉八仙」「醉七仙」，我只問妳「懶臥牙牀」，是不是也像林黛玉春困發幽情，動了凡心？」呂洞賓一貫遊戲三昧的態度，與何仙姑開玩笑開慣了，並不怕她着惱。

「什麼懶臥牙牀不懶臥牙牀的？我根本沒有看過醉八仙是怎樣打法。人間常說狗咬呂洞賓，不識好人心，依我看來，你根本不是好人」。何仙姑雖然語氣凌厲，但面上卻帶着笑容。倒是站在不遠的哮天犬，聽到狗咬呂洞賓這句話，有點不是味兒，直翻白眼，呂何兩仙只當沒看見。

須臾，第四樂章演奏開始。只見張素梅又換了衣裝，乃是最流行的迷你裙。這種短得不能再短的迷你裙，本來只是大姑娘穿的，自從改嫁希臘船大王歐納西斯的美國故總統甘迺迪遺孀賈桂琳經常穿迷你裙以後，此裙遂亦被目為仕女正式服飾。

張素梅知道今晚演奏會，關係她今後在大庭的命運至深且鉅，所以一再換裝，其目的在引起大庭各仙的注意。

「這是那一國的服裝？為什麼這樣短？是不是練武術的裝束？」太白星君不恥下問，又低下頭來向劉約翰請教。

「這叫迷你裙，連英國公主、美國總統夫人都愛穿，現在是各國女性共同喜愛的服裝，已變成國際性時裝。」劉約翰有問必答，太白星君連連點頭表示滿意。

第四樂章裡面有「風入松」的曲牌，星君一聽，用手輕輕拍了劉約翰的肩膀，說：「我知道此一樂章描寫的是什麼？」劉約翰受太白星君的「仙人掌」一拍，頓時感覺骨頭鬆了好多。面上一改嚴肅之態，笑容可掬，問星君：「請問此一樂章描寫的是什麼？」

「此乃是諸葛先生在赤壁之戰，火燒戰船，借東風之故事。這一戰是諸葛上通天文，下諳地理的最高戰術之運用。聆聽此一樂章，想見諸葛羽扇綸巾，躊躇滿志之神態。」太白星君說到得意處，用手指指點點。劉約翰心中暗忖，所謂仙人指路，斯之謂歟？

巨變歷險記！

到了青島，並不能安心，正相反的，忽然緊張起來。

原來丁博士到達青島的時候，三十八年清明節後不久，青島已經在演空城計了。所有國軍的部隊已經全部的撤光，再也看不見一兵一卒。市政府也人去樓空，看不見辦公的人員，街道的人，還是不少，都是準備不撤的。個個面色倉皇，完全一幅無政府狀態的表現。

內地再沒有冒險進入青島的。據送他進來的船說，這是最後一趟的船了。船非常之小，僅可容五六人。丁博士坐的，只他一個人。一個人，船還是送，丁博士感到無限的感激。在起點，丁博士到的時候，已經看不見人了。在這裏住了一夜，第二天又在等，從天不亮一直等到上午十點，才看見這隻小船。能送他到青島市區，他已感到十二萬分滿意了。

一登上船，人民幣又不能用了。於此丁博士又不能不感謝他的五

五塊大頭

（八一）　胡慶蓉

個哥哥——大哥、二哥、三哥、四哥、五哥。在他們送丁博士離家到碭山的時候，每一位送他一塊袁大頭。這五塊大頭太重要了，沒這五塊大頭就走不倒路，青島雖然已經在無政府狀態，但必竟敵人還沒有進來，市上用的還都是金圓券。商人很現實，又都很敏感，金圓券的價值在不斷的變，在不斷的跌，有一個市場，專門是買賣金圓券的，到一個時候，只有賣的，沒有買的，也就是說金圓券已變成「無價證券」，大堆大堆的拋棄，什麼人都不要，什麼東西買不到。

在這種情勢下，大頭最吃香。小船送到青島來，看大頭的面子；在青島吃飯住旅館，也看的是大頭的面子；買船票還是看大頭的面子。在金圓券買賣的市場上，只聽見大頭在郎當郎的響，金圓券成了「三千粉黛無顏色」。

天下事就那麼的巧，丁博士到青島的時候，還有最後一次開往上海的船還沒有開即將開，丁博士就買票登上這條船。這又是一條很小的船，是一條很小的貨船，現在帶了一些逃難的難民。在通艙裡，幸還找到一處容身之地，任由他擺蕩。很多天丁博士都沒有洗澡了，褲子裡已經生了一多又肥又胖的蝨子。因為擠，常常偷偷的抓。頭一天，還剩了幾個錢，還可以買幾盌稀飯喝喝，到第二天連買稀飯的錢也沒有了。肚子在叫，精神恍惚。不知道怎樣挨到上海。

一下船，就跑去上海益世報館找老同學老朋友范爭波社長。他有事不在，因「無面見江東」，就給他掛了個電話，他很熱情的叫博士住他的社長室。給博士換衣裳，洗澡。連洗了髒水幾盆……天下恐怕沒那再舒服！急忙又去下邊吃麵。又是一連三大盌……肚子太空了，太需要了。這一餐吃的是最舒服。

（未完）

桃花潭水深千尺

趙陀

據說主席當年還在台上的時候，重慶大樑子張大爺茶館說書的七十歲老頭車亂彈，一般叫他「扯卵蛋」因講解三國誌曹操撥欺孤兒寡婦搶到政權，而由司馬懿又殺盡寡婦孤兒如法泡製一段，未料被情報人員，從雞蛋裏搜出骨頭，報上去核示：牛主席認為車亂彈無事生非有匪諜嫌疑，下手令嚴刑逼供，不供不休，最後車亂彈被槍決在蔡元壩，中央曾澈查過這件事，問車亂彈充任匪諜有甚麼證據。牛主席的答覆：「思想犯的罪是隱伏在思想裡的，不槍斃就是鐵一樣證據。」因之旅港的四川同鄉們，睹到牛家十年風水輪流轉，咸認為種瓜不會得豆，種豆亦不會得瓜。因果循環雖屬定律，但孀妻遺孤究竟是無辜的。

錢孔方的造型，前邊已約略介紹，錢的特徵在怒時發笑，笑裡藏刀，因之深淺難測，牛太太（即主席夫人）於七月十五日主席冥誕這天，照例舉行筵席誦經，富人門前不備孝子多，遠親遠朋也不會少，除大吃大喝外，對少爺的婚事，成為親朋們議話的課題。蘇克琳尚然嫌牛少爺稻草繡花枕，但名媛閨秀想做牛府大媳婦想枕繡花枕頭的人，如果有人去統計的話，可以排成長龍或組成隊伍。祇是牛少湘的思想始終搞不通，主席夫人無疑對克琳也生着好感，否則也不會拖這麼久，於席終人散後，喚白蘭說：（從小買來女婢）。

「去請么老爺過來，就說有『要緊』的事。」白蘭對『要緊』兩個字的直覺，就像四川抬轎轎夫行徑間的對詞，前邊的轎夫喊出：「天上老鴉飛呀！」後邊的轎夫會接住唱：「地下牛屎一大堆。」也就是說主席夫人祇要吩咐「要緊」，錢管家必然會答出：「就來」。為了這種隨傳隨到，錢和如夫人方玫君扯住頭髮鬧到差館好幾次，白蘭一邊這樣的胡思亂想，一邊已經到了么老爺（錢管家）居處說道：

「么老爺，夫人請你過去，有要緊的事情商量。」

「就來，我馬上就來！」玫君立即顯得不高興似的從旁插咀道：

「從前夫人三兩個星期祇有一次「要緊」的事，最近要緊的事還樣多。」白蘭微笑着解答：「大概是討論少爺的婚事。」

玫君的情緒感到稍安，行起服裝比賽的台步，充分施展出一股風，妖騷，向錢管家說：

「孔方，今天是眉眉的生日，晚飯後黃親家母可能要拖住摸幾圈，又得回來很晚。對了，你還要拿幾百元給我。」

錢孔方翻眼看看玫君，很不自然的掏出幾張百元大鈔給玫君說：

「同親家母摸摸，輸贏不大無所謂，別又和乾親家摸起來，我對這些搞電影，吃軟飯，和差館裡的人，一向保持敬鬼神而遠之。」

「孔方，你講話總是帶刺，甚末叫作別又和乾親家摸起來，再說有一次和小黃多打了幾圈，那夜未回來，還不是奉了你的命，別人像棋子樣，聽着你擺佈，真是狗咬呂洞賓，不識好人心，你到那兒去找我這樣的職業奴才。」

「唉！得了，得了，今天和小黃將蘇霍寶的事打一個底子，電話一到立即逮人，面子抓破後，自可摧毀這門婚事，否則牛府會將這位不祥的「西施」討上門，一切計劃都將付諸東流。」

「孔方，這件事包在我身上。」玫君這樣自負的說。

（卅一）

強盜大戰骷髏

搜異錄

．周遊．

三十年前，某日余在北平見一怪僧，左耳長半尺，垂於肩上，右耳則與常無異。手□佛珠，口念彌陀。余怪其異，因故問之。怪僧見余誠實，遂與余詳談其經過。

怪僧姓王名魁，在河南、陝西之間為盜，尤其專盜墓為業。凡有富人塚墓，輒加發掘，所盜甚豐。先盜其枯骨，再加捆索，如不盜其償，則將枯骨棄置無踪。一夜在河南掘一墓，時已深夜，破其棺材，有枯骨一具，衣冠全已腐爛，除口中啣一錢尚存之外，其他更無一物。王魁及其徒衆大恚，遂檢携其骨出穴，拋棄棺外而行。王偶而回顧後面，忽見枯骨口腔骨中所含的銅錢閃閃發光，以為金錢，遂囘身取錢。取之不能出，用盡全身之力仍取錢不出，乃以刀強啓其齒而取之乃出。對光照之，燦然有光，乃藏於懷中。歸途中，徒在前行，王魁在後，不久，王魁聞後面風聲颯然，從後而襲，砭入膚骨。王魁大駭，急呼其徒，共持械以禦防之。忽然之間，骷髏驟至，舉拳向魁而來，其徒持械擊之，鏘然有聲，但屢中而不能傷。其中一徒被骷髏擊中一拳，倒向丈許，遂不能起。其餘二徒皆懼怕不已。不一會，其餘二徒皆被擊倒。王魁知不敵，回頭奔逃。骷髏窮逐王魁不捨，王魁不能脫身，乃繞樹而避，骷髏亦繞樹追逐。王魁卒被骷髏抓住大耳，曳之而行。王魁痛苦難當。乃以刀砍之，又不能傷。王魁忽然悟道：「莫非為一金錢」！遂急取金錢塞入骷髏之口，骷髏忽發大笑，遂釋手舍卻王魁而去。王魁歸而自視，左耳長大半尺，口亦斜歪左邊，自此遂不再為盜。至北平出家爲僧，發心向佛，返依我佛如來。

（完）

朱德好淫賣公產

滄海拾遺

．赤松子．

共匪第二號頭子朱德，生于四川北，儀隴縣農家，曾進雲南講武堂，寫得一手好字，可是「寡人有疾，寡人好色」。在講武堂時，曾經誘奸昆明一位掃街工人十三歲小孩，工人向他索遮羞費五百元，朱德拿不出來，被工人控告到講武堂，講武堂總辦本要把他重責軍棍予以開革，不過當時川人胡景伊，在雲南為協統（旅長），朱德半夜到胡府，向胡景伊磕「三個響頭，由胡協統說情，請主持人姑念他家貧親老，年幼無知，免與開除及棍責，只給他一個「留堂察看」處分，畢業後，在川軍中各部隊鬼混，以無人事與援，又不會巴結，多年不得志。後遇滇軍顧品珍入川，招納川中各路豪傑，朱德投効，一次升為參謀，後來又遇熊克武往見唐繼堯，因不送紅包，為其總務處長侮辱，欲助顧品珍回滇，朱願隨往，顧委為先鋒司令，唐軍養尊處優巳久，不堪一擊，唐遂逃香港，顧入昆明，自任都督，朱德以功封憲兵司令兼警察廳長，胡作非為到頂點。一年以後，唐氏由港返滇，滇軍倒戈相迎，唐兵不血刃再入昆明，朱德望風先逃。當離昆明前，先找昆明富商等多人，索款千萬，富商等冷笑道：「朱司令，你不是不熟悉昆明的人，就把昆明押給法國人，也得不到千萬，你就把我們全部監禁在司令部，恐怕唐軍進昆明，也拿不出半個錢來。」朱德見到他們這樣決堅，而唐軍愈來愈近，昆明南部已可聽見炮聲，他想要錢又要走得快，只得找四川幫商人來談，要他們籌款兩百萬，四川有一位老商人說：「朱司令，你要兩百萬，不說我們財產拿不來出，你就把我們一百個四川商人連和骨秤了去賣，也不會到這數字十分之一，還是請司令官別處想辦法，不然，唐軍進了昆明，恐怕什麼都成問題。」朱德見此兩着棋都走不通，只得另想辦法。當時昆明還有一個四川會館，是清末修建的，修時不過一萬銀元，當時市價已升至五萬銀元。朱德一念及此，立刻叫把會館的管事叫來，管事問有何事？朱德說：「現唐軍已壓境，咱們弟兄要回四川，苦無路費，想借會館官契，去向銀行押點款子，以作路費，請閣下幫忙。」管事起初想不答應，後來朱復拍桌道：「會館是川人公有，大家有份，現在多數弟兄回家，連路費都籌不出，才請你來幫忙，你如不識大體，請你永遠住在司令部，唐軍如進昆明，我先解决你，咱們弟兄再走。」管事一聽見要命，只得答應去拿出來，朱德將此房契向銀行商量，銀行不肯，後找一走私的法國商人，押了三萬元，錢一到手，立刻換便服潛逃，到上海去痛玩了一年，在上海娶了一位紅牌名妓秀蘭。

這一來，朱司令幾年辛苦搜括來的銀元，也不太多了，好在這時正是第一大戰以後，歐洲的紅潮，巳掀起滔天巨浪，周恩來巳在巴黎組織共產青年團，列寧的代表，巳先後到過上海三次，朱司令靈機一動，以為搞共產，到是一個七十二行以外無本生意，只賺不賠新行業，這種新行業，不僅比在川滇當軍閥地位高得多，就在國內國外，那裏不受人尊敬，主意一定，就和秀蘭商量，他馬上要到德國去，第一是為觀光，第二是找新出路，並且聽說當年德國一年生活費，只能上海住一個月。他打算先到德國去開馬頭，至遲半年左右，可能派人來接他，秀蘭笑道：你要學薛平貴，到海外去打天下，我不反對，你要我做王寶釧，也沒什麼不可以，只不要我在寒窯坐困十八年便得。朱司令也笑道：乖乖，那是唱戲，那種事，不說現在沒有，就有是幾百年前也不會有。我此去快則三月，至遲半年，一定派人來接妳，妳知道，妳固是青春難守，難道我又耐得住嗎？不過現在船很多，要起身，就在一週以內，妳如何給我餞行呢？秀蘭還未及答，朱司令又道：乖乖，你是情場聖手，把你的解數，通通拿出來，索性來個一週炮戰，你看如何？秀蘭笑罵道：該死的，那天我姐姐還在笑我，自從遇到你後，我不只瘦了十公斤，再來一週炮戰，恐怕老娘的命要送在你手上。朱指着秀蘭，誰叫你長得這樣逗人愛。秀蘭叫一聲哎呀，刺豬，你今天又忘記剃你臉鬍子，把老娘的臉，都要變成蜂窩了。朱司令連賠不是，秀蘭催他去訂船及準備一切。

船到黃浦碼頭的一天，朱司令行李簡單，只帶了一個衣箱，裝了幾件換洗衣服，以外就是新青年、少年中國月刊、馬克思淺說等等。送行的除秀蘭和牠的妹妹之外，還有朱司令一名副官姓顧。（四川開縣人）這隻船是法國病院船改裝的，四等艙約坐了二百餘人，秀蘭看見，認為便宜，只一百元可坐四十多天，每日三餐還由船上供給伙食。

美國人的生活情調（上）

張起鈞

三十年前作學生時，就常常聽到「雪霽天晴朗、蠟梅處處香……」的歌聲，今天來到台灣，儘管此地無雪，學校裡還是唱着這首踏雪尋梅的名歌。足見我們，時無分今昔，地無分南北，都普遍的有着賞雪的雅興；而我又怎能例外？

在台灣好多年沒有看見雪了，年前二月間到了「南伊大」正值大雪之後，校林中，殘雪猶存，皎潔可愛。真如久別的老友，相見好喜。加上古木參天，寒日斜照，真是詩情畫意，美到極點，使我忘盡塵勞俗慮，而在這荒林裏往來漫步，且賞且醉。怪的是這樣上好的美景，怎麼沒有人來賞？偶爾有三兩個路過的人，也都匆匆走去，竟無絲毫理會之意。真使我有點納悶，難道他們不覺得美麼？

有一天真個降雪了，早晨開門，雪深近尺。我喜歡得心花怒放，簡直想在雪裡打兩個滾，于是興緻沖沖的，踏着軟雪，邊玩邊賞，走到學校，一進哲學系的研究室，恰好碰見系主任穆維禮教授，我忍不住喜悅的心情，衝口說道：。好漂亮的雪景啊！」那知他毫無共鳴，反而厭煩無那的說：「漂漂亮哩！我的車差點開不來了」。這句話恰似禪宗的棒喝，當心一刺，使我猛然驚醒，恍然大悟，不過所悟的並非禪理，却是美國人的生活情調。

原來賞雪、聽濤、吟風、弄月……這都是中國人特有的生活情調，美國人（以及一般西方人）並不欣賞？甚至根本沒想到這頭來。他們所最感興趣的，乃是真有實際效果的遊樂；換句話說，也就是那些能發洩，夠刺激的事了。於是爬山、滑雪、瀑水、溜冰、游泳、打球……便成了他們無上寵好；因為只有這一類的活動，才能把那過剩的精力排遣出來，而使身體真感到一種頹然的滿足。所好既是如此，勢必就要奔向原野。因為一到假期，大家便傾巢而出，各去撒歡。公路上跑的是汽車，山阿水曲有的是人羣？——除非是老得爬不動。我以前總聽美國人稱讚夏威夷的氣候好，後來我到夏威夷大學教書，眼見得，四季都無變化，一年全是夏天，只感到單調而已，實在看不出好在那裡？現在我明白了，原來就好在這裡，因為一年四季都可開車出遊，絕無風雪所阻。三百六十天全能夠泡在水裏游泳，躺在沙灘上晒太陽，試問還不好麼？須知好壞是「有所待」而後定的呀！

自由報

[illegible]

（第一〇一三期）

（半週刊每星期三、六出版）
每份港幣壹角・台灣零售價新台幣貳元
社長李運鵬・督印黃行薈
社址：香港九龍彌敦道593—601號
廖創興銀行大廈八樓五座
LIU CHONG HING BUILDING
7th FLOOR FLAT 5
593—601 NATHAN ROAD,
KOWLOON, H.K.
TEL：K803831
電報掛號：7191
承印：景鼎印刷公司
地址：嘉咸街廿九號地下
台灣連絡中心：台北青田街五巷三號
電話：三七五〇二二
台灣區直接訂戶　台郵劃撥戶
第五〇五六號張萬有（自由報會計室）
台北營業處：台北衡陽街三十號
電話：二七二〇〇
台灣分社：台北市西寧南路110號二樓
電話：三三〇三四六，台郵劃撥戶九二五二號

學術、教育、的宣傳與實際

・思兼・

近年來，台灣教育界有句漂亮的口號，那就是「學術起飛」。這雖然不像經濟起飛一般，可以製造些成長率之類的數字來作證明。但是從聲勢顯赫的表面看來，確實是很夠唬人的。下面我們且平心靜氣地睜開眼睛，看看學術起飛到底飛得如何了，大學和研究所的實際情況究竟是怎麼個一回事。

（一）大專學校求量不重質

民國五十三年的統計，台灣大專學校四十一所，學生六萬餘人；至民國五十七年，已有公私立大專學校八十所，學生十三萬八千九百人。短短四年之間，學校和學生人數增加了一倍。難怪有人在教育宣傳方面說：「台灣現有的大專學校，已經超過當年大陸上大專學校的總和。」以區區一省之地，高等教育如此發達，眞令人咋舌。然而，誰曉得他是以什麼眼光，用何種方式去比較的結果呢？台灣近百所大專學校，其中有很大一部分是近幾年如雨後春筍一窩蜂成立的五專，這些學店式的五年制專科學校，商業氣氛十分濃厚，學術氣氛異常淡薄，根本談不到什麼建校的基礎條件。在台灣目前升學競爭如此激烈的社會環境下，竟然連學生都招不足，其差可知。有人譏刺他們是：大學的收費，專科的招牌，中學的師資，小學的設備；誠非虛言。難道說，這樣四不像的野雞學校，也要去和當年大陸上的一流學府相抵？

學校增加了，學生也多了；但是大而無當，絲毫不看看學生是什麼料子，教授肚裏有沒有貨，管他飽學宿儒，教書混飯的，大家一視同仁；管他天才庸才，有心向學的，還是莫名其妙的，通通溶一爐而冶之。據說，自由中國國民入大專就學的比率，已超過英法諸國，但是教育普及，可是師生素質呢？大學的學術風氣呢？

從師資方面來說，因緣人事的，政治關係的，濫竽充數者偏地皆是。這且不提，就是教授中的上焉者，也都無法專心任教。今天台灣的大學教授，可謂能者多勞，鮮有不爲五斗折腰者，大家都是整天疲於奔命的到處兼課，幾乎跟歌星趕場的情況相似，那裡還有餘暇從事深入縝密的學術研究工作？那裡還有精神自強不息，日求進取？難怪二十年搞不出一部像樣的中國文學史，人人說劉大杰那本中國文學發展史不行，卻還都要用他作教本。也難怪一本發霉的講義，要用上一輩子。有許多學校，請不到適當的專任教授，只好到處拉角兼課。拉角的結果，教授陣容當然是東拚西湊，亂七八糟的勉強應付。在這種情況之下，不但新學校新科更辦不好，還連帶池魚之殃的，把稍具規模的幾所舊學校也拖垮了。

再看看學生，除了少數狡狡者還會自己找書看，找問題研究之外，其餘百分之九十五以上的大學生，眞是每下愈況，一代不如一代。一個個本來應該洋溢着年輕豪情的面孔上，已經看不到多少朝陽般的生氣；已經很難看出幾絲海闊天空，壯志凌雲的氣概。他們極須要上一輩的指引和鑑定，但結果往往令人失望。終日在留學、家教、大一國文式的教育中打轉，又怎能不趨於消極頹唐？一位在研究所教學的老教授感喟地說，「不是下一輩的沒有人才，而是人才被糟蹋了。」相對地，不只是學生碰不到好老師，老師更難教到好學生。空有滿腹經綸，要想找幾個能接棒的好學生傳出去，非常不容易。

（二）研究所虛有其表

學術起飛，大專學校教師的需要量激增，除了向中學教員和退休官吏中取源之外，最名正言順的來源就是研究所畢業生。據教育部統計資料顯示：民國五十六年，台灣各大學的研究所總計六十三個（內設博士班者四所）；短短兩年之間，現已擴展至九十六個（內設博士班者廿四所）。這樣急驟發展的結果，是碩士學位的大量生產，粗製濫造。除了少數幾所還算像樣之外，其餘許多研究所都是空有其名，而無有意義研究之實。有位留學生說得好：

「我們的教授，很多不讀書，不研究，不寫文章，在大學裏熬上二十年就變成教授。聽說國內一下子成立了十多個專科學校，原來很多中學教員都變成了教授。最糟的是，很多一生沒有作過任何研究工作的退休官吏，也被網羅去變成了教授。」

「這是學術起飛啊！據說最近不少學校將大量製造碩士博士，這些人畢業以後，自由中國就不愁沒有教授了。到那時，也不需要你們留學生回國教書了。」

第一、有名無實。許多研究所附屬於大學部的相同科系，既沒有獨立的預算和編制，也很少獨立的課程，甚至連塊招牌都沒有。研究生要回到大學部去和大學生一起上課，實在不是味道。

第二、不明旨趣。許多研究所的主持人，根本不明白研究的宗旨和目標，不曉得如何訓練研究人才，不懂邏輯，不知學術發展趨勢。主事者如此不得其人，怎麼能希冀他培植出優秀的學術研究人才？

第三、沒有訓練。許多研究所既無設備，又缺乏專任的指導教授，還要招生一大把。讓學生自生自滅的混上兩年，幾乎毫無研究方法的訓練，只要交出篇所謂「論文」，就畢業了事。這樣的碩士學位，豈不太便宜了？

這種有名無實，不負責任的現象，可以從某國立大學研究所碩士學生口試的發生一段笑話中窺見一斑。某教授看畢論文，感喟地說：「這麼差的東西，是誰指導的？」旁人告訴他：「您就是指導教授！」某教授不禁大爲光火：「眞是豈有此理，我什麼時候指導過這個學生論文？我就從來不知道有這回事，他也從來不會找我商談過論文的有關問題。」

指導教授一直到論文口試時還不知道他就是指導教授，怎麼差的論文也照樣通過碩士學位考試，眞是荒唐笑話。由此筆者想到另一段和此相反的故事。

吳怡（曾經和張起鈞教授合著「中國哲學史話」）在文化學院博士學位，想請錢穆先生指導論文，錢先生對吳怡也非常賞識，然而考慮的結果，卻不敢輕易答應。他說：「指導博士論文，不是一件簡單的事；學生寫論文要讀十本書，我就要陪著讀十本書，才能知道他的論文寫得怎麼樣，寫得對不對，然後才有資格給他適當指導。如果學生要參考一百本書，我也要陪著他讀一百本書，那怎麼吃得消？」

這才是眞心話，這才是指導的態度。今天台灣各大學研究所指導的先生們，摸摸自己的良心，有[illegible]到了他的責任？某教授曾經感[illegible]學問，能得師友之助更好；若[illegible]但只要無師友之害，也就不錯[illegible]

再者，研究生在外兼職太多[illegible]生活，（[illegible]這種[illegible]生活者恐怕不多），無法專心[illegible]一時小利而[illegible]得年輕人太沒志氣了。研究生[illegible]質越來越低，實在不像話。例[illegible]模的師大國文研究所，以往每[illegible]名，大概還能保持相當水準。[illegible]定招生二十名，許多本來不夠[illegible]，也都紛紛登堂入室，連將來[illegible]所的大學部同學都爲之搖頭，[illegible]。又某[illegible]

[illegible]

昨日與明日

干涉私立中學招生

鄭義

近來我國教育部若干行政措施，乖謬離奇，出了常軌，譬如在限制設立私立初中和小學之後，又要限制私立中學招生。意義何在，使人費解。延長國民義務教育創設國民中學本是　總統和政府的德政，然而，坦率講來，國民中學並沒有辦好，雖然有少數人卻因工作崗位關係，藉着延長義務教育的招牌升了官，得了獎，卻是掩不了延長義務教育初期工作的失敗。若干私立中學招生，投考人數的衆多，便是此事實的證明。教育當局應當面對此一事實，澈底檢討反省改進，何能遷怒憤於他人。

違憲之舉

教育部限制私立初中和小學的創設，乃是違反憲法的行爲；如再限制私中招生，更是對私人興學的摧殘。因爲中華民國憲法第一百六十七條明文規定：「國內私人經營之教育事業成績優良者，國家應予以獎勵或補助。」私人經營教育事業果辦不好，家長不會花那樣多的冤枉錢送子弟入學；凡是辦理不好的私立學校，也絕對不能存在；（今年有些私中招不到學生，就是證明）而且，社會的進步，就因爲有競爭。私人辦學便是受自由競爭原則的支配，而其辦學成績之由來，也是自由競爭精神的發揮，教育部此舉，不啻將好的學校也讓它變壞，這不是提高教育水準，乃是降低教育水準。如此對待私立學校，豈不違反我國憲法的規定。監察委員職責所在，豈能熟視無睹。

違反國策

教育部此舉，不僅違憲，也是違反國策。因爲我國當前經濟政策，乃是獎勵國內外人民的投資，以促進經濟之發展。教育事業的興辦，從經濟的意義看，便是一種投資。經濟學上所謂投資是指資本財的生產，房屋的建築，也是其中重要的一項。每年若干私立學校之建築無數教室大樓，使屬於投資行爲的一種。由於這種房屋的建築，增加對水泥、鋼鐵、木材等等的需要，因而對水泥工業、鋼鐵工業、木材工業等等的發展也提供了相當　進力量；更因爲對工人和教職員的有效需要，也促進了國民的就業。這和私人創辦紡織工廠、塑膠工廠等等的投資，並沒有什麼不同，祇是紡織工廠的產品是紡織品，而學校的產品則是知識和人才，它的重要性更大。私人與學大有助於國家經濟的發展和國民的就業，何教育部昧於此旨？監察院能不過問乎？

我們很懷疑：現代政治若干措施，壞在「科員政治」上面。科員往往作了政策性的決定，豈不誤事！不知教育部是否如此？

自由談

以言教者訟

馬五先生

凡是移風易俗的事情，必須由社會各界——包括政治界——具有領導地位和資望的人，以身作則，以事實昭示大衆，信賞必罰，虛僞不齒，風聲所播，人人景從，即自然而然地構成時代風氣，產生「約定俗成」之效。

秦商鞅徙木重賞這項政令，本質上實屬微末不足道，但在玩法蔑紀的疲玩積習之下，藉此而樹立政府言出法隨的信用，對症下藥，收效卻甚深鉅。漢劉邦斬一無關大局的官僚降人丁公，原非必要；然爲轉換當時一般政治人物朝秦暮楚，昧廉寡恥的澆漓風氣，此舉卻有正人心、厚風俗的鉅大效力。

現時我們的復興中國文化運動，實係救弊補偏，適應時代要求的正確措施，毫無疑義。這一運動能否獲致預期的效果，就看社會各界人士，能否身體力行，發生示範作用。中國文化的精義是四維八德，要在日常生活中把它實踐化。假使一面侈談復興中國文化，高唱入雲，而社會上又多見那些沒有禮義廉恥觀念之輩，得意行時，招搖過市，人們且從而稱贊不違，欽羨弗置。甚至於明明幹出許多違背四維八德的醜惡行爲者，還高據要津，紆青紫紱；或盤踞學府，師表人倫；或標榜清流，譁衆取寵。然一般知恥自愛，有所不爲的正人君子，卻踽踽涼涼，沒人理睬，隨時還要遭受外來的排擠與打擊。在這[illegible]沉，人慾橫流的頹風窳俗中，要想復興中國文化，挽狂瀾於既倒，可謂南轅北轍，不得要領。

古人說：「風俗之厚薄，繫乎一二人之心之所嚮而已」。所謂「一二人」者，就是在社會各界具有聲望和地位的人，這一二人若不能以行動與事實來表示其重視四維八德的決心，而孜孜汲汲於文字宣傳，口頭講演，貼標語，喊口號，開大會，擬計劃，結果是「以言教者訟」，決無絲毫績效可觀的。言行一致，好像是現代人士生存發展的正軌，誰也不以爲異，大家相習成風，恬不知恥，可痛孰甚哉！

依洞集

尼克遜怎麼辦？

易儔

尼克遜就任美國總統以後，由詹森政府接過來的最大包袱是越戰。

美國在越戰所耗的戰費已達一千億美元以上，美國軍隊傷亡亦重，這是現實問題。作爲一個美國的執政者，儘管他了解越戰在政略與戰略上所具有的不平凡意義，但無法說服偏及美國朝野反對越戰的人。過去美國對越戰有所謂「鷹」「鴿」兩派，成對峙之勢。現在反戰分子愈聚愈多，連著名的兩黨參，衆議員也加附和，相形之下，「鷹」派人士無疑是居於下風。美國輿論一向能影響政治，尼克遜悍然不顧一切，堅持進行越戰，畢竟是難以想像的。

在敵方，中共、俄共的翻臉似乎已趨和緩。現有迹向顯示：中共默認俄共從中東下手，俄共聽任中共在東南亞滲透；這一戰略的配合運用，自然是基於中，俄共雙方有此共同需要。越戰膠着於結果，最可慮的是，美國新孤立主義死灰復燃。於不久將來，像中東，東南亞可能發生動亂的地區，美國很難再有對堅定的態度與行動決心。這是可以預料的。

越戰在政略與戰略上運用的價值，中共、越共之間並無多大矛盾；質言之，中共、俄共設法調整步驟，取得目標一致亦非絕無可能。因此，美國當前的處境是在極端困難之中。

美國反越戰示威遊行，是世界的危險信號。因爲，美國最受中共、俄共歡迎的，不是汽車、電冰箱，而是「孤立主義」！尼克遜所面臨的考驗不僅是美國的，更是整個自由世界的。

查良鑑部長施政報告
督導辦好公職增補選
各級檢察官執選舉監察業務
立委望選舉官司能減到最低

本報記者張健生台北消息：「我反對亂世用重刑。自古以來，沒有用重刑把亂世治好的。」這是司法行政部查良鑑部長於本年十一月八日，在立法院司法委員會答覆趙石溪委員質詢時宣佈的。

查部長「反對亂世用重刑」的主張，極獲立法院司法委員會委員們的讚揚。他們對查部長的「施政報告」內容認爲完備，且足以證明司法行政部力求改進中。

立法委員趙石溪指出施政報告中之所謂：「對於兇殺、烟毒、偽藥、竊盜、偽造貨幣、妨害風化及貪汚瀆職等重大刑案，尤應認當前國策，適應社會需要，依法嚴辦，摒除以法定最低刑爲起點之觀念，並對有犯罪習慣之竊盜犯及贓物犯，依法宣告強制工作或感化教育等保安處分，以矯正其惡習。」其中「摒除以法定最低刑爲起點之觀念」一語，趙委員表示：「加重刑罰，法有明文，如此措施，是否矯枉過正？」

查部長答：「如竊盜犯，其罪刑爲五年以下有期徒刑，拘役或五百元以下罰金，（刑法第三百二十條）過去，往往以法庭最低刑而科處徒刑兩個月或三個月，刑滿後出獄，社會上對此有所批評。爲此，中央決定嚴辦，此一刑事政策旨在不偏於最低刑之兩個月，而採適中刑之六、七個月。並依刑法第五十七條作客觀之酌科。」

查部長施政報告：「督導辦好中央公職人員增補選之選舉監察職務。中央公職人員增補選係依據動員戡亂時期臨時條款由　總統制定辦法施行，該辦法有一特色，即選舉監察工作，不另組織選舉監察委員會，而由最高法院檢察署檢察長督率各級檢察官執行選舉監察職務。爲使優良的選舉風氣，固有賴各方自動自發的去實踐，但選舉監察工作的加強，毫無疑問的會發生規範作用，司法行政部鑒於所屬各級檢察同人職責重大，在該辦法及其他施行細則公布後，即於今年七月廿二日召集所屬各級檢察首長舉行座談會，指示各項原則及應行注意事項，並令最高法院檢察署擬訂各項工作進度，及有關辦事細則。

「最高法院檢察署及台灣高檢處依據司法行政部指示原則，先後擬訂『各級檢察機關執行選舉監察職務辦事細則』，及『執行監察職務人員服務須知』與『執行監察職務應行注意事項』，並規定各項選舉監察工作之態度。

「前述監察工作，與檢察官原有偵查犯罪工作，不盡相同，故各級檢察機關均另成立辦公處，最高檢察署於今年八月一日成立，高等以下各級法院檢察處則均於九月一日成立，現均已積極展開工作。最高檢察署及台灣高檢處且曾先後約集各級檢察首長會商有關選舉工作之技術問題。

「爲期選舉監督工作有效實施，經由最高檢察署將台灣全省劃分爲四個選舉監察區，除由各該高等法院或其分院首席檢察官督導該區監察工作外，最高檢察署並指派檢察官分區巡迴督導。各地方法院檢察處人員有限，故不得不依照規定另行遴聘監察員及監選員，受檢察官之指揮，執行監察或監選職務，其人數共達兩萬五千餘人，對於監察員或監選員之聘任，司法行政部亦曾指示應慎重遴選適當公正人士擔任。

「執行選舉監察，全由司法機關負責，事屬創舉，各級檢察同人雖均感責任艱鉅，但均將努力以赴，以改善選舉風氣爲己任，完成政府所賦與的使命。」

查部長並呼籲中央公職候選人等，均應依法進行選舉活動，以爲地方選舉之楷模。

趙石溪委員質詢：「希望選舉訴訟減到最低。關於選舉訴訟一審終結尚未改善前，若執行選舉監察之檢察官不嚴格執法，恐不能端正選舉風氣。」

查部長回答：「中央公職人員選舉監察工作的加強，係根據刑法第六章之妨害投票罪而處刑。相信會把選舉得有聲有色。」

這位學人部長告訴立法院司法委員會的委員們說：「司法行政部對審檢業務之改進，與辦案效率之提高，極爲重視。」「在改進民刑事審判工作方面：着重於迅速辦案，迅速分案，提高辦案正確性，以及防止同一性質或情節相同案件裁判不一致方面，同一性質之民事案件，如有法律見解不同，致裁判不一致時，院長應告知有關庭長及各承辦推事，交換意見，詳細研究，儘可能獲得妥適之統一見解，而爲裁判，以免歧異。承辦推事審理刑事案件時，應注意被告客觀犯行與主觀犯意之一切情狀，以防止性質或情節相同案件，發生裁判懸殊現象。」

「爲嚴格管教不良少年，司法行政部與內政部、教育部、台灣省政府、台北市政府等單位會商研辦。業經洽請台北市政府，擬在小琉球設置少年輔育院一所，將可收容三百名受感化教育之少年。台灣省政府擬在綠島設立少年勵志進修班一所，將可收容惡性重大，必須嚴格管訓之不良少年二百人，現均已洽請警總代爲籌辦中。」

查部長說：在治本方面，有關少年福利、少年保護管束及其父母適當責任等，應合併制定一項法律，使社會、政府、家庭對少年負起教育與監督之責，並推行少年福利設施，使少年心身得以健全均衡發展。對於利用未滿十四歲之間接正犯，及教唆未滿十八歲之共犯，法院應從重科刑，以資嚇阻。司法行政部正組專案小組從事研議修訂少年事件處理法。因爲該法起草時在民國四十三年間，立法院通過時在五十一年，由於社會情況變更，若干法條似宜修正。（完）

台北傳奇錄（三）

·陳光棣·

有！其實也算不上缺點，只能算是小毛病，劉二爺的小毛病，是喜歡站在馬路上看女人。這話可又說回來；那個男人又不喜歡看女人呢？何況有時候女人去到大街上，就是專門爲了給男人看的。我說這話，大嫂子，……不，小姐，你可別生氣，說起來，男人跟女人不同的地方，是男人假如喜歡那個女人，就乾脆直眉瞪眼的露出一付饞相；而女士們多是借題發揮。所以，爲什麼凡是反串小丑的女明星女演員之流，都會受到大批女太太們的瘋狂喜愛呢？這就是女性心理的表現。也許有人說，這些「反串」份子，不是也使得好多大男人着了迷嗎？你慢着，這在觀點上可不大相同。男人看到那些女人縱然反串男人，可是在男人的直覺上，她們卻仍然還是女人；而在女太太們的心目中，她們可就變成男人了。女太太們喜歡這種假男人有不少好處，第一丈夫不吃醋，第二沒有風險，第三可以不惹麻煩。我說：二哥！我寫的這一段話，可完全是胡說八道，你可別當作是真的，也千萬別給二嫂子看，更千萬不要告訴我太太。因爲我的腦袋被敲破了，對你也沒有好處。凄！

從前年夏天，我正式和劉二爺有了交往。我們的交往，一開始就富于戲劇性。（未完）

喬治桑外傳

九五　張大萬

喬治桑一個人浸在大池裡，閉起眼睛，恢復疲勞。旁邊一個四十上下年紀的客人，正在自得其樂大哼特哼流行歌曲。喬治桑總覺得這種情調不大調和。可是，別人有唱的自由，他無法干涉。

浸了幾分鐘，喬治桑躺在大池旁，進行第一節目——擦背。擦完背，冲乾淨身體，蓋了一條毛巾再睡在長藤椅上。然後進行第二節目推背、推腿。等到他拿起小報看歌廳、舞場新聞時，足下已有人開始工作——修脚——了。

喬治桑現在感精神很舒暢。他認爲現在來洗澡是一個明智之舉。在澡堂最容易殺時間，喬治桑小睡之後，一覺醒來已經四點鐘了。他命茶房撥了一個電話給裘白瓊。

「喂，白瓊兄，難得在家找到你，你現在在幹甚麼？」喬治桑閒着無聊，打一個電話試試看，能不能聯絡上裘白瓊。

「那裡的話，我沒事一定在家。」裘白瓊表示他是賢夫良父。

「現在在家幹什麼？」喬治桑追問裘白瓊未答復的問題。

「太太出去打牌了，我在看家。」裘白瓊說話倒很誠實。

「你要不要出來，安排一兩個節目玩一下？」喬治桑認爲裘白瓊是頂理想的玩伴，他是行家，連喬治桑也自愧不如。

「好吧，你在什麼地方？」對方在電話中立刻表示同意。

「我剛洗完澡，在大滬浴室，你要不要來？」

「我已經洗過澡了，你說在什麼地方碰頭？」

「在鑽石舞廳跳茶舞好不好？」

喬治桑好久沒滑地板了，顯然有髀肉復生之感。

台省議會四次大會
質詢加强較前熱鬧
台灣書店將成重大課題
衛生處色情自動用公款

（本報駐中興新村特派員龍建民台中消息）台灣省第四屆省議會，第四次大會行將在本（十一）月十七日正式召開，也就是本屆省議會的中途會議，全體省議員總額是七十一位，而賴榮木及陳華宗先後去世，由於議會組織規程第七條規定出缺二分之一者可以補選，因此台中市已由賴榮松先生補選中當選，所以現在的總額只有七十位；其中分老議員三十七位，新議員爲三十三位，形成新舊各半。然新省議員在過去的二年半時日裡，最居於觀察的地位，在議會中也很少質詢，在這段時間裡對省級各單位已有所了解，好與壞的資料當也搜集了不少，時機已不再多了；加上改選時期又將迫近，既爲民意代表總該在會議中有所表現，才不辜負選民的企望，勢將在此次會議中不管是提案，質詢的過程中很可能要比已往熱鬧點。

筆者曾先後走訪過很多省議員，畧錄對各單位的質詢大意報導於次。

一、對民政部份的土地重劃，有疏忽或人情包庇、甚致勾結等情事，使各地發生弊端，將引起爭論。

二、財政部門的省營事業的烟酒公賣局，五大行庫交際費浪費過鉅，尤其是稅務人員的風紀等各方極爲重視。

三、建設部份亦多毛病，曾文水庫用逃兵通緝在案的歹徒馬雲爲人事室主任，並僞造高中學籍，現台南地檢處正在偵查中。

四、教育部份的國中校長甄試，省議會駐會委員會通過恢復校長改由縣市政府聘用，以及教科書成本太貴，高於九年國教定額二倍以上，其原因教育部及台灣書局從中抽取成頭之嫌疑，使家長無法負担，怨聲四起，亦爲議壇重大課題。

五、交通部門的有中興大橋收費問題將再引起爭論，尤其是第四國際港擇爲台中港、北部議員勢將舊事重提，向陳來甲處長責難。

六、農林部門的特大山林管處長張家棟，被控案件多起，均在偵查中，引起省議的重視，又大雪山林業公司經理羅健與乾女之瓜葛亦將有爆發之可能。

七、衛生處的機要秘書兼新聞主任的施加賓雖爲色案掛冠而去，但聞仍有動用公款等情事，省議員亦什重視的階段。總之此次的議事很多，極可能質詢預定的日程不敷。不過其中的變化，那要看各人的手法啦。

文滙樓劄記

憶仰光六七名「戰犯」

民國三十九年「北京人民廣播電台」不斷的向東南亞華僑社會廣播。宣佈仰光六十七名「戰犯」，促華僑不要和這些「戰犯」往來，否則將來會被清算和鬥爭。

所謂「戰犯」的「罪狀」：一、阻礙「全民解放」的推行。二、在僑社散佈「毒素」，影响華僑「愛國」心理。三、製造謠言，詆譭自己「國家生產建設」輝煌成就。四、捲入「反動」言論機構受×××利用，盲目批評「國家政策」。五、勾結「美帝國主義」圖謀反抗本國，類此胡說八道夢話式的讕詞，共約十幾條之多，平均每週播出兩次。

所指的「戰犯」名單，計有：何景同、王輝、陳洪安、侯一新、賈炎、廣偉林、江潮、陳毓漢、吳琪、李義常、張顯仇、陳甘亭、李紫榮、李幹新、吳管書、保國富、丁作韶、鍾毅均等卅餘人，現均在台灣，還有未離開緬甸的名單不便報導。所謂「戰犯」的構成，都是不顧生死志願反共，沒有任何條件的擁護中華民族最高領袖 蔣總統。熱愛自己的祖國——中華民國。

仰光中國論壇報說：「蔣總統在甚麼地方，甚麼地方就是中華民國的司令台，從不考慮現實形勢。」丁作韶博士在「他媽的」一篇題一篇連載的文章裏，將毛澤東一幫罵得狗血淋頭。那時候毛恰亦在國外用五個筆名在中國論壇報寫反共文章，一種拼老命的搞法，亦感動了僑社不少有錢的人，後來自由日報跟着中國論壇報產生，中央黨部第三組的王輝，國防部第二廳的何景同與陳毓漢、吳琪、丁作韶等，冒險犯難實含有帶頭作用。

自由報創刊後，每週星期論文多由學人執筆，新聞也一改剪報轉載舊習，緬甸美國大使館贊美國新聞處長馬丁對自由日報寄予甚大注意。自由日報的基本態度就是反共產、反毛澤東、擁護 蔣總統領導全國人民加強復國運動。緬甸在野反共黨一致黨領袖德欽巴盛先生，感於自由日報立論正確，反共招數常能推陳出新，特聘該報總主筆某君為該黨政治最高顧問。聘書係德欽巴盛親自面達，知道這件事底蘊的，有×××、何景同、王輝、陳毓漢等，還有兩位在緬甸，不便公開姓名，益證士為四民之首是正確的，尤其反共鬥爭，非知識界不可，因全部以鬥智為主。德欽巴盛向自由日報的總主筆說：「像你這樣的人才，國家為甚麼不派你來緬甸領導中國軍民從事反攻」。這位總主筆答的很妙，如老的這樣的人，自由中國多得可用車載，可用斗量，可用鞭子趕」。話又說回來，自由日報的誕生，陳甘亭（現任中央評議委員）、陳洪安（仰光有錢僑領）、李紫榮（有政治力量僑領，已故）。還有兩三位不便公佈，功在反共，名留僑社，是永遠難以抹滅的。樓主每看到台灣有很多人冷淡當年這批反共功臣，專捧昔日親共，今日有錢人的卵子，送往迎來，儼該打兩百屁股；尤其做官的，更難使人原諒。毛澤東雖邦有：「老革命不如新革命，新革命不如不革命，不革命不如反革命。」祇這幾話，業已註定了毛澤東必亡必垮的政治命運。我們既然討毛救國，對毛澤東政治上這些醫不好的致命傷，要特別提高警覺。戒之戒之。

文滙樓主

談文學的內容與題材的處理（二）

·方祖燊·

對選擇與題材處理的問題，是從事寫作的人所應該探究的，這樣才會使我們寫作的範圍擴大，路子正確。

日本學者兒島獻吉郎在中國文學概論中，他提出感情與理智，是中國文學作品的兩大內容。我對這種分類，頗為贊同。

甲、理智的內容：記叙性、說明性、議論性的文字屬之，目的在發現真理，求善求道，以學問義理，為其本位，常含有豐富的材料，或卓絕的見解，或廣博的學問，……由這類題材寫成的作品，是訴之人類的理性，可以增加讀者的學識，或啓發其思想。

乙、感情的內容：抒情性、寫景性的文字屬之，目的在發露人情，求美求真，以情感為本位，理智為次義，須含有人類的喜怒哀懼愛惡欲各種情緒，有淚光，有笑影，有熱血。這類作品，因為直接發自人情，訴之人情，特別容易引起讀者的共鳴。

過去一般作家們所採取的題材，如戰爭、宗教、人生、自然、社會、愛情、歷史、學理之類，寫成的作品，都不出於這感情與理智兩大內容，現分述如下：

（一）戰爭性的題材：戰爭的發生，可說是完全決定於少數人的情感，但卻刺激舉世的人心，決定一國的興亡。戰爭造成的現，有二種：一是破壞、死亡與毀滅；一是征服、勝利與榮譽。所以由戰爭這個題材，產生的文學有兩類：一是宣揚非戰主義，這是向消極的、悲觀的方面去描繪，寫出由戰爭造成社會悲劇，或慘烈的死亡，或勝利的空虛，或戰禍破壞了繁榮，人民流亡離散。這是站在人民的立場來取材的。一是宣揚征戰主義，這是向積極的、樂觀的方面去描繪，寫出征戰的情況，勝利的征戰，宣傳的封賞，英雄的事蹟，國家的富強，聲威遠播的情景。這是站在國家立場或執政者功利觀點來取材的。不管怎樣？一次戰爭常影經到長遠的年代，千百萬的人民，古代的戰爭故事，對現代人說還是一種刺激。因為人類本性，有喜歡打鬥、競爭、殘殺的獸性，却又恐怕戰爭造成的災害；所以在長戰亂之後，一定產生反對戰爭夢想和平的作品，在戰爭進行的時代裡，作家常寫鼓舞軍民同仇敵愾的文章，有時却常常摻雜「非戰與征戰」這雙重的情感在內。像在唐人的詩篇中，就常流露出這種矛盾的情感。如王翰涼州詞：

「葡萄美酒夜光杯，欲飲琵琶馬上催；醉臥沙場君莫笑，古人征戰幾人回？」

又如王昌齡從軍行：

「青海長雲暗雪山，孤城遙望玉門關；黃沙百戰穿金甲，不破樓蘭終不還。」

這兩首詩，言語都極雄壯，含義都極悲涼；醉臥沙場，叙壯士豪邁之豪情，結果是征戰不回，埋骨邊疆，意緒淵恨空虛。不破樓蘭終不還，敵愾之心，有如金鐵的有聲，但樓蘭終不可破，雖有回鄉的機會。托爾斯泰戰爭與和平，寫拿破崙想統一歐洲，南征北討，功業盛極一時，可是最後在大風雪中從蘇俄敗退而返；吉村昭零式戰鬥機，寫日本零式戰鬥機在第二次世界大戰中突襲珍珠港，登陸馬來，用於侵害的各戰役，所向無敵，最後遭遇了勁敵，日本人也遭受了全面的失敗了。都是這種作品。一至於陳陶隴西行：「可憐無定河邊骨，猶是春閨夢裏人。」及李華弔古戰場：「此古戰場也，常覆三軍。」則完全是非戰的作品。當然也有描寫戰爭中英勇愛國的故事，或化敵為友人，則其發揚人類的愛，則其作法不止一種了。

（二）宗教性題材：神的存在，是由於信仰，你信仰，神就在你心殿；信神，神就在，所以說宗教是情感的產物，篤信宗教的人，可以犧牲一切。宗教勸人行善、博愛，又純屬理性。但一般作者以宗教為題材，多半在發揚教義，讚美神性，像許多頌讚的詩歌，則出於對神崇仰的情感。耶穌傳、釋迦傳，寫其神蹟、愛心，還有玄奘傳寫他前往天竺，留學取經的艱苦的事蹟；還有取材佛教果報輪迴說，勸世作善；還有描繪道教的神仙生活的美境，度人看破世緣，覺悟人生如夢，又是情感與理智雜揉，而幻想虛構成的作品。在過去，這一類作品不少，遊仙詩，志怪靈異的故事，神魔鬥法的小說等都是；現在因為思想開通，迷信破除，對宗教的熱忱逐漸冷淡，趨於形式化；雖說電影界仍然時常取宗教的故事為題材來拍片等，可是文學的作品必然很少再有人寫這一類的作品了。

（三）人生性的題材：我們對生命的看法，對人生在世的觀點，對生活的方式，處世的態度，有各種不同的意見。不過一般人的常情，都是「希富貴，惡貧賤；喜歡聚，悲別離；愛少艾，嫌老死」的。因此，世上的人都在造億萬富翁的夢，功成名就的夢，花好月圓的夢，少年歡樂的夢。可是現實的人世上，卻處處是貧病、離亂、老死，可說是人生痛苦空虛的泉源。富貴、歡合、綺年，也就成了人所渴望的境遇。

（未完）

綜談國劇復興（三四）

王方曙

我們無法不看演員的臉，不聽演員的聲音，先看演員的動作便完全了解戲的情緒。所以身段的表現，儘管極為考究，還需要面部表情的配合。就是所謂臉上有戲。（身段的作用也就是身上有戲）

舞台戲演員距觀眾太遠，身段容易表現，面部表情不易表現。前幾排的觀眾能見度可好，後排和樓上的觀眾的見度很差。為了適應舞台戲的觀眾的能見度，面部表情多少要誇大一些，而面部表情一定要身段表情來幫助表現。此一作法是很正確的，但因此有時也有流弊；比如哭的表情，在旦角極難，因為旦角不能表現哭而咧其嘴，大豎其眉而失去美感。因國劇不是寫實的，不能像話劇那種哭法，在國劇中即使哭也得不失其美的戲中的姿態。於是國劇中旦角的哭，便要加上身段用以誇張。大致都是用水袖遮臉，作出哭的聲音。

至於唱哭頭，便在唱時翻袖子，臉上作表情，等唱腔完了，再用袖子作擦淚狀。這種表演方法本來很好。但久而久之，就不免趨於形式化。好像所有的戲中的女人，只有一種哭的形態，在甲戲如此，在乙丙丁各戲中仍舊如此。而哭的沉痛與輕微，分別也不大。假如我們稍稍用心，分別出哭時的情緒，然後決定面部何種深度的表情，身段作何種的幫助；不拘於用水袖遮臉的一種方法，我相信一定比目前的形態要好一點。事實上我曾經見過許多好演員，也能在哭時候加上肩膀的抽動，頭部的顫動，來幫助面部，作表情的誇張，十分美麗的效果。我相信除此以外，還有許多方法，使這一表演演得動人。但很多表演哭都是只用袖子一遮臉，喂呀兩聲，便算完了，面部的表情幾乎沒有。使戲失去生氣，成為呆板的形式表演。這是一例。其餘如聽到可焦慮的事便要摔倒，已經是形式化了。而摔倒的方式也千篇一律，都是「哎呀」一聲，倒向椅子，坐下去，唱倒板，鍵手擦目，醒清了再接唱。面部表情很小。這一表演方式用一次當然是很好的，但每戲如此，便無意味。如御碑亭如此，汾河灣男女都如此，賣馬燈如此。如此之處極多，不必多舉。假如能換換方式，或者必需倒，而多用身段及面部表情，再補以說白、唱詞，為的表現，可能比此固定的一式為佳。其他類此流於固定的形式化的毛病是太多注意於動作形式，而總略了內心情感及面部深刻的表情，因之使一齣戲失去性靈；成為只有形態，而沒有生命的表演，以致不是藝術。

哀大秦景教流行中國碑

·吳森·

劇憐原是中朝物，萬野山頭伴綠苔，景教流行碑尚在，關河萬里此間來。

遊箱根 六首

（一）臨出發賦此

獨行無侶欲乘槎，天漢迢迢信可誇，自笑一身輕似燕，男兒四海總為家。

（二）夕抵強羅賦此

曉風殘月發東京，細數強羅路幾程，漫漫長途無賴甚，獨行踽踽歎零丁。

（三）宿清風莊旅舍

清風莊上淨無人，竹外蕭疏客更親，坐久夜深寒氣重，一聲啼鳥倍傷神。

（四）早雲山觀日出

清晨直上早雲山，萬壑松濤興未闌，萬度金光東海角，卻緣旭日出雲間。

（五）詠相機

箱根佳氣旅人多，樹色山光映綠波，借得相機愁更遠，幾番重映奈伊何！

（六）遙望富士

幾番風到更無期，久已一心嚮往之，遙望白頭招手處，問翁出沒幾多時。

諸葛亮狂想曲（七五）

·劉玄·

「星君高明，使約翰佩服得五體投地。」劉約翰這兩句話倒不全然是拍馬屁，而是真正覺得太白金星道行深厚，智慧高人一等，非天庭其他各仙所能及。

第四樂章奏完，又到休息時間。張飛走到關羽坐位旁，笑嘻嘻說：「二哥，諸葛先生所作樂曲，斷斷續續地是何原故？為什麼不一氣呵成？」

「當然應該如此，才有抑揚頓挫之妙，這種淺近理由，你都不明白，真是太沒有學問了。」關羽的回答很含糊，又損了張飛一下。張飛只好一聲不響走開。

張飛在關羽面前，講話一不小心便挨悶棍，在龍岡其他人之前卻是非常神氣的。他到了廊廡恰巧碰着老將黃忠，他帶着考問的口氣問黃忠：「喂，你知道為什麼鋼琴演奏要分段？」

「我只懂騎馬、射箭、耍刀，對於音樂根本是一竅不通，還請三將軍指教。」黃忠說話很老實。

「我剛才問過二哥了，這叫陰陽頓挫。」張飛最崇拜關羽的，立刻引他的話向黃忠賣弄。

黃忠摸了摸白鬍子，點了點頭，沒有說話。

「張將軍的話對極了，音樂沒有抑揚頓挫還成什麼音樂？」哮天犬跑過來恭維張飛，無疑又想騙幾塊餅乾吃。

張飛最愛戴高帽子，一聽此言，立刻從口袋裡掏出一大把餅乾給哮天犬。

哮天犬在天庭人緣最不好，自從咬過呂洞賓以後，各仙一看見他，總是避開。現在，張飛以幾塊餅乾，和他攀上了交情，亦算是異數。

這次在廊廡中聊天的另一堆，除了呂洞賓，何仙姑又加了一個鐵拐李。

「喂，你的瘸腳究竟是真的還是假的？」呂洞賓還沒找到一新對象。

「你說什麼話？我從小就有小兒麻痺，你又不是不知道。」鐵拐李說出瘸腿病原。

「還，說不通罷，人可以生病，神仙那有生病的？你連你自己的瘸腿都醫不好，算什麼神仙？」呂洞賓故意揶揄鐵拐李。

「神仙生病不會死，人生病會死，這是神與人的分別。你記得不？上次玉帝御體違和，還是請我與華陀會診的，以玉帝之尊，尚難免病痛，何況是我？」鐵拐李抬出玉帝來駁復呂洞賓神仙無病論，一方面又炫耀他葫蘆裡有靈藥。

「算了罷，玉帝不過是巡視火星中暑，又沒有什麼大病。那次玉帝的病，我知道是華陀醫好的。誰知道你葫蘆裏賣的什麼藥？依我看來，你根本是蒙古大夫。」呂洞賓竟說鐵拐李為「密醫」。如在台灣，是要吊銷執照的。

（未完）

巨變歷險記！

這是民國三十八年四月間吧？

丁博士來到上海，似乎還沒有站穩，就又要去台灣了。局勢的緊張，簡直難以言宣！……

他剛到了社長室，上海益世報的社長范爭波老兄就將最近軍事的狀況告訴了丁博士。將總統下野，頓失重心，士無鬥志，不待敵人到來，就已經逃之夭夭！長江本來是天塹之險，敵人萬難飛渡。南京的預料，最壞的打算，也不過是與共方分江而治，誰也不會想江南也不能保。當丁博士的船剛一靠岸，共軍已經渡江的消息就聽到了。他並不以取得南京爲已足，他并正沿江而下，同時沿鐵道而下，處處都是轉進的消息，很快的就會到了上海。上海不願作奴隸的人們，也都在準備撤退。

丁博士到黃埔灘走走，到南京路、四馬路、五馬路、霞飛路、拉非德路……走走，到處籠罩着戰爭的氣氛，在中國地的政府機關，軍隊等等都已撤退，都在準備撤退，兵敗如山倒，現在就是山倒的形勢。大廈已傾，已經沒法子挽回了。

上海撤退前夕（八二）

胡慶蓉

上海的商業中心，首推南京路，而南京路的大商店又首推先施公司，次永安公司，再次大新公司。這三者之中，又以先施最老，他們都已經上鎖了。其他商店也都紛紛關門，到處令人感到有暴雨欲來風滿樓之勢。幸先施斜對面的麵館還開着。這邊的麵非常著名。以他的古老能與最新最大的百貨商店對峙，其精神也確實可佩！丁博士在上海法租界呂班路震旦大學法學院讀書四年，對於上海地理非常熟悉。南京路即先施、永安、大新三大百貨公司所在的一條路爲整個上海的心臟地帶，也是上海政治行情的脈搏，古有登泰山而小天下之說，今只要到了南京路，就可以覘上海之前途。共軍之到達，眞旦夕間事耳。

在大勢已去的情形下，上海已無能爲，范爭波社長已作撤退台灣之計劃，他那裡不能再住下了，丁博士到跑馬場附近一品香大飯店晤他的河南同鄉立法委員唐嗣堯老兄。據宣傳，今　總統蔣公在最初參加革命前往廣州之前就住在這個旅館，這個旅館，還保持着他的老的面貌，以之與遠東大飯店，揚子江飯店相較，大有遜色。與一品香古老的旅館相配合，還有一個有名的教堂——慕爾鳴堂。這是一個基督教的教堂，就在揚子江飯店的隔壁。揚子江高，慕爾鳴低。從揚子江可以望見慕爾鳴的動態。慕爾鳴收容很多人居住，彷彿是個避難所，丁博士又到這裡看了幾個朋友。他們都有大禍就要臨頭之感，都在求主的保佑。有位維珊，簡直成了瘋子。他們堅請丁博士留在他們教堂裡避難，於此可見。靜安寺路康有爲先生的天游學院，環龍路國父中山先生的故居，遺址猶存，但闃無人聲。整個的上海，已進入暴風半徑，除了要撤退的人們外，都在家靜候命運之來臨。

美國人的生活情調（下）

張起鈞

當然美國人也不全是活在原野，他們也儘有室內的活動，不過活動雖在室內，而那情調卻與戶外的並無兩樣，都是要能「實感」「縱性」的。固然也有人喜歡溫文爾雅，陶情怡性的遊樂；但爲廣大人羣所篤好的，卻是那些夠刺激，能發洩的節目。從披頭喊叫（那不能算是音樂），搖滾音樂，阿哥哥跳舞，直到波希米亞式的享樂……都是風靡社會，迷醉羣情的東西。而許多青年們更索性能稱「鼻涕泥哥」過着頹廢放蕩的生活。

或者說：這都是年青人的把戲，不能代表美國生活的全部。好，那我們就來看看人人皆作，日日都有的生活，又是怎樣。我們自不必穿鑿附會，認爲這日常生活也與前述活動出於同一情調，但至少與中國人的生活來比時，卻都具有共同的本質差異，就以吃肉來說吧，我們除了「上供」是整塊大物外，無不切得可口才端上來。烹調中講的就是刀口。但美國人（以及一般西方人）卻是足足兩三磅的牛排整塊放在盤裡，然後給你把鈍刀來切。我們不但肚子裝不下，手也早就切酸了。但他們卻視爲上品大快朵頤。再拿喝酒來說，中國人有的劃拳行令，興趣酒外；有的淺酌低吟，樂在山間，那裡單純的是爲酒。即使就喝酒本身來說，也必是美酒佳肴相提並論；至少也要弄一把花生米，來兩塊豆腐干，且嘗且飲，邊談邊吃。但是美國人（以及一般西方人）便不是這樣了。喝酒便是喝酒，此外絕不囉嗦，而那意氣豪邁的，更是打開蓋子，拿着瓶子牛飲而盡。因爲只有這樣才過癮。

他們這種豪邁的情調實與其強健體魄有關。試想林黛玉怎麼吃的消「大碗的酒，大塊的肉」？而那梁山伯的好漢又那裏會去嗑瓜子，吃腰花？拿中國人來說吧，今天我們誰與這種情調格格不入，但在漢朝以前還不是一樣？只看先秦諸子的文章便是明證。例如老子說：「衆人熙熙，如享太牢，如春登台。」那不就是越野爬山，大塊的吃牛肉麼？而莊子說的「夢飲酒者，旦而哭泣；夢哭泣者，旦而田獵」，不就根本便把騎馬打獵和飲酒當作享樂的代表麼？但是七八百年後，到了南朝的王謝子弟，看見馬竟然嚇得哆嗦，還那裏會「馳騁畋獵令人心發狂」（老子語，意即樂得心花怒放）？而今天我們這些手無縛雞之力的書生，對着酒也只有怕「辣」而已，實在沒有大享其樂的豪情了，——這不清清楚楚的說明了體魄對口味的影響麼？美國人既有健旺的體魄，因此也就勢必要能發洩發洩，找點刺激才夠意思。這是事理之必然，又何足怪？

不過人世盛衰無常，健壯豈能長保，何況文明又每與體質成反比？在歷史演進的過程中，終有一天美國人不再能有豪情縱樂的體能，那時，今天的生活情調就勢必要改變，變，變向何方，是否也會變得跟中國人的這套一樣呢？那就很難說了，中國今天的這一套，固是在體質弱下來後形成的，但卻不代表口味的萎縮，反之卻是把生活的情調推向另一個境界。那也就是說從量的享有，轉向到質的欣賞了。而促成這一轉變，無疑的乃是道家思想。中國人從出世超塵之思，優遊林泉之樂，直到喜好那味淸品妙一片嫩綠的龍井茶……試問那一樁不是來自道家的情調。美國人既沒有我們深厚的道家背景，因此又怎會跟我們同樣的過這道家情調的生活，須知天下原是沒有無源之水的呀！

其實這都是遠話，用不着我們操心，而值得注意的倒是當前的情況：假如我們要和中國古時比着。我們在漢朝以前體質強壯，口味豪邁本是大可縱放一番。但由於中國一向講中道，尙含蓄；社會的禮俗，聖賢的教訓，在在防範，不許人們有過分的享樂。因此雖是體健情豪，卻未走向儘情發洩流於邪妄的途徑。但是美國的情形便不同了。美國並沒有什麼「中道」、「含蓄」的思想，更缺乏溫柔敦厚的教化；反之卻有一股碩大無朋的商業勢力在背後導演操縱。商人們爲了賺錢牟利，想盡方法給人們找刺激，誘發洩。愈刺激，愈需要新刺激；愈發洩，愈想多發洩。於是水漲船高，流而不返，勢必走到荒淫無度，快樂亡身的地步。這時快活固是快活了，但個人的人生也就從此斷送。不僅學問事業要因沈溺而廢敗，就是身體也將被賊糟蹋到不堪。至於整個的社會，則更將流於奢靡縱慾，淫佚頹廢的狀態。說句危言聳聽的話，那也就是到了歷史上每個王朝覆滅的前夕了。君子見微知著，試問我們怎麼不躭心？

或者說：這是美國人的事，要我們躭心幹什麼？古語說：「四海之內皆兄弟」，又道是：「民吾同胞，物我與也」。怎能隔岸之火，便可無動於衷？何況今天世界萬里同風，息息相關，沒有任何地區可以孤芳自賞，不受他處的影響。尤其美國今日國強勢盛，權傾一時，好的固受世人推崇效法，壞的也自有人跟着起哄。而這下里巴人的歪風，就更是速於置郵而傳命。更不見我們今天已在鬧着「阿哥哥」，「阿妹妹」了麼？因此我們縱使不能見義勇爲，兼善天下，而只抱着自掃門前雪的態度，也勢不能無動於衷；看着火，須知這火轉眼就燒到面前。我們一定要把這歪風扼止，一定要把這邪火撲滅。

如何扼止，如何撲滅，自是說來話長；但我們幾千年的經驗，總有值得參考的價值，儒家的中道思想，含蓄作風，以及道家的淸心寡慾，出世超塵的胸懷，若能運用得當，都可扭轉風氣，使這可愛的生活情調轉變方向。這都還是就事論事的話，至於根本的解決，自然還要能針對着當前的時代，建立一個健全合理，人人可行的人生觀；使人們中心有主，不致盲目的隨波逐流，胡來亂闖。而這一工作無疑的要仰賴大思想家的領導，和教育家們的努力。光有科學與金錢是沒有用的。（完）

序

生活漫談

馬騰雲

生活漫談一集，係台北徵信新聞報連載。生活漫談二集，係台北中央日報連載。生活漫談三集係台北民族晚報與高雄中國晚報連載。生活漫談四集係台北中華日報連載。四集的出版可能有問題了。因原稿被艾爾西颱風打濕，一時難再步集。長江出版社遭受到人力不可抗拒的損失，是一樁遺憾尷尬，和非常可惜的事。

生活漫談在台北報紙登出後，香港與東南亞的中文報紛紛轉載。台北某大報有從香港報上剪下再轉載的記錄。台灣某醫藥雜誌，有一期轉載拙作七篇之多，惟均未徵得筆者同意，代改名換姓，或替剪頭去尾，發揮「老刀牌」海盜英勇行爲，以證明生活漫談受到社會注意的情形。

香港自由報與筆者約定，生活漫談去年起，祇准在該報獨家連載，因之，凡已往徵信新聞報、中央日報、民族晚報、中華日報、中國晚報等生活漫談讀者，欲繼續看馬騰雲文章者，可請增訂香港自由報一份。生活漫談先後刊出逾千篇，但非不一律，總是在日新又新中發展。自由報出版之生活漫談首集，與台北各大報登出者截然兩途。其中亦有循讀者要求，百篇中有一兩篇重復。因自由報的主要市場在華僑社會，同時台灣讀者，對生活漫談每集，反復重購者多到出人意料之外，經臨時權宜，輯稿時仍以方便讀者爲原則。

本集漫談中講食療，風趣中說營養，分析肉類、蔬菜、水果、藥物中的藥用價值，全書都能使讀者受用，工業社會裡，時間就是金錢，幫閒文學的時代漸成過去，今日搞筆耕的人，照道理都會瞭解這些。廿年來，筆者致力於中醫中藥研究，抽絲剝繭，稍有心得，有感當局倡導的中華文化復興運動，正是大家要講而未講出的，要做而未做到的，此一運動乃知識界共同心聲，不過我們覺得除注意復興外，革新更不能忽略，「苟日新、日日新、又日新」，要建立科學重於傳統，今人超過古人新觀點，新認識才對，將中華文化復興運動邁向新里程新目標，使不致重蹈新舊八股的覆轍。

復興與革新，從表面上看，是兩條路，實際乃一個目標，如果硬將今日文化拉回古代，固不可能；只倡導復興而忽略了革新，亦是一種偏差。由於近年的科學高度發展，證明了月球既無嫦娥，吳剛也未伐木，擺在眼面前，應興革的艱巨任務，才是時代給我們的神聖使命。筆者竭盡心血，貢獻所知，希望社會先進們帶領指導。

桃花潭水三千尺

趙陀

「玫君，你知我知。」錢很神秘的叮囑。

「絕對不傳六耳，你放心好了。」玫君本是在黑社會中跑的人，今日既負有這樣一個謀財使命，一邊忖想着今晚與小黃又可以公開的……

「好吧！我要和白蘭去了，一切小心，代向親家問好。」

「唉！錢看着白蘭說：「討白蘭做媳婦多理想，老糊塗。」白蘭服貼而高興跟在錢後面走。

錢去後，玫君獨自靠在沙發上翻翻報紙，看看雜誌，讀到一篇『愛神的讚禮』，其中一段引用名作家的文句說：「當你正在情婦的地方脫下外衣的時候，正是你的妻子在情夫處穿上內褲：：」玫君看得出神，竟笑出聲來，意味錢孔方的穢行，更憧憬着幾年來對錢報復作爲的得手。

「媽，熊熊打我，他說我的帽子是綠的，不好看。」玫君將金金小兒抱起親熱的吻吻，拍着哄着說：

「我去打熊熊，金金好乖。」玫君一壁忖思，金金的乳名是黃紅金暗中代起的，用意「『金是黃的』」，又含有「『金系一脈宗支』」之意，金金騎上玫君的腿上，將帽子摔掉說：

「媽，綠顏色的帽子，熊熊說不好看，給爸爸戴好了。我要媽替我另買一頂黑的，像熊熊一樣，亦要有個紅球拖得很長很長的。」

「金金綠顏色的帽子那麼小，爸爸怎麼能戴呢？」錢的原配夫人牛菊香未及思考的說出，玫君的得寵兼有差館裏的小頭目做後盾，她敢和錢孔方互扭打罵，自不會畏懼牛氏，乃以報復的口氣說：

「說話不能疑話，疑話問題就大，所以菊姐做大夫人，妹妹心眼小，氣量小，年齡亦小，十六歲就被孔方……只有資格做小星。」牛氏連忙說：

「妹妹，請原諒我的失言，更求你別疑話。」

（卅二）

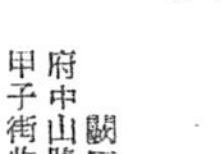

鬼符

周遊

闞三爺者，名中滿，淸乾隆年間人，籍瓊州府中山路。其人生活樸實，惟嗜酒如命。一日往甲子街收租，攜帶行李向北埠乘舟而去。淸風徐徐，不覺明月初升。闞三爺忽然心血來潮，登舟頂觀賞月夜江色美景，並置酒一壺，獨自而飲，不覺已醉。不意涉河中，舟受波濤顛簸起伏，跌落水中溺斃。是夜有人見闞鬼行於岸上，呼之不應，旅人見彼逕向府垣而進，比及桂林，忽聽後面跟來的腳步聲，疑是盜賊，某旅客回頭顧視，只見一青衣者，手持雨傘，肩負行裝，默默而行。客以爲同是旅客，不以爲異。行至城中，忽聞後面噫噫之聲，回首顧之，卻不見人影，某旅客不覺心悸，急行至車站乃止。

某夕，闞三爺鬼魂托夢其妻道：「我壽尙有二十餘年，昨夜因酒醉致溺死河中，是我乃枉死。闞君現任我爲小吏，准我在枉死二十年之內，自由往返，故得回家與妳相見。」其妻聞言大哭，鄰人聞之，咸來探詢何故。其妻酌茶郎飲，呼之則應，又聞步行之聲而不見其形。衆皆詫異，某午夜間，鄰人吳翁聞鬼泣之聲，恐懼成疾，醫藥罔效，危在旦夕，其妻即往闞家詢之於鬼，鬼乃囑道：「汝可暫待一刻，等我爲汝查明相告。」少頃，闞鬼回告道：「汝夫之魂，已被我夫之友提去，我夫當經對友人說情，釋放汝夫之魂。明日晨時，汝可置淸水一碗，並置香燭供果之物，禮庭設案招魂，則汝夫之魂自歸。而病自消。」歸後，依囑照辦。招魂之時，案上淸水變成血水，吳翁之病果癒。久而久之，此一奇事愈傳愈遠，有病者悉來相問求之。闞鬼乃用黃紙書符，凡祈之者則與之符。有人置符觀之，不見有符跡，持符向日觀之，則見符畫分明，莫不稱奇。如此英歷二十餘年，受闞鬼再生之恩者數千計。闞鬼乃告其妻道：「明年秋月，汝壽終了。」其妻至期果故。闞鬼知陰曉陽之奇事乃止。然鄰里言之鑿鑿，信否由君。

自由報

中華民國內政部登記證內版台誌字第〇三一一號
中華民國僑務委員會登記證台僑字第〇二三號
中華郵政台字第一二八二號執照登記爲第一類新聞紙

（第一〇一四期）

（半週刊每星期三、六出版）
每份港幣弍角・台灣售價新台幣弍元
社長李運鵬・督印黃行審
社址：香港九龍彌敦道593—601號
廖創興銀行大廈八樓五座
LIU CHONG HING BUILDING
7th FLOOR FLAT 5
593—601 NATHAN ROAD,
KOWLOON, H.K.
TEL：K303831
電報掛號：7191
承印：景星印刷公司
地址：嘉咸街廿九號地下
台灣連絡中心：台北青田街五巷三號
電話：三七五〇二二
台灣區直接訂戶　台郵劃撥戶
第五〇五六號張萬有（自由報會計室）
台北營業處：台北衡陽街三十號
電話：二七二〇〇
台灣分社：台北市西寧南路110號[illegible]
電話：三三〇三四六，台郵劃撥戶九二[illegible]

王主富民，霸主富武，亡國富庫！

侯立朝

淮南子「人間訓」引一則故事說：「西門豹治鄴，廩無積粟，府無儲錢，庫無甲兵，官無計會。人數言其過於文侯，文侯身行其縣，果若人言。文侯曰：翟璜任子治鄴而大亂，子能道則可，不能，將加誅於子。西門豹曰：臣聞：王主富民，霸主富武，亡國富庫。今王欲爲霸王者也，臣故蓄積於民。……」西門豹在兩千多年前提出這種開明進步的經濟思想，是非常了不起的人物；把他這種「富民」思想放在今天自由中主義經濟的思想中，也毫無落伍之處。

經濟，即經國濟民的意思。經國在先濟民，濟民即是經國。「民爲貴，社稷次之，君爲輕。」而民又以「食」爲天。故，經濟學即求富之學，亦即富民之學。民富則國富，民強即國強，這是歷史經濟的規律，也是經國政道之守則。雖國有貧富，而理無二致，人有白黃，而道途同歸，中外皆然，理通天下。觀乎台灣經濟之發展，其最終之道途，在求「富民」乎？在求「富武」乎？

從台灣經濟發展之歷史以觀，政府退守寶島瞬屆二十年，在這二十年來經濟發展的過程中，可以分做兩個階段來說：第一階段——從三十九年到五十三年，實施了「土地改革」及三個四年經濟計劃，其中除「土地改革」成效較具突出之外，其他工業建設方面，進步輕微，以牛步伐向前慢進，且漫無目標。其原因在於：①政治的基本目標沒有作長期的打算（對摧毀中共的戰略放在短期的預計中）②美援的依賴性（影響自力更生的創新心理）③軍事支出的壓力（軍事建設佔第一優先）④經濟主管當局的悲觀主義（對海島經濟不存奢望）。前三點大家都能理解且易於諒解，惟獨第四點未爲大家所注意。在此我引用以前兩位經濟主管當局的話作證明：「經濟發展所面臨的困難主要因爲：（一）經過幾年來的積極發展，最顯明易見的投資機會多已利用，是簡單可用的生產技術已採行，最確定可靠的國內外市場已近飽和，於是進一步的發展感到困難；（二）通貨膨脹壓力的停止或減輕，物價不上漲所引起的『貨幣幻覺』消失，擴充的誘因受到挫折。……節約消費，……建立基本生產工具工業。」（尹仲容「新年的願望」。五十一年元旦「中央日報」。）這是台灣經濟發展飽和說。王作榮在「台灣經濟發展之路」一文中也說：「無可否認的，自三十八年至現在，台灣經濟有長足進步。雖然對於每年的成長率有多大，各方意見不一，雖得空論，但惡性通貨膨脹已完全置於控制之下，人民生活日益改善，出口大量增加，都市化大規模進行，都是具體的進步指標。……事實上，台灣經濟照目前的發展方式已經到了盡頭，簡路已經走完了。再沒有不要重大投資便可大量提高生產的農業資源，再沒有因陋就簡在保護之下大量發展的工業了。」（五十三年六月十五日「徵信新聞」。）這是台灣經濟發展盡頭說。這兩位的話雖然都是針對五十三年以前那一段經濟發展之路發言，一方面表現了那一段經濟發展現實性的缺失，一方面也表現了他們的悲觀心理和在無奈中的求變心理。這正說明了第一階段台灣經濟發展的特性，也說明了何以政治煽動者「自由中國」雜誌能鼓動社會搖動政府之根了。經濟是政治的基礎，政治是經濟的保障，基礎不固的樹，未有不被颱風吹倒的。第二階段——從五十四年到現在，實施了第四個四年經濟計劃，第五個四年經濟計劃開始第一年。這五年的經濟發展之目標（或無目標的目標），才真正有走向「富民」之路的趨向。其原因在於：①美援停止的刺激（五十四年六月終止）②外資投入之刺激（日本資金湧入台灣）③外技投入之刺激（國外技術投入台灣）④政治策略的長期化（不能不面對現實發展經濟）⑤人民消費之催力（消費欲望強度高壓不下去）⑥觀光及住宅建設之刺激。眼前台灣經濟市場是一片繁榮，繁榮得有些浮華。類似搶闖而出的快馬，幾無法收韁了。這是目前台灣經濟發展的情勢，表面上看不能不說是好現象，一般人民最起碼可以滿足了他們的有效需要的心理。

上面分析台灣兩個階段經濟發展的特性，並未舉出數字來說明，只是大量現象的觀察，若要玩弄統計數字，也可以列出一大堆來。人，現在只舉出汽車銷售量這一數字爲例，即可證明上述分析之正確性。五十三年台灣汽車新增量，大汽車是一千三百三十六輛，小汽車是一千八百三十九輛。五十四年，小汽車增加三千五百六十六輛，大汽車增加二千二百三十七輛。以後逐年倍增。這說明在前一階段經濟發展是保守的，後一階段經濟發展是開創的。國外市場是開創了，國內市場更是開創了。

經濟繁榮，不論它採取什麼樣的形式，總是好現象，我們絕不能以道家的思想來談非經濟來治經濟。但是，社會上貧富懸殊，終非經濟之福，亦非政治之謀。「富人則車輿衣纂錦，馬飾傳旄象，帷幕茵席，綺繡條組，寄貲相錯，不可爲象；貧人則夏被褐帶索，冬則羊裘解札，短褐不掩形，含菽[illegible]水以充腸，以支暑熱，而煬竈口。」此乃貧富懸殊之象。貧富懸殊，不利於經濟發展，經濟學家凱因斯早明言之，即大所得者儲蓄傾向高，低所得者消費傾向大是也。中國古人扭心的貧富懸殊，是仁道心理，而不是經濟心理；仁道心理與經濟心理相通，是故「理有固然」。

進入到第二階段的台灣經濟，其最大的最基本的目標應該在「富民」。富民之道途，如以現在世界上所施爲的經濟制度而論，它只有兩條路：資本主義式的，社會主義式的。社會主義式的經濟發展，證之歷史它不是「富民」，而是在「富武」與「富庫」，是亡國主義。資本主義式的經濟發展，證之歷史它，增產破產，濟富欺貧，是市儈主義。這兩條路，孫中山先生早已提出他的卓見說：都不能採取。問題在於台灣的經濟學家們，多半是資本主義經濟學的嘔吐派，沒有切實地研究中國經濟之路，便把台灣的經濟發展推進到一種「次資本主義」和「次殖民地經濟」的直路上去，表面繁榮，內在無骨。所謂「次資本主義」，即官僚與資本家勾結在一起，壟斷投資及金融借貸和保護特權份子工業體系，使大衆消費者吃大虧；所謂「次殖民地經濟」，即代地乞求外國資本，而不管其自身的「決策權力」，摧殘了土長的中小型工業。要舉的例子和能舉的例子太多太多，此處免了，反正大家心裏有數。還有一個更不人道的制度是壓低工資，且以勞力價廉作標榜，這更是台灣經濟繁榮一大諷刺。煤礦工人一月工資僅有五六百元，且受種種剝削（如瑞芳一煤礦在工人慘死後所報導出來的），而美國設在台灣的電子工廠、製藥廠等，雇用女工每月也只有六百到八百元，只等於二十元美金一月，這是「富民」政策嗎？

因此，現階段的台灣經濟政策，在將後的作爲」，在求「富民」的目標上，要能關切到下面兩件事：第一是經濟發展內部的實務，由經濟本身去解決，即自由精神；第二是經濟發展外部的政務，由社會政策去解決，即社會立法。經濟發展有它本身的規律，這在經濟學原理中有良好的說明，連大獨裁者史太林也沒有能夠創設經濟規律。但是，經濟發展之結果，必然會影響到社會各方面，即社會生活，特別是社會階層的轉變和社會角色的異動。勞動大衆的最低工資及其職業保障，應爲政府最關心的事，而不是去勾結資本家在爲他們錦上添花。

「富民」的精神，是自有普遍性「民富」之精神。給這些資本家以「利」便足[illegible]增負担的。

自由談

租界文化

馬二爺

年來台灣高倡中華文化復興，行政院並成立文化局專司其事；但效果不大，則係有目共覩之事實。按文化一詞，含義甚廣，舉凡衣食住行以及風俗，習慣莫不與文化息息相關。文化本身既非語言文字之事，則復興中華文化亦斷非純恃語言文字所能見效。

目前台灣社會風氣奢靡，大家只知一味追求官感享受，酒食徵逐，這是十足的「逸樂思想」。「逸樂思想」與中華文化固然大相逕庭，與西方文化亦有背謬。「逸樂思想」源自「海派」，而「海派」作風係由「租界文化」而來，殆爲不爭之事實。從前上海租界華洋雜處，軍閥餘孽搜括民脂民膏來作「寓公」；仰洋人鼻息席豐履厚之「康白度」；以及具有特殊地方勢力之幫會人物構成所謂「高等華人」階級，悖出悖入揮霍無度，因此形成租界之畸型繁榮。「賺錢不吃力，吃力不賺錢」是作爲「高等華人」最佳之註解。

台灣消費力之增加與國民生產不成比例，一般人喜歡撐場面，擺架子的作風，無疑其血液中仍存有「租界文化」之遺毒。此毒不去，「勢利主義」應運而生，如是乎四維八德蕩然無存矣！

復興中華文化，足以移風易俗，端正人心；往深遠處看，自係國家百年大計。目前西歐人士對人類社會之物質文明與精神生活形成脫節，已不勝其憂慮；我國生產力不及西歐，而追求感官享受之狂熱卻有過之無不及，危險孰甚！

以往抗戰時期，在重慶上下勵行戰時生活，終於獲得勝利。現在爲什麼要聽任「享樂思想」在台灣發芽呢？「租界文化」是中華文化的生死大敵，如果無法對付，侈談復興中華文化亦不過夢中痴人說夢耳。

昨日與明日

猶太與排華

成公

人們說，中國人與猶太人是世界上最聰明的人，這是否正確，我們不敢斷言。但全世界，以種族的原因而受排斥的，只有中國人與猶太人，則是的確事實。我們只看到排華、排猶，而從未聽到過排其他民族。如其有之，則必是地方性的，有特殊原因的；而絕非世界性的，普遍性的。

世界上爲什麼會有普遍的排華、排猶，道理很簡單，中國人，猶太人，聰明能幹，吃苦耐勞，別人競爭不過，因而受嫉妬打擊而已。例如往昔歐洲人每於聖誕節前後，打猶太人，說他們害死了耶穌。這不是莫須有的罪名嗎？我們常聽猶太人苦笑說：捉耶穌去殺的明明是羅馬的官吏，怎麼說是猶太人呢，反之耶穌本人倒是一個不折不扣的猶太人呀！」無非藉故打擊而已。

味精與丹寧酸

中國人雖與猶太人一樣受人排擠，但由於中國人介入西方社會的歷史尚淺，因此在工商金融各方面都還無力與猶太人分庭抗禮。中國人若與猶太人相比，都只是出賣智力，勞力而已。但有一種行業，中國人經營得愈來愈盛。而爲猶太人無從抗衡的，那是中國的餐館。因此有些少數猶太人便也想投資經營，而另有許多人，便蓄意想打擊中國餐館這一行業。

最近忽然傳聞有人作實驗說味精吃多了有害，（其實那種東西吃多了無害？）又說茶葉裏的丹寧酸也對人體有危險，這種「父在母先亡」式模稜，不清的謊言，忽然傳播起來，識者便料到是猶太人打擊中國餐館業的陰謀。因爲只有中國餐館才待客以茶，而菜裡放味精。假如這一計謀得逞，大家都怕味精和茶，自然不敢光顧中國餐館了。

台灣一窩風

這一陰謀，不會得逞的。尤其中國人喝茶喝了一兩千年，誰聽說喝茶喝出了毛病。

但沒想到，城門失火，殃及池魚。素喜一窩風的台灣人們卻怕的不得了，甚至連茶都不敢喝了，這實在是大可不必。台灣方面的人，這種從善如流的精神，固可欽佩；但是俗語說「謠言止於智者」，我們也不要向不可輕信的話，這麼反應靈敏呀。

附告：本報已請馬騰雲就味精與茶問題發表意見請注意本報生活漫談。

依洞集

選賢與能

易傳

今年是選舉年，立、監委、國大代表在台將辦理增補選。政府歷年來強調要辦好選舉，所謂辦好選舉，亦即希望要達到選賢與能的要求。但所謂賢能，並無一定的客觀標準，你認爲某人「既賢且能」，他認爲某人「既不賢又不能」，爭執必然毫無結果，最後還得選票來決定。可是，得票之多寡，是不是就能憑此判斷其賢能與否呢？這也很難說。因爲在台灣參加選舉，非錢莫辦；這例不是說在花錢賄選，而是各種龐雜開支，必須由候選人自行籌措。耶穌說，「有錢的人想進天堂，比駱駝穿針孔還難。」這句話如改爲，「沒錢的想參加選舉，比駱駝穿針孔還難，」倒是非常恰合的。

選賢與能之不易達到理想要求，已如上述；但政黨提名卻應儘量提出好黨員出來競選，而不可只挑有錢的黨員，才合道理。這次執政黨提名立監國代及台北市議員候選人，大體都還過得去；但有少數人與中華文化復興一項相差甚遠，頗引起此間學術界詬病。政府要求「選賢與能」，執政黨則應對提名工作加倍審慎，這大概不是苛求吧。

立委李文齋肺腑直言
教育搞得太不成話了
離職將一年國內職務找人代
建議當屬大刀闊斧肅清積弊

本報訊通信員劉一賦台北消息來自國會報導：立法委員李文齋說：恭聆嚴院長的口頭報告，及五十八年一月至六月預要施政報告，深佩此次報告較諸以前的報告，至少在下列各方面確有長足之進步：

（一）在加強經濟建設方面：推行計劃標爲具體，並能維持高度之成長率。

（二）在促進預算編審技術方面：能確定政府各公共部門收支之最大限度，能決心作到，實在是一個偉大之進步，這也是我多年所希望的。如此，決算遞增過預算收入之怪現象自然就沒有了，而追加預算也就沒有必要了。

（三）在大陸工作之加強方面：能在敵後建立強大之基礎，確保反攻勝利之先決條件。

尤其當我聽到嚴院長以堅決的口吻說：「除了必須的編高度的智慧、堅強的意志和毅力之外，更需要的是具有卓越的遠見與無比的果敢。」並警告我們「切不可懷存幻想」時，不禁內心竊喜，歷久不能已。因此我知道政府至少對「肅正清集團」之其他派系集團，必不會再姑息了。但政府耳目總有所不及，同時部下也難免有陽奉陰違之人，可背著嚴院長積極果敢精神的號召之下，更應知無不言，言無不盡。舉例而言，教育部前部長閻有「納言」的雅量，因某大學某系某主任遭人批評，無可置答，決不可用，由其本校長在電話中將這意思傳告某大學校長，某校長立答：「他給我找的麻煩不少了，到下學年儘量想法解決。」不意行政院來不管部委員竟勸某校長「不要聽人家的話」，仍然續聘。同時某主任對於輿論指責他是「肅正清集團」和其著作上的嚴重錯誤，始終無可辯解，而仍自稱還是「忍耐」。又如某研究院的某所主任，亦是輿論所指稱的「肅正清集團」分子，現有機會去國外講學（有無其他目的不詳），而且離職將長達一年，甚至更久，國內職務，竟找人代理，並不辭職。在嚴院長殷切求才，尚需在國外拉人回來時，如某所長確係人才，則有關機關應不讓他去，如他非去不可，也應辭了職再去。去了回來，如確必要，自可再聘，爲何要讓他一腳踏著兩條船。此制度上說，也是極壞的例子。某大學的系主任就起而效尤，數度前往去美參加此間十倍的待遇，也只找人代理，並不辭職。我希望行政院通知有關機關查報，並來一次整肅，利落大快人心的處理，決不可以「既往不究下次注意」來敷衍了事。否則，善於鑽營所謂有能力的人，過幾年豈不要在研究院和大學中跑光，使嚴院長「革除保守因循、徒重形式、不求實效等積習，發揚大公無私，實事求是的精神」，以及正在推動中的「研究發展和服務管制及考核制度」落了空。如在職權以內的事，即有無傍貸，否則亦應從報。

報告中說：「各大學現設有研究班研究所八十七所，博士班研究所二十二所。」在數量上雖似很好看，但這些年來，究竟爲國家造就了幾個真正人才？這些人才的出路又如何？恐怕任何一個人對此都要打上一個大問號。有幾個研究所不是教育部迫於人情而設立的？我國有「事未必能做到公平，但大家還相信大專聯考制度是比較公平的，這公平的制度到研究所就被破壞無餘，而其博士班幾乎大部分都成了主持人培養奴才的濫觴，甚至使有些青年說，有廉恥的決不讀這學位！今天教育部的主政者從大學來的，比我更清楚，教育部長不是交際部長，也不是典禮局長，我希望他們的時間不要都花在這上面，首先要對研究所和大學提出大刀闊斧肅清積弊的辦法來，先就質加以改善，然後再就量去擴充。

自從政府聘請到吳大猷博士主持國家科學委員會，[illegible]，皆以[illegible]人，本席三十年前即呼籲提倡自然科學，吳博士的學識和魄力都夠，但在措施方面，自難免仍有放縱不周之處，本席亦願貢其芻蕘，以備採擇：

化錢買得不公平怨聲
不要扶了東來西又倒
極力倡導對自然科學研究

過去的長期科學發展委員會，花了許多錢，除了使部分教授補助教學改善生活之外，在任何人的觀念中都深覺得就科學發展說，成績實在極爲有限，有的是破壞制度和不公平的怨聲，可以說得不償失。多數受惠者，到一年將滿時，匆匆的寫了一篇報告塞責，平日毫不研究，提寫報告也決不是有何心得，只是爲了在形式上繳了報告，下年度可再申請補助。這些報告，除了部分自行找機會發表外，其餘則放在長科會的檔案中，聽其冷藏。一篇研究，如有心得，並不只是研究者的自我享受，主要的是要印出來，貢獻於社會。同時在印出後，價值不怕火燒，也可促起受惠者顧慮些。否則，縱使長科會主持者刀下留情，也逃不了社會的指摘，長科會化了那麼多錢，爲何不這樣做？使人不明白！本席對此早曾提出質詢，官官相護，敷衍一答了之，現在請求作確切的答復！因爲檢討長科會措施的得失，也就是使國科會有「前事不忘後事之師」的殷鑒。

（一）國科會將把以前長科會的研究補助費，改爲設立研究教授副教授，提高其待遇每月一萬二千元及八千元。按研究的對象進度各人不同，需要的研究費用亦不同。有的每月一萬二千或八千元並不夠，有的被嫌多，有的研究副教授需要的比研究教授更大，一律像剪平頭式的拉平，這只是爲了發錢方便，並不符合研究的實際需要，到時有一部分人成只是坐寫報告了事，而在破壞制度和引起不公平的怨聲，所造成的後果，將比以前更爲嚴重。我們爲老百姓看守荷包，決不吝惜這筆錢，確有研究成果的人，我們照他的需要，縱使每月給他十萬元也不算多，我說這些話只是盡我職責，響應嚴院長「革除保守因循、徒重形式、不求實效等積習，發揚大公無私、實事求是的精神」，絕無任何私見在內。

或問：「你有甚麼好辦法拿出來。」我主張不要扶了東來西又倒，嚴格維持國家的新辦制度，把研究補助成績而能採用繼續研究計劃者，按其能變爲學術性，發給獎助金。因此先要將歷年長科會以來經補助的研究報告，除已發表者，再度嚴加選擇，將他印出，以不高於印刷成本的價格出售，已印者亦編列一目錄，說明發表在何處，以三個月時間接受各界批評。凡是未曾發表或是選擇後不印的，其人不再有被獎助的資格，各界指摘確可採納者，其被指摘的人亦不再有被獎助的資格。長科會以來未曾補助之人，應不限資格，凡有已發表著作及以後研究計劃者，均得自行申請，公平接納，不應使某部分人成爲永遠受惠者。照報告「本年度經審定補助之刊物共六十一種，補助金額一百十六萬六千餘元」，這筆錢可移作此用，如不夠自應增撥。[illegible]改善辦法只能管其大體，如我[illegible]，能花錢使人（一）讀書，人（二）錢去買研究，我們應[illegible]成結果。如此始不生流弊而能公平，且可發生鼓勵之效用，錢才不致於濫用。有花錢科會的辦法，有三種弊端：（一）以辦法破壞制度。（二）辦法無具體，易生流弊。（三）標準[illegible]職務，待遇過於懸殊，容易導致腐敗，引起不平。

還希望建議，凡在大專教書或有研究職責者，應規定每年至少寫一篇論文或研究報告，藉以顯示是在不斷進步中，並未混混了事。在美國大學教授一年中未曾發表論文者，學校常常不續聘。這是我們良好榜樣，值得我們效法。如其論文或研究報告確有貢獻，國科會自應予以獎助。總之我認爲所擬定補助辦法，難以完全脫離分贓性。絕不如用獎辦法以鼓勵，則所產生之效果爲更大，且少流弊。

本席早在民國三十年以前即曾建言，極力倡導復興中國文化及對自然科學的研究，總統正在提倡復興中華文化，我們對此應注意，在台灣惠及「國語」一般本省部份人士，不懂「語言」與「文字」之不同，「語言」是用之於口，入之於耳的，「文字」乃是寫之於紙，入之於目的。而中國文字之特長，爲世界各國所絕無的，就是注重「目治」，望而可知其意，竟然有人主張改爲拼音字，將「目治」特長完全喪失於不顧，還談甚麼復興中國文化。此事在台灣甚爲流行，若不徹底注意，足可導致亡國而有餘。嚴院長在口頭報告中，對人文科學僅僅了這幾句：「人文與社會科學方面，包括經濟、歷史文物考古、我國社會變遷、我國賦稅、民族語言……」等，我覺得「民族語言」下，至少應增「文字」一字，因其現在與[illegible]文字，此間有些人正無意識的在響應「一語言」，不能包括文字，而我國文字正迫切地需要[illegible]研究，所以我殷切希望政府正視這問題。（下從略）

奇緣系木傳　六九

張大萬

「哎呀，你今天與我談什麼這樣好，難道你不是有了新日頭？」

「沒有，沒有，只不過想講講敵一下張張的生活而已。」

「好，那在錢在錢不是面。」婆白逢對於享樂向不推辭，這也是廣積錢之一法。

「黎先生，聽說你的錢財滿孤頭。」福生落戶治榮的茶，一面阿逢落。

「老婦了，也落伍了。你是誰誰的。」「福治榮經日間福生。」「上次和你同來的朋友的，他說你在外國參加跳舞比賽還得過一著得一冠！」福生說性不錯，居然有根有據。

「我年紀輕的時候，在維也納爲過跳舞比賽冠軍，那時還沒有甚麼「恰恰恰」、「阿哥哥」。」福治榮談到當年得意的事，面帶笑容。

「好了不起！了不起！」福生終於只能到此爲止，他還有很多顧客要伺候。

福治榮是四點半到「拼石」的。他本了一個靠近舞池的坐位。侍歐的了一杯清茶以後，立刻女大班琳琳便帶了過來。

「黎先生，好久不見了。要找誰來坐坐？」琳琳是個你的老舞女，她的腦筋總是記性好，無論是哪個客人，只要見過一次便不會忘記。

「我先坐一下，等黎先生來再說。」福治榮在台北玩舞廳，一適行」還不夠。黎白逢才是真正識途老馬。

「是，老先生也要來……」琳琳是個忙人，話說一半，便像蝴蝶般飛走了。

茶舞用的是樂隊，據說是爲顧了省錢。五點以後才用西樂。福治榮覺得跳舞用西樂伴奏比較有勁，所以樂得等老白逢到了再說。

拾偶奇緣

（四）

・陳光棣・

起因是由於住在弄堂口的桂太太；桂先生是一艘遠洋漁船的船長，那年冬天航行非律賓海面上作業，遇上颱風，生了海難，桂先生則列入失蹤的名單。桂太太痛不欲生，鄰居們也陪著流了不少眼淚。幾個月以後，桂太太又結婚了，對象是大洋馬的親弟弟，據說是什麼金恆貴吧，看起來就不像老實的生意人。桂太太從此也就開眼笑高興。沒想不到半個月，桂先生又回來了，桂先生一進家門，就看到一個正男人坐在沙發上，擺著腳，吸著煙，也是個粗線條的人物，桂先生那時候一快，他把金恆貴從沙發上拉起來，就當着給了他一記洋拳，金恆貴的人多了，以爲是來找碴的，所以被揍（二手勞、以下同）了一條傢伙，也沒敢抵抗，桂太太正在廚房裡燒飯，聽到客廳裏聲音不對，急忙跑出來，只看到一個花容失色，說不出話來，桂先生的脾氣早就按捺不住了，他拉起「阿貴」：「你又明明知道我是誰，還敢跑到我家來討便宜」說完了這話，又把桂先生狠狠的踢了一腳，桂太太上前拉架，金恆貴被揍的眼冒金星，一直躺在地上哭，也沒取還手。了，大家自然都爲他高興。

南投縣長林洋港
向監委十大建議
南投縣積極推進建設

（本報訊記者南投訊）南投縣長林洋港，於十月底向巡察地方的監委提出了十大建議。對於地方建設各項措施，備採衆議，廣納輿情，綜合名賢，彙集十大項應興應革之事項，作成辦法與計劃，請中央予以支持，獲得該縣父老們的口碑。

監察委員陳志明、劉耀西等，於十月底巡察南投縣，聽取南投縣長林洋港、向監委提該縣施政報告六項，及十大建議。

一、關於政治與社會風氣，以及行政革新事項。

二、社會建設、社會福利以及保民等工作事項。

三、關於農村建設與農民生活水準之提高等事項。

四、國民教育之改進情況之報告。

五、關於稅務改革之成效等事項。

六、地政及都市計劃之平均地權之情形等，均作簡明之報告。

林洋港於十大建議方面，分爲三大類別：

（一）財政、教育、農林三大部份：

（一）關於教育方面：重新訂頒國小學校長遴派辦法，以提高國民小學校長素質標準。

（二）（三）請比照花、東、澎三縣辦法，核定南投縣保送高中畢業生升學師大、師院名額，以解決師荒問題。

（四）請比照山地國中教師優待辦法，優待山地國小及偏僻地區國中小學教師，以解決師資之缺乏。

（五）請求對公務人員子女教育費用，准予無息貸款就學。

關於農林方面：

（一）對於農業機械進口，請准予減免或降低稅率，以減輕農民負擔。

（二）請轉請林務主管機關，簡化本縣代管原野地租，租地造林竹林砍伐手續，免列報伐木計劃，以利民生。

（三）轉請林務機關，免除租地造林人分租林木應分擔之調查中。

（四）請提早實施農林保險。

財稅方面者：

一、請明訂稅捐債權列爲優先受償。

二、請修正實施都市平均地權條例第六十四條，將地價稅及土地增值稅之繳納限期縮短爲一個月，而稅收大稅儘速移送法院執行。以利縣之財務收入。

監察委員劉耀西、陳志明等巡視及聽取林洋港縣長之報告後，同時巡行至埔里國中視察。對於埔里國中實施「榮譽考試」及導師制之成效，頗爲讚賞。監委等認爲今日學校中的榮譽教育非常重要。劉委員等聽取簡報以及各學校所提各項建議。

大成國中建議：埔里高農建議今後預算興建教職員宿舍，使教師能安心教學。後農校應向綜合學校途徑發展，包括工、商科，以免一校招生發生困難。劉委員等均允予向中央建議，極力設法解決各項困難問題。

命相與夢話

呂品（山脚），字洞賓，別號純陽子，又號回道人，亦稱麻衣道者。爲何中府永樂縣人（在今陝西省米脂縣西）。曾祖呂延之，仕唐官拜節度使。祖父呂渭舉進士，終於禮部侍郎。父呂讓，官至太子右庶子，頗有築幸。自長慶以後，李德裕黨起，呂氏諸子竟不能至達官者。

呂品（山脚）生有異表，生得鶴頂龜背，鳳目疏眉。襁褓之時，馬祖見了大奇道：「此子骨相不凡，乃是風塵外物，他日遇廬則居，見鐘則扣。」及稍長大，敦重而少言語，不喜嬉戲，稟性純厚，仁孝聰明，日記萬言，矢口成文，喜戴華陽巾，衣黃白襴衫，繫大皂絛，狀類張子房。年二十不娶。

唐會昌中，兩次舉進士不第。因游長安，遇正陽仙師鍾離權（字雲房），馬祖所謂「遇鐘則扣」，在此應驗。與仙師同憩于酒肆中，親自執炊事，炊黃粱飯。品（山脚）困倦，仙師授以如意枕，遂就枕熟睡。夢中升沉萬態，榮悴多端，恍然夢覺，炊尚未熟，不禁俯仰長嘆。仙師笑吟道：「黃粱猶未熟，一夢到華胥。」呂品（山脚）驚問仙師道：「子適來之夢，五十年間直同一瞬，得不足喜，喪何足憂！必須大覺，而後知此爲一大夢也。」呂品（山脚）乃感悟，遂拜仙師，求度世之術。仙師試之再三，乃攜之往鶴嶺洞天，授以陰陽天地，日夜交合之理，水火龍虎，鉛汞抽添，以及坐忘之法。繼而游廬山，又遇火龍眞人，授以天遁劍法，于是密隱華峯羽谷，晦跡四十餘年。至唐末年，世人始知之，後登武昌黃鶴樓，化三級紅樓，上昇而去。世稱北宗第三祖，即俗傳八仙之一的呂洞賓是也，又稱呂祖。所著有「心易仙統」、「三法成書」、「敲爻歌」、「八品仙經」及諸口訣傳世。唐德宗貞元十四年四月十四日巳時生，卒年無考。

呂洞賓百歲童顏

漢平

呂祖彙集卷一載，呂祖生于貞元十四年四月十四巳時生。其八字當爲戊寅、丁巳、甲子、己巳。按日元甲子，生時己巳，幹透甲己，會合化土，故藏癸戊，暗合化火，土得火生，正氣闢光，日爲進神，時値文昌，秀氣尤足。凡此數者，與岳飛之造相同。至其生年戊寅，生月丁巳，則與岳飛不同。因岳飛之造，生年癸未，生月乙卯，貴人陽刃，會合有情，呂祖之造，年枝帶祿元，月枝帶文昌，似亦不差。然寅爲驛馬，巳値孤辰，心地雖光明，仕途多偃蹇，所妙者，命宮巳未，陽貴當權，合甲助勢，雖月幹丁字，暗中化木，得年幹戊字，暗中化火以調劑之，究無損于甲巳化土之正格，是以運行辛字，化水潤土，雖兩赴春闈下第，竟遇鍾離學仙，宋史陳摶云：「關西逸人呂洞賓，有劍術，百餘歲而童顏，步履輕疾，頃刻數百里。世以爲神仙。數來摶齋中，人咸異之。」由此足證洞賓爲貞元戊寅生，毫無疑義。至明萬曆御製呂眞仙文集序言云：「呂公唐咸通中（乃會昌之誤），舉鄉進士未第，後遇雲房翁，授以眞訣，製煉沖舉，爲仙中之領袖，以淸淨心，發大願願，度盡羣迷，推道德之玄眞，演得一之眞傳，莫不啻明心見性，字字入聖超凡。」眞可謂推崇備至。

談文學的內容與題材的處理（三）

·方祖燊·

所以由窮人而富翁，由別離而團圓，由凡人而神仙，也就是人們在現實的人生中所尋求解脫的夢境。反過來，因種種不幸的境遇，命運的捉弄，造成了窮困潦倒，造成了離別變故死亡，也就要令人傷心落淚。悲劇的感人處，也就在這裡。對人生的悲歡離合，生老病死，富貴貧賤的種種境遇，由於作者個人的人生觀不同，其顯露於作品中對人生的看法也就不同了。還有些作家，甚至像宗教家、哲學家、思想家一樣，在替人類尋求努力或解脫的路子，鼓勵人生活下去，或指示人走出迷津。大體說來，作者表現於作品中的人生觀，有三種：

（一）入世的看法：屬於樂觀、積極的，認爲每個人都可以盡一己的力量，努力奮鬥，去實現他的理想，創造他的世界，改善他的生活，繁榮整個社會。西方文學中，寫開發石油、金礦、土地、鋪路之類屬之。

（二）出世的看法：我國儒家的樂天知命，安貧守道；道家的生寄死歸；佛家認爲生老病死是人生四大苦，都是消極、達觀或悲觀的；其求解脫，則走上安分守己，或恬淡虛無，或涅槃圓寂的路子。於是視榮華富貴，如過眼雲烟；看百年人生，像南柯一夢。我國許多作品，像陶淵明的貧士詩，沈既濟的枕中記，屬之。

（三）冲淡的看法：這是避開現實，製造幻境，使讀者沈緬其中，暫時得到慰安超脫。這像聊齋志異，或一般通俗小說，寫窮人成富翁，娶美婦，爲仙人，或現在女店員遇到小開，窮光蛋得千金小姐青睞，就是這滿足人世的缺陷，冲淡現實生活的苦痛的寫法。

現在將人生的問題分開來研討：

（一）貧窮：訴窮泣苦，或評擊貧富不均的文字，見於我國詩文小說中極多。過去如陶淵明詩：「夏日長抱飢，寒夜無被眠，造夕思雞鳴，及晨願烏遷。」杜甫詩：「朱門酒肉臭，路有凍死骨。」就是這一類題材的作品。又如吳敬梓儒林外史中寫馬二先生遊西湖的嘴饞寒酸，范進中舉人前後的人情世態。又如李寶嘉官場現形記中寫佐雜小吏拿兒子做跟班，妻子在家裏沒有褲子穿的部份，都是用貧窮爲題材寫成的諷刺世態的作品。近人的一篇小說，寫農民借債養豬，結果因工業的不景氣，豬瘟的關門，而家家破產，也是這一類好題材的作品。在農業時代，貧窮的確是一個很嚴重的問題。讀書人在這種環境中，假使家無恒產，就只好爲祿而仕；假使出仕而不得志；或用仕不能折腰而節拂袖歸隱；就必然產生像陶淵明生活貧乏困苦的境況。農民靠天吃飯，如果遇到災荒、動亂、不景氣，必然產生像「春蠶」中所寫一年終了辛苦地的工作，到頭來却家無宿糧的現象。不過，我國過去讀書人多受儒、道二家思想的影響。論語雍也：「一簞食，一瓢飲，在陋巷；人不堪其憂，回也不改其樂。賢哉回也！」莊子寧願作曳尾爛泥路上的烏龜和笨牛，不願作供奉廟堂中的神龜犧牛。這是人人都知道的聖哲的故事。過去讀書人志節高尚的，就多以樂天安貧，固窮守道，或淸靜無爲，隱逸躬耕的思想，作生活的圭臬。陶淵明的不肯爲五斗米折腰，終窮到乞食充飢，而仍能寫出像「採菊東籬下，悠然見南山」，「談話終日夕，觴至輒傾盃」的飲酒自樂，隱居尋志，淡泊達觀，超脫貧窮生涯的作品。但也有志節低下的人，也就有像吳敬梓、李寶嘉筆下所描寫爲追求利祿，鑽營門路的種種醜惡畸形的小人物了。在今工業時代，科學發達，分工精細，用機械生產，不必靠天吃飯，不會無業可就，現代人只要努力耕耘，就有收穫；只要努力工作，就有報酬；人人可以過安定的生活，不虞匱乏；我想將來貧窮的問題，終將消失。我們在這方面題材的處理，應該注到社會的趨勢，經濟的發展，多寫作怎樣解決貧窮問題，鼓舞人類努力工作的作品。

（二）別離：是人生悲劇之一。生離死別，似乎是吾人最難解脫的情感。江淹別賦說：「黯然銷魂者，唯別而已矣。」別因雖有種種，而離情之扣人心弦者則一，難免教人腸斷淚落，悲痛鬱結。我們在機場碼頭，都可以看到這種場面。在許多離別中，以情人的離別，夫婦的離別，最能賺人眼淚。詩歌、散文對別離之情之事的表現，大都用直抒或象徵的方法來表現的，深摯眞切，纏綿，悱惻哀怨；有時也求自我的寬解，或期魂相會，或求來生重聚，或矢泉穴再見，或祈破鏡重圓，小說、戲劇、電影、處理別離的題材，多半以大團圓作結尾，目的迎合讀者這種相聚的心理，因此前人許多悲劇，到後代作者的筆下，就變成喜劇的結束。如唐元稹鶯鶯傳（又名會眞記），寫張生和崔鶯鶯的戀愛，終於分離的悲劇；但到「金章宗朝，董解元作西廂芻（手旁）彈詞，雖然穿插了悲歡離合的波折，最後却以團圓結局；元關漢卿西廂記第五本（續王實甫西廂記），也就成「張君瑞慶團圓」。又如蔣防的霍小玉傳，寫詩人李益和霍小玉戀愛，李益四訂婚望族，遺棄了小玉，後來由於黃衫豪士的刧持，兩人雖然重會，可是霍小玉終以相思病重，一見飲恨而絕。但到了湯顯祖用這題材寫成「紫釵記」一劇，又以李益與小玉團圓作結局了；其後，他又改寫「紫簫記」，又就原來的情節，寫成悲劇的結束，都很感人。離別是極動人的題材，所以過去有許許多多這一類的名作。（未完）

綜談國劇復興（三五）

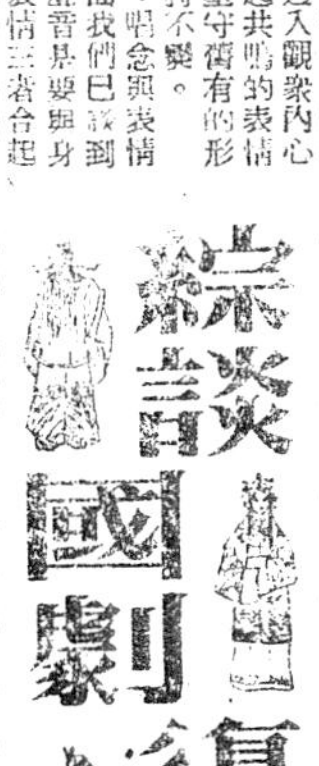

王方曙

因此我們在此願意對「作」這一項提供意見：我們希望身段是表情的助力，面部表情應該爲主，再加以台詞的「說明」。（台詞當是向觀衆的劇情說明。吐台詞的聲音是情感表現的一部分）造成完整的表情，而一切都能在我們國劇的規範裏，創造出多變化，深刻而有力，多姿多采而動人，透入觀衆內心而能引起共鳴的表情。不必墨守舊有的形式，固持不變。

乙、唱念與表情：在前面我們已談到台詞聲音是要與身段面部表情三者合起來，造成整個的表情。但台詞的基本作用是劇情的說明，有的戲甚至故意不用台詞也能演。啞劇未嘗不可以看懂。許多看動作的戲可以盡量少用台詞，但決不能不用表演。這樣說來台詞在舞台戲裡似乎不重要，但其實却極重要。因爲它是最簡單最容易利用的劇情說明；而且融合於劇情之中，隨劇情的發展而自然發出；而又對劇情的發展，感情的表現，有極大的幫助。尤其是在國劇裏，台詞不僅是說明，而且是「歌唱」。不僅「唱」是歌唱，「念」也是歌唱。它於本身便是屬於音樂的藝術。因此國劇中的唱和念，使成了戲中的極重要的部分，它可以成爲專供欣賞的歌曲，可以爲劇情的說明，也可以爲表情的一部分。在這裡我們專討論唱念與表情的關係。

所以唱是歌唱，念是說白，唱念兩種都是台詞，而表現方法不一樣。一是用音樂伴奏唱出來，一是不用音樂伴奏講出來。但講出來雖不用音樂伴奏，却也含有音樂性質、如上韻白，固然是有音樂抑揚頓挫的意味在內，即使是平說的京白，也是美妙可聽，所以念雖非歌唱，也可以說也有音樂性。因此，這兩種東西在演員表演的時候，便施展出最大的能力，使它好聽，使它被欣賞。因此唱念也在國劇中佔了重要的地位。但這一最重要的地位不應僅止於歌唱欣賞，應該和劇情發展中的情感融和在一起，不僅要幫助表情，而且應成爲表情中很重要的部分。這應該是最合理的情形，也是應有的情形。但事實上我們還有沒能作到之處。那是因爲我們有時過於注意唱腔，而忽略了感情。

我相信，最初對某一腔調時，一定是合於戲中感情的；一定是用歌唱的感情，加重表現戲中感情的。（未完）

贈日本關西學院大學美籍教授羅滿

·吳森·

琵琶湖畔風光好，願抱琵琶他鄉老。
東西文化共一爐，不倦誨人知有道。
願君努力惜餘芳，莫使春花隨秋草！

暮春遊碧潭

一九五八

一水盈盈罨翠微，含情脈脈對斜暉。
殘紅片片傷春去，細雨絲絲送客歸。

諸葛亮狂想曲（八五）

·劉玄·

「你不信，你可以問華陀，的的確確是我二人會診的。」「對了，多虧哮天犬嘗了玉帝的糞便，才詳出病原，不然，我和華陀都不敢下藥呢。」鐵拐李因他一向背着葫蘆到處跑，最怕人猜疑他的葫蘆，所以說話「嗓門也大了。

哮天犬聽見鐵拐李說他嘗過玉帝的糞便，面孔飛紅有點難爲情。幸虧別人沒有注意。

「哼，哮天犬因嘗玉帝糞便有功，便在天庭咬我，說起來眞氣人！」呂洞賓一提到哮天犬便惱火，但他知道哮天犬就在旁邊，又不敢大聲說話，怕他聽見再來攻他。

「哈哈，你身揹寶劍原來也是擺樣子的，你竟不敢拔劍鬥犬，可見你的劍比我葫蘆還差勁。」鐵拐李找到機會也以牙還牙。

「我是看二郎神面子才不與他計較的，我的劍能斬妖除怪，你又不是不知道。」呂洞賓表示他不是鬥不過哮天犬，而是碍於神面。

「我才不信呢，你如眞敢鬥他，我代你約他定期比武較量，分一高下如何？」鐵拐李竟要呂洞賓與哮天犬決一勝負。

「算了，算了，自己人開開玩笑，豈可認眞。你怎能出此叟（食旁）主意，萬一呂兄栽在哮天犬手裡，八仙也不能在天庭混了。哮天犬受二郎神訓練有素，連孫悟空都忌憚他幾分。我們何必去惹他。」何仙姑怕呂洞賓、鐵拐李頂嘴認眞，故出來打圓場。

呂李二仙聽了何仙姑的一番話，入情入理，遂默不作聲。

何仙姑爲了要和緩他們緊張氣氛，從袖中掏出餅乾、杏脯，請呂洞賓、鐵拐李吃。

孫悟空看在眼裏，三步做兩步走向前來，向何仙姑打一問訊：「仙姑妳好，老孫這廂有禮了。」

何仙姑不覺一楞，她心想：這猴兒崽子是幾時學得如此禮貌的？但何仙姑聰明絕頂，立刻省悟。

「大聖，久違了。我這裡帶的有桃乾、杏脯，請吃一些。」何仙姑知道猴子最愛吃水果，掏了一大把給孫悟空。

「謝謝，這怎麼好意思。」孫悟空說完，將一大把桃乾、杏脯塞進嘴裡，兩腮立刻鼓起好大的兩顆圓球。這是猴子吃東西便宜處，嘴吧裡天生有貯藏庫，不怕貪多嚼不爛也。但吃相就比哮天犬更不雅了。

孫悟空、哮天犬雖不是牛類，但聽鋼琴演奏簡直是活受罪。幸有餅乾及桃乾、杏脯可吃，所以他們都很高興。

演奏會發的請柬很廣，牛魔王接的也有請帖，他本想來捧場的，後來牛魔王手下的「小黑」「小黃」請他要多多考慮。牛魔王一想，他到演奏會，豈非正合「對牛彈琴」之諺？所以作罷。（未完）

巨變歷險記！

前往台灣

（八三）　胡慶蓉

在山雨欲來風滿樓的情形下，丁博士又離開上海……

這不能不感謝現在台灣身爲立法委員的唐嗣堯先生。遠在北平，唐先生主持科學委員會的時期，丁博士就是他的座上賓。當時北平的著名哲學家，如馮友蘭、傅銅、胡適；學校負責人，如蔣夢麟、梅貽琦；各黨各派的首領，如張君勱、張……；文學家如李辰冬……，都常能在唐先生處碰到。唐先生有一筆好字，其待人接物，也都非常好，故各方均樂於接近。丁博士來到上海，拜訪范爭波社長之後，第二個就是拜訪唐嗣堯先生。當時他就住在跑馬場附近的一品香；上邊已經交代過了。他一見丁博士的面，什麼話沒說，就掏出一張船票，叫丁博士快快離開，叫他一定坐這一趟船離開。他說這船是去台灣的船，他說這船是最後撤離上海的船，他還說這船是政府撥給立法院專用的一隻船。時乎時乎不再來，這個機會過了，就沒有機會了。

唐先生的關懷，唐先生的熱誠，使丁博士流下眼淚來。他在感激情形之下，就接過來船票，遵照唐先生的指示，收拾行李，就前去上船了。提起丁博士的行李，是很傷感的，他從離開北平，一直到上海，他始終保持着輕裝減從的原則，從北平起，他就沒有行李，到現在來到了上海，就前往各地，他還是沒有行李，假若說有的話，那就是他唯一的蟒絨皮大衣了。這件大衣可以說不是行李，因爲時常的穿在身上，在冷的時候，特別在冷的時候，這大衣不但是他白天揹寒的，而且是他夜裡揹寒的被褥。但這件大衣，他未始不可以說是行李。因爲來到上海，天氣漸漸的熱了，這件大衣不大能穿得住了，不穿的時候，拿在手裡，又何嘗不可以說是行李。船，現在博士還記得，是停在虹口方面的什麼碼頭。從一品香到虹口碼頭，很有一段距離，沿途人如流水，好像都在自奔前程的樣子。是那麼緊張……，那麼急急惶惶……。

從立法委員的專輪，高高的浮出水面，巍巍的聳立在面前。既然是憑票登輪，丁博士有唐委員給的票，應該不成問題，但由於丁博士面貌飢瘦，風塵僕僕的神情，且服裝不整，襤褸的樣子，曾引起檢查票的很多的……，幸有天津市市議員，中國國民黨華北有力的人物李嘉元在船上，一眼看見丁博士，就前來替博士解圍。這樣就登上立法委員的專輪。由李委員的宣傳，一時丁博士成了注目的人物。在委員人的衣冠楚楚之前，丁博士實在「自慚形穢」。相形之下，丁博士不啻是一個叫化子。他很感謝全體委員的推崇，全體委員的關懷，被排在最上邊與陳宗經委員、張廣文委員靠近，他謝謝他們的關照。宗經是博士留法的老同學，廣文是河南同鄉，他令尊大人伯英老先生，生平對博士也非常關照，其他全體委員也趁此致謝。

復興中國文化幾項基本辦法

周樹聲

近年獸慾國家情勢，一則以喜，一則以懼。所喜者何？溯自前清鴉片戰爭以後，有中日戰爭，有八國聯軍戰爭，我國一遭挫敗，割地賠款，致爲外國人所極端輕視，上海租界公園門前，竟有「華人與犬不准入內」之牌示，其侮蔑程度至於如此！幸 國父推翻滿清，改建民國，總統蔣公出師北伐，完成統一，國勢大振，繼又抗日獲勝，躋列五強，取消不平等條約，收回租界及領事裁判權，外國人刮目相看，而中國人在世界各地方可抬頭矣。近若干年，我國大批留學生在美國成績優異，畢業後率多在美擔任高等職業，已與昔年情形大不相同。尤其當美國學生中有多數太保，其少年相率嬉皮之類劣風氣流行；而華僑學生獨能不染惡習，潔身自愛，爲美國人所驚異。因之重視中國文化，尊重中國傳統精神，紛紛對中國學術研究學習，此非喜之事乎？所懼者何？國內子弒其父者有之！大徒弒其師者有之！大逆不道，數見不鮮，至於尋常兇殺案件，犯上暴行，日甚一日，與在美華僑子弟之表現，完全相反，此何故耶？蓋老一輩華僑尊重舊日文化，尊重倫理道德，父教其子，兄教其弟，故能遵循禮範，爲國增光。而台灣人士中，一部份過度崇拜西化，一部份受大陸共匪惡風所薰染，因而對于中國倫理道德視爲迂腐，以所見之差謬，致造成今日社會上之不良風氣，對于國本及人心之危害不知伊于胡底！幸 總統有鑒于此，大力提倡復興中國文化，一面尊重孔孟之學，誠屬對症下藥，救國良方。但至今各方所奉行者，多係表面，殊少具體有效辦法，茲謹向政府切實建議三點，以備採擇：

一、各級學校均加入倫理一科。查倫理爲人生基本條件，人之所以異于禽獸者，以知忠孝仁愛信義和平之爲何物，知爲人應當父慈、子孝、兄友、弟恭、盡忠、行義、講信、修睦，蓋必如此方可以爲人，反之乃絕大恥辱，如此深植人心，風氣自然善良，以前在中小學原修身一科，不幸爲偏激之教育當局所廢棄，貽禍無窮！今日爲求改革，爲求復興，亟應迅速恢復倫理一科，定爲必修科目，以資補救，尤其共匪正在破壞倫理，破壞文化，我爲收取人心，更不可緩，事關維護國本，幸勿淡然視之。

二、先在一、二大學添設「漢文文法」一科，近年以來，世界各國學術界教育界無不重視漢學，此實值得驕傲，而吾國人偏要自卑，美國的有名大學，東部如哈佛、耶魯、哥倫比亞、普林斯頓、賓夕法尼亞及康奈爾等校，中西部的芝加哥、密歇根、威斯康辛及印第安納等校，西部的加利福尼亞（巴克萊）、華盛頓（西雅圖）等校，皆以教授漢學爲必修科目；此外各大學設漢學科者，亦所在多有，最近若干高級中學已開始設置中國語文課程，而福特基金會亦極力資助，所惜研究進展甚爲緩慢，務以其緩慢之故，最大困難是中國語文素無文法一科，且亦極少文法之書，許慎所著乃是解文說字之學，段玉裁等多人之所著亦是字學，只有馬建忠所著之「馬氏文通」可講文法，然而今日研究馬氏文通者會有幾人？因無文法之故，不但外國人研習困難，即在中國學生亦無一固定途徑可循，故文字通順與否，全憑各人自己領悟，爲發展中國文化，爲適應當前環境，則宜先在一、二大學添設「漢文文法」一科，擇精通西方語文而中文亦佳者任之，授課須編講義，經一兩年後，再將講義稿審查，其合格者印成單行本，通令高中以上學校一律加習文法，一方面使中國學生對語文用法容易了解，一方面減少外國人學習中文之困難。

三、中小學校對毛筆字定爲必修科，我國自古六藝爲禮、樂、射、御、書、數，書是六藝之一，代有傳人，不必縷述，前清非翰林不能入閣拜相，但如字寫不好，亦決不能成翰林，即是字寫不好，決不能入閣爲相，其硬性規定至此。五個月以前，本席與馬委員長壽華同赴日本開國際書法會議，據日本總理大臣佐藤榮作先生面談，日本對毛筆書法非常重視，並指其座右所懸西鄉隆所書天壤無窮四字以示珍貴，又推崇 將總統之書法，其文部省曾通令全國各學校將寫漢字列爲必修科目，至于民間研習中國書法之團體，甚爲普遍，非常興盛，其外交大臣愛知揆一先生現正兼任書道聯盟會長，此次訪日，承其一再熱烈招待，彼邦重視中國書法有如此者。此乃中國國粹，惜吾國教育當局卻未提倡，爲響應 總統號召，亟應由教育部通令各學校，定寫毛筆字爲必修科，庶免若干年後，中國最美藝術陷于淪亡，今日所要做的復興文化工作，此亦重要之一端也。

生活漫談

用腦過度可食胡桃

馬騰雲

患失眠症的朋友，或用腦過度，都苦於沒藥治療，打針補腦補血，均無根治效果，最後只有服用安眠藥，由微增至極大量，這種療法可謂飲鴆止渴，最近著者患氣管炎，延日本長崎大學醫生診斷，這位吳醫生醫德很好，學貫中西；他說氣管炎中藥可以根治，並開了一張處方，他不知道著者是研究中藥而又編著很多書籍，歸來後用新台幣十元而將氣管炎治好，今已一週未再犯了，因而想起失眠症的特效胡桃仁，相信很多讀者有此需要。

中國藥物有象形之說，海參補陽，淡菜滋陰，胡桃仁似人腦，必爲補腦藥無疑，中醫治病遇耳有不聽者，食胡桃內可回復其聰，沿海諸省，產婦產後必食胡桃與紅糖，謂胡桃補氣，紅糖補血，因之產後爲培補氣血之寶，又天花之後亦食胡桃，並以其殼煎湯服之，謂之亦氣明解毒；其實天花發熱最傷腦筋，胡桃乃供補腦之用，這些民間很多人都知道的常識，惜未能進一步作科學研究爲憾；胡桃又名合桃，亦名核桃，油、葉、殼（就是夾），皆供藥用，胡桃內含蛋白質、脂肪、灰質、鎂、磷酸鈣及鐵，維生素A、B、C、及E，爲滋補強壯補腦藥，有鎮咳及收斂之效，補氣養血，治燥化痰，胡桃油爲緩下劑、能驅條虫，外用於皮膚病，能治疥癬、凍瘡、腋下臭、梅毒、白禿諸瘡，胡桃葉內服治夜濕及祛毒，胡桃夾爲染髮劑，產在大陸山東、河北、山西等省，現台灣有種植。日本三共株式會社出品之濾格林，治痰液下臭劑，就是胡桃裡抽出有效成份所配製。

失眠的人據統計，以瘦人佔多，在失眠的時候，專司思想之腦部，有如一盞未滅之燈火，所耗油量是很大的，由於腦子裡的油量不够，只好由血液轉運其他區域之油爲腦子裡的燃料，這些不正常補充過程的結果，神經必感煩躁，愈煩躁愈難入睡，愈難入睡消耗脂肪量亦愈多，這種因果是循環的，而失眠症則成爲難治之病，中藥裡胡桃脂肪最多，而此項脂肪最易入腦，其潤腦之神經，及補腦之虛弱，與他處運來之脂肪相較，眞所謂難以道里計，用胡桃治失眠症，乃非常理想之藥物。

胡桃的食法很多，油炸、椒鹽、及醬八寶菜裹都可以大量滲入胡桃，用胡桃治失眠症，等於以未提製過的原料作藥物使用，希望有志於失眠症之中西醫生，能加以試驗，用新法提製，成爲精純之藥品，使成爲治失眠症之特效藥，雖不能與發明盤尼西林的人同日而語，但對爭取外匯上是很可觀的，著者可以斷言。

花月之妖

．周遊．

朱素娥，唐相州鳳陽朱嫻之女，善彈五色琴，亦爲世之殊色女。

武三思以帛三百段往聘而至。武三思一見大悅，遂召公卿大夫畢集。惟納言狄仁傑未至。三思大怒不已。宴罷有相告於仁傑者。仁傑恐開罪權勢，次日登門謁謝道：「某日宿疾暴作，不克應召，尚乞恕罪！他日如有良宴，敢不先至。」三思怒言道：「倘阻我盛宴，必族滅其家。」素娥在內聞之，對三思言道：「梁公強毅之士，並非狄猾之人，何必強抑其性！若再宴飲，請勿召梁公。」

後數日復召衆宴飲，諸官未至，而仁傑先到。三思特延梁公坐於內殿，徐徐宴飲，待諸客齊至，三思乃喚素娥出陪。移時，侍者來告，素娥芳蹤不見，不知藏於何所。三思自入內尋召之，遍尋不見。復於堂奧隙中，發出迷香，三思附耳而聽，乃素娥聲音也。素娥對三思道：「請公不召梁公，今因相召，妾不再生了。」三思問其何故。素娥答道：「梁公乃時之正人君子也。妾非他怪，乃花月之妖。上帝遣我來，以讒言蕩君之心，將復興李氏。今梁公正人在此，妾故不敢見。願公勉事梁公，勿萌他志，不然，武氏無遺類矣。」三思再問，已終不答話。三思復出見仁傑，佯稱素娥暴病，不能奉陪。敬事仁傑之禮有加。仁傑不知其故。明日三思詳奏其事，武則天道：「天之所授，不可廢也。」則天一生，亦畏梁公，言聽計從。後李氏復興，武氏皆被族誅。正邪之分如此，難道冥冥中自有主宰歟？

（完）

桃花潭水深千尺

趙陀

改君您話既說，我這段小而又小的風波，又發今晚還得和小黃……乃轉換口氣向牛氏說：「還求親姐原諒，總我心直口快，正因爲牌氣太壞，常和錢孔方大打出手，事後他每次雖向我道歉，但我亦很後悔。」一、表示與小黃有變更用意，二、牛君這段話的秘密根本不怕錢孔方知道。二、孔方一向是虐待牛氏的，曾用打紅了的鐵鍋刺傷過牛的手，動手打，開口罵，更是家常便飯。牛氏本是主席夫人，在孔君心目中，根本沒有她的，必須施展高壓，才不致日久反動。

錢孔方看主席夫人正和公子坐在客廳期待，乃急步趨前說道：「夫人和少爺今天辛苦了。」接住又說：

「夫人，少湘和蘇家的婚事，非由應力不可，我已經托兩個媒人前往關說，限三天內答覆，否則就把蘇雅賓抓起來，撤職詐財，有甚麼客氣可講的。」

牛夫人說：「孔方這樣做，我不大同意，還是和平一點比較好。」

「置之死地而後生，這是主席的明示，亦古今名將作戰不移的定理。」錢孔方得意的還擋自己才能。

「錢伯伯，小姪反對這樣做法，婚姻並不是打仗。飽兒子還甚麼動不動抓人。」少湘不平的質問。

「以你們母子的意見呢？」

牛夫人說：「孔方有沒有考慮關鍵時，如何善其後？克琳這孩子很純良，我也非常喜歡她。」

（三十三）

中華民國內政部登記證內版台報字第○三一號
中華民國僑務委員會登記證僑字第三二三號
中華郵政台字第一二八二號執照登記為第一類新聞紙

自由報

（第一〇一五期）

（半週刊每星期三、六出版）
每份港幣·角．台灣售價台幣貳元
社長李運驄‧督印黃行賓
地址：香港九龍彌敦道593—601號
廖創興銀行大廈八樓五座
LIU CHONG HING BUILDING
7th FLOOR FLAT 5
593—601 NATHAN ROAD,
KOWLOON, H.K.
TEL: K303831
電報掛號：7191
承印：業昌印刷公司
地址：窩打老道卅九號地下
台灣連絡中心：台北青田街五巷三號
電話：三七五〇二二
台灣區直接訂戶　台郵劃撥戶
第五〇五六號戶頭（自由報台灣社）
台北營業處：台北衡陽街三十號
電話：二七〇〇
台灣分社：台北市西寧南路119號
電話：[illegible]

建立領導人類的新精神（上）

張起鈞

起鈞謹按：三十七年冬共軍進攻北平，余於圍城中，搭乘政府接運教授之專機，隻身飛抵南京，嗣承胡適先生介紹至湖南衡山國立師範學院任教，時本報社長李運驄在衡陽主辦中華時報，知余南來乃轉託陳東原院長邀余兼主該報筆政，余感其誠乃欣然就總主筆之職，是爲三十八年二月間事也。除每週撰述社論一二篇外，並間有專論發表，本文即是年三月三十一日，及四月一日兩日在中華時報所刊之論文也，今因搬家清理什物，重睹斯文，雖已時逾廿載有餘，而世難絲毫不殊往日，令人感慨不勝。況又東渡來台，重逢李社長於自由報乎！因將原文一字不易重刊於此，藉誌明吾志，而表因緣，初不計文之匆匆草撰於播遷之際也。

在物質文明彌漫充斥的今日，大家忽略了精神領導的力量。大家只注意到支持我們行動的物質條件，而沒有想到行動的動態和要求。我們的力量自然要求自物質，我們不能脫離物質而生存，而行動；但試問我們這全副的活力究將傾注於何方？這也是能由物質決定的麼？假如我們的全部的人生都在追逐飲食男女，而我們的意志又毫無自由時，那麼物質的條件可以決定。否則「條件」也就只成其「條件」，談不上什麼決定，而現在我們的生活範圍便正是不限於飲食男女。我們的意志正是在一定限度內有其選擇的自由的，尤其在「爲善去惡」方面是有着絕對的自由的，我們怎好說物質條件能決定我們奮鬥的方面。

以個人爲例來講，有的人要升官，有的人想發財，要升官的人，便傾其家財，精力，忍受辛勤垢辱來求官，想發財的人，也能用同樣的精神，全力來謀財。這種要升官，想發財的活動全是有目可睹的事實，這事實告訴我們兩點：一、人的活動之超出飲食男女的範圍的。二、人的奮鬥目標（也就是活力傾注的方向）是不同的。飲食是生理的要求，這種奮鬥是可解釋的；但我們爲什麼又在此外，別有他奮鬥，並且奮鬥的目標還大不相同呢，我們不能狡辯的說要升官想發財爲飲食男女之所必需；尤其不能說物質的條件決定某一個人必須要升官，而另外的一個人又必須要發財。反之，他們所以要升官、要發財，全面由於對人生的認識不同，全由於領導他們的思想之不同。凡在飲食男女之外一無所知的人，便也在飲食男女之外，一無所求；凡在其外，有所知的也便有所求，而所知所喻在升官要發財，在學術，在宗教……也便分別的獻身於升官於發財，於學術，於宗教。所謂「習於義，喻於義，志於義」。便正是說明精神思想對人們所動的領導力量。

個人如此，社會人羣也如此，（按、團體個人的性質雖不一定相同，但在此處卻是一致），整個社會人羣的活力究將傾注於何方？大家究將追求什麼樣的人生，彼此相處究將採取何樣的基本態度——這一切全靠精神的領導，換句話說也就是靠那個社會的教化來領導，因此我們，若要全社會的生活，過得正常合理，全體人們的奮鬥有價值，有意義，那就須有一個完善正確的精神領導力量，這就如旅行，行軍，需要有一個好嚮導一樣。假如缺少了這樣一個完善正確的領導，整個社會的形態便將混亂矛盾，流弊百出，甚至對已有的美好物質條件，都不能運用和享受。我們今日所當的大病，其癥結便全部在此，便正是由於這個原因。

我們所謂大病是指我們今日所遭的文化大病。

我們翻開史卷來看，在往昔人們受苦全部都是由於物資的貧乏和社會的無力。現在我們的物品可算空前的富足了，社會國家也有着鉅大的興利除弊的力量了，按理說，我們這一代，應該多麼的幸福。但不料事竟有大謬不然者。我們的幸福沒有爲這豐富的物資強大的力量，大大的提高，反而倒爲它所摧毀，物品本是用來賜送人生的，但盲目享受的結果，失掉了正常的人生意義，尤其竟爲了拼命增加生產而把人們變成了機器來使用。來得心靈麻木，人性泯滅，甚至爲了推銷商品，爭奪利益，而引起慘烈的戰爭，而那至大的力量便正來加強其慘烈的程度。試看今日戰爭之遍及全球，破壞殺傷之如此利害，豈是古代戰爭無力的社會所能爲！

人生痛苦的原因，若在物資貧乏之社會無力，那是限於能力所及沒辦法的事，我們可以原諒，但現在的原因乃在物質豐富力量強大道卻是不可原諒的罪過。這實是我們的錯誤和罪過。而我們所以有這種錯誤罪過全是因爲社會只給了我們一件珍貴的寶貝，卻沒有教導我們如何去使用；它只叫我們在生活的過程中，去享受那豐富的物質，卻沒有告訴我們人生的什麼意義；它只供給了我們優良的物資條件，卻沒有指示我們奮鬥的目標。一言以蔽之也就是前面所說的「缺乏完美合理的精神領導」。這個結論並非是人云亦云的空話，而確確實實是今日這文化失調大病的癥結，我們爲使大家對這癥結能有清楚的認識起見，轉在下面把它所以成爲病源這理作個具體而切實的分析。

今日指導我們生活的乃是西洋的文化（按：因了迫於種種現實的原因，今日全世界的人們都是過的或正在學着過的近代西洋方式的生活，所有學術技能，組織制度，生產辦法，無不是模仿西洋的。而這種方式的生活，正是受西洋文化所指導的）而我們所以發生上述種種不合理的弊端，所以沒有完美合理的精神指導，便全由於西洋文化中對於人生缺乏正確的體認和指導。

人生的體認和指導，全靠哲學思想，西洋的哲學，雖極發達，但其內容卻都是爲哲學而哲學，換句話也可說全是些「觀念的遊戲」，而實際的人生，實甚少關連。我們並非說西洋的哲學家，不討論人生問題，但卻全都是拿自己的哲學體系爲對象而討論人生。試問這種紙上談兵的結論如何能對實際的人生作有力的領導？在中國所有偉大哲人的學說，無不對人們發生有力而普遍的作用，孔孟朱王固不用說，就是老莊和墨子的思想，也何嘗不深深的印在人們的心中？但在西方卻不同了，試看自柏拉圖亞里士多德至康德黑格爾除了斯多德亞派等少數次要學說外，那一家哲學思想，曾對實際的人生發生了合理有力的領導？尤其是一般的人民，更根本沒有能嘗嗅到它的意味？我們只看德國吧，近代哲學泰斗，康德黑格爾等，大半都生在德國這可算發達極了，但是他的一般人民，卻極少哲學頭腦，更談不上對人生有什麼高超合理的認識。固然哲學的價值，不能由這個觀念來衡量，但是它未曾負擔起指導人生的任務，卻是一個事實。西洋人既然缺之偉大合理的思想來指導，此一般人對人生的真諦，便自然就難有深刻的認識了，怎樣才是有意義的人生？怎樣才是真正的幸福？怎樣才是人生應有的奮鬥？都不是一般人所了解明辨的，甚至也不是一般人所曾注意的。因此一般人生在現實的生活以外，也就很難更有崇高的人生理想和認識了。

在從前西方人還有宗教力量來作他們的精神領導。基督教的教義對不對，我們姑不必管，但它總還算鼓舞着人們，爲一種理想來奮鬥。尤其可貴的，這種力量，還並不限於少數人，而是對一般人之普遍而有力的領導。到現在這種宗教的指導力量，也逐漸消失了。大家稱宗教勢力濃厚的中古爲黑暗時期；而自詡現代的進步。誠然，中古所有各種文物事體都沒有現在發達，那時的人民，充滿了愚昧與迷信，不過他們雖說愚昧迷信但他們在飲食男女之外，總還有個崇高的理想，他們的辛　奮鬥，總還有個精神寄託。現在的人，迷信固是沒有了，但也不再有理想了。而整個的人生，便百分之百分析不扣的投入在現實生活裡了，這究竟是進步還是退步，那就很難說了。

大家既然缺之崇高的理想，又對人生幸福沒有正確的體認，那便自然而然的都去發揮「人之所以同於禽獸」的地方了；換句話說，大家的生命活力，便全都傾瀉到感官享受的方面去了。在這種人生動態下大家自然都拼命的去追逐物質享受，因爲除了飲食男女之外，不知道還有其他的目標——大家自然都盲目的去賺錢謀利，——因爲金錢便是物質享受的象徵——因此他們，獻身工作時，並非對自己工作感覺興趣，更談不上有職業的志願；他們所以作工作，不過是當作謀利賺錢的手段而已，說得更具體一點，就是想由此達到滿足物質慾望的目的而已，拿這種觀點去作工，「工作」，對他簡直是受罪，只要把罪熬過了，便自然要去盡情發洩了。他們精神原本空虛無主，現在一經聲色狗馬的刺激，試問還如何能不物慾橫流，人性泯滅。

個人如此，社會國家也同樣是如此，因爲，在大家的心目中看來，所謂國家和社會的任務也就正在使大家順利的達到這種目的（自由主義）或是替大家集體的來謀求這種慾望的滿足（集體主義）；——社會主義——近幾十年內，雖有較進步的口號，——但其實質也不過是把物質慾望使大家平均的滿足就是了。總之大家的眼睛全都直瞪瞪的向着物質享受望去，從不會回過頭來考量一下。獲得了物質享受就怎麼？物質慾望滿足了，有什麼意義呢？

在這種物慾橫流的狀態下，恰好又碰到近代大量生產的工業制度，那就如酒徒進了糟房，真是得其所哉了。原來大家所好在於物質享受正恐物品不夠不能盡性暢遂其慾望，現在忽然有「這種好辦法好工具，」大家還如何不興高采烈拼命的去利用這工具來製造物品呢？因此大家不曉得講節制，更不曉得怎麼來配合人生，而只一味盲目的去求增產了，凡是能增加生產，或有利於增產的，便無不全力以赴，因此大家不知道如何用生產來配合人生，反而使大家的生活來配合生產。

（未完）

昨日與明日

北市建設不能忽略郊區

蔣總統最近指示主管當局，特別注意台北郊區三重永和的建設。總統日理萬機之中，注意這項問題，可見這項問題的嚴重性。無疑問地，台北市已是國際化的大城市，同時也無可否認地，它也是東南亞各大城市中建設最爲落後的城市。街道的狹隘，違章建築的衆多，下水道的不修，交通秩序的紊亂等等，在在都顯示它的落後性。最糟糕的，台北衛星市鎮如三重、永和等地，實在夠不上現代都市的水準。北市改制之初，理應將三重永和兩鎮劃入台北市區範圍之內，因此兩地，與北市只是一橋之隔，在台北市的建設，不顧三重永和，任其髒亂，等於在大門口，陳列着兩座垃圾堆，豈不是開自己玩笑！而且，市區交通重在出入口的便利，如郊區交通擁塞，市內交通又何能暢通。行政院，台灣省政府和台北市政府對於三重、永和兩地的建設，不能再麻虎從事了。

反戰份子示威

美國反戰人民在本月十三日約有廿五萬之衆湧入華府，作第二回合的示威，同時日本左派學生工人爲了阻止佐藤首相訪美，也在東京展開大規模的騷亂，[illegible]份子並在東京鬧區的銀座，用自製炸彈爆炸行人和建築物。世界動盪，人心不穩，大有舉世皆然之勢。所以如此，原因複雜，我們認爲：它與共產黨徒的世界性顛覆戰略，未嘗沒有關係。今天的戰爭，已不限於戰場上的槍炮炸彈的熱戰，瓦解敵人戰鬥意志，擾亂對方社會安寧，破壞或削弱敵人經濟力量，甚至轉變敵人思想等等，都是戰爭的另外一種形式。列寧對於此種戰略的運用，便是能手，共產黨徒師承列寧，史達林，也善運用這種戰略。所以，民主國家的執政當局，對於共產國家的陰謀，必須洞燭機微，尋求對策，加意防範或制止。如果將它們認爲單純的運動，可能會造大錯。

‧曹松‧

自由談

科學的功罪觀

美國太空人二次登陸月球必告成功，自不會有問題。這次太空人降落月球的地點亦與上次不同，而其採測所得的資料必然更爲豐富。經過科學家研究實驗與設計之後，將來人類從地球到月球即很便當，有如我們現時坐噴射飛機遨遊異域一樣，沒有甚末困難了。這是現代科學對人類的一大貢獻，應該大書特書的。

登陸月球的最大作用，即從此揭開宇宙秘奧，藉以陸續勘查其他各個星球的實在情況，開擴人類知識，增進人類福祉。美國耗費了無可估計的財力，進行這項驚天動地的事業，就其本身利益而論，可謂得不償失，然對全人類的功用卻偉大極了。這總是美國人值得驕傲的創作，在歷史上永垂不朽。

月球上既無生物，自係缺之空氣與水料，即不可能成爲人類的新天地，當然沒法將月球當作殖民地或軍事基地看待。捷足先登者可以據爲已有。若謂將來擁有原核子技能的強國，爲着爭奪太空領域而發生戰爭，那是不可思議的事，世人有倡說制訂太空公約者，殆爲「杞人憂天」的敏感！

可是，蘇俄不跟美國作登際月球的競賽，它悶聲不響的從事放送無人太空船盤旋天空，數量亦不只一艘，且在空中會合，構成一種天空基地的態勢。假使它的構想計劃實現，將隨便可以從天空發射洲際飛彈，攻擊地球上任何方面的目標，防不勝防。這次美國「太陽神十二號」的太空人竣回情報，說他們在空中見有飛行物體緊隨着「太陽神十二號」飛行，國際是這次登陸月球時在空中放棄了的飛行小艇，我卻懷疑這或許是蘇俄的「潛空艇」作祟，與潛水艇跟踪別國的兵艦情形相同，未可忽視。

人類由於科學發展，而創造新的偉業，造福人羣不鮮，但因此醸成空中的原核子大戰，使地球上的人類遭受不可抗拒，無從逃避的毀滅之禍，那便是科學的滔天罪惡了，可惜也已。總而言之，人類的國家界限不消除，生活資源不能由人類共有共享，戰爭必不可免，而科學對人類的禍福如何，那就很難說啦！

馬五先生

亞洲國會議員大會
各國議員雲集台北
谷正綱盼望報界與大會合作
觀察員國有印度澳洲紐西蘭

（本報駐台記者張健生）亞洲國會議員聯合會第五屆大會訂於本月二十五日在中華民國台北市近郊之中山樓召開，會期四天，至二十八日閉幕。這是大會主席谷正綱於十一月廿日在新聞局記者招待會公開宣佈的。

按照亞洲國會議員聯合會會章規定，該會歷屆大會所通過之議案，對各會員國會並無約束力，但僅止於影響力而已！這次會議所需經費約新台幣三百六十萬元，現正商請政府補助中，將來列入國家總預算中支出。我國為因應本屆大會之順利舉行，乃由國民大會代表、立法委員、監察委員組成亞議聯中華民國議員團籌備委員會，商訂「亞議聯中華民國議員團組織辦法」，成立亞議聯中華民國議員團，由國民大會代表、立法委員、監察委員申請參加，共同組成。亞議聯中華民國議員團申請參加者約有一千一百餘人。（按：現有國大代表一千三百餘人，立法委員四百三十餘人，監察委員七十餘人。）谷正綱先生在答復本報記者詢問時宣稱的。

亞議聯中華民國議員團代表二十七人，已由國民大會代表、立法院委員、監察院委員各產生九人組成。國民大會九位代表計有：國民黨代表七人，民青兩黨代表各一人。代表國民黨的代表是：谷正綱（兼總召集人）、連震東、郭驥、張伯謹、葉秀峯、札奇斯欽（蒙古錫林郭勒盟）、樓兆元等七人，他們是經該黨中央推派的。而青年黨的朱方伯是由該黨登記之六十位團員中過半數三十二出席之全體票選的。民社黨的王培基是以二十三票擊敗得七票之孫亞夫而當選的。

立法院的九位代表是：倪文亞、程滄波、謝仁釗、郭德權、汪寶宣（王旁）、陳紹賢、阿不都拉（新疆伊寧）等，他們是代表國民黨的。青年黨的當選，因該黨只有他一人登記為團員，所以不競而當選代表。民社黨的周樹聲是以五票而擊敗該黨得三票之王世憲而當選的。

監察院的九位代表中，民社黨的監委沒有參加，除青年黨的陳翰珍由該黨監委黨部選出外，其餘的余俊賢、楊宗培、張岫嵐、吳大宇、陳慶華（台灣籍）、王潤霖、張維貞（女）、張一中（吉林）等人，都是國民黨推派的。

推派代表參加本屆大會之國家計有：印尼、日本、韓國、寮國、馬來西亞、菲律賓、泰國、越南和中華民國等九國。觀察員國計有：印度、澳洲、紐西蘭等三國。出席人數多達一三〇人以上。尤其馬來西亞、寮國、印尼等國家，與我國無邦交，此次派代表參加，實屬難得。出席大會之各國國會議員團，除日本代表團全部為自民黨之反共派外，其餘各國都由各黨各派之議員組成代表團出席大會。

日本國會議員團團長，由前任首相現任眾議員岸信介担任。副團長為千葉三郎。團員有大竹平八郎等廿人，隨員十二人，為各國代表之冠。

越南國會議員團十二人，隨員六人。議員團團長黃玉英為眾院議員，副團長為參院議員鄧文允，隸屬於社會民主集團領袖，越文政論報負責人。團員有：國會議員團副主席之參議員阮文書夫人，國會議員團秘書長武玉瑛，共和集團領袖，國會議員團政治委員會主席陳文敦，國會議員團經濟委員會主席陳玉驚，國會議員團文化委員會主席楊明敬，國會議員團交通委員會主席喬善天方計等人。隨員則有越南外交部亞太司長謝泰寶等。

大韓民國國會議員團係由「國民會議」之民主共和黨、新民黨與十五俱樂部議員所組成。國會議員團副主席金東煥，屬於韓國政府黨之民主共和黨，担任代表團團長。韓國國會議員團團長本由國民會議議長李孝祥出任，現因修憲案引起的政潮，致不能出席會議。新民黨為韓國的反對黨，該黨國民會議議員馮弘矩、朴鐵雨、金玉仙（女）等三人參加出席第五屆會議。另一政團十五俱樂部之議員李炳主亦參加，充分顯示韓國各黨派一致反共，韓國的反共非執政的民主共和黨一黨包辦，較日本執政之自民黨反共派要進步、要團結。是故越韓兩國才是真正的舉國一致反共。

泰國國會議員團由參眾兩院各五位議員組成，團長係參院議員蘇吉担任。未設副團長，但觀察員十七人，係泰國國會議員團團員所組成。這是特色之一。

菲律賓和馬來西亞國會議員團團長，均由各該國眾議院院長出任，寮國則以國會副議長担任。印尼國會議員代表團長甘瑪維茨查，係外交委員會副主席。印度國會派有三位議員為觀察員。

亞洲國會議員聯合會之組成緣起：日本自由民主黨之反共國會議員，鑒於亞洲遭受共黨威脅嚴重，認為亞洲各國國會議員藉其本國會的影響力，促進亞洲自由國家團結合作，以維護亞洲的自由、民主與繁榮。因而與我國國會議員治商共同發起團結亞洲國會議員的組織。我國認為成立此項組織，意義重大，應予積極支持促成，於是由日本國會議員岸信介、千葉三郎等出名邀請亞洲各國反共議員於民國五十四年二月，在東京召開籌備會議：決定共同發起「亞洲國會議員聯合會」。同年五月卅、卅一日在東京舉行首次大會。

亞議聯憲章開宗明義為：「達成並維持完全自由，與尊重民主，以維護亞洲之永久和平及繁榮。」

在第五屆大會召開前，即十一月廿四日，在國賓大飯店舉行第七次理事會，選舉第七次理事會主席，暨討論通過第五屆大會議程。

中央公職人員增補選
已進入緊鑼密鼓階段
七七人競選超過法定二十六人
新面孔很多惜難代表新生力量

（本報記者張健生台北消息）戡亂時期自由地區中央公職人員增補選台灣省、台北市立委、國大代表之候選人登記，已於十一月十三日截止，辦妥登記手續，總計七十七人。超過法定名額二十六人達三倍，即登記每三位候選人中選出一名中央公職人員。

按照規定，台灣省應選出國大代表九名，登記競選者二十八人；應選出立法委員七名，登記競選者十八人。台北市應選出國大代表六名，登記競選者十六人；應選出立法委員四名，登記競選者十五人。

執政的國民黨在台灣省提名立法委員候選人六名，在台北市提名立法委員候選人三名，在省和市各保留一位立法委員候選人給在野黨。至於國大代表部份，台灣區域代表六名全部提名，其餘農會團體代表一人和工會團體代表三人，該黨不提名，任由黨員自由競選。台北市區域代表二人全部提名，工會團體一人提名，婦女團體二人提名，唯有農會團體一名不提名，由黨員自由競選。

在四十四位國大代表候選人中，未經提名而競選者計有：台北市區域代表候選人仇建同，工會團體之謝家容，婦女團體之賴秋蓮等三人。在三十二位立法委員候選人中，未經提名而登記立法委員候選人者計有：屏東縣之蔡李蓓（女、現任省議員）、雲林縣之陳炯耀（曾任推事檢察官）、台北市之陳英（女）等三人。經提名而競選國大代表者計有：楊德譽、羅文堂、嚴江津、高宗仁、洪挑、顏欽賢、陳寶川、劉介宙、洪東興、王吳清香、鄭李足等十一人。不提名而自由競選者計有：廖坤元、吳泉安、朱萬成、張春盛、吳必恩、楊松山、傅葉崧、何天明、許再添、陳錫篠等十人，青年黨之賴茂輝，未提名而登記競選者三人，無黨無派之候選人十九名，計有：陳耀德、林永龍、林啟明、謝報、張金策、黃錦傳、馮永村、張榮顯、曹金照、施火生、張春男、李俊彥、李伯超、洪正雄、魏益民、邱晨城、李生（金旁）源、王靜山、吳豐英等人。

違紀競選者三人
無黨無派十八人
有些是來吃圓仔湯的

經提名而競選立法委員者計有：劉金約、李儒聰、劉闊才、黃宗昆（火旁）、梁許春菊、吳基福、林宗賢、張燦堂、謝國城等九人。青年黨人競選立委者有：郭雨新、黃順興、蔡水勝等三人，違紀競選者三人，無黨無派之立委候選人有：葉景森、蔡振家、張博雅、簡秋桐、陳奇章、林樂善、洪照男、郭國基、蘇秋鎮、湯鳳霖、洪炎秋、張詩經、黃信介、黃柏庭、張瑞麒、黃玉嬌、李德松、謝坤銓等十八人。

在中央公職人員之增補選中，以立法委員競選較烈。尤其台北市及台灣省南區，國民黨與黨外人士將有一番苦鬥。台北市應增選立法委員四名，現在登記者有十五人競選，平均將近四個人爭取一席。在十五位候選人中，國民黨提名者三人是謝國城、林宗賢、張燦堂。黨外十二人中較有聲望者有洪炎秋、湯鳳霖、郭雨新等人，其餘如青年黨有蔡水勝。

黃玉嬌屢敗屢戰
黃信介衝力有餘
蔡水勝亦想做立委

又民社黨的黃玉嬌在桃園縣，曾多次參加縣長跟省議員的競選，但無一次中選，此次登記參加台北市的立法委員競選前，公開聲明脫離中國民主社會黨，未能「從一而終」，這是她在政治上的致命傷。

而張詩經、黃信介屬於少壯派，衝力有餘，跡近「狂妄」，但乏「政治素養」，是故不足以成大事。他如張瑞麒、謝坤銓、李德松、黃柏庭、陳英都是名不經傳的新面孔，實力如何？極難預卜。

目前，張詩經和黃信介可能採聯合作戰陣線，一方面對付黨外其他候選人，一方面與國民黨提名候選人作戰。像郭雨新本已決定放棄競選立法委員，尤其省議員蔣錫齡等二十人發表「書面談話」慰留郭雨新，其中有所謂：「台灣省議員郭雨新先生，因鑒於台灣省議員的職權，日見削弱，而立法院所修訂的法律，又未盡切合實際，於是要在台北市角逐立法委員，希望將地方的實情，反映到中央的立法院，他的抒忠報國，為民服務的精神，是值得我們敬佩的。……但是在台灣省議會而言，由於他是唯一的元老議員，也是我們的楷模，郭先生如離開省議會，無異使我們失去海上的明燈，所以我們衷誠的希望郭先生放棄競選立法委員。」云云。

據郭雨新對本報記者說：因為一、二狂人指其健康有問題。這是他登記競選立院委員的主要原因。

在黨外的候選人中，希望比較高的有洪炎秋、郭雨新等人。

台灣省南區應增選立法委員四名，現在登記者有十三人競選，平均三個多人爭取一席。在十三位候選人中，除國民黨提名的黃宗昆（火旁）、吳基福、梁許春菊等三人外，餘十人為黨外人士及未提名的國民黨人士。

極為各方面注視的是國民黨提名的梁許春菊（台南人）、國民黨未提名的蔡李蓓（屏東人）、無黨無派的張博雅（嘉義女市長許世賢的四女）等三人，爭取婦女保障名額。假如由梁許春菊一人競選的話，則一票便會當選，今三人爭取一席，勢必有一場劇烈的競爭，鹿死誰手，尚難逆料。若其中有一人或二人所得的票超過男候選人，則該選區立委當選人可能形成三女一或兩男兩女的局面。

合劍奇錄（五）

・陳光棣・

桂先生越打越有氣，颼的一聲抽出一把刀子來，陰森森的，叫人看着就有些害怕。這時大洋馬沒頭沒腦的闖進來，嚇的大叫了一聲，撒腿往外就跑，她本來就有一副唱大花臉的嗓子，這一叫聲傳滿堂裡的人都聽到了，劉二爺正好從桂家門口經過，迎面碰上氣喘吁吁的大洋馬，交談了三言兩語劉先生就都明白了，他以堅定的步伐到了桂家，桂先生這時候正拉着大太太頭髮在問話，劉二爺進了門以後，就把桂先生拿刀的手腕拉住了。他說：「老弟台，你聽我說，你沒有當過老頭子，我可是已經中年人了」！我們站在門口大氣都不敢出，屏聲靜氣的只聽到電鐘的搖擺聲。「這是我的家務事，誰也管不着」！桂先生大吼着說，顯而易見他也不想再把事情惡化下去。「你可別衝動，有話慢慢說，你肯賞光到我家坐坐嗎」？劉二爺親切的問着，就輕易的把刀子接過來，在場的人這才迭拉帶扯的把桂先生弄到劉二爺家裡。

原來桂先生的漁船失事以後，便被大浪沖的遠離了現場，幸而他抱住了一塊大木頭，到底在海上飄浮了幾天幾夜就記不清了，當他被一條貨船救起來的時候，早就失去了知覺，之後跟着貨船去了二十天，才到了非洲的丹吉爾，上了岸以後又大病了一場，等到病好了又身無分文，只好在碼頭上作雜工，丹吉爾是自由港，也是冒險家的樂園，總之桂先生設法掙到一筆錢，才輾轉的回到台灣來，沒想到回了家後，迎接他的卻是一種不可思議的景象。

國際痛症學會
來華考察針灸
吳惠平夫婦設宴招待

美國國際痛症醫療學會主席平耐醫師暨加羅林達州（柔整醫術）診所主任哈塞萊同男女醫師十餘人，于十一月廿五日，來華考察中國針灸醫院，晚間由吳惠平院長夫婦，假圓山飯店設宴款待。按平耐醫師等，咸認為針灸，對當今人類保健頗有貢獻之醫道。年前亦曾集體來台訪問一次，並搜集資料，攜回研究推行。

喬治桑外傳

七九　張大萬

裘白瓊五點二十分左右到達，他立刻叫舞女大班，一口氣報了六七個芳名，並且囑咐要兩個兩個來。

先上枱的是林黛和樂蒂。原來台北舞廳的舞女，取電影明星名字成為一時風尚，其實是俗氣的。

喬治桑一想：來的兩個都是死人。幸虧他不講迷信，否則豈不認為觸霉頭。

裘白瓊跳樂蒂，喬治桑跳林黛。林黛畫了濃濃的眉毛，與已故電影明星有幾分似處。跳勃羅斯的時候，林黛像扭股糖似的纏着喬治桑，跳的是「三貼」。怎樣叫「三貼」呢？面部、胸部、下部貼緊之謂，這是舞女向客人表示熟絡的看家本領。

「先生貴姓？」林黛嗲聲嗲氣地問喬治桑。

「我姓桑，桑樹的桑。」喬治桑這次報的是真名實姓。

談文學的內容與題材的處理（四）

·方祖燊·

（三）老病死亡：呻吟病榻，頭暈肚痛，常使人感覺病的苦痛；鬢髮是白，氣力漸衰，使人感到老時的悲哀與空虛。由於老病，又會聯想到死；由死又會担憂到死後種種未了的事，如父母的奉養，子女的撫育，丈夫的續絃，妻子的再嫁，以及未完成的著作，未竟全功的事業……等等。因此以老、病爲題材的作品，過去人常寫的是老病本身的苦痛，或少年時快事綺夢的追憶，以及老苦、病苦以外人生的悲痛。多屬悲劇性的作品，多半充滿愁情愁味。如「漂泊病離任，逢人淚滿襟。」又如漢樂府婦病行，寫婦病瀕死，囑咐其夫說：「屬累君，兩三孤子，莫使我兒飢且寒，有過慎勿笪笞。」寫這個女人病篤時，還放不下對兒女的關切。又如儒林外史寫嚴監生挨終正寢時的情形，老半天還伸着兩個指頭，不肯斷氣，家人紛紛猜測，或許有一些未了的事要叮囑，有的說爲兩件銀子未交囘，有的說爲兩處田地，紛紛不一，後來只有趙氏了解他的心事，是爲着那盞燈點的是兩莖燈草，恐浪費了油，不放心。她就走去挑掉一莖。他登時沒了氣了。這一根燈草的小事，都難放下，說明老和病引起人生的其他問題，還比病老本身給人的苦痛更大。我們瞧得陶淵明是一個曠達的詩人，但是他也有歎老的作品：

「憶我少壯時，無樂自欣豫；猛志逸四海，騫翮思遠翥。荏苒歲月頹，此心稍已去，值歡無復娛，每每多憂慮。氣力漸衰損，轉覺日不如，壑舟無須臾，引我不得住。前途當幾許？未知止泊處。古人惜寸陰，念此使人懼。」（雜詩）

寫年輕時「無樂自欣豫，猛志逸四海」，年老時「值歡無復娛」，「氣力漸衰損」；表現老年人的心境與體力及能勉之意。又如蝴蝶夢一劇，寫寡婦搧墓，希望墓土快乾，可以再嫁；以及莊子妻子的劈棺取腦，以醫新歡楚王孫的急病。雖然寫是丈夫死後婦女的再嫁問題，其實也是警悟世人，對老病而至死後的種種人生問題的解脫，還得免除劈棺取腦的慘禍。唐朝盧照鄰因手足攣廢，不勝病苦，結果投水自殺，所作釋疾文、釋疾歎，都是表現對病苦的感慨悲憤的作品。但現在年青人，對病痛的看法，或有不同。我過去在一位朋友那裡聽過這樣一個故事：有一位青年，願世界上的人都病死，只剩下他自己和一個漂亮的小姐作伴；還有一個少女是願生一場小病，而她的男朋友帶她送來一束康乃馨，坐在床邊慰問一番。這兩種關於病的想法都很美，不管是願人病死，還是願自己生病登仙，都很有情趣，持這種人生觀的，過這種生活的人，其處理病的題材，自然不同一般人，或能因病而寫出臥病中閒情，或與病魔爭鬥的文字。這也是對病文學處理的另外一格，還有針對老病的問題，研究保養方法的，發表駐顏之術，養生之道的文字，像嵇康養生論，就是這一類有名作品，現在報紙、雜誌上也時見這種寫法的文章。（未完）

命相與夢話

范仲淹將相器業

漢平

范仲淹字希文，江蘇吳縣人。宋淳化辛卯甫二歲而孤，隨母改適長山朱氏，故初冒姓朱名說。大中祥符乙卯歲，年二十七，舉進士第，始改本姓。范仲淹初居長白山僧舍，發憤苦讀，日煮粟米二升盛於飯器，以刀劃爲四塊，早晚以斷韲數莖而食，其清苦如此。

初舉進士，晏殊薦爲秘閣校理。仁宗時，遷吏部員外郎，權開封府事。因忤呂夷簡，罷知饒州，徙潤州、越州。元昊叛，以龍圖閣直學士，副夏竦經略陝西，守邊數年，號令嚴明，愛撫士卒。羌人道：「小范老子，胸中自有數萬甲兵。」旋拜樞密副使，進參知政事，即由副相而宰相。銳意致天下于太平。嘗有云：「士當先天下之憂而憂，後天下之樂而樂。」爲相時，取班簿將不才之監司一筆勾之。富公道：「一筆勾去，一家哭奈何？」仲淹道：「一家哭，何如一路哭耶！」其大處著眼如此。

仲淹輕財好施，厚待族人。在姑蘇買良田數千畝爲義莊，以養族人之貧者。嫁娶喪葬，由義莊贈給，族人德之。

繼而出爲河東、陝西宣撫使，知邠州。因病請鄧州，旋徙杭州，遷戶部侍郎；徙青州，病甚請潁州，未至任而卒。時皇佑壬辰，五月甲子，年六十四，謚「文正」，追封楚國公，有詩文集遺世。

范仲淹生於宋太宗端拱二年八月初二日丑時，卒於仁宗皇佑四年五月二十日，時不詳。

「巫咸撮要」說：「陽刃同生、閫外操權。」「指迷賦」云：「威武剛烈兮，乃是金多」。按范仲淹造爲己丑，癸酉，庚戌，丁丑。日主之庚，以酉爲陽刃，誕生白露節後，秋金當令，陽刃得生氣矣。觀仲淹守邊數年，羌人呼爲「龍圖老子」，謂非閫外操權，能如是乎！月枝之酉，中辛金，日枝之戌，又藏辛金，年、時二枝之丑，又各藏辛金，連同日干庚金，金計有五，金多如此，宜其威武剛烈如此也。

觀其對來使燒元昊答書，及與一路哭，何如一家哭之一筆勾消，即可見其天性了。碧淵賦云：「火煉秋金，鑄出劍鋒之刃」。於此亦可見秋金必需火煉也。然火之根在木，若只見火而不見木，乃不過浮游之火而已，豈可以煉至堅至剛之金哉！恰好時幹明見丁火，日枝之戌，中藏丁火，命宮辛未，幹雖屬金，枝却藏火藏木，是見火得木生；金得火煉，大器堪成，高名克就，故能先憂後樂，振古鑠金，因火主文明，金屬武功，相須爲用也。二歲壬運庚寅喪父，三十三歲己運辛酉喪母，足證剛金需火，再見庚金之金，即漏損也。四十八歲辰運丙子，小限丙申，上書言事，致忤呂夷簡，放坐貶饒州。五十六歲丁運甲申，小限壬子，因獎元昊之書，宋庠請斬范仲淹，帝不聽，降本朝員外郎，知耀州。足證剛金需火，見申子辰之水，多不安定也。以上四則，最爲拂逆。至于得意之事功，亦屢見迭出，如二十七歲午運乙卯，登進士第，爲廣德軍司理參軍。二十八歲午運丙辰，迎其母歸養，二十九歲午運丁巳，改集慶軍節度推官，還姓更名。足證剛金需火，運歲運火逢木，即昂首青雲也。三十一歲己未，至三十六歲辛卯，監泰州鹽稅，遷大理寺丞，安撫江淮，出知睦州，遷蘇州，徙明州，拜吏部員外郎，權知開封府，及知永興軍，改陝西都轉運使，進龍圖閣直學士；陝西四路宣撫使，知資政殿學士，復除參知政事，知邠州，徙杭州，又徙青州。凡此種種：更足證剛金需火。因此三十餘年，經過之己巳、戊辰、丁卯、丙寅等運，有制水者，有助火者，亦有生火者，是以剖符錫爵，呈瑞分疆也。至六十四歲丙運壬辰，五月二十日，仲淹卒於徐州者，此乃壬丙官戰，辰戌相衝之故，丙混不任咎也。

（文匯樓主因病稿未到）

綜談國劇復興（三六）

王方曙

可能是後來人感於那一腔調要「好」還不夠，隨便加了些花腔，觀衆也聽起來非常新奇，便滿堂喝彩。於是你有你的腔調，不論合理不合理，濫用花腔。尤其是旦角的唱腔，不論何種劇情都用花腔。女起解是一犯婦起解，居然唱出十分活潑的腔調，似乎在在身心愉快；春秋配撿柴，心中憂傷，而唱出一段花腔重重的二簧慢板。諸如此類。

我們應提倡創造新的；但我們不能主張不合理的濫作。那還不如不改動。唱腔好聽重要；要合於劇情更爲重要。否則便是歌曲演唱會、而不是戲劇。

唱，不論甚麼板，都可以就劇情當時的感情設唱腔，只要注意這一點，就該不會發生唱腔感情與劇情相反的現像。比如搖板散板，是沒有固定拍子的，快慢可以自己斟酌。那麼愉快的可以輕快一點，憂傷的要緩慢沉重一些，便大致可以不誤。但唱者人若一味要觀衆叫好，拉長唱腔，多用轉折，以致脫離了劇情，那便錯在自己了。

至於上板的唱腔，照樣可以配合感情，只要我們都注意腔調的運用，快慢尺寸控制，注入感情，便可以大致表現得出。

在這裏我仍願提出梅蘭芳的唱法，如徽子的哭靈堂，一句倒板，激起悲愴；反二六如泣如訴，誰能說他不是好唱？誰坐在劇場中對這裡不爲他的唱腔感動？而劉國儀一樣，南梆子第一句「王春娥聽一言從天降」，令人喜上眉梢，歡暢不已。再加上台上的表演，劇情的發展，怎能不令人神儲之辯？現在梅氏雖逝，唱片猶在，我想凡聽過的人都會相信我所言不虛。但梅氏在生死恨中一段「勸郎君」一段南梆子便哀怨纏綿，與王春娥一段迥乎不同。同時南梆子，而情感完全不同，自然因演唱者運用的關係。梅氏的唱如此，念也是如此，總之，他處處能注意到戲的整體，爲不專爲唱念作單獨表演，而是爲了「戲」才表演唱和念。所以處處融於感情，我相信他能如此，我們也能如此。他雖勝過前人，我們也能勝過他。

由於上面所述，在唱腔運用方面，個人主張宜於每戲有固定的唱腔和固定的唱法。不可隨意將甲戲的腔搬到乙戲，將乙戲的腔搬到丙戲。也不宜於隨意變換腔調，自命爲新腔。須知新腔固好，但是必須設在新戲之中，老戲已千錘百鍊，應已完整，忽然用一新腔，未必即能變好，並且容易變壞。（未完）

政治垃圾現形記（三六）

李槃

第十二回　窮途遇貪官，及時行運；僞裝充僑領，因禍得福。

話說海外華僑對中華民國的功勳，久已膾炙人口，世所週知，民國建國以來，政府對海外華僑亦特別重視。迨民國卅八年共匪佔據大陸，中華民國政府播遷台灣後，爭取華僑向心力的措施更趨積極，大多數忠貞正僑胞依然一秉初衷，對祖國效忠不貳。乃有少數從大陸逃到海外避難的市儈之徒，冒充華僑，譸張爲幻，時而親共，時而反共，一是皆以騙取財貨，得遂私慾爲主，無所謂國家民族的利害觀念，更不知廉恥爲何物，論其行爲，固不愧是標準的政治垃圾，卻以「僑領」姿態，名利雙收，嗶呢當代，如齊繼忠即其最著者。

齊氏原係春申江上的一個市儈，當我國對日抗戰之前，曾在海隅開設一爿五金行，經營鋼鐵商業，生意清淡，迨中日戰爭發作，日軍大舉南進，他在海隅的五金行亦以虧蝕過鉅而倒閉了。抗戰勝利結束後，他回到上海作謀業活動，由於資金匱乏，沒有甚末發展。民國卅八年春夏之交，上海被共匪竊據，齊氏隨同一般工商華人士逃難到了海隅。

過去小同鄉人曾在大陸上担任中央合作金庫總經理薛某，這時薛某攜着鉅額公款，潛至海外投共，逢人攻訐國民黨及其領導人，而海隅的社會輿論亦多傾向共匪。齊繼忠知道薛總經理擁有大量公帑，可以動動腦經，即在日常言談間，盡力表示親共論調，與薛某同一鼻孔出氣，又挑請薛某給他介紹，奔走於毛共同路人之門，設辦逢迎，無所不至。繼而中華民國遷移台灣，而美國發佈「對華外交白皮書」，聲明一筆勾消援華政策；齊繼忠認爲台灣已無前途，對共匪更謂揚不齊，表示誠心擁護，以而博得薛某的好感，乃認定齊氏的思想很前進，孺子可教，乃詢問齊今後在海外作何打算？齊謂：想做點生意，苦無資金。薛某便以其所攜逃的公款，分給齊港幣十萬元。他得到這項儻來之物，仍以即將舊有早已倒閉的五金行宣告復業，以經營鋼鐵業爲主，這時毛共僞政府方在北平開場，齊繼忠爲表示擁護毛共政權起見，特製了大批搪瓷臉盆，上刻「慶祝中華人民共和國成立紀念」字句，運赴大陸推銷，藉以一面表示前進立場，一面企圖獲致商業厚利。至於在自己住宅商店門前，高揭「五星旗」，張貼「慶祝中華人民共和國成立」標語，以及斥資贊助毛共份子在海隅慶祝大會的費用等等，更不在話下了。（未完）

諸葛亮狂想曲（九五）

·劉玄·

諸葛亮一翻來賓簽名簿，只牛魔王未到，曉得他有苦衷，並不責怪他。

第五節也就是最後一個樂章，張素梅穿着清末民初的服裝上場，女裝花裙別有一番韻緻。張素梅在這次演奏會最大的成功，是每演奏一曲換裝一套，使觀衆對她留有深切印象。換句話說，從此天庭大小各仙，都知道有張素梅這個人了。

這一樂章充滿哀怨憂鬱的情調，有時幾次音調振拔起來，突又陷於低沉。太白金星打坐鍊丹行之有素，他的智慧自非一般仙家可比。他對於鋼琴雖然外行，但聽了幾遍也能從曲中體味到它的含義。

「這是諸葛先生壽數告終，臨死時的心聲。他覺得復興漢室，統一中原的理想尚未實現，所以在五丈原設壇禳星，以求延年。不料魏延無意闖了進來，撲滅了本命燈，以致功虧一簣。杜甫詩所謂：『出師未捷身先死，長使英雄淚滿襟』，可爲這一樂章寫照，不知我的看法對不對？」太白星君居高臨下，向劉約翰說。

「鳥之將死，其鳴也哀，諸葛先生是有偉大抱負的人，這一樂章，可以說是完結篇，也即是死亡，充滿了激越的……了諸葛先生……後已的精神。……一點不錯。」……意見，等於……君聽了自然十分高興……出了七寶……很是物指甲……劉約翰，「這……補腦醒脾之效……仙自被的鼻烟……作歐，曾抽過……他覺得這種……作用。現在他……的鼻烟，他覺……這也許就是仙……中，而且無弊，……處。

第五樂章奏完，張素梅起立，向觀衆，任命體，要是在人間，自當的掌聲，可是在天庭沒有這……依然保持靜默。

劉備、關羽起身，站在……，張飛不懂這種禮節，想溜……備暗示張飛應該進一步走。

「三弟，客人還未散，你走什麼？」劉……「頭不懂事，大哥和我在此送客，你……麼要先走？難道你比我更忙？」……可沒有那樣客氣，一開口便說……張飛一肚規規矩矩默默站在……們動。

諸葛亮知道今晚的貴賓……以寸步不離追隨在星君的身後……送出大門口。諸葛亮站在旁邊……邊，敬謹伺候。

劉備一見太白星君，立……「星君仙駕降臨，備至……晚的演奏，星君尚感滿意否……奉承這位天庭炙手可熱的大仙……

巨變歷險記！

台灣途中（八四）

胡慶蓉

丁博士過去對於台灣實在說不上有什麼印象。他在中學時期學地理，先生對於台灣也沒有什麼說明，只是在講到福建省的時候，最後約略提上一提，也不過是告訴同學福建省有這麼一個名子的地方而已。即在地圖上，也看不出什麼來，僅不過在海棠葉形的大地右下方有針尖大的一點來表示而已。以之與海棠葉形的大地比較，實在太小了。有人說是大地的千分之一，但看起來，好像還不到。對台灣，印象比較深的，還是清末甲午年一戰，博士的宗兄丁汝昌全艦覆沒，北洋大臣李鴻章簽訂馬關條條，對台灣割讓給日本。八年抗戰，日本無條件投降，經開羅會議，把台灣爭回來，現在成了愛國志士的集聚地，國民政府的播遷地，丁博士又想到三百年前的光復台灣的鄭成功。此去台灣，就應該想到將來如何光復大陸。

裝載立委的大船，在上午十點左右就啟碇了。岸上，要上來上不來的，還不知道有多少。只見人頭洶湧，萬頭鑽動。吶喊之聲，呼救之聲也彷彿聽見似的。大陸上有四萬萬的人。此船能載走好多？今得坐上此船，前去台灣，可說是托總統之福，托立委之福，特別是蔣委員之福了。虹口一帶的偉大建築，黃浦灘沿岸一帶的偉大建築，漸漸的遠離了。但那大英帝國的匯豐銀行，還緊緊追隨着丁博士而不能忘去。他那門前的兩個大獅子是如何的威武啊！……

現在在面前的是茫茫大海了！……

從上海到台灣，對丁博士來說，還是生平第一次。民國二十年的時候，也就是九一八事變的那一年，丁博士在國立廈門大學的法律系主任兼代法學院院長（院長是曾天宇先生，校長是林文慶先生），與台灣僅一衣水之隔，他每天立在舊的城牆上，立在舊的城門（就是他的宿舍旁邊）外，望面前的海水，望遠處的台灣，雖然像是望見，但台灣是個什麼樣子，還是茫然無所知。真沒有想到十八年以後的今天，竟然坐着自己的船前去台灣，這太令人興奮了。

在船進行的時間，呈現在面前的，只是一片黑黑的海水，船沒有載貨，船載的只是人，似乎輕飄飄的，在巨浪滔天的中間，起伏搖擺得非常利害，丁博士雖然很幸運的坐在最上一層，但還是覺得出來。他又想到他民國十六年前去法國，路經印度洋輪船擺盪的情形，當前的世事變換，又何嘗不是這樣。在望洋興嘆之餘，丁博士心中萬分的難過。「往者已矣」了嗎？「來」是不是「猶可追」，最好還是不離開大陸。站在大陸規復大陸，究竟容易得多。隔岸觀火，雖然不一定如秦人視越人之肥瘦，但究竟比站在大陸上差得多。在去台灣途中，丁博士胸中總在起伏，總在前思後想。來日方長，來日問題正多。政治最現實，還是回到船上吧！……（未完）

鍊狐不害

·周遊·

福建崇安保安團長劉某（亡其名），曾賃一民房，率部屬官佐辦公。劉獨居小院中，小院幽雅異常。一夕，正秉燭觀書，感覺有人輕撫其肩，劉回顧之，則一妙齡女郎，雙辮分垂，明眸皓齒，姿貌妖豔。劉驚起詢問來此何事？但心欲言口不能出聲，惟神智尚清，見室門緊閉，不知此女從何而來，因此更加恐怖，劉自覺精神大不如前。旋見女郎嫣然一笑，以手搭劉之肩，溫言道：「慕君英俊，願委身相事，請勿以私奔見拒也」。劉團長欲言相拒，口竟不能出聲。不得已，乃聽其所爲。劉亦慕女之艷麗，不忍拒其好事，遂兩相歡悅。女於枕畔告劉道：「妾乃是狐，在武夷山修鍊，不干人事。今偶過君窗外，忽感心蕩，想係三生未了之緣也。君勿洩露，妾必不害君。」劉只伏枕點首。

此後，狐每晚必至，相歡無異，劉亦不告人，每夕天未明即去，亦不知何去何來。劉嘗養一狼犬，女至時即吠躍，但吠不能出聲，只怒目相向而已。如是者數月，劉自覺精神大不如前，取鏡自照，更覺消瘦，猛然省悟，恐將喪生於狐，必思有以救之。一夕在狐女將來前，端坐案頭，飲神凝志，面對窗外，默禱道：「承相愛甚久，感鄉濃情。惟我係軍人，所恃頭軀。既蒙垂憐，願留此身報國，不敢再勞厚臨，天長地久，期以來生」。禱畢，仍靜坐以待。然是夜狐女卻不來。且從此絕跡矣。

不久，劉奉命派兵一連駐武夷山，看守茶林，抵茶林後，劉巡視一遭，即探幽覽勝，遊賞山水。一夕宿於民家，一燈熒熒，萬籟具寂。劉不能寐，起而挑燈品茗，擬作遊山詩以自娛。忽然聽得有嬌聲言道：「此乃粗茶，安能口福！爐中有烏龍葉將熟，君何不取之」。劉訝然不已，起而尋視，果有烏龍茶一壺，卻不見芳蹤。正凝睇間，窗前驚鴻一瞥，定睛一看，原來舊情人狐女也。劉驚喜不已，延之使坐，盡訴別衷，並謝伊人避夕之恩。狐女頻頻點首不言。聽劉細訴。劉訴畢，狐女道：「妾鍊狐，以一時心蕩，幾誤君自毀；幸君有正氣，一禱而醒，君自救，亦救妾矣。今夕之會難得，請君飲此武夷貢品，可沁心神」。相叙移時，鍊狐告別，並從懷中取出茶葉一包相贈。劉起身送伊，忽然伊人已不知去向。啟窗望之，只見斜月窺林，山風拂面，惘然者久之。（完）

生活漫談

有關飲酒的常識

馬騰雲

國民黨要人中，喜歡飲酒吟詩的很多，前中央黨部秘書長張楚滄（小鳳）要算是第一位了，其次是監察院長于右任，筆者請教過他好幾次，發現他有靈感的詩句，多是酒後之作，例：「我與天山共白頭，天山比我更風流」等，右老亦認爲自己有很多詩句可傳諸後世，今天本篇談談，有關飲酒常識。

我們平常飲酒有一個錯誤觀念：就是飲珍貴的酒沒有酒精，便宜的酒有酒精，這種似是而非的道理，應當提出予糾正。醇又名酒精，化學名稱乙醇，係從糖類或米穀類發酵後蒸溜而得，乃各種酒類的主要成份，今天將中西幾種重要酒類，所含醇量羅列，就知道不管什麼酒裡，不能沒有酒精的成份，比如：高粱酒、大曲酒、燒酒，它所含的醇量百分之四十到六十，紹興酒、黃酒百分十五到二十，貴州茅台酒、山西汾酒百分五十到六十，威士忌百分之四十七到五十三，白蘭地百分之四十八到五十四，啤酒百分之五到十二，葡萄酒百分十八到二十三。

飲酒的功用，於睡前服小量，可以催眠，吃飯前少吃一點可以健胃，並能幫助消化，用酒浸製藥酒，可使藥力到最高境界，高粱、大曲、威士忌、白蘭地、印度的晶，爲製酒藥水的要藥，爲一種興奮劑，因其在口內與胃之刺激作用，對血管可使其擴張，使皮膚的血流增加，故適量小量的飲酒，有反射作用，刺激精神刺激胃液分泌與唾液分泌，功能健胃驅風，使人心曠神怡否則世界上不會有這多人嗜酒，酒亦有癮，既飲戒除非常困難。

飲酒的爲害，酒內的醇量超過二十CC到四十CC，則言語行動均失協調，飲酒人變成像兒童樣，無憂愁，無懼怕，行動粗魯，心快口直，所謂酒後出真言，李白一生大部份過着這樣的日子，酒醉後喜歡風流的老談風流事，如「李白斗酒詩百篇，長安市上酒家眠。」又「風吹柳花滿店香，吳姬壓酒勸客嘗」之類喜歡交際者，話滔滔不絕，屬於內性者，飲酒的醇量超過五十到一百CC時，則更外陰沉，走路就成問題，東歪西倒，自身克制力量喪失，如果沒有人照應的話，那就不堪想像，中國歷史上兩位大飲家，一個死在湖南耒陽的河邊（杜甫），一個死在南京燕子磯（李白）。

賤酒不可吃，太便宜的酒，吃了是有問題的，用糧食蒸發提出的酒醇（就是酒精）沒有辦法太便宜，如果這種酒價低於糧食，何必將糧食製酒呢？那麼非用甲醇代替不可，甲醇乃蒸溜木材或其他物品得之，故又稱木精，其毒性較乙醇爲高，在人體內氧化較緩，故易積血性中毒，喜歡飲便宜酒的人要特別注意。

洪棄生先生（上）

胥端甫

中華民國三十七年春，渡海蒞台，供職台灣省警備旅司令部，時報刊均載載詩，尚異焉。然只知台島當海外扶餘，而未悉其竟爲詩人之國也。明年己丑上巳，台北實業鉅子李建興氏爲其母八秩祝嘏，瀛社主開全島詩人聯吟大會於瑞三大樓，名公鉅卿，濟濟一堂，同介眉壽，擊缽催詩，不才湊韻，謬選左花，因得識瀛社社長魏潤庵先生，始知日據五十一年間，詩人輩出，詩社如林，若邱仙根逢甲，連劍花雅堂，林峻堂痴仙，皆一時之傑；而洪棄生先生之詩古文辭與駢文制藝，造詣俱深，且民族精神內蘊，少年更醉心時務，惜因海桑之變，負有爲之才而弗獲展於世，更以棄人居棄地，而用棄生命其名，不惟文采無自表露，而人亦絕致沈於海壖者，魏先生爲道之，深致痛惜也。

台灣自延本歸土，始而清領，繼而日據，我漢民族之生斯息斯者，無不抱宗邦之痛，日以吟嘯，一寄其河山故國之思，所謂台中樂（木旁）社，台南南社，台北瀛社，等詩社組織所由來也。余既參與此次聯吟，深有所感，因而發願撰編台灣文藝史，冀對海疆文獻，海疆文學，永遠保存，且以傳播大陸，使舊遺產，產生新作用，而於日據時期，則標揚民族文學代表作家者五人，洪棄生先生則其一焉。以下即爲樂（木旁）社諸賢，爲南社諸賢，瀛社諸賢，星社諸賢，[illegible]諸賢，與不列籍諸賢等，計詩社共達一百卅十餘社，詩人達一千三百五十餘名。若以詩籍而論，則棄生先生即在不列籍諸賢中，志節精神，可以概見。其哲嗣炎秋教授既慨然以其遺著寄鶴齋詩，寄鶴文齋見示，復從其所著閒人閒話與醒人醒話兩書拜讀我與我父及詩人洪棄生的剪影等文，對先生性行忠節，遂得有深切了解，人格秉賦之純，文學修養之深，詩古文辭造詣創作之高且富，在海上諸賢中，實鐵中錚錚，傭中佼佼者也。

余綜其著述之類別有四：曰詩歌，曰駢文，曰古文，曰試帖時文，而彙編其遺書，則又概括爲二類，以詩文類，曰專著類：曰詩歌言憫民之作，如舊目行，催科吏，寶兒翁等是也；紀哀之作，如台灣官紀事，台灣淪陷紀哀是也；仇日之作，如洋兵行，聞斗六被燬有感，老哀等是也；遊覽之作，如焦山，泛太湖往返，揚州記遊等是也。懷古之作，如懷忠肅公，咸陽懷古，金陵懷古，臨安懷古等是也。言志之作，如秋試行，感詠，感懷，感事，自傷等是也。擬古之作，如長干行，大堤曲，豔歌行，短歌行等也是。以駢體言，分爲論叙史事，如鄭成功論，擬進台灣通志表等是也；描摹風物，如遊珠潭遊，紀遊基隆，春柳賦等是也；褒揚貞烈，如徵烈女殉夫詩啟，徵林烈施氏詩啟等是也；發抒胸臆，如自撰文，村莊讀書樂記等是也。以古文言，則彙文之類寄鶴齋之寄鶴齋詩話，專著類之寄鶴齋八州遊記，瀛海偕亡記，中東戰記，中西戰紀，等均屬之，試帖時文，即不再贅述。其沈浸文史，留心時事，與仁民愛物之思想精神，以及觸排異族之殖民統治犖犖大端，皆具見於此。尤以寄鶴齋詩話，上自三百篇楚辭，與漢魏六朝，以逮唐、宋、元、明、清之詩，皆有所論列，各名家之詩，且有特殊見解，不蹈恒蹊；文字亦疏雋有味，堪作一部文學史讀。（未完）

成語選粹（六）

李國良輯

濫竽充數

韓非子內儲說：「齊宣王使人吹竽，必三百人。南郭處士請爲王吹竽，宣王說之，食以數百人。宣王死，湣王立，好一一聽之，處士逃。」按竽竹製樂器名，笙類，有三十六簧，長四尺二寸。說通悅，以通已。世謂「濫竽充數」言無其才而居位也。

桃花潭水千尺

趙陀

錢說在下冒犯一句：「這叫作百貨中百客」據我看來，這位小姐是不折不扣的紅顏薄命，兩根老槍還靠着她來作搖錢樹，那一手贊嗎？比我熊熊當然高得多，討媳婦爲了抱孫子，那家的母雞不生蛋，從未聞烟囪不冒烟。」

「錢伯伯，你是把人比作孵小鷄是嗎？」

「不孝有三，無後爲大，這是聖人說的，並非我錢某杜撰，再說老太太亦已逾不惑之年，須要抱孫兒的時候了。」

「錢伯伯，我老實告訴你，今生非蘇克琳不娶。」

「蘇克琳是否也堅持非牛少湘不嫁呢？」錢孔方一聽這樣的問，一聽笑一笑，牛少湘知道錢的笑是怨的開始，因不願意和錢衝突下去，影響與蘇間的婚事，乃轉回頭向媽表示說：

「你和錢伯伯討論吧，我要過海有點事。」

「嗯！快去快回，別又趕不上末班船，乘舢舨是很危險的，上個月把媽都嚇壞了。」

牛少湘並未向錢招呼即昂首而去。這就錢來說是很難堪的。

「夫人，西施是不祥的象徵，自從少湘與蘇克琳談情說愛以來，一直朝着不祥的路上發展。」溫和式的警告。

「孔方，照你的意思呢？」錢看看白蘭。

牛夫人吩咐說：「白蘭，大人在講話，別站在這兒，一點規矩都不懂。」白蘭關心的回避開。

錢說：「在下認爲白蘭這孩子不錯，厚厚實實，端端正正，正合乎白胖高美的原則。」

（三十四）

中華民國內政部登記證內版台報字第○三一號

中國郵政台字第一二八二號執照登記爲第一類新聞紙

自由報

（第一〇一六期）

（半週刊每星期三、六出版）

每份港幣壹角・台灣售價新台幣貳元

社長李運鵬・督印黃行奮

社址：香港九龍彌敦道593—601號廖創興銀行大廈八樓五座

LIU CHONG HING BUILDING 7th FLOOR FLAT 5 593—601 NATHAN ROAD, KOWLOON, H.K.

TEL: K303831

電報掛號：7191

承印：景星印刷公司　地址：嘉咸街廿九號地下

台灣通訊中心：台北寶慶路五巷三號

台灣區直接訂戶 台郵政劃撥第五〇五六號張萬有（自由報訂閱）

台北營業處：台北衡陽街三十號　電話：二七〇〇

台南分社：台南市西門南路110號二樓

建立領導人類的新精神（下）

張起鈞

一切社會的生活習慣和行動的規律，都以適宜生產爲取舍的標準。例如兩個鐘頭吃一頓飯；鍾着鍾着田，拔出烟袋來抽一袋烟……這一類的習慣，凡在工業化的社會中，就勢必要剷除，人們所以要剷除，並非因爲這些習慣不合人生；而是因爲大家若都養成這種習慣，工作的效率便要廢弛，而整個社會的生產便要減少了。全體的要求既是如此，個人爲了謀利遂慾，自然就要矯抑一己來配合社會的生產。在這種風氣之下，試問大家又如何能不「身爲物役」變成機器的奴力！

大家既然拘着這種生活觀念來相處，那末人我之際，也就自然不會崇尚義互尊，就自然沒有仁心恕道了，原來以物慾爲目的的人，他對社會的理解，只是一個獲取物品滿足物慾的場所；他對同類的看法不過是替他或幫他生產物品的工具，就一如工廠中的機器一樣，而他之投入社會，在潛意識裡，也不過是採取一種「過橋主義」而已。——這種態度，原是上述人生觀的必然結果，普通人如此，資本家有力者更如此，大家既把別人看作自己謀利的工具，那自然勿須敬讓同情；而在謀利，生產有必要時，也儘可把別人犧牲，因爲工具原是爲主體而存在的，我們只要有力量便只管去任意處分，用不着講什麼仁心恕道，尤其沒有克己相讓的必要，除非自己的力量不夠，——這種觀念流行在個人間，便形成社會上無情的競爭傾軋；而流行在國際間尤其是無政府狀態的國際間，那便釀成了「以鄰爲壑」的無□戰禍了。

總之，我們的客觀條件，原並不壞，並且還是十分優厚的，假如能對這現有的條件與以合理的運用，我們這一代的人，將享受到空前的幸福，現在不但未達到這種理想，反而人爲物役，戰禍橫行，甚至物慾橫流，人性泯滅，這全由於對客觀條件未能善用，人我取予之際，又未能善處之所致。而爲什麼又有此不善呢？由上面的分析看來，很清楚的證明是因爲缺乏合理的精神領導。

我們既然找到了這文化大病源，就要努力設法醫治，絕不能聽任它日積月累的惡化下去，我們當前的禍患，既是在缺乏合理的精神指導，那末對症下藥，我們就應該建立一種領導人類的新精神，以便拉轉頹風，而導人生於正軌，唯有這樣，才可使今日文化失調，人生痛苦的大病得到澈底的解決。這任務雖然艱鉅，但却爲今日所必需，無論如何，總要把它作到；而我們中國尤其負有特殊的責任。

這件事原是全世界的共同問題，爲什麼中國要負特殊的責任？我們前面說當前的生活方式是來自西洋；它現在發生如此的弊病，正是西洋文化其道已窮的明證；我們很難希望從這裡面新生出完美合理的領導精神；何況西洋文化的傳統作風，又根本就不精於人生的領導呢？這時起衰振敝，唯有求助於外力的注入，而在西洋文化之外試問又還有什麼有力的文化呢？那自然要由我們中國來担負這個責任了。再就我們中國自己來說，我們是五千年的文化古國，我們一向對人生最有研究，而世界各國也無不把我們當爲精神文化的大本營，例如這次舊金山世界和平會議中，大家便把中國舉爲精神的領導力量，而我們有名的三建議，尤足表現我們崇尚道德文化的國風，現在遇到了這樣的問題，那正是我們發揮特長．貢獻人類的機會到了。我們又如何不具有特殊的責任呢？更就建立世界新文化來講，西洋文化目前雖佔有臨到的優勢，但這只是目前的過度現象而已，他本身的弊端短處不勝枚舉，絕不能不折不扣的變成領導全人類的未來新文化，却無疑地將把東西文化之融會而產生。在這融會過程中，也可說是在建立新文化的過程中，只有對東西文化全有深切理解的，才能盡其領導的作用，而在這方面，中國又佔了大優勢，我們雖不敢說對西洋的一切全有澈底的了解；但却敢說「我們對西洋的了解」，遠較「西洋人對我們的了解」爲深切。中國人只要不自暴自棄，便應該把這建立未來新文化的領導工作當作我們義不容辭的責任。因此，在這人生的領導方面，我們又如何能不負起特殊的任務？

我們說中國應該負起這種特殊的責任。但「國家」只是個多人聚積的統稱而已，試問這抽象的統稱概念如何能履行這責任？而實際來奮鬥的，還是要靠其組成的份子；照直說：就是我們中國的國民，我們中國人身受五千年傳統文化的培育，而又當此東西文化交匯之際；我們若不起而代表我們的國家，爲此特殊責任而奮鬥，那不但有負世人的期望，並且也辜負了自己的際遇，每一個警覺的中國人都應該有此感覺與奮鬥；而站在文化學術崗位上的人們，尤其要深知這是自己分內的事，而要把這工作看作必須完成的事業！

（完）

韓國能廢除漢字嗎？

——林尹教授訪韓追記——

李道顯

中日韓是同文國家，都採用漢字。降及近代，由於狹隘的民族思想作崇，日韓都想走向脫離漢字藩籬的途徑，韓國政府並決定在一九七〇年前，必須將報紙上之漢字完全消滅，我們與韓國關係密切，並且爲漢字的母國，自然對此問題甚爲關切。頃據今春訪韓接受韓國榮譽博士的文字學家：林尹教授表示，漢字是廢不掉的。

據林博士的觀察，韓國政府的這一項計劃是難以貫徹的。因爲這項計劃已引起韓國學者，司法界、新聞界及民間團體的反對。學者反對的理由是：韓國語彙來自中文，除去漢字必將中斷韓國文化的研究；新聞界反對的理由是：新聞標題若用漢字表示，讀者一看便知其內容之大概，如用韓文寫出，即需讀完全文始能了解其內容；司法界反對的理由是，韓國人名均用漢字，一旦廢棄漢字，原有檔案亦將全部作廢；民間反對的理由是：韓國人民素仰中國文化，孔孟學說對他們的影響已根深蒂固，而且春節貼對聯已經成爲習慣，如果過年不貼對聯，即無新春氣象可言。因此各界知名之士，曾聯名簽署陳情書，請求政府廢棄該條法令。林博士認爲：即使韓國政府廢除了的漢字；但對於根植人心的孔孟思想，是永遠無法廢棄的。

林教授是於本年二月廿四日，偕夫人吳英女士赴韓，廿七日在漢城建國大學接受該校所贈榮譽博士，並代表中華學術院張其昀，贈送哲士學位給韓國學者李家源博士。廿九日林教授接受漢城市長金玄玉贈送之金鑰，遂成爲大韓民國漢城特別市的榮譽市民。這是我國學術界獲得該項榮譽的第一人。三月一日林教授夫婦又應漢城市長之邀，參加慶祝韓國獨立五十周年紀念慶典。按照韓國傳統慣例，獨立紀念大會之主席台及來賓席，除總統夫人外，不得有任何女賓列席參加，而林夫人吳英女士却以我國國民大會代表身份破例被邀，成爲慶典中的第一位女賓。

在訪韓期中，林博士夫婦安排的活動節目非常緊湊，他們曾參觀漢城慶熙、成均館、高麗、梨花等大學，訪問韓國國會議長和議員，與各大學教授及學者就東西文化交換意見，並以「孔孟思想和東方文化」爲題發表演說，此外並接受建國大學及韓國留華學生的歡宴，直到三月一日始結束爲時一周的訪問，載譽飛返台北。

林教授刻在台灣師範大學執教，並担任師大國文研究所主任及私立中國文化學院文學研究所主任。林氏爲民初國學大師林損（公鐸）之令姪。黃侃（季剛）之高弟。林教授除在學術上有高深之造詣，其忠貞愛國之志節，尤爲國人所景仰。當「七七事變」發生之際，日閥日寇入侵，荼毒中原，遂毅然棄教職而獻身於黨政，出任漢口特別市黨部主任委員，不久，國軍撤守，漢口垂危，林教授臨危授命，肩負組訓民衆，誓死抗敵之重任，在此期間，日夜與日寇相搏，以其胆大心細，足智多謀，故能出奇制勝，屢建殊功，曾多次蒙　蔣總裁之嘉獎，然，卒於民國三十年四月廿五日爲人所執，威脅利誘，雙管並施，終不屈其所亂，並於獄中作絕命詩以明志，其詩曰：「此心同日明，此志擬冰潔；日月長光耀，冰霜終皎潔。昔思李郭功，今灑文山血；忠義分明在，願與成壯烈。」其忠貞不渝之志節，與古今烈士相較亦無愧色。日人無計可施，輒轉押解至上海，始得乘隙脫身。抗戰勝利，膺選爲國大代表，卅八年隨政府來台，遂執教於師範大學迄今云。

昨日與明日

從DDT談起

近來台灣方面，一連串的發生許多衛生健康方面的憂慮問題，味精，茶葉（單寧酸）農藥，直到DDT，全都成了談虎色變的問題。何以突然有此風氣呢？其理中雖各不一，但共同的癥結，則是因爲美國人發現有問題了。

我們這種「從善如流」的精神，「警覺機敏」的反應，固是值得稱讚的；不過在讚領之餘，使我們不無一味追隨，精神全無自主之感。

將總統提倡復興中華文化，但事實告訴我們，大家上上下下的全是在模彷美國，甚至是盲從美國，只要美國如何，我們便跟着如何。從軍隊的訓練方式，直到電視的節目，無不亦步亦趨，向着美國模彷，最可笑的是許多新式建築的廚房，也都一律作得和美國的廚房一模一樣，彷彿非如此便不算近代，更談不上高尚。殊不知美國的廚房，只要煎煎牛排，熱熱罐頭而已；中國的廚房，則需要煎、炒、烹、炸、蒸、燉、煮、燉，性能既異，內容尤其複雜，怎麼能用美國式的廚房呢？然而大家却全部盲目的追隨，一味模彷得像爲能事。

曾幾何時，大家還都贊歎稱讚DDT的價值，尤其衛生行政當局，既派員四出爲住戶打DDT，更用直昇機凌空噴灑DDT，但現在却考慮禁止使用DDT了，爲什麼呢？因爲美國考慮禁用了。用，或不用，我們却無意見，但爲什麼不能先美國而決定呢？登陸月球，茲事體大，不是我們能作到的，但DDT是否有害，這種小小的實驗，我們都不能自作，而也一定要仰賴人家嗎？

·成公·

自由談

對科學文明懷疑

美英人士指說糖精對人身發生殘害作用，又說DDT殺蟲劑流毒人身甚烈。日前來自美國的消息，說是經過中國餐館的食品檢驗結果，發現「味精」亦有毒素云。

糖精、滴滴涕、味精這些物品，咱們全國人不但普遍使用已久，而且設有專廠製造，忽聞噩耗，朝野大爲震驚，皇皇然急謀禁制之道，足見我們的科學知識落後於人，朝夕浸饋於毒素中而罔覺，殆乎始哉！

不過，美英科學家曾經再三宣稱吸香烟可以釀成肺癌，且有各種實驗情形足資證明，言之鑿鑿。然而不特咱們中國人嗜吸香烟者照樣我行我素，滿不在乎，即美英人士亦樂此不疲，各色各樣的香烟銷行於全球各地，數量直線上昇，并不因科學家的警告而有所遞減，可謂咄咄怪事！

更有原子彈、氫彈、核子彈頭以及毒彈等等，其殘害人類的酷烈程度，視糖精、滴滴涕、味精、香烟等超過千百倍，美英科學家早有詳細的研究報告。但各個國家能夠製造這項殺人利器的，皆悉索敝賦，精益求精；不能製造的，亦拼命設法跟進，唯恐落後，對人類的生命，大家毫無愛惜意念，這又是甚末道理呢？

上述各種殘害人類生命的食用品和武器，都是科學發達的產物，對人類禍福利害孰多？眞是「措神先生難言之矣」！人類文明生活之進化，無疑是受着科學發達之賜，然許多貽害人羣的產品，無一不是從科學發展而來的。科學對於人類有益無害的事物，祇有醫藥一項差堪稱道，其餘就很難說了。

再就政治生活看：現代人最誇稱的民主制，我即不敢過份的恭維。民主政治的精華便是選舉，而選舉是否每個選民的眞正意志表現？能否眞正做到「選賢與能」的績效？即大成問題。與其隨時爲着辦理選舉而浪費財力物力，引起社會騷動，到不如在舊時那種開明君主制度之下，任用一般賢能之士担當官吏之職，惕惕無華，盡忠職守，對人民實惠多矣。

因此，我對於所謂「文明進化」「科學救國」等時髦論調，懷着莫大的疑問，不願人云亦云，隨聲附和也。

[illegible]先生

新聞政策問題

似湖集

易儔

這幾天華文報協正在台北開會，世界各地以及台灣的新聞界重要人士集會一堂，互相交換意見，對於今後業務發展，新聞傳播自多裨益。在此時談新聞政策問題，雖係老調，似可免不合時宜之譏。

孔子作春秋，一字已褒榮於華袞，一字之貶嚴於斧鉞之時代早成過去，現代報紙印刷，動輒數十百萬份，評騭時政，臧否人物，偶一失誤，其對國家社會關係之大，自不待言。所以我國在前幾年有「出版法」之制訂，這次來台訪問的外國新聞界重要人士梅耶強調「自律」，其用意都是要新聞界落筆謹慎。不過，我們在此需要談一談的，政府的若干重要政策，由於過度保密，頗費猜測，偶或某家報紙表錯了情，政府的主管新聞機構，便立刻板起面孔大打官腔。乃至於要修理，但爲什麼不事先與新聞界溝通意見，或將某一政策的宣傳要領暗示一下呢？「官意」與「民意」更難測斷，想必大家都有同感。

做錯事要罰，做對了無賞，大家只好敷衍塞責。難怪外國人要譏諷我國只有「新聞發布者」而無新聞記者了。

新聞界當前迫切需要的是新聞政策，然後版面內容才能活潑起來，不知參加華文報協開會諸公，有無同感？

這個樣搞法怎麼得了
勸教員學習至聖先師
視學校為金庫將學生當油榨
醜事張揚開來攻訐牢騷紛至

本報財經記者齊野台北消息（接一〇一〇期）據深知內幕的人士分析，認為實在叫人可怕，先從教育官說起，自教育部、教育廳的大小官員，以至各縣市教育科（現已改局）縣市長，甚而其他的黨政機關地方首長，民意代表，除非本人潔知自愛極有操手，或是有職無權不受人重視，只要有可能，那個不想向校長施點壓力或者賣個人情抓上一把。

教科書的採用，不管是不是校長一人操縱，訂購書單卻非校長簽發不可。如果是一位潔身自好不要骯髒錢的校長，每逢假期前滿開學之前，所謂「六臘之識」，校長們所受的苦惱是無法比擬的。上司及外來所加的壓力，學校教員的糾纏，他們是受人之託（有的接受了人家的條件），或是自己出版某種課本、補充教材、復習之類的參攷書，釘住校長不得結果，便不罷休，你能斷然拒絕嗎？我們的出版法規定，或作人出版自己的書，是不准向內政部取得發行權的。所以個人出的書，種類的多難以統計。當然教員們尚知自愛的究竟還是佔極大多數。如果人人都要插一腳，學校豈不變成屠宰場，天天鬧人命！就這樣教科書季節來臨，那些少數的好貨之徒，好似蒼蠅逐臭。利之所在，難免有人失望或是認為不公。攻訐牢騷紛至沓來，結果醜事張揚開來，學生是被剝削的弱者，自己化錢又偏不當家，已經滿腹委抑，竟又發覺醜事重重，大唷「以身言教」的非嚴使命，如何希望學生不動搖他們的信仰，其顯劣觀感可想而知，我們的下一代，是在這樣環境中接受教育，國民心理種下如此嚴重的惡因，影響所及，倘不急起糾正，勢必貽禍國家民族於危境。

寫到這裡，我想起一個故事。我曾親眼看到兩位朋友辯論教育部所發生，有的報紙也曾刊載過的一則新聞，正在那裡爭論的面紅耳赤。

天下老鴉一樣黑
知其一不知其二
辯論教育問題的答案

向君說完，還在咬牙切齒，痛恨當局不負責任。尹君出言譏諷，半開玩笑的說：「閣下只知其一，不知其二，那個機關不是和我們教育部一樣，不過你在教育部就只知本部的事罷了。」

向君又抗議說：「教育部是全國教育最高行政機關，其他部會何能相比！這樣不講是非，何能領導推行神聖的千秋萬世教育事業？教育失敗了，國民都不知道怎樣作人，民族復興將希望在那裡？」尹君說：「自古流行婦孺皆知的，『人心不古，世風日下』和『自古皆然，於今為烈』，幾句古語，嚴格講起來很有問題，我們自創造這話的人，已經是古人了，要究竟，何謂古？何謂今？用甚麼作標準？這不過是士大夫舞文弄墨，用來諷世而已。中國的士大夫始終站在正義的一面與邪惡鬥爭。

你只看歷史上除了唐虞之世，貞觀、文景之治在內，那個朝代是真正政治清明！是非不爽的？民主政治，用選舉、投票來解決問題。多數人監督少數人，當然是進步太多了。但主要是負責任的少數人，一定要有理想，有抱負，更要富有責任感。盡其在我，然後希望別人好，人人都負責，有先憂後樂的胸懷，國家才有辦法。回頭看我們的教育當局，上自部長和那些居高位食厚祿的，甚多自暴自棄，根本就不會自視為全國教育最高領導者。只當是最高權力機關，亂下命令，敷衍環境，希望多坐幾天大官，多一點物質享受，誰想為國家作事來？你又何必認真起來，所謂演戲的不急急死看戲的。」向君這時也洩氣，長嘆一聲：「你如此說，我就不和你再辯了。」

說[illegible]的，我們今天只有教育官，沒有教育家，全無抱負，沒有作事也不知責任在那裡？就拿教科書一端來說，造成這些缺點，教育機關要負大部分責任。作官的人，官愈大愈是沒有興趣讀書，更沒有買書的心思，那能關切到出版界的情形。置身事外，好像與他們沒有關係，一切放任，聽其自由發展。這種不干涉主義，既不扶持，也不指導，最後形成了縱下殃民。

最近幾年感受各方壓力，又怕網統開下來，不得已才想出妙計，把贈名推給校長和書商，說管制與節紀編，試行強制統一發行。書商們替死反抗，生怕弄出亂子，又向書商屈服。開放給少數書商坐享權利金。結果變成了保障書商們既得利益，以政府力量保障「既得利益」的措施，在台灣已屢見不鮮，也並非獨厚於書商，這是不是和實行國父遺教、節制資本「背道而馳，我們不懂官僚政治的巧妙運用，殊難置評。但由此而引起不平，倒不是無的放矢。

「剷除既得利益」
「打倒買辦階級」
乃國父與總統革命目的

也許是中國人獨有的聰明，政治藝術玩到極致了，還些花樣在其他國家裡，可能找不出先例來。國父領導國民革命，其目的是，鏟除既得利益，打倒買辦階級。」一部分人看牢了「既得利益」，另一部分人看了眼紅。出版界連一個「圖書業同業公會」都沒還組織不起來，政府也無人過問。是甚麼道理？其中十四家早有關聯搞聚餐會，也就是最先發難分享「標準課本」（國、公、史、地四種）權利的金的那幾家老大書局。他們緊守壁壘，分毫不讓。事實上終有一天會鬧出問題來的。主管是在那裡掩耳盜鈴啊！

（七）收回盈餘發展體育

經商賺錢是天經地義的，如果說，因為過去曾出版過教科書，國定課本若由政府出版，他們就不能再單獨發行，致使已經投下的資金無從收回，拿國定課本發行盈餘補償他們的損失。既按比例分享權利金，是政府對私人的補償行為，某一部分人就不能視為永久的產業，祖孫世襲無替。也應該有個限度，定出個適當的限期來。規定幾年之後，政府收回自辦。一方面把盈餘減低，減輕學生負担，拿所有盈餘，用之於發展學校體育。取之於家長，用之於學生，是最公道不過的事。

首先學校一定百分之百的歡迎，任何人想反對也找不出藉口，更不會唱中叫屈。對書商們政府是替他們留下了一條生路，仍然可以自由發行高中及大專用書，照樣賺錢。應再另訂輔導辦法，規定具備甚麼樣的條件可得到銀行貸款助正當經營，導致書商們步入正常發展途徑。

總統召號發展全民體育，政府拿不出這筆經費，工商界捐了錢，還需繳納所得稅，（稅務機構視捐款為盈餘）所以也不肯出錢，教育部為甚麼不能拿國定教科書盈餘推行學校體育，這樣措施不是一舉數得的德政嗎？（未完）

回國僑胞何必恭迎
楊金虎吃力不討好
三軍表演節目較前精彩

本報記者張健生台北消息」回國參加今年十月慶典的一千四百餘位僑胞，由僑務委員會袁副委員長會同有關人員陪同到台灣南部參觀三軍基地及遊覽名勝古蹟。本報記者亦應邀隨僑團採訪。

十一月二日的清晨，一千多人來自不同的地方齊向台北火車站集中，搭乘九時十分的「僑團專車」南下，這一列對號快車長為二十個車廂，預定下午四時到達高雄市。結果，一直到當天下午五時五十分鐘始抵達高雄。台北到高雄計四〇四·二公里，按照鐵路局其他特別快車行駛的時間不過六小時多，而這列專車竟行駛了八小時又四十分鐘。因此，僑胞們議論紛紛，最頭痛的是高雄市長楊金虎以下的接待人員，以及民間遊藝團體跟歡迎的民眾，從當天下午四時便站在高雄市火車站列隊歡迎達兩小時左右，這是誰的責任？實有檢討改進之必要。

在火車上，僑胞們有說有笑。當車過彰化站後，菲律賓的僑胞石君即發動來自各地的先生小姐們表演歌唱，其中最精彩的是：香港中國戲劇學院的「七小福」，有一位年僅十三歲的孟元文小弟弟，連唱了三齣：文昭關、打鼓罵曹、四郎探母。這位小弟弟是上海人，媽媽在香港，他隨該學院來台參加十月慶典的。

僑胞們在高雄的食宿，是由僑委會招待的。大家吃的是四菜兩湯，住的觀光飯店，有些經濟好的華僑，或者有親友在南部的，則可自由活動。

這次三軍所表演的節目，要比前一次精彩。抵達高雄的第二天，分別參觀空軍與海軍，由總政治部副主任袁中將、僑委會副委員長袁野陪同，分乘六十餘輛車抵達空軍官校，車隊徐徐通過衛兵兩旁的學生及儀隊，空軍副總司令羅英德、空軍官校校長等多人均在校門歡迎，僑胞們參觀機械展覽、欣賞儀隊、號樂隊表演，以及飛行特技表演。空軍各類名機亦由台北飛官校歡迎僑團。同天的下午，僑團至海軍基地參觀：陸戰隊之一萬名操演「特技射擊」。僑胞們並登艦遊港參觀，登陸艇、快速艇[illegible]表演[illegible]。

第三天，參觀陸軍[illegible]「一戰場心理訓練」、「特種地形」[illegible]。

[illegible]希望祖國同胞伸出同情之手，來支援她們，她們也呼籲越南政府多加強照顧華僑的福利，解決她們的困難。

此外，在這次一千多僑胞中，包括[illegible]以及政府服務的人員在內。（完）

台北傳奇錄（六）

·陳光棣·

劉二爺苦口婆心的勸來勸去，桂先生也就慢慢的平靜下來，劉二爺又給她借筆錢，使她重整旗鼓，同時把幾個鄰居也找去了，連我在內一共四個人，陪桂先生吃了晚飯，劉二爺又委婉的責備桂先生：為甚麼不寫封信回來，要是雙方都有錯，也不能說是桂太太不應該嫁人。這一次的談話，直到晚上十二點才結束，大家在回家的路上，都說劉二爺真夠仗義，否則桂太太夫婦可有的瞧的。謝天謝地，總算一天雲霧散了。

誰知好戲還在後頭呢？小辣椒家裡兩間閣樓，舊房客搬走不久，便由賀李長發介紹了一位新房客常先生，誰知搬進來住的卻是桂先生，這一下小辣椒傻了眼，面對着人高馬大的桂先生，她連講道理的勇氣都沒有，便一溜烟的去找劉二爺。「你快來吧，可不得了啦，桂先生拐彎抹角的租了我的閣樓，這可怎麼好！」小辣椒上氣不接下氣的說。

劉二爺聽到也楞了楞神，誰都知道小辣椒的閣樓，正對着桂太太的客廳，這以後的日子可有點難對付。劉二爺稍加思索，便踏進了桂先生的新居。

「劉二爺，你請坐！」桂先生平靜的說。

「老弟台，你這是幹甚麼？」劉二爺兩眼瞪着不停的在房裡轉來轉去。

「你放心，我住在這兒決不找麻煩。」桂先生[illegible]

[illegible]

「回去？」桂先生苦笑着說：「同船的弟兄們死了一半，我老婆又嫁了人，公司裡[illegible]，今天我是活着回來找工作，你[illegible]二爺，你替我想想我[illegible]

「你不要顧慮這麼多，把話說開了，沒有不能解決的問題。」劉二爺懇切的說。

喬治桑外傳

八九

張大萬

「有空請來捧我的場。」林黛開門見山，說出她對喬治桑的希望。

「好，我有空一定來。」喬治桑有口無心隨便答着。

「那末，明天帶我進場好不好？」林黛立刻迫緊一步。

喬治桑到底年紀大幾歲，講求玩的情調，對這種赤裸裸的說話方式，不太習慣。

「明天我沒空，過幾天再說。」喬治桑打了一手太極拳。

林黛、樂蒂兩隻舞曲坐過，轉枱去了，接着來的無非是西施、王嬙、珍娜、羅蘭……等，集古今中外美女之大成而已。

蹦蹦跳跳，時間過的好快，已經到了最後一曲。

「桑博士，要不要帶兩個出去吃飯？」裘白璇對於吃喝玩樂節目的安排很週到。

「不用了，我晚上還有事。」喬治桑一本正經地回答。

「有甚麼事？」和[illegible]不是我說，我看你近來興趣不及以前。人生的目的就是尋快樂的，何必認真？」像裘白璇這種人也有他的人生觀。

「真的有，不是騙你。」喬治桑的口氣很肯定，不過，他是否真有事，只有他自己肚裡明白。王俱歡來算帳的時候，手裡拿着筆桿式小電筒，光亮很微弱，像鬼火。

喬治桑提起皮箱子，準備[illegible]「裘白璇」三個字，另外取了一張五十元鈔票小費。

[illegible]裘白璇堅持不肯。喬治桑不再勉強，內心仍然[illegible]。他自己歡念，我是不是老了？

喬治桑[illegible]台北，似乎找不到可以去的地方。僱了計程車還是回家。

來開門的是下女阿翠。阿翠[illegible]經常在廚房裡，客廳裡的事大半都是由[illegible]料理。

「李小姐出去了？」喬治桑問阿翠。

「李小姐的媽媽由南部來了，她叫我告訴你，請假半天。」阿翠說完，便去替喬治桑泡一杯茶。

（未完）

談文學的內容與題材的處理（五）

・方祖燊・

死亡，是人生幾痛苦中最大的一種痛苦，事實上也是人情中最難解脫的一種情感。以死亡爲題材的作品極多，絕命、悼亡、祭弔、哀輓、墓誌銘之類的詩文，都是哀悼悲傷慰解的文字。其實，對死亡的事情懷擺與苦痛，是從人天性來的。親友的死亡不必說，直接感受到打擊，丹淚盈眶，苦痛酸心，自然能夠流露出眞摯動人的感情。如韓愈祭十二郎文，袁枚祭妹文，朱自清悼亡婦，都是回憶往事，直寫眞情的文字，所以感人極深。一般爲應酬的祭弔哀輓的詩文，文字雖然典雅哀悼，然無眞感情，則不免流於虛僞的形式了，看看昔[illegible]的作品，就可以套作。在文學上，死亡是構成悲劇的主要的題材之一。叢在小說或戲劇中，代表善性人物的死亡，常能予人極深的感染，不禁爲之灑下同情之淚。亞里斯多德說：「悲劇，在喚起恐怖和憐憫之情。」死亡，自是作爲悲劇的最佳的題材。中外文學作品，選取主角的死亡爲製造悲劇的結局或高潮的極多，如曹雪芹紅樓夢的高潮，在林黛玉的死；莎士比亞[illegible]情節的結局，在羅密歐與朱麗葉的死；小仲馬茶花女，由茶花女的憂傷悲切而死，作爲這部小說的開頭，引起亞倫與茶花女的愛情故事；都寫得非常悲傷動人，讀者及觀衆的淚珠，也因此淚流而下。現代演恐怖故事的電影，也常用「死亡」題材，來增加恐怖的氣氛，神秘的情節。如時下台北上映的日本影片「牡丹燈籠」，映演書生新三郎與女鬼露子偕亡，就是很驚怖悽惋的故事了。

（四）自然性的題材：人類是從自然界中出來，對自然的純樸恬靜，優美秀麗，可說出於天性；同時自然景物，常使人的身心得到休息，[illegible]，鬆弛，可以沈澱我們心靈的塵垢，忘記人世的煩囂，平日工作的勞累了。對自然界的美景勝物，花月山水，常成爲人類欣賞的對象，文人寫作的題材；可是一般人對自然美與文學的關係，有一種看法，以爲風花雪月，鳥獸山水之類自然景物是美的，寫作這類題材的詩文，就應該專尚辭采，極力雕琢。如隋李諤上文帝書所說：

「競一韻之奇，爭一字之巧；連篇累牘，不出月露之形；積案盈箱，唯是風雲之狀。」

（未完）

綜談國劇復興（三七）

王方曙

比如探母老生坐宮一段慢板，唱腔一定，幾乎無人有另外唱法。如今改用提放「聽他言……」慢板腔，聽來將如何可笑？反之，如將聽他言一段改用坐宮唱腔，亦能令人噴飯。事理如此，並非強辭奪理，腔調如果優好，無分新舊。悲多芬的交響曲，至今一個音符都不能改動，難道我們能說悲多芬的曲子不好？能說今天的交響樂演奏者不會奏新腔？相反的，新作的曲子就不可抄襲悲多芬，就該另創造新的。否則，雖將名曲全部抄來，不過是翻版而已，不能稱爲創。即使在小處稍加新曲，不過舊曲加工而已。但在皮黃戲中，今日唱腔不顧表情，濫用腔調者很多，美其名曰新腔。尤以旦角爲甚，演唱老戲，竟是新腔層出不窮。但仔細聽來，不過小處稍加改動，並未見新奇好聽，且已破壞原來感情的配合。至於唱新戲，本應有新腔的創造，但仍是抄襲老腔，稍加改動，標新某派，便把某派的已有的腔搬來，不管這腔調是否合於這段戲中的感情，以致腔調雜亂，聽來似曾相識；腔調與全戲的情緒發展脫節，戲劇變成獨唱會，破壞整個藝術。

因此，我們對於國劇中極重要的唱的部分，應切實用音樂和戲劇家的觀念和理論，創作切實合於劇情的唱腔，經試演切實美好後，永遠不動。這就是這一戲的唱腔。假如我們有一更好的新腔，無妨用在另一戲上，不必再改這一戲的腔調。這並不是我想出的特別主意，在崑曲中早就如此，在皮黃中本來也如此，（如上述坐宮、提放例），在西洋音樂及歌劇也是如此，沒有人聽說演奏交響曲改變了幾處，成爲新腔；更沒聽說過演唱某歌劇另唱出新腔，而不遵守原作曲者的創作的。我並非不想保守而不顧進步，我實在是想進步而不願只在舊腔中小改而命之新腔。（前面已談過創造新腔）這樣既破壞了劇情，腔實在也不新，而且造成國劇唱腔的混亂，有時一齣老戲居然有十幾種唱法，連塞將十八年的王寶釧，竟會在武家坡前大唱花[illegible]，竟似二八女兒；這絕對是「離譜」的。

至於念白，更是接近眞實情感，雖然它也是「歌」的一種，（前面已經談過）但它研究是不用音樂伴奏，（它用鑼鼓輔助爲節奏，加重氣氛，並非伴奏）因之它比唱要來得較接近眞實。所以關於念白方面，似應體會當時對話的情緒，不必一味拉長調子。

（未完）

文匯樓別記

馬騰雲先生，出生於一個封建社會末落家庭，在三碗「麵」的環境裡成長，這裏所指的三碗「麵」是：體「面」、場「面」、「情面」。中國社會不知有多少人爲三碗「面」而傾家蕩產；尤其官宦人家，或者在市縣署有地位，遇到婚喪喜慶，鋪張得簡直不成話，雖賣田典屋借高利貸，也認爲是應當的。

誹謗最喜歡跟着債務走。「債」這個字的含義也深，債權人責債務人，人指責，如果不相信，有報紙廣告爲證，祇看債權人對債務人催告警告，從未見債務人刊登廣告忠告，或警告濫借權入。根據馬騰雲幼時所受到的痛苦經驗，他說：「誹謗很像一隻最討人厭惡的蜘蛛與蛇蝎，其勝過上列甚者，因它們都生着雙翅，不但會爬會攢，而且會到處飛」。馬騰雲在十八歲時，決心棄學，抱我不入地獄誰入地獄的心情，挽救擁有幾十口人的破落家庭，而後再去完成學業。

實用生產百科全書序

抗戰前，他曾到上海申報、新聞報辦理廣告，工藝函授學校，函授製皮蛋、紙張、肥皂、食品、化學醬油、濟衆水、萬靈油、火腿、香腸、雞水鴨、香肚、牛肉乾、燒腸、臘腸、中西點等，每一科目的學費都是十五元銀幣起碼，（化學醬油索價七十五元銀幣，（那時一元銀幣可買一百卅個鷄蛋）」馬騰雲選擇最便宜的一科「牛肉乾」，學費是十五元銀幣，歇購用七天，請教果然學到，一共約九百個字，合計兩個雞蛋一個字，依法煮製，做出的製品，價像上海冠生園果汁牛肉乾，冠生園的牛肉乾，分大、中、小盒三種，價目爲一元、五角、一角，一元銀幣一盒者，重約半磅，那時候牛肉一元銀幣可買十三斤（老秤），冠生園牛肉乾賣在上海出品，馬騰雲對心理學頗有研究，製出的牛肉乾裝潢標明香港出品，不僅是遠來的和尚，而且還含有大不列顛的十足洋味，一年之間，竟將全部債台拆除，說來簡直不能使人置信。

回憶馬騰雲在三十年前語樓主講：「詩書門第，禮樂家聲，曾祖與祖父都是紅頂官員，直到家父「文宛送」、「嘉不章」，也勤儉在[illegible]，被兩三千銀元的債務，竟迫[illegible]，莫知爲計，未料到被幾包牛肉乾解決了二十年不能解決的大問。」這大概就是工業社會的前奏。不過話又說回來，一個不折不扣的大少爺，能夠捲起袖子做牛肉乾，及設計推廣，雖屬家庭副業，也得要有過人膽氣勇才做得到。

後來馬騰雲各項工藝資料連貫時搜集，擁有十幾箱之多，近念年來對中國醫藥研究有更深心得，他表示先將耗去數千銀元近兩百萬字的實用生產技術編成一部百科全書出版，深相信對改善個人經濟會有很大助力，「衣食足而後禮義興」的眞理，如果管仲未說錯的話，這部書簡直是台、港社會的安定劑，樓主對是書從頭到尾看了一次，可以說是窮人的生活工具，是家庭間的萬寶囊，是達官貴人居安思危的益書，艾森豪會做築，即其一例，是各行各業的重要參考資料，所謂精益求精，臻於至善，日本在戰後實用文學生產書籍一路領先，是值得我們有關當局注意的一個問題，是爲之序。

・文匯樓主・

政治垃圾現形記（三七）

李犁

第十二回　窮途遇貪官，及時行運；僞裝充僑領，因禍得福。

當韓戰發生後，毛共實行「三反」「五反」政策，清算對象及於海外的商家，同時派遣軍事顧問到台灣協助整軍，又締以「中美安全互助協定」，台灣局勢已告穩定了。政府當局對海外華僑的爭取工作，特示積極，宜稍獻殷勤以吸引僑胞到台灣觀光或投資，而且供給旅費。齊繼忠既害怕再跟大陸作生意，受到清算之禍，而毛共對商人的手段亦逐漸嚴酷，他感覺親共已無利可圖了，投共的熱心漸冷，某亦已遠去歐洲，乃想對台灣轉念頭。第一步設法結交在海隅社會中跟台灣有關係的人士，表示「在商言商」，素來不問政治的潤色；第二步參加當地的工商業聯台機構，取得理事名義；然後以酬金在報紙上發佈「僑領」齊某某如何熱心公益，如何提倡慈善事業等消息，又隨時以「僑領」兼大慈家的姿態，對台灣方面在海隅工作的人，竭力交際聯絡，款宴饋贈之外，尚有特殊娛樂。

某年，海隅工商界人士組織觀光團到台灣，齊繼忠認爲機會難得，要求參加。他到達台灣後，儼然以僑領資格，招搖過市，曾受到朝野人士熱烈歡迎款待，樂也融融。有一天，某治安機構首長特請「齊僑領」偶臨辦公廳一談，他欣然前往，談話時強調自己一貫反對共黨，擁護中華民國的忠貞志節，刺刺不休，某首長聽罷，微左右取出一只偽有「慶祝中華人民共和國成立紀念」字樣的描瓷臉盆，考問齊氏「是否貴商行的出品？」原來齊繼忠當年製造這項臉盆向大陸販賣時，台灣方面在海隅的人，即將原物購得一件，送到台灣存證了。齊氏未料到有此事發生，而臉盆上又明明標誌着某某商號的產品，他無法抵賴，祇好承認，並自願捐贈一批鋼鐵製品給政府使用，藉以贖罪。齊繼忠既有親共叛國的確鑿證據，而其商業資本又係間接從敵國而來的，治安機構自可依法究辦。但政府當局認爲海外華僑初次回國觀光，若將齊氏扣留懲處，難免不給敵人以宣傳口實，影響海外人心，主張從寬發落，以觀後效。

齊繼忠在台灣被傳訊的消息，當局予以保密，並未洩漏，他回到海外，表面沒有甚麼異狀，內心卻十分惶恐，覺得此行損失不小，必須設法補償，而補償之法不能再向共區經商漁利，一因共匪對商人的剝削管制日益嚴密，僞裝前進那套玩藝沒有用了，二則自己到過台灣觀光，原在海隅進行統戰工作的共幹盯上門，不使奔走鑽營了。但對於前述在台灣開罪的代價，耿耿於懷，總想乘機撈一筆。旋聞台灣土產有外銷計劃，齊繼忠靈機一動，再以「僑領」姿態，入台參加雙十節國慶晉恭祝總統壽誕典禮，然後向政府主管機關提出土產外銷方案，由他綜持其事，而由國家銀行透支台幣百萬元作營運之資，此項墊款是免息的，還本又無限期，如此這般，即將原先「贖罪」的代價加倍取回了。至於土產生產的斷傷，無論多寡，皆成爲國庫的呆帳，與「僑領」無涉。這便是一般冒充僑領的目的所在，齊繼忠乃此中的典型人物，使海外愛國忠於國家民族的僑胞，齒冷心寒，羞與爲伍。

正是：

亂世是非誰管得，

忠奸邪正一例看。

諸葛亮狂想曲（一〇六）

・劉玄・

「很好，很好。我想我很了解狂想曲的含義，我已經與諸葛先生說過，他還認我是知音哩。」太白星君笑容可掬，顯出很愉快的樣子。

「星君非常了解亮作曲之意旨，亮實感萬分榮幸。」諸葛亮雖是向劉備報告，但等於說給太白星君聽。

「諸葛先生。你也不必客氣，煉丹你不如我，作曲我可不會。聽說，與你同一時代的周瑜，最曉音律，今晚爲什麼不請他來？」

「太白星君三句不離本行，有意無意間都要提到他煉丹的道力。他提起周郎，是表示他熟諳「三國演義」學問淵博。

「我們發了請柬給周瑜，孫權也有，可是他們都沒有來。東吳方面，只有諸葛瑾來了。」劉備聽太白星君問起周瑜，不能不據實報告。

「我聽說周瑜氣量很小，大概是爲了三國時的割據爭雄，宿怨未消，故藉詞不來。「周郎妙計安天下，賠了夫人又折兵」對於一個善用計謀的人像周瑜來說，他是受不了的。」太白星君一年煉乾坤兩丹，除奉獻一丹與玉帝外，自己服用一粒，所以雖然諸瑜千歲，談鋒甚健。他現在竟大談特談三國故事，連泰山崩於前而不驚的關羽，眼中也露出詫異神色。

「這都是過去的事了，周三國恩怨早已一筆勾銷，瑜大概不會因此而耿耿於懷。」諸葛亮是周瑜鬥智的對手，他聽了星君的話，不能不表白一下。

「諸葛先生此言差矣，在政治上結下的恩怨，雖然死都難以化解。譬如呂布，我知道他是絕對不與[illegible]來往的。其實，我知道他在天庭一點香火收入都沒有，靠在天庭教射箭爲生，可是，你們知道天庭大小各仙都會學風，刀箭豈能傷其一末？所以，呂布的生計缺乏，況非常困窘，但他不會來找你們的。」太白星君很了解三國各人之間的恩恩怨怨，說來頭頭是道。

「聽說呂布現在靠貂蟬時常接濟他過活。貂蟬能歌善舞，每年蟠桃大會都排有她的表演節目，王母賞賜甚厚，所以能養活。在現代，管這種男人叫吃軟飯的，不知古代叫什麼？」劉約翰在天庭到處閒蕩，所以消息很靈通。他陪星君聽了一晚的演奏會，神經不再緊張，現在聽到星君與劉備、諸葛亮閒聊，他也敢插嘴。

「他的話不錯，我也聽說過。」太白星君證實劉約翰的話。關羽的階級觀念很重，他聽見劉約翰插嘴，很不以爲然，原想訓斥他，現在由於星君的一句話，也不便發作了。

太白星君說明了中天，[illegible]到，[illegible]飄然而去。

「大哥、二哥，我覺得太白星君專會拍馬屁子，周瑜、呂布這兩個混蛋來不來，與你何干？我不是念他年老，眞想指白他幾句。」張飛說話向來直來直去，不過這是他的老招牌，即使傳到旁人耳裡也不以爲怪。

巨變歷險記！

與陳誠主席傾談（八五）

胡慶蓉

立法院的專輪停在基隆碼頭，是在天快黑的時候，隨就坐火車到台北。

船到碼頭，自然有一番熱鬧，許許多多都是有親戚朋友在台灣的。他們聽見家人能夠平安到來，莫不欣喜若狂。船還沒有靠岸，就已經發現黑鴉鴉的人在下邊蹦跳舉手搖手巾。再向四週來看，這邊是山，左邊也是山，右邊也是山，基隆整個在羣山包圍之中。山並不高，山實在矮得很，基隆即古之雞籠，確切名符其實。

與歡迎的親友寒暄後，即搭火車前往台北。丁博士在船上穿着皮衣，覺得非常合適，但船一進雞籠，驟然悶熱，皮大衣穿不住了，脫了皮大衣，又換穿別的衣服，一直在脫，僅剩下襯衣一件褲子一條，身上的汗還在直流。船上沒法子洗澡，至是滿身油泥，極不舒服。到一位朋友家，住在日本房子裡，房子矮，房間又小，簡直難以入睡。更使他「難堪」的，是蚊子老兄。他很久沒有領教蚊子了，今晚才有機會領教。這已經是十一點左右了，主人家都睡了，不敢叫喊，不敢打擾，只好聽憑蚊子來咬。不得已，只好上下武裝起來，裹得風雨不透。但氣出不來，也是沒法受的。只有孔可入，就是一排進來。轟轟之聲，不絕於耳。雖然旅途勞頓，也沒能睡着。幸好第二天就有同縣的一個晚輩接到他家，以後又換到天津市議員李蘊元的學校　建國中學，又換到天津市議員袁紹瑜的府上，以後又換到立法委員留法、比、瑞同學徐漢豪、周獨雲的府上，以後兩次環島講演，費時三月，以後就離開了寶島，前往四川、前往雲南、前往東南亞，展開他一生最精彩的一段，爲「建立大西南反攻基地」，「向扭轉大局邁進」。這都是後話，暫且放下。

且說陳誠主席，當時台灣省的省政府主席陳誠（辭修）先生，於聞悉丁博士到達台北的消息，即多方派人聯絡，多方打探他的消息，打聽他的住址，經過兩三天的工夫，終於被他找到了。當邀往今天行政院的地址，省政府所在地相見。先在四樓，最高的一層，大會議室，後又下來，到主席辦公室傾談。

陳主席是過去東北的最高軍政長官，也是華北的最高軍政長官，對於東北、華北素所關懷。他深知道在徐淮之戰以後在東北淪陷後華北的處境，對於丁博士代表天津市議會協助陳長捷司令、林偉儔軍長、杜建時市長與林彪會談，表示欽佩，除特致慰問之意，對於丁博士淵諧敵人進攻遲時一月之久，更多方讚揚，現既已來到台灣，希望能繼續爲黨國奮鬥。當時台灣風雨飄搖，如何能穩住民心，如何能提起士氣，陳主席與丁博士討論至詳。陳主席請丁博士多寫多講，以穩定大局，並提高民心士氣。

（未完）

洪棄生先生（下）

胥端甫

八州遊，在古文作品中，最爲簡雅疏宕，凡地名之沿革，風物之變遷，均能考校精詳，筆無浮泛，洵佳構也。至瀛海偕亡記等三書，紀敘史事，最爲翔實簡當。篇幅雖不及通雅堂台灣通史之富，而內容之精確過之。其餘古文諸篇，實有不少傳世之作，而時文試帖，亦堪作時代文獻觀之也。炎秋教授謂其陳調多而內容淺，遠不如其隨筆小品，深切有味，余以爲殊不盡然。其於乃父之文作如是觀者，蓋謙而愼之，即所以重之，此人子之苦心耳。

竊嘗論之，詩者文之精，文者語之雋，語習文字又心聲情性之發抒，有不能自知，不能自己者，自三百篇以來即如是。且人人可得而驗也，勞人板蕩之什，離騷哀郢之篇，皆忠君愛國之忱，與族類維護之變之表見，可以驚天動地而泣鬼神；若夫精魂衍繼，何代無之？所謂春秋嚴夷夏之防，文化之重傳統之槃，此我中華民族之所以綿綿延延五千年而不絕者良有以也。故五胡亂華，南北分裂而隋一之，元興而明滅之，滿領而中華民國覆之，皆詩人之相感相召，相維相續相激勵，亘千萬世而不絕之力量所造成爾。台灣等珠崖之棄，而仁人志士如洪棄先生者，本此精神傳統，力嚴夷夏之防，即以一冠服之微，亦絕不忍陷用夷變夏之失，此「倭製新裝短髮裁，喜歡生面一朝開，豈知此是無顏，我輩如何戴得來」之永傳台灣同胞之口，而保民族意識於千秋萬世亦永不磨滅也。當年與先生以民族意識而發諸詩之抗拒殖民政策之統治者，除邱仙根、連雅堂而外，台南則有胡南溟、許南英；彰化則有許劍漁、新竹則有鄭爵光，台中則有林痴仙、林南彊等，所作詩文，皆椎心泣血，悲壯蒼涼，在我東南海外，揚大漢之聲光，振民族之潛氣，而爲殖民地民族解放運動之精神源泉，讀前所引紀哀仇日之作，其愛類離羣之思，披髮左衽之痛爲何如耶！

先生是有眼光，有懷抱，有志節，且明於經世之務，深識治體之人在其寄鶴齋文譽感情時事詩中評時論古諸作，皆能獨具隻眼，以自抒其偉抱，如論蕭何爲因陋就簡，曹參蹈常襲故，皆非開國宰相之所宜。至於論吏治，論弭盜安良，論撫番，皆能確中時弊，並從正本清源之計着眼，舉一可以隅反；是豈鄉曲迂腐小，所能望其項背哉？以其極講氣節也，對於無行文人疾之尤甚。其在寄鶴齋詩話中，評宋之問之論附張易之與其告變之行，斥爲狗彘之不若，而對于大德踰閑之人，雖然深惡痛絕，但於出入小德者，則又極能體詩人溫柔敦厚之旨，深加曲諒，如論寶廷，論邱仙根即其例。故其知人論世，確能超越凡近，明大義，識大體，是遺書發行，一一皆可覆按矣。自丁潛龍勿用之後，即埋頭於故紙堆中，潛心宗詩古文辭之創作，上窺漢魏，下究三唐，其淵源轉變之迹，張汝南序寄鶴齋詩集言之詳矣。至於遊觀懷古言志抒情諸什如前所引述，有葱倩穠郁，逸興遄飛者；有詠歎興亡，自抒忠憤者；有寄慨遙深，哀感頑艷者。李漁叔序陳虛谷詩集以爲邱滄海以沉雄勝，莊太岳以隱憫勝，林幼春以清健勝，余則曰，洪棄生以沉麗勝，豈不然歟？至於駢文，有論、有記、有序、有銘、有弔、有賦，更有傳贊，有墓誌銘，無體不備，洋洋大觀。倪軼池序寄鶴齋文評爲氣韓而體厚，詞約而骨遒，丹徒王滄然評其忽莊忽諧，忽奇忽正，忽慷慨淋漓，忽纏綿悱惻，忽叱吒風雲，如飛龍破壁，如天馬行空，極文章之能事，余於夜靜更闌，挑燈三復，林烈婦尊文，歎觀止矣？

余謂雖海國，心文獻，瞬經二十載，而每每引爲遺憾者，有三事：第一、日據時總督府有關警務檔案，迄今無人過問整理，洪士林撰述；第二、過去抗日殉身，迄今二十餘年，尚有是非莫明者，其何以慰泉壤而激勸後人；第三、凡日據時志士仁人之遺著，雖有省與各縣市文獻委員會整理出刊，然皆零星斷集，或影印清代陳編，其個別原稿，且無人付諸排印發行問世者，殊深遺憾也。哀其志，重其人與文，思有以明辨之，傳述之，或可有大題於百世之下，亦寧非我輩後死者之責？一民族，一國家文化之精光，而昭耀於後世，且流傳不隊者，亦賴有此。何況復興中華文化之聲，甚囂塵上，尚能綴緝？此次先生遺書，洽得新竹關西黃成助君之同意，由其成文出版社出版，余爲整編發事，序以歸之，交付影印。時幾念念於懷者，今釋然矣。全書三千八百餘面。而黃君本敬恭桑梓之義，能慨然完成此一巨著，豈非英年有志之士乎？留存台灣，將有譜之，傳諸大陸？者，則台島宗邦，永蒙其庥，黃君事業，亦將並爲不朽矣。

（完）

生活漫談

患貧血怎麼辦？

馬騰雲

補血藥能救貧血，服補血藥後，能增加血液裡的血色素，因血色素紅血球缺乏的結果，會患貧血病，這種貧血病的起因，不外下列幾種。

因失血所引起的貧血病，紅血球和血色素均缺乏，一定要靠食物供給原料恢復，紅血球需有機食素補充，血色素是無機物，如鐵質等供給，猶其無機鹼類能刺激造血機能，著者可以推薦的幾種補血中藥，人參、地黃、當歸、龍眼肉，對補血的功力甚偉，每天能飲一杯人參茶，或者地黃茶，常用當歸燉雞、燉鴨，龍眼肉煮稀飯，或者單以桂圓煮湯，經常食用，可救貧血。一代兵家吳佩孚將軍，大麥皮稀飯裏摻以龍眼肉同煮，初傳到民間，認係是亂吃。因大麥一圓銀幣可買五六十斤，而龍眼肉則賣一圓銀幣一斤，殊不知這兩種賤貴食物合用之妙，大麥功能消食下氣，溫中除痛，開胃祛痰，特別適用於老人衰弱體虛及食慾不良，龍眼肉爲滋養強壯藥，含有維生素A、B、葡萄糖、蔗糖及酒石酸等。

營養素——無機鹽，又稱作礦質和灰質，都是指着一類有營養價值的元素而講的，天然的元素本來很多，有廿幾種是存在於我們人體裡的，無機鹽的功用大體分爲三類。一是構成我們骨齒的主要物質。二是構成柔軟組織，如血、肌肉等不可少的成份。三是調節生理機能，如體液內酸鹼度及滲透壓之調節及供給消化液之酸鹼之素。鈣與磷兩元素兼有一與三兩種功用，鐵和碘兼有第二第三兩種功用，中（金旁）、內（金旁）、硫、中（石旁）、以下同）、鎂、錳等則主司第三種功用，人體裡如果缺少了這些礦質，就會發生很嚴重的疾病。

還有一種貧血係出自營養不足，缺乏有機無機營養素，如少婦的萎黃，小孩子貧血都是缺乏鐵質所致，他如食物中毒、痢疾、梅毒及其他寄生虫所導致的血球破壞，以上這些貧血病，最好是以食物直接補養，需鐵質甚多，要特別注意，孕婦和小孩子，兼用補血藥劑治之，補血藥中，上海有一種「自來血」，風行全國，婦孺皆視爲恩物，就是中藥裏含有鐵與中的製劑，鐵在血液中的補血力量最著，鐵爲血中血色素與細胞染色體之主要成份，健康的人體中，約共含鐵三格如姆，任何補血藥離不開鐵與中兩種元素，但中富有劇毒，不是普通人所能隨便使用的，講到這裡，又重提食物補療，組織療法中的食血補血，仍值得再介紹，國父孫中山先生是大政治家，又是大名醫，他老人家在建國大綱都談到這些，我們怎麼能不重視呢？多吃雞鴨血或者豬血羊血，比服補血藥實惠有效，營養價值愈高的東西，價錢定得愈便宜，人離開鹽不能生，故鹽價值特廉，人不能一日無水，所以水等於未收費，人不能三分鐘沒有空氣，空氣絕對免費供應，凡此大概都是上帝的意思。（本報通訊生活漫談已卅版每本特價十五元，台北衡陽街卅號）

鬼兵夜襲軍校

・周遊・

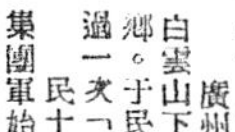

廣州大東門外十里，位於白雲山下，有一鄉鎮，名燕塘鄉。于民國二十年間，曾發生過一次「人鬼大戰」的奇聞。

民十八年，陳濟棠之第一集團軍始辦軍校於燕塘鄉，名爲「廣東軍事政治學校」，時杜益謙爲教育長，校中教職學員逾千人，皆配槍械，輕重武器具全。

該校時有實彈射擊演習科目，一時槍聲卜卜，炮聲隆隆，附近鄉民，皆以聞見已慣，毫不膽怯。一夕，値夜哨兵乍聞人聲嘈雜，若離校址不遠。即傳知各哨嚴加戒備，並報告値日官，忽聞人聲噪鬧更甚，有若敵之進攻然。旋聞衝鋒號聲，喊殺之聲不絕。於是全校緊急集合，倉惶武裝，分頭防守，如大敵當前，但實亦不知是何敵兵來襲。移時，校外鼓角之聲大作，其聲勢猶敵人迫近進擊然，殺聲四起，聲漸近，及於校門。時爲月尾，天色皆黑，校前曠地，隱約見人影幢幢，於是在教官及各區隊長之分別率領下，倉惶迎戰，遂下令還擊。機槍、步槍齊發，密集掃射，久之，校外敵方進攻之聲勢忽然停頓，衆料來攻者已被擊退，立即下令追擊。或出電筒照射，然遠近俱無人跡，於是一直開到黎明，又派兵各路搜索，及於附近村落，詢問鄉民，鄉民皆愕然不知所以。

過了數夕，夜半，又聞槍聲及喊殺之聲四起，校中官員又如臨大敵，嚴陣以待，卒至學員開始還擊之後，校外進擊之聲復停，衆皆奇之。有人從門窃視者，且不見敵人蹤影，乃惜爲鬼怪作祟。次日檢查學校牆壁、窗門等，無一粒彈痕。於是衆皆以爲只聞鼓角與人聲，未嘗以一彈相加也。

當此事發生之時，有學員膽怯者，恐怕爲敵包圍，不能脫走，竟從樓頭跳下，致斷一足，送醫治療之際，問懷盛況，又不禁自笑傻瓜。鄉民咸知，此乃「人鬼大戰」，當時報章，曾報導其事，但輕描淡寫，惜未及實述。蓋部隊常有「鬧營」之事發生，恐屬此類事也。古昔有所謂「陰兵」之說，前上期「鬼兵過境」，皆爲「陰兵」添一註腳，信不信由你！（完）

成語選粹（六）

李國良輯

蕭規曹隨

漢揚雄法言淵騫：「蕭也規，曹也隨」，言蕭何創法於前，曹參遵行於後也。按曹參與蕭何同佐高祖起兵，何卒，參入爲漢相，舉事不變，悉遵蕭何遺規。世以「蕭規曹隨」喻奉行前人規制，無所更易者。

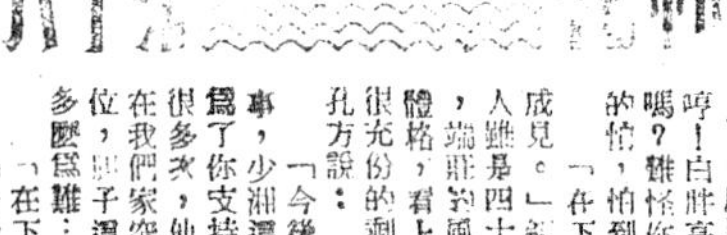

趙陀

「所以少湘死反對你，哼！白胖高，還有風妖騷是嗎？難怪你對你的小媽那樣的怕，怕到不成樣子。」

「在下失言，在下收回成見。」錢將頭低下，牛夫人雖是四十五歲的中年婦女，端莊的風儀，高胸隆臀的體格，看上去可以說還保有很充份的剩餘價值，她指着孔方說：

「今後不准再談白關的事，少湘還孩子脾氣很壞，爲了你支持白關，和我吵過很多次，他直率的質問，錢在我們家究竟是一個甚麼地位，與子還像的大，還使我多麼爲難……」

「在下遵命。」

「今後亦不准在下在下的，聽來不太高級。」

「因地位處於在下，實際也……」

這時牛夫人露出神秘的微笑，恰在此時電話鈴響了，白關先接，然後在客廳門外喊道：

「老太太電話。」牛夫人生得闊花樣的手，拿過話筒，「嗯，他乾爹，四缺一，哎呀，今天是少湘爸爸的冥誕，客人走後我已經很疲倦，去你的，你又不是按摩師，被親家母聽到又要……我呀，現在要和管家談談少湘的事，講眞的，改天好嗎？眞對不起，間候親家母，死東西！你呀！大概不正，所以四柱都是歪的，講眞的求你別來好嗎？老爽變爲喜，有甚麼好傷心的。眞是……」

錢孔方說：「夫人很寂寞，應當去摸幾圈。」

牛夫人說：「他們馬上要帶着牌來移樽就教。」

「怎麼？帶着牌來！」錢差異的問。

「這牌是馮國璋八姨太生日時，山東臨清關監督獻的，鱷魚骨的牌面，碎寶石的花紋，湘妃竹的牌背，做得很精緻可愛，上個月被少湘的乾爹圖到。」

「我對這些乾親的『乾』字是存疑的。」

「孔方，你到對我開起教訓來，太不成話了，章敬齋是我青梅竹馬時的朋友，就是主席生前，我也和他……而且他從未對你存疑過，且常說你忠於主子，能幹可靠。」

（卅五）

自由報

中華民國內政部內銷警台報字第〇三一號
中華民國僑務委員會僑報登記證台誌新字第三二三號
中華郵政台字第一二八二號執照登記爲第一類新聞紙

（第一〇一七期）

（半週刊每星期三、六出版）
售價港幣壹角・台灣售價新台幣弍元

社長李運驥・督印黃行舊

社址：香港九龍彌敦道593—601號
廖創興銀行大廈八樓五座

LIU CHONG HING BUILDING
7th FLOOR FLAT 5
593—601 NATHAN ROAD,
KOWLOON, H.K.
TEL: K303831
電報掛號：7191

承印：景星印刷公司
地址：嘉咸街廿九號地下
台灣連絡中心：台北市田街五巷三號
電話：三七五〇二二
台灣區直接訂戶　郵政劃撥戶
第五〇五六號張鴻有（自由報會計室）
台北營業處：台北市衡陽街三十號
電話：二七二〇〇
台灣分社：台北市西寧南路110號二樓
電話：三三〇三四六，台郵劃撥戶九二五二號

美國反戰運動對當前世局的影響

何浩若

美國國內反對越戰的情形及一九六九年十一月三日尼克森總統對反戰運動之文告，已詳見各報，茲不贅述。僅略述其對當前世局之影響。

一、美國反戰運動所反映的情況，是否將影響美國的前途，而導致美國的崩潰？

美國反戰運動所反映的情形至爲嚴重。有人憂慮這一關係世界興衰的強國，是否將蹈羅馬帝國的覆轍而趨於毀滅，並引述六十年前羅斯福總統的預言以示警惕。羅斯福總統曾說：

「將來有幾件事可能會把美國毀滅，那就是，任何代價的興旺，任何代價的和平，安全第一而非義務第一，以及安樂享受的生活與發財的人生觀。」

美國因反戰運動所反映的情況確實嚴重，四五十年來，美國被親共的姑息份子所滲透，使這一代的青年對宗教道德法律和文化發生動搖而日趨於墮落，所謂嬉痞之流，誨盜誨淫，殺人犯罪，而一般青年學生亦動輒聚衆遊行示威抗議，幾視法律如無物，所謂左傾的姑息份子和一些無聊的政客與無行文人更推波助瀾，使全局氾濫而不可收拾。但是美國是否會因此而日趨於毀滅呢？筆者認爲不會，理由是因爲美國經濟繁榮基礎穩固，所謂沉默的大多數人民均能奉公守法，從事生產，且民主政治潛力特大，雖有姑息份子藉反戰鼓動學潮與種族仇恨，因參加暴動的黑人與學生均非生產份子，故不致動搖國本，而使美國趨於毀滅。

二、美國反戰運動與美國的新環球戰略

美國發生反對越戰的運動，遠在尼克森當選總統之前。尼克森總統就職以後，就把定由國防部副部長派克德負責召集國防部國務院、中央情報局、財政部、預算局等機構，作新環球戰略的檢討。據一九六九年五月華盛頓的報導，這個新戰略計劃包括兩部份，每部包括十個方案。第一部份是有關核子戰略與武器，分析並建議美國將來武器發展的途徑，經費預算範圍，及核子時代的戰略等問題，第二部份是有關軍事力量的分配的建議，在歐洲採取不同的配備，在歐洲維持龐大的傳統武力，以防止蘇聯對歐洲的攻擊，在亞洲應當撤退傳統武力而代之以核子力量的阻嚇。這也就是說，美國要以核子力量來阻止中共對亞洲國家的侵略。

有關上述美國新環球戰略，很少有具體的報導。一直到一九六九年十一月三日出版的『時代』雜誌，才透露了這個戰略計畫一部份的內容。『時代』雜誌說，國防部副部長派克德向尼克森總統提出了一個研究報告，五角大廈稱此研究報告爲『戰略備忘錄第三號』。這個報告建議『美國未來的地面軍隊不需要準備在亞洲從事大規模的陸地戰爭。美國只須以海軍和空軍的力量來維持他是個太平洋的強國。』這個報告建議『美國地面部隊唯一延展駐外的地方將爲歐洲，以履行對北大西洋公約組織的承諾。』『時代』雜誌說，美國的參謀首長們將根據這個建議被要求擬訂計畫，以應付歐洲的重大戰爭，而減少在其他各地的戰爭，這就是所謂『一半戰爭』的戰略。無疑的，這個報告的內容是和上述的環球新戰略相符的。所謂不派遣地面部隊在亞洲地區作戰，也無疑的是受了反對越戰的影響，在『一半戰爭』的戰略下，美國方能漸次的撤退現在駐在越南的地面部隊。

三、美國反越戰運動對越戰的影響

內反越戰而引起的美國新環球戰略，美國將在不投降的原則下，逐漸撤退美國駐越的地面部隊而使越戰越南化，這對越戰將會發生什麼影響呢？筆者的看法如下：

①美國將不可能撤出越南的地面部隊。目前越戰的主動並不操之於美國。美國愈想退出越戰，蘇聯和中共匪幫愈不會讓美國退出越戰。中蘇匪幫將無條件的強迫美國投降，美國既不肯投降，就無法拖出越南的泥腿。但是美國爲緩和國內反戰，可以逐漸撤退一部份美軍。當中蘇匪幫加強越戰強迫美國投降時，美國即可能停止撤軍。

②美國的局部撤軍將不會使越戰發生劇變，理由是美國在越戰中不求勝利。美國所不求勝利，則在越南無駐五十萬大軍之要。戰不求勝論係美國姑息份子所主張，而姑息份子即以此戰不勝論無目的的犧牲美國青年而鼓動反戰。越戰如越南化，即令美國撤出其大部份駐軍，共匪亦將無法侵佔越南。

③三十年來民主國家唯一反共的勝利者爲印尼。但印尼係自動的反共，未獲美國金錢和武力的幫助。論者謂美國援助印尼反共，則印尼反共必無今日之成就。如印尼欲肅清內部共匪，滲透美國姑息份子必將批評印尼政府不民主而加以干涉。李承晚之被逐，與吳廷琰之被殺，即可爲前車之鑒。美國太平洋學會出賣中華民國尤爲明顯的事實。欲國反共，幾無一澈底成功者。只要亞洲人民求反共成功，必須自動自助。美國援助共盟自動反共，即令美國退出亞洲，中共匪幫亦未必即能得逞。我們必須對人類有信心。滅絕人性的共匪制度既屬殘害人類，亦必終爲人類所消滅。美國爲姑息份子所滲透，即令其援助反共，亦難達成其反共之任務。

四、美國反戰運動與日本對亞洲的關係

原子時代的強國，必須具備幾百萬平方公里的土地，幾萬萬人口，和豐富的鈾的蘊藏。至於科學發展和製造核彈的技術，則屬時間問題。假以時日，任何國家均可獲得此項技術。日本與英國同屬島國，有被核子武器毀滅的可能。根據上述條件，日本和英國已無法成爲原子時代的強國。惟日本經濟繁榮，爲一具有侵略性的民族，在美國地面部隊退出亞洲的前提下，將再度燃起稱霸的野心。日本重整軍備將再度引起財閥和軍人的合作。日本的領土野心將繼續要求歸還琉球之後，可能妄想再度佔有台灣，惟日本的地勢既不具原子時代強國的條件，在擴充軍備以後，將再度燃起侵佔中國大陸的野心。少數日本人之野心與願望，雖屬因美軍退出亞洲而引起之癡人說夢，亦應引起亞洲人民之警惕。

五、美國反戰運動與蘇聯和中國共匪幫的關係

筆者堅信人類終將一日自動推翻共產暴政。但在此日到來之前，在最近的將來，在任何情況之下，將無法改變美國、蘇聯和中共匪幫三方對峙之局勢。美國的反戰運動，不會動搖國本而使美國赤化。美國沉默的多數人民是徹底反共者，美國將無法與蘇聯或中共妥協、蘇聯與中共之間，亦將無法妥協。此三方對峙之局勢，將使各地發生局部糾紛，但亦無法獲得徹底解決。故美國反戰運動，對目前世局並無重大影響。對美國內部而言，降低越戰，或將導致美國經濟輕微的衰落。

昨日與明日

談判迷夢何時醒

美國國務卿羅吉斯已公開承認與北越的秘密接觸，已告失敗，而巴黎的談判，也看不出有何成功的希望。關於與北越的秘密接觸，案情甚微，姑且存而不論，而所稱巴黎談判，看不出成功的希望，則使我們不勝感慨，眞不知一部十七史從何說起。

往事俱在

巴黎談判之沒有成功希望，還要到今天才看得出麼，遠在還未舉行之時，我們就早已料到，並且爲文指出。我們何以知道呢？第一不是我們特別聰明，第二更不是如若干美國人所誣賴的，認爲是心存成見。反之我們是根據既往的事實而判斷，從苦痛的經驗所體認來的，此之而不可信人類就用不着再要歷史了，自從政協以來，直到大陸淪陷之前，試問和共產黨的談判，那次有結果，那次曾成功？不唯我們如此，就問美國人自己。和共黨的談判又什麼時候有過結論，華沙會談，一談談了十幾年了，有什麼結果，這些鐵的事實，卻是擺在面前而不能否認的，爲什麼美國人還一再的上當上不夠呢。還想談，要談到何時才了呢？

緩兵妙計

或者說美國的當局又何嘗不明白，但因受了民意的壓迫不能不這樣作罷了。果爾如此，說句不客氣的話，那便是謀國不忠。因爲談判的拖延無結果，在美國看來，固是失敗，但在共黨方面看來，這就正是成功。因爲不僅發生了「緩兵計」的妙用，並且還可叫囂吵鬧，極盡宣傳之能事，迫使美國陷於進退維谷之境。試問還有什麼比這個更爲本小利大的買賣。

迷途知返

「往者不可諫、來者猶可追」，既然羅吉斯已經看出沒有成功的希望了，我們希望美國能藉此機會澈底檢討，改絃更張，勿再受共黨的蒙蔽。須知一味遷就民意，迎合輿論是不能解決問題的，只有挺身而起面對事實，作勇毅的抉擇，才能解決問題，打出前途。

・成公・

不讓巴黎專美於前

咖啡座 紅紅綠綠

大胆褻瀆程度超出想像

（本報特約記者曾生台北消息）日前一對戀人因故發生性質極爲嚴重之糾紛，二人於某咖啡室中哭鬧甚久，不得終結。因筆者不僅爲雙方之共同友人，且與二人關係之遠近相等，故理屈之一方於無可如何中來電相邀前往代爲排解。

筆者平日公私兩忙，自來台後，從未享有坐談於咖啡室之餘暇。雖曾屢見報章雜誌報導台灣各色咖啡室之種種，然多語焉不詳，因之對其中實況固未確知也。是日倉促就道，一則心中疑團難解，不知彼二人究有何問題嚴重如此；（電話中亦僅謂「來後便知」），而此彼等向爲情素高尚，行爲謹潔之青年，是以絲毫未放過所邀赴之處有任何不妥之可能。

抵達時，來電者已立候於門前，遂相偕而入。不意甫入門即見迎面而坐之兩青年男女正相擁以吻。余雖已年逾不惑，且半生所見於電影上之此種情景不可勝數，而親見西洋人乃至少數中國人當衆擁吻者，爲數亦頗不少，然往者所見僅爲熱戀之公開表現與今日睹之私情狎態大異其趣。心驚之餘，不覺爲之赧顏，俯首而不敢正視。幸該青年友人知余爲一未經世面之土包子，立即執手携之直趨另一友人之坐處。

經一小時餘之談論，問題暫告一段落，始覺口乾。邀飲咖啡之際，念及既入此境，何不觀察一番，以廣見聞。舉目四望，週圍盡爲雙雙情侶，且顯然爲青年學生之流。該室並光明晴合度，絕非想所說昏暗不辨面目者。後悉該室尚屬高尚之純吃茶處，非所謂黃色咖啡室者也，然此等男女，卿卿我我，旁若無人，其大胆褻瀆之程度實非想像所及。一時似覺置身於前人記述之最下流妓院中，身心不寧，忙偕二友人離去。臨行在櫃台前付款時，司賬小姐向余背視者再。想因年齡、裝束、態度均非其類也。

歸途中頗有所悟：其一，悟得我國社會西化之速距已身不能適應之落伍情況。其二，悟知今日社會風氣與咖啡室文明相輔相成之道理及其驚人之效果。其三，悟知今日青年處境之可悲可憫也！

自由談

近十幾年來，每屆聯合國大會中，即對所謂「中國代表權」問題列爲中心議案，支支喳喳地辯論一番，最後再以多數票表決，拒絕承認中國毛共政權爲合法的會員國，仍由中華民國政府代表全中國人民担任聯合國常任理事國如儀。這眞是十足的形式主義，無聊極了。

中華民國既是聯合國創立者的一員，而其政府又始終爲全球大多數國家所承認，就法理而言，即不應該發生所謂中國代表權問題，至爲顯明；就事實說，毛共始終指斥聯合國是美帝國主義的工具，非徹底改組，決不參加，同時毛共政權又不履行作爲聯合國一員的國際義務，根本亦談不到「中國代表權」問題。然每屆年會時，先由幾個俄帝附庸國家的代表，以搗亂心情，提出「中國代表權」問題，加上少數親共的新興小邦代表，爲着騙取俄毛政權的物質援助，而莫名其妙地七嘴八舌，嘵嘵辯詐，結果祇是瞎扯淡而已。這不是脫掉褲子放氣——多此一舉嗎？

瞎扯淡的聯合國

詳究這項鬧劇之起源美國實係始作俑者。當一九五〇年聯合國會議之際，蘇俄與南斯拉夫代表，開始質詢中國代表權問題時，其他各國代表皆認爲這是重要事項，非經過全體大會討論，取得三分之二以上的會員國同意不可。然美國杜魯門政府的國務院首長艾契遜，却聲稱這只是一程序問題，並不需要大會通過。於是乎，一些共產政權及其同路人的代表們，仰體美國意旨，啾然附和，乃有邀請毛共政權代表到聯大會議討論韓戰問題的姑息作風產生。若不是毛共代表伍修權在大會席上痛罵美帝國主義不留，美國早已藉口「程序問題」，串同英俄法各國，由常任理事國會議通過，承認毛共政權代表出席聯合國大會了。美國自作多情，企圖跟毛共妥協而枉費心機，失格丟臉，下不了台，因而每屆年會不得不把「中國代表權」問題胡鬧一陣，聊以遮羞云爾。

即此可知聯合國的本能，創進世界和平則不足，製造國際糾紛則有餘，除了每年替紐約市的商家開闢一次賺錢機會外，別無可述的績效，嗚呼哀哉尚饗！

馮五先生

如何根治太保與太妹
訓育制度應徹底檢討
社會風氣敗壞影響少年心理
墨啟傑大聲疾呼請當局注意

本報撰述委員墨啟傑評稱：所謂少年犯係指一般未成年的少年罪犯而言，社會上所習見的「太保」、「太妹」如果他們的行爲只是玩劣成性，不喜讀書，成羣結隊，滋生事端等等，尚未達到法律上犯罪的程度，僅可稱之爲「準少年犯」，似尚不能遽認爲「少年犯」。但無可否認，關於少年犯的構成份子，除小部分是來自「孤兒」或「棄兒」，爲生活環境所迫，或不堪引誘，致淪爲少年犯者外；而大部份的少年犯是由「太保」、「太妹」蛻變而來。換言之，對於一般「太保」、「太妹」的生活行爲，如不及時予以糾正，其必將肆無忌憚，觸犯刑章，嚴重的危害社會治安，而形成「少年犯」無疑。按少年犯是國際性的，每個國家都爲「少年犯」問題發生困擾。姑以自由中國臺灣地區而論，非但少年犯事件層出不窮，且有變本加厲之勢，令人有望而生畏，談虎色變之感。

那麼要根絕「少年犯」，一方面自應由社會救濟機構，或慈善團體，對於「孤兒」與「棄兒」予以妥善安排，並施以適當的教育訓練，固屬當務之急；而另一方面，就非從肅清「太保」、「太保」的問題着手不可。茲所應說明的，是這般「太保」、「太妹」大都具有很好的家庭環境，甚或出自豪門，往往因驕生慣養，兼以社會不良風氣的影響，耳濡目染，物以類聚，不知不覺的誤入歧途，然絕大多數的「太保」、「太妹」却並非由於家庭的驕生慣養；相反的是因家庭管教無方，或矯枉過正，有以致之。這不能不從學生就學談起，自我政府播遷台灣以來，因學校少而欲就學者多，一般作父母的，爲子女爭學的機會，拚命鼓勵其子女用功讀書，原是很好的現象。

改變青年氣質　重於知識傳授
懂得處世做人基本道理

怎奈子女的天資不同，興趣各異，未必都能如願以償，有的子女視學校爲畏途，於是作父母的，始而嚴加責罰，繼而交相歧視，終而導使子女心理變態，在家庭中發生一種自卑感與恐怖感，不得不挺而走險，與家庭脫節，混跡於「太保」「太妹」之間，自甘墮落；甚或進行加入犯罪集團，作出種種違法犯紀的事，往往甚多，不勝枚舉，所以不正常的家庭教育，顯然是少年犯的一個決定性的因素。

其次是學校教育問題：按學校教育之目的，不僅是着重於知識的傳授，尤貴乎改變青年學子的氣質，使懂得作人處世的基本道理，而成爲一個善良優秀的國民，那就是所謂「德育」了。若干年來，由於社會道德的崩潰，人心的陷溺，無疑的，我們的「德育」是很難收效的，儘管每一個學校都建有訓育制度，並加强生活教育，但大都趨於形式主義，未能收潛移默化之功，所謂以言教不如以身教，一般爲人師者，如果其本身行爲有虧師道，而暴露於莘莘學子之前，就很難使一般學子發揮尊師重道的精神，甚或視爲仇敵；前者基隆某中學發生的弒師案，其過固不在被弒的老師；但該校負訓育責任者，必不能辭其咎，所以該弒師案並非單純是一個法律上的殺人問題，而對於現行學校訓育制度，顯然是一個很大的諷刺，其違反道德性，實甚於違法性，無怪乎轟動一時，而引起社會的重視了。有人以爲從前學校有「修身」一課，後來改爲「公民」，顧名思義「修身」一語，比較具體，並合乎中國的文化傳統，而「公民」一語則比較空洞，容易使人發生誤解，即此一端，足以說明現行學校訓育制度；不無徹底檢討之必要，尤其對於一般未成年的莘莘學子，如何加强「德育」是目前一刻不容緩的課題。

其次再談到社會教育，按社會風氣之敗壞，對於「少年犯」的形成，顯然更具有直接的影響，而絕大多數的「少年犯」，以遭受這種影響的成份居多。所以社會教育的改進與加强，當然是很重要的，這裡所說的社會教育，是指多方面的。如社會新聞、書刊、電影、音樂及其他一切形形色色，當然都屬於社會教育範疇之內，舉凡足以戕害少年身心者，均應在嚴格糾正與取締之列。惟茲事體大，必須主管當局，通盤檢討，多方配合，徹底執行，決非幾篇官樣文章，足以濟事，在這文化復興運動高唱入雲之時，如何配合社會教育，正人心而端風俗，應是當局迫切之圖，這不但與根治「少年犯」有關，也和我們的國運有關。

以上所述，雖屬老生常談，並無新奇之論，因鑒於「少年犯」問題的嚴重性，不能不大聲疾呼，心所謂危，難容緘默；或有人主張以嚴刑峻法懲治「少年犯」，俾發生嚇阻的作用，這是治標，而非治本，何況「不教而誅」，對於成年人猶有未可，更遑論「少年犯」。

栗一苗一簡訊
（本報記者金玉音）

△基隆市合昌紡織廠女工王×鳳，被三個縣少騎樓家庭輪姦後，挾持至中北部嘗盡凌辱，經苗栗警察分局偵破，范宇深及三個惡少在逃，於本月一日被以妨害風化，妨害自由三罪移送新竹地檢處偵辦。

——探勘海底油源苗栗縣竹南鎮崎頂開鑿斜井中油對此深具信心。——

△中國石油公司向海底探勘油源，刻正用台灣油礦積極進行中，該處並已在苗栗縣竹南鎮的崎頂海邊，開底的斜井一口，負責探勘當局對其未來產量信心。

中國石油公司向海洋進軍探勘油源的工作，是由該縣的台灣油礦探勘處的技術人員所負責的，此一劃時代的油田探勘，經負責當局在崎頂海濱開鑿四號井一口，其技術是以斜角度向海底進行探測。

據悉，該崎頂四號井現已鑽至一千五百公尺左右，工作至爲順利，至於其未來產量如何，該探勘處則認現尚言之過早，不過對未來的發展却深具有信心。

喬治桑外傳
九九
張大萬

喬治桑一眼看見雅麗絲的寫字枱上有一張小紙條，拿過來一看，上面打了兩行英文字，大意是：「我的母親今午由南部來，我要去陪她玩一玩，請假半天。雅麗絲，」

「阿翠，有沒有人打電話給我？」蜀中無大將，廖化作先鋒，雅麗絲不在家，喬治桑只好使喚阿翠了。

「有位姓古的古先生打電話給你，他說你回來請打一個電話給他。」阿翠雖是本省人，國語說得很好。

「是不是打到他家裡？」

「不是，電話我抄在桌上日曆上面，是歐陽公館。」

喬治桑照日曆上電話號碼撥了電話。

喬治桑一面在等電話接通，一面猜測：古有方一定是在牌桌上。

「喂，歐陽公館嗎？請你找古有方先生聽電話。」

「請你等一等。」

「有方兄嗎？下午你打電話找我有甚麼事？」

「你託我調的錢已經辦好，我已經替你存進戶頭了。可是到期的票子是要兌現的。」

「哦，謝謝你，謝謝你，你放心好了，我開出的支票到期一定兌現。」

「再見。」

「再見。」

喬治桑掛斷電話，精神爲之一振。大凡頭寸沒有軋平的人，愁眉苦臉，如喪考妣，等到「錢關」一過，神采煥發判若兩人，做生意買賣的向有神仙、老虎、狗之稱，此之謂歟？

喬治桑頭寸軋平，獨自在家，感覺無聊。「驛馬星」又動，他撥了一個電話給裘白瓊。

「喂，白瓊兄嗎？」對方接電話的恰巧是裘白瓊本人，喬治桑用極愉快的聲調稱呼對方。

「喂，怎麼回事，我們不是剛分手嗎？」聰明如裘白瓊也未免有點惶惑了。

「一日如隔三秋，一小時也等於好幾天不見面了。」喬治桑又恢復了談笑風生的故態。

「你又來了，到底是怎麼回事？」裘白瓊亟欲探索喬治桑的意向。

「是這樣的，本來我晚上是有約會的，現在改期了。閒着無聊，我想請你喝一杯。」

「到那一家，白美人？」裘白瓊一聽喬治桑要上酒家，正中下懷：[illegible]「換一個地方好不好？」

讕·檢·剪·鐦（一）
關者清

這個標題是在同音字典上湊足的，足證我國古人造字之妙。此一音竟包括了當今之奇觀，無怪人嘆人心不古也。我國古代人才輩出，或許上帝是公平的，透支過早非後世之福也。

當今是民主時代，在歐美之民主是各顧各的民主，而我國國人尚具上古遊俠之風，專喈干涉別人的民主。本文旨在提出幾個小問題，對事而不對人，是非曲直自有公論。

文化局本司檢查各項視聽事業之機構，其設立莫非爲國家社稷除莠植良，以正社會風習。但每個時代有其特出的社會背景，今日之工業社會決非五十年前之農業時代可比，每週工作四十小時之餘，身心交疲，娛樂休閒勢在必需。既然吾國貫民士大夫不恥三教九流之邪行，則引進外國人之「醜態」供吾人消而遣之亦不失爲可行之道。

近年來洋人之花樣翻新，電視又侵入國人家庭之中。這一來「三缺一」之風大熾，[illegible]在台視推出若干影片之時，文化局之電話鈴聲不絕，民主之論，民族之氣，[illegible]在「骨骸相擊」的電話中，猛抨文化局准有「一片」之「身心」是害「兒童」，因爲其公子在觀賞之餘竟「就地實習」。姑不論「妙賊」之舉[illegible]

[illegible]「一片」造就了多少「賊材」，亦不提在中外「[illegible]情交換」中[illegible]，文化局之[illegible]民主[illegible]用其權[illegible]以運勞[illegible]上君權，而[illegible]用家長之[illegible]少年[illegible]各地警方[illegible]「民主」[illegible]「民權」[illegible]有庭園小徑，但亦有無知稚子「投石沐浴」，大作其「諧縱戲」，好不容易警察逮住一頑童，而孤犢情深之「兒童父母」大肆「咆哮警局」，云警方於法無據，妨害人權。

疾首[illegible]，聞之驚心，言之[illegible]江山易改[illegible]此用之於國人[illegible]何絲入扣，既不知今夕何夕，而一味「東南西北中」；又不顧時代潮流，硬迫着別人亦效法「其人之道」。

由於這類人等「讕陋」之思想作風，文化局不堪其擾，因而「檢」只得趨於「剪」之一途。

據小人所知，洋人之檢，例有「檢規」，皆明具條文，實行「科學化」，皆有尺度標準，其一「剪」得人心服口服，而且「[illegible]」不得「天衣無縫」，不知是否出於一名時裝師之手。吾國「三教九流」之「士大夫」爲之，[illegible]「不倫不類」也。西裝長袍非馬非驢，洋服既無確定尺寸可循，亦無精確標準。既「檢」以「剪」，且更度以「超越」者，甚且「人每隔年許進步」，洋人則適時修改，吾人則瞬息萬變，有心情欠佳之「檢」，有手舞足蹈之「剪」，刀在手任所欲爲。

台北傳奇錄（七）
·陳光棣·

「我想先休養一陣子，有甚麼事慢慢的再商量，你不要怪責的話，我現在想出去看看朋友。」桂先生陪着劉二爺走到弄堂裏，很客氣的分了手。小辣椒趕緊扯着大洋馬去找桂太太。

「他搬來就搬來，我金恒貴走南闖北的，甚麼都見過」！

「你可別惹他，誰不知道他是牛脾氣，天不怕，地不怕！」桂太太一把鼻涕一把眼淚。

「是啊！他現在是光脚的不怕穿鞋的」大洋馬說。

「老天爺，你們兩個人可別在我那兒拼命，房子新粉刷的，花了一千多塊錢」！小辣椒說到這裡脊樑骨直發麻。

你一言，我一語，談了半天，也沒有談出個名堂來。最後還是桂太太下了決心：「阿貴，你看這樣好不好？我把撫卹金都還給他，再和他說點好話，不管怎麼說，我們總是有七八年的情感」。

「這倒是個好主意，人心都是肉長的，人家把錢還給他，他還要怎麼樣。」小辣椒就怕受了牽連。

「什麼？錢」！金恒貴的眼睛瞪的像兩隻包子：「那筆錢我老早進了貨，再說，你給他一筆，他還想第二筆，那還有個完嗎」？

「這可不妥當」！大洋馬直盤算着她向桂太太借的那三萬塊錢：「還是先看看他有甚麼鬼花頭，咱們再打主意，誰也不能把誰怎麼樣了。」

第二天早晨，所謂「花頭」真的來了。桂先生坐在陽台上衝着桂太太的客廳磨刀，磨一磨舉起來試試鋒口，然後低着頭再磨，一把刀磨的金光閃閃，弄堂裏站着一羣看熱鬧的閒人。

劉二爺到了陽台上，勸桂先生跟他一起去垂魚，桂先生說沒有事在家裡磨磨刀，就是最好的消遣了。劉二爺也有一套，從口袋裏掏出一本小說來，坐在桂先生旁邊靜靜的欣賞起來。

金恒貴本來就滴咕了一夜沒睡覺，早晨起來一抬頭，就嚇的趕快關窗戶，臉也沒有洗，就穿着睡衣去報案。

楊警員到了陽台上，劉二爺站起來熱烈的打招呼。楊警員先看了看桂先生的身份證，又問了幾個例行的問題，最後勸桂先生別在陽台上磨刀。

介紹實用生產百科全書

文匯樓主

文滙樓別記

實用生產百科全書，爲醫藥理論家，國內大專業家馬騰雲氏主編，內容包括化學、工藝、飲料、成藥、食品、工業等，約計兩千幾百個科目，集上海、天津、香港、東京四大都市各工藝函授學校講義之大成，全書廿八册係卅二開本，排出一千六百餘頁，裝成四部，爲台灣二十年來唯一最實用生產工具書。

有一點值得特別介紹的就是馬騰雲的理論是從實踐中來，實踐仍回到理論中去，與一般敎授爲文，截然兩途；還有他平日所堅持的，「勿謂今日不學以待來日，勿謂今年不學而待來年」，普通人甚難辦到，馬氏從回國到現在，不如意事十之八九。被打倒又爬起來，能除認定「失敗爲成功之母」外，拖勸以醫恰，愼以治驕，做到堅其志，苦其心，事無大小，必有所成，更值得欽佩。

中國有：「萬頃良田，不如一藝隨身；賜子千金，不如敎子一藝」的格言，這種社會教育雖爲古人遺留，現在看來，還是很實際，很新鮮，小時聽長者訓諭，謂人有三惜，此生不學可惜，此時閒過可惜，此身失敗可惜，實用生產百科全書之發行，乃針對上列弊端，把握台港當前現實需要而作，對導輔國民經濟，減少社會失業，當有貢獻。照書中講義去研究，雖不能立即致富，但確可爲上醫貧，祇此一端，該書已値得重視了。

抑有進者，西歐人的習慣，多一技藝，便多一生產，實用生產百科全書的技藝，據實驗過的人說，從打燒餅、炸油條、小籠湯包、乾絲肉包起，直到各種化學工業與成藥製造止，皆有其相當可靠性。台北私立輔仁大學張君者，以石灰、炭渣、茶汁照百科全書上份量，果製出老式美味皮蛋，喜出望外的說：「我到美國去可以發財了」。又經濟部黃君遵照馬氏所授製作醬肉方法，做出的醬肉。據說：可與上海陸稿荐出品媲美。幾年前馬騰雲自用講義所載中菜烹調方法，烹飪四菜一湯：一、叫化雞。二、醬羊肉。三、枸杞燉牛鞭。四、雞底海參。五、南海魚。招待九十老人袁樹珊，在座的有穆道波、馬樹禮、南懷瑾、孫麟生、張翰書、張超鈞先生等。那餐飯曾博得全桌讚譽，袁老說：「六十年來還未吃過這樣的菜」。如果認爲馬雲騰的手藝高，還不如說中菜專書，原始講說好，較爲名符其實。他如全國各省市的醬菜醃製，南北各地的點心製作，均妙不可言。三代做官才懂吃穿，益證這句話非常眞實。

自由報從十二月份起，增加兩篇新頁，一是「輿論精華」，選載港台及全世界報紙上流作品。一是「家庭副業」，專門介紹生產工業技術。使這張報不僅可看，而且受用。希望此項試探，能受到廣大讀者支持與歡迎。辦報很像做菜，調和鼎鼐，不是一件簡單的事。熊式一、沙學浚、曹敏等，咸主張報紙要走向輕鬆，實用生產連載，可調整政論性報紙的過份嚴肅，目的在使家庭知識主婦，亦變成爲自由報的讀者群。樓主介紹實用生產百科全書，兼替本報順便聲明。

談文學的內容與題材的處理（六）

・方祖燊・

這種以美辭麗藻，嘲風雪，弄花草，美誠美矣，然而也就走上俗濫空洞的路子。我們處理這類題材，不應專尚文詞，還要注意感情，思想，學識與自然景物的配合表現。同時還要注意把握住每一地一時最美妙有名的風景來寫，作者的人格與遊賞時的心情與感想；都也可由寫景表現了出來。山水的景色，農村的生活……以及一地的古蹟與建築、地理、風俗、民情、傳說、故事、也都可寫入。當然也可專以學理知識，去寫自然物的，走上比較專門性的路子，如歐陽修洛陽牡丹記，記花的品類，記花名的由來。自遊宴的貢花的處事，及接植栽植的方法與消理。此外，一般文學作品中，常備「自然之景」，作描寫人物生活的背景，作比喩那託情感與思想的工具。像「王冕的少年時代」一文中，吳敬梓就極力描寫雨後七湖的景緻及荷花的美，作引起王冕學畫的動機，以鋪設故事，是很好的一個例子。

（五）社會性的題材：自古到今，在我們人類所處的社會上，有許多問題發生，也可以說社會有許多病態，人性有許多缺點存在。主要的社會問題，有政治、種族、家庭、婚姻、職業、人性、教育、社會風氣、國民經濟、……種種問題。人性有醜的一面，貪婪、卑劣、虛僞、殘忍……。就拿美國來說，嬉皮、黑人……都是社會和人性的問題。我們台灣也有賣女、色情、少年犯罪、升學困難等社會問題未決。對這些社會問題，深究其解決的辦法，就有許多論說及方案計劃的產生，這是以社會人性爲題材的一種文字。在文學方面，以社會、人性的種種問題、種種形相爲題材，加以描寫，也很爲許多人所愛讀。其處理表現的方式有五種：

（1）揭出問題：這種方法，只是把社會上的腐敗、醜惡、不合理的病狀，據實寫了出來，不加批評，不開藥方，讓病人（社會）自己覺悟，自求預防及治療的方法。如孔雀東南飛，僅是提出當日由父母干涉青年婚姻問題，造成悲劇的結局，用以警戒世人。我國許多警世、醒世的小說，多持這種方式來寫故事的。挪威作家易卜生所作各種社會劇，多屬這類作品。像羣鬼一劇，寫阿爾文夫人，受不過丈夫的氣，跑到牧師那裏，請教辦法；但牧師卻教訓她一頓，說她不守婦道，不守三從四德。可是阿爾文夫人的丈夫，卻在外面偷女人，那位牧師卻認爲這是男人常有的事，不足爲奇，而勸阿爾文夫人回去，盡她的做太太的天職，守她的婦道。可是她的丈夫仍在外面胡搞，阿爾文夫人只好設法盡力將他隱瞞在家。後來她生了一個兒子，她怕他學他父親的壞榜樣，到了七歲，乃將他送到巴黎。她一面要哄她的丈夫在家，一面要在外面替她丈夫修名譽，一面要騙她兒子說他父親是怎樣一個正人君子。這種情形過了十九年，她丈夫才死去；她又花了許多錢，造了一所孤兒院，作她丈夫的遺愛。孤兒院造好了，將她兒子喚回來，參加孤兒院落成的盛典。誰知她的兒子從先天就得了他父親的花柳病的遺傳，得了一種腦髓病，到家沒有幾天，那孤兒院被火燒了，她兒子的病也發作了，腦子壞了，成了瘋人（以上本事，取自胡適先生易卜生主義一文）。這劇顯示虛僞的禮教的箝制下，產生的家庭的悲劇。作者只是赤裸裸把這個家庭與婚姻的問題，借劇中人的對話表現了出來，使讀者與觀衆，深有所感，覺得需加改進與避免。

（2）評擊諷刺：對社會的醜惡，人性的弊病，採取評擊諷刺的方式來描寫它。如吳敬梓的儒林外史，對明清的科舉制度，及當時士人的種種陋俗、醜態、時事，加以深刻的鄙薄、指摘、抨擊。如寫湯知縣請客時，范進因母親過世，守制丁艱，不敢用銀鑲的杯箸。

綜談國劇復興（八三）

王方蠙

換而言之，要使觀衆感覺到你當時在戲中的感情；感覺你是在說戲中應說的話，而不是拉長腔調在「作戲」；在「要好」。在拿捏上該拉長，該加重，該沉重，自願依照該當的情形念出；如不宜如此，如宜於輕，宜於短，宜於平，即也應依照該當的情形作。誠然，拉長加重似易於得「好」，但不相宜時，使人聽起來十分費力。有時聽到台上演員，念白一致緩慢，牽腔作調，毫無感情可言。這對戲劇是毫無效果，而且是破壞效果的。戲劇的發展，應有它本身的節奏，有如音樂，疾徐有致。若念白一味緩慢或快速，都必影響戲的節奏。念白也必如唱腔，完全配合戲的發展，或徐或疾，抑揚頓挫，激揚沉重，與感情一致，聽來不覺得是念白，只是戲的進行，那才是眞正的好念白。其實這種說法並不是新的說法，過去數十年中，好演員都是如此。我們聽了梅蘭芳打漁殺家那一張唱片（現在台灣有售）便可了解。但我仍願在此強調此事，因我時常聽到不能把握念白原則的戲，那是因爲演員們過於注意念白的腔調，而忘掉了念白的感情和對話的效果，這是極値得注意的。

內、打與表情：打也是舞的一種，也是戲的發展中必有的表演，也必須與戲劇的發展配合。換而言之，它也是有感情的，不是專門的打鬥表演，而是配合劇情有感情的表演。當然，打鬥場面大致都是敵死我活的感情，似乎不必再多顧及，但爲了配合劇情的發展，鬥狠的程度，動作的快慢，姿態的表現，應注意的地方仍舊很多。尤其在人物性格方面，更應表現得淸楚。比如都是武生，大將風度如長坂坡的趙雲，便與兩將軍的馬超不可相同；同是旦角，穆柯寨與攻潼關便不可一樣。尤其旦角的動作，要存在她應有的柔美，才合於藝術的要求。若能在打鬥之間，再能表現出感情，那就更是上乘的了。比如穆柯寨，穆桂英見了楊宗保，應該用甚麼感情來打鬥？我想她不該用你死我活的感情吧！假如我們對每齣戲都如此分析，係會使每齣戲都細細緻緻，成爲最完整、最精密的好戲，雖在打鬥之間，我們都絕不放鬆。至於打鬥之間，新用的把子套數，我們仍可以再加變化，創造新的。不必一定用老套子放在新戲上去。而最好是不用老套，每個新戲都有新套，才能使人一新耳目。當然這是很費事的，但藝術就是要創作，不要翻版。（未完）

成語選粹（八）

李國良輯

東窗事發

明田汝成西湖遊覽志餘：「秦檜之欲殺岳飛也，于東窗下與妻王氏謀之，檜殁，未幾子熺亦死；王氏設醮，方士伏章見熺荷鐵枷，問：『太師安在？』熺曰：『在酆都。』方士如其言往，見檜與萬俟卨俱荷鐵枷，備受諸苦。檜曰：『可煩傳語夫人，東窗事發矣！』」按醮音叫；僧侶或道士爲人設壇祈禱曰設醮。太師爲官名，三公之最尊者；此指秦檜。萬俟卨，宋陽武人，字元忠，官至尚書右僕射；諂事秦檜，構陷岳飛。世謂「東窗事發」喻所犯罪已爲人所舉發也。

悼同窗周志强（兩首）

一九六〇

・吳森・

驟耗忽傳來，將信亦將疑。
病中驚起坐，夜幕正低垂。
念君當英年，事業方有爲。
既冠尚未婚，緣何至死期？
雖無妻兒念，高堂未忍離。
慈母千行淚，膝下更無兒。
何以終餘年？何以慰哀思？
死者永已矣，生者將何依？
幽明兩相隔，期會更何時？
輪迴難置信，天國久吾欺。
聖哲曾有言，生死且未知。
惻惻動我心，彷彿夢見之。
若死若有靈，魂兮將來歸！

其二

未冠渡重洋，男兒志四方。
樹人惟我願，文化冀得昌。
淡泊能自持，勤儉知有常。
埋頭圖書館，馳騁籃球場。
四載光陰逝，學成返香江。
歸來慰高堂，高堂鬢似霜。
孰敎又一村，夙願已能償。
誨人知不倦，管敎自有方。
奈何遭天妒，受命不能長。
君年方卄四，無乃太匆忙！
獨子無兄弟，何以慰親娘？
死者不復生，生者永悲傷！

諸葛亮狂想曲（六〇）

・劉玄・

「你今晚是主人身份，怎可隨便批評貴賓？」關羽睜起一雙丹鳳眼，瞪了張飛一下，張飛立刻閉口不敢吭聲。

客人散後，龍尚弟兄如諸葛亮在總會長辦公室開談。

「主公、二將軍、三將軍，今晚拙作狂想曲敬請諸公尊講評，亮願誠懇接受。」諸葛亮知道他與龍尚弟兄的關係，血濃於水，龍尚弟兄對演奏會的褒貶，才是他最關切的。

「很美妙，很好，我覺得七絃琴太單調，不及鋼琴音色的瑰麗動聽。」劉備向來欽佩諸葛亮。很明顯的，劉備並不懂音樂，他的講評，全憑他的直覺。

「二將軍，你以爲如何？」諸葛亮徵求關羽的意見。

「請諸葛先生恕我直言，我的感覺是：音調太雜。子在齊聞韶，三日不知肉味，假使孔子聽了鋼琴演奏，我想是寢不安席矣。」關羽在生前，與諸葛亮說話，向來不客氣。以他目前在天庭的地位，自然更不必說了。他用「太雜」兩字批評鋼琴演奏，是春秋筆法，他用孔子來諷諸葛亮，是表現他的儒家思想。

「二哥說的是，我同意二哥的意見。」張飛在附和關羽。

「二將軍、三將軍言得極是，我因匆匆試作此曲，自知草率，我準備再作修改，以達去蕪存菁之目的。」諸葛亮知道關羽的個性，與他爭辯最爲不智。好在演奏會已經開過，讓他們發些妙論也無關宏旨。

「我的意思不是說狂想曲一無可取，其中有幾節金鼓戰伐之聲，我很欣賞，很能激發尚武精神。」關羽畢竟是武聖，他能聽出曲中金鼓戰伐之聲。他覺得諸葛亮態度謙虛，不好意思老在雞蛋裡挑骨頭，也應該捧捧他。

「我也這樣想，所謂頑廉懦立之意，此曲可當之無愧也。」劉備在關羽批評狂想曲時，不好插咀，現在聽到讚美，自然亦附和了。

諸葛亮見關羽讚美他的作曲，甚感欣慰。可見喜譽惡謗，人之常情，雖賢如諸葛亮亦不能免。

自從演奏會閉幕以後，諸葛亮深居簡出，很少出來活動。一來諸葛亮知道玉帝禁止出入天庭的禁令，一時不會取消，換句話說，他到下界觀光旅行，也就遙遙無期了。二來天庭各仙大都服膺中華文化，很少能欣賞鋼琴演奏，因此，對演奏會之輿論，毀多譽少，諸葛亮認爲暫時杜門謝客，不失爲明智之舉。連龍尚弟兄也不見面。

現在只有劉約翰每天到諸葛亮住處聊聊天，他用不着通報，可以隨便進出。

諸葛亮性情內向，一無嗜好，在生時找馬謖聊，與周瑜，曹操鬥智，倒很容易打發日子。

（未完）

命相與夢話

張睢陽生死有命

·漢年·

張睢陽名巡，唐鄧州南陽人，即今河南省鄧縣。少賦志節，博通羣書，知曉戰陣兵法，氣志高邁，不拘細節。唐開元末年辛巳，時年三十三歲，擢登進士第，由通事舍人，出爲清河縣令，治績著卓，而負節義，人多歸之。有困阨者，則傾資振復無吝。旋調眞源令。眞源之地，士多豪猾，張巡下車以法誅之，餘黨莫不遷善。在任政簡刑輕，民甚愛之。

天寶十五年，丙申，年四十八歲。安祿山造反，張巡起兵討賊，每戰皆克，提衆入睢陽，（睢陽在河南商邱縣南）睢陽太守許遠，與張巡合兵守城。賊將尹子琦合衆十萬攻睢陽，張巡激勵士衆固守，一日二十戰，士氣不衰。詔拜御史中丞，數次擊敗賊兵。固守數月，救兵不至，軍食已盡，張巡殺妾以饗士卒，最後羅雀、捕鼠、煮鎧弩以爲食。乃使南霽雲冒圍到臨淮告急，賀蘭進明忌張之聲威，不肯相救。至德二年丁酉，十月癸丑，卒以兵少糧盡被俘，罵賊不屈死節，年四十九歲。贈揚州大都督，享祀睢陽，號稱雙廟。（張巡許遠）。

張巡死於至德二年十月癸丑，年四十九，以此排之，生於景龍三年己酉。觀常熟孫師鄭原輯之名人生日表，乃知睢陽公誕於五月十八日。茲據唐書所載，及韓愈「張中丞傳」後序所述，考其一生經歷，當以卯時生爲合格。其八字即己酉、庚午、癸酉、乙卯。謹按年幹己屬土，月幹庚屬金，日幹癸屬水，時幹屬木，今己、庚、癸、乙，順布天幹，土金水木，毫無參差，遞互相生，非常親切。「巫咸提要」云：「四柱遞互相生，多逢喜慶。」就此觀之，固已直方純粹，遇衆超羣，而況年日二枝之酉，又復將星交拱，宜其博通羣書，曉戰陣法。惟嫌時枝値卯，學堂貴人，衝犯將星，雖然緯武經文，必操勝算。其如趨盤投絕，不免犧牲。然圖像凌烟，流芳百世，亦足以告慰在天之靈了。

總之三金生水，水不弱；再益以命宮壬申，幹枝金水，遂相資助，水勢有餘，尤爲確鑿。所妙者，年幹明見己土，月枝適逢土火，用神得力，不同尋常。觀其三十三歲丙運辛巳擢進士，登高科。三十四歲丙運壬午，由通事舍人出爲清河令，及調眞源令，治績斐然，節義亦高，即可知丙火大運，與太乙之巳火午火，均與癸水日元，有密切之關係。四十八歲丑運丙申，安祿山反，賊首張通晤陷宋、曹等州，郡太守楊萬石降賊，逼爲長史，哭於元皇帝廟，起兵討賊，從者千餘。即此更可見丙火濟水，關係重大，丑運陰刃，不過稍助權威而已。四十九歲仍行丑運，歲値丁酉。臨淮賊將楊朝宗謀趨寧陵，絕張巡糧道，巡外失亘依，拔衆退保寧陵，此時馬只三百匹，步卒三千，至睢陽，與太守許遠，城父令姚闇等合兵守禦，乃遣將雷萬春、南霽雲等，領兵戰寧陵，斬將二十員，殺賊萬餘人，投尸於江，水爲之不流。賊將楊朝宗夜半遁去。有詔拜張巡爲主客郎中，副河南節度使。安祿山死後，安慶緒遣其下尹子琦等與楊朝宗台兵，凡十餘萬，進犯睢陽。張巡勵將士固守，一日二十戰。許遠自以才不如張巡，將軍事全權賦張巡統一指揮，自願居其下。張巡以國事爲重，受而不辭。許遠專治戰具糧秣。

張巡遣將破東平城，擊敗尹子琦，所獲車馬牛羊，悉分將士，秋毫不入於家。詔拜爲御史中丞，許遠爲侍御史，姚闇爲吏部郎中。張巡欲乘勝擊陳留，尹子琦聞之，復圍睢陽。張巡對部下道：「吾蒙上恩，賊若復來，正有死所。諸君雖捐軀，而償功不足，以此痛恨耳」！士衆聞之，感奮不已。乃殺牛大饗士卒。賊以其兵少，大笑。張巡與許遠親自擊鼓，賊兵大潰，追殺數十里。

同年七月復圍睢陽，時城中糧盡，士兵人一日食米一勺，齕木皮鬻紙而食，祇剩一千人，人皆飢餓不堪。賊知外援已絕，圍逼更急。內無糧食，衆議東奔棄城。張巡與許遠共議之，巡道：「睢陽乃江淮保障，若棄此城，則賊必乘勝而南，江淮必不保。且士卒飢餓，行亦不能達。」於是決定死守。

同年十月癸丑，賊攻城亦急，士衆疫病不能戰。張巡西向拜道：「孤城備竭不能全，臣生不能報陛下，死爲鬼以厲賊」！城陷，與許遠同被俘。士衆有見巡被執，痛哭流涕。張巡道：「安之勿怖，死乃命也。」衆不能仰視。

賊將尹子琦對張巡道：「聞中丞督戰大呼，則皆裂血面，嚼齒皆碎，何至如此？」張巡答道：「我欲氣吞逆賊，可恨力屈而已！」尹子琦大怒，用刀抉其口視之，滿口祇存四齒。張巡大罵道：「我爲君父死，爾降賊無恥，乃狗彘也，安得久哉！」尹子琦服其節，將釋之。有人以爲不可。乃以刀脅巡投降，巡不屈。於是自張巡許遠以下，三十六人皆遇害。觀此，可知丑運陰刃助勢之强硬，又可知日犯歲君，三酉犯刑之危險。巡謂「死乃命也」，誠然。文信國公「正氣歌」有云：「或爲睢陽齒」。當南宋之時，睢陽、常山業經媲美，迄今又千餘年，而張巡之名，更洋溢乎中國，彼祿山、尹子琦今何在哉！然則，入皆知張睢陽，而不知許遠，許遠能居下死節，與張巡同爲不朽。茲於篇末提示，以彰「雙烈」。

搜異錄

鬼新娘復仇

·周遊·

方德基，爲狗肉將軍副官。自稱曾親見一異事。王某爲張師長部團長，其人貪財好色，已有妻妾四五人，資財百萬，而欲尚未盡。某年駐防河北某縣。一日獨自微服外出。見一女子，頗有姿色，心甚悅之，使隨從馬弁問其姓名，少女不答，遁入一民家而去。其屋宅修整，似非貧戶人家。王團長暗記在心。次日遣一善言官佐往訪問之。願以五百金娶之爲妾，黃女及其父皆不允。王團長大怒，竟派兵一連，圍黃女之宅，將王女及其父捕之而去，威逼允婚。父女均不屈，被禁於暗室。又以手槍脅殺黃父以迫女，女口答允婚，原來黃女已有所屬意郎君，因恐殺其父，不得已遂允之，失身爲王團長妾。王張宴賓客，並釋王女之父。父女不甘心，乃控訴於狗肉將軍。

不料狗肉將軍亦正想娶一妾，其婦不允。適見黃父所呈，正觸怒其懷，召黃父入部大罵道：「彼雖一介武夫，乃堂堂一團長也，以一斛之珠聘汝女，猶嫌不當嗎！」竟遂出部去。黃父有冤申得不。欲歸家去，又恐王團長所害，竟流落濟南而死。

其女聞耗，痛父之死，遂絕食，又作書絕其所愛。其所愛答書，又落入王團長之手，王大怒，竟執女之所愛箠殺死。黃女聞之，一慟而死。

過了一年，王團長調防魯南，再娶一妾，正値賓客盈門，花轎既至，儐相啓轎欲扶新娘出，掀簾見有二新娘。遂相告賓客，賓客不信，遂從轎隙窺視，果有二新娘，大爲驚異。轎伕道：「迎時只見一新娘，何得有二？」轎伕啓轎迎之，又只有一新娘。行禮既畢，大宴賓客，盡興而散，有的雀戰。王團長遂入洞房，與新娘笑謔。賓客賭博正酣，忽聞新娘驚叫之聲，又聞王團長呼叫聲。賓客及馬弁皆大驚，急叩門，內無人答話。不得已乃破門而入，則王與新娘皆已氣絕，急救之下，新娘得救。新娘道：「適見一女兩男，强殺王團長而死。」有人已知王某之前科，知爲鬼復仇也，人以爲報應。

（「巨變歷險記」續稿未到，暫停一期，讀者見諒」）

生活漫談

湖南名菜龜羊湯

馬騰雲

龜屬於爬虫類，棲于山澤湖池及潭塘，喜食小魚，口沒有牙，但有如鳥之角嘴，趾端有爪，生命力非常强，數月不食不會餓死，春日產卵，受日光自然孵化而出，龜含的成份有膠質、脂肪及鈣鹽，爲一種滋養强壯劑，適用於結核性疾患，及慢性衰弱症，能止血、止咳、解熱、養陰、及治小兒軟骨病等。

羊爲家畜，反芻動物，四月而生，其目無神，相家形容沒有眼神的人謂人生羊目，吃補的羊，必須要在山上自行覓食長大，羊食仙茅自肥，羊食仙靈脾而淫蕩，本草謂羊肉溫中補虛，開胃增食，壯陽益腎，治五勞七傷，故有「人參補氣，羊肉補形」之說。羊身上的頭骨、脛骨、尾骨、頭、蹄、皮、毛、鬚、角、腦、齒、舌、肝、胃、腎、胆、髓、胎、筋、血、脂、乳，皆入藥，中國西北各省人，習慣嗜吃羊肉，因之身體非常結實，是很有道理的。不過，吃羊肉，有幾件要注意的事，以白切羊肉沾豆醬吃，易發痼疾，沾醋吃，傷人心，與生魚同吃，中毒，用銅鍋煮羊肉，男子損陽，女子暴下，白羊黑頭或黑羊白頭的腦，食之生腸癰，獨角羊、四角羊不可食，食之五臟生瘡，即今日所謂之「癌症」，孕婦吃多了羊肉，產子有熱病，因羊肉溫燥，食山間毒草。

我們看到賣羊肉的小販，羊頭連到肉挑着叫賣，從前的意思，可能包含有向顧客表示，所賣的羊，不是獨角，亦不是四角，更不是白羊黑頭，或者黑羊白頭，換句話說就是向顧客說明所賣的乃道道地地沒有問題的羊，至於掛羊頭賣狗肉，乃是一種訛，狗與羊氣味形態截然不同，根本就混不攏。

龜羊湯在湖南是一種很有名的菜，而這菜本身確含有很高深的學問，龜喜歡住在陰濕湖沼，湖北、安徽沿揚子江一帶出產最多，可是很少有人吃，因涼性，故解熱，吃龜肉的風氣，以湖南最盛，別省多爲治病，或取龜版供藥用，羊則與龜性能完全相反，羊怕潮濕，喜居乾燥，龜羊湯可謂溫燥中和，百無禁忌，在長沙賣龜羊湯的大館子裏，整天門庭若市，凡在長沙住過的人，大概都會知道。湖南另一名菜，老蠶燉雞，據說亦是非常補的一種菜，湘菜能於對日抗戰中崛起，紅遍大江南北，自有崛起的基本條件。徽菜之走向末路，因太煩雜，難配合工業社會。

羊心最能補心，惟心上生孔者不可食，食之中毒，羊舌補中益氣，羊血治卒驚九竅出血，婦人血虛中風，羊卵治腎滑精，羊尾骨益腎明目，治下焦虛冷，羊肝補肝，治肝風虛熱，肝虛目赤，病後失明，視物模糊，羊角明目退熱，殺虫治風疾恍惚，羊乳潤五臟，益精氣，治中風心痛，羊肺補肺通肺，止渴行水，治風邪咳嗽，及小便頻仍，羊胎治中風虛弱，羊胎補腎虛羸瘦，與鹿胎、紫河車成藥「三胎丸」爲民間驗方，補力雄偉，羊脛骨功能健腰部，固牙齒，羊腎用途較廣，可製羊腎酒、羊腎粥、羊腎丸、羊腎羹，功用略同，不過羊腎酒，對烏鬚黑髮，塡精補髓有奇効，大概是藥性被酒引發到最高作用關係。

新火集

吳怡

「指窮於爲薪，火傳也，不知其盡也。」這是莊子養生篇一文的結語，意思是指我們的形體正像薪一樣，有燒盡的一天，但我們的精神像薪火一樣，薪薪相接，火火相傳，永無窮盡。

筆者在這裡論述古今中外許多哲人的警語，詩偈，公案，以及自己周圍的一些小故事，就同點起了一根薪火，雖然薪本有限，光芒微小，但前有古人，後有來者，希望這點光芒能夠引起共鳴，遞互輝映，爲這個空闊的世界，留下一點美麗的回憶。

子罕言仁？

「子罕言利，與命，與仁」——論語子罕

不知是那位孔門的高徒，寫下了這短短八個字的警句，點出了孔子思想的精神，但也使後代的許多解字之徒感覺迷惘。

其實這句話的關鍵在「罕言」兩字，「罕言」並非不談，也非不屑一談，而是不輕易去談的意思。孔子罕言利，是因爲「利」字本爲人情之常，誰都知道，正像男女之愛一樣，雖然重要，但不足爲訓，所以他在易經乾文言中說：

「乾始能以美利利天下，不言所利，大矣哉」！

可見孔子所求者，天下之大利，罕言者，一己之小利。

同理孔子罕言命，是因爲「命」有天人之分，天命不可知，當然不敢談；而人命（死生有命）不可爲，因此不必談。但孔子並非逃避這個問題，他只是把命納於人生，事生即知死，盡人事也就等於盡天命了。

至於這個「仁」字，孔子談得很多，爲什麼學生們又說他罕言呢？這是因爲仁，一方面是形而上的道體，一方面是形而下的德行。在論語中，學生問仁，都是問如何做人，而不是問仁的定義。因此孔子都是就學生的個性，而告訴他們做人的道理，所以孔子雖然談了那麼多的仁，却很少談到那個形而上的道體。

道家有至言無言的說法，禪宗也有無言是言的主張，如果能透過這兩家思想，去看孔子的罕言，也許我們更能體味到個中的眞意吧！

（上）

桃花潭三水浮屍

趙佗

再說主席今後在民國歷史上的身份地位，和孩子們須要的人，都不容許我們之間太暴露，快囘去照應你的小媽吧！叫她別聽到『要緊』的事，就有一腦子不衛生的想法。哼，眞的轟出去，豆腐落在炭灰裡，洗都洗不淸了。」錢孔方本是奴才的底子，被這一陣訓斥，那裏還敢再發言，白鷴很機智的走獲收拾麻將桌，錢孔方正欲悄悄的離開，牛夫人又補充囑咐了一句：

「少湘和克琳間的事交給你辦了。祇准成功，不准失敗，你的鬼主義多，一定會行得通，白鷴我很喜歡，像我親生女兒樣，未來的對象我會注意選擇的。」其實白鷴另有意中人，祇被錢施的手法擦得在矛盾之間而已。聽到主人這些話後，笑得甜咪咪水撻撻的，將少女的美昇華到最高潮。兩頰不斷浮起紅雲，有時會嘆一口長氣。

白水章本是蘇霍智的債務保證人，接受了錢孔方的拜托，代表牛府向蘇霍智提出牛少湘與克琳間訂婚的請求，希望在三天之內能夠答覆，蘇霍智的爲人，已成爲蝨多不癢，債多不愁。將這些也並未看得太嚴重，即是有嚴重問題的話，習慣上常是推到臨時處理的。馬繼元的問題，倒使蘇霍智感到有些意外，一邊由律師的名義催告債務，一邊扇三三兩兩的爛仔到診所困擾，一邊挽出蘇的親戚上門言婚事，一邊自己捧着現鈔親自登門問候，須否用欵。蘇霍智在忖想上次的雙管齊下，已够毒辣的了，這次的四面圍堵政策，[illegible]斯可忍孰不可忍，乃毅然說出：

「繼元，你的出發點，起因於愛克琳，自無可厚非，但這種珍珠捲奪愛的方式錯了，雖怪外間甚多傳說閣下放高利貸，印假鈔票，走私販毒，無惡不作，香港××部××向强生查詢過好幾次，克琳總是稱着你打圓場代辯……」馬繼元聽到蘇霍智這串連珠式富爆發性的談話後，奇怪的像是毒蛇遇到了叫化子，很快的軟化，轉變作和言悅色的說：

（卅六）

自由報

（第一〇一八期）

（半週刊每星期三、六出版）
零售價新台幣式元・台灣零售價港幣壹角
督印黃行鑒・社長李運鵬
社址：香港九龍彌敦道593—601號
廖創興銀行大廈八樓五座
LIU CHONG HING BUILDING
7th FLOOR FLAT 5
593—601 NATHAN ROAD,
KOWLOON, H.K.
TEL: K303831
電報掛號：7191
承印：景星印刷公司
地址：嘉咸街廿九號地下
台灣連絡中心：台北齊東街五巷三號
電話：三七五〇二二
台灣區直接訂戶　台郵劃撥戶
第五〇五六號張萬有（自由報帳戶）
台北營業處：台北衡陽街三十九
電話：二七一〇〇
台灣分社：台北市西寧南路110號二樓
電話：三三〇三四六，台郵劃撥戶九二五二號

從洋務運動、維新運動與文化運動的得失（上）

看中國文化復興運動應走的路向

王邦雄

編者按：教育部文化局與救國團聯合舉辦首屆全國中等學校教師「金鷄獎」論文競賽，共收到應徵論文四三九篇；幾經評審，最後本文以七五九分榮膺一等第一名，服務學校得大型金鷄獎一座，王君本人得獎狀一紙，獎金八千元，爲中學教師之殊榮。按王君爲本報基本撰稿人之一，現執教於台北第一女子高級中學，（即馳名之「北一女」）五十五年以第二名畢業於師大國文系，五十八年又以第一名獲得中國文化學院哲學碩士，少年英俊，前途無量。今謹錄該得獎全文，以饗讀者。

一、前言

這個論題，相當繁雜，且見仁見智，殊難得到定論；但這又是一個與國運攸關，亟待解決的問題。今天，只要是一個中國人，都應當在西潮沖擊世界激盪之中，承担起復興中華文化的重任。

這一百年來，我們從滿清末的洋務運動與維新運動，以至於民初的新文化運動，到今天的中華文化復興運動，可以說是一線貫串，逐步推衍的。這幾個階段，雖說步調不同，所見各異，但其旨趣歸趨，同樣的都試圖在固有文化當中，吸收西方之長，以振衰起弊，尋求中國現代化的道路。今天我們力求復興中華文化，必得先就前此三個運動的得失，細加檢討，再衡量當前世局的發展，與國家的需要，以謀求一個較爲合理可行的方案。

二、洋務、維新、及新文化運動得失

鴉片戰役，對大英帝國來說，是一場不名譽的戰爭，對我國來說，則是決定近代國運的一戰。此戰我國戰敗，以天朝上國自居的東方王國竟敗給那西方蠻夷之邦，紙老虎是被拆穿了。奈何東亞睡獅依舊酣眠未醒，[illegible]英法聯軍[illegible]兩度北犯京畿，而太平軍正蹂躪[illegible]山河，內憂外患交逼而來，有識之士，眼見時勢發展，已至非變不可的階段。林則徐首倡「以夷制夷」的主張，他第一個認識了西方的船堅礮利，決不是國人盲目的排外所能抗拒；胡林翼也曾於江濱眺望，「親見二洋船鼓輪西上，迅如奔馬，疾如飄風」，（語見庸盦筆記），不禁爲之憂懼嘔血。而當時的中興名臣曾國藩、左宗棠、李鴻章，亦有鑒及此，洋務運動，遂在他們的全力推動下，蓬勃的展開了。這一階段的思想，張之洞所倡言的「中學爲體，西學爲用」，可爲代表。那時，大家只覺得中國在兵甲利器的末節上，是大不如西方；而在整個文化的根本上，中國仍是足以凌駕西方之上。學西學，是爲了求得「應世事」的器用而已；而道體上的「治身心」，仍以中學爲優。是以洋務運動，只限於軍事的革新，以爲學習西方的船堅礮利，就足以阻遏西力的東漸。他們爲了救亡圖存，不得不師法西方，然其成績不過是漸次成立機器局，造船廠與武備學堂的寥寥幾件罷了！所見過於膚淺，所行更是急功近利，未得根本要圖。胡禮垣評張之洞勸學篇說：「中國之學西法，錯在不學其心，而但學其法。」蓋既以西學爲一時的器用，所得也僅及皮毛，其失敗自屬必然。

曾幾何時，中日甲午戰爭爆發了，中國多年洋務運動的成果與僅有的信心，也一戰而垮。這個打擊，比之於鴉片戰爭，只有過之而無不及。朝野震恐，檢討戰局，以爲日本富強，全得力於西化維新。於是以康有爲、梁啓超爲首的維新運動，又怒潮澎湃的展開了。康有爲放棄了張之洞「中學爲體」的立場，開始變易儒學的面貌。他的「新學僞經考」及「孔子改制考」，即在證明羣經皆僞託，孔學又非得自先王，所謂「祖述堯舜，憲章文武」的古訓，不過是託古改制而已。由是可知法非不可變，以作他變法革新的理論基礎。梁啓超攻擊三十年洋務運動的失敗，是只知在練兵、開礦、通商、設學堂諸端用力的緣故。他沈痛的說：「不變其俗，不定其規模，不籌其全局，而依然若前此之枝枝節節以變之，……則於中國之弱之亡能稍有救乎？吾知其必不能也。」他們以爲僅在軍事利器上學習西方，仍無以適應時代的需求；必得在政治、教育、軍事與實業各方面，從事全面的改革，才能收到富國強兵之效。當時嚴復的變法圖強論，也給予強有力的支持。以他們當時見識規模，若能假以時日，順利進行，中國並非沒有維新自強的可能。未料那時的「老佛爺」——慈禧太后，她能豪氣千雲的縱容義和團到處燒殺，向世界宣戰；卻獨獨缺乏那份胸懷與雅量，讓她一手培植的光緒皇帝，去做一番內政的革新。結果，法未行而事已敗，維新運動不過是一百零三天，又告壽終正寢，只落得康梁倉皇奔走，六君子死難的淒涼下場。

這個運動的失敗，使國人對清政府完全絕望，於是國民革命更如火如荼的展開，武昌的義旗一舉，全國聞聲響應。中國在現代化的過程中，終於邁開了一大步，推翻專制，創建共和。但民國成立以後，洪憲帝制，張勳復辟，仍是軍閥割據之局；民主政體，並未能在中國落地生根。於是在五四青年愛國運動的前夕，中國的知識份子，又掀起了新文化運動的大浪潮。他們認爲洋務運動與維新運動都相繼失敗了；而民主共和，也沒有將中國帶上新生之路。當時傳統派又重彈「復古」的老調，發起所謂的「孔教運動」，於是陳獨秀、胡適之等，將介紹西學的筆端，調轉頭來批判孔家思想與傳統文化。他們追根究底，認定這一連串的失敗，不只是軍事與內政的問題；是整個文化的問題，而根本就不適合民主與科學的成長。其中胡氏尚稱客觀，他批判傳統，是要我們自認「百事不如人」，不要永遠以「中國文明是精神文明，而西方文明是物質文明」來騙自己。他認爲「我們所有的，西方也都有；而我們所沒有的，西方卻獨有。」所以他極力倡導「充分西化」的主張（他終於放棄自己「全盤西化」的說法）。而陳獨秀、錢玄同、魯迅之流，則態度偏激，認爲民主科學，與孔家思想是不相容的。要民主，就要「打倒孔家店」；要科學，就要全盤西化。這種完全否定傳統文化的論調，已超越了理性的範圍，不僅對傳統的迷信教條，起不了刷清的作用；反而引起年青一輩的錯覺。以爲凡是西方的，都是好的；凡是新的，也就是對的。而當時的馬克斯思想——否定了西方的資本主義，正以世界最新思潮的姿態風行全球。就這樣，極其不幸的，伏下日後共產主義猖獗於大陸學園的禍根。新文化運動，由於陳獨秀步入歧途，對傳統的攻擊，超過了對新知的介紹，破壞多於建設，終告失敗。只有胡適之的白話文運動，獲得成功。白話文的提倡，有助於國民知識的普及，與學術思想的流傳，對中國的現代化，可以說有其不朽的貢獻。

綜觀上述，洋務運動只著力在軍事的模仿；維新運動又落於政治的抄襲，二者學習西方，純出自功利的動機，以爲達成目的的手段，而不能眞正的肯定其內在的價值。其失敗是勢所難免。而新文化運動，雖能肯定民主科學的精神與價值，然他們操之過急，破壞了舊倫理，又不能建立新道德，走「全盤西化」的路子，卻又放棄了西方文化重要的一環——宗教精神。結果不僅新文化的構想落空，反爲唯物論的馬列主義者，開導了先路。他們的失敗，是整個[illegible]；但他們對新思想的鼓吹，對舊學術的檢討，已爲中國的現代化縮短了里程。

三、中西文化的價值及其衍生的病態

今天，我們要復興中華文化，與上述三個階段的逐步遠離傳統，全面西化，正走著完全不同的路子。首先，我們要面對幾個問題：其一中華文化是否毫無價值，非打倒不可？其二西方文化是否完美無缺，值得我們全盤接受？其三中國傳統文化與西方的民主科學是否不能同時並存？假如答案都是肯定的話，那麼我們根本就不必也不能復興中華文化；假如答案都是否定的話，那麼復興中華文化才有必要，也才有可能。這三個問題的探討，可以說是復興文化的大前提，所以我們要先分析中西文化的價值與其衍生的病態，求得答案後，才能確定文化復興運動應走的路向。

（未完）

昨日與明日

一項財政新措施

曹松

稅務稽徵上最大一個問題就是租稅偷漏。多少年來，社會上流行一個口號，就是租稅的三三制。它的涵義是：納稅人應當繳納的稅金，被稅務人員中飽三分之一，納稅人本身偷了三分之一，而政府實際所收入的只三分之一，那就是說三分之二的稅金被偷漏了，這對於國家該是怎樣一個嚴重的損失。

欣聞稅務稽徵新猷

司法行政部調查局與台灣省財政廳曾於去年九月在台北永和鎮設立稅務聯合調查小組，一年以來，頗收成效。財政部因爲調查會商訂定「加强查緝違章漏稅聯繫辦法」，設立稅務聯合調查組，於本年十一月廿六日正式成立，今後稅務稽征，將更嚴密，稅收將更充裕，對於國家財政來講，誠然是一佳訊。

人們都知道：司法行政部調查局是個有朝氣，頗具活力的機關，年來它吸收了許多富有國家民族思想，更具正義的男女青年，他們的工作表現，極爲突出，譬如今年所選拔的十大女青年中，就有一位王房惠女士是該局的職員。相信：今後的稅務稽徵，必將有一番新局面。

商民稅吏應並重

所謂租稅，就是人民荷包裏的錢，交付政府來用。雖然理論上民主社會，官由民選，政府的職能是爲人民服務！但納稅人仍然感覺錢由自己荷包出去給他人花用，非常不舒服，因而偷稅匿稅，人情之常，不肖稅吏乃藉機貪污，結果，瘦了國庫，肥了稅官。年來台灣經濟呈現繁榮景象，工商企業利潤顯著增加，巨商大賈個人所得激增，政府稅收雖也有增加，但難成比例，個中原因無他，漏稅太多故也。也有人說：商人在酒家、夜總會請客的現象，頗多衙門口中的人，更多少與「一稅」有關。因此，我們覺得：稅務調查，不僅查商民漏稅，更要注意稅吏中飽貪污。財長李國鼎所說革新稅務風氣，應爲今後財政工作重點之一。

執法更應守法

司法行政部調查工作幹部不爲勢屈，不爲利誘的硬派作風，向爲社會人士所讚美，但稅務環境，引誘力特別大，執法人員也應特別警覺。沈之岳局長特別強調：「執法的人，必須先能正己，然後才能正人。」查緝工作人員，要遵守法紀，在辦案或執行任務時，一定先要出示身份證明，禁止接受外界任何招待，務期做到：不苟不撓，毋枉毋縱。」眞是義正詞嚴，足徵該機關對紀律和法條的重視。國家有充裕的財政收入、政府對人民的服務才更爲加強，我們重視稅務稽徵的革新也祝賀稅務聯合調查組的成立。

自由談

美日的非法談判

按照二次大戰結束前夕的波茨坦會議宣言，琉球原不在日本領土之列，它的歸屬應由作戰的盟國共同商定，美國祇是暫時佔領該島嶼而已。

年來日本人叫囂不歇，要求「收回」琉球，且謂日本對該地區有「剩餘主權」，美國當局亦表示可以將該地交還日本，大有私相授受之概。然當地人民卻堅稱不願重受日本統治，并發表過正式宣言，闡明此意。現在日本首相佐藤榮作到美京訪問的最大任務，即向華府當局談判琉球的「交接」問題，取得最後協議，作爲佐藤個人繼續執政的政治資本。

琉球本係我國的藩屬，史籍昭然可考，假使日本對該地該稱有「剩餘主權」之說是合理的，那咱們中國對該地乃有「原始主權」存在，中華民國以二次大戰的盟國之一，更有理由和權力收回該地區了。我們今天雖不講「原始主權」，要將該地區重歸爲「海外扶餘」的藩邦，至少至少亦得堅守波茨坦宣言，非經盟國協商決定，美國不能隨便把琉球作禮物，擅自贈送給日本，這是應有的結論。

十年前，日本駐台北的外交官清水董三，曾發出日本人對台灣有「潛在主權」的謬論，充分表示日本人對台灣并未忘情的野心。美國此時如果擅自將琉球送還日本，即是承認了日本對該地區眞有「剩餘主權」，他日日本若再提出它對台灣有「潛在主權」之說，美國是否亦見怪不怪呢？

當年韓國總統李承晚始終不願跟日本建交，雖然盟軍統帥麥克阿瑟再三斡旋，邀請李氏到東京作上賓，設法使李氏與日首相吉田茂晤談，而李氏依然拒絕之。我總認爲李氏未免有成見太深，如今看來，李承晚先生對日本人的認識卻比我們高明些。日本軍閥們舊有的「大東亞共榮圈」美夢，依然縈迴於日本一般人士的腦海中，并未覺醒。鑒前毖後，我們對於美日兩國私行談判琉球問題，似有發佈嚴正聲明之必要，祗是由外交人員作輕描淡寫地說話，那不但份量不夠，將來在國際上亦無作用可言也。

馮玉先

彰化大同公司巨額漏稅
由財政廳查明依法辦理
台灣省主席陳大慶公開答覆
並認統計數字應該做到正確

本報駐台記者張健生台北消息：台灣省政府主席陳大慶說：彰化大同公司漏稅案，拍賣三次不成立，省財政廳已依強制執行法規定，予以管理。至於該公司有巨額漏稅一節，當由財政廳查明事實後，依法辦理。這是陳主席在答復本報記者詢問之書面中所宣佈的。

陳主席對本報記者所提有關數字正確性的問題，極表重視。他說：統計數字應該正確，蓋施政計劃之擬定，政策與行政措施之檢討，莫不是以統計數字爲基礎，倘數字不正確，當然影響政策之擬訂。下面是本報記者的詢問：

一、彰化大同實業公司漏稅新台幣二千餘萬元一案，經監察院提出糾正案後，政府乃飭令彰化縣稅捐處向彰化地方法院申請恢復執行，至今年十一月十八日，該地院已第三次拍賣大同公司的財產，拍賣底價亦由第一次拍賣的四千七百廿五萬五千元，減價爲三千零二十餘萬元，因無人投標，致拍賣不成立。依強制執行法規定，第三次拍賣不成立，可強制管理或繼續拍賣。請問：政府是否採取強制管理？

此外，報載該大同公司去年十月間，被調查機關查獲逃稅額六千萬元至兩億元，經送彰化縣稅捐處法辦，外傳中央地方民意代表若干人之包圍，致未依法辦理云。請問：該公司有無逃稅額六千萬至兩億元之事實？倘有此事實，則中央與地方若干民意代表有無說情之事？

二、彰化縣政府辦理洪丁山放領耕地違法一案，台灣省政府五十八年八月三十日呈復行政院略謂：本案土地自四十三年後，洪亮（口旁、以下同）承領彰化縣溪湖鎮四塊厝巫厝小段五七〇之一號內二分之一土地，確屬洪丁山耕作，此係洪亮違法轉讓，依照台灣省放領公有耕地扶植自耕農實施辦法第十五條規定，應撤洪亮之承領。由於彰化縣政府自四十四年至九十年之每年舉辦農戶總檢查一次，承辦檢查人員未實地調查，致未將洪亮私自轉讓實情登記於農戶檢查表，反而將不實事項作虛僞之調查登記於官文書，圖利洪亮，損害洪丁山權益。請問：該地政人員之虛僞調查登記，應不應負損害賠償責任？

又：本案土地承領人洪亮繳清地價後賣給洪油車。查洪油車承購本案土地時，根據員林地政事務所資料，洪油車所繳自耕證明保證書載：被保證人洪油車之自耕身分，係彰化縣溪湖鎮東里里長洪油車具保證明承受本案土地自耕。請問：被保證人洪油車與具保證人里長洪油車同屬一人，有無法令依據？被保證人洪油車承購本案土地後立即賣給林火基圖利，違不違背政府扶植自耕農的土地政策？具保證人里長洪油車應不應負責任？政府有無查究其責任？

三、台灣省各機關之法定預算中均列有出差旅費支出項目，員工因公出差可按規定報銷。查鐵路局歷年均贈送各機關免費乘車證，其數相當可觀。例如五十七年鐵路局員工領用長期公務車免費證三、四二八張，定期公務乘車免費證二、七〇四張，一次用公務乘車免費證一四四、九五〇張，另外各機關領用長期公務乘車免費證二四四張。又如五十八年各機關領用長期乘車免費證一九二張；鐵路貨運搬運公司一次公務乘車免費證（快車票）一、七五〇張及普通車二五〇張；省交通處記名長期乘車免費證三九張，一次公務乘車證六千張，省屬快車證二千五百張，普通車證一千五百張。請問：各機關經預算中之車旅費支出項目究作何用？鐵路局發免費乘車證有沒有法令依據？

本報記者除提出前述三項書面詢問外，並提出三點口頭詢問，陳主席也即席口頭答復。

一、統計數字眞實性的問題：本報記者建議陳主席要把統計數字做到正確，有時候，新聞記者根據政府機關公佈的數字而發表消息，同一事情，往往發生甲機關的數字跟乙機關的數字不盡相同，所以新聞報導某一事情的數字也不同，結果，讀者不明眞情誤責新聞記者的報導不實。例如陳主席在省議會第四屆第四次大會的施政報告中之「本年第二期稻作種植面積爲四十四萬四千七百一十五公頃，遭受四次颱風侵襲，受害稻田，無收穫面積達四萬五千五百餘公頃，佔已種植面積百分之十點二四，產量將受到影響。」但陳主席報告的數字跟農復會主委沈宗瀚在立法院報告的數字不同。沈主委在「業務概況」中指出：「本年九月底及十月初，兩次颱風在農業方面所造成之損失相當嚴重，根據農林廳及糧食局報告，被害農作物面積共達五十三萬九千餘公頃，折算不能收穫面積爲十三萬五千餘公頃，約佔現有作物面積百分之十五」云。

省營官股董監事
紅利都得吐出來
審計處指責省營事業

二、省營事業或公私合營事業官股董監事所領紅利問題：最近審計處長尤百威向省議會報告審計業務時，指責省營事業經營不當，並提出六點糾正意見，其中代表官股董監事所領紅利一節，省議員也有質詢，請問政府對此事如何處理？主席的看法如何？

三、據說，行政院對艾爾西、芙勞西颱風災害善後救濟措施方案，其中農業生產救助部份之貸款，本省各地鄉鎮農會不願承辦此項貸款業務。其不願辦理的理由是：農會貸與農民的手續費不過〇、〇六%，而貸與農民之款若收不回來，貸款銀行規定應由農會全體理監事以私人資格連帶保證負賠償之責。

關於本報記者所提三項書面詢問，陳主席之書面答復：一、彰化大同實業公司漏稅案，拍賣三次不成立，本府財政廳已依強制執行法規定，予以管理，至於報載該公司另有巨額漏稅一節，當由財政廳查明事實後，依法辦理。

本報記者按：台灣省政府財政廳依強制執行法第九十五條「前條未拍定之不動產，債權人不願承受時，應命強制管理。在管理中依債權人（政府）或債務人（大同公司）聲請，得再減價或另估價拍賣。」的規定，予以管理。據監察院原調查提案委員陶百川、金越光等表示，政府採強制管理是違法的。他們共同指出應依強制執行法第九十一條的規定，債權人之政府應該承受該公司拍賣的不動產及動產。第九十四條規定：「經二次減價拍賣而未拍定之不動產，執行法院得依第二次減定之拍賣最低價格，將不動產交債權人承受，並發給權利移轉證書」。

陳主席書面答案二、彰化縣政府辦理洪丁山放領耕地違法一案，涉及人民權利，內情亦甚複雜，省府當責成民政廳切實查明眞象，依法處理。三、關於鐵路局發出的各種免費乘車證，我將交給有關單位，切實查明，如無需要，而又於法無據，將予糾正取消，並查明實情，至於鐵路局發給員工免費乘車證，其用於公務者，依據預算執行辦法，當然不能另報支給交通費。

陳主席在口頭答詢（一）：一切統計數字，如只作宣傳，並沒有甚麼眞實的意義；統計數字眞正的意義，是在於用它作爲「施政參考」，作爲「計劃之擬訂」及「施政檢討的依據」，所以統計數字應正確。（二）省營事業或公私合營事業之官股董監事，是政府的代表，不得分配紅利；省營事業或公私合營事業的紅利，應分配給政府投資的單位。過去，代表政府擔任該事業之董監事個人所分配的紅利，均應該追繳。（三）本省各地農會拒絕辦理農貸一節，可能會發生，因爲我特別重視這次農貸利息，故這次農貸利息低；政府雖然不能下令一定農會承辦，但總有辦法要農會承辦。

鋒前側（八）

·陳光棣·

「我想作磨剪子磨刀的小生意，然後再開個刀剪店。」桂先生說着扛出一條板櫈來，板櫈的一頭裝着一塊磨刀石，還有一具磨光用的砂輪。

楊警員和氣的說：「桂先生，你是個明白人，別的事先不去說它，你網坐在陽台上磨刀，實在不大正常，街坊鄰居們：……」

「有甚麼不正常，在家裡磨刀也犯法。」

「話不是這麼說，你這種行爲至少破壞了安寧，誰都知道，你不是純粹的爲了磨刀。」

「怎麼，我連在家裡磨刀的自由都沒有？」

「自由可有個範圍，不能影響別人：……」

「我也沒有恐嚇誰，也沒有想殺誰」！

「楊警員你先請回去，我和桂先生私底下談談。」劉二爺打圓場。

楊警員走了以後，劉二爺又給桂先生講了半天道理，桂先生才向劉二爺担保，以後決不再磨刀了。

劉二爺回了家以後，桂太太正在客廳裡等着，劉大姑奶奶正在一五一十的數落着丈夫的沒出息，眼角一搭拉，就掉下了兩顆眼淚：「劉伯伯，你看看結婚可有甚麼好處」？

「這很難說，假如說結婚吧；你們倆人（指指大姑奶奶）就是例子，假如說結婚不好吧；你們就去問問寡婦。」劉二爺若有所思的說。

讕·檢·剪·鋼（二）

關者清

或謂小人道聽途說綴手「檢」來，「簡」直在雞蛋裏「揀」「骨頭」。那麼小人在此事先聲明，以上所「檢舉」之例，最近得到確證並非如小人所「風聞」之甚，而係一瓶墨汁染黑一鍋湯之故。

有台大歷史系畢業之某兄，學識淵「博」，「博」通古今中外，天文地理，在台大修畢「碩士」學位後現在「修煉博士」。此兄「認眞」（如同攷古）「負責」（一如董狐筆）極盡其莫須有之能事。凡影片過目，不論巨細，無分親疏，一概剪之。

此「兄」愛國之情溢於「刀下」，凡屬洋片，其「剪」也不求「甚解」，但凡「譯文」、「解曰」者，不問靑紅皂白，「剪」之爲快，以示其對洋文之精通焉。而妙在若干影片其原意大快國情，而譯者「妙筆生花」將犯忌之洋譯爲美麗之「中文」，此兄「見之」欣然，高抬貴手，蓋若非此兄一時手痠則因忠洋文重聽之故也。如法網恢恢有私如亂倫之語句，在善意歪曲下得逃厄運又有數片提及L、S、D、等只要不譯，博士概不過問。

小人不明者在此，若不譯可免一剪之厄，是否譯後刪除字幕即可？因此理甚明，能識洋文者雖非保證品行高尚，但至少不致於受一二部影片所影響也。是以刪除字幕是最慈悲之良策。惜此兄並非眞具慈悲之心，而係「一心一耳」不能相應，如若該兄博通洋文，洋片勢將無一得以獻映。

因該兄先審閱中文譯本凡有觸目字樣，牢記章節，一至左右前後，遂而發號施令，快意而剪，有如一招「雙龍點珠」，有時連眼帶鼻一概波及，有時「雙眼」依然」卻「面目全非」，一時有「金鋼神剪」之美譽焉。

而電影院似乎得天獨厚，如近日在台北上映之「大頭腦」然，片首約近十分鐘的鏡頭皆爲髮長垂肩之男性「嬉痞」，與劇情並無關連，公然上映而場之容滿，但台視「待遇」不同，此「待遇」並非有所歧視，而係機緣湊巧，因該兄多至檢電視影片故也。

小人無鈔日日光顧西門町，故電視爲良伴，但見歡樂週末節目披頭出現，甚及足球大賽中有髮長及肩之運動員，但在影片中往往「莫名其妙」地，一躍三萬八千里，台灣二金剛摸不着頭腦。經查詢之下，皆爲該「兄」之傑作，據云台視被剪之片該兄居功厥偉凡達百分之八十。想必十大傑出青年將增加一神剪青年也。

年前台視曾推出一部長片「木馬屠城記」，此兄過目之下「正義感」大發，遂令禁映，理由是該片有「強肉弱食」之嫌，有違「我國固有文化道德」，大帽子一壓，台視在「強理」之下只有「弱屈」。

喬治桑外傳　一〇〇

張大萬

「爲甚麼？你不想用看你的「打鈴」？」裘白瓊也夾雜說了一個英文，可是發音不準。

「甚麼「打鈴」？」喬治桑假裝不懂。

「小雲雀呀？」

「早已不往來了。」

「哎呀，你眞是老「牙籤」，「負心的人」，哈哈。」裘白瓊書讀的不多，他用負心的人也調侃喬治桑，自以爲已經很文縐縐的了。

「到新開的「鳳凰酒家」好不好？」

「好是好，那邊我不熟，不能簽字。」裘白瓊倒是很落檻的，有話言明在先。

「不要你簽字，我請客。」喬治桑閒着無聊，目的是要裘白瓊做他的遊伴。剛才跳舞是裘白瓊請客，現在上酒家是喬治桑做東，亦屬情理之常。

「好的，一切聽命於你。待會兒怎麼碰頭？」裘白瓊很爽快的答應了。

「吃過晚飯八點半鐘在黃龍咖啡館碰頭，那兒離鳳凰酒家最近。我們走過去兩三分鐘就到了。」喬治桑在台灣待久了，已懂得酒家的玩法，吃過飯去，既能省錢又顯得是行家。

「阿翠，阿翠。」喬治桑掛斷電話，高聲喊下女。

「先生，有甚麼吩咐？」阿翠出身台灣農村，既不會稱呼喬治桑爲「叟」，「博士」又叫不慣，所以還是用「先生」。

「我吃過晚飯再出去，晚上家裡有甚麼吃的？」喬治桑在家吃飯，照例先問一問有甚麼菜。其實，他吃東西只要潔而精，倒並不太挑剔。

「有蔬菜湯，紅燒黃魚，蛤蜊（虫旁）燉蛋，乾菜紅燒肉，冬菇炒筍。」阿翠先報了菜單，接着又說：「這都是李小姐吩咐買的，先生是不是還要加點甚麼？」

「不要加甚麼了，七點鐘開飯。吉美有沒有餵過？」吉美是桑家豢養的看門狗，牠的活動範圍在後院。因雅麗絲不在家，所以喬治桑有此一問。

「吉美今天吃的是牛肝、牛骨頭，已經餵過了。」

「好了，沒有妳的事，妳去罷？」喬治桑揮了揮手，示意阿翠退下。在阿翠剛要移動脚步時，喬治桑又喊住了她：「李小姐的母親是什麼時候來電話的？」

「我在後面做事，我不知道，李小姐是下午四點多鐘出去的，她告訴我，她的媽媽從南部來了，要我向你請半天假。」阿翠根本沒有答復喬治桑問話的要點。喬治桑第二次揮手示意她退下。

談文學的內容與題材的處理（七）

·方祖燊·

湯知縣趕緊叫人換了一副磁杯象牙箸來，范進仍不肯失制動用。後來只好給他換了一副白色竹筷子來；於是他就安心大吃酒了，在燕窩裡揀了一個大蝦圓子，送進嘴裡。這是暗諷那些講形式的偽君子。此外，述王玉輝逼他的女兒殉夫而死，為求立貞節牌坊，與有榮焉，但當入祠建坊之際，卻不免心傷痛哭。刻畫出他們那可憐的面目，可鄙的心性，並暗寓譏諷針貶的深意，使世人發現了他們的面目心性，而唾棄了他們。

（3）譴責揭露：這是將社會的種種黑暗的內幕，人性的鄙劣點，時政的弊惡處，鼓加糾彈揭發，似和諷刺評擊方式相類，但辭氣浮露，筆無藏鋒，甚至過甚其辭，多加渲染，迎合讀者的心理。報紙上社會版上離婚、凶殺、騙詐、貪污、桃色糾紛之類的新聞，都是這類的題材，能給人強烈的刺激。小說中，如清末李寶嘉的官場現形記，吳沃堯的近二十年目睹之怪現狀，專在抨擊拔露當日官場中的貪污、賣官、奉迎、鑽營、欺詐、矇混、荒謬、昏庸的醜事劣蹟。但這種寫法，寫的不好，易流於只有黑幕，而沒有藝術，結果成為低級的趣味。於是在其中只看到欺騙、齷齪、卑鄙的種種事蹟，無恥無知的人，更易引發他的劣根性，增加他作奸犯科的知識，使社會更加混亂，風氣更加敗壞。現在凶殺、色情案之多，報紙上社會新聞的渲染，首先應負其責。

（4）提出理想與意見：許多關心國家社會的作者，看見社會上有許多問題存在，自己又有個人的理想與看法，主張與意見；因此散文中就有許多意見正確的批論，富有趣味的漫談產生了；但也有許多作者借小說的形式來表現的。像李汝珍的鏡花緣，劉鶚的老殘遊記，屬于這類的作品。胡適先生說：鏡花緣的結構，很有點像司威夫特的海外軒渠錄，是要想借一些想像出來的「海外奇談」來議評中國的不良社會習慣的。其中最著的有婦女纏足問題，借林之洋到女兒國，被選作王妃，被迫化妝，穿耳、纏足的痛苦，來反映當日女子的種種痛苦，認為這種風俗應該廢除。又如認為當日算命合婚的不合理，不可信，提出意見，認為「為人父母應該洞察合婚之謬，應以品行、年貌、門第相當為重，這樣才可以對得住兒女。」而又認為女人應該和男子一樣有同等受教育、參加考試，主持政治的權利。又借兩面國，強盜押寨夫人的事，批評世反對男女貞操的兩面標準。強盜想收唐閨臣為妾，他的押寨夫人，就打了他四十大板，且說：「假使我要討個男妾，你可歡喜嗎？」又說：「將糟糠之婦，置之度外，這是強盜行為。……我不打你別的，我只打你只知有己，不知有人……把你打的，心裡冒出一個忠恕之道來。」這個忠恕之道，就是「己所不欲，勿施於人。」這都是提出理想與意見，來處理社會問題的最好的例子。現在作者多選擇[illegible]現人類的善性，社會的光明面，作為寫作的題材，目的使讀者在文學作品無形的薰陶下，使他們了解什麼是善，什麼是惡，什麼是對的，什麼是非的？促使社會進步，而消除了黑暗；人性向善，而洗淨了罪惡。現在，台北光啟社製作的電視劇，也可說是這類典型的解決社會問題，淨化人類的情性的作品。

（5）用寓言寄託的方式，來諷喻世人，批評社會問題的。如聊齋志異中「席方平」一篇，借陰間的城隍賄賂，閻羅王受人賄賂，判案不公，使窮人告發無門的例子，暗喻人世的法官，亦多類此。

命相與夢話

石崇富貴不善終

漢年

石崇字季倫，晉石苞之第六子，渤海南皮人，生于蜀漢後主延熙十二年七月初九日辰時。年少時警敏聞於鄉里，且勇而有謀。年二十餘，為修武令，甚有能名，入中朝為散騎郎，拜黃門郎，晉元康初年，遷城陽太守，伐吳有功，封安陽鄉侯。在郡雖有職務，但石崇好學不倦。未久拜黃門郎。元康初年，楊駿輔政，大開封賞，多樹黨援。石崇與散騎何攀共奏惠帝，敘述封賞濫溢之弊。及至出為南中郎將荊州刺史時，怨任俠好尚，行無檢束，劫遠使商客，致為鉅富，旋拜太僕。又出為征虜將軍假節，監徐州諸軍事，鎮守下邳。

石崇富而不貲，因築別館於河陽，館名「金谷」，又名「梓澤」，納美姬綠珠等數於館中。送者傾於都城，貴人皆朋飲於別館；鎮守下邳時，與徐州刺史高誕爭酒相侮，為軍司劾奏，因此免官。後復拜衛尉，諂事權貴賈謐。賈謐因賈后而得權傾人主。石崇不僅諂於賈充，賈充之後娶嬌封廣成君。廣成君每出行，石崇降車於路左，諂遺恭迎，望塵下拜，其卑佞如此。與前半生判若兩人。

石崇財產之富，珍寶豐積，室宇宏麗，後房姬妾百數，皆衣紈繡，琲金翠飾，絲竹盡當時之選。飲食窮水陸之珍。與貴戚楊琇之徒，爭以奢靡相競賽。愷以粉澳釜，崇以蠟代薪。愷作紫絲布，步障四十里，崇作錦步障五十里以相敵。崇用椒塗屋，愷用赤石脂。石崇鬥富如此。晉武帝助愷與石崇相鬥，以珊瑚樹賜愷，樹高三四尺，枝柯扶疏，為世所罕有之珍寶，愷以之示崇；石崇便以鐵如意擊之，應手而碎。愷既惋惜珍寶，又以為石崇嫉其珍寶，聲色方厲，石崇道：「君不必恨，我還君更佳者。」乃命左右取珊瑚樹六七株，高有三四尺六七株，枝幹絕俗，光彩耀目。愷悵然自失。

趙王司馬倫專權，石崇外甥歐陽建與趙王有仇，心甚恨之。石崇有絕色美姬名綠珠，能歌善舞，吹笛絕妙。孫琇使人以珍珠求綠珠。石崇居金谷別館，方登涼臺，臨清流。綠珠侍於側。孫琇使者告以所求。石崇將其婢妾盡命出堂，皆絕色美人，任使者挑之。使者道：「君侯服御，豐則豐矣，然我受命指求綠珠，不知誰是？」石崇勃然怒道：「綠珠乃吾之所愛，豈可與人！」使者道：「君侯博通古今，察遠照邇，請三思而後決。」石崇終不許。使者出而又還再求，石崇亦不許。孫琇大怒，乃勸趙王誅石崇及歐陽建。石崇、歐陽建已知其計，乃與黃門郎潘岳，陰勸淮南王司馬允，以及齊王司馬冏，企圖除趙王、孫琇等。孫琇等覺察其情，遂矯詔收石崇、潘岳、歐陽建等三人。石崇正與愛姬綠珠張宴於別館樓上，介士到門，示詔收石崇，石崇對綠珠道：「我為汝得罪權貴，」綠珠泣道：「妾當效死於官前。」言罷，遂自投樓下自殉而死。石崇喟然歎道：「我不過流徙交廣耳！」及至東市，石崇乃歎道：「奴輩利吾家財。」使者答道：「知財之害，何不早散！」崇不能答。石崇全家老小皆被害，死者十有五人。年五十有二。石崇侍出仕人，禍由自取。財之害人，是為明證。學人所謂大道斷盜，地道疑盜，鬼神害盈，人道惡盈，實不虛也。史稱石崇少而敏慧，勇而有謀，博通古今，察遠照邇，富可傾國，結局竟如此，殆亦命也。豈徒惠、勇謀、博古察照所能幸免哉！

三命通會言其八字為己卯、壬申、丙申、壬辰。原註云：石崇富稱敵國，死於非命。如準此以論之，知為甘露四年七月初九日辰時生。然證以歷代年譜所載，又知為不然，必須年遵年譜，月、日、時仍遵通會。年為己巳，月為辛未，日為甲午，時為戊辰，始可與混元賦所云：「貨庫與三合之鄉」。石崇作萬金之主適相應合；不寧惟是，即證以石崇之經歷，亦復絲絲入扣。查得日幹之甲，以戊己為財星，以未辰為基庫，今幹透戊己，支藏戊己，而巳午未又復一氣呵成，不僅財庫逢三合，直是財庫逢珠。魄力之大，概可想見。而石崇生於大暑節後，陰濃綠樹，偉雄參天，再益以生年己巳，生時戊辰，納音大林之木，左右輝映，其為氣象萬千，更屬顯然。惜四柱缺水，光芒太露，高危露[illegible]，致遭損害。

自二十五歲癸卯，封安陽鄉侯，三十六歲甲辰，至四十三歲辛亥，拜黃門郎，四十四歲壬子，上書陳帝。二十年來，平舖直敘，心君泰然，其美不在巳戊辰丁之運，而在水木流年之情致纏綿也。

四十五歲卯運，帝旺助力，乃生平第一好運。是以出為荊州刺史，監徐州諸軍事，拜太僕，拜衛尉，果能保精會神，不難福民利國，惜此人計不出此，居然橫行暴斂，劫客劉商，驕奢淫佚，窮奢極欲，豈不萬可惜哉！及至五十二歲內運，歲值庚申，巫冠歲，歲尅幹，申衝寅，寅刑巳，辛至內貨實禍，為色殺身，可謂數理之常。

（本篇完）

綜談國劇復興（廿九）

王方曙

為表現藝術而很費事是天經地義，沒有拒絕費事的理由。其次如武旦的「打出手」，是一種很難的特技表演，練習成功不很容易。一套東西已經很難，若每戲不同，當然難能。但如每戲都一樣，便又犯千篇一律的感覺，雖屬特技，觀眾看多了也會覺平凡。我個人的意見以為：戲中技重要的整個的戲劇藝術，不在乎特技表演。在以往，各種表演都很少見，在觀劇的時候隨帶看看特技表演，是頗覺快意的。但在今天，表演各種技的很多，特技表演已經不算新奇的事。打出手雖然不是平常的特技表演，但也已不像從前的有吸引力。所以像打出手這樣表演，多演也沒有大用，因此，無妨自作珍貴，不到必要時不肯表演，而專在大戲中有份量時用作打出手加些彩頭。好像以往多在開鑼以後，中軸以前表演這些，倒是將許多雜耍的功夫白費，而並未引起觀眾注意。觀眾心理是不易看到的東西才價值高，時常看見便不覺稀罕。如果打出手必須在某幾齣大戲中才能看到，而每演出手時又能稍加變換，各戲中都有新奇不同之處，出手的價值要比現在為高，而大戲中的姿彩也要比現在為盛。

此外，還有各種的舞，如舞劍、舞袖、舞刀、舞盤等等甚多。在今天都分別被抽取出去成為民族舞蹈的一部分，大家已看得太多。假如我們表演這些時，最好要使它成為戲中的不可少去的一部份。比如，劉項鴻門之宴，項莊項伯舞劍，是內藏着行刺陰謀的，這種劍舞不僅表演舞，而且表演戲。像霸王別姬的舞劍在四面楚歌之際，一舞期以舞劍，倒也有些辛酸意味。像紅線盜盒，紅拂傳的。劍使只有稍增劇中姿彩而已。所以如祇取舞蹈以為穿插娛樂節目，則在今日效果不大，我們似宜考量將舞類的表演，作為戲的重要情節，才會使它發揮更大的作用。

七、導演制度

國劇要用導演制度，也許聽起來新奇。舊戲教戲的老師就是導演，國劇從來就有導演。不滿國劇於老師指導演戲，並沒成為導演制度，他只是教學生，在科班和戲劇學校，似乎很顯明的，老師教，學生演。但一到外面戲班裡，都是將已學成的戲，大家配合着演出來，並沒有一個總老師作總指揮。換而言之，便是在學校中有導演，學成以後沒有導演。（未完）

成語選粹（九）

東施效顰

李國良輯

莊子天運：「西施病心而矉其里，其里之醜人見而美之，歸亦捧心而矉其里；其里之富人見之，堅閉門而不出，貧人見之，挈妻子而去之走；彼知矉美，而不知矉之所以美。」宋樂史太平寰宇記：「越州諸暨縣有西施家，東施家。」按西施春秋越美女，亦作先施，又稱西子；苧蘿山鬻薪者之女，姿容豔麗，越王勾踐為吳所敗，退守會稽，知吳王夫差好色，乃獻之以亂其政；夫差果迷惑忘政，卒被滅於越。矉通顰。世以「東施效顰」喻不善倣效反增其醜者。

諸葛亮狂想曲（一六）

·劉玄·

於今終日無所事了。本來諸葛亮最喜歡研究天象，自從美國太空船射月成功以後，諸葛亮仰天嘆曰：「現代科學之神奇奧妙，亮不及也。」從此他的踏罡步斗工作，興趣大為低落。特別是，美俄太空競賽所發射之人造衛星，與天上原有之星，魚目混珠，使諸葛亮對天象觀察發生困惑。某次，他看見美國所發射的人造衛星，還以為是新有的星體，遍翻紫字天書，查不出來。

× × ×

「歡迎歡迎，不知你們大駕光臨，有失遠迎，恕罪，恕罪。」諸葛亮向呂純陽時，目光從何仙姑、鐵拐李臉上掃過，表示是對三人說話。

「上次演奏會很成功，韓湘子特別欣賞。」何仙姑是仙家女性，談吐大方，毫無忸怩之態。

「仙姑謬讚，愧不敢當，還望指教。」諸葛亮一向是很謙虛的，對客人自然更不用提了。

「我因不良於行，所以很少去趕熱鬧場面，上次九天玄女娘娘我也未去，這次你們演奏會，我卻非去不可，因為我從來沒有聽過鋼琴演奏。」鐵拐李是八仙中最老實的一個，就是喜歡吹牛。他提起九天玄女娘娘，是誇耀他的交際廣闊。

「真對不起，那天大小各仙來的太多，招待不週，還請原諒。」諸葛亮再向鐵拐李說客氣話，藉亦讚多人不怪之意。

諸葛亮自從用咖啡招待太白星君，承蒙稱讚以後，便免了人參茶待客的習慣，可以儉省不少。

琴童送上咖啡，呂洞賓、何仙姑喝了一口，沒有說話。

「這是什麼藥？治什麼病的？」鐵拐李是走方郎中，看見咖啡，以為是藥。

「這不是藥，是一種外國飲料，名叫咖啡。上次我曾經用它招待過太白星君。」諸葛亮怕他們誤會咖啡不是高貴飲料，所以提出太白星君。

「那我倒要嘗嘗，」鐵拐李說罷，喝了一大口。

「味道很香，但有點苦，倒是一種奇怪的飲料。」鐵拐李也和太白星君一樣，拿咖啡當藥吃、

「這位好面熟，好像在那裡見過。」呂洞賓指着劉約翰問諸葛亮。

「這是我的英文老師劉約翰，上次演奏會，坐在太白星君旁邊的便是他。」諸葛亮介紹劉約翰。

「久仰，久仰，」呂，何，李三仙異口同聲向劉約翰致意。可見，在大庭廣眾坐在太白星君的腳旁邊，也會引起注目的。

「聽說諸葛先生當年借東風時，也曾披髮仗劍，可否將劍拿來一看？」呂洞賓是愛劍的人，忽然要看諸葛亮借東風所用之劍

巨變歷險記！

台灣省政府主席陳辭修先生，面臨大陸的驚濤駭浪向台灣這個小島衝擊，這小島宛如一葉孤舟，載沉載浮，情況十分緊張。當時島上的人民，莫不惶惶然，其已經來到的，又都在不安起來，好像繼上海淪陷之後，華南，西南，東南，再進而台灣，都將淪胥及溺似的。

丁博士遵照陳主席的哲學，首先從文字方面報國。陳主席以他特有的親切的笑容對丁博士說：要寫！要多寫！你從平津看到華北，從平津看到東北，從華北看到華中，從華中看到東南，對於共匪的瞭解，諒必甚深，對於局勢的演變，諒亦必有特別的見地。請多多的寫。你在報館任主筆很久，寫在你，想必是手到擒來。丁博士首先接觸的是馬星野先生。馬先生當時任中央日報的社長，好像是住在台北市仁愛路或信義路的樣子。他是一年前見馬社長的。馬社長同丁博士在南京中央黨務學校，好像有一段「姻緣」，後來在重慶仙女洞政治大學也有一段「姻緣」，相見之下，自然親切異常。他當然也歡迎丁博士給中央日報寫文章。

四篇文章（八六）

[illegible]慶蓉

丁博士給中央日報寫的一篇文章題目是「鐵幕後的華北」，對於華北淪陷後的情況敘述綦詳，其目的在警惕在台灣的人民別再落入鐵幕之內，萬一落入共產鐵幕之內，則悔之晚矣！在台灣的人應該堅強起來，鎮定下來，何況台灣之與大陸，雖僅一衣帶水之隔，共產也難以飛渡。又何況國際方面的援助不久就可以到來。

接着「鐵幕後之華北」，丁博士又給中華日報寫了一篇「共產黨的把戲」。「把戲」兩個字是報館放的，原來是「作法」。丁博士將共產黨的作法，一一的寫了出來，使台灣的人能一眼共產黨的真面目，尤其是希望政府，能籌劃對策，以資應付。當時中華日報的總主筆，恐怕就是楊幼炯先生了。楊先生是丁博士在上海讀書時期的好朋友。當時楊先生好像是服務於民智書局。他對於丁博士的文章自然也非常歡迎。

第三篇文章是在新生報上發表的，題目是「揭傳共產黨的黑幕」。當時新生報的社長好像是謝然之先生，副社長是李白虹先生。謝先生是丁博士在漢口桂林重慶三民主義青年團中央團部的老同事。當時謝先生任中央團部的秘書，丁博士任宣傳處的指導組長。李白虹先生是丁博士在北平時期的老熟人。他們在台北衡陽街頭新生報社見面，彼此交換了很多國是的意見。

第四章，「共產之危險與必敗」，在掃蕩報上披露。掃蕩報是老名稱，現在好像改為和平日報了。當時的主筆好像是李士英先生。士英先生是丁博士的河南老鄉，對於丁博士的稿子更是歡迎。

這四篇文章，都寫得很長，相繼發表，一天一天的披露，後又分別印成單行本問世，大量的發行。

台灣居大不易

竹屋小品

清心

小橋、流水、人家。記得我在北平中南海參觀一次古代國畫展，其中有一幅上面的國畫，是什麼朝代什麼人畫的，一時想不起來。那幅畫繪的真美，居住在這種環境裏的人，不是隱士，便是文人，否則，那有如此雅與，和一種清高脫俗的思想。

北平香山，有許多洋房，所謂「別墅」大都是城裡的大官貴人所建築。冬天時，洋房裡無人，鴉雀無聲，只有一個僕人看守。每年夏天，這些闊人便由城裡來避暑。

民國二十六年七七蘆溝橋事變，我流亡到杭州，看到西湖旁邊建有許多洋房，如汪莊、蔣莊、宋莊、孫莊……等等，不消說，除了國府要人之外，便是巨賈富紳，才有資格在這裡建屋避暑。薪水階級和升斗小民，談何容易。

相傳古時，長安京師，房子很貴，很多文人墨客花光了盤纏，窮途返鄉，所以喊出「長安居，大不易。」當時，能在長安待下去，不是公子，便是中舉的候補官，還有當地土生土長的窮文人，居於陋室，吟詩作文，打發日子。

而今，台灣的房子貴得很，地皮是論坪計算，房子是按間估價。不像平津，按一所房子租多少錢。在台北租一間八尺見方的房子，每月租金新台幣五六百元至七八百元，按地點的情形計價。

這次，被艾爾西和芙勞西颱風光顧水淹之後，地價和房子已減低。但是，台中的地價和房價看漲，因為北部的人遷居中部者很多。同時，梧棲建港，以致影響了台中的地皮和房價猛漲。吃瓦片的和有地皮的發財了，眉開眼笑。

筆者居於竹屋，已有十八寒暑，地點在柳川河旁，柳川東西兩條街，戶戶毗連，約有五六百家。所謂「竹屋」，房頂是竹子造的；上面加蓋一層鐵皮，以防風雨。四壁都是木板或竹子，前中後一共三間。後間蓋在河上，下面有木柱或水泥柱架在河上。當初，市政當局准許造的克難房子，而如今竟被列為違章建築，要強迫拆掉。如果真有那一天的話，將不知何處是安身立足之地？像這樣的板房，現在也漲到每間租新台幣一百五十元，三間租四百元。地點好的，租金高到八九百元。

因為，孩子長大了，人口又增加。很多人家，向上發展，在中間加蓋了一間木樓，向下發展，在河堤下又加蓋了一間地下室。如此上下擴充成了三層五間，四房一廳。很多鄰舍為兒子討媳婦，漸漸的都變成三代同堂的大家庭。

近來，台灣建造國民住宅的風氣很盛，地點在郊區，交通不便，房子並不寬暢，每幢的價錢，二房一廳五六萬元，三房一廳七八萬元。先付一半，那一半分期付款。這辦法雖好，也不是一般平民所能辦到，第一個條件先預備現款四萬元。大家在生活線上掙扎，那有一筆大款子？

說起來，香港建造的徙置區的配給房子比較好，預先登記，不付大款，遷入後，按薪水多寡收租，台灣可參效。

台中市比二十年前繁華百倍，十層的高樓大廈，到處建造；這種分期付款的公寓式的房子，至少也得十幾萬元，預先也得籌足七萬元才行。筆者無力，望洋興嘆。奇怪，房子造的很多，但是房價卻高漲；都是一般建築商人所壟斷發了財，對於社會大眾並無十分利益。

「台灣居，大不易。」到何時，廣廈千萬間，大庇天下寒士俱歡顏。恐怕筆者的頭髮變白了，也難成夢想？（完）

鹿是冬令最佳補品

生活漫談

馬騰雲

當我們翻開到一部中國醫書時，就會對國醫診病的信念，益加堅定。再翻翻本草綱目，體會到中國人從前對事物肯下苦心研究出不少的藥品，直到現在仍舊在海內外暢銷的，計算起來有百種以上，年賺的外匯相當可觀，祇可惜一向沒有人統計，更可惜的是保障民族生命的一種偉大事業，近百年來陷於停頓狀態，乃至於醫藥知識的補充，要靠西醫來教，這是多麼使人遺憾的事。

今天我們談最進步的組織療法，冬令最佳補品是鹿。鹿屬單蹄獸，集體居於野山中，以樹葉種子為食糧，雄的是黃褐色，雌的有白色斑點，雄鹿有角，雌的沒有，角上的分枝可以判斷年齡，夏季自動觸樹木而脫落，初生嫩角內含血液而柔軟，未成骨質時名鹿茸，產自長白山、關東、海參威、黑河、內蒙西北各地及台灣山區均產，血茸為上品，鹿角煎成膠為鹿角膠，以透明者良，另有一種鹿角霜，日本的是以鹿角燒灰而成，我國則以熬膠之渣滓，兩者比較，燒灰的功力較強，在台灣吃鹿茸鹿角，就認定台灣貨不會吃錯，比如犀牛角為涼藥，其實黃牛角亦為涼性，高價買贋品，不如低價買次貨。

一般的習慣，只知鹿茸、鹿角、鹿角膠，殊不知鹿身上的珍品甚多，比如治乾血癆強陰補髓的鹿胎餅，鹿喂小鹿，必在五更，喂完出洞，至夕陽西下方歸，小鹿食奶於腹，結為十一小餅，每一小時消化一餅，台灣山地人伺母鹿出洞，將小鹿抱歸飼養，但他們不知道剖取腹餅，價值連城，鹿胎，為滋補精血之要品，很多以鹿胎冒充，購時注意，真胎鹿的辨別，視其嘴尾蹄相合，與生鹿無異，色淡形瘦者為真，鹿脂通爽（肉勞）理治頭風，對面包（皮癆）有特效，但此種脂肪不可沾男子陰莖，近則陽萎，鹿骨安胎，續絕陽，治內虛，（浸酒常服）返老還童，鹿涎生孔生口，炭火煨之，以黃香為度：集熱則失去作用。鹿腎補腎壯陽，並治耳聾（用豆豉入粳煮粥）。鹿腦為面脂最上乘化粧品，塗之令人悅澤，清乾隆宮庭延用之，鹿精治虛羸勞有奇效，鹿亡（兩蟲腳、以下同），亡之產於鹿體者，功用與牛亡同，治婦人月經困難，瘀血血瘤，小便硬痛，外用能吸出膿毒，鹿齒治心腹痛，瘰癧瘡，散瘀血，此物不可近男子陰莖（見清名醫處方），鹿蹄肉，治諸風、腳膝骨中疼痛不能踐地，鹿頭肉治消渴及夜長惡夢，鹿膽消腫拔毒，鹿髓補陽強陰，生精益髓，同蜜煎服最壯陽道，令人有子，鹿肉美味，滋補價值甚高，鹿的身上幾乎沒有廢物，甚至鹿糞都入藥，可治婦人經病，詳載本草。

中藥以鹿角為正宗，經化驗成份含有軟骨質、磷酸鈣、炭酸鈣、氟化物、炭酸鈉、蛋白質及鹿茸精等，台灣中藥店有製之全鹿丸，確有增強活力之功，消除人體疲勞及虛損均有卓效，只可惜未按照份量向西醫看齊，令服用的人每次服六粒至八粒乃至於十幾粒，其實大可不必，古方規定幾錢，就是幾錢，除非用科學方法提煉過了，像日本的「鹿茸素」那是例外。

薪火集

天堂與法堂

吳怡

某次，和一位老師在閒談，我們的話題轉到了一位學術界的前輩身上，因為這位學者最近曾因私人創校，而頻受攻擊，當時師母便抱不平的說：

「他從不為私人打算，即使是私人興校，也是為了國家，有什麼可以攻擊的！」

這位學者和筆者的老師是忘年之交，因此老師深深的歎息了好一會而說：

「我想這些攻擊大都是無的放矢，但，天堂和法堂是兩回事，有的人進得入天堂，未必能進得了法堂。」

筆者聽了這話，有如醍醐灌頂，不禁大叫道：

「老師，你這話是至理名言，可作為禪學的一大公案」。

因為在筆者面前的，乃是一位中西法律學的權威，雖然筆者當時並沒有進一步向他請教（怕吃棒喝），但內心卻一直覺得那段話中含有很深的哲理。

如果說天堂代表善，法堂代表真的話，可見善和真未能一致；如果說天堂代表善美的最高表現，法堂代表追求真善美的人為努力，那末今天人為的努力顯然倚未達到理想之境。試觀古今中外的人物，進得了天堂，而進不了法堂的，大有人在，就拿中國法家的鼻祖來說，他落魄時的「三戰三走」，「常欺鮑叔」，都是進不了法堂的，可是他在孔子的筆下，仍然不失為一位文化的大功臣；再看英國的大哲培根，他曾因負債過多而入獄，但誰都知道，他在當代卻是有名的大法官，而且是近代哲學和科學的先導。這些例子雖然不勝枚舉，倒也無傷大雅。不過真正值得我們焦慮的是有太多的人，進得了法堂，卻進不了天堂，甚至，還該進地獄。因為法網，它是消極的，疏而不密的，古今中外也不知有多少假法律於漏洞而為非作歹呢！

筆者這話並無意於批評法律，相反的，卻虔誠的祝禱，有那麼一天，天堂和法堂同堂，這才是真正的人間淨土。

（下、完）

趙陀

「蘇老伯你別誤會，自從克琳燕雲樓密談歸途上：……我認為蘇馬既有聯姻的「可能」，今乃以未來半子的身份來請安。」馬神情上雖很快樂，態度上也很不自然，蘇伯伯知道已制服了馬繼元，一邊從內心在感激王媽的消息靈通，一邊又向馬繼元拖出一招武俠小說中的「白蛇吐信」（即閃電式）的說：

「繼元，我看你氣色很好，這兩天還是避一避。」

「蘇老伯，強中處有甚麼消息嗎？」馬驚疑的問。

「還要問克琳了，不，不，克琳不會講的，她要我完全裝着不知道，事實亦難怪，香港這個是非之地，又值是非之時，處在這個是非環境，誰不怕是非呢？」

馬繼元也並非善類，察言觀色，蘇的談話中沒有一點破綻，又兼政治部強生上校是克琳的密友，外間很多人也都知道。今天還一局，馬對蘇伯伯，顯見輸了，蘇伯伯變再展出一招說：

「遇到患難，更須要朋友，必要時，可叫克琳來幫你的忙。」蘇伯伯不愧為諳老的哲學，對縱論法原理有些研究，抓住了馬繼元的腦門，怎肯輕易讓他滑脫，又向馬說：

「繼元，記取蘇伯伯的話，絕對要保守秘密，香港是個法治的地方，×××大律師是克琳老師，為人又熱心，做個保證，半夜不怕鬼敲門，即使是[illegible]印假的鈔票，除掉帶須判罪十五年外，其餘不過還是[illegible]而已。」蘇伯伯話中的「判十五年」，「遣返原籍」，乃從會看武俠小說中的「二龍搶珠」，把馬繼元所能搶得了去。蘇伯伯將這些斷語，無疑的又歸納入黃午成在火局的[illegible]上，馬繼元脫出嘴利的微笑，馬繼元作請求[illegible]的口氣說：

「蘇老伯，明晨請過來飲茶好嗎？我有很多事，得向你老人家解釋。」蘇伯伯將仁丹嚼了一嚼說：

「繼元還是個大孩子，有甚麼誤會說出就了，解釋甚麼？待三兩天，我準備約你到家來便飯，對了，你蘇伯母昨天還問到你：……」蘇伯伯欲擒故縱，這一招更將馬繼元擺得緊緊的，馬繼元識趣的要求說：

「蘇伯伯明早和蘇伯母，克琳同臨好嗎？或者我親自到府上來接。」蘇伯伯半答應半不答應的回答：

「我們明早八點半通一個電話好嗎？」

老港對抓印假鈔的風聲很緊，不自今日起，美國領事館罪對這方面的工作人員，傳說經常保持在三千人以上，馬繼元曾被香港白馬部傳去問過話，蘇伯伯對馬的個性是清楚的，不看到棺材不會掉淚，刀捎未臨對方頸住是不會就範的，判斷馬如果未出問題，不可能像馴羊似的，立即軟化。早晨一壁沉思一壁在等着電話，果然電話鈴響了。

（卅七）

自由報

（第一〇一九期）

社址：香港九龍彌敦道593--601號
劉創興銀行大廈八樓九座內
LIU CHONG HING BUILDING
7th FLOOR FLAT 5
593—601 NATHAN ROAD,
KOWLOON, H.K.
TEL: K303831
電報掛號：7191

從洋務運動、維新運動與文化運動的得失（中）

看中國文化復興運動應走的路向

王邦雄

（一）中華文化的價值與其衍生的病態

中華民族，在長期自安自足的生活中，一個農業社會的倫理文化，漸趨穩固定型。五千年來，我們從未感受到外來文化的壓力，也從未懷疑本身文化的價值。鴉片一戰，才開始暴露傳統文化的弱點。中國又貧又弱，西方是又富又强。在全球步向現代化的進程中，我們比西方足足落伍了兩世紀。但是科學落後，民主未上軌道，就足以證明中華文化毫無價值嗎？新文化運動！犯了一個嚴重的錯誤，即完全以近代西方的自然主義與實用觀點，來否定傳統文化存在的價值；以中國近代不足兩百年的衰敗病態，來判定五千年文化的罪狀。他們從未懷著敬重與同情，來探討傳統文化的精神與價值，以致於對傳統文化的批判，陷於偏激與武斷。

儒家是中國文化的主流，心性之學是儒家思想的核心；而心性之學，就建立在「性道合一」的基礎上；所以「性道合一」的思想，也就是中國文化的基本精神。道是天道，性是人性，「天命之謂性」，人性原由天道而來；「率性之謂道」，順著人性的發展，就是人生的大道。這種天人合一的思想，不是命定論，而是在根本上肯定人性的價值。人是這個世界舞台的主人，一切作為，莫不由人性出發，故肯定了人性，也就解決了人生的諸多問題。同時，天人相通，物我交感，故盡己之性，可以盡人之性，進而盡物之性，最後可以贊天地之化育。人繼天行仁，立己之德，就是立天道。這一個路線，可以說是兩千五百年來，中國哲人奮鬥的方向。

大體說來，解決人生問題的路線有二：一是改變自然，來滿足人生；一是改變人心，來順應自然。西方講天人對立，對人生又著重在本能的追求，故前進的方向在改變自然，來滿足人生。中國講天人合一，對人生又著重在人性的提升，故前進的方向在改變人心，來順應自然。西方對人生的認識，是從生理的本能出發；儒家則把人生從生理的層面，提升到價值的層面。「人之異於禽獸者幾希」，這異於禽獸的一點人性，就是儒家要把握的目標；否則物欲橫流，本能的追求，也永遠不會有滿足的時候。儒家的人生哲學，不是要外逐物欲，而是要安貧樂道；不是要在物欲的追逐上爭雄，而是要在德行上，展現人性的光輝。就由於這個方向的歧異，中國學人面對大自然，偏向情性的感應。他們恆覺大自然的美妙永恆，而要與自然合流，與天地同德；西方學人面對大自然，偏向理性的分析，他們觀察大自然的秩序與多變，而要探尋大自然的底蘊，找出大自然的律則。我們追尋的是藝術與道德；西方獲得的是實效與功利。試看我們的火藥發明，用來作煙火炮竹，點綴人生；傳入西方後，他們卻用來爆破，征服自然。這個分野，就是中國開創不出科學的根本原因。

性道合一的思想，又是中國沒有宗教的主要因素。天道恆流注人心，人心恆上通天道，求仁而得仁，無入而不自得，人性本身已能安適自足，又何需宗教的安慰？

這一番分析，並不是要大家盲目復古，無視於時代的潮流；而是要說明中國這一百多年來的落伍衰敗，不是傳統文化的無能，也不是民族智慧的低落，而是文化的型態不同，努力的方向不同。我們並不否認，儒家思想道統，不重功利；窮究心性，不免忽略外在環境；談內聖的修養，卻缺乏促成外王的有效步驟，結果漸與現實人生脫節，衍生了許多病態，形成了不少陋俗。這正是傳統文化亟待修正的地方。但是在人性的肯定上，它的價值不容懷疑，三千年前如此，三千年後亦復如此，只要這個世界還是人的世界，那麼儒家思想，就永遠有存在的價值。

中國文化既建立在人性的基礎上，而人性是千古不變的，所以孔家店是永遠打不倒的。今後我們要革除傳統文化的弊病，充實它的內容，使其轉向復興，而不可能將它從根拔除。

（二）西方文化的價值及其衍生的病態

西方文化的演進，得力於三個系統：其一是希臘的理性與自由，其二是羅馬的法律與秩序，其三是希伯來的信仰與正義。他們從希臘獲取科學的方法，從羅馬學習組織的能力，從希伯來建立人生的理想。[illegible]的學術，羅馬的政治，與希伯來的宗教[illegible]歐洲在分崩離析與蠻族交侵中，渡過[illegible]關；同時經過了中古的黑暗時代，[illegible]教會的思想限制，[illegible]文藝復興、推動着各門學術的急速興起。

（未完）

經濟發展的絆脚石

老記

在自由中國經濟建設的過程中，有若干阻礙經濟發展的絆脚石，公營事業的有欠健全，就是其中的一個顯著事例。多少有點保留，究其實際，公營事業的弊端，恐尚有不僅此者。

昨日與明日

省營事業六大缺點

本年十一月中旬，台省審計處長在省議會報告時，曾痛陳今日省營事業的弊端叢生。他提出六大缺點：（一）財物運用和費用控制不善，致發生不當支出。（二）固定資產間有多年來未經盤點，以致帳和物不符。（三）內部往來帳務，歷久未予清理。（四）掩飾財務真相，誇大經營成績。（五）管理控制鬆懈，弊端迭生。（六）決算經營比率不高，或因員 過多有關。實際上，這六項缺點，也可應用於其他公營事業方面，如國營事業與市營事業。審計處長的官方說法，究竟是在官言官。

人情投資與人情放欵

由於省審計處長的報告，我們也想起了前不久：台灣省議會開會時，省議員曾指若干省營金融機構頗多人情投資，有害國計民生，至為不當。我們知道：台灣金融機構，公營色彩極濃，國家行局完全國營，固無論矣。台灣最具實力的金融機構台灣銀行是省營；最大的農業金融機構土地銀行是省營；最大的平民金融機構具有儲蓄銀行性質的省合會是省營；最大的合作金融機構省合作金庫也是省營；而三大商業銀行：第一、華南和彰化，官股都佔二分之一，實際也算是省營。純粹的民營金融機構，不過上海商業儲蓄、華僑商業等少數幾家而已。公營金融事業業務經營最大的毛病就是太受人情干擾和政治壓力，而有害於正常金融效能的發揮。

我們不必舉太多的例，祇以台灣銀行為例。台灣銀行有許多轉投資事業，也有投資一部份的事業。這些事業的投資，就金融業務的觀點看，都有其必要嗎？事關國家財經大計，創辦新事業，需要台銀投資，以示提倡，不無必要；但有些投資卻是人情的投資；而事業偽虧了，將台銀拖入的，更不乏其例。於是私人發財而公家損失，甚至到最後，鬧的不可收拾，民股完全退出，爛攤子就完全由公家收拾去。

公營銀行的人情放欵，更是一個公開的秘密，尤其是鉅額貸欵，非人情勢力莫辦。就因為人情勢力常常拆了金融機構的爛污，有借無還，肉包打狗。結果，還是私人發了財，而公家受了損失。銀行呆帳甚多，而呆帳中，百萬元至數十萬元的甚少，而二、三萬元更是絕少，但是說明的例證。

一個建議

我們向中央和省級民意代表和監察委員們提一個建議：向各公營事業和金融機構要一份投資事業和貸欵大戶（包括呆帳戶）一覽表，研究一下：這些機構和大客戶是誰？其詳情如何？向人民作一交待。因為公家所損失的欵，都來自老百姓所繳納的賦稅呀！

自由談

士大夫的領導慾

近代中國的士大夫們，都喜歡搞政治活動，而以呼朋引類組織政團或政黨為急務。這原係先進民主憲政生活的常軌，未可厚非。

可是，士大夫的領袖慾特別强烈，無論大小團體組織成立後，爭奪領袖地位的鬧劇即不斷一切的陸續演出，肆行無忌，許多令人不忍卒睹的情形，皆層見迭出，恬不為怪，幾乎每個組織的成員，皆要以領袖自居，為着爭奪得失之爭，互相打擂台扯靴子，誰也不肯下人。數年前，美國有位新聞記者到黎巴嫩訪問時，詢及該國同業曰：「貴國有幾個政黨？」答言「九十九個」，美記者大感詫異，願聞其詳，經解釋後恍然大悟。原來該國的國會議員共為九十九名，每個議員各有主張，都要以政治領導人的姿態出現，互不相下，即不啻是九十九個政黨也。

咱們中國的國會議員固然沒有黎巴嫩那種現象，但一般搞政治團體的人士，為着爭奪領袖地位而紛擾喧鬧的情況，卻司空見慣，並不稀奇。士大夫之流多係高級智識份子，平日讀書有得，言談之間，莫不深明大義，有所不為，何以一旦從事政治活動，就忘其所以然的硬要爭坐頭把交椅呢？

思之，吾重思之，基本原因就在大家都是貧寒出身，要以從政為營生的捷徑，依然脫不掉「為貧而仕」的舊思想。祇要取得一個政治團體的領導地位，在政治上即不愁沒有出路，「一朝當田舍郎，暮登天下堂」，既可解決生活，不虞匱乏，又可驕其妻孥鄉黨，揚名顯親，比幹其他的任何一項職業都好，何樂不為呢！歐美諸先進國家的知識份子跟我們恰恰相反，受過高等教育後，急求奠定生活基礎，等到行有餘力，自己若對政治有興趣，這才投身仕途，以期施展個人的抱負，可說是「為富而仕」，因而貪污風氣亦鮮流行，同時個人的出處進退皆以政見為依歸，可仕則仕，可止則止，決無美鵠由人，好官自為的厚黑心情，政治自然清明了。

所以，凡是產業不發達，士大夫之路窄狹，沒有中產階級存在的國家，即不夠實行政黨政治的民主憲政條件，或勉强而行之，祇見政潮迭興，政團和政黨林立，而政治鬧劇尚皆表演不歇。如此而侈言民主憲政，真是吾鄉諺語所謂「扯卵談」罷了。

馮五先生

輿論精華

檢討中美關係

美參院外委會，於一日否決了[illegible]我國一中隊F四型幻影式噴射戰鬥機的援助（[illegible]），分明是該會主持傅伯萊之徒的故意作祟。

美參院外委會一直為美國親共派、新孤立主義者所控制，主席傅伯萊一貫的唱反調、媚共、以打擊我國為能事，是名著彰的積極報告，也是他一手製造出來，反對戰機援華案，無疑是他多年來的傑作，此次之否決戰機援華案，無疑是他又一次反華的行動。

由這一事看，顯出了美國內的反華勢力，正在佔着優勢。

我們更應注意到，自尼克遜登台以來，所發表有關遠東問題的言論，絕沒有一個字提到我國，這表示了尼克遜並不重視我國。反之，作為美國外交主持者的羅傑斯卻一再向北平送秋波，希望通過旅行、貿易的放寬，改善美毛關係，則美國當前的對華政策如何，可以思過半了。

因此，我們對於美國的期望，愈來愈灰黯，在尼克遜的「亞洲政策」之下，不可能想像他在遠東地區會有什麼作為[illegible]那麼，我們[illegible]其自[illegible]呢？[illegible]

一、我[illegible]美國[illegible]援[illegible]在[illegible]物資上[illegible]一[illegible]反華勢力的存在，[illegible]

二、美國今日[illegible]保留限度的對我軍事援助，然而這個[illegible]防線守衛基地的作用[illegible]

三、[illegible]美國將作為一個[illegible]「一中一台」的政策，[illegible]把中華民國局限在台灣，[illegible]華作為對北平政治交易的[illegible]

四、美國內的[illegible]正是[illegible]始終保[illegible]，尼克遜[illegible]將愈來愈糟，[illegible]可能[illegible]於美國[illegible]

在這[illegible]之下，我[illegible]對美[illegible]度，自[illegible]如何把握和發揮我們的[illegible]件），使美國[illegible]

因此[illegible]應[illegible]美國的[illegible]，尤其在民[illegible]，應有對美[illegible]的有力行動。

（摘自香港快報）

教育救國應先辦好小學
開會剪綵懸牌忙壞部長
二百三十八萬小學生被忽視
台北教育局長閉着門做皇帝

本報特約撰述委員錢藝評述：記得讀中學的時候「教育救國」的口號，喊得極其響亮，於今是「此調久不彈」了。這並不證明我們的教育已經成功，恐怕是教育家老一輩已凋謝，新的還沒有產生。外行人不便談內行事，敷衍也是爲官之道，辦教育找不出教育家，其難可知。

我們從歷史上看歷代興亡，「士」風的高下，關乎人心的向背，影響一個國家的前途至深且鉅；而士風的養成，端視教育的功能。「士」就是「君子」，社會若是士君子多，國家政治自然容易上軌道。所以世界各國政府爲充實國力，鞏固國本，莫不盡最大財力、人力全精貫注於教育的推行和發展，同時又公認教育的基礎在小學。因此潮流所趨，也是經驗所得，世界各國競相以小學教育爲最基本的教育。

還顧目前自由中國各級教育官吏，大專教育不敢對教員和學生談，小學教育不屑談，好像一談小學教育，就很塌架子。唯一的大政方針，也是常聞他們的口頭禪「科學！科學！」「體育！體育！」偶然也提到小學，便是主管官吏的工作報告發表兒童就學的數字了。說甚麼「最近二十年來在數量上有急劇發展，三十五年到五十七年度，小學由一千一百三十校增至二千二百四十校。（中等學校由二百十四校增至八百零三校，大專學校由四校增至八十五校。亦即小學增一倍，中學增三倍，大專比例最高，幾達三十倍），小學人數從八十二萬三千四百人增至二百三十八萬二千零四人，幾乎增加了三倍。」（五八、十、六中央日報）眞是猗歟盛哉！好不神氣。但小學行政施教如何？學生程度如何？竟一字不提。教育誠然是普及了，但，不是掃除文盲，就算教育成功，何況文盲依然沒有絕跡！學生程度够水準造就建國的人才來，才是目的啊！

教育官吏的作息時間表，除了開會、剪綵、懸牌（閻振興部長就會跑去豐原爲一所國中新建大門親掛校牌），部次長級人物盡多辦同鄉會能手，湖北、廣東同鄉會先後壯大起來了。於是趁暇周旋於立監兩院和同僚之間，爲作官而奔忙。如果抽五分之一時間，親巡小學發掘問題，解決困難，相信今天的教育不致沒有軌道可循。青少年問題也不會鬧得束手無策。來台灣廿年從沒看見有部長視察小學的新聞，正可證明政府從沒重視過小學教育。似乎小學不屑注意，可是大學之門又不敢涉足，深恐怕大學生童言無忌，不一定喜歡官吏致訓詞。

至於廳長級的，除了應付環境、議會和其他民意代表的教育委員；就在台中、台北火車上過生活；更無暇顧小學研究眞實問題。各級教育行政命令，都是科員們閉門造車搞出來，不切實際，當然也就無甚用處。督學、視察是聊備一格的「告朔餼羊」。編制表上既有此官職，又爲調整人事的最多去處，爲人擇事，並不是爲事擇人。水準多半是差了一點，所謂水準是包括學識、經驗、操守、能力等等，照目前情形，督學是「聾子的耳朵」，原來也沒希望有用處，縱有出色的人才，也不肯授權叫他認眞督導。

最奇怪的是台北市教育局長，學校都在市區以內，不需長途跋涉，每天抽暇兩小時坐上轎車就可看上幾所小學，有問題當場解決，豈不大快人心！爲什麼也不見高銘輝的動靜？不說懶惰，不知還有其他更充分的理由？教育官不看學校，只在那裡蓋圖章，眞正問題永遠解決不了，莫說百年樹人，只怕千年萬年也教不好一個合於要求的眞正中國人，他們簡直是辦流氓養成所呀！

各國皆重小學師資
促進四育均衡發展
歐美各國師資專業訓練

我們再看看世界各國，近年對小學教育目標的趨勢，都在促進兒童智、德、體、羣四育均衡發展，致力於作育健全人格和民主社會的健全國民。種種多目標教育政策，內容自然也要隨之充實，不再局限於智識教育之一途。必需更重視健康教育；團體生活教育和公民道德教育等。以期培養身心具臻健全，智、德兼修的兒童。有了够水準的國校學生，循序漸進，而中學而大專自然就會造就出所期望的好國民。

因此，關於小學師資的提高，世界各國更是不遺餘力，歐、美各國都把小學教師的出身提高到大學畢業，並加強專業訓練。美國，是師範學院、文理學院教育系，在學期間，尤重教育實習，培養專業精神。英國，是師專及大學教育系，特別重視品格陶冶。法國，教育學院、高等教育學院或教育訓練班，皆類我國的師專，且在實習一兩年後，經過考試及格才承認爲正式合格教員。日本在戰後受盟軍麥帥總部指導實施美式新教育，小學教師訓練機關爲學藝大學，大學學藝部及大學教育學部，相當於我國師專和師範學院。

近年各國爲提高國際地位及國民程度，實施民主政治，均已延長義務教育至中學階段，美國各州由六年延長到八年或十二年不等；英國自一九四四年延長義務教育爲十年，法國自一九五五年起正式延長義務教育爲十年，西德二次世界大戰以後各省已延長爲九年，日本也在盟軍佔領期間延長爲九年。

萬鈞之力發佈命令
國民義教仍有折扣
小學徹底實行生活規範

我國受某學閥一再阻撓，至少延誤了十年，一直到五十七年，總統不能忍耐，以萬鈞之力發佈命令延長爲九年，又受操縱施出巧技，執行時將「義務」二字抹掉，所以目前在台施行的是「九年國民教育」，說是爲將來實施「九年義務教育」作準備。如果不是本末倒置，倘把每年浪費在高中和大專學生身上的經費，挪過來用在小學，充實小學教育，主管官親自督促各校認眞奉行 總統指示「倫理」「民主」切實教導學生，總統手訂的「生活規範」澈底實行，把「科學」留待高中大專去教他們，使學生「知行合一」身體力行，實行起來很簡單明瞭，正如孟子所說：「挾太山以超北海，語人曰，我不能，是誠不能也。爲長者折枝，語人曰，我不能，是不爲也，非不能也。……非挾太山以超北海之類也。……是折枝之類也。」果然降心相從，這樣從根做起，孩子們慢慢就可得救了。相信三、五年必有效驗，國民中學跟著下去，十年之後的高中、大專學生都是今天接受新觀念小學教育，那個時候即使是被大專淘汰的青少年，也不會有太保太妹了。

近來報紙上接續不斷都是有青少年、學生滋事的新聞，觀能令心驚心跳。教育當局不研求治本之道，反而置身事外，政府爲抑止歪風，也只能想出些「嚇阻」作用的治標辦法，警察機關成立少年組、少年股、少年警察隊，青少年犯罪的罪名也愈來愈離奇，盜竊、賭博、搶劫、侵佔、煙毒、墮胎、強姦、殺人、偽造文書等無奇不有，被警察發現即加逮捕。法院也成立少年法庭，訓練專業推事。省府成立輔育院、觀護所，最嚴厲還有保安處分，送隔離外島管訓，弄得草木皆兵，如臨大敵，不可謂政府不在注意解決青少年問題。

但在教育家看來，仍然是捨本逐末的臨時措施，解決不了根本問題，聖人說：「君子務本，本立而道生。」根本辦法應該從教育下手，並且先要整飭小學教育。太保、太妹有增無已，不能只怪孩子，成年人，尤其是作家長的，都應該檢討本身的問題。我們原是以農業立國，今天的社會已進化脫離農業，趨向工業還不到工業社會的階段，青黃不接，最容易發生煩惱。有了孩子的家長們，仍然拿他自己作兒童的舊觀念來衡量今天的兒童。三、四十年前那個時期的兒童，不需要家長特別注意管教，然而人人都有家教。甚而舉手投足一點也不放鬆，一句話說錯立時受到責備，甚而捶楚交加。今天孩子們生活的環境比從前複雜了不知多少倍。環境的誘惑隨地都有，電影有西部武打，書報刊物有黃色，電視公司又急起直追，這些不利於兒童的玩意四面八方薰陶幼小的心靈，作父母的雖然重視孩子，但今天的重視也正是寵愛放縱。不去瞭解孩子現實心理和需要，及時作適應的管教。相反要求孩子來適合家長心理和需要，管教的並不恰當。再加上家長本身不健全，工作忙碌，不正當的應酬、娛樂、吃酒家、打牌、跳舞，孩子的正常家教就沒有了。到了入學年齡往學校裏一送，責任交給學校，孩子的好壞就不管了。

學校辦的是升學教育，爲考試而施教，其他概非所問。因爲學校的聲譽，校長的考績，都以升學比例作爲標準。好的學生也只爲領文憑而上學。程度差的跟不上功課，就自甘墮落，誤入歧途。 總統手訂「生活規範」只見校牆上滿塗標語，根本無人教學生如何履行。

自從實施九年國民教育，初中不經考試分發入學，國校的惡補自然又轉入了國中。不幸被高中、大專淘汰的學生，書本既沒有念好，謀生的要件甚麼也沒有學到，蕩蕩游魂，自然成爲太保、太妹了。

大專無計劃發展，最嚴重的問題是師資不够。只有降格以求，目標向下拉些高中教員，高中教員走了，就向國中拉，國中再向國校拉，惡性循環的結果，小學教育就不堪聞問了。高、初中還有一個危機，合格教員一部分被拉向上層學校，又被待遇優厚的觀光、導遊等機構拉走一部分，各級學校都鬧教員荒，教育當局不正視這個問題，我們的學校教育，不知是如何辦下去？

喬治桑外傳（一〇一）

張大萬

阿翠到廚房去做燒飯，喬治桑一個人在客廳裡胡思亂想。他想到雅麗絲的媽媽曹梅鄉，現在年紀大了，不知變成什麼模樣兒？晚上雅麗絲在什麼地方請她吃飯？飯後會不會請她去看一場電影？雅麗絲會不會介紹她的男朋友小蔡與她媽媽見面？

喬治桑現在對衛斯理倒是很有好感的，第一、衛斯理間接幫他過了一次小難關。如果在謝銀鏈那裡退了票，後果眞不堪設想。第二、自從他發現了雅麗絲的母親是曹梅鄉以後，他對雅麗絲的情感起了根本變化。他非但不會再吃飛醋，反而由衷希望雅麗絲獲得理想歸宿。

阿翠很準時，在七點多鐘便將晚餐端到桌子上。

假如在以前，雅麗絲不在家，喬治桑一個人吃飯總是吃不多，大有食不下嚥之概。今晚喬治桑一反常態，滿滿吃了兩碗飯，菜也吃不少。因爲雅麗絲不在，阿翠始終在旁服侍，添飯、倒茶。

「阿翠，妳燒菜大有進步。」喬治桑在阿翠倒茶給他時，忽然稱讚阿翠。

「我不會燒菜的，李小姐才眞會燒，我只是向她學習罷了。」阿翠話雖如此說，受了主人稱獎，掩不住內心喜悅，莞爾一笑，露出了二枚金光閃閃的牙齒。

阿翠在蔡家做久了，很了解主人的習性。吃過飯必須泡一杯龍井茶，準備一點新鮮水菓。喬治桑喜歡吃美國蘋菓、日本二十世紀梨，最不愛吃台灣香蕉，只有木瓜、西瓜、柳丁可以偶爾吃一點。喬治桑吃完飯，要自己擦臉，所以無須遞手巾把子給他。

據他說，別人遞濕巾來擦臉，最不衛生，容易傳染病菌，這當然也是洋習慣。

喬治桑吃完晚飯，吃了一隻蘋果，到洗澡間去洗了臉，然後舒舒服服坐在沙發上抽菸、喝茶。

他一看腕錶，還不到八點，隨手扭開了電視機，電視上一會兒唱歌，一會兒跳舞，盡是些廣告。過了兩三分鐘，他實在聽的乏味，又隨手扭停了電視。

（未完）

讜·檢·剪·鋼（三）

關秉清

但此事幸爲文化局中明理之士所悉，以爲既然「木馬屠城記」當年曾在電影放映，轟動一時，今則不應有「馬後炮」之舉。再說此劇乃希臘神話中之一段，被尊爲上古史詩，豈可斷章取義？小人不禁爲「歷史」準「博士」悲，作爲井底蛙事小，博「中」而不通「外」，此文憑未免是「紙老虎」吧。

總之該兒爲此受申誡，原爲專職編審，調爲兼任。阿彌陀佛，尚見公道在人心。

但該兒「大義凜然」，不由於「事理」，擇「其善」而「固執」之，自後變本加厲，更是揮剪如飛。若是有違政府法令之處，其「剪」也有道。小人唯願國有棟樑，然該兒，持「道貌岸然」之狀，作「博學多才」之剪，往往自圓其說自衛其剪。

固然修煉博士必須屏除聲色犬馬，廿年寒窗，不出國門，已至清心寡欲，爐火純青，不食人間烟火之最高境界。自然非禮「勿視」「勿聽」，現既然勢必「視之聽之」，順理成章，「剪之藏之」。

台北傳奇錄（九）

·陳光棟·

「男人一時的衝動，過幾天就會好的，我想你們應該正式託出人來跟你談談。」

「老爺子，我們何必捨近求遠去問窮嫌嘛？問問你還不是一樣。」大姑奶奶的嘴巴從來不饒人。

「這，問我？胡鬧……」

「你不是就要娶個新姑娘嗎？」

「這怎麼可以相提並論。」劉二爺很不高興。

「你看這可怎麼好？我們阿貴嚇得都吃不下飯去，以後的日子怎麼過呢？」桂太太轉入了正題。

「請請？」

「是啊，他還不就是爭着一口氣」！

「好吧，我回去和阿貴合計合計再說吧，不管怎麼樣，只要他趕快搬走，你瞧瞧！對面坐着個咬牙切齒磨刀的人，那有多麼恐怖哇」！桂太太擦着眼淚就回去了。

第二天早晨，桂先生用水手的粗繩子打了個太太的活結，掛在陽台的房簷上，風一吹，繩子就擺來擺去，好像是在歡迎那一個把腦袋套進去的樣子。樓下站着不少人，嘰嘰喳喳的瞎比劃。

「劉二爺，你看那有這麼無賴的人！」大洋馬氣急敗壞的說：「我兄弟娶了那個小娘們，可不是貪圖什麼，你看看，這還有王法沒有？」她拉着劉二爺隔着衛子看那搖搖擺擺的繩子套。

文滙樓別記

八仙渡海與過海觀後

中影出品之「八仙渡海掃妖魔」，另一影公司出品之「八仙過海」同時在台北上演，中影的宣傳是「烏鴉妄想趁鳳飛，魚目混眞珠，觀衆眼光多明亮，仙品自與凡物殊」，另一公司的宣傳是「已看觀衆都說好，未看觀衆快評學，那個八仙法術高，一看便能知分曉。」兩幅電影廣告，可謂强烈相抗，亦有妙語雙關的味道。

中影出品的八仙渡海，開頭用西洋景方式交代，這個暗示是對的，結尾用赤魔被毀滅也很正確，祇是太注意交代，把整個劇結構弛了，很像八仙個人行動紀錄片，就觀衆來說固然感到洩氣，就生意眼來說也不算成功。以中影公司龐大財力與人才薈萃，這個角度看，眞如眞珠竟然混魚目，再不客氣一點，簡直鳳凰飛入烏鴉羣，太可惜了。

這部片子的指導，如果能配取白居易詩：「忽聞海上有仙山，山在虛無縹緲間。」使觀衆能在視覺享受時，彷彿入神仙之境，使景物幽靜，塵氛不攪，認爲非常人可到之地，就合乎想像了，且可大賺其外匯。舉例，八仙以張果老爲首，自稱爲堯時人，隱於西嶽「中條山」間，辟穀餐松，鹿鶴爲友（仙境圖案），武則天女皇遣使召之張詐死，今果老巖有唐碑誌其事，唐開元中，遣使迎果老抵京城，官中賜宴，玉貞公主自屛後窺後說：「此仙旣生堯時，胡爲若此少年英俊？」帝謂：「張乃神仙或老或少，以神仙善變耳」。公主欲婚之，果老拒而回山，不知所終（豪華場面）。這段神話是多麽禰漣而有風趣，且可教訓吃軟飯的人。又李鐵拐，常行丐於市，後以鐵杖擲空化龍，乘龍而去。一說李本偉丈夫，少時從李耳學道，道成而靈魂脫離肉體，時李耳在華山，召之去，鐵拐李臨行對弟子道：此次去華山，需時七天，我之軀殼留在此地，倘七日未歸，即爲我埋葬於地下。」鐵拐李去後六天，其弟子以母病垂危，急不及待，乃將軀殼先一日埋下，到第七日，鐵拐靈魂歸，找不着軀殼，附一跛丐屍起，脚跛貌醜，下凡時離不掉一支鐵拐。他如韓湘子的：「一壺藏世界，三尺斬妖邪；解造逡巡酒，能開頃刻花」，取土覆盆，彈指間而花開，花片上有：「雲橫秦家何在，雪擁藍關馬不前。」韓愈不解，後愈貶潮州，中途遇雪，韓湘子冒雪而來，詢其地，乃藍關也，韓愈自詠，取此句於七律中，至今猶膾炙於人口。八位神仙各有其趣各有其來龍去脈。而中影的演出，皆選氣俗而無何教育意義，及淡而無味的一面，弄得凡品自與仙物殊，非仙品自與凡物殊也。

另一公司的「八仙過海」更跡近胡鬧了。尤其呂洞賓遊妓院與白牡丹之間的黃色鏡頭，暗示神仙也都好色之徒，凡人更不用說了。這一段不是神話而是鬼話，與「關雲長月下斬貂蟬」同樣荒唐。照「八仙傳」載，呂洞賓，京兆人，姓李名瓊，字伯玉，爲唐之宗室，妻金氏，生四子，均及第，兩調縣令，民皆德之，値黃巢作亂，李瓊夫婦亡命於終南山巖洞中，時惟兩口，因遂改姓「呂」，自易名巖，一作品（山脚），取夫婦相敬如賓之義，故字洞賓，其後妻亡而身孤，純屬陽性，復別號「純陽子」，晚年，易黃冠服，以同道人自署，詩有「別號純陽子，亦稱回道人。」世人尊之爲呂祖，乃夫婦模範典型人物。神話劇最要緊的別太離遠教育意義，如果靠黃色、灰色，亂作誇大賺錢的工具，則形同與綠燈戶妖道們一較長短沒有兩樣。

·文滙樓主·

談文學的內容與題材的處理（八）

·方祖燊·

後來告到二郎神。二郎神才爲他主持正義，肅淸吏治，城隍爺、閻羅王都囚此判罪。暗示政府也應該隨時注意地方官吏的爲非作歹，整頓政治問題。用寓言寄意的形式，來諷喻世人，批評時事，因爲採用的是故事或小說來表現，容易爲人接受，達到諷勸諫戒的目的，作者也可因「言之者無罪」，而避免因言賈禍，獲致罪咎。可是也有缺點，就是也容易被人所忽略，以爲這是一篇普普通通的趣味性的故事或小說，而忽略了它寄託的含意，減低了諷喻的效果。

（六）愛情性的題材：根據心理學家的看法，情緒的湧動是出於受到外界刺激而產生的。某種刺激，就會產生某種情緒。這種刺激，有成千成萬種。普通刺激，像一陣和風，會使人感到愉快；幾天淫雨，會使人感到沉悶。深一點刺激，像旅途深夜裏聽到火車輪船的嗚嗚的尖叫，會引起淒清的鄉愁；一個親人過世，會使人悲慟欲絕；國家危亡當頭，會使人激昂慷慨，視死如歸。不同的刺激，會使人產生不同的情緒變化。這是甚麼原因？情緒雖然屬於心理的活動，可是當我們情緒激動的時候，却會影響到生理，使生理發生變化。所以當我們受到外界刺激或打擊時，即產生某種情緒，這時心理就會產生種種變動，譬如歡樂時會心跳加速，呼吸急促；憤怒時會面紅耳赤，手足抖冷；悲傷時會四肢軟綿無力，淚線分泌淚水。這種種生理變動，使我們心理上有了喜悅或憤怒，快樂或哀傷，愛慕或憎惡，恐懼或憂鬱，妒忌或寬容，緊張或鬆懈，……種種感受。當感受深時，又促使我們用種種方式，把情緒發洩或表達出來。比如憤怒的時候，可能怒目相視，也可能破口大罵，也可能出手打人，也可能用力痛拍桌子，或砰砰澎澎大摔碗盆；但也有人把這種憤怒不平，發洩于筆墨中。古人所謂「物不平則鳴」。這種情緒的發洩與表達，却又會給旁觀者第三者刺激，使他激動，使他共鳴。如愉快是一種情緒；你由于心情愉快，面露微笑，你的微笑却會給他人一種快感；又如痛苦是一種情緒，當痛苦時就禁不住要痛哭流涕，這種哭泣也會給他人一種悲傷的感觸。而感情性的文學作品，就是作者把他的情緒一一發洩于文字間，所謂「動乎其情，而見于其文。」當他流連風月，見花艷，聽鶯囀，就要寫他的歡樂；內有憂思感憤，外而窮愁潦倒，就要自鳴其不幸；讀者讀了，因此隨之喜悅、悲哀。所以說文學作品，可以「安慰人，娛樂人，使人悲傷，使人憐憫，使人夢想，使人發笑，使人戰慄，使人哭泣。」這完全由于情緒的刺激與共鳴的作用。花落鶯啼，可使詩人產生惆悵感傷的詩篇，戰爭離散，可使文士寫下悲壯慷慨的文章；我們讀了這些作品，也就隨着感傷惆悵，激昂慷慨。所以說强烈的情緒，是感情性的作品中，必須具有的因素。愛情，是人情中强烈的一種情緒，也是人類的倫理道德中最崇高的一種情緒，在前人的作品中，以愛情作題材的，也佔最大的數量。愛的感情，有對國家、父母、丈夫、兒女、愛人、朋友、家鄉、祖先、上帝、自然萬物、種種不同的愛，因此有種種不同的抒情的詩和文。一般說來的，愛國是萬世不變的大道理，尤其當國家危急存亡之秋，看將士壯烈犧牲，戰死沙場，家園破碎，親人離散，同胞慘被殺戮，有幾人不悲憤，不落淚，不激動；以熱愛國家民族的精神爲題材，也往彼成爲傳世的名作。像文天祥正氣歌，抒寫他自己被元人囚禁獄中，寧死不屈的愛國家的情志；法國小說家都德的最後一課，藉法國阿色司省割給德國之後一個小學生對故國語言文字的愛戀，寫出戰敗的慘痛，以激勵法人的愛國心。以抒其情，或述其事，這都是表現堅强的民族意識及熱愛國家的精神與感情的作品。父母與子女間的親情，出自天性；父慈子孝，是我國聞名世界的美德，像謝婉瑩的母親，朱自清的背影，都是描寫感人的父母對子女的愛心。孔融思子詩，抒寫他悼念愛子的情感。

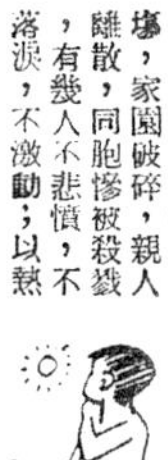

綜談國劇復興（四〇）

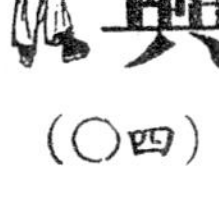

王方曙

這種沒有導演的情形，看起來行之多年，對演戲似無大關係。但實際關係很大，如國劇能採用導演制度，一切都要比現在好。

因爲戲劇是完整統一的藝術，有一個導演會綜覽全局，也會對全局負責。目前的情形，各唱各的，雖然都能對合，但難免在完整統一方面稍有缺陷。至於在某一方面究應如何改進，誰也管不了誰，各有各的師承，各有各的路子，對上詞就好了，場上見！這種情況固然是演員們都胸有成竹，但對整個戲來說，有時便難於統一。何況若排新戲，更宜有整個計劃，若單憑各自出主意，各自使唱腔，兩個女主角一唱梅派一唱程派，或唱甚麼張派。兩個老生，一個譚派一個言派，這種戲不能統一，是顯然可見的。若有一導演，可以先作好計劃，整個戲要如何發展，用何種唱腔，產生何等效果，他可以就全盤着眼，調協分配，使它統一完整。演出後有何缺點，導演仍可隨時根據自己觀察及觀衆反應，對各缺點加以改正，最後確定固定演法，一個戲便完成了。這樣完成的戲自然比各作主張排出的戲好些。

至於對老戲，也有由導演導過再唱的必要。一齣戲在出演之前，先經導演排一次，看看有無缺點，再行演出，總比「台上見」要好些。雖然說國劇一切有固定形式，「沒錯兒！」但我還願意多說一次，我們的國劇形式化就在這「沒錯兒」上。若是都表演了沒錯兒的固定形式，就容易忽略了藝術中必有的「性靈」。許多人才能完成的一齣戲，事先全體整個演習，尋求精湛，總不應說「用不着」的。更何況我們要談復興，既要有些改動之處，導演就更是重要的了。

以上關於表演的唱作念打，以及導演制度，我們都已就應該檢討之處，針對時代的進展，扼要討論過了。連同以前各段，就國劇本身的各種問題，大致都已說完。以下我想談一些與國劇復興直接有關，而不屬於戲劇本身的問題。所以在這裡我想先作此一段落的結束，稍談幾句題外之言：

前面我所談的，是從堅持保持國劇本質的態度中，力求進步，而由力求進步中求國劇復興。我只因愛好國劇，珍視國劇，才不惜費辭，貢獻愚見，以求國劇能在此刻，起衰重振，成爲我國輝煌燦爛的藝術。（未完）

成語選粹（十）

梁上君子

李國良輯

後漢書陳寔傳：『有盜入其室，止於梁上；寔陰見，乃起而整拂，呼命子孫，正色訓之，曰：「夫人不可不相勉，不善之人，未必本惡，習以性成，遂至於此，梁上君子者是矣！」盜大驚，自投於地，稽顙歸罪。』按梁俗作樑。稽音起；稽顙爲居喪時所行之禮，以頭觸地。世稱「梁上君子」謂竊賊也。

一九六〇年赴美留學臨出發賦（兩首）

·吳森·

其一

鐵鳥騰空雲漢間，迷糊淚眼看燈山。
男兒壯志行千里，爲學不成誓不還！

其二

東西文化要交流，天下未憂我先憂。
此去定知身任重，男兒壯志幾時酬！

旅美感懷（一九六二）

去國離家道路迢，流連異域更魂銷。
江山信美非吾土，難遏歸心似怒潮。

諸葛亮狂想曲（二六）

·劉玄·

「我用的劍與你所用的不同，你用的是仙劍，我用的只是普通劍。唐詩所謂：「折戟沉沙鐵未消，」其實戟字係劍字之誤，也則是當年祭風所用之劍。

呂洞賓、鐵拐李、何仙姑聽到諸葛亮的話，半信半疑：諸葛亮怎會知道唐詩所詠是仙祭東風的寶劍？可是，爲了禮貌，不便與他爭辯。

「我向來沒有用過切金斷玉，斬釘截鐵的寶劍，呂仙所用之劍可否借來一觀？」諸葛亮一半也爲了好奇心，想着一看呂洞賓背上的寶劍。

「我的寶劍，專爲斬妖驅魔。請諸葛先生原諒，我的寶劍不能輕易示人。」呂洞賓直接了當拒絕諸葛亮的要求。

某日劉約翰又在與諸葛亮天南地北閒聊。

「諸葛先生，不是我說，劉皇叔打太極拳，打保齡球，下棋，練大字。二將軍看春秋，巡視香火。三將軍打獵，飲酒，練柔道。各有各的消磨日子辦法。只有你，什麽消遣也沒有，還恐非長生之道？」劉約翰表示對諸葛亮牛活形態的關切。

「在天庭，由於玉帝是道家思想，淸靜無爲不算稀奇。太白星君一年到頭，坐在八卦爐房煉丹。姜子牙用直鈎釣魚。達摩繼續練面壁工夫。他們豈非比我更無消遣？」諸葛亮從側面來答覆劉約翰提出的問題。

「我認爲他們都是好靜的人，與你不同。」劉約翰很坦率地提出他的看法。

「有什麽不同？」諸葛亮這次要反問劉約翰了。

「你上次想往下界觀光，足見你是好動的人，故與他們不同。」劉約翰舉出證據來支持他的看法。

「你的看法也不對。太白星君煉丹有他的目的，所以他的身雖屬靜態而意實屬動態，何況，玉帝隨時召見，他是身不由主的。姜子牙釣魚，達摩面壁，同樣爲了强制本身心意之動。因此，我的靜是自然的而且是自由的。」諸葛亮這番話說得很有哲理，劉約翰不能不欽佩。

「由你的解釋，使我對動靜之理有更深的了解。我本來想到太白星君那裡學習煉丹，現在我不準備去了。」劉約翰這種想法太天眞，煉丹是太白星君獨有之秘，那肯輕易傳授他人？

劉約翰正在與諸葛亮閒話，琴童入報：

「呂純陽、何仙姑、鐵拐李連袂來訪。」

「我不是告訴過你，任何人來訪，都說我雲游在外，推說不在家。」諸葛亮很輕微地在斥責琴童。

「我是照這樣說的，呂純陽說他算定丞相在家。他是八仙之一，自然會算，我不敢騙他。」琴童將實情禀告諸葛亮請示。

「我要不要迴避一下？」劉約翰向諸葛亮

巨變歷險記！

在上海即將易手的時候，丁博士離開，來到台灣，台灣非常緊張，民心士氣非常低落，宜如何穩定人心，提高士氣，就成了當時的主要課題。

共軍會不會就到台灣？國際對台灣會不會幫忙？尤其對於第二個問題，大家急須要知道。所謂國際，當時指的是美國，其他如英法等，也是大家注意的目標。

美國不是對中華民國國民政府實行一筆勾銷的政策嗎？美國白皮書的宣布，消息到當時在奉化的今總統蔣公，他在萬分失望之餘，也認為是中華民國的莫大恥辱。這消息是今行政院副院長蔣經國先生親自報告他的。大陸的整個淪陷，與白皮書的宣布，有莫大的關係。白皮書宣布之後，美國就斷絕了中華民國的所有美援。沒有美援，中華民國的財政經濟驟僞陷於崩潰，財政經濟崩潰，政治軍事以及社會民生陷於絕境。當時政府（中央）雖然遷來台灣，財政經濟仍然是很大的問題。台灣區區彈丸之地，如何可以維持龐大撤退來台的部隊與撤退來台的人民。這是陳誠主席所最焦慮的一個問題。他同丁博士交換意見，丁博士給他的答覆是肯定的，他說：不久美國必再來援助我們。美國剛斷絕不久，能又來援助我們嗎？這是任何人都會起疑問的。以聰明睿智的陳主席、也不例外

兩度環島（八七）

胡慶春

。故所以他看見丁博士這樣肯定的態度，堅決的口吻，精神非常振奮。「需要給大家說說，叫大家都了解，那麼就麻煩你到各地走走，給大家講講」：陳主席很誠懇的說。

丁博士答應了。

丁博士開始他環島兩週的講演，是在台北今天的國立師範大學。在民國三十八年五六月的時候，還是一個師範學院。院長是以後的台灣省教育廳長劉眞白如老兄。那天開始講演，是一個台灣什麼訓練班，集全省的學校校長於一堂。被郭大炮氣死的台灣大學校長傅斯年也在場，陳誠主席致訓詞，丁博士講「台灣前途的蠡測」。發表他同陳主席談的意見。大家聽見美不久就會再來援助我們，同我們為友，都非常振奮，掌聲雷動，就是很好的表示。然後在台北的各學校，也展開講演，青年人更需要知道。這不啻是一件很好的鎮定劑。台北市內，分開兩段，一度專門對軍人，一度專門對其他各界，尤其是學校。對軍人，是當時空軍總司令部政治部陪同。當時空軍總政治部的負責人是簡樸先生。他下邊是葉逸凡先生，後來張逸凡接簡先生的事而為主任。對全省各地空軍人員講演由桃園開始，而新竹，台中，台南，屏東，花蓮：歷時一個月零七天。第二度環島，也是從桃園開始，主要對各學校及各界，費時也在一個月以上。其他海陸軍也都紛紛請丁博士講演。丁博士眞是口不停說，席不暇暖。（未完）

夢的探討

林夏

夢魂不慣住他鄉，夜夜返家進幾觴；
手植梧桐枝尚健，乘涼池畔釣斜陽。

這是我羈旅台灣懷念大陸故鄉夢境的寫實，無疑地，這是思憶的情懷交織在內心的反映；和杜甫寫「夢李白」的「故人入我夢，明我長相憶」的神情，殆相類似。這在心理學和哲學的觀點來看，是一種極平常之積蓄的潛伏意象。所以一般人，一提到夢的起因，便少不了肯定：夢是睡眠時，大腦神經中樞尚未完全停止活動所產生的幻覺。其實，這便是潛意識的運用。人的腦海深處是一個被掩蔽的才智之源，心理學家稱這個區域為潛意識。那裡邊有我們的記憶、意念、信仰、信念和情緒等等。潛意識還會為我們孕育新的理念，把舊材料以新方式拼湊起來，成為全新的創造，就是腦海深處的東西常在我們無意識之中浮上腦海表面，普通作夢，類屬這種作用而起。

夢，據我多年來體認，認為這是一種超時空法則之非非想的意境，雖以既有以邏輯規範來理解與判斷。哲學素養高明如羅素，做於某婦人所夢斷橋時日之符合，亦覺驚為不可思議。其實，這種顯示預兆的猶夢，早在我國春秋時代，便已屢見不鮮，茲略舉數則如下：

一、僖公十年，晉狐突於曲沃夢見死已多日的申生，告以晉君夷吾無禮，上帝許我罰其敝於韓。後五年，秦晉戰於韓原，晉君果為秦軍所俘。

二、僖公二十八年，晉楚城濮之戰。戰前，晉文公夢與楚成王搏鬥，被成王壓制得仰面朝天。翌日，召子犯詳夢。子犯答以：「吉，君得天，楚伏其罪。」後果戰勝。

三、宣公十五年，秦晉交鋒。晉魏顆敗秦師於輔氏，獲秦力士杜回。格鬥時，魏顆見老人結草以亢杜回。夜夢老人告顆曰：「余乃汝所嫁汝父（即魏犨）嬖妾之父，因汝未從汝父臨終所囑將以殉葬的遺言，是以為報。」

四、成公十年，晉景公夢大鬼，被髮至地，[illegible]公，說他無辜殺害其孫趙同趙括，經訴准於上帝，准其所請。景公臥病，又夢為二豎所纏，無藥可治，果於不久陷廁而死。

五、昭公七年，鄭人夢伯有（即良霄）被甲而行，告以：「本年壬子日我將殺駟帶，明年壬寅日又將殺公孫段以復仇。」駟帶及公孫段果均屆期而死。

以上五則，載在左傳，料係事實。此類顯示預兆，外如後漢范式，夢見亡友張劭告以：「我於某日死去，某日即出葬。」式醒後即趕程馳赴，果見劭柩正在發喪中。又如最具體現實令人發噱的奇夢，如三國蜀將魏延，夢見自己頭上生角，有人詳為凶兆。按「角」為用刀之象。不久，魏延果被斬首。諸如此類，不勝枚舉。

而絲毫不爽的奇夢，均難以心理或哲學條理所可解析。如必欲求近似的體認，殆可試以佛學的第八識（阿賴耶識）來權度其萬一。佛學喻凡世間萬物之本的種子，皆藏於此識之中，故又謂之藏識。其本體光明皎潔，世界萬物的種子，收藏於此識中而不泯。第八識廣大無邊，非凡夫所能窮其究竟。前七識起執起迷，造善造惡。第八識本似靜海，心本無心，因境生有，為了境界現前，譬如風起。心平不波，鏡智光煥發，無遠弗屆。從此心虛淨識體呈，世界萬有，普在寂照之中。甚於阿賴耶識具有光明皎潔的本體，且已包含世間萬物之本的種子，由是預感，逆知未來吉凶，可以意味其必然。

至若鬼神的託兆，基於左傳鄭子產所論伯有（即良霄）現鑑之見。頗值參攷。他肯定「人生強死，其魂魄尚能憑依於人，以為厲鬼。」佛家即謂：人死後即有中陰身，認為死後和再生之間，尚有一段短時光，不能沒有身識的聯繫。所以佛說有化生的中陰有情。既承認有鬼神的存在，則起而託夢，自屬理中。

最後，我提供一個夢破案的事實，這在當時，多少人引為奇談。

三十七年冬，江西吉安有某婦，夢見其夫鮮血淋漓，告以被某人所謀殺，且倒葬於南瀞道上某站附近的山麓，該地保長某知其詳。婦醒後，逕往江西保安處哭訴，處長亦以好奇，飭員隨婦逕往夢示地點，轉飭該地保長得實，掘出屍體，果為倒埋，事經詳載南昌日報。（完）

生活漫談

日常相尅相忌的食物

馬騰雲

我國盛傳的有一百八十種相尅的禁忌的食物，幾乎是家諭戶曉，一代一代向下傳，台灣比大陸還認眞，在農曆通書上，繪成圖解，一百種相尅食物，將題標出，「千家用，鎮家寶，保自己，救他人」這究竟可不可靠，我覺得有一談的價值。

一位專家，曾將一百數十種相尅的食物，抽出約二十種，反復的試驗，不斷的試，起初是以白鼠、兎、小狗、猴子作為試驗對象，後來一直到這位專家自己服食相尅的食物很多種，結果均無中毒現象，只可惜這位專家，未能完全達成任務，大陸就陷匪了。不過用他試過的二十種相尅食物求證，推測其餘的一百幾十種相尅食物，吃到肚子裏，會不會引起中毒，我們的答案是相對的，而非絕對的。比如古今秘苑和劉啓堂氏均謂黃瓜與花生米同食，立可致死，而著者最嗜黃瓜拌粉皮，外加一把油炸花生，有時加五香豆干，迄未死去，就是一個例子，這位專家研究的相尅食物種類，歸納大致如後：

香蕉與芋乃同食有毒，（見清趙學敏本草拾遺）柑與蟹同食有毒，（見物類相感志）葱與蜜同食（癰氣殺人可致死，見於本草，明朝李士材著本草圖解）烘大青豆與飴糖同食有毒，（見留青采珍誌）甲魚（就是水魚）俗稱鼈與莧菜同食有毒（唐朝張鼎，清黃宮綉，食物本草及中饋錄等均如上述）蟹與柿同食發霍亂（見李時珍誌）蟹與石榴同食有毒，（見增訂本草綱目）鯽魚與甘草同食有毒，（見蠡城小錄）飲牛奶後食醋作物有毒，（民間傳聞）犬肉與葱同食有毒（民間傳聞）這類的說法，始於上古，盛於唐宋，大多數係根據古人的雜記，醫方及稗官小說，經研究其來源似是而非，其中亦有很巧合的事，恰在疾病發生前吃了某種所謂相尅食物，遇到了三長兩短，則歸咎於相尅食物。

甲魚與莧菜同食，以大甲魚一只重約一斤半，殺好洗淨清水加料燉熟，再用兩斤新鮮莧菜，一次是紅莧菜，一次是白莧菜和入甲魚同煮，飼白鼠十幾頭，同時又餵小狗、小貓，經過良好；都沒有中毒現象。葱與蜂蜜同食有毒，歷代中醫幾乎均持此說，專家用小動物試驗的結果，並無中毒現象，牛肉與栗子同燉不僅無毒，且香鮮可口。犬肉不能用葱烹飪，不僅專家認為無稽，筆者也曾吃過，犬肉全靠葱蒜烹調，才會有味，從無中毒現象。綠豆與犬肉同食，腸腫無救」至今沒有機會去作實驗，不敢妄斷，更不該勸別人去以身試驗。中國的習俗，「狗肉不上灶」煮狗肉不准在廚房裡的。在香港一本「生物科學雜誌」有一篇文章討論到食物相尅問題，認為中國一百八十種相尅食物，大部份屬無稽之談，他的理論根據，多半來自日本的中醫藥資料，我國的醫學界應做一次有系統的研究。

桃花村主

周遊

前清中葉，山東濟南府出一劫餉巨案，盜劫餉銀數萬，並殺傷護兵數人。中丞某公為旗人，頗有風骨，御下極嚴。其事上聞朝廷，有旨詰責，收吏獄監禁。歷緝數十人，緝捕巨盜，皆不得要領。獄吏之家屬，奔走營救，購線偵探盜之線索者，紛擾數日，終無眉目。

一夕，中丞於枕畔得一函，內附晶瑩耀目一匕首，信中歷述種種舊疊，桃桃如目睹，箋末署名桃花村主。中丞大驚，乃召集文武赴轅密議，有主張懸賞偵搜捕者，有謂買人痛剿者。議論紛紜，迄無結論。中丞大怒，拂袖入內，文武默然而退。

中丞回署之後，衷心憂憂。幕中有侯生者，性高介，平日不苟言笑，居常除辦公外，靜守一齋，同事中鮮有知其武技者。中丞以其誠實，頗重視之。及此案發生，侯生即請假返里，署中有疑其與此案有關者，進讒言於某中丞，公一笑置之。一日，侯生歸幕，銷假謁公，神色慘淡，若經風塵勞頓，初解征鞍者。中丞異其行止，密室叩問其故。侯生道：「所以不先告公者，恐多饒騷，打草驚蛇耳。今既詢問，惟將此案始末。某受公恩，沒齒不忘，當此案發生之初，早已疑其鼠輩之詭計。若抗巨盜，皆武當餘孽，聚黨數十人，嘯聚規數，踞守西山之麓，行商獨客不劫。桃花村主者，該黨之魁也，善輕身之術，能負數百鈞，飛越重垣，如履平地。其妻飛天夜叉，善使流星鎚，百步之內擊人，殺無不中。其餘皆烏合之衆，碌碌無能。某請假者，乃深入此穴，幾為賊所乘，鏖戰半夜，終以飛劍傷其臂，乘機逃脫。今賊已傷，公可檄鎮兵剿之，某願為嚮導。」中丞大喜，連夜發鎮兵圍剿於西山之麓，命侯生領衛隊百人，深入賊穴。盜衆聞訊先遁，檢點餉銀，已不滿半數，乃大焚盜穴，整隊凱而返。中丞喜侯生之能，使為其保鏢，每於辦公之暇，抵掌談心，歡然一室。論及武功技擊，中丞極欣羨不已。

一夕寒風襲人，雪花滿地。中丞欲小飲，乃召侯生對酌，擁爐痛飲，剪燭快談，忽聞風撼樹梢，宿鳥驚飛。侯生心知有異，急熄燈啓窗；伏劍以伺，瞥見一團黑影，掠簷牙而過。侯生揮劍擊之，速如飛燕，追蹤而去。中丞驚喚從者，台署為之譁然，明炬執刃，搜捕刺客。忽聞若然一聲，侯生擲刺客之首於地之室，而請罪焉。中丞驚其武功，擬上聞其事而重用之。翌晨，館僮呈上寸箋於中丞，而侯生已飄然遠去，不知蹤跡矣。

桃花草三大之肝

趙陀

「是，我是，請問題目標越小越好，繼元，聽說你被召去問過兩次話，直到昨天還瞞住不告訴我，祗有一次，那就怪了，對呀！整個當然亦算，好吧！我們馬上當面談吧！」

「老鬼，你大清早到那去？」顏芳睡在床上這樣的問。

「你和克琳講，馬繼元不管來問甚麼事，就說不知道，要他一切問我。」說罷很快的下樓，克琳這時走進向顏芳說：「爸從昨晚直到現在像有心事，又像很神秘似的，半少湘限三天答覆，爸一個字未提，媽，你看可能怎樣發展？」

「不管他怎樣發展，我女兒屬於任念佩的，這是媽牢不可破的原則，甚麼烏秘密談判一律予以否決。」

「媽，講這些話……女兒眞高興。」

「孩子，媽既下了決心，誰也不能扭轉，除非我……」

王媽在蘇府雖然做的還是女傭的事，但地位上不再是女傭，稱呼方面，除克琳喊王媽為阿姨外，顏芳也比作克琳喊阿姨，祗是蘇霍寶尚未加以修正，王媽早是懷著愉快向克琳說：

「老爺今早也喊我作阿姨，老爺像很高興的樣。」

「爸這個人東邊日頭西邊雨，說是無『情』又有『情』，不可以常理論出。」

「克琳，你看錯了，你爸這個人不看兎子不會放鷹的，八成又有用着阿姨的事。」克琳在想只有一個可能，就是錢的問題，但又不太像，三個人的腦子環繞着一團疑雲，電話鈴又響了，王媽接完電話回來說：

「奇怪，馬少爺的電話。」

「電話講甚麼？」顏芳還樣的問。

「問老太爺已否出門，他在紅棉等候。」王媽這樣回答。（卅八）

自由報

中華民國內政部登記證內警台報字第〇三一號
中華民國僑務委員會登記證台僑新字第二三號
中國郵政台字第一一八二號執照登記為第一類新聞紙

（第一〇二〇期）

（半週刊每逢星期三、六出版）
每份港幣角．台灣售價新台幣式元

督印黃行奮．社長李運鵬
社址：香港九龍彌敦道593—601號
廖創興銀行大廈八樓五座
LIU CHONG HING BUILDING
7th FLOOR FLAT 5
593—601 NATHAN ROAD,
KOWLOON, H.K.
TEL: K303831
電報掛號：7191

承印：景星印刷公司
地址：嘉咸街廿九號地下
台灣連絡中心：台北寶田街五巷三號
電話：三七五〇二二
台灣區直接訂戶　合郵劃撥戶
第五〇五六號張萬有（自由報會計室）
台北營業處：台北衡陽街三十六號
電話：二七二〇〇
台灣分社：台北市西寧南路110號二樓
電話：三五〇三四六，台郵劃撥戶九二五二號

從洋務運動、維新運動與文化運動的得失（下）

看中國文化復興運動應走的路向

王邦雄

歐洲對知識的追求，使他們從迷信與教條中，脫穎出來；而日進一步的，從知識中獲得技術，發明機械，造福人生。這一來不僅個人的心志獲得解放，也把歐洲推上近代的工業文明。他們終於從東方的羅盤中脫穎而出，開始航海殖民，帝國主義與資本主義的結合，使他們征服了亞非，也控制了新大陸，主宰了兩個世紀的近代世界。

這個成功是空前的，革命性的。機器代替人力，組織發揮了驚人的力量，功利與實效的講求，使西方的國力扶搖直上，使人類的生活大獲改善。人類的理性，終於征服自然，高奏勝利的凱歌。

從心志的解放，他們要求政治的解放；個人主義與自由思想，推翻了君主專制與封建社會，產生了民主政體與平等社會。人類的理性，又獲得另一場偉大的勝利。

但科學節節勝利，教會却相對的失去穩定社會指導人生的力量。當他們航海殖民，進軍亞非的時候，宗教的容忍與博愛，却遠藏在後方。這是科學與宗教分途發展必有的裂痕。同時，哥白尼的地動說，與達爾文的進化論，更動搖了宗教的根基，西方文化開始面臨難題，走向分化。

另一方面，在資本主義極端發展下所產生的一股逆流——馬克斯的共產主義，正與亞洲的民族主義匯合，來反抗西方的殖民壓制。而達爾文生存競爭，優勝劣敗的學說，也給野心家立下了戰爭的學理基礎。是以近代各國戰爭時起，使人類在戰爭的破壞中，抵消了科學所帶來的成就。

尤其兩次大戰後，世界的重心，已由歐洲移往新大陸與亞洲大陸。西方的有識之士已憂懼的喊出：「西方的沒落」。當代風靡全球的存在主義，就是要反抗傳統、宗教、機器與大社會的壓制，去追求自我生命的感受，肯定自我生命的價值。美國是科學與工業的先進國家，富甲全球，他們年青的一輩，竟也茫然的喊出：「我們要往何處去？」他們要遠離文明，返回原始，對當前紛界情性的極端發展，表示無言的抗議。

科學誠然是一股不可抗拒的力量，但力量可以用來建設，也可以來破壞。科學否定了宗教失去約束力（事實上宗教也很少發生約束），所以就造成一個可怕的現象——科學越往前行，人類越逼近毀滅的邊緣。

這是今天西方文化所衍生的病態；資本主義與共產主義對立，科學又脫離了宗教的羈絆。他們的成功之處，也就是他們病態的所在。今天我們復興中華文化，要使國家走向現代化，就當學習他們科學的方法，自民主的精神，抓住西方文化的精神。至於其衍生的病態，我們要事先加以防範，以我們的人生哲學加以疏導，彌補它的缺陷，決不可再輕言全盤西化。

（三）中國文化與民主科學

由上二節推論，已知中國文化雖有若干病態，需予革除；但也有其獨到之處，值得我們去發揚光大。西方文化在民主科學方面，是我們國家步上現代化所必須仿傚學習的；但西方文化也有其衍生的病態發生，這又是我們要盡力避免而加以輔正的。今天，我們一方面要復興本身的文化，一方面又非接受西方的民主科學不可，那麼，這二者是否可以並行發展呢？

新文化運動中打倒孔家店的理由，是中國文化與民主科學不能並存於世。這完全是錯誤的偏見。儒家思想推崇堯舜的禪讓及湯武的革命，認為「天下非一人之天下，而是天下人之天下」，這是天下爲公的思想；「人人皆可爲堯舜」，認定人人在道德人格上都同樣的能成就聖賢，這是人格平等的思想。這兩種思想，雖不能說是民主思想，但至少是民主思想的根源。儒家又以「民爲貴、社稷次之、君爲輕」，主張「民之所好好之，民之所惡惡之」，有這種尊重人民的政治觀，怎會與民主不相容？陳獨秀以儒家德治主義，是中國開創不出民主政治的原因，這是幼稚可笑的論斷；只有暴力與壓制，才是民主政治不能存在的原因。

其次，儒家思想也不是反科學的。孔子對人生一向取理性的態度：試看「敬鬼神而遠之」、「未知生，焉知死」，他從不迷信；「知之爲知之，不知爲不知」、「多聞闕疑，愼言其餘」，他從不武斷；「學而不思則罔，思而不學則殆」、「夏禮吾能言之，杞不足徵也；殷禮吾能言之，宋不足徵也。文獻不足故也；足，則吾能徵之矣」，他學思指並重，也重徵驗。同時，儒家在「正德」之外，也重「利用厚生」。惜後起學者，偏重心性；講格物致知，也偏重在價值的認識。所以，我們只能說，儒家不重科學的研究，而不能說儒家是反科學的。胡適之先生在第三屆東西哲學會議，宣讀論文，就肯定中國哲學有科學的精神與方法，來駁斥西方學者，以為中國永遠生長不出科學的偏見。

論者又常以近代西方科學與民主，還未在中國生根成長，就斷定中國文化與民主科學，根本不能相容。事實上，這百年，我們國家都在戰亂中掙扎，科學與民主，又那能走上軌道？

中國文化，停滯不進，是由於有學無術，有心無力，知尊重民意與利用厚生，却缺乏實際推動的方法與力量，而民主與科學，正可以彌補此一缺憾。若有科學方法，就可以救儒家偏德之弊，以有效的運作程序，去利用厚生；若有民主制度，中國讀書人才能突破客觀環境的限制，而展現他們治國平天下的抱負。所以民主科學，不僅不會與傳統文化抵觸，而且有相輔相成之效。

綜本章所論，復興中華文化的三個前提，答案都是否定的。中國文化不是沒有價值、西方文化不是完美無缺，中國文化與民主科學也不是不能並存於世：所以復興文化，是必要的，也是可能的。

四、中華文化復興運動應走的路向

洋務運動，維新運動與新文化運動都失敗了。他們不是偏持一端，過於淺薄；就是矯枉過正，妄言全盤西化。他們的失敗，給我們一個極其沉痛的教訓：復興文化，過猶不及，若率爾從事，一錯再錯，終必自陷絕路。

我們既知中國文化已漸呈老邁之態，衍生甚多弊端；而其人生哲學與政治哲學的精義，也於西潮沖擊中，漸形隱晦不顯，就應該早日加以修正與發揚。西方文化，雖面臨難題，走向分化；但民主與科學，是中國現代化不可或缺的要圖。今天，我們可以確定中華文化復興運動應走的兩大路向：一方面是要發揚固有學術文化，使宏揚於世界，糾正西方文化的偏差；另一方面要學習西方的民主科學，來充實傳統文化的內容，使中國成爲現代化的國家。這個說法，似乎又落入「融會中西」的老套之中，而事實上，這就是我們所應走的路向。只要我們把握的方向正確，就不必再爭論到底是「中學爲體，西學爲用」？還是「西學爲體，中學爲用」？這個爭論可以說沒有意義。中西文化各有[illegible]，所得也只是外在的現象，而不能深入把握其內在的精神，如此做去，勢必又陷入過去謬誤之中。中西文化只要是有價值的，我們都要保持，都要學習，文化本身自能調合，而開出一番新氣象。禪宗將佛學中國化，宋明理學援佛入儒，充大儒學，就是一個顯明的例證。

至於文化復興運動，應如何去推動的細節，自不是這短短的篇幅所能盡述的。現在分別就基本態度，主要目標及推動步驟三方面，畧述筆者個人的淺見如次：

（一）基本態度

首先要恢復民族的自尊與自信：[illegible]的態度與功利的動機，常使我們不能以超越利害的客觀與冷靜，去探討西方文化的價值；也常使我們不能懷着應有的敬重與同情，去尋求傳統文化的眞精神。結果，對西方只重在機械兵器的學習，對中國則只及於歷史文物的考訂。這樣「失之毫釐，差以千里」，出發點一錯失，所行與所願，勢必背道而馳，久而無功。

（以下轉刊第四版）

昨日與明日

經濟成長與社會價值

據中央社台北十二月三日電訊：官方今天發表：今年台灣的經濟成長率可望達到百分之八點九，爲自民國五十二年以來，長期經濟繁榮的第七個高成長率。我們很高興聽到這些消息，足徵祖國經濟繼續繁榮，經建人員的辛勞，獲有甚大的成果。

經濟成長率高　究竟代表什麼？

宣傳儘管是宣傳，我們也不能爲數字所迷惑。所謂經濟成長率高，或者，經濟成長率增加很快，究竟代表什麼意義呢？它能代表這一經濟社會的實際發展情況嗎？正如一個兒童，身長發育很快，能代表他的健康情況嗎？明白地講，經濟成長率之升高幾許，並不能代表一個經濟社會的眞實經濟進步情況和國民生活水準提高實際。不錯，我們經濟成長率確實提高了，可是，經濟成長的可貴，要看它對社會貢獻的價值，譬如我們改進多少交通？增加多少交通設備？環境衛生改進多少？國民住宅興建多少？人民生活水準究竟提高多少？文武公教人員待遇？提高多少？不此之圖，空談經濟成長百分之若干，又有啥意義呢？

經濟發展端視個人所得

衡量一個國家的經濟發展程度，依據平均個人所得，是現代經濟學家公認一個比較妥當測度。根據聯合國統計資料，一九六六年世界主要各國平均個人所得情況是（都以美元作單位）：美國最高爲三、一五三元，瑞典次高，二、三八八元，瑞士第三，二、〇七六元，加拿大第四，一、九七四元，丹麥一、八〇五，澳洲一、七四六，西德一、五八三，英國一、五〇八；法國一、五三七，日本七八四，南非共和國五五〇，以色列一、一五五，而自由中國的台灣僅一九〇美元。據統計專家估計，以目前成長速度，我們的個人所得，要趕上美國水準，至少需要五十年以上。經濟繼續發展，值得我們自慰，但不能以此爲滿足，如何提高國民個人眞實所得（去掉物價上漲因素），才是正着。

未見大利反受其害

年來財經當局不斷宣傳我經濟進步，我經濟成長如何之高，結果，却發生許多反作用。美援停止了，這是人所共知的事實。聯合國若干組織，本來對我有援助計劃的也都紛紛停止或大爲削減了，譬如聯合國文教組織，聯合國兒童基金會等組織，連慈善救濟的教會團體，對中華民國的救濟物資也不來了。我們慣吹的經濟成長，豈不未見大利，反受其害，這眞是那裡說起呢？

・千公・

自由談

對民主政治罪言

近數月來，台灣的選舉潮可謂浩蕩澎湃，洋洋大觀。先有省市議會議員之改選，繼有中央級民意代表之增補選舉，朝野上下人士皆忙得不亦樂乎，猗歟盛哉！

據說，一個省市議員的競選費用，起碼要在五十萬元台幣以上，纔有當選之望——亦只是「之望」而已。若夫中央級民意代表的耗費，需要三五百萬美元纔行，這眞是驚人的浪費，但事實上非如此不可，美國的選舉耗費更超過我們千百倍呢！

前任巴基斯坦總統阿尤布說過：「西方的民主政治方式固然好，但我們浪費不起」，旨哉斯言，實獲我心。所謂民主政治實係浪費的玩藝，浪費如其眞能使天下英才盡入彀中，對國家大有裨益，也無所謂。可是，在咱們東方這些產業不發達，教育不普及的國家，沒有中產階級存在，只有大小窮之別，而眞正有相當學識和才幹的知識份子，十九都是貧寒出身，根本就沒有爲着選舉而從事浪費的能力，望選興嘆，無可如何。

在卅年前，我也追隨一般士大夫之後，推崇民主生活，要求實行民主政治，嗣後置身政海，目擊而體驗到各項選舉實況，乃深深地瞭解現代式的全民選舉制所得的人才，尚不及咱們中國古老時代詔天下郡國選舉「賢廉方正」的成績遠矣；即民國初期的「委任選舉」方法——複選制——亦比較差強人意。因爲那是經過一般高級知識份子——即讀書人的考核鑑別後，纔選拔出來的民意代表，至少不會知識簡陋或品格卑劣之輩濫竽其中的。現代的競選人非花大錢不行，而錢多的人就無從講究品德與學問，否則即沒法致富，孔聖人不云乎「爲富不仁矣，爲仁不富矣」，允爲不刊之論。美國係最民主的國家，因而豪富的甘迺迪家族易在選舉中獲勝，甘家子弟作國會議員有若拾芥，但他們的品德才能無可稱者，尤其是品行方面殊不足觀也。

所以，我對於現代的民主政治方式，已經喪失了信心，中國如果尚有漢文帝、唐太宗、宋太祖之流的統治者復生，我願誠心誠意的擁護他作皇帝，決無異言。

民主民主，天下許多罪惡，皆假汝之名義以行，可歎也矣！

馮五先生

台灣省銀行投資問題
實為虧損乃有目共睹
省議員郭雨新財政質詢指出
謂投資額十四億八千三百萬

本報記者柳一權來自省議會消息：郭雨新十二月五日財政質詢時說：各行庫之轉投資應如何加強管理：查本省各行庫對於生產事業之投資，由於轉投資之程序，失之過寬，而致浮濫。依據各該行庫五十九年度預算中，資產負債表內列，生產事業投資之總額，達二十一億六千六百餘萬元，其投資損益估列一億九千餘萬元，列表如次：

單位名稱	生產事業投資總額	投資損益	備註
台銀	1,568,363,640	135,531,747	其中包括房地產投資約七億元，損益36,290,790元。
土銀	122,540,400	4,983,770	
合庫	115,590,387	2,187,454	
一銀	210,000,000	20,202,774	
華銀	103,572,000	13,337,673	
彰銀	173,596,000	15,779,226	
合會	1,600,000	150,000	
人壽	25,052,875	2,060,000	
產物	19,926,400	2,392,949	
合計	2,166,645,702	196,625,593	

按各行庫對新創立之公司認股，或對原有單位認股增資，係依銀行法或保險法所規定額定範圍內，由各該行庫之董事會決定辦理。惟各行庫之營運量逐年均有鉅額增加，以是各該行庫逐年均列有鉅額之轉投資支出，如不嚴格加以管理，而任由各行庫之董事會隨意決定，誰能保證不發生弊端乎？誰能保證絕無循私情乎？

依據台灣省審計處所提出五十七年度省營事業決算之審核報告中指出，省營事業機關轉投資於其他事業，其資金總額達十四億八千三百餘萬元。而在所轉投資之事業二百三十二單位中，有台灣航業公司、台灣農林公司、台灣倉庫公司、台灣工礦公司、中央產物保險公司、唐榮鐵工公司、中央電影公司、徵信公司、中農化工公司、國際建築公司、金山農場公司、台灣火柴公司、台北市煤氣公司、中華日報、農工企業公司、中國化學合成公司、高雄百貨公司、中國紙廠、益華紡織公司、味新食品公司、華隆公司、台灣化學工業公司、南華化學工業公司、台灣中華國貨公司、大昌漁業公司、台北市龍山區住宅合作社、中美企業公司、台北市萬華住宅合作社、台灣農商用精公司、新台灣飼料公司、殷格斯台灣造船公司、新華核管廠、新中國打撈公司、中新印刷公司等卅四單位自五十二年至五十七年迄未有分配股息紅利。而所轉投資之資金，大部份為省營各行庫所供應，其轉投資之浮濫，至為明顯。為顧全國家利益，試問財政主管將如何加以整頓，而免長期蒙受損受？

審計處說投資失之過寬

至於各省營事業所轉投資之事業，其盈利取息，依據台灣省審計處在省營事業五十七年度決算審核報告中指出，該年度經各投資單位填列應放股息紅利僅一億四千萬餘元，如以目前投資之利潤觀之，其收入仍較一般金融機構營收比率為低。試問財政主管機關，對各行庫之轉投資，何不加限制，任其隨意決定，而使公款蒙受重大之損失，誠屬使人費解？

又查各行庫之轉投資，常聞有由政府命令對某事業公司認股投資或對原有投資單位認股增資，雖然事關政策性之投資；由於各行庫之轉投資程序，失之過寬，業經台灣省審計處指出，各行庫之轉投資，當事先專案送經本會審議通過後辦理。試問今後能依程序辦理否？

台灣銀行對房地產之投資問題：

查台灣銀行歷年來對房地產之投資，依據該行五十七年度決算報告，資產負債表中列房地產投資總額為六四〇、九三〇、〇四二元。備抵房地產投資損失八六、〇九二、八三八元。而依該行五十九年度預算所列，奉令辦理駐華使館房屋工程二千萬元，士林園藝試驗所管有美軍眷舍基地二千五百萬元，暨木造美軍眷舍翻建工程及美軍眷舍臨時改良工程各三百萬元，計投資五千一百萬元，加之歷年來所投資之額，該行對房地產之投資，計達七億餘元。而依預算所列房地產投資損益，以出租外國人部份，其收入僅二一、一八三、六七八元，出租國人部份，其收入僅一四、六〇七、〇三一元，合計三六、二九〇、七〇九元。但為管理該項房地產，而編列房地產管理維持支出達三一、八二五、八六二元。在投資於房地產七億餘元中，其實際損益僅四、四六四、八四七元。如於依法提列折舊後，實為虧損，此亦為投資乎？

政府為供應美軍眷舍，換睦友邦，係屬國家之政策。以之責令台灣銀行投資與建眷舍，其屬確當之措施乎？又於五十九年度預算中奉令辦理駐華使館房屋工程等房地產投資，既屬國家之政策，又與台灣銀行之業務無關，本席認為應由中央統籌辦理，未審財政主管當局亦以為然乎？

政府董監缺乏法令依據

查政府機關或公營事業機構，派員兼任民營公司董監事，由於政府對於轉投資民營企業之管理，缺乏法令之依據，而所指派之董監事，又未能善自發揮其職權，僅屬於支領車馬費及獎金而已，形成庸碌之狀態，何能維護國家之利益，而不使公帑遭受損失，未之有也。本席認為要確保政府或公營事業機構轉投資之權益，對於選派兼任民營企業董監事之人選，必須極端慎重，才能代表政府或公營事業機構行使董監事之職權，並應予以統一管理。如有未能善盡職責，或有利用職權，營謀私利者，必須予撤換，並追究責任，以整飭政治風氣。試問財政主管當局能施鐵腕乎？

依台灣省審計處在五十七年省營事業綜合決算審核報告中指出，政府所派兼民營企業之董監事，支領超額車馬費及年終酬勞金者，如常務董事月支車馬費一千二百元，董事及監察人月支車馬費一千元，均較當時省府所規定之標準為高，而董監事之年終酬勞金，五十四年度每人一律一、四一三元，五十五年度常務董事每人三八、七八九元，董事及監察人每人三三、七八九元，五十六年度常務董事每人高達八二、九八五元，董事及監察人每人高達七二、九八五元。雖經政府規定其超額之車馬費及酬勞金應繳還歸公，而能依照規定繳還者，可謂寥寥無幾，仍然擅自飽入私囊，為貫徹政令，能否責令賠繳。

財政廳硬性攤派
扶台灣電視公司
省單位分担插播平劇節目費

據聞政府所派兼台灣電視公司之監事，領取超額車馬費及酬勞金，係基於互惠之條件，因為被派兼該公司董監事之人員，每年運用省府之權力，由財政廳命令指定科目，硬性攤派，脅迫各省營事業機構分担台灣電視公司插播平劇之費用。依據所提供之資料，台灣電視公司於開播之始，係由財政廳召集有關之省營事業機構開會決定於五十二年補助一年。此後即逐年開會一再延續，七年來使公帑飽入私囊，幾達千萬元之鉅，其與變相之官商勾結，圖利於他人何異。

又依所提資料之分析，台灣電視公司自五十二年至五十五年，每年插播平劇一〇四次，每次插播費用為一三、六九二元，年達一、三一九、九六八元，在四年間計付台灣電視公司插播費達五、二七九、八七二元，其分配負担之單位及次數為：台灣銀行十三次，土地銀行三次，第一銀行八次，華南銀行八次，彰化銀行八次，合作金庫三次，台灣合會五次，台灣產物保險公司二次，硫酸亞（金勞）公司四次，菸酒公賣局三〇次，鐵路局二次，公路局二次，基隆港務局二次，高雄港務局二次，大雪山林業公司二次，中興紙業公司三次，林務局三次，糧食局二次，物資局二次。迨五十七年至五十八年，每年改為插播平劇七一次，而每次插播費用則調整為一九、三二七元，年達一、三七二、二一七元，三年來又付台灣電視公司插播費達四、一一六、六五一元。在七年中間，各省營事業機構補助台灣電視公司達九百三十萬六千五百二十三元。

由上述之分析，如屬事實，則顯有互相勾結，謀私利之行為，而所派兼之董監事，不僅未能發揮其職權，且有圖利他人之嫌，為整肅官箴，革新政治風氣，未審財政主管當局能否徹查，並追究責任乎？

改革賦稅則與空談何異

四、改革賦稅應先建立直接稅制：

自從政府決心從事賦稅之改革以來，大家所期待之建立直接稅制度，並未見有所表現，而稅務人員待遇之調整，則在極力主張，由於所調整之幅度太大，而引起各方之指責，事隔經年，賦改會又告決定至五十八年七月起調整稅務人員之稽征津貼，自增加三〇〇元至五〇〇元，試問調整此區區數字，其能滿足稅務人員之慾望乎？其能革新稅務風氣乎？本席認為欲達到賦稅改革之目的，絕非片面調整稅務人員待遇，即能收到效果，未審財政廳長以為然否？

租稅制度以推行直接稅制，才有公平之稅負，使多收入者多繳稅，少收入者少繳稅，而今完善之直接稅制不能建立，所謂改革賦稅，則與空談何異。再就政府之財政基礎而言，其歷年之歲入來源，大部份靠菸酒公賣局及公營事業收入，而所佔之比重遠超過租稅收入所佔之比率。以本省五十七年度地方總決算而言，在歲入九十五億之中，稅課收入僅十七億，僅佔百份之十八，而公賣利益收入達四十八億，所佔之比重達百份之五十，營事業收入九億五千萬元，亦佔百份之十。由此顯示地方財政基礎之脆弱，而有待於改進租稅制度，斯能穩固財政基礎。

廳長蒞任後，對於本省財政之籌措，確曾費盡心思，本會於上次大會審查五十九年度地方總預算時，在歲入一百十六億中，稅課收入列卅一億，佔總收入百分之廿六、八八，較之前年度決算所佔之比重，提高百分之八、八八。但在整個稅課收入中，附征國民教育捐即佔八億五千萬元，實際所增列之稅課收入，其比重並不大。然而公賣利益，列五十五億九千萬元，佔總收入百分之四十八，反較前年度所佔之比重減少百分之二，省營事業收入七億七千萬元，佔總收入百分之六、六七，亦告減少百分之三、三三。公賣利益及省營事業收入，並非絕對可靠，至於明顯。

本席認為要使地方財政易於控制，而奠定穩固之基礎，勢必從事於建立直接稅制度，始能收到效果，未審財政主管當局高見如何？

喬治桑外傳（一〇二）

張大冀

他的「計劃」是，飯後要休息二十分鐘，然後再往「黃龍」咖啡館赴約。可是他意想不出如何來排遣這短短二十分鐘的時間。最後，他還是揀了幾張唱片，一張是程派文姬歸漢、一張是梅派坐宮、一張是張派的女斬子、另外一張卻是崑曲長生殿。喬治桑是流頭滾尾的西化人物，幸虧他還有聽平劇、打麻將的嗜好，總算不辜負當初取名「紹孔」之意。

喬治桑從前是半毛票友，所以對平劇不外行。他在聽唱片的時候，閉目凝神，頗有當年平津一帶聽戲行家的神態。

四張唱片放完，時間「殺」得恰到好處，他換了一套上好英國料的西服，緊了一條從倫敦買來的領帶，打扮得頭是頭、腳是腳，好一派西洋上流社會的紳士架子。

他僱了計程車到「黃龍」咖啡館，經過新開張的「鳳凰大酒家」，只見大門口放着很多落地大花圈和花籃。在上海，喜事送花籃，喪事送花圈，絕不容混淆。此地則沒有那樣嚴格，可見入境問俗之重要矣。

「鳳凰大酒家」的裝璜，其豪華又與別家不同。大門口上面一個好大的鳳凰，尾把是用彩色電燈做成的，時隱時亮，悅目非常。較之以往台灣酒家的因陋就簡，相差不可道里計。由工業起飛，帶來一片昇平景象，難怪蔚成為東亞觀光勝地了。

喬治桑匆匆走過，進入「黃龍咖啡館」，了一杯咖啡等裘白瓊。裘白瓊未到，閒着也是閒着，他遂到處看了一下，只見鴛鴦座，散坐着幾對「情侶」，都是黎花壓海棠的局面，喬治桑眼光何等敏銳，一望而知必是酒女、舞女陪客人，而以「鳳凰」酒女的可能性最大。

裘白瓊翩然駕到，喬治桑起立迎候，裘白瓊與他握了握手，說：

「不必坐了，走罷。」

喬治桑拿出一張十元鈔票，付了咖啡帳，說了一句英文，「累死狗」，「累死狗」猶如平劇說白「走吐」之意。

一進「鳳凰大酒家」，就看到一座小小的噴水池，配着彩色燈光，顯出與衆不同的氣概。到了三樓圍坐在長檯上的鶯鶯燕燕總有三四十人之多。這時「小岑」迎了上來，「小岑」者名為經理，實際等於茶房頭兒。喬治桑覺得「小岑」好面熟，似乎在那兒見過，但一時又想不起來。

「裘先生，謝謝你今朝來捧場。」「小岑」上來含着笑臉，哈着腰。他因為叫不出喬治桑的姓名，只好向他微笑點頭。

「帶裘先生到二十一號房間」，「小岑」神氣活現吩咐僕歐生。

然後又回過頭來對裘白瓊說，「全的滬是洋撲克牌最幸運的數字，二十一號是頂好的房間。裘先生，我等一歇再來陪你吃酒。」

二十一號房間裏的佈置，與一般酒家並無差別，一張方枱子，四張櫈入沙發，桌子上放着一盤瓜子。

（未完）

文匯樓別記

金日成玩弄毛澤東

毛澤東曾責金日成，是一名修正主義者，公開罵他像過去皇帝式的荒唐和驕奢淫逸反動派型的生活，又一次指責金日成很像資本主義社會的資本家，據說毛一談到金日成就「入他娘」，湘潭土話三字經馬上出籠。

金日成說：「毛語錄乃學自金語錄」。引爲驕傲，把當年毛澤東的抗美援朝功績一筆抹煞，這位屬老鼠，今年才五十七歲相信命運的金日成，不僅把毛澤東玩弄於掌上，對莫斯科的人物亦未例外。金的主要認識是：一在反抗日本帝國主義過程中，那時金還是一個廿幾歲的小伙子，加入中國共產黨，對毛澤東的黑暗面知道的太多。一九四五年毛澤東在重慶三呼「蔣委員長萬歲時，金日成曾不客氣的批評過毛澤東是厚黑學的忠實信徒，二、金日成，對毛澤東的階段論研究的相當深刻，他說無論中共或蘇共，天上老鴉一樣黑，沒有甚麼東西，祗有在自己本身擴張與需要時，才肯支持統一韓國的目標，毛澤東雖不是妓女，但和妓女一樣在財色未成交前，才有一點情感。三、一切都是命運的安排，他之急搞共產集團中的第三勢力，道理在此。

金日成將一九五〇到一九五三年，毛澤東參加韓戰的「援朝志願兵」二十萬條人命代拼命的血債，從北韓歷史上正式刪去，北韓國史機構的記載，當年擊退「美帝」完全是金日成光輝領導和愛國人民的集體功勞，說毛澤東抗美是假的，援朝乃虛有其表。

北韓各地的報紙吹捧金日成是四千萬韓國人民的偉大領袖，卓越的馬克斯，列寧主義者，不屈不撓反抗帝國主義者，革命的鬥士，勝利的標幟，鐵一般意志的光輝統帥。「金語錄」在北韓境內奉爲聖書，報紙有公開指出毛語錄乃抄習金語錄者，工人報（北韓機關報）最近在建黨二十四週年紀念特刊上，把金日成譽爲偉大的領袖，無比的愛國者，由於蘇聯想對毛澤東建立包圍圈，討論要組織一個「亞洲安全制度」，這一個計劃使金日成的政治行情陡漲，毛澤東看得清清楚楚，乃訓令駐韓使節，隨時注意金日成的反動行爲，不過金日成尚未表示態度，但對擺脫了莫斯科傀儡地位，摧毀了毛澤東對北韓視爲附庸的想法，都是學習史達林的一套。共產國家認爲他今日對北韓的統治成功，比史達林統治蘇聯還要堅固，難怪毛澤東要入金日成的娘了。金日成談起毛澤東，「八格亞羅」日本「國罵」，也常衝口而出。

·文匯樓主·

談文學的內容與題材的處理（九）

·方祖燊·

蔣士銓鳴機夜課圖記，紀念母親劬勞地教養他長大學成的事蹟與愛心。至於寫兄弟的友愛，有敘兄弟和睦相處不爭互讓之情的，如今古奇觀中的「三孝廉讓產」一篇就是；也有諷刺兄弟不能相容的作品，如曹植的七步詩：「煮豆燃豆萁，豆在釜中泣。本是同根生，相煎何太急。」用述受其兄曹丕迫害的心情，寫朋友間愛情的，以贈答、送別、規勸、賞譽、懷念、哀悼、遊樂、酬唱等題材爲多。像李陵與蘇武間的贈答詩就是。男女、夫婦間的愛情，是非常濃郁深厚，綺麗纏綿的，青年時期最嚮往憧憬的是這種感情的生活，最喜愛閱讀的是這類言情的作品。過去文人有的用悲歡曲折的情節寫戀愛故事，用纏綿宛轉的文詞寫相思閨怨，用哀艷悲傷的筆調寫離別悼亡。還有寫犧牲生命的殉情，寫多角關係的畸戀，寫男貪女愛的人慾。我國戀愛文學因受儒家倫理道德及詩教溫柔敦厚的影響，所以情感的表現，常受理智的約束，以多角關係，縱於人慾爲題材的作品，除明清人情狹邪小說之外，則不多見，所表現的男女之情也比較婉轉含蓄，不如西方之熱情大膽。但民國以來受西風影響，男女戀愛與結合的方式，也逐漸蛻變，所以現在對男女愛情的題材的處理方式，也就隨開通的風氣，而有不同了。朱自清悼亡婦是抒寫他對亡妻悼念的佳作。曹雪芹紅樓夢寫賈寶玉與林黛玉、薛寶釵的悲劇愛情性的故事。郭茂倩樂府詩集清商曲辭中所收的吳聲歌辭，像子夜歌、子夜四時歌之類，完全是東晉宋齊間的情歌，用短詩形式，抒寫男女戀愛過程中之種種情態。這類作品是不勝枚舉的。對家鄉的愛與懷念，在羈旅客地時，也常將鄉思、旅愁，訴之翰墨，懷念家鄉的風物，往事與親友；像謝冰瑩的故鄉、葉紹鈞的藕與蓴菜等是。對祖先的敬愛，我國文人常有述祖德之類詩歌。對上帝神明的讚拜禮讚，西方人有宗教性抒情詩；我國也有祭祀時用的頌詩。對自然萬物的愛，也有因接觸自然的風物，而誘發感情，而抒寫了出來。愛情性的題材，一般多用抒情詩或抒情文來表現，當然也可以用小說或戲劇來敘述搬演的。

（七）歷史性的題材：我們從唸初中就接觸到歷史這學科；從它的內容，我們知道歷史是一門記述人類過去生活事蹟的學科，記載一個國家的興亡，文物的變遷，典制的沿革，風俗的轉移，經濟的發展，及戰爭的始末，或記敘代表一時一地的政治家、軍事家的功業，文士詩人的著作，哲人學者的學說，奸邪人物禍害國家民族社會的事，以及特殊人物的才力和技藝，……。歷史使我們了解我們的國家以及整個世界的過去的事蹟，由前人得失成敗，使我們知道，我們這一代人應該怎樣努力才對。在歷史上，那些可歌可泣的事，可以振奮人心；那些罪惡敗亡的事，可以警戒後世；前賢的奮鬥努力的精神，待人接物處事的道理，可以訓勉今人。所以作家也常常演化史事，成爲詩歌、散文、小說、戲劇。因此，對歷史的評價，就有史論之類散文產生。像賈誼過秦論，就是評論秦朝的滅亡，在於不施仁義。柳宗元封建論，就在論述歷代封建制度的演變與得失。對故國勝蹟的興衰及古賢前人的成敗事蹟的感慨悲嘆，懷念宗仰，就有懷古詠史的詩歌文章的產生。像高適古大梁行，就是寫他經過大梁城（今河南開封）時，感慨戰國魏公子信陵君全盛時期已成過去陳跡的作品。（未完）

綜談國劇復興（一四）

王方曙

但我在討論之中，自己不免指出國劇中若干應興應革之處，老實說，如國劇毫無應革之處，何至於比以前衰微？我個人以爲，討論一件事情便應實事求是，腳踏實地。千萬不可諱疾忌醫。更不可護短。國劇有它的好處，我已言之再三，否則就不值得談復興了。但國劇時代的演變，已呈現若干缺點，那就是我在上面談的，我們應該徹底的去研究檢討加以改進。歷史上從無一直保守而能不變的事物。我們愛國劇的人們，無論內行先進，以及票友或觀衆，應該合力使國劇復興，萬不可合力保守，保它衰落下去。我們已眼看到崑曲的沒落。難道崑曲不好嗎？好，但是欣賞的人少了。它便被冷落了。皮黃起而代之，到今日也已到了力求存續的階段。若堅持保守的觀念，將來成爲崑曲的現象，可以說祗是時間問題！

我個人所貢獻的意見，當然不夠完整。但我願拋磚引玉，希望因此產生更好的見意。有人看了我的意見，與他的意見不同時，希望能提出更好的見解，大家的智慧總比一人要高的多。但如有人堅持保守。說國劇一定不能改動分毫，我倒也不便與他爭執。因我寫這篇文字，並無求名利之意。如萬一有可采之處，則是國劇之福；萬一被用爲覆瓿之物，我也認爲自在意中。我不過自幼愛好國劇，至今四十年，常與爲伴，所以深望國劇能走運而已。

八、扶植國劇

國劇是純粹的民族藝術；有上乘的戲劇形式；內容多含忠孝節義倫理教育意義；以往深入民間，是社會教育有力的工作隊。如今呈現衰微景象，我們確實需要把它再扶起來。一則保存民族藝術，一則作爲社教工具。從文化復興的觀點看，國劇的復興，也是有益於文化復興運動的。但復興國劇，不能單靠戲劇本身的興革，而另一方面則需要相當有力的扶植。

談到扶植，必須有力量並且有方法。在目前狀況之下，有此力量只有政府主管文教機構和軍中主管藝工機構。至於用何種有效方法，我想各有關機關如想作這件事，一定會想得很周到。但我既寫了這篇文章，也無妨就我個人的看法，貢獻幾點意見，以供參考。

甲、建立復興國劇的基本觀念：這一觀念的建立，比一切都重要，觀念建立不起來。

（未完）

楚文拾遺（四）

王曰叟

張繼煦字春，亦爲癸卯舉人，曾任安徽教育廳長，（現任考試副院長，楊亮功先生即爲張在廳長任內，資送留美者）武昌師範大學（即武漢大學前身，俗稱武商者是）校長等職。氏少負大志，不以詩文爲意，其壽劉禺生七十生日詩有：「被天強派作詩人」，蓋自況也。然偶一爲之，輒爲識者激賞。民國三十二年日寇陷枝江。張氏率枝江中學員生及家屬步行數百里，逃難至恩施，乃作「六十七歲生日感懷」五律五首，傳誦一時，其中「登涉誇腰腳，辛酸到肺腸」一聯。湖北師範學院詩學教授朱守一先生，至推爲「直追老杜堂奧」云。今錄其詩於後：

六十七歲生日感懷

始願終辜負，蹉跎奈老何。丹心成槁木，白首尚關河。旅容悲牛事，荒山發浩歌。平時飛動意，十載漸消磨。

豺虎縱橫地，倉皇挈室行，濕衣膚起粟，托鉢口分糧。登涉誇腰腳，辛酸到肺腸。故交驚問訊，入海暫身藏。

異域知名字，夷陵悵劫灰。圖書丁五厄，僮僕幸重開。怯餓胡人去，摸金校尉來。雲林眞遠識，破產早安排。

故里音長斷，重黷鐵騎蹄。全軍三舍避，大纛一舟移。流涕魂遊，傷心火及池，江南乾淨地，寧忍棄無遺。

地老天荒日，無端有此身。善忘華子病，施幻假師神。因果明三世，功天兩塵。貿城山下路，八載待斯人。

桃花潭水三千尺

趙陀

「你怎麼答，」

「剛出門，馬少爺未再向下問，電話就掛了。」

克琳在想，馬繼元是無緣不作的，尤其從昨晚到今晨爸爸未發一言，預兆着密雲不雨的嚴重性，如果爸爸的面子被馬繼元揭破，又會造成小報上的好材料，必然影響到自己與任念佩間的婚姻問題，克琳這時情急智生，想到莫牧師的親胞弟莫繼慈是××部的幫辦，克琳很快的就撥電話給莫牧師道：

「牧師嗎？早！我是繼克琳，我有一件事想求牧師幫助，有一個擁有惡勢力叫作馬繼元的，爲了婚事，他可能埋伏了打手，將我爸爸用電話召到紅梅餐廳，因我爸爸年紀老了，手無縛雞之力，會遭受暗算，想請牧師隨莫繼慈設法走一趟，希望能沒有甚麼事。」莫牧師一向是同情和關心克琳的人，他答應馬上和莫繼慈連絡，並將辦理情形在半小時內答覆。

蘇稚登到了茶樓後，受到馬繼元的尊敬和禮遇，自認識以來尚屬創舉，蘇稚登自稱是屬猴的，一向擅長順着桿子向上爬，儼然以推事的口氣向馬繼元迴避的部份去找目標。馬始終避重就輕，蘇呢則專朝輕處推測，推論，推敲，推斷，於飲茶後快要離開時，馬繼元公司裏，鄭重的轉到差館送來的一張便條。

（卅九）

諸葛亮狂想曲（三六）

·劉玄·

「不用了，你與太白星君都面對面談過話，他們又不是什麼了不起的大仙，何必迴避。」

劉約翰聽見諸葛亮如此說，遂安坐不動。

何仙姑在前，呂純陽第二，鐵拐李隨後，三人進入客廳。見了諸葛亮，互相打一揖首後，分別坐定。

「我們冒昧來拜訪諸葛先生，請勿責怪。」呂純陽首先說話。劉約翰很注意看他背的寶劍。對劍鞘上鑲了很多寶石，發生興趣，便請教他寶劍是否削鐵如泥？呂純陽答他的劍不是削鐵的，是專門斬妖、驅魔的。

「你不要聽他瞎扯談，我就從來沒有見他斬過什麼妖，驅過什麼魔，」鐵拐李專門和呂洞賓鬧彆扭。

「我在斬妖驅魔的時候，你嚇得不知躲到那裡去了。倒是你一天到晚背着一個大葫蘆，天曉得你葫蘆裡賣的是什麼藥？你究竟會醫什麼病。」呂洞賓不甘示弱。反唇相向。

「好了，你們不要再爭吵了，我們今天來拜訪諸葛先生，你們這樣不講禮貌，豈不遺笑大方？」何仙姑一番話，果然有效，呂洞賓，鐵拐李只好默不作聲。

「我們是無事不登三寶殿，上次在龍崗會所舉行的湘琴演奏會非常成功。韓湘子吹笛子已下了幾百年苦功：見鐵心喜，也想借用龍崗會所舉行演奏會。韓湘子面皮薄，不好意思自己來，所以請我們來和你商量。」何仙姑制止了呂洞賓、鐵拐李無謂的爭吵，然後向諸葛亮說明來意。

諸葛亮聽到韓湘子想借一下他的笛子，大出意外。他想：已經成仙的人，手裡拿一枝笛子，誰也不會計較他究竟會不會吹，爲什麼還要開演奏會？

「韓湘子開演奏會必然轟動天庭。我想請教一下，他的動機何在？」諸葛亮好奇探，態度極爲優閒。

「老實告訴你，我們在天庭和你一樣，屬於有閒階級。本來玉帝對我們的估價很高，自從呂兒被哮天犬咬過以後，天庭大小各仙都知道呂的武藝不過爾爾。華陀、扁鵲到了天庭以後，不瞞你說，李兒開設的診所也就門可羅雀了。韓湘子聞悉發慌，想找機會亮亮相，以免大家忘了天庭尚有八仙存在。」何仙姑說話向來坦率，呂洞賓、鐵拐李聽了雖不是味道，却無可如何。

「仙姑的話太客氣了，誰不知道八仙大名。尤其是八仙過海，各顯神通的故事，可以說婦孺皆知。」諸葛亮很會恭維人，他想減少呂洞賓、鐵拐李的尷尬。

「諸葛先生所言極是，我在美國的時候就曾見過八仙過海的油畫。」劉約翰隨聲附和諸葛亮。

「眞的，你在美國看到過我們過海的油畫（」呂洞賓未能免俗，聽到劉約翰談起美國，竟欣然有得色。

巨變歷險記！

茫茫前途（八八）

胡慶蓉

丁博士兩度環島，對於台灣有了初步的瞭解。他曾同各方面交換意見。尤其是當時負總責的行政最高當局，那就是陳辭修先生。 總統蔣公下野，代總統李不在。台北賓館好像是闢作代總統的行轅。丁博士也去過幾次。這一座西式灰黑色的建築，環繞着大大的花園，極莊嚴之至，令人肅然起敬。以之與法國巴黎賞特里樹總統府相較，似乎並無遜色。代總統雖不在，他下邊的助理大員，如秘書長邱昌渭，文書局長彭襲，機要秘書……，倒都是丁博士抗戰時期的廣西桂林老友。因爲代總統不在，他們當然發揮不出力量來。從另一方面看，好像環境也不允許他們發揮什麼力量。

丁博士與陳主席交換意見，如何穩定當時的局面，應列爲第一要義。當時，台灣本省同胞不穩，這是使大陸來台同胞感到萬分傷心的，他們也都覺得萬分的奇怪。自己的同胞，相別五十年，再重新相聚，該是如何的歡欣鼓舞啊！事實上並不然。由於台省本身之不穩，也大大的影響到大陸來台的軍民人等，對於大陸的共匪，也無不存有戒心。浩浩長江，他可以飛渡，這距離大陸最近一百一十四海哩的台灣海峽，他不會飛渡嗎？誰又能担保他不飛渡？誰又能保障不讓他拿去？丁博士揚言於衆曰：美國會來的！但能成事實嗎？什麼時候……？在風聲鶴唳之下，絕對不信的，也不能說沒有。

陳主席告訴丁博士：「台灣在今日不過是紅樓夢上說的避雨村而已，我們還在希望，還在盡力阻止匪軍的進逼。最好能在大陸站住，與匪軍成對峙之勢。現在匪軍已經渡江，如何穩住大江以南的局勢，尤爲當務之急。他說 總統現在重慶，不久要到成都，假如你（指博士）也能追蹤前往，憑你三寸不爛之舌，步蘇秦張儀之後塵，口講指實，也未始不可收相當的效果。何況你在天津，曾阻滯了匪軍至一個月以上之久，今前往四川雲南……，也未始不可以將匪軍阻住。

是時黃少谷先生在台北，好像在從事中國國民黨的改造工作，辦公地點設在今日之陽明山，好像是圖書館裡邊。他是丁博士在北平世界日報先後的同事，先後的主筆。一個大報的主筆，對於當前各方面的感覺特別的銳敏，對於今後的種種可能變化也樂於推測。匪軍渡江成功，對峙的局面很難維持。繼東北，平津之後、繼徐淮之後，大局已不可收拾。雖然 總統以總裁的身份，僕僕風塵，不惜一切，但大勢已去，已很少挽回的希望。假如整個的大陸掉了怎麼樣？這當然只有退守台灣，台灣就更重要了。但還是要在陸地上留下一個根據地，丁博士想到東南亞，陳主席也欣然同意。他說能在東南亞立足，也不失爲一個好的辦法。並囑丁博士相機圖之。

（未完）

從洋務運動、維新運動與文化運動的得失看中國文化復興運動應走的路向

（上接第一版頭條）

其次，要將吾人的心體，從「道德的主體」，擴充爲「認識的主體」，與「政治的主體」，使吾心能涵蓋於道德、政治與知識的諸意識之上，靈活運用，然後對西方民主與科學的體認，才不會有格格不入之感。

其三要融通創新，而不是尾隨仿傚：近世東方國家，包括日本，在現代化的進程中，都著力在尾隨仿傚。大家造成一個幻覺：「我們從今以後有了你們的工具了，我們會使用它了，我們從今以後與你們平等了。昨天你們對我們的優勢，今天已不存在了。」（語見法國希格斐的西方民族性）東方始終以使用的才能自封，結果每被歐美不斷發明與創造的優越，遠遠地抛在後面。今天，我們要發展科學，就要學習西方的創造方法，才能與西方並駕齊驅，一爭短長。

（二）主要的目標

其一、家庭倫理與公共道德的恢復與擴建：我們固有的家庭制度與倫理道理，穩固了二千多年來的社會，到了今天，在全球人類趨向於瘋狂作樂的墮落風氣下，我們的國人尚能安份守己，民風淳厚，都是受了家庭倫理的恩賜，這一點傳統美德，一直爲世界各國所欣羨樂道。只是近年來，由於西風東漸，社會風氣已日趨敗壞，青少年鬧事的事件時有所聞，故此一美德亟需恢復。同時，在工業化社會成立以後，人與人的關係急速變動，我們農業社會的倫理道德，已不能全面適應，所以社會上還是只講人情味，而少有公德心。確與規，對公務缺乏熱誠，不守時等，都是當前極其嚴重的社會問題。這類公共道德的培養，應於舊有道德恢復之時，予以擴建，以期成爲能適應現代工業社會與民主生活的新道德。

其二科學方法與工業建設的培養與發展：儒家託古改制，喜厚古薄今，從來學術又重家傳祖訓，代代相傳，不敢稍事逾越。春秋戰國時代，由於思想自由，百家爭鳴，所以創造力特强。到了漢朝「罷黜百家，獨尊儒術」，立五經博士，子學變成經學，結果對經書懷疑，即是離經叛道。試看富於批判精神的墨子、荀子及王充，在學術史上不受推崇，就可以了解中國學術創造力衰竭的原因了。近代科學方法，是講求觀察分析，懷疑批判與諸驗實效的，這種態度我們甚爲缺乏，應速予培養。西方理論科學的成功，落實而爲應用科學的發展，而應用科學用在生產方面，就是機器工業的建設，這是西方稱霸世界的最大因素，我國有豐富的資源與剩餘人力，假如能發展工業，必能趕上西方，增强國力。在工業發展上，一方面我們不僅要培育技術人才，同時也該培養大規模企業中組織與管理的領袖人才，有高度配合的組織，有紀律與效率的管理，才能使工業上的分類製造與集體製造，發揮最大的實效。另一方面，要成立研究中心，網羅專家學者，不斷改進，不斷翻新，才能進軍國際，保持信譽。

其三、民主風度與自由精神的確立與運用：幾千年的君主專制，突變而爲民主政治，國人忽然一躍而爲國家的主人，一時茫然無所適從。結果依然保留有「天高皇帝遠」的古老觀念，認爲只要繳糧納稅，國事與我何關？倒不如自求多福，關個清淨，而部分政府官員，也存有過去官僚惡習——專攬獨斷，缺乏接受人民意見的雅量，結果使我們民主制度，流於形式，遲遲未上軌道。今後這些古老的陋習需要革除，而民主風度也亟待確立。另一方面在民主制度下，人民得到了自由；但一般人不了解個人的自由，要在法定的規範之內，才是眞正的自由，自由是「壓迫的不存在」，個人在法定的範圍內，享有私有財產的自由，言論出版的自由，思想信仰的自由，與就業轉業的自由。但現在國人專持行動的自由，妄加濫用，却少能運用言論思想自由，去開創學術的新天地。同時，政府的立法人員與執行人員，也不應享有例外的自由；否則，對於自由的享有，便將走入歧途。法國大革命的演成暴民的恐怖政治，當時羅蘭夫人就曾感歎的說：「自由自由，天下之罪惡均假汝之以行。」何等發人深省！吾人當善爲運用自由，毋使流於罪惡。

（三）推動步驟

其一糾正當前各級學校教育的偏差：在當前升學主義熱潮的激烈競爭下，各級學校都走向升學主義，升學率與分數，是當前學校教育的目的。初中爲了考高中，高中爲了考大學，大學校爲了考托福與G、R、E，所有的學校幾乎都成爲考試的預備場所。讀書爲了考試臨時，凡有利於得高分的，莫不列爲第一目標。只要看目前補習班的畸形發展，就足見其嚴重性了。進入學校，參加補習，不是爲了知識的獲得，也不是爲了品格的陶冶，而是爲了升學，爲了分數。這樣的學校教育，對於當前文化復興的推動，與現代化的努力，等於是交出白卷，整個學校教育，忽略生活的指導，與德行的培養，放棄研究學術的方法訓練，與天才的發掘培育，長此以往，年青的一代，不知如何做人，沒有治學能力，將來怎能與羣體相處，成爲社會的好公民？又怎能挑起復與文化與發展科學的重任？尤其令人憂懼的是：爲了升學，只在英、數、理上鑽，對於文史不是敷衍，就是死背，大專聯考大家擠熱門，搶理工，文史則冷冷清清，乏人問津。這是整個教育的偏差，也是國家未來的隱憂，故文化復興運動，首要之務，應糾正各級學校教育的偏差。無論是宏揚固有學術文化，或學習西方的民主科學，只有從學校教育入手，才有希望，才是根本要圖。

其二輔導社會文化事業的發展：西方的現代化，得力於社會文化事業甚巨，個人與國家之間，若無社會文化事業，做爲媒介，加以溝通，距離實在過於遙遠。輔導社會文化事業的發展，可以將散沙式的個人，集結凝固，匯成力量，同時，透過各類文化事業的傳播，使各項活動可以普及社會，深入民間。假如復興文化，只由政府策劃，專家研究，而缺乏廣大民衆的參與支持，必將失敗。如能輔導電影戲劇，電視電台，報章雜誌等社會文化事業的發展，在多方面的配合協助下，來培養大家的公德心與民主的風度，灌輸自由與法治，權利與義務的觀念，破除迷信，認識固有文化的精神。這樣對於復興文化與現代化的進行，有極大的幫助。

其三鼓勵學生研究風氣：對於青年學生，要改進學校教育；對於社會民衆，要發揚社會文化事業；對於專家學者，則要鼓勵學術研究風氣。這方面教育部文化局應有計劃的進行，全力的推動，諸如獎助學者專家的研究，成立集體研究機構，召開綜合學術會議，以及舉辦學術演講會等。使專家學者，有高水準的生活，有新式設備的研究場所，在共同研究的方式下進行研究，交換心得，相互發明，並引導社會民衆與青年學生，鼓動起一股學術研究的風氣。否則，不僅海外學者，學成不歸，就是國內學者，亦覺有心無力。同時，在獎助科學的研究方面，要維持自然科學與人文科學的均衡發展。這樣，才能復興文化，才能指導人生。

綜合上述，推行文化復興運動，在基本態度上要正確，在主要目標上要抓住，在推動步驟上要力行。由政府策劃領導，由專家研究介紹，由社會文化事業鼓吹，由學校教育做起，大家同心協力，必能急速興起，造成高潮。

五、結論

中華文化復興運動，在全球爭相西化的大潮流中發起，更見其嚴肅的意義。當代機器工業與自然科學的急速興起，由於人文科學的落後，不能產生引導的作用。結果造成「方法服從欲望」與「科學技術決定人類動向」的雙重憂患。這個畸形的發展，若不予以有力的疏導輔正，終必造成人類的大禍。

當今舉世滔滔，世局動盪不安，這不是科學的本身所能解決得了的；這個問題是西方文化偏頗所引起。若不謀求解決，那麼就是再發動一場毀滅性的世界大戰，問題仍然存在。

中華文化，源遠流長，歷時五千年，自有超乎尋常的貢獻，與不朽價值。今天，我們復興中華文化，且有雙重的使命：不僅爲了救亡圖存，使中國成爲現代一等强國；同時，我們要把中國文化的光輝，宏揚於世界，共謀人類的和平與福祉。

對於當前世局的危疑不安，中國人該有「當今之世，舍我其誰」的抱負，我們天下一家的情懷，與處理人生的智慧，正是挽救人類命運的最佳藥方！

總之，爲了我們自己的國家，爲了全球人類，我們都要全力的去完成復興中華文化的重任。

（完）

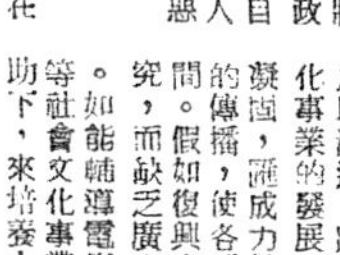

生活漫談

相剋食物中毒解救

馬騰雲

生活漫談，相剋禁忌的食物刊出後，有一位台灣中醫向著者表示，他願下決心研究中國傳統的一百幾十種相剋的食物，其實這是我國醫學界早應該做的事。

今天將爲提出中毒食物的有效療法，相信爲一般所樂聞。

不管吃了相剋禁忌食物中毒，還是吃了不清潔的食物中毒，或者是冷凍經年的牛羊豬中毒（澳洲與南美洲輸入的）解毒須注意的，最忌喝熱飲料，熱湯熱水入腹後無救。在中毒而未服解藥前，最好多飲泉水，或者是冷開水，這樣可沖淡毒的成份，然後再用綠荳煮湯，或生甘草煮湯，或馬蹄（俗稱荸（荳頭、以下同）薺）煮湯都是冷服有效。中毒後如果神志不清，胡言亂語，用蘆根或茅根水解，再嚴重一點的話，用荸薺皮與紫浮萍，烘乾研末用冷開水沖服，勝過西藥的洗腸。孔夫子說，味臭不食，色惡不食，就是不吃過夜和不新鮮的肉類。假定古代有澳洲、南美洲運來已經過若干月的牛羊豬肉，論語上必然會多一句話「凍肉不食」因爲中國古代對過了夜的肉，有專門名稱，叫做鬱肉。屋漏沾着雨水或被雨濕過的肉，叫作漏脯，認定是有毒的，中了鬱肉和漏脯的毒，用韭菜汁冷飲可解。

中國家庭的傳統，雞鴨鵝不買別人家殺好的，孔夫子的「市脯不食」，所謂市脯包括大菜館的菜在內，統稱之爲市脯，認爲是不衛生的；攤販上賣的雞鴨魚肉熟菜，更不在話之內了。蟹與柿同食有毒，經專家試驗的結果，並沒有毒。這樣說來，難道是古人搞花樣嗎？不會的，最少不是故弄玄虛，因蟹的本身是有毒的，孟銑食料本草說：「蟹鹹寒有小毒」又謂「蟹未經霜食之有毒」，中國人之吃蟹，擇定在菊花時節是很科學的，蟹的腹部有風虫。狀如木魚子很小，大發風毒；蟹與柿同食有毒，可能是以訛傳訛，如果食蟹中毒，用蘇葉三錢、生薑五錢、煎湯服之即解。孔夫子吃飲「不撤薑飲」蓋魚肉之類中毒，薑可化解，生薑所含的生薑辛味油，生薑同（西勞）都是夏令時藥所必需的原料。生薑的功用健胃、驅風、散寒、止嘔、鎮咳、去痰，與濟衆水、仁丹之類的仿單，不謀而合，關於甲魚與莧菜同煮有毒，但經專家實驗並沒有毒，甲魚俗稱作做（魚腳，以下同），有一種甲魚爲蛇化生的，確實有毒，並非莧菜同煮有毒。中了甲魚毒，以泉水作牛飲可解，或以少量藍靛汁飲之則解，冷鹽開水亦可解，但不能服熱湯；另一民間單方，中甲魚毒過烈，飲白馬尿立消，藥典謂白馬尿辛寒殺蟲、破癥積、治反胃，祖台志×書上載，若有人將小鱉投入馬尿，未幾鱉化成水，馬尿可治鱉毒，從此相傳。中國藥物奇奧，有時中國人亦難置信，比如人中黃（人便製劑）萬年霜，又稱和石，（是老年人便壺裡自然沉結之因形物）以桐城產者爲佳。都是治險病的藥物，講起來很不科學，但中藥店家有賣，中醫師授徒乃必需上的一課。

中華民國內政部內版台誌字第〇三一一號
中華民國僑務委員會登記證僑新字第三二三號
中華郵政台字第一一八二號執照登記爲第一類新聞紙

自由報

（第一〇二一期）

（版出六、三期星逢每刊週本）
本報各地代售處：台灣各書報攤
督印人：黃行賓　社長：李運鵬
社址：香港九龍彌敦道593--601號
廖創興銀行大廈八樓五座
LIU CHONG HING BUILDING
7th FLOOR FLAT 5
593—601 NATHAN ROAD,
KOWLOON, H.K.
TEL: K303831
電報掛號：7191
承印：景星印刷公司
地址：嘉咸街廿九號地下
台灣連絡中心：台北寶國街五巷三號
電話：三七五〇二二
台灣區直接訂戶　台郵劃撥戶
第五〇二六號張啟有（自由報會計室）
台北營業處：台北衡陽街三十六
電話：二七二〇〇
台灣分社：台北市西寧南路110號二樓
電話：[illegible]、台郵劃撥戶九二五二號

國文的低落

賈星源

目前在學青年國文程度的低落，是誰都不能否認的，也是無可諱言的。長此以往，再過若干年，恐怕那些青年學子連中國的書報雜誌都看不懂，甚至懶得望它一眼了；因此，憂時之士，往往爲之搖首，爲之慨嘆，認爲是一嚴重問題，同時也是急切待救問題，豈可以熟視無睹，置若罔聞呢？

一般學子國文程度的低落，是他她們不够聰明嗎？不。是教師等不盡職責嗎？不。究其癥結，則在于近多年來我中國社會上有一種病態而使然。此病態即所謂：「什麼東西是外國好」。他是中華文化的障礙物，中華文化的致命傷。筆書至此，悲憤填膺！我們並不是不重視吸收外人的科學知識，科學知識當然要吸收，更要急起直追，迎頭趕上，期能與歐美各先進國家並駕齊驅，民生賴以富厚，國家臻之強盛，但本國的文化書籍也要加深研討，才可以鑑往知來，洞明事理。如果本國的文化書籍沒有涉詣，試問爲一個中國人而不懂中國文化，還配稱得上受過教育的知識份子麼？奉勸所有的在學青年學子，絕對不可爲了希望出國留學，而拼命專一致力外文而不屑學習國文，拋棄我固有文化於不顧，心中存一美國月亮比中國圓的自卑感；要知道我們國家處此反共抗俄的大時代必須針對毛共的反文化，而必須要發揚我中華固有文化，才可以完成復國建國的神聖使命。

時至今日，一般人醉心洋化較以往爲尤甚，他（她）們的腦海中，總認爲惟有走洋人路線才可以出人頭地，才可以飛黃騰達；因而父母者率多期望其子女出國留學，一旦鍍金回來，即可成龍成鳳。於是莫不急急令其子女學習英文，就以台北市而言，到處都有英文補習班，學生們全副精神貫注在英文上，還有餘力去學習國文麽？假此相沿，自然國文程度直線下降；即使我至聖先師孔子再生而來教導他（她）們，恐怕又要感嘆的說：「吾末如之何也矣。」總之，我們中國人，國文是立身處世的重要工具，是研究一切國學的惟一階梯。國文基礎不先打好，對于任何國學，即使揣摩有心，也是事與願違。如果國文基礎培養好了，才能在其他學問作深入的研究；非如此，則不足以復興我中華固有文化。願與社會人士，在學青年共勉之！

昨日與明日

短見的美國

文叟

常聽到從美國回來的人說，彼邦如何如何，大都吹噓者有之，詆譭咒駡者有之，褒貶譽毀兼而有之者亦不乏其人。但無論如何，老叟一直未曾踐踏斯土，沒有實際的閱歷，因此決不隨聲附和，或妄加評論。倒是從過去的史實中，一再發生這個亞美利加，在處理國際事務上，有很多表現的值不够嘗思，所以直覺的對之就沒有好印象。尤其最近接連着發生幾樁頗不像話的事體，益顯其面目可憎。

一誤再誤

據外電報導，在今年聯合國大會中，美國對於所謂中國代表權問題所抱持的態度，已顯得消極。縱有天大的理由，也不足以解釋此種轉變。殊不知一味的計及現實利害，罔顧身爲自由世界領導者的立場，其昧眼短視，是很難邀諒於世界人心的。再者，爲了討好日本，尼克森政府竟把琉球「歸還」日本，無視於有關盟國的立場，一副倚老賣老大，問人老幾的傲態，更令人噁心。還有最近才被揭穿而震驚全球的越南[illegible]村集體屠殺事件，姑不論其事實眞相如何？因果如何？單是聽了也直教人不寒而慄。時至今日，這個國家所犯的歷史性的錯誤，並未因一再獲致教訓而有所減少，甚且層出不窮，一誤再誤。讓這樣一個國家來領導自由世界，又如何不教人感到疑慮？

缺乏領導智慧

無可否認的，美國是一個既富且強的國家，論其國力，冠於全球，自足以領導世界，但就是缺乏領導的智慧，往往剛復自用，浮躁而不够深沉，以至在在發生了偏差。就如在雅爾達會議中，誤下了一着棋，就給我們中國留下了無窮的惡果。如今，我們冷眼觀察，覺其依然缺乏遠見，依然時常爲了一時的現實利害而自毀立場，有人譏其爲沈不住氣的闊少爺，而老叟以爲甚有過之，儕諸上述的種種行徑，實已跡近土豪劣紳之流了，土豪劣紳或許只可以稱霸一方，又怎能領袖羣倫呢？

輿論精華

美國念念不忘聯合政府
洛奇辭職立場改變

十一月廿六日，即將離職的美國和談代表洛奇，突然在巴黎和會上表示：美國願意北越在秘密談判中討論在南越組織「聯合政府」一問題。這是美國官方第一次公開表示美國政府願意與北越談判有關聯合政府問題。美國立場的這種改變，看來是非常突然的，實際上卻是有來歷的。

洛奇在巴黎和談第四十四次會議結束後在回答記者問及美國與共黨秘密會談中何以不能代表西貢會談時說：「我並不認爲關於我們與北越會談有關聯合政府及其他問題有任何問題。」洛奇的這項談話，顯然與尼克遜總統在五月四日發表「美國無意強迫南越人民接受任何形式之政府」的聲明，顯有很大不同，當然更和阮文紹總統的和平計劃背道而馳。所以我們說這是美國態度的改變。

大家知道，越戰巴黎和談已經一年多了，迄今可以說只有在程序上達成協議，即利用圓桌形式舉行四邊談判，其他實質問題，可說仍停留在提出各自的計劃，互相咎責駁斥的階段，由于共方的堅持頑固立場，使到和談毫無進展；引起最近洛奇提出辭職，表明美國對和談已失去興趣，故遲遲未任命代替人選。

北越堅持片面撤軍

目前越戰和談不能展開的癥結，是北越和越共一直堅持美國無條件撤出南越，並推翻西貢政府，組織聯合政府這兩個主要問題，這些癥結，充分表現在越共提出的十點計劃以及美國提出八點建議的分歧上面。

美國與北越共的分歧表現在：（一）美方要求雙方同時撤軍，但北越認爲有權留在南越境內，只要求美軍片面撤退。（二）美方要求根據日內瓦協議調分南北越，設立非軍事地帶緩衝，越共則要求統一全越。（三）美方主張經由公民投票選出新政府，越共卻主張推翻西貢政府，組織南越聯合政府，由越共參與政權。在這當中，南越政府提出了六點和平計劃，表示下列立場：（一）絕不接受聯合政府。（二）反對越南中立。（三）不承認南越解放陣線地位。但是經過一年在美越之間的折衝，阮文紹總統爲了求得越局的解決，曾作了不少讓步，例如在巴黎的四邊會議上終于默認了越共的地位，一同坐下談判。到了七月十二日，阮文紹提出新的六項原則，同意在國際性機構監督下舉行選舉，越共只要放棄武力叛亂，仍可參加選舉。但是仍堅決反對組織共黨式的「聯合政府」。本來，越共如果取得人民的擁護，就應該把政治前途交給人民表示，在民主和平的選舉中爭取執政。但是，越共並不此圖，只想組織一個沒有文紹的擴大和平內閣，企圖控制南越政權，以達到奪取政權，赤化整個越南爲目的。

美國相信民主力量

美國在這方面，不是不知道越共的陰謀，但總相信民主的力量和風度可以戰勝專制的騙局，因此一直是在私下主張組織南越聯合政府，吸收非共份子參加，與越共分享政權。美國主張聯合政府的理由是：大多數越南人民不願越共或河內統治，他們希望獨立。但目前仍陷於分裂中，沒有人能使他們團結。美國的立場是不反對聯合政府，但也不強迫成立聯合政府。所以，美國一直鼓勵阮文紹擴大基礎，延攬不同集團，宗派和宗教團體入閣。

美國認爲，美方如繼續作戰，越共也將繼續作戰，故美國準備在軍事上和政治上接受現狀，這也就是說，西貢政府必須延攬包括越共分子在內的人士參加內閣。所以，美方接受了越戰沉寂的現狀，已開始片面宣佈撤軍，儘力使越戰「越南化」。儘力援助越軍，俾能完全接替美軍防務。現在，已正式宣佈，與北越舉行秘密談判。

美國和談判代表作此宣佈，並不能說越局可能發生新的變化。因此這一建議首先必須取得阮文紹的同意。即使阮文紹同意了，今後與越共進行的談判，其中問題還一大籮，越共必定貪得無厭，得寸進尺，要求美方作出更多讓步，今後談判又是夜長夢多。不過，陸戰可保不升級，這已是不幸中之大幸了。

（摘自香港天天日報）

自由談

爲窮書生助選

馮五先生

近來台灣社會上爲着各級民意代表選舉事宜，競選人紛紛展開爭取選票的手法，各顯神通，熱烈非常。只有一位競選立法委員的洪炎秋，因清寒花不起錢，聲明不搞傳車沿街拜託，不製寫競選標語到處張貼散發，更沒法從事宴會活動，但憑個人的政見脚力趨蹌訪問，向選民表示其意願，聽候抉擇。這是一種讀書人的眞面目表現，足以風世而勵俗，不管將來結交是否當選，皆值得稱讚的。台灣十家民營報紙共同發表聲明，一致支持洪氏，應該應該。

選舉原是浪費的玩藝，在浪費之中，民主憲政的精髓就是選舉，由選舉的力而任意胡來，敢說他是不屑爲的。

洪炎秋是個大學教授兼新聞從業員，論資質和學識才幹，當一名立法委員，不但綽有餘裕，且屬庸中之佼佼者。從他的競選作風及其平日立身行已的規範中，相信他若獲選進入立法院，必能有所建樹，不負選民的委托。至於藉着立委身份和權力而任意胡來，敢說他是不屑爲的。

如果眞有選舉賢與能的效果，也還罷了。事實上，一般才學出衆、品德高超之士，由於缺乏金錢活動，每告淪落，而知識識陋，麗名狼藉之輩，多見其彈冠相慶，濫竽議壇，實際祇是得力於財貨之浪費而已。

一般成效壽勝利少幾多，無可稱道。假使洪氏這次以樸素的君子之爭的競舉方法而成功，則係民主生活中的一道異彩，可以驕視英美，使它們相形見絀，自愧弗如；而台灣的政治選舉亦隨之激揚，毫無疑義。

吾輩知識份子十九都是些窮漢，處在民主社會中，有時候不得不參預選舉之役，然以無力作金錢浪費之故，望選興嘆，徒呼負負。如今洪炎秋憑着窮書生競選立委，咱們這般同病相憐而又好談民主生活的士大夫，自應一致應援，促其勝利。這對個人的得失關係尚小，對民主政治前途的影響滋大，因而我與洪氏雖然素昧生平，亦樂於作桴鼓之應也。

亞洲國會議員聯合會
通過議案優待無冕王
亞洲各國出入不會再受留難
各代表皆發高論重民主自由

（本報記者張健生台北消息）爲期四天的亞洲國會議員聯合會第五屆大會，業經圓滿結束。

這次會議很值得重視的有：菲律賓代表團長羅瑞爾（菲律賓衆議院院長）以上一屆大會主席的身份，在第五屆大會揭幕典禮中發表演講：一有關於免除新聞記者們在亞洲各國間出入境的手續，以及推行一般旅客出入境手續統一化的草案已擬妥，等待我們的批示。一翌日即十一月廿六，亞議聯第五屆大會運輸與通信委員會討論並通過：菲律賓代表團所提：免除新聞記者在亞洲各國間出入境手續的議案，經韓國附議，而由委員會順利通過，一致決議由各國會員組請本國政府與其他亞議聯會國政府間簽訂一項互惠協定，免除新聞記者出入各會員國的簽證手續。委員會並通過菲國代表團所提推行一般旅客出入境手續統一化的議案，由與會員國向政府提出上項建議，以促進各會員國間人民的交往。

亞議聯第六屆理事會主席菲國眾議員麥蘭多希望亞洲國家以的誠友誼相合作，以團體發展爲目標。他認爲國際間的問題，並非是用拳頭所能解決的，亞洲國家應該在會議上來解決這些兒弟的問題。亞洲國家人口增加的速度驚人，已超過全世界人口三分之一以上，而土地只有全世界五分之一，要想在[illegible]小的土地上容納[illegible]的人口，今後惟有一[illegible]：一是增加農業生產，開發地下資源；一是加速工業化，而工業化人爲重要。亞洲的貧窮，主要原因並非是缺少投資或技術，而是過份偏向於[illegible]以農業作爲[illegible]主要投資是不對的，今後應該設法謀求工業的加速發展。

他在提出有關亞國的經濟考察報告中則主張協助各國農業推廣。報告中認爲亞洲國家對各國的協助、不該只注意於[illegible]各國的財富，而應該是增加它製造財富的能力。故建議亞洲國家協助發國農業推廣及擴及改善，提供專家的設備，訓練各基層教育的老師與手工技藝的人才；同時並繼續及擴大調查各國的礦業資源。目前，各國經濟發展的最基本，在於交通運輸上的阻礙，因此這些國家的許多經濟財富未能發掘出來。所以亞議聯的會員國，應該設法協助各國開路築橋，改善它的運輸系統。（下轉第四版）

司法行政部長查良鑑
談防止少年犯罪問題
不良少年組織每年都有增加

（本報記者張健生台北消息）自從台灣警備總司令部於本年十一月廿日下令將五名「龍虎鳳幫」不良少年送外島管訓矯正後，頗為此間人士所注意。立法院之質詢，輿論界的評論，電視的廣播評論，乃成為人民街談巷議的課題。

據官文書載：五十二年至五十三年，台灣全省破獲不良少年組織計有二八〇個幫會，總人數為三千三百二十三人，其中女性八十三人。另據台北市警察少年警察隊破案統計，自四十四年至五十三年，計破獲一七〇個幫會組織。而目前台灣地區自五十四年至五十七年已破獲三百八十二個不良幫會組織，計五千四百三十二人，尚有未破案者，為數亦復不少。據司法行政部「近年來少年犯罪實況之研究」一載：關於幫會問題，值得吾人注意者計有：

一、屢破屢增，死灰復燃。所謂「宣示」解散，用疑是頑弄偵查機關的幌子。

二、流氓經常利用幫會內的「小兄弟」為犯罪工具，彼等亦甘願為其利用，無所不為，不以為恥，反而為榮。

三、原為幫會中之「老大」，由於年歲已大，表面上雖已脫離組織，但暗地裏仍然運用過去所屬之幫會為非作歹，彼此利用，永遠不能擺脫。

四、所用凶器除棍棒小刀以外，並有獵槍、指揮刀等，此類凶器均可置人於死地，社會治安焉有不為其所困擾之理！

破獲幫會組織中
竟有青年自由黨
不良少年混跡各廣播台

在破獲的幫會中，其中有：「中國青年自由黨」的幫會。另有「巨浪俱樂部」跟「艾文俱樂部」的少年，混跡於台北市各廣播電台。為此，記者曾就不良少年的問題，訪問司法行政部部長查良鑑，他說：

犯罪是一種反社會的行為，輕者可以擾亂人民生活的秩序，重者可以危害國家民族的安全。「少年」在刑事法令上通常是指未滿十八歲之人而言。蓋中國人對年齡有一通俗的定義：未滿十四歲者謂之「幼年」；十四歲以上十八歲以下者謂之「少年」；十九歲至卅九歲者謂之「青年」。按照現行法律規定，未滿十四歲的幼年，其犯罪行為不罰。十四歲以上未滿十八歲的犯罪行為，減輕刑事責任。以上兩種人犯罪為「少年犯」。十八歲以上犯罪者負完全刑責任，是「成年犯」。這些少年犯是民族的幼苗，是國家未來的主人翁。下一代的少年，非但為一般家庭希望之所寄託，也是國家民族之命脈所賴以維繫與發揚。因此少年一旦發生了犯罪問題，較之一般成年人的犯罪，更值得我們重視，而要妥善加以研究和處理的。

這位學人部長繼續就各國少年犯罪概況加以申述：根據聯合國的調查，世界上僅有極少數地區，如南太平洋中薩摩亞群島等，管理的社會的機構，仍然是原始的部落或宗族。文化較為落後，對於少年犯罪在法律上的意義尚不甚明瞭，因此未見報導外，其他如亞洲、南美洲、非洲的若干國家，以及歐、美洲等國家，幾乎都有少年犯罪問題的存在，只是有多寡之分而已。惟歐洲研究少年問題，對於少年的瞭解比較深刻，預防措施周密而有效，且使兒童及早參加各種社會活動，無形中養成兒童一種責任感，能重視自己的情操，藉以減少犯罪，而處理少年問題上，又不拘泥於一種方法，所以少年犯罪問題受到相當的控制。尤其西德做得相當有效，使日趨嚴重的問題，未見顯著的增加。至於衆所週知的嬉皮，起源於英國，竟在美國蔓延起來，可見少年問題於人類社會中，很難避免的現象。問題是否變為嚴重，都要看防止得是否有效。

我國少年犯罪概況

我國少年犯罪的概況：我國一向以農立國，民風淳厚，重倫常，尚禮義，歷史上很少記載少年問題的發生。但是自從西風東漸以後，交通進步，工商業發達，都市人口密集，生存競爭激烈，大家庭制度解體等種種原因，社會發生了巨大變動；另一方面新的家庭、學校乃至社會安全制度尚未完全建立起來，但不免與其他國家同樣地發生少犯罪問題。查部長並列舉一項數字來說明少年犯罪的情形：根據台灣各地方法院檢察處少年犯罪案件的執行：四十七年全年少年犯二千一百九十三人，佔全部犯罪人數百分之四點二一，五十七年增至五千零五人，佔全部犯罪人數百分之七點四六。少年犯人數五十七年比四十七年增加二千八百十二人，增加率為一點三倍。就這個統計數字而言，與其他各國比較，並非十分嚴重，只有隨着一般犯罪人數的增加而提高。近年來，因工商業發達，社會繁榮，父母都為謀生而奔波，社會引誘力又大，因此，品性不良的少年，便乘機滋事，引起社會大衆的注意，政府當局對此自然極重視，並積極尋求防止的途徑。

司法乃係治標辦法

關於少年事件處理法之實施，須先具備——人員跟經費——實施條件，方可實施。少年輔育院為對少年犯實施感化教育，化莠為良的法定處所，而現有少年輔育院必須改進，以及強設施。我們都了解少年事件處理法之實施，只是設法矯正少年犯罪的一種途徑，決非一經實施，就可完全解決少年犯罪問題。因為司法方面的處理，無論如何嚴密、有效，究竟是當少年發生不良行為後的治標辦法。查部長認為治本之道，還是在預防少年犯的發生，這關係到家庭教育、學校教育、社會政策、警察工作等多方面任務，必須全面配合，本末兼治，才能得到更好效果。而防制少年犯罪工作，是一種專業工作，必須具有法律、教育、社會、心理各種學科綜合的高度知識，才能勝任愉快。是以中央警官學校接受司法行政部委辦獄政學系；以及接受省社會處委辦犯罪預防學系，培育專才。目前，司法行政部對於承辦少年犯人員，已令飭指定以推檢中經驗豐富，性情和原，而對犯罪學、心理學、社會學、教育學等有研究者担任之。

至於本報記者問到法院對少年犯罪，究應從重或輕處罰？查部長回答：我們以為不宜概括而論，必須就實際犯罪情形調查依法處理。如其犯罪情節重大，惡性太深，自應從重論處。倘屬一時誤入歧途的初犯，則應儘量輔導其從新做人，應處以較輕之刑。總之，辦理此類案件必須從合法、適當的原則上衡量，才能毋枉毋縱。（完）

讓·檢·剪·鋼（四）

闕者清

博士之用心良苦，悲天憫人，然而「博士」非人人可得，小民無才，仰之彌高，自愧道行敗壞，只得混跡塵世，受那輪迴生死之苦。但「工」餘之暇，無「經」可誦，只得扭開電視機自我娛之，卻惜無眼福，除歐仔戲、平劇，好人好事電視劇外，其餘「洋片」，愈佳者愈是支離破碎，初不悉其因，及至知之，方恍然而大「悟焉」。

「飛堡戰史」一片曾有一次蓋人傑上校迫降德軍後方，在千鈞一髮中得遇蘇俄部隊，倖得生還。在當時蘇俄為盟軍共抗納粹，我國中學歷史即有記載，但該兒一本「漢賊不二主」之民族大義，舉凡剪而剪之，遂令所有觀衆「莫名其土地堂」，不知是何方「仙佛」將蓋人傑奇跡搬送回英倫。

遠者不論，近來台視增加節目，將美國最受歡迎的「正宗娛樂節目」租來，觀衆無不雀躍，以為可一飽眼福。其中有歡樂宮，及蘇利文劇場二片，其製作態度之嚴謹決不下於「大千世界」，包證不會有「擇文」的芭蕾舞蹈。

在企候之餘，第一週蘇利文之劇場中一再提及之特頭合唱團神秘地失蹤了，打了一個小時的電話方才接通電視公司，原來此兒飽賞之餘，一時技癢，「特頭」壯烈犧牲在「博士刀法」之下，據云是頭髮太長，而實際該合唱團唱片封套比比皆是，其髮既不比西門町的一般國人為長，更不長過「歡樂週末」中之國人樂隊，更遑論堂而皇之上映的「大頭聰」中之「嬉痞」。

「準博士」欲聞「韶」，何不封鎖電台？關閉觀光館店？將西門町夷為平地？？獨「樂」「樂」而不「與衆同樂」，其何苦來？

第二週之歡樂宮，屆時重播，再論之餘「食髓知味」，原來此兒「大展黃天霸」「廿七」隻金鏢的雄風，五十分鐘的片子，慘被剪去近四十分鐘。

小人心有未甘，走訪之餘方知究裏，原來此好萊塢罪惡之都觸到了「準博士」先生的「癢處」，「刀光劍影」，膠片紛飛，斯役也台視多方交涉未果，文化局內部亦認為有待商榷。但此兒豪氣凌雲，仗有護身符霸王硬上「剪」。

小人借來劇本一觀，不禁「斗膽」佩服「準博士」之見解獨到，才華超「人」。其湯湯然「君子之風」一覽無遺。

原來紕漏出在洋人「笑話」太多，舉人莊重嚴謹，不苟言「笑」。先天下之憂而憂，當今之世，痛心疾首，臥薪嘗膽尚且不及，豈敢有歡笑之理？

片中大大的幽默了美國的總統，「準博士」為之打抱不平，自是「高瞻遠矚」，但小人大惑不解的是老美挖苦蘇俄只有令吾人稱快的何來不平之「打」？可能是小人道行微末，不悉博士之「微言大義苦心孤詣」，茲簡述於后以求教高明。

老美云蘇俄為爭取世界第一之紀錄不擇手段，于是提到老毛子又創下了一個世界紀錄，是潛水艇由水底上昇到浮出海面，然後放射飛彈再潛入海中，其紀錄為二分鐘，到此為止這段話的確有為敵宣傳之嫌，但妙在最後一句話頗令人玩味（老美不夠含蓄他們哈哈大笑）這句話是說：「這個紀錄之建立功勞最大的是留在甲板上的水手。」很顯然，這在諷刺蘇俄為創紀錄不顧「留在甲板上水手」的性命而沉入水底。共產集團罔顧人命舉世皆知，何剪之理？

若非該「兄」無幽默細胞，即該「兄」悲天憫人之心太重，不忍心讓自由中國軍民聽到這類殘忍的諷刺。

當然，小人不能以「小人」之心度「博士」，至於「博士」之洋文是否精通，「博士」自己肚裏有數。

到了上週蘇利劇場播出時間不足四十分鐘，臨時以美的旋律墊底，且與台視原預告之內容大有出入。爸爸媽媽合唱團或與「國情」「倫理」不符，但其中之笑話很明顯地被剪得「精神分裂」。小人一時忿起打聽之下，原來又是「該兒」之「殺手剪」。片中對美國時下之嬉痞諷刺入骨，「博士」又發悲天憫人之心，大動不平之「殺手鋼」，小人希望台視能出面說明假如此類影片不合於國情退之可也，否則或文化局研究一下剪片紀錄，是否該「兄」素有剪癖？

當蘇利之第三集播出後，據說台視電話鈴聲絡繹不絕，遠較颱風過境後之電力公司過之無不及。觀衆們氣憤填膺罵不絕口。小人在此建議既然國人中有「醜陋」之譏，又有此「殺手鋼」，何不早日關門大吉，家家戶戶閉門搓麻將，包險皆大歡喜天下太平。

在我國居官不易，勇於負責的常遭忌，致有多做多錯不如不做不錯之金科玉律，只惜該做的不做不該做的卻大反常態找奮鷄毛蒜皮無關痛癢的事，大力表現，揮「鋼」狂舞以求邀功以求令名。此輩永遠有「理」，無懈可擊，因一切都被剪光了，自然無「責任」可負，而剪刀稍鬆的檢查官員有挨官腔之苦，有負責任之險，且無功可表。

是以有朝一日該兄必晉升為「公」，操文化事業之「鋼」。堯舜之治必將再臨。斯時也可想而知，凡吾炎黃世冑，日聆平劇、民族舞、歌仔戲、福音話劇及、流行歌曲，耕讀自樂，修道誦經，以煉成「博士」不壞之身，與外界不相往來。斯時也，不知有秦漢，蒼生有福也。

謹此敬以「讓」、「檢」、「剪」、「鋼」四字訣為極樂世界不二法門。（完）

喬治桑外傳　一〇三

張大蕙

酒家有三快，第一是當番小姐的快。第二是酒來的快。第三是陪酒小姐與客人感情進展的快。

幾乎就是在裘白瓊，喬治桑進門的時候，兩位當番小姐像花蝴蝶般飛進了房間。僕歐生也送來手巾把子。

「一個當番好了。」裘白瓊樹起右手食指。

這句話比咒語還靈，花蝴蝶立刻飛走一個。

「這不好意思吧，她們會不會笑我們派頭小？」喬治桑低聲向裘白瓊說話。

「你不知道，我們才兩個人，那裏需要兩個當番的？鈔票可以花洋盤不能做。」裘白瓊言之成理，喬治桑不能不佩服他，在台灣歡場中，裘白瓊確實有一套。

「喝什麼酒？」僕歐生遞過手巾把子，問裘桑兩位客人。

「酒啤。」裘白瓊與喬治桑默不拘禮，替博士作主。

「不要一口氣拿很多瓶來，兩瓶兩瓶拿來，要冰透的。」喬治桑很喜歡喝台灣啤酒，但不愛加冰塊，認為這將沖淡了酒味。

「點什麼菜？」僕歐生問。

「來一個什錦大拼盤，兩碟「沙西米」（生魚片）。」這次又是裘白瓊下令。

當番小姐替裘、桑兩人各斟上一杯啤酒，自己又倒了一杯，先敬裘白瓊。

「先生貴姓？小名「裘麗」，請多多指教。」說完喝了一口。

「我姓裘。」裘白瓊也喝了一大口。

然後「裘麗」又如法泡製，敬了喬治桑。

「找那位小姐來陪酒？」裘麗這句話是向喬治桑、裘白瓊兩人說的。

台北傳奇錄（十）

·陳光棣·

劉二爺嘆了一口氣：「咳！總是年輕！」說着就去找桂先生，不想房門鎖的嚴嚴的，也不知道他人去了那兒。劉二爺只好又垂頭喪氣的走出來。

弄堂裡住的人都轟動了，七咀八舌頭的亂出主意，小辣椒把好幾年不用的香爐找了出來，用纏脚布纏的乾乾淨淨，虔虔誠誠的燒了一柱香，說是能驅驅邪氣，廣播電台賴太太在家裏陽台上釘上一面方鏡子，矮冬瓜在房門口掛上了一條大紅布，別的太太也各有家傳趨凶避吉的錦囊妙計。金恒貴本來不敢出頭，聽到桂先生不在家，他就忽然激發了神勇，站在弄堂裏大聲嚷着叫姓桂的出來見他，桂太太死拉着他不肯放手，這一來就轉入了另一個高潮，看熱鬧的人馬上都擁過來，有的人解勸，有的人鼓勵，也有的人怪聲叫好，更有人在猜測着桂太太的三圍。「拿刀來，拿刀來呀！」金恒貴向太太下着命令。「阿貴，你別傻，還有我哪！」桂太太急的直哭。「弟弟，咱們不怕，今天跟他拼了，老娘就是不怕這個」！大洋馬摟着胳臂吶喊助威。

搜異錄

鐵沙蘇懿

周遊

蘇慈者，外號鐵沙，精於武功，爲江寧甘鳳池之師弟，他的絕招爲連環十八腿，頗負盛名。大江南北，無與匹敵。某年，蘇慈倦厭江湖，歸里樂享晚年。開魚肆於浦左大關鎮，數年獲利頗豐。

一日，蘇慈偶得一夢，亡父囑其待於東市之僻巷，如遇跛拐仙也，須哀懇予以援手，即能登仙界。夢醒時，猶歷歷在目，心大異之。一日早市散後，則潛赴市東果遇一跛丐，且跛一目，跛一足，鶉衣百結，瘡痂滿身，蹣躅街頭，沿門托砵，穢氣觸人之鼻，市人皆避之。蘇慈暗暗跟蹤其後，入一小巷，乃牽跛丐結衣哀求之。跛丐狂笑道：「汝愛我，當授汝仙丹。剝足上痂與蘇慈，蘇堅衣結不放，丐忽飛起一腿，踢蘇慈於路旁，轉瞬不見蹤影。蘇慈驚奇不已，俯身拾起瘡痂嗅之，異香馥郁，乃置於懷中歸去。時值炎夏，魚肆之魚易腐敗。蘇慈置瘡痂於魚間，魚頓活躍，潑剌滿筐，因此別人魚腐，蘇慈則生意興隆。

一日，師兄甘鳳池來訪，蘇慈異其行止匆促，密詢其隱事。甘鳳池道：「少林寺鐵頭和尙，精於內功，技擊已至爐火純青。雲遊訪道，曾約與余一較長短。愚兄已年老，恐非彼之敵手，未敢貿然應諾。因此禿奴氣勢囂張更盛，此惡不除，恐爲社會大患。賢弟代爲除之如何？」

蘇慈慨然應諾，翌晨收拾行李，隨甘鳳池出門。跋河跋涉，訪鐵頭和尙於秣陵，經數十日始得消息。因鐵頭和尙初欲入某寺爲主持，恐甘鳳池干涉，屢請以較技者，乃先聲奪人之計也。繼聞甘鳳池遠避他方，遂不以爲意，逐原主持而篡據之，作威作福，目空一切。日與二三娼妓狂歡狎飲，興致頗豪。

一日，甘鳳池投刺往見，鐵頭和尙狂醉稍醒，被強出晤，寒喧已畢，詢其來意。甘鳳池道：「吾師弟蘇慈通門徑，久慕大師盛名，遠道來此請敎，不知大師能略施身手否？」

鐵頭衲鼓掌狂笑道：「善哉善哉，居士欲與老衲較量，請入小園一試可也」。遂起身引二人入園場。其地淺草舖茵，紅牆四護，東邊壘石爲山，蒔花以塢，荷亭柳樹點綴其間，頗覺幽雅。鐵頭僧寬下外敞，作餓虎吞羊之勢，峙立以待。蘇慈以驚蛇入草之勢，奮身撲入，二人展開一場狠鬥，各施平生本領，打得不分上下。蘇慈心想，此僧恐非力敵，乃施連環十八腿以踢之。鐵頭僧頗狡，東竄西避，用以逸待之計，待十八連環腿施完，再行反擊。鐵頭退至牆隅，返身作勢，以待其隙。詎料蘇慈連環十八腿踢完，俟僧近身，忽飛起一腿，快如飛鳥出林，僧不及防，被踢出牆外而死。寺僧驚譁，持械來鬥，甘鳳池與蘇慈一躍飛牆而逝。鐵頭賊僧遂除。

楚文拾遺（五）

王曰叟

前述之劉禺生，亦爲鄂人，因生於廣東番禺，名禺生，儕輩咸呼爲劉麻子，而鮮稱其名。劉爲革命之元老，才氣縱放不羈，所謂豪傑之士也，與先生友善，其壽詩對劉之性格懷抱，極盡名狀之能事，初不僅感慨自況也，其詩爲：

禺生兄七十生日賦詩爲壽

酒酣罵坐少年場，豪氣江湖不可當。老去貞元朝士盡，天涯同感鬢毛霜。

壯士慷慨話維新，龍性生來未易馴。亂世功名眞有命，被天強派作詩人。

句不驚人誓不休，圖形罔兩祖春秋。士林他日傳詩史，天寶能談已白頭。

半列仙班半隱淪，帝閽深邃意難伸，武皇重少馮唐老，歎息江山厭舊人。

人海論交眼幾清，東方游戲藐公卿。英雄本是多情種，宛若嬋娟伴歲星。

談文學的內容與題材的處理（十）

·方祖燊·

陶潛詠荊軻詩，就是寫他對荊軻入秦，謀殺始皇帝失敗，讚歎與惋惜的作品。蘇軾念奴嬌詞，就是詠漢建安十三年（二〇八）赤壁之戰，周瑜用火攻大破曹操一段史事的作品。其詞說：「遙想公瑾當年，小喬初嫁了，雄姿英發，羽扇綸巾，談笑處，檣艣灰飛烟滅。」而蘇軾的赤壁賦，也是由憑弔勝景，而緬想當年曹孟德「破荊州，下江陵」，「舳艫千里，旌旗蔽空，固一世之雄也，而今安在哉？」而寫他的舉酒相酹，寄情天地的襟懷。

由上面作品，我們知道寫這些「發思古之幽情」的詩文，首先要注意到的，就是對過去的史事要眞正地了解，然後才能寄託自己的思情。至於故事、小說、戲劇、取材歷史、演義、改寫、新編而成的作品極多。小說短篇的，如陳鴻長恨歌傳，樂史楊太眞傳，寫唐玄宗、楊貴妃的愛情故事，寫貴妃入宮，楊國忠弄權，安祿山造反，馬嵬坡大軍譁變，貴妃的賜死，後來玄宗的懷念，道士爲他求仙等事，紀載頗詳細生動。杜光庭虬髯客傳，寫李靖、紅拂女與虬髯客相遇，同往見李世民，虬髯謂李爲中原眞主，使推貲產與李靖，使幫助李世民成事，自去海外建立扶餘國事。長篇小說如羅貫中三國演義，褚人穫改訂隋唐演義（羅貫中著，原名隋唐志傳），余邵魚東周列國志（馮夢龍改編）。戲劇，如紀君祥趙氏孤兒，演述春秋晉靈公時，屠岸賈殺害趙盾一家三百口，後來趙盾孫子趙武大報仇的故事；馬致遠漢宮秋，演述漢元帝時昭君出塞和番的事，白樸梧桐雨，洪昇長生殿，演述唐玄宗與楊貴妃事。這一類作品的題材，都是根據歷史來的。這些取材和歷史的作品，處理剪裁的方法，有的是忠於史實，時事與傳說，不失歷史的原面目，如東周列國志，長恨歌傳，楊太眞外傳，梧桐雨之類，處處徵實，可作信史讀。有的不過是借歷史上人物作線索，而以己意自由編寫，像虬髯客傳的內容大多杜撰，蓋在唐僖宗時，有黃巢及藩鎭之亂，這不過借虬髯客欲與李世民爭天下事，說明唐有天下乃天命所歸也」，而企圖影響當日思亂者的心理。還有雖然寫的史實，可是却摻入作者主觀的安排，因此與史實畧有不同出入的地方，這像趙氏孤兒，漢宮秋，三國演義的情節，都是根據史料，可是却有許多地方是附會，歪曲史實的。就將三國演義來說，是我國最著名的一部歷史小說。他是依據陳壽撰、裴松之註三國志，宋元人的平話（如全相三國志平話），元雜劇（據傳大與元雜劇所錄搬演三國故事的劇目，就有四十餘種之多），以及更多的民間傳說，鋪衍而成。全書從東漢末黃巾之作亂，劉、關、張結義寫起，中經董卓等專權，羣雄割據，魏蜀吳三國紛爭，至晉滅吳爲止。但因作者羅貫中特別同情蜀漢，因此寫劉備這一邊人物，大都向好的方面描寫，因此劉備就變成了特別仁慈愛民，能禮賢下士，信義著聞天下的人物。至寫曹操一邊的人物，就往往歪曲了史實，向壞的方面描寫，因此曹操也就變成了奸詐妬賢，手段狠辣，僭上害民的奸雄了。所以章學誠在丙辰劄記中，就病其「七實三虛，惑亂觀者」也。不管怎樣歪曲史實，寫這類以歷史爲題材的演義性作品，必須注意一點，必須表現出歷史原有的面目。在三國演義這部小說裏面，作者成功的透過機趣橫溢的文字，分析和描寫了正史上三國時期中，魏、蜀、吳三方面在政治、軍事上的各種矛盾與衝突，使讀者在閱讀趣味中了解當日歷史的發展。

我們就舉在赤壁戰後，孫、劉兩方一段關係，來說明作者處理題材安排情節的方法吧。赤壁之戰時，孫權和劉備是同心抗曹的盟友。戰後不久，劉備爲荊州牧，孫權、周瑜都對他起了戒懼。蜀書先生傳說：「權稍畏備，進妹結好。劉備到京見權，此時瑜就上疏勸權留備說：「劉備以梟雄之姿，而有關羽、張飛熊虎之將，必非久屈爲人用者。愚謂大計，宜徙（備）置吳，盛爲築宮室，多其美女玩好，以娛其耳目。

綜談國劇復興（二四）

王方曙

這一工作便沒有原動力，也不會看清目標何在。而這一觀念的建立，第一是對國劇工作者，其次是對觀衆。我們首先應把復興國劇的意義和重要性，宣佈給國劇工作者；把國劇必須有一復興運動的情況，傳達給國劇工作者；把國劇應興應革的道理，解釋給國劇工作者；把國劇必須求進步，求跟上時代，求吸收新觀象，求有新意義的必要性，說明給國劇工作者。這樣，使國劇工作者本身，了解了必須作此努力的原因，和作此一努力的目標，然後自動自發，共同努力，爲國劇前途，爲藝術的進步，爲本身的事業，下最大的決心，盡力作去。如此自然容易達到期望的目標。

我們對觀衆來說，我們無權強迫任何人來幫助我們作國劇復興運動，但我們有能力使他們自動的協助我們，那就是利用宣傳。目前欣賞國劇的人，大多數是四十以上的人，二十左右歲的青年，便佔很少的數字了。雖然各大學仍有國劇社的組織，但人數也不多，公演時觀衆也不見擁擠。甚至有的青年自己宣傳看不懂國劇。似乎看不懂國劇而能看懂電影才足以自傲，這都是一種外國月亮圓的心理狀態。當然是不對的。但是我們在平時沒有能使青年們了解國劇，沒能使國劇能吸引青年觀衆，是要由國劇工作者負起責任的。現在我們必須展開一種有力的宣傳，一種有步驟有條理有效果的宣傳：

1、宣傳國劇在藝術上的價值。要用藝術理論；要用與外國戲劇比較的方法，而說出國劇的特有優點；要分析解釋國劇精細微妙之處。

2宣傳國劇的內容豐富，有歌有舞，有故事，有歷史，有哲學。（當然，我們必須有更好的新劇本寫出來，更好的歌唱表演創造出來。舊劇本也需改正）

3、宣傳國劇的表演技巧，有解釋說明，有分析描寫，使原來不懂國劇表演的人，不僅懂了，而且能感到興趣，而加以欣賞。

4、宣傳國劇的唱詞，使它成爲通俗文學。（當然，還有賴於新劇本的創作，和舊劇本的改動。有些舊劇本的唱詞實在有俗氣，如「蘇三離了洪洞縣……」

應聘於密蘇里州立大學有感而賦　一九六四

·吳森·

澹泊棲身有所思，冥鴻霧豹待良時。
哀聲遍地逢饑饉；花果飄零繇黍離。
（唐君毅先生有「歎中華民族花果飄零」一文載民主評論）
海外傳經非夙願；華夏昇平未可期！
茫茫烟水中原夢，落拓天涯只自知。

寄遠三首　一九六五

爐峯一別幾經年，寤寐求之思渺然。
明月有情頻寄意，傳將心事話君前。

其二

比翼連枝已定盟，五年雖別未忘情。
寒窗苦讀卿憐我，闌幕伶仃我憶卿。

其三

別後依依屢催歸，偏教心願與身違。
（用李後主句）
悲歡離合人間世，深悔當年事事非。

諸葛亮狂想曲（四）

·劉玄·

「目前下界中西文化交流，連美國人都知道你們大名哩！」劉約翰捧場捧到底，連山姆叔叔也抬出來了。

「我當年就是騎在葫蘆上過海的。」鐵拐李用手拍了拍葫蘆，眉飛色舞。

「這有什麼稀奇，藍采和蹬在扇子上，輕功豈非比你更高。」何仙姑好像和鐵拐李過不去。

「仙姑是怎樣過海的？」劉約翰是俗子凡胎，對仙家故事十分感覺興趣。

「那蔚藍色的海，像柔軟的地毯，我踏在上面，心情愉快極了，就是這樣，像跳華爾滋，一旋一轉，便過了海。」何仙姑站起來，轉了轉身，輕盈曼妙，一點不含糊，是華爾滋舞步。她的說話，帶有新文藝氣息。劉約翰暗暗稱奇。

「華爾滋是西洋舞步，仙姑怎麼也懂了！」劉約翰有疑團，不能不問。

「你不知道，王母娘娘最寵愛她，常常召她到瑤台獻舞，因此，天上、人間、古今、中外的舞，她無一不會，無一不精。」呂洞賓搶先回答。

「你不要捧我了，高帽子戴在頭上，我可受不了。」何仙姑其詞若有憾焉，其實乃深喜之。

「仙姑以舞步過海，具見法力無邊，佩服，佩服。」諸葛亮很識相，樂得再捧一番何仙姑。

「別老是談我了，我們言歸正傳，韓湘子借龍崗公所開演奏會成不成？」何仙姑辦交涉比洞賓，鐵拐李老到，不忘韓湘子囑託。

「這個……」諸葛亮遇到比較麻煩的事，向來有吞吞吐吐的習慣。

「諸葛先生你不要猶豫不決了，龍崗之事你難道不能當家？」鐵拐李這次總算替何仙姑在幫腔。

「當年在三國時代，軍機大事由我負責，倒是事實。現在……」諸葛亮用鵝毛扇橫於胸前，很像在戲台上唸引子的神情。

「現在怎樣？」何仙姑問。

「現在龍崗會所總會長是劉公，維持開銷的是關公，我不過是顧問的名義，我是不管事的。別的不談，龍崗會諸葛一族並未參加，你們是知道的，所以，你們的囑咐，我必須與桃園弟兄商量以後，才能答復。」諸葛亮說的是實話，並無用計情事。

「我想，桃園弟兄看到你，這種小事祇要你答應，他們不會刮鬍子的。」鐵拐李江湖跑多了，說話也帶市井口吻。

「什麼叫刮鬍子？」諸葛亮是老夫子，又學過英語，但是他不懂刮鬍子究何所指。

「刮鬍子就是不給面子，」劉約翰向諸葛亮解釋。

「哦，我想這不是面子問題而是事實問題。我知道關雲長最不喜奇技淫巧之事，認其有違春秋大義。上次我開演奏會，他是勉強答應的，這次他能不能答應，我可沒有把握。」

巨變歷險記

一綫曙光（八九）

胡慶春

丁博士應台灣省政府主席陳辭修先生之邀，兩度環島講演，所有各地（台灣）軍公教人員都在聽講之列，可能講演的情形，傳到辭修主席耳朵裡，他對於丁博士非常鼓勵，他非常讚許。丁博士，雖然是河南人，但並沒有河南人的體格，個子一點很像江浙，有時也會把他當作廣東，平常與人交談，聲音非常小，但一登上講台，立刻精神振奮起來，聲如洪鐘，不用麥克風，數千人聽來，都清清楚楚。他宏亮的聲音，又充滿情感，充滿着力量，充滿着智慧。他會引你哭，引你笑，引你恨。他會使你興起，使你行動。他一講，普通都在兩小時以上，有時候可以到三小時半。在崗山的空軍軍官學校機械學校，就是這樣。在桃園的飛機場，台中的飛機場，花蓮的飛機場也常常這樣。他不怕陣容大，陣容越大，他越興奮。一個地方，普通停留兩天，也有三天四天的，看情形的需要。沿途都住在空軍的招待所，在嘉儀，在桃園，在台南即是如此。有時住在旅館，像在屏東花蓮，有時也住在另外的地方，像新竹公園的一座樓房。據說是日本前首相近衛文麿住的。此房雖有名，但日本式的設備，非常簡單樸素。新竹的風是有名的。六七月的天氣，令人感到舒適。聽衆的熱烈歡迎，令丁博士萬分的感動。共軍渡江，天天都是不利的消息。台灣會不會被共軍拿去？至少在大家心目中發生了疑問。有很多簡直就認爲台灣也是不能保的。於此，丁博士大聲疾呼：台灣前途絕對沒有問題，美國一定會再來幫助，英國是靠不住的，法國也是靠不住的。他們一天倒向共方，不過是時間問題而已。據丁博士預測，可能英國在先，法國在後。好在英法對台灣都沒多大關係，只要美國能再幫助台灣，台灣就可以高枕無憂矣。即令是抱懷疑態度的，聽丁博士講演的，也是一大安慰。這一線曙光，一線希望，丁博士帶給台灣的希望，是一個很大的安定力量。

回想馬歇爾之上廬，得不到要領，絕裾而去，那憤憤的情形，不要嘗將中華民國投諸大海，誰還敢想美國能再來幫中華的忙呢？難怪大家半信半疑。但不管信也好疑也好，美國的再來幫忙，無不感到深切無比的需要。總統蔣公在獲悉白皮書之後，有張公的百忍，未置一詞，安然受之，是不是爲現在爲將來留地步。再天下沒有不散的宴席，也沒有不解的怨仇，在馬歇絕袂而去的時候，那是一種情形，現在又是一種情形，丁博士的預測，大家無不樂於接受。講演要針對當前的需要，丁博士做到了。他很感謝台灣各地對於他的歡迎。尤其對於陳主席的邀請。當時的教育廳廳長陳雪屏先生，對於丁博士的關照，也會他永遠的懷念，無限的感激。（未完）

寄鶴齋八州遊記序

·胥端甫·

八州遊記者，洪棄生先生於民國十一年七月，攜次兒即今台大洪炎秋教授，遊歷祖國之日程錄也。日據台澎，台灣與祖國大陸隔絕，地成棄地，人成異域之人，天上人間，天堂地獄所由判也。彼能攜子偕遊，得瞭解祖國歷史之悠久，山河之壯麗，人口之繁多，更證以平生鑽研所獲，而悉納於此部遊記之中，其作用之大且久，固非僅宏藏山之業已耳。史記太史公自序曰：「二十而南遊江淮，上會稽，探禹穴，窺九疑，浮於沅湘，北涉汶泗，講業齊魯之都，觀孔之遺風，鄉射鄒嶧，厄困鄱薛彭城，過梁楚以歸」。洪氏此遊到達之路線，與太史公所遊路線近似，中國九州，洪遊其八，則區域之擴大已多，本蘇轍「太史公行天下，周覽四海名山大川」，與燕趙間豪俊交遊，故其文疏蕩，頗有奇氣」之論，則洪先生所獲不亦多乎？遊津門，入故宮，睹祖國人文風物之宏麗壯觀，上居庸，登八達嶺，而放眼故國，版圖之遼遠闊大，而萬里長城蜿蜒於萬山磅礴之上，又皆非太史公當年所及見矣。至於五嶽八州，三江五湖，以及邱陵阨塞，關梁等天造地設，固或古今無殊，然州縣之建置，民物之繁衍，民俗之演變，則皆以時代之不同，有時而更，踵事增華，前人莫或觸於目而娛於心者，今皆爲洪先生所眼覩身經，形諸筆墨，採入奚囊，以成此八州遊記十三卷，八州詩草八卷，其宏博雖不若太史公書，然攜同海上，俾處異域之志士仁人與父老弟昆，得以展卷披圖，由台而滬，而蘇，而揚，再由南京西上，而皖，而贛，而鄱陽湖廬山，而岳州洞庭湖，而武漢；再北上而洛陽，而開封；東去徐州，而魯，由斯北上而津京，而居庸八達嶺，再折返遵海而南，由杭州而上會稽，探禹穴鏡湖，再沿海而至福州，凡祖國之山川風土人物，靡不畢現於几席之間，以增益其離鄉去墨之情，加强其愛類離羣之思，振奮其鬱勃橫厲之氣，其力足以保千軍萬馬，而使族類之愛固結於無窮，且對祖國時深攬往之心，所以日據台灣雖經五十一年之歲月，但迄今陸台仍一體也。

楊明時序徐霞客遊記曰：「霞客之遊也，升降於危岸絕壑，搜探於龍蛇窟宅，亘古人跡未到之區，不惜捐軀命，多方竭慮以赴之」。若洪棄生先生之作此遊也，時不及半年，而歷八州，描叙點綴，託興抒懷，怡然以樂，誠如陽明時所謂「入馬而安，曾無犯難輕生之虞，味爲而腴，非有飢渴痰癩之困」，費時少，省力多，益宏，較之古人，亦收何多讓？然苟非眞有出塵之胸襟，瀟勝之軀體，淵雅之才華，却亦有所不能者也。且對沿途地名之沿革，風物之變遷，朝代之興替，均能考校精詳，絕無怪迂侈大，而隨處點染風景，又着墨無多，更悠然意遠，不禁歎爲海上數百年，紀遊專著之第一部佳構。今遠離海隅之各省人士讀之，將懷之鄉國之情，不其因之而油然興起者歟？

余因纂編先生遺著將成，以未得八州遊記油印本，及八州詩草爲憾，請炎秋教授，再爲搜訪，俾輯成全璧。詎料時未經旬，竟從某君處將油印本訪得，而詩草原稿，亦從篋中檢來，令人欣慰，以瓌寶視之。因詩稿與他稿長短不齊，再商得黃成助君同意，特加排印，原稿八州遊記，仍併入遺書，油印本八州遊記則以十六開本影印，作爲專集發行。因序其耑，以見先生之遊爲不虛，而於滄海桑田之會，得此佳構，以留存海上之爲可貴可愛也。

中華民國五十八年歲次己酉九月，梓州鹽亭胥端甫謹序於台北士林之芝山精廬。

桃花潭水深千尺

趙陀

英文寫的是：「奉到×部幫辦莫爾慈的電話，要馬繼元於明（十三日）上午九時三十分，到政治部談話，不可以延誤。」馬繼元看完通知呆了很久才說：

「蘇伯伯，我在香港亦沒有眞正的親人，××部莫幫辦約我去談話，不會有甚麼好事，明天既是十三又是禮拜五，你老人家說的對，一個人强不過命運，能不過金錢，我願意化一點錢消災了結這場公案，可否求蘇伯伯和克琳幫忙。」

蘇霍寶面現出難色，而又表示非常關切的說：

「處理問題，在醫言醫，若對症下藥，有效才是靈丹，但有個困難。」

「甚麼困難，蘇伯伯不妨直告。」

「不是直告曲告的問題，我一生不喜歡經手這些不見天的錢，克琳更不用說，寧願意窮到勒緊褲腰帶，從不動這些歪腦經。」

「蘇伯伯，話也不是這麼說，天理國法人情三位本屬一體，你老人家常向晚輩講孟子，孟子說：『惻隱之心，人皆有之。』難道蘇伯伯眞看到晚輩被押解到大陸上去，而不願意伸出援手嗎？」

蘇霍寶本來祇扣到馬繼元一點腮邊，已不肯輕易讓他滑脫，經過馬繼元這麼直率自動的招出，蘇霍寶的花槍，算找到用武的地方，蘇表示很遺憾的說：

「繼元，如果××眞把你遣回上海，從上海再回香港的入境手續，我和克琳可負完全責任，不過有一個交換條件，犬子少寶一家五口你要把他們帶來。」

馬繼元被這些冷水潑得心不在焉的，又懊惱的說：

「老伯，羊既入虎口還能生還嗎？」

「繼元，不會如報上講的那麼嚴重，假定你眞有遣返的可能，我倒考慮要克琳去上海跑一趟，接他哥哥嫂嫂出來，一勞永逸，免得兩邊吊着，八年來，我家裏的預算始終擺不平，癥結就在這裏。」

「蘇伯伯，你覺得克琳會去嗎？」

「她們兄妹感情彌篤，不是沒有可能。」（四〇）

生活漫談

大黃魚與小黃魚

馬騰雲

本草記石首魚，開胃消食，治暴痢腹脹，痢疾，最忌油膩生冷，惟白念（魚旁）相宜，因其無脂不膩而能消宿食理腸胃。石首魚是動物學上的學名，因其頭部生着兩顆石狀尤骨，名叫作耳石，食黃花魚時，常常會發現如磁如齒的石粒兩顆，即是。石首魚因魚色黃如菊，又在菊花開時大量而來，故名黃花魚，簡稱作黃魚。

黃花魚沿海都有出產，北方人吃黃花魚靠黃勃海區域供給。華中幾省靠舟山羣島區域供給，華南各省靠廣東沿海區域供給，台灣大量的出產，不過有一定的時令，黃花魚成千成萬聯羣結隊湧來，這種現象有專門名詞，叫「洄游汎」。漁人捕捉黃花魚，必須等候此時下手，市上賣的黃花魚有兩種，一種是小黃魚，一種是大黃魚，大與小因品種的不同，並非長得大的是大黃魚或長得小就是小黃魚，小黃魚脊骨是廿九節，大黃魚脊骨是二十六節，表面上也有很多不同。

黃花魚是溫帶，亞熱帶區域的海產，熱帶如南洋羣島國家並沒有大量出產，有時間忽遇到。黃花魚的吃法，有醋溜黃魚，紅燒黃魚，清蒸黃魚，炸黃魚，京菜館有醋溜黃魚片，這是一般的吃法，用大黃魚加雞蛋黃同配，佐以生豬油，冬菇，以豬肉皮凍造黃魚小籠飽和蟹黃完全一樣，蟹黃在大陸很貴，台灣根本沒有，喜歡吃蟹黃飽的人，不妨一試。

黃魚的藥用價值：黃花魚的魚票（魚膘，以下同），含有豐富的蛋白質，滋陰補弱，生津潤肺，寧波產的黃魚票，在海味中是很名貴的，滋補功非常高，黃魚肉已如本草所說，開胃消食，治暴痢腹脹，但若干內科病，凡忌食魚腥的，首先忌食黃花魚，就一般藥用食物來說，凡是魚類，都容易發病，如傷風感冒，氣管炎咳嗽等，吃了魚腥之後，病況一定加劇，外科病更立見奇害，有癤發膿，有核的起塊，皮膚敏感，俗稱作台灣癢，吃了黃魚後癢的面積擴大，癢的度數加深，不可不特注意。黃花魚以寧波人的吃法最高明，不管是紅燒或者糖醋，他們的佐料如冬菇、冬筍、綠筍尖、木耳、胡椒、葱薑都有良好的藥用價值。香港幾家菜館賣的一種醋椒魚，先將黃魚煨煎，加蘿蔔絲、薑絲、胡椒熬成白白濃汁的湯，奇鮮無比。黃魚所含的成份有種軟骨素，常吃可減少臉上的皺紋，及嫩皮膚等功效，吃黃魚的方法寧波可稱全國第一，京菜發明醋椒魚後，有向寧波吃法急起直追之勢，但不管什麼地方產的黃魚，魚肉都難與寧波出產的黃魚比，清朝年羹堯將軍被貶杭州，在杭州喜歡研究吃，他說吃到了寧波黃魚，遠勝北方所產，康南海喜歡用黃魚製豆腐圓，乃別出心裁，所謂豆腐盤成肉價錢，大概就是指此而言，正莊的南海魚是以活鯉魚一尾，將肉取出與豆腐混和，佐以配料再裝進魚肉，可以糖醋，清蒸，看起是一條魚，吃時則爲豆腐，南海魚在國內爲名菜之一。

亞洲國會議員聯合國

通過議案優待無冕王

亞洲各國出入不會再受留難

各代表皆發高論重民主自由

（上接第一版）賽國代表團長逑賽汝那演講：這次決定在台灣召開大會，有其深遠的歷史意義，因爲這個島是可代表民族自決的象徵，它以不屈不撓的精神，會爲爭取自由，保持傳統代議制度，維護民主自由及人類而奮鬥，現在仍在繼續奮鬥中。他認爲如果賽國的自由受到威脅，越南、泰國，菲律賓、緬甸、馬來西亞、印尼等國的自由遲早會受到威脅，歐洲、非洲、大洋洲及美洲等自由遲早也會受到威脅。

亞議聯第五屆大會的「政治報告」，分爲：一、談判與和平，二、越戰與美國，三、新亞洲政策，四、亞洲區域的現狀安全。政治報告對國際問題用談判的方式以謀求和平，是正常的方法。談判必須雙方具有善意誠意，然後可以坐而談判，否則，談判是難以達到和平的。

近一年來的亞洲各國，在經濟建設上，均有豐厚的成就，農業改良，工業發展，國民收入普遍增加，國民生活水準也普遍提高了！尤其顯著的，亞洲若干國家的生產與技術，已達到世界頭等生產國家的地位。但在政治方面，其惶惶不安，正與經濟的繁榮，成爲强烈的對照。

在談判不能解決問題的今天，在美國宣告其新亞洲政策的今天，在亞洲政治擾攘社會不安的今天，在中共必然崩潰而欲藉向外侵畧以鎮壓其內部的今天，我們亞洲國家與人民，自必須自己謀求團結合作，以消滅共同的禍源，從而確保經濟成長的成果，以謀取亞洲的安定，求得政治的和平，進而謀取世界的和平。因此亞洲的前途，要由我們亞洲國家與人民共同創造。而建立區域安全組織與發揚東方文化，乃是我們亞洲國家團結合作建立新亞洲的最有效的途徑！（完）

中華民國內政部內版臺誌字第〇三一號
中華民國僑務委員會登記證台僑新字第三二三號
中國郵政台字第一二八二號執照登記爲第一類新聞紙

自由報

（第一〇二二期）

（半週刊每星期三、六出版）
每份港幣壹角・台灣零售價新台幣貳元
督印兼發行人黃李騰運・社長
社址：香港九龍彌敦道593—601號廖創興銀行大廈八樓五座
LIU CHONG HING BUILDING
7th FLOOR FLAT 5
593—601 NATHAN ROAD,
KOWLOON, H.K.
TEL: K303831
電報掛號：7191
承印：景星印刷公司
地址：嘉咸街廿九號地下
台灣連絡中心：台北市南昌街五巷三號
電話：三七五〇二二
台灣區直接訂戶　台郵劃撥戶
第五〇五六號張萬有（自由報會計室）
台北營業處：台北衡陽街三十號
電話：二七二〇〇
台灣分社：台北市西寧南路110號二樓
電話：三三〇三四六，台郵劃撥戶九二五二號

復興中華文化，完成復國建國（一）

吳文蔚

「子曰：先進於禮樂，野人也，後進於禮樂，君子也，如用之，則吾從先進。」禮樂是代表一個國家的典章文物制度的文化，亦可說是代表一個國家的傳統文化，這個文化，正象徵着一個民族的立國精神。中國的民族精神，既有「至大至剛」的浩然之氣，又有「哀而不傷，樂而不淫」的淵厚雅風，所以孔子贊美往古先聖的禮樂，並且他曾慨歎的說過：「吾不復夢見周公」的這句話，因爲中國的典章文物制度，自盛周而告大齊備，這些典章文物制度，都是經過周公親手訂定，自然文質合宜，完美無缺，而時人疏於這點，改變了氣質，致孔子感歎，祇好以「吾不復夢見周公」而喻之了。

有人說：「孔子所以把禮樂分爲「先進」與「後進」的意義，其主旨實可說是在恢復固有文化。故　國父倡導恢復民族地位，便先在恢復民族固有道德上關鍵。現在　總統提出復興中華文化的主張，與　國父的「恢復民族固有道德」，是脈胳一貫，並行不悖的。

中國的文化，自堯、舜、禹、湯、文、武、周公，而輝煌齊備，至孔子又集其大成。這個文化，綜合起來，便稱爲儒家思想。儒家的學說，對中國的社會，影響極深，數千年，歷興不衰。孔子是個哲學家，但中國的人，無論男女老幼，對孔子的崇敬，一如爲宗教家然。孔子的廟宇，本來是爲紀念孔子的偉大人格的象徵，然而，大凡是到孔子廟內去的中國人，都會自自然然的對孔子像舉行極崇高的膜拜，這種虔誠的頂禮敬儀，實代表了孔子的學說與儒家思想對中國社會的影響之深。同時在另一方面，正說明了中國人對孔子的信仰，是極其堅定自然而普遍的。由此我們可以說，孔子的學說與儒家思想，歷數千年而迄於今，其影響力之深且大，就形成了中國民族的固有道德和整個的傳統文化，這種固有道德和傳統文化，就是中國民族精神的根本所在。中國的民族精神，往往可以歷大難，轉乾坤，導祥和，臻太平，以德王天下，睦鄰邦交，忠恕待人，以誠爲修身之大本，以仁爲治國平天下之宗法，從來沒有征服過別個民族的思想生活和習慣的行爲。在中國歷史上有許多的藩屬國，但每年是到中國來朝貢一次，而其本國的政治禮俗，仍然是由其國人自己執行與沿用。在文化上，只有感化，同化，而無强化。即以中國歷史上的兩次亡國來說：一次亡於元，一次亡於清，而這兩次，都被中國的文化所同化。中國近百年來，受到列强的侵略而割地賠欵，並訂了許多的不平等條約；但在第二次世界大戰後，對日和約時，中國政府却沒有要日本來賠償，這種偉大的忠恕之道，至今猶爲日本朝野所感德，中國的文化與民族精神，由此大端，便可統觀。

在二十年前，正當我國戡亂剿匪戰爭處於轉逆形勢極不利的時候，美國國務院恰於此時發表了對華白皮書，指責我中華民國政府，貪污無能，美援未能收效，幾欲結束中美關係，而以此作爲聲明。當時輿論大譁，華情激憤，我朝野人士，咸認美政府此舉，實無異於落井下石。惟行政院長閻錫山，冷靜沈着，當時發表了「對美國白皮書之觀感」，歷述我國致敗的原因：「或受環境的支配，或爲歷史的影響或係經濟制度的空隙，遂致造成爲匪所乘的趨勢。」並且說明今後挽救的辦法：「希望美國不是落井下石之意，即結束中美友好關係；而是以後中美密切合作，共同反共，期收挽救世界危機之效」。閻氏的作風，實表盡了中國的民族精神與中國傳統文化之偉大。

我中華民國政府於風雨飄搖中，播遷台灣由於　蔣總統的正確領導，全國軍民的一致奮勉，時至今日，我反共基地台灣，在東南亞，甚至在全世界，眞可以說是首屈一指，其安定、繁榮，進步的精神，自爲世人所共仰。相反的，在二十年後的今天，美國政府却爲世界現實而憂煩不安，尤其是對越戰，和乎？戰乎？無所適從，一個小小的北越匪共，竟把美國攏弄得一籌莫展，今日的美國政府，比他在二十年前對華發表白皮書時指責中華民國政府的情形，更爲狼狽不堪。這是甚麼緣故呢？就是由於美國人對共產黨徒的認識不夠，誤爲共匪利用的結果。到今天，美國政府才知道中華民國是他的眞正友人，中華民國軍民的表現，才是自由世界對付極權國家侵略的一支龐大的力量。今後的反共形勢，美國雖仍居於領導自由世界的盟主地位，但反共的措施及其一切防禦極權國家侵略的政略與戰略，都要以中華民國的反共復國政策進展爲轉移，我們深信，中華民國政府，不但對反攻勝利有把握，即美國仍以盟主資格而安定世界和平，亦必以中華民國政府的政略爲依皈，這是我們可以斷言的。

共產黨雖然竊據了中國大陸，但大陸人心依舊傾向我們政府。他是永遠不能代表中華民國，更無法消滅我中華民國政府。相反的消滅共產主義，消滅共產黨的，乃正是我中華民國政府，和中華民國政府領導下的炎黃軍民。這是甚麼道理呢？簡單的說，就是中華民國政府能繼承億萬年來炎黃列祖列宗所留下的民族精神與固有文化。

共產黨徒他很明瞭不能奪取台灣反攻基地，和控制大陸人民的原因，乃是由於中華文化與民族精神的偉大力量。所以他大倡其文化革命，他要消滅中國的固有文化，以克服他精神上的死敵，藉以挽救他將要垂死的暴力統治。我中華民國政府，由於肩負繼承中國固有文化的責任，要收復大陸建設一個文明富强的國家，認爲中國的固有文化，就是我們反攻復國勝利與完成建國使命的唯一的力量，不但要推行中國固有文化，而且要倡導復興中國固有文化並使之發揚光大，以中國固有文化的力量，反攻大陸，收復失土，消滅共產主義及共黨徒，完成復國建國的神聖使命，以濟弱扶傾的王道精神，而安定世界的永久和平。（未完）

昨日與明日

嗚呼！如此監委

鄭異

近來，自由中國一件最熱門的新聞，算是監察委員張建中和王枕華兩人自「動」調查彰化大同公司逃漏貨物稅罰欵案。監察院年度檢討會討論最熱烈的是這一案，台北各報紙報導最熱門的新聞也是這一案，關心政風人心的有志之士，感慨最深的也是這一案。社會果眞無是非乎？人性竟如是向下乎？復興中華文化，提倡固有道德之爲何？我們對於此案，也焉能沒有感想？

是何力量？

提起彰化大同公司董事長蕭柏舟，總經理蕭柏煌兄弟騙領政府退稅金和漏稅一案，眞是由來已久，遠在民國五十二年二月間就發生了，已歷經四任財政部長——嚴家淦、徐柏園、陳慶瑜、俞國華，到了俞任才將罰鍰正式確定，中間已隔了六七年之久。因此案受牽而使數位警、稅、治安及法官繫獄。一位法官去職、一位高等法院院長被監察彈劾，無數法官被調查；又使少數立委對政院質詢，現在又使監察院大起風波，使一案而牽司法行政、立法與監察四院，是何力量，足使如此？是何力量，能夠如此之大。長袖雖善舞，亦因物腐而後虫生，今日政風其如是之糟糕？

不移事實

此案雖很複雜，但有幾點事實，是確切不移，無可否認的：

一、大同公司蕭柏舟、蕭柏煌，雖於漏稅、行賄，被判罪曾坐牢等都是事實。

二、以陶百川委員爲召集人，對該案負責調查的監察院五人小組是監察院財政、司法兩委員會「公推」的，它的調查報告提付兩委員會「公議」，經「公決後成立糾正案，「監院」正式以「公文書」移送行政機關改善；對高等法院院長孫德耕彈劾案，也是公議，而張王兩委員則是私自收受蕭家兄弟呈文，「自動」調查的也都是事實。

三、在政府執行罰欵最緊要關頭，張建中、王枕華兩委員的翻案文章，對犯法者的有利，也是事實。

四、陶百川委員高風亮節清廉自守，其工作精神與態度，爲國人及海外僑胞所深悉，也是不移的事實。

政者正也

眞理祇有一個，政治必求其正。今日政治上的大病，即在正義不伸，是非難明，邪惡勢力太大，好人常被冤抑。海內外同胞有權知道：張建中、王枕華兩監委員「自動調查」的動機何在？其所受案件有否經過監院正式登記？這兩位委員過去「自動查案」有過多少紀錄？這次何以如此熱心？如果監察查案，縱然無私無弊，而危及國策以及影響世道人心，在法律不能管情況下，該如何處理？希望監察院作一交代，對民主政治熱心人也要參加討論。國家是人民大衆的，奉行民主政治，力求政治清明，是每個國民的責任，能讓任少數人防害大多數的利益嗎？

自由談

佐藤榮作的言詮

日本首相佐藤榮作訪問美國歸來，發表迥異尋常的談話，說台灣澎湖地位，關係日本安危甚大，如果台澎遭遇受外來侵犯，日本決不坐視云。他這項言談的用意，可作兩種解釋。

一是爲着美國答應交還琉球了，不得不迎合美國當局希望日本今後對亞洲問題担任主角的心情——或許美日間在交接琉球的協議中，已有這項默契了——聊作此「口惠」表示，以資應酬云爾。何以見得呢？見之於佐藤的談話撇開了大韓民國。南韓現時與北韓共黨經常在劍拔弩張的戰爭狀態中，形勢比台灣危急，對日本的安危關係更密切，佐藤如其眞有維護東亞和平安全的決心，自不應該置韓國於不顧，併且還要提到菲島纔對。他知道美國對台菲皆有安全互助的協防條約，毛共決不敢隨便侵犯，乃樂得說些漂亮話以取悅美國當道。假如把韓國相提相併論，則韓共萬一取得中共的支援，與兵進攻南韓時，日本即非履行諾言不可，豈不糟糕嗎？

二是日本始終不忘情於台灣，過去日本駐台灣的公使清水董三，即公然說過「日本對台灣有潛在主權」的狂言。如今琉球收回了，將來日本若對亞洲的和平安全有所貢獻，必須通過美國而取得相當的代價，最理想的代價是能重行佔有台灣——此時不妨在外交詞令中提及台灣，栽點根子。他的詞令很冠冕堂皇，咱們政府自不便有所揣測異議，惟有表示贊同而已。

凡是深切瞭解日本民族性的人，就知道日本的內心裏始終瞧不起咱們中華民國，否則如清水董三之流的狂言，即應嚴受該國政府的懲戒，至少亦得加以申斥，藉彰友誼。日本人仇視美國的心理也很普遍，等到羽毛豐滿之後，隨着國際局勢的演變，日本對美國決不會馴服如故，殆可斷言。防人之心不可無，外交事項尤然。因此，我們固然希望日本跟我們通力合作，消除亞洲的共禍，却不宜毫無保留地依靠日本拔，相助，方可免貽後患，謀國者勉乎哉！

馮五先生

輿論精華

越局秘密談判說

尼克遜在三日發表的越南問題演說，指出「談判終止戰爭的障礙，並非美國總統，也不是南越政府，而是對方絕對拒絕表現出和我們共同尋求公正和平的半點意願。它之所以不肯這樣做，是因爲它深信它只需等待我們的次一讓步和再讓步，直至得到它所要的一切」。接着尼氏在這篇演詞中，强調「戰爭越南化」計劃。這暗示了尼氏對於巴黎和談的失望，亦即認定共方絕不會有和談的誠意。洛奇之辭職，當亦因此。

但據路透社華盛頓廿五日電，謂美國與北越現似將恢復私下秘密會談，以期打開巴黎和談的僵局。這消息的來源是：北越首席代表春水廿五日在巴黎說：「我們準備隨時與美國秘密會談，以期早日結束戰爭。但美方迄今尚未請求重新舉行秘密會談」。白宮新聞官齊格勒回答說：「美國發動的秘密會談已舉行過十一次，表明美國準備北越秘密商討任何能導致越南和平的事項」。並謂：「美國不願與越共秘密會談，但美國願意列席南越與越共的會議」。那麽，美國對於這個和談，還是採取拖泥帶水態度的。但是：

一、北越是一定要這個秘密會談有越共（民解）參加的。

二、同時，春水於廿五日重申會談基礎：「美國必須同意討論撤退一切美國及其衛星國軍隊，並在西貢成立臨時聯合政府」。

三、南越曾建議與越共作對等談判，但越共堅決指稱南越政府爲傀儡政權，拒絕這建議。

因此，除非北越排除越共參加，這個美國、南越與北越秘密談判，才可以開得成，也除非越共接受南越的建議，這個南越與越共的對等談判才開得成，否則仍然是空的。其次，儘管這個美國、南越、北越的秘密談判開得成，但由於北越所堅持的談判基礎不變，也決不會談得攏，徒然多此一舉而已。

依我們的看法：

一、北越方面，決不會拋棄越共而和美國直接作任何談判，越共也決不會與南越政府接受共方的「聯合政府」計劃。

所以，我們認爲：尼克遜對於巴黎和談的決策，既不讓步，亦不着緊，讓它這樣拖下去，不勾消而等於勾消。上述消息，可能是北越方面焦急的流露，而美方也姑作針對表示而已。（摘自香港快報）

開發銀行開方便門
裝設電話易如反掌
上項計劃已由立法院審議

（本報記者張健生台北航訊）立法院本會期第十七次院會決定把交通部電信總局申請國際復興開發銀行貸款擴充電信計劃一案，交由財政、交通兩委員會審議。

本計劃申請國際復興開發銀行貸款總金額一千七百萬美元，原預定採購市內電話交換器材十一萬八千門，嗣因國際招標競爭劇烈，標價意外低廉，致該項貸款尚有剩餘。茲洽獲世銀同意修正計劃，利用貸款餘額，將市內電話增至二十萬七千門，較計劃之十一萬八千門增加八萬九千門，採購器材價款僅需動用該項貸款美金一千二百五十萬元，尚有節餘貸款四百五十萬美元。

鑒於國際市場的電話交換器材價格低廉，但國內電話用戶的負擔並未因此而減輕。電信為文明社會一切活動的神經中樞，社會愈進步，電信電話的需要愈殷切，十多年來，台灣的工商業突飛猛進，經濟日益繁榮，國人生活水準不斷增高。截至五十七年底止，台灣電話機總數（包括軍警電話用機）為二十八萬零一百九十二具，而民間用戶為一十六萬五千九百八十四戶，電話密度平均每百人有話機二具，這與進步的國家相比，不啻天壤之別。

修正計劃包括左列七個工程及其費用估計如下：

一、擴充台北區（包括基隆一萬門）自動電話十二萬門，工程：計美金世銀貸款六百一十七萬美元（折合新台幣二四七、四一七、〇〇〇元），自籌資金新台幣九四六、二三八、〇〇〇元，總計新台幣一十一億九千三百六十四萬五千元，平均自動電話每門工程費為新台幣九千九百四十七元。

二、擴充台中區自動電話三萬門工程：計美金世銀貸款一百三十四萬八千美元（折合新台幣五四、〇五四、八〇〇元），自籌資金新台幣二七九、二一七、〇〇〇元，總計新台幣三億三千三百二十七萬一千八百元，平均自動電話每門工程費為新台幣一萬一千一百零九元。

三、擴充高雄區自動電話二萬七千門工程：計美金世銀貸款一百七十八萬二千美元（折合新台幣七一、四五八、二〇〇元），自籌資金新台幣二億四千八百四十八萬三千元，總計新台幣三億一千九百九十四萬一千二百元，平均自動電話每門工程為台幣一萬一千八百五十元。

四、擴充台北郊區自動電話三萬門工程：計美金世銀貸款一百五十萬美元（折合新台幣六〇、一五〇、〇〇〇元），自籌資金新台幣三三一、七九六、〇〇〇元，總計新台幣三億九千一百九十四萬六千元，平均自動電話每門工程費為新台幣一萬三千零六十五元。

世銀貸款條件年息六厘

世銀貸款條件：年息六厘，償還期限二十年，寬限期四年，自第五年開始，每年償付一次。

本計劃各項工程於民國六十三年完成後，可達到以下預期目標：（一）由五十七年平均每百人有電話二具將增至每百人有電話四點七二具，全省用戶由十六萬餘戶增至四十萬八千戶。（二）由現有電話百分之五四為自動而提高至百分之九十左右。（三）全省用戶可自動長途撥叫。（四）增加營業收入：

五十七年度營收新台幣（實際數）一十二億三千五百二十九萬餘元，經營效能，每百元營收須支出五十三元七角一分，而純益收入估營收百分之五十一。

五十八年度營收新台幣（以下均為估計數）一十四億四九千九百九十三萬餘元，較上年度增加一七、三七%的營收，但每百元營收的支出則提高為五十六元二角，由於支出增加，則純益收入估營收反而減為百分之四四點八二。

五十九年度營收新台幣一十七億五千五百二十七萬餘元，較上年度增加二一%，每百元營收須支出五十七元八角四分，而純益估營收減為百分之四〇點七三。

六十年度營收新台幣二十億九千三百三十七萬餘元，較上年度增加一九，二六%，而每百元營收須支出五十元四角七分，支出較上年度增加二，八二%，而純收入估營收百分之三八點一二，較上年度減少七點六一%的收益。

六十一年度營收新台幣二十四億七千八百六十四萬餘元，較上年度增加一八，四〇%，每百元營收須支出六十元三角一分，支出較上年增加一，五%而純益收入估營收百分之三七，較上年度減少一點一三%。

六十二年度營收新台幣二十九億四千二百六十九萬餘元，較上年度增加百分之一八、七二，每百元營收支出六十元九角二分，支出較上年度增加百分之一，純益收入估營收百分之三三點八一，較上年度減少百分之一點一九。

六十三年度營收新台幣三十四億九千八百九十八萬餘元，較上年度增加百分之一八點七六，每百元營收支出六十一元二角七分，支出較上年增加百分之〇點五一，純益收入估營收百分之三五，較上年減少百分之〇點八一。

據此分析可知電信局經營效能並未因營收增加而增加收益。相反的，支出逐年增加，純益遂年下降，係營業外的支出大於營業外的收入所致。營業外的支出顯有浪費，經營管理必須現代化，始符合現代企業管理精神。（完）

民意機關的鬧劇

似洞集

·何如·

中華民國監察院最近為著兩位監委未遵照法定程序，而爭鬧在一「彰化大同公司」漏稅二千餘萬元的糾彈案，以及與此案攸關的彈劾案，因而發生內鬨，爭辯未已。這是自從監察院創設以來所罕見的怪象，殊堪驚詫！

我們以普通老百姓的立場，對於監察院這場鬧劇之演出，除感覺太不像話以外，亦願陳述一些意見：

張王二監委接受大同公司的呈訴文件而再行調查，是經過了院長的核許的，而李院長當着全體監委們却承認始終未看到大同公司的呈訴文件，然而身為院長，對於監委這種非常舉動，竟不知道內容，何以貿然核許呢？假此關係十分重大，可能引起嚴重後果的大問題，竟糊裏糊塗的就批准照辦，寧非駭人聽聞的稀奇古怪的事情嗎？一個機關首長的職責，應該彌家際，消弭一切內在的矛盾與糾紛，今乃無異於製造內部的混亂情緒，烏乎可呢！

大同公司漏稅數額在兩千萬元以上，且牽涉到司法人員，早已鬧得滿城風雨，人言嘖嘖，疑竇孔多。本案既經監院院會通過，依法分別提出糾正案與彈劾案，而行政院亦已接受糾正案，明令追繳該公司的漏稅款項。監委個人縱然可以再調查，但為避免瓜田李下的嫌疑起見，自應特別審慎，按照合法程序以從事。總期不使社會上存絲毫的誤會猜疑才是。今乃監院內部為此而發生爭辯，難以究詰，一般社會大眾的觀感如何，不言而喻了！關係人雖曾當場發誓，表示清白，却不能消除外界的疑團，唯一例證即是公務員就任新職時，無不必恭必敬地在國父遺像前，宣誓「決不妄用一人或妄用一錢」，事實是有如平劇「坐宮」的鐵鏡公主盟詞：「拿起香來當玩兒的。」一至於按着聖經發誓，更可不必，洋玩意的聖經，大多數的中國人崇信未慣，大家連耶穌、天主都不敢相信，遑論誓言？

近幾年來，中央民意代表鬧出的笑話——也可說醜事，已經不少了，我們希望素來被視為朝中佼佼的監察委員，好自為之，不要給人民以「一邱之貉」的印象，是勝企幸！

市場營運觀念——工商企業的哲學
推介郭垣教授新著：「現代市場學」

江顯新

市場營運觀念建立於兩項基本信條，第一，公司全部的計劃，政策與經營均應以其顧客為中心；第二，獲取合理的利潤是每一個企業的目的。以上兩點簡單的概念，不但代表現代市場營運重要的觀念，更樹立了現代商業的哲學。

中興與輔仁大學教授郭垣先生所著「現代市場學」，是國內出版最早與最權威著作之一，本年暑期第五版出書，內容更見充實、豐富，上述市場營運觀念，完全融會在五版新書之中。郭教授在市場營運的展望一章中指出：在民主的經濟制度之下，市場營運的目標應如下述：

①經濟社會所需要的物品與勞務，應以適當的數量與適當的品質來製造和提供。

②對於經濟社會所需要的物品與勞務，應適時和適地提供。

③對於市場交易中的物品，銷售者的售價應當公平。就長期而言，這種價格應要抵住成本並作有效的分配。

④對於市場營運參加者，包括生產者，中間商和消費者，應提供充分而可靠的市場消息資料。

⑤市場營運機構所提供的功能應隨動態化，務以隨時適應顧客慾望與需要的變遷。

⑥市場需受法律的管制，其管制程度，適足以阻止欺詐與保障社會的福利。

由於上述市場營運的目標，可知有效的市場營運實為經濟繼續成長，人民生活水準不斷改進，增大企業管理收益以及促進社會福利的關鍵。

「市場營運混合」一詞也是郭垣教授五版新書所引入的新觀念。所謂「市場營運混合」是指混合各種可能策略以達到市場營運的目標。郭教授特以美國奇異電器公司為例，予以說明；該公司所發展的一項市場營運混合對策，包括以下六項要點：①確切瞭解市場的性質和市場的所在；②提供有效的顧客服務與產品服務；③以適當的價格，在適當的時間，在適當的地點，銷售適當的產品；④透過最有效的銷售途徑，向可能最大數目的顧客銷售；和⑤充份應用廣告和銷售增進。

奇異市場營運計劃係將顧客分析的結果聯同從公司內各部門所獲得的事實，意見與支持來制訂一個控制計劃。它整個內容包含建立公司基本目標，對市場加以證實，決定行將提供市場的產品之生產線，選擇到達市場的銷售途徑以及制訂有關市場混合的政策。控制市場營運計劃因而也被視為一個控制銷售計劃。於是廣告和個人聯絡銷售被用來以聯繫中間商和消費者。所有企業各部門的活動，目標都在市場營運與消費。這可以說是市場營運觀念的要義。在美國，有許多公司，如 Scott Paper Co, W. A. Sheaffer pen Co, Philco, Corp, U. S. steel Corp 等等，都繼奇異之後，採行這樣市場營運管理計劃。

著者介紹：銘傳商專教授

喬治桑外傳（一〇四）

張大夏

「你們剛開張，我們那兒有熟人？」裘白瓊手裏沒有花名冊，無法點將。

「要不要我介紹？」裘寶在兜攬生意。

「不用了，妳請岑經理來一下。」裘白瓊不是冤子不放鷹，絕不肯隨便找小姐。

侍應生端來菜餚，裘寶吩咐他立刻找岑經理來。

「小岑」滿面春風走進房來，坐下先敬裘白瓊酒。

「裘先生，多謝你來捧場。」說完喝了一滿杯。裘白瓊只淺淺喝了一口。

「這位先生是……」「小岑」問裘白瓊。

「這位是頂頂大名的桑博士，你真是有眼不識泰山，這樣你怎能在酒家混？」裘白瓊打的雖是官腔，可是面帶笑容；顯然是帶有開玩笑的意味。

「裘先生說得對，我該罰。桑博士，對不起，請多指教。」「小岑」說完，喝了一大杯啤酒。隨後又掏出一張名片，雙手遞給喬治桑。

喬治桑接過來一看，只見上面印著：「鳳凰大酒家經理岑春鸞」，和酒家地址電話。喬治桑懂得在這種場面，不必將自己名片交給對方，所以只收下「小岑」的名片。但同樣喝了一杯啤酒，算是很給「小岑」面子了。

「小岑，我問你，你們這裏的小姐是從那裏挖過來的？」裘白瓊問小岑。

「當然是「留香館」挖過來的多。」小岑回答裘白瓊，一面揀了一塊鮑魚在咀裏咀嚼著。

喬治桑聽了這句話才驀然想起：還是上次從美國回台灣在「留香館」有過一次應酬，見過小岑一面。

台北傳奇錄（十一）

·陳光棟·

「一姓桂的有甚麼了不起，能夠從大陸來到台灣的人，都不簡單，我跑碼頭的時候，他還穿着開襠褲呢！」金恒貴目中無人的咆哮。

「他敢怎麼樣？今天老娘就在這兒等着，看誰動老娘一根汗毛！」大洋馬的嗓子先聲奪人。

正在鬧的起勁的檔口，桂先生忽然從弄堂口施施的走來，胳臂下面夾着幾個罐頭，拿着一條長麵包。桂先生一出現，看熱鬧的人，很快的讓出一條路來，金恒貴馬上站在桂太太的背後作出招架的姿勢，大洋馬指揮着擠到人堆裏。

桂先生一看就把拿着的東西放在地上，眼狠狠的盯着金恒貴，「我們總是夫妻一場，你就不能放過我們」！桂太太兩眼含着淚水。桂先生剛要說甚麼，劉二爺一個箭步擋在前面，「老弟，我想討你一杯酒」！說完了拉着桂先生，桂先生一抖手擺脫了劉二爺，金恒貴吃過幾記生活的，不由得緊張起來。

「怎麼！老弟，你要把我推倒，我可就撈到棺材本，走吧，請我喝一杯，走！走！」劉二爺親切誠懇的語調，不服了桂先生的情緒，兩個人默默走到大街上去。「多管閑事，死老頭子」！大洋馬拉長了臉說。

許多看熱鬧的也都失望的作了鳥獸散。這天晚上，劉二爺把拴着的繩子套拿下來，桂先生也同意不再作怪，說他住幾天就要到南部去了。

此後一連安靜了四天，桂先生也沒有再露面，弄堂裏的人議論紛紛的批評桂先生虎頭蛇尾，說這是中國人的五分鐘熱度，又說沒有膽量，這麼沒有種的男人，要是換個人老早就會刀子進紅刀子出了。

到了第七天早上，桂先生又在陽台上出現了，這一次不是一個人，兩個人，在他旁邊還站着一位妖裏妖氣的女人，兩個人站在那裏，指着對面樓上說了好半天，桂先生就提着小箱子兀自離開了。弄堂裏的人都搞不清是怎麼一回事，有人說這是桂先生為了和桂太太嘔氣，才帶了一個野女人回來的。

金恒貴這天早晨起來非常高興，他哼哼着流行歌曲穿好衣服，正要出門，一抬頭看到對面陽台上站着個女人，他看着這人的輪廓好熟，趕緊帶上近視眼睛一看，哎呀，天哪！這不是金紅是誰呢？糟了，她怎麼來的呢？「阿貴，你怎麼啦？」桂太太也看到陽台上的女人：「你的氣色怎麼這樣壞呢」？「沒有……」金恒貴這才還了魂：「我得走啦，你可把門鎖好了，我今天不回來吃飯」。「什麼？你把我一個人在家擱一天」？桂太太無望的說。「我盡可能早點回家。」金恒貴恨不得從此不回來。（未完）

文滙樓別記

汪精衛周佛海互罵

民國十三年一月，中華民族最高領袖蔣公，在廣東籌備黃埔陸軍軍官學校；同年一月中國國民黨在廣州召開第一次全國代表大會，通過「綱章」「政綱」，並決定容共政策；同年十一月 國父應邀北上，商討國是；次年三月十二日 國父在北京逝世，此爲國民黨最艱難的階段。

那時黨外要與北洋軍閥奮戰，黨內要和中國共產黨作生死鬥爭。俄共派來的顧問鮑羅廷，居於廣州策出，指揮搗亂，把國民黨分成左右兩派，他把當時的國民黨中央黨部當作右派機關，把廣州市黨部當作左派機關，使這兩級黨部互相打鬥。鮑羅廷儼若中國歷史上的卞莊子。國民黨員中凡是攻擊自己同志，且能說共產黨好話的人，都被鮑顧問列爲優秀「同志」；而胡漢民、廖仲愷等被詆毀爲「買賣」份子。汪精衛最能適應環境，當時變成爲了不起的人物。在汪和周佛海互相罵街的幾句話，可資證明。搞政治這玩意，大體上臉厚心黑還得又髒又臭，一點不假。

汪精衛說：「周佛海眞折爛污，他以前是共產黨員，現在竟然大攻擊共產黨，既然退出共產黨，又來反反復復，眞不是個東西，同志們切不要和這種臉當屁股的人往來。」周佛海聽到這段話後，怎肯干休，回敬汪精衛幾句：「汪精衛眞折爛污，他本是國民黨的黨員，現在卻要做共產黨的工具，攻擊起國民黨來了，還要回來倒戈，眞不是東西，同志們切不要和這種屁當臉的人往來。」這也可說是鮑羅廷手執鵝毛扇最得意最成功的傑作。

馬克斯主義精華：「凡一件事物發展到極點，即被其自己含有之否定所否定。」鮑羅廷的權力，無疑的已發展到極點，當然要被自己含有之否定所否定。民國十五年一月，中國國民黨在廣州召開第二次全國代表大會，若晴天霹靂，中國共產黨那裏能忍受得了，乃鼓動中山艦叛變。國民黨採斷然處置，逮捕海軍代理局長李之龍，俄國顧問團武裝被解除，査辦不軌軍官，中央常務委員汪精衛因袒護共黨嫌疑而離開廣東。四月十六日中國國民黨與國民政府開聯席會議，公推譚延闓爲中央政治委員會主席，蔣公中正爲軍事委員會主席。同月中央第二次全體會議通過整理黨務案，規定跨黨份子不得任國民黨部長。中央部改組，公推 蔣公中正兼組織部部長，恢復了國民黨領導權，後來才有助於國民革命軍北伐之成功。那時候謝瀛洲、黃季陸職業恰與今日樓主同行，教數圖兼爲「社會評論」寫寫文章，謝黃兩公都是反對共產黨的健將，謝在廣州被共產黨當作「反動派」，黃季陸被共產黨指爲西山會議派，咸被排擠在黨外，因當時的中國國民黨幾乎完全被共產黨所把持。如非 蔣公中正憑其卓越眼光政治天才，赴湯蹈火，挺身直出挽救中國，近一世紀歷史，將又是一種寫法了。

· 文匯樓主 ·

桃花潭水深千尺

趙陀

「果能如此，明天我到××部去談話，要從另一角度去考慮了。」

蘇羅賓現出爲難而又非常關心的答：

「我祇怕你是地主，資本家，固不二價殺無赦，如果再被懷疑也印過他們的人民券，那就更不堪設想。」

「你老人家考慮的很對，我決定在任何情況下，不能改變到被遣返的事。」

「遣返與不遣返，非你我所能決定。」

「蘇伯伯，我看還是從拗不過命運，能不過金銀，還個角度……」

「有關經手錢的事，我已再三聲明，想蘇伯伯不能參予，克琳的腦筋比石膏塑成的還呆板，又兼某方面的口味越來越重，三千五千根本就不看在眼裏，我看還是別化這些冤枉錢。」

「留得青山在，不怕沒燒柴，我看：……」

「綱元，我是堅決反對川大堆的鈔票去塞這個狼門，就我的人生經驗，狼是喂不飽的野獸。」

「祇要老天收，螞蟻拜凡何？據曉看來有三個方字頭是可以過關了。」

蘇感嘆的說：「我們剛到香港的時候，像這一類的事，一隻大腿，兩瓶威士忌就打倒了，現在呀！都是獅子大張口，簡直嚇壞了人，唉！看不慣，看不慣，大概我年紀老了，跟不上時代了。」

「三萬元，今晚送到府上，尚懇蘇伯伯千不念，萬不念，念未來可能有半子之情，務求克琳破例幫忙關說，事情平息後……」

「綱元，我看就不必送到我家裏，三字數亦太多，資一對，應當擺得平了，這年頭省一個是一個。」（四十一）

談文學的內容與題材的處理（十一）

·方祖燊·

分此二人（關、張）各擋一方，使如瑜者得挾與攻戰，大事可定也。」孫權以曹操在北方，認爲應利用劉備作屏蔽，對抗曹操，所以沒有採用周瑜計策（事見三國志吳書周瑜傳）。由此，可見當日孫、劉關係的矛盾。三國演義把這兩段史實聯結起來，把它寫成孫權與周瑜通謀，設計利用孫權的妹子爲餌，賺騙劉備到東吳成親，而乘機幽囚劉備，結果中了諸葛亮錦囊妙計，於是「賠了夫人又折兵」，大大歪曲了正史，但它對於孫、劉雙方的矛盾關係，正是恰恰好將它寫了出來。就是孔明借箭一段，周瑜因孔明識見勝過他，怕將來爲江東禍患，所以令孔明造箭，目的是想尋事殺害孔明，以爲江東除去將來的大敵，表現正是這種矛盾的關係——雖然合作，但仍暗中傾軋。

所以說爲歷史小說，雖不一定忠於歷史的細節瑣事，但卻必須不違反當日歷史的內在重要的事實。反之，如果隨意創設創製，勢必面目全非，那就不是演義性的歷史小說，而是純創造或新編的作品。

尤其是現在報導性的歷史小說，更要忠於事實了。像吉村昭零式戰鬥機，就是這類的作品。我們爲歷史人物作文學性傳記，更應注意史料的眞實的問題。以歷史爲題材，必須先對這段歷史有確切的理解，然後才可以下筆；其次是寫作的態度，傳記性、懷古性、評論性的作品，必須完全忠於忠實；演義性的作品，雖然不必完全符合史實，可是應該忠於歷史內涵的精神與重要的事蹟。創造及改編性的作品，則可以自己的意思，自由安排。因文學家不是史學家，所以作家雖選取歷史爲題材，其表現仍應着重於文學趣味，以動人的文筆去撰寫。

（八）合理性的題材：人類求知的欲望，是與生俱來的。我們從小就對許多問題發生興趣，要求了解。看見弟弟誕生，小孩子會問他們的媽媽說：「弟弟是從那裏來的？」看到家中許多東西，他就會問：「爸爸，這是什麼？」「叔叔，那是什麼？」「姊姊，這做甚麼用的？」求知的欲望，隨年齡而增長，宇宙間我們所不了解的事物多得很，人對於自己不了解的問題，多少都想了解它。我們了解日常接觸的人事物，又要了解自然環境，了解各種生活內容，了解各種專門性知識。人類世界，就靠這不斷求知欲望，促使它進步，所以有關各種專門學術的著述，由專門學者根據各種學理不斷寫成，貢獻人世。至於短編專門而通俗性的文章，如談衞病，談婚姻，談遺傳，談插花，談茶道，談藝術，談音樂，也是靠專門學識、學理淵博的作家寫成的作品，學者也常常撰寫這類的文章，多半運用深雋趣味的文字來表現它，使讀者能夠在輕鬆閒適不花腦筋的狀態下讀了它，吸引了寶貴的專門知識。如培根散文集中許多文章，都屬於這類的作品。此外一般的論文，如談政治，談教育、經濟……之類問題，或報紙上的社論，個人的意見書、方案之類，也都是屬於專門學理性的文字，然而卻未必是有文學價值的作品。（完）

綜談國劇復興（四三）

王方曙

如「老爺在上容奴稟……」，如紅娘要作甚麼張生的親娘之類，更是惡劣之極。這實成不了甚麼文學。有些劇本詞句太雅，如「亦殿風來秋氣緊……」如「早被嬋娟誤，欲妝臨鏡慵……」不免使許多人不懂。又有一些太格律化的，聽起來也毫無意味：如「怨聽××一聲喚……」「一「尊一聲××聽我言……」之類，實在過於浪費文字，但眞有俗雅共賞的文學。如「挽翠袖，進前來，金盆內定。只見那，空中的月兒落盆心……」如「一事無成兩鬢蒼，歎光陰一去不回還……」例子極多。假如我們把戲詞都能改成俗雅共賞，有文學意界的詞句，它自然可以成爲通俗普遍的文學。）於是唱詞本身也是一種吸引觀衆的力量。

5宣傳演員，使演員的長處顯露出來。但不要像以往捧角的辦法，落入庸俗。

有了以上的宣傳，我們可以在新觀衆心中建立一個國劇是值得欣賞的觀念。並加上國劇工作者有了必須共同努力，以復興國劇的觀念。兩者相合，便造成一方面能進步，一方面能接受的有利形勢了。

乙、成立國家劇團：成立國家劇團，就是成立由政府機構支持指導的模範劇團。這個劇團有經費的支持，不怕團員生活無著，不必終日奔跑，忙於衣食。於是可以專心一意作復興國劇的工作。如果這樣劇團成立不易——可能經費有困難——可以由軍中劇團負起這個任務。其次，如目前已有的幾個訓練新人材的劇校，如大鵬、陸光復興等，都可從基本作起，作復興國劇的工作。假如有了劇團，或決定由軍中劇團和劇校負責作這工作，那麼作這工作的步驟如下：

1編寫新的劇本，在前面早已談過。編寫的途經可以說不難尋求，而編寫的人才卻不容易發掘。這必須懂戲劇理論，懂國劇，懂文學，而又有興趣作這工作的人才能作這件事。求之既難，無妨分開來作。首先求能創造故事的人，寫出好的故事，然後再由懂戲的人把故事分場寫成戲，然後再由文字好的人寫成對白與唱詞。最後再由專家作審核修正。

楚文拾遺（六）

王曰叟

先生三十二年至恩施後，友朋時相唱和，因有詩社之雅集，時有滇人張昭麟因故來施，張亦好此道，著有「海天樓詩集」。曾有詩贈先生，對先生備致崇敬之意，詩云：

相逢喜極欲翻洲，化雨春風去客愁。一代名高三怪外，萬山拱向五峯頭。澄清未遂縱橫計，霸業難回天地舟。江漢滔滔人物異，此行不負到施州。

「三怪」蓋指張難先，石瑛，嚴立三，三先生均湖北之賢者也。「五峯」云者，時先生與其姪孫張起鈞教授，同任教國立湖北師範學院，而住於院址之五峯山也。至「澄清……」云云者，蓋指先生之「歲暮圍爐感作一首」之意也，其詩曰：

臘鼓聲中歲又闌，塞宵獨坐怯衣單。杳蹉肉味忘三月，客舍蕭蕭足兩餐。入世雄心嗟老至，多年古調向人彈。澄清自分猶能待，忍對危棋斂手觀。

此詩蓋民國三十二年歲闌，作於恩施者。又先生亦有答贈張昭麟之詩兩首，惜遺其一句，謹錄餘句於后：

題贈張昭麟海天樓詩集

一卷相投意氣殷，高歌砍地揭浮雲。定權以後論人物，洱海奇才屬使君。

○○○○○○○（按此句失落），百苦千艱玉汝成。愧我衰慵才已退，望風先築受降城。

諸葛亮狂想曲（六五）

·劉玄·

諸葛亮聰明絕頂，他很了解關羽爲人。何仙姑、呂洞賓、鐵拐李聽了諸葛亮的話，都面面相覷，冷場有好幾分鐘。

「謝謝你，好在韓湘子不過是興之所至，演奏會開不開也無所謂。麻煩你和桃園弟兄商量一下，過幾天我們再來聽回音。」何仙姑說能，站起來準備告別。呂洞賓鐵拐李也一同起身。

諸葛亮送走三仙，坐下來微微嘆一口氣。

「諸葛先生，你爲何嘆氣？」劉約翰還沒有走，留下來與諸葛亮繼續聊天。

「你有所不知，八仙在天庭也算有面子的人，如果他們要求的事，我辦不到總不大好。但是，我預感這事不容易辦到。因爲關會長不會再答應任何人開演奏會也。」諸葛亮說出嘆氣之由。

「韓湘子吹笛子，誰也沒聽過。我倒希望演奏會能開成。」劉約翰無疑是歡歡趕熱鬧的。

「我也如此想，可是我沒有把握使桃園弟兄同意。」諸葛亮的看法是有根據的。

「諸葛先生，我倒願意去試探一下，你以爲如何？」劉約翰不知天高地厚，竟想自告奮勇。

「不可，不可，」諸葛亮用鵝毛扇橫搖兩下，以加強其語氣，然後，慢條斯理地說，「上次你爲我的事去龍崗，關張二將雖心中不願，看在我的份上，只好同意。這次你如果再去，他們一定怪你多事，你豈非自討沒趣。」

劉約翰聽諸葛亮說的有理，不便再說什麼。

「我告訴你一個故事，張將軍上次喝多幾杯酒，龍崗某會友被他一個耳光打掉兩顆牙齒。所以你得處處小心，惹火了他，挨揍是划不來的。」諸葛亮因爲怕劉約翰冒失跑到龍崗去，故用言語加以嚇阻，用心良苦。

「是，是，我一定要得你的同意才去。既是這樣，我決定不去了。」劉約翰又不是鐵打的金剛，聽說有挨揍危險，那敢再去見張飛。

劉約翰知道諸葛亮打坐修禪時間已到，遂起身告辭。

諸葛亮送走賓客，在園林打坐，須臾進入寂靜境界，身心至感舒暢。他感覺在龍崗舉行演奏會是多餘的，惹來很多困擾。決心從此深居簡出，以修身養性，暫且不表。且說呂洞賓、何仙姑、鐵拐李辭別諸葛亮，三人一路談談說說都在埋怨諸葛亮不夠朋友。

「諸葛亮的架子未免太大了，我們在天庭誰個不知那個不曉，借龍崗開一個演奏會都不答應，眞氣人。」鐵拐李憋起一隻腳，走路一拐一拐的，口中喃喃在抱怨。

「這也不能完全怪他，關羽、張飛兩位都很難講話，倒是事實。」呂洞賓與諸葛亮談論文，比較有交情，所以替諸葛亮說話。

巨變歷險記！

西飛成都（九〇）

胡慶蓉

在陳誠主席鼓勵之下，並基於當時——民國卅八年七八月間的須要，丁博士決定離開台灣，再回到中國大陸，繼續同共產黨的鬥爭，儘可能的遲滯共軍的進攻，儘可能的保留在中國大陸的立足點。中國大陸最好是不喪失，即使不得不喪失，也最好是越慢越好，越少越好。無論如何，在中國大陸上或靠近中國的大陸地如東南亞等地保存若干反攻的餘地。萬一大陸再沒有反攻的基地，再回到大陸那就太難了。

當時陳主席担任起來東南軍政長官，其目的就在此。總統蔣公以在野之身，以中國國民黨總裁的身份，僕僕風塵，冒險犯難，恐也是抱的同樣目的。但大勢總像似山頂上滾下來的大石頭很難以阻止住。但在沒有希望之中，丁博士總在希望。在 總統蔣公沒有到達成都之前，他也從台灣飛到了成都。當時大陸上的人都希望能逃來台灣，凡是逃到台灣的，再回到大陸的，可說絕無僅有。假使要離開台灣，那是前往歐美，也不會再回到大陸。丁博士不去歐美，又回到大陸，回到危在旦夕的大陸，不能不令人欽佩。

在飛成都之前，又與陳誠主席數度的交談，與當時在台中的于斌主教，到新竹的左舜生先生，有很多的接觸。好像在上邊報告過了，于斌主教是丁博士的震旦同學，當于主教就主教前在北平的一段時間，在迺茲府教皇代表辦公處的一段時間，彼此亦過從甚密。彼此可稱得起數十年的老友，對於政治主張，常有不少相同之處。對於爭取美國的再來幫助我國民政府，他很有興趣，他並且很有把握。他可以說是美國通。而丁博士則西去成都，盡其棉薄所及，儘可能的爲保存大陸領土而奮鬥。這才是眞是「知其不可爲而爲之」……

當時對於俄國應有的態度，丁博士與左舜生先生也曾討論過。這當然爲時尚早，在大勢已去之時，自保不遑，國民政府那裏談到對俄的態度。但在陳主席的腦筋中，似乎是要反共抗俄的樣子，當時似乎已有這種口號喊出。這是基於當時的直覺。中共奪我們的天下當然要反，但俄助桀爲虐，當然要抗，但丁博士却保持着他的意見，即反共不一定要抗俄。俄固然是幫兇，但他因中共的關係，不一定一成不變，是可以變的，若是有朝一日，他同中共站在對立的地位，我們中華民國又何嘗不可以拉爲己用呢？敵最好不要多，敵有一個就已經夠對付了，又何必再多樹敵呢？這都是後話，這以後再講。眼前，是同于斌分爭東西，分道揚鑣，分別努力，一爲爭取美國的援助，一爲保存大陸之領土。左舜生是丁博士的留法老同學，對於丁博士的這種宏願，也給了無限的鼓勵。（未完）

春寒賜浴華清池

劉英柏

長安城，是古時的歷史大舞台，在那兒曾建都的朝代，計有周、秦、西漢、前秦、後秦、西魏、北周、隋、唐，前後有一千一百餘年。長安的極盛時代，要算唐朝，它不僅是當時我國的首都，還是有名的國際都市和世界文化中心，所以很多的詩詞，都以長安爲背景，至今一提到「長安」二字，就使人無限懷念和嚮往！

長安屬於我國西北地區，雨量較少，氣候乾燥，當你「妳」工作了六天的時候，就會想起了散悶、鬆懈、舒暢的字兒來。等於身在台北的想起中山北路九段——北投一樣。喲！「春寒賜浴華清池，溫泉水滑洗凝脂」。白居易所作「長恨歌」中的「嬌艷」句子，湧上心來，走！走華清池。一拍胸脯，同時去欣賞風景優美的驪山，消磨這個星期天的多麼愜意！

長安去臨潼縣屬的驪清池，只有五十華里，小汽車一剎就到，沿途可以看到長安第一景的壩橋。華清池的上端，就是驪山，雖然不顯得高峻，但是遍山所長蔥蘢的林木，却爲西北高原少見的秀麗景色。

走筆至此，我回想起當年張逆治中從西北來台灣看張學良的時候，張學良吟詩以贈張治中：「總府遠來戰氣深，山居何敢動嘉賓；不堪洒敬酬知己，惟有清茗表寸心。」國內報紙競相刊載，我則萬感交集暗忖：「假如你張學良不盲從發動西安事變，自然不會像籠中鳥。共匪無生存壯大的機會，國家也不會這樣——慘兮兮！」信手拈毫，和詩回答：「遙望驪山草已深，十年春老檻中賓，從今莫作荒唐夢，百世猶難贖亂心。」此詩於三十六年發表在西京平報以後，很多朋友要我小心腦袋搬家。我爲了愛國家愛領袖，不禁對張怒氣生憎，「生死安足論」耶！三十年後的今天，我的腦袋照樣在肩頭上，而且同張都處在台灣寶島。

驪山東麓，有馳名遐邇的溫泉，各個朝代曾都長安的王朝，都在溫泉附近修建「官邸」。唐玄宗——李隆基時代，大興土木，改名爲「清華宮」。金碧輝煌的樓台亭閣，舉目皆是，這壯麗雄偉的「華清宮」，飾有珠玉相嵌的漆船，穿行於荷花池中，笙歌不絕。每年十月，正是「嶺上梅開」的時節，玄宗和楊貴妃，都要到這兒來享「艷」福，他（她）們的風流韻事，都與「清華宮」有關。唐代詩人寫到天寶年間唐玄宗和楊貴妃的「趣」事時，差不多都要提到這個著名的皇家離宮。

華清池裏面，有很多小池，有一人沐浴的，如像貴妃池。還有家庭間幾個人沐浴，更有男用大池，女用大池。這些池子中，一天到晚不歇的，要算貴妃池，在人們心境中，以爲貴妃池還有餘香，更有神秘味，不管男的女的，老的小的，都喜歡跳下貴妃池去泡一泡，才感覺「安逸」。

華清池的水是碧綠色，而且很清澈明亮，洗起來滑而不膩。它的溫度大約在華氏一百零九度上下。梅花灼灼的冬天，或是桃紅李白的春三月，正是沐浴的好時間，假如邀約女朋友去華清池遊玩，縱然彼此間都不「鴛鴦戲水水鴛浪」，亦會把感情的距離拉短很多，假如讀者們不相信的話，反攻大陸後，請先到華清池去試一試，就知道我不是說的白話了。

華清池的水含有硫質，患有皮膚病的人洗了，對你是有很大的幫助，池水的浮力很大，使你（妳）載沉載浮，非常舒適，詩人用一個「滑」字來形容溫泉，眞是絕妙極了。楊貴妃豐腴像玉脂般的膚色，與常人有些不相同。詩人以高度的想像力，以「溫泉水滑洗凝脂」，將沐浴情態展現出來，又用「侍兒扶起嬌無力」一句表露無遺，是多麼藝術，是多麼詩情畫意啊！

華清池本來就是馳名遐邇的（辭源上面有華清宮的名詞），再經過二十五年雙十二的「西安事變」蔣委員長，被叛逆部下張學良劫持於華清池的新聞傳播，全世界每個角落，可以說都知道亞洲中國的華清池。

凡是到了西安（長安）的人，可以說都要到華清池去泡一泡。拙文以前曾經提過我二十年前是西安空軍部「小大由它」的「交接官」兒，招待中外來賓，免不了盡地主之誼，作「隨軍記者」，追隨大官兒去泡、吃、喝、樂，開支「交際費」。我個人當然免費享受了。被我歡迎追隨去華清池泡過的貴賓，現時還在台北，計有魏雄球（崇良）將軍，已經病故的王立序將軍，還有就是前監委會主委易國瑞中將。

二十年前華清池的景物，非常美麗，它有一個特點，集清幽雅緻之大成，不像現在的北投，女籍背脫得光光，搞得來鬼頭鬼腦。兩相對照，前爲高級娛樂，後爲低級娛樂。現在我回憶當時的一首詩，以作結語：「臨潼小住宿華清，玉液晶瑩一鑑明，溫泉誠能消百疾，自憐瘦骨總硜硜。」（完）

生活漫談

談談結婚的事

馬騰雲

「結婚出自誤會，離婚才是瞭解。」這是英國大文學家蕭伯納的一句名言，對夫婦不管出自誤會，或者步入瞭解，年齡志趣的適合與否，無疑佔着重要成份。

照中國人習俗，山東、河南、河北若干區域，流行老妻少夫制，就是太太比先生總是大十幾歲乃至於廿歲，男方十歲不到就完婚的，女方進門後，對丈夫像看孩子樣的照應，有的上演「龍鳳呈祥」時，往往把丈夫嚇得拘着衣服跑掉，或逃回父母的身邊，父母反責備媳婦，二三十歲還不懂事，能行周公之禮的時候，孩子會自動要求的，怎麼可以勉強呢？多難爲情！因爲這些反常因素，謀殺親夫的事情，在北方經常有的，白首偕老，也很不相配，三十歲的丈夫偕着五十歲左右的夫人同行，儼然母子，非常彆扭，這種老媽媽式的結婚年齡，未悉現在已否改進。

老夫少妻或老妻少夫，形同五十步笑百步，其由來往往因男方喪偶，或者持勢結合，但能得到好結果的很少。蔣夢麟博士雖有經世之才，但未能消除後悔的悲劇。荷蘭有一句格言：「第一次結婚是職責，第二次結婚是愚蠢，第三次結婚是瘋狂。」我們認爲有其不變的哲理在焉。

「男子三十而婚，女子二十而嫁」這是萬世師表孔子所主張，換句話說就是男方要比女方大十歲，才合乎標準。英國一家雜誌，曾舉辦過民意測驗，測驗出男女結婚的標準年齡，結論是女方要比男方小一半加七歲，比如男方廿歲，女方則爲十七歲，男方四十歲，女方則爲廿七歲，男方五十歲，女方則爲三十二歲，依此類推，用中國的俗語：「男人四十一朵花，女人三十老媽媽」去看英國此項測驗，是很合邏輯的。

中國是由農業社會，剛剛踏入工業社會，一切都在不正常的演變下，盲目的行着拜金主義，電影中「鳳還巢」裏的朱千歲，如果搬到現在，必爲名媛閨秀，追逐的目標。靠漂亮吃飯的女人，更不在話下，後果如何，從沒有人考慮。迭次的中國小姐，由亮相演到出醜相，就是我講這話的證明。男的選擇對象，應當勿苛求才貌雙全，要瞭解與一個好女人結婚，就形同船隻於暴風雨中開入避風港；與一個壞女人結婚，就等於在航程中遇到颱風。女的選擇對象，須記取托爾斯泰一句名言：「美男子不會成爲好丈夫。」其次勿求對方富貴，須察其學識能力，品德氣魄，果能備此良好條件，今日雖窮失勢，他日必富貴，若不此，今雖持勢富有，焉知他日不轉爲貧賤，猶其在這亂世裏，本領乃男人的流動財產，流動財產如影隨行，偷不走也搶不去，比銀行的存摺還可靠，上列的一些瑣碎意見，乃會應徵信新聞有幾位讀者的要求而寫，最後乃借蕭翁的一句名言作結束：「結婚是一場攻城戰，在外邊的要攻進去，在裏邊的要打出來。」著者這些過來人的話，雙方面都可以作參考。

生活漫談首集業已出版（係自由報獨家連載）每本特價新台幣十五元，生活漫談合集（台北各大報歷年連載）業已出版，三百餘頁每本新台幣二十元，台北郵政劃撥五〇五六張萬有（自由報會計室）面購台北衡陽路三十號後進，郵票通用請直寄台北忠孝路三段廿一巷二弄二號自由報台灣業務拓展中心，注意生活漫談首集與合集，香港價每本美金一元，歐美國家每本美金一元五角（寄費在內）

朱德好淫賣產

·赤松子·

滄海拾遺

（上接一〇一二期）

船中設備，比當時招商局房艙還要高明。在分手時不免對朱司令灑了幾點眼淚，叫她快點來接，不要叫王寶釧在武家坡悶死了。朱司令急得發誓，說至遲不會超過半年，那時，就叫顧副官送你。兩人聽了這句話，高興得「不亦樂乎」。原來顧，是一個英俊瀟灑的青年，本想投考黃浦軍校，以無川資，困在上海，屈就副官之職，不過被秀蘭欣賞，不斷和他眉來眼去，所以沒有動手，以朱司令動身在即，只要走，他們就預備實行同居，大過其戀愛生活，如今聽見這話，眞是樂不可支，三人坐了一個鐘頭，實在無話可說，後來朱司令催她們快回去看家，以免小偷光顧。兩人心裏快活，異乎尋常，在計程車上，兩人抱住長吻十餘次，回到家中，正是二點左右，兩人關上房門，實行炮戰十小時，原來顧副官本是青年戰將，又準備幾十套春宮畫，如法泡製，弄得秀蘭樂得魂飛魄散，顧副官問秀蘭：我與朱司令何如？秀蘭道：誰叫你提那老刺猪，你難道還不了解上海女人心裏，他要是沒得幾萬銀元，那有資格上我的門，至于你，怎麼能和他比，你就沒得一文，我也要設法養你，因爲你是我的小心肝，說着兩人又相抱吻了一場。從此秀蘭和顧副官過了十年恩愛生活，不用多說。

現在再說朱司令在船上過了四十一天的海上生活，並不寂寞，因爲二百多客人中，形形色色都有，有社會上失意的軍人政客，有生龍活虎的上進青年，也有想淘金的社會無賴，總之，一切一切，「都是爲找出路而去的」。其中還有三位元老，第一位是徐特立，湖南人，毛澤東的校長，當時已五十七八歲；第二位是龍某，貴州省議員，年也在五十以上；第三位是譚某，也是湖南人，年也在五十以上，據說曾充黎總[illegible]的南洋宣撫使，三位元老都因不滿現狀，眼看軍閥橫行，又無打倒力量，聽說馬克思主義是革命新潮，想去努力學習，準備回來和軍閥作生死鬥。朱司令在船上和這三元老最談得來，不久船到了馬賽，朱司令在巴黎玩了兩三個星期，一面寫信通知秀蘭，說至多三個月內便來接他。

到柏林後，覺得生活太貴，馬上和高語罕諸人，轉到荷廷根，一面學習德文，一面研究馬克思主義。可是看見德國女郎花枝招展，朱司令淫心大動，一個月後就寫信回上海，叫秀蘭趕快和顧副官準備，有船即刻西來。

那知兩人正在上海玩得卿卿我我，一刻都分不開手的時候，忽得到朱司令的催命符，猶如尖刀刺心一般，兩人索性到杭州去度蜜月，玩了兩個星期，再回上海，才去慢慢打聽船隻，遂回了朱司令一信，說是要再過三個月後才有大船，因爲秀蘭暈船，只好暫時等候。朱司令得信，知道兩人出了毛病，可是也沒辦法，只好伸着長頸痴痴的等。那知三個月已過，還是杳無消息，不斷寫信去問，都被郵局退回。上面還批幾個字道「此人早已離開上海」。這一來把朱司令急得快要瘋了。每天飯也不吃，覺也不睡，有時半夜起來，口中不斷叫秀蘭，直到天亮，才稍事休息。（未完）

中華民國內政部登記證內版台報字第○三一號
中華民國僑務委員會登記證台僑新字第三二三號
中華郵政台字第一二八二號執照登記為第一類新聞紙

自由報

（第一〇二三期）

（半週刊每星期三、六出版）
每份港幣壹角，台灣零售價新台幣弍元
社長李運鵬・督印黃行舊
社址：香港九龍彌敦道593—601號
廖創興銀行大廈八樓五座
LIU CHONG HING BUILDING
7th FLOOR FLAT 5
593—601 NATHAN ROAD,
KOWLOON, H.K.
TEL: K303831
電報掛號：7191
承印：泉星印刷公司
地址：嘉咸街廿九號地下
台灣連絡中心：台北青田街五巷三號
電話：三七五〇二二
台灣區直接訂戶　台郵劃撥戶
第五〇五六號張萬有（自由報會計室）
台北營業處：台北衡陽街三十號
電話：二七二〇〇
台灣分社：台北市西寧南路110號二樓
電話：三三〇三四六，台郵劃撥戶九二五二號

未來的亞洲形勢觀

雷嘯岑

美國總統尼克遜就任後的對外政策，依然循着民主黨詹遜政府的既定計劃，跟英國沆瀣一氣。英國聲稱於一九七二年以前，撤退自蘇彝士河以東地區的駐防軍隊；美國即繼踵前修，決定把駐在越南的五十萬戰士陸續分批撤退，教南越軍隊負擔前驅，接替美軍的戰鬥任務。英美這項決策，仍以「重歐輕亞」為指導原則，昭然可覩。

迨尼克遜入主白宮，對亞洲——特別是遠東地區的反共策略，更有具體措施，一方面宣言亞洲問題應由亞洲人自己努力解決，同時對越戰急求和談的意向，比詹遜政府尤為積極，巴黎和談首席代表洛奇之突然倦勤，就因為尼克遜的首席閣員國務長官羅吉斯秘密與越共進行談判，實施二重外交。最近美國哥倫比亞廣播公司一個左傾親共份子，夥同文教界若干同路人，舉行所謂「亞洲問題」座談會，主張美國應該改變對華政策，承認毛共政權，撤出駐在遠東地區的美軍和軍事基地，而羅吉斯居然是這項座談會中的一員，以現任的政府大員而有此行動，如非取得尼克遜總統默許，那係不可思議的事！另一方面美國由於中俄共之反目交惡，竭智殫慮向俄共勾搭講解，企圖藉俄共的壓力，制止毛共向亞洲擴張侵略的野心，間接減輕美國對亞洲自由國家所負安全互助的協約責任。

上述策略原來是美國民主黨政府發端的，尼克遜總統秉承衣鉢，發揚光大，而以積極行動使之具體化罷了。尼克遜乃著名的反共人物，何以一朝執政，竟有此種大轉灣的消極作風呢？最大原因是受到國內姑息主義者反戰運動的威脅，小部分是為着下屆總統的連任目的，不得已而為之。若謂尼克遜的思想轉變了——從反共鬥士變為妥協政客，那却不見得，因為他對今後的亞洲問題還有一套構想，即在亞洲人自己解決亞洲問題的原則下，希望日本担當亞洲發言人——亦可說領導人——的職責，美國只居於幕後支持地位，而以財力物力相應援。所以，談判了幾年而未能得到結論的交還琉球問題，尼克遜總統却不顧軍方的堅決反對，乃於這次日本首相佐藤榮作訪美時，慨然同意訂期交還，給日本自民黨以繼續執政的政治資本。佐藤回國來對國會議員聲明，在美日協議交接琉球的談判中，絕無其他的秘密協定，這話似屬可信。美國對今後的亞洲問題既不願首當其衝，只要日本持續其安全互助條約，而於「必要時容許美國將核子武器運入琉球，美海軍可以使用日本港口，於願足矣。日本方面呢？在現行憲法尚未修改，不能公然實行再武裝以前，暫時託庇於美日安全互助的核子傘下，計亦良得，用不着其他的秘密協定了。

佐藤首相剛由華府歸來，即宣稱台灣澎湖和琉球這些地區的安危，對日本關係甚鉅，一旦這些地區若受到外來侵犯，日本決不坐視云云，就是說給美政府當局聽的。佐藤這類言論，過去決不敢表示，否則社會黨和共產黨人必譁然起哄，認為政府有違憲而從事對外作戰的密謀，非彈劾不可。即如這次佐藤訪美之行，日本的左傾集團亦鼓動幾萬羣衆大鬧特鬧，多方阻撓，不惜與警察進行流血鬥爭，被捕肇事者達數千名之多，聲勢猛烈之至。然對佐藤回國來作此火藥氣味甚濃厚的談話，却不聞左傾份子有所異議，可見日本絕大多數人士的心理現象，尚未忘情於「大日本帝國」時代的舊事，希望歷史重演，而以收回琉球為嚆矢，因而佐藤又發出要向蘇俄索還千島羣島的聲明。這便是日本人迎合美國當局意向，隱然以亞洲發言人自任的內心表示，咱們中國人決不可漠然無動於衷，甚至無條件地贊同美日雙方的構想。

以日本的工業基礎、軍事潛能和經濟力量，在亞洲確屬首屈一指由他來担負亞洲發言人或領導者的職責，可謂實至名歸，了無愧怍。可是，日本民族性相當褊狹，儘管他們戰後叨着美國的培育之益，迅速復興，人民的生活和社會生計都視戰前為佳，但其內心深處，并未忘却原子彈的宿怨，對美國的惡感多過好感，一朝羽毛豐滿，國力充沛後，反美情緒必然表面化，而不忘九世之仇，那時他以完全獨立自主國的資質，儘管單獨宣告廢除「美日安全互助協定」，美國除非訴之於戰爭手段，激發世界大戰，必將嗒然若喪，無可如何。目前美國所恃者為原核子優勢武力，然日本的科技能力，現在就可以製造核子武器，祇是時機未到，故作無能，到時候即將一鳴驚人，表現粵語所謂「扮豬食老虎」的技倆，亦非意外。美國紐約時報派駐日本的記者何洛蘭（Hololane）最近寫過一本研究日本今後立國之道的書，他認定日本這國家完全獨立自主後，有三條路線可走：一是親美，二是法國戴高洛式的中立，三是恢復舊有大東亞共榮圈主義。就我的看法，第一條路線是暫時的，決非根本大計，必要時或許反其道而行之。第二條路線勢不可能，因為日本的國力雖屬亞洲最強之一環，而其地緣關係又是最弱之一點，不能跟法國相伯仲。唯有第三條路線是日本人所嚮往的，且屬輕而易舉。舊有的殖民地主義固屬不必要、也不可能復活了，但藉着經濟勢力以控制別國的市場，壟斷其資源，進而左右其政治設施，却非想像之事。

假使今後的亞洲形勢眞是按照前述情況發展下去，就咱們中國人的立場看，問題既複雜而又嚴重，似不可掉以輕心。何以故？美國企望與蘇俄修睦，藉以促成中俄共之間的火拼，那是一廂情願的單相思，必告失望的。日本領導亞洲自由國家以消除共禍唯一的禍首罪魁，即為中國大陸上的毛共集團，這亦是中華民國政府反共救國的目標所在，當然表示共鳴。可是，中國人民對於日俄這兩個鄰國的歷史仇恨太深了，特別對日本過去的侵略史事，記憶猶新，談虎色變，我們如果與日本通力合作以討伐毛共，首先即給毛共蠱惑大陸民衆的宣傳口實，激起中國人對日本的怨恨，間接增加我們反攻復國的阻力，而有事倍功半之虞。毛共政權之能夠倖存至今，唯一因素即係利用中國人的心理對西方列強驕橫無狀，博得一般思想簡單的社會大衆同情，誤以為共產黨能夠替大家報怨出氣。所以，毛共近來故意將英國派駐北平的使館人員拘禁，強姦其婦女，侮辱其男子（見英記者葛瑞被釋出來的回憶錄），以及對蘇俄的備戰措施，都是旨在謳取大陸一般民衆的向心力，藉以苟延殘喘，作用完全是對內的。

職是之故，我們對於美國所構想的未來亞洲新形勢藍圖，決不宜無條件的如法泡製，應該根據咱們自己的利害得失，作全盤的檢討策劃，兩害相權取其輕，兩利相權取其重；尤其是對日本外交政策，更不可祇顧目前之便利而疏忽未來的後果，一着失錯，滿盤皆輸，其始也簡，將畢也鉅，謀國者其各勉旃！

自由談

亂世應開殺戒

亂世的人心多係偏激而反常的，情慾每每汩滅理智，蔑視法紀，任意恣肆。所以古代法家乃有「治亂世用重典」的主張，實為經驗有得的政治哲理。古今一揆，決無二致，試舉近事以明之。

民國卅八年冬，國軍在巴蜀與共匪作戰時，社會秩序動亂達於極點，地痞流氓，乘機竊發，訛言朋興，謠喙四起，共諜和一些在政治上失意的政客又從而煽揚之，以致人心皇皇，不可終日。當時成都戒嚴司令部（司令官盛文）曾頒發「十殺」命令一道，中有「無故放步狂奔者殺無赦」一條，亂民視為官樣文章，騷動如故。旋將犯禁之徒擒獲十餘名，押至鬧市大街的春熙路國父銅像嘴壩上予以槍決，閭閻即安堵如常了。

迨國軍撤退後，共匪竊據成都，宣傳「窮人翻身」之說，地痞流氓藉起刼掠民財，共匪雖得悉其情，竟囑被害人將財物分結半數於刼掠者。於是搶刼之風大作，共匪終無法對付其宗家——土匪，祗得實施格殺勿論之計，而奸宄迅告斂迹矣。這些情形，當年凡在成都的人士，皆目擊其詳，記憶猶新，決非虛構想像之詞。

現在香港和台灣社會上，常發生歹徒殺人越貨，或公然組織黑幫，嘯聚宵小逞兇作惡情事。香港法律甚寬大，很少採用重典，對於青年兒尤多宥恕；台灣亦以民主政關係，對這類亂民每予法外施仁；而社上會的乖戾之氣乃生生不息，貽害無窮焉。

假使港台兩地區能實行「治亂用重」政策，對於惡性重大的奸宄人物，擇尤鎗決不貸，我敢担保當地不特刼殺之風必告消弭，「阿飛」與「太保太妹」之流，亦為之消聲匿迹，改邪歸正了。

廢除死刑的理論是對的，但須一般社會大衆皆受有良好教育，產業又很發達，人人具有生活基礎與職業技能，民智民德自然培育有素，縱逢亂世，大家亦能自愛自律，恥作壞事。今日的港台居民似不足以語此，婦人之仁的治術，適所以助長惡人的乖戾之氣而已。

殺人是否罪過，要看動機如何？為着私慾或私怨而殺人，便屬罪惡行為；若為社會大衆的安全福祉而殺殺壞人，那是莫大的德行，何足病哉！

馬五先生

昨日與明日

切中時弊的禁令

何如

中華民國行政院最近頒訂令甲，禁止公務人員接受餽贈禮物，因公出勤時，亦不得接受任何人士或有關機構的招待。這是切中時弊的措施，殊堪稱讚。

過去政府在大陸的時候，并有這種禁令，但一般公務人員無論職位高低大小，大家明義知恥，相率砥礪廉隅，有所不為，對於民衆或所屬員司贈送禮物，認為有忝官箴，此風決不可長。尤其是職掌民刑訴訟的法官們，不特拒受當事人的禮品，且極力避免和當事人見面，以祛嫌疑，像前幾年公然受賄鉅萬的司法官王鑛，以及今年因向當事人私索賄賂，而在旅館演出醜劇的司法官李石祿這類情形，即在北洋軍閥政治之下，也是少有的。

詎料民猶是也，國猶是也，官猶是也，然政府移到台灣之後，所謂「紅包主義」竟普遍流行，恬不為怪，公務人員直接間接收受外人或僚屬餽贈財物的行為，視為義所應爾的家常便飯，廉恥道喪，人慾橫流，這是甚末緣故，實難以索解。若說是為的國難期間，生活艱苦，然在對日抗戰時期的一般公務員生活，比現在更苦，何以大家又不像今日這樣貪圖儻來之物，肆無憚呢？

目前台灣社會上還有一股惡劣風氣扇揚着，那就是紅白喜事的帖子滿天飛，不管彼此的關係如何，有無交誼，按着機關團體的成員名冊，一律散發請柬如儀，尤其是本人過生日，兒女結婚或滿月這類紅喜事的招飲帖子，更為流行，用意就在教對方送禮。一個規矩奉職的公務員，一月之內只要收到紅帖子三數張，月的俸給所得，便因此而至少要耗去三分之一，當然養不活一家大小，迫不獲已，唯有別謀非法無義的財物收入。這即係釀成貪污風氣的原因，我認為行政院應該將這項「紅禍列入禁令之內纔好。

徒法不足以自行，當局者既有移風易俗的決心，希望能切實按法查究，不稍寬假，而且應由達官顯宦們身教示範，示大信於社會，勿使煌煌禁令為官樣文章，庶幾有豸！

與論精華

人類可能在地球滅絕嗎

北大西洋公約機構十一月初開了兩天外長會議，人們以為他們又是討論什麼安全問題了，不料會議的結果卻是宣佈成立一個研究人類環境的特別委員會。由北大西洋公約機構來研究人類環境問題，似乎有點不倫不類，可是西方人卻把這個「環境問題」當作人類生死存亡來看待的。這個特別委員會還是在尼克遜總統的建議下成立的，他們將研究空氣污濁、水染污、天災、路上安全、噪聲、土地水蝕等，舉凡有關人類生活環境的改善問題。

許多西方學者認為，生活環境如果照目前這個樣子敗壞下去，人類在地球上減絕並非不可能的事。過去一個世紀，已經有多種動物，鳥類和魚類絕種了。英國生物學家赫士禮預言，一九七五年是人類命運的一個轉捩點。他說：人類經歷了幾十萬年才累增到目前的十億人口，可是到一九七五年，人口將突破四十億大關，接下來的二十五年間，又要增加至少二十億人口：人口以這樣速率增加下去，糧食問題先不去談它，地球上空氣污濁，水染污等環境問題就沒有辦法解決了！目前「環境問題」是在一些工業先進國特別是人口集中的大城市裏比較突出。首先是空氣污濁，汽車黑烟和工廠烟囪噴出來的廢氣，往往殺人於無形。每年在美國公路上喪生的人數遠遠超過美軍在南越戰死的總和，而其有許多是因空氣中毒而死的。在英國，每年碰到大霧的季節，總有好幾千人因空氣中毒死亡。還有許多人因為空氣污濁患上支氣管炎、肺病、癌症以及其他病症而死，更是無從統計。

其次是江河湖海的染污。城市垃圾和工廠廢料的不善處理，常常破壞了天然資源，美國的哈遜河，曾經是世界最美麗河流之一，現在已變成一條臭水溝，河裏的魚都差不多絕迹了。許久以來是一個渡假勝地的桑達巴巴拉海灘，近年因為在附近開油礦，油漬沾污沙灘，現在已經快要荒蕪了。而萊茵河上因為有人倒了殺虫藥在河裏，幾乎把整條河裏的魚殺光更是記憶猶新的事。在美國和歐洲，許多湖泊都變成臭污泥塘的情形[illegible]，其中，包括美國著名的伊黎湖和蘇格蘭的烈文湖，在這些湖裏魚類已無法生存。一家雜誌寫着：「我們已經忘記純水的味道是怎樣的了。那麼許多河與湖終年積滿着各種各樣的排泄物（工業的，農業的，人的）以致我們現在喝的無非是一種冲淡了的溶液。」

殺虫劑DDT一度被認為人類的得力助手，現在卻被認為一種災害，因為它多年來散佈在空氣裏，殺死多種益虫、魚類和動物，而且對人的健康有害。據調查，一般美國母親的奶汁裏含有DDT份量比政府規定的安全份量多了四倍。DDT在美國許多國家現在正在考慮永久禁止使用DDT。

建設有時也會無意中成為破壞環境的罪人。阿斯旺水壩就是一個例子。這個水壩使尼羅河的水流慢下來，也使三角洲一帶沙丘的形成慢下來，其結果是地中海倒流入內陸，把數百萬畝肥田淹沒了。另者，尼羅河水不再帶着營養素的沉澱流入海裏，沿海一帶的漁業逐一落千丈。

美國一位環境專家凱尼格去年六月會發出驚人警告：一、到公元二〇〇〇年，污濁空氣將會使百分之九十人類死亡。二、現時美國的食水至少有百分之三十是不安全的。紐約人向來不飲紐約市的自來水。三、如果人類繼續染污河流與湖泊，主要糧食來源之一的淡水魚，到一九八〇年前將告減種！

（撿自香港新生晚報）

復興中華文化，完成復國建國（二）

吳文蔚

（接上期第一版頭條）美國的富強甲於天下，美國的科學生產力量，亦冠於全世界，惟其立國的史齡幼弱，以現有的立國精神與文化，實不足以維持其國民担當今日世界複雜錯綜之大任，因此他的政治技巧，與狡黠的共產黨徒角逐，未免相形見絀，狼狽不堪，無法與敵人抗衡。反觀我中華民國之所以往五千年而延綿不墜，歷久猶新者乃因有一個偉大而光耀的道統，就是堯、舜、禹、湯、文、武、周公、孔子聖聖相傳的大道。中民族文化的精神。

現在世界上猖獗作亂的，無不是共產黨從中主謀！今日共產主義的國家，差不多已佔了半個世界。這半個世界的人民，身處共產黨徒的暴政控制之下，自然是受盡痛苦，毫無人生幸福可言；就是另一半未被共產極權控制下的人民，雖然是身處自由地區，可以呼吸自由的空氣，但由於共產黨徒的到處滲透，實行顛覆的恐怖政策，利用無知人民，爲他鼓動工潮學潮和造亂造反的勾當，使很多地區的善良人民，感到惶惶不可終日。我們的國父 孫中山先生給我們的遺囑中有「聯合世界上以平等待我之民族共同奮鬥」的昭示，我們復興固有文化和把固有文化發揚光大的意義，就是要實踐 國父遺囑的這個昭示，把全世界受共產黨徒壓迫的民族，統統聯合起來，共同奮鬥，以達澈底消滅共產主義和粉碎共產極權的控制爲最高原則。

我們的古聖先賢，留下有一個很好的政策，是「濟弱扶傾」。我們復國建國的目的，並不僅限於獨善其身，把自己的失土光復建設完成就算了事。而是在復國建國的同時，更要以不畏強權的精神，抵抗暴力極權，拯救被鐵蹄踐踏下的弱小民族，使他們都能够享受獨立平等而幸福的生活。所以我們今天的復興中華文化，須要把中國固有文化發揚光大，其目的也就在此。

我們古書上有句話說：「天聽自我民聽，天助自我民助」，今日反共抗俄的任務，已是成了全世界愛好自由的人們一致願望和要求，我們反共抗俄的神聖使命，一定完成，我們在復國建國的同時，必須實行我們古聖先賢遺留下的良好政策：「濟弱扶傾」，來喚起羣衆，以聯合世界上被共產極權鐵蹄蹂躪下的愛好自由的民族，共同奮鬥！如此，不特可以完成復國建國的責任，而且可以奠定了世界的永久和平。

「濟弱扶傾」，是我中華文化的美德，也是我中華民族之應有天職。國父說：「我們對於弱小民族要扶持他，對於世界的列強要抵抗他，如果全國人民都立定這個志願，中國民族一定可以發達，若是不立定這個志願，中國民族便沒有希望，我們今日在沒有發達之前，立定「扶傾濟弱」，將來到了強盛的時候，把那些帝國主義消滅。我們現在播遷台灣一隅，身受大陸遭匪劫擄的慘痛教訓，如果我們不在反攻大陸和復國建國的同時，聯合起世界被共黨控制下的人民，將來我們復國建國完成之後，仍還看到被共黨劫擄下的國家存在。那世界仍未能太平。所以，我們復興中華文化和使固有文化發揚光大的目的，不特是爲了我們復國建國的神聖使命完成，而同時要拯救半個世界被共黨控制下的奴役人民，而奠定世界永久的和平，所謂治國平天下者，就是我們王政的傳播，要達到四海歸心的願望，良有以也。

（三）

我們知道共匪不能扎我們奈何，是因爲我們繼承着中國文化的傳統精神；我們一定可以消滅共黨主義，消滅共產黨徒的暴力統治，也是由於我們繼承着中華文化，因此，我們認爲中國固有文化就是完成復國建國的偉大保證和無比的力量，我們現在倡導復興中國文化，並且要把中國固有文化發揚光大，我們有這個意志，也有這個力量，相信對復國建國的神聖使命，一定能圓滿達成！

那麼究竟什麼才是固有文化呢？中華文化是些什麼呢？我們現在到處都可以看見復興中華文化的標語，然而對於文化的眞正涵義，似乎並非每個國民都知道，因此，我們對於文化二字，還得用很淺明的話語詳細加以解釋。我們常聽人說某某個民族文化很高，某某個民族文化落後，這「很高」和「落後」，就是指他們的生活知識水準的文明抑或野蠻而言的。總統說：「離開生活，便沒有文化。」由此我們可以說：文化就是一種生活的歷史傳統。生活並不是單指吃飯穿衣而言，人的生活，除了食衣住行之外，還要有育樂知識，禮節等以調和其生趣。孟子說：「人之有道也，飽食暖衣，逸居而無教，則近於禽獸」，教育是一切知識的源泉，所以人生除了吃飯穿衣之外，必須要受教育，教育的高低，就可以包括了一切知識的水準，教育裏面，有兩個重要的因素，一是知能，一是德行，這二者是齊頭並重的。因爲人類往往不能將此二者齊頭並兼，所以就有發生生活和文化水準的不同。我們現在所以要倡導復興文化，就是要把我們的知能德行復興，因爲我們的先民，「知能」和「德行」都是很高的，所以我們歷史上面會有許多極輝煌的朝代，並且是很富強，很長久，冠於其他各民族、各國家。我們今天要消滅共產主義和共產黨徒的統治，就必須要恢復到我們先民當國的富強時代，知能、德行，都要高人一等，才能担當大任，達到這個神聖的使命！

我們中國的舊社會裏，有一句傳統式的口頭禪，就是「仁義道德」四個字，不管是有知識的人，或是沒有知識——甚至一個大字不認識的人，都能說出「仁義道德」四個字來。說「仁義道德」的人，不一定對仁義道德都能瞭解得很明白，但他們腦筋中却存着一個顛撲不破的觀念，認爲「仁義道德」是「好」。「仁義道德」，四個字合起來，是代表着一個「好」字。比方說：「這個人做出事來都很「仁義道德」」，那聽的人不用解釋，就可以領會到「這個人是一個好人，做的事情都是一種好事」。由這個傳統式的口頭禪中，我們便可以推想到我們的固有文化，是深深地印入了社會裏的每一個人心，進一步更可以推想到我們古老的社會中的文化，原是很深很厚的，只是我們現在沒有把他復興，因此我們現在的社會中，便有一種「民風日薄」，和「人心不古」的話語出現了。

「仁義道德」，就是很好的德行，質言之，道德裏面，就包括仁義二字在內，實在說，仁義的範疇，廣義包括了「忠孝、仁愛、信義、和平」八個字。我們現在第一步就要復興固有文化，要先復興我們先民的德行，也就是要復興我們優良傳統的「忠孝」、「仁愛」、「信義」、「和平」的美德。我們要知道，自從十九世紀機器倡明以來，歐美各國都走上富強的路子，我們看到人家比我們強，以爲我們的文化比人家落後，所以才衰弱不上人家；其實我們衰弱的原因，只是我們的科學不若人家，他的科學比我們發達，是他的科學和技術，我們需要向他學習的是科學和技術，至於道德文化，外國人還要向我們學習才好呢！

戲劇的觀感

依詞集

文侯

戲劇原係藝術之一種，但有深淺繁簡之不同。現代戲劇的種類，大別爲三項：國劇、影劇、歌劇是也。就技術的修養而言，國劇最繁鉅而艱深，一個成名的演員，從唱、做、唸、打，以及其他各種特殊的表演技術，非經過長時期的學習修練不行。如近代的國劇名角譚叫天、楊小樓、龔云甫、金秀山、梅蘭芳、芙蓉草一流人，自幼坐科學習苦練，出師後多方鑽研觀摩，其成就決非倖致的。若夫電影演員，雖然號稱明星，他的藝術工夫，視國劇演員簡易得多。至於一般所謂「歌星」，但憑嗓音悅人，無所謂技藝，倘其天賦姿色出衆，隨便歌唱一番亦可享受大名也。

可是，談到三項藝員的演出代價，却趨於極端特殊的反比例。國劇名角的收入，不及電影從業員十分之一，電影明星又不及名歌星之博得暴利，不平孰甚，不公又孰甚哉！究其所以釀成這樣反淘汰的趨勢，原因就在一般社會大衆對戲劇藝術的欣賞問題上。注重抽象主義的國劇表演，不如寫實主義的影劇容易瞭解，而色情主義的歌星，更能滿足一般聽衆的娛樂心情。於是，戲劇的演變情形乃與文字寫作工夫一樣，由苦讀詩書而來的簡練文言文，和國劇同其命運，日趨沒落；不尚修詞而平鋪直敘，介乎不文不白的淺明文字，便與影戲相伯仲；而似通非通，別字連篇，形同王媽媽裹脚布式的語體文，即和歌星媚美，到處受歡迎了！

現在中國大陸上的共黨又創造了所謂「現代戲」，演員不必化裝，亦不需要任何的「邊拾」，穿着列寧裝或其他短衣短褲，即在台上飾演各種戲劇的角色，嚷唱跳躍，隨意爲之。將來不特舊有的國劇完全絕響，即電影亦必歸於淘汰，爲的是影片製作太浪費了。只有清唱一項，或許尚有存在餘地。就純藝術觀點設想，這是時代的退化現象，未來演變情形如何，殆不可知。人亦有言：「眞革命不如假革命，假革命不如不革命，不革命不如反革命」，我對戲劇前途，亦不仿作預言曰：「眞藝術不如假藝術，假藝術不如無藝術，無藝術不如反藝術」，然乎？否乎？請拭目以俟之罷！

喬治桑外傳　一〇五

張大夏

「留香館不是已經關門了？」喬治桑問小岑。

「台灣酒家爲了逃稅，常常改頭換面，這是公開的秘密。小岑便是以前留香館的經理。」裘白瓊沒有讓小岑回答，搶先說話：

「小紅、麗美、寶珠，還在不在？」以上都是閒話，現在裘白瓊才言歸正傳。

「只有小紅在。」小岑說後，動作很快，立刻命麥麗叫小紅來。

「你要不要自己去挑選？」裘白瓊熟的三位小姐，只有一位在，他已鼠技窮，只好建議喬治桑親征，無法再說

「不用啦，我看岑經理很有眼光，就托他介紹三四位來好了。」喬治桑聽出「小岑」是上海口音，所以有他鄉遇故知之感。

「桑博士既然是自己人，我一定找最漂亮的小姐來陪他。」「小岑」很懂客人心理，這兩句話說得喬治桑很舒服。

「麥麗，你去叫素娟、琳琳、丁蘭、小萃來。」「小岑」一口氣連點四位小姐將進帳。

[illegible]「小紅」進來，立刻飛燕投懷，依偎在裘白瓊的身邊。喬治桑不免仔細打量了她一下。只見她穿一件鵝黃迷你旗袍，戴鵝黃鳳型耳環，穿一雙淺黃色半高跟皮鞋。鼻子生得很挺，眼睛很有媚態，眼梢上翹，皮膚好白好白，白得有點刺眼。一望就知是風塵中尤物。

「那陣風把你吹來的？我們是不是有三年多沒有見面了？」「嗯。」小紅一見裘白瓊，由她講話的隨便，可見他們是很熟的。

「不要瞎講，只不過三個多月沒有見面罷。」裘白瓊用右手攬住小紅的纖腰。左手夾了一支香烟，一派花花大爺的調調兒。

「一日不見，如隔三秋，三個月不就等於三年麼？」小紅向裘白瓊撒嬌。

「算了罷，你的男朋友少講也有一打。多我一個不多，少我一個不少，喝酒喝酒，少灌迷湯。」裘白瓊說完，騰出右手來，示意麥麗倒酒。

「說眞的，我對別的男朋友，多一個，少一個確實無所謂，就是放不下你，連做夢也夢見你。」裘白瓊叫小紅不要灌迷湯，小紅偏偏要灌。

「這是我的好朋友桑博士，妳敬他一杯。」裘白瓊與小紅閒聊告一段落，他要小紅向喬治桑敬酒，這是酒家的桌上禮貌。

喬治桑國都國都（四字口旁）先喝了一大杯，然後又斟滿啤酒要回敬裘白瓊、小紅。

「我不能喝酒，你是知道的。桑先生敬酒，我不喝又怕失禮，還是請你替我代喝罷。」小紅依偎在裘白瓊的身旁，嬌聲嬌氣地。

「沒有關係，小紅，妳隨意好了，白瓊兒你乾杯。」喬治桑露出男子特有的豪情勝概。

小紅飲了一口啤酒，說：「桑先生，你人眞好。」小紅稱讚喬治桑倒是有感而發的。有很多客人，到酒家喜歡灌酒女的酒。一不如意，還要發發大爺脾氣，喬治桑沒有這種壞習慣，因此，到酒家很受酒女歡迎。

一推門又進來一個女的，穿着好短好短的茶色迷你裙，米色緊身運動衫，一望而知是充滿性感，猶瑪麗蓮夢露一般的尤物。

台北傳奇錄（十二）

·陳光棣·

他輕快的溜出後門，低着頭直奔巷子口，一條大漢擋住了去路。

「老兄！你跑什麼？」大漢瞪着眼假笑着說，滿臉的橫肉油晃晃的。

「阿財，是你？」金恒貴看到這位茶室的保鏢，兩條腿都軟了。

「你還認識我」？

「好朋友，怎麼不認識」！金恒貴想着脫身之計：「有什麼要我幫忙的地方，你就說一句話，能辦的事情，咱們絕不含糊」！

「金紅讓我給你送個信，她在那間房裏等你，金先生，你可眞是閻王爺不嫌鬼瘦，你怎麼吃到我們頭上來」？阿財陰沉沉的說。

「阿財哥，你作作好事，我已經結了婚，我們倆的事，哈……你是知道的」。

「你們兩個人的事，我可不清楚，金紅要我陪她來，有什麼事你們當面說，這裏頭可沒有我什麼。」阿財很四海的說。

「是，是，阿財哥，既然到了台北，你就玩兩天吧，我也沒有時間陪你，來……」金恒貴掏出一千塊錢來，塞在阿財的口袋裏。

「不好意思」！阿財摸着大包頭。「你可得好好的和她談談。」

「她怎麼知道我在這裏」？

「好像是有個姓什麼……也是內地人，摸清你的底牌，到茶室找到金紅，我和金紅來的時候，還是那小子買的車票。」

「眞該死，這個混蛋，媽的！」金恒貴急的直蹬腳，抓着頭皮去找大洋馬：「姐姐，姓桂的這小子，眞是陰魂不散，妳看到那個女人沒有」？

「那個女人」？大洋馬已經接到了小辣椒的報告：「那個濫女人，一看就是幹那個行當的。怎麼樣」？

「她要找上我可是個麻煩，她們這種人，把臉一拉什麼都不在乎」。

「老早告訴你：把一些拆爛污事都搞清楚，你看看，眞是，這個女人是怎麼回事」？

「我們是在茶室認識的，在一起住了一年了，結了婚以後……」金恒貴莫可奈何的說。

「你眞給我丟人，怎麼去和這種女人鬼混？我們在這條巷子裏，是有頭有臉的人，竟然有一個爛女人找上來，她要是個舞女，倒也還高級一點，這叫我有什麼臉見人呢？」大洋馬就怕廣播台到處喧嚷。

「妳先去探探口氣好不好？看來沒有這東西……」金恒貴用拇指和食指比了圈圈「辦不了事」！

「我才不管」！大洋馬揚聲說。

「天哪，妳作點好事好不好」？

（未完）

嚴副總統重視針灸說起

文匯樓主

中華民國第八屆針灸節慶祝大會於十二月十七日下午，假台北市中山堂光復廳舉行，由中國針灸學會理事長吳惠平博士主持，出席海內外會員計一千餘人，盛況空前。總統府資政陳立夫先生以來賓身份在會中致詞說：「科學不能離開事實，有事實而不加以進一步之研究，擅以「不科學」三字抹煞之，是謂阻礙科學之進展，爲科學界之罪人。」

「鍼灸一學，爲吾國祖先所發明，以西醫中無此一門，幾被視爲不值一顧者，幸此學未絕，繼述有人，漸爲國際醫學家所重視，前途漸露曙光，深望鍼灸專家與物理學家，生物學家，無成見之西醫學家共同合作，研究出一科學之說明，以證明吾祖先智慧之高，不藥而能治病，亦文化復興之一助也。」

嚴副總統對中國鍼灸學會第八屆鍼灸節致訓詞說：

「我國古代醫學發展至早，類皆託始於黃帝，歷時世悠久，莫可究詰，然其學與術，流傳至今已數千年，要無可疑。鍼灸之術首見於靈樞經，所謂「鍼所不爲，灸之所宜」是也。其後，晉有甲乙經；唐有明堂人形圖；宋有銅人鍼灸經，明堂灸經及鍼灸資生經；元有扁鵲神應鍼灸玉龍經；明有鍼灸大全，鍼灸問對暨鍼灸聚英與切要諸書；皆能詳究斯道，蔚爲專門。降至清代，除乾隆間所修醫宗金鑑有刺灸心法要訣外，鮮有發明，其術寖微，循此可見。」

「中國鍼灸學會自民國四十一年籌組以來，研究提倡，不遺餘力。更能出版醫籍，闡揚絕學，設立醫院，造福人羣。至其推介國粹於世界學術之列，排除匪僞於國際會議之中，不惟具昌明中華文化之功，尤有裨於伸張民族正義之旨，殊足嘉尚。」

「今日爲我國第八屆鍼灸節，中國鍼灸學會爰有擴大慶祝之舉，當能召致海內外研究斯術者之響應，廣爲講求，不斷發揚，益收日新之效。行見對人類保健濟生將有莫大之貢獻，又寧止有助於復興中華文化之一端而已。」

嚴副總統和陳立夫先生，都是有新的頭腦，國際間有份量的財經權威與知名學人，這次向中華民國第八屆鍼灸節的講話，自不能以酬應態度目之，毫無疑問的乃因感到中國醫藥不能再冷落下去了。因前人在這方面下了很多苦工，其考穴治法，以遺教後人，或鑄銅人爲式，分列臟腑十二經，旁註俞穴所會，以定主療之術，或遣屠工，親赴刑場，量度五臟，決摘膏肓，以審發病之源。（亦即現在的解剖學）眞正做到醫學上的理論從實踐中來，實踐仍回到理論中去。例靜坐之內功，禁忌之發明，方宜之論列，闡明陰陽五行生制之理，抉發開闔流注交別之要，彙集成章，留之後學，國人動以「不科學」三字抹煞之，實在要不得，醫藥理論家馬騰驤動筆就偏反對中醫的汪精衛、胡適、傅斯年、朱家驊等非無由也。

抑有進者，針灸之道，如對人身陰陽維蹻帶衝督任八脈十五經十五絡，沒有深入研究的人，斷難分別眞邪，也就是說刺法不能從心，爲針治之大忌，前人敘的非常多，所謂病有浮沉，刺有深淺，各有各的範圍，超過了則內傷，不及則生外壅。吳惠平夫婦說：一孔之細，深淺不得」是很有道理的。從前的人論治病，謂藥不如灸快，灸不如針快，嚴副總統於上列訓詞中，引經據典，爰揭其要，相信對中國醫藥鍼灸研究工作及轉移社會風氣有很大助力。

桃花潭水深千尺

趙陀

這時馬繼元心目中的蘇翟寶品德陡深，辦的觀念幾乎都消失，認爲過去的若干誤會是不正確的多餘的。蘇翟寶有蘇翟寶的邏輯計劃，無功絕對不受祿，可是希望這「功」從老子學說中產生，「萬物生於有，有生於無。」他知道克琳不僅不會管這些閒事，如果讓他知情，反增加麻煩，乃向馬繼元說：

「寶一對的數，存在廣東銀行，莫帮辦如果僞實帮忙，明日上午兌現，否則童叟無欺，包退還洋，這個黑吃黑的社會裏，凡事都要向最壞的方面想，假定事未辦到，被他嚇唬一口吞下，不僅蘇伯伯不能做人，连克琳亦將永遠被你打籠問號」，在蘇翟寶另又忖想明日莫帮辦與馬繼元談話後，將馬收押的話，這是印假鈔票，理該得到的報應。如果不是爲假鈔票的案件，而是一種普通查票，落得含含糊糊從老虎嘴裏拔牙，肉打牙祭，翟寶「萬物生於有，有生於無。」的計劃是萬全的，成固可喜，敗不足憂，很磊落的表示說：

「繼元，你看這樁穩盤生意，還有甚麼不妥的地方？」

「蘇伯伯有諸葛武侯之妙算與韜略，使晚輩服到五體投地。」

「繼元，你過獎了，不過話又說回，以諸葛先生之謹慎，尚有街亭之失。」

（四二）

蘇東坡終不大用（上）

·漢年·

蘇軾字子瞻，一字和仲，世又稱長公，時又稱大蘇，宋四川眉山人，生於紗縠行私第。及長修髯朗目，背生黑子，如星斗之狀。宋嘉佑丙申，年二十一歲，舉進士，丁酉試禮部。歐陽修置第二，復以春秋對義居第一，殿試中乙科。後以書見歐陽修，修對梅聖俞說：「吾當避此人一出頭地」。對策入三等，簽書鳳翔府判官，召直史館。

熙寧辛亥，年三十六，王安石創行新法，蘇軾上書論其不便，王安石大怒，使侍御史謝景溫論奏其過，窮治無所得。蘇軾以與安石不和，乃請外任，通判杭州。元豐己未（年四十四），再徙知湖州，忌者摭其詩語，以爲訕謗，逮赴臺獄，欲置之死地，獄久不能決，以黃州團練使安置。蘇軾築室於「東坡」，自號「東坡居士」，繼移河南汝州。元佑丙寅年五十一歲，晉官翰林學士兼侍讀。己巳，年五十四，除爲龍圖閣學士，知杭州。辛未年五十六，召爲翰林承旨，復出領汝陰（安徽合肥縣治）。歷端明殿翰林侍讀兩學士，出知定州（四川拱縣西南）。紹聖甲戌，年五十九，貶惠州、瓊州、儋州，（惠州即今廣東惠陽縣，瓊、儋二州，皆在海南島）。庚辰年六十五，赦還朝，提舉玉局觀，復除朝奉郎。建中靖國辛巳七月丁亥，逝於江蘇常州，享年六十六，謚「文忠」。

蘇東坡得家學之淵源，既得之於天，時稱「三蘇」。父蘇洵，弟蘇轍。蘇軾嘗自云：「作文如行雲流水，初無定質」。其體涵渾光芒，雄視百代，著有「易書傳」、「論語說」、「仇池筆記」、「東坡志林」全集，「東坡詞」等，凡數百卷，又善書法，兼工繪事。其生卒年辰如左：

宋仁宗景佑三年十二月十九日卯時生。

宋徽宗建中靖國元年七月廿八日。（時不詳）

按東坡年譜載其八字爲：丙子年，辛丑月，癸亥日，乙卯時。談其命者謂：水向東流，故才氣汗漫而澄清，子卯相刑，晚年多難。茲再詳繹，以與同好讀者商榷之。

按東坡之造爲年枝子，日枝丑，月枝亥，固爲會北方一氣；而日元癸亥，納音又爲大海之水，繼之以年幹丙火，五色麗天，直是水火既濟，然不逢卯時，未可以朝日浴海爲言。今既誕生卯時，氣象東朝，光輝發越，格局完善；惜以年月子丑，俱值空亡，雖早擢詞科，榮登士第，八掌書命，出典方州，卒遭異己排擠，未能大展懷抱，子瞻謂韓退之以「磨蝎爲身宮」，而僕以「磨蝎爲命宮」，平生多得詩謗，殆爲同病。子瞻亦可謂知命者也。

總之，子瞻命造，結晶在丙火卯木，所妙者是四柱不逢戊己，故漫汗澄清，稍一見土，即破正格。觀於二十一歲丙申，擢進士，二十五歲甲選庚子，至二十九歲甲辰，自授河南福昌縣主簿，至任大理評事，鳳翔府僉判，皆值木運。甚至火年，即可知其結晶在丙火卯木爲不虛。

二十二歲丁酉，程太夫人見背。

三十歲辰運乙巳，王太夫人卒。

三十一歲，辰運丙午，老蘇棄養，具見丁酉、乙巳、丙午等年，忽偏忽比，皆有妨正格。所幸運行卯辰，含木藏木，僅有憂傷而已。

三十五歲庚戌，至三十九歲甲寅，自監官誥院，至外任通判杭州，海湖春育，流水行雲，此爲乙木生火之效力，豈有他哉。

四十歲乙卯，到密州任。

四十一歲丙辰，

四十二歲丁巳，均在密州。

四十三歲戊午，改知徐州，適值春旱，徐州城東二十里有一石潭，距虎頭其中，可致雷雨，作起伏龍行。二月，有旨賜錢二千四百十萬，起夫四千零二十三人，及發常平錢米，改築徐州外小城，創四木岸，並在城東門建大樓，堊以黃土，名爲「黃樓」，因土實勝水之故。以獎諭敕記，特刻諸石。

四十四歲己未，三月戊辰，移知湖州，四月己巳，到湖州任。有言事者以湖州到任謝表以爲謗，中使皇甫遵道湖州追攝，軾上文潞公書云：「某始就逮赴獄，有一子稍長，徒步相隨，其餘守舍，皆婦女幼稚。至宿州，御史府下，搜取家書，州郡望風，遣吏發卒，圍船搜取，長幼皆恐死。吏卒既去，婦女皆恚罵：「是好著書，書成何所得，而怖我如此。」悉取焚之」。（未完）

綜談國劇復興（四四）

圭方

劇本有了，然後再排演、排演之間，看有不妥之處還要隨武修正，才會有一完美的劇本。因此，編寫劇本這一工作可能要幾方面的人才。這些人才，也都需要發掘和培養。但祇要不鑽圈子，找眞人才，人才一定會被發現的，非才之難，要能得之，便自有人才了。

2整理舊劇本：這應該和寫新劇本是同一屬於編寫工作。這一工作，需要創造力小一點，但需要改革力，也是頗不容易的，有時或許比新寫一本還要難些。這不僅要改劇詞，有時由基本上就得改動故事，比如碑亭，大致都很好，而後面一定說柳生春應該落第，考卷低劣，因有鬼神相助而屢次回到桌上。這是十八世紀可以流行的故事。時至今日，沒人再肯接受。不如改爲柳生春中了狀元，而主考認爲年青狀元，十分不易，當有陰功，問答之間，吐露碑亭避雨之事，使較自然多了。這是我個人匆匆之間，作此想法，如果再仔細研究，當有更好改正的方法。總之，今日觀衆已經不是舊日觀衆，今日劇情，不能和觀衆脫節。至於詞句唱腔，都需多下更新的功夫。不僅需文學人才，且需音樂人才，這在前面已經談過許多，不再贅述。在這與我們要提出的是作這改舊本子的人才，比寫新本子的人才更難求，需要大力求取和培養。

3排演新劇和改善過的舊戲：這就需要導演人才了。這一種導演人才，不僅懂的，還要了解應興應革各方面的任務：戲劇的修養要很深；排演起來，要既能指導演員及場面。不得已時，可以先用集體導演，如有人能指導唱，有人能指導作，有人能指導場子及場面的配合，有人設計舞台及安置道具，聯合起來，作成一件事，可能容易多了。排演時，劇本還是要跟着修改。甚至上演之後，看觀衆的反應，再作修改。庶幾才有最理想的戲演出。

4培植演員：這是最重要的一件事。有好劇本，如果沒有好演員演出來，便等於沒有。演員是表現戲劇的，戲劇的一切都要由演員表演出來。所以培植演員實在太重要了。但我們要注意的，是培植演員不單是訓練演員，而是要養成「好演員」。所謂「養成」，是將有好素質的演員，一方面訓練他們的技巧，一方面教他們有藝術的修養。所謂藝術的修養，是要有高尚的氣質，文雅的境界；甚至要有很深的對詩的體會。而這些一定是要由讀書中求來。有了內在的修養，才能有氣質上的根本變化。這樣才能演出高尚的戲。而最忌的是舊式的江湖氣，那是和新時代脫節的！新觀衆對這一種氣息是深深感到落伍的。所以我們今日在設法復興國劇，不僅要培植技藝高越的演員，更要培養氣質高尚的演員，才能演出我們的好戲。

諸葛亮狂想曲（六六）

·劉玄·

「我是第一次到他家，他才叫你們的面子還到罷了，連我也不瞧在眼裏，實在欺人太甚。」何仙姑是女的，氣量窄，脾氣也更大。

「好啦，發牢騷有什麼用，我們三個在韓湘子面前誇下海口，回來怎樣對他說？」呂洞賓提出問題的核心。

「這倒容易，由我來應付好了。」何仙姑最精靈，在八仙中以她言詞最便捷。

三人回到洞府，其他五位，藍采和、韓湘子、曹國舅、漢鍾離、張果老等都在。

張果老和曹國舅在下圍棋，他倆旗鼓相當，正在爭刼，雙方聚精會神好不緊張。日本圍棋界舉辦「名人」賽，「本因坊」賽，一局棋要下一整天，長考紀錄達一小時以上。張曹二仙長考動輒幾十年，蓋仙家時間與人間不同，他們下一盤棋要耗費幾百年時間，實在算不了什麼。

藍采和在踢毽子，花樣百出，仙家身手畢竟不凡。

韓湘子一看三仙回府，立刻迎了上來，手裏拿着一枝玉笛，笛子上有一根彩色帶子，他用手一揮，蕩呀蕩的。

「怎麼樣？事情談成了？」韓湘子問的自然是指演奏會。

「先倒一杯仙桃露來替大姊解渴，聽我慢慢道來。」何仙姑拿韓湘子當小弟弟，頤指氣使毫不客氣。

「是，是，何大姊。」韓湘子倒了一杯冰鎮的仙桃露，雙手遞給何仙姑。

呂洞賓、鐵拐李看在眼裏，不由暗暗佩服何仙姑。果然有她的一手。

「何大姊，妳有沒有見過諸葛亮？」韓湘子看着何仙姑，稚態可掬。

「你不要提了，諸葛亮眞厲害，他首先問我們，有沒有聽過你吹笛子？」何仙姑以目示意呂洞賓、鐵拐李。呂洞賓、鐵拐李不住點頭。

「我們演奏會，就是要公開漏一手呀。」韓湘子這句話的意思，是表示他的玩藝兒並不含糊。

「我也是這樣說，但諸葛亮硬追問我們有沒有聽過？你是知道的，我們仙家是不作興扯謊的，我們只好說，沒有聽過。」何仙姑一面喝仙桃露，一面慢條斯理說話。

「何大姊，妳是知道的，我們八仙各有一套，但從來不肯輕易示人。譬如：呂、李二兒，他們的寶劍，葫蘆也是帶有神秘色彩的。」韓湘子話說的雖含蓄，明明是對呂、李表示懷疑態度。

「這話不對了，我又不準備公開表演劍舞。」呂洞賓見韓湘子的話鋒搞到自己頭上，不能不還一手。

「我也不準備公開施診呀，」鐵拐李亦和呂洞賓一樣，非招架不可。

「我的意思不是如此，我是說，諸葛亮不該懷疑我不會吹笛子。」韓湘子恐怕呂、李發生誤會，連忙解釋。

峯迴路轉（九一）

胡慶蓉

巨變歷險記！

丁博士西飛成都，不能東歸，當時的空軍總司令至柔先生，以及他的政治處簡樸處長、葉逸凡科長、陸威秘書。周總司令、簡處長、葉科長、陸秘書，對於丁博士的環島講演，非常幫忙。就中葉科長，也就是後來的空軍總政治主任，是民國十六年丁博士任國民革命軍總政治部時期的同事。他們對於丁博士的環島講演，都認為非常成功。對於穩定大局與振奮民心士氣有莫大的供獻。在茫茫前途中，突然露出光明。其時援的心情，「大旱之望雲霓」也不能喻其萬一。陳主席、周總司令希望丁博士能把這希望帶到大陸上去，繼續在大陸上的全體空軍全體陸軍以及海軍，對在大陸上的全體黨公教人員講話。鼓勵他們繼續在大陸阻住共軍攻勢。

丁博士離開台灣，坐的空軍的飛機，從台北松山機場起飛。這恐怕是民國三十八年八月底的樣子，是在早七點，恐怕還要早一點。天已經有點涼意了。在他到達機場的時候，天剛剛發亮。天氣暗淡，瀰漫濛濛。表現在工作人員面上的，是緊張的情緒，不安的心情，飛機相當於專機，名為運輸，但並沒有運輸什麼。裏邊好像也沒什麼人，有之那就是丁博士了。他一個人坐在一個大大的飛機裏邊，透過小小的窗戶，在注視外邊的景色。先在台北上空繞了個圈子，然後就到海上了。在雲層上飛，有時候還會看見下邊的海水。以後就到了陸地上空，就到了山的上邊，水的上邊，地的上邊。茫茫無盡的山，綿延不斷的水，田連阡陌的地，交換不斷的呈現在丁博士的面前。農村、城鎮，點綴着大地。有時似乎可以看見人工作的樣子。由台灣而福建而江西而湖南而四川，一天都在飛，在中途衡陽停了一下。到成都，是在下午快黑的時候，成都對博士來說，並不陌生，勿寧說是他最熟悉的地方。還在民國廿一年，四川大學改國立，王兆榮先生當校長，他就被聘來教書了，當時是在南較場。抗戰軍興，川大校長由四川省黨部主委黃季陸先生兼任，他又再度到川大，並且兼他的訓導長。他一度住少城黃瓦街。當時成都空軍方面的負責人是徐煥昇將軍。在丁博士到達成都的時候，很多空軍的將領，很多黨政軍學的友好，都到機場相迎。他們眞是把丁博士當作飛將軍從天而降。在大家都在設法東去台灣之際，而他偏偏要西來，對於他的勇氣，都感到無限的欽佩。

在丁博士到達成都不久，總統蔣公也蒞臨成都，成都在當時政治軍事方面的重要，可以概見。胡宗南所率領的四十萬大軍，從陝西也有退來成都的計劃，一時成都儼然成了戡亂首都。昔重慶為抗戰首都，獲得了抗戰的最後勝利，今成都成為戡亂首都，不可以獲得戡亂的最後勝利嗎？……

（未完）

朱德好淫賣產

滄海拾遺　·赤松子·

（上）（接一〇二二期）有一天朱司令家忽然來了一位左派文化人，他是最近從上海到德國，當時高語罕也在座，高語罕問他看見船上有什麼怪事沒有？他說，在船上看見一位四川的漂亮青年，同兩位江浙小姐在一起，他們那種親愛的程度，很難以言語形容，那位大小姐，年約三十多歲，丰姿綽飾，驚動迷人，每天稱這位青年叫小顧，在船上寸步不離。至于二小姐還好一點，後來到了柏林，三個人還是隨時手挽手的在街上散步。你說他們是夫妻，絕對不像，要說是戀愛的未婚夫婦，也好像不是。你說奇怪不奇怪。高語罕聽完，把朱司令望了一眼道，老朱，我想你的心上人已到柏林了，你還得「御駕親征」一次，不然，還得等上半年一年，也說不定。朱司令也駡道：這對狗男女背着老子，就不會幹好事，只有「御駕親征」罷了。朱司令忙問左派文化人道，在柏林街上兩次都在康德街看見的嗎？他答道：不錯。朱司令道，那一定住在康德街附近無疑。于是高語罕為朱司令設計道，這次你到了柏林，先到公使館去打聽，那位德國老書記人和氣，他要知道下落，一定和盤告訴你。這着不行，你只有天天到溫厨子那家菜館去守候，說不定她們三兩天是要去的。說時遲，那時快，朱司令收拾行李，第二天就到柏林，剛走到康德街中段眼看見顧副官和他的秀蘭，手挽着手進了中國菜館，朱司令很快追進去，小顧和秀蘭看見朱司令，嚇得面如土色，還好朱司令臨走時，高語罕勸過他，千萬為中國人留點面子，朱司令本來幾次想揪住這對狗男女，痛打一頓，以除半年來悶氣，一想起高語罕的話，只得把這頂綠帽子忍住帶上，小顧非常機警，只得借買香烟，逃出菜館，朱司令和秀蘭勉強把飯吃下去，也把秀蘭帶走了。

騷壇逸話（一）丘斌存拜師記

湘筠

前財政廳副廳長，僑務委員會顧問，丘斌存，于十一月九日台北市立古亭國校，市政府舉行之紀念國父誕辰詩人大會中，因詩人顧佩之的介紹，公開拜中國詩經研究會何理事長南史為師學詩，並立字據，其辭曰：「敬請南史先生指教詩學之師」拜門丘斌存，介紹人顧佩之質當場詩人馬亦飛、任又乾、李逸鶴等多人，紛紛向丘氏致賀，得明師教誨。按丘氏今年六十六歲，何氏約四十餘歲，惟何氏主持全國詩人大會七次，詩學湛深，台籍詩人開會時，咸請其修正詩稿，而丘氏虛心求益如此，故一時蔚為佳話。何氏以既經拜師，師者傳道解惑，乃以書信傳授，其書如次，「斌存賢契知之：既叩為師，於詩豈可無所教導，吾徒論詩原有天分，惜無啟迪，致乏廣進，以所作詩言，常有突兀之思，總罕清暢之致，故學古人詩，宜從宋人着手，惟宋詩堯臣（梅聖俞）過于枯澀，東坡（蘇軾）過于清放，山谷（黃庭堅）尚於硬[illegible]，石湖（范成大）苦于堆疊，后山陷于清苦，安石綴其浩蕩，皆易學難成。（楊萬里詩俚俗更不可學）

以吾徒才質論，宜日誦陸放翁詩，嚼其清雋之致，淺白如話之辭，自能一日千里矣。自用字，對仗之際，明為人師，當為删更，茲抄錄放翁詩二首，望深體會為要，叩問近佳，何南史字，五八、十一、十二、」並傳授陸游詩。

遊山西村：

「莫笑農家臘酒渾（此一渾字既得好，起句已籠罩全篇矣）豐年留客足雞豚。（足字虛字何等力量）山重水複疑無路，柳暗花明又一村。（虛字疑，又何等生動，所以流傳千古）簫鼓追隨春社近，衣冠簡朴古風存。（五六句緊湊，與第一句均有關連，絲毫不懈，大家詩，三四五六句俱鋪排有境也。（從今若許閑乘月，拄杖無時夜扣門。（從今二字，挾力千鈞，結合雙帶，卒美全篇）」

東湖新竹：

「插棘編籬謹護持（護字用得奇警）養成寒碧映淪漪（養成兩字何等勻貼）清風掠地秋先到，赤日行天午不知。（神來之筆）解籜時聞聲簌簌，放梢初見葉離離。（總是一筆不苟）官閑我欲頻來此（如話而神韻自高）枕簟仍教到處隨。（携枕簟以伴于竹下也，仍教二字關防自密）」

俠盜雲中燕兄妹

周遊

雲中燕，山東人，其先為士族，年數歲，其父為仇家土豪誣陷繫獄。雲中燕尚幼，四出呼救無門，其父卒不得救。中燕泣致兩目血出，惟胸憤然道：「此仇不報，非丈夫也。」遂盡賣家宅什物，携弱妹遠遁，遍訪名師，冀習武功。精技擊者不授徒，中燕跪求，習技十年而成，及壯大，能開五石之弓，舞千斤之槊，尤精輕功，能疾馳於草上，草不得偃，百尺之牆，一躍而過。

妹名雲中鳳，武功勝其兄，善使袖箭，一袖藏箭數十枝，箭長三寸許，能自百步擊人，無不中者。遂相偕辭師返里。此時家仇尚在。兄妹乘夜越垣而入，斬其首，留字著名。官府捕之甚急。燕兄妹自以技高，不為之避，遂乘之流於盜行，但不輕舉劫掠。每入富豪之家，取若干金，乘夜分投之於貧者，金盡而已。所居亦無定處，古剎窮山為其逆旅。

後以獄捕益急，兄妹乃善自為備，徙居叢山中，其地多毒蛇猛獸，他人無敢近者，兄妹坦然居之，猛獸來襲者，則揮刀斬之，剝獸之革，懸於草廬之門，從此獸不敢近。捕役雖偵知其居，然以其地幽僻，知不敢往。一日捕役稟於官，率兵百人往捕，包圍其山，正欲攀援而登，遙見雲中燕兄妹立於山巔，短衣窄袖，服裝輕捷，容貌魁偉，望之三十許人。雲中鳳則貌頗韶美，年方及笄，背劍立於兄側，俯視微笑。不久，捕役力疾而登。雲中燕顧而笑道：「汝輩速自為備，吾將發彈了！」衆役聞聽駭然，勿敢遽上，甚有斷騰驚仆者，中燕狂笑。役衆繼而再上，中燕道：「彈又來也，衆以為詐，不聽而上。中燕又道：「汝輩果來送死也。」言畢，一彈中為首者之腕。餘衆見了，始驚服其技，仍無敢上前，相持半日，竟捲旗收兵而去。

雲中燕以為捕役眞去，不自為備。而實則役吏終不舍，暗中監視其行動，俟其熟睡，掩入捕之，雲中燕不料被捕，其妹雲中鳳矯健，自山後逃脫，繞道抵山下。時役吏正以監車上道，中鳳阻住去路，大叱道：「速放吾兄，當盡放汝等回，否則盡殺不留。」捕役等視其嬌弱，遂持械圍攻。中鳳連發三矢，傷中三人，其中一人碎了左眼。繼矢放盡，持劍突圍入，揮斷中燕之縛，中燕飛躍而脫，不禁狂笑道：「吾與此輩戲耳，如不來援，某亦能自脫也。」遂奪一刀，揮衆叱道：「還不快走，當要汝命」。衆役服其兄妹之勇，相率退去。次日縣令醒來，床上得一書信，大書道：「雲中燕固巨盜也，然自分猶較汝輩之親民而不良者為賢，欲誅盜者，還應當自殺耳！子其慎之，若再相遇，於我無傷，於汝則危矣！」縣令閱完，噤不作聲。環視門窗皆嚴閉如恒，不知此書從何處而來，遂戒捕役勿再窮究。而雲中燕兄妹，亦自此他去，不再為盜，或有謂已隱退某山，不問江湖世事云。

（完）

物中殊品馬齒莧菜

生活漫談

馬騰雲

自己懷疑血液裏可能有梅毒淋病細菌的人，既懶去檢查，又不去注射，民間有一種賤藥馬齒莧菜有強烈的殺菌功用，馬齒莧又名五行草，長命菜，九頭獅子草，在北方民間俗稱作馬食菜，路旁田邊到處都有，每遇荒年，製粉可作充飢之用，白煮充飢的亦有，晒乾了再用水浸，味道很像蘿蔔葉，它是窮人的恩物，富人的眼中釘，（因為它在花園裏滋長最速，一個月如果不去剷。會顯得有荒蕪現象。）

馬齒莧菜是一種一年生草本，莖葉肉質，多粘汁，帶赤色，平臥於地上，葉小倒卵形，両而柔軟，葉比並如馬齒，而性滑又似莧故名馬齒莧，其成份含有維生素C，尿素，脂肪，灰分，其他有效成份未詳，為解毒治瘡藥，有消炎利尿作用，對於細菌性痢疾有著效，（限於乂型菌）對阿米巴和鞭毛滴蟲性痢疾無效，用於急性關節炎，梅毒性或淋濁性睾丸炎腫、小兒丹毒及諸種瘡毒，均有卓效，大陸若干省份，窮人到沒有錢買藥的時候，到路邊上隨意一拔就是兩三斤，滾水燙後，加麻油、醬油、醋、葱、蒜泥、辣油、美味可口，富人亦有食者，窮人的小孩容易養，頭上生瘡不治亦會好，可能與這位賤藥馬齒莧菜有連帶關係，北方人過年，都蒸饅頭，蒸三五十斤到兩三百斤不等，凡是用馬齒莧菜做的饅頭餡，常歷久不壞，可吃到舊曆正月十五左右，有時立春節令遲一點，可吃到二月初二（俗稱龍抬頭都是農村術語）。於今皆步入工業社會，這些回憶，在中年人老年人的心目中還是甜蜜的。

馬齒莧膏，用馬齒莧菜三斤，白蜜半斤，先將馬齒莧洗淨，加適量的水，熬到四個鐘點，用紗布濾出汁，去掉渣子，然後將汁倒在鍋內熬濃，加入蜂蜜調勻，盛在磁罐內，每天服三次，每次服一匙，此方經過臨床服用的效果良好，此藥沒有毒性，有清熱，消炎，解毒，通便之功，馬齒莧膏主治梅毒淋病而引起的各種毒瘡及皮膚病，患有梅毒的孕婦，由懷孕開始到臨盆為止，每日三次，每次三到五匙（小匙），不要中斷，在大陸未撤離前六〇六藥針，一針常常要兩三斗糧食，非窮人所能問津，同時得梅毒淋病總是一件見不得人的事，在未抗戰前，上海某工頭的妻子，自己知道患有梅毒，懷孕後非常恐懼，後即以此方，服用三個月，小孩生下後，竟然沒有一個Ｘ字，主治醫師簡直不能置信，又經過兩次的詳細檢查，仍然查不出血裏有甚麼毛病，據醫生說未注射六〇六而將梅毒根絕是不可能的，可惜他們不知道中醫在幾千年歷史中，代代都創造過很多不可能的奇跡，今天特將一段往事寫出，提供對中醫藥有研究興趣的人參致。

史地傳記類　PC0286

自由人（十八）

編　　者 / 陳正茂
責任編輯 / 邵亢虎
圖文排版 / 彭君浩
封面設計 / 陳佩蓉

法律顧問 / 毛國樑　律師
印製經銷 / 秀威資訊科技股份有限公司
114台北市內湖區瑞光路76巷65號1樓
電話：+886-2-2796-3638　傳真：+886-2-2796-1377
http://www.showwe.com.tw
劃撥帳號 / 19563868　戶名：秀威資訊科技股份有限公司
讀者服務信箱：service@showwe.com.tw
展售門市 / 國家書店（松江門市）
104台北市中山區松江路209號1樓
電話：+886-2-2518-0207　傳真：+886-2-2518-0778
網路訂購 / 秀威網路書店：http://www.bodbooks.com.tw
國家網路書店：http://www.govbooks.com.tw

2012年12月復刻版
定價：2500元

國家圖書館出版品預行編目

自由人 / 陳正茂編. -- 一版. -- 臺北市 : 秀威資訊科技,
2012. 12-
冊 ; 公分. -- (史地傳記類)
BOD版
ISBN 978-986-326-020-2(第1冊 : 精裝). --
ISBN 978-986-326-016-5(第2冊 : 精裝). --
ISBN 978-986-326-017-2(第3冊 : 精裝). --
ISBN 978-986-326-018-9(第4冊 : 精裝). --
ISBN 978-986-326-019-6(第5冊 : 精裝). --
ISBN 978-986-326-022-6(第6冊 : 精裝). --
ISBN 978-986-326-023-3(第7冊 : 精裝). --
ISBN 978-986-326-024-0(第8冊 : 精裝). --
ISBN 978-986-326-025-7(第9冊 : 精裝). --
ISBN 978-986-326-026-4(第10冊 : 精裝). --
ISBN 978-986-326-034-9(第11冊 : 精裝). --
ISBN 978-986-326-035-6(第12冊 : 精裝). --
ISBN 978-986-326-036-3(第13冊 : 精裝). --
ISBN 978-986-326-037-0(第14冊 : 精裝). --
ISBN 978-986-326-038-7(第15冊 : 精裝). --
ISBN 978-986-326-039-4(第16冊 : 精裝). --
ISBN 978-986-326-040-0(第17冊 : 精裝). --
ISBN 978-986-326-041-7(第18冊 : 精裝). --
ISBN 978-986-326-042-4(第19冊 : 精裝). --
ISBN 978-986-326-043-1(第20冊 : 精裝). --

1. 報紙 2. 香港特別行政區

059.92 101021409

讀者回函卡

感謝您購買本書，為提升服務品質，請填妥以下資料，將讀者回函卡直接寄回或傳真本公司，收到您的寶貴意見後，我們會收藏記錄及檢討，謝謝！
如您需要了解本公司最新出版書目、購書優惠或企劃活動，歡迎您上網查詢或下載相關資料：http:// www.showwe.com.tw

您購買的書名：________________________________

出生日期：________年________月________日

學歷：□高中（含）以下　□大專　□研究所（含）以上

職業：□製造業　□金融業　□資訊業　□軍警　□傳播業　□自由業
　　　□服務業　□公務員　□教職　□學生　□家管　□其它_____

購書地點：□網路書店　□實體書店　□書展　□郵購　□贈閱　□其他

您從何得知本書的消息？
□網路書店　□實體書店　□網路搜尋　□電子報　□書訊　□雜誌
□傳播媒體　□親友推薦　□網站推薦　□部落格　□其他__________

您對本書的評價：（請填代號　1.非常滿意　2.滿意　3.尚可　4.再改進）
封面設計____　版面編排____　內容____　文／譯筆____　價格____

讀完書後您覺得：
□很有收穫　□有收穫　□收穫不多　□沒收穫

對我們的建議：________________________________

____

____

____

請貼
郵票

11466
台北市內湖區瑞光路 76 巷 65 號 1 樓

秀威資訊科技股份有限公司 收

BOD 數位出版事業部

....

（請沿線對折寄回，謝謝！）

姓　　名：＿＿＿＿＿＿＿＿　年齡：＿＿＿＿　性別：□女　□男

郵遞區號：□□□□□

地　　址：＿＿＿＿＿＿＿＿＿＿＿＿＿＿＿＿＿＿＿＿

聯絡電話：(日)＿＿＿＿＿＿＿＿　(夜)＿＿＿＿＿＿＿＿

E-mail：＿＿＿＿＿＿＿＿＿＿＿＿＿＿＿＿＿＿＿＿